계정과목별

K-IFRS와 세무 해설

삼일회계법인 저

SAMIL | 삼일인포마인

한국채택국제회계기준(K-IFRS)이 도입된 지 어느덧 10년이 넘었습니다.

2011년 K-IFRS의 도입 이후 재무제표 작성자, 회계법인, 재무정보이용자 그리고 관계기관 등 많은 분들의 노력으로 안정적으로 정착할 수 있었습니다. 이 과정에서 한국채택국제회계기준의 개정 및 법인세법을 비롯한 관련 세법들의 개정이 꾸준히 이루어져 오고 있습니다.

기업회계와 세무회계는 고도의 전문성이 요구되는 분야입니다. 구체적인 지침보다는 회계처리의 기본 원칙을 제시하는 K-IFRS의 특성과 잇따른 개정으로 인하여 K-IFRS 적용 기업의 회계와 세무업무를 담당하는 실무진들은 여전히 많은 어려움을 겪고 있습니다.

본서 "계정과목별 K-IFRS와 세무해설"은 이와 같은 실무자들의 고충을 덜어 드리기 위해 국제회계기준 하에서의 기업회계와 세무회계의 내용을 각 계정과목별로 분류하고, 실무중심의 다양한 사례를 곁들여 알기 쉽게 설명하고 있습니다. 따라서 국제회계기준을 처음 접하시는 분들뿐만 아니라 국제회계기준에 대한 지식과 경험이 많은 분들 모두가 활용 가능한 업무지침서가 될 것입니다.

삼일회계법인은 앞으로도 K-IFRS에 따른 기업회계와 세무회계에 대한 이해와 실무 적용을 위해 노력하면서 우리나라의 회계투명성을 높이는 데 일조하도록 하겠습니다.

본서가 한국채택국제회계기준 하에서 기업회계와 세무회계를 이해하고 적용해야 하는 모든 분들께 도움이 될 수 있기를 바랍니다.

2021년 12월

삼일회계법인
대표이사 윤 훈 수

차례

II 세무회계의 의의 · 79

제2편 재무상태표편

부 채

자본

제3편 **포괄손익계산서편**

Ⅰ　포괄손익계산서의 기초이론 · 849

제4편 현금흐름표/자본변동표/기타편

차례

제5편 특수회계편

01

총론편

기업회계의 의의

I

Chapter 01 기업회계의 개념

제1절 **기업회계의 의의**

회계는 기본적으로 회계정보를 측정하는 측정기능과 측정된 회계정보를 이해관계자에게 전달하는 전달기능을 가지고 있다.

그런데 과거에는 회계를 상당히 제한된 범위로 이해하여 회계를 어떠한 거래사실을 단순히 기록·분류·요약하고 해석하는 기술로 보는 경향이 있었다. 그러나 오늘날에는 회계를 보다 적극적으로 해석하여 "회계란 회계정보의 이용자가 합리적인 판단과 경제적인 의사결정을 할 수 있도록 경제실체에 관한 계량적 정보를 측정하여 전달하는 과정"으로 이해하고 있다.

이와 같이 회계를 경제활동의 내용을 계량적으로 측정하여 전달하는 것으로 이해할 때, 다음과 같이 그 측정대상에 따라 거시회계와 미시회계로 분류할 수 있다.

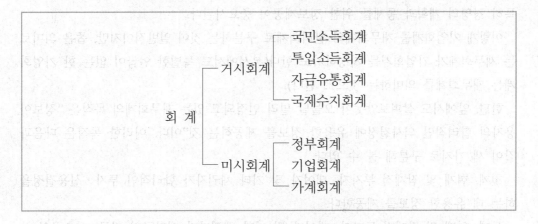

따라서 기업회계는 기업의 내·외부에 있는 각종의 회계정보의 이용자가 합리적인 판단과 경제적인 의사결정을 할 수 있도록 기업실체에 관한 계량적 정보를 측정하여 전달하는 과정으로 정의할 수 있다.

제2절　기업회계의 목적

　기업회계는 크게 구분하여 재무회계와 관리회계로 나누어진다.

　재무회계의 목적은 재무보고를 위한 개념체계상 일반목적재무보고의 목적에서 유추할 수 있는데, 현재 및 잠재적 투자자, 대여자 및 기타 채권자가 기업에 자원을 제공하는 것에 대한 의사결정을 할 때 유용한 보고기업 재무정보를 제공하는 것이다. 그 의사결정은 지분상품 및 채무상품을 매수, 매도 또는 보유하는 것과 대여 및 기타 형태의 신용을 제공 또는 결제하는 것을 포함한다(개념체계 문단 1.2). 현재 및 잠재적 투자자, 대여자 및 기타 채권자는 미래 순현금유입에 대한 기업의 전망을 평가하기 위하여 기업의 자원, 기업에 대한 청구권, 그리고 기업의 경영진 및 이사회가 기업의 자원을 사용하는 그들의 책임을 얼마나 효율적이고 효과적으로 이행해 왔는지에 대한 정보를 필요로 한다(개념체계 문단 1.4). 일반목적재무보고서는 보고기업의 재무상태에 관한 정보, 즉 기업의 경제적 자원과 보고기업에 대한 청구권에 관한 정보를 제공한다. 재무보고서는 보고기업의 경제적 자원과 청구권을 변동시키는 거래와 그 밖의 사건의 영향에 대한 정보도 제공한다. 이 두 유형의 정보는 기업에 대한 자원 제공 관련 의사결정에 유용한 투입요소를 제공한다(개념체계 문단 1.12).

　반면에 관리회계는 내부보고 목적의 회계로서, 기업 내부의 경영자가 보고대상이다. 즉, 관리회계는 경영자가 관리적 의사결정을 하는 데 유용한 정보를 제공하는 것으로, 특히 경영의 계획과 통제를 위한 정보제공이 중요시된다.

　이렇게 기업회계를 재무회계와 관리회계로 구분하는 것이 일반적이지만, 좁은 의미로는 재무회계가 기업회계를 지칭하기도 한다(본서에서도 특별한 언급이 없는 한 기업회계는 재무회계를 의미하는 것으로 한다).

　한편, 앞에서도 살펴보았듯이 오늘날 널리 인정되고 있는 재무회계의 목적은 "정보이용자의 합리적인 의사결정에 유용한 정보를 제공하는 것"이다. 이러한 목적은 다음과 같이 세 가지로 구분해 볼 수 있다.

　첫째, 현재 및 잠재적 투자자, 대여자 및 기타 채권자가 합리적인 투자·신용결정을 하는 데 유용한 정보를 제공한다.

　둘째, 현재 및 잠재적 투자자, 대여자 및 기타 채권자가 배당금의 지급, 대출금의 상환 등 미래의 현금수입 전망을 평가하는 데 유용한 정보를 제공한다.

　셋째, 다음과 같이 기업자원, 기업자원에 대한 청구권 및 변동에 관한 정보를 제공하는 것을 목적으로 한다.

- 경제적 자원, 채무 및 소유주지분에 관한 정보의 제공
- 기업성과와 이익에 관한 정보의 제공
- 유동성, 지급능력, 자금흐름에 관한 정보의 제공
- 경영수탁 및 성과에 관한 정보의 제공
- 경영설명과 해석에 관한 정보의 제공

기업회계기준의 의의 및 구성

제1절 회계기준의 본질 및 필요성

회계기준(accounting standards)은 특정한 거래나 사건을 측정하고 이를 재무제표에 보고하는 방법을 기술한 것을 말한다. 이러한 회계기준은 자연과학이나 사회과학에 존재하고 있는 '원칙'과는 다른 개념을 가지고 있다. 즉, 회계기준은 재무제표를 작성하거나 이용하는 사람들에게 일반적으로 수용되느냐의 여부에 따라 평가되며, 이러한 기준의 제정과정에는 많은 이해관계자들이 영향력을 행사하게 된다. 따라서 회계기준은 정치적 과정, 즉 이해관계자들의 합의나 타협의 산물이라고도 할 수 있다. 그러므로 회계기준은 다음과 같은 특징을 갖게 된다.

- 회계기준 제정 당시의 이용가능한 회계실무를 나타낸다.
- 회계관계자들 간의 합의에 의해 형성되며 실무적이고 이론적인 개념들로 구성되어 있다.
- 기업외부에 공표하기 위하여 재무제표를 작성할 때 반드시 준수하여야 한다.
- 시간의 경과나 경제적 환경의 변화에 따라 진보하고 변화한다.

회계기준은 위와 같은 특성을 갖고 있으므로 기업으로 하여금 다양한 회계기준 중에 임의로 회계기준을 선택하여 재무정보의 조작을 가능하게 할 위험성을 기본적으로 내포하고 있다.

또한 재무제표를 용도별 또는 이용자별로 각각 작성한다면 회계정보를 처리하고 전달하는 데 소요되는 비용은 엄청나게 커지게 된다.

그리고 각 회계담당자들이 각자 나름대로의 회계처리방법을 사용한다면 이용자들은 회계정보를 이해하거나 비교하는 데 어려움을 겪게 되므로 회계담당자들 입장에서는 회계실무를 처리할 수 있는 통일적이고 객관적인 기준이 필요하다. 또한 정보이용자들은 신뢰성이 있고 의사결정에 유용한 재무제표를 요구하게 된다.

그러므로 재무제표에 기재된 정보의 신뢰성과 유용성을 제고시키고 재무제표의 이해가능성과 비교가능성을 높이기 위하여 회계원칙 제정기관은 재무제표 작성자와 이용자 모두가 만족할 만한 통일적인 회계기준을 제정하여야 하는 것이다.

기업회계기준의 의의

앞서 살펴본 바와 같이 재무회계에서는 복잡 다양한 외부 이해관계자들에게 어떻게 유용한 회계정보를 제공하느냐 하는 것이 중요한 문제로 제기되어 왔다.

재무회계의 이러한 본질적인 문제를 해결하기 위하여 전통적으로 적용되어온 기준이 바로 '일반적으로 인정되는 회계원칙'(Generally Accepted Accounting Principles, GAAP)이라는 것이다. 즉, 재무회계정보는 '일반적으로 인정되는 회계원칙'에 따라서 작성됨으로써, 광범위한 기업외부의 이해관계자들에게 가장 보편적인 회계정보를 제공할 수 있다는 것이다.

그러나 '일반적으로 인정되는'이라는 말은 그 자체가 항상 변동될 수 있는 가능성을 내포하고 있고 기업의 이해관계자들의 구성내용이 달라지거나, 그들이 속한 사회에 어떠한 환경적 변화 또는 경제적인 변화가 있을 때에는 자연히 '일반적으로 인정되는 회계원칙'도 그 내용이 달라지게 된다.

우리나라나 일본 또는 유럽의 성문법권에 속하는 나라에 있어서는 그들 문화의 역사적 배경의 영향으로 인하여 회계원칙이 법률적인 형태로 제정되고 있었던 것이 사실이다. 특히 우리나라의 기업회계기준은 회계실무의 이론적 기반이 약하기 때문에 과거로부터 일반적으로 인정되어 오던 자생적인 회계원칙이라기보다는 사회·경제적인 목적에 부합되는 재무보고의 필요성에 맞도록 제정된 행위규범적인 성격을 지니고 있었다. 2011년 1월 1일 이후 최초로 개시하는 회계연도부터 주권상장법인 등에 대해 의무적으로 적용되는 한국채택국제회계기준(Korean International Financial Reporting Standards, K-IFRS)은 국제회계기준에서 한국의 법률체계와 일관성을 유지하기 위하여 형식적인 부분이 제한적으로 수정된 회계기준으로서 우리나라의 과거 기업회계기준과 그 성격이 구분된다.

재무회계정보는 한정된 경제적 자원이 자본시장을 통하여 효율적으로 배분되도록 지원하는 기능을 수행하는 자본주의 시장경제체제의 중요한 하부구조의 하나이다. 기업회계기준은 이러한 재무회계정보의 경제적 기능 극대화 및 공정하고 투명한 기업회계제도의 확립이 자본시장 선진화의 선결조건이라는 관점을 중시하고 있다. 회계기준위원회는 기업회계기준의 제·개정에 있어, 국제적 정합성을 제고하기 위하여 문단식의 구조를 채택하고, 국제회계기준에 준거한 제·개정을 원칙으로 하되, 우리나라 고유의 기업환경 등으로 그 경제적 실질이 달라 국제회계기준을 적용하는 것이 명백히 적합하지 않다고 판단되는 경우에 이를 감안하고 있다(기업회계기준 전문 문단 7-10).

★
※ 회계기준위원회

한국회계기준원은 회계정보의 신뢰성과 기업경영의 투명성 제고를 위하여 독립된 민간 회계기준제정기구로서 1999년 9월 1일자로 개원하였다. 회계기준원은 2000년 7월 27일 부터 기업회계기준의 제정, 개정, 해석과 질의회신 등의 관련업무를 수행하고 있다.

한국채택국제회계기준을 적용으로 전 세계적인 회계처리기준 단일화 추세에 적극 동참하게 되고 우리나라 기업의 재무제표와 외국기업의 재무제표 간의 비교가능성이 제고되며 국제사회에서 우리나라 회계투명성에 대한 신뢰도가 향상되었다. 이로써, 국제 자본시장에서 자본흐름의 장벽을 제거하고 국제자본시장 참여자의 기업에 대한 투자 및 신용에 대한 의사결정에 도움이 되는 양질의 정보를 제공할 수 있게 되었다. 또한 우리나라 기업의 해외소재 사업장 또는 우리나라에서 영업하는 외국기업의 사업장에 대한 재무보고 비용을 감소시키게 되었다.

한편, 회계기준위원회는 이해관계의 정도와 회계처리의 복잡성 등을 고려하여 비상장 기업에 대하여는 '일반기업회계기준'을 별도로 제정하여, 회계기준이 한국채택국제회계 기준과 일반기업회계기준으로 이원화되었다. 2011년부터 주권상장법인(코스닥 포함), 상장예정법인 및 비상장금융회사(저축은행 등 일부 제외) 등은 한국채택국제회계기준을 의무 적용하였으며, 한국채택국제회계기준 의무적용대상이 아닌 기타 비상장법인은 2011년부터 일반기업회계기준을 적용하되 한국채택국제회계기준을 선택하여 적용할 수 있다.

제3절 기업회계기준의 체계 및 구성

1. 기업회계기준의 체계

기업회계기준은 '한국채택국제회계기준'을 도입하기 전에는 '기업회계기준서', '기업회계기준', '업종별 회계처리 준칙 등' 및 '기업회계기준 등에 관한 해석' 등으로 구성되며, '한국채택국제회계기준'을 도입한 후부터는 '한국채택국제회계기준', '일반기업회계기준', '특수분야회계기준' 등으로 구성된다.

'일반기업회계기준'은 '주식회사의외부감사에관한법률'의 적용대상기업 중 '한국채택국제회계기준'에 따라 회계처리하지 아니하는 기업이 적용해야 하는 회계처리기준으로서 일반기업회계기준과 일반기업회계기준해석으로 구성된다.

'특수분야회계기준'은 관계 법령 등의 요구사항이나 한국에 고유한 거래나 기업환경 등의 차이를 반영하기 위하여 회계기준위원회가 제정하는 회계기준이다.

이하 본서에서는 한국채택국제회계기준을 중심으로 설명하고자 한다.

2. 한국채택국제회계기준의 구성

'한국채택국제회계기준'은 회계기준위원회가 국제회계기준을 근거로 제정한 회계기준이다. 한국채택국제회계기준을 구성하는 '기업회계기준서'는 원칙적으로 목적, 적용범위, 회계처리방법, 공시, 부록 등으로 구성된다. 부록은 용어의 정의, 적용보충기준 등으로 구성된다. 그리고 그 밖의 서문, 결론도출근거, 적용사례, 실무적용지침이 제공되는데 이는 기준서의 일부를 구성하지 않으며 기준서를 적용함에 있어서 편의를 제공하기 위해 실무적용지침으로 제시된다. 기준서의 각 문단은 해당 기준서의 목적과 결론도출근거, 본 전문과 '재무보고를 위한 개념체계' 등을 바탕으로 이해하여야 한다(기업회계기준 전문 문단 22). 한국채택국제회계기준을 구성하는 '기업회계기준해석서'는 기업회계기준서에서 명시적으로 언급되지 않은, 새롭게 인식된 재무보고문제에 대하여 지침을 제공한다. 또한 구체적인 지침이 없다면 잘못 적용될 수 있는 내용에 대한 권위 있는 지침을 제공한다. 한국채택국제회계기준을 구성하는 기업회계기준해석서는 참조, 배경, 적용범위, 회계논제, 결론, 시행일, 경과규정 등으로 구성된다. 그리고 그 밖에 서문, 결론도출근거, 적용사례, 실무적용지침이 제공되는데 이는 해석서의 일부를 구성하지 않으며 해석서를 적용하는 데 편의를 제공하기 위해 실무적용지침으로 제시된다. 각 기업회계기준해석서는 해당 해석서의 적용범위에 대한 제한규정을 둔다(기업회계기준 전문 문단 24, 25). 회계기준의 실무적용을 위해서는 적절한 해석이 필요하므로 한국회계기준원은 국제회계기준위원회(International Accounting Standards Board : IASB)가 발표한 기준서의 결론
도출근거, 적용사례, 실무적용지침 등을 근거로 한 실무적용지침과 국제회계기준 해석위
원회(IFRS Interpretations Committee)가 발표한 해석서의 부록을 근거로 한 실무적용지
침을 발표하고, 필요하다면 한국의 실정을 반영하기 위한 실무적용지침을 추가적으로
발표할 수 있다(기업회계기준 전문 문단 27).

국제회계기준에는 없는 문단으로서 한국채택국제회계기준에 추가된 문단은 해당 문
단번호에 '한'이라는 접두어를 붙여 구분 표시하며, 국제회계기준의 문단을 회계기준위
원회가 삭제한 경우에는 관련된 문단번호 옆에 '한국회계기준원 회계기준위원회가 삭제
함'이라고 표시한다(기업회계기준 전문 문단 28).

한국회계기준원 회계기준위원회에서 제·개정한 한국채택국제회계기준의 구성은 다
음과 같다(한국회계기준원 2021년 공표 '한국채택국제회계기준').

국제회계기준			한국채택국제회계기준	
	The Conceptual Framework for Financial Reporting 2018		재무보고를 위한 개념체계
IFRS 1	First-time Adoption of International Financial Reporting Standards	제1101호	한국채택국제회계기준의 최초채택
IFRS 2	Share-based Payment	제1102호	주식기준보상
IFRS 3	Business Combinations	제1103호	사업결합
IFRS 4	Insurance Contracts	제1104호	보험계약
IFRS 5	Non-current Assets Held for Sale and Discontinued Operations	제1105호	매각예정비유동자산과 중단영업
IFRS 6	Exploration for and Evaluation of Mineral Resources	제1106호	광물자원의 탐사와 평가
IFRS 7	Financial Instruments : Disclosures	제1107호	금융상품 : 공시
IFRS 8	Operating Segments	제1108호	영업부문
IFRS 9	Financial Instruments	제1109호	금융상품
IFRS 10	Consolidated financial statements	제1110호	연결재무제표
IFRS 11	Joint Arrangements	제1111호	공동약정
IFRS 12	Disclosure of interests in other entities	제1112호	타 기업에 대한 지분의 공시
IFRS 13	Fair Value Measurement	제1113호	공정가치 측정
IFRS 14	Regulatory Deferral Accounts	제1114호	규제이연계정
IFRS 15	Revenue from Contracts with Customers	제1115호	고객과의 계약에서 생기는 수익
IFRS 16	Lease	제1116호	리스
IAS 1	Presentation of Financial Statements	제1001호	재무제표 표시

국제회계기준		한국채택국제회계기준	
IAS 2	Inventories	제1002호	재고자산
IAS 7	Statement of Cash Flows	제1007호	현금흐름표
IAS 8	Accounting Policies, Changes in Accounting Estimates and Errors	제1008호	회계정책, 회계추정의 변경 및 오류
IAS 10	Events after the Reporting Period	제1010호	보고기간후사건
IAS 11	Construction Contracts	제1011호	건설계약
IAS 12	Income Taxes	제1012호	법인세
IAS 16	Property, Plant and Equipment	제1016호	유형자산
IAS 19	Employee Benefits	제1019호	종업원급여
IAS 20	Accounting for Government Grants and Disclosure of Government Assistance	제1020호	정부보조금의 회계처리와 정부지원의 공시
IAS 21	The Effects of Changes in Foreign Exchange Rates	제1021호	환율변동효과
IAS 23	Borrowing Costs	제1023호	차입원가
IAS 24	Related Party Disclosures	제1024호	특수관계자공시
IAS 26	Accounting and Reporting by Retirement Benefit Plans	제1026호	퇴직급여제도에 의한 회계처리와 보고
IAS 27	Separate Financial Statements	제1027호	별도재무제표
IAS 28	Investments in Associates and Joint Ventures	제1028호	관계기업과 공동기업에 대한 투자
IAS 29	Financial Reporting in Hyperinflationary Economies	제1029호	초인플레이션 경제에서의 재무보고
IAS 32	Financial Instruments : Presentation	제1032호	금융상품 : 표시
IAS 33	Earnings per Share	제1033호	주당이익
IAS 34	Interim Financial Reporting	제1034호	중간재무보고
IAS 36	Impairment of Assets	제1036호	자산손상
IAS 37	Provisions, Contingent Liabilities and Contingent Assets	제1037호	충당부채, 우발부채 및 우발자산
IAS 38	Intangible Assets	제1038호	무형자산
IAS 39	Financial Instruments : Recognition and Measurement	제1039호	금융상품 : 인식과 측정(제1109호 적용 면제 기업)
IAS 40	Investment Property	제1040호	투자부동산
IAS 41	Agriculture	제1041호	농림어업
IFRIC 1	Changes in Existing Decommissioning, Restoration and Similar Liabilities	제2101호	사후처리 및 복구관련 충당부채의 변경
IFRIC 2	Members'Shares in Co-operative Entities and Similar Instruments	제2102호	조합원 지분과 유사 지분

	국제회계기준		한국채택국제회계기준
IFRIC 5	Rights to Interests arising from Decommissioning, Restoration and Environmental Rehabilitation Funds	제2105호	사후처리, 복구 및 환경정화를 위한 기금의 지분에 대한 권리
IFRIC 6	Liabilities arising from Participating in a Specific Market-Waste Electrical and Electronic Equipment	제2106호	특정 시장에 참여함에 따라 발생하는 부채 : 폐전기 · 전자제품
IFRIC 7	Applying the Restatement Approach under IAS 29	제2107호	기업회계기준서 제1029호 '초인플레이션 경제에서의 재무보고'에서의 재작성 방법의 적용
IFRIC 10	Interim Financial Reporting and Impairment	제2110호	중간재무보고와 손상
IFRIC 12	Service Concession Arrangements	제2112호	민간투자사업
IFRIC 14	IAS 19-The Limit on a Defined Benefit Asset, Minimum Funding Requirements and their Interaction	제2114호	기업회계기준서 제1019호 : 확정급여자산한도, 최소적립요건 및 그 상호작용
IFRIC 16	Hedges of a Net Investment in a Foreign Operation	제2116호	해외사업장순투자의 위험회피
IFRIC 17	Distributions of Non-cash Assets to Owners	제2117호	소유주에 대한 비현금자산의 분배
IFRIC 19	Extinguishing Financial Liabilities with Equity Instruments	제2119호	지분상품에 의한 금융부채의 소멸
IFRIC 20	Stripping Cost in the Production Phase of a Surface Mine	제2120호	노천광산 생산단계의 박토원가
IFRIC 21	Levies	제2121호	부담금
IFRIC 22	Foreign Currency Transactions and Advance Consideration	제2122호	외화 거래와 선지급 · 선수취 대가
IFRIC 23	Uncertainty over Income Tax Treatments	제2123호	법인세 처리의 불확실성
SIC-10	Government Assistance-No Specific Relation to Operating Activities	제2010호	정부지원 : 영업활동과 특정한 관련이 없는 경우
SIC-25	Income Taxes-Changes in the Tax Status of an Entity or its Shareholders	제2025호	법인세 : 기업이나 주주의 납세지위 변동
SIC-29	Service Concession Arrangements : Disclosures	제2029호	민간투자사업 : 공시
SIC-32	Intangible Assets-Web Site Costs	제2032호	무형자산 : 웹 사이트 원가

Chapter 03

한국채택국제회계기준과 세법과의 관계

세법과의 관계

기업회계는 경제적 의사결정을 함에 있어서 경제 실체에 관한 유용한 재무적 정보를 이해관계자들에게 제공하는 기능을 수행하며, 그 근거기준은 기업회계기준에 의한다. 반면에 세법은 공평한 조세부담과 납세자 간의 소득계산의 통일성을 위하여 마련된 것으로 과세소득과 세액에 관한 정보를 전달하는 기능을 수행한다. 즉, 세법은 과세소득과 세액의 산정을 목적으로 하는 것이므로 기업회계기준과는 다른 부분이 존재한다. 기업회계와 세법과의 구체적인 차이와 그 조정방법에 대하여는 별도의 장에서 설명하기로 하고 여기에서는 기업회계에 영향을 미치는 주요한 세법에 대하여 살펴본다.

1. 법인세법

세법 중에서 기업회계와 가장 관계가 깊은 것이 법인세법이다. 법인세법은 재정수입을 확보하고 과세의 공평을 기하기 위하여 소득의 계산방법에 관해서 규정한 것으로 법인세법상의 소득과 기업회계상의 순이익이 반드시 일치하지는 않는다.

세법상의 소득과 기업회계상의 순이익에 차이가 나타나는 것은 기업회계상의 비용 또는 수익이 세법에서는 손금 또는 익금이 되지 않는 경우가 있고, 이와는 반대로 기업회계에서는 비용 또는 수익으로 되지 않는 것이 세법에서는 손금 또는 익금으로 되는 경우가 있기 때문이다.

이와 같이 세법상의 소득과 기업회계상의 순이익과는 차이가 있기 때문에 기업회계기준에 따라 작성된 재무제표를 조세 목적에 활용하기 위해서는 이를 세법의 규정에 의거하여 수정하는 이른바 세무조정을 하게 된다.

2. 조세특례제한법

조세특례제한법은 조세의 감면 또는 중과 등 조세특례와 이의 제한에 관한 사항을 규정하여 과세의 공평을 도모하고 조세정책을 효율적으로 수행하여 국민경제의 건전한 발전에 기여함을 목적으로 제정된 법으로서, 동법에는 각종 조세에 대한 여러 가지의 조세정책적 지원이 규정되어 있다. 따라서 법인세법뿐만이 아니라 기타 세법을 정확히 적용하기 위해서는 조세특례제한법에 대한 이해가 필수적이다.

3. 부가가치세법

부가가치세법에서 규정하고 있는 부가가치세는 재화 또는 용역의 공급, 재화의 수입에 대해 부과되는 조세로서 간접세이므로 법인세법이나 조세특례제한법과 같이 기업회계에 직접적인 영향을 미치지는 아니한다.

특히 부가가치세법상의 재화 또는 용역의 공급시기가 기업회계기준상의 수익의 실현시기와 다른 부분이 있지만 그러한 차이로 인하여 기업회계상의 회계처리가 달라지지는 않는다. 다만, 부가가치세는 재화 또는 용역의 생산·유통단계에서 창출된 부가가치를 과세대상으로 하고 있으므로 회계담당자는 부가가치세법을 정확히 이해할 필요가 있다.

Chapter 04 재무보고와 재무제표

'재무보고를 위한 개념체계'에서는 일반목적재무보고의 목적을 정의하고, 이러한 정의는 기준서 제1001호에서 다시 언급된다. "재무제표의 목적은 광범위한 정보이용자의 경제적 의사결정에 유용한 기업의 재무상태, 재무성과와 재무상태변동에 관한 정보를 제공하는 것이다. 또한, 재무제표는 위탁받은 자원에 대한 경영진의 수탁책임 결과도 보여준다." (기준서 제1001호 문단 9)

재무제표의 목적은 자산, 부채, 자본, 차익과 차손을 포함한 광의의 수익과 비용, 소유주로서의 자격을 행사하는 소유주에 의한 출자와 소유주에 대한 배분 및 현금흐름에 대한 정보를 제공하는 것이다. 재무제표는 예측이 아닌 과거의 기록이긴 하나 과거의 성과가 미래성과에 대한 지표가 될 수 있다는 점에서 재무제표가 예측 가치를 갖고 있다고 본다.

제2절 재무제표 작성과 표시의 일반사항

1. 공정한 표시와 한국채택국제회계기준의 준수

재무제표는 기업의 재무상태, 재무성과 및 현금흐름을 공정하게 표시해야 한다. 공정한 표시를 위해서는 재무보고를 위한 개념체계에서 정한 자산, 부채, 수익 및 비용에 대한 정의와 인식요건에 따라 거래, 그 밖의 사건과 상황의 효과를 충실하게 표현해야 한다. 한국채택국제회계기준에 따라 작성된 재무제표(필요에 따라 추가공시한 경우 포함)는 공정하게 표시된 재무제표로 본다(기준서 제1001호 문단 15). 한국채택국제회계기준을 준수하여 재무제표를 작성하는 기업은 그러한 사실을 주석에 명시적이고 제한 없이 기재한다(기준서 제1001호 문단 16). 한국채택국제회계기준을 준수하여 작성된 재무제표는 국제회계기준을 준수하여 작성된 재무제표임을 주석으로 공시할 수 있다(기준서 제1001호 문단 한16.1). 재무제표가 한국채택국제회계기준의 요구사항을 모두 충족한 경우가 아니라면 한국채택국제회계기준을 준수하여 작성되었다고 기재하여서는 아니 된다(기준서 제1001호 문단 16).

거의 모든 상황에서 공정한 표시는 관련 한국채택국제회계기준을 준수함으로써 달성되며, 다음과 같은 사항이 준수되어야 한다(기준서 제1001호 문단 17).

(1) 기준서 제1008호 '회계정책, 회계추정의 변경 및 오류'를 준수하여 회계정책을 선택하고 적용한다. 기준서 제1008호는 구체적으로 적용할 한국채택국제회계기준이 없는 경우 경영진이 고려할 관련 기준의 우선순위를 규정하고 있다.

(2) 회계정책을 포함하여 목적적합하고, 신뢰할 수 있고, 비교가능하며 이해가능한 정보를 표시한다.

(3) 한국채택국제회계기준의 구체적인 요구사항을 준수하더라도 특정거래, 그 밖의 사건 및 상황이 기업의 재무상태와 재무성과에 미치는 영향을 재무제표이용자가 이해하기에 충분하지 않은 경우 추가공시를 제공한다.

극히 드문 상황으로서 한국채택국제회계기준의 요구사항을 준수하는 것이 오히려 재무제표의 목적과 상충되어 재무제표이용자의 오해를 유발할 수 있다고 경영진이 결론을 내리는 경우에는 관련 감독체계가 이러한 요구사항으로부터의 일탈을 의무화하거나 금지하지 않는다면 기업은 그러한 기준과 달리 적용해야 한다(기준서 제1001호 문단 19).

기업이 기준서 제1001호 문단 19에 따라 한국채택국제회계기준의 요구사항을 달리 적용하는 경우, 다음 모든 항목을 공시한다(기준서 제1001호 문단 20).

(1) 재무제표가 기업의 재무상태, 재무성과 및 현금흐름을 공정하게 표시하고 있다고 경영진이 결론을 내렸다는 사실

(2) 공정한 표시를 위해 특정 요구사항을 달리 적용하는 것을 제외하고는 한국채택국제회계기준을 준수했다는 사실

(3) 기업이 달리 적용하는 해당 한국채택국제회계기준의 제목, 그 한국채택국제회계기준에서 요구하는 회계처리의 방법과 이에 대한 일탈의 내용, 그러한 회계처리가 해당 상황에서 재무제표이용자의 오해를 유발할 수 있어 '개념체계'에서 정한 재무제표의 목적과 상충되는 이유, 그리고 실제로 적용한 회계처리방법

(4) 표시된 각 회계기간에 대해, 한국채택국제회계기준 요구사항으로부터의 일탈이 이를 준수하였다면 보고되었을 재무제표의 각 항목에 미치는 재무적 영향

2. 계속기업

　재무제표는 일반적으로 기업이 계속기업이며 예상가능한 기간 동안 영업을 계속할 것이라는 가정 하에 작성된다(개념체계 문단 3.9). 따라서 재무제표는 경영진이 기업을 청산하거나 경영활동을 중단할 의도를 가지고 있지 않거나, 청산 또는 경영활동의 중단 외에 다른 현실적 대안이 없는 경우가 아니면 계속기업을 전제로 재무제표를 작성한다. 계속기업으로서의 존속능력에 유의적 의문이 제기될 수 있는 사건이나 상황과 관련된 중요한 불확실성을 알게 된 경우, 경영진은 그러한 불확실성을 공시하여야 한다. 경영진은 재무제표 작성시 계속기업의 가정이 적절한지의 여부를 평가하여야 하며 이때 경영진은 적어도 보고기간말로부터 향후 12개월 기간에 대하여 이용가능한 모든 정보를 고려한다(기준서 제1001호 문단 25, 26). 상기의 12개월은 최소 요구조건이다. 그러나, 계속기업 가정에 대한 의문 자체만으로는 계속기업 가정하에 재무제표를 작성하지 못하는 충분한 요건인 것은 아니다. 재무제표는 경영진이 기업을 청산하거나 경영활동을 중단할 의도를 갖고 있거나 그렇게 할 수 밖에 없는 상황이 아닌 이상 계속기업을 가정으로 작성되어야 한다(기준서 제1001호 문단 25).

　대부분의 경우 계속기업의 가정이 적절한지의 여부를 판단하는 것은 간단하다. 사업이익을 내고 재무적 문제가 없는 기업은 계속기업 가능한 기업일 것이다. 그러나 그렇지 않은 경우 경영진은 계속기업의 전제가 적절하다고 판단하기 전에, 현재와 미래의 기대 수익성 및 현금흐름의 구체적 내역 등을 고려할 필요가 있다. 기업의 계속기업 가정에 대해 큰 의문이 들 경우 계속기업의 가정하에 재무제표가 작성되었다 하더라도 불확실성에 대한 내용이 공시되어야 한다. 공시는 계속기업으로서의 존속능력에 유의적 의문이 제기될 수 있는 사건이나 상황과 이에 대처하기 위한 경영진의 계획을 기술하여야 하며, 계속기업 가정에 중대한 불확실성이 존재하는 사건이나 상황으로 인하여, 기업이 정상적인 영업활동에서 자산을 실현시키고 채무를 이행하는 것이 불가능할 수 있다는 것을 명시하여야 한다.

　또한 보고기간 이후의 사건으로 인하여 계속기업의 가정이 더 이상 적절하지 않게 될 수도 있다. 기업이 보고기간말 현재시점에 계속기업이라 판단하였지만, 보고기간말 이후 평가 시 계속기업이 아닌 것으로 판단하였다면, 계속기업의 기준하에 재무제표를 작성해서는 아니 된다. 만약 계속기업의 가정이 더 이상 적절하지 않다면 그 효과가 광범위하게 미치므로, 단순히 원래의 회계처리방법 내에서 이미 인식한 금액을 조정하는 정도가 아니라 회계처리방법을 근본적으로 변경해야 한다.

　재무제표가 계속기업의 기준하에 작성되지 않는 경우에는 그 사실과 함께 재무제표가 작성된 기준 및 그 기업을 계속기업으로 보지 않는 이유를 공시하여야 한다(기준서 제

1001호 문단 25).

3. 발생기준 회계

발생주의 회계하에서 수익 및 원가는 현금을 받거나 지불했을 때가 아닌 창출되거나 발생했을 때 인식된다. 기업은 현금흐름 정보를 제외하고는 발생기준 회계를 사용하여 재무제표를 작성한다(기준서 제1001호 문단 27).

발생기준 회계를 사용하는 경우, 각 항목이 '개념체계'의 정의와 인식요건을 충족할 때 자산, 부채, 자본, 광의의 수익 및 비용(재무제표의 요소)으로 인식한다(기준서 제1001호 문단 28). 기업은 미래 효익 창출을 위해 비용을 발생시키나 이러한 비용은 자산의 정의 및 인식조건을 항상 충족하진 않는다. 예를 들면, 사업개시원가는 단지 수익이 미래에 창출될거라 해서 자본화되거나 이연되어서는 안 된다(기준서 제1038호 문단 69).

4. 중요성 및 통합표시

유사한 항목은 중요성 분류에 따라 재무제표에 구분하여 표시한다. 상이한 성격이나 기능을 가진 항목은 구분하여 표시한다(기준서 제1001호 문단 29). 다만 중요하지 않은 항목은 성격이나 기능이 유사한 항목과 통합하여 표시할 수 있다. 개별적으로 중요하지 않은 항목은 상기 재무제표나 주석의 다른 항목과 통합한다. 상기 재무제표에는 중요하지 않아 구분하여 표시하지 않은 항목이라도 주석에서는 구분 표시해야 할 만큼 충분히 중요할 수 있다. 중요하지 않은 정보일 경우 한국채택국제회계기준에서 요구하는 특정 공시를 제공할 필요는 없다(기준서 제1001호 문단 29-31).

★
기준서 제1001호 문단 7

중요한 : 특정 보고기업에 대한 재무정보를 제공하는 일반목적재무제표에 정보를 누락하거나 잘못 기재하거나 불분명하게 하여, 이를 기초로 내리는 주요 이용자의 의사결정에 영향을 줄 것으로 합리적으로 예상할 수 있다면 그 정보는 중요하다.

중요성은 정보의 성격이나 크기 또는 둘 다에 따라 결정된다. 기업은 전체적인 재무제표의 맥락에서 정보가 개별적으로나 다른 정보와 결합하여 중요한지를 평가한다. 그 정보를 누락하거나 잘못 기재하는 것과 비슷한 영향을 재무제표 주요 이용자에게 줄 방식으로 정보가 소통된다면 그 정보는 불분명한 것이다. 다음은 중요한 정보가 불분명해질 수 있는 상황의 예이다.

(1) 중요한 항목, 거래, 그 밖의 사건에 관한 정보가 재무제표에 공시되지만 사용되는 언어가 모호하거나 불명확하다.

(2) 중요한 항목, 거래, 그 밖의 사건에 관한 정보가 재무제표 여러 곳에 흩어져 있다.

(3) 서로 다른 항목, 거래, 그 밖의 사건이 부적절하게 통합되었다.

(4) 비슷한 항목, 거래, 그 밖의 사건이 부적절하게 세분화되었다.

(5) 주요 이용자가 어떤 정보가 중요한지를 판단할 수 없을 정도로 중요한 정보가 중요하지 않은 정보에 가려져 재무제표의 이해 가능성이 낮아진다.

정보가 특정 보고기업의 일반목적재무제표 주요 이용자의 의사결정에 영향을 줄 것으로 합리적으로 예상할 수 있는지를 평가할 때에 기업은 그 기업의 상황을 고려하면서 재무제표 주요 이용자의 특성도 고려해야 한다.

현재 및 잠재적 투자자, 대여자, 그 밖의 채권자 다수는 그들에게 직접 정보를 제공하도록 보고기업에 요구할 수 없고, 그들이 필요한 재무정보의 많은 부분을 일반목적재무제표에 의존해야 한다. 따라서 그들이 일반목적재무제표가 대상으로 하는 주요 이용자이다. 재무제표는 사업활동과 경제활동에 대해 합리적인 지식이 있고, 부지런히 정보를 검토하고 분석하는 이용자를 위해 작성된다. 때로는 충분한 지식을 가지고 있고 부지런한 이용자라 하더라도 복잡한 경제적 현상에 대한 정보를 이해하기 위해 조언자의 도움을 받는 것이 필요할 수 있다.

5. 상 계

기준서에서 요구하거나 허용하지 않는 한 자산과 부채 그리고 수익과 비용은 상계하지 아니한다. 상계표시로 거래나 그 밖의 사건의 실질이 반영되는 경우를 제외하고는, 포괄손익계산서, 재무상태표, 별개의 손익계산서(표시하는 경우)에서의 상계표시는 발생한 거래, 그 밖의 사건과 상황을 이해하고 기업의 미래현금흐름을 분석할 수 있는 재무제표이용자의 능력을 저해한다(기준서 제1001호 문단 32, 33).

기준서 제1115호 '고객과의 계약에서 생기는 수익'에서는 약속한 재화나 용역의 이전하고 그 대가로 받을 권리를 갖게 될 것으로 예상하는 금액으로 수익을 측정하도록 요구한다. 예를 들면 인식된 수익 금액은 기업이 제공하는 매매할인이나 수량할증을 반영한다. 기업은 통상적인 영업활동 과정에서 수익을 창출하지는 않지만 주요 수익 창출 활동에 부수적인 그 밖의 거래를 할 수 있다. 동일 거래에서 발생하는 수익과 관련비용의 상계표시가 거래나 그 밖의 사건의 실질을 반영한다면 그러한 거래의 결과는 상계하여 표시한다(기준서 제1001호 문단 34).

수익과 비용의 상계가 가능한 경우의 예는 다음과 같다.

- 통상적인 영업활동 과정에서 수익을 창출하지는 않지만 주요 수익창출 활동에 부수적인 그 밖의 거래(이러한 상계표시가 거래나 그 밖의 사건의 실질을 반영한다면)
  - 투자자산 및 영업용자산을 포함한 비유동자산의 처분손익은 처분대가에서 그 자산의 장부금액과 관련된 처분비용을 차감하여 표시
  - 기준서 제1037호에 따라 인식한 충당부채와 관련된 지출을 제3자와의 계약관계

에 따라 보전받는 금액(예 : 공급자의 보증약정)의 경우, 당해 지출과 보전받는 금액은 상계하여 표시 가능

또한, 유사한 거래의 집합에서 발생한 차익과 차손은, 그 금액이 중요하지 않은 경우를 제외하고는, 상계하여 표시하지 않는다.

- 유사한 거래의 집합에서 발생하는 차익과 차손
  - 외환손익
  - 단기매매 금융상품에서 발생하는 손익

자산과 부채의 상계에 해당하지 않는 경우는 다음과 같다.

- 유·무형자산의 감가상각누계액
- 손상
- 재고자산 진부화에 대한 손상
- 수취채권에 대한 손상

6. 보고빈도

전체 재무제표(비교정보를 포함)는 적어도 1년마다 작성한다. 보고기간종료일을 변경하여 재무제표의 보고기간이 1년을 초과하거나 미달하는 경우 재무제표 해당 기간뿐만 아니라 다음 사항을 추가로 공시한다(기준서 제1001호 문단 36).

(1) 보고기간이 1년을 초과하거나 미달하게 된 이유

(2) 재무제표에 표시된 금액이 완전하게 비교가능하지는 않다는 사실

일반적으로 재무제표는 일관성 있게 1년 단위로 작성한다. 그러나 실무적인 이유로 어떤 기업은 예를 들어 52주의 보고기간을 선호한다. 이 기준서는 이러한 보고관행을 금지하지 않는다(기준서 제1001호 문단 37).

7. 비교정보

한국채택국제회계기준이 달리 허용하거나 달리 요구하는 경우를 제외하고는 당기 재무제표에 보고되는 모든 금액에 대해 전기 비교정보를 공시한다. 당기 재무제표를 이해하는 데 목적적합하다면 서술형 정보의 경우에도 비교정보를 포함한다(기준서 제1001호 문단 38).

만약, 재무제표 항목의 표시나 분류를 변경하는 경우 실무적으로 적용할 수 없는 것이 아니라면 비교금액도 재분류해야 한다. 비교금액을 재분류할 때(전기 기초 포함) 재분류의 성격, 재분류된 개별 항목이나 항목군의 금액 및 재분류의 이유를 공시한다(기준서 제1001호 문단 41).

기준서 제1001호는 기업이 회계정책 변경, 전기오류수정 및 재무제표의 항목을 소급하여 재작성 또는 재분류하는 경우에는 다음 모두에 해당된다면, 최소한의 비교재무제표에 추가하여 전기 기초를 기준으로 세 번째 재무상태표를 표시한다(기준서 제1001호 문단 40A).

(1) 회계정책을 소급하여 적용하거나, 재무제표 항목을 소급하여 재작성 또는 재분류한다. 그리고,

(2) 이러한 소급적용, 소급재작성 또는 소급재분류가 전기 기초 재무상태표의 정보에 중요한 영향을 미친다.

상기 조건에 해당되어 작성하는 세 개의 재무상태표는 당기말, 전기말, 전기초로 표시한다(기준서 제1001호 문단 40B). 회계정책 변경, 소급재작성 또는 소급재분류에 따라 추가 재무상태표를 표시하여야 하는 경우에는 기준서 제1008호가 요구하는 정보를 공시하여야 하지만, 전기 기초의 재무상태표에 관련된 주석을 공시할 필요는 없다(기준서 제1001호 문단 40C). 기준서 제1001호의 이러한 요구사항을 따르기 위하여, 한국채택국제회계기준을 최초로 적용하는 기업은 적어도 세 개의 재무상태표, 두 개의 포괄손익계산서, 두 개의 별도 손익계산서(표시하는 경우), 두 개의 현금흐름표 및 두 개의 자본변동표와 관련 주석을 포함하여야 하며, 비교정보를 포함하여야 한다(기준서 제1101호 문단 21).

비교금액을 실무적으로 재분류할 수 없는 경우 해당 금액을 재분류하지 않은 이유와 해당 금액을 재분류한다면 이루어질 수정의 성격을 공시한다(기준서 제1001호 문단 42). '실무적으로 적용할 수 없는'이라 함은 기업이 모든 합리적인 노력을 했어도 요구사항을 적용할 수 없는 경우에 그 요구사항은 실무적으로 적용할 수 없다는 뜻이다(기준서 제1001호 문단 7). 재분류가 가능한 방법으로 과거기간의 정보를 수집하지 못하였다면, 일반적인 규칙에서 벗어나, 재분류하지 않을 수 있다(기준서 제1001호 문단 43).

8. 표시의 계속성

한국채택국제회계기준은 일관적인 방법으로 재무제표를 표시하도록 한다.

재무제표 항목의 표시와 분류는 다음의 경우를 제외하고는 매기 동일하여야 한다.

(1) 사업내용의 유의적인 변화나 재무제표를 검토한 결과 다른 표시나 분류방법이 더 적절한 것이 명백한 경우. 이 경우 기업회계기준서 제1008호에서 정하는 회계정책의 선택 및 적용요건을 고려한다.

(2) 한국채택국제회계기준에서 표시방법의 변경을 요구하는 경우(기준서 제1001호 문단 45)

기업이 재무제표의 표시방법을 한번 선택했다면 그 방법을 일관되게 적용하여야 한다. 재무제표의 표시방법을 변경하는 것을 정당화하는 것은 쉬운 일이 아니므로, 기업이

설립되는 시점 혹은 한국채택국제회계기준을 최초로 적용하는 시점에 재무제표 표시방법을 결정하는 것은 매우 중요한 일이다. 기준서나 해석서가 표시방법의 변경을 요구하지 않는 이상, 기업의 재무제표 표시방법의 변경이 이전의 방법보다 더 신뢰성 있고 목적적합한 정보를 제공하는 경우에만 재무제표 표시방법을 변경할 수 있다. 즉 변경된 표시방법이 이전 표시방법보다 향상된 것이어야 한다. 기업이 기존의 회계정책을 허용 가능하나 기존의 방법보다 향상되지 않는 다른 회계정책으로 변경할 수 없는 것과 마찬가지로, 재무제표의 표시방법에 있어서도, 허용 가능하지만 기존의 방법보다 향상되지 않는 표시 방법으로의 변경은 불가하다. 변경된 표시방법이 지속적으로 유지될 가능성이 높아 비교가능성을 저해하지 않을 것으로 판단될 때에만 재무제표의 표시방법을 변경한다(기준서 제1001호 문단 46).

  기업이 재무제표 항목의 표시나 분류를 변경하는 경우 재무제표 주석에 재분류의 성격, 재분류된 개별 항목이나 항목군의 금액 및 재분류의 이유를 공시해야 한다(기준서 제1001호 문단 41).

재무제표 구조와 내용

1. 전체 재무제표

기준서 제1001호는 재무상태표, 포괄손익계산서, 별개의 손익계산서(표시하는 경우) 또는 자본변동표에 표시되는 특정한 공시사항을 규정하고 있고, 상기 재무제표 또는 주석에 그 밖의 개별 항목의 공시사항을 규정하고 있다. 기업회계기준서 제1007호 '현금흐름표'는 현금흐름 정보의 표시에 대한 요구사항을 규정하고 있다(기준서 제1001호 문단 47).

한국채택국제회계기준에 따른 전체 재무제표는 다음의 재무제표로 구성되며 각각의 재무제표는 전체 재무제표에서 동등한 비중으로 표시된다(기준서 제1001호 문단 10, 11).

- 기말 재무상태표
- 기간 손익과 기타포괄손익계산서
- 기간 자본변동표
- 기간 현금흐름표
- 주석(유의적인 회계정책 및 그 밖의 설명으로 구성)
- 전기에 관한 비교정보
- 회계정책을 소급하여 적용하거나 재무제표의 항목을 소급하여 재작성 또는 재분류하고 이러한 소급적용, 소급재작성 또는 소급재분류가 전기 기초 재무상태표에 중요한 영향을 미치는 경우 전기 기초 재무상태표

IASB에서 발행한 IAS 1에는 없는 지침이나, 한국채택국제회계기준에는 추가된 문단에 따라, 재무제표의 명칭은 '주식회사의외부감사에관한법률' 제2조에 따른다. 따라서, 기준서 제1001호의 문단 10 이외의 다른 문단과 기준서 제1034호 '중간재무보고'의 문단 5 이외의 다른 문단 및 다른 기준서에서 '손익과 기타포괄손익계산서'라는 명칭은 사용하지 않고 '포괄손익계산서'라는 명칭만을 사용한다(기준서 제1001호 문단 한10.1). 또한, 상법 등 관련 법규에서 이익잉여금처분계산서(또는 결손금처리계산서)의 작성을 요구하는 경우에는 재무상태표의 이익잉여금(또는 결손금)에 대한 보충정보로서 이익잉여금처분계산서(또는 결손금처리계산서)를 주석으로 공시한다(기준서 제1001호 문단 한138.1).

기준서 제1001호에서는 '공시'라는 용어를 넓은 의미에서 종종 사용하고 있는데, 이러한 공시는 재무제표에 표시되는 항목을 포괄한다. 기준서에서 달리 규정하지 않는다면, 그러한 공시사항은 각 재무제표에 표시할 수 있다(기준서 제1001호 문단 48).

2. 재무제표의 식별

재무제표는 동일한 문서에 포함되어 함께 공표되는 그 밖의 정보와 명확하게 구분되고 식별되어야 한다. 따라서 한국채택국제회계기준을 준수하여 작성된 정보와 한국채택국제회계기준에서 요구하지 않지만 유용한 그 밖의 정보를 재무제표이용자가 구분할 수 있는 것이 중요하다(기준서 제1001호 문단 49, 50). 기업은 공시하는 재무제표에 한국채택국제회계기준을 따르지 않는 대체적인 방법으로 측정한 경영성과의 정보는 그 정보가 한국채택국제회계기준에 따라 작성한 다른 재무정보와 구분될 수 있게 표시하여야 한다.

각 재무제표와 주석은 명확하게 식별되어야 한다. 또한 다음 정보가 분명하게 드러나야 하며, 정보의 이해를 위해서 필요할 때에는 반복 표시하여야 한다(기준서 제1001호 문단 51).

(1) 보고기업의 명칭 또는 그 밖의 식별 수단과 전기 보고기간말 이후 그러한 정보의 변경내용

(2) 재무제표가 개별 기업에 대한 것인지 연결실체에 대한 것인지의 여부

(3) 재무제표나 주석의 작성대상이 되는 보고기간종료일 또는 보고기간

(4) 기준서 제1021호에 정의된 표시통화

(5) 재무제표의 금액 표시를 위하여 사용한 금액 단위

기업은 전반적으로 재무정보의 명확성을 유지하기 위한 최선의 방법으로 재무제표를 표시하여야 한다. 위의 요구사항은 페이지, 재무제표, 주석, 항목 등의 적절한 제목을 표시함으로써 달성될 수 있다. 그러나, 만약 재무제표가 전자문서로 제공된다면, 페이지를 표시하는 것이 항상 유용한 방법인 것은 아니다(기준서 제1001호 문단 52). 흔히 재무제표의 표시통화를 천 단위나 백만 단위로 표시할 때 더욱 이해가능성이 제고될 수 있다. 이러한 표시는 금액 단위를 공시하고 중요한 정보가 누락되지 않는 경우에 허용될 수 있다(기준서 제1001호 문단 53).

재무제표의 유형

1. 연결중심 공시체계로의 전환

한국채택국제회계기준 도입으로 과거 개별재무제표 중심의 공시체계가 연결재무제표 중심의 공시체계로 전환되었다. 이에 따라 연결재무제표 및 그 감사보고서의 제출 기한이 단축되어 개별재무제표 및 그 감사보고서와 동시에 공시된다.

한국채택국제회계기준 도입에 따라 연결재무제표의 중요성이 높아진다 하더라도 배당, 세금계산, 건전성 감독 등의 측면에서 개별재무제표는 여전히 중요하며 그 공시의무도 유지된다. 이와 마찬가지로 개별재무제표에 대한 회계감사 및 그 감사보고서 공시의무도 그대로 유지된다. 개별재무제표의 법령상 용어는 '재무제표'이며, 이를 연결재무제표와 구별하기 위하여 통상 '개별재무제표'라는 용어를 사용하는 것이다.

따라서 종속기업이 있는 지배기업은 연결재무제표와 재무제표를 모두 작성하고 연결대상 종속회사가 없는 회사는 재무제표만 작성한다.

2. 연결재무제표

연결재무제표는 지배기업과 종속기업들을 하나의 경제적 실체로 표시하는 재무제표이다. 연결재무제표에서는 종속기업을 연결하며, 관계기업과 공동기업에 대한 투자에 대해서는 면제조건을 충족하지 않는 한, 지분법으로 회계처리한다.

앞으로 이 책에서는 별도의 언급이 없는 한, 연결재무제표를 작성하는 것으로 가정하고 계정과목별 회계처리를 설명하도록 한다.

3. 별도재무제표

한국채택국제회계기준 도입에 따라 지배기업의 개별재무제표 작성방식이 별도재무제표 방식으로 변경되었다. 별도재무제표란 지배회사가 자신의 개별재무제표 작성 시 종속기업, 관계기업 및 공동기업에 대한 투자를 원가법이나 공정가치로 평가하거나, 지분법을 적용하여 회계처리한 재무제표를 의미한다(기준서 제1027호 문단 4).

4. 개별재무제표

이하에서 개별재무제표는 종속기업이 없는 기업이 작성하는 재무제표를 칭하는 것이다. 종속기업이 없는 기업은 개별재무제표 작성 시 관계기업과 공동기업에 대한 투자에 대하여 지분법을 적용하여 회계처리한다.

| 한국채택국제회계기준과 일반기업회계기준 재무제표 작성방법 비교 |

실체구성	한국채택국제회계기준		일반기업회계기준	
	개별재무제표	연결재무제표	개별재무제표	연결재무제표
종속기업 없는 경우	○ (관계기업, 공동기업 → 지분법)	N/A	○ (관계 /공동지배기업 → 지분법)	N/A
종속기업 있는 경우	별도재무제표 (종속/관계 /공동기업 → 원가법 or 공정가치법 or 지분법)	○ 종속기업 → 연결 관계/공동기업 → 지분법	○ 종속/관계 /공동지배기업 → 지분법	○ 종속기업 → 연결 관계 /공동지배기업 → 지분법

재무보고를 위한 개념체계

개념체계는 회계기준제정기구가 회계기준을 제정 및 개정함에 있어서 기본적인 방향과 일관성 있는 지침을 제공하고 재무제표의 작성자, 감사인 및 이용자들의 재무제표에 대한 이해를 높일 목적으로 제정되었다. '현행의 기업회계기준'에 대하여는 '재무회계개념체계'를 적용하고, '한국채택국제회계기준'에 대하여는 '재무보고를 위한 개념체계'를 적용한다(기업회계기준 전문 문단 15). 현행의 기업회계기준하의 재무회계개념체계와 한국채택국제회계기준하의 '개념체계'의 주요 차이는 다음과 같다. 참고로, 필요하다면 '일반기업회계기준'에 대한 별도의 개념체계도 제정할 것이라고 언급하였으나, 현재는 제정된 별도의 개념체계가 없으므로 종전 기업회계기준의 재무회계개념체계를 적용하는 것이 타당할 것으로 판단된다.

| 한국채택국제회계기준과 기업회계기준의 비교 |

구분	한국채택국제회계기준	기업회계기준
범위	– 일반목적재무보고서	– 재무보고
기본전제	– 계속기업	– 기업실체 – 계속기업 – 기간별보고
재무정보의 질적 특성	• 근본적 질적 특성 　– 목적적합성 　　예측가치, 확인가치 　　중요성은 개별기업 수준에서 적 　　용하는 목적적합성의 측면 　– 표현충실성 　　완전성, 중립성, 오류부재 • 보강적 질적 특성 　– 비교가능성 　– 검증가능성 　– 적시성 　– 이해가능성 • 포괄적인 제약요인 　– 원가	• 회계정보가 갖추어야 할 중요한 　질적 특성 　– 목적적합성 　　예측가치, 피드백가치, 적시성 　– 신뢰성 　　충실한 표현, 검증가능성, 중립성 • 2차적 특성 　– 비교가능성 • 제약요인 　– 비용과 효익 　– 중요성

구분	한국채택국제회계기준	기업회계기준
구성항목의 측정기준	- 역사적 원가 - 현행원가	- 취득원가(역사적 원가)와 역사적 현 금수취액 - 공정가치 - 순실현가능가치와 이행가액

'재무보고를 위한 개념체계'는 국제회계기준위원회가 제정한 '재무보고를 위한 개념체계("The Conceptual Framework for Financial Reporting 2018")'에 대응한다. 국제회계기준위원회(IASB)와 미국재무회계기준위원회(FASB)는 국제회계기준(IFRS)과 미국회계기준과의 합치를 위한 제·개정 작업의 일환으로 개념체계가 2018년에 전면 개정되었다. 한국회계기준위원회는 '재무보고를 위한 개념체계("The Conceptual Framework for Financial Reporting 2010")'의 제·개정 내용을 반영하여 '재무보고를 위한 개념체계'를 2011년 7월 22일자로 의결하고, 2011년 9월 9일 발표하였다. 그 이후 전면 개정을 위한 프로젝트가 진행되었고, 국제회계기준위원회가 제정한 '재무보고를 위한 개념체계("The Conceptual Framework for Financial Reporting 2018")'에 대해 한국회계기준위원회는 2018년 12월 21일자로 의결하고 2019년 12월 4일자로 발표하였고 2020년부터 적용하도록 하였다.

새로운 개념체계는 기존의 개념체계에서 측정, 표시와 공시, 제거에 대한 새로운 개념을 도입하였고, 자산과 부채의 정의 및 인식 기준이 업데이트되었다. 그리고 신중성, 수탁책임, 측정의 불확실성, 실질의 우선의 개념을 명확히 하였다.

참고로 재무보고를 위한 개념체계의 구성 및 문단번호는 다음과 같이 구성된다.

| 재무보고를 위한 개념체계의 구성 및 문단번호 |

	문단번호
개념체계의 위상과 목적	
제1장. 일반목적재무보고의 목적	1.1~1.22
제2장. 유용한 재무정보의 질적특성	2.1~2.39
제3장. 재무제표와 보고기업	3.1~3.15
제4장. 재무제표 요소	4.1~4.68
제5장. 인식과 제거	5.1~5.26
제6장. 측정	6.1~6.91
제7장. 표시와 공시	7.1~7.20
제8장. 자본 및 자본유지의 개념	8.1~8.10

제1절 개념체계의 위상과 목적

'재무보고를 위한 개념체계'는 일반목적재무보고의 목적과 개념을 서술한다 '개념체계'의 목적은 다음과 같다(개념체계 중 개념체계의 위상과 목적).

(1) 한국회계기준위원회가 일관된 개념에 기반하여 한국채택국제회계기준을 제·개정하는 데 도움을 준다.

(2) 특정 거래나 다른 사건에 적용할 회계기준이 없거나 회계기준에서 회계정책 선택이 허용되는 경우에 재무제표 작성자가 일관된 회계정책을 개발하는 데 도움을 준다.

(3) 모든 이해관계자가 회계기준을 이해하고 해석하는 데 도움을 준다.

이 '개념체계'는 회계기준이 아니며 이 '개념체계'의 어떠한 내용도 회계기준에 우선하지 아니한다. 일반목적재무보고의 목적을 달성하기 위해 회계기준위원회는 개념체계의 관점에서 벗어난 요구사항을 정하는 경우가 있을 수 있고, 그런 경우 해당 기준서의 결론도출근거에 그러한 일탈에 대해 설명할 것이다.

개념체계는 회계기준위원회가 관련 업무를 통해 축적한 경험을 토대로 수시로 개정될 수 있다. 다만, 개념체계가 개정되었다고 자동으로 회계기준이 개정되는 것은 아니며, 회계기준의 개정을 결정한 경우, 회계기준위원회는 정규절차에 따라 의제에 프로젝트를 추가하고 해당 회계기준에 대한 개정안을 개발할 것이다.

개념체계는 전 세계 금융시장에 투명성, 책임성, 효율성을 제공하는 회계기준을 개발하는 회계기준위원회의 공식 임무에 기여한다. 회계기준위원회의 업무는 세계 경제에서의 신뢰, 성장, 장기적 금융안정을 조성함으로써 공공이익에 기여하는 것이다. 개념체계는 다음과 같은 회계기준을 위한 기반을 제공한다.

(1) 투자자와 그 밖의 시장참여자가 정보에 입각한 경제적 의사결정을 내릴 수 있도록 재무정보의 국제적 비교가능성과 정보의 질을 향상시킴으로써 투명성에 기여한다.

(2) 자본제공자와 자본수탁자 간의 정보 격차를 줄임으로써 책임성을 강화한다. 개념체계에 기반한 회계기준은 경영진의 책임을 묻기 위한 필요한 정보를 제공한다. 국제적으로 비교가능한 정보의 원천으로서 이 회계기준은 전 세계 규제기관에게도 매우 중요하다.

(3) 투자자에게 전 세계의 기회와 위험을 파악하도록 도움을 주어 자본 배분을 향상시킴으로써 경제적 효율성에 기여한다. 기업이 개념체계에 기반한 신뢰성 있는 단일의 회계 언어를 사용하면 자본비용이 낮아지고 국제보고 비용이 절감된다(개념체계 중 개념체계의 위상과 목적).

일반목적재무보고의 목적

일반목적재무보고의 목적은 '개념체계'의 기초를 형성하며, '개념체계'의 다른 측면들 (보고기업 개념, 유용한 재무정보의 질적 특성과 원가 제약, 재무제표의 요소, 인식과 제거, 측정, 표시와 공시)은 그 목적으로부터 논리적으로 전개된다(개념체계 문단 1.1).

1. 일반목적재무보고의 목적, 유용성 및 한계

일반목적재무보고의 목적(주요 이용자)

일반목적재무보고의 목적은 현재 및 잠재적 투자자, 대여자 및 그 밖의 채권자가 기업에 자원을 제공하는 것에 대한 의사결정을 할 때 유용한 보고기업 재무정보를 제공하는 것이다. 그 의사결정은 지분상품 및 채무상품을 매수, 매도 또는 보유하는 것과 대여 및 기타 형태의 신용을 제공 또는 결제하는 것을 포함한다(개념체계 문단 1.2). 지분상품 및 채무상품을 매수, 매도 또는 보유하는 것에 대한 현재 및 잠재적 투자자의 의사결정은 그 금융상품 투자에서 그들이 기대하는 수익, 예를 들어, 배당, 원금 및 이자의 지급 또는 시장가격의 상승에 의존한다. 마찬가지로 대여 및 기타 형태의 신용을 제공 또는 결제하는 것에 대한 현재 및 잠재적 대여자 및 그 밖의 채권자의 의사결정은 그들이 기대하는 원금 및 이자의 지급이나 그 밖의 수익에 의존한다. 투자자, 대여자 및 그 밖의 채권자의 수익에 대한 기대는 기업에 유입될 미래 순현금유입의 금액, 시기 및 불확실성 (전망) 및 기업의 경제적자원에 대한 경영진의 수탁책임에 대한 그들의 평가에 달려 있다. 따라서 현재 및 잠재적 투자자, 대여자 및 그 밖의 채권자는 기업에 유입될 미래 순현금유입에 대한 전망을 평가하는 데 도움을 주는 정보를 필요로 한다(개념체계 문단 1.3). 현재 및 잠재적 투자자, 대여자 및 그 밖의 채권자는 미래 순현금유입에 대한 기업의 전망을 평가하기 위하여 기업의 경제적자원, 기업에 대한 청구권 및 그러한 자원과 청구권의 변동, 그리고 기업의 경영진 및 이사회가 기업의 경제적자원을 사용하는 그들의 책임을 얼마나 효율적이고 효과적으로 이행해 왔는지에 대한 정보를 필요로 한다(개념체계 문단 1.4). 많은 현재 및 잠재적 투자자, 대여자 및 그 밖의 채권자는 그들에게 직접 정보를 제공하도록 보고기업에 요구할 수 없고, 그들이 필요로 하는 재무정보의 많은 부분을 일반목적재무보고서에 의존해야만 한다. 따라서 그들은 일반목적재무보고서가 대상으로 하는 주요 이용자이다(개념체계 문단 1.5).

일반목적재무보고의 유용성 및 한계

그러나 일반목적재무보고서는 현재 및 잠재적 투자자, 대여자 및 그 밖의 채권자가 필요로 하는 모든 정보를 제공하지는 않으며 제공할 수도 없다. 그 정보이용자들은, 예를 들어, 일반 경제적 상황 및 기대, 정치적 사건과 정치 풍토, 산업 및 기업 전망과 같은 다른 원천에서 입수한 관련 정보를 고려할 필요가 있다(개념체계 문단 1.6). 일반목적재무보고서는 보고기업의 가치를 보여주기 위해 고안된 것이 아니다. 그러나 그것은 현재 및 잠재적 투자자, 대여자 및 그 밖의 채권자가 보고기업의 가치를 추정하는 데 도움이 되는 정보를 제공한다(개념체계 문단 1.7). 각 주요 이용자들의 정보 수요 및 욕구는 다르고 상충되기도 한다. 회계기준위원회는 재무보고기준을 제정할 때 주요 이용자 최대 다수의 수요를 충족하는 정보를 제공하기 위해 노력할 것이다. 그러나 공통된 정보 수요에 초점을 맞춘다고 해서 보고기업으로 하여금 주요 이용자의 특정한 일부에게 가장 유용한 추가적인 정보를 포함하지 못하게 하는 것은 아니다(개념체계 문단 1.8).

일반목적재무보고의 주요 이용자 : 경영진 및 기타 당사자들의 제외

보고기업의 경영진도 해당 기업에 대한 재무정보에 관심이 있다. 그러나 경영진은 그들이 필요로 하는 재무정보를 내부에서 구할 수 있기 때문에 일반목적재무보고서에 의존할 필요가 없다(개념체계 문단 1.9). 그 밖의 당사자들, 예를 들어 규제기관 그리고(투자자, 대여자 및 그 밖의 채권자가 아닌) 일반대중도 일반목적재무보고서가 유용하다고 여길 수 있다. 그렇더라도 일반목적재무보고서는 이러한 그 밖의 집단을 주요 대상으로 한 것이 아니다(개념체계 문단 1.10).

재무보고서는 정확한 서술보다는 상당 부분 추정, 판단 및 모형에 근거한다. '개념체계'는 그 추정, 판단 및 모형의 기초가 되는 개념을 정한다. 그 개념은 회계기준위원회와 재무보고서의 작성자가 노력을 기울이는 목표이다. 대부분의 목표가 그러한 것처럼 이상적 재무보고에 대한 '개념체계'의 비전은 적어도 단기간 내에 완전히 달성될 가능성은 낮다. 왜냐하면 거래와 그 밖의 사건을 분석하는 새로운 방식을 이해하고, 수용하며, 실행하는 데 시간이 걸릴 것이기 때문이다. 그렇지만 재무보고가 그 유용성을 개선하기 위해 발전해야 한다면 지향할 목표를 수립하는 것은 필수적이다(개념체계 문단 1.11).

2. 보고기업의 경제적 자원, 청구권 그리고 자원 및 청구권의 변동에 관한 정보

일반목적재무보고서는 보고기업의 재무상태에 관한 정보, 즉 기업의 경제적 자원과 보고기업에 대한 청구권에 관한 정보를 제공한다. 재무보고서는 보고기업의 경제적 자원과 청구권을 변동시키는 거래와 그 밖의 영향에 대한 정보도 제공한다. 이 두 유형의 정보는 기업에 대한 자원 제공 관련 의사결정에 유용한 투입요소를 제공한다(개념체계 문단 1.12).

(1) 경제적 자원과 청구권

보고기업의 경제적 자원과 청구권의 성격 및 금액에 대한 정보는 정보이용자가 보고기업의 재무적 강점과 약점을 식별하는 데 도움을 줄 수 있다. 그 정보는 정보이용자가 보고기업의 유동성과 지급능력, 추가적인 자금 조달의 필요성 및 그 자금 조달이 얼마나 성공적일지를 평가하는 데 도움을 줄 수 있다. 이 정보는 이용자들이 기업의 경제적 자원에 대한 경영진의 수탁책임을 평가하는 데에도 도움이 될 수 있다. 현재 청구권의 우선순위와 지급 요구사항에 대한 정보는 정보이용자가 보고기업에 청구권이 있는 자들 간에 미래현금흐름이 어떻게 분배될 것인지를 예상하는 데 도움이 된다(개념체계 문단 1.13). 다른 유형의 경제적 자원은 미래현금흐름에 대한 보고기업의 전망에 관한 이용자의 평가에 다르게 영향을 미친다. 어떤 미래현금흐름은 수취채권과 같은 현재의 경제적 자원에서 직접적으로 발생한다. 다른 현금흐름은 재화 또는 용역을 생산하고 고객에게 판매하기 위해 몇 가지 자원을 결합하여 사용하는 데에서 발생한다. 비록 그 현금흐름을 개별적인 경제적 자원(또는 청구권)과 관련지을 수는 없을지라도 재무보고서의 이용자는 보고기업의 영업에 이용가능한 자원의 성격과 금액을 알 필요가 있다(개념체계 문단 1.14).

(2) 경제적 자원 및 청구권의 변동

보고기업의 경제적 자원과 청구권의 변동은 그 기업의 재무성과(다음 '(3) 발생기준회계가 반영된 재무성과' 참조) 그리고 채무상품 또는 지분상품의 발행과 같은 그 밖의 사건 또는 거래(다음 '(5) 재무성과에 기인하지 않은 경제적 자원 및 청구권의 변동' 참조)에서 발생한다. 보고기업의 미래현금흐름에 대한 전망을 올바르게 평가하기 위하여 정보이용자는 이 두 변동을 구별할 수 있는 능력이 필요하다(개념체계 문단 1.15). 보고기업의 재무성과에 대한 정보는 그 기업의 경제적 자원에서 해당 기업이 창출한 수익을 정보이용자가 이해하는 데 도움을 준다. 기업이 창출한 수익에 대한 정보는 이용자들이 기업의 경제적자원에 대한 경영진의 수탁책임을 평가하는 데 도움을 줄 수 있다. 특히 미래현금흐름의 불확실성을 평가하는 데 있어서는 그 수익의 변동성 및 구성요소에 대한 정보도 역시 중요하다. 보고기업의 과거 재무성과와 그 경영진의 수탁책임을 어떻게 이행했는지에 대한 정보는 기업의 경제적 자원에서 발생하는 미래 수익을 예측하는 데 일반적으로 도움이 된다(개념체계 문단 1.16).

(3) 발생기준 회계가 반영된 재무성과

발생기준 회계는 거래와 그 밖의 사건 및 상황이 보고기업의 경제적자원과 청구권에 미치는 영향을, 비록 그 결과로 발생하는 현금의 수취와 지급이 다른 기간에 이루어지더라도, 그 영향이 발생한 기간에 보여준다. 이것이 중요한 이유는, 보고기업의 경제적 자원과 청구권 그리고 기간 중 그 변동에 관한 정보는 그 기간 동안의 현금 수취와 지급만의 정보보다 기업의 과거 및 미래 성과를 평가하는 데 더 나은 근거를 제공하기 때문이다(개념체계 문단 1.17). 한 기간의 보고기업의 재무성과와 투자자와 채권자에게서 직접 추가 자원을 획득(다음 '(5) 재무성과에 기인하지 않은 경제적자원 및 청구권의 변동' 참조)한 것이 아닌 경제적자원과 청구권의 변동이 반영된 정보는 기업의 과거 및 미래 순현금유입 창출 능력을 평가하는 데 유용하다. 그 정보는 보고기업이 이용가능한 경제적자원을 증가시켜온 정도, 그리고 그 결과로 투자자와 채권자에게서 직접 추가적인 자원을 획득하지 않고 영업을 통하여 순현금유입을 창출할 수 있는 능력을 증가시켜온 정도를 보여준다. 보고기업의 한 기간의 재무성과에 대한 정보는 이용자들이 기업의 경제적자원에 대한 경영진의 수탁책임을 평가하는 데에도 도움을 줄 수 있다(개념체계 문단 1.18). 한 기간의 보고기업의 재무성과에 대한 정보는 시장 가격 또는 이자율의 변동과 같은 사건이 기업의 경제적자원과 청구권을 증가시키거나 감소시켜 기업의 순현금유입 창출 능력에 영향을 미친 정도도 보여줄 수 있다(개념체계 문단 1.19).

(4) 과거 현금흐름이 반영된 재무성과

한 기간의 보고기업의 현금흐름에 대한 정보도 정보이용자가 기업의 미래 순현금유입 창출능력을 평가하고 기업의 경제적자원에 대한 경영진의 수탁책임을 평가하는 데에도 도움이 된다. 이는 채무의 차입과 상환, 현금 배당 등 투자자에 대한 현금 분배 그리고 기업의 유동성이나 지급능력에 영향을 미치는 그 밖의 요인에 대한 정보를 포함하여, 보고기업이 어떻게 현금을 획득하고 사용하는지 보여준다. 현금흐름에 대한 정보는 정보이용자가 보고기업의 영업을 이해하고, 재무활동과 투자활동을 평가하며, 유동성이나 지급능력을 평가하고, 재무성과에 대한 그 밖의 정보를 해석하는 데 도움이 된다(개념체계 문단 1.20).

(5) 재무성과에 기인하지 않은 경제적자원 및 청구권의 변동

보고기업의 경제적자원과 청구권은 추가적인 소유지분 발행과 같이 재무성과 외의 사유로도 변동될 수 있다. 이러한 유형의 변동에 관한 정보는 보고기업의 경제적자원과 청구권이 변동된 이유와 그 변동이 미래 재무성과에 주는 의미를 정보이용자가 완전히 이해하는 데 필요하다(개념체계 문단 1.21).

3. 기업의 경제적자원 사용에 관한 정보

보고기업의 경영진이 기업의 경제적자원을 얼마나 효율적이고 효과적으로 사용하는 책임을 이행하고 있는지에 대한 정보는 이용자들이 해당 자원에 대한 경영자의 수탁책임을 평가할 수 있도록 도움을 준다. 그러한 정보는 미래에 얼마나 효율적이고 효과적으로 경영진이 기업의 경제적자원을 사용할 것인지를 예측하는 데에도 유용하며, 그 정보는 미래 순현금유입에 대한 기업의 전망을 평가하는데 유용할 수 있다(개념체계 문단 1.22). 기업의 경제적자원 사용에 대한 경영진의 책임의 예로는 가격과 기술 변화와 같은 경제적 요인들의 불리한 영향으로부터 해당 자원을 보호하고, 기업이 적용해야 하는 법률, 규제, 계약조항을 준수하도록 보장하는 것을 들 수 있다(개념체계 문단 1.23).

유용한 재무정보의 질적 특성

이 장에서 논의되는 유용한 재무정보의 질적 특성은 재무보고서에 포함된 정보(재무정보)에 근거하여 보고기업에 대한 의사결정을 할 때 현재 및 잠재적 투자자, 대여자 및 그 밖의 채권자에게 가장 유용할 정보의 유형을 식별하는 것이다(개념체계 문단 2.1). 재무보고서는 보고기업의 경제적 자원, 보고기업에 대한 청구권 그리고 그 자원 및 청구권에 변동을 일으키는 거래와 그 밖의 사건 및 상황의 영향에 대한 정보를 제공한다(이 정보는 '개념체계' 안에서 '경제적 현상에 대한 정보'라 한다). 일부 재무보고서는 보고기업에 대한 경영진의 기대 및 전략과 기타 유형의 미래 전망정보에 대한 설명 자료도 포함하고 있다(개념체계 문단 2.2). 유용한 재무정보의 질적 특성은 재무제표에서 제공되는 재무정보에도 적용되며, 그 밖의 방법으로 제공되는 재무정보에도 적용된다. 보고기업의 유용한 재무정보 제공 능력에 대한 포괄적 제약요인인 원가도 이와 마찬가지로 적용된다. 그러나 질적 특성과 원가 제약요인 적용시의 고려 사항은 정보의 유형별로 달라질 수 있다. 예를 들어, 미래전망 정보에 이를 적용하는 것은 현재의 경제적 자원 및 청구권에 관한 정보과 그 자원 및 청구권의 변동에 적용하는 것과 다를 수 있다(개념체계 문단 2.3).

유용한 재무정보의 질적 특성

재무정보가 유용하기 위해서는 목적적합해야 하고 나타내고자 하는 바를 충실하게 표현해야 한다. 재무정보가 비교가능하고, 검증가능하며, 적시성 있고, 이해가능한 경우 그 재무정보의 유용성은 보강된다(개념체계 문단 2.4).

1. 근본적 질적 특성

근본적 질적 특성은 목적적합성과 표현충실성이다(개념체계 문단 2.5).

(1) 목적적합성

목적적합한 재무정보는 정보이용자의 의사결정에 차이가 나도록 할 수 있다. 정보는 일부 정보이용자가 이를 이용하지 않기로 선택하거나 다른 원천을 통하여 이미 이를 알고 있다고 할지라도 의사결정에 차이가 나도록 할 수 있다(개념체계 문단 2.6). 재무정보에 예측가치, 확인가치 또는 이 둘 모두가 있다면 그 재무정보는 의사결정에 차이가 나도록 할 수 있다(개념체계 문단 2.7).

① 예측가치

이용자들이 미래 결과를 예측하기 위해 사용하는 절차의 투입요소로 재무정보가 사용될 수 있다면, 그 재무정보는 예측가치를 갖는다. 재무정보가 예측가치를 갖기 위해서 그 자체가 예측치 또는 예상치일 필요는 없다. 예측가치를 갖는 재무정보는 정보이용자 자신이 예측하는 데 사용된다(개념체계 문단 2.8).

② 확인가치

재무정보가 과거 평가에 대해 피드백을 제공한다면(과거 평가를 확인하거나 변경시킨다면) 확인가치를 갖는다(개념체계 문단 2.9).

재무정보의 예측가치와 확인가치는 상호 연관되어 있다. 예측가치를 갖는 정보는 확인가치도 갖는 경우가 많다. 예를 들어, 미래 연도 수익의 예측 근거로 사용할 수 있는 당해 연도 수익 정보를 과거 연도에 행한 당해 연도 수익 예측치와 비교할 수 있다. 그 비교 결과는 정보이용자가 그 과거 예측에 사용한 절차를 수정하고 개선하는 데 도움을 줄 수 있다(개념체계 문단 2.10).

중요성

특정 보고기업에 대한 재무정보를 제공하는 일반목적재무보고서에 정보를 누락하거나 잘못기재하거나 불분명하게 하여, 이를 기초로 내리는 주요 이용자들의 의사결정에 영향을 줄 것으로 합리적으로 예상할 수 있다면 그 정보는 중요한 것이다. 즉, 중요성은 개별 기업 재무보고서 관점에서 해당 정보와 관련된 항목의 성격이나 규모 또는 이 둘 다에 근거하여 해당 기업에 특유한 측면의 목적적합성을 의미한다. 따라서 회계기준위원회는 중요성에 대한 획일적인 계량 임계치를 정하거나 특정한 상황에서 무엇이 중요한 것인지를 미리 결정할 수 없다(개념체계 문단 2.11).

(2) 표현충실성

재무보고서는 경제적 현상을 글과 숫자로 나타내는 것이다. 재무정보가 유용하기 위해서는 목적적합한 현상을 표현하는 것뿐만 아니라 나타내고자 하는 현상의 실질을 충실하게 표현해야 한다. 많은 경우, 경제적 현상의 실질과 그 법적 형식은 같다. 만약 같지 않다면, 법적 형식에 따른 정보만 제공해서는 경제적 현상을 충실하게 표현할 수 없을 것이다(개념체계 문단 2.12). 완벽한 표현충실성을 위해서는 서술에 세 가지의 특성이 있어야 할 것이다. 서술은 완전하고, 중립적이며, 오류가 없어야 할 것이다. 물론 완벽은 이루기 매우 어렵다. 회계기준위원회의 목적은 가능한 정도까지 그 특성을 극대화하는 것이다(개념체계 문단 2.13).

① 완전한 서술

완전한 서술은 필요한 기술과 설명을 포함하여 정보이용자가 서술되는 현상을 이해하는 데 필요한 모든 정보를 포함하는 것이다. 예를 들어, 자산 집합의 완전한 서술은 적어도 집합 내 자산의 특성에 대한 기술과 집합 내 모든 자산의 수량적 서술, 그러한 수량적 서술이 표현하고 있는 기술 내용(예 : 역사적원가 또는 공정가치)을 포함한다. 일부 항목의 경우 완전한 서술은 항목의 질 및 성격, 그 항목의 질 및 성격에 영향을 줄 수 있는 요인과 상황, 그리고 수량적 서술을 결정하는 데 사용된 절차에 대한 유의적인 사실의 설명을 수반할 수도 있다(개념체계 문단 2.14).

② 중립적 서술

중립적 서술은 재무정보의 선택이나 표시에 편의가 없는 것이다. 중립적 서술은, 정보이용자가 재무정보를 유리하게 또는 불리하게 받아들일 가능성을 높이기 위해 편파적이 되거나, 편중되거나, 강조되거나, 경시되거나 그 밖의 방식으로 조작되지 않는다. 중립적 정보는 목적이 없거나 행동에 대한 영향력이 없는 정보를 의미하지 않는다. 오히려 목적적합한 재무정보는 정의상 정보이용자의 의사결정에 차이가 나도록 할 수 있는 정보이다(개념체계 문단 2.15).

중립성은 신중을 기함으로써 뒷받침되고, 신중성은 불확실한 상황에서 판단할 때 주의를 기울이는 것이다. 신중을 기한다는 것은 자산과 수익이 과대평가되지 않고 부채와 비용이 과소평가되지 않는 것을 의미한다. 마찬가지로, 신중을 기한다는 것은 자산이나 수익의 과소평가나 부채나 비용의 과대평가를 허용하지 않는다. 그러한 그릇된 평가는 미래 기간의 수익이나 비용의 과대평가나 과소평가로 이어질 수 있다(개념체계 문단 2.16).

신중을 기하는 것이 비대칭의 필요성(예: 자산이나 수익을 인식하기 위해서는 부채나 비용을 인식할 때보다 더욱 설득력 있는 증거가 뒷받침되어야 한다는 구조적인 필요성)을 내포하는 것은 아니다. 그러한 비대칭은 유용한 재무정보의 질적특성이 아니다. 그럼에도 불구하고, 나타내고자 하는 바를 충실하게 표현하는 가장 목적적합한 정보를 선택하려는 결정의 결과가 비대칭성이라면, 특정 회계기준에서 비대칭적인 요구사항을 포함할 수도 있다(개념체계 문단 2.17).

③ 오류 부재

표현충실성은 모든 면에서 정확한 것을 의미하지는 않는다. 오류가 없다는 것은 현상의 기술에 오류나 누락이 없고, 보고 정보를 생산하는 데 사용되는 절차의 선택과 적용 시 절차상 오류가 없음을 의미한다. 이 맥락에서 오류가 없다는 것은 모든 면에서 완벽하게 정확하다는 것을 의미하지는 않는다. 예를 들어, 관측가능하지 않은 가격이나 가치의 추정치는 정확한지 또는 부정확한지 결정할 수 없다. 그러나 추정치로서 금액을 명확하고 정확하게 기술하고, 추정 절차의 성격과 한계를 설명하며, 그 추정치를 도출하기 위한 적절한 절차를 선택하고 적용하는 데 오류가 없다면 그 추정치의 표현은 충실하다고 할 수 있다(개념체계 문단 2.18).

재무보고서의 화폐금액을 직접 관측할 수 없어 추정해야만 하는 경우에는 측정불확실성이 발생한다. 합리적인 추정치의 사용은 재무정보의 작성에 필수적인 부분이며, 추정이 명확하고 정확하게 기술되고 설명되는 한 정보의 유용성을 저해하지 않는다. 측정불확실성이 높은 수준이더라도 그러한 추정이 무조건 유용한 재무정보를 제공하지 못하는 것은 아니다(개념체계 문단 2.19).

(3) 근본적 질적 특성의 적용

정보가 유용하기 위해서는 목적적합하고 충실하게 표현되어야 한다. 목적적합하지 않은 현상에 대한 충실한 표현과 목적적합한 현상에 대한 충실하지 못한 표현 모두 정보이용자가 좋은 결정을 내리는 데 도움이 되지 않는다(개념체계 문단 2.20).

근본적 질적 특성을 적용하기 위한 가장 효율적이고 효과적인 절차는 일반적으로 다음과 같다(보강적 특성과 원가 제약요인의 영향을 받지만 이 사례에서는 고려하지 않음). 첫째, 보고기업의 재무정보 이용자에게 유용할 수 있는 경제적 현상을 식별한다. 둘째, 그 현상에 대한 가장 목적적합한 정보의 유형을 식별한다. 셋째, 그 정보가 이용가능한지, 그리고 경제적 현상을 충실하게 표현할 수 있는지 결정한다. 만약 그러하다면, 근본적 질적 특성의 충족 절차는 그 시점에 끝난다. 만약 그러하지 않다면, 차선의 목적적합한 유형의 정보에 대해 그 절차를 반복한다(개념체계 문단 2.21).

경우에 따라 경제적 현상에 대한 유용한 정보를 제공한다는 재무보고의 목적을 달성하기 위해 근본적 질적특성 간 절충이 필요할 수도 있다. 예를 들어, 어떤 현상에 대한 가장 목적적합한 정보가 매우 불확실한 추정치일 수 있다. 어떤 경우에는 추정치 산출에 포함된 측정불확실성의 수준이 너무 높아 그 추정치가 현상을 충분히 충실하게 표현할 수 있을지 의심스러울 수 있다. 그러한 경우에는 추정치에 대한 기술과 추정치에 영향을 미치는 불확실성에 대한 설명이 부연된다면 매우 불확실한 추정치도 가장 유용한 정보가 될 수 있다. 그러나 그러한 정보가 현상을 충분히 충실하게 표현할 수 없는 경우에 가장 유용한 정보는 다소 목적적합성이 떨어지지만 측정불확실성이 더 낮은 유형의 추정치일 수 있다. 일부 제한된 상황에서는 유용한 정보를 제공하는 추정치가 없을 수도 있다. 그러한 제한된 상황에서는 추정에 의존하지 않는 정보를 제공해야 할 수 있다(개념체계 문단 2.22).

2. 보강적 질적 특성

비교가능성, 검증가능성, 적시성 및 이해가능성은 목적적합하고 나타내고자 하는 바를 충실하게 표현하는 것 모두를 충족하는 정보의 유용성을 보강시키는 질적 특성이다. 보강적 질적 특성은 만일 어떤 두 가지 방법이 현상을 동일하게 목적적합하고 충실하게 표현하는 것이라면 이 두 가지 방법 가운데 어느 방법을 현상의 서술에 사용해야 할지를 결정하는 데에도 도움을 줄 수 있다(개념체계 문단 2.23).

(1) 비교가능성

정보이용자의 의사결정은, 예를 들어, 투자자산을 매도할지 또는 보유할지, 어느 보고기업에 투자할지를 선택하는 것과 같이 대안들 중에서 선택을 하는 것이다. 따라서 보고기업에 대한 정보는 다른 기업에 대한 유사한 정보 및 해당 기업에 대한 다른 기간이나 다른 일자의 유사한 정보와 비교할 수 있다면 더욱 유용하다(개념체계 문단 2.24).

비교가능성은 정보이용자가 항목 간의 유사점과 차이점을 식별하고 이해할 수 있게 하는 질적 특성이다. 다른 질적 특성과 달리 비교가능성은 단 하나의 항목에 관련된 것이 아니다. 비교하려면 최소한 두 항목이 필요하다(개념체계 문단 2.25).

일관성은 비교가능성과 관련은 되어 있지만 동일하지는 않다. 일관성은 한 보고기업 내에서 기간 간 또는 같은 기간 동안에 기업 간, 동일한 항목에 대해 동일한 방법을 적용하는 것을 말한다. 비교가능성은 목표이고 일관성은 그 목표를 달성하는 데 도움을 준다(개념체계 문단 2.26). 비교가능성은 통일성이 아니다. 정보가 비교가능하기 위해서는 비슷한 것은 비슷하게 보여야 하고 다른 것은 다르게 보여야 한다. 재무정보의 비교가능성은 비슷한 것을 달리 보이게 하여 보강되지 않는 것처럼, 비슷하지 않은 것을 비슷하게 보이게 한다고 해서 보강되지 않는다(개념체계 문단 2.27).

근본적 질적 특성을 충족하면 어느 정도의 비교가능성은 달성될 수 있을 것이다. 목적적합한 경제적 현상에 대한 충실한 표현은 다른 보고기업의 유사한 목적적합한 경제적 현상에 대한 충실한 표현과 어느 정도의 비교가능성을 자연히 가져야 한다(개념체계 문단 2.28). 하나의 경제적 현상은 여러 가지 방법으로 충실하게 표현될 수 있으나 동일한 경제적 현상에 대해 대체적인 회계처리방법을 허용하면 비교가능성이 감소한다(개념체계 문단 2.29).

(2) 검증가능성

검증가능성은 정보가 나타내고자 하는 경제적 현상을 충실히 표현하는지를 정보이용자가 확인하는 데 도움을 준다. 검증가능성은 합리적인 판단력이 있고 독립적인 서로 다른 관찰자가 어떤 서술이 충실한 표현이라는데, 비록 반드시 완전히 일치하지는 못하더라도, 의견이 일치할 수 있다는 것을 의미한다. 계량화된 정보가 검증가능하기 위해서 단일 점추정치이어야 할 필요는 없다. 가능한 금액의 범위 및 관련된 확률도 검증될 수 있다(개념체계 문단 2.30). 검증은 직접적 또는 간접적으로 이루어질 수 있다. 직접 검증은, 예를 들어, 현금을 세는 것과 같이, 직접적인 관찰을 통하여 금액이나 그 밖의 표현을 검증하는 것을 의미한다. 간접 검증은 모형, 공식 또는 그 밖의 기법에의 투입요소를 확인하고 같은 방법을 사용하여 그 결과를 재계산하는 것을 의미한다. 예를 들어, 투입요소(수량과 원가)를 확인하고 같은 원가흐름가정을 사용(예 : 선입선출법 사용)하여 기말 재고자산을 재계산하여 재고자산의 장부금액을 검증하는 것이다(개념체계 문단 2.31). 어느 미래 기간 전까지는 어떤 설명과 미래 전망 재무정보를 검증하는 것이 전혀 가능하지 않을 수 있다. 이용자가 그 정보의 이용 여부를 결정하는 데 도움을 주기 위해서는 일 반적으로 기초가 된 가정, 정보의 작성 방법과 정보를 뒷받침하는 그 밖의 요인 및 상황을 공시하는 것이 필요하다(개념체계 문단 2.31).

어느 미래 기간 전까지는 어떤 설명과 미래 전망 재무정보를 검증하는 것이 전혀 가능하지 않을 수 있다. 이용자들이 그 정보의 이용 여부를 결정하는 데 도움을 주기 위해서는 일반적으로 기초가 된 가정, 정보의 작성 방법과 정보를 뒷받침하는 그 밖의 여인 및 상황을 공시하는 것이 필요하다(개념체계 문단 2.32).

(3) 적시성

적시성은 의사결정에 영향을 미칠 수 있도록 의사결정자가 정보를 제때에 이용가능하게 하는 것을 의미한다. 일반적으로 정보는 오래될수록 유용성이 낮아진다. 그러나 일부 정보는 보고기간 말 후에도 오랫동안 적시성이 있을 수 있다. 예를 들어, 일부 이용자는 추세를 식별하고 평가할 필요가 있을 수 있기 때문이다(개념체계 문단 2.33).

(4) 이해가능성

정보를 명확하고 간결하게 분류하고, 특징지으며, 표시하면 이해가능하게 된다(개념체계 문단 2.34). 일부 현상은 본질적으로 복잡하여 이해하기 쉽지 않다. 그 현상에 대한 정보를 재무보고서에서 제외하면 그 재무보고서의 정보를 더 이해하기 쉽게 할 수 있다. 그러나 그 보고서는 불완전하여 잠재적으로 오도할 수 있다(개념체계 문단 2.35). 재무보고서는 사업활동과 경제활동에 대해 합리적인 지식이 있고, 부지런히 정보를 검토하고 분석하는 이용자를 위해 작성된다. 때로는 박식하고 부지런한 이용자도 복잡한 경제적 현상에 대한 정보를 이해하기 위해 자문가의 도움을 받는 것이 필요할 수 있다(개념체계 문단 2.36).

(5) 보강적 질적 특성의 적용

보강적 질적 특성은 가능한 한 극대화되어야 한다. 그러나 보강적 질적 특성은, 정보가 목적적합하지 않거나 나타내고자 하는 바를 충실하게 표현하지 않으면, 개별적으로든 집단적으로든 그 정보를 유용하게 할 수 없다(개념체계 문단 2.37). 보강적 질적 특성을 적용하는 것은 어떤 규정된 순서를 따르지 않는 반복적인 과정이다. 때로는 하나의 보강적 질적 특성이 다른 질적 특성의 극대화를 위해 감소되어야 할 수도 있다. 예를 들어, 새로운 재무보고기준의 전진 적용으로 인한 비교가능성의 일시적 감소는 장기적으로 목적적합성이나 표현충실성을 향상시키기 위해 감수될 수도 있다. 적절한 공시는 비교가능성의 미비를 부분적으로 보완할 수 있다(개념체계 문단 2.38).

3. 유용한 재무보고에 대한 원가 제약

원가는 재무보고로 제공될 수 있는 정도에 대한 포괄적 제약요인이다. 재무정보의 보고에는 원가가 소요되고, 해당 정보 보고의 효익이 그 원가를 정당화한다는 것이 중요하다. 고려해야 할 몇 가지 유형의 원가와 효익이 있다(개념체계 문단 2.39). 재무정보의 제공자는 재무정보의 수집, 처리, 검증 및 전파에 대부분의 노력을 기울인다. 그러나 정보이용자는 궁극적으로 수익 감소의 형태로 그 원가를 부담한다. 재무정보의 이용자에게도 제공된 정보를 분석하고 해석하는 데 원가가 발생한다. 필요한 정보가 제공되지 않으면, 그 정보를 다른 곳에서 얻거나 그것을 추정하기 위한 추가적인 원가가 정보이용자에게 발생한다(개념체계 문단 2.40). 목적적합하고 나타내고자 하는 바가 충실하게 표현된 재무정보를 보고하는 것은 정보이용자가 더 확신을 가지고 의사결정하는 데 도움이 된다. 이것은 자본시장이 더 효율적으로 기능하도록 하고, 경제 전반적으로 자본비용을 감소시킨다. 개별 투자자, 대여자 및 기타 채권자도 더 많은 정보에 근거한 의사결정을 함으로써 효익을 얻는다. 그러나 모든 이용자가 목적적합하다고 보는 모든 정보를 일반목적재무보고서에서 제공하는 것은 가능하지 않다(개념체계 문단 2.41). 원가 제약요인을 적용함에 있어서, 회계기준위원회는 특정 정보를 보고하는 효익이 그 정보를 제공하고 사용하는 데 발생한 원가를 정당화할 수 있을 것인지 평가한다. 제안된 재무보고기준을 제정하는 과정에 원가 제약요인을 적용할 때, 회계기준위원회는 그 기준의 예상되는 효익과 원가의 성격 및 양에 대하여 재무정보의 제공자, 정보이용자, 외부감사인, 학계 등에서 정보를 구한다. 대부분의 상황에서 평가는 양적 그리고 질적 정보의 조합에 근거한다(개념체계 문단 2.42). 본질적인 주관성 때문에, 재무정보의 특정 항목 보고의 원가 및 효익에 대한 평가는 개인마다 달라진다. 따라서 회계기준위원회는 단지 개별 보고기업과 관련된 것이 아닌, 재무보고 전반적으로 원가와 효익을 고려하려고 노력하고 있다. 그렇다고 원가와 효익의 평가가 동일한 보고 요구사항을 모든 기업에 대해 언제나 정당화한다는 것을 의미하는 것은 아니다. 기업 규모의 차이, 자본 조달 방법(공모 또는 사모)의 차이, 정보이용자 요구의 차이, 그 밖의 다른 요인 때문에 달리하는 것이 적절할 수 있다(개념체계 문단 2.43).

1. 재무제표

(1) 재무제표의 목적과 범위

재무제표의 목적은 보고기업에 유입될 미래순현금흐름에 대한 전망과 보고기업의 경제적자원에 대한 경영진의 수탁책임을 평가하는데 유용한 보고기업의 자산, 부채, 자본, 수익 및 비용에 대한 재무정보를 재무제표이용자들에게 제공하는 것이다(개념체계 문단 3.2).

이러한 정보는 다음을 통해 제공된다.

① 자산, 부채 및 자본이 인식된 재무상태표
② 수익과 비용이 인식된 재무성과표
③ 다음에 관한 정보가 표시되고 공시된 다른 재무제표와 주석
  (가) 인식된 자산, 부채, 자본, 수익 및 비용, 그 각각의 성격과 인식된 자산 및 부채에서 발생하는 위험에 대한 정보를 포함한다.
  (나) 인식되지 않은 자산 및 부채, 그 각각의 성격과 인식되지 않은 자산과 부채에서 발생하는 위험에 대한 정보를 포함한다.
  (다) 현금흐름
  (라) 자본청구권 보유자의 출자와 자본청구권 보유자에 대한 분배
  (마) 표시되거나 공시된 금액을 추정하는 사용된 방법, 가정과 판단 및 그러한 방법, 가정과 판단의 변경(개념체계 문단 3.3).

(2) 보고기간

재무제표는 특정 기간(보고기간)에 대하여 작성되며 보고기간 말 현재 또는 보고기간 중 존재했던 자산과 부채(미인식된 자산과 부채 포함) 및 자본과 보고기간의 수익과 비용에 관한 정보를 제공한다(개념체계 문단 3.4). 재무제표이용자들이 변화와 추세를 식별하고 평가하는 것을 돕기 위해, 재무제표는 최소한 직전 연도에 대한 비교정보를 제공한다(개념체계 문단 3.4). 또한, 그 정보가 보고기간 말 현재 또는 보고기간 중 존재했던 기업의 자산, 부채(미인식 자산이나 부채 포함)나 자본 또는 보고기간의 수익이나 비용과 관련되고 재무제표이용자들에게 유용한 경우, 미래에 발생할 수 있는 거래 및 사건에 대한 정보(미래전망 정보)를 재무제표에 포함한다. 예를 들어, 미래 현금흐름을 추정하여 자산이나 부채를 측정한다면, 그러한 추정 미래현금흐름에 대한 정보는 재무제표이용자

들이 보고된 측정치를 이해하는데 도움을 줄 수 있다. 일반적으로 재무제표는 다른 유형의 미래전망 정보(예: 보고기업에 대한 경영진의 기대와 전략에 대한 설명자료)를 제공하지는 않는다(개념체계 문단 3.6). 재무제표의 목적을 달성하기 위해 보고기간 후 발생한 거래 및 그 밖의 사건에 대한 정보를 제공할 필요가 있다면 재무제표에 그러한 정보를 포함한다(개념체계 문단 3.7).

(3) 재무제표에 채택된 관점

재무제표는 기업의 현재 및 잠재적 투자자, 대여자와 그 밖의 채권자 중 특정 집단의 관점이 아닌 보고기업 전체의 관점에서 거래 및 그 밖의 사건에 대한 정보를 제공한다(개념체계 문단 3.8).

(4) 계속기업 가정

재무제표는 일반적으로 보고기업이 계속기업이며 예상가능한 미래에 영업을 계속할 것이라는 가정하에 작성된다. 따라서 기업은 그 경영활동을 청산하거나 거래를 중단하려는 의도가 없으며, 그럴 필요도 없다고 가정한다. 만약 이러한 의도나 필요성이 있다면 재무제표는 계속기업을 가정한 기준과는 다른 기준을 적용하여 작성되어야 하고, 이때 적용한 기준은 재무제표에 기술한다(개념체계 문단 3.9).

2. 보고기업

보고기업은 재무제표를 작성해야 하거나 작성하기로 선택한 기업이다. 보고기업은 단일의 실체이거나 어떤 실체의 일부일 수 있으며, 둘 이상의 실체로 구성될 수도 있다. 보고기업이 반드시 법적 실체일 필요는 없다(개념체계 문단 3.10). 한 기업(지배기업)이 다른 기업(종속기업)을 지배하는 경우가 있다. 보고기업이 종속기업으로 구성된다면 그 보고기업의 재무제표를 '연결재무제표'라고 부른다. 보고기업이 지배기업 단독인 경우 그 보고기업의 재무제표를 '비연결재무제표'라고 부른다(개념체계 문단 3.11). 보고기업이 지배-종속관계로 모두 연결되어 있지는 않은 둘 이상 실체들로 구성된다면 그 보고기업의 재무제표를 '결합재무제표'라고 부른다(개념체계 문단 3.12).

보고기업이 법적실체가 아니고 지배-종속관계로 연결된 법적 실체들로만 구성되어 있지 않은 경우 보고기업의 적절한 경계를 결정하는 것이 어려울 수 있다(개념체계 문단 3.13). 이 경우, 보고기업의 경계는 보고기업의 재무제표의 주요이용자들의 정보수요에 맞춰 결정한다. 주요이용자들은 목적적합하고 나타내고자 하는 바를 충실하게 표현하는

정보를 필요로 한다. 충실한 표현은 다음 모두를 요구한다.

① 보고기업의 경계에 자의적이거나 불완전한 경제활동의 집합을 포함하지 않는다.

② 보고기업의 경계 내에 경제활동의 해당 집합을 포함하는 것이 중립적 정보를 생산한다.

③ 보고기업의 경계가 어떻게 결정되었는지 그리고 보고기업이 무엇으로 구성되는지에 대한 설명을 제공한다(개념체계 문단 3.14).

　연결재무제표는 단일의 보고기업으로서의 지배기업과 종속기업의 자산, 부채, 자본, 수익 및 비용에 대한 정보를 제공한다. 이 정보는 지배기업의 현재 및 잠재적 투자자, 대여자와 그 밖의 채권자가 지배기업에 유입될 미래현금흐름에 대한 전망을 평가하는 데 유용하다. 그 이유는 지배기업에 유입되는 순현금흐름에 지배기업이 종속기업으로부터 받는 분배가 포함되고, 그러한 분배는 종속기업에 유입되는 순현금흐름에 달려있기 때문이다(개념체계 문단 3.15). 종속기업 자체의 재무제표가 그러한 정보를 제공하기 위해 만들어졌으며, 연결재무제표는 특정 종속기업의 자산, 부채, 자본, 수익 및 비용에 대한 별도의 정보를 제공하도록 만들어지지 않았다(개념체계 문단 3.16).

　비연결재무제표는 종속기업에 대해서가 아닌 지배기업의 자산, 부채, 자본, 수익 및 비용에 대한 정보를 제공하도록 만들어졌다. 그러한 정보는 지배기업에 대한 청구권이 일반적으로 그 보유자에게 종속기업에 대한 청구권을 부여하지 않고, 일부 국가에서는 지배기업의 자본청구권 보유자에게 법적으로 분배될 수 있는 금액이 지배기업의 분배가능 잉여금에 달려있기 때문에 지배기업의 현재 및 잠재적 투자자, 대여자와 그 밖의 채권자에게 유용할 수 있다. 지배기업만의 자산, 부채, 자본, 수익 및 비용의 일부 또는 전부에 대한 정보를 제공하는 또 다른 방법은 그러한 정보를 연결재무제표의 주석에 기재하는 것이다(개념체계 문단 3.17). 비연결재무제표에 제공되는 정보는 일반적으로 지배기업의 현재 및 잠재적 투자자, 대여자와 그 밖의 채권자의 정보수요를 충족하기에 충분하지 않다. 따라서 연결재무제표가 요구되는 경우에는 비연결재무제표가 연결재무제표를 대신할 수 없다. 그럼에도 불구하고, 지배기업은 연결재무제표에 추가하여 비연결재무제표를 작성해야 하거나 작성하기로 선택할 수 있다(개념체계 문단 3.18).

제5절 **재무제표 요소**

개념체계에 정의된 재무제표의 요소는 보고기업의 재무상태와 관련된 자산, 부채 및 자본, 그리고 보고기업의 재무성과와 관련된 수익 및 비용이다(개념체계 문단 4.1).

1. 자 산

자산은 과거 사건의 결과로 기업이 통제하는 현재의 경제적 자원이며, 경제적자원은 경제적효익을 창출할 잠재력을 지닌 권리를 의미한다(개념체계 문단 4.3, 4.4).

경제적효익을 창출할 잠재력이 있기 위해서는 권리가 있어야 하며, 현금을 수취할 권리나 재화나 용역을 제공받을 권리 등의 다른 당사자의 의무에 해당하는 권리와, 유형자산 또는 재고자산과 같은 물리적 대상에 대한 권리 등의 다른 당사자의 의무에 해당하지 않는 권리가 포함된다(개념체계 문단 4.6). 경제적효익을 창출할 잠재력이 있기 위해 권리가 경제적효익을 창출할 것이라고 확신하거나 그 가능성이 높아야 하는 것은 아니다. 권리가 이미 존재하고 적어도 하나의 상황에서 그 기업을 위해 다른 모든 당사자들에게 이용가능한 경제적효익을 초과하는 경제적효익을 창출할 수 있으면 된다(개념체계 문단 4.14). 통제는 경제적자원을 기업에 결부시킨다. 통제의 존재 여부를 평가하는 것은 기업이 회계처리할 경제적자원을 식별하는데 도움이 된다(개념체계 문단 4.19).

2. 부 채

부채는 과거 사건의 결과로 기업이 경제적자원을 이전해야 하는 현재의무이다. 부채가 존재하지 위해서는 기업에게 의무가 있고, 의무는 경제적자원을 이전하는 것이며, 의무는 과거사건의 결과로 존재하는 현재의무여야 한다(개념체계 문단 4.26, 4.27).

의무란 기업이 회피할 수 있는 실제 능력이 없는 책무나 책임을 말한다. 의무는 항상 다른 당사자(또는 당사자들)에게 이행해야 한다. 다른 당사자(또는 당사자들)는 사람이나 또 다른 기업, 사람들 또는 기업들의 집단, 사회 전반이 될 수 있다. 의무를 이행할 대상인 당사자(또는 당사자들)의 신원을 알 필요는 없다(개념체계 문단 4.29). 또한, 의무에는 기업이 경제적자원을 다른 당사자(또는 당사자들)에게 이전하도록 요구받게 될 잠재력이 있어야 한다. 그러한 잠재력이 존재하기 위해서는, 기업이 경제적자원의 이전을 요구받을 것이 확실하거나 그 가능성이 높아야 하는 것은 아니다(개념체계 문단 4.37).

3. 자 본

자본은 기업의 자산에서 모든 부채를 차감한 후의 잔여지분으로 정의된다(개념체계 문단 4.63). 자본청구권은 기업의 자산에서 모든 부채를 차감한 후의 잔여지분에 대한 청구권으로, 부채의 정의에 부합하지 않는 기업에 대한 청구권이다. 그러한 청구권은 계약, 법률 또는 이와 유사한 수단에 의해 성립될 수 있으며, 부채의 정의를 충족하지 않는 한 기업이 발행한 다양한 유형의 지분, 기업이 또 다른 자본청구권을 발행할 의무를 포함한다(개념체계 문단 4.64).

4. 수익과 비용

수익은 자산의 증가 또는 부채의 감소로서 자본의 증가를 가져오며, 자본청구권 보유자의 출자와 관련된 것을 제외한다(개념체계 문단 4.68). 비용은 자산의 감소 또는 부채의 증가로서 자본의 감소를 가져오며, 자본청구권 보유자에 대한 분배와 관련된 것을 제외한다(개념체계 문단 4.69).

제6절 ## 인식과 제거

1. 인식 절차

인식은 자산, 부채, 자본, 수익 또는 비용과 같은 재무제표 요소 중 하나의 정의를 충족하는 항목을 재무상태표나 재무성과표에 포함하기 위하여 포착하는 과정이다. 인식은 그러한 재무제표 중 하나에 어떤 항목(단독으로 또는 다른 항목과 통합하여)을 명칭과 화폐금액으로 나타내고, 그 항목을 해당 재무제표의 하나 이상의 합계에 포함시키는 것과 관련된다. 자산, 부채 또는 자본이 재무상태표에 인식되는 금액을 '장부금액'이라고 한다(개념체계 문단 5.1). 재무상태표와 재무성과표는 재무정보를 비교가능하고 이해하기 쉽도록 구성한 구조화된 요약으로, 기업이 인식하는 자산, 부채, 자본, 수익 및 비용을 나타낸다. 이러한 요약의 구조상 중요한 특징은 재무제표에 인식하는 금액은 재무제표에 인식될 항목들이 연계되는 총계들과 (해당될 경우) 소계들에 포함된다는 점이다(개념체계 문단 5.2). 인식에 따라 재무제표 요소, 재무상태표 및 재무성과표가 다음과 같이 연계된다.

(1) 재무상태표의 보고기간 기초와 기말의 총자산에서 총부채를 차감한 것은 총자본과 같다.

(2) 보고기간에 인식한 자본변동은 다음과 같이 구성되어 있다.

    (가) 재무성과표에 인식된 수익에서 비용을 차감한 금액

    (나) 자본청구권 보유자로부터의 출자에서 자본청구권 보유자에의 분배를 차감한 금액(개념체계 문단 5.3)

하나의 항목(또는 장부금액의 변동)의 인식은 하나 이상의 다른 항목(또는 하나 이상의 다른 항목의 장부금액의 변동)의 인식 또는 제거가 필요하기 때문에 재무제표들은 예를 들어 다음과 같이 연계된다.

(1) 수익의 인식은 다음과 동시에 발생한다.

    (가) 자산의 최초 인식 또는 자산의 장부금액의 증가

    (나) 부채의 제거 또는 부채의 장부금액의 감소

(2) 비용의 인식은 다음과 동시에 발생한다.

    (가) 부채의 최초 인식 또는 부채의 장부금액의 증가

    (나) 자산의 제거 또는 자산의 장부금액의 감소

(개념체계 문단 5.4)

거래나 그 밖의 사건에서 발생된 자산이나 부채의 최초 인식에 따라 수익과 관련 비

용을 동시에 인식할 수 있다. 예를 들어, 재화의 현금판매에 따라 수익(현금과 같은 자산의 인식으로 발생)과 비용(재화의 판매와 같이 다른 자산의 제거로 발생)을 동시에 인식하게 된다. 수익과 관련 비용의 동시 인식은 때때로 수익과 관련 원가의 대응을 나타낸다. '재무보고를 위한 개념체계'의 개념을 적용하면 자산과 부채의 변동을 인식할 때, 이러한 대응이 나타난다. 그러나 원가와 수익의 대응은 개념체계의 목적이 아니다. 개념체계는 재무상태표에서 자산, 부채, 자본의 정의를 충족하지 않는 항목의 인식을 허용하지 않는다.

2. 인식 기준

자산, 부채 또는 자본의 정의를 충족하는 항목만이 재무상태표에 인식된다. 마찬가지로 수익이나 비용의 정의를 충족하는 항목만이 재무성과표에 인식된다. 그러나 그러한 요소 중 하나의 정의를 충족하는 항목이라고 할지라도 항상 인식되는 것은 아니다(개념체계 문단 5.6). 자산, 부채, 자본, 수익과 비용에 대한 정보는 재무제표이용자들에게 목적적합하다. 그러나 특정 자산이나 부채의 인식과 이에 따른 결과로 발생하는 수익, 비용 또는 자본변동을 인식하는 것이 항상 목적적합한 정보를 제공하는 것은 아닐 수 있다. 예를 들어, 자산이나 부채가 존재하는지 불확실하거나, 자산이나 부채가 존재하지만 경제적효익의 유입가능성이나 유출가능성이 낮은 경우에 그러할 수 있다(개념체계 문단 5.12). 또한, 특정 자산이나 부채를 인식하는 것은 목적적합한 정보를 제공할 뿐만 아니라 해당 자산이나 부채 및 이에 따른 결과로 발생하는 수익, 비용 또는 자본변동에 대한 충실한 표현을 제공할 경우에 적절하다. 충실한 표현이 제공될 수 있는지는 자산이나 부채와 관련된 측정불확실성의 수준 또는 다른 요인에 의해 영향을 받을 수 있다(개념체계 문단 5.18).

3. 제 거

제거는 기업의 재무상태표에서 인식된 자산이나 부채의 전부 또는 일부를 삭제하는 것이다. 제거는 일반적으로 해당 항목이 더 이상 자산 또는 부채의 정의를 충족하지 못할 때 발생한다.

(1) 자산은 일반적으로 기업이 인식한 자산의 전부 또는 일부에 대한 통제를 상실하였을 때 제거한다.

(2) 부채는 일반적으로 기업이 인식한 부채의 전부 또는 일부에 대한 현재의무를 더 이상 부담하지 않을 때 제거한다.

(개념체계 문단 5.26).

제7절 측 정

측정은 재무상태표와 포괄손익계산서에 인식되고 평가되어야 할 재무제표 요소의 화폐금액을 결정하는 과정이다. 측정은 특정 측정기준의 선택과정을 포함한다. 재무제표에 인식된 요소들은 화폐단위로 수량화되어 있다. 이를 위해 측정기준을 선택해야 한다. 측정기준은 측정 대상 항목에 대해 식별된 속성(예: 역사적 원가, 공정가치 또는 이행가치)이다. 자산이나 부채에 측정기준을 적용하면 해당 자산이나 부채, 관련 수익과 비용의 측정치가 산출된다(개념체계 문단 6.1). 그러한 측정기준은 다음과 같다.

ㄱ 역사적 원가 : 자산은 취득의 대가로 취득 당시에 지급한 현금 또는 현금성자산이나 그 밖의 대가의 공정가치로 기록한다. 부채는 부담하는 의무의 대가로 수취한 금액으로 기록한다. 어떤 경우(예 : 법인세)에는 정상적인 영업과정에서 그 부채를 이행하기 위해 지급할 것으로 기대되는 현금이나 현금성자산의 금액으로 기록할 수도 있다. 역사적 원가 측정치는 적어도 부분적으로 자산, 부채 및 관련 수익과 비용을 발생시키는 거래나 그 밖의 사건의 가격에서 도출된 정보를 사용하여 자산, 부채 및 관련 수익과 비용에 관한 화폐적 정보를 제공한다. 현행가치와 달리 역사적 원가는 자산의 손상이나 손실부담에 따른 부채와 관련되는 변동을 제외하고는 가치의 변동을 반영하지 않는다(개념체계 문단 6.4).

ㄴ 현행가치 : 자산은 동일하거나 또는 동등한 자산을 현재시점에서 취득할 경우에 그 대가로 지급하여야 할 현금이나 현금성자산의 금액으로 평가한다. 부채는 현재시점에서 그 의무를 이행하는 데 필요한 현금이나 현금성자산을 할인하지 아니한 금액으로 평가한다. 현행가치 측정치는 측정일의 조건을 반영하기 위해 갱신된 정보를 사용하여 자산, 부채 및 관련 수익과 비용의 화폐적 정보를 제공한다. 이러한 갱신에 따라 자산과 부채의 현행가치는 이전 측정일 이후의 변동, 즉 현행가치에 반영되는 현금흐름과 그 밖의 요소의 추정치의 변동을 반영한다. 역사적 원가와는 달리, 자산이나 부채의 현행가치는 자산이나 부채를 발생시킨 거래나 그 밖의 사건의 가격으로부터 부분적으로라도 도출되지 않는다(개념체계 문단 6.10). 현행가치는 공정가치, 자산의 사용가치 및 부채의 이행가치, 현행원가를 포함한다(개념체계 문단 6.11).

자산이나 부채, 이와 관련된 수익과 비용의 측정기준을 선택할 때, 그 측정기준으로 재무상태표와 재무성과표에서 산출할 정보의 성격뿐만 아니라 그 밖의 요인을 고려할 필요가 있다(개념체계 문단 6.43). 대부분의 경우, 어떤 측정기준을 선택해야 하는지를 결정하는 단일의 요인은 없다. 각 요인의 상대적 중요성은 사실과 상황에 따라 달라질 것이다(개념체계 문단 6.44).

제8절 표시와 공시

보고기업은 재무제표에 정보를 표시하고 공시함으로써 기업의 자산, 부채, 자본, 수익 및 비용에 관한 정보를 전달한다(개념체계 문단 7.1). 재무제표의 정보가 효과적으로 소통되면 그 정보를 보다 목적적합하게 하고 기업의 자산, 부채, 자본, 수익 및 비용을 충실하게 표현하는 데 기여한다. 또한 이는 재무제표의 정보에 대한 이해가능성과 비교가능성을 향상시킨다(개념체계 문단 7.2). 재무제표의 정보가 쉽고 효과적으로 소통되기 위해 회계기준의 표시와 공시 요구 사항을 개발할 때 다음 사이의 균형이 필요하다.

(1) 기업의 자산, 부채, 자본, 수익 및 비용을 충실히 표현하는 목적적합한 정보를 제공할 수 있도록 기업에 융통성을 부여한다.

(2) 한 보고기업의 기간 간 그리고 같은 보고기간의 기업 간 비교가능한 정보를 요구한다(개념체계 문단 7.4). 분류란 표시와 공시를 위해 자산, 부채, 자본, 수익이나 비용을 공유되는 특성에 따라 구분하는 것을 말한다. 이러한 특성에는 항목의 성격, 기업이 수행하는 사업활동 내에서의 역할(또는 기능), 이들 항목을 측정하는 방법이 포함되나 이에 국한되지는 않는다(개념체계 문단 7.7).

상이한 자산, 부채, 자본, 수익이나 비용을 함께 분류하면 목적적합한 정보를 가려서 불분명하게 하고, 이해가능성과 비교가능성이 낮아질 수 있으며, 표현하고자 하는 내용을 충실하게 표현하지 못할 수 있다(개념체계 문단 7.8).

II

세무회계의 의의

세무회계의 의의

제1절 기업회계와 세무회계의 의의

앞서 살펴본 바와 같이 기업회계는 경제적 의사결정을 함에 있어서 경제실체에 관한 유용한 재무적 정보를 주주·채권자·투자자 등의 이해관계자에게 제공하는 기능을 수행하며, 그 준거 기준은 소위 "일반적으로 공정·타당하다고 인정하는 회계원칙" 즉, "기업회계기준"이다. 반면 세무회계는 공평한 조세부담과 납세자 간의 소득계산의 통일성을 위하여 마련된 조세법의 규정에 따라 과세소득과 세액에 관한 재무적 정보를 이해관계자에게 전달하는 기능을 수행한다. 즉, 세무회계는 과세소득을 적정히 계산하고 납세자의 소득계산의 통일성과 조세부담의 공평성을 유지하는 기능을 가진 회계이기 때문에 권리의무확정주의, 실질과세원칙, 조세회피부인, 손금규제원칙, 기업의 자주적 판단억제 및 확정결산기준을 바탕으로 하고 있다.

또한, 세무회계는 과세소득과 세액의 산정에 관한 재무정보의 전달기능을 가지고 있기 때문에 "과세표준과 세액이 얼마나 되고, 재무제표에 세금을 어떻게 표시하여야 하며, 또 가장 유리한 조세부담을 위한 조세계획은 무엇인가"에 경영자의 관심이 있다. 이러한 관점에서 세무회계의 영역은 다음의 세 가지로 분류할 수 있다.

① 과세소득론

과세소득론은 세법의 규정에 따라 과세소득과 세액을 산정하고 이를 보고하는 분야로서 통상적으로 세무회계라 함은 이 분야를 말한다.

② 세금에 관한 재무보고론

세금에 관한 재무보고론은 법인세회계를 의미한다.

법인세회계는 일정기간에 대한 법인세부담액과 기말재무상태표에 나타날 법인세 관련 자산과 부채를 결정하여 손익계산서에 나타날 법인세비용을 확정하는 과정을 말한다. 즉, 발생주의 및 공정가치평가 등을 기초로 하는 기업회계기준과 권리의무확정주의 및 역사적원가 등을 기초로 하는 세법과의 차이로 인하여 수익·비용과 익금·손금의

제1장 · 세무회계의 의의 | 81

인식방법과 인식시기 등의 차이가 발생하는 바, 세법에 따라 보고한 법인세부담액을 기업회계에 따른 인식기간에 배분하는 것이 법인세회계이다. 이는 수익·비용의 대응을 정확히 하고 재무제표의 자산과 부채의 정의에 부합하게 이연법인세를 재무제표에 반영하는 것이다. 이에 대한 자세한 설명은 별도의 장에서 서술하겠다.

③ 세무계획론

세무계획론은 일종의 세무관리회계라 말할 수 있다.

세법은 그 선택에 따라 합법적으로 조세부담을 경감할 수 있는 규정이 있을 뿐 아니라 조세특례제한법의 규정을 적절히 활용하면 조세부담을 상당히 경감시킬 수 있는 요소가 있다. 따라서, 경영자는 경영계획을 수립할 때 조세부담을 최소한으로 할 수 있도록 세무계획을 세워야 한다.

제2절 기업회계와 세무회계의 관련성

기업회계상의 기간손익과 세무회계상의 과세소득의 측정은 회계주체인 법인이 기록하는 회계구조를 토대로 하며, 기업회계와 세무회계의 개념파악에 대해서는 몇 가지의 공통적인 전제가 존재한다. 즉, 기업회계에 있어서 공준이라고 불리우는 다음 사항들은 과세소득의 파악에 있어서도 동일한 의의를 가진다.

- 기업실체(business entity)의 공준
- 계속기업(going concern)의 공준
- 기간별보고(periodicity)의 공준

이는 과세소득의 계산이 본래 기업이익 계산의 메커니즘으로서의 회계구조에 의존하기 때문에 과세소득의 계산원리에 기업회계의 계산원리를 도입하지 않으면 안되는 속성에서 비롯된다.

현재 우리나라의 법인세법도 기업회계상의 이익개념을 전제로 조세법적인 수정을 가하여 소득을 계산하는 방법을 규정하고 있다.

또한, 국세기본법 제20조에서 "세무공무원이 국세의 과세표준을 조사·결정할 때에는 해당 납세의무자가 계속하여 적용하고 있는 기업회계의 기준 또는 관행으로서 일반적으로 공정·타당하다고 인정되는 것은 존중하여야 한다. 다만, 세법에 특별한 규정이 있는 것은 그러하지 아니하다"라고 규정하고, 법인세법 제60조에서도 법인세의 과세표준과 세액을 신고할 때에는 기업회계기준을 준용하여 작성한 개별 내국법인의 재무상태표, 포괄손익계산서, 이익잉여금처분계산서(또는 결손금처리계산서)를 첨부하도록 명시하고 있어 기업회계와 세무회계는 상호의존 관계에 놓여 있다.

제3절 기업회계와 세무회계의 차이

기업회계와 세무회계는 위에서 본 바와 같이 상호의존 관계에 있지만, 기능상의 차이로 인하여 기업회계상 당기순이익과 세무회계상 각 사업연도의 소득은 일치하지 않는 것이 일반적이다.

기업회계기준과 세법을 중심으로 양자의 차이에 대하여 살펴보면 다음과 같다.

(1) 소득개념의 차이

법인세법 제14조에서 규정하고 있는 각 사업연도 소득개념과 같은 법 제15조 및 제19조에서 규정하고 있는 익금과 손금의 개념을 살펴보면, 법인세법에서는 원칙적으로 순자산증가설에 의하여 소득금액을 계산하도록 하고 있음을 알 수 있다.

반면에 기업회계기준에서는 손익거래와 자본거래를 엄격히 구분하여 손익거래에서 발생한 수익과 비용만을 인식하여 이익을 계산한다. 즉, 자기주식을 매입 또는 매도하거나 발행 또는 소각하는 경우의 손익은 자본거래로 보아 손익으로 인식하지 아니한다.

이와 같이 기업회계와 세무회계의 상이한 소득개념으로 인해 기업회계상의 당기순이익과 세법상의 소득의 차이가 생긴다.

(2) 손익의 인식기준에 의한 차이

기업회계기준에서는 발생주의를 전제로 하여 수익과 비용을 인식하되, 수익과 비용을 구체적으로 인식하고 측정하는 데에 있어서는 수익은 실현주의에 따라 인식하고 비용은 수익 · 비용대응의 원칙에 따라 인식하도록 하고 있다.

반면, 법인세법 제40조 제1항에서는 손익인식의 기본원칙으로 "내국법인의 각 사업연도의 익금과 손금의 귀속사업연도는 그 익금과 손금이 확정된 날이 속하는 사업연도로 한다"라고 규정하여 권리의무확정주의에 따라 손익을 인식하는 것을 원칙으로 하고 있다.

한편, 세법에서도 손익의 귀속시기의 차이는 일시적인 차이에 불과하므로 세법이 기업회계기준을 적극적으로 수용하면 그 차이가 해소되어 기업의 납세비용과 과세당국의 행정비용이 대폭 절감될 수 있으므로, 계속성의 원칙이 지켜지는 범위 내에서 법인세법 및 조세특례제한법에서 달리 규정하고 있는 경우를 제외하고는 그 기업회계기준 또는 관행에 따른 회계처리를 인정하고 있다(법법 43조).

(3) 조세정책적 입법에 의한 차이

기업회계기준은 다양한 재무정보이용자들에게 객관적이고도 유용한 정보제공을 위하여 회계처리에 관한 기준을 정하는 것이 그 목적이므로 정책적 목적의 달성을 위한 규정은 별도로 존재하지 않는다. 반면에 세법은 조세정책적인 목적으로 입법과정에서 세제상 특전을 부여하거나 불이익을 가하기도 한다. 세법상 특전 및 불이익을 살펴보면 다음과 같다.

① 세법상 특전
    ㉠ 국세 및 지방세의 과오납금의 환급금에 대한 이자의 익금불산입
    ㉡ 지주회사가 자회사로부터 또는 내국법인이 다른 내국법인으로부터 받은 수입
       배당금 중 일정액의 익금불산입 등

② 세법상 불이익
    ㉠ 벌금 등 특정 비용의 손금불산입
    ㉡ 기부금 및 접대비 등의 손금산입 제한 등

(4) 기업투자의 건전화 유도

세법에서는 불건전한 투자를 억제하고 재무구조의 악화를 방지하기 위한 장치로서 법인의 각 사업연도의 소득금액계산에 있어서 담세능력이 없는 것을 간주익금으로 취급하여 익금에 산입하거나 기업회계상 비용을 손금으로 인정하지 않는 경우가 있다. 그 예를 들어보면 다음과 같다.
  ① 부동산임대보증금 등의 간주익금산입과 업무무관 자산을 취득·관리함으로써 생기는 비용 등의 손금불산입
  ② 특수관계인에게 업무와 직접 관계 없이 가지급금을 지급하는 경우 인정이자 익금산입 및 지급이자 손금불산입 등

(5) 배당금 또는 분배금의 의제규정에 의한 차이

의제규정이란 본래의 성질은 다르지만 법률관계에는 동일한 것으로 취급하는 것을 말한다. 세법상으로는 공평과세를 위해 실질을 고려하여 과세하고자 할 때 소득계산에 관한 의제규정을 두고 있다.

예를 들면, 법인세법에서는 잉여금의 전부 또는 일부를 자본 또는 출자의 금액에 전입함으로써 취득하는 주식 또는 출자의 가액을 배당금 또는 분배금의 의제로 규정하고 이를 세법상 익금에 산입하도록 하고 있다.

Chapter 02 세무조정

제1절 세무조정의 의의

기업회계는 일반적으로 공정·타당하다고 인정되는 기업회계기준에 의하여 기업의 경영성과를 정확히 계산하는 것을 주된 목적으로 하는데, 세무회계는 세법의 규정에 의하여 정확한 과세소득을 계산하는 데 그 목적이 있다. 따라서 세법에 의한 정확한 과세소득의 계산을 위하여는 기업이 작성한 재무제표상의 당기순손익을 기초로 하여 세법의 규정에 따라 손금과 익금을 조정하여야 한다.

이렇게 기업 스스로 신고할 과세표준을 산출하기 위하여 기업회계상의 당기순이익으로부터 출발하여 기업회계와 세무회계의 차이를 조정하는 과정을 일반적으로 세무조정이라 한다.

그러나, 각종 세법의 규정도 원칙적으로 기업회계기준을 존중하면서 조세정책 또는 사회정책적 견지에서 예외적으로 기업회계와 다소 상충되는 규정을 두고 있을 뿐이므로, 정확한 과세소득의 계산을 위해서는 세무조정 이전에 기업이 제반 거래를 성실하게 기장하여야 함은 물론 건전하고 공정·타당한 기업회계기준을 바탕으로 한 결산서류의 작성이 선행되어야 하는 것이며, 또한 정확한 세무조정을 위해서는 무엇보다도 세법의 규정을 올바르게 이해해야 한다.

제2절

결산조정과 신고조정

세무조정은 그 절차상 특성에 따라 크게 결산조정과 신고조정으로 분류할 수 있다. 결산조정이란 익금 또는 손금을 결산서에 수익 또는 비용으로 계상하여 과세소득에 반영하는 것을 말하며, 신고조정이란 결산서에 수익 또는 비용으로 계상되지 않은 익금 또는 손금을 세무조정에 의해 과세소득에 반영하는 것을 말한다.

1. 결산조정

결산조정이란 법인이 반드시 장부에 수익 또는 비용을 계상하고 결산에 반영하여야 세무상 익금 또는 손금으로 인정되는 세무조정 절차를 말한다. 법인세법에서는 특정한 손비에 대하여 법인의 내부적 의사결정 즉, 결산확정에 의하여 손비로 계상하여야만 손금으로 인정하는 항목이 있으며, 이러한 결산조정사항을 예시하면 다음과 같다.

> **참고 결산조정항목**
>
> ① 감가상각비(즉시상각액 포함)(법법 23조)
>   ※ 감가상각의제액(법법 23조 3항) 및 한국채택국제회계기준을 적용하는 내국법인이 보유한 유형자산과 내용연수가 비한정인 무형자산의 감가상각비(법법 23조 2항) 등은 일정 한도 내 신고조정 가능함.
> ② 퇴직급여충당금(법법 33조)
> ③ 구상채권상각충당금(법법 35조)
>   ※ 한국채택국제회계기준을 적용하는 법인 중 주택도시보증공사는 잉여금처분에 의한 신고조정으로 구상채권상각충당금을 손금산입할 수 있음(법법 35조 2항).
> ④ 대손충당금(법법 34조)
> ⑤ 책임준비금(법법 30조)
> ⑥ 비상위험준비금(법법 31조)
>   ※ 한국채택국제회계기준을 적용하는 보험사는 잉여금처분에 의한 신고조정으로 비상위험준비금을 손금산입할 수 있음(법법 31조 2항).
> ⑦ 고유목적사업준비금(법법 29조)
>   ※ 외감법에 의한 외부감사를 받는 비영리내국법인은 잉여금처분에 의한 신고조정으로 고유목적사업준비금을 손금산입할 수 있음(법법 29조 2항).
> ⑧ 파손, 부패 등의 사유로 정상가격으로 판매할 수 없는 재고자산의 평가손(법법 42조 3항 1호)
> ⑨ 법인세법 시행령 제19조의 2 제1항 제7호부터 제13호까지의 대손금(법령 19조의 2)

⑩ 천재지변·화재 등에 의한 유형자산평가손(법법 42조 3항 2호)
⑪ 다음에 해당하는 주식 등으로서 그 발행법인이 부도가 발생한 경우 또는 채무자 회생 및 파산에 관한 법률에 따른 회생계획인가의 결정을 받았거나 기업구조조정 촉진법에 따른 부실징후기업이 된 경우의 해당 주식 등의 평가손(법법 42조 3항 3호 가목 내지 다목)
  • 주권상장법인이 발행한 주식 등
  • 중소기업 창업지원법에 따른 중소기업창업투자회사 또는 여신전문금융업법에 따른 신기술사업금융업자가 보유하는 주식 등 중 각각 창업자 또는 신기술사업자가 발행한 것
  • 주권상장법인 외의 법인 중 특수관계가 없는 법인이 발행한 주식 등
  ※ 법인과 특수관계의 유무를 판단할 때 주식 등의 발행법인의 발행주식총수 또는 출자총액의 5% 이하를 소유하고 그 취득가액이 10억원 이하인 주주 등에 해당하는 법인은 소액주주 등으로 보아 특수관계인에 해당하는지를 판단함(법령 78조 4항).
⑫ 주식 등 발행법인이 파산한 경우의 해당 주식 등의 평가손(법법 42조 3항 3호 라목)
⑬ 시설의 개체 또는 기술의 낙후로 인한 생산설비의 폐기손(법령 31조 7항)
⑭ 진부화, 물리적 손상 등에 따라 시장가치가 급격히 하락한 감가상각자산의 손상차손(법령 31조 8항)

2. 신고조정

결산조정이 기업회계와 세무회계의 차이를 확정결산 과정에서 반영하는 것이라면, 신고조정은 양자간의 차이를 결산 후 법인세 과세표준 신고과정에서 세무조정계산서에만 계상함으로써 조정하는 방법을 말한다. 즉, 신고조정이란 기업회계상의 당기순이익에 장부상 수익 또는 비용으로 계상되지 않은 세무상 익금 또는 손금을 가감조정함으로써 법인세법상 과세소득을 산출하는 절차이다. 이러한 신고조정사항을 예시하면 다음과 같다.

참고 신고조정항목

① 무상으로 받은 자산의 가액과 채무의 면제 또는 소멸로 인한 부채의 감소액 중 이월결손금의 보전에 충당한 금액(법법 18조 6호)
② 퇴직보험료 등의 손금산입 및 손금불산입(법령 44조의 2)
③ 국고보조금 등으로 취득한 사업용자산가액의 손금산입(법법 36조)
④ 공사부담금으로 취득한 사업용자산가액의 손금산입(법법 37조)
⑤ 보험차익으로 취득한 유형자산가액의 손금산입(법법 38조)
⑥ 자산의 평가손실의 손금불산입(법법 22조)
⑦ 제 충당금·준비금 등 한도초과액의 손금불산입
⑧ 감가상각비 부인액의 손금불산입(법법 23조)
⑨ 건설자금이자의 손금불산입(과다하게 장부계상한 경우의 손금산입)(법법 28조 1항 3호)

⑩ 금융회사 등(법령 61조 2항 1호~7호)이 보유하는 화폐성 외화자산·부채 및 통화선도 등에 대한 평가손익(법령 76조 1항)

⑪ 손익의 귀속사업연도의 차이로 발생하는 익금산입·손금불산입과 손금산입·익금불산 입(법법 40조)

한편, 조세특례제한법상 준비금과 고유목적사업준비금은 원칙적으로 결산조정사항이 나, 잉여금 처분에 의한 신고조정으로 손금에 산입할 수 있다. 즉, 내국법인이 조세특례 제한법에 의한 준비금을 세무조정계산서에 계상하거나 또는 외부감사를 받은 비영리내 국법인이 고유목적사업준비금을 세무조정계산서에 계상한 경우로서 그 금액 상당액을 해당 사업연도의 이익처분에 있어서 해당 준비금의 적립금으로 적립한 경우에는 손금 으로 계상한 것으로 본다. 구상채권상각충당금과 비상위험준비금도 원칙적으로 결산조 정사항이나 일정 법인의 경우에는 잉여금 처분에 의한 신고조정이 가능하다.

3. 세무조정계산서의 작성절차 및 흐름도

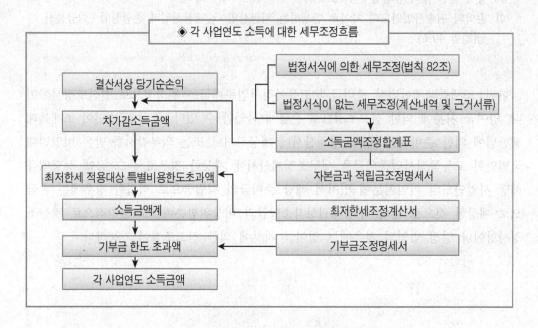

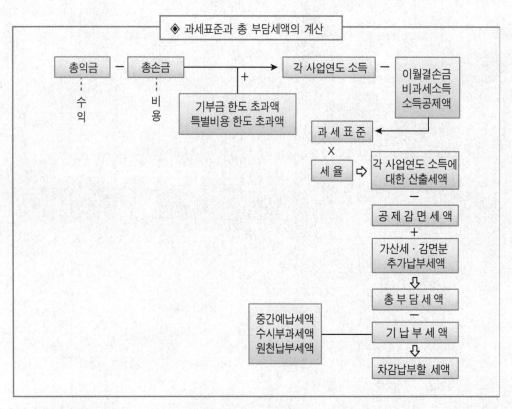

제3절 소득의 처분

법인세법상의 각 사업연도 소득금액은 기업회계상의 당기순손익에서 익금산입 사항과 손금불산입 사항을 가산하고 익금불산입 사항과 손금산입 사항을 차감하여 계산하는 것이며, 이러한 조정익금 또는 손금의 귀속을 확정하는 세법상의 절차를 소득처분이라 한다.

1. 익금산입 또는 손금불산입액의 소득처분

(1) 유보

각 사업연도 소득계산상의 익금산입 또는 손금불산입으로 생긴 세무조정소득이 기업내부에 남아 기업회계상 자본보다 세무회계상 자본이 증가하게 되는 것을 말하는데, 당기에 발생한 유보금액은 다음 사업연도 이후의 각 사업연도 소득금액계산과 청산소득 및 기업의 자산가치평가 등에 영향을 주게 된다.

> **사례**
> • 각종 충당금, 준비금 및 선급비용 등의 익금산입
> • 전기손금산입하여 유보된 부분의 익금산입 등

(2) 상여

각 사업연도 소득계산상의 익금산입 또는 손금불산입으로 생긴 세무조정소득이 사외에 유출되어 임원 또는 직원에 귀속되었음이 분명한 경우는 해당 귀속자에게, 귀속이 불분명한 경우(기타사외유출로 처분하는 경우는 제외)는 대표자에게 각각 귀속시켜 이를 잉여금처분에 의한 상여(인정상여)로 본다.

이렇게 상여로 처분된 금액은 귀속자의 근로소득에 포함된다.

> **사례**
> • 매출누락액 및 가공경비의 유출액
> • 채권자 불분명 사채이자 등

(3) 배당

각 사업연도 소득계산상의 익금산입 또는 손금불산입으로 생긴 세무조정소득이 사외에 유출되어 주주 등(임원 또는 직원인 주주 등은 제외)에게 귀속되었음이 분명한 경우(기타사외유출로 처분하는 경우는 제외)는 해당 출자자에 귀속시켜 이를 잉여금처분에 의한 배당으로 본다.

> **사례**
>
> • 주주로부터 자산고가매입 등 부당행위계산 부인 금액
> • 주주 비용의 부담액 등

(4) 기타소득

각 사업연도 소득계산상의 익금산입 또는 손금불산입으로 생긴 세무조정소득이 사외에 유출되어 출자자 · 직원 · 임원 이외의 자에게 귀속되었음이 분명한 경우(기타사외유출로 처분하는 경우 제외)는 그 귀속자에 대한 기타소득으로 처분한다.

> **사례**
>
> • 출자자 · 직원 · 임원 이외의 특수관계인에 대한 부당행위계산 부인 금액 등

(5) 기타사외유출

각 사업연도 소득계산상의 익금산입 또는 손금불산입으로 생긴 세무조정소득이 사외에 유출되어 법인이나 사업을 영위하는 개인에게 귀속된 것이 분명한 경우로서 그 소득이 법인의 각 사업연도 소득이나 개인의 사업소득을 구성하는 경우에는 기타사외유출로 처분한다.

또한, 기부금 한도 초과액 또는 접대비 한도 초과액 등과 같이 조세정책적 목적으로 손금불산입하는 항목에 대해서도 기타사외유출로 처분한다.

> **사례**
>
> • 기부금, 접대비 등의 한도 초과액
> • 업무무관자산 등에 대한 지급이자 손금불산입액 등

(6) 기타(잉여금)

각 사업연도 소득계산상 익금산입 또는 손금불산입으로 생긴 세무조정소득이 기업 내부에 남아 있으나 기업회계상 자본과 세무회계상 자본에 차이가 발생하지 아니함에 따라 유보에 해당하지 않는 경우에는 기타(잉여금)로 처분한다.

> **사례**
> • 국세 또는 지방세의 과오납금의 환급금에 대한 이자
> • 기업회계상 자본잉여금에 계상한 자기주식처분이익 등

2. 손금산입 또는 익금불산입액의 소득처분

법인의 장부상에 자산으로 계상되어 있는 금액을 손금산입하거나 전기에 익금산입하거나 손금불산입하여 유보처분한 금액을 당기에 손금가산하는 경우는 유보로 처분하며, 유보 이외의 손금산입하거나 익금불산입하는 세무조정사항에 대한 소득처분은 기타(잉여금)로 기재한다.

02

재무상태표편

I

재무상태표의 기초이론

재무상태표의 의의

재무상태표(statement of financial position)는 기업의 재무상태를 명확히 보고하기 위하여 보고기간말 현재의 모든 자산·부채 및 자본을 나타내는 정태적 보고서로서 기준서 제1001호 '재무제표 표시'에서 규정하고 있는 전체 재무제표 중 하나이다.

재무상태표는 일정 시점 현재 기업이 보유하고 있는 경제적 자원인 자산과 경제적 의무인 부채, 그리고 자본에 대한 정보를 제공하는 재무보고서로서, 정보이용자들이 기업의 유동성, 재무적 탄력성, 수익성과 위험 등을 평가하는 데 유용한 정보를 제공한다.

재무상태(financial position)란 기업경영활동에 필요한 자산과 이러한 자산을 취득하기 위한 재원 즉, 부채와 자본과의 관계를 말한다. 이는 현대 기업에 있어 그 용역잠재력과 지급능력을 투자가 및 채권자들에게 올바르게 보고함으로써 추가자금조달의 양과 시기 등을 결정하는 척도로 활용되는 주요 자료로서 재무제표이용자에게 매우 중요한 정보이다.

재무상태표가 재무상태를 명확히 보고하기 위해서는 '보고기간말 현재'의 모든 '자산·부채 및 자본'을 적정하게 표시하여야 한다. 즉 재무상태표는 기업의 모든 자산의 현황과 자산의 조달원천인 부채 또는 자본으로 구분하여 보고기간말 현재로 측정하여 보고함으로써 재무상태표의 이용자가 그 기업의 재무상태를 올바르게 파악할 수 있도록 해 준다.

또한 재무상태표는 기업자본의 축적도 즉, 과거 영업성과의 누적적 결과를 판단하는 목적으로도 활용된다. 기초투자자본은 영업활동 또는 사회·경제적 여건변화에 따라 끊임없이 그 가치가 변동한다. 따라서 일정 기간 동안 기업의 영업성과로서 배당되지 않고 기업 내에 누적되어 있는 이익잉여금이 얼마나 증가되었는가를 나타내는 것은 결산기말에 주주에게 배당가능한 재원이 얼마나 되는지를 나타내주는 중요한 정보이다.

이밖에도 재무상태표는 기업의 모든 이해관계자들 간의 이해조정의 척도 구실을 하기도 하는데, 이러한 모든 기능을 효과적으로 발휘할 수 있게 하기 위해서 즉, 기업의 재무상태를 명확히 보고하기 위하여 재무상태표가 작성되는 것이다.

재무상태표의 구성요소

재무상태표는 일정 시점에서 기업의 재무상태를 보여주는 보고서로서 크게 자산·부채 및 자본(소유주지분)으로 구성된다. 재무상태표의 차변인 자산은 기업이 조달한 자본을 어떻게 활용하고 있는가를 보여주며, 대변인 부채 및 자본은 기업이 어떻게 자본을 조달하였는가 즉, 자본구조를 보여준다.

재무상태의 측정에 직접 관련되는 요소는 자산, 부채 및 자본이다.

1. 자 산

(1) 자산의 개념

자산은 과거 사건의 결과로 기업이 통제하는 현재의 경제적자원이다(개념체계 문단 4.3). 경제적자원은 경제적효익을 창출할 잠재력을 지닌 권리이다(개념체계 문단 4.4).

경제적효익을 창출할 잠재력을 지닌 권리는 현금을 수취할 권리, 재화나 용역을 제공받을 권리, 유리한 조건으로 다른 당사자와 경제적자원을 교환할 권리, 불확실한 특정 미래사건이 발생하면 다른 당사자가 경제적효익을 이전하기로 한 의무로 인해 효익을 얻을 권리, 유형자산 또는 재고자산과 같은 물리적 대상에 대한 권리, 지적재산 사용권을 포함하여 다양한 형태를 갖는다(개념체계 문단 4.6). 기업의 모든 권리가 그 기업의 자산이 되는 것은 아니다. 권리가 기업의 자산이 되기 위해서는, 해당 권리가 그 기업을 위해서 다른 모든 당사자들이 이용가능한 경제적효익을 초과하는 경제적효익을 창출할 잠재력이 있고, 그 기업에 의해 통제되어야 한다(개념체계 문단 4.9).

경제적자원은 경제적효익을 창출할 잠재력을 지닌 권리이다. 잠재력이 있기 위해서는 권리가 이미 존재하고, 적어도 하나의 상황에서 그 기업을 위해 다른 모든 당사자들에게 이용가능한 경제적효익을 초과하는 경제적효익을 창출할 수 있으면 된다. 경제적자원은 기업에게 다음 중 하나 이상을 할 수 있는 자격이나 권한을 부여하여 경제적 효익을 창출할 수 있다(개념체계 문단 4.16).

① 계약상 현금흐름 또는 다른 경제적자원의 수취
② 다른 당사자와 유리한 조건으로 경제적자원을 교환

③ 예를 들어, 다음과 같은 방식으로 현금유입의 창출 또는 현금유출의 회피
　(가) 경제적자원을 재화의 생산이나 용역의 제공을 위해 개별적으로 또는 다른
　　경제적자원과 함께 사용
　(나) 경제적자원을 다른 경제적자원의 가치를 증가시키기 위해 사용
　(다) 경제적자원을 다른 당사자에게 리스 제공
④ 경제적자원을 판매하여 현금 또는 다른 경제적자원을 수취
⑤ 경제적자원을 이전하여 부채를 상환

　기업은 경제적자원의 사용을 지시하고 그로부터 유입될 수 있는 경제적효익을 얻을 수 있는 현재의 능력이 있다면, 그 경제적자원을 통제한다. 통제에는 다른 당사자가 경제적자원의 사용을 지시하고 이로부터 유입될 수 있는 경제적효익을 얻지 못하게 하는 현재의 능력이 포함된다. 따라서 일방의 당사자가 경제적자원을 통제하면 다른 당사자는 그 자원을 통제하지 못한다(개념체계 문단 4.20). 기업은 경제적자원을 자신의 활동에 투입할 수 있는 권리가 있거나, 다른 당사자가 경제적자원을 그들의 활동에 투입하도록 허용할 권리가 있다면, 그 경제적자원의 사용을 지시할 수 있는 현재의 능력이 있다.

(2) 자산의 분류

　자산은 각각의 성격과 기능에 따라 기업의 안정성, 활동성, 미래 수익창출 잠재력 등에 미치는 영향이 다르기 때문에, 재무상태표에는 기업의 자산을 성격과 기능 및 유동성에 따라 구분하여야 한다.

　먼저, 유동성 순서에 따른 표시방법이 신뢰성 있고 더욱 목적적합한 정보를 제공하는 경우를 제외하고는, 자산은 기준서 제1001호에 따라 유동자산과 비유동자산으로 재무상태표에 구분하여 표시하여야 한다(기준서 제1001호 문단 60). 유동성 순서에 따른 표시방법을 적용할 경우 모든 자산과 부채는 유동성의 순서에 따라 표시한다.

　그 다음으로, 자산의 성격과 기능에 따라 재무상태표에 적어도 다음에 해당하는 금액을 나타내는 항목을 구분하여 표시하는 것이 요구된다(기준서 제1001호 문단 54).
① 유형자산
② 투자부동산
③ 무형자산
④ 금융자산(단, ⑤, ⑧ 및 ⑨는 제외)
⑤ 지분법에 따라 회계처리하는 투자자산
⑥ 기준서 제1041호 ‘농림어업’의 적용범위에 포함되는 생물자산
⑦ 재고자산

⑧ 매출채권 및 기타 채권

⑨ 현금및현금성자산

⑩ 기준서 제1105호 '매각예정비유동자산과 중단영업'에 따라 매각예정으로 분류된 자산과 매각예정으로 분류된 처분자산집단에 포함된 자산의 총계

(3) 자산의 인식 및 측정

자산이나 부채를 인식하는 것이 재무제표이용자들에게 목적적합한 정보와 충실한 표현을 제공하는 경우에만 자산이나 부채를 인식한다(개념체계 문단 5.7). 원가는 다른 재무보고 결정을 제약하는 것처럼, 인식에 대한 결정도 제약한다. 재무제표이용자들에게 제공되는 정보의 효익이 그 정보를 제공하고 사용하는 원가를 정당화할 수 있을 경우에 자산이나 부채를 인식한다.

측정은 재무상태표와 포괄손익계산서에 인식되고 평가되어야 할 재무제표 요소의 화폐금액을 결정하는 과정이다. 측정은 특정 측정기준의 선택과정을 포함한다.

재무제표를 작성하기 위해서는 다수의 측정기준이 다양한 방법으로 결합되어 사용된다. 그러한 측정기준의 예는 다음과 같다.

① 역사적원가: 자산을 취득하기 위하여 자산의 취득시점이나 건설시점에서 지급한 현금 또는 현금성자산이나 제공한 기타 대가의 공정가치. 경우에 따라서 기업회계기준서 제1102호 '주식기준보상'과 같은 다른 한국채택국제회계기준의 규정에 따라 최초인식시점에 자산으로 귀속시킨 금액

② 공정가치: 합리적인 판단력과 거래의사가 있는 독립된 당사자 사이의 거래에서 자산이 교환되거나 부채가 결제될 수 있는 금액

③ 회수가능액 : 자산의 순공정가치와 사용가치 중 큰 금액

④ 순실현가능가치 : 정상적인 영업과정의 예상 판매가격에서 예상되는 추가 완성원가과 판매비용을 차감한 금액

재무제표를 작성할 때 기업이 가장 보편적으로 채택하고 있는 측정기준은 역사적원가이다. 역사적원가는 일반적으로 다른 측정 기준과 함께 사용된다. 예를 들어, 재고자산은 취득원가와 순실현가능가치 중 낮은 금액으로 측정되며, 금융자산은 공정가치로 측정된다.

2. 부 채

(1) 부채의 개념

부채는 과거사거의 결과로 기업이 경제적자원을 이전해야 하는 현재의무이다. 부채가 존재하기 위해서는 다음의 세 가지 조건을 모두 충족하여야 한다.

① 기업에게 의무가 있다.

② 의무는 경제적자원을 이전하는 것이다.

③ 의무는 과거사건의 결과로 존재하는 현재의무이다.

의무란 기업이 회피할 수 있는 실제 능력이 없는 책무나 책임을 말한다. 많은 의무가 계약, 법률 또는 이와 유사한 수단에 의해 성립되며, 당사자가 채무자에게 법적으로 집행할 수 있도록 한다. 그러나 기업이 실무 관행, 공개한 경영방침, 특정 성명과 상충되는 방식으로 행동할 실제 능력이 없는 경우, 기업의 그러한 실무 관행이나 경영방침이나 성명에서 의무가 발생할 수도 있다. 그러한 상황에서 발생하는 의무는 '의제의무'라고 불린다.

기업의 경제적자원을 이전해야 하는 의무는 다음을 포함한다.

① 현금을 지급할 의무

② 재화를 인도하거나 용역을 제공할 의무

③ 불리한 조건으로 다른 당사자와 경제적자원을 교환할 의무

④ 불확실한 특정 미래사건이 발생할 경우 경제적자원을 이전할 의무

⑤ 기업에게 경제적자원을 이전하도록 요구하는 금융상품을 발행할 의무

부채가 되기 위해서는 의무가 과거사건의 결과로 존재하는 현재의무여야 한다. 예를 들어, 기업이 종업원의 용역을 제공받는 대가로 종업원에게 급여를 지급하는 계약을 체결한 경우, 기업은 종업원의 용역을 제공받을 때까지 급여를 지급할 현재의무가 없다. 그 전까지 계약은 미이행계약이며, 기업은 미래 종업원 용역에 대해서 미래 급여를 교환하는 권리와 의무를 함께 보유하고 있다(개념체계 문단 4.47).

(2) 부채의 분류

부채는 유동성 순서에 따른 표시방법이 신뢰성 있고 더욱 목적적합한 정보를 제공하는 경우를 제외하고는 유동부채와 비유동부채로 재무상태표에 구분하여 표시하는 것이 요구된다(기준서 제1001호 문단 60). 유동성 순서에 따른 표시방법을 적용할 경우 모든 자산과 부채는 유동성의 순서에 따라 표시한다.

그 다음으로, 재무상태표에 적어도 다음에 해당하는 금액을 나타내는 항목을 구분하

여 표시하는 것이 요구된다(기준서 제1001호 문단 54).

① 매입채무 및 기타 채무

② 충당부채

③ 금융부채(단, ①과 ②는 제외)

④ 기준서 제1012호 '법인세'에서 정의된 당기법인세와 관련한 부채와 자산

⑤ 기준서 제1012호에서 정의된 이연법인세부채 및 이연법인세자산

⑥ 기준서 제1105호에 따라 매각예정으로 분류된 처분자산집단에 포함된 부채

(3) 부채의 평가

부채의 평가란 재무상태표에 계상될 부채의 금액을 결정하는 과정 즉, 부채에 대하여 화폐가치를 부여하는 과정을 말하며, 대부분의 부채는 발생한 시점부터 계약이나 협정에 의하여 지급금액이 정해진다. 그런데 부채는 미래의 시점에서 지급되므로 원칙적으로 모든 부채는 현재가치에 의해서 평가되어야 한다. 그러나 유동부채에 대하여는 일반적으로 현재가치로 표시하지 않고 만기에 지불할 금액으로 평가하고 있다. 이는 지급기간이 짧고 현재가치와 만기금액의 차이가 중요하지 않기 때문에 실무상 인정되고 있는 방법이다.

그러나 명목금액과 현재가치의 차이가 중요한 비유동부채, 장기연불조건의 매매거래, 장기금전대차거래 또는 이와 유사한 거래에서 발생하는 부채의 경우에는 이를 현재가치로 평가하여야 한다. 현재가치란 당해 채무로 인하여 미래에 지급할 총금액을 적정한 이자율로 할인한 가액을 말한다.

이와 같이 현재가치로 평가하는 경우에 사용하는 할인율은 일반적으로 채무자의 신용도를 반영한 할인율이다. 실무적으로 당해 거래에 내재된 이자율인 유효이자율, 동종 시장이자율(관련 시장에서 당해 거래의 종류·성격과 동일하거나 유사한 거래가 발생할 경우 합리적인 판단력과 거래의사가 있는 독립된 당사자 간에 적용될 수 있는 이자율), 객관적이고 합리적인 기준에 의하여 산출한 가중평균이자율을 적용할 수 있다. 가중평균이자율을 산출하기 위한 객관적이고 합리적인 기준이 없는 경우에는 회사채 유통수익률을 기초로 기업의 신용도 등을 반영하여 당해 기업에 적용될 자금조달비용을 합리적으로 추정하여 적용하기도 한다. 한편 현재가치와 부채의 명목가액과의 차액은 실무적으로 재무상태표에는 현재가치할인차금을 차감한 현재가치의 가액으로 표시하며, 유효이자율법을 적용하여 동 현재가치할인차금을 상각하고 이를 이자비용의 과목으로 계상한다.

참고로 충당부채의 명목금액과 현재가치의 차이가 유의적인 경우에는 의무를 이행하

기 위하여 예상되는 지출액의 현재가치로 평가하여야 하는데, 이때 현재가치 평가에 사용하는 할인율은 그 부채의 특유위험과 화폐의 시간가치에 대한 현행 시장의 평가를 반영한 세전 이율을 사용한다.

3. 자 본

(1) 자본의 개념

자본은 기업의 자산에서 모든 부채를 차감한 후의 잔여지분이다(개념체계 문단 4.63). 즉, 자본은 부채의 정의에 부합하지 않는 기업에 대한 청구권이다. 그러한 청구권은 계약, 법률 또는 이와 유사한 수단에 의해 성립될 수 있으며, 부채의 정의를 충족하지 않는 한, 기업이 발행한 다양한 유형의 지분 및 기업이 또 다른 자본청구권을 발행할 의무를 포함한다(개념체계 문단 4.64). 보통주 및 우선주와 같이 서로 다른 종류의 자본청구권은 보유자에게 서로 다른 권리, 예를 들어 다음 중 일부 또는 전부를 기업으로부터 받을 권리를 부여할 수 있다(개념체계 문단 4.64).

① 배당금

② 청산 시점에 전액을 청구하거나, 청산이 아닌 시점에 부분적인 금액을 청구하는 자본청구권을 이행하기 위한 대가

③ 그 밖의 자본청구권

법률, 규제 또는 그 밖의 요구사항이 자본금 또는 이익잉여금과 같은 자본의 특정 구성요소에 영향을 미치는 경우가 있다. 예를 들어, 그러한 요구사항 중 일부는 분배가능한 특정 준비금이 충분한 경우에만 자본청구권 보유자에게 분배를 허용한다.

(2) 자본의 분류

한국채택국제회계기준에서는 자본의 구성요소로 납입자본, 기타포괄손익 및 이익잉여금 등을 포함하도록 하고 있다(기준서 제1001호 문단 108).

한국채택국제회계기준은 납입자본, 기타포괄손익 및 이익잉여금 외의 다른 자본의 구성요소에 대해서는 별도의 규정을 두고 있지 않다. 다만, 재무제표에 표시된 개별항목을 기업의 영업활동을 나타내기에 적절한 방법으로 세분류하도록 하고 있으며, 그 예로 납입자본과 적립금은 자본금, 주식발행초과금, 적립금 등과 같이 다양한 분류로 세분화한다고 규정하고 있다(기준서 제1001호 문단 78(5)). 실무적으로 우리나라의 기업들은 자본을 자본금, 자본잉여금, 기타 자본, 기타포괄손익누계액 및 이익잉여금으로 분류한다.

① 자본금은 법정자본금으로 한다. 상법의 개정으로 우리나라에서도 무액면주식을 발

행할 수 있게 되었지만, 현재까지 발행된 주식이 모두 액면금액제도를 따른 것이 므로 조달된 자본금을 액면총액인 액면자본금과 액면을 초과(액면에 미달)하여 납 입한 금액인 액면초과(또는 미달)자본금으로 구분한다.

② 자본잉여금은 증자나 감자 등 주주와의 거래에서 발생하여 자본을 증가시키는 잉여금이다.

③ 기타 자본은 당해 항목의 성격으로 보아 자본거래에 해당하나 최종 납입된 자본으로 볼 수 없거나 자본의 가감 성격으로 자본금이나 자본잉여금으로 분류할 수 없는 항목들로 한다.

④ 기타포괄손익누계액은 다른 한국채택국제회계기준서에서 요구하거나 허용하여 당기손익으로 인식하지 않은 수익과 비용항목인 기타포괄손익의 누계액이다. 기타포괄손익은 기준서 제1016호 '유형자산'과 기준서 제1038호 '무형자산'에 따른 재평가잉여금의 변동, 기준서 제1019호 '종업원급여'에 따라 인식된 확정급여제도의 보험수리적손익, 해외사업장의 재무제표 환산으로 인한 손익, 기준서 제1109호 '금융상품'에 따라 인식된 기타포괄손익-공정가치 측정항목의 평가손익 등을 포함한다(기준서 제1001호 문단 7).

⑤ 이익잉여금(또는 결손금)은 손익계산서에 보고된 손익과 다른 자본항목에서 이입된 금액의 합계액에서 주주에 대한 배당, 자본금으로의 전입 및 이익잉여금의 상각으로 처분된 금액을 차감한 잔액이다.

또한, 기준서 제1001호에 따라 재무상태표에는 적어도 다음 자본에 해당하는 금액을 나타내는 항목을 별도로 표시하여야 한다(기준서 제1001호 문단 54).

① 자본에 표시된 비지배지분

② 지배기업의 소유주에게 귀속되는 납입자본과 적립금

(3) 자본의 평가

자본의 총 장부금액(총자본)은 직접 측정하지 않는다. 이는 인식된 모든 자산의 장부금액에서 인식된 모든 부채의 장부금액을 차감한 금액과 동일하다(개념체계 문단 6.87).

일반적으로 자본총액은 그 기업의 자본청구권에 대한 시가총액, 계속기업을 전제로 기업 전체를 매각하여 받을 수 있는 금액, 기업의 모든 자산을 매각하고 모든 부채를 상환하여 조달할 수 있는 금액과 일반적으로 동일하지 않을 것이다(개념체계 문단 6.88).

총 자본은 직접 측정하지 않지만, 자본의 일부 종류와 일부 구성요소에 대한 장부금액은 직접 측정하는 것이 적절할 수 있다. 그럼에도 불구하고, 총자본은 잔여지분으로 측정되기 때문에 적어도 자본의 한 종류는 직접 측정할 수 없다.

Chapter 03

재무상태표의 작성기준

1. 재무상태표에 표시되는 정보

한국채택국제회계기준에 부합하는 재무제표에는 최소한 다음의 정보가 공시되어야 한다(기준서 제1001호 문단 54).

(1) 유형자산

(2) 투자부동산

(3) 무형자산

(4) 금융자산(단, 다른 범주에 속한 금액 제외)

(5) 지분법에 따라 회계처리하는 투자자산

(6) 기준서 제1041호 '농림어업'의 적용범위에 포함되는 생물자산

(7) 재고자산

(8) 매출채권 및 기타 채권

(9) 현금및현금성자산

(10) 기준서 제1105호 '매각예정비유동자산과 중단영업'에 따라 매각예정으로 분류된 자산과 매각예정으로 분류된 처분자산집단에 포함된 자산의 총계

(11) 매입채무 및 기타 채무

(12) 충당부채

(13) 금융부채(단, 다른 범주에 속한 금액 제외)

(14) 기준서 제1012호 '법인세'에서 정의된 당기 법인세와 관련한 부채와 자산

(15) 기준서 제1012호에서 정의된 이연법인세부채 및 이연법인세자산

(16) 기준서 제1105호에 따라 매각예정으로 분류된 처분자산집단에 포함된 부채

(17) 자본에 표시된 비지배지분

(18) 지배기업의 소유주에게 귀속되는 납입자본과 적립금

기업의 재무상태를 이해하는 데 목적적합한 경우 재무상태표에 항목, 제목 및 중간합계를 추가하여 표시한다(기준서 제1001호 문단 55). 많은 기업들은 순자산 총계를 표시하고 이를 자본금, 적립금 및 소수주주지분의 합으로 표시하고, 총자산을 부채와 자본금 및 적립금의 합으로 표시하고 있다.

상기에 제시된 계정과목은 재무상태표에 제시되어야 하는 최소의 항목들이다. 기업의 재무상태를 이해하는 데 목적적합한 정보를 제공하기 위해 기업과 거래의 성격에 따라 사용된 용어와 항목의 순서, 또는 유사 항목의 통합방법을 변경할 수 있다. 예를 들어, 금융회사는 금융회사의 영업목적에 적합한 정보를 제공하기 위해 상기 용어를 변경할 수 있다(기준서 제1001호 문단 57(2)).

재무상태표에 추가항목으로 구분하여 표시할지 여부를 결정 시 다음 요소를 고려하여 판단한다.
- 자산의 성격 및 유동성. 예를 들어 대부분의 경우, 영업권과 다른 무형자산은 그 성격이 서로 다르므로 재무상태표에 별도로 표시한다.
- 기업 내에서의 자산 기능
- 부채의 금액, 성격 및 시기. 예를 들어 대부분의 경우, 이자부 부채와 무이자부 부채는 별도로 표시한다.

(기준서 제1001호 문단 58)

기준서 제1001호는 자산이나 부채에 상이한 측정기준을 적용하는 것은 그 자산이나 부채의 성격이나 기능이 상이하다는 지표가 될 수 있다는 관점을 가지고 있다. 예를 들어, 기준서 제1016호 '유형자산'에 따라 일부의 유형자산은 원가를, 또 다른 유형자산은 재평가금액을 장부금액으로 할 수 있다. 이 경우 원가를 장부금액으로 하는 유형자산과 재평가금액을 장부금액으로 하는 유형자산은 재무상태표의 본문에 별도의 항목으로 표시하는 것이 요구된다(기준서 제1001호 문단 59).

2. 유동과 비유동의 구분

유동성 순서에 따른 표시방법이 신뢰성 있고 더욱 목적적합한 정보를 제공하는 경우를 제외하고는 유동자산과 비유동자산, 유동부채와 비유동부채로 재무상태표에 구분하여 표시한다. 유동성 순서에 따른 표시방법을 적용할 경우 모든 자산과 부채는 유동성의 순서에 따라 표시한다(기준서 제1001호 문단 60).

기준서 제1001호는 기업이 명확히 식별가능한 영업주기 내에서 재화나 용역을 제공하는 경우, 재무상태표에 유동자산과 비유동자산 및 유동부채와 비유동부채를 구분하여 표시하는 것이 유용하다고 지침한다. 이는 운전자본으로서 계속 순환되는 순자산과 장기 영업활동에서 사용하는 순자산을 구분함으로써 유용한 정보를 제공하기 때문이다(기준서 제1001호 문단 62). 영업주기는 영업활동을 위한 자산의 취득시점부터 그 자산이 현금이나 현금성자산으로 실현되는 시점까지 소요되는 기간이다(기준서 제1001호 문단 68). 기업이 자산과 부채를 유동성순서에 따라 표시하는 것이 더욱 적합한 경우를 제외하고는, 유동자산과 비유동자산, 유동부채와 비유동부채를 구분하여 재무상태표에 표시하여야 한다. 기업이 유동/비유동을 구분하여 재무제표를 표시하는지의 여부는 항상 기업이 어떤 산업에 속해 있는지에 영향을 받으며, 기업의 유형에 따라 기대되는 방법에 따라 재무제표의 표시 방법이 결정된다.

대부분의 제조업과 도소매업은 상대적으로 짧은 기간 내에 자산과 부채를 실현하므로 유동/비유동법으로 재무상태표를 작성한다. 그러나, 예를 들어, 부동산개발업체들의 경우, 영업주기를 분명하게 식별할 수 있는 경우를 제외하고는, 자산과 부채가 다른 유형의 기업들에 비하여 긴 기간에 걸쳐 회수되거나 결제되므로, 재무상태표 항목을 유동/비유동으로 분류하여 표시하는 방법을 선택할 가능성은 적다. 정상적인 영업주기는 1년 혹은 1년 이하로 정해지는 것이 일반적인 관례지만, 자산과 부채를 유동/비유동을 구분하는 기간이 항상 '보고기간 후 1년'이어야 하는 것은 아니다. 기준서 제1001호에서 유동자산은 보고기간 후 12개월 이내에 실현될 것으로 예상되지 않는 경우에도 정상영업주기의 일부로서 판매, 소비 또는 실현되는 자산을 포함하도록 한다. 그러나, 이러한 경우에는 기업이 유동/비유동법으로 재무상태를 표시하는 것이 적절한 것인지 다시 검토해 볼 필요가 있다. 자산과 부채가 매우 긴 기간에 걸쳐 회수되거나 결제되는 경우에 유동성에 따른 표시가 더욱 적절할 수 있다. 예를 들어, 한 부동산개발업체가 명확한 영업주기를 가지고 있지만 건설중인 자산과 수취채권이 보고기간 수 년 후에 회수되는 경우, 이 같은 자산이 유동자산으로 분류되는 것이 부적절하므로, 유동성순서에 따라 재무상태를 표시하는 것이 적절할 것이다.

자산과 부채가 즉시 회수되거나 결제가능한 경우 또한, 유동/비유동법으로 재무상태를 표시하는 것이 가장 적합한 방법이 아닐 수 있다. 예를 들어, 투자기업의 경우 보통 자산과 부채의 실현 및 결제의 시점이 자산과 부채의 유동성에 따르지 않고, 시장가격 등을 고려한 경영자의 판단에 따라 결정된다. 이러한 경우에 자산과 부채를 유동/비유동으로 분류하는 것은 의미가 없다. 금융회사와 같은 일부 기업의 경우에는, 재화나 서비스를 명확히 식별가능한 영업주기 내에 제공하지 않기 때문에, 오름차순이나 내림차순의 유동성 순서에 따른 표시방법으로 자산과 부채를 표시하는 것이 유동성/비유동성 구분법보다 신뢰성 있고 더욱 목적적합한 정보를 제공한다(기준서 제1001호 문단 63).

어느 표시방법을 채택하더라도 자산과 부채의 각 개별 항목이 다음의 기간에 회수되거나 결제될 것으로 기대되는 금액이 합산하여 표시되는 경우, 12개월 후에 회수되거나 결제될 것으로 기대되는 금액을 '보고기간 후 12개월 이내'와 '보고기간 후 12개월 후'

로 공시하는 것이 요구된다(기준서 제1001호 문단 61). 이러한 정보는 기업의 유동성과 부채 상환능력을 평가하는 데 유용하다(기준서 제1001호 문단 65).

또한, 어떤 기업이 신뢰성 있고 더욱 목적적합한 정보를 제공한다면 자산과 부채의 일부는 유동성/비유동성 구분법으로, 나머지는 유동성 순서에 따른 표시방법으로 표시하는 것이 허용된다(기준서 제1001호 문단 64). 기준서는 한 기업이 다양한 영업활동을 영위하는 경우 혼합된 표시방법을 적용할 수 있다고 기술한다. 그러나, 기준서는 혼합 표시방법을 어떻게 적용하는 것인지에 대한 구체적인 지침은 다루지 않고 있다.

(1) 유동 · 비유동자산

자산은 다음의 경우에 유동자산으로 분류한다(기준서 제1001호 문단 66).
① 기업의 정상영업주기 내에 실현될 것으로 예상하거나, 정상영업주기 내에 판매하거나 소비할 의도가 있다.
② 주로 단기매매 목적으로 보유하고 있다.
③ 보고기간 후 12개월 이내에 실현될 것으로 예상한다.
④ 현금이나 현금성자산(기준서 제1007호의 정의 참조)으로서, 교환이나 부채 상환 목적으로의 사용에 대한 제한 기간이 보고기간 후 12개월 이상이 아니다.
그 밖의 모든 자산은 비유동자산으로 분류한다.

영업주기는 영업활동을 위한 자산의 취득시점부터 그 자산이 현금이나 현금성자산으로 실현되는 시점까지 소요되는 기간이다. 정상영업주기를 명확히 식별할 수 없는 경우에는 그 기간이 12개월인 것으로 가정한다(기준서 제1001호 문단 68).

따라서 모든 유동자산이 보고기간말로부터 12개월 이내에 실현되어야 하는 것은 아니다. 보고기간 후 12개월 이내에 실현될 것으로 예상되지 않는 경우에도 재고자산 및 매출채권과 같이 정상영업주기의 일부로서 판매, 소비 또는 실현되는 자산은 유동자산으로 분류된다.

이연법인세자산은 회수기간에 상관없이 유동자산으로 분류하지 아니한다(기준서 제1001호 문단 56). 그러나, 이연법인세자산 이외의 세금관련 자산은(예를 들어, 부가세대급금 등) 보고기간 후 1년 내에 회수될 것으로 기대되는 경우 유동자산으로 분류한다.

(2) 유동 · 비유동부채

기준서 제1001호는 유동부채를 아래와 같이 정의한다(기준서 제1001호 문단 69).
① 정상영업주기 내에 결제될 것으로 예상하고 있다.

② 주로 단기매매 목적으로 보유하고 있다.

③ 보고기간 후 12개월 이내에 결제하기로 되어 있다.

④ 보고기간 후 12개월 이상 부채의 결제를 연기할 수 있는 무조건의 권리를 가지고 있지 않다. 계약 상대방의 선택에 따라, 지분상품의 발행으로 결제할 수 있는 부채의 조건은 그 분류에 영향을 미치지 아니한다.

그 밖의 모든 부채는 비유동부채로 분류한다.

매입채무 그리고 종업원 및 그 밖의 영업원가에 대한 미지급비용과 같은 유동부채는 기업의 정상영업주기 내에 사용되는 운전자본의 일부이다. 이러한 항목은 보고기간 후 12개월 후에 결제일이 도래한다 하더라도 유동부채로 분류한다. 동일한 정상영업주기가 기업의 자산과 부채의 분류에 적용된다. 기업의 정상영업주기가 명확하게 식별되지 않는 경우 그 주기는 12개월인 것으로 가정한다(기준서 제1001호 문단 70). 장기적으로 자금을 조달하며(즉, 기업의 정상영업주기 내에 사용되는 운전자본의 일부가 아닌 경우) 보고기간 후 12개월 이내에 만기가 도래하지 아니하는 금융부채는 비유동부채이다(기준서 제1001호 문단 71).

그러나, 원래의 결제기간이 12개월을 초과하는 경우이거나, 보고기간 후 재무제표 발행승인일 전에 장기로 차환하는 약정 또는 지급기일을 장기로 재조정하는 약정이 체결된 경우라도, 금융부채가 보고기간 후 12개월 이내에 결제일이 도래하면 이를 유동부채로 분류한다(기준서 제1001호 문단 72).

보고기간말 현재 기업에게 부채의 차환이나 연장에 대한 재량권이 없다면, 유동부채로 분류한다. 보고기간 후 발생한 차환이나 연장은 수정을 요하지 않는 보고기간후사건으로 기재하고 유동/비유동의 분류에 영향을 미치지 아니한다. 기업이 기존의 대출계약 조건에 따라 보고기간 후 적어도 12개월 이상 부채를 차환하거나 연장할 것으로 기대하고 있고, 그런 재량권이 있다면, 보고기간 후 12개월 이내에 만기가 도래한다 하더라도 비유동부채로 분류한다(기준서 제1001호 문단 73).

사례 은행차입금의 유동성 분류

한 기업의 은행차입금은 보고기간 후 6개월 이내에 만기가 도래한다. 보고기간말 이전에 기업은 채권자와 만기가 3년인 새로운 계약을 체결한다. 기업은 새로운 계약으로 기존 대출을 차환할 수 있는 권리가 있고, 기존 대출의 만기가 도래할 때 새로운 대출계약으로 차환할 의도가 있다.

(a) 이 은행차이금은 재무상태표에서 어떻게 분류되는 것이 적절한가?

기존의 은행 차입금을 비유동부채로 분류하는 것이 적절하다. 보고기간 후 6개월 내에 만기가 도래하지만, 기업이 새로운 계약기간으로 차환할 능력과 의도가 있기 때문이다. 결국, 기존 차입금을 3년 후에 상환하는 것과 같다.

(b) 만약 상기의 새로운 차입계약이 다른 은행을 통해서 이루어진다면, 결과는 달라져야 하는가?

그렇다. 기업이 보고기간말에 대출을 차환할 능력이 있지만, 사실상 이는 기존 차입금을 상환하고, 신규 차입을 발생시키는 거래이다. 신규 차입은 기존 대출의 만기연장으로 볼 수 없으므로, 따라서 기존 대출은 재무상태표에 유동부채로 분류한다.

금융기관이 대출 시 차입약정을 포함하는 것이 일반적이다. 어떤 차입약정에 따라서는, 일반적인 상황에서는 만기가 장기인 차입이나, 차입자의 재무상황이나 성과가 특정 조건을 만족하지 못하는 경우 즉시 차입금이 상환되어야 하는 경우가 있다. 보통 상기의 특정조건은 기업 재무제표로부터 계산된 유동성이나 지불상환능력을 측정하는 지표로 결정된다. 만약 기업이 보고기간말 이전에 차입약정을 위반하였다면, 보고기간말 이전에 채권자가 약정위반을 이유로 상환을 요구하지 않기로 합의하지 않는 한, 차입금을 유동부채로 분류하여야 한다. 만약 채무자가 보고기간말 이전에 차입약정을 위반하고, 보고기간 후 재무제표 발행승인일 전에 채권자가 약정위반을 이유로 상환을 요구하지 않기로 합의한다면, 보통 이러한 합의는 수정을 요하지 않는 보고기간후사건으로 간주된다. 그 이유는 기업이 보고기간말 현재 그 시점으로부터 적어도 12개월 이상 결제를 연기할 수 있는 무조건적 권리를 가지고 있지 않기 때문이다(기준서 제1001호 문단 74).

장기차입약정의 위반 후, 채권자는 종종 채무자가 위반사항을 바로 잡을 수 있도록 유예기간을 주는 것에 동의한다. 채권자는 유예기간 동안 상환을 요구하지 않겠지만, 만약 유예기간 이후에도 위반사항이 정정되지 않는다면, 즉시 상환을 요구할 것이다. 만약, 대여자가 이러한 유예기간에 대한 합의를 보고기간말 이전에 주고, 그 유예기간 내에 기업이 위반사항을 해소할 수 있고, 또 그 유예기간 동안에는 대여자가 즉시 상환을 요구할 수 없다면 그 부채는 비유동부채로 분류한다(기준서 제1001호 문단 75).

이연법인세자산(부채)는 일시적차이가 당기 실현될 것으로 예상되더라도, 모두 비유동으로 분류되어야 한다(기준서 제1001호 문단 56). 이연법인세부채 이외의 세금관련 부채는 (예를 들어, 부가세예수금 등) 보고기간 후 1년 내에 지급이 기대되는 경우에는 유동부채로 분류하고 1년 이후에 지급이 기대되는 경우에는 비유동부채로 분류한다.

3. 재무상태표 또는 주석에 표시되는 정보

기업은 재무제표에 표시된 개별항목을 기업의 영업활동을 나타내기에 적절한 방법으로 세분류하고, 그 추가적인 분류내용을 재무상태표 또는 주석에 공시한다(기준서 제1001호 문단 77). 세분류상의 세부내용은 한국채택국제회계기준의 요구사항, 당해 금액의 크기, 성격 및 기능에 따라 달라진다. 공시의 범위는 각 항목별로 다르며, 예를 들면 다음과 같다(기준서 제1001호 문단 78).

- 유형자산 항목은 기준서 제1016호에 따른 분류로 세분화한다(기준서 제1016호 문단 73).
- 채권은 일반상거래 채권, 특수관계자 채권, 선급금과 기타 금액으로 세분화한다.
- 재고자산은 기준서 제1002호 '재고자산'에 따라 상품, 소모품, 원재료, 재공품 및 제품 등으로 세분화한다(기준서 제1002호 문단 37).
- 충당부채는 종업원급여 충당부채와 기타 항목 충당부채로 세분화한다.
- 납입자본과 적립금은 자본금, 주식발행초과금, 적립금 등과 같이 다양한 분류로 세분화한다.

기준서 제1001호 문단 79는 주식의 종류별 그리고 자본을 구성하는 각 적립금의 성격과 목적에 대한 설명에 대한 구체적인 공시요구사항을 기술하고 있다. 게다가, 자본의 조달에 대한 공시도 있어야 한다(기준서 제1001호 문단 80).

기업이 다음의 금융상품을 부채와 자본 간에 재분류하는 경우에는, 각 범주(금융부채나 자본) 간에 재분류된 금액, 재분류의 시기와 이유를 공시한다(기준서 제1001호 문단 80A).
- 지분상품으로 분류되는 풋가능 금융상품
- 발행자가 청산되는 경우에만 거래상대방에게 지분비율에 따라 발행자 순자산을 인도해야 하는 의무를 발행자에게 부과한 금융상품으로서 지분상품으로 분류되는 금융상품

재무상태표의 구조와 양식

제1절 **재무상태표의 구조와 양식**

기준서 제1001호는 재무제표의 구성요소와 재무상태표, 포괄손익계산서 및 자본변동표의 공시에 관한 최소한의 요구사항을 정하고 있다. 또한 관련 재무제표의 본문이나 주석에 표시할 수 있는 추가 항목을 규정한다. 기준서 제1001호 실무적용지침은 재무상태표, 포괄손익계산서 및 자본변동표의 표시에 관한 기준서 제1001호의 요구사항을 충족하는 간단한 사례를 제시한다. 특정한 상황에 적합하도록 하는 것이 필요한 경우에는 표시순서, 보고서의 명칭 및 각 항목에 사용된 설명을 변경하여야 한다(기준서 제1001호 실무적용지침 IG1).

아래에 예시된 재무상태표는 유동항목과 비유동항목을 구분하여 표시할 수 있는 한 방법을 보여준다. 유동항목과 비유동항목의 구분이 명확하다면 다른 형식을 사용할 수도 있다(기준서 제1001호 실무적용지침 IG3). 실무적용지침에 첨부된 아래의 예시는 비유동자산(부채)을 유동자산(부채) 이전에 표시하고 있지만, 유동자산(부채)을 비유동자산(부채) 이전에 표시할 수 있다. 또한, 자본총계를 부채총계표시 다음에 표시할 수 있다.

| XYZ 그룹 – 20X7년 12월 31일 현재의 연결재무상태표 |

(단위 : 천원)

	20X7년 12월 31일	20X6년 12월 31일
자산		
비유동자산		
유형자산	350,700	360,020
영업권	80,800	91,200
기타무형자산	227,470	227,470
관계기업투자	100,150	110,770
장기금융자산	142,500	156,000
	901,620	945,460

유동자산		
재고자산	135,230	132,500
매출채권	91,600	110,800
기타유동자산	25,650	12,540
현금및현금성자산	312,400	322,900
	564,880	578,740
자산총계	1,466,500	1,524,200
자본 및 부채		
지배기업의 소유주에게 귀속되는 자본		
납입자본	650,000	600,000
이익잉여금	243,500	161,700
기타자본구성요소	10,200	21,200
	903,700	782,900
비지배지분	70,050	48,600
자본총계	973,750	831,500
비유동부채		
장기차입금	120,000	160,000
이연법인세	28,800	26,040
장기충당부채	28,850	52,240
비유동부채합계	177,650	238,280
유동부채		
매입채무와 기타미지급금	115,100	187,620
단기차입금	150,000	200,000
유동성장기차입금	10,000	20,000
당기법인세부채	35,000	42,000
단기충당부채	5,000	4,800
유동부채합계	315,100	454,420
부채총계	492,750	692,700
자본 및 부채 총계	1,466,500	1,524,200

주석 및 부속명세서

제1절 주 석

1. 주석의 의의

주석은 재무상태표, 포괄손익계산서, 별개의 손익계산서(표시하는 경우), 자본변동표 및 현금흐름표에 표시하는 정보에 추가하여 제공된 정보로서, 주석은 재무제표에 표시된 항목을 구체적으로 설명하거나 세분화하며, 재무제표 인식요건을 충족하지 못하는 항목에 대한 정보를 제공한다(기준서 제1001호 문단 7).

따라서, 주석을 별지로 첨부한 경우에는 해당 재무제표 밑에 '별첨 재무제표에 대한 주석 참조' 또는 '별첨 재무제표에 대한 주석은 본 재무제표의 일부임'이라는 문구를 기재함으로써 재무제표의 이용자들로 하여금 주석이 별도로 작성되어 첨부되어 있다는 점을 주지시키는 것이 합리적이다.

2. 주석의 구조

주석은 실무적으로 적용 가능한 한 체계적인 방법으로 표시한다. 체계적인 방법을 결정할 때, 재무제표의 이해가능성과 비교가능성에 미치는 영향을 고려한다. 재무상태표, 포괄손익계산서, 자본변동표 및 현금흐름표에 표시된 개별 항목은 주석의 관련 정보와 상호 연결시켜 표시한다(기준서 제1001호 문단 113).

주석을 체계적으로 배열하거나 집단으로 묶는 예는 다음과 같다(기준서 제1001호 문단 114).

(1) 특정한 영업활동에 대한 정보를 집단으로 묶는 것과 같이, 기업의 재무성과와 재무상태의 이해에 가장 목적적합할 것으로 판단되는 활동 분야를 부각시킨다.

(2) 공정가치로 측정되는 자산과 같이, 유사하게 측정되는 항목에 대한 정보를 집단으로 묶는다.

(3) 포괄손익계산서와 재무상태표의 항목 순서를 따른다. 예를 들면, 다음과 같다.

(가) 한국채택국제회계기준을 준수하였다는 사실

(나) 적용한 유의적인 회계정책의 요약

(다) 재무상태표, 포괄손익계산서, 자본변동표 및 현금흐름표에 표시된 항목에 대한 보충정보. 재무제표의 배열 및 각 재무제표에 표시된 개별 항목의 순서에 따라 표시한다.

(라) 다음을 포함한 기타 공시

① 우발부채(기준서 제1037호 참조)와 재무제표에서 인식하지 아니한 계약상 약정사항

② 비재무적 공시항목, 예를 들어 기업의 재무위험관리목적과 정책(기준서 제1107호 참조)

3. 주석사항

(1) 일반사항

주석은 다음의 정보를 제공한다(기준서 제1001호 문단 112).

(1) 재무제표 작성 근거와 구체적인 회계정책에 대한 정보

(2) 한국채택국제회계기준에서 요구하는 정보이지만 재무제표 어느 곳에도 표시되지 않는 정보

(3) 재무제표 어느 곳에도 표시되지 않지만 재무제표를 이해하는 데 목적적합한 정보

(2) 회계정책의 공시

다음으로 구성된 유의적인 회계정책을 공시한다(기준서 제1001호 문단 117).

(1) 재무제표를 작성하는 데 사용한 측정기준

(2) 재무제표를 이해하는 데 목적적합한 그 밖의 회계정책

① 재무제표를 작성하는 데 사용한 측정기준

재무제표이용자에게 재무제표 작성의 기초가 된 측정기준(예 : 역사적 원가, 현행원가, 순실현가능가치, 공정가치 또는 회수가능액)에 관한 정보를 제공하는 것은 중요하다. 왜냐하면 재무제표의 작성기준은 재무제표이용자의 분석에 유의적인 영향을 미치기 때문이다. 재무제표에 하나 이상의 측정기준을 사용한 경우, 예를 들어 특정 자산 집단을 재평가하는 경우, 각 측정기준이 적용된 자산과 부채의 범주를 표시한다(기준서 제1001호 문단 118).

② 재무제표를 이해하는 데 목적적합한 그 밖의 회계정책

경영진은 특정 회계정책의 공시 여부를 결정할 때 공시가 거래, 그 밖의 사건 및 상황이 보고된 재무성과와 재무상태에 어떻게 반영되었는지를 재무제표이용자가 이해하는 데 도움이 되는지를 고려한다. 특정 회계정책이 한국채택국제회계기준에서 허용되는 여러 대안 중에서 선택된 경우에 그러한 회계정책의 공시는 유용하다. 예를 들어, 투자부동산에 공정가치모형을 적용하는지 또는 원가모형을 적용하는지에 대한 공시가 있다. 일부 기준서는 상이한 회계정책에 대한 경영진의 선택을 포함하여, 구체적으로 특정 회계정책의 공시를 요구하는데, 예를 들면, 기준서 제1016호는 유형자산의 분류별로 사용된 측정기준의 공시를 요구한다(기준서 제1001호 문단 119).

회계정책은 당기 및 과거기간의 금액이 중요하지 않은 경우에도 사업의 성격 때문에 유의적일 수 있다. 기준서에서 구체적으로 요구하지 않더라도 기준서 제1008호에 따라 선택하여 적용하는 유의적인 회계정책은 공시하는 것이 적절하다(기준서 제1001호 문단 121).

회계정책을 적용하는 과정에서, 추정에 관련된 공시와는 별도로, 재무제표에 인식되는 금액에 유의적인 영향을 미친 경영진이 내린 판단이 공시되어야 한다. 예를 들어, 경영진은 회계정책을 적용하는 과정에서 '금융자산과 리스대상 자산의 소유권에 대한 유의적인 위험과 효익의 대부분이 다른 기업에 이전되었는지의 여부, 특정 매출이 실질적으로 차입거래이며 수익을 창출하지 않는 거래인지의 여부, 금융자산의 계약조건이 특정일에 원금과 원금잔액에 대한 이자로만 구성된 현금흐름을 야기하는지의 여부'와 같은 재무제표에 인식되는 금액에 유의적인 영향을 미칠 수 있는 다양한 판단을 한다.

(3) 추정 불확실성의 원천

미래에 대한 가정과 보고기간말의 추정 불확실성에 대한 기타 주요 원천에 대한 정보를 공시한다. 이러한 가정과 추정 불확실성에 대한 기타 주요 원천은 다음 회계연도에 자산과 부채의 장부금액에 대한 중요한 조정을 유발할 수 있는 유의적인 위험을 내포하고 있다. 따라서 이로부터 영향을 받을 자산과 부채에 대하여 다음 사항 등을 주석으로 기재한다(기준서 제1001호 문단 125).

① 자산과 부채의 성격
② 보고기간말의 장부금액

일부 자산과 부채의 장부금액은 불확실한 미래 사건이 보고기간말의 자산과 부채에 미치는 영향을 추정하여 결정해야 한다. 예를 들어, 유형자산의 분류별 회수가능액, 재고자산에 대한 기술적 진부화의 영향, 진행 중인 소송사건의 미래 결과에 따라 변동되는 충당부채, 그리고 퇴직연금채무와 같은 장기 종업원급여부채를 측정할 때 최근에 관측된 시장가격이 존재하지 않는 경우에는 미래지향적인 추정에 의존하게 된다. 이러한 추정을 할 때 현금흐름 또는 할인율에 대한 위험조정, 급여의 미래변동 및 그 밖의 원가에 영향을 미치는 가격의 미래변동과 같은 항목에 대한 가정이 필요하다(기준서 제1001호 문단 126).

공시사항은 미래와 추정 불확실성에 대한 기타 원천에 대해 경영진이 내린 판단을 재무제표이용자가 이해하는 데 도움을 줄 수 있도록 표시한다. 제공하는 정보의 성격과 범위는 가정 및 그 밖의 상황의 성격에 따라 다르다. 그러한 공시사항의 예는 다음과 같다(기준서 제1001호 문단 129).

① 가정 또는 기타 추정 불확실성의 성격
② 계산에 사용된 방법, 가정 및 추정에 따른 장부금액의 민감도와 그 이유
③ 불확실성의 영향을 받는 자산 및 부채의 장부금액과 관련하여 다음 회계연도 내에 예상되는 불확실성의 해소방안과 가능성이 어느 정도 있는 결과의 범위
④ 불확실성이 계속 미해소 상태인 경우, 해당 자산 및 부채에 대하여 과거에 사용한 가정과의 차이에 대한 설명

보고기간말의 가정 또는 추정 불확실성의 기타 원천에 대한 잠재적 영향의 정도를 실무적으로 공시할 수 없는 경우가 있다. 이 경우 현재 알려진 정보에 의하면 다음 회계연도 중에 가정과 다른 결과가 발생하여 그 영향을 받는 자산과 부채의 장부금액이 중요하게 수정될 수도 있다는 사실을 공시해야 한다. 어떠한 경우라도 기업은 가정에 의해 영향을 받는 개별 자산이나 부채(또는 자산이나 부채의 집단)의 성격과 장부금액을 공시해야 한다(기준서 제1001호 문단 131).

(4) 특수관계자공시

1) 특수관계자공시의 목적

특수관계는 상거래에서 흔히 나타난다. 예를 들어, 기업은 영업활동의 일부를 종속기업, 공동기업 및 관계기업을 통하여 수행하기도 한다. 이 경우 기업은 지배력, 공동지배력 또는 유의적인 영향력을 통하여 피투자자의 재무정책과 영업정책에 영향을 미친다. 특수관계는 기업의 당기순손익과 재무상태에 영향을 미칠 수 있다. 특수관계자는 특수관계가 아니라면 이루어지지 않을 거래를 성사시킬 수 있기 때문이다. 또한, 특수관계자 거래가 없더라도 특수관계 자체가 기업의 당기순손익과 재무상태에 영향을 줄 수 있다. 특수관계가 존재한다는 사실만으로도 기업과 다른 당사자와의 거래에 충분히 영향을 줄 수 있기 때문이다(기준서 제1024호 문단 5-7).

이러한 이유로 특수관계자와의 거래, 약정을 포함한 채권·채무 잔액 및 특수관계에 대한 이해는 재무제표이용자가 기업이 직면하고 있는 위험과 기회에 대한 평가를 포함하여 기업의 영업을 평가하는 데 영향을 줄 수 있다.

2) 특수관계자의 범위

특수관계자는 재무제표를 작성하는 기업(이하 '보고기업'이라 한다)과 다음과 같은 특수관계에 있는 개인이나 기업으로 정의된다(기준서 제1024호 문단 9).

(1) 개인이 다음 중 어느 하나에 해당하는 경우, 그 개인이나 그 개인의 가까운 가족 은 보고기업과 특수관계에 있다.

　(가) 보고기업에 지배력 또는 공동지배력이 있는 경우

　(나) 보고기업에 유의적인 영향력이 있는 경우

　(다) 보고기업 또는 그 지배기업의 주요 경영진의 일원인 경우

(2) 기업이 다음의 조건 중 어느 하나에 적용될 경우 보고기업과 특수관계에 있다.

　(가) 기업과 보고기업이 동일한 연결실체 내의 일원인 경우(지배기업과 종속기업 및 연결실체 내의 다른 종속기업은 서로 특수관계에 있음을 의미)

　(나) 한 기업이 다른 기업의 관계기업이거나 공동기업인 경우(또는 그 다른 기업 이 속한 연결실체 내의 일원의 관계기업이거나 공동기업인 경우)

　(다) 두 기업이 동일한 제3자의 공동기업인 경우

　(라) 제3의 기업에 대해 한 기업이 공동기업이고 다른 기업이 관계기업인 경우

　(마) 기업이 보고기업이나 그 보고기업과 특수관계에 있는 기업의 종업원급여를 위한 퇴직급여제도인 경우. 보고기업 자신이 퇴직급여제도인 경우, 그 제도 의 책임사용자도 보고기업과 특수관계에 있다.

　(바) 기업이 (1)에서 식별된 개인에 의하여 지배 또는 공동지배되는 경우

　(사) (1)의 (가)에서 식별된 개인이 기업에 유의적인 영향력이 있거나 그 기업(또 는 그 기업의 지배기업)의 주요 경영진의 일원인 경우

　(아) 보고기업이나 보고기업의 지배기업에게 주요 경영인력용역을 제공하는 기업 이나 그 기업이 속한 연결실체의 모든 일원

• 지배력 : 피투자자에 관여함에 따라 변동이익에 노출되거나 변동이익에 대한 권리가 있 고, 피투자자에 대한 자신의 힘으로 변동이익에 영향을 미치는 능력(기준서 제1110호 '연 결재무제표' 참고)

• 공동지배력 : 약정의 지배력에 대한 계약상 합의된 공유로서, 관련활동에 대한 결정에 지 배력을 공유하는 당사자들 전체의 동의가 요구될 때에만 존재(기준서 제1111호 '공동약

정' 참고)
- 주요 경영진 : 직·간접적으로 당해 기업 활동의 계획·지휘·통제에 대한 권한과 책임을 가진 자로서 모든 이사(업무집행이사 여부를 불문함)를 포함한다.
- 유의적인 영향력 : 기업의 재무정책과 영업정책에 관한 의사결정에 참여할 수 있는 능력. 그러나 이러한 정책의 지배력이나 공동지배력은 아니다. (기준서 제1028호 '관계기업과 공동기업에 대한 투자' 참고)
- 개인의 가까운 가족 : 당해 기업과의 거래 관계에서 당해 개인의 영향을 받거나 당해 개인에게 영향력을 행사할 것으로 예상되는 가족으로서 자녀 및 배우자(사실상 배우자 포함), 배우자의 자녀, 당해 개인이나 배우자의 피부양자를 포함한다.

특수관계 유무를 고려할 때에는 단지 법적 형식뿐만 아니라 실질 관계에도 주의를 기울여야 한다(기준서 제1024호 문단 10).

특수관계자의 정의에서 관계기업에는 그 관계기업의 종속기업을 포함하고, 공동기업에는 그 공동기업의 종속기업을 포함한다. 예를 들면 관계기업에 유의적인 영향력이 있는 투자자는 관계기업의 종속기업과 서로 특수관계에 있다(기준서 제1024호 문단 12).

3) 주석공시

① 특수관계자와의 거래 및 잔액 공시

회계기간 내에 특수관계자거래가 있는 경우, 기업은 이용자가 재무제표에 미치는 특수관계의 잠재적 영향을 파악하는 데 필요한 거래, 약정을 포함한 채권·채무 잔액에 대한 정보뿐만 아니라 특수관계의 성격도 공시한다. 공시는 최소한 다음 내용을 포함한다(기준서 제1024호 문단 18).

(1) 거래 금액
(2) 약정을 포함한 채권·채무 잔액과 다음 사항
  (가) 그 채권·채무 조건(담보 제공 여부 포함)과 결제할 때 제공될 대가의 성격
  (나) 그 채권·채무에 대하여 제공하거나 제공받은 보증의 상세 내역
(3) 채권 잔액에 대하여 설정된 대손충당금
(4) 특수관계자 채권에 대하여 당해 기간 중 인식된 대손상각비

상기의 특수관계자공시 사항은 다음과 같은 범주로 분류하여 공시한다(기준서 제1024호 문단 19).

(1) 지배기업
(2) 당해 기업을 공동지배하거나 당해 기업에 유의적인 영향력을 행사하는 기업

(3) 종속기업

(4) 관계기업

(5) 당해 기업이 참여자인 공동기업

(6) 당해 기업이나 당해 기업의 지배기업의 주요 경영진

(7) 그 밖의 특수관계자

특수관계자와의 거래가 있는 경우, 공시하는 거래의 예는 다음과 같다(기준서 제1024호 문단 21).

(1) 재화(완성품이나 재공품)의 매입이나 매출

(2) 부동산과 그 밖의 자산의 구입이나 매각

(3) 용역의 제공이나 수령

(4) 리스

(5) 연구개발의 이전

(6) 라이선스계약에 따른 이전

(7) 금융약정에 따른 이전(대여와 현금출자나 현물출자 포함)

(8) 보증이나 담보의 제공

(9) 미래에 특정사건이 발생하거나 발생하지 않을 경우 어떠한 일을 수행하는 약정 (인식되었거나 인식되지 않은 미이행계약을 포함)

(10) 당해 기업이 특수관계자를 대신하거나 특수관계자가 당해 기업을 대신한 부채의 결제

연결재무제표 작성시 지배기업과 종속기업과의 내부 거래는 제거되어 재무제표에 표시되지 않는다. 기준서 제1024호 문단 4는 연결실체 내 다른 기업들과의 특수관계자거래와 채권·채무 잔액은 기업의 재무제표에 공시되도록 요구하고 있다. 따라서 투자기업과, 공정가치로 측정하여 당기손익에 반영하는 그 종속기업 간을 제외하고 연결재무제표 작성 시 내부거래로 제거되는 지배기업과 종속기업 간의 거래는 특수관계자공시가 요구되지 않는다. 단, 별도재무제표에서는 지배기업과 종속기업 간의 거래는 각각 특수관계자거래에 해당하므로 공시가 요구된다.

회계기간 중에 특수관계가 성립하게 되는 경우에는 그 관계 및 특수관계가 성립된 날이후 발생된 거래에 대하여 상기 내용을 적용한다. 또 회계기간 중에 특수관계가 소멸된 경우에는 특수관계가 유지된 기간 동안 발생한 거래에 대하여 상기 내용을 적용한다. 다만, 특수관계자와의 채권·채무 잔액은 회계기간 중에 특수관계가 성립된 경우에는 채권·채무의 발생시점과 관계없이 회계기간 말 현재 잔액을 주석으로 기재하며, 회

계기간 중에 특수관계가 소멸된 경우에는 주석으로 기재하지 아니한다.

② 주요 경영진에 대한 보상

주요 경영진에 대한 보상의 총액과 다음 분류별 금액을 공시하는 것이 요구된다(기준서 제1024호 문단 17).

(1) 단기종업원급여
(2) 퇴직급여
(3) 기타 장기급여
(4) 해고급여
(5) 주식기준보상

다만, 다른기업으로부터 주요 경영인력용역을 제공받는 기업은 경영인력용역기업이 경영인력용역기업의 종업원이나 이사에게 지급하였거나 지급하여야 하는 보상에 대하여 위의 공시요구사항을 적용하지 않는다(기준서 제1024호 문단 17A).

③ 지배력 공시

기준서 제1024호는 지배기업과 종속기업 사이의 관계는 거래의 유무에 관계없이 공시할 것을 요구한다(기준서 제1024호 문단 13). 이러한 공시사항들은 종속기업이 수행하는 구체적 역할을 알려주고, 종속기업과 나머지 연결 실체 내 기업 사이의 거래를 알려주며, 지배기업과의 재정적 계약의 본질을 공시함으로써 특수관계자 거래를 확인시켜줄 수 있다.

지배기업과 종속기업 사이의 관계는 거래의 유무에 관계없이 공시한다. 기업은 지배기업의 명칭을 공시한다. 다만, 최상위 지배자와 지배기업이 다른 경우에는 최상위 지배자의 명칭도 공시한다. 지배기업과 최상위 지배자가 일반이용자가 이용할 수 있는 연결재무제표를 작성하지 않는 경우에는 일반이용자가 이용할 수 있는 연결재무제표를 작성하는 '가장 가까운 상위의 지배기업'의 명칭도 공시한다. 여기서 '가장 가까운 상위의 지배기업'은 지배기업보다는 상위에 있고 일반이용자가 이용할 수 있는 연결재무제표를 작성하는 지배기업 가운데 연결실체에서 가장 하위에 있는 지배기업을 말한다(기준서 제1024호 문단 13, 16). 추가적으로 기준서 제1001호는 연결실체 최상위 지배기업 명칭의 공시를 요구한다(기준서 제1001호 문단 138(3)).

> **사례** **지배력의 공시**
>
> 기업 XYZ은 기업 C의 지분 100%를 소유하고 있고, 기업 C의 최상위 지배자는 Mr. A이다. 기업 XYZ는 일반이용자가 이용할 수 있는 재무제표를 발행하지 않는다. 기업 K는 기업 XYZ

의 가장 가까운 상위의 지배기업이며, 기업 L은 기업 K의 가장 가까운 상위 지배기업이다. 기업 K와 기업 L 모두 연결재무제표를 발행한다.

이 경우, 기업 C의 재무제표에서는 어느 기업의 명칭이 공시되는 것이 요구되는가?

기업 C가 작성하는 재무제표에 Mr. A, 기업 L, 기업 K, 기업 XYZ의 명칭이 공시되어야 한다.

- 기업 XYZ와 Mr. A의 명칭－지배기업과 그 종속기업 사이의 관계는 거래의 유무에 관계없이 공시한다. 기업은 지배기업의 명칭을 공시하며, 최상위 지배자와 지배기업이 다른 경우에는 최상위 지배자의 명칭도 공시한다(기준서 제1024호 문단 13).
- 기업 K의 명칭－지배기업인 XYZ가 일반 이용자가 이용가능한 재무제표를 작성하기 않으므로, 일반 이용자가 이용 가능한 '연결재무제표를 발행하는 가장 가까운 상위의 지배기업'인 기업 K의 명칭을 공시한다. '가장 가까운 상위의 지배기업'은 지배기업보다는 상위에 있고 일반이용자가 이용할 수 있는 연결재무제표를 작성하는 지배기업 가운데 연결실체에서 가장 하위에 있는 지배기업을 말한다(기준서 제1024호 문단 16).
- 기업 L의 명칭－기준서 제1024호의 요구사항 외에도, 기준서 제1001호에 따라 기업 L의 명칭 또한 보고기업의 재무제표에 '연결실체 최상위 지배기업'으로 공시되는 것이 요구된다(기준서 제1001호 문단 138(3)).

④ 정부특수관계기업

기준서 제1024호는 다음의 정부와 기업에 대하여, 특수관계자거래 및 약정을 포함한 채권·채무 잔액과 관련된 상기 ①에서 기술한 특수관계자거래 및 잔액 공시 요구사항을 면제한다(기준서 제1024호 문단 25).

(1) 보고기업에 대해 지배력, 공동지배력 또는 유의적인 영향력이 있는 정부

(2) 보고기업과 다른 기업 둘 모두에 대해 동일한 정부가 지배력, 공동지배력 또는 유의적인 영향력이 있기 때문에 둘 간에 특수관계자가 된 경우 그 다른 기업

단, 다음의 사항에 대해서는 공시한다(기준서 제1024호 문단 26).

(1) 정부명 및 보고기업과의 관계의 성격(즉, 지배력, 공동지배력 또는 유의적인 영향력)

(2) 재무제표이용자가 재무제표상의 특수관계자거래의 영향을 이해할 수 있도록 충분
　　히 자세하게 기술된 다음의 정보
　　(가) 개별적으로 유의적인 각각의 거래의 성격과 금액
　　(나) 개별적으로 유의적이진 않지만 집합적으로 유의적인 그 밖의 거래에 대하여
　　　 그 정도를 나타내는 질적 또는 양적 표시

(5) 영업부문공시

1) 적용범위

　기준서 제1108호 '영업부문'은 공개기업 및 공개예정기업의 재무제표에 영업부문 정
보에 대한 공시를 요구하고 있으며, 부문의 인식과 부문 정보의 측정을, 최고영업의사결
정자(CODM)가 검토하고, 주요 의사결정을 위해 사용하는 그것과 일치시켰다. 보고부
문 정보는 재무제표와 경영진이 검토하는 경영성과지표와의 연계에 좀 더 유용한 정보
를 제공할 수 있어야 한다.

　기준서 제1108호 '영업부문' 기준서는 다음의 재무제표에 적용한다(기준서 제1108호 문
단 2).
　(1) 다음 중 하나에 해당하는 기업의 별도재무제표 또는 개별재무제표
　　(가) 채무상품이나 지분상품이 공개된 시장(국내 또는 외국의 증권거래소나 지역
　　　 시장을 포함한 장외시장)에서 거래되고 있다.
　　(나) 공개된 시장에서 금융상품을 발행하기 위해 재무제표를 증권감독위원회나 다
　　　 른 감독기관에 제출하거나 제출하는 과정에 있다.
　(2) 다음 중 하나에 해당하는 지배기업이 속한 연결실체의 연결재무제표
　　(가) 채무상품이나 지분상품이 공개된 시장(국내 또는 외국의 증권거래소나 지역
　　　 시장을 포함한 장외시장)에서 거래되고 있다.
　　(나) 공개된 시장에서 금융상품을 발행하기 위해 재무제표를 증권감독위원회나 다
　　　 른 감독기관에 제출하거나 제출하는 과정에 있다.

2) 영업부문의 식별

　영업부문은 다음 사항을 모두 충족하는 기업의 구성단위를 말한다(기준서 제1108호 문
단 5).
　(1) 수익을 창출하고 비용을 발생(동일 기업 내의 다른 구성단위와의 거래와 관련된
　　　수익과 비용을 포함)시키는 사업활동을 영위한다.

(2) 부문에 배분될 자원에 대한 의사결정을 하고 부문의 성과를 평가하기 위하여 최고영업의사결정자가 영업성과를 정기적으로 검토한다.

(3) 구분된 재무정보의 이용이 가능하다.

영업부문은 아직까지 수익을 창출하지 않는 사업활동을 영위할 수 있다. 예를 들어, 신규 영업은 수익을 창출하기 전에도 영업부문이 될 수 있다. 또한, 기업의 모든 부문이 반드시 하나의 영업부문이나 영업부문의 일부에 귀속되는 것은 아니다. 예를 들어, 수익을 창출하지 못하거나 기업활동에 부수적인 수익을 창출하는 본사나 일부 직능부서는 영업부문이 될 수 없을 것이다.

3) 보고부문의 결정

다음 조건을 모두 충족하는 각 영업부문에 대한 정보는 보고부문으로 별도로 보고한다(기준서 제1108호 문단 11).

(1) 상기 2)에 따라 식별하거나 다음에서 설명하는 ① 통합기준에 따라 둘 이상의 영업부문을 통합한 영업부문

(2) 다음에서 설명하는 ② 양적기준을 초과하는 영업부문

① 통합기준

다음 사항이 부문 간에 유사한 경우에는 둘 이상의 영업부문을 하나의 영업부문으로 통합할 수 있다(기준서 제1108호 문단 12).

(1) 제품과 용역의 성격

(2) 생산과정의 성격

(3) 제품과 용역에 대한 고객의 유형이나 계층

(4) 제품을 공급하거나 용역을 제공하는 데 사용하는 방법

(5) 해당사항이 있는 경우, 규제환경의 성격(예 : 은행, 보험 또는 공공설비)

② 양적기준

다음 양적기준 중 하나에 해당하는 영업부문에 대한 정보는 위의 통합기준에 해당하더라도, 별도로 보고한다(기준서 제1108호 문단 13).

(1) 부문수익(외부고객에 대한 매출과 부문 간 매출이나 이전을 포함)이 모든 영업부문 수익(내부 및 외부수익) 합계액의 10% 이상인 영업부문

(2) 부문당기손익의 절대치가 다음 중 큰 금액의 10% 이상인 영업부문

　　(가) 손실이 발생하지 않은 모든 영업부문의 이익 합계액의 절대치

　　　(나) 손실이 발생한 모든 영업부문의 손실 합계액의 절대치

(3) 부문자산이 모든 영업부문의 자산 합계액의 10% 이상인 영업부문

또한, 보고되는 영업부문들의 외부수익 합계가 기업전체 수익의 75% 미만인 경우, 보고부문들의 외부수익 합계가 기업전체 수익의 최소한 75%가 되도록 상기 양적기준을 충족하지 못하는 영업부문이라도 추가로 보고부문으로 식별하는 것이 요구된다(기준서 제1108호 문단 15).

사례 **이익과 손실이 발생하는 영업부문을 모두 가지고 있는 회사의 경우 보고부문의 양적기준 판단**

A기업은 다음과 같이 A-F 영업부문을 가지고 있으며, 부문수익(내부 및 외부수익), 부문손익, 부문자산은 다음과 같다. A기업은 얼마나 많은 보고부문이 필요한지 결정하려고 하며, 다음 금액은 전기에도 같은 비율이었다고 가정한다.

부문	부문수익		부문당기손익				부문자산	
	총수익	비율	이익(손실)	이익	손실	비율	총자산	비율
A	11,000	36.1%	2,000	2,000		50.0%	25,000	36.5%
B	7,500	24.6%	1,000	1,000		25.0%	15,500	22.6%
C	3,000	9.8%	(1,000)		1,000	25.0%	10,500	15.3%
D	3,500	11.5%	(500)		500	12.5%	7,000	10.2%
E	4,000	13.1%	600	600		15.0%	7,000	10.2%
F	1,500	4.9%	400	400		10.0%	3,500	5.1%
	30,500	100.0%	2,500	4,000	1,500		68,500	100.0%

- 영업부문 A, B, D, E - 부문수익과 부문자산이 모든 영업부문 합계의 10% 이상이므로, 부문당기손익 테스트가 필요 없이 보고부문이 된다.
- 영업부문 C - 부문수익 기준은 충족하지 못하나, 부문자산이 영업자산합계의 10% 이상이므로, 부문당기손익 테스트가 필요없이 보고부문이 된다.
- 영업부문 F - 부문수익과 부문자산이 양적기준을 충족하지 않는다. 그러나, 부문이익 400은 (가)손실이 발생하지 않은 모든 영업부문의 이익 합계액의 절대치(4,000)와 (나)손실이 발생한 모든 영업부문의 손실 합계액의 절대치(1,500) 중 큰 금액인 4,000의 10%이므로, 보고부문이 된다.

4) 영업부문 공시

① 일반정보

보고부문별로 다음의 일반 정보를 공시한다(기준서 제1108호 문단 22).

(1) 조직기준을 포함하여 보고부문을 식별하기 위하여 사용한 요소(예 : 경영진이 제품과 용역의 차이, 지리적 위치의 차이, 규제환경의 차이 또는 여러 요소의 결합

에 따른 차이 중 어떤 기준을 택하여 기업을 조직하였는지와 영업부문들을 통합하였는지)

(1-1) 기준서 제1108호 문단 12의 통합기준을 적용하면서 이루어진 경영진의 판단. 이러한 방법으로 통합된 영업부문에 대한 간략한 설명과 통합된 영업부문이 유사한 경제적 특성을 공유한다는 결정을 하면서 평가되었던 경제적 지표를 포함한다.

(2) 각 보고부문이 수익을 창출하는 제품과 용역의 유형

② 부문당기손익, 부문자산 및 부문부채에 관한 정보

구 분	공시대상 항목	유의사항
필수 공시항목	• 보고부문별 당기손익	• 최고영업의사결정자에게 보고되는 측정치
최고영업의사결정자에게 정기적으로 제공되는 경우 공시	• 보고부문별 자산·부채 총액	
최고영업의사결정자가 검토하는 **부문당기손익**에 포함되어 있거나 정기적으로 제공되는 경우 공시	• 외부고객으로부터의 수익 • 기업 내의 다른 영업부문과의 거래로부터의 수익 • 이자수익, 이자비용(총액) • 감가상각비와 무형자산상각비 • 수익과 비용의 중요항목 • 관계기업 및 공동기업으로부터의 지분법손익 • 법인세비용(법인세수익) • 감가상각비와 무형자산상각비 외의 중요한 비현금항목	• 부문당기손익 산출에 포함되는 항목 공시 • 예를 들어, 영업손익이 최고영업의사결정자가 검토하는 부문당기손익인 경우, 감가상각비 및 상각비 등은 필수 공시하여야 함
최고영업의사결정자가 검토하는 **부문자산**에 포함되어 있거나 정기적으로 제공되는 경우 공시	• 관계기업 및 공동기업 투자의 지분법적용 투자지분 금액 • 비유동자산의 증가액	• 예를 들어, 부문별 유·무형자산이 최고영업의사결정자가 검토하는 부문자산에 포함되어 있는 경우 그 증가액을 공시하여야 함

각 부문항목 금액은 부문에 대한 자원배분의 의사결정과 보고부문의 성과평가를 위하여 최고영업의사결정자에게 보고되는 측정치이어야 한다(기준서 제1108호 문단 25). 보고부문 재무정보의 금액에는 기업전체 재무제표 작성을 위한 수정과 제거 그리고 수익, 비용 및 차익 또는 차손의 배분은 반영되지 않을 수 있다. 따라서 보고부문 재무정보의 합계가 재무제표의 당기손익 혹은 자산 및 부채의 잔액과 상이할 수 있으며, 이는 '보고

부문들의 재무정보 금액의 합계에서 기업전체 금액으로의 조정'으로 공시하는 것이 요구된다(기준서 제1108호 문단 28).

5) 기업전체 수준에서의 공시

단 하나의 보고부문을 가진 기업을 포함하여 이 기준서의 적용대상인 모든 기업에 다음과 같은 기업전체 수준에서의 공시가 요구된다.

① 제품과 용역에 대한 정보

각각의 제품과 용역 또는 유사한 제품과 용역의 집단별로 외부고객으로부터의 수익을 보고한다. 단, 필요한 정보를 이용할 수 없고 그 정보를 산출하는 비용이 과도한 경우에는 예외로 하며 그러한 경우에는 그 사실을 공시하여야 한다. 보고되는 수익 금액은 기업전체 재무제표를 작성하는 데 사용하는 재무정보에 근거한 금액이어야 한다(기준서 제1108호 문단 32).

② 지역에 대한 정보

지역에 대한 다음의 정보를 보고한다(기준서 제1108호 문단 33).
(1) 본사 소재지 및 외국에 귀속되는 외부고객으로부터의 수익금액
(2) 본사 소재지 및 외국에 소재하는 비유동자산(금융상품, 이연법인세자산, 퇴직급여자산 및 보험계약에서 발생하는 권리는 제외)금액

보고하는 금액은 기업전체 재무제표를 작성하는 데 사용되는 재무정보에 근거한 금액이어야 한다. 필요한 정보를 이용할 수 없고 그 정보를 산출하는 비용이 과도한 경우에는 그러한 사실을 공시한다.

③ 주요 고객에 대한 정보

주요 고객에 대한 의존도에 관한 정보를 제공한다. 단일 외부고객으로부터의 수익이 기업전체 수익의 10% 이상인 경우에는, 그 사실, 해당 고객별 수익금액 및 그러한 수익금액이 보고되는 부문의 명칭을 공시한다(기준서 제1108호 문단 34).

(6) 한국채택국제회계기준으로의 전환에 대한 설명

과거회계기준에서 한국채택국제회계기준으로의 전환이 보고되는 재무상태, 재무성과와 현금흐름에 어떻게 영향을 미치는지 설명하여야 하며, 이를 따르기 위하여 최초 한국채택국제회계기준 재무제표는 다음을 포함하여야 한다(기준서 제1101호 문단 23, 24).
① 다음의 각 기준일에 과거회계기준에 따라 보고된 자본에서 한국채택국제회계기준

에 따른 자본으로의 조정
- ㉠ 한국채택국제회계기준 전환일
- ㉡ 과거회계기준에 따른 최근 연차재무제표에 표시된 최종 기간의 종료일

② 과거회계기준에 따른 최근 연차재무제표의 최종기간의 총포괄손익을 같은 기간의 한국채택국제회계기준에 따른 총포괄손익으로의 조정

③ 개시 한국채택국제회계기준 재무상태표를 작성하면서 손상차손을 최초로 인식하거나 환입한 경우, 그러한 손상차손이나 손상차손환입을 한국채택국제회계기준 전환일에 개시하는 회계기간에 인식하였다면 기준서 제1036호 '자산손상'에서 요구하는 공시사항

과거회계기준에 따라 발생한 오류를 발견하는 경우, 문단 상기 ①과 ②의 조정내용은 이러한 오류의 수정과 회계정책의 변경을 구분하여야 하며, 과거기간에 대하여 재무제표를 제공하지 않았던 경우에는 최초 한국채택국제회계기준 재무제표에 그 사실을 공시한다(기준서 제1101호 문단 26, 28).

(7) 기타 공시

추가적으로 주석에는 다음 사항을 공시한다(기준서 제1001호 문단 137, 138).

① 재무제표 발행승인일 전에 제안 또는 선언되었으나 당해 기간 동안에 소유주에 대한 분배금으로 인식되지 아니한 배당금액과 주당배당금

② 미인식 누적우선주배당금

③ 기업의 소재지와 법적 형태, 설립지 국가 및 등록된 본점사무소(또는 등록된 본점사무소와 상이하다면, 주요 사업 소재지)의 주소

④ 기업의 영업과 주요 활동의 내용에 대한 설명

⑤ 지배기업과 연결실체 최상위 지배기업의 명칭

⑥ 존속기간이 정해진 기업의 경우 그 존속기간에 관한 정보

II

재무상태표의
계정과목

유동자산

재무상태표를 작성할 때에는 유동성 순서에 따른 표시방법이 신뢰성 있고 더욱 목적 적합한 정보를 제공하는 경우(예를 들면, 금융기관 등)를 제외하고는 유동자산과 비유동자산, 유동부채와 비유동부채로 구분하여 표시한다. 대부분의 기업들이 유동·비유동을 구분하여 재무상태표를 작성하는 것으로 파악되므로, 이 책에서는 재무상태표의 계정과목을 유동자산과 비유동자산으로 크게 구분하여 설명하도록 한다.

자산은 다음의 경우에 유동자산으로 분류한다(기준서 제1001호 문단 66).

1) 기업의 정상영업주기 내에 실현될 것으로 예상하거나, 정상영업주기 내에 판매하거나 소비할 의도가 있다.

2) 주로 단기매매 목적으로 보유하고 있다.

3) 보고기간 후 12개월 이내에 실현될 것으로 예상한다.

4) 현금이나 현금성자산(기준서 제1007호의 정의 참조)으로서, 교환이나 부채 상환 목적으로의 사용에 대한 제한 기간이 보고기간 후 12개월 이상이 아니다.

그 밖의 모든 자산은 비유동자산으로 분류한다.

영업주기는 영업활동을 위한 자산의 취득시점부터 그 자산이 현금이나 현금성자산으로 실현되는 시점까지 소요되는 기간이다. 정상영업주기를 명확히 식별할 수 없는 경우에는 그 기간이 12개월인 것으로 가정한다. 유동자산은 보고기간 후 12개월 이내에 실현될 것으로 예상되지 않는 경우에도 재고자산 및 매출채권과 같이 정상영업주기의 일부로서 판매, 소비 또는 실현되는 자산을 포함한다(기준서 제1001호 문단 68).

유동자산과 비유동자산의 분류에 대한 좀더 자세한 설명은 Ⅰ. 재무상태표의 기초이론 제3장 재무상태표의 작성기준을 참고한다.

제1절 금융자산

1. 금융자산의 일반사항

(1) 개념

금융자산은 다음의 자산을 말한다.

1) 현금

2) 다른 기업의 지분상품

3) 다음 중 하나에 해당하는 계약상 권리

　(가) 거래상대방에게서 현금 등 금융자산을 수취할 계약상 권리

　(나) 잠재적으로 유리한 조건으로 거래상대방과 금융자산이나 금융부채를 교환하기로 한 계약상 권리

4) 기업 자신의 지분상품(이하 '자기지분상품'이라 한다)으로 결제하거나 결제할 수 있는 다음 중 하나의 계약

　(가) 수취할 자기지분상품의 수량이 변동가능한 비파생상품

　(나) 확정 수량의 자기지분상품을 확정 금액의 현금 등 금융자산과 교환하여 결제하는 방법 외의 방법으로 결제하거나 결제할 수 있는 파생상품. 이러한 목적상 자기지분상품에는 다음의 금융상품은 포함하지 않는다.

　　① 기준서 제1032호 문단 16A와 16B에 따라 지분상품으로 분류하는 풋가능 금융상품

　　② 발행자가 청산하는 경우에만 거래상대방에게 지분비율에 따라 발행자 순자산을 인도해야 하는 의무를 발행자에게 부과하는 금융상품으로서 기준서 제1032호 문단 16C와 16D에 따라 지분상품으로 분류하는 금융상품

　　③ 자기지분상품을 미래에 수취하거나 인도하기 위한 계약인 금융상품

금융자산은 지분상품에 해당하는 경우 당기손익－공정가치 측정 금융자산 또는 당기손익－기타포괄손익 측정 금융자산 중 하나로 분류하고 지분상품에 해당하지 않는 경우 상각후원가 측정 금융자산, 기타포괄손익－공정가치 측정 금융자산, 당기손익－공정가치 측정 금융자산으로 분류하며, 그 분류에 따라 측정한다.

(2) 금융자산의 종류

금융자산의 대표적인 몇 가지 상품에 대해 살펴보면 다음과 같다.

가. 양도성예금증서(Negotiable Certificates of Deposit)

양도성예금증서(CD)는 일정한 기간 동안 자금을 예치하기로 약정한 정기예금증서에 대하여 양도를 가능케 함으로써 유동성을 부여한 것이다. 이는 소지인에게 원금 및 약정이자를 지급하는 확정이자증권이며 무기명 할인식으로 발행되기 때문에 만기일 이전에 유통시장에서 거래될 수 있는 채무상품이다. 이러한 양도성예금증서는 주로 30일에서 270일 정도의 단기간에 운용된다.

나. 기업어음(Commercial Paper)

기업어음은 상거래와 관계없이 단기자금을 조달하기 위하여 자기신용을 바탕으로 발행하는 만기가 1년 이내인 융통어음이다. 기업어음은 기업이 갖고 있는 신용에만 의지해 자금을 조달하는 것이 특징으로, 기업의 입장에서는 담보나 보증을 제공할 필요가 없다는 장점이 있다. 단, 담보나 보증이 필요 없기 때문에 신용상태가 양호한 기업들만이 발행할 수 있다.

다. 표지어음

표지어음은 은행이나 상호저축은행에서 판매하는 대표적인 단기금융상품으로서 기업체가 상거래를 통해 받은 어음이나 외상매출채권을 금융기관이 매입하여 이를 근거로 발행하는 어음이다. 금융기관이 이렇게 매입한 여러 가지 어음 위에 표지를 붙여 새 어음을 만들었다는 의미로 표지어음이라고 부르는 것이다. 이러한 표지어음의 지급인은 최초 어음을 발행한 기업이 아니라 표지어음을 판매한 금융기관이다.

라. 환매조건부채권(Repurchase Agreements)

환매조건부채권은 금융기관이 보유하고 있는 채권을 담보로 제공하고 투자자들의 돈을 받아 다시 채권에 투자하는 형식의 금융상품을 말한다. 이 때, 금융기관은 투자자에게 일정 기간이 경과한 뒤에 일정한 이자율을 지급한다는 약정을 하게 된다. 따라서 투자자로서는 실제로 채권에 투자하는 것이 아니라 저축기간과 이자율이 미리 정해진 예금에 가입하는 것과 마찬가지다. 수익증권과 다른 점은 공사채형 수익증권의 경우에는 투자수익률이 변동하게 되면 투자자에게 지급되는 수익률도 달라지지만, 환매조건부채권은 미리 정해진 네고금리를 적용하므로 확정금리형 상품이라는 점이다.

마. 어음관리구좌(Cash Management Account)

CMA는 투자금액의 영세성, 투자정보의 부족 등으로 단기금융시장에서 직접 자산을 운용하기가 어려운 소액투자자인 일반고객으로부터 자금을 수탁받아 수익성이 높은 금융자산에 투자하고 그 운용수익을 지급하는 제도이다. 즉 일반고객이 금융기관에 자금을 예탁하면, 금융기관은 그 자금을 할인어음, 무역어음, 팩토링 금융어음 또는 국·공채 등에 투자하고 그 수익을 이자의 형태로 고객에게 지급하게 된다. 따라서 CMA는 그 본질적인 성격으로 볼 때 금융자산으로 분류하여야 한다.

바. 수익증권

수익증권은 신탁재산에 대한 수익권을 균등하게 분할하여 표창하고 있는 증권을 말한다. 수익증권은 일반적으로 신탁재산에 대한 잔여지분을 나타내며 신탁의 성과에 따라 그 가치가 달라진다.

사. 실적배당부 단기자유금리상품(Money Market Fund)

MMF는 소액투자자의 자금을 수탁받아 주로 콜론이나 CD, CP 등 수익률이 높은 단기금융상품에 투자하여 그 수익을 지급하는 상품으로 CMA와 유사하다. 그러나 금리변동에 따라 그 운용대상에는 제한이 없다. MMF는 기준가격이 공시되는 수익증권에 해당된다.

아. 뮤추얼펀드(Mutual Fund)

뮤추얼펀드는 투자자로부터 돈을 모아 펀드를 만들어 운용한 뒤 투자수익을 실적대로 돌려준다는 점에서 수익증권과 비슷하다. 그러나 뮤추얼펀드는 주식회사 형태를 취하고 있기 때문에 투자자들이 주주가 된다는 점이 특징이다. 투자자는 뮤추얼펀드 자산운용회사와 판매대행계약을 맺은 증권사에서 펀드주식을 매입하는 형태로 투자에 참가한다. 뮤추얼펀드는 스팟펀드에 비해 1년간 중도환매를 막고 있기 때문에 펀드운용을 당초 계획대로 끝까지 운용할 수 있다는 장점이 있다.

자. 자사주펀드

자사주펀드는 자기주식의 매입을 희망하는 유가증권시장·코스닥시장 상장기업이 신탁업자에 자금을 맡기면 신탁업자는 이 자금으로 해당 기업의 주식을 매입하여 운용하는 신탁펀드이다. 자기주식 취득과는 달리 주식매매에 대한 엄격한 제약이 없어 효과적인 주가관리가 가능하며 적대적 M&A에 대한 방어전략으로 활용될 수도 있다.

자사주펀드가 투자일임 등의 형태로 운영되어 해당 자산을 직접 보유하는 것으로 회계처리하는 경우에는 펀드에 포함된 자기주식에 대해서는 자기주식 회계처리에 따른다. 단, 자사주펀드의 자산을 직접 보유하는 것으로 회계처리하지 않는 경우에는 일반 펀드에 대한 지분으로 회계처리한다. 또한, 자기주식 매입을 위탁한 경우에는 자기주식이 매입되기 전이라도 매입의 위탁계약을 체결한 시점에 기준서 제1032호 문단 23에 따른 회계처리를 적용하여 부채를 인식하고 자본을 차감한다. 이때, 인식하는 금융부채의 측정은 매입예정인 주식의 예상가격 등을 반영하여 평가한다.

(3) 금융상품 기준서의 적용범위

한국채택국제회계기준에서는 금융상품의 법적 형식(유가증권, 파생상품, 대여금 등)과 무관하게 전체 금융상품에 대한 일관된 기준을 적용할 수 있도록 포괄적인 금융상품 회계처리를 규정하고 있고 금융상품의 인식과 측정에 관하여는 기준서 제1109호, 금융상품의 표시에 관하여는 기준서 제1032호, 금융상품의 공시에 관하여는 기준서 제1107호에서 규정하고 있다. 특히 이하에서 주로 다룰 인식과 측정을 다루는 기준서 제1109호는 다음을 제외한 모든 유형의 금융상품에 적용한다.

1) 기업회계기준서 제1110호 '연결재무제표', 제1027호 '별도재무제표' 또는 제1028호 '관계기업과 공동기업에 대한 투자'에 따라 회계처리되는 종속기업, 관계기업 및 공동기업 투자지분. 그러나 기업회계기준서 제1110호, 제1027호 또는 제1028호에서 이 기준서를 적용하도록 한 경우에는 이 기준서를 적용한다. 종속기업, 관계기업 및 공동기업 투자지분에 대한 파생상품 중 기업회계기준서 제1032호에서 정의하는 기업 자신의 지분상품에 해당되지 않는 모든 파생상품에도 이 기준서를 적용한다.

2) 기업회계기준서 제1116호 '리스'가 적용되는 리스에 따른 권리와 의무. 다만, 다음의 경우에는 이 기준서를 적용한다.

(가) 리스제공자가 인식하는 리스채권의 제거와 손상

(나) 리스이용자가 인식하는 금융리스부채의 제거

(다) 리스에 내재된 파생상품

3) 기업회계기준서 제1019호 '종업원급여'가 적용되는 종업원급여제도에 따른 사용자의 권리와 의무

4) 기업회계기준서 제1032호의 지분상품(옵션과 주식매입권 포함)의 정의를 충족하거나 풋가능금융상품 규정에 따라 지분상품으로 분류해야 하는 발행자의 금융상품. 다만, 그 금융상품이 ⑴의 적용 제외에 해당하지 아니하면 해당 지분상품의 보유자는 이 기준서를 적용한다.

5) 기업회계기준서 제1104호 '보험계약'에서 정의하고 있는 (가) 보험계약 또는 (나) 임의배당요소를 가지고 있기 때문에 동 기준서를 적용하는 계약에 따른 권리와 의무. 다만, 금융보증계약의 정의를 충족하는 보험계약 발행자의 권리와 의무에는 이 기준서를 적용한다. 기업회계기준서 제1104호의 적용범위에 해당되는 보험계약에 내재된 파생상품이 기업회계기준서 제1104호의 적용범위에 해당하지 아니하면 해당 파생상품에는 이 기준서를 적용한다. 한편, 금융보증계약의 발행자가 해당 계약을 보험계약으로 간주한다는 것을 사전에 명백히 하고 보험계약에 적용가

능한 회계처리를 하였다면, 그 발행자는 이러한 금융보증계약에 대해 이 기준서나 기업회계기준서 제1104호를 선택하여 적용할 수 있다. 발행자는 각 계약별로 회계처리방법을 선택할 수 있으나 선택한 이후에는 변경할 수 없다.

6) 미래의 취득일에 사업결합이 되는, 피취득대상을 매입하거나 매도하기로 하는 취득자와 매도주주 사이의 선도계약. 선도계약의 기간은 요구되는 승인을 획득하고 거래를 완성하기 위하여 통상 필요한 합리적인 기간을 초과할 수 없다.

7) 아래에서 설명된 대출약정 이외의 대출약정. 이 기준서가 적용되지 아니하는 대출약정의 제공자는 해당 대출약정에 이 기준서의 손상 요구사항을 적용한다. 또 모든 대출약정의 제거와 관련된 회계처리에는 이 기준서를 적용한다.

① 당기손익인식금융부채로 지정한 대출약정. 대출약정으로 생긴 자산을 최초 발생 후 단기간 내에 매도한 과거 실무관행이 있는 경우에는 같은 종류에 속하는 모든 대출약정에 이 기준서를 적용한다.

② 현금으로 차액결제될 수 있거나 다른 금융상품을 인도하거나 발행하여 결제될 수 있는 대출약정. 이러한 대출약정은 파생상품이다. 대여금이 분할하여 지급된다는 이유만으로 차액결제된다고 볼 수는 없다(예 : 공사진행률에 따라 분할하여 지급되는 공사관련 부동산담보대출).

③ 시장이자율보다 낮은 이자율로 대출하기로 한 약정. 이러한 대출약정에 따른 부채는 후속적으로 손상 규정에 따른 손실충당금과 최초 인식금액(문단 5.1.1 참조)에서 기업회계기준서 제1115호에 따라 인식한 이익누계액을 차감한 금액 중 큰 금액으로 측정한다.

8) 기업회계기준서 제1102호 '주식기준보상'이 적용되는 주식기준보상거래에 따른 금융상품, 계약 및 의무. 다만, 비금융항목을 매입하거나 매도하는 계약이 현금 등 금융상품으로 차액결제될 수 있거나 금융상품의 교환으로 결제될 수 있어서 금융상품으로 보는 경우에 그 계약은 이 기준서를 적용한다.

9) 기업회계기준서 제1037호에 따라 당기 또는 전기 이전에 인식한 충당부채의 결제에 필요한 지출과 관련하여 제3자로부터 보상받을 권리

10) 기업회계기준서 제1115호 '고객과의 계약에서 생기는 수익'의 적용범위에 포함되며 금융상품인 권리와 의무. 다만 기업회계기준서 제1115호에서 특정한 경우에는 이 기준서를 적용한다.

비금융항목을 매입하거나 매도하는 계약이 현금 등 금융상품으로 차액결제될 수 있거나 금융상품의 교환으로 결제될 수 있는 경우에는 그 계약을 금융상품으로 보아 기준서 제1109호를 적용한다. 다만, 기업이 예상하는 매입, 매도 또는 사용 필요에 따라 비

금융항목을 수취하거나 인도할 목적으로 체결되어 계속 유지되고 있는 계약에는 기준서 제1109호를 적용하지 아니한다.

비금융항목을 매입하거나 매도하는 계약이 현금 등 금융상품으로 차액결제될 수 있거나 금융상품의 교환으로 결제될 수 있는 경우는 다양하며 그 예는 다음과 같다.

1) 계약 조건상 거래 당사자 중 일방이 현금 등 금융상품으로 차액결제할 수 있거나 금융상품의 교환으로 결제할 수 있는 경우

2) 현금 등 금융상품으로 차액결제하거나 금융상품의 교환으로 결제할 수 있는 명시적인 계약조건은 없지만, (계약상대방과 상계하는 계약을 체결하거나 계약상 권리의 행사 또는 소멸 전에 계약을 매도하여) 기업이 유사한 계약을 현금 등 금융상품으로 차액결제하거나 금융상품의 교환으로 결제한 실무관행이 있는 경우

3) 비슷한 계약에 대하여 단기 가격변동이익이나 중개이익을 얻을 목적으로, 기초자산 인수 후 단기간 내에 그 자산을 매도한 실무관행이 있는 경우

4) 계약의 대상인 비금융항목을 현금으로 쉽게 전환할 수 있는 경우

위의 2)나 3)에 해당하는 계약은 기업이 예상하는 매입, 매도 또는 사용 필요에 따라 비금융항목을 수취하거나 인도할 목적으로 체결된 것이 아니기 때문에 기준서 제1109호를 적용한다. 위의 1)이나 4)에 해당하는 계약은 기업이 예상하는 매입, 매도 또는 사용 필요에 따라 비금융항목을 수취하거나 인도할 목적으로 체결되어 계속 유지되는지를 평가하여 기준서 제1109호의 적용 여부를 결정한다.

비금융항목을 매입하거나 매도할 수 있는 권리를 부여하는 매도옵션이 위의 1) 또는 4)에 따라 현금 등 금융상품으로 차액결제될 수 있거나 금융상품의 교환으로 결제될 수 있는 경우에는 기준서 제1109호를 적용한다. 이러한 계약은 예상되는 비금융상품의 매입, 매도, 또는 사용 필요에 따라 비금융항목을 수취하거나 인도할 목적으로 체결될 수 없다.

(4) 금융상품의 최초 인식

금융자산이나 금융부채는 금융상품의 계약당사자가 되는 때에만 재무상태표에 인식한다. 단, 금융자산의 정형화된 매입이나 매도는 매매일 또는 결제일에 인식하거나 제거한다. 정형화된 매입 또는 매도는 관련 시장의 규정이나 관행에 따라 일반적으로 설정된 기간 내에 해당 금융상품을 인도하는 계약조건에 따른 금융자산의 매입 또는 매도거래이며, 이러한 정형화된 매매거래는 매매일과 결제일 사이에 거래가격을 고정시키는 거래이며 파생상품의 정의를 충족한다. 그러나 계약기간이 짧기 때문에 파생금융상품으로 인식하지 아니한다.

금융자산의 정형화된 매입이나 매도는 기준서 제1109호에 따라 같은 방식으로 분류한 금융자산의 매입이나 매도 모두에 대하여 일관성 있게 적용한다. 이 경우 의무적으로 당기손익-공정가치로 측정해야 하는 금융자산은 당기손익-공정가치 측정 금융자산으로 지정한 자산과는 별도의 범주로 구분한다. 또 후속적인 공정가치 변동을 기타포괄손익으로 인식할 것을 선택하여 회계처리하는 지분상품에 대한 투자도 별도의 범주로 구분한다.

결제일 회계처리방법을 적용하는 경우에는 이미 취득한 자산에 대한 회계처리와 같은 방법으로 수취할 자산의 공정가치에 대한 모든 변동을 매매일과 결제일의 기간 중에 회계처리한다. 따라서 상각후원가로 측정하는 자산의 가치변동은 인식하지 아니하고, 당기손익-공정가치 측정 금융자산으로 분류한 자산의 가치변동은 당기손익으로 인식하며, 기타포괄손익-공정가치 측정 금융자산의 가치변동은 기타포괄손익으로 인식한다.

(5) 금융자산의 분류

최초 인식 이후 금융자산은 그 분류에 따라 후속측정의 방법이 상각후원가 또는 공정가치로 구분되며, 공정가치의 변동은 당기손익이나 기타포괄손익으로 인식될 수 있다. 이러한 분류를 위해 다음과 같은 순서를 따른다.

1) 사업모형의 평가

사업모형은 기업이 특정 사업목적을 달성하기 위해 금융자산의 집합을 관리하는 방식을 의미한다. 예를 들어, 기업은 자금을 대여하고 계약상 정해진 이자와 원금 현금흐름을 만기까지 수취하는 방식으로 해당 금융자산의 집합을 관리할 수 있다. 또한, 기업은 금융자산을 빈번하게 매매함으로써 공정가치 차액을 극대화하기 위해 해당 금융자산 집합을 관리할 수도 있을 것이다. 사업모형은 개별 상품에 대한 경영진의 보유 의도와는 무관하다. 따라서 사업모형은 금융상품별로 판단하지 않고, 통합된 수준(예 : 포트폴리오별, 부서별, 펀드별 등)에서 검토되어야 한다. 또한 사업모형은 경영진의 주장만으로 평가하는 것이 아니라, 다음과 같이 실제 기업이 수행하는 활동 등의 관측 가능한 사실에 근거하여 평가하여야 한다.

• 경영진에 대한 보고방식
• 위험관리방법
• 보상방식
• 매도의 빈도 및 매도 사유

(기준서 제1109호 문단 B4.1.2-B4.1.2C)

이러한 평가 결과에 따라, 사업모형은 다음과 같이 구분된다.

가. 계약상 현금흐름을 수취하기 위해 자산을 보유하는 것이 목적인 사업모형(현금
   흐름 수취목적 사업모형)

금융상품의 만기까지 계약상 약정된 원금과 이자를 수취하고자 하는 사업모형이다.

나. 계약상 현금흐름의 수취와 금융자산의 매도 둘 다를 통해 목적을 이루는 사업모
   형(현금흐름 수취 및 매도 목적 사업모형)

만기까지 계약상 약정된 원금과 이자를 수취할 수도 있고, 중도에 매도할 수도 있는 사업모형이다. 보다 구체적으로, 단기적인 시세차익을 목적으로 매매하지는 않으나 회사의 유동성 관리, 부채관리 등을 목적으로 중도 매도는 가능한 사업모형이 이에 해당한다.

다. 그 밖의 사업모형

일반적으로는 시세차익을 목적으로 한 빈번한 매도가 발생하는 사업모형일 수 있으나, 보다 포괄적으로 상기에 규정된 사업모형 외의 모든 사업모형을 포함한다. 이 경우에는 당기손익-공정가치 측정 금융자산(공정가치로 평가하고 당기손익에 반영)으로 분류한다.

기준서는 다음 중 하나에 해당하는 금융자산이나 금융부채를 단기매매항목으로 정의하는데, 단기매매의 정의를 충족하는 금융자산 포트폴리오는 계약상 현금흐름을 수취하기 위해 보유하는 것이 아니며 계약상 현금흐름의 수취와 금융자산의 매도 둘 다를 위해 보유하는 것도 아니다. 이러한 금융자산 포트폴리오는 계약상 현금흐름의 수취가 사업모형의 목적을 이루는 데에 부수적일 뿐이다. 따라서 이러한 금융자산 포트폴리오는 당기손익-공정가치로 측정해야 한다.

- 주로 단기간에 매각하거나 재매입할 목적으로 취득하거나 부담한다.
- 최초 인식시점에 공동으로 관리하는 특정 금융상품 포트폴리오의 일부로 운용 형태가 단기적 이익 획득 목적이라는 증거가 있다.
- 파생상품이다.

2) 계약상 현금흐름의 평가

금융상품이 상각후원가 측정 금융자산 또는 기타포괄손익-공정가치 측정 금융자산으로 분류되기 위해서는 계약상 현금흐름이 원리금 지급만으로 구성되어야 한다. 기준서 제1109호는 '원금'과 '이자'의 정의를 다음과 같이 제시하고 있으며, 이에 근거하여

계약상 현금흐름이 원금과 이자의 지급만을 나타내는지 평가한다.

- 원금 : 최초인식시점에 금융자산의 공정가치이다.
- 이자 : 화폐의 시간가치에 대한 대가, 특정 기간에 원금잔액과 관련된 신용위험에 대한 대가, 그 밖의 기본적인 대여 위험과 원가에 대한 대가뿐만 아니라 이윤도 포함한다.

(기준서 제1109호 문단 B4.1.3)

지분상품, 파생상품 및 지분 전환 내재파생상품을 포함하는 복합계약의 경우 발행자의 성과에 대한 대가를 지급하는 등 정해진 원리금을 지급하는 계약이 아니므로 계약상 현금흐름이 원리금 지급만으로 구성되지 않는다.

계약상 현금흐름의 특성이 원리금의 지급을 나타내는 경우	계약상 현금흐름의 특성이 원리금의 지급만을 나타내지 않는 경우
• 금리가 인플레이션 지수에 연동하는 경우(화폐의 시간가치에 대한 대가로 판단) • 영구채권(이자가 화폐의 시간가치에 대한 대가와 신용위험에 대한 대가로 구성된 경우) • 중도상환금액이 미지급된 원리금을 실질적으로 나타내며, 이 중도상환금액에는 계약의 조기 청산에 대한 합리적인 보상이 포함될 수 있는 계약조건 • 변동금리부 금융상품에 대한 이자율 재설정일에 이자율과 관련한 채무자의 옵션(이자율이 채권자에게 시간가치를 보상하는 경우)(예 : 3개월 LIBOR를 3개월의 기간에 대해 지급하거나, 1개월 LIBOR를 1개월의 기간에 대해 지급)	• 이자율이 주가지수나 채무자의 성과 또는 다른 변수에 연동된 경우 • 시장이자율과는 반비례하는 금리를 지급 • 행사금액이 잔여 원금과 이자를 반영하지 않는 조기상환선택권 • 발행자가 이자지급을 이연할 수 있으나, 이연된 금액에 대해 추가적인 이자가 발생하지 않는 경우 • 변동금리부 금융상품에 대한 이자율 재설정일에 이자율과 관련한 채무자의 옵션(이자율이 채권자에게 시간가치를 보상하지 않는 경우)(예 : 1개월 LIBOR를 3개월의 기간에 적용하거나, 적용 이자율은 1개월 LIBOR인데 재설정은 매월 이루어지지 않는 경우) • 채무상품에 지분전환 옵션이 부여된 경우

3) 금융자산의 분류 범주

① 상각후원가 측정 금융자산

다음의 두 가지 조건을 모두 충족하는 경우 상각후원가로 측정한다.

㉠ 계약상 현금흐름을 수취하기 위해 보유하는 것이 목적인 사업모형 하에서 금융자산을 보유한다.

㉡ 금융자산의 계약 조건에 따라 특정일에 원금과 원금잔액에 대한 이자 지급(이하 '원리금 지급')만으로 구성되어 있는 현금흐름이 발생한다.

회사의 사업모형이 계약상 현금흐름의 수취에 있다면, 공정가치 변동에 따른 시세차익의 수취가 전제되지 아니하므로 상각후원가로 측정하는 것이 타당할 것이다. 그러나, 만약 이 모형에 해당되는 금융상품의 계약상 현금흐름이 원금과 이자로 구성되어 있지 아니하다면, 이는 '현금흐름 수취목적'이라는 회사의 사업모형에 대한 주장과 일치하지 않은 금융상품이 될 것이며, '상각후원가'로 측정하는 것이 타당하지 않다.

금융상품의 상각후원가는 최초 인식시점에 측정한 금융자산이나 금융부채에서 상환된 원금을 차감하고, 최초 인식금액과 만기금액의 차액에 유효이자율법을 적용하여 계산한 상각누계액을 가감한 금액이며, 금융자산의 경우에 해당 금액에서 손실충당금을 추가로 조정한 금액이다.

유효이자율은 금융자산이나 금융부채의 기대존속기간에 추정 미래현금지급액이나 수취액의 현재가치를 금융자산의 총 장부금액이나 금융부채의 상각후원가와 정확히 일치시키는 이자율로 유효이자율법은 이러한 유효이자율을 적용하여 금융자산이나 금융부채의 상각후원가를 계산하고 관련 기간에 이자수익이나 이자비용을 당기손익으로 인식하고 배분하는 방법을 말한다.

② 기타포괄손익 – 공정가치 측정 금융자산

다음 두 가지 조건을 모두 충족한다면 금융자산을 기타포괄손익 – 공정가치로 측정한다.
㉠ 계약상 현금흐름의 수취와 금융자산의 매도 둘 다를 통해 목적을 이루는 사업모형 하에서 금융자산을 보유한다.
㉡ 금융자산의 계약 조건에 따라 특정일에 원리금 지급만으로 구성되어 있는 현금흐름이 발생한다.

만기까지 계약상 약정된 원금과 이자를 수취할 수도 있고, 중도에 매도할 수도 있는 사업모형인 경우 금융자산을 기타포괄손익 – 공정가치로 측정한다. 단, 이러한 경우에도 이 사업모형에 해당하는 금융상품은 그 현금흐름이 원금과 이자로만 구성되어야 한다. 원금과 이자로만 구성되어 있지 아니한 상품에 대해, '현금흐름을 수취'하는 사업모형을 영위한다고 주장하는 것은 타당하지 않기 때문이다. 이 경우에는 기타포괄손익 – 공정가치 측정 금융자산(공정가치로 평가하고 그 차액을 기타포괄손익에 반영)으로 분류한다. 단, 지분상품과는 달리 신용위험의 변동 등에 따라 기대되는 손상은 측정하여 당기손익에 반영하며, 기간 이자수익은 유효이자율법을 통해 당기손익에 반영한다.

③ 당기손익 – 공정가치 측정 금융자산

위 ①과 ②에 해당하지 않는 채무상품인 금융자산은 당기손익 – 공정가치로 측정한다.

금융시장의 변동에 따라 그 공정가치가 변화하는 금융상품은 공정가치로 측정하여 당기손익에 반영하는 것이 보다 타당한 방법일 수 있다. 따라서, 상기 두 가지 경우를 제외한다면 공정가치로 측정하고 당기손익에 반영하는 것이 타당할 것이다.

4) 금융자산–지분상품의 분류

지분상품은 계약상 현금흐름이 원금과 이자를 수취하는 상품이 아니므로 원칙적으로 당기손익–공정가치로 측정해야 한다. 다만, 기준서는 지분상품에 대한 투자로서 단기매매항목이 아니고 기업회계기준서 제1103호를 적용하는 사업결합에서 취득자가 인식하는 조건부 대가가 아닌 지분상품에 대한 투자의 후속적인 공정가치 변동을 기타포괄손익으로 표시할 것을 선택할 수 있도록 하였다. 이 선택은 최초인식 시점에만 허용되며 취소할 수 없다. 이 경우, '손상차손'을 반영하지 않고 금융자산의 '제거'에 따른 차액도 손익에 반영하지 아니한다. 해당 지분상품에 대한 투자의 배당은 당기손익으로 인식한다. 기타포괄손익–공정가치 측정 금융자산으로 지정되지 않은 지분상품은 당기손익–공정가치로 측정한다.

기타포괄손익–공정가치 측정 금융자산으로의 지정은 기준서 제1032호 '금융상품 : 표시'에서 규정된 지분상품의 정의를 충족하는 지분상품에 대해 가능하다. 특정 상황에서 풋가능 금융상품이 발행자의 관점에서 자본으로 분류되더라도, 지분상품의 정의를 충족하는 것은 아니므로 기타포괄손익–공정가치 측정 금융자산으로 지정할 수 없다.

예를 들어 보유자의 결정에 따라 환매가 가능한 수익증권은 지분상품의 정의를 충족하지 않는다. 따라서, 해당 수익증권의 분류는 위의 '1)금융자산–채무상품의 분류'에 따라야 한다. 이 경우 수익증권은 '원금'과 '이자'만으로 그 계약상 현금흐름이 구성되어 있지 아니하므로, 상각후원가 측정 금융자산 또는 기타포괄손익–공정가치 측정 금융자산으로 분류될 수 없고 당기손익–공정가치 측정 금융자산으로 분류된다.

(6) 금융상품의 제거

1) 금융자산의 제거

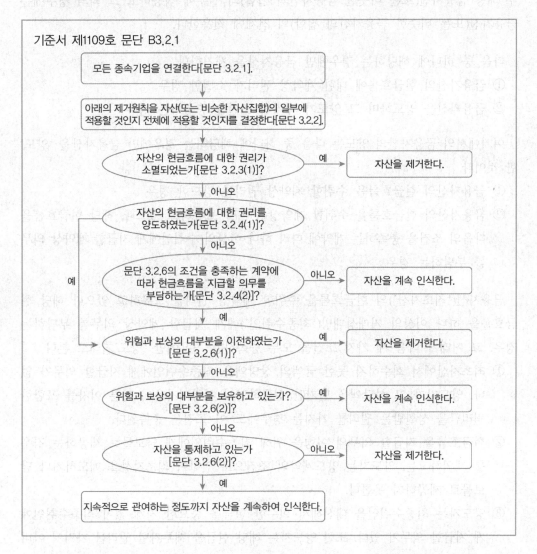

연결재무제표를 작성하는 경우 금융자산의 제거 여부는 연결관점에서 적용한다. 따라서 기준서 제1110호에 따라 모든 종속기업을 연결한 후 당해 연결실체에 금융자산의 제거 요건을 적용한다.

금융자산의 제거 요건을 적용하여 제거 여부와 제거정도의 적정성을 평가하기 전에 해당 요건을 금융자산(또는 비슷한 금융자산의 집합)의 일부에 적용하여야 하는지 아니면 전체에 적용하여야 하는지를 다음과 같이 결정한다. 제거 대상은 금융자산(또는 비슷한 금융자산의 집합)의 현금흐름에서 식별된 특정부분, 금융자산(또는 비슷한 금융자산의 집합)의 현금흐름에 완전히 비례하는 부분, 또는 금융자산(또는 비슷한 금융자산의 집합)의 현금흐름에서 식별된 특정부분 중 완전히 비례하는 부분으로만 구성되는 경우 해당 금융자산(또는 비슷한 금융자산의 집합)의 일부에 적용하고 그 외의 경우에는 금융자산(또는 비슷한 금융자산의 집합)의 전체에 적용한다.

다음 중 하나에 해당하는 경우에만 금융자산을 제거한다.
① 금융자산의 현금흐름에 대한 계약상 권리가 소멸한 경우
② 금융자산을 양도하며 그 양도가 제거의 조건을 충족하는 경우

여기에서의 금융자산의 양도는 다음 중 하나에 해당하는 경우에만 금융자산을 '양도'한 것이다.
① 금융자산의 현금흐름을 수취할 계약상 권리를 양도한 경우
② 금융자산의 현금흐름을 수취할 계약상 권리를 보유하고 있으나, 해당 현금흐름을 다음의 조건을 충족하는 계약에 따라 하나 이상의 수취인에게 지급할 계약상 의무를 부담하는 경우

금융자산('최초자산')의 현금흐름을 수취할 계약상 권리를 보유하고 있으나 해당 현금흐름을 하나 이상의 거래상대방('최종수취인')에게 지급할 계약상 의무를 부담하는 경우, 그 거래가 다음 세 가지 조건을 모두 충족하는 경우에만 '양도'거래로 본다.
① 최초자산에서 회수하지 못한 금액의 상당액을 최종수취인에게 지급할 의무가 없다. 양도자가 그 상당액을 단기간 선급하면서 시장이자율에 따른 이자를 포함한 원리금을 상환받는 권리를 가지는 경우에도 이 조건은 충족된다.
② 현금흐름을 지급할 의무의 이행을 위해 최종수취인에게 담보물로 제공하는 경우를 제외하고는, 양도자는 양도계약의 조건으로 인하여 최초자산을 매도하거나 담보물로 제공하지 못한다.
③ 양도자는 최종수취인을 대신해서 회수한 현금을 중요한 지체 없이 최종수취인에게 지급할 의무가 있다. 또한 양도자는 해당 현금을 재투자할 권리를 가지지 아니한다. 다만, 현금 회수일부터 최종수취인에게 지급하기까지의 단기결제유예기간 동안 현금 또는 현금성자산에 투자하고 이러한 투자에서 발생한 이자를 최종수취인에게 지급하는 경우는 제외한다.

금융자산을 '양도'한 경우, 양도자는 금융자산의 소유에 따른 위험과 보상의 보유 정도를 평가하여 다음과 같이 회계처리한다.
① 양도자가 금융자산의 소유에 따른 위험과 보상의 대부분을 이전하면, 해당 금융자산을 제거하고 양도함으로써 발생하거나 보유하게 된 권리와 의무를 각각 자산과

부채로 인식한다.

② 양도자가 금융자산의 소유에 따른 위험과 보상의 대부분을 보유하면, 해당 금융자산을 계속하여 인식한다.

③ 양도자가 금융자산의 소유에 따른 위험과 보상의 대부분을 보유하지도 아니하고 이전하지도 아니하면, 양도자가 해당 금융자산을 통제하는지를 결정하여 다음과 같이 회계처리한다.

　　㉠ 양도자가 금융자산을 통제하고 있지 않다면, 해당 금융자산을 제거하고 양도함으로써 발생하거나 보유하게 된 권리와 의무를 각각 자산과 부채로 인식한다.

　　㉡ 양도자가 금융자산을 통제하고 있다면, 해당 금융자산에 대하여 지속적으로 관여하는 정도까지 해당 금융자산을 계속하여 인식한다.

위험과 보상의 이전 여부는 양도자산의 순현금흐름의 금액과 시기의 변동에 대한 양도 전·후 양도자의 익스포저를 비교하여 평가한다. 금융자산의 미래 순현금흐름의 현재가치 변동에 대한 양도자의 익스포저가 양도의 결과 유의적으로 달라지지 않는다면(예 : 양도자가 확정가격이나 매도가격에 대여자의 이자수익을 더한 금액으로 재매입하기로 하고 금융자산을 매도한 경우), 양도자는 금융자산의 소유에 따른 위험과 보상의 대부분을 보유하고 있는 것이다.

소유에 따른 위험과 보상의 대부분을 이전하였는지 아니면 보유하고 있는지가 명백하여 별도의 계산이 불필요한 경우가 있다. 한편, 미래 순현금흐름의 현재가치 변동에 대한 양도 전·후 양도자의 익스포저를 계산하여 비교할 필요가 있는 경우가 있을 것이다. 이때 적절한 현행 시장이자율을 할인율로 사용하여 양도자의 익스포저를 계산하고 비교하며, 가능성이 어느 정도 있는 모든 순현금흐름 변동을 고려하되 발생 가능성이 더 높은 결과에 비중을 더 둔다.

양도자가 양도자산을 통제하고 있는지 여부는 양수자가 그 자산을 매도할 수 있는 능력을 가지고 있는지 여부에 따라 결정한다. 양수자가 자산 전체를 독립된 제3자에게 매도할 수 있는 실질적 능력을 가지고 있으며, 양도에 대한 추가적인 제약 없이 그 능력을 일방적으로 행사할 수 있다면, 양도자는 양도자산에 대한 통제를 상실한 것이다. 이 경우 이외에는 양도자가 양도자산을 통제하고 있는 것이다.

금융자산의 제거 관련 구체적인 이슈사항은 '금융상품' 중 '매출채권'편을 참조하기로 한다.

2) 금융부채의 제거

금융부채(또는 금융부채의 일부)는 소멸한 경우(즉, 계약상 의무가 이행, 취소 또는 만료된 경우)에만 재무상태표에서 제거한다.

기존 차입자와 대여자가 실질적으로 다른 조건으로 채무상품을 교환한 경우, 최초의 금융부채를 제거하고 새로운 금융부채를 인식한다. 이와 마찬가지로, 기존 금융부채(또는 금융부채의 일부)의 조건이 실질적으로 변경된 경우(채무자의 재무적 어려움으로 인한 경우와 그렇지 아니한 경우를 포함)에도 최초의 금융부채를 제거하고 새로운 금융부채를 인식한다.

> ★
> **기준서 제1109호**
>
> 3.3.3 소멸하거나 제3자에게 양도한 금융부채(또는 금융부채의 일부)의 장부금액과 지급한 대가(양도한 비현금자산이나 부담한 부채를 포함)의 차액은 당기손익으로 인식한다.
>
> 3.3.4 금융부채의 일부를 재매입하는 경우에 종전 금융부채의 장부금액은 계속 인식하는 부분과 제거하는 부분에 대해 재매입일 현재 각 부분의 상대적 공정가치를 기준으로 배분한다. 다음 (1)과 (2)의 차액은 당기손익으로 인식한다.
> (1) 제거하는 부분에 배분된 금융부채의 장부금액
> (2) 제거하는 부분에 대하여 지급한 대가(양도한 비현금자산이나 부담한 부채를 포함)

(7) 금융자산과 금융부채의 상계

자산과 부채는 한국채택국제회계기준에서 요구하거나 허용하지 않는 한 상계할 수 없다. 한편, 기준서 제1032호에서는 금융자산과 금융부채를 순액으로 표시하는 것이 둘 이상의 별도의 금융상품의 결제에 따른 기업의 예상미래현금흐름을 반영하는 경우에는 해당 금융자산과 금융부채를 순액으로 표시할 것을 요구한다. 단일의 순액으로 수취하거나 지급할 권리와 의도가 있는 경우에는 실질적으로 단일의 금융자산이나 금융부채를 가지고 있는 것이다. 이러한 경우가 아니라면 자원의 특성이나 의무의 특성에 일관되게 금융자산과 금융부채를 각각 별도로 표시한다.

다음의 조건을 모두 충족하는 경우에만 금융자산과 금융부채를 상계하고 재무상태표에 순액으로 표시하되, 제거의 조건을 충족하지 않는 금융자산의 양도에 관한 회계처리의 경우 양도된 자산과 이와 관련된 부채는 상계하지 아니한다.
① 인식한 자산과 부채에 대해 법적으로 집행가능한 상계권리를 현재 보유하는 경우
② 차액으로 결제하거나, 자산을 실현하는 동시에 부채를 결제할 의도를 가지는 경우

여기에서 금융자산과 금융부채에 대해 법적으로 집행가능한 상계권리는 금융자산과 금융부채에 관련된 권리와 의무에 영향을 미치고, 신용위험과 유동성위험에 대한 기업

의 노출 정도에 영향을 미칠 수 있다. 그러나 이러한 권리의 존재 자체가 상계의 충분조건은 아니다. 이러한 권리를 행사하거나 동시에 결제할 의도가 없는 경우, 기업의 미래현금흐름의 금액과 시기는 영향을 받지 않는다. 이러한 권리를 행사하거나 동시에 결제할 의도가 있는 경우, 순액기준에 의한 자산과 부채의 표시는 예상미래현금흐름의 금액과 시기 및 이러한 현금흐름에 노출된 위험을 더욱 적절하게 반영한다. 금융자산과 금융부채를 순액기준으로 결제할 법적 권리가 없는 경우에는 거래당사자의 일방 또는 모두가 순액기준으로 결제하려는 의도를 가지고 있더라도, 개별적인 금융자산과 금융부채에 관련된 권리와 의무가 변경되지 않으므로, 그 의도만으로는 상계를 정당화하는 충분조건이 될 수 없다.

거래상대방이 채무를 이행하지 못하는 파산이나 이와 비슷한 상황에서 발생가능한 손실에 대비하기 위하여 일괄상계계약 등의 형태로 조건부 상계계약을 체결하는 경우가 있다. 이러한 상계권리는 일반적으로 거래상대방의 채무불이행 등 미래 사건이 발생하는 경우에만 집행가능하므로 이러한 계약은 상계의 조건을 충족하지 못한다. 또한 주요 위험에 동일한 노출정도를 가지고 있는 금융상품에서 발생하는 금융자산과 금융부채가 각각 다른 거래상대방을 가지는 경우도 일반적으로 상계가 적절하지 않다.

인식한 금융자산과 금융부채를 상계하여 순액으로 표시하는 것과 금융자산이나 금융부채를 제거하는 것은 다르다. 금융자산과 금융부채를 상계하여 표시하는 경우 손익이 발생하지 않으나, 금융상품을 제거하는 경우에는 이미 인식한 항목이 재무상태표에서 제거될 뿐만 아니라 손익도 발생할 수 있다.

기준서 제1107호에서는 위의 상계요건을 충족하거나 상계요건을 충족하지 못한 상계계약에 대하여 공시를 요구하고 있으며, 이는 후술하는 상계공시에서 살펴보기로 한다.

(8) 금융상품 공시사항

1) 금융상품 공시 – 일반

한국채택국제회계기준에서 금융상품의 공시는 기준서 제1107호에서 다루고 있다. 기준서 제1107호는 종속기업, 관계기업과 공동기업 투자지분, '종업원급여'가 적용되는 종업원급여제도에 따른 사용자의 권리와 의무, 주식기준보상, 보험계약과 같은 다른 특정 기준서에서 다루는 것들을 제외한 모든 금융상품에 적용한다. 기준서 제1107호의 적용범위는 기준서 제1109호와 비슷하다. 그러나 리스의 경우 리스이용자가 인식하는 리스부채와 리스제공자가 인식하는 리스채권 모두 기준서 제1109호가 제거와 손상에만 제한적으로 적용됨에도 불구하고 기준서 제1107호의 적용범위에는 포함된다. 다만, 운용리스제공자는 운용리스에 따라 리스료를 받을 권리를 미래에 수취할 금액으로 회계처리하지 않는다. 따라서. 운용리스제공자는, 지급기일에 이르러 리스이용자가 지급해야 하는 개별 지급액을 제외하고는, 운용리스를 금융상품으로 보지 않으며 기준서 제1107호도 적용되지 않는다(기준서 제1032호 문단 AG9).

기준서 제1032호 및 기준서 제1109호와 마찬가지로 기준서 제1107호는 금융기관만이 아니라 모든 기업에 적용된다. 이것은 금융상품으로 현금이나 은행차입금, 당좌차월, 매출채권, 매입채무만 보유하고 있는 제조업체도 다양하고 복잡한 금융상품들을 보유하고 있는 은행과 마찬가지로 기준서 제1107호를 적용해야 한다는 것을 의미한다.

현금이나 다른 금융상품으로 차액결제되는 상품계약들은 기준서 제1107호의 적용범위에 포함된다. 그러나 앞서 설명한 바와 같이 '기업 자신의 사용을 위한 계약의 면제(own use exemption)'에 해당하는 계약(기업이 예상하는 매입, 매도 또는 사용 필요에 따라 비금융항목을 수취하거나 인도할 목적으로 체결되어 계속 유지되고 있는 계약)들은 금융상품이 아니기 때문에 기준서 제1107호의 적용범위에 속하지 않는다(기준서 제1109호 문단 2.4).

현금을 받을 권리 또는 현금을 줄 의무를 표시하는 미수금과 미지급금도 기준서 제1107호의 범위이다. 예를 들면, 수령하였으나 아직 대금이 결제되지 않은 상품에 대한 미지급금은 기준서 제1107호의 적용범위에 포함된다. 그러나, 재화나 용역의 미래 인도로 결제될 선급비용은 금융상품이 아니고 따라서 기준서 제1107호의 범위에서 제외된다.

기준서 제1037호 '충당부채, 우발부채 및 우발자산'에 정의된 충당부채는 금융상품이 아니기 때문에 기준서 제1107호의 범위에서 제외된다(기준서 제1037호 문단 2, 기준서 제1107호 문단 3-4, 기준서 제1109호 문단 2.1(9)).

기준서 제1109호에 따라 재무상태표에 인식된 금융상품뿐 아니라 인식되지 않은 금융상품에도 기준서 제1107호는 모두 적용된다(기준서 제1107호 문단 4, 5). 예를 들어 일부 대출약정의 경우 기준서 제1109호의 범위에는 포함되지 않으나 신용위험이나 유동성위험과 같은 금융위험에 기업이 노출되어 있으므로 기준서 제1107호의 범위에는 포함될 수 있다.

기준서 제1107호는 금융상품으로부터 발생하는 기업의 위험노출정도에 대한 질적이고 양적인 정보공시에 대해 설명하고 있다. 기준서 제1107호는 기업이 위험을 관리하고

측정하는 데 사용하는 절차에 대한 정보까지 질적 공시의 범위를 확대하였다. 기준서 제1107호는 또한 주요경영진에게 내부적으로 제공되는 정보를 기초로 '경영진의 관점에서' 양적인 위험공시를 하도록 한다. '경영진의 관점에서' 공시되지 않았더라도 특정 최소한의 공시는 요구된다. 기업은 그들이 위험을 어떻게 인지하고 관리하며 측정하는지에 대해 시장과 소통해야 한다.

'경영진의 관점을 통한' 접근법은 재무보고가 경영진이 사업을 관리하는 방법을 보다 가깝게 반영할 수 있도록 한다. 경영진의 내부적인 측정이 이전에는 국제회계기준이나 각국의 회계정책 하에서 제공되지 않았던 경우에, 이에 대한 공시는 회사의 통제환경의 장점을 보여줄 수 있으나 동시에 회사의 약점을 드러낼 수도 있을 것이다. 이는 또한 시장이 기업의 위험관리활동의 장점을 보다 잘 평가할 수 있도록 한다.

기준서 제1107호는 기준의 요구사항을 적용하는 방법을 설명하는 적용지침을 포함하고 있다. 또한 연결실체가 기준서 제1107호에서 요구하는 일부 공시요구사항을 적용하기 위한 가능한 방법을 제시하는 실무적용지침이 첨부되어 있다.

① 금융상품의 종류

기준서 제1107호는 금융상품의 종류별로 아래의 내용을 포함한 특정 공시를 요구한다.
- 금융자산의 양도
- 손실충당금 계정의 변동내역
- 공정가치와 그 공정가치를 산출하는 데 사용한 방법 또는 가정
- 신용위험과 관련한 특정 공시사항

기준서 자체는 금융상품의 종류에 대한 명확한 목록을 제공하고 있지 않다. 그러나 기준서 제1107호는 기업이 금융상품의 특성을 고려하여야 하고, 선택된 종류는 공시정보의 성격에 맞아야 한다고 명시하고 있다(기준서 제1107호 문단 6).

금융상품의 종류는 금융상품의 범주와 다르다. 기준서 제1109호는 금융상품의 범주를 상각후원가, 기타포괄손익 - 공정가치 측정 금융상품, 당기손익 - 공정가치 측정 금융상품으로 분류한다(기준서 제1107호 문단 8). 금융상품의 종류의 구분은 기업이 결정하는 것이며, 재무상태표에 표시하는 개별 항목과 대조할 수 있도록 정보를 충분히 제공하여야 한다. 어느 정도까지 종류를 세분화하는지는 기업의 특정 기준에 따라 결정되어야 하며, 각 기업의 공시는 서로 다른 방식으로 정의될 것이다. 최소한 다음 사항을 고려하여 금융상품의 종류를 결정한다.
- 상각후원가로 측정하는 금융상품과 공정가치로 측정하는 금융상품을 구분한다.

- 기준서 제1107호 적용범위에 해당되는 것 이외의 금융상품은 다른 종류로 처리한다.
(기준서 제1107호 적용지침 B2)

예를 들어, 은행의 경우 상각후원가측정 금융자산의 범주는 해당 범주 내의 자산이 모두 비슷한 특성을 지니는 것이 아니라면 한 가지 종류 이상으로 구성된다. 이러한 상황에서는 금융상품을 다음과 같이 분류하는 것이 적절할 수 있다.

- 고객의 유형 – 예를 들어, 기업에 대한 대출과 개인에 대한 대출 ; 또는
- 대출의 유형 – 예를 들어, 주택담보대출, 신용카드, 신용대출, 당좌차월

그러나 경우에 따라서 모든 대출이 비슷한 특성을 가지고 있을 수 있다. 예를 들어, 저축은행이 오직 한 가지 종류의 대출을 개인 고객에게 제공하는 경우, 고객에 대한 대출은 한 종류가 될 수 있다.

② 공시 및 통합의 수준과 위치

기준서에 의해 요구되는 정보의 일부(특히, 기준서 제1107호 문단 31부터 42까지에서 요구하는 금융상품에서 발생하는 위험의 성격과 정도에 관한 정보)는 주석 또는 재무상태표나 손익계산서 본문에 공시하는 것이 허용된다(기준서 제1107호 문단 8, 20). 일부 기업은 금융상품에서 발생하는 위험의 성격과 정도 및 그러한 위험을 관리하는 기업의 방식 등 기준서 제1107호에서 요구하는 정보의 일부를 별도의 경영진 분석보고서나 또는 사업보고서에도 표시하기도 한다. 이러한 정보는 재무제표와 상호참조가 되어야 하고, 재무제표이용자는 이러한 별도의 보고서를 재무제표와 동일한 조건으로 재무제표와 동시에 이용할 수 있어야 한다(기준서 제1107호 적용지침 B6).

기업은 주어진 상황에서 공시의 정도, 이 기준서의 여러 측면 중 강조할 부분과 정도 및 서로 다른 특성을 가지는 정보를 결합하지 않으면서 전체적인 개요를 보여주기 위하여 정보를 통합하는 방법 등을 결정한다. 재무제표이용자에게 도움이 되지 않을 정도로 지나치게 상세하고 과도하게 재무제표에 공시하는 것과 지나치게 많은 항목을 통합함으로써 중요한 정보를 오히려 불명확하게 하는 것 사이에서 균형을 맞출 필요가 있다. 예를 들면, 경미한 세부항목들이 집계된 금액에 중요한 정보를 포함시켜 중요한 정보를 불명확하게 공시하여서는 아니 된다. 마찬가지로 정보를 지나치게 통합하여 개별 거래 사이의 중요한 차이나 관련 위험의 중요한 차이를 불명확하게 하여서는 안된다(기준서 제1107호 적용지침 B3).

③ 금융상품에서 발생하는 위험

기준서 제1107호에서는 금융상품 관련한 위험에 대하여 유의적인 수준의 질적, 양적

정보의 공시를 요구하고 있다. 금융상품과 관련한 위험은 결국 미래현금흐름과 금융자산, 부채의 공정가치에 영향을 미치는 현금흐름의 불확실성에 기인하여 발생한다. 다음은 금융상품과 관련이 있는 금융위험의 유형들이다.

- 시장위험 : 시장가격의 변동으로 인하여 금융상품의 공정가치 또는 미래현금흐름이 변동될 위험. 시장위험은 잠재적 손실뿐만 아니라 잠재적 이익까지 포함한다. 시장위험은 다음의 세 가지 유형의 위험으로 구성된다.
  - 이자율위험 : 시장이자율의 변동으로 인하여 금융상품의 공정가치 또는 미래현금흐름이 변동될 위험
  - 환위험 : 환율의 변동으로 인하여 금융상품의 공정가치 또는 미래현금흐름이 변동될 위험
  - 그 밖의 가격위험 : 이자율위험이나 환위험 이외의 시장가격의 변동으로 인하여 금융상품의 공정가치나 미래현금흐름이 변동될 위험. 이러한 변동은 개별 금융상품 또는 발행자에게 특정되는 요인에 따라 생길 수 있고, 시장에서 거래되는 모든 비슷한 금융상품에 영향을 주는 요인에 의하여 발생될 수도 있다.
- 신용위험 : 금융상품의 당사자 중 어느 한 편이 의무를 이행하지 않아 상대방에게 재무손실을 입힐 위험
- 유동성 위험 : 기업이 현금 등 금융자산을 인도하여 결제하는 금융부채에 관련된 의무를 이행하는 데 어려움을 겪게 될 위험

(기준서 제1107호 적용지침 A)

그러나, 운영위험관련 공시사항들은 기준서 제1107호의 범위에 포함되지 않는다.

2) 재무상태표 공시사항

다음의 각 범주별 장부금액은 재무상태표 본문이나 주석으로 공시되어야 한다.

- 당기손익-공정가치 측정 금융자산, 최초 인식시점이나 후속적으로 당기손익-공정가치 측정 항목으로 지정한 금융자산과 의무적으로 당기손익-공정가치로 측정하는 금융자산은 구분하여 별도로 각각 표시한다.
- 당기손익-공정가치 측정 금융부채, 최초 인식시점이나 후속적으로 당기손익-공정가치 측정 항목으로 지정한 금융부채와 단기매매의 정의를 충족하는 금융부채는 별구분하여 별도로 각각 표시한다.
- 상각후원가 측정 금융자산
- 상각후원가 측정 금융부채
- 기타포괄손익-공정가치 측정 금융자산, 기준서 제1109호 문단 4.1.2A에 따라 기

타포괄손익-공정가치로 측정하는 금융자산과 최초 인식시점에 기타포괄손익-공정가치 측정 항목으로 지정한 지분상품에 대한 투자는 구분하여 별도로 각각 표시한다.

(기준서 제1107호 문단 8)

① 당기손익-공정가치 측정 금융자산이나 당기손익-공정가치 측정 금융부채로 지정한 금융상품

금융자산(또는 금융자산의 집단)을 기타포괄손익-공정가치나 상각후원가로 측정하지 않고 당기손익-공정가치 측정 항목으로 지정한다면 다음 사항을 공시한다.

- 보고기간 말 현재 금융자산(또는 금융자산의 집합)의 신용위험에 대한 최대 익스포저
- 관련 신용파생상품이나 이와 비슷한 금융상품이 신용위험에 대한 최대 익스포저를 줄이는 금액
- 회계기간 중 신용위험의 변동으로 생긴 금융자산(또는 금융자산의 집합)의 공정가치 변동금액과 변동누계액. 이는 다음 중 하나의 금액으로 결정한다.
  - 시장위험을 일으키는 시장상황의 변동에 기인하지 않은 공정가치 변동금액
  - 해당 자산의 신용위험의 변동이 원인인 공정가치 변동금액을 더 충실하게 나타낼 수 있다고 판단하는 대체 방법을 사용하여 산출한 금액

시장위험을 일으키는 시장상황의 변동에는 관측된 (기준)금리, 일반상품가격, 환율, 가격 또는 비율의 지수 등의 변동이 포함된다.

- 금융자산이 지정된 이후의 해당기간에 생긴 관련 신용파생상품이나 이와 비슷한 금융상품의 공정가치 변동금액과 변동누계액
- 당기손익-공정가치 측정 금융자산

(기준서 제1107호 문단 9)

위에서 설명한 공시들은 당기손익-공정가치 측정 금융자산으로 지정된 금융자산(또는 금융자산의 집단)에만 적용된다.

상기의 세 번째 항목에서 요구되는 정보를 공시할 때, 공시 요구사항들을 따르기 위해 사용된 방법들도 공시해야만 한다. 그러나, 이 공시가 신용위험의 변동과 관련된 금융자산의 공정가치 변화를 충실하게 나타내지 못한다고 판단하는 경우에는 이러한 판단의 근거와 적합하다고 판단되는 요소들을 공시해야 한다(기준서 제1107호 문단 11).

금융부채를 당기손익-공정가치 측정항목으로 지정하고 그 부채의 신용위험의 변동효과를 기타포괄손익에 표시하도록 요구된다면 다음 사항을 공시한다.

- 금융부채의 신용위험 변동으로 생긴 해당 금융부채의 공정가치 변동누계액
- 금융부채의 장부금액과 계약조건에 따라 채권자에게 만기에 상환할 금액과의 차이
- 보고기간에 자본 내에서 대체된 누적손익과 그러한 대체의 이유
- 보고기간에 부채를 제거하였다면 제거로 실현되어 기타포괄손익에 표시한 금액

금융부채를 당기손익－공정가치 측정항목으로 지정하고 그 부채의 공정가치의 모든 변동(그 부채의 신용위험 변동효과 포함)을 당기손익으로 표시하도록 요구된다면 다음 사항을 공시한다.

- 보고기간에 금융부채의 신용위험의 변동으로 생긴 해당 금융부채의 공정가치 변동 금액과 변동누계액
- 금융부채의 장부금액과 계약조건에 따라 채권자에게 만기에 상환할 금액과의 차이

② 기타포괄손익－공정가치 측정항목으로 지정한 지분상품에 대한 투자

지분상품에 대한 투자의 공정가치 변동을 기타포괄손익으로 표시할 것을 선택한다면 다음 사항을 공시한다.

- 지분상품에 대한 투자 중 기타포괄손익－공정가치 측정으로 지정한 항목
- 이 표시 대안을 사용하는 이유
- 해당 투자 각각의 보고기간 말 공정가치
- 보고기간에 인식한 배당금(보고기간에 제거한 지분상품과 관련된 금액과 보고기간 말 현재 보유하고 있는 지분상품과 관련된 금액을 별도로 표시)
- 보고기간에 자본 내에서 대체된 누적손익과 그러한 대체의 이유

기타포괄손익－공정가치로 측정하는 지분상품에 대한 투자를 제거하는 경우에는 다음 사항을 공시한다.

- 지분상품에 대한 투자를 처분하는 이유
- 제거일 현재 지분상품에 대한 투자의 공정가치
- 처분시점의 누적손익

③ 재분류

기준서 제1109호 문단 4.4.1에 따라 당기나 이전 보고기간에 금융자산을 재분류하였다면 재분류한 금융자산을 공시하고 이러한 사건별로 다음 사항을 공시한다.

- 재분류일
- 사업모형 변경에 대한 상세한 설명과 그 변경이 기업의 재무제표에 미치는 영향에 대한 질적 설명

• 범주별로 재분류한 금액

기준서 제1109호 문단 4.4.1에 따라 당기손익－공정가치 측정 범주에서 상각후원가나 기타포괄손익－공정가치 측정 범주로 재분류한 금융자산에 대해 재분류한 이후 해당 자산을 제거하기 전까지 매 보고기간에 다음 사항을 공시한다.

• 재분류일에 결정한 유효이자율
• 인식한 이자수익

최근의 연차 보고일 이후 금융자산을 기타포괄손익－공정가치 측정 범주에서 상각후원가로 재분류하거나, 당기손익－공정가치 측정 범주에서 상각후원가나 기타포괄손익－공정가치 측정 범주로 재분류한다면, 다음 사항을 공시한다.

• 보고기간 말 금융자산의 공정가치
• 금융자산을 재분류하지 않았다면 보고기간에 당기손익이나 기타포괄손익으로 인식하였을 공정가치 손익

(기준서 제1107호 문단 12B－12D)

④ 양도

기준서 제1107호는 금융자산을 양도한 경우, 전체가 제거되지 않은 양도거래에 대하여는 해당 양도된 금융자산과 관련 부채의 관계를 이해할 수 있도록 관련 정보를 공시하고, 제거된 양도거래에 대하여는 양도거래로 제거된 금융자산에 대한 양도자의 지속적관여의 성격 및 관련된 위험을 평가할 수 있도록 관련 정보를 공시할 것을 요구하고 있다. 이러한 공시요구사항을 재무제표에서 하나의 주석으로 표시하여야 한다.

금융자산의 일부 또는 전체가 양도되었으나 그 일부 또는 전체가 제거되지 않은 금융자산의 종류별로 다음 사항을 매 보고기간 말에 공시하여야 한다.

• 양도자산의 특성
• 소유권에 따라 기업이 노출되는 위험 및 보상의 특성
• 양도로 인해 보고기업이 양도자산을 사용하는 데 대해 갖는 제약을 포함하여, 양도 자산과 관련 부채의 관계에서 나타나는 특성에 대한 기술
• 관련 부채의 거래상대방이 양도자산에 대한 소구권만 가지고 있는 경우, 양도자산의 공정가치, 관련 부채의 공정가치 및 순포지션의 내용
• 양도자산의 전체를 계속하여 인식하는 경우 해당 자산의 장부금액과 관련 부채의 장부금액
• 양도자가 지속적으로 관여하는 정도까지만 양도자산을 계속하여 인식하는 경우, 양

도 전 원래 자산의 총 장부금액, 양도자가 계속하여 인식하는 자산의 장부금액 및 관련 부채의 장부금액

(기준서 제1107호 문단 42D)

이러한 공시사항은 양도의 발생시기와 상관없이, 양도자가 양도 금융자산을 계속 인식하는 매 보고기간말마다 요구된다. 위의 공시요구사항을 충족하기 위한 공시사례로 아래의 표를 참고할 수 있다.

구 분	당기손익-공정가치 측정 금융자산		상각후원가측정 금융자산		기타포괄손익-공정가치 측정 금융자산
	단기 매매증권	파생상품	주택담보 대여금	소비자 대여금	지분투자
자산의 장부금액	×	×	×		×
관련부채의 장부금액	(×)	(×)	(×)	(×)	(×)
양도자산에 한하여 소구권이 있는 부채 :					
자산의 공정가치	×	×	×	×	×
관련 부채의 공정가치	(×)	(×)	(×)	(×)	(×)
순포지션	×	×	×	×	×

(기준서 제1107호 문단 IG40C)

한편, 양도 금융자산 전체를 제거하지만 해당 자산에 대해 지속적으로 관여하는 경우, 양도자는 지속적관여의 각 유형별로 최소한 다음 사항을 매 보고기간 말에 공시하여야 한다.

- 제거된 금융자산에 대한 양도자의 지속적 관여를 나타내어 양도자의 재무상태표에 인식된 자산과 부채의 장부금액, 그리고 해당 자산과 부채의 장부금액이 인식된 개별 항목
- 제거된 금융자산에 대한 양도자의 지속적관여를 나타내는 자산과 부채의 공정가치
- 제거된 금융자산에 양도자가 지속적으로 관여하여 생길 수 있는 손실에 최대로 노출되는 금액을 가장 잘 나타내는 금액, 그리고 손실에 최대로 노출되는 금액이 어떻게 결정되는지를 보여주는 정보
- 제거된 금융자산을 재매입하기 위해 필요하거나 필요할 수 있는 미할인 현금유출액(예 : 옵션계약의 행사가격)이나 양도자산과 관련되어 양수자에게 지급해야 하는 그 밖의 금액. 현금유출액이 달라질 수 있다면 공시하는 금액은 매 보고기간 말에

존재하는 조건에 기초하여야 한다.

• 제거된 금융자산을 재매입하기 위해 필요하거나 필요할 수 있는 미할인 현금유출액의 만기분석이나 양도자산과 관련하여 양수자에게 지급해야 하는 그 밖의 금액의 만기분석(양도자의 지속적 관여의 남은 계약기간을 나타냄)

• 위의 양적 공시를 설명하고 보완하는 질적 정보

(기준서 제1107호 문단 42E)

위의 공시요구사항을 충족하기 위한 공시사례로 아래의 표를 참고할 수 있다.

지속적관여의 유형	(제거된) 양도자산을 재매입하기 위한 현금유출액	재무상태표상 지속적관여의 장부금액			지속적관여의 공정가치		손실에 최대로 노출되는 금액
		당기손익-공정가치 측정 금융자산	기타포괄손익인식 금융자산	당기손익 인식금융부채	자산	부채	
매도풋옵션	(×)			(×)		(×)	×
매입콜옵션	(×)	×			×		×
유가증권대여계약	(×)			(×)	×	(×)	
총금액		×		(×)	×	(×)	×

양도자산을 재매입하기 위한 미할인현금흐름(단위 : 백만원)							
지속적관여의 유형	지속적관여의 만기						
	합계	1개월 미만	1~3 개월	3~6 개월	6개월 ~1년	1~3년	3~5년	5년 초과
매도풋옵션	×		×		×	×		
매입콜옵션	×			×	×	×		×
유가증권대여계약	×	×	×					

(기준서 제1107호 문단 IG40C)

또한 양도자는 지속적관여의 유형별로 다음의 사항을 포괄손익계산서가 표시되는 기간마다 공시한다.

• 자산의 양도일에 인식한 손익

- 제거된 금융자산에 대해 양도자의 지속적관여로 보고기간에 인식된 수익 및 비용 과 그 누계액(예 : 파생상품의 공정가치 변동)
- (제거조건을 충족하는) 양도 행위의 대가총액이 보고기간에 걸쳐 균등하게 생기지 않는 경우(예 : 양도 행위의 총 금액 중 많은 액수가 보고기간 종료일에 생김)에 다 음 사항을 공시한다.
  - 보고기간 중 가장 큰 양도 행위가 일어난 시점(예 : 보고기간 말 직전 마지막 5일간)
  - 보고기간 중 위의 기간에 일어난 양도행위로 인식된 금액(예 : 관련 손익)
  - 보고기간 중 위의 기간에 일어난 양도행위의 대가 총액

(기준서 제1107호 문단 42G)

⑤ 상계

기준서 제1107호에서는 상계약정이 기준서 제1032호의 상계요건을 충족하여 상계표 시된 금융상품과 상계요건을 충족하지 않아 재무상태표상 상계표시하지 않은 상계약정 (예 : 일괄상계약정 또는 이와 비슷한 약정)의 적용을 받는 금융상품에 대하여, 상계약 정과 관련된 양적공시를 요구하고 있다. 이에는 금융상품 및 거래에는 파생상품, 환매조 건부매도(매수)약정, 증권대차약정 등이 포함되며, 적용범위에 포함되지 않는 금융상품 의 예로는 동일한 금융기관에 있는 대여금과 고객예금(재무상태표에서 상계되지 않는 경우) 및 담보약정에만 적용받는 금융상품을 들 수 있다. 이러한 상계약정이 기업의 재 무상태에 미치는 영향 또는 잠재적 영향을 재무제표 이용자가 평가할 수 있도록 다음의 정보를 공시하여야 한다.

가. 인식된 해당 금융자산 및 금융부채의 총액
나. 재무상태표에 표시되는 순액을 결정할 때, 기준서 제1032호 문단 42의 기준에 따 라 상계된 금액
다. 재무상태표에 표시된 순액
라. 집행가능한 일괄상계약정 또는 이와 비슷한 약정의 대상인 금액. 재무상태표에 상계된 금액을 제외하며, 다음을 포함한다.
  i) 기준서 제1032호 문단 42의 상계기준 중 일부나 모두를 충족하지 못하는 인식 된 금융상품과 관련된 금액
  ii) 현금담보를 포함한 금융담보와 관련된 금액
마. 위의 다.의 금액에서 라.의 금액을 차감한 후의 순액

(기준서 제1107호 문단 13C)

하나의 금융상품에 대하여 공시되는 상계표시되지 않은 관련금액은 재무상태표에 표

시된 순액을 한도로 공시하여야 하며, 금융자산 및 금융부채 각각에 대하여 공시하여야한다. 이러한 공시요구사항을 충족하기 위한 방법으로 다음의 표를 참고할 수 있다.

구 분	인식된 금융자산 총액	상계되는 인식된 금융부채 총액	재무상태표 표시 순액	상계되지 않은 관련 금액		순액
				금융상품	현금담보	
파생상품						
환매조건부채권매수 등						
매출채권						
합계	(가)	(나)	(다)= (가) − (나)	(라)(i), (라)(ii)	(라)(ii)	(마)= (다) − (라)

(기준서 제1107호 문단 IG40D)

⑥ 담보

다음 사항을 공시한다.

- 부채나 우발부채의 담보로 제공한 금융자산의 장부금액(양수자가 그 양도물을 매도하거나 다시 담보로 제공할 권리를 가지고 있는지 여부에 따라 재분류된 금액 포함
(기준서 제1109호 문단 3.2.23(1))
- 담보와 관련된 조건

(기준서 제1107호 문단 14)

기업이 보유한 담보물(금융자산 또는 비금융자산)을 담보물 소유자의 채무불이행이 없는 경우라도 매도하거나 담보로 다시 제공할 수 있는 경우 다음 사항을 공시한다.

- 보유하고 있는 담보물의 공정가치
- 매도하거나 담보로 다시 제공한 담보물의 공정가치 및 이러한 담보물을 반환할 의무의 유무
- 담보물의 사용에 관련된 조건

(기준서 제1107호 문단 15)

⑦ 채무불이행 및 계약위반

기업은 차입금(일반적 신용 조건의 단기성 매입채무 외의 금융부채) 및 기타 대출계약의 채무불이행 및 계약위반에 관한 정보를 공시하도록 요구된다(기준서 제1107호 문단 18, 19). 이러한 공시는 회사의 신용도와 장래에 대출을 받을 수 있는 가능성에 관한 의미있는 정보를 제공한다. 이러한 채무불이행 및 계약위반은 기준서 제1001호에 따른 부채의 유동·비유동 분류에 영향을 미치며, 또한 기업의 경영진이 부채를 자본의 일부로 간주

한다면 공시가 필요하다(기준서 제1001호 문단 135(5)).

3) 손익계산서 및 자본 공시

다음과 같은 수익, 비용 또는 손익의 항목을 포괄손익계산서 또는 주석에 공시한다.

• 다음과 같은 금융상품 범주별 순손익

   – 최초 인식시점이나 후속적으로 당기손익–공정가치 측정 항목으로 지정한 금융자산이나 금융부채와 의무적으로 당기손익–공정가치로 측정하는 금융자산이나 금융부채를 구분하여 별도로 표시한다. 당기손익–공정가치 측정 항목으로 지정한 금융부채는 기타포괄손익으로 인식한 손익의 금액과 당기손익으로 인식한 금액을 별도로 구분하여 표시한다.

   이러한 금융상품에서 이자수익이나 이자비용 발생시, 기준서는 공시방법에 있어서 회계정책을 선택할 수 있도록 하고 있다. 이자수익, 이자비용, 배당수익은 당기손익인식금융상품 순손익의 한 부분으로 공시되거나, 또는 이자수익 및 비용의 부분으로 별도로 공시될 수 있다(기준서 제1107호 문단 B5(5)).

   – 상각후원가 측정 금융자산

   – 기타포괄손익–공정가치 측정 항목으로 지정한 지분상품에 대한 투자

   – 기준서 제1109호 문단 4.1.2A(현금 수취 및 매도 목적의 사업모형과 원리금으로 이루어진 계약상 현금흐름)에 따라 기타포괄손익–공정가치로 측정하는 금융자산은, 기타포괄손익으로 인식한 손익의 금액과 제거 시점에 누적기타포괄손익에서 당기손익으로 재분류한 금액을 별도로 구분하여 표시한다.

   – 상각후원가 측정 금융부채

• 상각후원가로 측정하는 금융자산이나 기준서 제1109호 문단 4.1.2A에 따라 기타포괄손익–공정가치로 측정하는 금융자산의 (유효이자율법으로 계산한) 총 이자수익과 당기손익–공정가치로 측정하지 않는 금융부채의 (유효이자율법으로 계산한) 총 이자비용당기손익–공정가치 측정 금융자산

• 다음에서 발생하는 수수료수익과 수수료비용. 다만, 유효이자율을 결정할 때 포함하는 금액은 제외한다.

   – 당기손익–공정가치로 측정하지 않는 금융자산과 금융부채

   – 개인, 신탁, 퇴직연금 또는 기타 기관을 대리하여 자산을 보유하거나 투자하는 신탁활동 또는 이와 비슷한 활동

(기준서 제1107호 문단 20)

4) 기타공시

① 회계정책

기준서 제1001호는 재무제표를 작성하는 데 사용한 측정기준과 재무제표를 이해하는 데 목적적합한 그 밖의 회계정책으로 구성된 유의적인 회계정책을 공시하도록 하고 있다(기준서 제1001호 문단 117, 기준서 제1107호 문단 21). 금융상품과 관련한 그러한 공시사항에는 다음 사항이 포함된다.

- 당기손익-공정가치 측정 항목으로 지정된 금융부채의 경우
  - 당기손익-공정가치 측정 항목으로 지정한 금융부채의 특성
  - 최초 인식시점에 당기손익-공정가치 측정 항목으로 지정하는 기준
  - 그러한 지정과 관련하여 기업회계기준서 제1109호 문단 4.2.2의 조건을 충족하는 근거
- 당기손익-공정가치 측정 항목으로 지정된 금융자산의 경우
  - 당기손익-공정가치 측정 항목으로 지정한 금융자산의 특성
  - 그러한 지정과 관련하여 기업회계기준서 제1109호 문단 4.1.5의 조건을 충족하는 근거
- 금융자산의 정형화된 매입 또는 매도에 적용하는 회계처리방법(매매일 회계처리방법 또는 결제일 회계처리방법)
- 금융상품의 범주별로 순손익을 결정하는 방법. 예를 들면, 당기손익인식금융상품의 순손익에 이자수익이나 배당수익의 포함 여부

(기준서 제1107호 적용지침 B5)

기준서 제1001호는 추정에 관련된 판단과는 별도로 회계정책을 적용하는 과정에서 이루어진 경영진의 판단사항으로서 재무제표에 인식한 금액에 유의적인 영향을 미친 것을 유의적인 회계정책의 요약이나 그 밖의 주석과 함께 공시하도록 하고 있다(기준서 제1001호 문단 122).

② 위험회피회계

기업이 회피하려는 위험 익스포저에 대해 위험회피회계를 적용하기로 선택한 경우에 다음의 정보를 제공하는 사항을 공시한다.

- 위험관리전략과 위험관리를 위한 적용방법
- 위험회피활동이 미래현금흐름의 금액, 시기, 불확실성에 어떤 영향을 미치는지
- 위험회피회계가 재무상태표, 포괄손익계산서, 자본변동표에 미치는 영향

(기준서 제1107호 문단 21A)

위험을 회피하기로 결정하여 위험회피회계를 적용하는 위험 익스포저의 각 위험범주별로 위험관리전략을 설명한다. 아울러, 재무제표이용자가 다음(예시)을 평가할 수 있는 설명을 포함한다.

- 각 위험이 어떻게 생기는지
- 각 위험을 관리하는 방법. 모든 위험에 대해 항목을 전체로 위험회피하는지, 항목의 위험요소(또는 위험요소들)별로 위험회피를 하는지와 그 이유를 포함한다.
- 기업이 관리하는 위험 익스포저의 정도

(기준서 제1107호 문단 22A)

재무제표이용자가 위험회피수단의 조건을 평가하고 위험회피수단이 기업의 미래현금흐름의 금액, 시기, 불확실성에 어떤 영향을 미치는지를 평가할 수 있도록 다음과 같은 양적 정보를 위험범주별로 공시한다.

- 위험회피수단의 명목 금액의 시기 명세
- 적용할 수 있다면, 위험회피수단의 평균가격이나 평균비율(예 : 행사가격이나 선도가격 등)

(기준서 제1107호 문단 23A)

위험회피수단으로 지정된 항목과 관련하여 위험회피의 각 유형(공정가치위험회피, 현금흐름위험회피, 해외사업장순투자의 위험회피)을 위험범주별로 구분하여 다음의 금액을 표 형식으로 공시한다.

- 위험회피수단의 장부금액(금융자산과 금융부채를 별도로 표시)
- 위험회피수단을 포함한 재무상태표의 항목
- 해당기간에 위험회피의 비효과적인 부분을 인식하기 위해 기초로 사용한 위험회피수단의 공정가치변동
- 위험회피수단의 명목금액(톤이나 세제곱미터와 같은 양적 정보를 포함)

(기준서 제1107호 문단 24A)

위험회피대상항목과 관련하여 위험회피의 유형을 위험범주별로 구분하여 다음의 금액을 표 형식으로 공시한다.

- 공정가치위험회피
  - 재무상태표에 인식한 위험회피대상항목의 장부금액(자산과 부채를 별도로 표시)
  - 재무상태표에 인식한 위험회피대상항목의 장부금액에 포함된 위험회피대상항목의 공정가치위험회피조정누적액(자산과 부채를 별도로 표시)
  - 위험회피대상항목을 포함하고 있는 재무상태표의 항목
  - 해당기간에 위험회피의 비효과적인 부분을 인식하기 위한 기초로 사용된 위험회

피대상항목의 가치변동
- 기업회계기준서 제1109호 문단 6.5.10에 따라 위험회피 손익 조정을 위해 중단한 위험회피대상항목에 대해 재무상태표에 남아있는 공정가치위험회피조정누적액

• 현금흐름위험회피와 해외사업장순투자의 위험회피
- 해당기간에 위험회피의 비효과적인 부분을 인식하기 위하여 기초로 사용된 위험회피대상항목의 가치변동(현금흐름위험회피에서 기업회계기준서 제1109호 문단 6.5.11(3)에 따라 인식하는 위험회피의 비효과적인 부분을 판단하기 위하여 사용되는 가치의 변동)
- 기업회계기준서 제1109호 문단 6.5.11과 6.5.13(1)에 따라 계속해서 위험회피회계를 적용하는 위험회피에 대한 현금흐름위험회피적립금과 외화환산적립금의 잔액
- 더 이상 위험회피회계를 적용하지 않는 위험회피관계에서 현금흐름위험회피적립금과 외화환산적립금의 잔액

(기준서 제1107호 문단 24B)

위험회피유형을 각 위험범주별로 별도로 구분하여 다음의 금액을 표 형식으로 공시한다.
• 공정가치위험회피의 경우
- 위험회피의 비효과적인 부분(위험회피수단과 위험회피대상항목의 위험회피손익의 차이)으로 당기손익으로 인식한 금액(또는 기업회계기준서 제1109호 문단 5.7.5에 따라 공정가치변동을 기타포괄손익으로 표시하는 것을 선택한 기업은 지분상품의 위험회피에 대해 기타포괄손익으로 인식한 손익)
- 위험회피의 비효과적인 부분으로 인식한 항목을 포함하는 포괄손익계산서의 항목

• 현금흐름위험회피와 해외사업장순투자위험회피의 경우
- 기타포괄손익으로 인식한 보고기간의 위험회피손익
- 당기손익으로 인식한 위험회피의 비효과적인 부분
- 인식한 위험회피의 비효과적인 부분을 포함한 포괄손익계산서의 항목
- 현금흐름위험회피적립금이나 외화환산적립금에서 재분류조정으로 당기손익으로 재분류되는 금액(기업회계기준서 제1001호 참조) (위험회피회계를 적용하였으나 더 이상 발생할 것으로 예상되지 않는 위험회피대상 미래현금흐름의 금액과 위험회피대상항목이 당기손익에 영향을 미치기 때문에 위험회피대상항목으로 대체되는 금액과의 차이)
- 재분류조정에 포함되는 포괄손익계산서의 항목(기업회계기준서 제1001호 참조)

－순포지션 위험회피의 경우에 포괄손익계산서의 별도 항목으로 인식한 위험회피
손익(기업회계기준서 제1109호 문단 6.6.4)

(기준서 제1107호 문단 24C)

③ 공정가치

금융자산과 금융부채의 종류별 공정가치와 장부금액을 비교하는 형식으로 공시한다
(기준서 제1107호 문단 25).

한편, 전환사채 등을 발행하고 복합금융상품으로 회계처리할 경우, 자본요소는 공정
가치로 측정할 필요가 없다. 상기 규정은 금융자산과 금융부채에만 해당되는 것이며, 자
본요소는 금융자산 혹은 금융부채의 정의에 부합하지 않기 때문이다.

금융자산과 금융부채의 종류별 공정가치를 공시할 때, 금융자산과 금융부채의 장부금
액이 재무상태표에서 상계되는 정도까지만 그 공정가치를 상계한다(기준서 제1107호 문단
26).

금융상품의 각 종류별로 금융자산이나 금융부채의 종류별 공정가치 서열체계에서의
수준과 공정가치를 결정할 때 평가기법을 사용한 경우에 그 가치평가기법과 투입변수
에 대한 설명을 공시한다. 평가기법에 변경이 있다면 그러한 변경 및 변경의 이유를 공
시한다(기준서 제1113호 문단 93(2), (4)).

최초 인식시점에 금융상품 공정가치의 최선의 증거는 일반적으로 거래가격이다. 최초
인식시점에 공정가치가 거래가격과 다르다고 결정한다면, 금융상품을 그 날짜에 다음과
같이 회계처리한다.

- 그러한 공정가치가 같은 자산이나 부채에 대한 활성시장의 공시가격(수준 1 투입변
수)에 따라 입증되거나 관측 가능한 시장의 자료만을 사용하는 평가기법에 기초한
다면, 최초 인식시점에 금융자산이나 금융부채를 공정가치로 인식하고 공정가치와
거래가격 간의 차이는 손익으로 인식한다.
- 그 밖의 모든 경우에는 최초 인식시점의 공정가치와 거래가격 간의 차이를 이연하
기 위해 기준서 제1109호 문단 5.1.1에서 요구하는 측정치에서 그러한 차이를 조정
하여 회계처리한다. 최초 인식 후에는 시장참여자가 자산이나 부채의 가격을 결정
하는 데에 고려하는 요소(시간 포함)의 변동에서 생기는 정도까지만 이연된 차이를
손익으로 인식한다.

(기준서 제1109호 문단 B5.1.2A).

최초 인식시점에 손익을 인식하지 않고 이연한 경우 금융상품의 종류별로 다음 사항을 공시한다.

- 시장참여자들이 가격을 결정할 때 고려하였을 요소(예 : 시간)의 변동을 반영하기 위하여 이러한 차이를 당기손익으로 인식하는 회계정책
- 기초와 기말 현재 당기손익으로 아직 인식하지 아니한 총차이금액과 그 차이조정
- 거래가격이 공정가치의 최선의 증거가 아니라고 결론을 내린 이유

(기준서 제1107호 문단 28)

다만, 다음 중 어느 하나의 경우에는 공정가치를 공시할 필요는 없다.

- 장부금액이 공정가치에 상당히 가까운 경우. 이러한 예로는 단기매출채권이나 매입채무와 같은 금융상품을 들 수 있다.
- 기업회계기준서 제1104호에서 설명된 임의배당요소가 있는 계약으로서 그러한 특성의 공정가치를 신뢰성 있게 측정할 수 없는 경우
- 리스부채

(기준서 제1107호 문단 29)

재무제표에 공정가치로 측정하는 금융자산과 금융부채의 경우, 가치평가기법 및 그러한 측정치를 개발하기 위해 사용된 변수에 대한 정보, 그리고 유의적이지만 관측할 수 없는 투입변수(수준 3)를 이용하여 반복적으로 공정가치를 측정하는 경우에는 해당 기간 중 그러한 측정치가 당기손익 또는 기타포괄손익에 미친 영향에 대한 정보를 공시하여야 한다(기준서 제1113호 문단 91). 이러한 공시요구사항에 대한 세부적인 내용은 '제2장 비유동자산 중 4. 공정가치'에서 살펴보기로 한다.

5) 금융상품 위험 공시

재무제표이용자가 보고기간말 현재 금융상품에서 생기어 기업이 노출되는 위험의 특성 및 정도를 평가할 수 있게 하는 정보를 공시하여야 한다(기준서 제1107호 문단 31).

기업이 위험에 노출되는 정도를 관리하는 여러 방법을 사용하고 있다면 가장 목적적합하고 신뢰성 있는 정보를 제공할 수 있는 방법을 사용하여 관련 정보를 공시하여야 한다(기준서 제1107호 적용지침 B7).

공시는 재무제표로 제공하거나 재무제표와 같은 조건으로 동시에 이용할 수 있는, 재무제표와 상호 참조하는 별도의 보고서(예 : 경영진 설명서나 위험보고서)에 포함할 수도 있다. 상호 참조되는 정보가 없다면 그 재무제표는 불완전한 것이다(기준서 제1107호 적

용지침 B6).

① 질적공시

금융상품에서 발생하는 위험의 각 유형별로 다음 사항을 공시한다.

- 위험에 노출되는 정도와 위험이 생기는 형태. 위험에 노출되는 정도에 대한 정보에서 익스포저 총액과, 위험을 이전하는 거래와 그 밖에 위험을 줄이는 거래를 차감한 후의 익스포저 순액을 설명할 수 있다.
- 위험관리의 목적, 방침 및 절차와 위험측정방법. 다음과 같은 사항을 포함할 수 있으나, 이에 국한된 것은 아니다.
  - 독립성과 책임에 관한 논의를 포함한, 위험관리기능의 구조와 조직
  - 위험을 보고하거나 측정하는 시스템의 범위와 특성
  - 담보와 관련된 방침과 절차를 포함한, 위험을 회피하거나 줄이는 방침
  - 위험을 회피하거나 줄이는 수단의 지속적 효과성을 감독하는 절차
  - 위험에 과도하게 집중되는 것을 피하는 방침과 절차
- 과거기간과 달라진 내용과 달라진 이유. 이러한 변동은 위험에 노출되는 정도가 달라지거나 그러한 익스포저를 관리하는 방법이 바뀌면서 생길 수 있다.

(기준서 제1107호 문단 33, 실무적용지침 IG 15−17)

② 양적공시

금융상품에서 생기는 각 위험의 유형별로 다음을 공시한다.

- 보고기간말 현재 위험에 노출되는 정도에 대한 간략한 양적 자료. 이러한 공시는 이사회나 대표이사 등과 같은 주요 경영진(기준서 제1024호 '특수관계자 공시'의 정의 참조)에게 내부적으로 제공되는 정보에 기초하여 공시한다.
- 신용위험, 유동성위험 및 시장위험의 공시사항(기준서 제1107호 문단 35A−42)
- 위험의 집중에 관한 정보

위험의 집중은 특성이 비슷하고 경제 상황이나 그 밖의 상황의 변동에 비슷하게 영향을 받는 금융상품에서 생긴다. 위험의 집중을 구별하기 위해서는 기업의 환경을 고려하여 판단할 필요가 있다. 위험의 집중에 대한 공시에는 다음 사항을 포함한다.

  - 경영진이 집중을 결정하는 방법에 대한 기술
  - 각 집중을 구별하는 공통된 특성에 대한 기술(예 : 거래상대방, 지역, 통화 또는 시장)
  - 이러한 특성을 공유하는 모든 금융상품에 관련되는 위험 익스포저 금액

    (기준서 제1107호 적용지침 B8)

다음에서 신용위험의 집중이 발생할 수 있다.

- 산업부문

따라서 거래상대방이 하나 이상의 산업부문(예 : 소매업 또는 도매업)에 집중된 경우, 거래상대방의 각 집중에서 생기는 위험 익스포저를 구분하여 공시한다.

- 신용등급이나 그 밖의 신용건전성

따라서 거래상대방이 하나 이상의 신용건전성(예 : 담보대여금 또는 무담보대여금)이나 하나 이상의 신용등급(예 : 투자등급 또는 투기등급)에 집중된 경우, 거래상대방의 각 집중에서 생기는 위험 익스포저를 구분하여 공시한다.

- 지역별 분포

따라서 거래상대방이 하나 이상의 지역 시장(예 : 아시아 또는 유럽)에 집중된 경우, 거래상대방의 각 집중에서 생기는 위험 익스포저를 구분하여 공시한다.

- 제한된 수의 개별 거래상대방이나 밀접하게 관련된 거래상대방의 집합

(기준서 제1107호 실무적용지침 IG18)

이와 비슷한 원칙을 유동성위험과 시장위험을 포함한 그 밖의 위험에 대한 집중을 식별해낼 때 적용한다. 예를 들어, 유동성위험의 집중은 금융부채의 상환조건, 차입한도약정의 원천 또는 유동자산을 실현하기 위한 특정 시장 의존에서 발생할 수 있다. 외환위험의 집중은 하나의 외화에 노출된 유의적 순포지션이나 같은 방향으로 움직이는 경향이 있는 몇 가지 통화에 노출된 통합 순포지션을 보유하는 경우에 발생할 수 있다(기준서 제1107호 실무적용지침 IG18).

③ 신용위험

신용위험은 금융상품의 당사자 중 일방이 의무를 이행하지 않아 상대방에게 재무적 손실을 입힐 위험을 말한다. 재무제표 이용자들이 미래현금흐름의 금액, 시기, 불확실성에 대한 신용위험의 영향을 이해할 수 있도록 다음 사항의 공시가 필요하다.

- 기업의 신용위험 관리실무에 대한 정보와 기대신용손실을 측정하기 위해 사용한 방법, 가정, 정보를 포함하여 기대신용손실의 인식 방법과 측정 방법
- 재무제표 이용자가 기대신용손실에서 생긴 재무제표의 금액, 기대신용손실액의 변동과 그 변동원인을 파악할 수 있는 양적, 질적 정보
- 유의적인 신용위험의 집중도를 포함한 기업의 신용위험 익스포저에 대한 정보(기업의 금융자산에 내재된 신용위험과 신용대출약정)

(기준서 제1107호 문단 35B)

ㄱ 신용위험 관리실무

기업은 신용위험 관리실무를 구체적으로 설명하고 신용위험 관리실무가 기대신용손실의 인식과 측정에 어떻게 관련되는지에 대해 설명하여야 한다. 이 목적을 이루기 위한 신용위험 관리실무와 관련하여 다음 사항을 공시한다.

- 최초 인식 후 금융상품의 신용위험이 유의적으로 증가했는지를 판단하는 방법
- 채무불이행에 대한 기업의 정의와 그 정의를 선택한 이유
- 기대신용손실을 집합기준으로 측정한다면 금융상품을 집합으로 구성하는 방법
- 신용이 손상된 금융자산인지를 판단하는 방법
- 기업의 제각정책(계약상 현금흐름의 회수에 대한 기대가 합리적이지 않다는 지표와 제각되었지만 여전히 회수활동이 계속되고 있는 금융자산에 대한 정보 포함)
- 금융자산의 계약상 현금흐름의 변경으로 전체기간 기대신용손실 또는 12개월 기대신용손실로 측정이 변경된 경우 이를 판단 또는 관찰하는 방법
- 손실충당금 인식 및 측정을 위해 사용한 투입요소, 가정, 추정방법
- 미래전망 정보를 활용하는 방법(거시경제 정보의 활용을 포함)
- 보고기간 중 추정방법이나 유의적인 가정의 변경과 그 변경의 이유

(기준서 제1107호 문단 35F, 35G)

ㄴ 기대신용손실에서 생기는 금액에 대한 양적 정보와 질적 정보

손실충당금의 변동은 기업의 재무제표에 중요한 영향을 미칠 수 있기 때문에 기업이 보유한 금융자산의 기대신용손실 변동과 변동이유에 대한 공시가 요구된다. 구체적으로 손실충당금의 기초 잔액에서 기말 잔액으로의 기간 동안의 변동을 표 형식으로 금융상품의 종류별로 다음 사항을 각각 공시한다.

- 12개월 기대신용손실에 해당하는 금액으로 측정된 손실충당금
- 전체기간 기대신용손실에 해당하는 금액으로 측정된 손실충당금
- 취득 시 신용이 손상되어 있는 금융자산. 보고기간에 최초로 인식된 금융자산에 대해서는 조정내역뿐만 아니라 최초 인식시점에 할인되지 않은 기대신용손실의 총금액을 공시

(기준서 제1107호 문단 35H)

또한, 손실충당금의 변동을 이해할 수 있도록, 보고기간에 금융상품의 총 장부금액의 유의적인 변동이 손실충당금의 변동에 어떤 영향을 주었는지에 대한 설명을 공시한다. 손실충당금의 변동에 영향을 주는 금융상품의 총 장부금액의 변동의 예는 다음 사항을 포함할 수 있다.

- 보고기간에 발행되었거나 취득한 금융상품으로 인한 변동

- 제거에는 해당하지 않는, 금융자산의 계약상 현금흐름의 변경
- 보고기간에 제거된 금융상품으로 인한 변동(제각한 금융상품 포함)
- 손실충당금을 12개월 또는 전체기간 기대신용손실에 해당하는 금액으로 측정함으로써 비롯되는 변동

(기준서 제1107호 문단 35I)

재무제표이용자가 기대신용손실액에 대한 담보 효과와 그 밖의 신용보강의 효과를 이해하도록 금융상품의 종류별로 다음 사항을 공시한다.

- 보유하고 있는 담보나 그 밖의 신용보강(예 : 기준서 제1032호에 따른 상계조건을 충족하지 않는 상계약정)을 고려하지 않고 보고기간 말 신용위험에 대한 최대 익스포저를 가장 잘 나타내는 금액
- 보유하고 있는 담보와 그 밖의 신용보강에 대한 서술적 설명
  - 보유하고 있는 담보의 특성과 질에 대한 설명
  - 보고기간에 담보나 신용보강의 가치가 하락되었거나 기업의 담보정책 변경으로 인한 담보나 신용보강의 질의 유의적인 변동에 대한 설명
  - 담보가 있어서 손실충당금을 인식하지 않은 금융상품에 대한 정보
- 보고일에 신용이 손상된 금융자산에 대해 보유하고 있는 담보와 그 밖의 신용보강에 관한 양적 정보(예 : 담보와 그 밖의 신용보강으로 신용위험이 감소되는 정도의 계량화)

(기준서 제1107호 문단 35K)

상기 공시사항 중 첫 번째 항목에 따라 기업의 금융상품과 관련된 신용위험의 최대 익스포저를 가장 잘 나타내는 금액을 공시할 것이 요구된다. 금융자산의 경우 이 금액은 일반적으로 총장부금액에서 다음을 모두 차감한 금액이다.

- 기준서 제1032호에 따라 상계한 금액
- 기준서 제1109호에 따라 인식한 손실충당금

(기준서 제1107호 적용지침 B9)

신용위험을 발생시키는 활동과 신용위험 최대 익스포저의 예는 다음과 같다.

- 고객에 대한 대여금 및 수취채권과 다른 기업에 예치한 예금의 경우, 신용위험에 대한 최대 익스포저는 관련 금융자산의 장부금액이다.
- 파생상품계약(예 : 외환계약, 이자율스왑, 신용파생상품)을 체결하는 일. 그 결과로 생긴 자산이 공정가치로 측정되는 경우에 보고기간 말 현재 신용위험에 최대로 노출되는 정도는 장부금액과 같다.
- 금융보증을 제공한 경우, 신용위험에 최대로 노출되는 정도는 피보증인의 청구에

의하여 지급하여야 할 최대 금액이고 이는 부채로 인식한 금액보다 유의적으로 클 수 있다.

- 대출약정기간에 철회할 수 없거나 중요한 부정적인 변화가 생겨야만 철회할 수 있는 대출약정을 체결하는 일. 이 경우 발행자가 대출약정을 현금이나 다른 금융상품으로 차액결제할 수 없다면 신용위험에 최대로 노출되는 정도는 약정금액 전체이다. 이는 사용되지 않은 한도가 미래에 사용될지가 불확실하기 때문이다. 이 경우 신용위험에 최대로 노출되는 정도는 부채로 인식한 금액보다 유의적으로 클 수 있다.

(기준서 제1107호 적용지침 B10)

ⓒ 신용위험 익스포저

재무제표이용자가 기업의 신용위험 익스포저를 평가하고 유의적인 신용위험의 집중도를 이해할 수 있도록 신용위험 등급별로 금융자산의 총 장부금액, 대출약정의 신용위험 익스포저, 금융보증계약의 신용위험 익스포저를 공시한다. 이 정보는 다음의 금융상품에 대해 별도로 공시한다.

- 손실충당금을 12개월 기대신용손실에 해당하는 금액으로 측정하는 금융상품
- 손실충당금을 전체기간 기대신용손실에 해당하는 금액으로 측정하고 다음에 해당하는 금융상품
  - 최초 인식 후 신용위험이 유의적으로 증가하였지만 신용이 손상되지 않은 금융자산
  - 보고기간 말에 신용이 손상된 금융자산(단, 취득시 신용이 손상되어 있는 금융자산이 아닌 경우)
  - 기업회계기준서 제1109호 문단 5.5.15에 따라 손실충당금을 측정한 매출채권, 계약자산, 리스채권
- 취득시 신용이 손상되어 있는 금융자산

(기준서 제1107호 문단 35M)

ⓓ 담보물과 그 밖의 신용보강

회계기간에 담보권을 실행하거나 그 밖의 신용보강(예 : 보증)을 요구하여 취득하게 된 금융자산 또는 비금융자산이 다른 한국채택국제회계기준서의 인식기준을 충족하는 경우에는 보고일 현재 해당 자산에 대하여 다음 사항을 공시한다.

- 자산의 특성 및 장부금액
- 자산을 쉽게 현금화할 수 없는 경우 해당 자산의 처분 방침이나 영업상 이용 방침

④ 유동성위험

유동성위험, 즉 현금 등 금융자산으로 결제해야 할 금융부채와 관련된 의무를 이행하지 못할 위험은 예상보다 빠른 시기에 부채의 상환을 요구받을 수 있는 가능성이 있기 때문에 발생한다. 금융부채의 유동성위험과 관련하여 다음 사항을 공시한다.

- 남은 계약기간을 나타내는 비파생금융부채(발행된 금융보증계약 포함)의 만기 분석
- 파생금융부채의 만기 분석. 파생금융부채의 계약상 만기가 현금흐름의 시기를 이해하는 데 반드시 필요한 경우, 남은 계약기간을 만기 분석에 포함한다.
- 상기 부채의 만기 분석에 내재된 유동성위험을 관리하는 방법에 대한 설명

(기준서 제1107호 문단 39)

기업은 주요 경영진에게 내부적으로 제공하는 정보에 기초하여 유동성위험에 노출되는 정도에 대한 간략한 양적 자료를 공시하고 이 자료가 어떻게 결정되는지를 설명한다. 그 자료에 포함된 현금이나 다른 금융자산의 유출이 다음 중 하나에 해당하는 경우, 그 사실을 설명하고 재무제표이용자들이 이러한 위험의 정도를 평가할 수 있도록 양적 정보를 제공한다. 단, 이러한 정보가 만기분석에 포함되는 경우는 제외한다(기준서 제1107호 적용지침 문단 B10A).

- 자료에 제시된 것보다 유의적으로 더 이른 기간에 생길 수 있다(예 : 2년 이후에 발행자가 상환할 수 있는 10년 만기 회사채).
- 자료에 제시된 것과 유의적으로 다른 금액일 수 있다(예 : 차액결제기준으로 자료에 포함되었으나 상대방이 총액결제할 수 있는 선택권을 갖고 있는 파생상품의 경우).

만기를 분석하는 경우 판단에 따라 적절한 수의 기간을 결정한다. 예를 들면, 다음과 같은 기간의 간격이 적절하다고 결정할 수 있다.

- 1개월 이하
- 1개월 초과 ~ 3개월 이하
- 3개월 초과 ~ 1년 이하
- 1년 초과 ~ 5년 이하

(기준서 제1107호 적용지침 B11)

⑤ 시장위험

'시장위험'이란, '시장가격의 변동으로 금융상품의 공정가치나 미래현금흐름이 변동할 위험'이다. 시장위험과 관련하여 일반적으로 다음 사항을 공시한다.

• 보고기간말 현재 노출된 시장위험의 각 유형별 민감도분석

이러한 분석에는 보고기간 말 현재 가능성이 어느 정도 있는(reasonably possible) 관련 위험변수의 변동이 손익과 자본에 미치는 영향을 포함한다. 민감도 분석에는 다음 공시를 하기 전까지의 기간에 가능성이 어느 정도 있을 것으로 보이는 변동의 영향을 표시해야 한다. 해당 기간은 보통 차기의 연차 보고기간이다(기준서 제1107호 문단 B19(2)). 기준서는 '상황이 최악인' 시나리오나 '위기상황분석'이 아니라 가능성 이 어느 정도 있는 변동에 근거하여 이 공시를 하도록 한다. 시장위험의 공시와 관 련 있는 위험변수들은 다음을 포함하며 이에 국한되지는 않는다.

– 시장이자율의 수익률곡선. 수익률곡선의 평행이동과 비평행이동을 모두 고려하 는 것이 필요할 수 있다.

– 환율

– 지분상품의 가격

– 일반 상품의 시장가격

• 민감성 분석을 수행할 때 사용한 방법과 가정

• 이전 회계기간에 적용한 방법과 가정을 바꾼 경우 그 변경내용과 이유

(기준서 제1107호 문단 40, 실무적용지침 IG32)

시장위험의 각 유형별로 민감도분석을 공시할 때, 기업은 유의적으로 다른 경제적 환 경에서 일어나는 위험에 노출되는 정도에 대하여 특성이 다른 정보를 결합하지 않으면 서 전체적인 개요를 보여주기 위하여 어떻게 정보를 통합할지를 결정한다. 가능성이 어 느 정도 있는 관련 위험변수의 변동 범위에서 각각의 변동이 당기손익과 자본에 미치는 영향은 공시할 필요는 없다. 가능성이 어느 정도 있는 변동 범위의 한계에서 변동의 영 향을 공시하는 것으로 충분하다(기준서 제1107호 문단 B17, B18). 예를 들어, 금융상품을 거래 하는 기업은 단기매매금융상품과 단기매매금융상품이 아닌 금융상품을 구분하여 민감 도분석 공시를 할 수 있다. 이와 유사하게, 초인플레이션 지역에서 발생하는 시장위험에 대한 노출정도와 인플레이션이 매우 낮은지역에서 발생하는 같은 시장위험에 노출되는 정도를 하나로 통합하지 않는다. 그러나, 기업이 하나의 경제 환경에서 한 가지 유형의 시장위험에만 노출되는 경우에는 민감도분석 정보를 구분하여 공시하지 아니한다(기준서 제1107호 문단 B17).

2. 현금및현금성자산

현금및현금성자산은 현금, 통화대용증권, 당좌예금, 신탁예금, 별단예금, 당좌개설보증금, 상업어음(CP), 양도성예금증서(CD), MMF(Money Market Fund), MMDA(Money Market Deposit Account), 금전신탁, 자사주특정금전신탁, CMA(어음관리구좌), 환매채(RP), 사모채권펀드 등을 포함한다. 다만, 이러한 투자자산이 현금성자산으로 분류되기 위해서는 확정된 금액의 현금으로 전환이 용이하고, 가치변동의 위험이 경미해야 한다 (기준서 제1007호 문단 7).

- 현금 : 보유 현금과 요구불예금
- 신탁예금 : 은행이나 다른 금융기관의 신탁상품에 예치한 예금
- 별단예금 : 주식발행증거금 등 특별한 목적으로 일시적으로 예치한 예금과 사용제한 예금
- 당좌개설보증금 : 당좌예금 개설을 위하여 은행에 담보 목적으로 예치한 예금
- 상업어음(Commercial Paper : CP) : 높은 신용도를 가진 기업에 의해 발행되는 무담보 약속어음
- 양도성예금증서(Certificate Deposit : CD) : 은행이 발행한 양도가능한 이자부의 무기명식의 증서. 소지인에게 원금 및 약정이자를 지급하는 확정이자증권이며, 무기명 할인식으로 발행되기 때문에 만기일 전에 유통시장에서 거래될 수 있는 예금상품
- MMF(Money Market Fund) : 증권투자신탁회사에서 주로 취급하며, 콜론이나 CD, CP 등 안정성이 높은 단기금융자산에 투자하여 그 수익을 지급하는 원금이 보장되지 않는 실적배당형 예금상품
- MMDA(Money Market Deposit Account) : 수시입출금이 가능하고 가입기간의 제한이 없으며 일정금액 이상의 예금에 대해서는 금리를 차등적용하는 예금

(1) 현금

1) 개념 및 범위

현금은 보유현금과 요구불예금을 말하며, 현금성자산이란 유동성이 매우 높은 단기투자자산으로서 확정된 금액의 현금으로 전환이 용이하고 가치변동의 위험이 경미한 자산이다. 일반적으로 현금및현금성자산에는 통화 및 타인발행수표 등 통화대용증권과 당좌예금, 보통예금 등이 포함될 것이다. 이와 같은 현금및현금성자산은 기업의 유동성 판단에 중요한 정보이므로 재무상태표에 별도 항목으로 구분표시하도록 하고 있다.

한국채택국제회계기준에서는 현금과 현금성자산을 현금및현금성자산의 계정으로 통합하여 표시하는 것이 일반적이나, 여기서는 설명의 편의상 구분하여 설명하기로 한다.

위의 정의에서 현금의 설명에 해당되는 부분은 "통화 및 타인발행수표 등 통화대용증권"이다. 따라서 현금계정에는 현금뿐만 아니라 통화대용으로 이용될 수 있는 것도 포함되므로, 지폐나 주화만을 의미하는 것이 아니라 보다 포괄적인 의미를 지니고 있다. 통화와 통화대용증권의 예를 들면 다음과 같다.

- 현금통화(currencies) : 지폐, 주화, 외화
- 통화대용증권(currency equivalents) : 타인발행의 당좌수표, 자기앞수표, 송금환, 우편환, 만기도래한 사채이자표, 만기도래한 어음, 일람출급어음, 기타 통화와 즉시 교환이 가능한 증서

그러나 차용증서, 선일자수표, 수입인지, 엽서, 우표, 자기발행당좌수표, 부도수표, 부도어음 등은 현금으로 인정하기 어렵다. 선일자수표는 당사자 간에 발행일까지는 은행에 제시하지 않기로 하는 도의적 약속을 전제로 하는 한, 그 경제적 실질은 만기도래 전의 약속어음과 같다고 볼 수 있으므로 매출채권(받을어음)으로 처리했다가 기일에 현금계정으로 대체한다.

수입인지, 엽서, 우표 등은 소모품의 성격으로 회계처리방법은 구입시 비용처리하였다가 기말에 남은 수량을 조사하여 소모품계정으로 대체하거나 구입시 소모품계정으로 처리하고 사용량을 비용처리하는 것이 타당하다. 매출채권대금으로 일단 수취하였으나 부도가 된 부도수표나 부도어음은 회수가 불확실하다고 판단되는 경우 매출채권계정에 포함시킨 후 회수불능채권금액을 합리적으로 추정하여 대손충당금을 설정하는 방법으로 회계처리한다. 그러나 실무적으로는 회수가 불가능하다고 판단되는 경우에는 부도수표나 부도어음 상당액을 대손상각하는 방법으로 회계처리한다.

2) 기업회계상의 회계처리

① 현금 수지의 처리

현금에 관한 수지사항은 현금계정에서 처리한다. 즉 현금의 수입액은 현금계정의 차변에, 현금의 지급액은 현금계정의 대변에 기재하며, 잔액은 항상 차변에 기재한다. 이 때 차변잔액은 현금의 시재액을 나타낸다. 이러한 현금의 수지에 관한 내용은 총계정원장의 현금계정 외에 보조부인 현금출납장에 상세히 기록하게 된다.

② 현금과부족

현금출납장의 장부잔액과 현금 시재액이 일치하지 않을 경우 불일치의 원인이 판명될 때까지 잠정적으로 처리하여 두는 계정과목이다. 결산기까지도 그 내역이 밝혀지지

않으면 부족액은 잡손실계정에, 초과액은 잡이익계정에 대체한다. 즉 현금과부족계정은 가지급금과 같이 재무상태표 계상능력이 없으므로 결산기에는 적절한 과목으로 대체하여야 한다.

③ 소액현금(petty cash)제도

기업에서 다액의 현금을 보유하고 있으면 도난, 분실 등의 위험이 발생하기 쉽다. 따라서 기업은 이러한 위험을 미연에 방지하기 위하여 입금된 현금은 은행에 당좌예입하고 거의 모든 지급은 수표로써 행하게 된다. 이로써 기업은 현금의 수불에 따르는 위험을 피하고 출납사무의 시간과 수고를 덜게 된다. 그러나 소액의 현금을 지급하는 데 있어서 수표의 발행은 도리어 불편하므로 소액의 경비지급을 위하여 소액현금지불계에 소액경비에 필요한 예상금액을 전도하여 통신비, 교통비 및 소모품비 등의 소액현금의 지급에 충당토록 한다. 이 때 소액현금지불계에 전도한 현금은 소액현금이라는 소액현금계정에서 처리된다.

소액현금을 소액현금지불계에 전도하였을 경우는 동 계정의 차변에 기입하고 추후에 지출내역을 보고받은 경우 동 계정의 대변과 각 비용항목의 차변에 기입한다. 그리고 자금을 다시 보충받으면 소액현금계정 차변에 기입한다.

소액현금의 보충방법은 부정액자금전도제와 정액자금전도제가 있는데 부정액자금전도제는 임의로 금액을 전도하여 주는 것이고 정액자금전도제는 현금지불계의 지급액(사용액)과 동일한 금액을 보충하여 준다. 위의 두 가지 방법을 예시하면 다음과 같다.

사례

(가) 부정액자금전도제(수시보충제도)의 경우

가) 수표 ₩500,000을 발행하여 전도금 지급하다.

(차) 소 액 현 금　　500,000　　(대) 당 좌 예 금　　500,000

나) 전도금 중 사용내역(교통비 ₩50,000, 통신비 ₩100,000)을 통보받다.

(차) 교 통 비　　50,000　　(대) 소 액 현 금　　150,000
　　통 신 비　　100,000

다) 수표 ₩100,000을 발행하여 보충하여 주다.

(차) 소 액 현 금　　100,000　　(대) 당 좌 예 금　　100,000

(나) 정액자금전도제의 경우

가) 수표 ₩500,000을 발행하여 전도금 지급하다.

(차) 소 액 현 금　　500,000　　(대) 당 좌 예 금　　500,000

나) 전도금 중 사용내역(교통비 ₩50,000, 통신비 ₩100,000)을 통보받고 동액의 수표를 발행하여 보충하여 주다.

| (차) 교　통　비 | 50,000 | (대) 당　좌　예　금 | 150,000 |
| 통　신　비 | 100,000 | | |

④ 미결산계정의 처리

기중에 임시로 사용하는 계정에는 현금과부족, 가지급금, 전도금 등의 미결산계정이 있는데 기중에 임시로 사용하던 계정은 본계정으로 대체하도록 한다. 예를 들어 영업사원들에게 일정금액을 전도금의 형태로 지급하였을 경우 기말결산시점에서는 실제 사용내역에 따라 분개하여야 한다.

사례

(가) 기중에 영업사원에게 전도금 ₩100,000을 현금으로 지급하다.

| (차) 전　　도　　금 | 100,000 | (대) 현금및현금성자산 | 100,000 |

(나) 기말결산시 사용내역(교통비 ₩30,000, 잡비 ₩20,000)과 현금 ₩50,000을 보유하고 있음을 증빙과 함께 통보받다.

(차) 여　비　교　통　비	30,000	(대) 전　　도　　금	100,000
잡　　　　　비	20,000		
현금 및 현금성자산	50,000		

일반적으로 실무에서는 업무용으로 지급한 전도금을 기말결산시 사용내역을 파악하지 않고 종업원대여금 등으로 대체하기도 하는데 이는 올바른 회계처리가 아니므로 그 사용내역을 밝혀 적절한 계정과목으로 대체하도록 하여야 한다.

3) 세무회계상의 회계처리

세무회계상 도난 또는 분실된 현금은 증빙(관할경찰서의 증명 등)을 갖추어야 손비로 인정받을 수 있으므로 이를 갖추어야 한다.

(2) 요구불예금

1) 개념 및 범위

한국채택국제회계기준에서는 현금을 보유현금과 요구불예금으로 정의하고 있다.
당좌예금과 보통예금은 언제든지 입출금이 가능하기 때문에 현금및현금성자산으로 분류하여야 하나, 이러한 요구불예금이 차입금 담보 등의 이유로 사용이 제한되어 있을 경우에는 사용제한기간 등을 고려하여 "유동성이 매우 높은 투자자산으로 확정된 금액의 현금으로 전환이 용이하고 가치변동이 경미한 자산'이라는 정의에 부합하는지를 고려하여야 한다. 따라서, 이러한 정의에 포함되지 않는다면 기타금융자산[*1] 등의 계정과목으로 계정재분류하고 사용이 제한된 예금은 주석으로 공시하여야 할 것이다.

[*1] 계정과목의 명칭에 대해서는 특별한 언급을 하고 있지 아니하므로 해당 자산의 특성을 잘 반영할 수 있는 계정과목으로 표시하면 될 것이다.

2) 회계처리

① 당좌예금

당좌예금은 은행과 당좌거래계약을 체결한 회사가 일상의 상거래 등에서 취득한 현금, 수표 등을 은행에 예입하고 그 예금액 범위 내에서 거래은행을 지급인으로 하는 당좌수표 또는 어음의 발행에 의해서 수표 또는 어음대금을 지급하는 사무를 은행에 위임하고자 개설한 예금이다.

또한 사전 약정에 의하여 일정 금액까지는 잔액이 없이도 수표를 발행하여 차입할 수 있는데 이것이 당좌차월(유동부채로 분류)이다. 당좌예금 및 당좌차월과 관련된 회계처리를 살펴보면 다음과 같다.

가. 회계처리방법

(가) 일반적인 회계처리방법

㉠ 삼일은행과 당좌거래를 개설하고 현금 ₩200,000을 예입하다.

(차) 당 좌 예 금　200,000　　(대) 현　　　　　금　200,000

㉡ 삼일은행에 토지 ₩30,000,000을 근저당 설정하고 당좌차월계약을 설정하다. 분개 없음.

㉢ 갑회사로부터 상품 ₩1,000,000을 구입하고 수표를 발행하여 지급하다.

(차) 상　　　　　품　1,000,000　　(대) 당 좌 예 금　200,000
　　　　　　　　　　　　　　　　　　　　 당 좌 차 월　800,000

㉣ 을회사에 상품 ₩2,000,000을 판매하고 현금으로 받아 예입하다.

(차) 당 좌 차 월　800,000　　(대) 매　　　　　출　2,000,000
　　 당 좌 예 금　1,200,000

(나) 미인도수표의 회계처리

회사가 이미 발행한 수표라도 결산일 현재 인도되지 아니한 미인도수표는 당좌예금계정에서 감액하여서는 아니된다. 즉 미인도수표는 현금예금계정에 환입시키는 회계처리를 하여야 한다.

(다) 선일자수표의 회계처리

선일자수표는 발행일자를 실제의 발행일보다 장래의 후일로 기재한 수표를 말하는 것으로 이러한 수표는 실제의 발행일에는 지급인의 은행에 자금이 없고 수표에 기재한 후일의 발행일에 가서 비로소 지급인의 은행에 자금이 생길 것이 예상되는 경우에 발행된다. 즉 이러한 선일자수표를 발행함으로써 제시기간을 연장할 수 있게 된다. 그러나 이러한 연장은 당사자 간에서만 유효한 것으로 기재된 발행일자가 도래하기 전에 지급을 위하여 제시한 때는 이를 지급하여야 한다.

선일자수표 발행시 회계처리방법은 첫째, 회계처리를 하지 않고 있다가 선일자에 회계처리하는 방법, 둘째, 수표를 실제로 발행한 일자에 회계처리하는 방법이 있으나 수표의 발행사실을 회계처리한다는 점, 자금을 보충할 필요성이 표시된다는 점, 법적인 측면을 고려할 때, 둘째 방법이 더 타당하다고 생각된다.

나. 은행계정조정

(가) 은행계정조정표(bank reconciliation statement)

일정 시점에서 회사의 당좌예금계정 잔액과 은행의 예금잔액은 기록시점의 차이로 인하여 불일치하는 것이 일반적이다. 따라서 불일치하는 원인을 조사하여 이를 조정하여야 하는데, 이 때 작성되는 조정명세표를 은행계정조정표라 한다.

(나) 잔액이 불일치하는 원인

잔액이 불일치하는 원인에는 다음과 같은 것이 있다.

유 형	은행측 미기입	회사측 미기입
기발행 미지급수표	○	
추심완료어음 및 결제된 지급어음		○
부도어음 및 부도수표		○
당좌차월이자 및 은행추심수수료 등		○
은행 또는 회사의 기장상의 오류	○	○
은행이 직접 수금한 매출채권		○

기발행 미지급수표란 회사는 수표를 발행하여 장부에 반영하였으나 수취인은 아직 은행에 추심의뢰를 하지 않은 것으로 은행측 잔액에서 차감되지 아니하였기 때문에 은행잔액과 회사잔액이 차이가 나게 된다. 이는 은행잔액에서 차감해야 할 금액이다. 당좌차월이자 및 은행추심수수료는 은행은 이를 계산하여 회사측 잔액에서 차감하였으나, 회사는 아직 그 사실을 통보받지 못하여 장부상에 반영하지 않은 것으로 회사측 잔액을

수정해야 한다.

대부분의 차이는 일시적인 현상으로 시간이 경과함에 따라 자동으로 조정되나 회사나 은행의 오류로 인하여 발생하는 차이는 그 원인을 규명하여 적절한 수정을 해야한다.

(다) 작성방법

위와 같은 불일치로 인하여 기업은 정기적으로 은행으로부터 은행계산서(bank statement)를 송부받아 기업의 예금잔액과 일치하는지 확인하기 위하여 은행계정조정표를 만든다. 은행계정조정표는 당좌예금출납장 잔액과 은행계산서 잔액을 조정 후 잔액으로 일치시키는 방법으로 작성한다.

그리고 은행계정조정표를 작성한 후에는 회사장부의 예금잔액을 조정하기 위하여 수정분개를 해야 한다. 수정분개는 회사장부의 잔액을 수정하는 항목들에 한하여 이루어진다.

사례 | **은행계정조정표의 작성**

(주)삼일은 20×7 회계연도의 결산을 앞두고 당좌예금계정의 조정을 위해 20×8. 1. 5.에 은행측에 조회한 바 20×7. 12. 31. 잔액은 ₩100,000이었다. 회사 장부상 잔액은 ₩60,000이었으며 양자 간의 차이 원인은 다음과 같다.

㉠ 회사가 20×7. 12. 30.에 발행했던 수표 중 20×7. 12. 31.까지 인출되지 않은 금액이 ₩50,000이다.

㉡ 회사가 20×7. 12. 31.에 예금한 ₩5,000이 은행에서는 20×8. 1. 5.에 입금된 것으로 처리되었다.

㉢ 은행의 예금잔액증명서에 포함된 내용 중 회사의 장부에는 반영되지 못한 것은 12월분 은행수수료 ₩5,000이다.

이 때 은행계정조정표를 작성하고 수정분개를 하여라.

| 은행계정조정표 |

(주)삼일	20×7. 12. 31.
• 예금잔액증명서상 잔액	₩100,000
가산 ;	
은행측 미기입예금	5,000
차감 ;	
기발행미인출수표	50,000
수정 후 은행 잔액	₩55,000

• 회사장부상 잔액	₩60,000
차감 ;	
은행수수료	5,000
수정 후 회사장부상 잔액	₩55,000

수정분개 ;

(차) 지 급 수 수 료 　　5,000 　(대) 당 　좌 　예 　금 　　5,000

주) 은행계정조정표에는 위에서 예시한 방식 외에, 단순히 은행 잔액을 회사장부 잔액에 일치시키는 조정만 행하는
　　방식도 있으나, 이러한 방법은 예금의 기말잔액을 정확히 나타내 주지 못한다는 단점을 갖고 있다.

다. 결산시 유의할 사항

첫째, 당좌예금과 당좌차월을 상계하지 않도록 한다. 예를 들어 (주)삼일이 A, B, C은행과 당좌거래를 하고 있는 경우 A은행에는 당좌예금이 있고 B, C은행에는 당좌차월이 있는 경우 재무상태표상에 이를 상계하여 표시할 수 없다는 것이다.

둘째, 은행계정조정을 하여 회사의 당좌예금 잔액과 은행측 잔액이 일치하였다 하여 은행계정조정이 끝난 것은 아니라는 것이다. 즉 은행계정조정을 하였을 경우 차이내역을 조정한 것 중 회사측 잔액을 수정하여야 할 금액은 수정분개를 하여야 한다.

예를 들어 차이 내역을 조정한 것 중 은행수수료 ₩5,000을 회사측이 기장하지 아니하였으나 은행은 이를 반영하였다면 회사측 잔액을 수정하여야 한다.

이 때, 회사가 하여야 할 분개는 다음과 같다.

(차) 지 급 수 수 료 　　5,000 　(대) 당 　좌 　예 　금 　　5,000
　　　　　　　　　　　　　　　　　　　(또 는 당 좌 차 월)

② 보통예금

당좌예금과 더불어 전형적인 요구불예금의 일종으로 당좌예금과 달리 예금거래의 대상금액, 기간 등에 제한이 없는 것이 특징이다. 따라서 보통예금은 자유롭게 입출금이 가능하여 영업상의 입금이나 소액자금의 거래계좌로서 이용되며 이자율은 낮은 편이다.

보통예금은 거래가 빈번하므로 기말 현재 시점의 잔액의 적정성을 통장과 예금잔액증명서를 대조·확인하여야 한다.

회사의 각 지점이 외상매출금을 수금하여 보통예금구좌를 통해 본사로 송금하는 경우 외상매출금계정의 잔액이 거래처와 불일치하는 경우가 있다. 즉 지점에서 사업연도 종료일에 거래처에 대한 외상매출금을 현금으로 회수하여 보통예금으로 입금시켰으나, 본점이 이를 알지 못했을 경우 거래처에 대한 외상매출금 조회시 지점이 수금하여 입금한 금액만큼 차이가 나게 된다.

따라서 결산시 지점으로부터 사업연도 종료일까지의 수금내역을 통보받아 보통예금(또는 현금및현금성자산)과 외상매출금 간의 정확한 잔액이 표시되도록 하여야 한다.

(3) 현금성자산

한국채택국제회계기준에서 정의한 현금성자산이란 유동성이 매우 높은 단기투자자산으로서 확정된 금액의 현금으로 전환이 용이하고 가치변동의 위험이 경미한 자산을 말한다. 따라서 투자자산은 일반적으로 만기일이 단기에 도래하는 경우(예를 들어, 취득일로부터 만기일이 3개월 이내인 경우)에만 현금성자산으로 분류된다. 지분상품은 현금성자산에서 제외한다. 다만, 상환일이 정해져 있고 취득일로부터 상환일까지의 기간이 단기인 우선주와 같이 실질적인 현금성자산인 경우에는 예외로 한다.

이와 같이 현금의 범주에 현금성자산을 포함시킨 이유는 위와 같은 단기금융자산은 유동성이 매우 높아 언제든지 현금으로 전환할 수 있고, 만기일 또는 상환일까지의 기간이 짧아 이자율변동에 의한 가치변동의 위험이 경미하며 기업이 이들 자산을 구입하고 처분하는 것은 투자활동이라기보다는 잉여현금관리활동으로 볼 수 있기 때문이다.

현금성자산의 예를 들면 다음과 같다.

- 취득 당시의 만기가 3개월 이내에 도래하는 채권
- 취득 당시 상환일까지의 기간이 3개월 이내인 상환우선주
- 환매채(3개월 이내의 환매조건)

여기서 한 가지 주의할 점은 현금성자산에 속하는 금융상품의 3개월 이내 만기 또는 상환일이라는 것은 일반적인 보고기간종료일 현재 기준이 아니라 취득 당시의 기준으로 판단한다는 것이다. 예를 들어 20×8년 1월 15일이 만기인 채권을 20×7년 11월 30일에 취득하였다면 취득일로부터 만기까지가 3개월 이내이기 때문에 현금성자산에 해당하지만, 이 채권을 20×7년 9월 1일에 취득하였다면 비록 결산일로부터 만기가 3개월 이내이지만 현금성자산으로 보지 않는다는 것이다.

3. 당기손익-공정가치 측정 금융자산

(1) 개념 및 범위

금융자산의 일반사항 (5)금융자산의 분류에서 설명한 대로 파생상품, 계약상 현금흐름이 원리금으로만 구성되어 있지 않거나 그 밖의 사업모형에 따라 관리되는 채무상품, 기타포괄손익-공정가치 측정 금융자산으로 지정하지 않은 지분상품은 당기손익-공정가치로 측정된다. 최초 측정 이후 공정가치 변동금액은 당기손익으로 반영한다.

(2) 기업회계상 회계처리

1) 취득원가의 결정

① 취득시기

당기손익－공정가치 측정 금융자산은 그 금융자산의 계약당사자가 되는 때에만 재무상태표에 인식한다. 관련 시장의 규정이나 관행에 따라 일반적으로 설정된 기간 내에 해당 금융자산을 인도하는 계약조건에 따라 금융자산을 매입하거나 매도하는 정형화된 거래의 경우에는 매매일 또는 결제일에 해당 거래를 인식한다(기준서 제1109호 문단 3.1.2). 이와 같은 정형화된 금융자산의 매입이나 매도 거래에 대한 매매일 또는 결제일 회계처리는 기준서 제1109호에 따라 같은 방식으로 분류한 금융자산의 매입이나 매도 모두에 대하여 일관성 있게 적용한다. 단, 이 경우 의무적으로 당기손익－공정가치로 측정해야 하는 금융자산은 당기손익－공정가치 측정 금융자산으로 지정한 자산과는 별도의 범주로 구분한다. 또 공정가치 변동을 기타포괄손익으로 반영할 것을 선택하여 회계처리하는 지분상품에 대한 투자도 별도의 범주로 구분한다(기준서 제1109호 문단 B3.1.3).

예로서 유가증권시장 또는 코스닥시장에서는 주식의 매매계약 체결 후 일정일 이후 (예 : T＋2일)에 결제가 이루어지는데, 이 경우 매매일 회계처리를 선택한 회사의 주식 매매거래의 인식시점은 매매일로 본다. 한편, 주식의 매매계약을 체결하고 관행적인 결제규정이 아닌 조건(예 : T＋5일)으로 결제가 이루어지는 경우, 매매일 회계처리를 선택한 회사라 하더라도 동 거래는 정형화된 금융자산의 매입계약에 해당하지 않으므로 이를 주식의 매입거래가 아닌 주식에 대한 선도거래로 보고 파생상품으로 회계처리하며 주식의 취득 거래는 해당 선도계약의 결제일 시점에 발생하는 것으로 본다. 또한, 매매일과 결제일 사이의 가치의 변동에 대하여 차액결제를 요구하거나 차액결제를 허용하는 계약은 정형화된 계약이 아니다. 그러한 계약은 매매일과 결제일 사이에 파생상품으로 회계처리한다.

한편, 회사가 당기손익－공정가치 측정 금융자산의 정형화된 금융자산의 매입이나 매도 거래에 대해 결제일 회계처리를 선택한 경우, 매입하는 금융자산은 해당 자산을 인수하는 날에 인식하고 매도하는 금융자산을 해당 자산을 인도하는 날에 제거하고 처분손익을 인식한다. 단, 매매일과 결제일 사이에 이미 취득한 자산에 대한 회계처리와 동일한 방법으로 수취할 자산의 공정가치에 대한 모든 변동을 회계처리한다. 따라서 당기손익－공정가치 측정 금융자산으로 분류된 자산관련 매매일과 결제일 사이의 가치변동은 당기손익으로 인식한다.

② 일반적인 취득

당기손익−공정가치 측정 금융자산은 최초인식시 공정가치로 측정하며, 공정가치는 일반적으로 거래가격(제공하거나 수취한 대가의 공정가치)을 의미한다. 당기손익−공정가치 측정 금융자산의 취득과 직접 관련되는 거래원가는 취득시에 비용처리한다(기준서 제1109호 문단 5.1.1).

> **사례** (주)삼일(금융회사)은 을회사의 주식 1,000주를 ₩1,200,000에 구입하였다. 이 때에 매입수수료 ₩15,000이 발생하여 현금으로 지급하였다. 을회사의 주식은 상장주식이며 (주)삼일은 단기매매 목적으로 을회사 주식을 취득한 것이고 단기매매금융자산 분류에 대해 매매일 회계처리를 선택하고 있으며 동 거래는 정형화된 상장주식 매입거래에 해당한다.
>
> (차) 단 기 매 매 금 융 자 산   1,200,000   (대) 현 금 및 현 금 성 자 산   1,215,000
>   지 급 수 수 료   15,000

③ 유・무상증자에 의한 신주 취득

주식을 발행한 회사가 자본금을 증가시키는 경우 기존의 주식을 보유하고 있는 자는 신주를 인수할 수 있는 권리가 있으며(상법 418조), 증자대금을 납입하고 신주를 취득하는 시점에 주식을 인식한다.

그러나, 보유하고 있는 지분증권의 발행기업에서 회계연도 중에 무상증자를 실시함으로 인하여 지분증권을 추가로 취득하게 되는 경우, 해당 지분증권의 취득은 자산의 증가로 보지 아니한다.

무상증자는 주식을 발행한 회사가 법정준비금(자본준비금, 이익준비금)을 자본전입하는 경우 증가된 자본금에 대하여 무상으로 주식을 발행하는 것이므로 무상증자에 의해 주식을 취득하는 경우에는 주식수가 증가할 뿐이며 주식소유자의 지분율과 지분금액에는 변동이 없으므로 추가적으로 분개할 필요가 없다고 보는 것이다. 다만, 지분금액의 변동이 없는 대신 주식수가 증가하기 때문에 주식단가는 줄어들게 된다.

> **사례** (주)삼일은 을회사의 유상증자에 대하여 신주인수권을 행사하여 ₩1,000,000의 주금을 현금으로 납입하였다. 또한 병회사의 무상증자로 인하여 주식 10주(액면 ₩5,000)를 받았다. (단기매매금융자산으로 가정)
>
> •을회사에 대한 분개
>
> (차) 단 기 매 매 증 권   1,000,000   (대) 현 금 및 현 금 성 자 산   1,000,000
>
> •병회사에 대한 분개
>
> 분개 없음. 다만 주식수를 증가시킨다.

④ 주식배당에 의한 주식 취득

주식배당은 형식적으로는 주주에게 주식을 분배함으로써 배당욕구를 충족시키는 것이지만 실질적인 의미로는 기업이 보유하고 있는 이익잉여금을 영구적으로 자본화시키는 것이다.

주식배당이 결의되면 주주들은 자신의 보유지분율에 비례해서 새로운 주식을 배당받지만 주주들이 기업에 대하여 갖고 있는 지분율이나 기업의 자본총액은 변함이 없으며 단지 기업의 자본계정 중 이익잉여금이 자본금으로 재분류될 뿐이다. 그러므로 주식배당은 무상증자와 실질적인 내용은 동일하며 단지 재원이 상이할 뿐이다.

⑤ 증여에 의한 취득

제3자로부터 증여에 의하여 단기매매금융자산을 취득한 때에는 공정가치를 취득가액으로 한다.

> **사례** (주)삼일은 을회사로부터 액면 ₩100,000(시가 ₩150,000)의 주식을 증여받다. (단기매매금융자산으로 가정)
>
> (차) 단 기 매 매 증 권　　　150,000　　　(대) 자 산 수 증 이 익　　　　150,000

⑥ 첨가취득한 국·공채의 회계처리

기업이 보유하고 있는 국·공채는 유형자산의 구입이나 각종 인·허가 취득과 관련하여 법령 등에 의하여 불가피하게 매입한 경우가 대부분이다. 이 경우 보통 해당 채권의 액면가액대로 매입하는 것이 일반적이지만 대부분의 경우 국·공채의 액면이자율이 시장이자율보다 낮기 때문에 그 시가는 취득원가인 액면가액보다 낮게 된다. 이렇게 국·공채를 유형자산 등의 취득과 관련하여 불가피하게 매입하는 경우 해당 채권의 매입금액과 공정가치와의 차액을 해당 유형자산 등의 취득원가에 포함한다(기준서 제1109호 문단 B5.1.1). 이는 불가피하게 매입한 채권의 취득가액과 공정가치와의 차액은 해당 채권이 아닌 특정 자산의 구입을 위한 부대비용으로 볼 수 있기 때문에 유형자산의 취득원가에 산입한다.

> **사례** (주)삼일은 업무용 차량을 ₩30,000,000에 구입하면서 액면가액 ₩1,000,000, 무이자 5년 만기 상환조건의 공채를 매입하였다. 시장이자율은 12%이고 5년의 현가요소가 0.57일 경우 분개를 하시오. (단기매매금융자산으로 가정)
>
> (차) 차 량 운 반 구　　　30,430,000　　　(대) 현 금 및 현 금 성 자 산　　　31,000,000
> 　　 단 기 매 매 금 융 자 산　　　570,000*
>
> * 1,000,000×0.57 = 570,000

⑦ 공정가치를 초과한 금액으로 취득한 경우의 회계처리

단기매매금융자산의 최초 취득원가가 해당 단기매매금융자산 취득시점의 공정가치를 초과하는 경우, 위의 사례 4에서와 같이 그 거래가격인 제공하거나 수취한 대가의 일부가 해당 금융상품이 아닌 다른 것에 대한 대가라면, 평가기법을 사용하여 해당 금융상품의 공정가치를 추정한다. 이 때, 추가로 지급한 금액이 어떤 형태로든 자산의 인식기준을 충족하지 못하면, 해당 금액은 비용으로 인식하거나 수익에서 차감한다(기준서 제1109호 문단 B5.1.1). 단, 거래가격인 제공하거나 수취한 대가의 일부가 해당 금융상품이 아닌 다른 것에 대한 대가가 아님에도 불구하고 거래가격과 공정가치의 차이가 있는 경우에는 그 공정가치가 관측가능한 변수로 측정되었는지에 따라 당기손익으로의 인식 여부를 판단한다(기준서 제1109호 문단 B5.1.2A). 최초인식시점의 거래가격과 공정가치의 차이 인식 여부에 대해서는 '금융자산' 중 '공정가치'편을 참고하도록 한다.

2) 당기손익 - 공정가치 측정 금융자산의 평가와 처분

① 단가의 산정

금융자산의 양도에 따른 실현손익을 인식하기 위해 양도한 금융자산의 원가를 결정하는 방법에 대해서 기준서에서는 특정 방법을 규정하고 있지 않다. 따라서, 금융자산의 원가를 결정할 때에는 개별법, 선입선출법, 후입선출법, 평균법 또는 다른 합리적인 방법을 사용하되, 동일한 방법을 매기 계속 적용한다.

> **사례** (주)삼일은 아래와 같이 A사의 주식을 취득 및 처분하였다. 총평균법 및 이동평균법에 의한 기말원가를 계산하시오.
>
> | 취 득 | 수 량 | 단 가 | 취득가액 |
> |---|---|---|---|
> | 20×7. 1. 1. | 10 | ₩5,000 | ₩50,000 |
> | 6. 1. | 20 | 4,000 | 80,000 |
> | 8. 1. | 10 | 4,500 | 45,000 |
>
> (단, 20×7. 7. 1.에 15주를 처분하였다)
>
> ⅰ) 총평균법
> - 단 가 : ₩175,000/40 = ₩4,375
> - 처분원가 : ₩4,375×15 = ₩65,625
> - 기말원가 : ₩4,375×25 = ₩109,375
>
> ⅱ) 이동평균법
> - 20×7. 7. 1.의 단가 : (₩50,000 + ₩80,000)/30 = ₩4,333
> - 처분원가 : ₩4,333×15 = ₩65,000

- 기말단가 : (₩65,000 + ₩45,000)/25 = ₩4,400
- 기말원가 : ₩4,400×25 = ₩110,000

② 당기손익 – 공정가치 측정 금융자산의 평가

당기손익 – 공정가치 측정 금융자산은 공정가치로 평가한다. 공정가치의 측정에 대해서는 '금융자산' 중 '공정가치'편을 참고하도록 한다.

③ 당기손익 – 공정가치 측정 금융자산의 처분

가. 양도의 범위

당기손익 – 공정가치 측정 금융자산의 현금흐름에 대한 권리가 소멸하였거나 해당 권리를 양도하고 해당 당기손익 – 공정가치 측정 금융자산의 위험과 보상을 대부분 이전한 경우 그 당기손익 – 공정가치 측정 금융자산을 재무상태표에서 제거한다. 반대로 당기손익 – 공정가치 측정 금융자산의 양도시 금융자산에 대한 위험과 보상을 대부분 보유한다면 해당 거래는 담보차입거래로 회계처리(기준서 제1109호 문단 3.2.15)하고 위험과 보상을 일부 보유하면서 통제를 상실하지 않았다면 해당 자산은 지속적관여의 정도까지 계속 인식한다(기준서 제1109호 문단 3.2.16). 금융자산의 제거에 대해서는 앞서 설명한 '금융자산의 제거'편을 참고하도록 한다.

나. 처분손익의 인식

당기손익 – 공정가치 측정 금융자산의 현금흐름에 대한 권리가 소멸하거나 해당 권리를 양도하고 제거의 요건을 충족한 때에는 당기손익 – 공정가치 측정 금융자산을 양도로 수취한 대가(새로 획득한 모든 자산에서 새로 부담하게 된 모든 부채를 차감한 금액)와 장부금액의 차이금액을 당기손익으로 처리한다(기준서 제1109호 문단 3.2.12).

한편 당기손익 – 공정가치 측정 금융자산처분손익 금액을 계산할 때 당기손익 – 공정가치 측정 금융자산의 매각대금에서 당기손익 – 공정가치 측정 금융자산의 처분과 관련하여 발생한 수수료 및 증권거래세 등의 부대비용을 차감하느냐의 문제가 있으나 실무상으로는 이들 부대비용만큼을 매각대금에서 차감한 후 당기손익 – 공정가치 측정 금융자산처분손익을 계산하는 것이 일반적이다.

> 사례 (주)삼일은 보유하고 있던 단기매매금융자산 중 을주식회사의 주식 5주(액면 ₩5,000)를 주당 ₩20,000에 처분하였다. 이 때 발생한 수수료, 증권거래세는 ₩600이며 을주식회사의 장부금액은 ₩90,000이었다. 처분시의 분개는?

| (차) 현금및현금성자산 | 99,400 | (대) 단기매매금융자산 | 90,000 |
| | | 단기매매금융자산 처분이익 | 9,400 |

다. 권리의 일부만을 양도시 회계처리

사채의 원금과 이자의 현금흐름 중 일부를 분할하여 매도하는 경우와 같이 보유 중인 단기매매금융자산과 관련된 권리의 일부만을 타인에게 양도하고 잔여부분을 계속 보유하는 경우에는 그 단기매매금융자산의 장부금액은 양도부분과 계속보유부분에 대한 분할 양도일 현재의 상대적인 공정가치에 비례하여 나눈다(기준서 제1109호 문단 3.2.13). 그리고 이렇게 양도한 부분의 장부금액과 양도로 수취한 대가의 차이는 처분손익으로 인식한다.

3) 당기손익 – 공정가치 측정 금융자산의 계정재분류

금융자산은 관리하는 사업모형을 변경하는 경우에만 영향받는 모든 금융자산을 재분류한다. 금융자산을 재분류하는 경우에 그 재분류를 재분류일부터 전진적으로 적용한다. 한편, 현금흐름위험회피 또는 순투자 위험회피의 수단으로 지정되었었으나, 더 이상 위험회피회계의 적용요건을 충족하지 않는 경우나, 특정 항목이 현금흐름위험회피 또는 순투자의 위험회피 수단으로 지정되었고 위험회피에 효과적이 되는 상황의 변화는 재분류로 보지 않는다.

사업모형의 변경은 매우 드물 것으로 예상하며, 외부나 내부의 변화에 따라 기업의 고위 경영진이 결정해야 하고 기업의 영업에 유의적이고 외부 당사자에게 제시할 수 있어야 한다. 따라서 사업모형의 변경은 사업계열의 취득, 처분, 종결과 같이 영업에 유의적인 활동을 시작하거나 중단하는 경우에만 생길 것이다. 사업모형 변경의 예는 다음과 같다.

① 단기 매도를 목적으로 상업 대여금의 포트폴리오를 보유하고 있는 기업이 있다. 기업은 상업 대여금을 관리하면서 계약상 현금흐름을 수취하기 위해 그러한 대여금을 보유하는 사업모형을 갖고 있는 회사를 취득한다. 상업 대여금의 포트폴리오는 더는 매도가 목적이 아니며, 이제는 취득한 상업 대여금과 함께 관리하는 동시에 계약상 현금흐름을 수취하기 위해 그 포트폴리오 전체를 보유한다.

② 금융서비스회사가 소매부동산담보부대여업을 중단하기로 결정했다. 회사는 더 이상 새로운 사업을 수용하지 않고, 부동산담보대출 포트폴리오를 매도하기 위해 활발히 마케팅활동을 수행한다(기준서 제1109호 문단 B4.4.1).

금융자산을 당기손익-공정가치 측정 범주에서 상각후원가 측정 범주로 재분류하는 경우에 재분류일의 공정가치가 새로운 총장부금액이 되며, 기타포괄손익-공정가치 측정 범주로 재분류하는 경우에는 계속 공정가치로 측정한다. 금융자산을 당기손익-공정가치 측정 범주에서 다른 측정 범주로 재분류하는 경우의 유효이자율은 재분류일의 금융자산 공정가치에 기초하여 산정한다. 또 손상 규정을 재분류일의 금융자산에 적용할 때 재분류일을 최초 인식일로 본다(기준서 제1109호 문단 5.6.3, 5.6.6, B5.6.2).

4) 당기손익-공정가치 측정 금융자산 이자 등의 회계처리

당기손익-공정가치 측정 금융자산은 손익을 당기손익으로 인식하며, 이자수익이나 손상차손(환입)을 구분하여 인식할 필요는 없다. 이러한 금융상품에서 이자수익이나 이자비용 발생시, 기준서는 공시방법에 있어서 회계정책을 선택할 수 있도록 하고 있다. 이자수익, 이자비용, 배당수익은 당기손익인식금융상품 순손익의 한 부분으로 공시되거나, 또는 이자수익 및 비용의 부분으로 별도로 공시될 수 있다.

5) 투자일임계약자산의 회계처리

투자일임계약자산은 비특정투자일임계약자산과 특정투자일임계약자산으로 나눌 수 있으나, 특정과 비특정 구분과 무관하게 해당 투자일임계약을 구성하고 있는 자산에 대하여는 투자자가 계약당사자가 되므로 연결재무제표와 별도재무제표 모두에서 투자일임계약의 구성자산을 직접 보유하고 있는 것으로 보아 회계처리한다.

6) 수익증권 등의 회계처리

수익증권 등은 펀드, 신탁, 투자회사 등이 발행한 지분상품 성격의 금융자산으로 해당 펀드, 신탁, 투자회사 등이 보유하는 재산에 대한 수익권을 표창하고 있는 증권을 말한다. 이러한 수익증권의 보유자는 해당 펀드, 신탁, 투자회사 등이 기준서 제1110호에 따른 종속기업, 기준서 제1028호에 따른 관계기업 또는 공동기업 투자지분 등에 해당하지 않는지에 대해 검토하고 이에 해당하지 않은 경우 금융자산 분류의 정의에 따라 해당 수익증권 등을 분류한다. 해당 펀드, 신탁, 투자회사 등이 종속기업에 해당하지 않는 경우에는 연결재무제표 또는 별도재무제표에서 해당 재산을 직접 보유하는 것으로 회계처리하지 않는다.

특히, 투자자 1인으로 구성되는 사모단독펀드의 경우 일반적으로 종속기업으로 보아 대상 펀드를 연결재무제표에 포함시켜야 하며 별도재무제표에서는 기준서 제1027호 문단 10에 따라 지분으로 회계처리한다. 또한, 신탁자산인 금전의 운용대상 및 방법이 위탁자의 운용지시에 따르게 되어 있는 특정금전신탁의 경우에도 해당 신탁이 관계기업 또는 종속기업에 해당하지 않는지에 대한 검토가 선행되어야 한다.

수익증권은 투자자의 환매 요청시 환매 의무를 부담하거나 만기가 정해져 있는 경우가 대부분으로 이러한 상품들은 발행자 입장에서 자본의 정의를 충족하지 않는다.

(발행자 입장에서는 1032.16A~D에 따라 자본으로 표시할 수 있는 경우도 있으나 이는 자본의 정의를 충족한 것은 아니고 다만 발행자 입장에 한하여 자본으로의 표시를 허용한 것으로 본다) 따라서, 이러한 수익증권 및 펀드에 대한 투자자는 지분상품에 한하여 허용되는 기타포괄손익-공정가치 측정 금융자산으로의 분류를 선택할 수 없고, 이러한 실적배당형 상품은 그 현금흐름의 특성이 원금과 이자만으로 구성되어 있다고 볼 수 없으므로, 당기손익-공정가치(FVPL) 측정 금융자산으로 구분되어야 한다.

(3) 세무회계상 유의할 사항

1) 당기손익-공정가치 측정 금융자산의 인식

한국채택국제회계기준에서는 당기손익-공정가치 측정 금융자산이 아닌 금융자산의 경우 해당 금융자산의 취득과 직접 관련되는 거래원가를 공정가치에 가산하도록 하고 있다. 마찬가지로 법인세법에서도 타인으로부터 매입한 자산(단기금융자산 등[*] 제외)에 대해서는 매입가액에 부대비용을 더한 금액으로 하고 있다(법법 41조 1항 1호).

한편, 한국채택국제회계기준에서는 당기손익-공정가치 측정 금융자산에 대해서는 공정가치로 측정하고, 이 때 해당 당기손익-공정가치 측정 금융자산의 취득과 직접 관련되는 거래원가는 당기 비용으로 처리하도록 하고 있고, 법인세법에서는 단기금융자산 등[*]에 대해서는 그 매입가액(부대비용 제외)을 취득원가로 하고 있다(법령 72조 2항 5호의 2).

(*) 기업회계기준에 따라 단기매매항목으로 분류된 금융자산 및 파생상품을 말함(법령 72조 1항).

2) 유가증권의 취득가액

법인세법상 유가증권의 취득가액은 다음의 금액으로 한다(법령 72조 2항).

① 타인으로부터 매입한 유가증권 : 매입가액에 취득세(농어촌특별세와 지방교육세를 포함함), 등록면허세, 그 밖의 부대비용을 가산한 금액. 다만, 단기매매항목으로 분류된 금융자산 및 파생상품은 매입가액

② 합병·분할 또는 현물출자에 따라 합병법인 등이 취득한 유가증권의 경우 다음의 구분에 따른 금액

  ㉠ 적격합병 또는 적격분할의 경우 : 피합병법인 등의 장부가액

  ㉡ 그 밖의 경우 : 해당 자산의 시가

③ 물적분할에 따라 분할법인이 취득하는 주식 등 : 물적분할한 순자산의 시가

④ 현물출자에 따라 출자법인이 취득한 주식 등의 경우 다음의 구분에 따른 금액

　　㉠ 출자법인 등(법인세법 제47조의 2 제1항 제3호에 따라 출자법인과 공동으로 출자한 자를 포함함)이 현물출자로 인하여 피출자법인을 새로 설립하면서 그 대가로 주식 등만 취득하는 현물출자의 경우 : 현물출자한 순자산의 시가

　　㉡ 그 밖의 경우 : 해당 주식 등의 시가

⑤ 채무의 출자전환에 따라 취득한 주식 등 : 취득 당시의 시가. 다만, 법인세법 시행령 제15조 제1항 각 호의 요건을 갖춘 채무의 출자전환으로 취득한 주식 등은 출자전환된 채권(법인세법 제19조의 2 제2항 각 호의 어느 하나에 해당하는 채권은 제외)의 장부가액으로 함.

⑥ 합병 또는 분할(물적분할은 제외)에 따라 취득한 주식 등

　　: 종전의 장부가액에 법인세법 제16조 제1항 제5호 또는 제6호의 금액 및 법인세법 시행령 제11조 제8호의 금액을 더한 금액에서 법인세법 제16조 제2항 제1호에 따른 합병대가 또는 같은 항 제2호에 따른 분할대가 중 금전이나 그 밖의 재산가액의 합계액을 뺀 금액

⑦ 그 밖의 방법으로 취득한 유가증권 : 취득 당시의 시가

3) 유가증권의 저가매입에 따른 차액

법인세법의 규정에 의한 특수관계 있는 개인으로부터 유가증권을 시가보다 낮은 가액으로 매입하는 경우 당해 매입가액과 시가와의 차액을 익금에 산입한다(법법 15조 2항 1호).

4) 첨가취득한 국·공채

유형자산의 취득과 관련하여 국·공채 등을 불가피하게 매입하는 경우 해당 채권의 매입금액과 공정가치와의 차액을 해당 유형자산 등의 취득원가에 포함하도록 하고 있다(기준서 제1109호 문단 B5.1.1).

마찬가지로 법인세법에서도 유형자산의 취득과 함께 국·공채를 매입하는 경우 그 국·공채의 매입가액과 현재가치의 차액을 해당 유형자산의 취득가액으로 하도록 하고 있다(법령 72조 3항 3호). 따라서, 한국채택국제회계기준에 따라 적정하게 회계처리한 경우에는 유가증권의 취득원가와 관련하여 추가적인 세무조정사항이 발생하지 아니한다.

그러나, 2006년 2월 8일 이전에 유형고정자산의 취득과 함께 국·공채를 매입하는 경우, 법인세법에서는 국·공채의 매입가액 총액을 국·공채의 취득가액으로 하도록 하고 있다. 따라서, 종전기업회계기준에 의해 유형고정자산의 취득과 관련하여 불가피하게 매입한 국·공채의 취득원가를 현재가치 상당액으로 계상한 경우에는 세무상 유가

증권 장부가액과 유형고정자산 장부가액을 조정하기 위한 세무조정이 필요하다. 즉 세무상 유가증권 과소계상분을 익금산입(유보) 처분하고 동액의 유형고정자산 과대계상분을 익금불산입(△유보) 처분 후, 유가증권은 보유기간 동안 유효이자율법을 사용해서 이자수익으로 인식하여 장부가액을 액면가액으로 점차 조정해 나가는 회계처리를 할 때 또는 중도매각시에 반대로 익금불산입(△유보) 처분하며, 유형고정자산은 감가상각비를 인식할 때 또는 매각시에 손금불산입(유보)하여 상계처리하여야 한다. 예를 들면 부동산의 취득시 첨가취득한 국·공채를 즉시 매각하는 경우 기업회계상으로는 처분손실이 발생하지 아니하나, 법인세법상으로는 처분손실이 과소계상되고 유형고정자산과 감가상각비(상각가능자산인 경우)가 과대계상되므로 이에 따른 세무조정을 하여야 한다 (법인 46012-2263, 1999. 6. 16.).

결국, 유형고정자산의 취득시 국·공채를 불가피하게 매입하는 경우의 국·공채의 취득원가는 다음과 같이 계상되게 된다.

2006. 2. 9. 이후 취득		2006. 2. 8. 이전 취득	
기업회계	법인세법	기업회계	법인세법
현재가치	좌 동	현재가치	매입가액

5) 의제배당

일반적으로 법인이 다른 법인에 투자하여 배당을 받는 경우에는 그 피투자법인의 잉여금처분결의일이 속하는 사업연도의 익금으로 과세된다. 그러나 이러한 이익배당절차나 잉여금의 분배절차에 의한 것은 아니지만 법인의 잉여금이 특정한 유형으로 주주에게 귀속됨으로써 이익배당과 동일한 경제적 효과를 가질 때에는 법인세법상 이를 사실상 이익을 배당받았거나 잉여금을 분배받은 금액으로 의제하여 각 사업연도의 소득금액에 산입하여 과세하는 것이 의제배당이다(법법 16조 1항).

① 의제배당의 종류

가. 주식의 소각, 자본의 감소, 사원의 퇴사·탈퇴, 해산 또는 출자의 감소의 경우

주주 등인 내국법인이 취득하는 금전과 그 밖의 재산가액의 합계액이 해당 주식 또는 출자지분(이하 "주식 등"이라 함)을 취득하기 위하여 사용한 금액을 초과하는 금액

나. 합병의 경우

피합병법인의 주주 등인 내국법인이 취득하는 합병대가[*]가 그 피합병법인의 주식 등을 취득하기 위하여 사용한 금액을 초과하는 금액

[*] 합병법인으로부터 합병으로 인하여 취득하는 합병법인(합병등기일 현재 합병법인의 발행주식총수 또는 출자총액을 소

유하고 있는 내국법인을 포함함)의 주식 등의 가액과 금전 또는 그 밖의 재산가액의 합계액을 말함(법법 16조 2항 1호).

다. 분할의 경우

분할법인 또는 소멸한 분할합병의 상대방법인의 주주인 내국법인이 취득하는 분할대가*가 그 분할법인 또는 소멸한 분할합병의 상대방법인의 주식(분할법인이 존속하는 경우에는 소각 등에 의하여 감소된 주식만 해당함)을 취득하기 위하여 사용한 금액을 초과하는 금액

* 분할신설법인 또는 분할합병의 상대방 법인으로부터 분할로 인하여 취득하는 분할신설법인 또는 분할합병의 상대방 법인(분할등기일 현재 분할합병의 상대방 법인의 발행주식총수 또는 출자총액을 소유하고 있는 내국법인을 포함함)의 주식의 가액과 금전 또는 그 밖의 재산가액의 합계액을 말함(법법 16조 2항 2호).

라. 잉여금의 자본전입

법인의 잉여금의 전부 또는 일부를 자본이나 출자의 금액에 전입함으로써 주주 등인 내국법인이 취득하는 주식 등의 가액을 말하며, 이를 무상주 수령에 의한 의제배당이라고 한다.

잉여금 자본전입에 의한 의제배당과세 여부를 요약하면 다음과 같다.

구 분			법인세법
자 본 잉여금	주식발행액면초과액[1]		익금불산입
	주식의 포괄적 교환차익		익금불산입
	주식의 포괄적 이전차익		익금불산입
	합병차익[2]		익금불산입
	분할차익[2]		익금불산입
	감자차익	소각 당시 시가가 취득가액을 초과하거나 소각일로부터 2년 이내에 자본전입하는 자기주식소각익[3]	익금산입
		기타 감자차익	익금불산입
	재평가적립금	재평가세율 1% 적용 토지	익금산입
		기타 재평가적립금	익금불산입
	기타의 자본잉여금		익금산입
이 익 잉여금	이익준비금 등 법정적립금		익금산입
	임의적립금 및 미처분이익잉여금		익금산입

[1] 채무의 출자전환으로 주식 등을 발행하는 경우에는 그 주식 등의 시가를 초과하여 발행된 금액을 제외한다.
[2] ㉠ 2010. 6. 30. 이전 합병·분할하는 경우
　　　합병·분할차익 중 자산평가증가분, 의제배당 과세대상 자본잉여금 승계분, 이익잉여금 승계분의 자본전입시에는 의제배당으로 본다.
　　㉡ 2010. 7. 1. 이후 합병·분할하는 경우
　　　• 적격합병·적격분할에 따라 승계한 잉여금 중 2012. 2. 2. 이후 최초로 자본에 전입하는 경우로서 '2019.

2. 11. 이전에 자본에 전입한 경우' 및 '2019. 2. 12. 이전에 자본에 전입하고 2019. 2. 12. 당시 남은 잉
여금을 자본에 전입하는 경우', 합병·분할차익 중 자산조정계정 상당액, 의제배당 과세대상 자본잉여금 승
계분, 이익잉여금 승계분의 자본전입시에는 의제배당으로 본다.

• 적격합병·적격분할에 따라 승계한 잉여금 중 2019. 2. 12. 이후 최초로 자본에 전입하는 경우, 합병차익
중 '승계가액 − 장부가액', 의제배당 자본잉여금 승계분, 이익잉여금 승계분을 자본전입시에는 의제배당으로
보고, 분할차익 중 '승계가액 − 장부가액', 감자차손의 자본전입시에는 의제배당으로 본다.

*3) 2002. 1. 1. 이후 최초로 자기주식을 소각하는 분부터 적용하고 이전에 소각한 것은 종전 규정에 따라 2년 이내에
자본전입하는 자기주식소각익만 의제배당으로 본다.

한국채택국제회계기준에서는 지급받은 무상주에 대한 구체적인 회계처리를 명시하고
있지 않다. 다만, 한국채택국제회계기준 제1033호에서 주당이익의 계산시 무상증자 등
의 경우에는 추가로 대가를 받지 않고 기존 주주에게 보통주를 발행하므로 자원은 증가
하지 않고 유통보통주식수만 증가한다고 규정하고 있는 바(K-IFRS 1033호 문단 28), 주주
가 지급받은 무상주에 대해서는 별도의 회계처리를 하지 않는 것이 적절할 것으로 판단
되므로, 법인세법상 의제배당에 해당하는 경우에는 익금산입하는 세무조정을 해야 할
것으로 판단된다.

마. 자기주식 불균등증자에 의한 의제배당

법인이 자기주식 또는 자기출자지분을 보유한 상태에서 의제배당에 해당하지 않는
자본잉여금을 자본전입함에 따라 그 법인 외의 주주 등인 내국법인의 지분비율이 증가
한 경우 증가한 지분비율에 상당하는 주식 등의 가액

② 의제배당에 따른 재산가액의 평가

의제배당에 의한 익금산입액을 계산함에 있어서 수취한 재산은 다음과 같이 평가
한다.

구 분		재산의 평가
주 식	무상주의 경우	액면가액. 단, 투자회사 등이 취득하는 경우에는 영으로 함. ※ 무액면주식 : 자본금 전입액 ÷ 자본금 전입시 신규 발행한 주식수
	주식배당의 경우	발행금액. 단, 투자회사 등이 취득하는 경우에는 영으로 함.
	합병·분할시 받은 주식으로서 일정한 요건[법법 44조 2항 1호·2호(주식 등의 보유와 관련된 부분은 제외) 또는 법법 46조 2항 1호·2호(주식 등의 보유와 관련된 부분은 제외)]을 갖추거나	종전의 장부가액(합병·분할대가 중 일부를 금전이나 그 밖의 재산으로 받은 경우로서 합병·분할로 취득한 주식 등을 시가로 평가한 가액이 종전의 장부가액보다 작은 경우에는 시가). 단, 투자회사 등이

구 분		재산의 평가
주 식	완전모자법인 간 합병(법법 44조 3항)에 해당하는 경우*	취득하는 주식 등의 경우에는 영으로 함.
	위 이외의 경우	시가. 단, 법인세법 시행령 제88조 제1항 제8호에 따른 특수관계인으로부터 분여받은 이익이 있는 경우에는 그 금액을 차감한 금액으로 함.
	일정한 요건(법령 14조 1항 1호의 2 각 목)을 갖춘 완전 모자 관계인 외국법인 간 역합병시 받은 주식의 경우	종전의 장부가액(합병대가 중 일부를 금전이나 그 밖의 재산으로 받는 경우로서 합병으로 취득한 주식 등을 시가로 평가한 가액이 종전의 장부가액보다 작은 경우에는 시가)
주식 이외의 자산		시 가

* 2010. 6. 30. 이전에 합병·분할한 경우, 합병·분할시 받은 주식은 구법인세법 44조 1항 1호·2호와 46조 1항 1호·2호의 요건을 갖춘 경우로서 주식 등의 시가가 액면가액·출자금액보다 큰 경우에는 액면가액·출자금액으로 하며, 기타의 경우에는 시가로 한다. 다만, 투자회사 등이 취득하는 주식 등의 경우에는 영으로 한다.

③ 의제배당의 귀속시기

가. 주식의 소각, 자본의 감소, 사원의 퇴사·탈퇴 또는 출자의 감소의 경우

주주총회·사원총회에서 주식의 소각, 자본 또는 출자의 감소를 결정한 날 또는 사원이 퇴사·탈퇴한 날

나. 법인해산으로 인한 의제배당

해당 법인의 잔여재산가액이 확정된 날

다. 법인합병으로 인한 의제배당

해당 법인의 합병등기일

라. 법인분할로 인한 의제배당

해당 법인의 분할등기일

마. 잉여금의 자본전입으로 인한 의제배당

해당 주주총회·사원총회 또는 이사회에서 잉여금의 자본 또는 출자에의 전입을 결정한 날(이사회의 결의에 의한 경우에는 상법 제461조 제3항의 규정에 의하여 정한 날. 단, 주식의 소각, 자본 또는 출자의 감소를 결의한 날의 주주와 상법 제354조에 따른 기준일의 주주가 다른 경우에는 상법 제354조에 따른 기준일)

6) 유가증권의 평가

① 유가증권의 평가방법

한국채택국제회계기준에서는 유가증권의 평가에 대해서 공정가치법을 채택하고 있다. 그러나 법인세법에서는 원가법[투자회사 등이 보유한 집합투자재산은 시가법(단, 환매금지형집합투자기구가 보유한 시장성 없는 자산은 원가법 또는 시가법 중 해당 환매금지형집합투자기구가 신고한 방법), 보험회사가 보유한 특별계정에 속하는 자산은 원가법 또는 시가법 중 해당 보험회사가 신고한 방법]만을 인정하고 있기 때문에 한국채택국제회계기준에서 계상한 유가증권관련 평가손익은 법인세법상 손금불산입 또는 익금불산입하는 세무조정을 하여야 한다(법령 75조). 또한 한국채택국제회계기준에서는 유가증권의 단가 산정시 특정 방법을 규정하고 있지 아니하나, 법인세법에서는 개별법, 총평균법 및 이동평균법만을 인정하고 있으며 개별법은 채권에 한해서 적용을 허용하고 있다(법령 75조 1항). 유가증권의 평가와 관련된 자세한 세무조정 내용은 후술하는 '⑤ 유가증권의 평가와 관련된 세무조정'을 참조하기로 한다.

② 유가증권감액손실이 인정되는 경우

법인세법상으로는 주식 등을 발행한 법인이 파산하였거나, 다음의 어느 하나에 해당하는 주식 등으로서 해당 주식 등의 발행법인이 부도가 발생한 경우 또는 채무자 회생 및 파산에 관한 법률에 따른 회생계획인가의 결정을 받았거나 기업구조조정 촉진법에 따른 부실징후기업이 된 경우에는 해당 주식 등은 감액사유가 발생한 사업연도에 해당 사업연도 종료일 현재의 시가로 평가하여 장부가액을 감액할 수 있다(법법 42조 3항 3호, 법령 78조 2항).

ㄱ 주권상장법인이 발행한 주식 등

ㄴ 중소기업창업투자회사 또는 신기술사업금융업자가 보유하는 창업자 또는 신기술사업자가 발행한 주식 등

ㄷ 비상장법인의 주식 중 특수관계가 없는 법인이 발행한 주식 등. 이 경우 법인과 특수관계의 유무를 판단할 때 주식 등의 발행법인의 발행주식총수 또는 출자총액의 5% 이하를 소유하고 그 취득가액이 10억 원 이하인 주주 등에 해당하는 법인은 소액주주 등으로 보아 특수관계에 있는지를 판단함(법령 78조 4항).

한편, 위와 같이 주식 등의 장부가액을 감액하는 사유에 해당한다 하더라도 주식 등의 발행법인별로 보유주식총액의 시가가 1천원 이하인 경우에는 1천원을 시가로 한다. 이 때 장부상 1천원을 남겨놓은 것은 비망계정으로 사후에 관리하기 위한 것이다(법령 78조 3항 3호, 4호).

③ 유가증권평가방법의 신고

법인은 각 사업연도의 소득금액계산에 있어서 적용할 유가증권의 평가방법을 다음의 기한 내에 납세지 관할 세무서장에게 신고하여야 한다(법령 75조 2항).

가. 신설법인과 새로 수익사업을 개시한 비영리내국법인

당해 법인의 설립일 또는 수익사업 개시일이 속하는 사업연도의 법인세 과세표준의 신고기한

나. 평가방법을 변경하고자 하는 경우

변경할 평가방법을 적용하고자 하는 사업연도의 종료일 이전 3월이 되는 날. 한편, 법인이 유가증권 평가방법을 상기의 기한이 경과된 후에 신고한 경우에는 그 신고일이 속하는 사업연도까지는 아래 ④의 내용을 준용하고, 그 후의 사업연도에 있어서는 법인이 신고한 평가방법에 의한다(법령 74조 5항).

④ 무신고, 평가방법 외의 방법적용 또는 평가방법 임의변경에 해당하는 경우

가. 무신고의 경우

유가증권평가방법을 신고하지 않은 경우에는 총평균법에 의하여 평가한다.

나. 신고한 평가방법외의 방법으로 평가한 경우와 변경신고를 하지 않고 임의변경한 경우

당초 신고한 평가방법과 총평균법 중 큰 금액으로 평가한다.

⑤ 유가증권의 평가와 관련된 세무조정

가. 당기손익 – 공정가치 측정 금융자산

한국채택국제회계기준에 따르면 당기손익 – 공정가치 측정 금융자산에 대하여 발생한 공정가치의 순변동분, 즉 미실현보유손익은 당기손익으로 처리하도록 하고 있다. 그러나 법인세법에서는 유가증권의 평가에 대하여 원가법만을 인정하고 있기 때문에 이에 대하여 다음과 같은 세무조정이 필요하다.

㉮ 당기손익 – 공정가치 측정 금융자산평가이익

당기손익 – 공정가치 측정 금융자산의 시가가 취득원가보다 상승할 경우 평가이익이 발생하게 되며, 따라서 회계상 (차) 당기손익 – 공정가치 측정 금융자산 ×××(대) 당기손익 – 공정가치 측정 금융자산 평가이익 ×××으로 회계처리한 경우 세무상 이를 익금불산입(△유보)한 후 동 당기손익 – 공정가치 측정 금융자산의 처분시 익금산입(유보)하여야 한다.

㉯ 당기손익 – 공정가치 측정 금융자산평가손실

당기손익 – 공정가치 측정 금융자산의 시가가 취득가액보다 하락한 경우 평가손실이 발생하게 되며, 따라서 회계상 평가손실이 발생하여 (차) 당기손익 – 공정가치 측정 금융자산평가손실 ××× (대) 당기손익 – 공정가치 측정 금융자산 ×××으로 회계처리한 경우 이를 손금불산입(유보)한 후 동 당기손익 – 공정가치 측정 금융자산의 처분시 이를 손금산입(△유보)하여야 한다.

나. 기타포괄손익 – 공정가치 측정 금융자산

한국채택국제회계기준에 따르면 기타포괄손익 – 공정가치 측정 금융자산에 대하여 발생한 공정가치의 순변동분은 기타포괄손익(기타포괄손익 – 공정가치 측정 금융자산평가손익)으로 회계처리하도록 하여 자본의 항목으로 처리하도록 하고 있다(기준서 제1109호 문단 5.7.5, 5.7.10).

㉮ 기타포괄손익 – 공정가치 측정 금융자산평가이익

기타포괄손익 – 공정가치 측정 금융자산에 있어 평가이익이 발생한 경우에는 (차) 기타포괄손익 – 공정가치 측정 금융자산 ××× (대) 기타포괄손익 – 공정가치 측정 금융자산평가이익(기타포괄손익누계액) ×××으로 회계처리하기 때문에 당해 연도의 손익에는 영향이 없다. 따라서 이 경우에는 세무상 유가증권의 장부가액과 자본항목의 장부가액을 조정하기 위한 세무조정이 필요하다. 즉 유가증권의 과대계상분을 익금불산입(△유보)하고 자본항목의 과대계상분을 익금산입(기타)한 후, 이후 사업연도에 동 기타포괄손익 – 공정가치 측정 금융자산의 평가손실이 발생하여 이를 상계시 또는 기타포괄손익 – 공정가치 측정 금융자산 처분시 각각 동 금액을 반대로 손금불산입(유보), 손금산입(기타)하여야 한다.

㉯ 기타포괄손익 – 공정가치 측정 금융자산평가손실

기타포괄손익 – 공정가치 측정 금융자산의 평가손실이 발생하여 (차) 기타포괄손익 – 공정가치 측정 금융자산평가손실(기타포괄손익누계액) ××× (대) 기타포괄손익 – 공정가치 측정 금융자산 ×××으로 회계처리한 경우 이는 당해 연도의 손익에는 영향이 없으나 세무상 유가증권의 장부가액과 자본항목의 장부가액을 조정하기 위한 세무조정이 필요하다. 즉 유가증권의 과소계상분과 자본항목의 과소계상분을 동시에 손금불산입(유보), 손금산입(기타)한 후 당해 유가증권 처분시 각각의 금액을 반대로 익금불산입(△유보), 익금산입(기타)하여야 한다.

다. 지분법

관계기업이나 공동기업을 보유하고 있는 투자자는 재무제표 작성시 지분법을 적용하여야 한다. 종속기업을 보유하고 있는 투자자의 경우에는 연결재무제표에서 관계기업이

나 공동기업에 대하여 지분법을 적용하게 될 것이며, 종속기업을 보유하고 있지 않은 투자자의 경우에는 자체의 재무제표에서 지분법을 적용하게 될 것이다. 지분법에 관한 세무상 유의할 사항은 제2편(II) 중 자산편 제2장 제5절의 '1. 관계기업과 공동기업에 대한 투자 및 지분법'의 '(3) 세무상 유의할 사항'을 참조하기로 한다.

라. 손상차손

한국채택국제회계기준에서는 상각후원가로 측정하는 금융자산과 기타포괄손익－공정가치로 측정하는 금융자산은 기대신용손실모형에 따라 측정한 기대신용손실을 손실충당금으로 인식한다(기준서 제1109호 문단 5.5.1). 그러나 법인세법에서는 유가증권의 평가에 있어서 원가법만을 인정하고 있으며, 다음과 같은 사유가 발생한 주식 등의 경우에 한하여 당해 투자주식의 가액을 감액하여 손금에 산입할 수 있도록 하고 있다(법법 42조 3항 3호 및 법령 78조 2항).

ⅰ. 다음에 해당하는 주식 등으로서 그 발행법인이 부도가 발생한 경우 또는 채무자 회생 및 파산에 관한 법률에 따른 회생계획인가의 결정을 받았거나 기업구조조정 촉진법에 따른 부실징후기업이 된 경우

- 주권상장법인이 발행한 주식 등
- 중소기업창업투자회사 또는 신기술사업금융업자가 보유하는 창업자 또는 신기술사업자가 발행한 주식 등
- 특수관계가 없는 비상장법인이 발행한 주식 등

ⅱ. 주식 등을 발행한 법인이 파산한 경우

따라서 법인세법상 손상차손이 인정되지 않는 경우로서 회계상 (차) 손상차손(당기손익) ××× (대) 손실충당금 ×××으로 회계처리한 경우에는 세무상 이를 손금불산입(유보)처분하여야 하며, 해당 사업연도 이후 동 금융상품의 손상차손이 회복된 경우 또는 처분시에 손금산입(△유보)으로 상계처리한다.

7) 채권 등 중도 매매시 보유기간이자에 대한 원천징수제도

내국법인이 소득세법 제46조 제1항에 따른 채권 등 또는 투자신탁의 수익증권(이하 "원천징수대상채권 등"이라 함)을 타인에게 매도(중개·알선을 포함하되, 환매조건부채권매매 등 법인세법 시행령 제114조의 2 제1항에서 정하는 경우는 제외함)하는 경우 그 내국법인은 해당 원천징수대상채권 등의 보유기간에 따른 이자, 할인액 및 투자신탁의 이익(이하 "이자 등"이라 함)의 금액에 14% 세율을 적용하여 법인세(1천원 이상인 경우만 해당함)를 원천징수하여 그 징수일이 속하는 달의 다음 달 10일까지 납세지 관할 세무서 등에 납부하여야 한다. 다만, 금융회사 등(법인세법 시행령 제61조 제2항 각

호의 법인)에 원천징수대상채권 등을 매도하는 경우로서 당사자 간의 약정이 있을 때에는 그 약정에 따라 원천징수한다(법법 73조의 2 1항, 3항 및 법령 113조 12항).

① 채권 등의 범위

소득세법 제46조 제1항에 따른 '채권 등'이란 국가·지방자치단체, 내국법인, 외국법인 및 외국법인의 국내지점 또는 국내영업소에서 발행한 채권·증권 및 국내 또는 국외에서 받는 일정한 파생결합사채(2023년 1월 1일 이후 매도하는 분)와 타인에게 양도가 가능한 증권으로서 소득세법 시행령 제102조 제1항에서 정하는 것을 말한다. 다만, 다음의 것은 제외한다(법법 73조의 2 2항, 법령 113조 4항, 9항 및 소법 46조 1항, 소령 102조 1항).

㉠ 법인세가 부과되지 아니하거나 면제되는 소득 등으로서 법인세법 시행령 제113조 제4항에서 정하는 소득

㉡ 법인세법 시행령 제113조 제9항 본문에서 정하는 이자 등

② 보유기간 이자상당액의 계산

가. 이자상당액의 계산

채권 등의 보유기간 이자상당액은 당해 채권 등의 매수일부터 매도일까지의 보유기간에 대하여 이자계산기간에 약정된 이자계산방식에 따라 당해 채권 등의 약정이자율에 발행시의 할인율을 가산하고 할증률을 차감한 이자율을 적용하여 계산한다(법령 113조 2항 2호).

> 보유기간 이자상당액 = 액면가액 × 적용이자율(약정금리±할인율 또는 할증률) × 보유기간 ÷ 이자계산기간

나. 보유기간의 계산

채권 등의 보유기간이라 함은 채권 등의 매수일부터 매도일까지의 기간을 일수로 계산한 기간을 말하며, 보유기간은 다음과 같이 계산한다(법령 113조 2항 1호).

㉠ 채권 등의 이자소득금액을 지급받기 전에 매도하는 경우

당해 채권 등을 취득한 날 또는 직전 이자소득금액의 계산기간 종료일의 다음날부터 매도하는 날(매도하기 위하여 알선·중개 또는 위탁하는 경우에는 실제로 매도하는 날)까지의 기간. 다만, 취득한 날 또는 직전 이자소득금액의 계산기간 종료일부터 매도하는 날 전일까지로 기간을 계산하는 약정이 있는 경우에는 그 기간으로 한다.

㉡ 채권 등의 이자소득금액을 지급받는 경우

당해 채권 등을 취득한 날 또는 직전 이자소득금액의 계산기간 종료일의 다음날부터 이자소득금액의 계산기간 종료일까지의 기간. 다만, 취득한 날 또는 직전 이자소득금액

의 계산기간 종료일부터 매도하는 날 전일까지로 기간을 계산하는 약정이 있는 경우에는 그 기간으로 한다.

다. 동일종목 매도시 기간계산

동일종목채권(발행사, 발행일, 발행이율, 만기일이 같은 채권)이라도 많은 사람들이 거래하기에 편리하도록 권종별로 소액으로 분할되어 발행되는 것이 보통이다.

채권이 시장에 유통되면 동일종목의 채권을 서로 다른 날짜에 취득하여 매도하는 경우가 발생하는데, 이 때 언제 취득한 채권을 이번에 매도하였는지를 알아야 할 필요가 있다. 그래야만 채권의 보유기간 이자계산이 가능하기 때문이다. 이 같은 점을 감안하여 세법에서는 다음의 방법 중 한 가지를 택하여 계속 적용하도록 하고 있다. 다만 평균법의 경우에는 보유기간의 일수계산시 소수점 셋째자리 이하는 절사할 수 있다(법령 113조 7항 및 법칙 59조 3항).

(가) 개 별 법 : 각 채권별로 취득한 것과 매도한 것을 직접 대응시켜 기간계산
(나) 선입선출법 : 먼저 취득한 채권을 먼저 매도한 것으로 보아 기간계산
(다) 후입선출법 : 가장 최근에 취득한 채권을 먼저 매도한 것으로 보아 기간계산
(라) 평 균 법 : 종전에 취득한 채권과 최근에 취득한 것을 평균하여 기간계산

각 방법에 따라 보유기간 이자상당액이 달라져 원천징수세액도 차이가 있으나 만기 상환시점에 원천징수세액의 합계는 같아지게 된다.

사례 다음과 같이 채권이 여러 단계를 거쳐 만기상환(이자지급)되었다고 가정할 때, 각 단계별 원천징수 여부 및 원천징수의무자는 다음과 같다.
• 1. 1. 채권발행·인수 및 3. 31. 만기 이자 지급

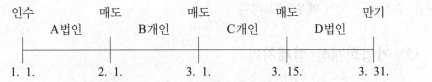

• 2. 1. A법인이 자기보유기간(1. 1.~1. 31.) 이자에 대해 원천징수
• 3. 1. 개인 B·C 간의 거래로서 원천징수의무 없음.
• 3. 15. D법인이 개인 B·C의 보유기간 이자에 대해 원천징수
• 3. 31. 이자지급자(채권발행자)가 D법인의 보유기간(3. 15.~3. 31.) 이자에 대해 원천징수

4. 단기대여금

단기대여금의 금액이나 성격이 중요한 경우에는 재무상태표에 별도 항목으로 구분하

여 표시하지만, 중요하지 아니한 경우에는 '금융자산'으로 통합하여 표시하고 그 세부 내용을 주석으로 기재할 수 있다(기준서 제1107호 문단 8).

(1) 개념 및 범위

1) 개 념

대여금이란 금전소비대차계약 등에 의하여 상대방에게 대여한 금전에 대한 채권을 표시하는 계정과목이다.

대여금은 회수기한에 따라 단기대여금과 장기대여금으로 구분하고 있는데, 회수기한 이 1년 이내에 도래하는 경우에는 단기대여금(유동자산)으로 하며 그 외의 대여금은 장 기대여금(비유동자산)으로 한다.

2) 거래의 유형

금융업 이외의 기업이 자금의 대여를 하게 되는 것은 기업이 풍부한 여유자금을 보 유하고 있지 못하다 할지라도 거래처, 하청업자, 주주, 임원, 종업원 및 관계회사에 단 기로 자금을 융통해 줌으로써 그들과의 관계를 유지시켜 나가기 위해서이다. 하지만 횡령 등 불법행위를 한 임직원에 대한 채권은 대여금과 구분하여 임직원불법행위미수 금 등의 계정과목을 이용하여 구분 표시하고 회수가능성 등을 주석으로 공시하는 것이 타당하다.

한편 회계상으로는 이와 같은 대여행위에 대해 범주 구분에 따라 적정하게 측정하고 적절한 주석공시만 하면 크게 문제될 것이 없으나, 세무상으로는 가지급금으로 간주되 어 부당행위계산의 부인에 따른 인정이자계산의 문제가 발생할 수 있으므로 적절한 이 자를 수취하는 것이 매우 중요하다.

(2) 기업회계상 회계처리

1) 단기대여금의 발생

단기대여금의 발생액은 단기대여금계정의 차변에 기록한다. 이때, 대여금은 최초인식 시점에 공정가치로 인식되어야 하므로 무이자 또는 저리조건의 대여금인 경우 원칙적 으로는 공정가치와 현금지급액 간의 차액이 발생하며 이는 그 성격에 따라 종업원급여, 관계회사주식, 기타 비용 등으로 회계처리되어야 한다. 다만, 단기대여금인 경우 그 차 이가 중요하지 않을 수 있다.

① 일반적인 경우

단기대여금이 발생하는 가장 일반적인 경우는 현금을 대여하는 경우이다.

사례   (주)삼일은 을회사에 일시적 자금운용을 위해 현금 ₩10,000,000을 대여하였다.

(차) 단 기 대 여 금   10,000,000   (대) 현금 및 현금성자산   10,000,000

또한 회사가 대여금액의 채권을 확보하기 위하여 부동산, 유가증권 등을 담보로 수취하는 경우가 있는데 이 경우에는 회계처리는 필요 없고 담보로 보관하고 있는 물건의 내용을 비망기록으로 유지하고 결산시점에서 그 내용을 주석으로 공시하면 된다.

② 매출채권의 금전소비대차로의 전환

사례   (주)삼일은 을회사에 대한 매출채권 ₩15,000,000을 20×7. 10. 1.자로 금전소비대차로 전환하기로 약정하였다. 이 경우, 해당 자산의 교환으로 매출채권이 제거 요건을 충족하는지를 검토한다. 제거 요건을 충족하지 않는 경우 제거와 관련된 손익은 인식되지 않는다. 다만, 실무적으로는 매출채권이 제거되지 않는 경우에도 해당 자산의 계정 명칭을 매출채권에서 대여금으로 변경하는 경우가 일반적이다.

(차) 단 기 대 여 금   15,000,000   (대) 매 출 채 권   15,000,000

2) 단기대여금의 소멸

단기대여금의 회수는 금전으로 이루어지는 경우가 대부분이다. 그러나 금전 이외에 다른 재화에 의해서 회수가 이루어지는 대물변제가 발생하는 경우도 있다. 이 경우에는 재화에 대한 대물변제 시점에서의 재화의 가치를 평가하여 표시한다. 또한 동 대여금을 매각하는 경우도 있다.

단기대여금의 소멸액은 단기대여금계정의 대변에 기록한다.

① 일반적인 경우

사례   (주)삼일은 (주)총서에게 대여해 준 ₩10,000,000을 만기가 도래하여 회수하고 대여에 따른 기간이자 ₩100,000을 수취하였다. 이자수익은 대여 기간 동안 인식해야 하지만 단기대여금으로 결산기 내에 회수가 이루어지는 경우 편의상 이자 수취시 이자수익을 인식할 수 있다. 다만, 결산시점에 수취되지 않은 이자가 있다면 기간경과분에 대해서는 인식해야 한다.

(차) 현금 및 현금성자산   10,100,000   (대) 단 기 대 여 금   10,000,000
                                      이 자 수 익   100,000

② 채무와의 상호계산에 의한 상계

_{사례}　(주)삼일은 (주)총서에 대한 단기대여금 ₩10,000,000을 매입채무와 상호계산에 의해 상계하기로 약정하였다. 이 경우 상호계산에 의한 상계 약정이 금융자산과 금융부채의 상계요건을 충족하는 경우에는 실제 상계 전이라도 상계하여 표시한다.

(차) 매　입　채　무　　10,000,000　　　(대) 단　기　대　여　금　　10,000,000

③ 대물변제

_{사례}　(주)삼일은 (주)총서로부터 단기대여금 ₩100,000,000에 대해 동 금액 상당액의 토지를 받았다.

(차) 토　　　　　　지　　100,000,000　　　(대) 단　기　대　여　금　　100,000,000

④ 양도하는 경우

대여금이 양도되는 경우에는 관련 위험과 보상이 대부분 이전되어 제거의 요건을 충족하였을 때 장부에서 제거되어야 한다.

_{사례}　(주)삼일은 (주)총서에게 을회사에 대한 단기대여금 ₩100,000,000을 현금 ₩90,000,000에 매각하였다.

(차) 현금 및 현금성자산　　90,000,000　　　(대) 단　기　대　여　금　　100,000,000
　　단기 대여금 처분손실　　10,000,000

하지만 회사가 양도한 대여금의 신용위험 등을 부담하여 위험과 보상의 대부분을 보유하는 경우 제거의 요건을 충족하지 않게 되면 이때에는 해당 대여금을 계속하여 인식하며 수취한 대가를 차입금 등으로 인식한다(기준서 제1109호 문단 3.2.15).

3) 기타의 단기대여금

회수기한이 1년 내에 도래하는 대여금을 단기대여금이라 하였는데 관리회계 목적으로 단기대여금을 대여상대방에 따라 별도의 계정으로 처리할 수가 있다. 이 중 대표적인 것이 주주·임원·종업원 단기대여금과 관계회사 단기대여금이다.

(3) 세무상 유의할 사항

1) 부당행위계산 부인규정에 의한 인정이자 계산

출자자 등 특수관계인에게 무상 또는 낮은 이율로 금전을 대여한 경우로서, 적정한 이자율로 계산한 금액과 실제 수입이자와의 차액이 3억 원 이상이거나 동 차액이 적정한 이자율로 계산한 금액의 5% 이상인 경우에는 적정한 이자율로 계산한 금액과 실제 수입이자의 차액을 익금으로 보아 과세한다.

① 부당행위계산 대상의 판정기준

부당한 행위 즉, 조세의 부담을 부당히 감소시킨 것으로 인정되는 행위에 대하여는 법인세법 시행령에서 발생가능한 거래양태에 대하여 추상적인 표현으로 예시하고 있는데, 이러한 예시에 비추어 부당하다고 인정되면 적용대상이다. 그러나 부당행위계산 대상은 거래의 불가피성·무차별성·입증가능성을 고려하여 판정해야 한다.

가. 거래의 불가피성

거래가 이루어진 상황이 거래당사자의 순수 자유의사가 보장되는 능동적이고 임의적인 경우라기보다는 수동적이고 강제적인 경우가 있다. 예를 들어 정부의 산업합리화 조치에 따라 산업합리화 지정법인 간의 거래에 있어서 합리화기준에 명시된 가액대로의 거래, 정부의 물가안정을 위한 지시에 따른 저가판매가격 및 부채정리를 위해 정부방침에 따라 관계회사 간에 무상담보제공행위 등과 같이 법에 의거하여 혹은 정부지시대로 거래를 수행하였을 경우, 거래가액이 통상의 거래와 견주어 부당한 가액으로 인정되는 부당행위라 할지라도 이를 부인할 수는 없다.

나. 거래의 무차별성

법인의 업무형편상 특수관계 있는 자뿐 아니라 거래관계에 있는 모든 자에게 동일한 조건으로 거래하였다면, 이의 거래가액이 시가와 비교하여 낮거나 이로 인해 조세가 경감되었다 하더라도 부당행위가격이라 할 수 없다.

즉 특수관계인 등에 일반 시가와 비교하여 낮은 가격으로 거래를 수행하였다 하더라도, 공개경쟁입찰방법에 의해 결정되었거나 거래관계에 있는 모든 자에게 동일하게 제시된 거래조건을 충족시킨 자에게 특별가격을 적용하거나, 특별할인을 하여 주는 요건 충족거래 등과 같이 특수관계 없는 자에게도 동등한 기회가 부여된 경우 등은 부당행위라 볼 수 없을 것이고, 동등 기회 하에서도 결국 특수관계인만 요건 충족하여 혜택을 보았어도 정상적인 상거래 결과이면 부당하지 않다.

다. 객관적 입증가능성

국세기본법에서 국세부과의 원칙의 하나로 규정하는 근거과세의 원칙은 과세권자의 조사·결정에 있어 근거에 입각하여야 한다는 의미로, 근거란 명백하고 합리적이면서 객관적으로 수긍이 가는 증거를 말하는데, 부당행위계산 부인에 있어서도 과세권자는 시가 등을 적용함에 있어 객관적인 증거를 기반으로 판단하여야 하며 이를 입증하지 못하면 관련 거래를 부인할 수 없다.

즉 거래당사자의 실제 거래를 부인하려면 추정이나 예상 혹은 개연적인 가능성 등 막연한 자료가 아니라, 거래당사자 및 제3자가 납득할 수 있는 근거자료를 제시하여야 하는데, 가격설정시 논리적으로 맞는 계산과정 등에 따랐다 하더라도 실제 증거 등으로 보강되지 않으면 적용하기 어렵다.

② 특수관계인의 범위

법인세법상 특수관계인의 범위는 다음과 같다.

법인세법 제2조【정의】 이 법에서 사용하는 용어의 뜻은 다음과 같다. (2010. 12. 30. 개정)
  12. "특수관계인"이란 법인과 경제적 연관관계 또는 경영지배관계 등 대통령령으로 정하는 관계에 있는 자를 말한다. 이 경우 본인도 그 특수관계인의 특수관계인으로 본다. (2018. 12. 24. 신설)

법인세법 시행령 제2조【정의】 ⑤ 법 제2조 제12호에서 "경제적 연관관계 또는 경영지배관계 등 대통령령으로 정하는 관계에 있는 자"란 다음 각 호의 어느 하나에 해당하는 관계에 있는 자를 말한다. (2019. 2. 12. 신설)
  1. 임원(제40조 제1항에 따른 임원을 말한다. 이하 이 항, 제10조, 제19조, 제38조 및 제39조에서 같다)의 임면권의 행사, 사업방침의 결정 등 해당 법인의 경영에 대해 사실상 영향력을 행사하고 있다고 인정되는 자(「상법」 제401조의 2 제1항에 따라 이사로 보는 자를 포함한다)와 그 친족(「국세기본법 시행령」 제1조의 2 제1항에 따른 자를 말한다. 이하 같다) (2019. 2. 12. 신설)
  2. 제50조 제2항에 따른 소액주주등이 아닌 주주 또는 출자자(이하 "비소액주주등"이라 한다)와 그 친족 (2019. 2. 12. 신설)
  3. 다음 각 목의 어느 하나에 해당하는 자 및 이들과 생계를 함께하는 친족 (2019. 2. 12. 신설)
      가. 법인의 임원·직원 또는 비소액주주등의 직원(비소액주주등이 영리법인인 경우에는 그 임원을, 비영리법인인 경우에는 그 이사 및 설립자를 말한다) (2019. 2. 12. 신설)
      나. 법인 또는 비소액주주등의 금전이나 그 밖의 자산에 의해 생계를 유지하는 자 (2019. 2. 12. 신설)
  4. 해당 법인이 직접 또는 그와 제1호부터 제3호까지의 관계에 있는 자를 통해 어느 법인

의 경영에 대해 「국세기본법 시행령」 제1조의 2 제4항에 따른 지배적인 영향력을 행사
하고 있는 경우 그 법인 (2019. 2. 12. 신설)

5. 해당 법인이 직접 또는 그와 제1호부터 제4호까지의 관계에 있는 자를 통해 어느 법인
의 경영에 대해 「국세기본법 시행령」 제1조의 2 제4항에 따른 지배적인 영향력을 행
사하고 있는 경우 그 법인 (2019. 2. 12. 신설)

6. 해당 법인에 100분의 30 이상을 출자하고 있는 법인에 100분의 30 이상을 출자하고 있
는 법인이나 개인 (2019. 2. 12. 신설)

7. 해당 법인이 「독점규제 및 공정거래에 관한 법률」에 따른 기업집단에 속하는 법인인 경
우에는 그 기업집단에 소속된 다른 계열회사 및 그 계열회사의 임원 (2019. 2. 12. 신설)

법인세법 시행령 제50조【업무와 관련이 없는 지출】② 제1항 제1호 및 제2호에서 "소액
주주등"이란 발행주식총수 또는 출자총액의 100분의 1에 미달하는 주식등을 소유한 주주
등(해당 법인의 국가, 지방자치단체가 아닌 지배주주등의 특수관계인인 자는 제외하며,
이하 "소액주주등"이라 한다)을 말한다. (2019. 2. 12. 개정)

국세기본법 시행령 제1조의 2【특수관계인의 범위】① 법 제2조 제20호 가목에서 "혈족·
인척 등 대통령령으로 정하는 친족관계"란 다음 각 호의 어느 하나에 해당하는 관계(이하
"친족관계"라 한다)를 말한다. (2012. 2. 2. 신설)

1. 6촌 이내의 혈족 (2012. 2. 2. 신설)

2. 4촌 이내의 인척 (2012. 2. 2. 신설)

3. 배우자(사실상의 혼인관계에 있는 자를 포함한다) (2012. 2. 2. 신설)

4. 친생자로서 다른 사람에게 친양자 입양된 자 및 그 배우자·직계비속 (2012. 2. 2. 신설)

④ 제3항 제1호 각 목, 같은 항 제2호 가목부터 다목까지의 규정을 적용할 때 다음 각 호
의 구분에 따른 요건에 해당하는 경우 해당 법인의 경영에 대하여 지배적인 영향력을 행
사하고 있는 것으로 본다. (2012. 2. 2. 신설)

1. 영리법인인 경우 (2012. 2. 2. 신설)

　가. 법인의 발행주식총수 또는 출자총액의 100분의 30 이상을 출자한 경우 (2012. 2. 2.
　　신설)

　나. 임원의 임면권의 행사, 사업방침의 결정 등 법인의 경영에 대하여 사실상 영향력을
　　행사하고 있다고 인정되는 경우 (2012. 2. 2. 신설)

2. 비영리법인인 경우 (2012. 2. 2. 신설)

　가. 법인의 이사의 과반수를 차지하는 경우 (2012. 2. 2. 신설)

　나. 법인의 출연재산(설립을 위한 출연재산만 해당한다)의 100분의 30 이상을 출연하
　　고 그 중 1인이 설립자인 경우 (2012. 2. 2. 신설)

③ 대상이 되는 대여금

인정이자계산대상이 되는 가지급금은 첫째, 대여상대방이 특수관계인이어야 하며, 둘
째, 이자율이 가중평균차입이자율*보다 저율 또는 무상이어야 하며, 다음으로, 대여목적
물이 금전일 것의 요건을 모두 충족하여야 한다.

* 단, 가중평균차입이자율의 적용이 불가능한 경우에는 해당 사업연도에 한정하여 당좌대출이자율을 시가로 하며, 법인세 신고와 함께 당좌대출이자율을 시가로 선택한 경우에는 선택한 사업연도와 이후 2개 사업연도는 당좌대출이자율을 시가로 함. 또한, 대여한 날(계약을 갱신한 경우에는 그 갱신일)부터 해당 사업연도 종료일(해당 사업연도에 상환하는 경우는 상환일)까지의 기간이 5년을 초과하는 대여금이 있는 경우 해당 대여금에 한정하여 당좌대출이자율을 시가로 함(법령 89조 3항 및 법칙 43조 4항).

④ 대상에서 제외되는 대여금

다음과 같은 대여금은 인정이자 계산대상에서 제외된다(법칙 44조).

㉠ 미지급소득(배당소득, 상여금)에 대한 소득세 대납액

㉡ 내국법인이 국외 투자법인에 종사하거나 종사할 자에게 여비·급료 기타 비용을 가지급한 금액

㉢ 우리사주조합 또는 그 조합원에게 해당 우리사주조합이 설립된 회사의 주식취득에 소요되는 자금을 가지급한 금액

㉣ 국민연금법에 의해 근로자가 지급받은 것으로 보는 퇴직금전환금

㉤ 사외로 유출된 금액의 귀속이 불분명하여 대표자에게 상여처분한 금액에 대한 소득세를 법인이 납부하고 이를 가지급금으로 계상한 금액

㉥ 직원에 대한 월정급여액의 범위에서의 일시적인 급료의 가불금

㉦ 직원에 대한 경조사비의 대여액

㉧ 직원(직원의 자녀 포함)에 대한 학자금의 대여액

㉨ 중소기업에 근무하는 직원(지배주주 등인 직원은 제외함)에 대한 주택구입 또는 전세자금의 대여액

㉩ 한국자산관리공사가 출자총액의 전액을 출자하여 설립한 법인에게 대여한 금액

⑤ 동일인에 대한 가지급금적수와 가수금적수의 상계

동일인에 대하여 가지급금과 가수금이 함께 있는 경우에는 이를 상계한다. 그러나 다음에 해당하는 경우에는 이를 서로 상계하지 아니한다(법령 53조 3항 및 법칙 28조 2항).

㉠ 가지급금 등 및 가수금의 발생시에 상환기간, 이자율 등에 대한 약정이 있어 이를 서로 상계할 수 없는 경우

㉡ 가지급금 등과 가수금이 사실상 동일인의 것이라고 볼 수 없는 경우

2) 지급이자손금불산입

법인이 취득 또는 보유하고 있는 자산 중에서 법인의 업무와 관련이 없다고 인정되는 비업무용자산이나 업무무관가지급금에 대하여는 이에 상당하는 차입금의 지급이자를 법인의 손금으로 인정하지 아니한다. 이렇게 비업무용자산의 취득 및 보유를 규제하는 것은 부동산투기 및 비생산적 활동을 규제하자는 데 목적이 있는 것이다. 여기에서는

업무무관가지급금에 대해서 살펴보고 다른 비업무용자산에 대한 지급이자 손금불산입 규정에 대해서는 '단기차입금'편에서 살펴보기로 한다.

① 업무무관가지급금의 범위

지급이자 부인대상이 되는 업무무관가지급금은 특수관계자에게 업무와 관련 없이 지급한 가지급금으로서 그 명칭여하에 불구하고 당해 법인의 업무와 직접적인 관련이 없는 자금의 대여액(금융회사 등의 경우에는 주된 수익사업으로 볼 수 없는 자금의 대여액을 포함함)을 말한다. 한편 앞에서 살펴본 것처럼 인정이자계산의 대상이 되는 가지급금은 특수관계자에게 무상 또는 저율로 대여한 금액을 말한다.

양자는 그 지출상대방에 있어서는 동일하며 실제 그 범위에 있어서도 상당히 중복될 수 있으나 구체적으로 다음과 같은 차이가 있다.

첫째, 업무무관가지급금은 그 판정기준으로 업무와의 관련성이 제시되며 인정이자대상가지급금은 부당성 여부가 판정기준이다. 따라서 업무와 관련이 있는 가지급금이라 하더라도 무상 또는 저율대부에 따라 부당성이 인정되면 인정이자를 계상하여야 하며 반대로 업무무관가지급금이라 하더라도 부당성이 인정되지 않으면 인정이자를 계상할 수 없다.

둘째, 인정이자대상가지급금은 적정한 이자를 수수한 경우에는 그 대상에서 제외되나 업무무관가지급금은 적정한 이자수수 여부에 불구한다. 이에 따라 업무무관가지급금이라 하더라도 가중평균차입이자율[*] 이상의 적정한 이자를 수수하는 경우에는 인정이자를 계상할 수 없으나 지급이자 부인규정은 계속 적용된다.

[*] 단, 가중평균차입이자율의 적용이 불가능한 경우에는 해당 사업연도에 한정하여 당좌대출이자율을 시가로 하며, 법인세 신고와 함께 당좌대출이자율을 시가로 선택한 경우에는 선택한 사업연도와 이후 2개 사업연도는 당좌대출이자율을 시가로 함. 또한, 대여한 날(계약을 갱신한 경우에는 그 갱신일)부터 해당 사업연도 종료일(해당 사업연도에 상환하는 경우는 상환일)까지의 기간이 5년을 초과하는 대여금이 있는 경우 해당 대여금에 한정하여 당좌대출이자율을 시가로 함(법령 89조 3항 및 법칙 43조 4항).

② 업무무관가지급금에서 제외되는 금액

앞에서 살펴본 인정이자계산대상에서 제외되는 대여금의 범위와 동일하다.

③ 지급이자 손금불산입액의 계산

업무무관가지급금과 관련한 지급이자 손금불산입액은 다음과 같은 산식에 의해 계산한다(법령 53조 2항).

$$\text{지급이자 손금불산입액} = \text{지급이자} \times \frac{\text{업무무관가지급금의 적수}}{\text{총차입금 적수}}$$

이 때, 대상이 되는 지급이자와 총차입금은 채권자불분명 사채이자, 지급받은 자가 불분명한 채권·증권이자 및 건설자금이자에서 이미 부인된 지급이자와 그에 상당하는 차입금을 제외한 금액으로 계산한다. 이에 대한 자세한 내용은 '단기차입금'편을 참고하도록 한다.

④ 동일인에 대한 가지급금 적수와 가수금 적수의 상계

동일인에 대하여 가지급금과 가수금이 함께 있는 경우에는 이를 상계한다. 그러나 다음에 해당하는 경우에는 이를 서로 상계하지 아니한다.
- ㉠ 가지급금 등 및 가수금의 발생시에 상환기간, 이자율 등에 대한 약정이 있어 이를 서로 상계할 수 없는 경우
- ㉡ 가지급금 등과 가수금이 사실상 동일인의 것이라고 볼 수 없는 경우

3) 기타의 손금불산입

특수관계자에게 지급한 업무무관가지급금은 대손충당금 설정대상채권에서 제외되고, 대손금으로 손금산입이 인정되지 아니하며, 당해 채권의 처분손실 또한 손금으로 인정되지 아니한다. 여기서의 특수관계자에게 지급한 업무무관가지급금이란 전술한 지급이자 손금불산입의 대상이 되는 업무무관가지급금의 범위와 동일하다.

5. 매출채권

매출채권이라 함은 일반적 상거래에서 발생한 외상매출금과 받을어음을 말하는 것으로서 1년(영업주기가 1년을 초과하는 경우에는 영업주기) 이내에 회수되는 것으로 한다. 따라서, 1년(또는 영업주기)을 초과하여 회수되는 것은 장기매출채권(기타비유동자산)으로 분류하여야 한다.

이하에서는 매출채권을 외상매출금과 받을어음으로 구분하여 설명하기로 한다.

(1) 외상매출금

1) 개념 및 범위

외상매출금은 일반적 상거래에서 발생한 것이라는 점에서 다른 수취채권과 구별된다

고 할 수 있는데, 이를 구체적으로 살펴보면 다음과 같다.

① 외상매출금은 일반적 상거래에서 발생한 채권이다.

기업이 재화나 용역을 외상으로 판매·제공하고 그 대가로 미래에 현금을 수취할 권리를 획득하는 경우 또는 자금을 대여하고 장래에 일정한 현금을 수취할 권리를 갖게 되는 경우 등에 발생하는 채권을 수취채권이라 통칭한다.

이러한 수취채권은 미래에 일정한 금액을 받을 수 있는 청구권을 나타낸다고 할 수 있는데, 크게 일반적인 상거래를 통하여 발생한 채권(매출채권)과 일반적인 상거래 이외의 거래에서 발생한 채권으로 구분된다.

여기서 일반적인 상거래라 함은 모든 기업에 획일적으로 적용되는 것이 아니라 해당 기업 본래의 사업목적을 위한 영업활동, 즉 기업의 주된 영업활동에서 발생하는 거래라는 것을 의미한다.

예를 들어 가구를 제조하여 판매하는 것을 사업목적으로 하는 갑이라는 회사가 어떤 대리점에 자기가 제조한 가구를 판매하였다면, 이 거래는 갑회사의 일반적인 상거래라고 할 수 있다. 그러나 갑회사가 가구제조에 쓰이던 기계가 노후되어 이를 어떤 기계상에게 팔았다면 이는 갑회사의 일반적인 상거래 이외의 거래라 할 수 있다.

반면에 기계의 제조·판매를 사업목적으로 하는 을이라는 회사가 기계를 판매하는 것은 을회사의 일반적인 상거래라고 할 수 있다.

따라서 외상매출금을 여타 다른 채권과목과 구별하기 위해서는 그 채권이 과연 그 기업의 본래의 사업목적인 영업활동에서 발생한 것인가를 판단하는 것이 중요하다.

② 외상매출금은 어음상의 채권이 아닌 매출채권이다.

위에서 살펴본 바와 같이 수취채권은 일반적 상거래에서 발생하는 매출채권과 기타의 수취채권으로 구분된다. 매출채권에는 외상매출금과 받을어음이 있으며, 기타의 수취채권에는 미수금, 미수수익, 대여금 등이 포함된다.

받을어음의 경우는 상법상의 어음에 채권액이 구체적으로 기재되는 점에서 외상매출금과 구분된다. 외상매출금은 해당 채권을 입증하는 구체적인 증서가 존재하거나 담보가 제공되지 않는다. 다만 규모가 상대적으로 영세한 매출처(예를 들면 제조회사와 대리점과의 관계)에 대해서는 거래개시 시점에서 향후 평균적으로 존재하게 될 매출채권의 범위액 정도의 보증금을 받거나 저당권을 설정하기도 한다. 구체적인 채권의 존재는 일반적으로 거래과정에서 발생하는 내부·외부증빙(출고전표, 세금계산서, 인수증 등)으로 입증이 가능하다.

이상에서 살펴본 바와 같이 외상매출금은 일반적 상거래에서 발생한 매출채권 중에서 어음상의 채권이 아닌 것으로 정의할 수 있다.

2) 기업회계상 회계처리

외상매출금에 대한 계정처리는 외상매출금이 발생되는 시점(매출시점)과 제거 및 후속측정 시점(대금의 회수, 대손상각, 기타 채권과의 상계 등)의 회계처리로 크게 구분될 수 있다.

① 외상매출금의 발생

최초 인식시점에 외상매출금이 유의적인 금융요소(기준서 제1115호에 따라 결정)를 포함하지 않는 경우에는(또는 기준서 제1115호 문단 63의 실무적 간편법을 적용하는 경우에는) (기업회계기준서 제1115호에서 정의하는) 거래가격으로 측정한다(기준서 제1109호 문단 5.1.3).

부가가치세법상 면세인 재화나 용역을 공급하는 경우에는 판매대금 전액을 외상매출금과 매출로 회계처리하면 된다.

사례 1 (주)삼일은 ₩10,000,000 상당의 아동용 도서를 을회사에 공급하였다.

(차) 외 상 매 출 금	10,000,000	(대) 매 출	10,000,000

사례 2 (주)삼일은 사무용가구 ₩6,600,000(부가가치세 ₩600,000 포함)을 공급하였다.

(차) 외 상 매 출 금	6,600,000	(대) 매 출	6,000,000
		부가가치세예수금	600,000

일반적으로 외상매출금과 관련해서는 보조부인 매출처원장을 사용하게 된다. 이것은 거래처가 많을 경우 총계정원장만으로는 거래처별 외상매출금의 관리가 곤란하거나 불가능해지기 때문이다. 보조부인 매출처원장을 사용하는 경우 총계정원장은 거래처별 외상매출금에 대한 통제계정의 역할을 수행하게 된다.

따라서 매출처원장을 사용하는 경우 거래건별로 매출처원장에 거래처별로 발생·상환 등을 차·대변에 기입하고 총계정원장의 외상매출금계정에는 일별 합계금액을 기입하는 것이 보통이다.

② 외상매출금의 상환과 소멸

외상매출금이 상환·소멸되는 경우 금융자산의 제거 요건을 충족하는 시점에 해당 외상매출금을 재무상태표에서 제거한다. 이하에서는 외상매출금이 상환·소멸되는 여러 가지 형태에 따른 회계처리를 설명한다.

가. 현금에 의한 대금회수

외상매출금을 현금으로 회수하는 경우 외상매출금 관련 현금흐름에 대한 권리가 소멸하여 금융자산의 제거 요건을 충족하므로 해당 외상매출금은 재무상태표에서 제거한다.

> **사례** (주)삼일은 을회사에 대한 외상매출금 ₩10,000,000을 현금으로 회수하였다.
>
> (차) 현 금 및 현 금 성 자 산　　10,000,000　　(대) 외 상 매 출 금　　10,000,000

나. 약속어음에 의한 대금회수

외상매출금을 약속어음으로 대체하여 받는 경우 금융자산의 제거 요건을 충족하는지를 검토한다. 제거 요건을 충족하지 않는 경우 제거와 관련된 손익은 인식되지 않는다. 실무적으로는 외상매출금이 제거되지 않는 경우에도 해당 자산의 계정 명칭을 외상매출금에서 받을어음으로 변경하는 경우가 일반적이다.

> **사례** (주)삼일은 을회사에 대한 외상매출금 ₩10,000,000을 을회사 발행 약속어음으로 회수하였다.
>
> (차) 받 을 어 음　　10,000,000　　(대) 외 상 매 출 금　　10,000,000

다. 신용카드매출 대금의 회수

신용카드를 통한 매출이 증가하고 있는데, 신용카드를 통해 매출이 발생한 경우 동 금액은 외상매출금계정에 기입한다. 그 후 정해진 기일에 따라 카드회사에 청구하여 회수하는 금액은 위의 현금에 의한 대금회수와 마찬가지로 외상매출금의 소멸로 계정처리한다. 다만 카드회사로부터 대금이 입금될 때 사전에 약정된 수수료가 차감되므로 동 수수료 금액 부분은 지급수수료계정으로 처리하여야 한다.

> **사례** (주)삼일은 신용카드매출대금 중 A신용카드회사분 ₩10,000,000을 회수하였다. 회수금액 중 A신용카드회사에 대한 수수료 ₩400,000을 차감한 ₩9,600,000이 (주)삼일의 대금회수용 보통예금 통장에 입금되었다.
>
> (차) 현 금 및 현 금 성 자 산　　9,600,000　　(대) 외 상 매 출 금　　10,000,000
> 　　　지 급 수 수 료　　400,000

라. 선수금에 의한 대금회수

판매회사의 자금조달 목적 혹은 계약의 이행을 보증하는 목적 등으로 판매회사가 구입처로부터 선수금을 수취하는 경우가 있는데, 계약이 이행되면 잔금을 수령하게 된다.

사례 (주)삼일은 을회사로부터 수취한 선수금 ₩4,000,000이 있다. (주)삼일은 당초 계약의 목적물인 ₩10,000,000의 상품을 인도하였다.

(차) 선 수 금	4,000,000	(대) 매 출	10,000,000
외 상 매 출 금	6,000,000		

일부회사들의 계정처리를 보면 간혹 선수금계정을 사용하지 않고 거래처로부터 현금·예금이 입금되면 무조건 외상매출금 대변에 기표처리하는 경우가 있다. 이러한 회계처리는 연중에는 큰 문제가 없을 수 있으나 결산시점에서 만일 특정 거래처에 대한 외상매출금의 잔액이 대변에 나타나고 있다면, 이는 선수금을 의미하는 것이므로 동 금액을 외상매출금 대변에서 선수금으로 대체하는 회계처리가 필요하다.

<선수시점>

(차) 현금및현금성자산	×××	(대) 외 상 매 출 금	×××

<결산시점>

(차) 외 상 매 출 금	×××	(대) 선 수 금	×××

또한 월차결산이나 분기·반기별 결산시에도 위와 같은 조정이 필요하다.

마. 상호계산에 의한 대금회수

일정기간의 거래로 인한 채권·채무의 총액에 대하여 상계하고 그 잔액을 지급할 것을 약정하는 계약을 체결할 수 있는데, 이러한 약정을 체결한 경우 금융자산과 금융부채의 상계요건을 충족하는지 검토해야 한다. 만약 해당 채권과 채무에 대해 법적으로 집행가능한 상계권리를 현재 보유하고 있고 이를 순액으로 결제할 의도를 갖고 있다면 해당 채권과 채무는 재무상태표에 상계하여 표시한다. 상계요건의 충족 여부는 상호계산 계약의 성격에 근거하여 판단해야 한다. 금융자산과 금융부채의 상계요건에 대하여는 앞의 '금융자산의 일반사항'을 참고하도록 한다.

한편, 외상매출금을 포함한 채권·채무가 상계요건을 충족하지 않았고 차후 상호계산을 합의하여 상환·변제되는 경우의 회계처리는 다음과 같다.

사례 (주)삼일은 20×7년 12월 31일 현재 을회사에 대하여 외상매출금 ₩10,000,000과 미지급
금 ₩7,000,000이 각각 존재하고 있는데 양회사는 상호계산에 의하여 ₩7,000,000은 상계처리
하고 잔액을 을회사가 현금으로 지급하기로 하였다. 동 일자로 잔액이 현금으로 입금되었다.

(차) 미 지 급 금   7,000,000   (대) 외 상 매 출 금   10,000,000
현금 및 현금성자산   3,000,000

③ 외상매출금의 담보제공과 양도

회사가 보유하고 있는 외상매출금·받을어음 등의 매출채권은 미래 회사에 유입될
현금흐름의 예상액을 나타낸다.

그러나 기업이 현금을 즉시 필요로 하는 경우에는 매출채권을 이용하여 제3자로부터
현금을 취득함으로써 현금유입을 촉진하게 된다. 이와 같이 자금조달활동의 일환으로
매출채권을 사용하는 방법에는 여러 가지가 있는데, 어떤 방법이 사용되든지 이러한 방
법들을 사용하는 회사는 고객으로부터 받게 될 현금흐름예상액의 가치를 담보로 하거
나 양도함으로써 제3자로부터 즉각적인 현금흐름을 창출하고자 하는 것이다.

자금조달 목적으로 매출채권을 이용하는 방법은 다음과 같다.
- 외상매출금의 담보제공(pledging, general assignment)
- 외상매출금의 양도(factoring)
- 받을어음의 할인(discounting)

상기의 세 가지 방법 중 받을어음의 할인은 받을어음계정에서 설명하기로 하고 여기
서는 나머지 두 가지에 대하여 살펴보기로 한다.

가. 외상매출금의 담보제공(pledging, general assignment)

기업은 자금수요를 충족하기 위해서 자사가 보유하고 있는 매출채권을 담보로 금융
기관으로부터 대출을 받을 수 있다. 이 때 회사는 추후에 조달된 현금으로 부채를 상
환하게 되며, 거래처, 즉 외상매입처는 이러한 담보제공의 사실을 모르는 것이 일반적
이다.

따라서 거래처는 통상적인 방법대로 회사에 대금을 지불하게 된다. 이와 같이 담보로
제공된 매출채권에 대해서는 금융자산의 소멸 또는 양도거래가 없으므로 별도의 분개
를 할 필요가 없으나, 담보를 제공하고 얻은 차입금에 대하여는 새로운 부채인 차입금
을 계상하여야 한다.

사례 (주) 삼일은 을회사에 대한 외상매출금 ₩10,000,000을 담보로 하여 병은행으로부터 동
금액을 차입하였다.

(차) 현금및현금성자산　　10,000,000　　　(대) 단 기 차 입 금　　10,000,000

나. 외상매출금의 팩토링(factoring)

외상매출금의 팩토링(factoring)은 기업이 즉각적인 현금수요를 충족시키거나 또는 회수에 따르는 위험을 타인에게 전가시키기 위하여 자신이 보유하는 외상매출금을 타인(금융기관)에게 양도하는 방법이다.

외상매출금을 이러한 방법으로 회수에 따르는 위험을 전가시키면서 양도하여 해당 외상매출금 관련 위험과 보상 대부분을 이전하는 경우에는 양도된 외상매출금은 금융자산의 제거 요건을 충족하므로 재무상태표에서 제거되어야 한다. 다만, 상환조건부 팩토링 등 외상매출금의 회수에 따르는 위험과 보상 대부분을 보유한 경우에는 담보제공의 경우와 유사하게 외상매출금을 제거하지 않고 새로운 차입금을 계상한다. 실질적 채무자인 외상매입자는 이러한 이전계약의 내용을 통고받게 되며, 금융기관에게 직접 대금을 지불해야 한다.

　㉠ 외상매출금의 양도시점

(1) 위험과 보상을 대부분 이전한 경우

(차) 현금및현금성자산　　　×××　　　(대) 외 상 매 출 금　　　×××
　　매출채권처분손실　　　×××

(2) 위험과 보상을 대부분 보유한 경우

(차) 현금및현금성자산　　　×××　　　(대) 단 기 차 입 금　　　×××

앞의 '금융자산의 일반사항'에서 설명한 대로 금융자산은 사업모형과 계약상 현금흐름의 특성을 기준으로 상각후원가, 기타포괄손익－공정가치 측정 또는 당기손익－공정가치 측정 금융자산으로 분류된다. 매출채권의 현금흐름이 원금과 이자만으로 구성된 경우 계약상 현금흐름을 수취할 목적인 사업모형에서 보유하는 매출채권은 '상각후원가 측정 금융자산'으로, 계약상 현금흐름 수취와 금융자산의 매도 둘 다를 통해 목적을 이루는 사업모형에서 보유하는 매출채권은 '기타포괄손익－공정가치 측정 금융자산'으로, 그 밖의 사업모형에서 보유하는 매출채권은 '당기손익－공정가치 측정 금융자산'으로 분류한다.

팩토링 등 매출채권의 양도 거래가 있는 회사의 경우 이러한 거래가 사업모형 판단에 미치는 영향을 판단해야 한다.

할인되지 않은 매출채권에 대한 계약상 현금흐름의 수취와 매출채권할인약정에 따른 매출채권의 정기적인 매도가 모두 나타난다면 수취와 매도 둘 다를 통해 목적을 이루는 사업모형에 해당하여 '기타포괄손익-공정가치 측정 금융자산'으로 분류될 것이다.

현금흐름을 창출하기 위해 해당 거래처의 매출채권을 관리하는 방식의 목적이 주로 매각을 통해 현금흐름을 실현하는 것이라면 그 밖의 사업모형에 해당하여 '당기손익-공정가치 측정 금융자산'으로 분류될 것이다.

다. 한국채택국제회계기준상의 규정

ㄱ) 제거에 대한 판단기준

매출채권, 대여금 등 금융자산의 양도(자산 일부의 양도를 포함함)의 경우에, 다음 중 하나에 해당하는 경우에만 금융자산을 제거한다.

(1) 금융자산의 현금흐름에 대한 계약상 권리가 소멸한 경우
(2) 금융자산을 양도하며 그 양도가 제거의 조건을 충족하는 경우

다음 중 하나에 해당하는 경우에만 금융자산을 양도한 것이다.

(1) 금융자산의 현금흐름을 수취할 계약상 권리를 양도한 경우
(2) 금융자산의 현금흐름을 수취할 계약상 권리를 보유하고 있으나, 아래 세 가지 요건을 충족하는 계약에 따라 하나 이상의 수취인에게 지급할 계약상 의무를 부담하는 경우

(가) 최초자산에서 회수하지 못한 금액의 상당액을 최종수취인에게 지급할 의무가 없다. 양도자가 그 상당액을 단기간 선급하면서 시장이자율에 따른 이자를 포함한 원리금을 상환받는 권리를 가지는 경우에도 이 조건은 충족된다.

(나) 현금흐름을 지급할 의무의 이행을 위해 최종수취인에게 담보물로 제공하는 경우를 제외하고는, 양도자는 양도계약의 조건으로 인하여 최초자산을 매도하거나 담보물로 제공하지 못한다.

(다) 양도자는 최종수취인을 대신해서 회수한 현금을 중요한 지체 없이 최종수취인에게 지급할 의무가 있다. 또한 양도자는 해당 현금을 재투자할 권리를 가지지 아니한다. 다만, 현금 회수일부터 최종수취인에게 지급하기까지의 단기 결제유예기간 동안 현금 또는 현금성자산에 투자하고 이러한 투자에서 발생한 이자를 최종수취인에게 지급하는 경우는 제외한다.

금융자산을 양도한 경우, 양도자는 금융자산의 소유에 따른 위험과 보상의 보유 정도를 평가하여 다음과 같이 회계처리한다.

(1) 양도자가 금융자산의 소유에 따른 위험과 보상의 대부분을 이전한다면, 해당 금융자산을 제거하고 양도함으로써 발생하거나 보유하게 된 권리와 의무를 각각 자산과 부채로 인식한다.

(2) 양도자가 금융자산의 소유에 따른 위험과 보상의 대부분을 보유한다면, 해당 금융자산을 계속하여 인식한다.

(3) 양도자가 금융자산의 소유에 따른 위험과 보상의 대부분을 보유하지도 이전하지도 않는다면, 양도자가 해당 금융자산을 통제하는지를 결정하여 다음과 같이 회계처리한다.

(가) 양도자가 금융자산을 통제하고 있지 않다면, 해당 금융자산을 제거하고 양도함으로써 발생하거나 보유하게 된 권리와 의무를 각각 자산과 부채로 인식한다.

(나) 양도자가 금융자산을 통제하고 있다면, 해당 금융자산에 대하여 지속적으로 관여하는 정도까지 해당 금융자산을 계속하여 인식한다.

매출채권 양도거래에서 위험과 보상의 이전 여부는 매출채권의 순현금흐름의 금액과 시기의 변동에 대한 양도 전·후 양도자의 익스포저를 비교하여 평가한다. 매출채권의 미래 순현금흐름의 현재가치 변동에 대한 양도자의 익스포저가 양도의 결과 유의적으로 달라지지 않는다면, 양도자는 금융자산의 소유에 따른 위험과 보상의 대부분을 보유하고 있는 것이다(기준서 제1109호 문단 3.2.7). 따라서, 매출채권 양도 후 양도자가 부담하는 위험의 크기가 미미한 경우에도 양도 전과 양도 후의 위험이 유의적으로 달라지지 않는다면 대부분 위험을 보유한 것으로 판단한다. 이는 위험과 보상의 이전 여부에 대한 판단이 양도 후 위험과 보상의 절대 크기에 따라 판단하는 것이 아니고 양도 전과 양도 후의 위험과 보상의 익스포저를 비교하여 평가하기 때문이다.

ⓛ 회계처리

매출채권의 양도거래가 제거요건을 충족하면 매출채권의 장부금액과 수취한 대가(새로 취득한 모든 자산에서 새로 부담하게 된 모든 부채를 차감한 금액 포함)의 차액을 처분손익으로 인식한다.

매출채권의 양도거래가 제거요건을 충족하지 않으면 해당 매출채권 전체를 계속하여 인식하며 수취한 대가를 차입금으로 계상하고 후속기간에 양도자산에서 발생하는 모든 수익과 금융부채에서 발생하는 모든 비용을 인식한다.

ⓒ 주석공시

부채나 우발부채에 대한 담보로 제공된 금융자산의 장부금액과 담보와 관련된 조건을 주석으로 기재하여야 한다(기준서 제1107호 문단 14).

(2) 받을어음

1) 개념 및 범위

일반적인 상거래에서 매매 즉시 대금을 결제하지 않고 일정 시점까지 그 결제를 연기하는 경우가 있다. 실무적으로는 증권을 통해서 대금의 결제는 일단 끝내고, 증권대금의 결제를 장래로 미루는 방법을 취하는 것이 일반적인데 이 경우에 사용되는 것이 어음이다. 실물어음 외에도 발행인, 수취인, 금액들의 어음 정보가 전자문서 형태로 작성되며, 전자어음관리기관의 전산시스템에 등록·유통되는 약속어음인 전자어음의 형태로 어음 거래가 이루어지는 경우도 많다.

① 받을어음은 일반적 상거래에서 발생한 채권이다.

받을어음은 일반적 상거래에서 발생한 채권(매출채권)이라는 점에서는 외상매출금과 성격이 같다.

어음상의 채권에는 받을어음 이외에도 어음미수금 및 어음대여금이 있는데 어음미수금은 투자자산 또는 유형자산의 처분 등 일반적 상거래 이외에서 발생한 미수채권 중 어음상의 채권을 말하며, 어음대여금은 현금을 대여하고 획득한 어음상의 채권을 말한다. 다만, 일반적으로는 어음미수금이나 어음대여금이라는 별도의 계정과목을 사용하지 않고 각각 미수금과 단기(혹은 장기)대여금이라는 계정을 쓰고 있다.

어음미수금 및 어음대여금은 상법상의 어음이라는 측면에서 볼 때에는 회계처리상으로 협의의 받을어음과 본질적인 차이는 없다.

② 받을어음은 어음상의 채권이다.

받을어음은 같은 매출채권이지만 어음상의 채권이라는 점에서 외상매출금과 구분된다.

구매자와 판매자 사이의 묵계에 의하여 발생하는 외상매출금과는 달리, 받을어음은 발행인이 계약조건에 따라 수취인에게 일정 금액을 지급하기로 약속한 문서화된 계약이라고 할 수 있다.

2) 기업회계상 회계처리

여기서는 기업회계상 나타날 수 있는 받을어음에 대한 회계처리문제를 받을어음의 발생, 상환 및 소멸, 할인, 부도, 기타의 받을어음 등으로 나누어 살펴보기로 한다.

① 받을어음의 발생

받을어음의 발생액은 받을어음계정의 차변에 기입한다. 이하에서는 구체적인 사례별로 회계처리를 설명한다.

가. 통상적인 매출의 발생

사례 (주)삼일은 ₩10,000,000 상당의 아동용 도서를 을회사에 공급하고 어음을 수취하였다.

(차) 받 을 어 음 10,000,000 (대) 매 출 10,000,000

나. 외상매출금의 어음회수

외상매출금을 어음으로 회수하는 경우 금융자산의 제거 요건을 충족하는지를 검토한다. 제거 요건을 충족하지 않는 경우 제거와 관련된 손익은 인식되지 않는다. 실무적으로는 외상매출금이 제거되지 않는 경우에도 해당 자산의 계정 명칭을 외상매출금에서 받을어음으로 변경하는 경우가 일반적이다.

사례 (주)삼일은 을회사에 대한 외상매출금 ₩15,000,000을 어음으로 회수하였다.

(차) 받 을 어 음 15,000,000 (대) 외 상 매 출 금 15,000,000

다. 선일자수표의 취득

사례 (주)삼일은 을회사에 ₩20,000,000의 물품을 공급하고 을회사로부터 동 금액의 선일자수표를 받았다.

(차) 받 을 어 음 20,000,000 (대) 매 출 20,000,000

통상적인 상거래에 있어서 재화나 용역을 공급하는 회사가 거래처에 물품대금으로 어음 대신에 선일자수표(발행일자를 실제의 발행일보다 장래의 후일로 기재한 수표)를 요구하는 경우가 있다.

이러한 선일자수표는 당사자 간에는 수표상에 기재된 발행일자 전에는 지급을 청구하지 않기로 합의하고 발행되는 것이므로, 경제적 실질의 측면에서는 받을어음과 동일한 효과를 기대할 수 있다. 따라서 선일자수표를 받는 경우에는 회계처리상으로는 받을어음으로 계정처리하는 것이 일반적이다.

라. 어음의 개서

어음의 개서라는 것은 기존 어음의 지급을 연기할 목적으로 만기일 등을 변경하여 기록한 새로운 어음을 발행하는 것을 말한다. 이 때에 기존 어음은 회수되고 새로운 어음이 발행되지만 지급금액은 변경되지 않는다. 어음의 개서로 새로운 어음을 발행하는 경우 금융자산의 제거 요건을 충족하는지를 검토한다.

마. 받을어음 관련장부의 비치

받을어음의 경우도 외상매출금과 마찬가지로 거래처와 거래빈도가 많을 경우에는 거래처별 받을어음을 기록하는 보조부가 필요하다.

또한 받을어음의 경우에는 지급일이 구체적으로 기재되어 있으므로 지급일자별 보조부를 유지하는 것이 필요하다.

받을어음에 대한 지급일자별 보조부를 유지하게 되면 회사의 자금관리에 필요한 자료를 쉽게 얻을 수 있으므로 관리 목적상 매우 중요하다.

② 받을어음의 상환, 소멸

받을어음이 상환, 소멸되어 금융자산의 제거의 요건을 충족하는 경우 그 금액은 받을어음계정의 대변에 기입한다. 이하에서는 구체적인 사례별로 회계처리를 알아본다.

가. 어음대금의 만기입금

> **사례** 을회사에 대한 받을어음 ₩10,000,000이 은행구좌로 만기입금되었다.

(차) 현 금 및 현 금 성 자 산　　　10,000,000　　　(대) 받　을　어　음　　　10,000,000

나. 추심료를 지급한 경우

> **사례** (주)삼일은 지방거래처에 대한 받을어음 ₩5,000,000을 은행에 추심의뢰하였는 바, 만기일에 추심료 ₩10,000을 차감한 잔액이 입금되었음을 통보받았다.

(차) 현 금 및 현 금 성 자 산　　　4,990,000　　　(대) 받　을　어　음　　　5,000,000
　　　지 급 수 수 료　　　　　　　　10,000

③ 받을어음의 할인

받을어음의 소지자는 즉각적인 자금조달을 위하여 어음의 만기일까지 대금이 회수될 것을 기다리는 대신에 은행 또는 제3자에게 받을어음을 할인(discounting)하기도 한다. 이 때에 기존의 받을어음의 소지자는 어음할인의 대가로 할인료를 지급하게 되며 구체적인 회계처리는 해당 채권에 대한 위험과 보상이 대부분 이전되었는지 여부에 따라 제거거래와 차입거래로 나누어진다.

위험과 보상이 대부분 이전되는지 여부에 관한 설명은 외상매출금 계정을 참고하기로 한다.

가. 제거거래에 해당하는 경우

무담보배서 등을 통해 소구조건 없이 받을어음을 할인한 회사는 받을어음의 할인으로 인해 해당 채권에 대한 위험과 보상 대부분을 양수인에게 이전하였으므로 받을어음을 제거한다.

구체적인 회계처리는 다음과 같다.

사례　(주)삼일은 만기 3개월의 액면 ₩10,000,000 어음을 어음수취 시점에서 은행에 무소구 조건으로 할인하였다. 할인에 적용된 이자율은 12%이며 채권에 대한 위험과 보상 대부분을 이전하여 금융자산 제거 요건을 충족하였다.

| (차) 현금및현금성자산 | 9,700,000 | (대) 받　을　어　음 | 10,000,000 |
| 받을어음처분손실 | 300,000[*] | | |

[*] 할인액은 다음과 같이 계산됨. 만기금액×이자율×(이월수/12)＝₩10,000,000×0.12×3/12＝₩300,000

나. 차입거래에 해당하는 경우

양수인에게 상환청구권을 부여하는 조건의 매출채권 배서양도·할인거래에 대한 회계처리에 있어, 배서양도(할인)한 어음의 경우 어음양수인은 상환청구권을 지니고 있으므로 어음양수인의 지급청구가 있을 때 어음양도인은 지급을 담보하여야 한다. 이는 어음에 대한 위험과 보상 대부분을 회사가 보유하게 되는 것이므로 제거의 요건을 충족하지 않으므로 제거거래로 회계처리하지 않고 차입거래로 회계처리한다(기준서 제1109호 문단 3.2.15).

이와 같이 차입거래에 해당하는 경우에는 어음발행인이 만기일에 대금을 지급하지 않는 경우에는 받을어음을 할인한 회사가 대신 어음의 만기금액을 지급하여야 하므로 받을어음을 할인한 회사 입장에서는 받을어음을 담보로 제공하고 차입을 하는 것이 된다.

위의 사례를 차입거래로 볼 경우 회계처리는 다음과 같다.

| (차) 현금및현금성자산 | 9,700,000 | (대) 단　기　차　입　금 | 10,000,000 |
| 현재가치할인차금 | 300,000 | | |

위의 현재가치할인차금은 차입금의 이자비용에 해당하므로 차입금 기간에 걸쳐 이자비용으로 인식한다.

④ 받을어음의 배서

받을어음을 할인하는 방법 이외에 받을어음을 양도하는 방법으로 가장 흔한 것은 배서이다. 배서는 당사자의 의사에 의하여 특정한 어음채권을 이전하는 것인데 어음의 이면에 배서인이 어음금액을 피배서인에 대하여 지급할 것을 의뢰하는 뜻의 기재를 하여 어음을 피배서인에게 교부하는 방법에 의한다. 배서의 결과 어음에 표창된 모든 권리는 피배서인에게 이전한다.

받을어음을 배서하는 경우에도 받을어음을 할인하는 경우와 마찬가지로 해당 채권에 대한 위험과 보상의 대부분을 이전하였는지 여부에 따라 제거거래와 차입거래로 나누어진다. 받을어음의 배서양도에 대한 회계처리는 기본적으로 받을어음의 할인의 경우와 동일하므로 상기 '③ 받을어음의 할인'을 참조하기로 한다.

(3) 세무회계상 유의할 사항

1) 손익귀속의 시기

매출채권계정의 발생은 반드시 매출과 연관되어 있으므로 매출채권 계상시기의 문제는 매출의 인식시점의 문제와 관련이 된다. 기본적으로 한국채택국제회계기준에서는 발생주의를 전제로 하여 실현주의에 따라 수익을 인식하고 있으나 세무상으로는 권리·의무확정주의에 따라 수익을 인식하도록 하고 있다.

한편 법인세법에서는 1999년 1월 1일 이후 최초로 개시하는 사업연도에 거래를 개시하는 분부터 세법의 손익귀속시기 규정을 우선적으로 적용하도록 하였다. 따라서 세법에 규정이 없는 경우에 한하여 한국채택국제회계기준 또는 관행을 보충적으로 적용하여야 한다. 한국채택국제회계기준과 법인세법의 손익귀속시기에 대해서는 '포괄손익계산서 매출액'편에서 살펴보기로 한다.

2) 대손처리

대손충당금과 대손상각비에 관한 세무상 유의할 사항은 '대손충당금'편을 참고하도록 한다.

3) 자산유동화의 양도 및 매출채권·받을어음 배서양도

자산유동화에 관한 법률 제13조에 따른 방법에 의하여 보유자산을 양도하는 경우 및 매출채권 또는 받을어음을 배서양도하는 경우에는 기업회계기준에 의한 손익인식방법에 따라 관련 손익의 귀속사업연도를 정한다(법령 71조 4항). 이는 법인이 자산유동화에 관한 법률 제13조에 따른 방법에 의하여 보유자산을 양도하거나, 매출채권 또는 받을어음을 배서양도하는 경우로서 한국채택국제회계기준에 따라 회계처리한 경우에는 법인세법에서도 이를 인정하겠다는 취지이다.

6. 대손충당금

(1) 의 의

회사들의 일반적인 매출형태를 보면 현금판매보다는 고객의 신용을 바탕으로 한 외상거래의 비중이 더 높다. 이러한 신용판매방식으로 발생하는 매출채권에 대하여는 회수불능위험이 항상 존재하게 된다. 물론 외상거래로 인해 발생하는 매출채권뿐만이 아니라 그 밖의 채권에 대하여도 회수불능위험은 존재한다.

이렇게 회사의 정상적인 영업활동에서 통상적으로 발생하게 되는 회수불가능한 채권은 이미 그 자산가치를 상실하여 회사의 재무상태 및 경영성과를 왜곡하여 표시할 우려가 있다. 따라서 기준서 제1109호는 기대신용손실 모형에 따라 손상을 측정하여 재무제표에 반영하도록 한다. 기대신용손실 모형이란, 합리적인 추정을 통하여 금융상품의 예상되는 손실을 반영하여 손상차손을 인식하는 것이다.

(2) 적용범위 및 기대신용손실 측정방법

기준서 제1109호의 손상 규정은 앞의 '1. 금융자산의 일반사항 (5) 금융자산의 분류'에서 상각후원가와 기타포괄손익-공정가치 측정 금융자산으로 분류되는 채무상품과 리스채권, 계약자산, 기준서 제1109호의 적용범위에 포함되지 아니하는 대출약정과 시장이자율보다 낮은 이자율로 대출하기로 한 약정 및 금융보증계약에 적용된다.

기대신용손실을 인식하는 기간은 신용의 질에 따라 달라지며 매출채권, 계약자산 및 리스채권에 대해서는 일반적인 접근법과 다르게 전체기간 기대신용손실을 인식하는 간편법을 두고 있다. 다음의 표는 기준서의 기대신용손실규정을 간단히 요약한 것이다.

금융상품	대여금, 대출채권, 채무유가증권, 금융보증, 대출약정	매출채권, 계약자산		리스채권
		유의적 금융요소 포함 X	유의적 금융요소 포함 O	
기대신용손실 측정	일반적인 접근법 (신용위험의 증가 및 손상 여부에 따라 3단계로 구분, 1단계는 12개월 기대신용손실, 2·3단계는 전체기간 기대신용손실인식)	간편법 (항상 전체기간 기대신용손실 인식)	일반적인 접근법 또는 실무적 간편법(선택 가능)	

1) 일반적인 접근법 – 단계(stage) 분류에 따른 기대신용손실 측정

'기대손실'을 반영하기 위해서는 '얼마나 긴 기간' 동안의 예상되는 기대신용손실을 재무제표에 반영할 것인지를 먼저 결정해야 한다. 가장 보수적으로 기대신용손실을 적용하는 경우 금융상품의 전체기간 동안 예상되는 기대신용손실을 반영할 수 있으며, 특정 기간(예컨대, 대부분의 회사의 회계기간에 해당되는 1년) 동안 예상되는 기대신용손실을 반영할 수도 있다. 모든 금융상품에 전체기간 동안의 기대신용손실을 반영하는 것은 지나치게 보수적일 수 있으며, 반면 모든 금융상품에 대해 보고일 이후 1년간의 기대신용손실만을 적용하는 것은 공격적인 추정이 될 수 있다.

기준서는 기대신용손실의 적용기간을 채무상품의 '신용의 질(Credit Quality : 신용위험의 정도)'의 변화에 따라 총 3단계(3stage)로 나누어 다음과 같이 정하고 있다. 이는 채무증권의 신용악화가 단계적으로 반영되는 경제적 실질을 고려한 것이다.

최초 인식 시점 이후 신용위험의 증가

Stage 1	Stage 2	Stage 3
최초 인식 시점	유의적인 신용위험의 증가	신용손상된 자산

기대신용손실의 인식

12개월 기대신용손실	전체기간 기대신용손실	전체기간 기대신용손실

이자수익

총장부금액 × 유효이자율	총장부금액 × 유효이자율	순장부금액 × 유효이자율

Stage 1 : 최초 인식 시점 이후 신용위험이 유의적으로 증가했는지를 매 보고기간 말에 평가하며, 유의적으로 증가하지 않은 경우에는 12개월 기대신용손실에 해당하는 금액으로 손실충당금을 측정한다. 보고기간 말에 금융상품의 신용위험이 낮다고 판단된다면 최초 인식 후에 해당 금융상품의 신용위험이 유의적으로 증가하지 않았다고 볼 수 있다. 해당 자산에 대한 이자수익은 금융자산의 총 장부금액에 유효이자율을 적용하는 유효이자율법으로 계산한다.

Stage 2 : 최초 인식 후에 금융상품의 신용위험이 유의적으로 증가한 경우에는 매 보고기간 말에 전체기간 기대신용손실에 해당하는 금액으로 손실충당금을 측정한다. 해당 자산에 대한 이자수익은 금융자산의 총 장부금액에 유효이자율을 적용하는 유효이자율법으로 계산한다.

Stage 3 : 신용이 손상된 금융자산의 경우 매 보고기간 말에 전체기간 기대신용손실에 해당하는 금액으로 손실충당금을 측정한다. 이러한 금융자산의 경우에는 상각후원가에 유효이자율을 적용하여 이자수익을 인식한다.

취득 시 신용이 손상되어 있는 금융자산의 경우 기준서 제1109호는 위의 stage별 측정과는 다른 손상규정을 별도로 두고 있다. 취득 시 신용이 손상되어 있는 금융자산은 최초 인식 시점부터 전체기간 기대신용손실을 미래예상현금흐름에 반영하여 계산된 신용조정 유효이자율을 적용하여 이자수익을 인식하고 상각후원가를 측정한다. 최초 인식 이후에는 전체기간 기대신용손실의 누적변동분만을 손실충당금으로 인식한다.

2) 간편법

매출채권이나 계약자산 중 유의적인 금융요소(기한의 이익에 따른 이자요소)를 내포하지 않은 경우에는 별도의 Stage 분류 구분 없이 예상되는 전체기간 기대신용손실을 일시에 인식하는 실무적 간편법을 적용하도록 하고 있다. 또한 유의적인 금융요소가 있는 매출채권이나 계약자산 또는 리스채권의 경우에는 위와 같은 실무적 간편법을 선택적으로 적용할 수 있도록 하고 있다.

(3) 기업회계상 회계처리

한국채택국제회계기준에서는 최초 인식 후 기대신용손실 모형에 따라 손상을 측정하여 재무제표에 반영하도록 한다. 기대신용손실 모형이란, 합리적인 추정을 통하여 금융상품의 예상되는 손실을 반영하여 손상차손을 인식하는 것이다.

1) 대손충당금 설정대상

한국채택국제회계기준에서는 상각후원가와 기타포괄손익-공정가치 측정 금융자산으로 분류되는 채무상품과 리스채권, 계약자산, 기준서 제1109호의 적용범위에 포함되지 아니하는 대출약정과 시장이자율보다 낮은 이자율로 대출하기로 한 약정 및 금융보증계약을 손상의 인식대상으로 규정하고 있다. 손상규정에 따른 기대신용손실은 손실충당금으로 인식한다. 선급금은 재고자산 등을 청구할 권리가 부여되어 있는 것으로서 성격상 금융자산이라고 볼 수 없으므로 기준서 제1109호에 따른 손실충당금을 설정할 수 없다고 판단된다. 만일 상품 등의 구입을 위해 선급한 거래처가 계약을 위반하거나 부도의 발생 등으로 인하여 재고자산을 납품할 가능성도 희박하고 선급금의 현금회수도 어려울 경우에는 기준서 제1036호 따라 손상 여부를 판단하고 손상차손을 인식해야 할 것이다.

2) 기대신용손실의 추정

금융상품의 기대신용손실은 다음 사항을 반영하도록 측정한다.

- 일정 범위의 발생 가능한 결과를 평가하여 산정한 금액으로서 편의가 없고 확률로 가중한 금액
- 화폐의 시간가치
- 보고기간 말에 과거사건, 현재 상황과 미래 경제적 상황의 예측에 대한 정보로서 합리적이고 뒷받침될 수 있으며 과도한 원가나 노력 없이 이용할 수 있는 정보

기대신용손실을 측정할 때 가능한 시나리오를 모두 고려할 필요는 없다. 그러나 신용손실의 발생 가능성이 매우 낮더라도 신용손실이 발생할 가능성과 발생하지 아니할 가능성을 반영하여 신용손실이 발생할 위험이나 확률을 고려한다.

또한, 기대신용손실 측정시 고려하는 미래 회수예상 금액은 미래가치이기 때문에 보고기간말 현재의 측정을 위해서는 현재가치로 측정할 것을 요구하고 있다. 이때 현재가치 평가와 관련된 할인율로 현행 기준서는 최초 인식시점에 산정한 유효이자율을 적용할 것을 요구하고 있으며, 이는 상각후원가로 후속 측정하는 현행 기준서의 금융상품 측정 기본원칙과 일관된다.

채무상품의 신용손실은 결국 다음 (1)과 (2) 차이의 현재가치이다.
(1) 계약상 수취하기로 한 현금흐름
(2) 수취할 것으로 예상되는 현금흐름

마지막으로 기준서는 기대신용손실의 측정 시 과도한 원가나 노력 없이 이용될 수 있는 현재 상황 및 미래 경제상황의 전망 정보(Forward-Looking)를 반영할 것을 요구하고 있다. 이와 같은 미래경제상황을 전망하는 정보를 반영하는 것은 재무보고를 수행하는 기업의 입장에서 상당히 고차원적이고 전문가적 판단을 요구하는 사항임에는 틀림없다. 그럼에도 불구하고, 현행 기준서는 기대신용손실 측정 및 재무보고와 관련하여 정보이용자에게 미래 전망적인 정보를 제공하는 것을 재무정보의 유용성 증대에 매우 중요한 요인으로 판단하여 기대신용손실 반영을 요구하고 있다.

실무적으로 미래 경제상황의 전망 정보 반영을 위해 금융기관은 주로 실업률, 부동산 가격, GDP, 채권이자율 등 일반적인 경제 환경 예측지표를 주로 많이 활용하고 있으며,

내부(기업 고유)의 과거 신용손실 경험, 내부등급 정보 등을 병행하여 기대신용손실 측정시 활용하고 있다.

보고기간 말에 인식해야 하는 금액으로 손실충당금을 조정하기 위한 기대신용손실액(또는 환입액)은 손상차손(환입)으로 당기손익에 인식한다. 계산된 누적 신용손실충당금은 해당 자산의 총 장부금액에서 차감되어 해당 자산의 장부금액을 감소시킨다. 다만, 기타포괄손익－공정가치 측정 금융자산의 경우 해당 손실충당금은 기타포괄손익에서 인식하고 재무상태표에서 금융자산의 장부금액을 줄이지 아니한다.

3) 대손충당금의 회계처리와 재무제표 표시방법

① 기말 대손충당금 설정시

결산시점에서 합리적이고 객관적인 기준에 따라 산출한 추정미래현금흐름의 현재가치와 장부금액의 차액을 다음과 같이 대손충당금으로 설정한다.

(차) 대 손 상 각 비　　　×××　　　(대) 대 손 충 당 금　　　×××

그러나 만일 기말에 설정할 대손추산액이 기말현재 장부상 대손충당금 잔액보다 적은 경우에는 다음과 같이 환입처리한다.

(차) 대 손 충 당 금　　　×××　　　(대) 대 손 충 당 금 환 입　　　×××

② 제각 발생시

금융자산 전체나 일부의 회수를 합리적으로 예상할 수 없는 경우에는 해당 금융자산의 총 장부금액을 직접 줄인다. 제각은 금융자산을 제거하는 사건으로 본다. 제각이 발생한 경우에는 다음과 같이 매출채권의 총 장부금액을 직접 줄이고 관련하여 기설정된 대손충당금을 함께 제거한다.

(차) 대 손 충 당 금　　　×××　　　(대) 매 출 채 권　　　×××

만일 회수불능으로 판명된 매출채권이 이미 설정되어 있는 대손충당금을 초과하게 되면 그 초과액은 다음과 같이 대손상각비로 처리한다.

(차) 대 손 충 당 금　　　×××　　　(대) 매 출 채 권　　　×××
　　　대 손 상 각 비　　　×××

제각은 회수를 합리적으로 예상할 수 없는 부분에 대해 제각이 이루어져야 하며 기준서는 제각은 금융자산의 제거에 해당한다고 명시하고 있다. 따라서, 회수를 합리적으로 예상할 수 없는 부분에 한하여 제각이 이루어져야 하며 특정 요건 충족시 추가적인 회수금액이 예상됨에도 불구하고 전액을 제각하는 관행은 기준서의 규정에 부합하지 않을 수 있다.

③ 제각한 매출채권의 회수

제각한 채권이 회수되는 경우 이는 해당 금융자산의 재인식이 아니므로 회수된 금액은 손익계산서에 회수 시점에 이익으로 인식되어야 하며 손익계산서 상의 계정과목을 대손상각비 등의 차감계정으로 할지 여부는 회계정책으로 판단해야 할 것이다. 통상적으로 대손상각비의 차감계정으로 회계처리한다.

(차) 현금및현금성자산　　　×××　　　(대) 대 손 상 각 비　　　×××

④ 회계처리 사례

실제 사례를 통해 이상에서 설명한 회계처리를 살펴보기로 한다.

> **사례**　(주)삼일에 대한 다음의 자료를 통해 각 시점별로 회계처리를 하여라.
> * 20×7. 12. 31.의 대손충당금 대변 잔액은 ₩2,000,000이다.
> * 20×8. 8. 30.에 전기에 제각한 채권 ₩200,000이 회수되었다.
> * 20×8. 12. 31. 현재 기대신용손실모형에 따라 계산된 매출채권의 대손충당금은 ₩3,000,000 이다.

ⅰ) 20×8. 8. 30.

　　(차) 현금및현금성자산　　　200,000　　　(대) 대 손 상 각 비　　　200,000

ⅱ) 20×8. 12. 31.

　　(차) 대 손 상 각 비　　　1,000,000*　　　(대) 대 손 충 당 금　　　1,000,000

　　* 3,000,000 - 2,000,000

⑤ 재무제표 표시방법

보고기간 말에 인식해야 하는 금액으로 손실충당금을 조정하기 위한 기대신용손실액 (또는 환입액)은 손상차손(환입)으로 당기손익에 인식한다. 계산된 누적 신용손실충당금은 해당 자산의 총 장부금액에서 차감되어 해당 자산의 장부금액을 감소시킨다. 다만, 기타포괄손익-공정가치로 측정하는 채무상품의 장부금액은 손실충당금에 의해 감소되지 않으며, 금융자산 장부금액에서 차감하는 형식으로 손실충당금을 재무상태표에 별도로 표시하지 않고 재무제표의 주석에 손실충당금을 공시한다(기준서 제1107호 문단 16A). 기타포괄손익-공정가치 측정 금융자산의 손상 회계처리에 대해서는 비유동자산의 '기타포괄손익-공정가치 측정 금융자산'편을 참조하기로 한다.

(4) 세무회계상 유의할 사항

1) 대손충당금 설정대상채권

① 일반적인 범위

대손충당금을 설정할 수 있는 채권의 범위에 대하여 법인세법 시행령에서는 다음과 같이 규정하고 있다.

> **법인세법 시행령 제61조 【대손충당금의 손금산입】** ① 법 제34조 제1항에 따른 외상매출금·대여금 및 그 밖에 이에 준하는 채권은 다음 각 호의 구분에 따른 것으로 한다. (2019. 2. 12. 개정)
> 1. 외상매출금 : 상품·제품의 판매가액의 미수액과 가공료·용역 등의 제공에 의한 사업 수입금액의 미수액 (1998. 12. 31. 개정)
> 2. 대여금 : 금전소비대차계약 등에 의하여 타인에게 대여한 금액 (1998. 12. 31. 개정)
> 3. 그 밖에 이에 준하는 채권 : 어음상의 채권·미수금, 그 밖에 기업회계기준에 따라 대손충당금 설정대상이 되는 채권(제88조 제1항 제1호에 따른 시가초과액에 상당하는 채권은 제외한다) (2019. 2. 12. 개정)

② 대손충당금 설정이 배제되는 채권

가. 다음의 어느 하나에 해당하는 것을 제외한 채무보증으로 인하여 발생한 구상채권(법법 19조의 2 2항, 법령 19조의 2 6항 및 법칙 10조의 5)

(가) 독점규제 및 공정거래에 관한 법률 제24조 각 호의 어느 하나에 해당하는 채무보증

(나) 법인세법 시행령 제61조 제2항 각 호의 어느 하나에 해당하는 금융회사 등이 행한 채무보증

(다) 법률에 따라 신용보증사업을 영위하는 법인이 행한 채무보증

(라) 대·중소기업 상생협력 촉진에 관한 법률에 따른 위탁기업이 수탁기업협의회의 구성원인 수탁기업에 대하여 행한 채무보증

(마) 건설업 및 전기통신업을 영위하는 내국법인이 건설사업(미분양주택을 기초로 하는 법인세법 시행령 제10조 제1항 제4호 각 목 외의 부분에 따른 유동화거래를 포함함)과 직접 관련하여 특수관계인에 해당하지 아니하는 자에 대한 채무보증(단, 사회기반시설에 대한 민간투자법 제2조 제7호의 사업시행자 등 법인세법 시행규칙 제10조의 5 각 호에 해당하는 내국법인에 대한 채무보증은 특수관계인에 대한 채무보증을 포함함)

나. 지급이자 손금불산입 대상이 되는 특수관계자에게 해당 법인의 업무와 관련 없이 지급한 가지급금. 이 경우 특수관계인에 대한 판단은 대여시점을 기준으로 함(법법 19조의 2 2항 2호).

③ 설정대상채권의 장부가액

법인세법상 대손충당금의 손금산입 한도액은 대손충당금 설정대상채권의 장부가액에 대손충당금 설정률을 곱하여 계산한다. 여기서 설정대상채권의 장부가액은 회계상 장부가액이 아니라 세무상 장부가액을 의미하며, 세무조정으로 익금에 가산하거나 손금에 가산된 매출채권 등은 회계상의 대손충당금 설정대상채권에서 가감하여야 한다. 이를 주요 사례별로 살펴보면 다음과 같다.

- 신고조정시 손금산입한 소멸시효완성채권 : 법적으로 존재하지 아니하는 채권에 해당될 뿐만 아니라 세법상으로도 자산으로 볼 수 없으므로 대손충당금 한도액 계산시 채권 잔액에서 제외된다.
- 신고조정시 익금산입한 기장누락 외상매출금 : 기장누락한 외상매출금이라 하더라도 법적으로는 당해 법인에 귀속되는 채권에 해당되므로 대손충당금 한도액 계산시 채권에 포함된다.
- 대손 부인된 매출채권 : 세법상의 대손사유를 충족하지 아니하여 대손처리를 부인하고 채권을 다시 부활시킨 것이므로 세무상으로는 채권으로 존재하기 때문에 대손충당금 한도액 계산시 채권에 포함된다.

2) 대손충당금 설정률

한국채택국제회계기준에서는 최초 인식 후 기대신용손실 모형에 따라 손상을 측정하여 재무제표에 반영하도록 하는 반면, 세무회계상으로는 조세수입확보를 위하여 아래와 같이 설정률을 일률적으로 정하고 있다.

즉, 대손충당금 설정대상채권의 장부가액 합계액의 1%에 상당하는 금액과 채권잔액에 대손실적률을 곱하여 계산한 금액 중 큰 금액을 한도로 하여 대손충당금을 손금에 산입할 수 있다.

다만, 법인세법 시행령 제61조 제2항 제1호부터 제4호까지, 제6호부터 제17호까지, 제17호의 2 및 제24호의 금융회사 등의 경우에는 금융위원회(제24호의 경우에는 행정안전부를 말함)가 기획재정부장관과 협의하여 정하는 대손충당금적립기준(자산건전성 분류기준 : Forword Looking Creferia)에 따라 적립하여야 하는 금액, 채권잔액의 1%에 상당하는 금액 또는 채권잔액에 대손실적률을 곱하여 계산한 금액 중 큰 금액을 대손충당금으로 손금에 산입할 수 있다(법령 61조 2항).

3) 대손금의 범위

세법상 손금으로 인정되는 대손금은 법인세법 시행령 제19조의 2에 상당히 엄격하게 열거되어 있으며, 이 요건에 해당하지 않으면 세법상 대손금으로 인정되지 않는다. 즉 세법상 대손으로 인정되지 않는 경우 회사가 대손처리한 금액은 세무상 손금불산입·유보처분한다.

법인세법 시행령 제19조의 2 【대손금의 손금불산입】 ① 법 제19조의 2 제1항에서 "채무자의 파산 등 대통령령으로 정하는 사유로 회수할 수 없는 채권"이란 다음 각 호의 어느 하나에 해당하는 것을 말한다. (2020. 2. 11. 개정)

1. 「상법」에 따른 소멸시효가 완성된 외상매출금 및 미수금 (2009. 2. 4. 신설)

2. 「어음법」에 따른 소멸시효가 완성된 어음 (2009. 2. 4. 신설)

3. 「수표법」에 따른 소멸시효가 완성된 수표 (2009. 2. 4. 신설)

4. 「민법」에 따른 소멸시효가 완성된 대여금 및 선급금 (2009. 2. 4. 신설)

5. 「채무자 회생 및 파산에 관한 법률」에 따른 회생계획인가의 결정 또는 법원의 면책결정에 따라 회수불능으로 확정된 채권 (2009. 2. 4. 신설)

5의 2. 「서민의 금융생활 지원에 관한 법률」에 따른 채무조정을 받아 같은 법 제75조의 신용회복지원협약에 따라 면책으로 확정된 채권 (2019. 7. 1. 신설)

6. 「민사집행법」 제102조에 따라 채무자의 재산에 대한 경매가 취소된 압류채권 (2009. 2. 4. 신설)

7. 물품의 수출 또는 외국에서의 용역제공으로 발생한 채권으로서 기획재정부령으로 정하는 사유에 해당하여 무역에 관한 법령에 따라 「무역보험법」 제37조에 따른 한국무역보험공사로부터 회수불능으로 확인된 채권 (2021. 2. 17. 신설)

8. 채무자의 파산, 강제집행, 형의 집행, 사업의 폐지, 사망, 실종 또는 행방불명으로 회수할 수 없는 채권 (2009. 2. 4. 신설)

9. 부도발생일부터 6개월 이상 지난 수표 또는 어음상의 채권 및 외상매출금[중소기업의 외상매출금으로서 부도발생일 이전의 것에 한정한다]. 다만, 해당 법인이 채무자의 재산에 대하여 저당권을 설정하고 있는 경우는 제외한다. (2020. 2. 11. 개정)

9의 2. 중소기업의 외상매출금 및 미수금(이하 이 호에서 "외상매출금등"이라 한다)으로서 회수기일이 2년 이상 지난 외상매출금등. 다만, 특수관계인과의 거래로 인하여 발생한 외상매출금등은 제외한다. (2020. 2. 11. 신설)

10. 재판상 화해 등 확정판결과 같은 효력을 가지는 것으로서 기획재정부령으로 정하는 것에 따라 회수불능으로 확정된 채권 (2019. 2. 12. 신설)

11. 회수기일이 6개월 이상 지난 채권 중 채권가액이 30만원 이하(채무자별 채권가액의 합계액을 기준으로 한다)인 채권 (2020. 2. 11. 개정)

12. 제61조 제2항 각 호 외의 부분 단서에 따른 금융회사 등의 채권(같은 항 제13호에 따른 여신전문금융회사인 신기술사업금융업자의 경우에는 신기술사업자에 대한 것에

한정한다) 중 다음 각 목의 채권 (2010. 2. 18. 개정)

　가. 금융감독원장이 기획재정부장관과 협의하여 정한 대손처리기준에 따라 금융회사 등이 금융감독원장으로부터 대손금으로 승인받은 것 (2010. 2. 18. 개정)

　나. 금융감독원장이 가목의 기준에 해당한다고 인정하여 대손처리를 요구한 채권으로 금융회사 등이 대손금으로 계상한 것 (2010. 2. 18. 개정)

13. 「벤처투자 촉진에 관한 법률」 제2조 제10호에 따른 중소기업창업투자회사의 창업자에 대한 채권으로서 중소벤처기업부장관이 기획재정부장관과 협의하여 정한 기준에 해당한다고 인정한 것 (2020. 8. 11. 개정 ; 벤처투자 촉진에 관한 법률 시행령 부칙)

법인세법 시행규칙 제10조의 4【회수불능 사유 및 회수불능 확정채권의 범위】 ① 영 제19조의 2 제1항 제7호에서 "기획재정부령으로 정하는 사유"란 다음 각 호의 어느 하나에 해당하는 경우를 말한다. (2021. 3. 16. 신설)

1. 채무자의 파산·행방불명 또는 이에 준하는 불가항력으로 채권회수가 불가능함을 현지의 거래은행·상공회의소 또는 공공기관이 확인하는 경우 (2021. 3. 16. 신설)

2. 거래당사자 간에 분쟁이 발생하여 중재기관·법원 또는 보험기관 등이 채권금액을 감면하기로 결정하거나 채권금액을 그 소요경비로 하기로 확정한 경우(채권금액의 일부를 감액하거나 일부를 소요경비로 하는 경우에는 그 감액되거나 소요경비로 하는 부분으로 한정한다) (2021. 3. 16. 신설)

3. 채무자의 인수거절·지급거절에 따라 채권금액의 회수가 불가능하거나 불가피하게 거래당사자 간의 합의에 따라 채권금액을 감면하기로 한 경우로서 이를 현지의 거래은행·검사기관·공증기관 또는 공공기관이 확인하는 경우(채권금액의 일부를 감액한 경우에는 그 감액된 부분으로 한정한다) (2021. 3. 16. 신설)

② 영 제19조의 2 제1항 제10호에서 "기획재정부령으로 정하는 것에 따라 회수불능으로 확정된 채권"이란 다음 각 호의 어느 하나에 해당하는 것에 따라 회수불능으로 확정된 채권을 말한다. (2021. 3. 16. 조번개정)

1. 「민사소송법」에 따른 화해 (2019. 3. 20. 신설)

2. 「민사소송법」에 따른 화해권고결정 (2019. 3. 20. 신설)

3. 「민사조정법」 제30조에 따른 결정 (2019. 3. 20. 신설)

4. 「민사조정법」에 따른 조정 (2020. 3. 13. 신설)

또한 대손충당금 설정에서 제외되는 채권인 채무보증으로 인한 구상채권과 업무무관 가지급금에 대해서는 대손금으로도 처리할 수 없다(법법 19조의 2 2항).

5) 대손금의 손금귀속시기

대손금의 손금귀속시기는 다음에 해당하는 경우에는 해당 사유가 발생한 날이고 다음에 해당하지 아니하는 기타의 대손금의 경우에는 해당 사유가 발생하여 손비로 계상한 날이 된다. 다만, 법인이 다른 법인과 합병하거나 분할하는 경우로서 기타의 대손금을 합병등기일 또는 분할등기일이 속하는 사업연도까지 손비로 계상하지 아니한 경우 그 대손금은 해당 법인의 합병등기일 또는 분할등기일이 속하는 사업연도의 손비로 한다. 한편, 다음에 해당하는 경우에는 해당 사유가 발생한 날을 손금귀속시기로 하고 있기 때문에 결산상 대손처리하지 않은 때에는 신고조정에 의하여 손금산입하여야 한다 (법령 19조의 2 1항, 3항, 4항).

- 상법에 따른 소멸시효가 완성된 외상매출금 및 미수금
- 어음법에 따른 소멸시효가 완성된 어음
- 수표법에 따른 소멸시효가 완성된 수표
- 민법에 따른 소멸시효가 완성된 대여금 및 선급금
- 채무자 회생 및 파산에 관한 법률에 따른 회생계획인가의 결정 또는 법원의 면책결 정에 따라 회수불능으로 확정된 채권
- 서민의 금융생활 지원에 관한 법률에 따른 채무조정을 받아 신용회복지원협약에 따라 면책으로 확정된 채권
- 민사집행법 제102조에 따라 채무자의 재산에 대한 경매가 취소된 압류채권

한편 부도발생일부터 6개월 이상 지난 수표 또는 어음상의 채권 및 외상매출금(중소기업의 외상매출금으로서 부도발생일 이전의 것에 한정함)은 부도발생일로부터 6개월 이상 지난 날부터 소멸시효가 완성되는 날까지 손금산입이 가능하다. 여기에서 부도어음은 은행에서 예금의 부족과 위조 또는 변조 등의 사유에 의하여 지급을 거절당한 어음을 말하므로 문방구에서 판매하는 어음용지를 이용하여 발행한 어음을 받아 만기일에 발행자에게 제시하였으나 대금회수를 하지 못한 어음은 본 규정에 의하여 대손처리되는 어음상의 채권으로 볼 수 없다(법인 46012-2887, 1996. 10. 18.).

6) 대손금액

대손요건을 충족한 경우 대손처리할 수 있는 금액은 다음과 같다.

① 부도발생일로부터 6개월 이상 지난 수표 또는 어음상의 채권 및 외상매출금(중소기업의 외상매출금으로서 부도발생일 이전의 것에 한정함)

1,000원을 차감한 금액을 대손금으로 한다. 1,000원은 차후 대손요건을 충족하는 사업연도에 손금에 산입한다(법령 19조의 2 2항).

② 기타 대손채권

대손요건을 충족한 대상채권 전액을 대손금으로 한다.

③ 대손세액공제받은 금액

부가가치세법에 의하여 대손세액공제를 받은 부가가치세 매출세액미수금은 부가가치

세예수금과 상계하여야 하므로 동 금액은 대손요건을 충족하더라도 대손금으로 손금산입할 수 없다.

7. 기타수취채권

기타수취채권은 종류별 금액이나 성격이 중요한 경우에는 재무상태표에 별도 항목으로 구분하여 표시하지만, 중요하지 아니한 경우에는 '금융자산'으로 통합하여 표시하고 그 세부내역을 주석으로 기재할 수 있다.

(1) 개념 및 범위

1) 예금 및 적금

유동자산에 속하는 기타수취채권에는 일반적으로 기업이 여유자금의 활용 목적으로 보유하는 정기예금·정기적금 등의 단기예금과 기타 정형화된 상품 등으로서 단기적 자금운용 목적으로 소유하거나 기한이 1년 내에 도래하는 채무상품이 포함된다. 한편, 담보로 제공된 예금 또는 법적으로 사용이 제한된 예금 등 사용이 제한되어 있는 예금으로서 1년 이내에 해당 제한 사유를 해제하여 예금을 현금화할 수 있다면 유동성 기타채권으로 분류하고 그 제한사유를 주석으로 기재하여야 한다.

2) 미수금

미수금이란 일반적 상거래 이외의 거래에서 발생한 미수채권을 말한다. 따라서, 미수금은 일반적인 상거래 이외에서 발생된 것이라는 점에서 외상매출금·받을어음과 같은 매출채권과 구분된다.

① 매출채권과의 차이점

여기에서 일반적 상거래란 해당 회사의 사업목적을 위한 주된 영업활동에서 발생하는 거래를 말한다. 그러므로 모든 기업에 대하여 특정한 영업행위가 일반적 상거래로 정해지는 것이 아니며 기업이 어떤 형태의 영업행위를 하는가에 따라서 일반적 상거래의 내용이 정해진다고 할 수 있다.

예를 들어 동일한 자동차를 외상으로 판매하는 행위라 할지라도 자동차회사에서 판매하는 경우와 식품업체에서 판매하는 경우는 그 성질이 다르다. 자동차회사는 자동차의 판매 및 수리를 주된 영업활동으로 영위하지만 식품회사는 식품의 제조 및 판매에서 나타나는 부수적인 활동의 결과로 자동차의 판매거래가 발생한 것으로 볼 수 있다. 이처럼 동일한 물건(자동차)을 외상으로 판매했지만 판매회사의 영업성격이 어떠한가에 따라서 자동차회사에서는 매출채권이라는 수취채권계정의 차변에, 식품회사에서는 미수금이라는 수취채권계정의 차변에 미래에 받게 될 현금액을 기록하게 된다.

② 미수수익과의 차이점

미수금은 이미 재화나 용역을 상대방에게 공급하고, 또한 그 금액도 합리적인 추정이 가능하거나 확정된 상태에서 계상하는 것이므로 확정적인 채권이라고 할 수 있다.

이에 반해 미수수익은 상대방에게 이행해야 할 의무(용역의 공급)가 완료되지는 않았으나 기간이 경과함에 따라 이미 제공된 용역의 대가를 계상한 것으로 확정적인 채권이라고 보기 어렵다.

그러나 지급기간이 경과한 미수수익은 이미 의무의 이행이 완료되어 그 금액의 추정이 가능하므로 확정채권인 미수금으로 계정대체를 해야 한다.

또한 미수수익은 주로 용역의 제공에 의해 발생한 반면 미수금은 자산의 처분 또는 양도에 의해 발생하며, 미수수익은 상대계정 모두가 이익으로 계상되는 반면 미수금은 상대계정의 전부 또는 일부가 이익에 계상되지 않는다는 점에서 차이가 있다.

3) 미수수익

미수수익은 당기에 속하는 수익 중 미수액을 말한다.

미수수익이라는 계정은 기본적으로 모든 수익과 비용을 그것이 발생한 기간에 정당하게 배분되도록 처리하는 입장을 취하기 때문에 사용되는 계정이다. 일반적으로 수익은 그것이 실현된 시기를 기준으로 계상하고 미실현수익은 당기의 손익계산에 산입하지 않는 것을 원칙으로 하고 있다.

그런데 특정한 용역에 있어서는 수익의 창출이 정확히 기간의 경과에 비례하여 발생하는 것들이 있다. 예를 들면 이자수익, 임대료 등이 그러한 것이다. 이러한 수익들은 통상적으로 일정 기간이 완료된 시점에서 현금으로 회수되므로 그 일정 기간이 회계연도 중에 있다면 회계처리상 별 문제는 없다.

그러나 그러한 용역의 제공기간이 결산시점에 걸쳐 있다면 기경과된 부분에 대한 용역은 이미 제공되었고 그 대가도 계산할 수 있으므로(전기간에 대한 용역대가×경과기간÷전체기간) 회계상으로는 수익을 계상하는 동시에 이에 대한 자산계정을 설정해야 한다. 이 때에 사용되는 자산계정이 미수수익이다.

① 미수금과의 차이점

상기 미수금계정을 참고하도록 한다.

② 매출채권과의 차이점

기본적으로 매출채권은 일반적 상거래에서 발생한 채권이다. 따라서 기간의 경과에 따라 수익으로 계상한 것이라 할지라도 그 수익이 본래의 사업목적인 영업에서 발생한 것이라면 미수수익이 아니라 매출채권으로 계상해야 한다. 예를 들어 부동산임대업을 영위하는 법인의 미수임대료는 개념상으로 미수수익이 아닌 매출채권계정에 계상되어야 한다.

(2) 기업회계상 회계처리

1) 정기예금

정기예금이란 예금주가 일정한 기간을 정하여 일정 금액을 예치하고 만기가 도래하기 전에는 원칙적으로 현금의 환급을 요구할 수 없는 기한부 예금이다.

정기예금은 은행측에서 볼 때 약정된 예치기간 동안 지급청구에 응해야 할 부담 없이 자금을 자유로이 운용할 수 있다는 점에서 다른 예금보다 안전성이 보장되는 한편, 예금주측에서는 약정기간이 길수록 높은 이율이 보장되므로 비교적 유리한 재산증식 수단이 되는 예금이다. 만기가 1년 이상이면 장기금융상품으로 분류하여야 하며, 차입금에 대한 담보로 제공되어 있는 등의 사용이 제한되어 있는 경우에는 주석으로 공시하여야 한다.

국·공채 및 은행예금에 대한 이자는 만기일(또는 지급기일) 이전이라도 경과된 기간에 해당되는 미수이자를 자산계정에 미수수익으로 계상하고 이를 당기수익으로 반영해야 한다.

미수이자를 계상할 때의 분개는 다음과 같다.

(차) 미 수 수 익　　　　×××　　(대) 이 자 수 익　　　　×××

유효이자율법에 따른 상각후원가에는 해당 미수수익 금액도 포함되므로 기준서는 미수수익과 원본 계정을 구분하지 않는다. 그러나, 실무상 현금수취되는 액면이자에 대해서는 미수수익 계정을 많이 사용하고 있다.

2) 정기적금

정기적금은 일정 기간을 정하여 일정 금액을 납부할 것을 약정하고 매월 일정일에 일정 금액을 예입하는 예금이다.

동 정기적금의 계약기간은 1년 이상 3년 이내에서 월단위로 자유로이 정할 수 있는 것이 일반적이다.

① 이자계산방법

정기적금은 적금의 불입시기가 다양하므로 미수이자를 계산하기가 복잡한데 다음의 양식을 이용하면 계산이 편리하다.

회계단위	은행점명	구좌번호	계약금액	월불입액	계약기간 및 총불입횟수	기불입횟수	불입금액	1년 이내 만기도래분		1년 이후 만기도래분		총인식할 이자수익	계산적수	미수이자
								사용제한무	담보제공등	사용제한무	담보제공등			
(1)	(2)	A	B	C	D	E=B×D =F+G+H+I	F	G	H	I	J=A− (B×C)	K	L=J×K

작성요령 : (1)−은행점포별 회계단위별 소계를 각각 기재함.

　　　　　　(2)−계약조건(C)이 동일할 경우 통합가능함.

K=해당 불입적수/총불입적수={D(D+1)÷2}/{C(C+1)÷2}

② 이자수익의 회계처리방법

• 정기적금의 미수이자가 일정 기간별로 원금에 가산되는 경우에는 원금에 가산하는 회계처리를 하면 될 것이다.

사례　정기적금에 대한 미수이자가 ₩100,000이 발생하여 원본에 가산되었음을 통보받다.

　(차) 유 동 성 기 타 채 권　　100,000　　(대) 이　자　수　익　　100,000

• 기업회계상 발생주의에 따라 유효이자율법에 의한 이자수익을 인식하며 이자를 만기에 원금과 함께 또는 기간별로 지급받는 경우에는 실무에서 일반적으로 이를 미수이자로 계상하였다가 나중에 제거처리한다.

1. 당기에 정기적금에 대하여 당기분 미수이자 ₩50,000을 인식하다.

　(차) 미　수　이　자　　50,000　　(대) 이　자　수　익　　50,000

2. 다음연도에 전기에 계상하였던 미수이자를 포함하여 ₩100,000의 이자를 현금으로 지급받다.

　(차) 현금 및 현금성자산　　100,000　　(대) 미　수　이　자　　50,000
　　　　　　　　　　　　　　　　　　　　　　　　　이　자　수　익　　50,000

3) 기타 채무상품

기타의 채무상품은 대부분 취득시 계약에 따른 확정금리를 보장받으므로 결산시 예금과 동일하게 유효이자율법에 따른 이자수익의 인식에 대한 회계처리를 해야 한다.

> **사례** (주)삼일은 20×7년 12월 16일에 액면금액이 ₩1,000,000이고, 만기일이 20×8년 1월 15일인 표지어음을 은행으로부터 ₩960,000에 매입하였다. 은행은 할인매출된 표지어음에 대하여 20×7년 12월 16일자로 원천징수영수증을 교부하였다. 취득시점, 결산기말 그리고 만기시점의 분개를 하시오(원천징수세율은 15%로 가정).
>
> ① 20×7. 12. 16.
>
> | (차) 유동성 기타채권 | 960,000 | (대) 현금및현금성자산 | 966,000 |
> |---|---|---|---|
> | 선 급 법 인 세 | 6,000* | | |
>
> * (1,000,000 − 960,000)×0.15 = 6,000
>
> ② 20×7. 12. 31.
>
> | (차) 유동성 기타채권 | 20,000 | (대) 이 자 수 익 | 20,000* |
> |---|---|---|---|
>
> * (1,000,000 − 960,000)×15/30 = 20,000
>
> ③ 20×8. 1. 15.
>
> | (차) 현금 및 현금성자산 | 1,000,000 | (대) 유동성 기타채권 | 980,000 |
> |---|---|---|---|
> | | | 이 자 수 익 | 20,000 |

4) 미수금

미수금계정은 그 성격과 범위에서 설명하였듯이 주된 영업활동을 위한 재고자산 이외의 자산을 매각한 경우에 이에 대한 미수액을 처리하는 계정이며 발생시점에서 수익인식의 조건이 충족되므로 상대계정과목의 거래에 따르는 손익이 인식된다.

재무상태표상 표시에 있어 미수금이 보고기간종료일로부터 1년 이내에 실현되는 경우에는 유동자산 중 당좌자산으로, 1년 후에 실현되는 경우에는 장기미수금으로서 비유동자산 중 기타비유동자산으로 분류한다. 이 때 장기미수금 중 1년 이내에 실현되는 부분은 유동자산으로 분류한다.

한편, 미수금과 관련된 거래유형을 살펴보면 다음과 같다.

① 미수금의 발생

> **사례 1** (주)삼일은 보유하고 있던 기타포괄손익 − 공정가치 측정 채무상품(취득가액 ₩150,000)을 ₩160,000에 매각하고 대금은 1개월 후 회수하기로 하였다.

(차) 미　　수　　금	160,000	(대) 기타포괄손익 – 공정 가치 측정 금융자산	150,000
		기타포괄손익 – 공정가치 측정 금융자산처분이익	10,000

사례 2 (주)삼일은 보유하고 있던 차량을 ₩5,000,000에 외상으로 처분하였다. 처분차량의 취득가액은 ₩9,500,000, 처분일 현재의 감가상각누계액은 ₩6,000,000이었다.

(차) 미　　수　　금	5,000,000	(대) 차　량　운　반　구	9,500,000
감 가 상 각 누 계 액	6,000,000	유 형 자 산 처 분 이 익	1,500,000

② 미수금의 제거

사례 1 (주)삼일은 을회사에 대한 미수금 ₩500,000을 현금으로 회수하였다.

(차) 현금 및 현금성자산	500,000	(대) 미　　수　　금	500,000

사례 2 (주)삼일은 을회사에 대한 미수금 ₩1,000,000에 대해서 을회사에 대한 매입채무와 상계처리하기로 하였다.

(차) 매　입　채　무	1,000,000	(대) 미　　수　　금	1,000,000

사례 3 (주)삼일은 을회사로부터 미수금 ₩3,000,000에 대한 대금조로 약속어음을 수령하였다.

(차) 미　　수　　금 （어 음 상 의 채 권）	3,000,000*	(대) 미　　수　　금	3,000,000

* 미수금을 약속어음으로 대체하여 받는 경우 금융자산의 제거 요건을 충족하는지를 검토한다. 제거 요건을 충족하지 않는 경우 제거와 관련된 손익은 인식되지 않는다.

5) 미수수익

　미수수익이란 앞에서도 설명하였듯이 계속적인 용역제공의 사실이 존재하고, 보고기간종료일 현재 그 용역의 제공이 계속 중인 것을 말하는 바, 이에 대하여 기간손익을 계산해 주기 위한 적절한 회계처리를 필요로 하게 된다. 따라서 미수수익에 대한 회계처리는 기말 결산에 관련하여 발생하는 내용이 대부분을 차지한다.

　미수수익에 대한 결산 회계처리는 차년도 초에 재수정분개를 통하여 상쇄하게 되는데 이는 결산시 발생주의에 의해서 계산되는 계정금액을 연초에 다시 현금주의로 전환하는 회계처리라고 생각하면 된다.

이를 거래 유형별로 살펴보면 다음과 같다.

① 결산시에 이자수익의 미수액 계상

(차) 미　수　수　익　　　×××　　　(대) 이　자　수　익　　　×××

• 차년도 초에 반대분개를 실시(기초 재수정분개)

(차) 이　자　수　익　　　×××　　　(대) 미　수　수　익　　　×××

• 기간 경과분에 대한 이자를 수령한 때

(차) 현금 및 현금성자산　　　×××　　　(대) 이　자　수　익　　×××

기초시점에 재수정분개를 하지 않는 경우에는 차년도에 용역제공에 대한 현금액이 들어올 때 미수수익을 현금으로 대체하면서 기초시점부터 현금수수 시점까지의 기간에 대한 금액은 당기수익으로 계상한다.

(차) 현금 및 현금성자산　　　×××　　　(대) 미　수　수　익　　　×××
　　　　　　　　　　　　　　　　　　　　　　이　자　수　익　　　×××

② 결산시에 임차료의 미수액 계상

(주)삼일의 다음 거래에 대한 필요한 분개를 하라.
① 20×7년 12월 31일의 결산에 임차료 2개월분에 대한 미수분을 계상하다. 임차료는 매월 ₩300,000이다.
② 20×8년 1월 1일에 기초 재수정분개를 하다.
③ 20×8년 1월 31일에 3개월치 임차료를 수령하다.

• 20×7. 12. 31. 분개

(차) 미　수　수　익　　600,000　　　(대) 임　　대　　료　　600,000

• 20×8. 1. 1. 분개

(차) 임　　대　　료　　600,000　　　(대) 미　수　수　익　　600,000

• 20×8. 1. 31. 분개

(차) 현금 및 현금성자산　　900,000　　　(대) 임　　대　　료　　900,000

위에서 20×8. 1. 1.의 기초 재수정분개를 하지 않는 경우 20×8. 1. 31.의 분개는 다음과 같은데 결과는 동일하다.

(차) 현금 및 현금성자산　　900,000　　　(대) 미　수　수　익　　600,000
　　　　　　　　　　　　　　　　　　　　　　임　　대　　료　　300,000

③ 부실채권에 대한 기간경과이자

한국채택국제회계기준에 따르면 신용이 손상된 금융자산의 경우에도 손실충당금 차감 후 순장부금액인 상각후원가에 유효이자율을 적용하여 이자수익을 인식한다(기준서 제1109 호 문단 5.4.1).

(3) 세무회계상 유의할 사항

1) 미수이자

① 금융업의 경우

세법에서는 권리·의무확정주의에 의하여 손익을 계산하지만, 금융업 등의 손익에 대하여는 예외로 하고 있다.

즉, 한국표준산업분류상 금융보험업을 영위하는 법인의 경우 수입하는 이자 및 할인액·보험료·부금·보증료 또는 수수료(이하 "보험료 등"이라 함)의 귀속사업연도는 그 이자 및 할인액·보험료 등이 실제로 수입된 사업연도로 하되, 선수입이자 및 할인액·선수입보험료 등을 제외한다. 다만, 결산을 확정할 때 이미 경과한 기간에 대응하는 이자 등(법인세법 제73조 및 제73조의 2에 따라 원천징수되는 이자 및 할인액은 제외)을 해당 사업연도의 수익으로 계상한 경우에는 그 계상한 사업연도의 익금으로 한다(법령 70조 1항 1호 및 3항).

그러므로 현행 세법상 금융·보험업자의 수입금액 중 이자 및 할인액·보험료 등에 대하여는 현금회수기준에 의하여 손익을 확정하는 것이 원칙이나, 비록 현금으로 회수가 되지 않았다 할지라도 권리·의무확정주의에 의하여 수입할 권리가 확정된 이자 등에 대해서는 미수이자 상태에서 익금계상을 허용하고 있다. 다만, 원천징수대상이 되는 채권·증권의 이자, 할인액 및 투자신탁의 이익에 대한 기간경과분 미수수익은 익금불산입 처리하여야 한다.

② 금융업 이외의 경우

한국채택국제회계기준상 이자에 대한 수익계상시기는 발생주의에 의하여 계상하게 된다. 그러나 세법에서는 금융업 이외의 법인일 경우 법인이 수입하는 이자 및 할인액은 소득세법 시행령 제45조에 따른 수입시기에 해당하는 날을 손익의 귀속시기로 하되, 결산을 확정함에 있어서 이미 경과한 기간에 대응하는 이자 및 할인액(법인세법 제73조 및 제73조의 2에 따라 원천징수되는 이자 및 할인액은 제외)을 해당 사업연도의 수익으로 계상한 경우에는 그 계상한 사업연도의 익금으로 하도록 규정하고 있다(법령 70조 1항 1호).

소득세법 시행령 제45조에서 규정하고 있는 이자소득의 수입시기는 다음과 같다.

가. 소득세법 제16조 제1항 제12호 및 제13호에 따른 이자와 할인액

약정에 따른 상환일. 다만, 기일 전에 상환하는 때에는 그 상환일

나. 무기명채권 등의 이자와 할인액

그 지급을 받은 날

다. 기명채권 등의 이자와 할인액

약정에 의한 지급일

라. 파생결합사채로부터의 이익(2023. 1. 1. 이후)

그 이익을 지급받은 날. 다만, 원본에 전입하는 뜻의 특약이 있는 분배금은 그 특약에 따라 원본에 전입되는 날로 한다.

마. 보통예금·정기예금·적금 또는 부금의 이자

(가) 실제로 이자를 지급받는 날
(나) 원본에 전입하는 뜻의 특약이 있는 이자는 그 특약에 의하여 원본에 전입된 날
(다) 해약으로 인하여 지급되는 이자는 그 해약일
(라) 계약기간을 연장하는 경우에는 그 연장하는 날
(마) 정기예금연결정기적금의 경우 정기예금의 이자는 정기예금 또는 정기적금이 해약되거나 정기적금의 저축기간이 만료되는 날

바. 통지예금의 이자

인출일

사. 채권 또는 증권의 환매조건부 매매차익

약정에 의한 당해 채권 또는 증권의 환매수일 또는 환매도일. 다만, 기일 전에 환매수 또는 환매도하는 경우에는 그 환매수일 또는 환매도일로 한다.

아. 저축성보험의 보험차익

보험금 또는 환급금의 지급일. 다만, 기일 전에 해지하는 경우에는 그 해지일로 한다.

자. 직장공제회 초과반환금

약정에 따른 납입금 초과이익 및 반환금 추가이익의 지급일. 다만, 반환금을 분할하여 지급하는 경우 원본에 전입하는 뜻의 특약이 있는 납입금 초과이익은 특약에 따라 원본에 전입된 날로 한다.

차. 비영업대금의 이익

약정에 의한 이자지급일. 다만, 이자지급일의 약정이 없거나 약정에 의한 이자지급일 전에 이자를 지급받는 경우 또는 채무자의 파산 등으로 총수입금액에서 제외하였던 이자를 지급받는 경우에는 그 이자지급일로 한다.

카. 채권 등의 보유기간이자상당액

해당 채권 등의 매도일 또는 이자 등의 지급일

타. 상기의 이자소득이 발생하는 재산이 상속되거나 증여되는 경우

상속개시일 또는 증여일

즉, 세법에서는 이자수익의 손익귀속시기에 대해서 한국채택국제회계기준의 적용을 배제하고 있기 때문에 금융업 이외의 법인인 경우에도 원천징수대상인 이자소득에 대해서는 위에서 언급한 세법상 귀속사업연도 규정을 적용하여야 하므로 수익인식 시점의 차이로 인한 세무조정은 불가피하다 하겠다.

이와 같이 세법에서 원천징수대상이 되는 이자와 할인액에 대한 기간경과분의 이자를 각 사업연도의 익금으로 인정하지 않는 기본취지는 이자와 할인액을 지급할 때 원천징수를 함에 있어 혼란을 방지하고 원천징수업무를 원활히 운영하기 위한 것이다.

법인이 원천징수대상이 되는 이자와 할인액의 기간경과분을 수익으로 계상하는 경우 이를 세법상 익금으로 인정하게 되면 그 후 동 채권 또는 증권의 이자를 지급받을 때에는 동 익금(이미 산입된 기간경과분의 이자와 할인액 상당액)은 법인세법 시행령 제111조 제2항 제3호에서 규정한 「신고한 과세표준금액에 이미 산입된 미지급소득」에 해당되기 때문에 원천징수대상소득에서 제외되며, 이에 따라 채권 또는 증권 등을 발행한 법인이 이에 상당하는 금액을 지급할 때에는 동 금액에 대하여 원천징수를 할 수 없게 되기 때문에 원천징수업무상 혼란을 가져오게 된다. 따라서 세법상으로는 이자와 할인액을 지급할 때 지급하는 이자와 할인액 전액에 대하여 원천징수를 할 수 있도록 하기 위하여 원천징수대상이 되는 이자와 할인액의 기간경과분을 수익으로 계상한 경우에도 이를 세법상 인정하지 않고 있다.

2) 미수임대료

법인세법상 자산의 임대소득에 대한 손익귀속시기는 다음에서 규정하는 바와 같다.

> 법인세법 시행령 제71조【임대료 등 기타 손익의 귀속사업연도】① 법 제40조 제1항 및 제2항의 규정을 적용함에 있어서 자산의 임대로 인한 익금과 손금의 귀속사업연도는 다

음 각호의 날이 속하는 사업연도로 한다. 다만 결산을 확정함에 있어서 이미 경과한 기간
에 대응하는 임대료 상당액과 이에 대응하는 비용을 해당 사업연도의 수익과 손비로 계
상한 경우 및 임대료 지급기간이 1년을 초과하는 경우 이미 경과한 기간에 대응하는 임
대료 상당액과 비용은 이를 각각 해당 사업연도의 익금과 손금으로 한다.
1. 계약 등에 의하여 임대료의 지급일이 정하여진 경우에는 그 지급일
2. 계약 등에 의하여 임대료의 지급일이 정하여지지 아니한 경우에는 그 지급을 받은 날

상기 규정의 의미는 계약상의 지급조건에 따라 임대료를 받기로 한 날 또는 계약상
지급일이 정해지지 않은 경우에는 실제 지급을 받은 날이 속하는 사업연도의 손익으로
인식하되, 기간경과분을 결산에 반영한 경우 및 임대기간이 1년 이상인 경우에는 계약
기간 동안 안분하여 손익을 인식하여야 한다는 것이다. 결국 이와 같은 처리는 한국채
택국제회계기준상의 발생주의를 인정하는 것이므로 한국채택국제회계기준에 의한 회계
처리를 했다면 세무조정사항은 없다.

3) 부실채권에 대한 이자

한국채택국제회계기준에 따르면 신용이 손상된 금융자산의 경우에도 손실충당금 차
감 후 순장부금액인 상각후원가에 유효이자율을 적용하여 이자수익을 인식하도록 규정
하고 있다(기준서 제1109호 문단 5.4.1). 한편, 부실채권에 대한 이자를 익금으로 산입하여야
하는지에 대하여 국세청의 유권해석을 통해 살펴보면, 거래처의 부도 등으로 인하여 발
생한 부실채권으로서 채무자의 재산이 없거나 당해 채권을 변제받을 수 없음이 객관적
으로 인정되는 경우에는 당해 채권에 대한 미수이자를 수입이자로 계상할 수 없다고 해
석하고 있다(법인 46012-118, 1996. 1. 15.).

제2절 **기타유동자산**

1. 선급비용

(1) 개념 및 범위

선급비용(유동)은 통상 선급한 비용 중 1년 내에 비용으로 인식되는 지출금을 의미한다. 예를 들면 선급된 보험료, 임차료, 지급이자, 수선비 등이 있다.

이와 같은 선급비용은 일정한 계약에 따라 계속적으로 용역의 제공을 받는 경우, 아직 제공되지 않은 용역에 대하여 지급된 대가를 말하며, 이러한 용역에 대한 대가는 시간의 경과와 더불어 차기 이후의 비용이 되므로 손익계산서상 비용이 계상되기 전 재무상태표상 자산으로 계상하는 것이다.

선급비용은 결산시점으로부터 1년 내에 비용화되는 것이 일반적이지만 선급된 비용중 1년 이후에 비용화될 부분은 기타비유동자산에 속하는 장기선급비용으로 분류해야한다.

또한 선급비용은 각종 선급된 비용을 총괄하는 계정이지만 각 개별 비용의 금액이나성격으로 보아 중요성이 있는 경우에는 이를 선급비용계정과 구분하여 별도의 항목으로 표시할 수도 있다.

선급비용은 차기의 비용을 선지급한 것으로 지출에 대한 반대급부로서의 용역을 결산일 현재 제공받지 않았기 때문에 당기에 비용으로 인식하지 않고 자산으로 이연된 것이다. 반면에 선급금은 상품 등의 매입을 위하여 선지급한 것으로 후에 재고자산 등으로 대체되어 그 상품이 판매되지 않고 기말 현재 존재한다면 재고자산 등을 증가시키게되므로 선급비용과는 그 성격을 달리한다.

(2) 기업회계상 회계처리

1) 회계처리방법

- 지출시에 선급비용을 계상하고 매월 해당 비용계정으로 대체하는 방법
- 지출시에는 비용으로 계상하고 결산시에 미경과분을 선급비용으로 계상하는 방법
- 일반적으로 실무에서는 후자의 방법을 선호하고 있는데, 후자의 방법을 사용할 경우 차기에 기초 재수정분개를 하는 방법과 용역제공기간 만료시에 비용으로 대체하는 방법이 있다.

2) 사례

(주)삼일은 을사와 20×7. 11. 1. 본사사옥 임대차계약을 맺고 3개월분의 임차료 ₩120,000,000을 선지급하였다. (주)삼일의 회계연도는 매년 1. 1.부터 12. 31.까지이다 (본 임대계약은 기준서 제1116호에 따라 사용권자산으로 인식하지 않을 수 있는 단기 리스에 해당함).

① 지출시 선급비용으로 계상하는 방법

• 20×7. 11. 1. 분개

(차) 선　급　비　용 120,000,000　　(대) 현금 및 현금성자산　120,000,000

• 20×7. 11. 31., 20×7. 12. 31., 20×8. 1. 31. 분개

(차) 지　급　임　차　료　40,000,000　　(대) 선　급　비　용　40,000,000

② 지출시 비용으로 계상하는 방법

• 20×7. 11. 1. 분개

(차) 지　급　임　차　료 120,000,000　　(대) 현금 및 현금성자산　120,000,000

• 20×7. 12. 31.

(차) 선　급　비　용　40,000,000　　(대) 지　급　임　차　료　40,000,000

• 20×8. 1. 1. 기초 재수정분개

(차) 지　급　임　차　료　40,000,000　　(대) 선　급　비　용　40,000,000

• 기초 재수정분개를 하지 않고 선급기간 만료시(20×8. 1. 31.) 비용인식

(차) 지　급　임　차　료　40,000,000　　(대) 선　급　비　용　40,000,000

2. 선급금

(1) 개념 및 범위

선급금이란 주로 상품·원재료 등의 매입을 위하여 선급한 금액을 말한다. 유형자산의 취득을 위해 선급한 금액은 일반적으로 건설중인자산으로 분류된다.

예를 들어, 건설회사가 건축자재 매입을 위해 선급한 금액은 건축물의 원재료를 매입하기 위하여 선급한 금액이므로 선급금으로 처리하고, 일반제조회사가 공장건설을 위하

여 선급한 자재대금은 유형자산 중 건설중인자산으로 처리하는 것이 일반적이다.

(2) 기업회계상 회계처리

1) 선급금의 발생

선급금의 발생액은 선급금계정의 차변에 기입하는데 예를 들면 다음과 같다.

> **사례**   (주)삼일은 을회사로부터 상품 ₩1,000,000을 매입하기로 하고 상품대금 중 ₩1,000,000
> 을 현금 지급하다.

(차) 선　　급　　금　　1,000,000　　(대) 현금 및 현금성자산　　1,000,000

2) 선급금의 소멸

선급금이 소멸하는 경우는 크게 2가지로 나누어 볼 수 있다.

① 선급한 재화의 구입

> **사례 1**   (주)삼일은 을사로부터 상품 ₩1,000,000 매입조로 ₩100,000을 선급했고 동 상품을
> 약정일에 외상매입하였다.

(차) 상　　　　　품　　1,000,000　　(대) 선　　급　　금　　100,000
　　　　　　　　　　　　　　　　　　　　　　매　입　채　무　　900,000

> **사례 2**   (주)삼일은 을사와 부분품 ₩5,000,000 상당액의 외주가공계약을 체결하고 선지급
> 조로 ₩500,000을 지급했으며 약정인도일에 동 부분품을 납입받고 잔금 ₩4,500,000을 당좌수
> 표로 지급하였다.

(차) 외　주　가　공　비　　5,000,000　　(대) 선　　급　　금　　500,000
　　　　　　　　　　　　　　　　　　　　　　현금 및 현금성자산　　4,500,000

② 계약위반으로 인한 소멸

> **사례**   (주)삼일은 을사와 상품 ₩1,000,000의 매입계약을 체결하고 ₩100,000을 현금으로 선지
> 급하다.
> • 거래처(을)의 계약 위반과 동시에 선급금을 반환받는 경우

(차) 현금 및 현금성자산　　100,000　　(대) 선　　급　　금　　100,000

• 거래처 을이 계약 위반했으나 아직 선급금을 반환받지 못한 경우

(차) 미　　수　　금　　100,000* 　　(대) 선　　급　　금　　100,000

* 이 경우에 상품청구권이 소멸하고 금전채권이 새로 발생하는 것으로 보아 선급금계정을 미수금계정으로 대체하고
　회수가능성 정도를 고려하여 대손충당금을 설정한다.

3) 대손충당금의 설정

선급금은 재고자산 등을 청구할 권리가 부여되어 있는 것으로서 성격상 금전채권이라 볼 수 없으므로 대손충당금 설정 대상 채권이 아니다. 다만 회수가능성을 고려하여 손상 대상이 될 수 있다. 만일 상품 등의 구입을 위해 선급한 거래처가 계약을 위반하거나 부도의 발생 등으로 인하여 재고자산에 대한 의무를 수행할 수 없는 것으로 확정되고 지급액을 반환 받을 수 있는 금전채권으로 대체되어야 하는 상황이 발생한 경우에는 이를 미수금으로 대체하고 동 미수금에 대해 대손충당금을 설정하는 것을 고려해야 할 수 있다.

제3절   **재고자산**

1. 기준서 제1002호 '재고자산'의 적용범위

기준서 제1002호 '재고자산'에서는 재고자산을 다음의 자산으로 정의하고 있다(기준서 제1002호 문단 6).

   ⓐ 정상적인 영업과정에서 판매를 위하여 보유중인 자산

   ⓑ 정상적인 영업과정에서 판매를 위하여 생산중인 자산

   ⓒ 생산이나 용역제공에 사용될 원재료나 소모품

즉, 재고자산은 외부로부터 매입하여 재판매를 위해 보유하는 상품, 토지 및 기타 자산을 포함한다. 또한 재고자산은 완제품과 생산중인 재공품을 포함하며, 생산에 투입될 원재료와 소모품을 포함한다. 용역제공기업의 재고자산에는 관련된 수익이 아직 인식되지 않은 용역원가가 포함된다(기준서 제1002호 문단 8).

예비부품과 대기성 장비가 유형자산의 정의를 충족하는 경우에는 이를 유형자산으로 분류한다. 그 밖의 예비부품과 수선용구는 재고자산으로 분류한다(기준서 제1016호 문단 8).

한편 재고자산은 정상적인 영업활동이 무엇이냐에 따라 달라질 수 있다. 예를 들어 일반제조기업이 보유하고 있는 토지, 건물 등은 유형자산으로 분류되나, 정상적인 영업과정에서 판매하기 위한 부동산이나 이를 위하여 건설 또는 개발 중인 부동산의 경우 재고자산으로 분류된다(기준서 제1040호 문단 9).

재고자산의 회계처리가 중요한 이유는 재고자산원가를 합리적으로 각 회계기간에 배분해야만 기간이익을 적정하게 측정할 수 있기 때문이다. 매출원가는 크게 (기초재고액 +당기매입액-기말재고액)으로 산출되는 바, 재고자산의 가액은 매출원가에 영향을 주어 결과적으로 순이익의 크기에 영향을 미친다. 이와 같이 재고자산 회계에 있어서 가장 중요한 과제는 보고기간말 현재 재고자산의 장부금액을 적절하게 결정하는 것이라 할 것인 바, 재고자산의 회계처리와 공시에 필요한 사항은 주로 기준서 제1002호 '재고자산'에서 다루고 있다.

다음을 제외한 모든 재고자산에 대하여 기준서 제1002호 '재고자산'을 적용한다(기준서 제1002호 문단 2).

   ㉮ 금융상품(기준서 제1032호 '금융상품 : 표시' 및 제1109호 '금융상품' 참조)

   ㉯ 농림어업활동과 관련된 생물자산과 수확시점의 농림어업 수확물(기준서 제1041호 '농림어업' 참조).

단, 기준서 제1002호는 다음 경우에 해당하는 재고자산의 측정에는 적용하지 않는다 (기준서 제1002호 문단 3).

㉮ 생산자가 해당 산업의 합리적인 관행에 따라 순실현가능가치로 측정하는 농림어 업과 삼림 제품, 수확한 농림어업 제품 및 광물자원과 광업 제품. 이 경우 순실현 가능가치의 변동분은 변동이 발생한 기간의 손익으로 인식한다.

㉯ 순공정가치(공정가치에서 매각부대원가를 차감한 금액)로 측정한 일반상품 중개기 업의 재고자산. 이 경우 순공정가치의 변동분은 변동이 발생한 기간의 손익으로 인식한다.

상기 재고자산 측정의 예외 중 ㉮에 해당하는 재고자산은 생산과정 중 특정시점에 순 실현가능가치로 측정된다. 예를 들어, 곡물이 수확되거나 광물이 추출되었는데 선도계 약이나 정부의 보증으로 매출이 확실시 되거나, 활성시장이 존재하여 판매되지 않을 위 험이 무시할 수 있을 정도로 작은 경우이다. 이러한 재고자산에는 기준서 제1002호의 측정부분만 적용이 제외되는 것이다. 또한, 타인을 위하여 또는 자기의 계산으로 일반상 품을 매입하거나 매도하는 중개기업이 보유한 재고자산으로서 상기 중 ㉯에 해당하는 재고자산은 주로 단기간 내에 매도하여 가격변동이익이나 중개이익을 얻을 목적으로 취득한다. 이러한 재고자산에 대해서도 순공정가치로 측정할 때, 기준서 제1002호의 측 정부분만 적용이 제외되는 것이다(기준서 제1002호 문단 4, 5).

2. 재고자산의 측정

(1) 재고자산의 취득원가

일반적으로 재고자산은 역사적 원가주의에 의하여 취득원가로 평가된다. 여기서 취득 원가(acquisition cost)는 매입원가, 전환원가 및 재고자산을 현재의 장소에 현재의 상태 로 이르게 하는 데 발생한 기타 원가 모두를 포함한다(기준서 제1002호 문단 10). 따라서 취 득원가에는 매입가격뿐만 아니라 매입과 관련된 운반·취급을 위한 지출비용, 운반보험 료, 수입관세 및 세금(향후 환급받을 수 있는 세금 및 구매자로부터 회수할 수 있는 소 비세는 제외) 등의 매입부대비용도 포함하여야 한다.

이하에서는 각각의 구입형태 등에 따른 재고자산의 취득원가결정에 대하여 살펴본다.

1) 외부로부터 매입한 경우

외부로부터 매입한 재고자산의 취득원가는 매입원가를 말하며, 매입원가는 매입가격 에 수입관세와 제세금(과세당국으로부터 추후 환급받을 수 있는 금액은 제외), 매입운임, 하역료 그리고 완제품, 원재료 및 용역의 취득과정에 직접 관련된 기타 원가를 가산한 금액이다. 매입할인, 리베이트 및 기타 유사한 항목은 매입원가를 결정할 때 차감한다(기준서 제1002호 문단 11).

일반적으로 재고자산의 매입가액은 대부분 외부에서 작성한 송장가액 등으로 그 취득가액을 결정하는 데 어려움이 없으나, 재고자산을 취득하는 과정에서 소요된 매입부대원가와 거래처로부터 매입과 관련된 할인, 에누리 등에 대하여는 다소의 문제점이 발생할 수가 있다.

① 매입부대원가

재고자산의 취득에 직접적으로 관련되어 있으며 정상적으로 발생되는 부대원가를 말하는 것으로, 일반적으로 매입운임, 하역료 및 보험료뿐만 아니라 수입과 관련된 수입관세 및 제세금(기업이 세무당국으로부터 나중에 환급받을 수 있는 것은 제외) 등이 포함된다.

매입과 관련된 비용은 크게 그 발생내용에 따라 외부부대비용과 내부부대비용으로 구분될 수 있다. 즉, 외부부대비용은 재고자산이 입고될 때까지 외부에 지급되는 비용으로 운임, 매입수수료, 관세, 통관비 등이 해당되며, 내부부대비용은 구입품에 관련해서 발생하는 내부용역비용으로서 구매사무비용과 물품이 도착한 때부터 소비 또는 판매 직전까지 발생한 검수, 정리, 선별 등을 하기 위한 비용 중 재고자산의 취득과 직접 관련된 비용이 이에 해당한다.

② 매입에누리와 환출

재고자산의 구입 이후 물품의 파손이나 결함 등에 기인하여 거래처로부터 매입대금의 일정액을 할인하여 받는 매입에누리는 매출에누리의 상대적 거래로서 이는 당연히 재고자산의 취득가액에서 차감되어야 하고, 구입한 재고자산의 반품에 따른 매입환출도 역시 매입원가에서 차감되어야 한다. 기준서 제1002호 문단 11에서도 매입할인(trade discount), 리베이트 및 기타 유사한 항목은 매입원가를 결정할 때 차감하도록 규정하고 있다.

③ 매입장려금

기준서 제1002호 문단 11에서 매입할인(trade discount), 리베이트 및 기타 유사한 항목은 매입원가에서 차감하도록 하고 있으므로, 이와 동일하게 매입회사에서는 매입장려금을 매입원가에서 차감하여야 할 것이다.

재고의 구입과 직접 관련하여 현금의 형태로 지급받는 장려금은 특정 재고의 매입가액과 그 대응이 비교적 용이하다고 할 수 있으나, 특정 상황에서는 매출원가의 차감항목으로 회계처리하는 것이 합리적일 것이다.

재고자산의 판매와 관련한 보너스

자동차 중개인은 특정 판매목표 달성 시 자동차 제조기업으로부터 보너스를 수령한다. 동 보너스는 자동차의 판매가 완료된 이후, 즉 더 이상 재고자산이 아닌 시점에만 지급된다. 자동차 판매중개인은 언제 보너스를 인식하여야 하는가?

제조기업으로부터 수령하는 보너스는 자동차 중개인에게 우발자산이므로 수령 여부가 사실상 확실시 될 때만 자산으로 인식되어야 한다. 판매 관련 보너스는 이미 판매된 재고자산과 관련된 것이므로, 매출원가의 차감항목으로 회계처리하는 것이 적절하다.

④ 매입할인(cash discount)

매입채무를 그 약정기일 전에 지급함으로써 지급일부터 약정기일까지의 일수에 비례하여 일정액의 할인을 받는 매입할인의 경우, 할인예상액을 합리적으로 추정하여 기준서 제1002호 문단 11에 따라 재고자산의 취득원가에서 차감한다.

⑤ 공통부대원가

여러 종류의 재고자산을 일괄하여 매입하는 경우에 공통으로 발생하는 비용으로서 재고자산의 종류별로 직접 구분되지 않는 때에는 매입재고자산의 공정가치, 중량, 용적 등 합리적인 배분기준에 의하여 안분 계상함이 타당하나, 그 안분이 극히 곤란하며 금액적으로 중요하지 않는 경우에는 중요성 관점에서 전액을 당기의 매출원가에 가산할 수도 있을 것이다.

⑥ 비정상적인 지출

경우에 따라서는 재고자산의 매입 시 자원의 낭비나 비효율적인 사용 등 비정상적인 사건에 따른 지출도 발생할 수 있는데 이 경우 발생한 매입부대원가는 매입원가에 가산하지 않고 당기비용으로 처리하여야 한다. 즉, 매입원가에 가산하는 매입부대비용은 상품의 취득 과정에 직접 관련된 기타 원가로서(기준서 제1002호 문단 11), 재고자산을 현재의 장소에 현재의 상태로 이르게 하는데 발생한 범위 내에서만 취득원가에 포함하여야 하므로(기준서 제1002호 문단 15) 재고자산의 취득과정에서 정상적으로 발생한 지출액만을 포함하여야 한다.

2) 자기가 제조 또는 생산한 제품 등의 경우

자기의 생산수단으로 제조, 채굴, 채취, 재배, 양식 그 밖의 이에 준하는 행위에 의하여 취득한 재고자산의 취득원가는 제조 또는 생산하기 위하여 지출된 재료비, 노무비 및 경비 등의 합계액인 제조원가 또는 생산원가를 말한다.

즉, 자기가 제조 또는 생산하는 재고자산의 취득원가는 원가계산이라는 일련의 회계절차에 의하여 확정되며, 따라서 재고자산을 현재의 장소에 현재의 상태로 이르게 하는데 기여하지 않은 관리간접원가 및 판매원가 등(기준서 제1002호 문단 16)은 취득원가에 산입하지 않는다.

직접 제조 또는 생산한 제품 등의 원가계산방법은 여러 가지가 있지만 각 기업의 생산형태, 원가계산의 범위 및 원가측정방법에 따라 다음과 같이 분류할 수 있을 것이다.

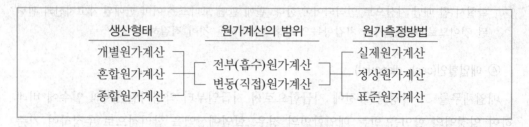

생산형태	원가계산의 범위	원가측정방법
개별원가계산 혼합원가계산 종합원가계산	전부(흡수)원가계산 변동(직접)원가계산	실제원가계산 정상원가계산 표준원가계산

① 원가계산범위에 따른 원가계산방법

기준서 제1002호 문단 12에서는 재고자산의 전환원가로서 직접노무원가 등 생산량과 직접 관련된 원가뿐만 아니라, 원재료를 완제품으로 전환하는 데 발생하는 고정 및 변동제조간접원가의 체계적인 배부액을 포함하도록 하고 있다. 여기서 고정제조간접원가는 공장 건물이나 기계장치의 감가상각비와 전력비처럼 생산량과는 상관없이 비교적 일정한 수준을 유지하는 간접제조원가를 말한다. 변동제조간접원가는 간접재료원가나 간접노무원가처럼 생산량에 따라 직접적으로 또는 거의 직접적으로 변동하는 간접제조원가를 말한다(기준서 제1002호 문단 12). 즉, 기준서 제1002호에서는 직접재료원가와 직접노무원가뿐만 아니라 전환원가도 제품원가에 포함시켜 계산하는 전부원가계산(full costing) 또는 흡수원가계산(absorption costing)방법에 의하여 재고자산의 제조원가를 계산하도록 규정한 것이다.

참고적으로 전부(흡수)원가계산과 대비되는 원가계산방법으로 모든 원가를 변동원가와 고정원가로 구분하여 직접재료원가, 직접노무원가 및 변동제조간접원가만을 제조원가에 포함시키고 고정제조간접원가는 기간비용처리하는 변동원가계산(variable costing) 또는 직접원가계산(direct costing)방법이 있다. 변동(직접)원가계산방법에 의하여 작성되는 손익계산서를 공헌이익 손익계산서(contribution income statement)라고 하며 매출액에서 변동원가를 차감하여 공헌이익을 계산하고, 그 공헌이익으로부터 고정원가를 차감하여 영업이익을 계산한다. 이러한 변동(직접)원가계산방법은 CVP분석이나 가격결정 등 경영자의 관리적 의사결정 목적으로는 유용하지만 변동원가와 고정원가의 임의적인 구분에 따라 제조원가가 달라지며, 고정원가의 중요성을 간과하여 장기적인 가격결정에 왜곡이 생길 수 있는 등의 단점이 있어 재무보고 목적이나 세무보고 목적으로는 인정되지 않는다.

② 제조간접원가의 배부

일반적으로 각 공정별ㆍ제품별로 제조간접원가를 추적하는 것이 불가능한 경우가 대부분일 것이다. 따라서 전부원가계산방법에 의하여 제조원가를 계산하는 경우 제조간접원가는 일정한 배부기준을 사용하여 원가대상에 배부하게 된다.

기준서 제1002호 문단 13에서는 고정제조간접원가는 원칙적으로 생산설비의 정상조업도에 기초하여 제품에 배부하며, 변동제조간접원가는 생산설비의 실제 사용에 기초하여 각 생산단위에 배부하도록 규정하고 있다. 여기서 정상조업도(normal capacity)란, 정상적인 상황에서 상당한 기간 동안 평균적으로 달성할 것으로 예상되는 생산량을 말하는데, 계획된 유지활동에 따른 조업도 손실을 고려한 것을 말한다(기준서 제1002호 문단 13).

고정제조간접원가를 정상조업도에 기초하여 배부하도록 규정하여 단위당 고정제조간접원가 배부액이 비정상적으로 낮은 조업도나 유휴설비로 인하여 증가하지 않도록 하였다. 이 때 배부되지 않은 고정제조간접원가는 발생한 기간의 비용으로 인식한다. 그러나 실제 생산수준이 정상조업도와 유사한 경우에는 실제조업도를 사용할 수 있다. 비정상적으로 많은 생산이 이루어져 실제조업도가 정상조업도보다 높은 경우에는 실제조업도에 기초하여 고정제조간접원가를 배부하여 재고자산이 원가 이상으로 측정되지 않도록 생산단위당 고정제조간접원가 배부액을 감소시켜야 한다(기준서 제1002호 문단 13).

상기의 사항을 요약하면 다음과 같다.

구 분		배부기준
고정제조 간접원가	실제조업도 ≥ 정상조업도	실제조업도
	실제조업도 ≒ 정상조업도	정상조업도 또는 실제조업도
	실제조업도 < 정상조업도	정상조업도
변동제조간접원가		생산설비의 실제 사용에 기초하여 배부

③ 공통원가의 배부

제품을 제조하는 기업들은 동일(유사)한 원재료를 투입하여 단일생산공정을 통하여 여러 가지 제품을 생산하거나 주산물과 부산물을 동시에 생산하는 경우가 있다. 이 경우 분리점(split-off point)에 도달하기 전까지 제품제조과정에서 발생한 공통원가를 개별제품별로 정확히 원가배분하기는 현실적으로 불가능하지만 생산과정에서 필수적으로 발생한 비용이므로 합리적인 배부기준에 따라 배분하여야 한다.

위와 관련하여 기준서 제1002호 문단 14에서는 연산품이 생산되거나 주산물과 부산물이 생산되는 경우처럼 하나의 생산과정을 통하여 동시에 둘 이상의 제품이 생산될 경우, 제품별 전환원가를 분리하여 식별할 수 없다면 합리적이고 일관성 있는 방법으로 각 제품에 배부하도록 규정하고 있다. 예를 들어, 각 제품을 분리하여 식별가능한 시점 또는 완성 시점의 제품별 상대적 판매가치를 기준으로 배부할 수 있다. 한편 대부분의 부산물은 본래 중요하지 않은데, 이 경우 부산물은 흔히 순실현가능가치로 측정하며 주산물의 원가에서 차감된다. 따라서 주산물의 장부금액은 원가와 중요한 차이가 없다.

일반적으로 공통원가의 배부기준은 크게 두 가지로 나눌 수 있는데, 첫째는 결합제품의 상대적 가치를 기준으로 하는 방법으로 상대적 판매가치법, 순실현가치법 등이 있고, 둘째는 결합제품의 물리적 특징을 기준으로 하는 물량기준법이 있다.

상대적 판매가치법(relative sales value method)은 분리점에서 개별제품의 상대적인 판매가치를 기준으로 공통원가를 배분하는 방법을 말하며, 순실현가치법(net realizable value method)은 개별제품의 최종 판매가격에서 분리점 이후 발생한 개별원가(이하 "분리원가"라 함)와 추정판매부대비용을 차감한 순실현가치를 기준으로 공통원가를 배분하는 방법이다. 또한 물량기준법(physical quantities method)은 각 제품의 생산수량이나 무게, 부피, 면적 등을 기준으로 공통원가를 배분하는 방법을 말한다. 기업은 공통원가를 배분할 수 있는 가장 합리적인 방법을 고려하여야 한다.

사례 1~3 공통자료 (주)삼일은 갑, 을, 병의 세 가지 제품을 생산하고 있다. 이들 제품은 제조 초기에는 단일생산공정을 거치며 분리점 이후에 각각의 생산공정을 추가로 거쳐 최종 판매가능 제품이 된다. 당기에 단일생산공정에서 발생한 공통원가는 ₩1,800,000이었다.

제품	생산량	중량	분리점에서의 판매가능가액	분리원가	최종판매가액	추정판매부대비용
갑	1,000개	300Kg	₩720,000	₩67,000	₩850,000	₩29,000
을	2,000개	200Kg	₩1,200,000	₩176,000	₩1,540,000	₩90,000
병	3,000개	100Kg	₩480,000	₩23,000	₩610,000	₩15,000
합계	6,000개	600Kg	₩2,400,000	₩266,000	₩3,000,000	₩134,000

사례 1 공통원가를 분리점에서의 상대적 판매가치법에 의해 배부할 경우 각 제품별 공통원가 배부액은 얼마인가?

제품	분리점에서의 판매가능가액	배부비율	공통원가배부액
갑	₩720,000	30%	₩540,000
을	₩1,200,000	50%	₩900,000
병	₩480,000	20%	₩360,000
합계	₩2,400,000	100%	₩1,800,000

사례 2 공통원가를 순실현가치법에 의해 배부할 경우 각 제품별 공통원가 배부액은 얼마인가?

제품	최종판매가액 ⓐ	분리원가 ⓑ	추정판매비용 ⓒ	순실현가치 (ⓐ－ⓑ－ⓒ)	배부비율	공통원가배부액
갑	₩850,000	₩67,000	₩29,000	₩754,000	29%	₩522,000
을	₩1,540,000	₩176,000	₩90,000	₩1,274,000	49%	₩882,000
병	₩610,000	₩23,000	₩15,000	₩572,000	22%	₩396,000
합계	₩3,000,000	₩266,000	₩134,000	₩2,600,000	100%	₩1,800,000

사례 3 공통원가를 물량기준법에 의해 배부할 경우 각 제품별 공통원가 배부액은 얼마인가?

제품	중 량	배부비율	공통원가배부액
갑	300Kg	50%	₩900,000
을	200Kg	33.33%	₩600,000
병	100Kg	16.67%	₩300,000
합계	600Kg	100%	₩1,800,000

④ 기간비용으로 인식할 원가

기준서 제1002호 문단 16에서는 재고자산의 취득원가에 포함할 수 없으며 발생기간의 비용으로 인식하여야 하는 원가를 다음과 같이 예시하고 있다.

㉠ 재료원가, 노무원가 및 기타 제조원가 중 비정상적으로 낭비된 부분

㉡ 후속 생산단계에 투입하기 전에 보관이 필요한 경우 이외의 보관원가

㉢ 재고자산을 현재의 장소에 현재의 상태로 이르게 하는데 기여하지 않은 관리간접원가

㉣ 판매원가

즉, 기준서 제1002호에서는 정상적으로 발생한 원가만 제조원가에 포함될 수 있도록 규정하고 있다. 한편, 특정한 고객을 위한 비제조간접원가 또는 제품 디자인원가와 같은 기타원가는 재고자산을 현재의 장소에 현재의 상태로 이르게 하는 데 발생한 범위 내에서만 취득원가에 포함된다(기준서 제1002호 문단 15).

3) 생물자산과 수확물의 원가

기준서 제1041호에 따라 생물자산(살아있는 동물이나 식물)에서 수확한 농림어업 수확물로 구성된 재고자산은 순공정가치로 측정하여 수확시점에 최초로 인식한다. 동 금

액은 최초인식시점에 기준서 제1002호 '재고자산'에 따른 해당 재고자산의 취득원가이다(기준서 제1002호 문단 20). 단, 생산자가 해당 산업의 합리적인 관행에 따라 순실현가능가치로 측정하는 농림어업과 삼림 제품, 수확한 농림어업 제품 및 광물자원과 광업 제품의 경우, 해당 재고자산의 측정에 대하여는 기준서 제1002호를 적용하지 않고, 순실현가능가치의 변동분을 변동이 발생한 기간의 손익으로 인식한다(기준서 제1002호 문단 3).

4) 재고자산의 원가측정방법

표준원가법이나 소매재고법 등의 원가측정방법은 그러한 방법으로 평가한 결과가 실제 원가와 유사한 경우에 편의상 사용할 수 있다(기준서 제1002호 문단 21).

① 표준원가법

표준원가는 정상적인 재료원가, 소모품원가, 노무원가 및 효율성과 생산능력 활용도를 반영한 원가를 말한다. 표준원가는 정기적으로 검토하여야 하며 필요한 경우 현재 상황에 맞게 조정하여야 한다(기준서 제1002호 문단 21).

② 소매재고법

소매재고법은 재고자산의 판매가격을 적절한 총이익률을 반영하여 환원하는 방법으로서, 이 때 적용되는 이익률은 최초판매가격 이하로 가격이 인하된 재고자산을 고려하여 계산하는데, 일반적으로 판매부문별 평균이익률을 사용한다. 소매재고법은 이익률이 유사하고 품종변화가 심한 다품종 상품을 취급하는 유통업에서 실무적으로 다른 원가측정법을 사용할 수 없는 경우에 흔히 사용한다(기준서 제1002호 문단 22).

일반적으로 소매재고법에 의해서 기말재고자산을 추정하는 절차는 다음과 같다.

첫째, 다음과 같은 방법으로 원가율 또는 이익률을 계산한다.

$$\text{원가율(\%)} = \frac{\text{원가로 표시된 판매가능한 총재고자산}}{\text{소매가로 표시된 판매가능한 총재고자산}}$$

단, 상기와 같이 재고자산의 판매가격이 최초판매가격 이하로 인하된 경우 이러한 효과를 고려하여 원가율 또는 이익률을 계산한다(기준서 제1002호 문단 22).

둘째, 소매가로 표시된 기말재고자산을 구한다.

셋째, 다음과 같이 기말재고의 원가를 추정한다.

$$\text{기말재고자산의 추정원가} = \text{원가율} \times \text{소매가로 표시된 기말재고자산}$$

소매재고법은 원가율 또는 이익률을 이용하여 기말재고자산의 원가를 추정하는 방법이므로 이 방법을 사용하기 위해서는 우선 소매가와 원가와의 비율이 안정적이어야 하며 이익률이 유사한 동질적인 상품군별로 적용하여야 하는데, 일반적으로 판매부문별 평균이익률을 사용한다(기준서 제1002호 문단 22).

사례

	원 가	매 가
기초재고	₩400,000	₩500,000
당기매입	2,000,000	2,300,000
계	₩2,400,000	₩2,800,000
당기매출 및 정상감손		₩2,200,000
기말재고		₩600,000

유통업을 영위하는 (주)갑의 회계자료가 다음과 같은 경우 매출가격환원법에 의한 기말재고액을 구하라.

- 원가율 : ₩2,400,000÷₩2,800,000＝85.7%
- 기말재고자산의 추정원가 : ₩600,000×85.7%＝₩514,200

5) 기타원가

① 재고자산 취득과 관련된 차입원가

㉠ 차입원가의 자본화

재고자산의 취득원가는 구입가액뿐만 아니라 판매가능한 상태에 이르기까지 소요된 매입(제조)원가 및 정상적으로 발생한 부대비용을 포함한다. 하지만 매입 또는 제조를 위한 자금이 차입을 통해 조달된 것으로 볼 수 있다면 이러한 차입금에 대한 차입원가를 취득원가에 포함시킬 것인지 논란이 될 수 있을 것이다. 이와 관련하여 기준서 제1023호 '차입원가'에서는 차입원가가 재고자산의 취득원가에 포함되는 제한되는 상황을 규정하고 있는데(기준서 제1002호 문단 17), 판매가능한 상태에 이르게 하는 데 상당한 기간을 필요로 하더라도 "반복해서 대량으로 제조되거나 다른 방법으로 생산되는 재고자산"의 경우, 해당 재고자산의 취득, 건설 또는 생산과 직접 관련된 차입원가는 기준서 제1023호를 적용하지 않을 수 있다(기준서 제1023호 문단 4). 이는 반복해서 대량으로 구입 또는 생산한 재고자산의 경우, 관련하여 발생한 차입원가를 재고자산의 원가로 자본화하는 것이 정보의 효익과 비용 측면에서 실무상 실익이 없을 수 있기 때문이다. 자본화 대상자산과 자본화대상금액 등에 대한 자세한 내용은 '제2편 재무상태표 제2절 유형자산의 8. 차입원가 자본화'편을 참조하기로 한다.

ⓛ 연불조건 수입시의 발생이자

기준서 제1002호 문단 18에서는 재고자산을 후불조건으로 취득하는 경우, 계약이 실질적으로 금융요소를 포함하고 있다면 해당 금융요소(예 : 정상신용조건의 매입가격과 실제 지급액 간의 차이)는 금융이 이루어지는 기간 동안 이자비용으로 인식하도록 규정하고 있다. 따라서 연불조건으로 원재료를 수입하여 취득시점의 현금구입 가격보다 실제 총 지급액이 더 많은 경우, 이러한 차액은 결국 대가지급을 이연시킨 결과이므로 차입원가의 자본화대상이 아닌 한 실제 지급 시까지의 기간에 걸쳐 이자비용으로 인식한다.

② 각종 세금 및 관세

기준서 제1002호 문단 10과 11에서 설명하는 바와 같이 재고자산의 원가는 관세나 과세 당국으로부터 환급 가능하지 않은 기타 세금을 포함한다. 관세나 각종 세금과 관련된 규정과 지급시기의 차이 등으로 인하여 실무적으로는 복잡한 문제가 발생할 수도 있다.

예를 들어, 수출용 원재료를 수입하는 경우 「수출용 원재료에 대한 관세 등 환급에 관한 특례법」의 규정에 의하면 수입 시에 관세 등을 먼저 부담하고, 그 원재료를 사용하여 제품을 생산·수출하게 될 경우에는 수입 시 부담한 관세를 다시 환급받게 된다. 이렇게 수출용 원재료에 대한 관세 등을 환급받음에 따라 문제가 되는 것은 최초에 납부한 관세 등을 매입부대비용으로 보아 수출용 원재료의 취득가액에 산입할 것인가 하는 점이다. 물론 환급받지 못할 관세 등의 납부액은 당연히 취득가액에 산입하여야 하나, 관세환급금의 회계처리상 문제점은 일반적으로 관세환급금이 취득시점보다 훨씬 나중에 환급된다는 사실과 또한 취득시점에서는 그 환급 예상액을 정확히 알 수 없다는 사실 때문에 실무적으로는 추정의 이슈가 발생할 수 있다.

또한 특정 산업에서 발생하는 소비세 등에 대해서도 재고자산 원가에 포함할지의 여부가 이슈가 될 수 있다. 각국마다 상황과 제도가 다를 수 있어 소비세에 대한 검토는 개별상황에 따른 판단이 필요한 사항으로 보이며 아래에서는 이러한 판단의 예시로 유럽증권시장감독청의 집행사례를 소개하였다.

사례 1 Decision ref. EECS/1207-02 : 연료에 대한 소비세

Ⅰ. 회사의 회계처리

석유분야에서 영업을 영위하는 A사는 '연료가 보세창고에서 출고되는 시점에 부과되는 소비세(내국법에 의해 연료 소비에 부과)'는 제3자를 대신하여 납부한 금액으로 분류할 수 없다고 판단하였다. 동 소비세는 A사가 보세창고에서 제품을 출고하는 시점에 비용요건을 충족하고 A사가 최종소비자에게 판매를 통하여 발생된 비용을 회복하는 시점에 매출요건을 충족하므로, 소비세 관련 금액은 매출에 포함하여야 한다고 판단하였다.

동 소비세는 최종소비자의 채무불이행이 발생하더라도 과세당국으로부터 회수되지 않는 점이 부가가치세 또는 전기소비세와 구분되는 특징이 있다.

연료에 대한 소비세는 A사 총 매출액의 13.7%, 총 비용의 15.5%를 차지한다.

A사는 동 비용을 매입원가로 인식될 수 있는지 여부와 관련 사항을 손익계산서 상 주석으로 공시되어야 하는지 여부에 대하여 질의하였다.

Ⅱ. 감독당국의 결정

기준서 제1002호 문단 11에 따라 연료에 대한 소비세는 매입원가의 일부로 분류하고 과세당국에 대한 채권으로 분류하지 않는다.

Ⅲ. 감독당국 결정의 근거

동 소비세는 구매시점에 부과되는 특수 세금이고, 구매시점(즉, A사가 보세창고에서 제품을 출고하는 시점)에 발생, 정산된다. 매입자는 과세당국으로부터 해당 세금을 환급받거나 기타 세금과 상계할 권리를 가지고 있지 않으며 회수에 대한 모든 위험을 감수하므로, 연료에 대한 소비세는 기준서 제1002호 문단 11에 따라 재고자산 원가의 일부를 구성한다. 연료에 대한 소비세는 재고자산의 일부를 구성하는 비용이며, 동 소비세는 화폐성 자산이 아니므로 과세당국(또는 가상의 최종소비자)으로부터 회수할 채권으로 분류하지 않는다. 재고자산 관련 다른 원가처럼, 구입 시 부담하는 소비세도 회사가 부담한 비용을 회수하기 위하여 소비자에게 동 비용이 전가된다. 결과적으로 소비자가 판매자(A사)에게 지불한 판매가격에는 동 세금과 관련된 부분이 포함되어 있으며, 이는 기준서 제1018호 문단 8에 의한 매출조건을 충족한다. 무엇보다도 A사는 과세당국을 대신하여 동 세금을 징수하는 대리인이 아니므로, 동 금액을 과세당국에 대한 채권으로 계상하지 않는다. 즉, A사 자신이 연료에 대한 소비세 납부의무가 있다.

관련된 금액, 투명성의 원칙, 기준서 제1001호 문단 103(c)을 고려하여 볼 때, 소비세와 관련된 금액, 매입액과 매출액에 포함된 소비세 금액을 파악하여 주석에 공시하는 것이 타당하다.

사례 2 **수입관세가 재고자산의 원가에 포함되어야 하는 시점**

자동차 판매중개업자는 자동차를 수입하여 처음에는 보세구역에 가져온다. 자동차는 보세구역에 두었다가 고객에게 판매되어 인도되면, 그 시점에 수입관세가 수입업자에게 부과된다. 보세구역에서 보관 중인 재고자산에 대하여 추정 가능한 수입관세가 재고자산의 원가로 포함되어야 할까?

그렇지 않다. 수입관세는 보세구역에 보관 중인 재고자산의 원가에 포함되지 않아야 한다. 수입관세는 자동차를 선적하여 보세구역까지 운반하는 과정에서 발생하지 않는다. 그러므로 그 시점에 수입관세가 재고자산의 원가에 반영되지 않아야 한다. 수입관세는 자동차가 보세구역에서 벗어날 때 재고자산의 원가로 포함되어야 한다.

③ 의제매입세액

사업자가 부가가치세의 면제를 받아 공급받은 농산물·축산물·수산물 또는 임산물을 원재료로 하여 제조·가공한 재화 또는 창출한 용역의 공급이 부가가치세가 과세되는 경우에는 공급받은 재화의 가격에 부가가치세가 포함되어 있는 것으로 보아 매입가액의 일정 비율에 상당하는 금액을 의제매입세액으로 공제받을 수 있다. 따라서 여타의 일반적인 재고자산 구입에 따른 부가가치세 매입세액의 경우와 동일하게 이러한 의제매입세액에 상당하는 금액은 매입가액에서 차감하여야 한다. 즉 의제매입세액과 관련한 회계처리는 다음과 같다.

ㄱ 의제매입세액 공제대상이 되는 원재료의 취득시

(차) 원   재   료   20,000   (대) 현   금   20,000

ㄴ 의제매입세액의 회계처리

(차) 부 가 세 매 입 세 액   392[*]   (대) 원   재   료   392[*]

[*] $20,000 \times \dfrac{2}{102} = 392$

6) 재고자산의 수량결정방법

재고자산의 가액은 재고자산의 (수량 × 단가)에 의하여 산출된다. 재고자산의 수량은 계속기록법, 실지재고조사법에 의하여 계산된다.

① 계속기록법

계속기록법은 재고자산을 종류·규격별로 나누어 입고·출고시마다 계속적으로 기록함으로써 항시 잔액이 산출되도록 하는 방법이다.

이 방법에 의하면 항시 재고자산 및 매출원가계정의 잔액을 알 수 있기 때문에 재고자산의 계속적인 통제·관리가 가능한 장점이 있으나, 도난·분실·증발·감손 등에 의한 감소량이 기말의 재고량에 포함되어 이익이 과대계상 되는 단점이 있기 때문에 이를 보완하기 위해서는 실지재고조사법을 병용해야 할 것이다.

② 실지재고조사법

실지재고조사법은 정기적으로 재고조사를 실시하여 실제 재고수량을 파악하는 방법이다.

따라서 (기초재고량 + 당기매입량 − 기말재고량)에 의하여 당기의 출고량을 산출하는 방법이다. 이 방법은 재고자산의 종류·규격·수량이 많을 경우에는 입고·출고시마다 이를 기록하는 번잡함을 피할 수 있는 장점은 있으나, 도난·분실·증발·감손 등에 의한 감소량이 당기의 출고량에 포함되어 재고부족의 원인을 판명할 수 없으므로 관리·

통제를 할 수 없는 단점이 있다. 이와 같이 기말재고액을 실사에만 의존하여 평가하는 경우에는 보관 중의 감모손실을 파악할 수 없는 등 여러 가지 단점이 있으므로 계속 기록법과 병행하여 사용하거나 이와 같은 단점을 보완할 수 있는 방법을 강구하여야 한다.

(2) 단위원가 결정방법

일반적으로 재고자산의 구입가격은 계속 변화하고 상이한 시점에서 구입한 재고자산들이 혼합되어 있어 각 재고자산의 취득원가를 낱낱이 확인한다는 것은 거의 불가능하다.

이러한 상황에서 기말재고자산의 평가시 가장 최근에 구입한 재고자산의 원가, 가장 오래 전에 구입한 재고자산의 원가, 평균원가 또는 다른 대체적인 원가 중에서 어느 것을 기준으로 재고자산을 평가할 것인가 하는 문제가 발생한다. 이러한 문제를 해결하기 위해서는 인위적으로 원가흐름에 대한 가정을 하여야 한다.

기준서 제1002호에서는 개별법, 선입선출법 및 가중평균법을 이용하여 재고자산의 원가를 결정하도록 하고 있다(기준서 제1002호 문단 24, 25). 후입선출법을 이용하여 재고자산을 평가하는 것은 인정되지 않는다.

1) 개별법

개별법은 재고자산별로 특정한 원가를 부과하는 방법으로, 기준서 제1002호 문단 23에서는 통상적으로 상호 교환될 수 없는 재고항목이나 특정 프로젝트별로 생산되는 재화 또는 용역의 원가는 개별법을 사용하여 원가를 결정하도록 규정하고 있다. 그러나 통상적으로 상호 교환가능한 대량의 재고자산 항목에 개별법을 적용하는 경우 기말 재고로 남아 있는 항목을 선택하는 방식으로 손익을 자의적으로 조정할 수 있으므로 적절하지 않다(기준서 제1002호 문단 24).

개별법이 적용되지 않는 재고자산의 단위원가는 선입선출법이나 가중평균법을 사용하여 결정한다. 성격과 용도면에서 유사한 재고자산에는 동일한 단위원가 결정방법을 적용하여야 하며, 성격이나 용도면에서 차이가 있는 재고자산에는 서로 다른 단위원가 결정방법을 적용할 수 있다. 예를 들어, 동일한 재고자산이 동일한 기업 내에서 영업부문에 따라 서로 다른 용도로 사용되는 경우도 있다. 그러나 재고자산의 지역별 위치나 과세방식이 다르다는 이유만으로 동일한 재고자산에 다른 단위원가 결정방법을 적용하는 것이 정당화될 수는 없다(기준서 제1002호 문단 25, 26).

2) 선입선출법

선입선출법은 먼저 매입 또는 생산된 재고자산이 먼저 판매되고 결과적으로 기말에 재고로 남아 있는 항목은 가장 최근에 매입 또는 생산된 항목이라고 가정하는 방법이다(기준서 제1002호 문단 27). 따라서 기말에 재고로 남아 있는 항목은 가장 최근에 매입 또는 생산한 항목이라고 본다. 이와 같은 가정은 장기간 보관할 때 품질이 저하되거나 진부화되는 재고자산의 경우에 물량의 흐름과 원가의 흐름을 일치시키기 위한 의도로 많이 사용되고 있다.

사례 1~3 공통자료 갑회사의 20×7년 중 재고자산 거래내역은 다음과 같다.

	단 위	단위원가	총원가
기초재고(1. 1.)	1,000개	₩10	₩10,000
매 입(3. 7.)	2,000	11	22,000
매 입(6. 20.)	3,000	12	36,000
매 입(12. 30.)	2,000	13	26,000
판매가능량	8,000		₩94,000
매 출(2. 3.)	500		
매 출(4. 12.)	1,500		
매 출(8. 25.)	2,000		
매 출(11. 27.)	500		
판매수량	4,500		
기말재고(12. 31.)	3,500		

사례 1 공통자료를 이용하여 선입선출법에 의한 기말재고액을 구하라.

㉠ 재고자산수불부

일 자	수 입			불 출			잔 액		
	수량	단가	금액	수량	단가	금액	수량	단가	금액
전기이월	1,000	10	10,000	–	–	–	1,000	10	10,000
2. 3.	–	–	–	500	10	5,000	500	10	5,000
3. 7.	2,000	11	22,000	–	–	–	500	10	5,000
							2,000	11	22,000
4. 12.	–	–	–	500	10	5,000			
				1,000	11	11,000	1,000	11	11,000
6. 20.	3,000	12	36,000	–	–	–	1,000	11	11,000
							3,000	12	36,000

일 자	수 입			불 출			잔 액		
	수량	단가	금액	수량	단가	금액	수량	단가	금액
8. 25.	-	-	-	1,000	11	11,000			
				1,000	12	12,000	2,000	12	24,000
11. 27.	-	-	-	500	12	6,000	1,500	12	18,000
12. 30.	2,000	13	26,000	-	-	-	1,500	12	18,000
							2,000	13	26,000
계	8,000	-	94,000	4,500	-	50,000	3,500	-	44,000

ⓛ 기말재고자산가액은 다음으로 구성된다.

기말재고수량 3,500개 6. 20. 매입분 1,500개(@12) ₩18,000
12. 30. 매입분 2,000개(@13) 26,000
3,500개 ₩44,000

3) 가중평균법

가중평균법은 기초 재고자산과 회계기간 중에 매입 또는 생산된 재고자산의 원가를 가중평균하여 재고항목의 단위원가를 결정하는 방법이다. 이 경우 평균은 기업의 상황에 따라 주기적으로 계산하거나 매입 또는 생산할 때마다 계산할 수 있다(기준서 제1002호 문단 27). 평균원가는 기초 재고자산의 원가와 회계기간 중에 매입 또는 생산한 재고자산의 원가를 가중평균하여 산정한다. 가중평균법은 기업의 상황에 따라서 주기적으로 적용하거나 매입 또는 생산할 때마다 적용할 수 있다. 계산 주기가 회계기간과 일치하는 경우 흔히 총평균법이라고 불리며 매월 등 일정주기로 재계산하는 경우 이동평균법으로 불리기도 한다.

사례 2 공통자료를 이용하여 총평균법과 이동평균법에 의한 기말재고액을 구하라.
ⓐ 총평균법
  • 단위원가 : ₩94,000÷8,000개=₩11.75
  • 기말재고액 : 3,500개×₩11.75=₩41,125
ⓛ 이동평균법

일 자	수 입			불 출			잔 액		
	수량	단가	금액	수량	단가	금액	수량	단가	금액
전기이월	1,000	10	10,000	-	-	-	1,000	10	10,000
2. 3.	-	-	-	500	10	5,000	500	10	5,000
3. 7.	2,000	11	22,000	-	-	-	2,500	10.8	27,000

일 자	수 입			불 출			잔 액		
	수량	단가	금액	수량	단가	금액	수량	단가	금액
4. 12.	-	-	-	1,500	10.8	16,200	1,000	10.8	10,800
6. 20.	3,000	12	36,000	-	-	-	4,000	11.7	46,800
8. 25.	-	-	-	2,000	11.7	23,400	2,000	11.7	23,400
11. 27.	-	-	-	500	11.7	5,850	1,500	11.7	17,550
12. 30.	2,000	13	26,000	-	-	-	3,500	12.44	43,550
합계	8,000		94,000	4,500		50,450	3,500		43,550

기말재고액 : ₩43,550

4) 물가변동과 원가흐름의 가정

물가변동시 기업은 선입선출법 또는 가중평균법 중 어떠한 원가흐름의 가정을 선택하여 사용하였느냐에 따라 재고자산평가액이 달라지게 된다. 즉 가장 최근에 매입 또는 생산한 항목이 재고자산에 많은 영향을 미칠수록 매출원가에는 상대적으로 작게 영향을 미칠 것이다.

예를 들어 물가상승시에는 평균법을 적용한 기업보다 선입선출법을 적용한 기업의 기말재고항목이 상대적으로 가장 최근에 매입 또는 생산한 항목으로 구성되므로 기말재고평가액이 더 클 것이며, 과거 낮은 단가의 항목이 매출원가를 구성할 것이다. 또한 앞의 사례에서 볼 수 있듯이 이동평균법을 적용하는 기업이 총평균법을 적용하는 기업보다 최근 매입한 항목이 재고자산에 상대적으로 더 많은 영향을 미쳐 기말재고평가액이 더 클 것이다. 물론 물가가 하락하는 상황에서는 이와 반대되는 현상이 나타난다.

앞의 각 사례의 결과를 적용하여 물가가 변동할 때 각각의 원가흐름의 가정에 따라 재고자산평가액과 매출원가와의 관계를 정리하면 다음과 같다.

사례 (①을 가장 크게, ③을 가장 적게 계상되는 금액으로 표시함).

원가흐름의 가 정	사 례		물가상승시		물가하락시	
	재고자산 평가액	매출원가	재고자산 평가액	매출원가	재고자산 평가액	매출원가
선입선출법	₩44,000	₩50,000	①	③	③	①
이동평균법	₩43,550	₩50,450	②	②	②	②
총평균법	₩41,125	₩52,875	③	①	①	③

(3) 순실현가능가치

재고자산은 취득원가와 순실현가능가치 중 낮은 금액으로 측정(이하 "저가법")한다(기준서 제1002호 문단 9). 여기서 순실현가능가치란, 정상적인 영업과정의 예상 판매가격에서 예상되는 추가 완성원가와 판매비용을 차감한 금액이다(기준서 제1002호 문단 6).

기준서 제1002호 문단 28에서는 재고자산의 원가를 회수하기 어려울 수 있는 경우로서 다음과 같은 경우를 설명한다.

㉠ 물리적으로 손상된 경우

㉡ 완전히 또는 부분적으로 진부화된 경우

㉢ 판매가격이 하락한 경우

㉣ 완성하거나 판매하는 데 필요한 원가가 상승한 경우

재고자산을 취득원가 이하의 순실현가능가치로 감액하는 저가법은 자산의 장부금액이 판매나 사용으로부터 실현될 것으로 기대되는 금액을 초과하여서는 아니 된다는 견해와 일관성이 있다.

1) 순실현가능가치의 의미

상기와 같이 순실현가능가치란, 정상적인 영업과정의 예상 판매가격에서 예상되는 추가 완성원가와 판매비용을 차감한 금액이다(기준서 제1002호 문단 6). 취득원가의 구성에 관해서는 앞서 살펴보았으므로 이하는 순실현가능가치의 의미를 살펴보겠다.

판매 목적으로 보유하고 있는 상품에 대한 저가법의 적용취지와 제조에 사용(투입)될 목적으로 보유하고 있는 원재료에 대한 저가법의 적용취지는 구분되어야 할 것이다. 즉 원재료가 투입되어 사용되는 완제품의 시가가 변동이 없다면 원재료의 시가가 원가 이하로 하락하더라도 평가손실을 인식할 필요가 없다는 관점도 있을 수 있으며, 또한 판매가능한 재고자산의 경우 순실현가능가치의 추정이 어느 정도 용이할 수 있으나 원재료와 같이 판매단계에 도달하지 않은 재고자산의 경우 완제품의 순실현가능가치를 통해 다시 추정되어야 하므로 측정오차의 폭이 커질 수 있다. 따라서 판매가능한 재고자산과 판매단계에 도달하지 않은 재고자산 두 집단에 대해 별도의 시가결정방법을 적용하는 것이 바람직할 것이다.

이에 따라 기준서 제1002호 문단 32에서는 완성될 제품을 원가 이상으로 판매될 것으로 예상하는 경우에는 그 생산에 투입하기 위해 보유하는 원재료 및 기타 소모품을 감액하지 않도록 규정하고 있다. 그러나 원재료 가격의 하락이 제품의 원가가 순실현가능가치를 초과할 수 있다는 것을 나타낸다면 해당 원재료를 순실현가능가치로 감액한다. 이 경우 원재료의 현행대체원가는 순실현가능가치에 대한 최선의 이용가능한 측정치가 될 수 있다.

순실현가능가치를 추정할 때에는 재고자산으로부터 실현가능한 금액에 대하여 추정일 현재 사용가능한 가장 신뢰성 있는 증거에 기초하여야 한다. 또한 보고기간 후 사건이 보고기간말 존재하는 상황에 대하여 확인하여주는 경우에는, 그 사건과 직접 관련된 가격이나 원가의 변동을 고려하여 추정하여야 한다(기준서 제1002호 문단 30).

또한, 순실현가능가치를 추정할 때 재고자산의 보유 목적도 고려하여야 한다. 예를 들어 확정판매계약 또는 용역계약을 이행하기 위하여 보유하는 재고자산의 순실현가능가치는 계약가격에 기초한다. 만일 보유하고 있는 재고자산의 수량이 확정판매계약의 이행에 필요한 수량을 초과하는 경우에는 그 초과 수량의 순실현가능가치는 일반 판매가격에 기초한다. 재고자산 보유 수량을 초과하는 확정판매계약에 따른 충당부채나 확정매입계약에 따른 충당부채는 기준서 제1037호 '충당부채, 우발부채 및 우발자산'에 따라 회계처리한다(기준서 제1002호 문단 31).

기준서 제1002호 문단 33에 따라 매 후속기간에 순실현가능가치를 재평가한다. 재고자산의 감액을 초래했던 상황이 해소되거나 경제상황의 변동으로 순실현가능가치가 상승한 명백한 증거가 있는 경우에는 최초의 장부금액을 초과하지 않는 범위 내에서 평가손실을 환입한다. 그 결과 새로운 장부금액은 취득원가와 수정된 순실현가능가치 중 작은 금액이 된다. 판매가격의 하락 때문에 순실현가능가치로 감액한 재고항목을 후속기간에 계속 보유하던 중 판매가격이 상승한 경우가 이에 해당한다.

2) 저가기준의 적용방법

재고자산의 저가 평가시 항목별기준(individual item basis), 조별기준(major category basis), 그리고 총액기준(total inventory basis) 중 어떤 방법을 적용하느냐에 따라 재고자산평가손실 계상액은 차이가 발생한다.

사례 3

재고자산		취득원가	시 가
A조	a상품	₩25,000	₩27,500
	aa상품	40,000	37,800
B조	b상품	37,500	38,900
	bb상품	21,300	15,700

(주)삼일의 재고자산에 관한 자료는 다음과 같다. ① 항목별기준, ② 조별기준 및 ③ 총액기준을 각각 적용하여 기말 재고자산평가액과 재고자산평가손실액을 각각 구하라.

재고자산		취득원가	시 가	재고자산평가액	재고자산평가손실
A조	a상품	₩25,000	₩27,500	₩25,000	–
	aa상품	40,000	37,800	37,800	2,200
B조	b상품	37,500	38,900	37,500	–
	bb상품	21,300	15,700	15,700	5,600
합 계				₩116,000	₩7,800

① 항목별기준
- 재고자산평가액 : ₩116,000
- 재고자산평가손실 : ₩7,800

재고자산		취득원가	시 가	재고자산평가액	재고자산평가손실
A조	a상품	₩25,000	₩27,500		
	aa상품	40,000	37,800		
		₩65,000	₩65,300	₩65,000	–
B조	b상품	₩37,500	₩38,900		
	bb상품	21,300	15,700		
		₩58,800	₩54,600	₩54,600	₩4,200
합 계				₩119,600	₩4,200

② 조별기준
- 재고자산평가액 : ₩119,600
- 재고자산평가손실 : ₩4,200

③ 총액기준

재고자산		취득원가	시 가	재고자산평가액	재고자산평가손실
A조	a상품	₩25,000	₩27,500		
	aa상품	40,000	37,800		
B조	b상품	37,500	38,900		
	bb상품	21,300	15,700		
합 계		₩123,800	₩119,900	₩119,900	₩3,900

- 재고자산평가액 : ₩119,900
- 재고자산평가손실 : ₩3,900

위의 사례에서 보듯이 항목별기준에 의한 저가법 평가시에 재고자산평가손실이 가장 크게 계산되므로 기말재고자산은 가장 적게 평가되며, 총액기준에 의한 저가법 평가시 재고자산평가손실이 가장 적게 계상된다.

기준서 제1002호 문단 29에서는 재고자산을 순실현가능가치로 감액하는 저가법은 항목별로 적용하도록 규정하고 있다. 그러나 경우에 따라서는 서로 유사하거나 관련 있는 항목들을 통합하여 적용하는 것이 적절할 수 있다. 이러한 경우로는 재고자산 항목이 유사한 목적 또는 용도를 갖는 동일한 제품군과 관련되고, 동일한 지역에서 생산되어 판매되며, 실무적으로 동일한 제품군에 속하는 다른 항목과 구분하여 평가할 수 없는 경우를 들 수 있다. 그러나 예를 들어 완제품 또는 특정 영업부문에 속하는 모든 재고 자산과 같은 분류에 기초하여 저가법을 적용하는 것은 적절하지 아니하다. (기준서 제1002호 문단 29).

요약하면, 항목별기준에 의한 저가법 적용이 원칙이지만 경우에 따라서는 조별기준도 적용가능하도록 하였다. 왜냐하면 저가법의 적용방법은 항목기준이 이론적으로나 저가법 적용의 취지로 보나 가장 타당한 방법이지만, 재고자산의 동질성 여부와 성격 및 기록비용을 고려하여 각 기업이 합리적인 판단에 의해 조별기준을 사용할 수 있도록 허용하는 것도 실무적인 편의상 타당할 것이기 때문이다. 하지만, 동질성이 낮은 재고자산의 여러 집단이 존재하는 경우 이를 총액기준으로 평가하는 것은 저가기준의 근본 취지와 배치되므로 적용을 배제하였다.

경우에 따라서는 재고자산평가에 저가법을 적용할 때 개별적으로 구분하여 평가손익을 인식하고 환입을 고려하여야 하는 경우가 있다. 예를 들면 어떤 개별 제품이 손상을 입은 경우에는 다른 정상제품과 구별하여 저가법을 적용하여야 한다. 하지만 개별적으로 구분할 필요가 없는 경우에는 항목별 또는 서로 유사하거나 관련 있는 항목들을 통합하여 평가한다. 예를 들면 정유회사의 경우 제품의 동질성에 따라 무연휘발유, 등유, 경유 등으로 구분하여 평가할 수 있다.

3) 재고자산평가손실과 재고자산감모손실

재고자산의 가액은 수량과 단가를 통해 산출되는데, 단가로 인한 재고자산가액의 감소를 재고자산평가손실이라고 하며, 수량으로 인한 재고자산가액의 감소를 재고자산감모손실이라고 한다. 즉, 재고자산의 순실현가능가치가 취득원가보다 하락하는 경우 그 차액이 재고자산평가손실이고 실재고수량이 장부상의 재고수량보다 적은 경우 그 차액이 재고자산감모손실이 된다.

재고자산평가손실＝실제 수량×[취득원가－순실현가능가치]
재고자산감모손실＝(장부상 수량－실제 수량)×취득원가

기준서 제1002호에서는 재고자산을 순실현가능가치로 감액한 평가손실과 모든 감모손실은 감액이나 감모가 발생한 기간에 비용으로 인식하고, 순실현가능가치의 상승으로 인한 재고자산평가손실의 환입은 환입이 발생한 기간의 비용으로 인식된 재고자산 금

액의 차감액으로 인식하도록 규정하고 있다(기준서 제1002호 문단 34). 기준서 제1002호에서는 평가손실 및 감모손실의 재무제표상 분류에 대하여 별도로 규정하고 있지 않으며, 기준서 제1002호 문단 38에서 당기에 비용으로 인식하는 재고자산 금액은 일반적으로 매출원가로 불리는 것으로 언급하고 있다.

3. 비용의 인식

재고자산의 판매시, 관련된 수익을 인식하는 기간에 재고자산의 장부금액을 비용으로 인식한다. 앞서 설명하였듯이, 재고자산을 순실현가능가치로 감액한 평가손실과 모든 감모손실은 감액이나 감모가 발생한 기간에 비용으로 인식한다. 순실현가능가치의 상승으로 인한 재고자산평가손실의 환입은 환입이 발생한 기간의 비용으로 인식된 재고자산 금액의 차감액으로 인식한다(기준서 제1002호 문단 34). 자가건설한 유형자산의 구성요소로 사용되는 재고자산처럼 재고자산의 원가를 다른 자산계정에 배분하는 경우, 다른 자산에 배분된 재고자산 원가는 해당 자산의 내용연수 동안 비용으로 인식한다(기준서 제1002호 문단 35).

당기에 비용으로 인식하는 재고자산 금액은 일반적으로 매출원가로 불리우며, 판매된 재고자산의 원가와 배분되지 않은 제조간접원가 및 제조원가 중 비정상적인 부분의 금액으로 구성된다. 또한 기업의 특수한 상황에 따라 물류원가와 같은 다른 금액들도 포함될 수 있다(기준서 제1002호 문단 38). 일부 기업은 당기에 비용으로 인식하는 재고자산원가 대신에 다른 금액을 공시하는 손익계산서 양식을 채택하고 있다. 이러한 손익계산서 양식에서는 비용의 성격별 분류방식에 기초한 비용 분석을 표시한다. 그러한 경우에는 당기의 재고자산 순변동액과 함께 비용으로 인식한 원재료 및 소모품, 노무원가와 기타 원가를 공시한다(기준서 제1002호 문단 39).

4. 공시사항 등

재고자산의 분류별 장부금액과 기중 증감액에 대한 정보는 재무제표이용자에게 유용하다. 일반적으로 재고자산은 상품, 소모품, 원재료, 재공품, 제품 등으로 분류한다(기준서 제1002호 문단 37).

기준서 제1002호 문단 36에 따라 재무제표에 다음 사항을 공시한다.

  ㉠ 재고자산의 단위원가 결정방법 등 재고자산을 측정하는 데 적용된 회계정책
  ㉡ 재고자산의 총 장부금액과 적절한 분류별 장부금액
  ㉢ 순공정가치로 보고하는 재고자산의 장부금액
  ㉣ 당기에 비용으로 인식한 재고자산의 금액

ⓜ 기준서 제1002호 문단 34에 따라 당기에 비용으로 인식한 재고자산평가손실 금액

ⓗ 기준서 제1002호 문단 34에 따라 당기에 비용으로 인식한 재고자산 금액의 차감액으로 인식한 재고자산 평가손실환입액

ⓢ 기준서 제1002호 문단 34에 따라 재고자산평가손실 환입을 초래한 상황이나 사건

ⓞ 담보로 제공된 재고자산의 장부금

5. 세무회계상 유의사항

1) 재고자산의 취득원가

재고자산의 취득원가에 대해서는 법인세법상 특별한 규정이 있는 것은 아니며, 법인세법 시행령 제72조 제2항에 따라 타인으로부터 매입하는 재고자산의 경우에는 매입가액에 취득세(농어촌특별세와 지방교육세를 포함함)·등록면허세 기타 부대비용을 가산한 금액이며, 자기가 제조·생산·건설 기타 이에 준하는 방법에 의하여 취득하는 자산의 경우에는 원재료비·노무비·운임·하역비·보험료·수수료·공과금(취득세와 등록면허세를 포함)·설치비 기타 부대비용의 합계액으로 보고 있다.

기준서 제1002호 문단 10에 따르면 "재고자산의 취득원가는 매입원가, 전환원가 및 재고자산을 현재의 장소에 현재의 상태로 이르게 하는 데 발생한 기타 원가 모두를 포함한다"라고 되어 있으므로 세법상 취득원가와 차이가 없다.

재고자산 취득원가 산정시 세무상 유의할 사항은 다음과 같다.

① 외화매입대금과 환율차손익

법인세법 기본통칙 42-76…2에 의하면, 사업연도 중에 발행한 외화자산·부채는 발생일 현재 매매기준율 등에 따라 환산하고, 외화자산·부채의 발생일이 공휴일인 때에는 그 직전일의 환율에 의한다. 따라서, 수입하는 재고자산의 취득원가도 매입채무 발생시점의 매매기준율 등으로 평가해야 할 것이다.

이 경우 적용되는 매매기준율 등이란 각 외국환은행이 자체적으로 고시하는 매매기준율이 아닌 외국환거래 규정에 따른 매매기준율 또는 재정된 매매기준율을 의미한다(법칙 39조의 2).

한편 수출품 납품대금을 내국신용장에 의해 결제하는 법인이 모든 거래처와 사전약정을 체결하여 신용장 개설 당시의 환율로 거래대금을 정산·수수하기로 함에 따라 발생하는 환차손익은 재고자산의 취득원가가 아니라 그 수수금액을 지급하거나 지급받기로 확정된 날이 속하는 사업연도의 소득금액계산시 법인의 익금 또는 손금으로 계상해

야 한다(법인 46012-3472, 1997. 12. 30.).

② 대물변제로 취득하는 재고자산

법인이 거래처의 부도발생 등으로 채권을 회수할 수 없어 그 거래처의 재고자산 등으로 대물변제를 받는 경우에 동 대물변제금액은 당해 거래처의 채권금액과 상계할 수 있는 것이며, 이 경우 재고자산 등의 가액은 변제 당시의 시가(정상가액)로 하는 것이 적절하다(서면2팀-2173, 2004. 10. 27. 및 법인 22601-16, 1986. 1. 8.).

만약, 채권과 위의 재고자산가액과 차액이 발생한 경우 대손요건이 충족된 경우에는 대손금으로 처리하여야 하나, 대물변제 등으로 채권·채무 관계가 종결되는 것으로 당사자 간에 합의한 경우에는 사후약정에 의하여 채권을 임의로 포기한 것으로 보아 접대비 또는 기부금으로 처리하여 시부인하여야 한다(법인 22601-3224, 1986. 10. 30.).

위의 사항과 반대로 채권의 금액보다 변제받은 재고자산의 시가(정상가액)가 더 큰 경우에는 재고자산의 가액은 채권가액으로 한다(서면2팀-2173, 2004. 10. 27. 및 법인 46012-3261, 1996. 11. 22.).

③ 재고자산취득과 관련한 지급이자

한국채택국제회계기준상 취득과 관련된 차입원가는 단기간 내에 제조되거나 생산되는 재고자산은 적격자산에 해당하지 않아 자본화가 불가능하나, 장기간 동안 재고자산의 제조 또는 건설이 소요되는 경우에는 적격자산에 해당할 수 있으므로 그러한 자산이 발생하는 경우 차입금 이자비용을 자본화해야 한다(기준서 제1023호 문단 7).

그러나 법인세법에서는 건설자금 이자계상대상 자산을 사업용 유형자산 및 무형자산으로 한정하여 재고자산에 대한 차입원가의 자본화는 인정하지 아니하므로 만약 회계상 차입원가를 재고자산의 취득원가로 계상한 경우에는 동 금액을 손금산입(△유보)하고 이후 동 자산이 판매되는 시점에 익금산입(유보)하여야 한다(법법 28조 1항 3호, 법령 52조 1항 및 72조 3항 2호).

따라서, 주택신축판매업 법인의 재고자산에 해당하는 주택·아파트 또는 부동산매매법인의 재고자산에 해당하는 토지의 매입 등에 사용된 차입금의 이자는 취득원가에 산입하지 아니하므로(법인 46012-1845, 1997. 7. 8. 및 법인 46012-1669, 1997. 6. 20.), 만약 해당 차입원가에 대해서 자본화한 경우에는 위의 세무조정이 필요하다.

한국채택국제회계기준에서는 Usance Bill 또는 D/A Bill과 같이 연불조건으로 원자재를 수입하는 경우에 발생하는 이자는 금융이 이루어지는 기간 동안 이자비용으로 인식하도록 하고 있다(기준서 제1002호 문단 18). 즉 연불조건으로 원재료를 수입하는 경우에는 취득시점의 현금구입가격보다 실제 총지급액이 더 많게 되며, 이러한 차액은 결국 대가의 지급을 이연시킨 결과이므로 차입원가의 자본화대상이 아닌 한 실제 지급시까지의 기간에 걸쳐 이자비용으로 인식하도록 한 것이다.

이와 관련하여 법인세법에서는 다음에 해당하는 연지급수입에 있어서 취득가액과 구분하여 지급이자로 계상한 금액은 취득가액에서 제외하도록 하고 있다(법령 72조 4항 2호 및 법칙 37조 3항).

가. 은행이 신용을 공여하는 기한부 신용장방식 또는 공급자가 신용을 공여하는 수출자신용방식에 의한 수입방법에 의하여 그 선적서류나 물품의 영수일부터 일정기간이 경과한 후에 당해 물품의 수입대금 전액을 지급하는 방법에 의한 수입

나. 수출자가 발행한 기한부 환어음을 수입자가 인수하면 선적서류나 물품이 수입자에게 인도되도록 하고 그 선적서류나 물품의 인도일부터 일정기간이 지난 후에 수입자가 해당 물품의 수입대금 전액을 지급하는 방법에 의한 수입

다. 정유회사, 원유·액화천연가스 또는 액화석유가스 수입업자가 원유·액화천연가스 또는 액화석유가스의 일람불방식·수출자신용방식 또는 사후송금방식에 의한 수입대금결제를 위하여 외국환거래법에 의한 연지급수입기간 이내에 단기외화자금을 차입하는 방법에 의한 수입

라. 기타 "가" 내지 "다"와 유사한 연지급수입

한편, 2007년 3월 30일 법인세법 시행규칙 개정 전에는 연지급수입의 범위에 D/A이자와 Shipper's Usance이자가 포함되지 않았다. 이에 따라, 2007년 3월 29일 이전에 최초로 수입하는 분에 대한 D/A이자와 Shipper's Usance이자를 기업회계기준에 따라 금융비용으로 회계처리한 경우에는 기말재고로 남아있는 부분에 대하여 재고자산평가감손금불산입(유보)의 세무조정이 필요하였다(서면2팀-2525, 2004. 12. 3.).

2) 재고자산의 평가방법

① 재고자산평가방법의 종류

현행 세법상 재고자산의 평가방법에는 원가법·저가법이 있으며 매매를 목적으로 매입한 유가증권은 별도로 정하고 있다.

원가법에는 ㉮ 개별법, ㉯ 선입선출법, ㉰ 후입선출법, ㉱ 총평균법, ㉲ 이동평균법, ㉳ 매출가격환원법이 있으며, 이를 적용할 경우 입출고시마다 적용하는 것이 원칙이나 당해 법인이 계속하여 후입선출법, 총평균법 또는 이동평균법 등을 월별·분기별 또는 반기별로 적용하여 재고자산을 평가하는 경우에는 이를 법의 규정에 따른 후입선출법, 총평균법 또는 이동평균법에 의하여 평가한 것으로 본다(법기통 42-74…1).

한국채택국제회계기준에서는 후입선출법으로 인한 재고자산 평가방법은 인정하지 않

으므로 한국채택국제회계기준을 최초로 채택한 법인은 과거 적용한 후입선출법을 다른 재고자산평가방법으로 전환하여야 하므로 아래 "②"에서 설명하는 바와 같이 재고자산 등 평가방법변경신고서를 평가방법 변경일이 속하는 사업연도의 종료일 이전 3월이 되는 날까지 관할세무서장에게 제출하여야 하며, 변경방법을 신고하지 않은 경우에는 아래 "③"에서와 같은 불이익을 받을 수 있다(법령 74조 3항 2호).

후입선출법을 적용하던 법인이 한국채택국제회계기준을 적용함으로써 후입선출법에서 다른 재고자산평가방법(예 : 선입선출법)으로 전환함에 따라 전환시점에 전기 재무제표 등을 변경하는 경우 세무조정은 다음과 같다.

구 분	회계처리	세무조정[*]
전기 기말재고자산(당기 기초재고자산)이 후입선출법보다 선입선출법으로 평가한 가액이 큰 경우 전기이월잉여금은 감소하고 당기 기초재고자산은 증가하는 회계처리를 하는 경우	(차) 재고자산 ××× (대) 전기이월잉여금 ×××	익금산입(기타) 손금산입(△유보)
전기 기말재고자산(당기 기초재고자산)이 후입선출법보다 선입선출법으로 평가한 가액이 작은 경우 전기이월잉여금은 증가하고 당기 기초재고자산은 감소하는 회계처리를 하는 경우	(차) 전기이월잉여금 ××× (대) 재고자산 ×××	익금산입(유보) 손금산입(기타)

[*] 세무상 전기 신고한 내역은 적정한 바, 회계상 소급법으로 전기 기말재고자산 효과를 전기이월이익잉여금 등에 반영한 경우에는 세무상 이를 부인하는 기초 세무조정이 필요하며, 만약 당기 중에 기초재고자산이 모두 판매되었다면 기초에 부인된 금액(유보, △유보)이 모두 당기에 추인됨.

다만, 후입선출법을 적용하던 법인이 한국채택국제회계기준을 최초로 적용함으로써 후입선출법에서 다른 재고자산평가방법으로 변경하는 경우 발생할 수 있는 일시적 세부담 증가의 완화를 위해 납세지 관할 세무서장에게 변경신고한 경우에는 해당 사업연도의 소득금액을 계산할 때 다음 산식에 따른 재고자산평가차익을 익금에 산입하지 아니할 수 있다. 이 경우 해당 재고자산평가차익은 국제회계기준을 최초로 적용하는 사업연도의 다음 사업연도 개시일부터 5년간 균등하게 나누어 익금에 산입해야 한다(법법 42조의 2 1항 및 법령 78조의 2 3항).

> 재고자산평가차익 =
> 　　　한국채택국제회계기준 최초 적용하는 사업연도의 기초재고자산 평가액 −
> 　　　한국채택국제회계기준 최초 적용하기 직전 사업연도의 기말재고자산 평가액

> 익금산입액 = 재고자산평가차익 × 해당 사업연도의 월수 ÷ 60월

한편, 위와 같이 재고자산평가차익을 익금에 산입하지 아니한 내국법인이 해산(적격합병과 적격분할로 인한 해산은 제외)하는 경우에는 익금에 산입하고 남은 금액을 해산등기일이 속하는 사업연도의 소득금액을 계산할 때 익금에 일시산입해야 한다(법법 42조의 2 2항).

이러한 익금불산입 특례 규정을 적용받으려는 내국법인은 국제회계기준을 최초로 적용하는 사업연도의 과세표준을 신고할 때 재고자산평가차익 익금불산입 신청서를 납세지 관할 세무서장에게 제출하여야 한다(법령 78조의 2 4항).

② 평가방법의 신고

재고자산을 평가하는 경우에는 당해 자산을 제품 및 상품(부동산매매업자가 매매를 목적으로 소유하는 부동산은 포함하나 유가증권은 제외함), 반제품 및 재공품, 원재료, 저장품 등으로 구분하여 종류별·영업장별로 각각 다른 방법에 의하여 평가할 수 있다(법법 42조 2항, 법령 73조 1호).

종류별·영업장별로 재고자산을 평가하고자 하는 법인은 수익과 비용을 영업의 종목별(통계청장이 고시하는 한국표준산업분류에 의한 중분류 또는 소분류에 의함) 또는 영업장별로 각각 구분하여 기장하고, 종목별·영업장별로 제조원가보고서와 포괄손익계산서(포괄손익계산서가 없는 경우에는 손익계산서를 말함)를 작성하여야 한다(법령 74조 2항). 영업장별로 각각 다른 방법에 의하여 평가하고자 하는 법인은 재고자산평가방법신고서에 영업장별 평가방법을 명시하여야 하며, 영업장별 평가방법의 신고가 없는 경우에는 본점 또는 주사업장의 신고방법을 적용하여 평가한다(법기통 42-74…8).

또한 내국법인은 각 사업연도의 소득금액계산에 있어서 적용할 재고자산의 평가방법을 변경하고자 할 때에는 변경할 평가방법을 적용하고자 하는 사업연도의 종료일 이전 3월이 되는 날까지 재고자산 등 평가방법신고(변경신고)서를 관할 세무서장에게 제출(국세정보통신망에 의한 제출 포함)하여 신고하여야 한다(법령 74조 3항).

이 경우 과세관청의 유권해석에 의하면 연단위 총평균법을 적용하던 기업이 월단위 총평균법으로 평가방법을 변경하고자 하는 경우에도 재고자산평가방법변경신고서를 제출하도록 하고 있다(서이 46012-10937, 2003. 5. 12.).

한편, 법인이 재고자산의 평가방법을 신고하지 아니하여 선입선출법을 적용받는 경우에 그 평가방법을 변경하려면 변경할 평가방법을 적용하려는 사업연도의 종료일 전 3개월이 되는 날까지 변경신고를 하여야 한다(법령 74조 6항).

③ 선입선출법의 강제 적용

법인세법상 다음과 같은 경우에는 법인이 결산시 실제 적용한 평가방법에 관계 없이 세무상 기말재고자산가액을 강제로 따로 계산하도록 규정하고 있으며, 동 규정상 법정 평가방법에 의하여 계산된 재고자산가액과 법인의 장부상 계상된 재고자산가액과의 차액을 "재고자산평가감"이라 한다(법령 74조 4항).

구 분	법정 평가방법
• 재고자산평가방법을 신고기한 내에 신고하지 아니한 경우	선입선출법(매매를 목적으로 소유하는 부동산의 경우에는 개별법)에 의하여 평가한 평가액
• 신고한 평가방법 이외의 방법으로 재고자산을 평가한 경우 • 평가방법 변경신고 기한 내에 변경신고를 하지 아니하고 그 방법을 변경한 경우	선입선출법(매매를 목적으로 소유하는 부동산의 경우에는 개별법)에 의한 평가액과 당초 신고한 평가방법에 의한 평가액 중 큰 금액

다만, 재고자산평가방법을 신고하고, 신고한 방법에 의하여 평가하였으나, 기장 또는 계산상의 착오가 있는 경우에는 재고자산의 평가방법을 달리하여 평가한 것으로 보지 아니한다(법기통 42-74…10).

<blockquote>
사례

재고자산평가방법	평 가 액
이동평균법(당초 법인이 신고한 방법)	₩10,000
총평균법(법인결산시 실제 적용한 방법)	8,000
선입선출법	9,000

법인이 임의로 평가방법을 변경한 경우에는 세무상 선입선출법에 의하여 각 사업연도의 소득금액을 계산하여야 하나, 당해 법인이 당초 신고한 평가방법에 의한 평가액이 선입선출법보다 클 때에는 신고한 방법에 의한 평가액을 기말재고자산가액으로 보도록 하고 있으므로 기말재고자산가액은 이동평균법에 의한 평가액인 ₩10,000이 된다. 따라서 장부상 재고가액인 ₩8,000과의 차액인 ₩2,000을 익금산입하고 유보처분하여야 한다.
</blockquote>

3) 재고자산평가손익

① 재고자산의 평가이익

한국채택국제회계기준은 물론 법인세법에서도 재고자산의 평가이익은 인정하지 않고 있으므로, 법인이 재고자산의 시가가 장부가액보다 상승하였다 하여 그 차액을 평가이익으로 계상한 경우에는 익금불산입하고 유보처분하여야 한다.

또한 기준서 제1002호 문단 33에 의한 저가법의 적용에 따른 평가손실을 초래했던 상황이 해소되어 새로운 시가가 장부가액보다 상승함에 따라 최초의 장부가액을 초과하지 않는 범위 내에서 평가손실을 환입하는 경우 또한 법인세법상 인정되지 않기 때문에 동 환입액을 전액 익금불산입 유보처분하여야 한다.

② 재고자산의 평가손실(폐기손실 포함)

법인세법상 재고자산의 평가손실을 손금에 산입할 수 있는 경우는 다음의 두 가지에 한정하고 있다.

첫째, 저가법에 의하여 재고자산을 평가하고 원가가 시가보다 높아 평가손실이 발생하는 경우

둘째, 재고자산 중에서 파손, 부패 기타 사유로 인하여 정상가격으로 판매할 수 없는 자산이 있을 때 기타 재고자산과 구분하여 처분가능한 시가로 이를 평가하는 경우

여기서 저가법이라 함은 원가법 또는 한국채택국제회계기준이 정하는 바에 의하여 시가로 평가한 가액 중 낮은 편의 가액을 평가액으로 하는 방법을 말하는 것으로서(법령 74조 1항 2호), 법인세법상 재고자산의 평가방법을 저가법으로 신고하거나 기한 내에 변경 신고한 경우에만 인정된다. 한편 국세청의 유권해석은 당해 재고자산의 순실현가능가치 등을 감안하지 아니하고 일정 기간이 경과한 재고자산의 가액을 일률적으로 그 취득원가의 10%로 평가하는 경우는 이에 해당하지 않는 것으로 해석하고 있다(법인 46012-3670, 1998. 11. 28.).

재고자산 중 파손, 부패 기타 사유로 인하여 정상가액으로 판매할 수 없는 재고자산에 대하여는 법인이 신고한 평가방법 여하에 불구하고 그 평가손실을 계상할 수 있다(법법 42조 3항 1호). 이 경우 파손, 부패 등의 사실이 확인되어 재고자산평가손실을 계상한 것은 내부규정 등에 의하여 관리종업원에게 해당 손실의 변상책임이 있는 경우에도 손금으로 산입된다(법기통 42-78…1). 이때 평가손실의 회계처리상 유의할 점은 파손, 부패된 불량재고자산을 처분가능한 시가로 평가하여 손금경리에 의하여 장부가액을 감액하지 않으면 세무상 인정되지 않는다는 점이다(법령 78조 3항 1호).

또한 실지재고조사를 실사하여 이와 같은 결함이 있는 재고품을 정확히 파악하고 이를 정상적인 재고품과 구별하여 회계처리하고 관리하는 것은 세무대책인 동시에 회사 자체의 재고자산 관리면에서도 매우 중요하다고 하겠다.

구체적으로 불량재고품을 정상적인 재고자산과 구분경리하기 위해서는 불량재고품만을 재고조사표에 별도로 구분하거나, 혹은 별도계정을 설정하고 정상적인 재고자산과 구분하여 계상하는 동시에 수불부에서도 분리하여 다른 계정에 대체 경리하는 것이 바람직하다. 그리고 이 불량자산에 대하여 처분가능액을 평가하여 장부가액과의 차이를 재고자산평가손실로 회계처리하며 그 산정의 기초가 되는 근거나 계산과정 등에 대한

자료를 구체적으로 갖춰 두는 것이 매우 중요하다. 이는 재고자산평가손실의 발생원인 및 시가의 결정에 상당히 사실판단의 문제가 내재되기 때문이다.

만약 재고자산을 실제 폐기처분하였으나 객관적으로 입증가능한 증거를 갖추지 못하여 손실을 인정받지 못하는 경우에는 이를 재고누락 또는 매출누락으로 간주하여 시가에 의한 매출액 상당액을 익금산입하고 대표자에 대한 상여로 처분하게 된다.

4) 재고자산과부족의 세무처리

① 재고자산누락

재고조사 결과 재고자산의 실지재고량이 장부상 재고량보다 많은 경우, 그 수량 초과분을 익금에 산입하고 유보처분하여야 하며, 동 누락자산을 장부상 수정하여 수익으로 계상한 경우 동 금액을 익금불산입하고 △유보처분하여 당초 유보액을 상계시킨다. 그러나 만약 법인이 누락자산을 장부상 수정하지 아니한 경우에는 계속적으로 그 재고자산을 보유하고 있음을 입증하여야 하며 실물을 확인할 수 없는 경우에는 당해 재고자산을 처분하고 매출누락한 것으로 간주하여 시가를 익금산입하고 대표자에 대한 상여로 처분하게 된다.

② 재고자산부족

가. 재고자산감모손실

매입한 재고자산이 파손, 부패, 증발, 도난 등의 사유로 실제 재고액이 장부상 재고액보다 적을 경우에는 재고자산감모손실이 발생하는 바, 객관적인 증빙을 갖춘 상태에서 사회통념상 타당하다고 인정되는 경우에는 각 사업연도의 손금으로 계상할 수 있다. 해당 부분에 대한 자세한 사항은 "포괄손익계산서편 재고자산감모손실"을 참조하기 바란다.

나. 재고자산의 가공계상

재고자산의 누락과는 반대로 재고자산이 장부상에만 계상되어 있고 사실상 사외유출된 가공자산은 시가에 의한 매출액 상당액(원재료인 경우 그 원재료 상태로는 유통이 불가능하거나 조업도 또는 생산수율 등으로 미루어 보아 제품화되어 유출된 것으로 판단되는 경우에는 제품으로 환산하여 시가를 계산)을 익금에 산입하여 대표자에 대한 상여로 처분하고 동 가공자산은 손금에 산입하여 △유보로 처분하며, 이를 손비로 계상하는 때에는 익금에 산입하여 유보로 처분한다.

이 때 익금에 가산한 가공자산가액 또는 매출액상당액을 그 후 사업연도에 법인이 수익으로 계상한 경우에는 기 익금에 산입한 금액의 범위 내에서 이를 이월익금으로 보아 익금에 산입하지 아니한다.

그러나 재고자산의 부족분이 매출되고 그 귀속자가 분명한 경우에는 가공자산으로 처분하는 것이 아니라 매출누락으로서 그 귀속자에 대한 배당, 상여 등으로 처분하여야 한다.

5) 제품원가계산방법

법인세법에서는 자기가 제조한 제품에 대한 취득원가는 그 제조 또는 생산원가로 한다고만 규정하고 있을 뿐이며 원가계산방법에 관한 명문화된 규정은 없다. 따라서 원가계산방법은 당해 법인이 일반적으로 공정·타당하다고 인정되는 방법을 채택하여 계속적으로 적용하면 세무회계에서도 이를 인정한다.

원가계산은 계산과정이 복잡하고 원가계산의 기초가 되는 제조수율, 제조간접비의 배부, 임률, 각 공정 간의 연속작업으로 인한 공정별 원가측정의 난이성, 제조방법 등의 차이로 동일한 제품을 생산하는 기업이라도 동일한 기준을 정할 수는 없다. 따라서 기업에 따라 그 기업의 생산형태 및 특성에 맞는 합리적인 원가계산방법을 채택하여 계속적으로 적용하고, 그 방법이 한국채택국제회계기준에 부합되면 타당한 것으로 받아들여진다.

6) 제품원가계산의 세무상 조정

법인세법상 원가계산절차에 대하여 명문의 규정은 없으나, 그 제조원가에 속하는 개별적인 비용이 세법상 부인되는 경우에는 문제점이 발생하게 된다.

예를 들어 당기 중 공장직원들에 대한 퇴직급여충당금을 법인이 세무상 한도액보다 과다하게 설정함으로써 그 한도 초과액을 부인한 경우 이는 세무상 법인의 당기비용으로 보지 않아 손금불산입하게 된다. 이 경우 제조원가로서 배분된 퇴직급여충당금은 기말시점에서 볼 때 당기에 제품이 완성되어 판매된 부분은 매출원가로, 판매되지 아니한 부분과 미완성된 부분은 기말재고자산으로 남아 있다.

따라서 퇴직급여충당금 한도 초과액 전액을 손금불산입할 경우에는 당기에 손금으로 계상되지 아니한 기말재고자산에 포함된 금액까지 손금불산입하는 결과가 된다.

이에 대한 국세청 유권해석은 당해 사업연도 세무계산상 익금가산 또는 손금가산으로 제조원가가 조정된 경우 기말재공품 및 제품 등 재고자산의 평가는 익금가산 또는 손금가산 금액을 가감한 후의 제조원가를 기준으로 평가하도록 요구하고 있다(법인 1246.21-2356, 1984. 7. 14.).

이와 유사한 경우로 전기이월이익잉여금을 감소시키는 전기오류수정손실로 계상한 감가상각비를 각 사업연도 소득금액계산상 손금에 산입한 금액은 세무계산상 당기의 일반관리비 및 제조원가에 적정히 배부하여 기말재고자산에 배부되는 금액을 조정하도록 하고 있다(법기통 23-0…4).

그러나 실무상 손금산입 또는 손금불산입으로 조정되는 제조원가 중 재고자산에 배부되는 금액이 중요하지 아니한 경우에는 기말재고자산에 미치는 영향을 고려하지 않고 있다.

7) 부동산매매업자의 상가분양원가

법인이 동일필지 내 상가 및 사무실용 건물을 신축하고 층별·용도별로 분양가액을 달리하여 분양하는 경우 분양원가는 원칙적으로 개별원가계산방법 또는 분양면적비율에 의한 안분계산방법('단순종합원가계산방법')에 의하는 것이나, 각 층별·위치별 분양가액이 다르고 전체 분양가액이 구체적으로 산정되었음이 사전공시방법 등에 의하여 명백히 확인되는 경우 분양원가는 당해 사업연도에 분양된 건물의 분양가액이 총분양예정가액에서 차지하는 비율에 의하여 안분계산할 수 있으며, 동 원가계산방법은 당해 건물의 분양이 완료될 때까지 계속 적용하여야 한다(법인 46012-2010, 2000. 9. 29.).

실제 대단위 상가에 있어서는 그 층수에 따라 이용가치 및 분양가액에 큰 차이가 발생하는 것이 보통이므로 법인이 개별이나 단순종합원가계산방법에 따라 그 재고자산의 취득가액을 산정하면 각 층별의 이용가치에 불구하고 그 취득가액이 대부분 비슷하게 산정되는 결과를 가져오므로 상가가 각 사업연도에 걸쳐 분양된 경우에는 각 사업연도 말에 어느 층이 재고로 남느냐에 따라 각 사업연도 과세소득에 큰 차이가 발생하며 따라서 적정한 기간손익계산이 이루어지지 않는다.

그러므로 이러한 상가의 각 층별 취득원가는 각 층별 순실현가치나 상대적 판매가격 등에 비례하여 각 층이 분리되기 이전까지 공동으로 발생한 총결합원가를 적절하게 배부하는 연산품원가계산에 의하여 결정하는 것이 합리적일 것이며, 과세관청의 유권해석도 이를 수용하는 입장을 취하고 있다.

비유동자산

비유동자산(non-current assets)이란 유동자산 외의 모든 자산을 말하며 기업의 정상 영업주기 이후에 실현될 것으로 예상하거나 판매·소비할 의도가 있고, 단기매매 목적으로 보유하지 않으며, 보고기간 후 12개월 이후에 실현될 것으로 예상되는 자산이다.

제1절 금융자산

1. 기타포괄손익 – 공정가치 측정 금융자산

기타포괄손익 – 공정가치 측정 금융자산의 금액이나 성격이 중요한 경우에는 재무상 태표에 별도 항목으로 구분하여 표시하지만, 중요하지 아니한 경우에는 비유동자산으로 분류되는 상각후원가 측정 금융자산과 기타 수취채권 등과 함께 '금융자산'으로 통합하여 표시하고 기타포괄손익 – 공정가치 측정 금융자산, 상각후원가 측정 금융자산, 기타 수취채권 등으로 구분한 내용을 주석으로 공시한다(기준서 제1107호 문단 8).

(1) 개념 및 범위

'유동자산'에서 살펴본 것처럼 금융자산은 사업모형 및 계약상 현금흐름 특성이라는 두 가지 기준으로 분석한 결과에 따라 상각후원가 측정 금융자산, 기타포괄손익 – 공정 가치 측정 금융자산, 당기손익 – 공정가치 측정 금융자산으로 분류한다.

다음 두 가지 조건을 모두 충족한다면 금융자산을 기타포괄손익 – 공정가치로 측정한다.

ㄱ 계약상 현금흐름의 수취와 금융자산의 매도 둘 다를 통해 목적을 이루는 사업모형 하에서 금융자산을 보유한다.

ㄴ 금융자산의 계약 조건에 따라 특정일에 원리금 지급만으로 구성되어 있는 현금흐름이 발생한다.

또한, 지분상품에 대한 투자로서 단기매매항목이 아니고 기업회계기준서 제1103호를 적용하는 사업결합에서 취득자가 인식하는 조건부 대가가 아닌 지분상품에 대한 투자의 후속적인 공정가치 변동을 기타포괄손익으로 표시할 것을 선택할 수 있다. 이러한 선택은 상품별(주식별)로 하게 되며, 최초인식 시점에만 허용되고 취소할 수 없다. 이 경우의 지분상품도 기타포괄손익－공정가치 측정 금융상품이 된다.

(2) 기업회계상 회계처리

1) 취득원가의 결정

① 취득시기

기타포괄손익－공정가치 측정 금융자산은 그 금융자산의 계약당사자가 되는 때에만 재무상태표에 인식하며 관련 시장의 규정이나 관행에 의하여 일반적으로 설정된 기간 내에 당해 금융자산을 인도하는 계약조건에 따라 금융자산을 매입하거나 매도하는 정형화된 거래의 경우에는 매매일 또는 결제일에 해당 거래를 인식한다(기준서 제1109호 문단 3.1.2). 이와 같은 정형화된 금융자산의 매입이나 매도 거래에 대한 매매일 또는 결제일 회계처리는 금융자산 범주별로 회계처리방법을 선택하여 해당 범주에 속하는 금융자산의 매입이나 매도 모두에 대하여 일관성 있게 적용한다(기준서 제1109호 문단 B3.1.2).

예로서 유가증권시장 또는 코스닥시장에서는 주식의 매매계약 체결 후 일정일 이후(예 : T＋2일)에 결제가 이루어지는데, 이 경우 매매일 회계처리를 선택한 회사의 주식 매매거래의 인식시점은 매매일로 본다. 한편, 주식의 매매계약을 체결하고 관행적인 결제규정이 아닌 조건(예 : T＋5일)으로 결제가 이루어지는 경우, 매매일 회계처리를 선택한 회사라 하더라도 동 거래는 정형화된 금융자산의 매입계약에 해당하지 않으므로 이를 주식의 매입거래가 아닌 주식에 대한 선도거래로 보고 파생상품으로 회계처리하며 주식의 취득 거래는 해당 선도계약의 결제일 시점에 발생하는 것으로 본다. 또한, 매매일과 결제일 사이의 가치의 변동에 대하여 차액결제를 요구하거나 차액결제를 허용하는 계약은 정형화된 계약이 아니다. 그러한 계약은 매매일과 결제일 사이에 파생상품으로 회계처리한다.

한편, 회사가 기타포괄손익－공정가치 측정 금융자산의 정형화된 금융자산의 매입이나 매도 거래에 대해 결제일 회계처리를 선택한 경우, 매입하는 금융자산은 해당 자산을 인수하는 날에 인식하고 매도하는 금융자산을 해당 자산을 인도하는 날에 제거하고 처분손익을 인식한다. 단, 매매일과 결제일 사이에 이미 취득한 자산에 대한 회계처리와 동일한 방법으로 수취할 자산의 공정가치에 대한 모든 변동을 회계처리한다. 따라서 기타포괄손익－공정가치 측정 금융자산으로 분류된 자산 관련 매매일과 결제일 사이의 가치변동은 기타포괄손익으로 인식한다.

② 취득원가

기타포괄손익-공정가치 측정 금융자산은 최초인식시 공정가치로 측정하며, 공정가치는 일반적으로 거래가격(제공하거나 수취한 대가의 공정가치)을 의미한다. 이 때 당해 기타포괄손익-공정가치 측정 금융자산의 취득과 직접 관련된 거래원가는 최초인식시 공정가치에 가산한다(기준서 제1109호 문단 5.1.1).

거래원가는 금융자산이나 금융부채의 취득, 발행, 처분과 직접 관련된 증분원가이며 증분원가는 그 금융상품의 취득, 발행, 처분이 없었다면 생기지 않았을 원가를 말한다. 거래원가에는 대리인(판매대리인 역할을 하는 종업원을 포함), 고문, 중개인, 판매자에게 지급하는 수수료와 중개수수료, 감독기구와 증권거래소의 부과금과 양도세 등이 포함되지만 채무할증액, 채무할인액, 금융원가, 내부 관리원가, 내부 보유원가는 포함되지 않는다.

> **사례** (주)삼일은 을회사의 주식 1,000주를 ₩1,200,000에 구입하였다. 이 때에 매입수수료 ₩15,000이 발생하여 현금으로 지급하였다.
>
> (차) 기타포괄손익-공정가치   1,215,000   (대) 현금 및 현금성자산   1,215,000
>   측 정 금 융 자 산

기타 유·무상 증자, 주식배당, 증여에 의한 주식취득 등 특수한 경우의 취득원가 산정방법에 대하여는 '금융자산' 중 '당기손익인식금융자산'편의 설명을 참조하기로 한다.

2) 기타포괄손익-공정가치 측정 금융자산의 측정

① 공정가치에 의한 평가

가. 개 요

기타포괄손익-공정가치 측정 금융자산은 공정가치로 평가하여야 한다. 다만, 제한된 상황에서 지분상품에 대한 투자의 원가가 공정가치의 적절한 추정치가 될 수 있다. 공정가치를 결정하기 위해 이용할 수 있는 더 최근의 정보가 불충분하거나, 가능한 공정가치측정치의 범위가 넓고 그 범위에서 원가가 공정가치의 최선의 추정치를 나타낸다면 그러한 경우에 해당할 수 있다. 원가가 공정가치를 나타내지 않을 수 있는 경우의 예는 다음과 같다.

- 예산, 계획, 주요 일정과 비교해 볼 때 피투자자의 성과에 유의적인 변동이 있는 경우
- 피투자자가 이룰 제품의 기술적 수준에 대한 예상이 변동한 경우
- 피투자자의 지분이나 제품 또는 잠재 제품에 대한 시장에 유의적인 변동이 있는 경우
- 국제 경제나 피투자자의 경제적 영업 환경에 유의적인 변동이 있는 경우
- 비교 가능한 기업의 성과나 전반적인 시장에 내재된 가치평가에 유의적인 변동이

있는 경우
- 피투자자에게 부정, 상업분쟁, 소송, 경영진이나 전략의 변화와 같은 내부 문제가 있는 경우
- 피투자자의 지분과 관련하여 제3자간 지분상품의 이전이나 (새로운 주식의 발행과 같은) 피투자자가 외부와의 거래에 따른 증거가 있는 경우

(기준서 제1109호 문단 B5.2.3, B5.2.4)

　기타포괄손익－공정가치 측정 금융자산의 취득단가 산정방법(종목별로 개별법, 선입선출법, 후입선출법 또는 다른 합리적인 방법을 사용)과 공정가치의 범위에 대하여는 '금융자산' 중 '당기손익－공정가치 측정 금융자산'편의 설명을 참조하기로 한다. 다만, 손상규정의 적용을 받는 기타포괄손익－공정가치 측정 채무상품의 경우 가중평균법의 사용은 적절하지 않다. 기준서 제1109호가 최초 인식일의 채무불이행 발생 위험과 비교하여 신용위험의 유의적인 증가 여부를 평가하도록 하기 때문인데 다른 시기에 취득한 금융상품에 대해 평균 채무불이행위험을 사용하면 신용위험의 유의적인 증가 여부 판단을 어렵게 할 수 있기 때문이다.

　㉠ 지분상품

　지분상품에 대한 투자의 후속적인 공정가치 변동을 기타포괄손익으로 표시할 것을 선택한 경우, 환율변동효과를 포함한 모든 공정가치 변동을 기타포괄손익으로 인식한다. 또한, 손상차손을 반영하지 않고 금융자산의 제거 시 공정가치 변동에 따른 차액도 당기손익에 반영하지 않는다. 그러나, 해당 지분상품에 대한 투자의 배당은 당기손익으로 인식한다(기준서 제1109호 문단 5.7.5, 5.7.6).

　기타포괄손익－공정가치 측정 금융자산으로의 지정은 기준서 제1032호 '금융상품 : 표시'에서 규정된 지분상품의 정의를 충족하는 지분상품에 대해 가능하다. 특정 상황에서 풋가능 금융상품이 발행자의 관점에서 자본으로 분류되더라도, 지분상품의 정의를 충족하는 것은 아니므로 기타포괄손익－공정가치 측정 금융자산으로 지정할 수 없으니 기타포괄손익－공정가치 측정 금융자산의 선택이 가능한 지분상품인지를 확인해야 한다. 지분상품의 정의는 '자본' 중 '자본과 부채의 분류' 편을 참조한다.

　㉡ 채무상품

　기타포괄손익－공정가치 측정 금융자산의 손익 중 손상차손과 외환손익을 제외한 금액은 기타포괄손익으로 인식하며, 당해 누적손익은 관련된 금융자산이 제거되는 시점에 재분류조정으로 자본에서 당기손익으로 재분류한다. 다만, 유효이자율법을 적용하여 계산한 이자수익은 당기손익으로 인식한다(기준서 제1109호 문단 5.7.10).

　화폐성 기타포괄손익－공정가치 측정 금융자산은 외화기준 상각후원가를 장부금액으로

한 것으로 보아 회계처리한다. 따라서 그러한 금융자산의 경우 상각후원가에 대한 외환차이는 당기손익으로 인식하며, 장부금액의 그 밖의 변동은 기타포괄손익으로 인식한다.

나. 평가손익의 회계처리와 표시

㉠ 평가손익의 자본항목처리

공정가치로 평가하는 기타포괄손익－공정가치 측정 금융자산(유동자산으로 분류된 기타포괄손익－공정가치 측정 금융자산도 포함)에서 발생하는 평가손익은 기타포괄손익(기타포괄손익－공정가치 측정 금융자산평가손익)으로 회계처리하도록 하여 자본의 항목으로 처리하도록 하고 있다. 이는 기타포괄손익－공정가치 측정 금융자산의 보유목적이 단기간 내의 매매차익을 목적으로 하는 것이 아니고 일반적으로 장기적인 투자목적이기 때문에 미실현보유손익을 자본항목으로 처리하도록 한 것이다. 또한 기타포괄손익－공정가치 측정 금융자산평가손익을 당기순이익에 포함시키게 되면 배당을 통해 사외유출될 가능성이 있으므로 이를 방지하기 위한 목적도 있다.

㉡ 평가손익의 표시

사업모형과 계약상 현금흐름 특성에 따라 기타포괄손익－공정가치로 측정하는 금융자산의 순손익과 기타포괄손익－공정가치 측정 항목으로 지정한 지분상품에 대한 투자의 순손익은 포괄손익계산서나 주석에 구분하여 표시한다. 사업모형과 계약상 현금흐름 특성에 따라 기타포괄손익－공정가치로 측정하는 금융자산은 기타포괄손익으로 인식한 손익의 금액과 제거 시점에 누적기타포괄손익에서 당기손익으로 재분류한 금액을 별도로 구분하여 표시한다.

② 손상차손의 인식

가. 개 요

기타포괄손익－공정가치 측정 금융자산으로 분류되는 채무상품은 기준서 제1109호의 손상규정의 적용대상이다. 이러한 금융자산에 대해서는 합리적인 추정을 통하여 금융상품의 예상되는 손실을 반영하여 손상차손을 인식한다. 지분상품의 공정가치 변동을 기타포괄손익으로 표시할 것을 선택한 경우 해당 금융자산의 공정가치 변동은 기타포괄손익으로 인식하며 손상차손도 인식하지 않는다. 따라서, 아래의 손상 내용은 기타포괄손익－공정가치 측정 채무상품에 대한 것이다. 기준서의 손상규정에 대한 설명은 '유동자산'의 '대손충당금' 편을 참조하고 여기서는 기타포괄손익－공정가치 측정 금융자산의 손상 회계처리를 살펴보기로 한다.

나. 기타포괄손익 – 공정가치 측정 금융자산의 손상차손

㉠ 손상차손의 인식

보고기간 말에 인식해야 하는 금액으로 손실충당금을 조정하기 위한 기대신용손실액 (또는 환입액)은 손상차손(환입)으로 당기손익에 인식한다. 다만, 해당 손실충당금은 기 타포괄손익에서 인식하고 재무상태표에서 금융자산의 장부금액을 줄이지 아니한다.

사례 (주)삼일은 20×8. 12. 15.에 을회사가 발행한 사채를 장기투자보유목적으로 공정가치인 ₩100,000에 취득하고 기타포괄손익 – 공정가치로 측정한다. 해당 채무상품의 이자율은 10년의 계약기간에 5%이며 유효이자율도 5%이다. 취득시 신용이 손상되어 있는 금융자산으로 보지 아니한다. 20×8년 12월 31일(보고기간 말)에 시장이자율의 변동에 따라 해당 채무상품의 공정 가치가 95,000원으로 하락하였다. 최초 인식 후에 신용위험이 유의적으로 증가하지 않았다고 판단하고 12개월 기대신용손실에 해당하는 금액인 3,000원으로 기대신용손실을 측정한다.

① 20×8. 12. 15.

(차) 기타포괄손익 – 공정 가치 측정 금융자산	100,000	(대) 현금 및 현금성자산	100,000

② 20×8. 12. 31.(편의상 이자수익의 인식 관련 분개는 생략한다)

(차) 기 타 포 괄 손 익	5,000[*]	(대) 기타포괄손익 – 공정 가치 측정 금융자산	5,000
(차) 손상차손(당기손익)	3,000	(대) 기 타 포 괄 손 익	3,000[*]

[*] 보고기간 말에 기타포괄손익에 인식된 누적손실은 2,000원이다. 해당 금액(2,000원)은 총 공정가치의 변동 5,000 원(=100,000원-95,000원)에서 이미 인식한 12개월 기대신용손실을 나타내는 누적손상금액의 변동(3,000원)을 차 감하여 계산된다. 즉, 기타포괄손익공정가치 측정 금융자산의 장부금액은 공정가치가 줄어든 만큼 줄어드는 것이며, 손상차손은 기타포괄손익으로 인식하므로 이로 인해 금융자산이 추가적으로 감소하지는 않는다.

㉡ 손상차손인식 이후의 회계처리

신용이 손상된 금융자산의 경우 상각후원가에 유효이자율을 적용하여 이자수익을 인 식한다(기준서 제1109호 문단 5.4.1).

3) 기타포괄손익 – 공정가치 측정 금융자산의 처분

① 양도의 범위

기타포괄손익 – 공정가치 측정 금융자산의 양도로 해당 금융자산의 위험과 보상의 대 부분을 이전한 경우 그 기타포괄손익 – 공정가치 측정 금융자산을 재무상태표에서 제거 한다. 기타 금융자산의 제거 요건에 대한 자세한 내용은 '금융자산' 중 '매출채권'편의 설명을 참조하기로 한다.

② 처분손익의 인식

사업모형과 계약상 현금흐름의 특성에 따라 기타포괄손익-공정가치 측정 금융자산으로 분류된 자산은 제거할 때 기타포괄손익에 인식했던 누적 손익을 당기손익으로 재분류한다. 그러나, 공정가치 변동을 기타포괄손익으로 표시하는 선택에 따라 기타포괄손익-공정가치로 측정하는 지분상품의 경우 기타포괄손익으로 표시하는 금액은 후속적으로 당기손익으로 이전되지 않는다. 그러나 자본 내에서 누적손익을 이전할 수는 있다.

기타포괄손익-공정가치 측정 채무상품의 처분시에 이익이 발생하였다고 가정하면 회계처리는 다음과 같다.

가. 기타포괄손익-공정가치 측정 금융자산평가이익이 계상되어 있는 경우

(차) 현금 및 현금성자산	×××	(대) 기타포괄손익-공정가치 측정 금융자산	×××
기타포괄손익-공정가치 측정 금융자산평가이익 (기타포괄손익누계액)	×××	기타포괄손익-공정가치 측정 금융자산처분이익 (당기손익)	×××

나. 기타포괄손익-공정가치 측정 금융자산평가손실이 계상되어 있는 경우

(차) 현금 및 현금성자산	×××	(대) 기타포괄손익-공정가치 측정 금융자산	×××
		기타포괄손익-공정가치 측정 금융자산평가손실 (기타포괄손익누계액)	×××
		기타포괄손익-공정가치 측정 금융자산처분이익 (당기손익)	×××

한편 기타포괄손익-공정가치 측정 금융자산의 처분과 관련하여 발생한 증권거래세, 수수료 등은 판매비와관리비에 포함하지 않고 처분대가에서 직접 차감하여 기타포괄손익-공정가치 측정 금융자산처분손익에 반영하는 것이 일반적이다.

기타포괄손익-공정가치 측정 지분상품의 경우에도 처분과 관련하여 발생한 거래원가는 당기손익으로 인식한다. 기준서는 기타포괄손익-공정가치 측정 금융자산의 후속적인 공정가치 변동을 기타포괄손익으로 표시하도록 하며, 후속측정하는 공정가치에는 처분시 예상되는 거래원가(수수료)를 고려하지 않는다. 기타포괄손익-공정가치 측정 금융자산을 제거하는 경우 처분시 발생하는 거래원가는 해당 지분상품의 공정가치 변

동에 해당하지 않으므로 기타포괄손익에 인식하는 것은 타당하지 않다.

기타포괄손익 - 공정가치 측정 금융자산과 관련된 권리의 일부만을 타인에게 양도하고 잔여 부분을 계속 보유하는 경우 또는 기타포괄손익 - 공정가치 측정 금융자산을 양도하여 새로운 자산을 취득하거나 자산 취득과 동시에 채무를 인수하는 경우의 회계처리에 대하여는 '금융자산' 중 '매출채권'편의 설명을 참조하기로 한다.

4) 기타포괄손익 - 공정가치 측정 금융자산의 재분류

금융자산은 관리하는 사업모형을 변경하는 경우에만 영향받는 모든 금융자산을 재분류한다. 금융자산을 재분류하는 경우에 그 재분류를 재분류일부터 전진적으로 적용한다. 한편, 현금흐름위험회피 또는 순투자 위험회피의 수단으로 지정되었었으나, 더 이상 위험회피회계의 적용요건을 충족하지 않는 경우나, 특정 항목이 현금흐름위험회피 또는 순투자의 위험회피 수단으로 지정되었고 위험회피에 효과적이 되는 상황의 변화는 재분류로 보지 않는다.

사업모형의 변경은 매우 드물 것으로 예상하며, 외부나 내부의 변화에 따라 기업의 고위 경영진이 결정해야 하고 기업의 영업에 유의적이고 외부 당사자에게 제시할 수 있어야 한다. 따라서 사업모형의 변경은 사업계열의 취득, 처분, 종결과 같이 영업에 유의적인 활동을 시작하거나 중단하는 경우에만 생길 것이다. 사업모형 변경의 예는 다음과 같다.

(1) 단기 매도를 목적으로 상업 대여금의 포트폴리오를 보유하고 있는 기업이 있다. 기업은 상업 대여금을 관리하면서 계약상 현금흐름을 수취하기 위해 그러한 대여금을 보유하는 사업모형을 갖고 있는 회사를 취득한다. 상업 대여금의 포트폴리오는 더는 매도가 목적이 아니며, 이제는 취득한 상업 대여금과 함께 관리하는 동시에 계약상 현금흐름을 수취하기 위해 그 포트폴리오 전체를 보유한다.

(2) 금융서비스회사가 소매부동산담보부대여업을 중단하기로 결정했다. 회사는 더 이상 새로운 사업을 수용하지 않고, 부동산담보대출 포트폴리오를 매도하기 위해 활발히 마케팅활동을 수행한다(기준서 제1109호 문단 B4.4.1).

① 기타포괄손익 - 공정가치 측정 범주에서 상각후원가 측정 범주로의 재분류

금융자산을 기타포괄손익 - 공정가치 측정 범주에서 상각후원가 측정 범주로 재분류하는 경우에 재분류일의 공정가치로 측정한다. 그러나 재분류 전에 인식한 기타포괄손익누계액은 자본에서 제거하고 재분류일의 금융자산의 공정가치에서 조정한다. 따라서 최초 인식시점부터 상각후원가로 측정했었던 것처럼 재분류일에 금융자산을 측정한다. 이러한 조정은 기타포괄손익에 영향을 미치지만 당기손익에는 영향을 미치지 아니하므로 재분류조정에 해당하지 아니한다(기업회계기준서 제1001호 '재무제표 표시' 참조). 재분류에 따라 유효이자율과 기대신용손실 측정치는 조정하지 않는다(기준서 제1109호 문단 5.6.5).

② 기타포괄손익 – 공정가치 측정 범주에서 당기손익 – 공정가치 측정 범주로의 재분류

금융자산을 기타포괄손익 – 공정가치 측정 범주에서 당기손익 – 공정가치 측정 범주로 재분류하는 경우에 계속 공정가치로 측정한다. 재분류 전에 인식한 기타포괄손익누계액 은 재분류일에 재분류조정(기업회계기준서 제1001호 참조)으로 자본에서 당기손익으로 재분류한다(기준서 제1109호 문단 5.6.7).

5) 중도매매의 회계처리

법인이 채권을 매입할 때 전소지인이 법인인 경우에는 해당 법인 스스로 보유기간이자 상당액에 대하여 원천징수를 하므로 매수법인이 매도법인의 원천징수세액에 대한 회계처 리를 할 필요가 없으며, 전소지인이 개인인 경우에는 매수법인이 원천징수를 하여 원천징 수세액을 부채(미지급원천세 등)로 계상한 후 해당 채권의 취득가액을 결정해야 한다. 다 음으로 법인이 채권을 중도매각하거나 상환받을 경우에는 해당 법인의 보유기간에 상당 하는 이자소득에 대한 원천징수세액만을 선급법인세와 미지급원천세로 계상하여야 한다.

> **사 례**   다음과 같은 채권거래에 대해서 각 보유법인의 회계처리를 하시오(가정 : 기타포괄손익
> – 공정가치 측정 금융자산으로 분류, 평가관련 회계처리 생략, 총원천징수세율은 14%).

가. 채권의 발행조건
    액면가액 : 10,000원
    발행가액 : 10,000원
    표면이자율 : 연 12%
    이자지급방법 : 상환일 후급
    *B회사와 갑회사(금융기관)의 매매거래시 갑회사가 원천징수하기로 약정함.

나. 매매상황

	발행일 (20×7. 4. 1.)	A회사매입 (20×7. 8. 1.)	A회사매각 B회사매입 (20×8. 2. 1.)	B회사매각 갑회사매입 (20×8. 3. 1.)	원리금상환 (20×8. 3. 31.)
경과이자		400	1,000	1,100	1,200
원천세액		56	140	154	168
매매가액 (상환가액)		10,300	11,000	11,100	(11,180)

1. A회사의 회계처리
   • 매입시(20×7. 8. 1.)

(차) 기타포괄손익－공정가 치 측정 금융자산	9,900	(대) 현금 및 현금성 자산	10,300
미 수 이 자	400		

   • 결산시(20×7. 12. 31.)

(차) 미 수 이 자	500	(대) 이 자 수 익	500[*1]

   *1 : 보유기간 경과이자 : 10,000×12%×5/12＝500

   • 매각시(20×8. 2. 1.)

(차) 현금 및 현금성자산	11,000	(대) 기타포괄손익－공정가 치 측정 금융자산	9,900
선 급 법 인 세	84	미 수 이 자	900
		이 자 수 익	100
		미 지 급 원 천 세	84[*2]
		기타포괄손익－공정가치 측정 금융자산처분이익	100[*3]

   *2 : 채권보유기간 경과분에 대한 이자상당액×원천징수세율 : (1,000－400)×14%＝84
   *3 : 현금수령액－(기타포괄손익－공정가치 측정 금융자산가액＋미수이자＋보유기간 경과이자) : 11,000－ (9,900＋400＋600)＝100

2. B회사의 회계처리
   • 매입시(20×8. 2. 1.)

(차) 기타포괄손익－공정 가치 측정 금융자산	10,000	(대) 현금 및 현금성자산	11,000
미 수 이 자	1,000[*4]		

   *4 : B회사 보유 이전분에 대한 경과이자상당액 : 10,000×12%×10/12＝1,000

   • 매도시(20×8. 3. 1.)

(차) 현금 및 현금성자산	11,100	(대) 기타포괄손익－공정가 치 측정 금융자산	10,000
선 급 법 인 세	14[*5]	미 수 이 자	1,000
		이 자 수 익	100
		기타포괄손익－공정가치 측 정금융자산처분이익	14[*6]

   *5 : 채권보유기간 경과분에 대한 이자상당액×원천징수세율 : (1,100－1,000)×14%＝14
   *6 : 현금수령액－(기타포괄손익－공정가치 측정 금융자산가액＋미수이자＋보유기간 경과이자－B회사보유 경 과이자분에 대한 갑회사의 원천징수상당액) : 11,100－(10,000＋1,000＋100－14)＝14

3. 갑회사의 회계처리

• 매입시(20×8. 3. 1.)

(차) 기타포괄손익 – 공정	10,014	(대) 현금 및 현금성 자산	11,100
가치 측정 금융자산			
미 수 이 자	1,100	미 지 급 원 천 세	14[*7]

*7 : 갑회사 채권 매입시 원천징수 약정에 따른 B회사의 보유분 경과이자에 대한 원천징수상당액 : (1,100 - 1,000)×14% = 14

• 상환시(20×8. 3. 31.)

(차) 현금 및 현금성자산	11,180	(대) 기타포괄손익 – 공정	10,014
		가치 측정 금융자산	
선 급 법 인 세	14[*8]	미 수 이 자	1,100
기타포괄손익–공정가치	20[*9]	이 자 수 익	100
측정 금융자산처분손실			

*8 : 채권보유기간 경과분에 대한 이자상당액×원천징수세율 : (1,200 - 1,100)×14% = 14

*9 : 현금수령액 - (기타포괄손익 – 공정가치 측정 금융자산가액 + 미수이자 + 보유기간 경과이자 - 갑회사보유 경과이자분에 대한 채권발행회사의 원천징수상당액) : 11,180 - (10,014 + 1,100 + 100 - 14) = -20

사례 다음과 같은 채권거래에 대해서 각 보유법인의 회계처리를 하시오(가정 : 기타포괄손익 – 공정가치 측정 금융자산으로 분류, 평가관련 회계처리 생략, 총원천징수세율은 14%).

가. 채권의 조건
  액면가액 : 10,000원
  이 자 율 : 연 12%
  지급조건 : 6개월 선급

나. 매매상황

	발행일 갑회사매입 (20×7. 4. 1.)	갑회사매각 A회사매입 (20×7. 7. 1.)	A회사매각 B회사매입 (20×7. 12. 1.)	원리금상환 (20×8. 3. 31.)
			이자수령 (20×7. 10. 1.)	
경과이자		300	200	600
원천세액		42	28	84
매매가액 (상환가액)	9,484	9,742	9,656	(10,000)

1. 갑회사의 회계처리
   • 매입시(20×7. 4. 1.)

(차) 기타포괄손익－공정가 치 측정 금융자산	10,000	(대) 현금 및 현금성자산	9,484[*1]
선 급 법 인 세	84[*3]	선 수 이 자	600[*2]

   *1 : 유가증권가액－이자선취분＋이자선취분에 대한 원천징수상당액 : 10,000－600＋84＝9,484
   *2 : 이자선취분 : 10,000×12％×6/12＝600
   *3 : 이자선취분에 대한 원천징수상당액 : 10,000×12％×6/12×14％＝84

   • 매각시(20×7. 7. 1.)

(차) 현금 및 현금성자산	9,742	(대) 기타포괄손익－공 정가치 측정 금융 자 산	10,000
선 수 이 자	600	이 자 수 익	300
		선 급 법 인 세	42[*4]

   *4 : 이자선취분 중 기간미경과분에 대한 원천징수상당액 : 84×3/6＝42

2. A회사의 회계처리
   • 매입시(20×7. 7. 1.)

(차) 기타포괄손익－공정가 치 측정 금융자산	10,000	(대) 현금 및 현금성자산	9,742
선 급 법 인 세	42	선 수 이 자	300

   • 이자수령시(20×7. 10. 1.)

(차) 현금 및 현금성자산	516	(대) 선 수 이 자	600
선 급 법 인 세	84		

   • 매각시(20×7. 12. 1.)

(차) 현금 및 현금성자산	9,656	(대) 기타포괄손익－공정가 치 측정 금융자산	10,000
선 수 이 자	900	이 자 수 익	500
		선 급 법 인 세	56

3. B회사의 회계처리
   • 매입시(20×7. 12. 1.)

(차) 기타포괄손익－공정가 치 측정 금융자산	10,000	(대) 현금 및 현금성자산	9,656
선 급 법 인 세	56	선 수 이 자	400

• 결산시(20×7. 12. 31.)

(차) 선 수 이 자   100   (대) 이 자 수 익   100

• 상환시(20×8. 3. 31.)

(차) 현금 및 현금성자산   10,000   (대) 기타포괄손익 – 공정가   10,000
                                        치 측정 금융자산

     선 수 이 자   ·300   이 자 수 익   300

6) 기타포괄손익 – 공정가치 측정 금융자산의 자전거래에 관한 회계처리

금융자산을 매도한 직후에 그 자산을 재매입하는 것을 자전거래라고 한다. 당해 매도거래가 제거의 조건을 충족한다면, 재매입거래가 있더라도 제거할 수 있다. 그러나 금융자산을 매도하는 계약과 동일한 자산을 매도가격에 양도자에게 금전을 대여하였더라면 그 대가로 받았을 이자수익을 더한 금액 또는 미리 정한 가격으로 재매입하는 계약이 동시에 체결된다면 당해 양도거래에서 양도된 금융자산의 위험과 보상의 대부분을 보유하게 되므로 제거의 요건을 충족하지 않아 제거하지 아니한다(기준서 제1109호 문단 B3.2.16(5)).

제거의 요건을 충족하지 않는 매도거래의 회계처리에 대해서는 '금융자산'의 '매출채권'편을 참조하기로 한다.

(3) 세무상 유의할 사항

한국채택국제회계기준에서는 유가증권을 사업모형 및 계약상 현금흐름 특성에 따라 당기손익 – 공정가치 측정 금융자산, 기타포괄손익 – 공정가치 측정 금융자산, 상각후원가 측정 금융자산으로 분류하여 각각의 평가방법을 달리 정하고 있지만 법인세법에서는 유가증권을 단순히 채권과 기타의 유가증권으로만 구분하여 그 평가방법을 규정하고 있다. 예를 들어 법인세법에서는 모든 유가증권에 대하여 원가법만을 인정[투자회사 등이 보유한 집합투자재산은 시가법(다만, 환매금지형집합투자기구가 보유한 시장성 없는 자산은 원가법 또는 시가법 중 해당 환매금지형집합투자기구가 신고한 방법), 보험회사가 보유한 특별계정에 속하는 자산은 원가법 또는 시가법 중 해당 보험회사가 신고한 방법]하고 있기 때문에 한국채택국제회계기준의 규정에 의한 평가손익은 일반적으로 세무상 손금불산입 또는 익금불산입의 세무조정을 하여야 한다(법령 75조 3항, 4항).

한편, 법인세법은 다음의 감액사유가 발생한 사업연도에 장부가액을 사업연도 종료일 현재의 시가(주식발행 법인별로 보유주식의 장부가액의 시가총액이 1천원 이하인 때에는 1천원)로 감액하고, 그 감액한 금액을 손비로 계상한 경우에 한해 평가손실을 손금

으로 인정한다(법령 78조 3항).

평가손실 사유	평가손실 대상 주식
주식의 발행법인이 부도발생, 회생계획 인가결정, 부실징후기업이 된 경우	① 주권상장법인이 발행한 주식 ② 중소기업창업투자회사 또는 신기술사업금융업자가 보유하는 주식 중 창업자 또는 신기술사업자가 발행한 주식 ③ 주권상장법인이 아닌 법인 중 특수관계*가 아닌 법인이 발행한 주식
주식의 발행법인이 파산된 경우	주 식

* 지분율이 5% 이하이고 주식의 취득가액이 10억원 이하인 경우에는 소액주주 등으로 보고 특수관계인 해당 여부를 판정(법령 78조 4항).

기타포괄손익 – 공정가치 측정 금융자산과 관련하여 세무상 유의할 제반 사항은 제2편(Ⅱ) 중 자산편 제1장 제1절의 '3. 당기손익 – 공정가치 측정 금융자산'의 '(3) 세무회계상 유의할 사항'을 참조하기로 한다.

2. 상각후원가 측정 금융자산

상각후원가 측정 금융자산의 금액이나 성격이 중요한 경우에는 재무상태표에 별도 항목으로 구분하여 표시하지만, 중요하지 아니한 경우에는 비유동자산으로 분류되는 기타포괄손익 – 공정가치 측정 금융자산과 상각후원가 측정 금융자산 등과 함께 '금융자산'으로 통합하여 표시하고 그 세부내역을 주석으로 공시할 수 있다(기준서 제1107호 문단 8).

(1) 개념 및 범위

1) 개 요

다음의 두 가지 조건을 모두 충족하는 경우 상각후원가로 측정한다.
㉠ 계약상 현금흐름을 수취하기 위해 보유하는 것이 목적인 사업모형 하에서 금융자산을 보유한다.
㉡ 금융자산의 계약 조건에 따라 특정일에 원금과 원금잔액에 대한 이자 지급(이하 '원리금 지급')만으로 구성되어 있는 현금흐름이 발생한다.

금융상품의 상각후원가는 최초 인식 시점에 측정한 금융자산이나 금융부채에서 상환된 원금을 차감하고, 최초 인식 금액과 만기금액의 차액에 유효이자율법을 적용하여 계산한 상각누계액을 가감한 금액이며, 금융자산의 경우에 해당 금액에서 손실충당금을 추가로 조정한 금액이다.

유효이자율은 금융자산이나 금융부채의 기대존속기간에 추정 미래현금지급액이나 수취액의 현재가치를 금융자산의 총 장부금액이나 금융부채의 상각후원가와 정확히 일치시키는 이자율로 유효이자율법은 이러한 유효이자율을 적용하여 금융자산이나 금융부채의 상각후원가를 계산하고 관련 기간에 이자수익이나 이자비용을 당기손익으로 인식하고 배분하는 방법을 말한다.

(2) 기업회계상 회계처리

1) 취득원가의 결정

① 취득시기

상각후원가 측정 금융자산은 그 상각후원가 측정 금융자산의 계약당사자가 되는 때에만 재무상태표에 인식하는 것으로 관련 시장의 규정이나 관행에 의하여 일반적으로 설정된 기간 내에 당해 상각후원가 측정 금융자산을 인도하는 계약조건에 따라 상각후원가 측정 금융자산을 매입하거나 매도하는 정형화된 거래의 경우에는 매매일 또는 결제일에 해당 거래를 인식한다(기준서 제1109호 문단 3.1.2). 이와 같은 정형화된 금융자산의 매입이나 매도 거래에 대한 매매일 또는 결제일 회계처리는 금융자산 범주별로 회계처리방법을 선택하여 해당 범주에 속하는 금융자산의 매입이나 매도 모두에 대하여 일관성 있게 적용한다(기준서 제1109호 문단 B3.1.3).

② 취득원가

상각후원가 측정 금융자산은 최초인식시 공정가치로 측정하며, 공정가치는 일반적으로 거래가격(제공하거나 수취한 대가의 공정가치)을 의미한다. 이 때 당해 상각후원가 측정 금융자산의 취득과 직접 관련된 증분원가에 해당하는 거래원가는 최초인식하는 공정가치에 가산한다(기준서 제1109호 문단 5.1.1).

이 때 취득과 직접 관련되는 증분원가란 해당 금융상품의 취득이 없었다면 발생하지 않았을 원가를 말하며 대리인 또는 중개인 등에게 지급하는 수수료와 증권거래소의 거래수수료 및 세금을 포함하지만 해당 금융상품의 취득 여부와 무관하게 고용하고 있는 종업원의 급여, 자금조달비용 등은 포함하지 않는다.

기타 이자지급일 사이의 채권 취득, 증여에 의한 취득 등 특수한 경우의 취득원가 산정방법에 대하여는 '금융자산' 중 '당기손익-공정가치 측정 금융자산'과 '기타포괄손익-공정가치 측정 금융자산'편의 설명을 참조하기로 한다.

2) 상각후원가 측정 금융자산의 평가

① 상각후원가에 의한 평가

가. 개 요

'상각후원가'는 다음과 같이 최초 인식 금액에서 유효이자율법이 적용된 금액을 말한다.

- 최초 인식 금액에서 상환한 금액이 있는 경우 해당 금액은 차감한 금액이다.
- 최초 인식 금액에서 손상이 있는 경우 손상차손을 차감한 금액이다.
- 유효이자율법을 적용한 경우, 유효이자율법을 적용하여 증가, 감소된 금액(상각 누계액)을 가산, 차감한 금액이다.

'유효이자율법'은 금융자산이나 금융부채의 상각후원가를 계산하고 관련 기간에 이자수익이나 이자비용을 당기손익으로 인식하고 배분하는 방법이다. 예컨대, 액면금액이 1,000원이며, 이자를 액면금액 대비 매년 5%로 지급하는 5년 만기 채권을 900원에 취득하였다고 가정하자. 이 경우 취득자가 얻게 되는 채권의 실질적인 이자율은 5%보다 큰 이자율이다. 이때의 실질적인 수익률은 매년 지급받게 될 이자인 50원, 그리고 만기에 수취하게 될 액면금액 1,000원의 현재가치를 최초 인식시기에 투자한 금액인 900원과 일치하게 하는 할인율이 된다. 이러한 할인율에 따라 수익을 인식하게 되면서 채권 금액을 증가시키게 될 것이며, 결국 만기까지 900원이 1,000원으로 증가하게 될 것이다. 이러한 의미에서 취득원가가 아니라 '상각후원가'로 금융자산 또는 부채를 인식하게 되는 것이다.

상각후원가에 적용되는 유효이자율 산정시, 금융상품의 기대존속기간이나 적절하다면 더 짧은 기간이 적용되기도 한다. 또한, 미래 현금흐름 추정 시에는 미래 신용위험에 따른 손실을 제외한 금융상품의 모든 계약조건(계약당사자들 사이에서 지급하거나 수취하는 수수료와 포인트, 거래원가 및 기타 할인·할증액 등)을 고려해야 한다.

이하에서는 상각후원가 측정 금융자산의 할인취득과 할증취득, 할인액 및 할증액의 환입 또는 상각에 대해서 살펴보기로 한다. 이하에서는 취득금액이 공정가치와 일치한다고 가정한다.

나. 상각후원가 측정 금융자산의 할인취득

상각후원가 측정 금융자산을 액면금액보다 적은 금액을 지불하고 구입하는 것을 할인취득이라고 하며, 이 때 상각후원가 측정 금융자산의 취득금액과 액면금액과의 차이를 할인액이라고 한다.

할인취득과 관련된 한국채택국제회계기준에 의한 회계처리를 요약하면 다음과 같다. 첫째, 할인취득한 상각후원가 측정 금융자산의 최초인식시점에는 할인된 취득금액이 공정가치와 일치한다면 그 취득금액으로 재무상태표에 원시기록한다. 둘째, 최초인식금액과 액면금액과의 차이는 상환기간에 걸쳐 유효이자법을 적용하여 환입한다. 셋째, 상각후원가 측정 금융자산을 만기일까지 계속 보유하지 않고 만기일 이전에 처분하는 경우에는 상각후원가 측정 금융자산의 처분가격을 매각시점에서의 장부금액과 비교하여 그 차액을 상각후원가 측정 금융자산처분손익으로 인식한다.

이 경우 장부금액을 결정하기 위해서는 할인액을 처분시점까지 추가로 환입하고 이자수익도 처분시점까지 추가로 계상한다.

다만, 상각후원가 측정 금융자산은 계약상 현금흐름을 수취하기 위해 보유하는 것이 목적인 사업모형 하에서 금융자산을 보유할 때 분류되므로 매도가 있는 경우 해당 매도가 계약상 현금흐름을 수취하기 위해 금융자산을 보유하는 목적과 일관되는지를 확인할 필요가 있다.

사 례 (주)삼일은 20×7. 12. 31. 액면가 ₩1,000,000인 사채(만기 2년, 표시이자율 2%)를 ₩861,157(시장이자율 10%)에 현금으로 취득하였다. 이자지급일은 연 1회 12. 31.로서 결산일과 일치한다. 해당 자산이 상각후원가 측정 금융자산으로 분류되고 유효이자율법으로 할인액을 상각할 때 취득 및 결산기말의 회계처리는?

① 20×7. 12. 31.

(차) 상각후원가 측정 금융자산　861,157　(대) 현금 및 현금성자산　861,157

② 20×8. 12. 31.

(차) 현금 및 현금성자산　20,000　(대) 이　자　수　익　86,116*
　　상각후원가 측정 금융자산　66,116

* 861,157×10% = 86,116

③ 20×9. 12. 31. 상환시의 회계처리

(차) 현금 및 현금성자산　20,000　(대) 이　자　수　익　92,727*
　　상각후원가 측정 금융자산　72,727

* (861,157 + 66,116)×10% = 92,727

(차) 현금 및 현금성자산　1,000,000　(대) 상각후원가 측정 금융자산　1,000,000

다. 상각후원가 측정 금융자산의 할증취득

상각후원가 측정 금융자산을 액면금액을 초과하는 금액으로 구입하는 것을 할증취득이라고 하며, 이 때 상각후원가 측정 금융자산의 취득금액과 액면금액의 차이를 할증액이라고 한다.

할증취득과 관련된 회계처리를 요약하면 다음과 같다.

최초인식금액과 액면금액과의 차이인 할증액은 만기일까지의 각 기간에 배분되어야 하므로 상각후원가 측정 금융자산의 할증액상각분은 유효이자율법을 적용하여 상각후원가 측정 금융자산의 발행자로부터 받는 수입이자에서 차감하여 상각후원가 측정 금융자산의 감소로 처리한다.

　　상각후원가 측정 금융자산을 만기시까지 계속 보유하지 않고 만기일 이전에 처분하는 경우 상각후원가 측정 금융자산의 처분금액을 매각시점에서의 장부금액과 비교하여 그 차액을 상각후원가 측정 금융자산처분손익으로 처리한다. 이 경우 장부금액 결정을 위해서는 할증액을 처분시점까지 추가로 상각하고 이자수익도 처분시점까지 추가로 계상한다.

사례　(주)삼일은 20×7. 12. 31. 액면가 ₩1,000,000인 채무증권(만기 2년, 표시이자율 17%)을 상각후원가 측정 목적으로 ₩1,121,488(시장이자율 10%)에 현금으로 취득하였다. 이자지급일은 연 1회 12월 31일이며, 이 때가 결산일이다. 유효이자율법으로 할증액을 상각할 때 취득 및 결산기말의 회계처리는?

① 20×7. 12. 31.

(차) 상각후원가 측정 금융자산	1,121,488	(대) 현금 및 현금성자산	1,121,488

② 20×8. 12. 31.

(차) 현금 및 현금성자산	170,000	(대) 상각후원가 측정 금융자산	57,852
		이　자　수　익	112,148[*]

　＊ 1,121,488×10%＝112,148

③ 20×9. 12. 31.(상환됨)

(차) 현금 및 현금성자산	170,000	(대) 상각후원가 측정 금융자산	63,636
		이　자　수　익	106,364[*]

　＊ (1,121,488－57,852)×10%＝106,364

(차) 현금 및 현금성자산	1,000,000	(대) 상각후원가 측정 금융자산	1,000,000

라. 할인액 및 할증액의 환입 또는 상각

　　할인이나 할증 발행의 경우 할인액이나 할증액을 환입 또는 상각하여 기간별 이자수익을 조정할 필요가 있는데, 기준서 제1109호는 유효이자율법에 따라 상각후원가를 계산하고 관련 기간에 걸쳐 이자수익이나 이자비용을 배분하도록 규정하고 있다.

　　유효이자율법은 상각후원가 측정 금융자산의 장부금액에 매년 일정한 이자율을 곱한 만큼 이자수익을 인식하여 이러한 유효이자수익과 실제로 수취한 이자와의 차액만큼 할인액·할증액이 환입 또는 상각되는 방법이다.

유효이자율이란 금융자산이나 금융부채의 기대존속기간에 추정미래현금지급액이나 수취액의 현재가치를 금융자산의 총 장부금액이나 금융부채의 상각후원가와 정확히 일치시키는 이자율을 말하는데 통상적으로 상각후원가 측정 금융자산의 취득시점에서 계산된다. 상각후원가 측정 금융자산의 취득금액이 시장에서 합리적으로 결정된 것이라면 유효이자율은 시장이자율과 일치할 것이나 대부분의 경우 유효이자율을 계산하는 것이 쉽지 않고 다음의 산식에 의거 시행착오법(trial-and-error method)을 사용하여 계산해야 한다.

취득금액=만기금액의 현가+이자지급액의 현가

$$= \sum_{t=1}^{n} \frac{I_t}{(1+r)^t} + \frac{P}{(1+r)^n}$$

P=사채의 액면금액
r=유효이자율
n=사채상환시까지의 기간
I_t=t시점에서의 액면이자

사례 (주)삼일은 20×7. 12. 31. 액면가 ₩1,000,000인 사채(만기 : 2년, 표시이자율 : 2%)를 ₩861,160에 현금으로 취득하였다. 이자지급일은 연 1회 12월 31일이고 회사의 결산일과 일치한다. 해당 자산은 상각후원가 측정 금융자산으로 분류된다.

시행착오법에 의해 계산한 유효이자율이 10%라 할 때 유효이자율법에 따라 기업회계기준에 의한 회계처리를 하시오.

1. 유효이자율법에 의한 상각표

연도	기 초 장부금액	유 효 이자율	총이자 수 익	현 금 수취이자	할 인 상각액	자산의 증 가	기 말 장부금액
20×8	₩861,160	10%	₩86,120	₩20,000	₩66,120	₩66,120	₩927,280
20×9	927,280	10%	92,720	20,000	72,720	72,720	1,000,000
			178,840	40,000	138,840	138,840	

2. 유효이자율법에 의한 회계처리
① 20×7. 12. 31.

(차) 상각후원가 측정 금융자산　　　　861,160　　　(대) 현금 및 현금성자산　　　　861,160

② 20×8. 12. 31.

| (차) 현금 및 현금성자산 | 20,000 | (대) 이 자 수 익 | 86,120 |
| 상각후원가 측정 금융자산 | 66,120 | | |

③ 20×9. 12. 31.(상환)

| (차) 현금 및 현금성자산 | 20,000 | (대) 이 자 수 익 | 92,720 |
| 상각후원가 측정 금융자산 | 72,720 | | |

| (차) 현금 및 현금성자산 | 1,000,000 | (대) 상각후원가 측정 금융자산 | 1,000,000 |

② 손상차손의 인식

가. 개 요

상각후원가 측정 금융자산은 기대신용손실 모형에 따라 손상을 측정하여 재무제표에 반영한다. 기대신용손실 모형이란, 합리적인 추정을 통하여 금융상품의 예상되는 손실을 반영하여 손상차손을 인식하는 것이다. 손상 회계처리에 대한 자세한 내용은 '금융자산' 중 '대손충당금'편의 설명을 참조하기로 한다.

3) 상각후원가 측정 금융자산의 처분

① 양도의 범위

상각후원가 측정 금융자산의 양도로 상각후원가 측정 금융자산 보유자가 해당 금융자산의 위험과 보상의 대부분을 이전한 때에는 그 상각후원가 측정 금융자산을 재무상태표에서 제거한다. 기타 금융자산의 제거 요건에 대한 자세한 내용은 '금융자산' 중 '매출채권'편의 설명을 참조하기로 한다.

② 처분손익의 인식

가. 만기상환

계약상 현금흐름을 수취하기 위해 보유하는 것이 목적인 사업모형 하에서 금융자산을 보유해야 상각후원가 측정 금융자산으로 분류한다. 따라서 상각후원가 측정 금융자산으로 분류되는 금융자산은 일반적으로 만기까지 보유하게 되며 만기일에는 당해 금융자산의 액면금액을 상환받게 된다. 또한 취득시점에 상각후원가 측정 금융자산을 할인취득 또는 할증취득한 경우에도 최초인식금액과 만기액면금액의 차이를 상환기간에 걸쳐 유효이자율법에 의하여 상각하여 상각후원가 측정 금융자산의 장부금액과 이자수익에 가감하기 때문에 만기일에는 당해 상각후원가 측정 금융자산의 상각후원가와 만기액면금액이 일치하게 된다. 결국 상각후원가 측정 금융자산을 만기까지 보유한 경우에는 만기일의 장부금액(상각후원가)과 만기 상환금액이 일치함으로 인하여 당해 상각후원가 측정 금융자산의 취득시점에 할인취득 또는 할증취득한 것에 관계 없이 처분손익이 발생하지 않게 된다.

나. 중도처분

상각후원가 측정 금융자산으로 분류된 금융자산은 계약상 현금흐름을 수취하기 위해 보유하는 것이 목적인 사업모형 하에서 금융자산을 보유하므로 일반적으로 중도처분은 발생하지 않게 된다. 그러나 계약상 현금흐름을 수취하기 위해 만기까지 보유할 목적으로 취득한 금융자산의 경우에도 금융자산의 신용위험이 증가하여 해당 금융자산을 매도하는 등의 사유로 중도에 처분하는 경우도 있을 수 있다.

만약 상각후원가 측정 금융자산을 만기일 전에 매각한 경우에는 상각후원가 측정 금융자산의 처분금액과 장부금액을 비교하여 처분손익을 인식하게 된다.

상각후원가 측정 금융자산의 처분손익을 인식함에 있어 유의할 점은 당해 금융자산의 처분일과 최종 이자수령일이 일치하지 않는 경우에는 최종 이자수령일부터 상환일까지 발생한 이자와 할인취득액 또는 할증취득액의 상각 등에 대한 회계처리를 하여야 한다는 것이다.

> **사례** (주)삼일은 20×7. 1. 1. 액면가 ₩1,000,000인 사채(만기 2년, 표시이자율 2%)를 ₩861,157 (시장이자율 10%)에 현금으로 취득하였다. 이자지급일은 연 1회 12. 31.로서 결산일과 일치한다. 해당 자산은 상각후원가 측정 금융자산으로 분류된다. (주)용산이 20×8. 7. 1. ₩980,000에 처분한 경우 각 시점별 회계처리는?
>
> ① 20×7. 1. 1.

(차)	상각후원가 측정 금융자산	861,157	(대)	현금 및 현금성자산	861,157

> ② 20×7. 12. 31.

(차)	현금 및 현금성자산	20,000	(대)	이 자 수 익	86,116[*]
	상각후원가 측정 금융자산	66,116			

> * 861,157×10% = 86,116

> ③ 20×8. 7. 1.

(차)	미 수 이 자	10,000	(대)	이 자 수 익	46,364[*]
	상각후원가 측정 금융자산	36,364			

> * (861,157 + 66,116)×10%×(6/12) = 46,364

(차) 현금 및 현금성자산	980,000	(대) 상각후원가 측정 금융 자산	963,637*
		미 수 이 자	10,000
		상각후원가 측정 금융자산 처 분 이 익	6,363

* 861,157 + 66,116 + 36,364 = 963,637

기타 상각후원가 측정 금융자산과 관련된 권리의 일부만을 타인에게 양도하고 잔여 부분을 계속 보유하는 경우 또는 상각후원가 측정 금융자산을 양도하여 새로운 자산을 취득하거나 자산 취득과 동시에 채무를 인수하는 경우의 회계처리에 대하여는 '금융자산' 중 '당기손익－공정가치 측정 금융자산'편의 설명을 참조하기로 한다.

4) 상각후원가 측정 금융자산의 계정재분류

금융자산은 관리하는 사업모형을 변경하는 경우에만 영향받는 모든 금융자산을 재분류한다. 금융자산을 재분류하는 경우에 그 재분류를 재분류일부터 전진적으로 적용한다. 한편, 현금흐름위험회피 또는 순투자 위험회피의 수단으로 지정되었었으나, 더 이상 위험회피회계의 적용요건을 충족하지 않는 경우나, 특정 항목이 현금흐름위험회피 또는 순투자의 위험회피 수단으로 지정되었고 위험회피에 효과적이 되는 상황의 변화는 재분류로 보지 않는다.

① 상각후원가 측정 금융자산에서 당기손익－공정가치 측정 범주로의 계정재분류

금융자산을 상각후원가 측정 범주에서 당기손익－공정가치 측정 범주로 재분류하는 경우에 재분류일의 공정가치로 측정한다. 금융자산의 재분류 전 상각후원가와 공정가치의 차이에 따른 손익은 당기손익으로 인식한다.

② 상각후원가 측정 금융자산에서 기타포괄손익－공정가치 측정 범주로의 계정재분류

금융자산을 상각후원가 측정 범주에서 기타포괄손익－공정가치 측정 범주로 재분류하는 경우에 재분류일의 공정가치로 측정한다. 금융자산의 재분류 전 상각후원가와 공정가치의 차이에 따른 손익은 기타포괄손익으로 인식한다. 유효이자율과 기대신용손실 측정치는 재분류로 인해 조정되지 않는다.

(3) 세무상 유의할 사항

한국채택국제회계기준에서는 유가증권을 사업모형 및 계약상 현금흐름 특성에 따라 당기손익－공정가치 측정 금융자산, 기타포괄손익－공정가치 측정 금융자산, 상각후원가 측정 금융자산으로 분류하여 각각의 평가방법을 달리 정하고 있지만 법인세법에서는 유가증권을 단순히 채권과 기타의 유가증권으로만 구분하여 그 평가방법을 규정하고 있다. 예를 들어 법인세법에서는 모든 유가증권에 대하여 원가법만을 인정[투자회사 등이 보유한 집합투자재산은 시가법(다만, 환매금지형집합투자기구가 보유한 시장성 없는 자산은 원가법 또는 시가법 중 해당 환매금지형집합투자기구가 신고한 방법), 보험회사가 보유한 특별계정에 속하는 자산은 원가법 또는 시가법 중 해당 보험회사가 신고한 방법]하고 있기 때문에 한국채택국제회계기준의 규정에 의한 평가손익은 일반적으로 세무상 손금불산입 또는 익금불산입의 세무조정을 하여야 한다(법령 75조 3항, 4항). 상각후 원가 측정 금융자산과 관련하여 세무상 유의할 제반 사항은 제2편(Ⅱ) 중 자산편 제1장 제1절의 '3. 당기손익－공정가치 측정 금융자산'의 '(3) 세무회계상 유의할 사항'을 참고하기로 하고 여기서는 채무증권의 할인 또는 할증차금 상각분에 대한 세무조정사항에 대해서만 살펴보기로 한다.

법인이 계약상 현금흐름을 수취하기 위한 목적으로 그 현금흐름이 계약 조건에 따라 특정일에 원리금 지급만으로 구성되어 있는 채무증권을 할인 또는 할증된 가격으로 취득하는 경우에 액면금액과 취득금액의 차이금액은 시장이자율보다 낮거나 높은 액면이자율을 보상해주는 일종의 이자수익이다. 법인은 이러한 차액을 유효이자율법을 사용해서 채무증권의 보유기간 동안 이자수익에 가산하거나 차감하면서 채무증권의 장부금액을 액면금액으로 점차 조정해 나가는 회계처리를 하게 된다. 그러나 법인세법에서는 이러한 할인액·할증액에 대한 손익귀속시기를 해당 채무증권의 매각 또는 만기시점으로 규정하고 있다. 따라서 보유기간 동안 법인이 계상한 할인액·할증액에 대한 이자수익 가산액·차감액은 익금불산입 또는 익금산입하고 해당 채권을 매각할 때 또는 만기에 원금을 상환받을 때 추인하는 세무조정을 해야 한다.

한편, 할인 취득한 채권의 할인액에 대한 상각액의 법인세법상 익금의 귀속시기에 대해 국세청 유권해석과 조세심판원의 심판례는 다음과 같이 다른 입장을 취하고 있다.

국세청 유권해석	채권을 취득하면서 발생한 할인액 또는 할증액을 기업회계기준서의 규정에 의한 유효이자율법에 의하여 상각함에 따라 결산시 발생하는 할인·할증상각액에 대한 이자수익 가산액 또는 차감액은 각 사업연도 소득금액 계산상 채권의 매각 또는 만기시점이 속하는 사업연도의 익금 또는 손금으로 하는 것임(서면2팀－1423, 2005. 9. 6.)
조세심판원 결정례	법인이 채권을 취득하는 시점에 채권을 액면가액보다 낮은 가액으로 취득하는 경우 그 차액인 할인액은 시간의 경과에 따라 변동하지 않는 것으로서 이는 이자소득에 해당한다 할 것이고 해당 채권의 만기 또는 매각시점이 속하는 사업연도까지 할인액을 안분하여 수익으로 인식할 수 있다 할 것임(조심 2014서85, 2015. 4. 1.).

　따라서, 조세심판원의 입장에 따르면, 할인 취득한 채권의 상각액을 유효이자율법에 따라 상각한 경우 별도의 세무조정은 없을 것이나, 국세청 유권해석에 따르면 보유기간 동안 법인이 계상한 할인액에 대한 이자수익 가산액은 익금불산입하고 해당 채권을 매각할 때 또는 만기에 원금을 상환할 때 추인하는 세무조정을 해야 할 것으로 판단된다. 이하에서는 국세청의 유권해석에 따를 경우 세무조정 사례를 살펴보기로 한다.

> **사례**　20×7. 12. 31. 액면가 ₩1,000,000인 사채(만기 2년, 표시이자율 2%)를 계약상 현금흐름을 수취하기 위한 목적으로 ₩861,157(시장이자율 10%)에 현금으로 취득하였다. 이자지급일은 12. 31.로서 결산일과 동일하다. 유효이자율법으로 할인액을 상각할 때 취득 및 결산기말의 회계처리와 세무조정을 하시오.
>
> ① 20×7. 12. 31.
>
> (차) 기타포괄손익－공정가치　　861,157　　(대) 현금 및 현금성자산　　861,157
> 　　 측 정 금 융 자 산
>
> ② 20×8. 12. 31.
>
> (차) 현 금 및 현금성자산　　20,000　　(대) 이　자　수　익　　86,116[*]
> 　　 기타포괄손익－공정가치　　66,116
> 　　 측 정 금 융 자 산
>
> [*] 861,157×10%＝86,116
>
> - 세무조정 : 사채할인발행차금 이자인식액 ₩66,116 익금불산입(△유보)
>
> ③ 20×9. 12. 31. 상환시의 회계처리
>
> (차) 현 금 및 현금성자산　　20,000　　(대) 이　자　수　익[*]　　92,727
> 　　 기타포괄손익－공정가치　　72,727
> 　　 측 정 금 융 자 산
>
> [*] (861,157+66,116)×10%＝92,727
>
> (차) 현 금 및 현금성자산　　1,000,000　　(대) 기타포괄손익－공정가치　　1,000,000
> 　　　　　　　　　　　　　　　　　　 측 정 금 융 자 산
>
> - 세무조정 : 사채할인발행차금 이자인식액 전기 유보액 ₩66,116 익금산입(유보)

3. 장기대여금

(1) 개념 및 범위

　대여금이란 금전소비대차계약 등에 의하여 상대방에게 대여한 금전에 대한 채권을 표시하는 계정과목을 말한다. 따라서, 장기대여금은 일반적 영업활동과는 관련 없는 대여금으로서 그 회수기한이 보고기간종료일로부터 1년을 초과하여 도래하는 장기의 대

여금을 말한다. 이러한 장기대여금에는 주주, 임원, 종업원에 대한 장기대여금과 관계회사대여금 등이 포함된다.

(2) 기업회계상 회계처리

장기대여금에 대한 계정처리는 장기대여금이 발생되는 시점과 그것이 소멸되는 시점(대여금의 회수, 대손상각, 기타 채권과의 상계 등)의 회계처리로 구분할 수 있다.

1) 장기대여금의 발생

장기대여금의 발생액은 장기대여금 계정의 차변에 기입한다. 아래 예시에서는 현재가치할인에 따른 효과는 없는 것으로 가정한다.

> 사례 (주)삼일은 ₩100,000,000을 20×1. 3. 5.에 5년 후 상환 조건으로 현금을 대여하였다.
>
>   (차) 장 기 대 여 금   100,000,000* (대) 현금 및 현금성자산   100,000,000

2) 장기대여금의 상환 · 소멸

장기대여금이 상환 · 소멸되는 경우 그 금액을 장기대여금 계정의 대변에 기입한다. 상황별 구체적 회계처리방법은 '단기대여금'편을 참조하기 바란다.

3) 장기대여금의 공정가치 평가

장기대여금의 최초인식시점에 계상되는 공정가치 평가에 대한 자세한 내용은 '4. 공정가치'편에서 살펴보기로 한다.

(3) 세무회계상 유의사항

장기대여금과 관련한 세무상 유의사항은 제2편(Ⅱ) 중 자산편 제2장 제1절의 '4. 공정가치'의 '(9) 세무회계상 유의사항'을 참고하도록 한다.

4. 공정가치

(1) 개 념

공정가치란 측정일에 시장참여자 사이의 정상거래에서 자산을 매도하면서 수취하거나 부채를 이전하면서 지급하게 될 가격이다(기준서 제1113호 부록A). 주요 원칙은 공정가치는 측정일 현재 자산을 보유하거나 또는 부채를 발행한 시장참여자 입장에서의 유출가격(exit price)이라는 것이다. 이는 단지 기업 당사자로서가 아닌 시장참여자로서의 입장을 기초로 하는 것이며, 따라서 공정가치는 측정대상 항목인 자산, 부채 또는 자본에 대한 기업의 의도에 영향을 받지 않는다.

공정가치 측정에 관한 기준서인 기준서 제1113호는 어떻게 공정가치를 측정하여야 하는지를 설명하지만, 언제 공정가치를 측정해야 하는지에 대하여는 규정하지 않는다.

(2) 적용범위

기준서 제1113호는 다음의 경우를 제외하고는, 다른 기준서에서 요구하거나 허용하는 모든 공정가치 측정과 공시에 적용된다(기준서 제1113호 문단 6).

- 기준서 제1102호의 주식기준보상거래
- 기준서 제1116호의 리스거래
- 기준서 제1002호의 재고자산 순실현가치나 기준서 제1036호의 사용가치와 같이 공정가치와 유사하지만 공정가치는 아닌 측정치

다음의 경우에는 기준서 제1113호의 측정 요구사항은 적용하지만, 공시사항이 요구되지는 않는다(기준서 제1113호 문단 7).

- 기준서 제1019호에 따라 공정가치로 측정한 사외적립자산
- 기준서 제1026호에 따라 공정가치로 측정한 퇴직급여제도의 투자자산
- 기준서 제1036호에 따라 자산의 회수가능액이 처분부대원가를 차감한 공정가치인 자산

기준서 제1113호는 공정가치의 최초 측정과 후속 측정에 적용한다(기준서 제1113호 문단 8). '공정가치'라는 용어는 여러 기준서 전반에 걸쳐 사용되며, 기준서 제1113호는 극소수의 예외만 있을 뿐 광범위하게 적용된다.

(3) 측 정

기준서 제1113호는 공정가치 측정시 다음의 요소들을 고려하도록 규정하고 있다:

- 자산 또는 부채(기준서 제1113호 문단 11-14)
- 거래(기준서 제1113호 문단 15-21)
- 시장참여자(기준서 제1113호 문단 22-23)
- 가격(기준서 제1113호 문단 24-26)

1) 자산 또는 부채

공정가치 측정은 특정 자산이나 부채에 대한 것이다. 따라서 공정가치를 측정할 때에는 시장참여자가 그 자산이나 부채의 가격을 결정할 때 고려하는 그 자산이나 부채의 특성을 고려한다. 그러한 특성에는 자산의 상태, 위치 그리고 측정일에 자산의 매각이나 사용에 제약이 있는 경우에는 그러한 내용이 포함된다(기준서 제1113호 문단 11). 공정가치 측정은 상황에 따라 독립적인 자산이나 부채(예를 들어 지분증권, 투자부동산, 무형자산 또는 신용보강이 있는 부채) 또는 관련 자산이나 부채의 집합(예를 들어 사업)에 적용될 수 있다(기준서 제1113호 문단 13). 공정가치 측정방법의 결정은 회계 단위에 따라 다르다. 회계 단위는 측정하고자 하는 특정 자산이나 부채에 대하여 적용되는 기준서에 따라 그 자산이나 부채를 통합되거나 세분화되는 수준을 기초로 결정되어야 하며, 일반적으로 기준서 제1113호에서는 이를 결정하지는 않는다(기준서 제1113호 문단 14).

2) 거 래

공정가치 측정은 측정일에 자산이나 부채가 현행 시장 상황에서 시장참여자 사이의 정상거래에서 교환되는 것을 가정한다(기준서 제1113호 문단 15). 기업은 주된 시장, 주된 시장이 없는 경우에는 가장 유리한 시장에서 거래가 이루어지는 것을 가정하여 공정가치를 결정한다(기준서 제1113호 문단 16).

① 주된 시장

주된 시장은 해당 자산이나 부채에 대한 거래의 규모와 빈도가 가장 큰 시장이다(기준서 제1113호 부록A). 주된 시장을 결정하기 위하여 기업은 다른 여러 시장의 거래 빈도를 평가하는 것이 필요하다. 그러나 기업은 주된 시장 또는 가장 유리한 시장을 식별하기 위하여 가능한 모든 시장을 광범위하게 조사할 필요는 없으며, 합리적으로 이용 가능한 모든 정보를 고려하여야 한다. 반증이 없는 한 기업이 일반적으로 거래하는 시장을 주된 시장 또는 주된 시장이 없는 경우에는 가장 유리한 시장으로 간주한다. 기업의 주된 시장은 다른 시장의 가격이 더 유리하다고 하더라도, 거래의 규모와 빈도가 가장 큰 접근가능한 시장이다(기준서 제1113호 문단 18). 기업은 동일한 자산에 대하여 다른 시장을 사용하는 상이한 활동을 할 수 있다. 모든 기업이 하나의 주된 시장 또는 유리한 시장을 식별할 수 있으며, 기업 내의 각기 다른 사업부문이 각각 그 주된 시장 또는 가장 유리한 시장을 가질 수 있다(기준서 제1113호 문단 19).

② 가장 유리한 시장

가장 유리한 시장은 거래원가나 운송원가를 고려했을 때 자산을 매도하면서 수취하

는 금액을 최대화하거나 부채를 이전하면서 지급하는 금액을 최소화하는 시장이다(기준서 제1113호 부록A). 가장 유리한 시장을 결정하기 위하여 기업은 자산을 매도하거나 부채를 이전하는 것이 합리적으로 기대되는 모든 잠재적인 시장을 평가한다. 비금융자산의 경우 잠재 시장의 식별은 시장참여자의 관점에서 '최고 최선의 사용'이라는 전제를 기초로 할 것이다(기준서 제1113호 문단 31). 비금융자산의 최고 최선의 사용을 결정하기 위하여 보고기업은 여러 시장을 고려하는 것이 필요하다.

③ 시장접근성

주된 또는 가장 유리한 시장을 평가함에 있어서 기준서 제1113호는 측정일에 기업이 접근할 수 있는 시장만을 적격시장으로 제한한다. 각기 다른 기업이 다른 시장에 접근할 수 있으므로, 주된 또는 가장 유리한 시장은 기업별로 다를 수 있다(기준서 제1113호 문단 19). 비록 기업이 시장에 접근할 수 있어야 하지만, 이는 그 시장의 가격에 근거하여 공정가치를 측정할 수 있도록 측정일에 특정 자산을 매도할 수 있거나 특정 부채를 이전할 수 있어야만 하는 것은 아니다(기준서 제1113호 문단 20).

④ 관측되는 시장이 없는 경우

어떠한 자산 또는 부채의 경우에는 알려진 시장 또는 관측되는 시장이 없을 수 있다. 예를 들어, 현금흐름창출단위 또는 무형자산의 매각을 위한 특정 시장이 없을 수 있다. 이러한 경우에는 기업은 먼저 잠재적인 시장참여자(예를 들어 전략적 재무적 투자자)를 식별하고, 이러한 시장참여자들이 기대하는 가정을 기초로 가상의 시장을 개발한다.

3) 시장참여자

공정가치 측정은 시장참여자의 가정(즉, 기업특유의 측정치가 아님)을 근거로 할 것을 강조하고 있다(기준서 제1113호 문단 22). 시장참여자는 다음의 특성을 가진 주된(또는 가장 유리한) 시장의 자산이나 부채의 매수자 또는 매도자이다(기준서 제1113호 부록A).

- 서로 독립적이다. 거래 당사자는 기준서 제1024호에서 정의하는 특수관계자가 아니다. 그러나 해당 거래가 시장 조건하에서 이루어졌다는 증거가 있는 경우에 공정가치 측정을 위한 투입변수로 특수관계자 거래가격을 사용하지 못하게 하는 것은 아니다.
- 합리적인 판단력이 있다. 거래 당사자는 자산이나 부채 그리고 거래를 통상적인 실사를 통해 얻을 수 있는 정보를 포함하여 이용 가능한 정보를 이용하여 합리적으로 이해하고 있다.
- 자산이나 부채에 대한 거래를 체결할 수 있다.

• 자산이나 부채에 대한 거래를 체결할 의사가 있다. 거래 당사자는 거래할 동기가 있으나 거래하도록 강제되거나 강요받지는 않는다.

시장참여자는 주된(또는 가장 유리한) 시장에서 자산을 매도하거나 부채를 이전하는 거래에서 자산의 공정가치를 최대화하거나 부채의 공정가치를 최소화하려고 한다(기준서 제1113호 문단 22). 기업은 특정 시장참여자를 식별할 필요는 없으나, 잠재적인 시장참여자의 특성을 개발하여야 한다. 이 특성은 특정 자산 또는 부채, 자산 또는 부채의 주된 시장(또는 주된 시장이 없다면 가장 유리한 시장), 그리고 그 시장에서 기업이 거래하게 될 시장참여자를 고려하여야 한다. 관측 가능한 시장이 없는 경우 공정가치는 그 자산 또는 부채에 대한 가상의 거래를 체결할 시장참여자의 특성을 고려하여 결정된다(기준서 제1113호 문단 23(3)).

4) 가 격

공정가치는 거래가격이나 유입가격(자산 구입시 지급되거나 부채 부담시 수취한 가격)이 아닌, 유출가격(자산을 매도하면서 수취하거나 부채를 이전하면서 지급하게 될 가격)을 기초로 한다(기준서 제1113호 문단 24). 개념적으로 유입가격과 유출가격은 다르다. 유출가격 개념은 시장참여자의 관점에서 판매 또는 이전 가격에 대한 현재의 기대를 기초로 한다.

공정가치는 자산의 매도나 사용에 대한 제약이 있는 경우, 자산보유자나 시장참여자가 아닌 자산 관련 제약인 경우에는 지급할 가격을 결정하는데 이러한 제약을 반영한다.

거래원가를 공정가치에 조정하는 것은 허용하지 않으며, 다른 기준서에 따라 회계처리한다. 그러나 거래원가는 운송원가를 포함하지 않는다. 위치가 자산(예를 들면, 상품의 경우)의 특성이라면 공정가치에서 운송원가를 조정한다(기준서 제1113호 문단 25). 거래원가는 자산이나 부채의 주된(또는 가장 유리한) 시장에서 자산을 매도하거나 부채를 이전하기 위한 원가로서 자산의 처분이나 부채의 이전에 직접 귀속되는 다음의 두 기준을 모두 충족하는 원가이다(기준서 제1113호 부록A).

• 그러한 거래로 인해 직접 발생하고 필수적이다.
• 자산을 매도하거나 부채를 이전하는 결정을 하지 않았더라면 발생하지 않았을 것이다

(4) 기타 고려사항

1) 최초 인식 시점의 공정가치

거래가격은 공정가치와 다를 수 있다. 앞서 언급하였듯이 공정가치는 유출가격 개념을 기초로 한다. 많은 경우에 거래가격이 공정가치와 동일할 것이나, 언제나 유출가격을

대표하는 것은 아니다(기준서 제1113호 문단 57, 58). 거래가격이 공정가치와 동일한지를 결정하는 경우에 다음의 조건이 해당되는지 뿐 아니라 거래 및 자산 또는 부채에 특정된 요소를 고려한다(기준서 제1113호 문단 59).

2) 가치평가 할증과 할인

공정가치로 평가되는 자산이나 부채의 특성을 반영하기 위하여 할증이나 할인과 같은 가치평가 조정이 필요할 수 있다. 지배력 할증이나 비지배지분 할인이 그러한 예이다. 이러한 조정을 포함할 때 고려할 기준은 다음과 같다:

- 측정하고자 하는 자산이나 부채의 회계단위와 일치하지 않는 할증이나 할인은 조정하지 않는다.
- 자산이나 부채의 특성을 반영하는 경우에만 조정이 허용된다(예 : 지배력 할증). 기업의 보유 특성으로서 크기를 반영하는 할증이나 할인은 공정가치 측정시 허용되지 않는다. 특히 기준서 제1113호는 기업이 보유하는 수량을 소화할 만큼 시장의 정상 일일 거래규모가 크지 않기 때문에 자산이나 부채의 공시가격을 조정하게 하는 대량보유요소(blockage factor)는 금지하고 있다. 위의 '회계단위'를 참고한다.

자산이나 부채의 수준 1 투입변수인 활성시장 공시가격이 있는 경우에는 공정가치 측정시 그 가격을 조정하지 않고 사용한다(기준서 제1113호 문단 69). 다만, 공정가치로 측정하는 대량의 비슷한 (그러나 동일하지 않은) 자산이나 부채(예 : 채무증권)를 보유하고 있으며 개별적으로 각각의 자산이나 부채에 대한 활성시장의 공시가격을 구할 수 있지만 쉽게 접근할 수 없는 경우, 활성시장의 공시가격이 측정일의 공정가치를 나타내지 않는 경우 또는 활성시장에서 자산으로 거래되는 동일한 항목의 공시가격을 사용하여 부채 또는 자기지분상품의 공정가치를 측정하고 그 항목이나 자산의 특정한 요소에 대해 그 가격을 조정할 필요가 있는 경우에는 조정이 필요할 수 있고, 공시가격을 조정한다면 공정가치 측정치를 공정가치 서열체계 내의 더 낮은 수준으로 분류한다(기준서 제1113호 문단 79).

3) 금융상품에 대한 적용

① 회계단위

금융상품의 회계단위는 일반적으로 개별 금융상품이므로 기준서 제1109호에서 요구하는 금융상품의 공정가치를 측정할 때에도 기업의 보유 특성으로서 크기를 반영하는 할증이나 할인은 일반적으로 허용되지 않는다.

② 주된 시장과 가장 유리한 시장의 결정

복수의 거래소에 상장된 증권의 경우와 같이 많은 금융상품이 복수의 공개시장에서 거래될 수 있다. 이러한 상품들의 경우 주된 시장과 가장 유리한 시장을 결정하는 데 더 많은 판단이 필요할 수 있다.

4) 금융부채

부채의 공정가치는 부채가 여전히 현재의 형태로 남아 있다는 가정 하에 시장참여자에게 측정일에 의무를 이전하는 가격에 기초한다. 부채의 이전에 대한 가격결정 정보를 제공할 관측 가능한 시장이 없는 경우 부채의 공정가치를 측정할 때 다른 시장참여자가 보유하고 있는 연관되는 자산의 가치를 고려하는 개념을 도입하였다(기준서 제1113호 문단 37).

5) 이전가격과 결제가격

기준서 제1113호는 이전가격에 기초해서 부채의 공정가치를 측정하도록 한다. 이전가격에 기초한 공정가치 측정은 거래상대방에게 부채를 결제하는 것에 기초한 것과 유의적으로 다를 수 있다.

6) 파생부채의 공정가치와 신용위험

부채의 공정가치와 관련하여 앞서 설명한 지침은 파생부채에도 적용되므로 파생상품이 보고일에 부채 상태일 때 기업의 자기신용위험이 파생상품의 공정가치에 반영되어야 한다.

7) 요구불 특성을 가진 금융부채

요구불 특성을 가진 금융부채의 공정가치는 요구하면 지급할 금액을 지급을 요구할 수 있는 최초일로부터 할인한 금액 이상이어야 한다(기준서 제1113호 문단 47).

8) 공시된 가격과 관측가능한 투입변수의 사용

자산 특유의 요소가 부채나 지분상품에 적용되지 않는다면 공시된 자산가격은 연관되는 부채나 지분상품의 공정가치를 얻기 위해 조정되어야 할 수 있다. 연관되는 부채나 지분상품의 공정가치를 측정하기 위해 사용된 자산의 가격은 그 자산의 매도를 제한하는 제약의 효과를 반영하고 있지 않아야 한다(기준서 제1113호 문단 39(1)).

9) 시장위험 또는 거래상대방 신용위험이 상쇄되는 포지션

기준서 제1113호는 기업회계기준서 제1107호에 정의되어 있는 시장위험이나 신용위험의 순익스포저에 근거하여 금융자산과 금융부채의 집합을 관리하는 경우에는 공정가치 측정 시 순포지션에 근거하여 공정가치를 측정할 수 있게 예외를 적용하는 것을 허용한다. 이러한 예외규정은 측정과 관련된 것으로 집합 내의 자산과 부채를 상계하여 재무제표에 표시하는 것을 허용하는 것은 아니다.

(5) 공정가치 서열체계

1) 수준 1

수준 1 투입변수는 측정일에 동일한 자산이나 부채에 대한 접근 가능한 활성시장의 (조정되지 않은) 공시가격이다(기준서 제1113호 문단 76).

2) 수준 2

수준 2의 투입변수는 수준 1의 공시가격 이외에 자산이나 부채에 대해 직접적으로 또는 간접적으로 관측 가능한 투입변수이다(기준서 제1113호 문단 81).

3) 수준 3

수준 3의 투입변수는 자산이나 부채에 대한 관측할 수 없는 투입변수이다(기준서 제1113호 문단 86).

(6) 공 시

재무제표이용자가 평가하는 데 도움이 되는 충분한 정보를 공시하도록 요구한다(기준서 제1113호 문단 91).

1) 자산과 부채의 '종류'

기준서 제1107호 '금융자산: 공시'에서와 유사하게 기준서 제1113호에서도 자산과 부채의 '종류'별 공시를 요구하고 있다. 자산과 부채의 종류별 분류는 다음에 기초하여 결정할 판단사항이다(기준서 제1113호 문단 94).
- 자산과 부채의 성격, 특성 및 위험
- 공정가치 서열체계에서 공정가치측정치가 분류되는 수준
  또한, 기준서 제1113호에서는 다음을 규정하고 있다(기준서 제1113호 문단 94).
- 공정가치 서열체계의 수준 3으로 분류되는 공정가치 측정치의 경우 더 많은 정도의 불확실성과 주관성을 가질 수 있기 때문에 종류의 개수가 더 클 필요가 있을 수 있음.
- 기준서 제1113호의 종류는 대부분 재무상태표에 표시되는 항목보다 더 세분화될

필요가 있음.

- 재무상태표에 표시되는 개별항목으로 대조할 수 있도록 충분한 정보가 제공되어야 함.
- 만약 다른 기준서에서 자산이나 부채에 대한 종류를 특정하고 있는 경우, 그러한 종류가 위의 요구사항을 충족한다면 사용될 수 있음(예. 기준서 제1107호).

2) 필수 공시

최초 인식 후 재무상태표에 공정가치로 측정하는 자산과 부채의 종류별 필수 공시는 다음과 같다(기준서 제1113호 문단 93-99).

① 반복적인 공정가치 측정치와 비반복적인 공정가치 측정치의 경우 보고기간 말의 공정가치 측정치(아래 사례 1 참고)
② 비반복적인 공정가치 측정치의 경우 공정가치 측정의 이유
③ 반복적인 공정가치 측정치와 비반복적인 공정가치 측정치의 경우 공정가치 서열체계에서 공정가치 측정치가 분류되는 수준
④ 보고기간 말에 보유하고 있고 반복적으로 공정가치로 측정하는 자산과 부채의 경우 수준 1과 수준 2 사이에서 이동한 금액, 그러한 이동의 이유 및 수준 사이의 이동이 이루어졌다고 간주되는 시점을 결정하는 기업의 정책. 각 수준으로의 이동은 각 수준으로부터의 이동과 별도로 공시되고 논의되어야 한다. 수준 사이의 이동 시점은 수준 사이의 이동을 발행시킨 사건 등의 발생일, 보고기간의 시작일 또는 보고기간의 종료일에 발생한 것으로 간주될 수 있다.
⑤ 공정가치 서열체계에서 수준 2와 수준 3으로 분류되는 반복적인 공정가치 측정치와 비반복적인 공정가치 측정치의 경우, 가치평가기법과 투입변수에 대한 설명
⑥ 가치평가기법의 변경사실(예. 시장접근법에서 이익접근법으로의 변경)과 그 이유
⑦ 수준 3으로 분류되는 공정가치 측정치의 경우, 공정가치 측정에 사용된 유의적이지만 관측할 수 없는 투입변수에 대한 양적 정보. 만약 관측할 수 없는 양적 투입변수가 공정가치 측정시 기업에 의해 개발된 것이 아닌 경우(예 : 이전의 거래나 제3자의 가격결정 정보로부터 얻은 가격을 조정 없이 사용하는 경우)에는 양적 정보를 산출하지 않을 수 있다.
⑧ 반복적인 공정가치 측정치가 수준 3으로 분류되는 경우 기초 잔액과 기말 잔액의 차이조정을 다음 항목을 구분하여 공시한다:
- 당기손익으로 인식된 당해 기간 동안의 총손익과 그 손익이 인식된 당기손익의 개별항목
- 기타포괄손익으로 인식된 당해 기간 동안의 총손익과 그 손익이 인식된 기타포괄손익의 개별항목

- 매입, 매도, 발행 및 결제(변동의 각 형태별로 구분)
- 수준 3으로의 이동금액과 수준 3으로부터의 이동 금액. 각각, 이동의 이유, 이동이 이루어졌다고 간주되는 시점을 결정하는 기업의 정책

⑨ 반복적인 공정가치 측정치가 수준 3으로 분류되는 경우 관련하여 당기손익으로 인식된 총 미실현손익과 그 손익이 인식된 개별항목

⑩ 수준 3으로 분류되는 반복적인 공정가치 측정치와 비반복적인 공정가치 측정치의 경우 기업이 사용한 가치평가과정(기업이 가치평가정책과 절차를 결정하는 방법과 기간별 공정가치 측정치의 변동을 분석하는 방법 등 포함)

⑪ 수준 3으로 분류되는 반복적인 공정가치 측정치의 경우에는 다음을 공시
- 공정가치 측정치에 유의적인 영향을 미치는 관측할 수 없는 투입변수에 대한 공정가치 측정치의 민감도에 대한 서술적 기술
- 관측할 수 없는 투입변수들 간의 상호관계 및 그러한 상호관계가 민감도에 미치는 영향에 대한 설명
- 가능성이 어느 정도 있고 대체할 수 있는 가정을 반영하기 위해 하나 이상의 관측할 수 없는 투입변수 변동이 공정가치를 유의적으로 변동시킨다면 아래 사항을 공시
  - 그러한 사실
  - 그러한 변동의 영향, 그리고
  - 합리적으로 가능한 대체할 수 있는 가정을 반영한 변동의 영향이 어떻게 계산되었는지

이러한 목적을 위하여, 유의성은 당기손익, 그리고 총자산이나 총부채와 관련하여 판단하거나, 공정가치의 변동이 기타포괄손익으로 인식되는 경우에는 총자본과 관련하여 판단

⑫ 비금융자산의 최고 최선의 사용이 현재의 사용과 다르다면, 그러한 사실과 비금융자산이 최고 최선의 사용과 다른 방식으로 사용되는 이유

⑬ 상쇄되는 포지션이 있는 금융자산과 금융부채에 대해 순익스포저에 근거하여 공정가치를 측정하는 회계정책

⑭ 공정가치로 측정되지는 않으나 공정가치가 공시되는 자산과 부채의 종류별로 위의 (3),(5),(6),(12)에서 요구하는 정보만 공시

⑮ 분리 불가능한 제3자의 신용보강을 포함하여 발행하고 공정가치로 측정하는 부채에 대해 발행자는 그러한 신용보강이 존재한다는 사실과 부채의 공정가치 측정에 이를 반영하였는지 공시

⑯ 위에서 요구하는 양적 공시는 다른 형식이 더 적절한 경우를 제외하고는 표 형식으로 표시

(7) 사례를 통한 공정가치평가의 회계처리

1) 장기연불거래에서 발생하는 공정가치평가

사례　(주)삼일은 당사에서 제조한 기계장치를 2×07. 1. 1.에 5년 연불조건으로 판매하였다. 판매와 동시에 ₩800,000을 받았으며 2×07년부터 2×11년까지 매년 12. 31.에 ₩500,000씩 5회에 걸쳐 나누어 받기로 하였다. 해당 기계장치의 현금 판매가격은 ₩2,476,080으로 받기로 한 대가 ₩3,300,000과의 차이는 유의적이다. 계약에는 15%의 내재이자율이 포함되어 있다(약속한 대가 ₩3,300,000을 현금 판매가격 ₩2,476,080으로 할인한 이자율). 삼일은 그 이자율로 평가하고 계약 개시시점에 고객과 별도 금융거래에 반영될 이자율에 상응한다고 결론짓는다. 정기예금이자율은 12%이다. 본 기계의 판매에서 최종 연불금의 회수에 이르기까지의 회계처리를 하여보자.

1. 공정가치의 계산
① 현가표에 따른 계산

	회수금액(1)	현가계수(2)	공정가치{(1)×(2)}
2×07. 1. 1.	₩800,000	1	₩800,000
2×07. 12. 31.	500,000	0.86957	434,785
2×08. 12. 31.	500,000	0.75614	378,070
2×09. 12. 31.	500,000	0.65752	328,760
2×10. 12. 31.	500,000	0.57175	285,875
2×11. 12. 31.	500,000	0.49718	248,590
	₩3,300,000		₩2,476,080

• 내재이자율(15%) 적용
② 연금현가표에 따른 계산
　공정가치＝₩800,000＋₩500,000×3.35216＝₩2,476,080

2. 상각후원가 계산
　현재가치할인차금＝₩3,300,000－₩2,476,080＝₩823,920

	기초 상각후원가 1	회수금액 2	유효이자율 3	이자수익 4=1×3	원금해당액 5=2-4	기말 상각후원가 6=1-5
2×07. 1. 1.	₩2,476,080	₩800,000			₩800,000	₩1,670,080
2×07. 12. 31.	1,676,080	500,000	15%	251,412	248,588	1,427,492
2×08. 12. 31.	1,427,492	500,000	15%	214,123	285,877	1,141,615
2×09. 12. 31.	1,141,615	500,000	15%	171,242	328,758	812,857
2×10. 12. 31.	812,857	500,000	15%	121,928	378,072	434,785
2×11. 12. 31.	434,785	500,000	15%	65,215	434,785	－
		₩3,300,000		₩823,920	₩2,476,080	

<회계처리>

• 2×07. 1. 1.

(차)	현금 및 현금성자산	800,000	(대)	매 출	2,476,080
	장 기 매 출 채 권	2,500,000		현 재 가 치 할 인 차 금	823,920

• 2×07. 12. 31.

(차)	현금 및 현금성자산	500,000	(대)	장 기 매 출 채 권	500,000
	현 재 가 치 할 인 차 금	251,412		이 자 수 익	251,412

• 2×08. 12. 31.

(차)	현금 및 현금성자산	500,000	(대)	장 기 매 출 채 권	500,000
	현 재 가 치 할 인 차 금	214,123		이 자 수 익	214,123

• 2×11. 12. 31.

(차)	현금 및 현금성자산	500,000	(대)	장 기 매 출 채 권	500,000
	현 재 가 치 할 인 차 금	65,215		이 자 수 익	65,215

2) 장기금전대차거래에서 발생하는 공정가치평가

① 대가관계가 있는 경우

금전소비대차의 경우 차입이자율이 동종시장이자율과 동일하다면 현금수수액과 공정 가치와의 차이는 발생하지 않는다. 그러나 당해 거래의 유효이자율과 동종시장이자율의 차이가 중요한 경우에는 현금수수액과 공정가치평가액 간의 차이가 발생하게 된다. 이 러한 공정가치차액이 대가관계가 있는 경우 예를 들면 재고자산의 염가구입권이 부여 된 경우에는 선급금 등 관련 자산으로 처리해야 한다(기준서 제1109호 문단 B5.1.1).

사례 (주)삼일은 20×7. 1. 1.에 주요 거래처인 갑회사에 3년 후 상환받을 조건으로 ₩10,000,000 을 무이자로 대부하였다. 그 대신 갑회사의 상품 1,000개를 5% 할인하여 취득할 수 있는 권리 를 부여받았다. 20×8. 3. 30.에 (주)삼일은 상품 500개를 할인된 가격으로 취득하였다. (주)삼 일의 20×7년과 20×8년의 분개를 하시오. 단, 동종시장이자율은 10%이다.

• 20×7. 1. 1.

(차)	장 기 대 여 금	10,000,000	(대)	현금 및 현금성자산	10,000,000
	선급금(할인매입권)	2,486,852		현 재 가 치 할 인 차 금	2,486,852[*]

* $10,000,000 - \{10,000,000/(1+0.1)^3\} = 2,486,852$

• 20×7. 12. 31.

(차) 현재가치할인차금	751,315	(대) 이 자 수 익	751,315[*]

* (10,000,000 − 2,486,852)×10% = 751,315

• 20×8. 3. 30.

(차) 매 입	1,243,426	(대) 선급금(할인매입권)	1,243,426[*]

* 2,486,852/2 = 1,243,426

• 20×8. 12. 31.

(차) 현재가치할인차금	826,446	(대) 이 자 수 익	826,446[*]

* (10,000,000 − 2,486,852 + 751,315)×10% = 826,446

② 대가관계가 없는 경우

특수관계자 간의 저율대부 등과 같이 금전대차거래에 대가관계가 없을 경우에는 이를 적절한 계정의 비용과목으로 처리해야 한다. 이때, 거래상대방이 관계기업 또는 종속기업인 경우에는 거래의 성격에 따라 손익으로 반영하지 않고 해당 기업 투자금액에 가산하는 회계처리가 타당하다고 판단된다.

사례　(주)삼일은 20×7. 1. 1.에 을회사에게 ₩1,000,000을 3년 후 일시상환 조건으로 대여하고 이자는 매년 말 5%의 이자율로 받기로 하였다. 대여시점 당시 동종시장이자율은 12%이고 이 차이는 중요하다.

• 20×7. 1. 1.

(차) 장 기 대 여 금	1,000,000	(대) 현금 및 현금성자산	1,000,000
비 용	168,128	현재가치할인차금	168,128[*]

* 현재가치할인차금 계산
　원금 : 1,000,000×0.71178 = 711,780
　액면이자 : 50,000×2.40183 = 120,092
　　　　　　　　　　　　　　831,872
　현재가치할인차금 : 1,000,000 − 831,872 = 168,128

• 20×7. 12. 31.

(차) 현금 및 현금성자산	50,000	(대) 이 자 수 익	99,825
현재가치할인차금	49,825		

• 20×8. 12. 31.

(차) 현금 및 현금성자산	50,000	(대) 이 자 수 익	105,804
현재가치할인차금	55,804		

• 20×9. 12. 31.

| (차) 현금 및 현금성자산 | 50,000 | (대) 이　자　수　익 | 112,499 |
| 현재가치할인차금 | 62,499 | | |

| (차) 현금 및 현금성자산 | 1,000,000 | (대) 장　기　대　여　금 | 1,000,000 |

(8) 공정가치의 표시

금융상품은 최초인식시점에 공정가치로 측정하고 인식 이후 시점에는 범주별 분류에 따라 상각후원가 또는 공정가치로 측정된다. 이와 같은 금융상품의 측정에 있어서 장부금액에 직접 가감되지 않고 차감표시가 허용되는 항목은 손상차손의 인식시 충당금 계정을 사용한 차감표시에 한한다. 따라서, 현재가치할인차금 또는 할증금, 할인금, 부대비용 등은 별도 차감항목의 사용이 허용되고 있지 않으며 관리목적상 따로 계정과목을 구분하여 관리하는 경우에도 재무상태표상에는 구분하여 차감표시하지 않고 장부금액에 직접 가감하여 순장부금액으로 표시한다. 위의 예시에서 현재가치할인차금을 따로 표시한 것은 내부관리목적상 따로 계정과목을 구분하여 관리하는 경우를 가정한 것이며 실제 재무상태표의 작성시에는 관련 항목을 장부금액에 가감하여야 할 것이다.

(9) 세무회계상 유의사항

법인세법에서는 자산을 장기할부조건 등으로 취득하는 경우 발생하는 채무를 기업회계기준이 정하는 바에 따라 현재가치로 평가하여 현재가치할인차금으로 계상한 경우에는 해당 현재가치할인차금은 자산의 취득금액에 포함하지 아니하는 것으로 규정하고 있다(법령 72조 4항 1호).

여기서 '장기할부조건'이라 함은 당해 자산의 양수대금 등을 월부·연부 기타의 지불방법에 따라 2회 이상으로 분할하여 수입하는 것으로서 당해 목적물의 인도일의 다음날부터 최종의 할부금의 지급기일까지의 기간이 1년 이상인 것을 말한다(법령 68조 4항).

따라서 세법상 자산의 취득금액은 법인이 현재가치할인차금을 계상하였는지 여부와 해당 현재가치할인차금이 기업회계기준에서 정하는 바에 따라 계상되었는지 여부에 따라 달라지며, 취득금액의 현재가치평가와 관련하여 특별히 세무조정할 사항은 없다.

즉, 세법에서는 법인이 취득금액과 구분하여 현재가치할인차금을 계상한 경우에는 이를 취득금액에서 차감하고 동 현재가치할인차금상각액은 이자비용으로 보아 할부기간 동안에 영업외비용으로 상각하는 방법도 허용하고 있으며, 반대로 법인이 현재가치할인차금을 구분하여 계상하지 아니하거나 현재가치할인차금을 기업회계기준을 위배하여 계상한 경우에는 현재가치할인차금을 차감하지 아니한 금액을 취득가액으로 보도록 하고 있다.

그러나 장기금전대차거래에서 발생하는 채권·채무를 현재가치로 평가하여 명목금액과 현재가치의 차액을 현재가치할인차금으로 계상하여 당기손익으로 처리한 경우에는 이를 각 사업연도 소득금액 계산상 익금 또는 손금에 산입하지 아니하며, 추후 현재가치할인차금을 상각 또는 환입하면서 이를 이자비용 또는 이자수익으로 계상한 경우에도 각 사업연도 소득금액 계산상 익금 또는 손금에 산입하지 아니한다(법기통 42-0…1).

기타의 공정가치 평가와 관련하여 세무상 유의할 사항은 각 계정과목의 해당 내용을 참조하기로 한다.

5. 장기매출채권

(1) 개념 및 범위

장기매출채권(또는 장기성매출채권)은 주된 영업활동에서 발생한 장기의 외상매출금 및 받을어음으로 한다. 즉, 주된 영업활동에서 발생한 채권으로서 그 채권의 회수기한이 장기인 채권을 말한다. 여기서 장기라 함은 매출채권의 회수기한이 1년을 초과하는 경우를 의미하나, 기업의 정상적인 영업주기가 1년을 초과하는 경우에는 당해 영업주기를 초과하는 경우를 의미한다.

(2) 기업회계상 회계처리

장기매출채권에 대한 회계처리는 매출채권과 차이가 없으므로, 이에 대한 자세한 설명은 '제1장 유동자산 중 제1절의 5. 매출채권'편을 참조하기로 한다. 다만, 장기매출채권 중 유의적인 금융요소('수익'편 참조)를 포함하는 거래는 화폐의 시간가치의 영향을 반영하여 약속한 대가를 조정하여 매출채권을 최초 측정한다(기준서 제1109호 문단 5.1.3, 기준서 제1115호 문단 60).

(3) 세무회계상 유의사항

장기매출채권의 계정처리에 있어 세무회계상 유의할 사항은 대손충당금의 설정과 부도발생시의 처리에 관련된 것으로, 이에 대한 자세한 내용은 제2편(Ⅱ) 중 자산편 제1장 제1절 '5. 매출채권'의 '(3) 세무회계상 유의할 사항' 및 '6. 대손충당금'의 '(4) 세무회계상 유의할 사항'을 참고하도록 한다. 또한, 장기성 매출채권을 현재가치로 평가하는 경우에는 현재가치할인차금이 계상되는 바, 법인세법에서도 장기할부조건 등에 의하여

자산을 판매하거나 양도함으로써 발생한 채권에 대하여 기업회계기준이 정하는 바에 따라 현재가치로 평가하여 현재가치할인차금을 계상한 경우에는 해당 현재가치할인차금을 해당 채권의 회수기간 동안 기업회계기준이 정하는 바에 따라 환입하였거나 환입할 금액을 각 사업연도의 익금에 산입하도록 하고 있다(법령 68조 6항).

6. 기타수취채권

(1) 개념 및 범위

1) 비유동성 예·적금

비유동자산에 속하는 기타수취채권에는 기업이 여유자금의 활용목적으로 보유하는 예·적금 등의 만기가 1년을 초과하는 금융상품이 포함된다. 한편, 장기성부채의 담보로 제공되어 부채상환시까지 인출이 제한된 차입조건부 예금 또는 법적으로 사용이 제한된 예금, 경영자가 경영상의 특정목적을 위하여 예치한 예금 등 사용이 제한된 예금으로서 당해 제한사유가 1년 이내에 해제되지 아니하는 경우에는 비유동 금융상품으로 분류하고 그 제한사유를 주석으로 기재하여야 한다.

2) 비유동성 보증금 등

보증금이란 장래 발생할지도 모르는 채무를 담보하기 위하여 특정한 관계에 있는 사람 사이에 교부되는 금전을 통칭하는 말로서, 전세권, 전신·전화가입권, 임차보증금, 영업보증금 등이 있다. 이러한 보증금은 특정 부동산 또는 설비 등을 사용하기 위해 지급되는 성격이 있으므로 무형자산의 속성을 가지나 특정 만기 또는 보유자의 요구에 따라 현금 등의 금융자산을 수취할 권리이므로 금융자산의 성격을 갖는다. 한국채택국제회계기준에서는 무형자산의 회계처리기준의 적용범위에서 금융상품을 제외하고 있으므로 금융상품의 정의에 부합하는 경우 금융상품의 회계처리를 먼저 따르도록 규정하고 있다. 다만, 특정 보증금 등에 금융상품의 요소와 무형자산의 요소가 복합적인 경우 최초인식시점에 금융상품의 공정가치를 초과하여 제공한 대가에 대해서는 무형자산 등의 회계처리를 적용하는 것이 타당하다(기준서 제1109호 문단 B5.1.1). 이하에서는 전세권, 임차보증금, 영업보증금으로 나누어 설명하겠다.

① 전세권

전세권이란, 민법에서 인정하는 권리로서 전세금을 지급하고 타인의 부동산을 그 용도에 따라 사용·수익하는 "용익물권"이다. 전세권이 소멸하면 전세권자는 그 전세금을 반환받을 수 있으며, 이 민법상의 전세권은 외국의 입법례에서 찾아볼 수 없는 우리나라의 특유한 제도이다.

일반적으로 전세권은 채권적 성격을 띠고 있으므로 금융상품 회계처리를 적용하여 상각후원가로 측정함에 따라 최초인식시점의 공정가치와 만기금액의 차이는 유효이자율법에 따라 상각되나, 전세권을 설정할 때 그 채권이 소멸해 나가게 계약한 때에는 소멸될 금액을 리스료의 선급으로 보아 회계처리해야 한다. 리스이용자의 회계처리는 '제5편의 리스' 중 '제2장 리스 회계처리'를 참조하기로 한다.

한편, 전세권과 비슷한 성격의 자산으로 임차보증금이 있는데, 전세권은 전세금을 지급하고 타인의 부동산을 그 용도에 따라 사용·수익하는 권리인 데 대하여, 임차보증금은 부동산 또는 동산을 "월세 등의 조건"으로 사용하기 위하여 지급하는 보증금이라는 점이 다르다.

② 임차보증금

임차보증금계정이란, 타인의 부동산이나 동산을 사용하기 위하여 임대차계약을 체결하는 경우에 월세(지급임차료) 등을 지급할 조건으로 차주가 임대주에게 미리 지급하는 보증금을 처리하는 계정이다. 예를 들면, 빌딩사무실이나 기계장치 같은 동산을 사용하기 위하여 사용료를 지급하거나 차주가 동 재산에 대하여 손해를 입힐 경우에 대비하여 또는 차주가 부담할 채무의 보증으로서 차주가 임대주에게 교부하는 금전을 임차보증금이라 한다.

여기서 임대차의 목적이 되는 것은 동산뿐만 아니라 부동산도 포함된다. 그리하여 실제 생활에 있어서 작은 것은 책·장신구·의상·일상 가정용품으로부터 큰 것은 기계나 자동차·토지·건물 등에 이르기까지 거의 모든 종류의 물건이 임대차에 의하여 임차되고 있다.

임차보증금과 혼동하기 쉬운 것으로 전세금이 있는데, 위에서 설명한 임차보증금은 "월세 등의 조건"으로 사용하기 위하여 지급하는 보증금이나, 전세권은 전세금을 지급하고 타인의 부동산을 그 용도에 따라 사용·수익하는 권리라는 점이 다르다.

임차보증금의 법적 성질은 정지조건부 반환채무를 수반하는 금전소유권의 이전으로 보고 있다. 즉, 그것은 임대차가 종료하는 때에 임차인의 채무불이행이 없으면 전액을, 만일에 채무불이행이 있으면 그 금액 중에서 당연히 변제에 충당되는 것으로 하고 잔액을 반환한다는 조건으로 금전소유권을 임차인(또는 제3자)이 임대인에게 양도하는 것이다. 이와 같이 볼 때 지급한 임차보증금은 일정한 사유가 발생할 때에 지급임차료나 손해배상에 충당할 수 있고, 계약의 만료 또는 해제에 의하여 반환받을 권리가 있는 것이다.

따라서, 임차보증금은 임차기간의 만기에 현금을 상환받을 수 있는 권리이기 때문에 금융상품의 정의를 충족한다고 본다. 이 때, 재산에 대한 손해 등에 대한 채무불이행으로 보증금의 일부가 변제에 충당되는 것은 재산에 대한 손해 등으로 인해 임차인에게 발생한 채무와 보증금에 대한 채권의 상계권이 부여된 것으로 볼 수 있다. 따라서, 임차보증금 자체는 금융상품의 회계처리를 따르며 최초인식시점에 공정가치로 측정하여 인식한다. 일반적으로 임차보증금은 이자를 수반하지 않으므로 최초인식시점의 공정가치와 지급금액에 차이가 발생하며 이는 임대인이 임차기간 동안의 이자를 대가로 월세를 할인된 조건을 합의한 것으로 볼 수 있으므로 해당 차이금액을 리스료의 선급으로 보아 회계처리해야 한다. 리스이용자의 회계처리는 '제5편의 리스' 중 '제2장 리스 회계처리'를 참조하기로 한다.

③ 영업보증금

영업보증금은 채무자가 채권자에 대하여 계약의 이행을 담보하기 위하여 또는 일반 경쟁계약에 참가하려고 하는 경우에 당해 입찰에 대한 보증금으로서 제공한 현금·예금 또는 유가증권 등을 처리하는 계정으로 보증기간이 경과하면 다시 반환받을 권리가 있는 것이다. 이와 같이 영업보증금은 일정 기간이 경과하면 반환받을 수 있는 금액이므로 이를 상대편의 입장에서 보면 예수금이 된다.

이러한 보증금에는 거래보증금·입찰보증금 및 하자보증금 등이 있다. 거래보증금은 외상 등 신용거래를 위하여 공급자에게 예치하는 보증금이고, 입찰보증금은 납품업자가 관청 등에 입찰할 때 예치하는 보증금이며, 하자보증금은 건설업자가 건설공사 등을 완료하고 동 공사를 보증하기 위하여 1년 후에 지급하기로 약정하고 예치한 보증금을 말한다.

이와 같은 영업보증금을 제공하는 직접적인 목적은 각종의 계약을 체결함으로써 재화, 역무의 급부를 받는 데 있다. 따라서, 계약기간 중 또는 입찰 중에는 회계상의 화폐청구권이 아니라, 추상적인 재화, 역무에 대한 급부청구권이라는 성질을 가지고 있다. 그러나, 계약기간이 만료하면 이것이 금전청구권으로 바뀌게 된다. 그러므로, 계약기간이 만료한 영업보증금은 미수금계정 등 당좌자산계정으로 대체하여야 한다.

(2) 기업회계상 회계처리

1) 비유동성 예·적금

① 이자수익의 인식

한국채택국제회계기준은 이자수익을 발생주의에 의하여 유효이자율법에 따라 인식하므로 이자지급시점에 관계 없이 기간경과분 이자는 이자수익으로 인식해야 한다.

이자를 일정기간별로 원금에 가산하는 경우에는 원본에 가산하여 기타수취채권을 증가시키는 회계처리를 하면 되고, 기업회계상 발생주의에 따라 기발생액을 예상하여 이자수익을 인식할 뿐이고 이자를 만기에 원금과 함께 또는 기간별로 지급받는 경우에는 이를 미수이자로 계상한다.

위 사례에서 이자는 1년마다 지급되고 이자율은 10%라고 한다면 20×7년 12월 말의 시점에서 보면 미수이자가 발생하게 되는데 이를 계산하여 분개하면 다음과 같다.

(이자수익 계상액)

$\text{₩}10,000,000 \times 0.1 \times 6/12 = \text{₩}500,000$

(분 개)

(차) 미 수 이 자   500,000   (대) 이 자 수 익   500,000

② 공정가치 평가

한국채택국제회계기준은 사업모형 및 계약상 현금흐름 특성을 기준으로 금융자산을 구분하며, 여유자금 투자목적인 경우 단기적인 시세차익을 목적으로 매매하지는 않으나 회사의 유동성 관리 등을 목적으로 중도 매도는 가능한 사업모형에 해당할 수 있다. 만기까지 계약상 약정된 원금과 이자를 수취할 수도 있고, 중도에 매도할 수도 있는 사업모형에 해당하는 금융자산의 경우 기타포괄손익－공정가치 측정 금융자산으로 분류하고 매기말 공정가치 평가의 분개가 필요하다.

2) 보증금 등

① 선급비용 성격의 전세권

전세권이 채권적인 성격을 가진 때에는 상각후원가의 정의에 따라 최초인식시점의 공정가치와 만기금액의 차이를 유효이자율법에 따라 상각하여 측정하나, 전세권 전체가 선급비용적인 성질을 가지고 있을 때에는 전액을 사용권자산으로 계상하고 그 리스기간 내에 상각계산을 하여야 한다. 리스이용자의 사용권자산 회계처리는 '제5편의 리스' 중 '제2장 리스 회계처리'를 참조하기로 한다.

② 임차보증금의 임차료 충당시 회계처리

당기 중에 임차보증금의 일부를 임차료 등에 충당한 경우에는 그에 상당하는 금액을 감액처리하여야 하는데, 기중에 그와 같은 회계처리를 하지 아니한 경우에는 결산시 리스부채계정의 차변과 임차보증금계정의 대변에 기입하는 회계처리를 하여야 한다.

사례 (주)삼일은 영업부진으로 인하여 사무실을 폐쇄하기로 하고, 건물주로부터 임차보증금 ₩250,000,000 중 그 동안 체납된 월세금 ₩15,000,000을 공제한 잔액을 수표로 받았다.

(차) 현 금 및 현 금 성 자 산　235,000,000　(대) 임 차 보 증 금　250,000,000
리 　 스 　 부 　 채　15,000,000

③ 보증금 관련 대손충당금

금융상품 회계처리를 적용하는 보증금 등의 경우에는 한국채택국제회계기준상 일반적으로 상각후원가 측정 금융자산 범주에 해당하여 상각후원가로 측정되고 손상 여부의 검토대상이 되므로 신용위험이 유의적인 증가했는지에 따라 12개월 또는 전체 기간 기대신용손실을 손실충당금으로 인식한다.

(3) 세무상 유의할 사항

한국채택국제회계기준에서는 보증금에 대해서 최초 인식 시점에 공정가치(현재가치)로 측정하며 후속적으로 상각후원가로 측정하도록 하고 있으나, 법인세법에서는 내국법인이 보유하는 자산과 부채의 장부가액을 평가한 경우에는 법인세법 제42조에서 규정하고 있는 일부 자산을 제외하고는 이를 임의평가로 보아 평가하기 전의 가액으로 하도록 하고 있다. 따라서, 보증금을 공정가치로 평가함에 따라 발생하는 현재가치할인차금 및 선급비용 등은 세무상 자산의 임의평가에 해당하므로 이를 부인하는 세무조정을 수행하여야 한다. 또한, 보증금에 대해 손상차손을 인식할 경우에는 법인세법상 손금산입 한도 내의 대손충당금과 요건을 충족하는 대손금을 제외하고 세무상 부인하여야 할 것으로 보인다.

1. 유형자산의 정의

기준서 제1016호 문단 6에서는 유형자산을 다음과 같이 정의하고 있다.

> **기준서 제1016호 【유형자산】**
>
> 6. 유형자산 : 재화나 용역의 생산이나 제공, 타인에 대한 임대 또는 관리활동에 사용할 목적으로 보유하는 물리적 형체가 있는 자산으로, 한 회계기간을 초과하여 사용할 것이 예상되는 자산

이러한 유형자산의 정의를 구체적으로 설명하면 다음과 같다.

(1) 유형자산은 구체적인 형태를 가지고 있다.

자산은 물리적 실체의 유무에 따라 크게 유형자산과 무형자산으로 구분되는데, 유형자산은 물리적인 실체나 형태가 존재하는 자산을 의미하며, 무형자산은 영업권·산업재산권 등과 같이 물리적 실체나 형태가 존재하지 않는 자산을 의미한다.

(2) 유형자산은 기업의 영업활동에 사용할 목적으로 취득한 자산이다.

임대수익이나 시세차익 또는 두 가지 모두를 얻기 위하여 토지나 건물을 구입하였거나 재판매 목적으로 취득한 자산은 유형자산으로 분류할 수 없으며, 재고자산으로 분류한다. 영업활동이라 하더라도 임대수익이나 시세차익 또는 두 가지 모두를 얻기 위하여 토지나 건물을 구입하는 경우는 투자부동산으로 분류한다.

(3) 유형자산은 한 회계기간을 초과하여 사용할 것이 예상되는 자산이다.

유형자산은 장기간에 걸쳐 기업에 서비스를 제공하는 미래의 용역잠재력(service potential)을 지닌 자산이다. 따라서 유형자산은 장기간에 걸쳐 기업에 경제적효익을 제공하므로 이와 관련하여 당기에 감소한 용역잠재력을 비용인 감가상각비로 인식하게 된다. 일반적으로 취득 후 한 회계기간 이내에 그 사용이 완료되는 것은 유형자산으로 처리하지 않고 당기비용(소모품비 등)으로 처리한다.

2. 유형자산의 과목 분류

기준서 제1016호 문단 37에서는 유형자산을 영업상 유사한 성격과 용도로 분류하도록 하고 있으며, 유형자산의 분류를 다음과 같이 예시하고 있다.

★
기준서 제1016호【유형자산】

37. 유형자산은 영업상 유사한 성격과 용도로 분류한다. 다음은 개별 분류의 예이다.
(1) 토지
(2) 토지와 건물
(3) 기계장치
(4) 선박
(5) 항공기
(6) 차량운반구
(7) 집기
(8) 사무용비품

유형자산의 과목은 업종의 특성 등을 반영하여 신설하거나 통합할 수 있다. 따라서 위의 규정에 별도로 열거되어 있지 않더라도 당해 기업이 속한 업종의 특성상 특정 유형자산의 비중이 중요한 경우에는 별도의 과목을 신설하거나, 중요하지 않다면 통합하여 적절한 과목으로 표시할 수 있을 것이다.

(1) 토 지

일반적으로 토지란 지적공부에 등록된 28지목의 토지를 말하는데, 이 때의 토지는 국토전체를 가리킨다. 그러나 자연상태의 토지는 개별성이 없으므로 인위적으로 구획된 토지인 필지를 등록단위로 하여 등록하도록 하고 있다. 하지만 한국채택국제회계기준상 토지계정에는 지목 또는 등기 여부에 관계 없이 사용한다.

측량·수로조사 및 지적에 관한 법률 제67조【지목의 종류】① 지목은 전·답·과수원·목장용지·임야·광천지·염전·대(垈)·공장용지·학교용지·주차장·주유소용지·창고용지·도로·철도용지·제방(堤防)·하천·구거(溝渠)·유지(溜池)·양어장·수도용지·공원·체육용지·유원지·종교용지·사적지·묘지·잡종지로 구분하여 정한다.
② 제1항에 따른 지목의 구분 및 설정방법 등에 필요한 사항은 대통령령으로 정한다.

기준서 제1016호에서는 토지의 정의를 따로 규정하지 않고 있으나 측량·수로조사 및 지적에 관한 법률에 의한 토지의 정의에 입각하여 해석하면 될 것이다. 그러나 측량·수로조사 및 지적에 관한 법률상 토지라 해서 모두 한국채택국제회계기준상 유형자산의 토지로 계상되는 것은 아니다. 즉 유형자산으로서 토지계정에 계상되기 위하여는 영업활동목적으로 취득된 자산이어야 한다.

따라서 임대수익 또는 시세차익을 목적으로 취득한 토지는 유형자산이 아닌 투자부동산(investment property)으로 분류하여야 하며 재판매 목적으로 취득한 토지는 재고자산으로 분류하여야 한다.

토지는 다른 유형자산과 마찬가지로 자기의 경영활동에 사용되는 자산으로서 사용기간이 적어도 1년 이상 또는 정상적인 영업주기 이상 사용되는 내구자산이나, 사용 또는 시간이 경과함에 따라 가치가 점차로 감소하는 자산이 아니므로 채석장이나 매립지등을 제외하고는 상각대상자산은 아니다.

(2) 건 물

건물이란 통상적으로 토지에 정착하는 공작물 중 사실상 준공된 것으로서 지붕 및 기둥 또는 벽이 있는 것과 이에 딸린 시설물과 건축물을 말한다. 기준서 제1016호에서 이에 대한 정의를 구체적으로 규정한 바는 없으며, 다만 건축법 제2조에서 다음과 같이 규정하고 있다.

> 건축법 제2조【정 의】① 이 법에서 사용하는 용어의 뜻은 다음과 같다.
> 2. "건축물"이란 토지에 정착(定着)하는 공작물 중 지붕과 기둥 또는 벽이 있는 것과 이에 딸린 시설물, 지하나 고가(高架)의 공작물에 설치하는 사무소·공연장·점포·차고·창고, 그 밖에 대통령령으로 정하는 것을 말한다.

이 규정을 보면 건물이란 「지붕과 기둥 또는 벽이 있는 것」으로 보아야 할 것이다. 또한 그 건물의 일부를 이루는 전기설비, 배·급수, 위생 또는 가스설비, 냉·온방설비 또는 보일러설비, 승강기 등은 건물의 부대설비로서 건물계정에 포함한다. 법인세법에서는 건물과 관련된 전기설비, 급배수·위생설비, 가스설비, 냉방·난방·통풍 및 보일러설비, 승강기설비 등 모든 부속설비를 포함하여 건축물로 보고 있다.

그러나 건물이 다 유형자산으로 계상되는 것이 아니다. 즉 임대 또는 시세차익을 목적으로 소유하고 있는 건물은 유형자산에 포함시키지 않고 「투자부동산」으로 분류하며 분양목적 신축상가와 아파트는 재고자산으로 분류해야 한다.

건물은 다른 유형자산과 마찬가지로 자기의 경영활동에 사용되는 자산으로서 사용기간이 적어도 1년 이상 또는 정상적인 영업주기 이상 사용되는 내구자산이며, 사용 또는 시간이 경과함에 따라 가치가 점차로 감소하는 자산이므로 수익과 비용의 적절한 대응을 위하여 감가상각을 하여야 한다.

(3) 구축물

구축물이란 기업이 자기의 경영목적을 위하여 토지 위에 정착·건설한 건물 이외의 토목설비, 공작물 및 이들의 부속설비를 처리하는 계정이다.

통상 교량, 궤도, 갱도, 정원설비 및 기타의 토목설비 또는 공작물 등 외에 선거, 안벽, 저수지, 연통, 침전지, 샘, 상하수도, 용수설비, 도로, 저탄장, 제방, 터널, 전주, 지하도관, 신호장치 등을 포함하며 대체로 직접적인 자체의 작업은 하지 않고 주로 보조적 작용을 하는 것을 말한다. 하지만 구축물이라 해서 모두 다 유형자산의 구축물로 계상되는 것은 아니다.

즉 임대목적으로 보유하고 있는 구축물은 투자부동산으로 분류되어야 하며 유형자산의 구축물계정에 포함하여서는 안된다.

구축물은 다른 유형자산과 마찬가지로 자기의 경영활동에 사용되는 자산으로서 사용기간이 적어도 1년 이상 또는 정상적인 영업주기 이상 사용되는 내구자산이며, 사용 또는 시간이 경과함에 따라 가치가 점차로 감소하는 자산이므로 수익과 비용의 적절한 대응을 위하여 감가상각을 하여야 한다.

(4) 기계장치

기계장치계정은 영업용으로 사용하는 기계, 부속설비를 처리하는 계정이다. 기계장치는 제조업에 있어서 가장 기본적인 설비로서 직접 또는 간접으로 제조목적에 사용하는 기계장치 및 이에 부속하는 제 생산설비를 말한다.

기계와 장치의 구별은 매우 애매하기는 하지만, 일반적으로 기계는 주로 동력으로 외부의 대상물에 작업을 가하는 공작 내지 조립사업에 이용되는 기구의 단위로서 발전기, 전동기, 공작기기, 작업기계 등을 말한다. 장치는 대상물을 내부에 수용하여 이것을 변질·변형·분해·운동시키기 위한 설비로서 공장 등의 용역설비 전체를 말하며 연소장치, 화학장치, 수동장치 등이 이에 해당한다. 따라서 장치는 기계와 함께 또는 기계의 보조용구로서 공장설비를 형성하게 된다.

그러나 오늘날 기계와 장치의 구별은 아직도 명확하지 않으며 주로 전문기술자의 판단에 의할 수밖에 없는 것이 많다. 기계와 장치는 대부분의 경우 일체가 되어 활동하는 것이므로 기준서 제1016호에서는 양자를 하나로 묶어서 기계장치란 과목으로 예시하고 있다.

기계장치 이외에 콘베어, 호이스트, 기중기 등과 같은 「운송설비」도 동 기계장치의 일부로 보고 후술하는 차량운반구에 계상하지 않는다. 이들은 공장 내에 고정되어 있는 설비이기 때문이다.

기계장치는 다른 유형자산과 마찬가지로 자기의 경영활동에 사용되는 자산으로서 사용기간이 적어도 1년 이상 또는 정상적인 영업주기 이상 사용되는 내구자산이며, 사용 또는 시간이 경과함에 따라 가치가 점차로 감소하는 자산이므로 수익과 비용의 적절한 대응을 위하여 감가상각을 하여야 한다.

(5) 건설중인자산

건설중인자산은 일종의 가계정으로 미완성 유형자산을 말하는데 사업용 유형자산의 건설을 위하여 지급한 재료비, 노무비, 경비뿐만 아니라 건설을 위하여 지출한 도급금액 등 유형자산을 취득하기 위하여 지출한 계약금 및 중도금도 포함하여 처리하도록 하였다.

기업은 영업활동에 사용할 기계장치나 건물 등을 외부로부터 구입하지 않고 스스로 건설하는 경우가 있을 수 있다. 이러한 자가건설자산(self-constructed assets)의 경우도 외부에서 구입한 자산과 마찬가지로 건설에 따르는 제 비용과 건설 후 실제 사용가능한 상태로 준비하는 데 발생한 모든 관련 비용을 건설자산의 취득원가에 포함시켜야 한다. 그러나 외부로부터 자산을 취득하는 경우와는 달리, 자산을 자가건설할 경우에는 교환거래가 발생하지 않았기 때문에 자산의 취득원가를 객관적으로 측정하기 어렵다.

기준서 제1016호 문단 22에서는 기준서 제1002호 '재고자산'에서 규정하고 있는 판매목적으로 건설하는 자산의 원가와 동일한 방법으로 자가건설한 유형자산의 원가를 측정하도록 규정하고 있다. 따라서 자가건설한 유형자산의 원가는 유형자산의 건설을 위한 재료비, 노무비 및 경비로 하되, 변동제조간접비뿐만 아니라 기업이 여러 종류의 제품을 생산할 때 각 제품에 고정제조간접비를 배분하는 것과 같이 자가건설자산에도 고정제조간접비를 배분하여야 한다. 이와 같이 자가건설과 관련하여 지출한 재료비, 노무비, 경비 등의 비용을 완성하여 본계정에 대체시까지 처리하는 계정이 건설중인자산이다.

위에서 보듯, 건설중인자산이란 영업용으로 사용할 건물이나 구축물 또는 기계장치 등을 건설 또는 제작할 경우 완성될 때까지의 지급액 또는 충당한 재료비, 노무비, 경비 등 원가를 집계하는 미완성의 유형자산계정이라 할 수 있다. 건설중인자산에는 자체건설 또는 제작하는 경우는 물론 타인에게 일부 또는 전부를 도급으로 의뢰하는 경우 또는는 공장설비건설을 위하여 취득한 기계장치 등도 완성시까지 본계정에서 원가를 집계

하였다가 완성되어 영업에 사용될 때 당해 유형자산계정으로 대체하게 된다. 이런 이유로 건설중인자산에 대하여는 유형자산의 과목별 또는 공사별로 세분된 보조장부를 작성할 필요가 생긴다. 또한 건설중인자산은 자금은 투하하였으나 아직 구체적인 자산의 형태로서 존재하지 않고 건설 중에 있는 미완성자산이므로 본계정에 대체하여 영업목적에 사용될 때까지는 비용으로 배분할 수 없으므로 감가상각을 할 수 없다. 다만 건설중인자산으로 설정된 자산 중 전부 완성되지 않았지만 일부 완성되어 사용시에는 동 금액만이라도 본계정에 대체한 후 감가상각해야 한다.

(6) 선박 및 항공기

위에서 언급한 바와 같이 유형자산의 과목은 업종의 특성 등을 반영하여 신설하거나 통합할 수 있으며 그 예로 항공회사의 경우에는 항공기를, 해운회사의 경우에는 선박을 별도의 과목으로 표시할 수 있다.

(7) 기타 자산

그 외에 업종에 따라 별도의 과목을 사용할 수 있는 예를 들면 다음과 같다.
① 건설업의 경우 : 건설용 장비 과목
② 관광업의 경우 : 동물 과목(관상용 동물), 식물 과목(관상용 식물)
③ 철도업 등의 경우 : 발전설비, 배전설비, 변전설비 과목
④ 맥주·음료 등의 운반·보관 용기인 회수조건부 공병 : 공병 과목
⑤ 임차건물의 내부시설(개보수비용, 칸막이공사, 실내장치 등)을 위하여 지출한 비용은 임차시설물 등의 유형자산으로 계상하고, 임차기간 동안에 걸쳐 감가상각한다.

3. 유형자산의 인식
(1) 인식조건

유형자산은 기업이 소유하는 자산의 중요한 부분을 차지하는 경우가 많기 때문에 재무상태표상의 표시가 매우 중요하다. 또한 유형자산 관련 지출의 자산인식 또는 비용처리 여부는 당기 손익에 큰 영향을 미친다.
따라서 재무제표에 유형자산으로 인식되기 위해서는 앞서 언급한 유형자산의 정의와 다음의 인식조건을 모두 충족하여야 한다(기준서 제1016호 문단 7).

1) 자산으로부터 발생하는 미래경제적효익이 기업에 유입될 가능성이 높다.

일반적으로 자산과 관련된 권리와 의무를 대부분 이전받은 경우 미래경제적효익의 유입가능성이 높다고 할 수 있다. 그러나 자산과 관련된 권리와 의무가 이전되기 전까지는 상당한 불이익 없이도 거래가 취소될 수 있기 때문에 자산으로 인식하지 않는다. 이 경우 인식조건의 충족 여부를 판단하기 위해서는 유형자산을 최초로 인식하는 시점에서 입수가능한 증거에 근거하여 미래경제적효익의 유입가능성을 평가하여야 한다.

2) 자산의 원가를 신뢰성 있게 측정할 수 있다.

특정 항목을 재무상태표에 자산으로 계상하기 위해서는 당해 항목에 대한 측정기준이 있고 그에 따른 측정치가 회계정보로서의 신뢰성을 가질 수 있어야 한다. 특정 항목에 대한 미래경제적효익의 유입가능성이 높다고 하더라도 그 금액을 신뢰성 있게 측정할 수 없는 경우에는 이를 자산으로 인식할 수 없다.

(2) 부품이나 구성요소의 결합체로 이루어진 유형자산의 인식

특정 유형자산을 구성하고 있는 항목들을 분리하여 개별유형자산으로 식별해야 할지 아니면 구성항목 전체를 단일의 유형자산으로 인식해야 할지는 기업의 상황과 업종의 특성을 고려하여 판단하여야 한다.

1) 예비부품과 수선용구

예비부품, 대기성장비 및 수선용구와 같은 항목은 유형자산의 정의를 충족하면 기준서 제1016호에 따라 인식한다. 그렇지 않다면 그러한 항목은 재고자산으로 분류한다(기준서 제1016호 문단 8).

기준서는 인식의 단위, 즉 유형자산 항목을 구성하는 범위에 대해서는 정하지 않는다. 따라서 인식기준을 적용할 때 기업의 특수한 상황을 고려하여야 한다. 금형, 공구 및 틀 등과 같이 개별적으로 중요하지 않은 항목은 통합하여 그 전체 가치에 대하여 인식기준을 적용하는 것이 적절하다(기준서 제1016호 문단 9).

2) 유의적인 유형자산의 구성항목(구성품 회계)

내용연수가 서로 다른 항공기 동체와 항공기 엔진과 같이, 유형자산을 구성하는 일부의 원가가 당해 유형자산의 전체원가에 비교하여 유의적이라면 감가상각할 때 그 부분은 별도로 구분하여 감가상각한다. 이 경우에는 유형자산의 구입과 관련된 총지출을 그 유형자산을 구성하고 있는 유의적인 부분에 배분하여 각 부분별로 감가상각한다(기준서 제1016호 문단 43-44). 유형자산을 구성하고 있는 유의적인 부분에 해당 유형자산의 다른 유의적인 부분과 동일한 내용연수 및 감가상각방법을 적용하는 수가 있다. 이러한 경우에는 감가상각액을 결정할 때 하나의 집단으로 통합할 수 있다(기준서 제1016호 문단 45). 유형자산의 전체원가에 비교하여 해당 원가가 유의적이지 않은 부분도 별도로 분리하여 감가상각할 수 있다(기준서 제1016호 문단 47).

(3) 안전 또는 환경상의 규제 때문에 취득한 유형자산의 인식

안전 또는 환경상의 규제 때문에 취득하여야 하는 유형자산은 그 자체로는 직접적인 미래경제적효익을 얻을 수 없으나, 다른 자산으로부터 경제적효익을 얻기 위하여 필요하다. 이러한 자산은 전체 자산의 미래경제적효익을 증가시키기 때문에 유형자산으로 인식할 수 있다. 예를 들면 화공약품 제조업체가 환경규제요건을 충족하기 위하여 새로 설치한 화공약품 취급공정설비는 이러한 설비 없이는 화공약품을 제조 및 판매할 수 없기 때문에 관련증설원가를 자산으로 인식한다. 그러나 이러한 자산 및 관련 자산의 장부금액에 대하여 기준서 제1036호 '자산손상'에 따라 손상차손을 인식할 필요가 있는지를 검토하여야 한다(기준서 제1016호 문단 11).

4. 유형자산의 취득원가 결정

"원가"는 자산을 취득하기 위하여 자산의 취득시점이나 건설시점에서 지급한 현금및현금성자산이나 제공한 기타 대가의 공정가치를 말한다(기준서 제1016호 문단 6). 즉 원칙적으로 모든 자산은 그 자산에 대한 교환거래(exchange transaction)가 발생할 때 인식되어야 한다. 여기서 교환거래가 발생할 때란 자산의 매입, 교환 및 처분과 같이 명백한 거래사실이 발생한 때를 말한다.

하지만 경우에 따라서는 교환거래가 발생하지 않더라도 용역잠재력을 수취한 사실이 명확한 시점에서 당해 자산을 인식하는 경우도 있다. 예를 들면 유형자산을 무상으로 증여받는 경우에는 비록 자산의 교환거래가 발생하지 않았다 하더라도 기업의 입장에서 볼 때는 용역잠재력을 수취한 것이 명백하므로 유형자산으로 인식할 수 있다. 무상으로 취득한 유형자산의 취득원가를 어떻게 결정할 것인지에 대해서는 유형자산 기준서에 지침이 별도로 없으므로, 이러한 경우에는 회계정책의 개발이 필요하다. 유형자산을 취득하기 위하여 지급한 대가의 공정가치가 취득원가인데, 무상으로 취득한 경우에는 지급한 대가가 없으므로 "0"으로 회계처리할 수도 있을 것이며, 유형자산의 가치를 보여주기 위해 무상으로 취득한 유형자산의 공정가치를 취득원가로 인식하는 회계처리도 회계정책으로 선택할 수 있을 것이다. 다만, 회사가 한번 선택한 회계정책은 일관성 있게 동일한 다른 거래에도 계속 적용되어야 할 것이며, 무상으로 취득한 유형자산의 금액이 중요하다면 회사가 선택한 회계정책 및 관련 사실들을 주석으로 공시하는 것이 필요할 것이다.

유형자산은 원가로 측정하며, 원가는 다음과 같이 구성된다(기준서 제1016호 문단 15-16).
① 관세 및 환급불가능한 취득 관련 세금을 가산하고 매입할인과 리베이트 등을 차감한 구입가격
② 경영진이 의도하는 방식으로 자산을 가동하는 데 필요한 장소와 상태에 이르게 하는 데 직접 관련되는 원가
③ 자산을 해체, 제거하거나 부지를 복구하는 데 소요될 것으로 최초에 추정되는 원가

이 때 경영진이 의도하는 방식으로 자산을 가동하는 데 필요한 장소와 상태에 이르게 하는 데 직접 관련되는 원가의 예는 다음과 같다(기준서 제1016호 문단 17).
① 유형자산의 매입 또는 건설과 직접적으로 관련되어 발생한 종업원급여
② 설치장소 준비 원가
③ 최초의 운송 및 취급 관련 원가
④ 설치원가 및 조립원가
⑤ 유형자산이 정상적으로 작동되는지 여부를 시험하는 과정에서 발생하는 원가. 단, 시험과정에서 생산된 재화(예 : 장비의 시험과정에서 생산된 시제품)의 순매각금액은 당해 원가에 차감한다.[1]
⑥ 전문가 수수료

유형자산의 취득은 유가증권이나 재고자산의 취득에 비해 취득기간이 상대적으로 길고 부대비용이 많이 소요될 뿐만 아니라 정부보조금이 지급되는 경우도 있어 취득원가의 결정이 쉽지 않다. 유형자산의 취득원가를 결정하는 데 있어서는 해당 자산의 취득과 직접 관련되는 부대비용만을 포함하여야 할 것으로, 새로운 시설을 개설하는 데 소

---

[1] 기준서 제1016호의 개정으로 해당 문단은 아래와 같이 변경되었음. 해당 개정된 내용은 2022년 1월 1일 이후 최초로 시작하는 회계연도부터 적용하며, 조기적용 가능함.
⑤ 유형자산이 정상적으로 작동되는지 여부를 시험하는 과정(예 : 자산의 기술적, 물리적 성능이 재화나 용역의 생산이나 제공, 타인에 대한 임대 또는 관리활동에 사용할 수 있는 정도인지를 평가)에서 발생하는 원가
20A 경영진이 의도한 방식으로 유형자산을 가동할 수 있는 장소와 상태에 이르게 하는 동안에 재화(예 : 자산이 정상적으로 작동되는지를 시험할 때 생산되는 시제품)가 생산될 수 있다. 그러한 재화를 판매하여 얻은 매각금액과 그 재화의 원가는 적용 가능한 기준서에 따라 당기손익으로 인식한다. 그 재화의 원가는 기업회계기준서 제1002호의 측정 요구사항을 적용하여 측정한다.

요되는 원가, 새로운 상품과 서비스를 소개하는 데 소요되는 원가(예 : 광고 및 판촉활동과 관련된 원가), 새로운 지역에서 또는 새로운 고객층을 대상으로 영업을 하는 데 소요되는 원가(예 : 직원 교육훈련비), 관리 및 기타 일반간접원가 등은 취득원가로 볼 수 없다(기준서 제1016호 문단 19).

한편, 유형자산이 경영진이 의도하는 방식으로 가동될 수 있는 장소와 상태에 이른 후에는 원가를 더 이상 인식하지 않는다. 따라서 유형자산을 사용하거나 이전하는 과정에서 발생하는 원가는 당해 유형자산의 장부금액에 포함하여 인식하지 아니하는데, 예를 들어 다음과 같은 원가는 유형자산의 장부금액에 포함하지 아니한다(기준서 제1016호 문단 20).

① 유형자산이 경영진이 의도하는 방식으로 가동될 수 있으나 아직 실제로 사용되지는 않고 있는 경우 또는 가동수준이 완전조업도 수준에 미치지 못하는 경우에 발생하는 원가

② 유형자산과 관련된 산출물에 대한 수요가 형성되는 과정에서 발생하는 가동손실과 같은 초기 가동손실

③ 기업의 영업 전부 또는 일부를 재배치하거나 재편성하는 과정에서 발생하는 원가

현재 유형자산기준서에서는 경영진이 의도한 방식으로 유형자산이 정상적으로 가동되는지 여부를 시험하는 과정에서 시제품이 생산될 때 해당 원가는 유형자산의 원가에 가산하며, 해당 시제품이 외부에 판매된 경우 순매각금액은 원가에서 차감하도록 규정하고 있다. 그러나, 해당 규정은 IASB에서 해당 문단을 개정하여 유형자산을 시험가동 과정에서 생산되는 재화를 판매하는 경우 판매하여 얻은 매각금액과 그 재화의 원가는 적용 가능한 기준서에 따라 당기손익으로 인식하며 유형자산이 취득원가에 가감하지 않도록 변경되었다. 이러한 개정내용은 2022년 12월 31일 이후 최초로 개시되는 회계연도에 적용되며 조기적용도 가능하다.

이하에서는 유형자산의 취득원가 결정과 관련하여 보다 구체적으로 살펴보도록 하겠다.

(1) 토지와 구축물의 취득원가 결정

토지조경 및 배수로설치 등과 같이 거의 영구적으로 용역잠재력을 제공받을 수 있는 시설에 투입된 원가나, 정부관리 하의 도로포장 및 가로등설치 등에 투입된 원가는 모두 토지계정에 산입한다. 이와 같은 토지시설물은 거의 항구적으로 용역잠재력을 제공하기 때문에 내용연수가 무한하므로 감가상각을 할 필요가 없다. 즉 조경시설이나 배수

로 등은 한번 완성되면 그 토지를 처분할 때까지 가치가 소멸되지 않으며, 정부관리 하에 설치된 가로등시설이나 포장도로 등은 계속적으로 정부기관에 의해 대체·보수되기 때문에, 토지소유자의 관점에서 볼 때 더 이상의 유지·관리비를 투입하지 않고도 계속 용역을 제공받을 수 있다. 그러므로 토지구매자가 조경시설이나 배수로설치 등에 직접 투입한 원가전액과 정부관리 하의 도로포장이나 가로등설치 등에 투입된 총원가 중에서 토지구매자가 직접 부담한 부분은 모두 토지계정에 산입하여야 하며 감가상각을 해서는 안된다.

그러나 토지개량을 위해 투입된 원가 중에서 용역잠재력을 영구적으로 제공하지 못하는 부분에 해당하는 원가라든가, 정부와 기업이 공동부담으로 가로등설치 및 도로포장 등을 하였으나 정부기관 등에 의하여 계속적으로 보수·대체되지 않을 경우에는 투입된 비용 등을 토지계정과는 별도로 토지부대시설계정이나 구축물계정에 계상하여 감가상각을 하여야 한다. 예를 들면 담장시설이나 주차시설 또는 정부와 같은 외부기관에 의해 계속적으로 보수·대체되지 않는 시설물은 단지 제한된 기간 동안만 용역을 제공하므로, 이 부분에 투입한 원가는 토지계정 이외의 별도계정에 기입하여 내용연수 동안에 상각하여야 한다.

또한 토지공사비나 개량비 중 돌담, 호안, 상하수도, 가스 등과 같이 영구적인 설비가 되지 못하고 감가되는 성질의 공사비는 이것을 토지의 취득원가에 산입하지 않고, 구축물계정 또는 그 밖의 적당한 자산계정으로 처리하였다가 적당한 내용연수를 견적하여 매기의 비용으로 감가상각해가는 것이 바람직하다. 즉 토지는 다른 유형자산과는 달리 영구적 자산이므로 개량비 중에서 비감가성인 것은 토지의 취득원가에 가산하고 감가성인 것은 토지계정과 구분하여 구축물계정과 같은 감가상각자산으로 취급하여야 한다.

국가가 "개발이익의 환수에 관한 법률"의 규정에 의하여 개발사업의 최종 단계에서 토지의 지가상승분에 대하여 개발부담금을 부과하는 경우 개발사업 시행자는 이 개발부담금을 당해 토지의 원가에 산입하는 것이 타당할 것이다.

또한 토지의 취득에 있어서 타인 소유의 지상건물에 대한 이전비, 제작비 또는 지상권자·임차권자 등에 대한 보상금은 토지를 취득하기 위한 직접 비용에 해당된다면, 토지의 원가에 산입시키는 것이 타당할 것이다.

(2) 복구원가

유형자산의 경우 내용연수가 종료된 후 추가적인 비용 없이 처분되는 경우도 있겠지만, 토양, 수질, 대기, 방사능 오염 등을 유발할 가능성이 있는 시설물, 예를 들면 원자력발전소, 해상구조물, 쓰레기매립장, 저유설비 등의 유형자산에 대해서는 경제적 사용

이 종료된 후에 환경보전을 위하여 반드시 원상을 회복시켜야 한다.

자산을 사용하기 위해 부담해야 할 취득원가에는 최초 취득시점에서 부담해야 할 지출뿐만 아니라 경제적 사용이 종료된 후의 복구원가도 해당 자산을 사용하기 위한 회피불가능한 비용이라는 관점에서 동질적이기 때문에 취득원가에 포함하는 것이 타당하다. 복구원가를 취득원가에 반영하는 경우 기준서 제1037호에 따른 충당부채의 인식요건 충족도 함께 고려해야 할 것이다.

자산의 취득, 건설, 개발에 따른 복구원가에 대한 충당부채는 유형자산을 취득하는 시점에서 해당 유형자산의 취득원가에 반영한다. 그러나 법규의 신설, 계약조항의 변경 등으로 인하여 자산을 사용하는 도중에 책임을 부담하게 되는 경우에는 당해 복구원가에 대한 충당부채를 인식하는 시점에서 해당 유형자산의 장부금액에 반영한다. 다만 특정기간 동안 재고자산을 생산하기 위해 유형자산을 사용한 결과로 동 기간에 발생한 그 유형자산을 해체, 제거하거나 부지를 복고할 의무의 원가에 대해서는 기준서 제1002호 '재고자산'을 적용한다. 여기서 유형자산의 취득원가에 포함시켜야 할 복구원가라 함은 해당 유형자산의 경제적 사용이 종료된 후에 원상회복을 위하여 그 자산을 제거·해체 하거나 또는 부지를 복원하는 데 소요될 것으로 추정되는 원가(이하 '원상회복원가'라 한다)의 현재가치를 말하는 것으로서 기준서 제1037호 '충당부채, 우발부채 및 우발자산'에서 규정하는 충당부채의 인식요건을 충족하여야 한다(기준서 제1016호 문단 18).

1) 복구원가의 자본화 여부

유형자산의 경제적 사용이 종료된 후에 원상회복을 위하여 자산을 제거·해체하거나, 부지를 복원하는 데 소요될 것으로 추정되는 원상회복원가는 다음에 따라 처리한다.

① 발생시점의 비용처리

원상회복원가가 기준서 제1037호 '충당부채, 우발부채 및 우발자산'에서 정한 충당부채의 인식요건을 충족하지 못하는 경우에는 복구원가를 자산의 취득원가로 인식하지 않는다. 따라서 당해 원상회복원가는 발생한 시점에 비용으로 처리하여야 할 것이다.

② 자산의 취득원가에 가산

원상회복원가가 충당부채의 인식요건을 충족하는 경우에는 원상회복원가의 현재가치를 자산의 취득원가에 가산한다.

2) 회계처리

복구원가와 관련된 회계처리는 취득원가에 가산할 복구원가를 추정하고 이를 현재가치로 할인하여 복구충당부채로 계상하는 회계처리와 취득원가에 포함된 복구원가의 감가상각과 복구충당부채에 대해 유효이자율법을 적용하여 복구충당부채 전입액을 산출하는 회계처리 및 복구시점의 회계처리로 구분할 수 있다.

① 복구원가추정 및 복구충당부채계상

취득원가에 가산할 복구원가는 실무적으로 다음과 같이 추정할 수 있을 것이다.

(가) 현재 복구공사를 진행하는 것을 가정했을 경우 복구공사에 투입될 인력 소요를 해당 자산을 건설할 당시의 토목공사 등의 관련 자료를 분석하는 방법 등에 의해 산출하고, 그 결과를 토대로 노무비를 추정한다.

(나) 복구공사에 투입될 장비사용 계획과 이와 유사한 공사에 현재 적용하고 있는 공사간접비 배부율 등을 참고하여 공사간접비를 산출한다.

(다) 복구공사를 자체적으로 시행하지 않고 외부에 도급공사를 줄 경우 공사원가에 통상적으로 적용할 수 있는 정상이윤을 가산한다.

(라) 해당 자산의 취득완료시점부터 복구공사를 실시하게 될 시점까지의 물가상승률을 과거 경험과 자료를 토대로 추정하여 미래가치를 산출하기 위한 승수를 산정한다.

(마) 위 (가)~(라)까지의 단계를 거쳐 인플레이션을 감안한 예상현금흐름을 산출한다.

(바) 복구공사원가에 직접적인 영향을 미치는 원재료, 인건비 등의 수급상황과 가격의 예기치 못한 변동을 예상현금흐름에 고려하기 위하여 과거의 경험과 자료를 토대로 시장위험프리미엄을 산정하고, 위 (마)의 현금흐름을 조정한다.

(사) 위 (바)의 시장위험프리미엄으로 조정된 현금흐름을 현재가치로 할인한다. 현재가치 할인시 사용되는 할인율은 부채의 특유위험과 화폐의 시간가치에 대한 현행 시장의 평가를 반영한 세전 이율이다.

사례 1 (주)삼일은 2×07. 1. 1.에 해양구조물을 취득하였다. 이 해양구조물의 추정내용연수 종료시점(2×16. 12. 31.)에는 복구공사를 수행하여야 하며, 복구공사관련 노무비는 131,250백만원, 공사간접비는 노무비의 80%, 복구공사관련 도급공사시 도급계약자의 정상이윤은 20%, 10년간의 매년 물가상승률은 4%, 시장위험프리미엄은 5%, 무위험이자율에 근거한 할인율은 8.5%로 가정할 경우 복구원가를 추정하라. 단, 복구공사를 외부에 도급공사를 준다고 가정한다.

예상현금흐름(백만원)

(1) 노무비	131,250
(2) 장비사용 및 간접비 배분[=131,250×80%]	105,000
(3) 계약자에 대한 정상이윤[(131,250+105,000)×20%]	47,250
인플레이션을 고려하기 전의 예상현금흐름	283,500

(4) 취득완료시점부터 복구공사가 진행될 시점까지 인플레이션을

고려한 승수[=$(1+0.04)^{10}$] ..... (1.4802)

인플레이션을 고려한 예상현금흐름[=283,500×1.4802] 419,637

(5) 시장위험프리미엄[=419,637×5%] 20,982

시장위험프리미엄 조정 후의 예상현금흐름 440,619

(6) 무위험이자율에 해당기업의 신용위험을 고려하여 산출된

할인율을 기초로 취득완료시점부터 복구

공사가 진행될 시점까지의 현재가치할인율

[=$1/(1+0.085)^{10}$] ..... (0.442285)

현재가치할인율을 적용하여 산출한 복구충당부채 194,879

② 복구원가의 감가상각과 복구충당부채전입액 산출

유형자산의 취득원가에 반영된 복구충당부채 가액 또는 복구원가추정자산 가액은 내용연수에 걸쳐 합리적이고 체계적인 방법으로 배분하여 감가상각액으로 인식한다. 또한 현재가치로 표시된 복구충당부채에 대해서는 유효이자율법에 의해 복구충당부채전입액을 계상하고 복구충당부채에 가산한다. 여기에 적용될 유효이자율은 복구충당부채를 현재가치로 할인하기 위해 사용된 할인율을 이용하며, 현재가치에 따른 증가액은 차입원가로 인식한다(기준서 제1037호 문단 60). 동 차입원가는 기준서 제1023호 '차입원가'에 따른 자본화는 허용되지 않는다(해석서 제2101호 문단 8).

사례 2

(주)삼일이 2×07. 1. 1.에 취득한 해양구조물과 관련된 다음 자료를 토대로 취득시점의 회계처리와 회계연도 말 감가상각액의 계상 및 현재가치 변동금액의 인식에 관한 회계처리를 하라.

> 해양구조물의 취득원가 : 400,000 잔존가액 : 10,000
> 내용연수 : 10년 감가상각방법 : 정액법
> 단, 복구충당부채는 [사례 1]의 자료를 이용한다. (단위 : 백만원)

• 20×7. 1. 1.(취득시점)

(차) 구 축 물* 594,879 (대) 미지급금(또는 현금) 400,000

복 구 충 당 부 채 194,879

• 2×07. 12. 31.(결산시점)

(차) 감 가 상 각 액* 58,488 (대) 감 가 상 각 누 계 액 58,488

차 입 원 가** 16,565 복 구 충 당 부 채 16,565

* 감가상각액의 산출 : (594,879－10,000)/10년＝58,488 또는 (400,000－10,000)/10년＋194,879/10년
＝58,488

** 복구충당부채증가액의 산출 : 194,879×8.5%=16,564

[계산자료 1] 유효이자율법을 적용하여 산출된 복구충당부채증가액

연 도	기초복구충당부채(a)	복구충당부채전입액(b)	기말복구충당부채(a+b)
2×07.	194,879	× 8.5%=16,565	211,444
2×08.	211,444	× 8.5%=17,973	229,417
...	...	...	...
...	...	...	...
2×16.	406,100	× 8.5%=34,519	440,619

[계산자료 2] 회계연도별 복구충당부채증가액과 감가상각액

연 도	복구충당부채 증가액	감가상각액(취득원가에 가산된 복구원가분)	감가상각액(최초취득분)
2×07.	16,565	19,488	39,000
2×08.	17,973	19,488	39,000
...	...	...	...
...	...	...	...
2×16.	34,519	19,488	39,000

③ 복구시점의 회계처리

실제 복구원가가 지출되는 시점에서 이미 계상되어 있던 복구충당부채 금액과 실제 발생된 복구공사비와의 차액은 실제 복구가 진행되는 회계기간의 손익으로 계상한다.

사례 3 상기의 [사례 2]에서 해양구조물의 경제적 내용연수가 종료된 후 복구공사에 실제 소요된 원가가 500,000으로 복구충당부채 잔액보다 큰 경우에 복구시점의 회계처리를 하라.
• 2×17. 1. 1.(복구공사시점)

(차) 복 구 충 당 부 채	440,619	(대) 미지급금(또는 현금)	500,000
복 구 공 사 손 실	59,381		

사례 4 상기의 [사례 2]에서 해양구조물의 경제적 내용연수가 종료된 후 복구공사에 실제 소요된 원가가 400,000으로 복구충당부채잔액보다 작은 경우에 복구시점의 회계처리를 하라.
• 2×17. 1. 1.(복구공사시점)

(차) 복 구 충 당 부 채	440,619	(대) 미지급금(또는 현금)	400,000
		복 구 공 사 이 익	40,619

해석서 제2101호에서는 복구충당부채의 측정이 변경되는 경우 나타나는 영향에 대한 회계처리 지침을 제공한다. 즉, 의무를 이행하기 위해 필요한 경제적효익이 내재된 자원의 유출 시기나 유출금액 추정의 변경 또는 할인율의 변경에 따라 기존 복구충당부채의 측정이 변경하는 경우 다음과 같이 회계처리한다(해석서 제2101호 문단 4-6).

④ 원가모형을 사용하여 관련 자산을 측정한 경우

㉠ 부채의 변경은 아래 ㉡의 경우를 충족시키는 것을 조건으로 당기에 관련 자산의 원가에 가산하거나 차감한다.

㉡ 자산의 원가에서 차감되는 금액은 그 자산의 장부금액을 초과할 수 없다. 만약 부채의 감소가 자산의 장부금액을 초과한다면, 그 초과액은 즉시 당기손익으로 인식한다.

㉢ 조정으로 인하여 자산의 원가가 증가한 경우, 관련 자산의 새로운 장부금액이 회수가능한지를 고려하여야 한다. 만약 회수가능성이 의심이 된다면 기준서 제1036호에 따라 회수가능액을 추정하여 자산손상 여부를 검토하고 손상된 경우에는 손상차손으로 회계처리한다.

⑤ 재평가모형을 사용하여 관련 자산을 측정한 경우

㉠ 부채의 변경은 당해 자산에 대하여 이전에 인식한 재평가잉여금을 조정하여 회계처리한다.

- 부채의 감소는(아래 ㉡의 경우를 충족시키는 조건) 기타포괄손익으로 인식하고 자본의 항목 중 재평가잉여금을 증가시킨다. 다만, 그 금액 중 자산에 대하여 이전에 당기손익으로 인식한 재평가감소에 해당하는 금액은 당기손익으로 환입한다.

- 부채의 증가는 당기손익으로 인식한다. 다만, 그 금액 중 해당 자산과 관련된 재평가잉여금의 잔액을 한도로 기타포괄손익으로 인식하고 자본의 항목 중 재평가잉여금을 감소시킨다.

㉡ 당해 자산이 원가모형으로 평가되었다면 인식되었을 장부금액을 초과하여 부채가 감소되는 경우, 그 초과액은 즉시 당기손익으로 인식한다.

㉢ 부채의 변경은 당해 자산의 장부금액이 보고기간말의 공정가치를 사용하여 결정되었을 금액과 중요하게 다르지 않도록 하기 위하여 재평가가 필요할 수도 있다는 것을 의미한다. 이러한 재평가는 위 ㉠에 따라 당기손익 또는 기타포괄손익으로 인식될 금액을 결정하는 데 고려하여야 한다. 재평가가 필요한 경우에는 동일 종류의 자산을 모두 재평가해야 한다.

㉣ 기준서 제1001호는 기타포괄손익의 각 구성요소를 포괄손익계산서에 공시하도록

규정하고 있다. 이러한 규정에 따라 부채의 변경에서 발생하는 재평가잉여금의 변동은 별도로 인식하고 공시하여야 한다.

자산의 조정된 감가상각대상금액은 그 내용연수 동안 상각한다. 그러므로 일단 당해 자산의 내용연수가 종료되면, 관련 부채의 모든 후속적인 변경은 발생 즉시 당기손익으로 인식한다. 이러한 회계처리는 원가모형과 재평가모형에 모두 적용된다(해석서 제2101호 문단 7).

사례 1 A사는 핵발전소 및 이와 관련된 복구충당부채가 있다. 이 핵발전소는 2000년 1월 1일에 운영하기 시작하였다. 이 발전소의 내용연수는 40년이다. 이 발전소의 최초 원가는 120,000원이며, 이 중에는 40년 후에 지급되어야 할 추정현금흐름 70,400원을 5%의 위험조정률로 할인한 금액인 10,000원의 복구원가가 포함되어 있다. A사의 회계연도는 12월 31일에 종료된다.

2009년 12월 31일에 이 발전소는 10년이 경과되었다. 감가상각누계액은 30,000원(120,000 × 10/40년)이다. 10년에 걸친 할인액의 상각(5%)으로, 복구충당부채는 10,000원에서 16,300원으로 증가되었다.

2009년 12월 31일에 할인율은 변동하지 않았다. 그러나 A사는 기술발전의 결과로서 복구충당부채의 순현재가치가 8,000원 만큼 감소하였다고 추정한다. 따라서 A사는 복구충당부채를 16,300원에서 8,300원으로 조정한다. 동일자에 이러한 변동을 반영하기 위한 분개는 다음과 같다(단위 : 원).

(차) 복 구 충 당 부 채　　　　8,000　　(대) 유　형　자　산　　　8,000

이러한 조정으로 인하여, 자산의 장부금액은 82,000원(120,000원−8,000원−30,000원)이 되고, 이 금액은 30년의 잔존내용연수 동안 상각될 것이며 내년의 감가상각비는 2,733원(82,000원 ÷ 30)이 될 것이다. 내년 할인액의 상각으로 인한 금융원가는 415원(8,300원 × 5%)이 될 것이다.

사례 2 A사는 핵발전소 및 이와 관련된 복구충당부채가 있다. 이 핵발전소는 2000년 1월 1일에 운영하기 시작하였다. 이 발전소의 내용연수는 40년이다. 이 발전소의 최초 원가는 120,000원이며, 이 중에는 40년 후에 지급되어야 할 추정현금흐름 70,400원을 5%의 위험조정률로 할인한 금액인 10,000원의 복구원가가 포함되어 있다. A사의 회계연도는 12월 31일에 종료된다.

A사는 기준서 제1016호에서 규정하는 재평가모형을 채택하였고, 이에 따라 발전소는 장부금액이 공정가치와 중요하게 다르지 않도록 주기적으로 재평가된다. A사의 정책은 재평가일에 자산의 총장부금액에서 감가상각누계액을 제거하는 것이다.

2002년 12월 31일 시장에 기초하여 현금흐름을 할인한 평가금액은 115,000원이라고 가정한다. 이 금액에는 3년간 할인액의 상각후 복구원가에 대한 충당금 11,600원을 포함하고 있으며, 최초 추정에 대한 변동은 없다. 따라서 2002년 12월 31일의 재무상태표에 포함된 금액은 다음과 같다.

	(단위 : 원)
가치평가자산 [1]	126,600
감가상각누계액	–
복구충당부채	(11,600)
순자산	115,000
이익잉여금 [2]	(10,600)
재평가잉여금 [3]	15,600

(1) 115,000원(가치평가결과) + 11,600원(가치평가결과에 반영되었으나 별도의 부채로 인식된 사후처리원가)
= 126,000원

(2) 9,000원(120,000원 × 3/40, 최초 원가에 대한 3년간의 감가상각액) + 1,600원(5% 복리에 의한 10,000원에
대한 할인액 상각누적액) = 10,600원

(3) 126,000원(재평가된 금액) – 111,000원(종전 순장부가치, 120,000원의 원가에서 9,000원의 감가상각누계액
을 차감한 금액)

따라서 2003년의 감가상각비는 3,420원(126,000원 × 1/37)이고, 2003년의 할인액 상각은 600
원(11,600원의 5%)이다. 2003년 12월 31일에 (조정전) 복구충당부채는 12,200원이고 할인율은
변하지 않았다. 그러나 동일자에 기업은 기술발전의 결과로 복구충당부채의 현재가치가 5,000
원 만큼 감소하였다고 추정한다. 이에 따라 기업은 복구충당부채를 12,200원에서 7,200원으로
조정한다.

이러한 조정이, 원가모형을 적용하였더라면 인식되었을 자산의 장부금액을 초과하지 않기 때문
에, 이러한 조정 자체를 재평가잉여금에 반영한다. 만약 초과한다면, 이러한 초과금액은 문단
6(2)에 따라 손익에 반영될 것이다. 이러한 변동을 반영하기 위한 분개는 다음과 같다(단위 : 원).

(차) 복 구 충 당 부 채　　　5,000　　　(대) 재 평 가 잉 여 금　　　5,000

기업은 장부금액이 공정가치와 중요하게 다르지 않다는 것을 확인하기 위하여 2003년 12월
31일에 완전한 가치평가가 필요하다고 결정한다. 그 자산이 현재 107,000원으로 평가되었다
고 가정하자. 이 금액은 별도 부채로 인식되어야 하는, 감소된 복구의무에 대한 7,200원의 충
당금을 차감한 금액이다. 따라서 재무보고 목적상 자산의 평가가치는 충당금을 차감하기 전
인 114,200원이다. 다음의 추가적인 분개가 필요하다.

(차) 감 가 상 각 누 계 액[1]　　　3,420　　　(대) 가 치 평 가 자 산　　　3,420
　　　재 평 가 잉 여 금[2]　　　8,980　　　　　가 치 평 가 자 산[3]　　　8,980

(1) 기업의 회계정책에 따라 3,420원의 감가상각누계액 제거

(2) 이 자산과 관련하여 재평가로 인한 결손이 재평가잉여금의 대변 잔액을 초과하지 않기 때문에, 재평가잉여금이
차감으로 인식

(3) 126,600원(종전 평가가치, 사후처리원가 차감 전) – 3,420원(감가상각누계액) – 114,200원(새로운 평가가치,
사후처리원가 차감 전)

이러한 가치평가에 따라 재무상태표에 포함된 금액은 다음과 같다.

	(단위 : 원)
가치평가자산	114,200
감가상각누계액	–
복구충당부채	(7,200)
순자산	107,000
이익잉여금 [(1)]	(14,620)
재평가잉여금 [(2)]	11,620

(1) 10,600원(2002년 12월 31일 잔액) + 3,420원(2003년 감가상각비) + 600원(2003년 할인액 상각)
= 14,620원

(2) 15,600원(2002년 12월 31일 잔액) + 5,000원(부채의 감소에 따라 발생된 금액) - 8,980원(재평가결손금)
= 11,620원

(3) 철거건물의 장부금액 등에 관한 회계처리

기존에 있던 건물을 철거하고 새로운 건물을 신축할 경우 철거건물의 장부금액과 철거비용에 대한 회계처리는 다음과 같은 경우로 나누어 회계처리하여야 한다.

1) 건물신축목적으로 사용 중인 기존 건물을 철거하는 경우

건물을 신축하기 위하여 사용 중인 기존 건물을 철거하는 경우 그 건물의 장부금액은 제거하여 손실로 반영하고, 철거된 건물의 부산물을 판매한 금액을 차감한 후의 철거비용은 전액 당기비용으로 처리한다. 왜냐하면 새 건물을 신축하기 위하여 철거되는 구 건물은 더 이상 자체적으로 미래의 경제적 효익을 제공하지 못하므로 자산성이 없고, 회사가 사용 중인 기존 건물을 철거한다는 의사결정은 구 건물의 내용연수에 대한 추정의 변경에 해당하고, 이 경우 당해 자산의 내용연수는 더 이상 존재하지 않기 때문이다.

2) 건물신축목적으로 기존 건물이 있는 토지를 취득한 경우

새 건물을 신축하기 위하여 기존 건물이 있는 토지를 취득하고 그 건물을 철거하는 경우 기존 건물의 철거관련 비용에서 철거된 건물의 부산물을 판매하여 수취한 금액을 차감한 가액은 토지의 취득원가에 산입하는 것이 적절할 것이다. 기존 건물의 철거비용은 토지를 의도했던 대로 사용할 수 있는 상태에 이르기까지 부수적으로 발생한 취득부대비용에 해당된다.

(4) 장기연불거래에 의한 유형자산의 취득

기업이 유형자산을 구입하고 그 대금을 구입시점에서 현금으로 구입하는 것이 아니라 장기성 지급어음이나 사채 등을 발행하여 일반적인 신용기간을 초과하여 대금지급을 이연시키는 경우 현금가격상당액과 실제 총지급액과의 차액은 기준서 제1023호에 따라 자본화하지 않는 한 신용기간에 걸쳐 이자로 인식한다(기준서 제1016호 문단 23).

유형자산을 장기성지급어음이나 사채 등을 발행하여 취득하는 경우 다음과 같이 두 가지 경우로 나눌 수 있다.

1) 장기성지급어음이나 사채의 표시이자율이 시장이자율과 같은 경우

자산구입시 현금 대신에 발행된 사채나 장기성지급어음의 표시이자율이 시장이자율과 일치할 경우에는 사채나 어음의 액면가액이 자산의 현행가격과 같다고 할 수 있다. 이와 같은 경우에는 사채나 어음의 액면가액을 새로 취득한 자산의 취득원가로 하고 이후 지급되는 이자는 당기비용으로 처리한다.

사례 1 20×7. 1. 1.에 (주)삼일은 토지를 취득하고 그 대가로 액면가 ₩250,000,000인 장기성지급어음(만기 : 5년, 표시이자율 : 14%)을 발행하였다. 이자는 매년 말에 지급하며 (주)삼일의 정상적인 차입이자율은 14%라고 가정하고 20×7. 1. 1.에 이루어질 (주)삼일의 분개를 하라.

(차) 토　　　　　　　　지　　250,000,000　　　(대) 장 기 성 지 급 어 음　　250,000,000

사례 2 상기의 사례에서 20×7. 12. 31.에 이루어질 (주)삼일의 분개를 하라.

(차) 이　 자　 비　 용　　35,000,000*　　　(대) 현금 및 현금성자산　　35,000,000

* ₩250,000,000×14%=₩35,000,000

2) 장기성지급어음이나 사채의 표시이자율이 시장이자율과 현저히 다르거나 또는 무이자부조건으로 발행된 경우

이 경우에는 어음이나 사채의 액면가액이 유형자산의 현금구입가격을 정확히 반영하지 못하므로 액면가액을 유형자산의 취득원가로 사용해서는 안된다. 대신 유형자산의 현금가격상당액을 그 유형자산의 취득원가로 기록하고, 현금가격상당액과 사채 또는 어음의 액면가액과의 차액인 할인(증)액은 현재가치할인차금(현재가치할증차금)의 평가계정(contra account 또는 adjunct account)을 설정하여 계상하여야 한다. 이 할인(증)액은 어음이나 사채의 상환기간에 걸쳐 유효이자율법을 적용하여 상각이나 환입하고 이를 이자비용 또는 이자수익 과목에 계상한다. 여기서 유의해야 할 것은 새로 취득한 유형 자산의 현금가격상당액으로부터 계산된 유효이자율을 기준으로 기간별 이자비용을 계상하고 이자비용과 현금지출 이자액의 차이만큼 할인(증)액을 상각한다는 점이다. 만약 유형자산의 현금구입가격을 알 수 없는 경우에는 사채 또는 어음과 관련하여 지급해야 할 총금액(액면가와 표시이자율에 의한 이자지급액의 합계)을 유효이자율로 할인한 현재가치를 토지의 취득원가로 기록한다.

사례 1 20×7. 1. 1.에 (주)삼일은 토지를 취득한 대가로 액면가 ₩250,000,000인 무이자부 지급어음(만기 : 3년)을 발행하였다. (주)삼일이 구입한 토지의 시가는 ₩187,828,700으로 이미 형성되어 있었다. 20×7. 1. 1.에 이루어질 (주)삼일의 분개를 하라.

(차) 토　　　　　지　　187,828,700　　(대) 장기성지급어음　　250,000,000
　　현재가치할인차금　　62,171,300

사례 2 상기 사례에서 (주)삼일의 20×7. 12. 31.의 분개를 하여라.

(차) 이　자　비　용　　18,782,870*　　(대) 현재가치할인차금　　18,782,870
* (₩250,000,000 − ₩62,171,300)×10% = ₩18,782,870

해답

이 경우에는 (주)삼일이 취득한 토지의 현행 현금가격상당액이 ₩187,828,700인 것을 명확히 알 수 있다. 또한 (주)삼일이 발행한 장기성지급어음이 무이자부 어음이기 때문에 액면가액 속에 이자원가가 포함되어 있다고 볼 수 있다. 이와 같은 사실은 (주)삼일의 토지의 취득원가가 ₩187,828,700, 동시에 장기성지급어음의 현재가치도 ₩187,828,700임을 의미한다. 따라서 장기성지급어음의 액면가액은 취득한 자산의 공정가치를 나타내지 못한다. 어음의 액면가액과 현재가치와의 차액인 ₩62,171,300(₩250,000,000 − ₩187,828,700)은 (주)삼일이 3년간 인식해야 할 총이자비용액이다. 이 이자비용은 매년 발생하는 것이므로 매 결산기마다 인식하여야 하며, 이 때 적용되는 이자율은 유효이자율법(effective interest method)에 의해 역산되어야 한다. 유효이자율법을 적용하여 이자율(할인율)을 역산할 때는 다음과 같은 현가방정식을 사용한다.

$$\text{자산의 공정가치(어음의 현가)} = \sum_{t=1}^{n} \frac{Ct}{(1+r)^t}$$

n = 만기기간
Ct = t연도의 현금지출액
r = 할인율(유효이자율)

위의 공식을 적용하면,
　₩187,828,700 = ₩250,000,000/$(1+r)^3$
　r = 0.1
즉, 유효이자율은 10%이다.

사례 3 20×7. 1. 1.에 (주)삼일은 토지를 취득한 대가로 액면가액 ₩250,000,000인 무이자부 어음(만기 : 3년)을 발행하였다. (주)삼일이 구입한 토지는 공유수면매립법에 의한 매입토지로 정확한 시장가격이 형성되어 있지 않다. (주)삼일은 차입금에 대해 연 15%의 이자율을 적용하여 이자를 지급하고 있는데, 이 15%의 이자율은 시장이자율과 거의 일치한다. 20×7. 1. 1. (주)삼일의 분개를 하라.

(차) 토   지   164,379,058   (대) 장 기 성 지 급 어 음   250,000,000
   현 재 가 치 할 인 차 금   85,620,942

해답

자산을 구입한 대가로 무이자부 장기성지급어음을 발행하였기 때문에 장기성지급어음의 액면가액 ₩250,000,000은 구입자산의 공정가치를 반영하고 있지 못하다. 따라서 (주)삼일은 장기성지급어음의 현재가치를 계산하여 이를 자산의 취득원가로 기록해야 한다. 어음의 현재가치는 다음과 같이 계산된다.

$$어음의\ 현재가치 = \frac{₩250,000,000}{(1+0.15)^3}$$
$$= ₩250,000,000 × 0.657516$$
$$= ₩164,379,058$$

이 때 액면가액과 현가의 차액 ₩85,620,942(₩250,000,000 − ₩164,379,058)은 장기성지급어음 할인액으로서 어음이 존속하는 기간에 걸쳐 상각하여 이자비용으로 인식하여야 한다. 이자비용은 지급어음의 현재가치와 시장이자율을 이용하는 유효이자율법에 의하여 계산한다.

사례 4 상기 사례에서 (주)삼일의 20×7. 12. 31. 분개를 하라.

(차) 이 자 비 용   24,656,858*   (대) 현 재 가 치 할 인 차 금   24,656,858

* (₩250,000,000 − ₩85,620,942)×15% = ₩24,656,858

(5) 복수자산의 일괄구입

일괄구입(lump-sum purchase)이란, 두 종류 이상의 자산을 일괄가격(single price)으로 동시에 구입하는 것을 말한다. 즉 토지, 건물, 기계장치 등을 각각의 개별가액의 구분 없이 일률적으로 전체 금액을 지불함으로써 생기는 거래이다. 이 경우 어떻게 각 자산별로 취득원가를 결정할 것인가가 주요한 문제가 된다. 여러 종류의 자산을 일괄구입할 경우에 구입가격은 구입된 각 자산의 결합시가(combined fair market value)를 객관적으로 반영하는데, 이 경우 각 자산의 개별적인 원가는 일괄구입가격을 배분함으로써 산출된다.

일반적으로 일괄구입가격은 각 자산의 상대적 공정가치를 기준으로 개별자산에 배분하는데, 이러한 방법은 자산의 취득원가와 자산의 공정가치가 비례하여 변화한다는 점에 이론적 근거를 두고 있다. 이 때 각 자산의 공정가치의 합계와 일괄구입가격이 일치하지 않는 경우가 발생하더라도 개별자산 공정가치의 상대적 비율을 반영하여 배분하는 것이 적절할 것이다.

공정가치란 합리적인 판단력과 거래의사가 있는 독립된 당사자 간에 거래될 수 있는 교환가격을 말한다.

> **사례** (주)삼일은 ₩360,000,000의 일괄구입가격으로 토지, 건물, 기계장치를 취득하였다. 여러 가지 자료를 통하여 감정한 결과 각 자산의 공정가치는 다음과 같다.

토지	₩200,000,000
건물	120,000,000
기계장치	100,000,000
계	₩420,000,000

각 자산의 취득원가를 계산하고 매입거래를 분개하라.

> **해답**

• 각 자산의 취득원가

토 지 : ₩360,000,000×₩200,000,000/₩420,000,000＝₩171,428,571

건 물 : ₩360,000,000×₩120,000,000/₩420,000,000＝₩102,857,143

기계장치 : ₩360,000,000×₩100,000,000/₩420,000,000＝₩85,714,286

• 분 개

(차) 토 지	171,428,571	(대) 현금 및 현금성자산	360,000,000
건 물	102,857,143		
기 계 장 치	85,714,286		

(6) 교환에 의하여 취득한 자산

기업은 유형자산을 구입거래를 통해서 취득하거나 또는 기업이 소유하고 있던 다른 유형자산과 교환으로 취득하기도 한다. 이 때, 유형자산을 다른 비화폐성자산과 교환할 수도 있고 화폐성자산과 비화폐성자산이 결합된 대가와 교환할 수 있다.

다른 비화폐성 자산 또는 화폐성자산과 비화폐성자산이 결합된 대가와의 교환을 통해 유형자산을 취득하는 거래는 다음 중 하나에 해당하는 경우를 제외하고는 공정가치로 측정한다(기준서 제1016호 문단 24).

㉠ 교환거래의 상업적 실질이 결여된 경우

㉡ 취득한 자산과 제공한 자산 모두의 공정가치를 신뢰성 있게 측정할 수 없는 경우

취득한 자산을 공정가치로 측정하지 않는 경우에 제공한 자산의 장부금액으로 취득한 자산의 원가를 측정한다.

상업적 실질이 있는지의 여부는 교환거래의 결과 미래현금흐름이 얼마나 변동될 것인지를 고려하여 결정한다. 다음 ㉠ 또는 ㉡에 해당하면서 ㉢을 충족하는 경우에 교환거래는 상업적 실질이 있다(기준서 제1016호 문단 25).

㉠ 취득한 자산과 관련된 현금흐름의 구성(위험, 유출입시기, 금액)이 제공한 자산과 관련된 현금흐름의 구성과 다르다.

㉡ 교환거래의 영향을 받는 영업 부분의 기업특유가치가 교환거래의 결과로 변동한다.

㉢ 위 ㉠이나 ㉡의 차이가 교환된 자산의 공정가치에 비하여 유의적이다.

위에서 언급한 예외사항을 제외하고는 교환거래로 취득한 유형자산은 공정가치로 측정한다. 공정가치는 다음의 순서에 의하여 적용할 수 있다(기준서 제1016호 문단 26).

㉠ 제공한 자산의 공정가치

㉡ 취득한 자산의 공정가치가 더 명백하게 신뢰성 있는 경우에는 취득한 자산의 공정가치

비교가능한 시장거래가 존재하지 않는 유형자산의 공정가치는 다음 중 하나에 해당하는 경우에 신뢰성 있게 측정할 수 있다(기준서 제1016호 문단 26).

㉠ 합리적인 공정가치 추정치의 범위의 편차가 자산가치에 비하여 유의적이지 않다.

㉡ 그 범위 내의 다양한 추정치의 발생확률을 합리적으로 평가할 수 있고 공정가치를 추정하는 데 사용할 수 있다.

사례 1 (주)삼일은 사용 중이던 기계장치와 교환하여 토지를 취득하고 추가로 현금 ₩30,000,000을 지급하였다. 기계장치 및 토지에 관한 자료는 다음과 같으며, 교환으로 인한 토지를 보유함에 따른 위험 및 향후 현금흐름은 기계장치의 보유에 따른 것과는 현저히 다른 것으로 판단된다.

	기 계 장 치	토 지
공 정 가 치	₩60,000,000	₩150,000,000
취 득 원 가	₩300,000,000	
감가상각누계액	₩200,000,000	
장 부 가 액	₩100,000,000	

• 분 개

(차) 토　　　　　　　　지	90,000,000*	(대) 기 계 장 치	300,000,000
감 가 상 각 누 계 액	200,000,000	현금 및 현금성자산	30,000,000
유 형 자 산 처 분 손 실	40,000,000		

* 제공한 자산의 공정가치＝기계장치의 공정가치＋지급한 현금 및 현금성자산＝60,000,000＋30,000,000
　＝90,000,000
* 교환거래로 인하여 취득하는 토지의 현금흐름의 구성이 기계장치의 현금흐름의 구성과 현저히 다르므로 상업적
　실질이 있는 것으로 판단된다.

사례 2　상기의 [사례 1] 중 기계장치의 공정가치가 불확실하나 토지는 공정가치로 측정가능
하였다. (주)삼일은 토지의 공정가치를 취득원가로 보고 회계처리하였다. 동 거래를 분개하라.

(차) 토　　　　　　　　지	150,000,000	(대) 기 계 장 치	300,000,000
감 가 상 각 누 계 액	200,000,000	현금 및 현금성자산	30,000,000
		유 형 자 산 처 분 이 익	20,000,000

사례 3　(주)삼일은 A토지와 을사의 B토지를 교환하고 추가로 현금 ₩30,000,000을 수령하
였다.
A토지와 B토지에 관한 자료는 다음과 같다. 교환되는 토지는 관련된 현금흐름의 구성이 다소
상이하기는 하나 그 차이가 전체 교환되는 토지의 공정가치에 비하여 유의적이지 않은 것으
로 판단된다.

	A토 지	B토 지
공 정 가 치	₩100,000,000	₩70,000,000
장 부 금 액	₩60,000,000	

상기 거래를 분개하라.

(차) B　　　　토　　　　지	30,000,000	(대) A 토 지	60,000,000
현금 및 현금성자산	30,000,000		

* 토지의 교환으로 인한 현금흐름의 구성의 변경이 유의적이지 않으므로 상업적 실질이 없는 거래로 판단됨. 따라서
　제공한 토지의 장부금액으로 취득한 토지의 원가를 계상하여야 하며 이 때 수령한 현금을 고려하여야 한다.

사례 4　상기의 사례에서 현금수령이 이루어지지 않았을 경우에, 이에 대한 분개를 하라.

(차) B　　　　토　　　　지	60,000,000	(대) A 토 지	60,000,000

(7) 증여 또는 무상취득

기업의 경우 여러 가지 이유로 인하여 개인 또는 법인으로부터 무상으로 자산을 취득할 수 있다. 이와 같이 제3자로부터 무상으로 자산을 취득시 자산의 취득원가를 어떻게 결정할 것인가가 문제가 된다.

무상으로 수증받은 유형자산의 경우 발생원가가 없다는 이유로 취득시점에서 아무런 회계처리도 하지 않는다면 기업의 장부에 존재하지 않는 부외자산이 발생하며 동 자산을 이용함으로써 경제적효익이 발생하나 원가의 투입이 없으므로 동 금액만큼 매년 이익이 과대하게 되어 수익·비용대응의 원칙에 어긋난다.

위의 방법과는 달리 수증자산을 기부받는 시점에서 장부에 계상하는 방법의 경우에는 다음과 같은 두 가지의 기본적인 문제점이 제기된다.

① 수증자산을 얼마로 평가할 것인가?

② 수증자산의 분개처리시 대변계정과목의 성격은 어떠한 것인가?

이에 대하여 기준서 제1016호에서는 별도로 규정하고 있지는 않으므로 이 경우 회계정책의 개발이 필요하다. 선택할 수 있는 회계정책으로 기준서 제1020호 '정부보조금'을 준용할 수는 있을 것이다. 기준서 제1020호 문단 23에 의하면 비화폐성자산을 취득하는 경우 공정가치로 인식하는 것을 원칙으로 한다. 따라서 증여 또는 무상으로 취득한 자산의 경우 수증자산의 취득 당시의 공정가치로 인식하며, 수증자산의 대변계정과목으로는 해당 거래가 소유주와의 자본거래에 해당하는 것인지 살펴보아야 한다. 기준서 제1001호 '재무제표 표시'에 따라 소유주와의 자본거래에 해당하지 않고, 유형 자산과 관련한 별도의 의무사항이 없다면 당기이익으로 계상할 수 있을 것이다.

다른 회계정책으로는 기준서 제1016호 '유형자산'의 기준서를 그대로 적용하는 것이다. 원가는 자산을 취득하기 위하여 제공한 대가의 공정가치이다(기준서 제1016호 문단 6). 이에 따르면 무상으로 수증받은 자산을 취득하기 위해 제공한 대가는 "0"이므로 유형자산의 원가는 0으로 인식될 것이다.

다만, 회사가 선택한 회계정책은 유사한 모든 거래에 매기 일관성 있게 적용되어야 할 것이다.

사례 (주)삼일은 특수관계가 없는 을사로부터 취득원가 ₩50,000,000인 토지를 기증받았다. 기증시점에서 동 토지의 공정가치는 ₩150,000,000이며, 주주와의 자본거래에 해당하지 않는다. 회사는 무상으로 취득한 자산의 원가를 공정가치로 인식하는 회계정책을 선택한다.

(차) 토　　　　　　지　　　150,000,000　　　(대) 자 산 수 증 이 익　　　150,000,000

(8) 유형자산 취득에 수반되는 국·공채 매입

기업이 보유하고 있는 국·공채는 유형자산의 구입이나 각종 인·허가 취득과 관련하여 법령 등에 의하여 불가피하게 매입한 경우가 대부분이다. 이 경우 보통 당해 채권의 액면가액대로 매입하는 것이 일반적이지만 대부분의 경우 국·공채의 액면이자율이 시장이자율보다 낮기 때문에 그 시가는 취득원가인 액면가액보다 낮게 된다. 이렇게 유형자산의 취득과 관련하여 국·공채 등을 불가피하게 매입하는 경우 취득원가는 기준서 제1109호 '금융상품'의 규정을 적용하여 평가한 가액으로 하고 취득가액과 평가액과의 차액은 당해 유형자산 등의 취득원가로 계상하는 것이 타당할 것이다. 이는 불가피하게 매입한 채권의 현재가치와의 차액은 특정자산의 구입을 위한 부대비용으로 볼 수 있기 때문에 유형자산의 취득원가에 산입하는 것이 합리적이기 때문이다.

사례 (주)삼일은 업무용 차량을 ₩30,000,000에 구입하면서 액면가액 ₩1,000,000, 무이자 5년 만기 상환조건의 공채를 매입하여 상각후원가측정금융자산으로 분류하였다. 시장이자율은 12%이고, 5년의 현가요소가 0.57일 경우 분개를 하시오.

(차) 차 량 운 반 구　　　30,430,000　　　(대) 현금 및 현금성자산　　　31,000,000
　　　상각후원가측정금융자산　　　570,000[*]

[*] 1,000,000×0.57＝570,000

(9) 시가보다 현저하게 고가 또는 저가로 매입한 경우의 취득원가

1) 고가매입의 경우

기업이 현금및현금성자산을 제공하고 취득한 유형자산이 취득 당시의 공정가치보다 고가로 매입한 경우 자산의 취득가액은 취득 당시에 제공한 현금 및 현금성자산의 공정가치이다. 다만 기준서 제1036호에 따라 자산의 손상 여부에 대한 고려가 필요할 것이다.

2) 저가매입의 경우

위와 반대로 자산구입시 공정가치보다 낮은 가액으로 토지를 구입시 공정가치로 취득원가를 처리하면 공정가치가 취득원가를 초과하는 금액만큼 취득시점에서 이익이 발생하므로 역사적 원가주의에서 이탈하게 된다. 따라서 자산의 저가매입의 경우에도 취득 당시 지급한 현금 등의 공정가치를 취득원가로 보는 것이 타당하다.

(10) 자가건설한 유형자산의 취득원가

자가건설한 유형자산의 취득원가는 구입한 유형자산에 적용하는 것과 같은 기준을 적용하여 결정한다. 회사가 유사한 자산을 정상적인 영업활동과정에서 판매할 목적으로 제조한다면 자가건설 유형자산의 취득원가는 원칙적으로 판매를 목적으로 제작한 자산의 제조원가와 동일해야 한다. 따라서 자가건설에 따른 내부이익과 자가건설 과정에서 원재료, 인력 및 기타 자원의 낭비로 인한 비정상적인 원가는 취득원가에 포함하지 않는다. 자가건설한 유형자산의 장부금액에 포함되는 이자에 대해서는 기준서 제1023호 '차입원가'의 인식기준을 적용한다(기준서 제1016호 문단 22).

5. 취득 또는 완성 후의 지출(후속원가)

(1) 자본적 지출과 수익적 지출[2]

유형자산을 취득하여 사용하는 중에도 그 자산과 관련된 여러 가지 지출이 발생한다. 이러한 지출 중에는 당기 영업활동에 관련된 정상적인 수선비 또는 유지비의 성질이 있는 것도 있고 자산의 근본적인 기능 또는 성질에 중대한 변화를 초래하는 것도 있다. 따라서 자산의 취득 후에 발생한 지출을 당기의 비용으로 인식할 것인가, 아니면 이를 자본화하여 미래의 회계기간에 배분할 것인가 하는 문제가 발생한다.

실무적으로는 자본적 지출과 수익적 지출을 엄격히 구분한다는 것이 매우 어려운 일이지만, 일정한 구분기준에 의거하여 자본적 지출과 수익적 지출을 구분하여 계상하여야 한다. 왜냐하면 특정한 지출을 자본적 지출로 처리하느냐, 아니면 수익적 지출로 처리하느냐에 따라 기업의 재무상태와 경영성과가 크게 달라지는 경우가 많기 때문이다. 즉 수익적 지출로 처리하여야 할 것을 자본적 지출로 처리하게 되면 그 사업연도의 이익이 과대계상될 뿐만 아니라 유형자산이 과대계상된 부분이 발생하게 되며, 이와 반대로 자본적 지출로 처리하여야 할 것을 수익적 지출로 처리하게 되면 비용의 과대계상과 유형자산이 과소평가되는 결과를 초래한다.

이에 대하여 기준서 제1016호에서는 후속지출의 경우에도 일반적인 유형자산의 인식요건을 충족하는 경우 자산의 원가에 포함하며 그렇지 않은 경우, 예를 들면 일상적인 수정, 유지와 관련하여 발생하는 원가는 발생시점에 당기손익으로 인식하도록 규정하고 있다(기준서 제1016호 문단 12).

일부 유형자산은 주요 부품이나 구성요소를 정기적으로 교체해야 한다. 예를 들면, 용광로는 일정시간 사용 후에 내화벽돌을 교체해야 하며 항공기의 경우에도 좌석 등의

---

2) 기준서 제1016호에서는 사용하지 않는 용어이나 설명의 편의상 사용하기로 한다.

내부설비를 항공기 동체의 내용연수 동안 여러 번 교체한다. 이와 같이 유형자산을 구성하는 주요 부품이나 구성요소의 내용연수가 관련 유형자산의 내용연수와 상이한 경우에는 별도의 자산으로 처리한다. 또한, 부품이나 구성요소의 교체를 위한 지출이 유형자산 인식기준을 충족하는 경우에는 유형자산의 장부금액에 포함하여 인식하며, 대체되는 부분의 장부금액은 재무상태표에서 제거한다(기준서 제1016호 문단 13).

한편, 유형자산의 사용가능기간 중 정기적으로 이루어지는 종합검사의 경우에도 발생하는 원가가 인식기준을 충족하는 경우에는 유형자산의 일부가 대체되는 것으로 보아해당 유형자산의 장부금액에 포함하여 인식한다. 이 경우 직전에 이루어진 종합검사에서의 원가와 관련되어 남아 있는 장부금액은 분리인식 여부와 무관하게 제거한다(기준서 제1016호 문단 14).

(2) 증설, 개량 및 대체

1) 증설

증설(additions)이란 기존의 유형자산에 새롭고 독립적인 자산을 부가하거나, 혹은 기존의 유형자산을 확장 내지 증축하는 것을 말한다. 건물의 경우에 있어서 증설이란 기존 건물에 추가적으로 건물을 증축하는 것을 말한다. 건물의 증설을 할 경우에는 이 증설에 따른 경제적효익이 미래기간에 발생하므로, 증설에 소요된 지출을 자본화하고 미래기간에 실현될 수익과 대응시키기 위해 내용연수 동안에 감가상각하여야 한다. 이 때 증설건물의 감가상각은 다음과 같이 이루어진다. 증설된 건물이 기존자산을 구성하는 일부로서만 존재할 때에는 증설건물의 내용연수와 기존건물의 내용연수 중 보다 짧은 기간에 걸쳐 증설건물의 원가를 상각한다. 그러나 증설된 건물이 기존 건물과 독립적으로 존재하여 그 자체만으로도 용역잠재력을 제공하는 경우에는 증설건물의 원가를 증설건물의 내용연수에 걸쳐 상각한다.

2) 대체 및 개량

기업은 종종 기존 자산의 일부분 내지 주요 부품을 처분하고 새로운 것으로 교체한다. 이 때 교체된 새로운 부분 또는 부품이 기능상으로는 실질적으로 전과 동일한 경우에 대체(replacement)라 하며, 이러한 대체는 수익적 지출로 처리한다.

한편, 교체된 부분 또는 부품이 기존 자산의 기능을 현저히 개선하면 이는 개선(betterment)이나 개량(improvement)이라 한다. 이와 같이 기존 자산의 일부분 내지 주요 부품을 새로운 것으로 교체함으로써 기존 자산의 용역 잠재력이 증가한다면 유형자

산의 인식기준을 충족하는 것으로 판단되므로 유형자산의 장부금액에 포함하여야 한다.

6. 인식시점 이후의 측정

(1) 개 요

유형자산을 인식한 이후에는 원가모형이나 재평가모형 중 하나를 회계정책으로 선택하여 유형자산 분류별로 동일하게 적용한다(기준서 제1016호 문단 29). 즉, 취득시점에는 원가에 의해 유형자산을 측정하고, 취득 이후에는 기업의 선택에 따라 유형자산 분류별(예 : 토지, 건물, 기계장치 등)로 원가모형 또는 재평가모형을 선택할 수 있다.

여기에서 원가모형이라 함은 최초로 인식한 유형자산의 원가에서 감가상각누계액과 손상차손누계액을 차감한 금액을 장부금액으로 계상하는 것을 말하며, 재평가모형이라 함은 원가모형에서의 장부금액을 재평가일의 공정가치로 수정한 후 그 이후의 감가상각누계액과 손상차손누계액을 차감한 금액을 장부금액으로 계상하는 것을 말한다(기준서 제1016호 문단 30, 31).

★
> 기준서 제1016호【유형자산】
>
> 원가모형
> 30. 최초 인식 후에 유형자산은 원가에서 감가상각누계액과 손상차손누계액을 차감한 금액을 장부금액으로 한다.
>
> 재평가모형
> 31. 최초 인식 후에 공정가치를 신뢰성 있게 측정할 수 있는 유형자산은 재평가일의 공정가치에서 이후의 감가상각누계액과 손상차손누계액을 차감한 재평가금액을 장부금액으로 한다. 재평가는 보고기간말에 자산의 장부금액이 공정가치와 중요하게 차이가 나지 않도록 주기적으로 수행한다.

(2) 원가모형과 재평가모형의 선택적용

기업은 각자의 선택에 따라 원가모형으로 회계처리를 할 수도 있고, 재평가모형을 적용하여 회계처리할 수도 있다. 또한, 모든 유형자산에 대해 재평가모형을 적용할 수도 있고, 기업의 상황에 따라 토지·건물·기계장치 등 몇 가지 분류로 나누어 그 중 특정 분류에 대해서만 재평가모형을 적용할 수도 있다. 예를 들어, 토지와 건물에 대해서는 재평가모형을 적용하고 기계장치나 비품에 대해서는 원가모형을 적용할 수 있다. 다만, 기업이 특정 분류의 유형자산에 대해 재평가모형을 적용한 경우 그 분류 내에 있는 모든 유형자산을 재평가하여야 한다. 예를 들어, 성격과 용도가 유사한 토지 10필지를 보유한 기업이 공정가치가 증가한 1필지만을 재평가하고, 공정가치가 감소한 나머지 9필지는 재평가하지 않는 방법은 인정되지 않는다.

이와 같이 특정 유형자산을 재평가할 때, 해당 자산이 포함되는 유형자산 과목분류 전체를 동시에 재평가하도록 한 이유는 유형자산별로 선택적 재평가를 하거나 서로 다른 기준일의 평가금액이 혼재된 재무보고를 하는 것을 방지하기 위함이다. 그러나, 재평가가 단기간에 수행되며 계속적으로 갱신된다면, 동일한 분류에 속하는 자산을 (동일한 회계기간 내에) 순차적으로 재평가할 수 있다(기준서 제1016호 문단 38).

한편, 기업이 선택한 평가모형을 변경하고자 한다면 이는 회계정책의 변경에 해당한다. 그러나 기준서 제1008호 '회계정책, 회계추정의 변경 및 오류'에 따르면 회계정책 변경이 인정되려면 회계정보의 신뢰성 및 목적적합성이 증대되는 등 그 정당성이 입증되어야 하는바, 재평가모형을 선택했던 기업이 다시 원가모형을 적용하는 것은 그 정당성을 입증하기 어려울 것으로 보인다. 다만, 유형자산에 대하여 과거 기업회계기준에 따라 재평가모형을 적용했던 기업은 한국채택국제회계기준을 채택하면서 원가모형을 선택할 수 있다. 이 경우, 한국채택국제회계기준 전환일 직전 회계연도말 현재 해당 유형자산의 종전의 기업회계기준에 따른 장부금액을 전환일의 간주원가로 사용할 수 있다. 단, 이 경우 당해 유형자산의 재평가와 관련하여 인식한 기타포괄손익의 잔액이 있다면 이는 이익잉여금(또는 적절하다면 자본의 다른 분류)로 분류하여야 한다(한국채택국제회계기준의 최초채택 참조).

(3) 재평가모형의 적용

1) 장부금액의 수정

재평가모형을 선택한 경우, 유형자산을 최초로 인식한 이후에 공정가치를 신뢰성 있게 측정할 수 있는 자산은 재평가일의 공정가치로 장부금액을 수정한다. 이 때, 유형자산의 공정가치가 증가한 경우는 물론 공정가치가 하락한 경우에도 재평가액으로 장부금액을 수정하여야 한다.

2) 공정가치의 측정

일반적으로 토지와 건물의 공정가치는 시장에 근거한 증거를 기초로 수행된 평가에 의해 결정되며, 설비장치와 기계장치의 공정가치는 감정에 의한 시장가치이다. 해당 유형자산의 특수성 때문에 공정가치에 대해 시장에 근거한 증거가 없고, 해당 자산이 계속 사업의 일부로서 거래되는 경우를 제외하고는 거의 거래되지 않는다면, 이익접근법이나 상각후대체원가법을 사용해서 공정가치를 측정할 필요가 있을 것이다. 기준서 제1113호 '공정가치측정'의 적용과 관련 공정가치 측정 및 공시에 대해서는 '금융자산의 4. 공정가치'를 참고한다.

3) 재평가의 빈도

재평가모형을 선택하면 보고기간말에 자산의 장부금액이 공정가치와 중요하게 차이가 나지 않도록 주기적으로 수행하여야 한다(기준서 제1016호 문단 31). 이 때, 재평가의 빈도는 재평가되는 유형자산의 공정가치 변동에 따라 달라진다. 즉, 중요하고 급격한 공정가치의 변동 때문에 매년 재평가가 필요한 유형자산이 있는 반면에 공정가치의 변동이 경미하여 빈번한 재평가가 필요하지 않은 유형자산도 있다. 따라서, 1년마다 재평가해야 하는 유형자산도 있고 매 3년이나 5년마다 재평가하는 것으로 충분한 유형자산도 있다(기준서 제1016호 문단 34).

4) 재평가시의 회계처리

유형자산을 재평가할 때, 재평가 시점의 감가상각누계액은 다음 중 하나의 방법으로 회계처리 한다(기준서 제1016호 문단 35).
① 재평가 후 자산의 장부금액이 재평가금액과 일치하도록 감가상각누계액과 총장부금액을 비례적으로 수정하는 방법
② 총장부금액에서 기존의 감가상각누계액을 제거하여 자산의 순장부금액이 재평가금액이 되도록 수정하는 방법

첫 번째 방법은 지수를 적용하여 상각후대체원가를 결정하는 방식으로 자산을 재평가할 때 흔히 사용되며, 두 번째 방법은 건물을 재평가할 때 흔히 사용되는 방법이다. 각 방법에 따른 회계처리의 사례는 다음과 같다.

사례

회사가 보유하는 건물의 취득원가는 1,000, 재평가 직전의 감가상각누계액은 400(순장부금액 600)인 경우, 건물의 재평가액이 1,500원이라면 각각의 방법에 따른 건물의 재평가 후의 구성은 아래와 같다.

	<방법 1>	<방법 2>
취득원가	1,000	1,000
재평가 증가분	1,500	500
조정된 취득원가	2,500	1,500
감가상각누계액	400	400
추가 상각누계액	600	(400)
조정후 상각누계액	1,000	-
총재평가 증가액	1,500 - 600 = 900	500 + 400 = 900

재평가로 인하여 자산의 장부금액이 증가하거나 감소하는 경우 다음과 같이 회계처리한다.

① 유형자산의 장부금액이 재평가로 인하여 증가된 경우에 그 증가액은 기타포괄손익으로 인식하고 재평가잉여금의 과목으로 자본에 가산한다. 그러나 동일한 유형자산에 대하여 이전에 당기손익으로 인식한 재평가감소액이 있다면 그 금액을 한도로 재평가증가액만큼 당기손익으로 인식한다(기준서 제1016호 문단 39).

(차) 감 가 상 각 누 계 액 　　　×××　　 (대) 유　형　자　산　　　×××
　　　　　　　　　　　　　　　　　　　 재 평 가 잉 여 금　　　×××
　　　　　　　　　　　　　　　　　　　 (기타포괄손익누계액)

② 유형자산의 장부금액이 재평가로 인하여 감소된 경우에 그 감소액은 당기손익으로 인식한다. 그러나 그 유형자산의 재평가로 인해 인식한 재평가잉여금(기타포괄손익)의 잔액이 있다면 그 금액을 한도로 재평가감소액을 기타포괄손익으로 인식하고 재평가잉여금의 과목으로 자본에 누계한 금액을 감소시킨다(기준서 제1016호 문단 40).

(차) 감 가 상 각 누 계 액 　　　×××　　 (대) 유　형　자　산　　　×××
　　　유형자산재평가손실　　　×××

한편, 특정 분류에 속한 자산들에 대해 재평가모형을 선택하는 경우 개별 자산별로 재평가증가액은 기타포괄손익으로, 재평가감소액은 당기비용으로 회계처리하고 동일한 분류에 속한 자산들의 재평가증감액을 서로 상계하지 아니하는 것이 타당할 것으로 보

인다. 마찬가지로 향후 재평가증감액을 기타포괄손익 또는 당기손익으로 반영하는 경우
에도 각 자산별로 회계처리하여야 할 것이다.

유형자산 항목과 관련하여 자본에 계상된 재평가잉여금은 그 자산이 제거될 때 이익
잉여금으로 직접 대체할 수 있다. 그러나 기업이 그 자산을 사용함에 따라 재평가잉여
금의 일부를 대체할 수도 있다. 이러한 경우 재평가된 금액에 근거한 감가상각액과 최
초원가에 근거한 감가상각액의 차이가 이익잉여금으로 대체되는 금액이 될 것이다(기준
서 제1016호 문단 41). 사용에 따라 재평가잉여금의 일부를 대체하는 경우 실무적으로는 재
평가 전의 회계기록과 재평가 후의 회계기록을 모두 유지하여야 한다.

7. 유형자산 손상

유형자산을 취득하며 현금 등을 지출한 것과 관련하여 지출한 시점에 즉시 비용처리
하지 않고 유형자산으로 재무제표에 계상하는 이유는 그 지출로 인한 효익이 향후 일정
기간 발생하므로 효익이 발생하는 기간 동안 합리적이고 체계적인 방법에 의하여 취득
원가를 배분함으로써 수익·비용 대응의 원칙에 충실하기 위함이다. 하지만 취득연도
후에 그 유형자산의 경제적효익이 급격히 하락하였음에도 불구하고 미래의 비용을 조
정하지 않는다면, 유형자산의 취득시 수익·비용을 대응시키기 위하여 자산으로 계상하
였다는 취지에 어긋난다. 따라서 자산의 효익이 감소되면 이와 관련하여 자산의 장부금
액도 감소시켜야 한다는 것이고 이를 위하여 유형자산 손상 여부를 검토하여야 한다.
유형자산의 손상에 대한 판단 및 회계처리는 기준서 제1036호 '자산손상'에 의한다.

(1) 용어의 정의

★
기준서 제1036호【자산손상】
- 공동자산 : 검토대상 현금창출단위와 그 밖의 현금창출단위 모두의 미래현금흐름에 기여
  하는 자산. 단, 영업권은 제외한다.
- 사용가치 : 자산이나 현금창출단위에서 창출될 것으로 기대되는 미래현금흐름의 현재가치
- 손상차손 : 자산이나 현금창출단위의 장부금액이 회수가능액을 초과하는 금액
- 순공정가치 : 합리적인 판단력과 거래의사가 있는 독립된 당사자 사이의 거래에서 자
  산 또는 현금창출단위의 매각으로부터 수취할 수 있는 금액에서 처분부대원가를 차감
  한 금액
- 처분부대원가 : 자산 또는 현금창출단위의 처분에 직접 귀속되는 증분원가. 단, 금융원가
  및 법인세비용은 제외한다.
- 현금창출단위 : 다른 자산이나 자산집단에서의 현금유입과는 거의 독립적인 현금유입을

창출하는 식별가능한 최소자산집단
• 회수가능액 : 자산 또는 현금창출단위의 순공정가치와 사용가치 중 큰 금액

(2) 손상가능성 있는 자산의 식별

매 보고기간말마다 자산손상을 시사하는 징후가 있는지를 검토해야 하며, 만약 그러한 징후가 있다면 당해 자산의 회수가능액을 추정한다. 이 경우 자산손상을 시사하는 징후가 있는지를 검토할 때 최소한 다음을 고려한다(기준서 제1036호 문단 9, 12).

구 분	내 용
외부정보	• 회계기간 중에 자산의 시장가치가 시간의 경과나 정상적인 사용에 따라 하락할 것으로 기대되는 수준보다 유의적으로 더 하락하였음. • 기업 경영상의 기술·시장·경제·법률 환경이나 해당 자산을 사용하여 재화나 용역을 공급하는 시장에서 기업에 불리한 영향을 미치는 유의적 변화가 회계기간 중에 발생하였거나 가까운 미래에 발생할 것으로 예상됨. • 시장이자율(시장에서 형성되는 그 밖의 투자수익률을 포함하며, 이하 같음)이 회계기간 중에 상승하여 자산의 사용가치를 계산하는 데 사용되는 할인율에 영향을 미쳐 자산의 회수가능액을 중요하게 감소시킬 가능성이 있음. • 기업의 순자산장부금액이 당해 시가총액보다 큼.
내부정보	• 자산이 진부화되거나 물리적으로 손상된 증거가 있음. • 회계기간 중에 기업에 불리한 영향을 미치는 유의적 변화가 자산의 사용범위 및 사용방법에서 발생하였거나 가까운 미래에 발생할 것으로 예상됨. 이러한 변화에는 자산의 유휴화, 당해 자산을 사용하는 영업부문을 중단하거나 구조조정하는 계획, 예상 시점보다 앞서 자산을 처분하는 계획 그리고 비한정 내용연수를 유한내용연수로 재평가하는 것 등을 포함함. • 자산의 경제적 성과가 기대수준에 미치지 못하거나 못할 것으로 예상되는 증거를 내부보고를 통해 얻을 수 있음.

(3) 손상차손의 인식 및 환입

1) 개별 자산별 인식 및 환입

유형자산의 손상징후가 있다고 판단되고, 당해 유형자산의 사용 회수가능액이 장부금액에 미달하는 경우에는 장부금액을 회수가능액으로 조정하고 그 차액을 손상차손으로 처리한다(기준서 제1036호 문단 59).

손상차손은 즉시 당기손익으로 인식한다. 다만, 재평가모형을 선택함에 따라 재평가금액을 장부금액으로 하는 경우에는 재평가되는 자산의 손상차손은 재평가감소로 처리

한다. 즉, 재평가되지 않는 자산의 손상차손은 당기손익으로 인식하되, 재평가되는 자산의 손상차손은 당해 자산에서 발생한 재평가잉여금(기타포괄손익누계액)에 해당하는 금액까지는 기타포괄손익으로 인식한다. 재평가되는 자산의 손상차손을 기타포괄손익으로 인식하는 경우 그 자산의 재평가잉여금(기타포괄손익누계액)을 감소시킨다(기준서 제1036호 문단 60).

한편, 매 보고일에 유형자산에 대해 과거기간에 인식한 손상차손이 더 이상 존재하지 않거나 감소된 것을 시사하는 다음의 징후가 있는지를 검토하고 징후가 있는 경우 당해 유형자산의 회수가능액을 추정한다(기준서 제1036호 문단 110).

구 분	내 용
외부정보	• 자산의 시장가치가 회계기간 중에 유의적으로 증가하였음. • 기업 경영상의 기술·시장·경제·법률 환경이나 해당 자산을 사용하여 재화나 용역을 공급하는 시장에서 당해 기업에 유리한 영향을 미치는 유의적 변화가 회계기간 중에 발생하였거나 가까운 미래에 발생할 것으로 예상됨. • 시장이자율이 회계기간 중에 하락하여 자산의 사용가치를 계산하는 데 사용되는 할인율에 영향을 미쳐 자산의 회수가능액을 중요하게 증가시킬 가능성이 있음.
내부정보	• 기업에 유리한 영향을 미치는 유의적 변화가 자산의 사용범위 및 사용방법에서 회계기간 중에 발생하였거나 가까운 미래에 발생할 것으로 예상됨. 이러한 변화에는 자산의 성능을 향상시키거나 자산이 속하는 영업을 구조조정하는 경우가 포함됨. • 자산의 경제적 성과가 기대수준을 초과하거나 초과할 것으로 예상되는 증거를 내부보고를 통해 얻을 수 있음.

이 경우 과거기간에 인식한 손상차손은 직전 손상차손의 인식시점 이후 회수가능액을 결정하는 데 사용된 추정치에 변화가 있는 경우에만 환입하되, 손상차손환입으로 증가된 장부금액은 과거에 손상차손을 인식하기 전 장부금액의 감가상각 또는 상각 후 잔액을 한도로 자산의 장부금액을 회수가능액으로 증가시키며 손상차손환입은 즉시 당기손익으로 인식한다. 다만, 유형자산에 대해 재평가모형을 선택함에 따라 재평가금액을 장부금액으로 하는 경우에는 재평가되는 자산의 손상차손환입은 당해 재평가증가로 처리한다. 즉, 재평가되는 자산의 손상차손환입은 기타포괄손익으로 인식하고 그만큼 해당자산의 재평가잉여금(기타포괄손익누계액)을 증가시킨다. 그러나 당해 재평가자산의 손상차손을 과거에 당기손익으로 인식한 부분까지는 그 손상차손환입도 당기손익으로 인식한다. 한편, 수정된 장부금액에서 잔존가치를 차감한 금액을 자산의 잔여내용연수에 걸쳐 체계적인 방법으로 배분하기 위해서, 손상차손환입을 인식한 후에는 감가상각

액 또는 상각액을 조정한다(기준서 제1036호 문단 117~121).

사례   (주)삼일은 2×11. 1. 1.에 취득원가 ₩10,000의 유형자산을 취득하였다. (주)삼일의 사업연도는 1년이며 동 유형자산은 잔존가액 없이 10년간 정액법으로 감가상각할 계획이다. 또한 (주)삼일은 유형자산 취득 후 매 회계연도 말 자산의 회수가능액을 평가하여 유형자산손상차손 여부를 검토할 예정이다. 다음은 2×14년 말까지의 회수가능액이다.

일 자	회수가능액
2×11. 1. 1.	₩10,000
2×11. 12. 31.	9,500
2×12. 12. 31.	6,400
2×13. 12. 31.	5,600
2×14. 12. 31.	7,000

2×14. 12. 31.까지의 매 사업연도 말 회계처리를 하라.

• 2×11. 12. 31.

(차) 감 가 상 각 액   1,000*   (대) 감 가 상 각 누 계 액   1,000

* 2×11년 감가상각액: (10,000 − 0)/10년 = 1,000
  1차연도 말(2×11. 12. 31.)의 장부금액 : 9,000(= 10,000 − 1,000)

• 2×12. 12. 31.
① 감가상각액의 계상

(차) 감 가 상 각 액   1,000   (대) 감 가 상 각 누 계 액   1,000

② 유형자산손상차손의 인식

(차) 유 형 자 산 손 상 차 손   1,600*   (대) 손 상 차 손 누 계 액   1,600

* a. 장부금액 : (10,000 − 1,000×2) = 8,000
   b. 회수가능가액 : 6,400
   c. 유형자산손상차손액 : a − b = 1,600

• 2×13. 12. 31.

(차) 감 가 상 각 액   800*   (대) 감 가 상 각 누 계 액   800

* 연간 감가상각액 : (6,400 − 0)/8년 = 800 손상차손 인식 후의 새로운 장부금액 6,400을 기준으로 잔존내용연수 8년에 걸쳐 매기 800씩 감가상각액을 계상한다.

• 2×14. 12. 31.
① 감가상각액의 계상

(차) 감 가 상 각 액   800   (대) 감 가 상 각 누 계 액   800

② 유형자산손상차손환입의 인식

(차) 손 상 차 손 누 계 액   1,200   (대) 손 상 차 손 환 입   1,200[*]

* a. 회수가능액 : 7,000
  b. 손상차손을 인식하지 않았을 경우의 장부금액(한도액) : $10,000 - (1,000 \times 4) = 6,000$
  c. 손상차손 환입 전 장부금액 : $10,000 - (1,000 \times 2 + 1,600 + 800 \times 2) = 4,800$
  d. 유형자산손상차손환입액 : $Min(a, b) - c = 1,200$

회수가능액이 7,000이지만 정상적으로 감가상각하여 왔더라면 산출될 장부금액(6,000)을 한도로, 2×14년도의 감가상각액(800)을 계상한 후의 장부금액(4,800)과의 차액 1,200을 손상차손환입으로 처리한다.

2) 현금창출단위별 인식 및 환입

유형자산의 손상차손은 개별 자산별로 인식하는 것이 타당하다. 그러나, 개별 자산의 회수가능액을 추정할 수 없다면 그 자산이 속하는 현금창출단위의 회수가능액을 결정한다. 이 경우 현금창출단위의 손상검사를 할 때에는 검토대상 현금창출단위와 관련된 모든 공동자산을 식별한다(기준서 제1036호 문단 66, 102).

① 공동자산의 장부금액을 합리적이고 일관된 기준에 따라 현금창출단위에 배분할 수 있는 경우에는, 배분된 공동자산의 장부금액이 포함된 당해 현금창출단위의 장부금액을 그 회수가능액과 비교한다. 그 결과 손상차손이 발생한 경우에는 후술하는 바에 따라 손상차손을 인식한다.

② 공동자산의 장부금액을 합리적이고 일관된 기준에 따라 현금창출단위에 배분할 수 없는 경우에는 다음과 같이 회계처리한다.

  가. 공동자산을 제외한 현금창출단위의 장부금액을 회수가능액과 비교하고 손상차손이 발생한 경우에는 후술하는 바에 따라 손상차손을 인식한다.

  나. 검토대상 현금창출단위를 포함하면서 공동자산의 장부금액이 합리적이고 일관된 기준에 따라 배분될 수 있는 최소현금창출단위집단을 식별한다.

  다. 위 '나'에서 식별된 현금창출단위집단의 장부금액을 그 회수가능액과 비교하여 손상차손이 발생한 경우에는 후술하는 바에 따라 손상차손을 인식한다. 이 때 비교대상 장부금액에는 당해 현금창출단위집단에 배분된 공동자산의 장부금액을 포함한다.

현금창출단위의 회수가능액이 장부금액에 미달하는 경우에는 손상차손을 인식하되, 우선, 현금창출단위(또는 현금창출단위집단)에 배분된 영업권의 장부금액을 감소시키고, 그 다음 현금창출단위(또는 현금창출단위집단)에 속하는 다른 자산에 각각 장부금액에 비례하여 배분한다. 그리고 장부금액의 감소는 개별 자산의 손상차손으로 회계처리한다. 다만, 현금창출단위의 손상차손을 배분할 때 개별 자산의 장부금액은 순공정가치(결정가능한 경우), 사용가치(결정가능한 경우), 영(0) 중 가장 큰 금액 이하로 감소시킬 수 없으며, 이러한 제약으로 인해 특정 자산에 배분되지 않은 손상차손은 현금창출단위 내의 다른 자산에 각각 장부금액에 비례하여 배분한다(기준서 제1036호 문단 104, 105).

한편, 현금창출단위의 손상차손환입은 현금창출단위를 구성하는 자산들(영업권 제외)의 장부금액에 비례하여 배분하며, 영업권에 대한 손상차손은 후속기간에 환입할 수 없다. 이러한 장부금액의 증가는 개별 자산의 손상차손환입으로 회계처리하고, 즉시 당기손익으로 인식한다. 다만, 유형자산에 대해 재평가모형을 선택함에 따라 재평가금액을 장부금액으로 하는 경우에는 재평가되는 자산의 손상차손환입은 재평가증가로 처리한다(기준서 제1036호 문단 122, 124).

현금창출단위의 손상차손환입을 배분할 때 개별 자산의 장부금액은 다음 중 작은 금액을 초과하여 증가시킬 수 없으며, 이러한 제약으로 인해 특정 자산에 배분되지 않은 손상차손환입액은 현금창출단위 내의 영업권을 제외한 다른 자산에 각각 장부금액에 비례하여 배분한다(기준서 제1036호 문단 123).

① 회수가능액(결정가능한 경우)
② 과거기간에 손상차손을 인식하지 않았다면 현재 기록되어 있을 장부금액(감가상각 또는 상각 후)

(4) 손상에 대한 보상

손상, 소실 또는 포기된 유형자산에 대해 제3자로부터 보상금을 받는 경우가 있는 이때, 유형자산과 관련된 손상차손이나 기타손실, 제3자에 대한 보상청구나 그 보상금의 수령 그리고 대체 유형자산의 매입이나 건설은 각각 구분되는 경제적 사건이므로 다음과 같이 분리하여 회계처리한다.

① 유형자산의 손상은 위에서 언급한 바와 같이 기준서 제1036호에 따라 인식한다.
② 폐기되거나 처분되는 유형자산은 '10. 유형자산의 제거'에 따라 회계처리한다.
③ 손상, 소실 또는 포기된 유형자산에 대해 제3자에게서 받는 보상금은 수취할 권리가 발생하는 시점에 당기손익으로 반영한다.
④ 대체 목적으로 복구, 매입 또는 건설된 유형자산의 원가는 '3. 유형자산의 인식'에 따라 회계처리한다.

8. 차입원가의 자본화

(1) 이론적 견해

유형자산, 무형자산, 투자부동산 및 취득이 개시된 날로부터 의도된 용도로 사용하거나 판매할 수 있는 상태가 될 때까지 상당한 기간이 소요되는 재고자산을 법인이 제조, 매입, 건설 또는 개발할 경우 동 자산이 실제로 업무에 사용되기까지는 일반적으로 상당한 자금과 기간이 소요된다. 유형자산 등의 건설에 필요한 자금의 원천은 법인내부의 유보이익이나 새로운 주식발행에 의한 자금 또는 법인 외부로부터의 차입금일 수도 있다. 법인의 유보이익이나 주식발행자금의 경우에는 법인의 내재이자율에 의한 내재이자가 존재하며, 외부로부터의 차입금에 대하여는 이자가 발생하게 된다. 이러한 이자를 자본화, 즉 자산의 취득가액에 포함할 것인가 하는 것과 자본화할 이자의 범위를 어떻게 할 것인가 하는 것이 회계학에 있어서 쟁점 중의 하나이다.

첫째로, 법인 내부의 자금뿐만 아니라 외부에서 조달한 자금의 차입원가를 자본화할 수 없다는 견해이다. 이는 이자를 건설원가가 아니라 재무비용으로 간주하는 데 근거가 있다. 이와 같은 입장에서는 내재이자는 실제로 지출된 비용이 아니므로 자본화의 대상에서 제외됨은 물론이고 차입금에 대한 실제 지급이자도 자금조달방법을 변경함으로써 얼마든지 회피가능한 것이므로 자본화해서는 안된다는 것이다. 또한 이자를 자본화하게 될 경우에는 건설기간 동안 당기순이익이 과대계상되거나 이 기간 동안 이익이 없을 때에는 자본화로 인하여 실제 발생된 손실이 표시되지 않는 결과가 발생하기 때문에 자본화를 반대하고 있다.

둘째로, 건설에 필요한 재무원가는 실제로 발생한 이자이든, 내재이자이든 간에 모두 자본화해야 한다는 견해이다. 차입원가는 재료비, 노무비, 기타 자원들의 원가와 마찬가지로 자산을 취득과 관련하여 직접 발생한 원가이므로 당연히 자본화해야 한다는 것이다. 하지만 내재이자의 계산이 임의적·주관적이 될 가능성이 크고 역사적 원가체계를 벗어난다는 점에서 비판받고 있다.

셋째로, 차입원가는 자산의 취득과 관련하여 직접 발생한 원가이지만, 내재이자의 계산이 임의적·주관적이 될 수 있으므로 외부 자금에 대한 차입원가만을 자본화하여야 한다는 견해이다. 하지만 동일한 자산의 취득에 있어서 자금의 원천에 따라 취득원가가 서로 다르게 측정된다는 문제가 있다.

상기와 같이 차입원가의 자본화 여부와 관련하여 다양한 이론적인 견해가 있다. 이와 관련하여 기준서 제1023호에서는 차입원가의 자본화와 관련하여 어떻게 규정하고 있는지를 살펴보겠다.

(2) 용어의 정의

1) 차입원가

차입원가는 자금의 차입과 관련하여 발생하는 이자와 기타 이와 유사한 원가를 말하며, 다음과 같은 항목을 포함한다(기준서 제1023호 문단 5, 6).

(가) 기준서 제1109호에서 기술한 유효이자율법을 사용하여 계산된 이자비용
(나) 기준서 제1116호 '리스'에 따라 인식하는 금융리스부채 관련 이자
(다) 외화차입금과 관련된 외환차이 중 이자원가의 조정으로 볼 수 있는 부분

매출채권 등의 매각에 따른 처분손실은 자본화대상차입원가에서 제외한다. 또한 차입금에 대한 연체이자는 차입원가로 분류되나, 자산취득을 위하여 직접 관련된 원가라고 볼 수 없기 때문에 자본화대상 차입원가에서 제외한다. 다만, 기준서 제1109호에 따라 매출채권의 제거조건을 충족하지 못하여 양도한 매출채권을 계속하여 인식하고 수취한 대가를 차입금으로 처리한 경우에 해당된다면 자본화대상에 포함되어야 할 것이다.

앞에서 설명한 바와 같이 기준서 제1023호에서는 외화차입금과 관련되는 외환차이 중 이자원가의 조정으로 볼 수 있는 부분을 자본화 하도록 규정하고 있다. 이자원가의 조정으로 볼 수 있는 외환차이는 기업이 기능통화로 차입했다면 부담했을 차입원가와 외화차입금으로 인해 발생한 실제 차입원가의 차이금액이다. 외환차이와 관련한 이자원가의 조정은 아래에서 구체적으로 살펴보기로 한다.

또한 기준서 제1023호는 파생상품평가손익에 대하여 언급하지 않고 있다. 그러나 기준서 1023호에서는 적격자산의 취득과 직접적으로 관련된 차입원가, 즉 당해 적격자산과 관련한 지출이 발생하지 아니하였다면 부담하지 않았을 차입원가를 자본화 대상으로 하므로, 기업이 특정자산의 취득을 위해서 차입을 한 경우라면 이와 관련하여 위험회피관계로 지정된 파생상품의 효과적인 부분도 같이 고려하는 것이 타당할 것이다. 단, 위험회피관계로 지정되지 않은 파생상품과 위험회피관계로 지정은 되었으나 비효과적인 부분은 해당 차입금과 직접적인 관련성이 있다고 볼 수 없으므로 자본화하지 않는 것이 타당할 것으로 판단된다.

2) 적격자산

적격자산은 유형자산, 무형자산 및 투자부동산과 제조·매입·건설 또는 개발(이하 '취득'이라 함)이 개시된 날로부터 의도된 용도로 사용하거나 판매할 수 있는 상태가 될 때까지 상당한 기간이 소요되는 재고자산(이하 '적격자산'이라 함)을 말한다. 유형자산, 무형자산 및 투자부동산에 대한 자본적 지출이 있는 경우에는 이를 포함한다(기준서 제

1023호 문단 5, 7).

여기서 금융자산과 단기간에 제조되거나 다른 방법으로 생산되는 재고자산은 적격자산에서 제외하였다(기준서 제1023호 문단 7). 또한 공정가치로 측정되는 적격자산(예 : 생물자산)과 반복해서 대량으로, 제조되거나 다른 방법으로 생산되는 재고자산은 차입원가 자본화를 적용하지 않을 수 있도록 규정하고 있다(기준서 제1023호 문단 4). 국제회계기준위원회는 판매가능한 상태에 이르게 하는데 상당한 기간을 필요로 하더라도 반복해서 대량으로, 제조되거나 다른 방법으로 생산되는 재고자산에 차입원가를 배분하는 것과 그 재고자산이 판매될 때까지 그러한 차입원가를 관리하는 것은 그 원가가 효익을 초과할 수 있으므로 이러한 재고자산에 대해서는 차입원가의 자본화를 요구하지 않기로 결정하였다(기준서 제1023호 BC6).

판매가능한 상태에 있는 자산 및 임대 등을 위해 이미 사용 중이거나 사용가능한 상태에 있는 자산 또는 이에 해당되지 않으면서 이를 위한 활동도 이루어지지 않고 있는 자산은 자본화대상자산에서 제외한다. 즉, 이미 수익창출에 공헌하고 있는 사용 중인 자산은 적격자산이 아니며, 또한 사용가능한 상태에 있는 자산에 대한 이자에 대해서는 의도적인 지연을 통한 이익조정을 막기 위하여 이를 보유비용으로 보아 기간비용으로 처리하는 것이 타당할 것이다(기준서 제1023호 문단 19).

3) 외환차이

일반차입금에 포함된 외화차입금에 대한 외환차이는 외환차손(익)과 외화환산손실(이익)을 모두 합계하여 상계한 후의 금액을 말한다. 그리고 특정외화차입금이 일시에 지출되지 않아 외화예금이 발생한 경우 특정외화차입금에 대한 외환차이는 특정외화차입금에 대한 외환차손(익)과 외화환산손실(이익)을 합계한 금액에서 개별적으로 대응되는 관련 외화예금에 대한 외환차익(손)과 외화환산이익(손실)을 모두 합계하여 상계한 후의 금액을 말한다. 다만, 외화차입금에 대해 환율변동 현금흐름위험회피회계가 적용되는 경우에는 위험회피수단에서 발생한 평가손익 또는 거래손익도 가감하는 것이 타당한 것으로 판단된다.

한편, 특정외화차입금의 차입기간과 자본화기간이 다른 경우 외환차이와 위험회피수단의 평가손익·거래손익 등은 차입기간 중 자본화기간에 해당하는 금액만 안분하여 산정하여야 한다. 또한 기준서 제1023호 문단 6에서는 외화차입금에 대한 외환차이 전부를 자본화하는 것이 아니라 이 중 차입원가의 조정으로 볼 수 있는 부분만 자본화할 수 있도록 규정하고 있다. 기준서 제1023호에서는 차입원가에 포함될 외환차이의 금액의 추정에 적용될 방법에 대해 명시적으로 규정하지 않고 있다. 그러나 이와 관련된 최근의 논의에서 다음의 두 가지 방법이 국제회계기준해석위원회(IFRIC) 실무진에 의해서 고려되었다.

① 외환차이 변동부분을 차입금이 발생한 시점의 선도환율을 기초로 추정
② 외환차이 변동부분을 기업이 기능통화로 차입한 유사한 차입금의 이자율을 기초로 추정

차입원가의 조정으로 볼 수 있는 부분을 결정하는 데 사용되는 방법은 회계정책의 선택이며, 그 방법은 모든 외환차이에 일관되게 적용되어야 한다. 실무상으로는 기능통화로 차입한 유사한 차입금의 이자율을 기초로 추정하는 방법이 많이 사용될 것으로 판단된다. 즉, 외환차이 중 차입원가의 조정으로 볼 수 있는 부분은 해당 외화차입금에 대한 차입원가에 외화차입금과 관련된 외환차이를 가감한 금액이 유사한 조건의 원화차입금에 대한 이자율 또는 원화차입금의 가중평균이자율을 적용하여 계산한 차입원가를 초과하지 않는 범위까지의 금액을 말한다. 그리고 유사한 조건의 원화차입금은 차입기간, 원금, 지급보증, 이자지급방식 등의 차입조건에서 유사한 경우를 말하며, 이와 같은 차입조건을 충족시켜줄 수 있는 원화차입금이 존재하지 않는 경우에는 원화차입금의 가중평균이자율을 적용하여야 한다. 외화차입금에 대하여 유사한 조건의 원화차입금에 대한 이자율 또는 원화차입금의 가중평균이자율을 적용하여 차입원가를 계산할 경우 기초부터 존재하는 외화차입금은 기초의 환율을 적용하고, 회계기간 중 조달된 외화차입금에 대해서는 차입 당시의 환율을 적용하여 환산하여야 한다.

사례 (주)삼일에는 다음과 같은 조건으로 차입한 외화차입금이 있는 경우 20×7년 말에 자본화할 수 있는 차입원가의 한도 및 이자비용의 조정으로 볼 수 있는 환율변동손실을 계산하라.

> 외화차입금 $1,000 차입 : 이자율 5%, 매기말 지급
> 유사한 조건의 원화차입금 : 이자율 10%, 매기말 지급
> 차입일(20×7. 1. 1.)의 환율 : 1,000원/$1
> 결산일(20×7. 12. 31.)의 환율 : 1,200원/$1

〈계산자료〉
1) 외화환산손실 : $1,000×(1,200원−1,000원)=200,000원(a)
2) 외화차입금의 차입원가 : $1,000×1,200원(이자지급시점 또는 발생시점의 환율)×5%
   =60,000원(b)

〈외환차이(손실) 중 차입원가의 조정으로 볼 수 있는 부분〉
1) 자본화할 수 있는 차입원가의 한도 :
   $1,000×1,000원(기초부터 존재하는 외화차입금은 기초의 환율, 회계기간 중 조달된 외화차입금에 대해서는 차입 당시의 환율)×10%(원화이자율)=100,000원(c)
2) 차입원가의 조정으로 볼 수 있는 외환차이(손실) :

100,000(c) - 60,000(b) = 40,000원의 외화환산손실을 차입원가의 조정으로 볼 수 있다.

(3) 인 식

적격자산의 취득, 건설 또는 생산과 직접 관련된 차입원가는 당해 자산원가의 일부로 자본화하여야 한다(기준서 제1023호 문단 8). 이러한 차입원가는 미래경제적효익의 발생가능성이 높고 신뢰성 있게 측정가능할 때 자산 원가의 일부로 자본화한다. 기준서 제1029호 '초인플레이션 경제에서의 재무보고'를 적용하는 경우 해당 기간의 인플레이션을 보상하기 위한 차입원가 부분은 기준서 제1029호에 따라 발생한 기간에 비용으로 인식한다(기준서 제1023호 문단 9).

(4) 자본화할 수 있는 차입원가의 산정

자본화할 수 있는 차입원가는 당해 적격자산과 관련된 지출이 발생하지 아니하였다면 부담하지 않았을 차입원가로서, 특정 적격자산을 취득할 목적으로 직접 차입한 자금(이하 "특정차입금"이라 한다)에 대한 차입원가와 일반적인 목적으로 차입한 자금 중 적격자산의 취득에 소요되었다고 볼 수 있는 자금(이하 "일반차입금"이라 한다)에 대한 차입원가로 나누어 산정한다(기준서 제1023호 문단 10). 이 경우 특정차입금이 있는 경우에는 특정차입금에 대한 차입원가를 먼저 자본화한 후에 일반차입금에 대한 차입원가를 산정하여 자본화한다.

특정 적격자산의 취득을 목적으로 특정하여 자금을 차입하는 경우에는 당해 적격자산과 직접 관련된 차입원가는 쉽게 식별할 수 있다. 그러나 개별차입금과 적격자산 간의 직접 관련성을 식별하고, 적격자산과 관련된 지출이 발생하지 않았다면 부담하지 아니할 수 있었던 차입원가를 결정하기에는 어려울 수도 있다. 따라서 실무에서 적격자산의 취득과 직접 관련한 차입원가를 결정하기 위해서는 판단이 요구된다.

(5) 특정차입금 관련 차입원가

특정차입금에 대한 차입원가 중 자본화할 수 있는 금액은 자본화기간 동안 특정차입금으로부터 발생한 차입원가에서 동 기간 동안 자금의 일시적 운용에서 생긴 수익을 차감한 금액으로 한다(기준서 제1023호 문단 12). 다만, 특정외화차입금에 대한 차입원가 중 자본화할 수 있는 차입원가는 해당 외화차입금에 대한 차입원가에 외화차입금과 관련된 외환차이를 가감한 금액이 유사한 조건의 원화차입금에 대한 이자율 또는 원화차입금의 가중평균이자율을 적용하여 계산한 차입원가를 한도로 한다.

한편, 회계연도말 현재 특정차입금의 일부만 적격자산의 취득에 사용한 상태에서 특정차입금에 대한 차입원가를 자본화할 경우 실제 적격자산에 대해 지출한 금액을 한도로 자본화하지 않고 자본화 기간 동안 특정차입금으로부터 발생한 차입원가 전액에서 동 기간 동안 자금의 일시적 운용에서 생긴 수익을 차감하여 자본화하여야 한다.

사례 1 다음과 같은 경우 외화차입금의 차입원가와 외환차이를 계산하시오.

(단위 : 백만원)

외화차입금의 원화환산액 : 1,000
(가) 외화차입금의 차입원가 : 100
(나) 외화차입금의 일시 운용에서 발생한 이자수익 : 10
(다) 이자율변동 현금흐름위험회피거래에서 발생한 평가이익·거래이익 : 5
(라) 외화차입금의 외화환산손실 : 10, 외환차손 : 15
(마) 외화차입금의 일시 운용에서 발생한 외화환산이익·외환차익 : 3
(바) 환율변동 현금흐름위험회피거래에서 발생한 평가이익·거래이익 : 12

외화차입금의 차입원가[(가)+(나)+(다)] : 100-10-5=85
외화차입금의 외환차이[(라)+(마)+(바)] : 25-3-12=10(손실)

사례 2 [사례 1]의 자료를 기초로 유사한 조건의 원화차입금의 이자율이 9%인 경우 외화차입금과 관련된 외환차이 중 차입원가의 조정으로 볼 수 있는 금액은 얼마인가?
원금(=1,000)×9%=90 〉85(외화차입금의 차입원가)이므로 외화차입금의 외환차이(손실)(10) 중 5는 차입원가의 조정으로 보아 자본화하고, 잔액 5는 기간비용으로 즉시 인식한다.

어떤 특정 적격자산을 위한 특정 차입금의 경우, 적격자산을 의도된 용도로 사용(또는 판매)가능하게 하는 데 필요한 대부분의 활동이 완료되어 특정차입금의 자본화가 완료된 이후에도 해당 특정차입금을 상환하지 않아 이자가 발생한 경우라면, 해당 특정차입금은 일반차입금으로 보아 다른 적격자산이 존재하는 경우 해당 일반차입원가에 포함되어야 한다(기준서 제1023호 문단 14).

(6) 일반차입금 관련 차입원가

일반차입금에 대한 차입원가 중 자본화할 수 있는 차입원가는 일반적인 목적으로 자금을 차입하고 이를 적격자산의 취득을 위해 사용하는 경우에 한하여 당해 자산 관련 지출액에 자본화이자율을 적용하는 방식으로 자본화가능차입원가를 결정한다(기준서 제1023호 문단 14).

1) 차입원가자본화 대상자산에 대한 평균지출액

차입원가자본화 대상자산에 대한 지출액은 차입원가를 부담하는 부채를 발생시키거나, 현금지급, 다른 자산을 제공하는 등에 따른 지출액을 의미한다. 정부보조금과 건설 등의 진행에 따라 회수되는 금액은 자본화대상자산에 대한 지출액에서 차감한다(기준서 제1023호 문단 18).

회계기간 동안 적격자산의 평균장부금액은 일반적으로 자본화이자율을 적용하고자 하는 당해 기간 동안 지출액의 적절한 근사치이다. 이 때, 전기 이전에 자본화된 차입원가도 당기 적격자산의 평균지출액에 포함하여야 한다(기준서 제1023호 문단 18).

만약 기업이 적격자산의 취득을 위한 자금을 자기자본 20%, 타인자본 80%로 조달한 경우라도 자본화할 차입원가를 산정하기 위해서는 적격자산의 취득을 위하여 지출한 금액의 80%를 사용하는 것이 아니라 지출한 전체 금액에 대하여 자본화 이자율을 적용하는 것이 타당할 것으로 보인다.

또한, 적격자산을 취득하기 위하여 일반차입금을 사용하고 있는 기업이 적격자산의 취득을 위한 지출에 충당할 수 있는 충분한 영업활동으로부터의 현금흐름을 보유하고 있다고 하더라도 적격자산의 취득을 위하여 일반차입금이 우선적으로 사용된 것으로 간주하므로 지출한 금액 전체에 대하여 자본화 이자율을 적용하는 것이 타당할 것이다.

2) 자본화이자율

자본화이자율은 회계기간 동안 상환되었거나 미상환된 일반차입금에 대하여 발생된 차입원가를 가중평균하여 산정한다.

차입원가의 가중평균을 산정함에 있어 지배기업과 종속기업의 모든 차입금을 포함하는 것이 적절할 수도 있고, 개별 종속기업의 차입금에 적용되는 차입원가의 가중평균을 사용하는 것이 적절할 수도 있다. 예를 들어, 재무기능이 지배기업에서 총괄 관리되는 경우이거나 지배기업과 종속기업이 동일한 국가 또는 지역에 위치하여 유사한 이자율로 차입을 하고 있는 경우라고 하면 지배기업과 종속기업의 모든 차입금을 포함하는 것이 적절할 것이고, 이와는 반대로 개별 종속기업이 자체의 재무기능을 가지고 있거나 여러 국가에 종속기업이 흩어져 있어 각기 상이한 통화와 상이한 이자율을 적용받는 차입금을 보유하고 있다면 개별 종속기업의 차입금에 적용되는 차입원가의 가중평균을 사용하는 것이 적절할 것이다.

또한 연결재무제표 입장에서는 연결그룹 내의 기업 간의 차입거래에 대한 고려가 필요할 것이다.

사례

A사는 새로운 본사 건물을 지으려 한다. 공사는 20×9년 9월 1일에 시작되어 20×9년 12월 31일 이후까지 순조롭게 진행되었다. 이 자산에 직접 관련된 지출은 20×9년 9월분 100,000원과 20×9년 10월부터 12월까지 매월 250,000원씩 발생하였다. 따라서 이 자산의 당기 가중평균 장부가액은 475,000원이 된다((100,000 + 350,000 + 600,000 + 850,000)/4).

A사는 당해 자산의 건설의 재원으로 특정하여 차입하지 않았으나, 건설기간 동안 일반차입금으로부터 차입원가가 발생하였다. 당해 회계연도에 이 기업은 이자율 10%, 액면금액 2백만원의 사채를 발행한 상태였으며 당좌차월 잔액이 500,000원에서 20×9년 12월에 750,000원으로 증가하였고, 이 당좌차월에 대해 20×9년 10월 1일까지는 15%, 이후 16%의 이자를 지불하였다. 이 경우 건설기간 동안 이 기업에 적용되는 일반차입금 자본화이자율은 다음과 같이 계산된다.

	₩
20×9년 9월부터 12월까지의 10% 사채 2백만의 차입원가	66,667
20×9년 9월분 당좌차월 500,000원에 대한 15% 차입원가	6,250
20×9년 10월과 11월분 당좌차월 500,000원에 대한 16% 차입원가	13,333
20×9년 12월분 당좌차월 750,000원에 대한 16% 차입원가	10,000
20×9년 9월부터 12월까지의 총 금융원가	96,250

$$\text{공사기간의 가중평균 차입금} = \frac{(2백만원 \times 4) + (500,000 \times 3) + (750,000 \times 1)}{4}$$

$$= 2,562,500$$

자본화이자율 = 공사기간의 총 차입원가/공사기간의 가중평균 차입금

$$= 96,250/2,562,500$$

$$= 3.756\%$$

따라서 자본화이자율은 공사가 진행 중이었던 4달 간의 차입금에 대한 가중평균 차입원가를 반영하게 된다. 3.756%을 연이율로 환산하면 연 11.268%이 되며, 이는 차입금 구성을 고려할 때 기대할 수 있는 수준이다.

따라서, 총 자본화대상 차입원가는 다음과 같이 계산된다.

= 자산의 가중평균 장부가액 × 자본화이자율
= 475,000원 × 11.268% × 4/12
= 17,841

3) 한 도

일반차입금에서 발생한 이자는 직접 자본화하는 것이 아니라 간접적으로 적격자산에 대한 평균지출액에서 특정차입금을 초과하는 부분에 대해 자본화이자율을 적용하여 계산하므로 적절한 한도가 필요하다. 일반차입금에 대하여 자본화할 차입원가는 자본화이

자율 산정에 포함된 차입금으로부터 회계기간 동안 발생한 실제 차입원가를 한도로 하여 자본화한다. 이 경우 자본화이자율 산정에 포함되지 않은 차입금 및 특정차입금에 대한 차입원가는 제외되어야 하며, 자금의 일시적 운용에서 생긴 수익은 차감하지 아니한다(기준서 제1023호 문단 14).

(7) 자본화기간

1) 자본화 개시시점

차입원가의 자본화 개시시점은 다음의 조건이 모두 충족되어야 한다(기준서 제1023호 문단 17).

① 적격자산에 대하여 지출하고 있다.
② 차입원가를 발생시키고 있다.
③ 적격자산을 의도된 용도로 사용하거나 판매가능한 상태에 이르게 하는데 필요한 활동을 수행하고 있다.

적격자산을 의도된 용도로 사용하거나 판매가능한 상태에 이르게 하는데 필요한 활동은 당해 자산의 물리적인 제작뿐만 아니라 그 이전단계에서 이루어진 기술 및 관리상의 활동도 포함된다. 예를 들면 물리적인 제작 전에 각종 인·허가를 얻기 위한 활동 등을 들 수 있다. 그러나 자산의 상태에 변화를 가져오는 생산 또는 개발이 이루어지지 아니하는 상황에서 단지 당해 자산의 보유는 필요한 활동으로 보지 않는다. 예를 들어, 건설목적으로 취득한 토지를 별다른 개발활동 없이 보유하는 동안 발생한 차입원가는 자본화조건을 충족하지 못한다(기준서 제1023호 문단 19).

2) 자본화 종료시점

차입원가자본화의 종료시점은 적격자산을 의도된 용도로 사용하거나 판매가능한 상태에 이르게 하는 데 필요한 대부분의 활동이 완료된 시점이다(기준서 제1023호 문단 22).

한편, 적격자산이 물리적으로 완성된 경우라면 일상적인 건설관련 후속 관리업무 등이 진행되고 있더라도 당해 자산을 의도된 용도로 사용할 수 있거나 판매할 수 있기 때문에 자본화를 종료한다. 또한 구입자 또는 사용자의 요청에 따른 내장공사 등의 추가작업만이 진행되는 경우라면 실질적으로 모든 건설활동이 종료된 것으로 본다(기준서 제1023호 문단 23).

그리고 적격자산이 여러 부분으로 구성되어 건설활동 등이 진행되는 경우 일부가 완성되어 해당 부분의 사용이 가능하다면 그 부분에 대해서는 자본화를 종료한다. 그러나 자산 전체가 완성되어야만 사용이 가능한 경우에는 자산 전체가 사용가능한 상태에 이를 때까지 자본화한다. 예를 들면, 복합업무시설을 건설하는 경우 여러 동의 건물에 대한 공사가 진행 중이라도 각각의 건물별로 완공시점에 자본화를 종료한다. 그러나 제철소와 같이 일괄생산체제를 갖추어야 하는 경우에는 개별 공정이 완료되었더라도 자본화를 종료하지 않고 전체 공정이 완료되는 시점까지 자본화한다(기준서 제1023호 문단 24, 25).

3) 자본화 중단기간

적격자산을 의도된 용도로 사용하거나 판매하기 위한 취득활동이 중단된 경우 그 기간 동안에는 차입원가의 자본화를 중단하며 해당 차입원가는 기간비용으로 인식한다. 그러나 제조 등에 필요한 일시적 중단이나 자산취득 과정상 본질적으로 불가피하게 일어난 중단의 경우나 상당한 기술 및 관리활동을 진행하고 있는 기간에는 차입원가의 자본화를 중단하지 않는다. 예를 들어, 하천의 수위가 높아져 교량의 건설활동이 일시적으로 중단되는 경우라면 자본화를 중단하지 않는다(기준서 제1023호 문단 21).

(8) 차입원가자본화 관련 공시사항

적격자산과 관련된 차입원가에 대해 다음 사항을 재무제표의 주석으로 기재한다(기준서 제1023호 문단 26).

① 회계기간 중 자본화된 차입원가의 금액
② 자본화가능차입원가를 산정하기 위하여 사용된 자본화이자율

사례 1 일반차입금과 특정차입금의 자본화이자율과 차입원가

12월 결산법인인 A회사는 수년 전부터 보유하고 있던 토지에 사옥을 건설하기 위하여 20×1. 1. 1. H건설회사와 도급계약을 체결하였다. 사옥은 20×2. 6. 30. 준공예정이고 A회사는 사옥 건설을 위해 다음과 같이 지출하였다.

(단위 : 천원)

20×1. 1. 1.	40,000
20×1. 7. 1.	80,000
20×1. 10. 1.	60,000
20×2. 1. 1.	70,000
합 계	250,000

A회사의 20×1년도의 차입금은 다음과 같으며, 20×2년도에 신규로 조달한 차입금은 없다.

(단위 : 천원)

차입금	차 입 일	차입금액	상 환 일	이자율	이자지급조건
a	20×1. 1. 1.	50,000	20×2. 6. 30.	12%	분기별복리/매년말 지급
b	20×0. 1. 1.	60,000	20×2. 12. 31.	10%	단리/매년말 지급
c	20×0. 1. 1.	70,000	20×3. 12. 31.	12%	단리/매년말 지급

이들 차입금 중 차입금 a는 사옥건설 목적을 위하여 개별적으로 차입(특정차입금)되었으며 이 중 10,000은 20×1. 1. 1.~6. 30. 동안 연 9%(단리) 이자지급조건의 정기예금에 예치하였다. 차입금 b, c는 일반 목적으로 차입(일반차입금)되었다.

이 사례에 대하여 20×1회계연도에 자본화한 차입원가는 11,365라 가정하고, 20×2회계연도에 발생된 차입원가와 관련한 회계처리를 예시하라.

1. 적격자산에 대한 평균지출액

지 출 일	지출액	자본화대상기간	평균지출액
20×1. 1. 1.	40,000	6/12	20,000
20×1. 7. 1.	80,000	6/12	40,000
20×1. 10. 1.	60,000	6/12	30,000
20×2. 1. 1.	70,000	6/12	35,000
합 계	250,000		125,000

2. 자본화이자율의 계산

특정차입금을 제외하고 일반적으로 차입되어 사용된 사옥건설 관련 차입금에 대하여 적용할 자본화이자율은 다음과 같이 산정한다.

차 입 금	연평균차입금액	차입원가
b	60,000	6,000
c	70,000	8,400
합 계	130,000	14,400

$$\text{자본화이자율} = \frac{\text{총차입원가}}{\text{연평균차입금총액}} = \frac{14,400}{130,000} = 11.08\%$$

3. 특정차입금 관련 차입원가

당기 중 발생한 차입원가 $50,000 \times (1+0.12/4)^2 - 50,000 = \underline{3,045}$

자본화할 차입원가 $\underline{3,045}$

4. 일반차입금 관련 차입원가

① 자본화할 수 있는 차입원가

$[125,000 - (50,000 \times 6/12)] \times 11.08\% = 11,080$

② 자본화이자율 산정에 포함된 차입금에서 회계기간 동안 발생한 차입원가

차입금 b $60,000 \times 10\% = \underline{6,000}$

차입금 c $70,000 \times 12\% = \underline{8,400}$

합 계 $\underline{14,400}$

③ 한도비교

일반차입금과 관련된 차입원가(11,080)는 당기 한도(14,400) 이내이므로 전액 자본화가 가능하다.

5. 20×2회계연도에 자본화할 수 있는 차입원가

3,045(특정차입금)+11,080(일반차입금)=14,125

6. 건물의 취득원가

① 도급공사비 지출액 :　　250,000

② 자본화된 차입원가(20×1년) 11,365

　　　　　　　　　　(20×2년) 14,125

　　합 계　　　　　　　　275,490

7. 공 시

20×2회계연도 중 자본화된 차입원가는 14,125원이며, 특정차입금에 적용된 자본화이자율은 9%이며, 일반차입금에 적용된 자본화이자율은 11.08%이다.

사례 2 외화차입금과 관련된 차입원가자본화

12월 결산법인인 C회사는 20×1. 5. 1. 공장건설을 시작하였으며 공장건설과 관련하여 다음과 같은 지출이 이루어졌다.

20×1. 5. 1.	3,000백만원
20×1. 7. 1.	6,000백만원
합 계	9,000백만원

C회사의 20×1회계연도 중 공장건설과 관련된 차입금의 내역은 다음과 같다.

	장기외화 차입금a	단기외화 차입금b	단기원화 차입금c	장기원화 차입금d
차입일	20×1. 3. 1.	20×1. 1. 1.	20×1. 3. 1.	20×1. 1. 1.
차입금액($)	2,000,000	1,000,000	–	–
차입당시환율	950원/$	900원/$	–	–
차입금액(백만원)	1,900	900	3,000	4,000
상환일	20×3. 2. 28.	20×1. 10. 31.	20×2. 1. 31.	20×3. 12. 31.
상환당시환율	–	1,100원/$	–	–
외환차손(백만원)	–	200	–	–
결산당시환율	1,000원/$	–	–	–
외화환산손실(백만원)	100	–	–	–
이자율	5%	6%	10%	8%
이자지급조건	매기말 지급	만기일시 지급	매기말 지급	매기말 지급
이자비용(백만원)	83	55	250	320

한편, 이들 차입금 중 장기외화차입금 a는 특정 차입금이고 일시 투자수익은 없으며, b, c, d차입금은 공장건설과 관련된 일반차입금이다. 차입원가 자본화와 관련한 회계처리를 예시하라.

1. 적격자산에 대한 평균지출액

(단위 : 백만원)

지 출 일	지 출 액	자본화대상기간	평균지출액
20×1. 5. 1.	3,000	8/12	2,000
20×1. 7. 1	6,000	6/12	3,000
합 계	9,000		5,000

2. 일반차입금 관련 자본화이자율의 계산

특정 차입금을 제외하고 일반적으로 차입되어 사용된 차입금에 대하여 적용할 자본화이자율은 실무적으로 원화차입금과 외화차입금으로 구분하여 산정한다. 먼저 외화차입금과 조건이 유사한 원화차입금의 이자율 또는 원화차입금의 가중평균이자율은 다음과 같이 계산할 수 있다. (단, 조건이 현저하게 상이한 경우 추가 고려 필요)

(단위 : 백만원)

차 입 금	연평균차입금액	이 자
c	2,500(= 3,000×10/12)	250
d	4,000(= 4,000×12/12)	320
합 계	6,500	570

(1) 원화차입금의 가중평균이자율 $= \dfrac{\text{이자}(250+320)}{\text{연평균차입금총액}(6,500)} = 8.77\%$

(2) 외환차이를 차입원가로 고려하지 않았을 경우 외화차입금의 이자율

외화차입금	연평균차입금액	이자	환율차이(외환차손)
b	750(900×10/12)	55	200

$= \dfrac{\text{이자}}{\text{연평균차입금총액}} = \dfrac{55}{750} = 7.33\%$

(3) 외환차이를 전액 차입원가로 고려하였을 경우 외화차입금의 이자율

$= \dfrac{\text{총차입원가}}{\text{연평균차입금총액}} = \dfrac{55+200}{750} = 34\% > 8.77\%$

(4) 외환차이 중 차입원가의 조정으로 볼 수 있는 부분은 해당 외화차입금에 대한 차입원가에 외화차입금과 관련된 외환차이를 가감한 금액이 유사한 조건의 원화차입금에 대한 이자율 또는 원화차입금의 가중평균이자율을 적용하여 계산한 차입원가를 초과하지 않는 범위까지의 금액으로 판단한다. 외환차이(손실)를 가산한 후의 외화차입금의 이자율이 원화차입금의 가중평균이자율보다 높기 때문에 원화차입금의 가중평균이자율 8.77%를 자본화이자율로 한다.

3. 자본화할 차입원가의 계산

① 특정 차입금 관련 차입원가

건설기간 중 이자(A) $2,000,000×5%×8/12×1,000원/$ =67백만원

일시투자수익(B)　　　　　　　　　　　　　　　　　　　－

외환차이(손실)(C)*　　　　　100백만원×8/10=80

자본화가능외환차이(손실)(D)**　　　　　　　　　　　44백만원

자본화할 차입원가(A－B+D)　　　　　　　　　　　　111백만원

* 특정차입금의 차입기간(10개월)보다 자본화대상기간(건설기간인 8개월)이 짧은 경우에는 외환차이(손실)를 자본화대상기간에 해당하는 분만 안분해서 자본화할 차입원가에 가감해야 하므로 외화환산손실 100백만원 중 80백만원만이 한도계산대상이 된다.

** 자본화가능외환차이(손실)는 다음과 같은 단계를 거쳐 계산된 한도 내의 금액만을 자본화대상 차입원가에 포함한다.

　ⅰ) 특정차입금의 연평균차입액 : $2,000,000×10/12×950원/$ =1,583백만원

　ⅱ) 특정차입금의 이자 : $2,000,000×5%×10/12×1,000원/$ =83백만원

　ⅲ) 특정차입금의 이자율 : 83백만원/1,583백만원 = 5.24%

　ⅳ) 유사한 조건의 원화차입금의 이자율 또는 원화차입금의 가중평균이자율 8.77%를 상한으로 이자의 조정으로 볼 수 있는 외환차이(손실) : 1,266백만원(=1,900백만원 8/12)×(8.77%－5.24%)=44백만원

　ⅴ) 한도비교

(단위 : 백만원)

	당기발생금액	자본화가능금액	기간비용계상금액
이자	83	67	16
외화환산손실	100	44	56
합 계	183	111	72

② 일반차입금 관련 차입원가 : 특정차입금을 사용한 평균지출액을 초과하는 적격자산의 평균지출액에 대하여 일반차입금의 자본화이자율 8.77%를 적용하여 산출

(5,000백만원－1,900백만원×8/12)×8.77%=327백만원*

* 유사한 조건의 원화차입금의 이자율 또는 원화차입금의 가중평균이자율 8.77%를 사용하여 계산하였으므로 단기외화차입금 b에서 발생한 외환차손은 전액 기간비용으로 계상된다.

　ⅰ) 한도비교

	당기발생금액	자본화가능금액	기간비용계상금액
이자	625	327	298
외환차손	200	－	200
합 계	825	327	498

③ 20×1회계연도에 건설중인자산으로 계상될 금액

(단위 : 백만원)

공장건설 관련 지출	9,000
특정차입금 관련 차입원가	111
일반차입금 관련 차입원가	327
합 계	9,438

4. 공 시

20×1회계연도 중 자본화된 차입원가는 438백만원이며, 적용된 자본화이자율은 8.77%이다.

9. 유형자산의 제거

유형자산의 장부금액은 처분하는 때 또는 사용이나 처분을 통하여 미래경제적효익이 기대되지 않을 때 제거한다(기준서 제1016호 문단 67).

이 경우 유형자산의 제거로 인하여 발생하는 손익은 순매각금액과 장부금액의 차액으로 결정하며, 제거하는 시점에 당기손익으로 인식한다.

사례   (주)삼일은 내용연수가 완전히 경과한 기계장치(취득가액 ₩18,000,000, 감가상각누계액 ₩17,300,000)를 철거 처분하고, 동 철거비용 ₩700,000은 현금으로 지급하였다.

(차) 감 가 상 각 누 계 액	17,300,000	(대) 기 계 장 치	18,000,000
유형자산폐기손실	1,400,000	현금및현금성자산	700,000

정상적인 활동과정에서 타인에게 임대할 목적으로 보유하던 유형자산을 판매하는 기업은 유형자산의 임대가 중단되고 판매목적으로 보유하게 되는 시점에 자산의 장부금액을 재고자산으로 대체하여야 한다. 이 경우 기준서 제1105호 '매각예정비유동자산과 중단영업'은 적용되지 않는다(기준서 제1016호 문단 68A).

유형자산은 여러 방법으로 처분할 수 있다(예 : 판매, 금융리스의 체결 또는 기부). 유형자산의 처분시점은 기준서 제1115호 '고객과의 계약에서 생기는 수익'에 따라 판단한다. 판매후리스에 의한 처분에 대해서는 기준서 제1116호 '리스'를 적용한다(기준서 제1016호 문단 69).

유형자산 항목의 일부에 대한 대체원가가 자산의 인식기준을 충족하여 자산의 장부금액으로 인식되는 경우, 대체되는 부분이 별도로 분리되어 상각되었는지 여부와 관계없이 대체된 부분의 장부금액은 제거한다. 대체된 부분의 장부금액을 결정하는 것이 실무적으로 불가능한 경우에는, 대체된 부분을 취득하거나 건설한 시점의 원가를 추정하기 위한 지표로 그 대체원가를 사용할 수도 있다(기준서 제1016호 문단 70).

유형자산의 제거로 인하여 발생하는 손익은 순매각금액과 장부금액의 차이로 결정한다(기준서 제1016호 문단 71). 유형자산의 제거에서 생기는 손익에 포함되는 대가(금액) 및 손익에 포함된 추정 대가의 후속적은 변동은 기준서 제1115호의 관련 요구사항에 따른다(기준서 제1016호 문단 72).

10. 감가상각

(1) 개 념

감가상각이란 유형자산의 감가상각대상금액을 그 자산의 내용연수 동안 체계적인 방법에 의하여 각 회계기간에 배분하는 것을 말한다(기준서 제1016호 문단 6). 감가의 원인을 요약하면 크게 다음과 같이 세 가지로 나눌 수 있다.

첫째로, 물리적 요소에 의하여 유형자산의 가치가 감소하는데, 물리적 요소란 자산의 사용 및 시간의 경과에 따른 자산의 마멸이나 화재와 같은 사고 등으로 인한 파괴 등을 말한다.

둘째로, 경제적 요소에 의하여 유형자산의 가치가 감소할 수 있는데, 특히 고도로 산업화된 기술지향적인 경제·사회에서는 특정자산의 내용연수를 결정하는 데 경제적 요소가 중요한 변수로 작용한다. 이러한 경제적 요소에는 진부화·부적합화 및 경제적 여건의 변동 등이 포함된다.

셋째로, 천재나 재해·화재 등 예기치 않은 우발적 원인에 의하여 유형자산의 가치가 감소할 수 있다.

이와 같이 유형자산의 감가원인은 다양하고 또한 복합적이므로 법인이 기간손익계산을 하기 위하여 유형자산의 감가분을 금액적으로 측정하기란 매우 어렵다. 따라서 유형자산의 감가분을 합리적인 방법으로 추정하여 기간손익에 배분하는 절차가 필요한 바, 이러한 원가배분의 절차를 감가상각이라 한다. 결국 감가상각이란 적정한 기간손익계산을 위하여 유형자산의 원가에서 잔존가치(예측처분가치)를 차감한 가액을 일정한 상각방법에 의해서 당해 자산의 내용연수에 걸쳐 동 자산의 이용이나 시간의 경과 등으로 인한 효용의 감소분을 배분하는 회계절차라고 할 수 있다.

감가상각회계의 목적은 특정자산의 감가상각대상금액(원가 또는 원가를 대체하는 다른 금액－잔존가치)을 자산의 이용에 따라 효익이 발생하는 기간에 체계적이고 합리적인 방법으로 배분하는 것이다. 따라서 감가상각할 수 있는 자산이 되기 위해서는 시간의 경과나 사용 등으로 인하여 가치가 감소하는 자산이어야 한다. 따라서 토지 및 건설중인자산은 감가상각대상자산이 아니다. 또한 토지와 건물을 동시에 취득하는 경우에도 이들은 분리된 자산이므로 별개의 자산으로 취급한다. 건물은 내용연수가 유한하므로 감가상각대상자산이지만, 토지는 일반적으로 내용연수가 무한하므로 감가상각대상이 아닙니다. 따라서 건물이 위치한 토지의 가치가 증가하더라도 건물의 내용연수에는 영향을 미치지 않는다(기준서 제1016호 문단 58).

(2) 기업회계상 회계처리

유형자산의 원가를 여러 기간에 배분하는 감가상각회계와 관련된 주요 회계문제는 다음과 같다.
- 감가상각대상금액을 결정하는 문제
- 내용연수를 추정하는 문제
- 감가상각방법을 결정하는 문제
- 감가상각액의 회계처리
- 회계기간 중에 유형자산을 구입 또는 처분할 때의 감가상각

1) 감가상각대상금액

감가상각대상금액(depreciation base)이란 유형자산의 원가에서 잔존가치를 차감한 금액을 말하는 것으로, 이때 잔존가치(residual value)는 자산이 내용연수 종료시점에 도달하였다는 가정하에 자산의 처분으로부터 현재 획득할 금액에서 추정 처분부대원가를 차감한 금액을 말한다(기준서 제1016호 문단 53, 6).

한편, 감가상각대상금액은 원가에서 잔존가치를 차감하여 결정하지만 실무상 잔존가치가 경미한 경우가 많다. 그러나 유형자산의 잔존가치가 유의적인 경우 매 보고기간말에 재검토하여, 재검토 결과 새로운 추정치가 종전의 추정치와 다르다면 그 차이는 회계추정의 변경으로 회계처리한다(기준서 제1016호 문단 51, 53).

잔존가치는 자산을 제거하기 전의 특정 시점에서 추정한 값으로 이러한 추정은 미래의 불확실성 때문에 상당히 주관적이다. 따라서 회사는 당해 자산의 성격과 업종 등을 고려하여 객관적이고 합리적으로 잔존가치를 추정해야 할 것이며, 법인세법상의 잔존가액을 따랐다는 것만으로는 객관적이고 합리적인 잔존가치라고 하기는 어렵다.

유형자산의 감가상각은 자산이 사용가능한 때부터 시작한다. 즉, 경영진이 의도하는 방식으로 자산을 가동하는 데 필요한 장소와 상태에 이른 때부터 시작한다. 감가상각은 기준서 제1105호 '매각예정비유동자산과 중단영업'에 따라 자산이 매각예정으로 분류되는 또는 매각예정으로 분류되는 처분자산집단에 포함되는 날과 자산이 제거되는 날 중 이른 날에 중지한다. 따라서 유형자산이 운휴 중이거나 적극적인 사용상태가 아니어도, 감가상각이 완전히 이루어지기 전까지는 감가상각을 중단하지 않는다. 그러나 유형

자산의 사용정도에 따라 감가상각을 하는 경우에는 생산활동이 이루어지지 않을 때 감가상각액을 인식하지 않을 수 있다(기준서 제1016호 문단 55).

2) 내용연수의 추정

내용연수(useful life)란 자산이 사용가능할 것으로 기대되는 기간 또는 자산으로부터 획득할 수 있는 생산량이나 이와 유사한 단위를 말한다(기준서 제1016호 문단 6). 즉, 유형자산의 경제적효익은 유형자산을 사용함으로써 감소하는 것이 일반적이다. 그러나 자산을 사용하지 않더라도 기술적 진부화 및 마모 등의 요인으로 인하여 자산으로부터 기대하였던 경제적효익이 감소될 수 있다. 따라서 자산의 내용연수를 결정할 때에는 다음의 요소를 고려할 필요가 있다(기준서 제1016호 문단 56).

(가) 자산의 예상생산능력이나 물리적 생산량을 토대로 한 자산의 예상사용수준

(나) 자산을 교대로 사용하는 빈도, 수선·유지계획과 운휴 중 유지·보수 등과 같은 가동요소를 고려한 자산의 물리적 마모나 손상

(다) 생산방법의 변화, 개선 또는 해당 자산으로부터 생산되는 제품 및 용역에 대한 시장수요의 변화로 인한 기술적 또는 상업적 진부화

(라) 리스계약의 만료일 등 자산의 사용에 대한 법적 또는 이와 유사한 제한

즉, 유형자산의 내용연수는 자산으로부터 기대되는 효용에 따라 결정된다. 유형자산은 기업의 자산관리정책에 따라 일정기간이 경과되거나 경제적효익의 일정 부분이 소멸되면 처분될 수 있다. 이 경우 내용연수는 일반적 상황에서의 경제적 내용연수보다 짧을 수 있으므로 유사한 자산에 대한 기업의 경험에 비추어 해당 유형자산의 내용연수를 추정하여야 한다(기준서 제1016호 문단 57).

내용연수의 경우에도 적어도 매 회계연도말에 재검토하고 그 결과 추정이 변경되는 경우 회계추정의 변경으로 보아 회계처리한다(기준서 제1016호 문단 50).

한편, 법인세법에서 정하고 있는 자산종류별 내용연수를 따랐다는 것만으로는 객관적이고 합리적인 근거가 될 수 없다. 왜냐하면 법인세법상의 내용연수는 세무정책 측면을 고려하여 결정되므로 재무회계의 목적과는 상충될 수 있기 때문이다. 따라서 내용연수 등을 추정함에 있어서는 객관적이고 합리적인 근거에 따라야 하며 법인세법에 따른 내용연수 등은 객관적이고 합리적인 추정방법 및 근거자료가 제시될 수 없는 경우에는 이를 사용할 수 없다.

토지의 원가에 해체, 제거 및 복구원가가 포함된 경우에는 그러한 원가를 관련 경제적효익이 유입되는 기간에 감가상각한다. 경우에 따라서는 토지의 내용연수가 한정될 수 있다. 이 경우에는 관련 경제적효익이 유입되는 형태를 반영하는 방법으로 토지를

감가상각한다(기준서 제1016호 문단 59).

3) 감가상각방법의 결정

특정의 유형자산의 원가가 결정되고 잔존가치 및 내용연수가 추정되면 내용연수 동안에 상각될 총감가상각액이 결정된다. 그러나 총감가상각액을 각 연도에 어떻게 배분할 것인가 하는 원가배분유형의 선택문제가 아직 남아 있다. 유형자산의 원가는 자산의 이용에 따라 경제적효익이 발생하는 여러 기간에 배분될 결합원가(joint cost)이다. 그러나 이러한 결합원가를 논리적으로 정확하게 배분하는 방법은 존재하지 않는다. 따라서 감가상각과정은 수익을 창출하기 위해 소멸된 비용의 정확한 금액을 찾는 것이 아니라, 신중하고 체계적인 방법에 따라 감가상각대상금액을 내용연수 동안에 합리적으로 배분하는 것이라 보아야 한다. 즉, 감가상각방법(depreciation method)이란 유형자산의 감가상각대상금액(즉, 유형자산의 원가와 잔존가치의 차액)을 내용연수에 걸쳐 자산의 경제적효익이 소비되는 형태를 반영한 합리적이고 체계적으로 배분하는 방법을 말한다.

유형자산의 감가상각방법은 적어도 매 회계연도말에 재검토한다. 재검토결과 자산에 내재된 미래경제적효익의 예상되는 소비형태에 유의적인 변동이 있다면, 변동된 소비형태를 반영하기 위하여 감가상각방법을 변경하고 그러한 변경은 기준서 제1008호에 따라 회계추정의 변경으로 회계처리한다(기준서 제1016호 문단 61).

유형자산의 감가상각방법에는 정액법, 체감잔액법(예를 들면, 정률법 등), 생산량비례법 등이 있다. 정액법은 자산의 내용연수 동안 일정액의 감가상각액을 계상하는 방법이며 체감잔액법은 자산의 내용연수 동안 감가상각액이 매 기간 감소하는 방법이다. 생산량비례법은 자산의 예상조업도 혹은 예상생산량에 근거하여 감가상각액을 계상하는 방법이다. 감가상각방법은 해당 자산으로부터 예상되는 미래경제적효익의 소비형태에 따라 선택하고, 예상 소비형태가 변하지 않는 한 매 회계기간에 일관성 있게 적용한다(기준서 제1016호 문단 62).

본서에서는 정액법, 정률법, 생산량비례법에 대해서 간단히 설명하겠다.

① 정액법

정액법이란 자산의 내용연수에 걸쳐 균등하게 감가상각액을 인식함으로써 매 회계연도의 상각액을 균등하게 하는 상각방법이다. 이는 시간의 경과에 따라서 자산의 가치가 일정하게 감소될 때 적합한 방법이다.

정액법에 의한 감가상각범위액의 계산식은 다음과 같다.

$$감가상각액 = (원가 - 잔존가치) \div 내용연수$$

정액법은 계산하기가 간단하고 편리한 반면, 특정 회계기간 동안의 조업도가 그 기간의 감가상각액에 전혀 영향을 미치지 않는다고 가정하므로 논리상 문제점이 있다.

② 정률법

정률법은 가속상각의 한 방법으로서 상각초기연도에 많은 금액을 상각하게 하는 방법이다. 즉, 감가상각 기초가액에 일정률을 곱함으로써 시간이 경과할수록 장부금액은 적어지게 되므로 이에 또다시 일정률을 곱하게 되면 감가상각액은 매년 줄어들게 된다. 정률법에 의한 감가상각범위액의 계산식은 다음과 같다.

$$감가상각액 = (원가 - 감가상각누계액) \times 감가상각률^{*}$$

$$* \ 감가상각률 = 1 - n\sqrt{\frac{잔존가치}{원가}}$$

(n : 회계기간)

이와 같은 정률법은 취득초기에 많은 감가상각액을 계상하고 시간이 경과함에 따라 그 금액이 체감하게 된다. 따라서 정률법은 정액법에 비하여 초기에 많은 비용을 계상할 수 있으므로 조속히 원가화시킬 수 있다는 장점이 있으나, 상각률을 계산하는 것이 실무상 번거로울 수 있다.

③ 생산량비례법

생산량비례법은 유형자산의 감가가 단순히 시간의 경과에 따라 발생하기보다는 생산량에 비례하여 나타난다고 하는 것을 전제로 감가상각액을 계산하는 상각방법이다. 매 회계연도의 감가상각액은 총채굴예정량에 대한 매 회계연도의 실제 채굴량의 비율을 상각비율로 하여 이를 기초가액에 곱하여 계산한다.

생산량비례법에 의한 감가상각범위액의 계산식은 다음과 같다.

$$감가상각액 = (원가 - 잔존가치) \times 당기 \ 중 \ 당해 \ 광구의 \ 채굴량 / 당해 \ 광구의 \ 총채굴예정량$$

이와 같은 생산량비례법은 다음 조건이 모두 성립하는 경우에 적용해야 한다.

㉮ 자산의 총조업도를 합리적으로 추정할 수 있다.

㉯ 조업도, 즉 자산의 이용률이 각 기간마다 현저하게 차이가 난다.

㉰ 자산의 용역잠재력의 감소가 그 자산의 이용률과 밀접하게 관련되어 있다.

이와 같은 상황에서는 생산량비례법에 의해 감가상각액을 계산하는 것이 가장 합리적으로 수익과 비용을 대응시킬 수 있다.

그러나 생산량비례법은 정액법에 비하여 적용하기 어렵다는 단점이 있다. 왜냐하면 내용연수 동안의 총채굴예정량을 추정하는 것이 자산의 내용연수를 추정하는 것보다 더 어렵기 때문이다.

4) 감가상각비의 회계처리

유형자산에 내재된 경제적효익이 비용화되지 않고 다른 자산을 생산하는 데 사용될 수 있다. 이 경우 유형자산의 감가상각액은 해당 자산의 원가의 일부가 된다. 예를 들면, 제조설비의 감가상각액은 재고자산의 가공비로서 제조원가를 구성하고, 연구개발활동에 사용되는 유형자산의 감가상각액은 무형자산의 인식조건을 충족하는 자산이 창출되는 경우 해당 무형자산의 원가에 포함된다.

즉, 각 기간의 감가상각액은 다른 자산의 제조와 관련된 경우에는 관련 자산의 장부금액에 포함하며, 그 밖의 경우에는 당기손익으로 인식한다.

5) 회계기간 중에 유형자산을 구입 또는 처분할 때의 감가상각

일반적으로 유형자산의 구입과 처분은 회계기간의 기초나 기말에 발생하기보다는 기중에 발생한다.

따라서 취득연도나 처분연도의 감가상각액을 정확히 인식하기 위해서는 1년분 감가상각액 중에서 자산이 사용된 기간에 해당하는 부분만 감가상각액으로 인식해야 하는 것으로 취득자산은 취득일부터 감가상각을 해야 하며 처분자산은 처분시까지 감가상각을 해야 정확한 감가상각액을 계산할 수 있다.

11. 공 시

(1) 재무제표 표시

유형자산은 원가(또는 재평가모형을 적용한 경우 재평가일의 공정가치)에서 감가상각누계액과 손상차손누계액을 차감한 금액을 장부금액으로 한다(기준서 제1016호 문단 30, 31). 따라서 재무상태표 본문에서는 순액으로 표시하고 주석에서 구체적인 사항을 공시한다.

(2) 주석사항

유형자산 분류별로 다음의 사항을 공시하여야 한다(기준서 제1016호 문단 73, 74).

① 총장부금액을 결정하는 데 사용한 측정기준

② 감가상각방법, 내용연수 또는 상각률

③ 기초와 기말의 총장부금액, 감가상각누계액(손상차손누계액을 합한 금액)

④ 기초장부금액에 다음의 변동내용을 가감하여 기말장부금액으로 조정한 내용

　　가. 증가

　　나. 기준서 제1105호에 따라 매각예정으로 분류된 자산이나 매각예정으로 분류된 처분자산집단에 포함된 자산과 그 밖의 처분한 자산

　　다. 사업결합을 통한 취득

　　라. 재평가에 의한 증가 또는 감소(기타포괄손익으로 인식되거나 환입된 손상차손으로 인한 증감액 포함)

　　마. 당기손익으로 인식한 손상차손과 손상차손환입

　　바. 감가상각액

　　사. 외화표시 재무제표의 환산으로 인한 순외환차이

　　아. 기타 장부금액의 증감

⑤ 소유권이 제한되거나 담보로 제공된 유형자산의 내용과 금액

⑥ 건설중인자산의 장부금액에 인식된 지출액

⑦ 유형자산을 취득하기 위한 약정액

⑧ 포괄손익계산서에 별도의 계정으로 분리하여 표시하지 않은 경우 손상, 소실 또는 포기된 유형자산에 대해 제3자에게서 수취한 보상금으로서 당기손익으로 인식된 금액

한편, 유형자산의 항목이 재평가된 금액으로 기재된 경우에는 다음 사항을 공시하여야 한다(기준서 제1016호 문단 77). 또한, 공정가치 측정과 관련한 공시사항은 '금융자산의 4. 공정가치'를 참고한다.

① 재평가기준일

② 독립적인 평가인이 평가에 참여했는지 여부

③ 평가된 유형자산의 분류별로 원가모형으로 평가되었을 경우 장부금액

④ 재평가잉여금의 변동과 재평가잉여금에 대한 주주배당제한

당기손익으로 인식되었거나 다른 자산의 원가에 포함된 감가상각액, 기말의 감가상각누계액 및 감가상각방법, 내용연수 및 잔존가치에 대한 추정의 변경이 있는 경우 기준

서 제1008호에 따라 회계추정 변경의 성격과 당해 회계연도에 미치는 영향 및 후속 회계연도에 미치는 영향도 공시한다.

또한 다음의 내용은 재무제표이용자에게 추가로 주석으로 공시할 수 있다(기준서 제1016호 문단 79).

① 일시 운휴 중인 유형자산의 장부금액

② 감가상각이 완료되었으나 아직 사용 중인 유형자산의 총장부금액

③ 사용이 중지되었지만 기준서 제1105호에 따라 매각예정으로 분류되지 않은 유형자산의 장부금액

④ 원가모형을 적용하는 경우, 유형자산의 공정가치가 장부금액과 중요한 차이가 있을 때 그 공정가치

이외에 차입원가 자본화에 대한 공시 및 자산손상에 대한 사항도 해당 기준서의 요구에 따라 공시하여야 한다.

12. 세무회계상 유의할 사항

(1) 세법상 감가상각의 특징

세법상 감가상각제도는 조세부담의 공평, 계산의 편의성 및 국가정책목적 등을 고려하여 규정된 것으로 한국채택국제회계기준과 달리 다음과 같은 특징이 있다.

첫째, 법인이 각 사업연도에 유형자산 및 무형자산에 대한 감가상각을 할 것인가의 여부는 법인의 내부의사결정에 의한다.

둘째, 법인이 감가상각액을 손비로 계상하더라도 동 금액이 모두 용인되는 것은 아니다. 즉, 법인세법에서는 각 사업연도에 손금으로 계상할 수 있는 감가상각액의 최고한도액을 정함으로써 이를 초과하여 계상한 금액은 손금불산입한다. 즉, 자산별로 상각방법, 내용연수, 잔존가액 등에 대한 구체적인 규정을 하고 있다. 따라서 내용연수가 10년으로 규정된 자산의 경우 10년 이내에는 전액 손금 용인하지 않는다는 의미일 뿐, 이를 20년 또는 30년에 걸쳐 상각하더라도 세법상으로는 감가상각의제가 적용되는 예외적인 경우를 제외하고는 아무런 문제가 되지 아니한다. 감가상각의 의제에 대하여는 '(8) 의제상각'에서 설명하기로 한다. 다만 2010년 말 세법개정으로 한국채택국제회계기준을 적용하면서 기존과 다른 감가상각방법 및 내용연수를 적용함에 따라 동 기준을 적용하지 않은 경우와 비교하여 세부담이 커지는 것을 방지하기 위하여, 2010년 12월 30일이 속하는 사업연도 분부터는 한국채택국제회계기준을 적용하는 내국법인이 보유한 감가상각자산 중 유형자산과 내용연수가 비한정인 무형자산등의 경우에는 법인세법 제23조

제2항에 따라 일정한도의 범위 내에서 신고조정에 의하여 손금에 산입할 수 있다. 이에 대해서는 '(11) 한국채택국제회계기준 도입 법인의 감가상각비 손금산입 특례'에서 구체적으로 설명하기로 한다.

셋째, 유형자산 및 무형자산의 감가상각에 필요한 내용연수 등을 세법에서 특별히 정하고 있다.

세법상 감가상각의 계산요소는 한국채택국제회계기준과 마찬가지로 ㉮ 취득가액, ㉯ 잔존가액, ㉰ 내용연수, ㉱ 상각방법이다. 세법에서는 한국채택국제회계기준과 달리 각각의 요소들에 대하여 구체적으로 규정을 함으로써 법인이 각 사업연도에 손금으로 계상할 수 있는 감가상각액 한도액 계산을 정형화하고 있다.

(2) 감가상각액의 손금경리

세법에서는 감가상각비를 손비의 하나로서 규정하고 있으며, 감가상각비는 법인이 손비로 계상한 경우에 한하여 손금으로 인정받을 수 있는 결산조정을 원칙으로 하고 있다. 즉, 법인이 장부상 유형자산 및 무형자산의 장부가액에서 감가상각액을 실질적으로 감액하는 결산조정을 하는 경우 세법에서 정한 한도액 내에서 손금으로 인정되는 것이다. 그러므로 감가상각액을 결산에 반영하여 손비로 계상하지 아니한 경우에는 수정신고 또는 경정청구를 통하여 손금에 산입할 수 없다.

다만, 2010년 12월 30일이 속하는 사업연도 분부터는 한국채택국제회계기준을 적용하는 내국법인이 보유한 유형자산과 법인세법 시행령 제24조 제2항에 따른 내용연수가 비한정인 무형자산 및 한국채택국제회계기준을 최초로 적용하는 사업연도 전에 취득한 영업권의 경우에는 법인세법 제23조 제2항에 따라 일정한도의 범위 내에서 신고조정에 의하여 손금에 산입할 수 있다.

일반적으로 감가상각액을 손금으로 계상하는 방법에는 직접법과 간접법이 있는 바, 그 내용은 다음과 같다.

1) 직접법

유형자산의 장부금액에서 감가상각액을 직접 차감하는 방법이다. 이의 분개는 다음과 같다.

(차) 감 가 상 각 액　　×××　　(대) 유 형 자 산　　×××

2) 간접법

감가상각액을 유형자산에서 직접 차감하지 않고 상대계정으로 감가상각누계액이라는 유형자산에 대한 평가성충당금을 설정하여 감가상각액을 손금에 계상하는 방법이며, 이의 분개는 다음과 같다.

(차) 감 가 상 각 액   ×××   (대) 감 가 상 각 누 계 액   ×××

간접법으로 회계처리하는 경우 법인의 재무상태표는 유형자산의 장부금액과 감가상각누계액을 동시에 보여줌으로써 회계수치로서의 유용성을 제고할 수 있는 것이다.

한편, 한국채택국제회계기준에서는 유형자산에 대하여는 간접법을 적용하도록 규정하고 있으나, 세법에서는 법인이 각 사업연도에 감가상각자산의 감가상각액을 손금으로 계상하는 경우에는 직접법 또는 간접법의 방법 중 선택하여 적용할 수 있도록 하고 있다(법령 25조 1항).

(3) 감가상각의 기초가액

감가상각범위액 계산요소의 하나인 감가상각의 기초가액은 취득가액, 취득시점 이후의 자본적 지출액으로 이루어진다. 이하에서는 이를 순서대로 설명한다.

유형자산의 취득가액은 취득 당시의 유형자산가액과 법인이 유형자산을 취득하여 법인 고유의 목적사업에 직접 사용할 때까지의 제반비용을 포함한다. 즉, 유형자산이 고유기능을 발휘할 수 있는 시점까지 투입된 비용은 자본화하는 것이며, 이에는 건설자금이자도 포함한다.

법인이 유형자산을 취득하는 유형에는 외부로부터의 매입, 자가건설 또는 제작, 현물출자·합병 또는 분할에 의한 취득, 기타의 방법이 있다.

1) 외부로부터의 매입

세법은 한국채택국제회계기준과 마찬가지로 유형자산의 취득원가를 결정하는 경우 역사적 원가주의를 채택하고 있으므로 취득하는 당시에 지급된 현금 또는 현금성자산으로 자산의 가액을 확정한다. 이 때 대가에는 자산의 구입가격과, 구입과 관련하여 발생한 취득세(농어촌특별세와 지방교육세를 포함), 등록면허세, 운임, 보험료, 관세, 하역비, 구입수수료, 공과금, 공정배치를 위한 외부용역비, 설치비, 자산 실사관련 법률자문료 등 기타 각종 부대비용을 포함한다.

이러한 부대비용의 구성을 보면 자산의 구입과 관련된 제비용과 구입 후에 자산의 사용을 위하여 지출하는 제비용으로 구분할 수 있으며, 결국 자산을 실제 목적에 사용 가능하게 할 때까지의 제비용은 모두 취득원가에 포함된다. 또한 건설기간이 있는 경우에는 건설자금에 충당한 금액의 이자도 자본적 지출로서 취득원가에 포함된다.

매입의 경우에 있어서 취득원가를 결정하는 경우에는 상기의 내용 이외에도 대금지급조건, 결제통화, 유형자산의 포괄취득의 경우 원가안분계산, 합병 또는 포괄양수시의 가액결정 등의 여러 가지 변수가 작용하는 바, 이에 대하여 각각 검토해 보면 다음과 같다.

① 대금지급조건에 의한 취득가액

가. 할부 또는 연불구입의 경우

법인이 자산을 구입하는 유형은 계약상 대금지급조건에 따라서 일시불구입, 할부에 의한 구입, 할인에 의한 구입으로 나눌 수 있다. 일시불로 자산을 구입하는 경우에는 앞에서 설명한 바와 같이 지급된 대가로 자산의 취득원가를 결정하면 된다.

그러나 자산을 장기할부에 의하여 구입하는 경우 할부금에는 대금지급완불일까지의 이자가 포함되는 것이 일반적이므로, 이러한 이자상당액을 차입원가로 보아서 발생한 사업연도의 손금으로 할 것인지 아니면 자산취득의 부대비용으로 보아서 동 자산의 취득원가로 할 것인지의 문제가 발생하게 된다. 이에 대해 법인세법에서는 할부금액 전체를 자산의 취득원가로 하되, 회사가 한국채택국제회계기준에 따라 현재가치할인차금을 계상한 경우에는 당해 현재가치할인차금을 취득원가에 포함하지 않도록 하고 있다(법령 72조 4항 1호). 즉, 회사의 회계처리에 따라 자산취득의 부대비용으로 볼 수도 있고 이자비용으로 볼 수도 있는 것이다.

한편, 현재가치할인차금 상각액은 법인세법상 차입원가로 보아 손금처리되나, 수입배당금 익금불산입, 지주회사의 수입배당금 익금불산입, 지급이자 손금불산입, 원천징수 및 지급명세서제출 규정은 적용되지 않도록 하고 있다(법령 72조 6항).

나. 할인의 경우

원칙적으로 계약에 의해서 유형자산의 취득가액을 확정한 후에 계약변경에 의해서 그 가액이 감소되는 경우에는 감소된 후의 금액을 취득가액으로 하게 된다. 그러나 선택가능한 지급조건을 계약서에 명시하고 있을 때, 그 지급조건의 선택 여부에 따라서 취득가액이 달라질 수 있다. 즉, 대금의 지급조건으로는 할부지급을 원칙으로 하고, 특약에 의해서 유형자산가액을 일시에 전액 납입하는 경우 일정률 또는 일정금액의 할인을 받기로 한 경우 유형자산의 대금을 후자의 방법으로 지급하는 때의 취득가액은 할인

후의 금액으로 한다.

다. 약정에 의한 이자의 지급이 수반되는 경우

자산의 매입 또는 건설에 있어서 계약상 명시되어 있는 이자는 자본적 지출로서 원가에 가산한다. 할부조건에 의한 구입의 경우와 같이 약정상의 이자는 자금의 대여나 차입에 대한 이자로 볼 것이 아니라 자산에 대한 대가로 보아야 하기 때문이다. 이자지급 등을 일시불에 의하거나 할부에 의하거나 마찬가지로 적용되며, 잔금에 대해서만 이자의 지급이 약정된 경우에도 자산의 취득원가에 산입되어야 한다. 다만, 장기할부자산의 취득에 있어 기업회계상 현재가치할인차금으로 계상된 부분은 자산의 대가가 아니라 차입원가로 처리되어야 한다.

② 외화로 대금을 지급하는 경우의 취득가액

외화로 유형자산을 구입하는 경우에는 취득 당시의 매매기준율이나 재정된 매매기준율에 의하여 평가한 금액을 취득원가로 계산한다. 또한 외국인투자기업이 외국인이 출자한 외화자산 또는 외화차입금 등을 외화거주자계정에 단순히 예치한 후에 동 예치외화로 유형자산을 취득하는 경우 취득원가는 당해 자산의 외화표시가액을 외화로 지급한 날 현재의 매매기준율이나 재정된 매매기준율에 의하여 계산한다. 그리고 외국인투자기업이 외국인투자촉진법에 의하여 자본재를 도입함에 있어서 자본재의 가격 및 계약조건이 확정된 상태에서 외국인투자가가 출자한 외화로 자본재를 도입하는 경우의 취득가액은 출자등기를 하는 날의 매매기준율이나 재정된 매매기준율에 의하여 계산한다(법기통 23-26…1).

③ 자산의 일괄 구입시 취득가액 산정

법인이 토지와 그 토지에 정착된 건물 및 그 밖의 구축물 등("건물등"이라 함)을 함께 취득하여 토지의 가액과 건물등의 가액의 구분이 불분명한 경우 법인세법 제52조 제2항에 따른 시가에 비례하여 안분계산한다(법령 72조 2항 1호). 여기에서 법인세법 제52조 제2항에 따른 시가란, 해당 거래와 유사한 상황에서 해당 법인이 특수관계인 외의 불특정다수인과 계속적으로 거래한 가격 또는 특수관계인이 아닌 제3자 간에 일반적으로 거래된 가격이 있는 경우에는 그 가격(주권상장법인이 발행한 주식을 법인세법 시행령 제89조 제1항 각 호의 어느 하나에 해당하는 방법으로 거래한 경우 해당 주식의 시가는 그 거래일의 자본시장과 금융투자업에 관한 법률 제8조의 2 제2항에 따른 거래소(이하 "거래소"라 함) 최종시세가액으로 하며, 사실상 경영권의 이전이 수반되는 경우(법칙 42조의 6 1항)에는 상속세 및 증여세법 제63조 제3항을 준용하여 그 가액의 20%를 가산함을 말하되, 이러한 가액이 불분명한 경우에는 다음을 차례로 적용하여 계산한 금액을 말한다(법령 89조 1항 및 2항).

㉠ 감정평가 및 감정평가사에 관한 법률에 따른 감정평가법인 등이 감정한 가액이 있는 경우에는 그 가액(감정가액이 둘 이상인 경우 그 둘의 평균액). 다만, 주식 등 및 가상자산은 제외함.

㉡ 상속세 및 증여세법상의 평가방법을 준용하여 평가한 가액(상속세 및 증여세법 §38 · §39 · §39의 2 · §39의 3, §61부터 §66까지의 규정을 준용하여 평가한 가액). 이 경우 비상장주식을 평가할 때 해당 비상장주식을 발행한 법인이 보유한 주권상장법인 발행 주식은 평가기준일의 거래소 최종시세가액으로 하며, 상속세 및 증여세법 제63조 제2항 제1호 · 제2호 및 같은 법 시행령 제57조 제1항 · 제2항을 준용할 때 "직전 6개월(증여세가 부과되는 주식등의 경우에는 3개월로 한다)"은 각각 "직전 6개월"로 봄.

④ 토지의 분할시 원가배부

법인이 토지를 구입한 후에 동 토지를 분할하는 경우 각 분할토지의 취득원가는 총취득가액에 각 분할토지의 면적의 총취득면적에 대한 비율을 곱하여 계산한다(서이 46012-10886, 2003. 4. 30.). 이를 산식으로 표시하면 다음과 같다.

$$\text{총취득가액} \times \frac{\text{양도면적}}{\text{총취득면적}} = \text{양도토지의 취득가액}$$

2) 자기가 건설 · 제작 등에 의하여 취득한 유형자산의 취득가액

자기가 건설 또는 제작 등에 의하여 취득한 유형자산의 취득가액은 건설 · 제작에 직접 소요된 재료비 · 노무비 · 경비 등의 제조원가와 당해 자산을 사업용에 공하기 전까지 발생한 모든 부대비용의 합계액으로 이루어진다.

제조원가는 유형자산을 건설 · 제작하는 데 소요된 재료비 · 노무비 · 경비의 합계액을 말하며, 법인의 원가계산방식에 의하여 집계된 금액을 말한다. 그러므로 동 제조원가에는 직접재료비 · 직접노무비 · 직접경비 등은 물론 제조간접비도 이에 포함한다. 이 때 제조 · 건설에 직접 관련한 유형자산의 취득원가에 산입될 부대비용은 당해 자산의 완성 후 취득에 직접 소요된 취득세 등의 공과금과 당해 자산을 사업에 직접 사용하게 될 때까지의 비용을 포함한다. 예로써 건설 · 제작 후 이동설치가 필요한 경우의 설치비, 준공시 성능을 시험하기 위한 시운전비(시제품판매가격을 공제한 순액) 또는 유형자산의

제작·건설에 소요되는 차입금에 대한 이자인 건설자금이자 등은 건설원가에 산입되어야 한다.

3) 합병·분할 또는 현물출자에 따라 취득한 자산의 취득가액

합병·분할 또는 현물출자에 따라 취득한 자산의 경우 다음의 구분에 따른 금액을 취득가액으로 한다(법령 72조 2항 3호).

① 적격합병 또는 적격분할의 경우 : 법인세법 시행령 제80조의 4 제1항 또는 제82조의 4 제1항에 따른 장부가액

② 그 밖의 경우 : 해당 자산의 시가

4) 기타의 방법에 의하여 취득한 자산의 취득가액

위에서 언급한 형태 이외의 방법인 교환, 대물변제 등에 의해서 취득한 유형자산의 취득가액은 취득 당시의 시가에 의한다.

① 교환에 의한 취득

교환의 방법으로 취득한 유형자산의 취득가액은 법인이 취득하는 자산의 취득 당시의 시가로 한다. 그러나 자산교환이란 통상 동질 또는 유사한 자산을 뜻하는 것으로서 교환으로 취득하는 자산의 시가를 무엇으로 측정하는 것이 타당한가 하는 문제가 있다. 왜냐하면 유형자산을 외부로부터 매입하거나 법인이 직접 건설 또는 제조하는 경우의 취득가액은 법인에서 유출되는 현금 또는 현금성자산으로써 측정을 하는데, 교환의 경우에는 보유했던 자산의 장부금액, 즉 법인에서 유출되는 가치가 분명히 있음에도 불구하고 이와는 반대로 유입되는 자산의 가치로 측정하도록 하고 있기 때문이다.

② 대물변제에 의한 취득

대물변제라 함은 민법 제466조에 의하면 「채무자가 부담하고 있는 본래의 채무이행에 갈음하여 다른 급부를 함으로써 채권을 소멸시키는 채권자와 변제자 간의 계약」을 말한다. 즉, 대물변제에 의한 자산의 취득이라 함은 외상매출금·받을어음 등의 매출채권을 현금으로 회수할 수 없는 경우에 동 채권액에 갈음하여 토지·건물 등으로서 대물변제받는 것으로, 이 때의 유입자산의 취득가액은 취득 당시의 시가가 된다.

그러나 여기에서 유의해야 할 점은 다음과 같다.

첫째, 대물변제받은 자산의 시가가 채권액을 초과하는 경우에 동 자산의 취득가액을 자산의 시가로 할 것인가 아니면 채권액으로 할 것인가가 쟁점이 될 수 있는데, 국세청의 유권해석에 의하면 채권가액을 자산의 취득가액으로 하도록 하고 있다(서면2팀-2173,

2004. 10. 27.).

둘째, 대물변제받은 자산의 시가가 채권액에 미달하는 경우에는 동 자산의 취득가액은 자산의 시가이므로 양자 간의 차액은 대손의 요건이 충족될 때까지 채권액으로 계상되어 있어야 한다. 그러나 당사자 간의 합의에 의하여 채권액에 미달하는 자산으로 채권액이 청산된 경우에는 채무자의 부도발생 등으로 장래에 회수가 불확실한 채권 등을 조기에 회수하기 위하여 당해 채권의 일부를 불가피하게 포기한 경우로써 동 채권의 일부를 포기하거나 면제한 행위에 객관적으로 정당한 사유가 있다고 인정되는 경우에 한하여 동 채권포기액을 대손금으로 손금에 산입할 수 있다. 만약, 이러한 요건을 충족시키지 못한다면 접대비 또는 기부금으로 처리하거나, 채권의 포기가 법인세법 제52조에 따른 부당행위에 해당하는 경우에는 부당행위계산의 부인규정을 적용하여야 한다(법기통 19의 2-19의 2…5).

③ 무상으로 취득한 경우

무상으로 취득한 자산의 취득가액은 시가에 의한다(법령 72조 2항 7호). 여기에서 '시가' 란 자산이 매매시장에서 거래되는 경우 당해 자산의 수요와 공급에 의하여 일반적으로 형성되는 시세 또는 통상의 거래에 의하여 정상적으로 형성되는 자산의 가액 등으로 해석하고 있다. 그러나 시가가 불분명한 경우에는 법인세법 시행령 제89조 제2항의 규정에 의하여 감정평가 및 감정평가사에 관한 법률에 따른 감정평가법인 등이 감정한 가액(감정한 가액이 2 이상인 경우에는 그 감정한 가액의 평균액)에 의하고(주식 등 및 가상자산은 제외), 감정한 가액이 없는 경우에는 상속세 및 증여세법의 규정에 따라 평가한 가액으로 한다(법인 46012-575, 1999. 2. 11.).

④ 부담금 등의 지출이 있는 경우의 취득

법인이 토지 기타 유형자산을 취득함에 있어 취득과 관련하여 국가 또는 지방자치단체 등에 기부금 또는 부담금을 지출하는 경우 그 지출금액이 취득하는 자산의 대가를 구성하는 것으로 인정되는 때에는 그 자산의 취득가액에 포함된다. 이와 유사한 것으로 산업기지개발사업시행자 지정 및 실시계획 승인조건에 따라 시행자 부담으로 지출한 도로개설비 상당액은 당해 공장부지의 자본적 지출로 본다(법인 46012-1168, 1994. 4. 22.).

⑤ 담보물건 취득시 지급한 임차보증금

법인이 대출금 등의 회수방법으로 담보물건을 취득하는 경우 만일 주택 등에 임차보증금이 있어 이를 상환하고 인도받은 경우에는 동 임차보증금을 당해 자산의 취득원가에 포함한다.

⑥ 공유수면매립에 의한 토지취득

공유수면을 매립하여 토지 조성 후 취득하는 매립토지의 취득원가는 당해 매립토지에 직접 소요된 공사비와 이에 부수되는 비용의 합계액으로 한다(법인 22601-1678, 1987. 6. 25.). 그리고 사업시행자인 지방자치단체와 협약을 체결하여 공유수면을 매립하고 매립준공 후 매립토지 중 공공용지를 제외한 토지를 취득하는 경우에 동 매립에 소요된 매립사업비 일체는 매립으로 인하여 취득하는 토지의 취득원가로 계상하여야 한다(법인 22601-950, 1985. 3. 29.). 또한 공유수면매립을 위한 토사석채취용 임야 등의 취득원가는 유형자산으로 처리하고 채취비용, 운반비 등은 당해 사업의 원가로 처리한다(법인 22601-2939, 1986. 9. 30.).

⑦ 공유의 경우

유형자산을 타인과 공동으로 취득하는 경우 각 법인이 당해 자산을 취득하는 데 소요된 금액을 취득원가로 계상해야 한다.

⑧ 수입영화필름

수입영화필름의 경우 그 사업에 사용한 날이 속하는 사업연도에 손금으로 경리한 경우 이를 손금으로 산입할 수 있다(법령 31조 6항). 그러나 법인이 수입영화필름에 대하여 자산으로 계상하고 감가상각하는 경우 감가상각대상금액은 프린트대금과 상영권대금의 합계액으로 한다(법기통 23-24…8).

5) 자본적 지출과 수익적 지출

법인이 특정 지출을 함에 있어서는 동 지출의 효익기간을 고려하여야 하는 바, 기간적으로 지출한 사업연도에 즉시 수익에 대응한 비용으로 계상할 것인가, 아니면 미래의 효익기간에 걸쳐서 점차적으로 비용으로 계상할 것인가 하는 판단은 법인의 기간손익계산을 하는 데 매우 중요한 요소이다.

유형자산 취득 또는 유지와 관련하여 지출된 비용을 자본화하여 감가상각액으로서 미래효익기간에 배분할 것인가 아니면 동 지출을 발생한 당해 사업연도에 즉시 비용화할 것인가에 대한 구분기준은 특정지출의 성격 및 규모를 기준으로 구분할 수 있다. 특정지출의 성격이 법인이 소유하는 유형자산의 원상을 회복하거나 능률유지를 위하여 지출한 수선비는 수익적 지출로 하고 당해 유형자산의 내용연수를 연장시키거나 당해 유형자산의 가치를 현실적으로 증가시키는 수선비는 이를 자본적 지출로 본다.

이 때 개별자산별로 자본적 지출액이 600만원 미만이거나 직전연도 장부금액의 5%에 미달하는 경우 및 3년 미만의 기간마다 주기적인 수선을 위하여 지출하는 비용은 수익적 지출로 할 수 있다(법령 31조 3항).

① 자본적 지출의 예시

자본적 지출의 예를 들면 다음과 같다(법령 31조 2항 및 법기통 23-31…1).
- 본래의 용도를 변경하기 위한 개조
- 엘리베이터 또는 냉·온방 장치의 설치
- 빌딩 등에 있어서 피난시설 등의 설치
- 재해 등으로 인하여 건물·기계·설비 등이 멸실 또는 훼손되어 당해 자산의 본래 의 용도에 이용가치가 없는 것의 복구
- 그 밖에 개량, 확장, 증설 등
- 건축물이 있는 토지를 취득하여 토지만을 사용할 목적으로 그 건축물을 철거하거나, 자기소유의 토지상에 있는 임차인의 건축물을 취득하여 철거한 경우 건축물의 취득가액과 철거비용은 당해 토지에 대한 자본적 지출로 한다.
- 토지구획정리사업의 결과 무상 분할양도하게 된 체비지를 대신하여 지급하는 금액 은 토지에 대한 자본적 지출로 한다.
- 도시계획에 의한 도로공사로 인하여 공사비로 지출된 수익자부담금은 토지에 대한 자본적 지출로 한다.
- 공장 등의 시설을 신축 또는 증축함에 있어서 배수시설을 하게 됨으로써 공공하수 도의 개축이 불가피하게 되어 그 공사비를 부담한 경우 그 공사비는 배수시설에 대 한 자본적 지출로 한다.
- 설치 중인 기계장치의 시운전을 위하여 지출된 비용에서 시운전기간 중 생산된 시 제품을 처분하여 회수된 금액을 공제한 잔액은 기계장치의 자본적 지출로 한다.
- 수입기계장치를 설치하기 위하여 지출한 외국인기술자에 대한 식비 등 체재비는 기계장치에 대한 자본적 지출로 한다.
- 장기할부조건으로 자산을 취득함에 있어서 이자상당액을 가산하여 매입가액을 확 정하고 그 지불을 연불방법으로 한 경우의 이자상당액은 당해 자산에 대한 자본적 지출로 한다. 이 경우 당초 계약시 이자상당액을 당해 자산의 가액과 구분하여 지 급하기로 한 때에도 또한 같다. 다만, 장기할부조건 등으로 취득하는 경우 발생한 채무를 기업회계기준이 정하는 바에 따라 현재가치로 평가하여 현재가치할인차금 으로 계상한 경우의 당해 현재가치할인차금과 매입가액 확정 후 연불대금 지급시 에 이자상당액을 변동이자율로 재계산함에 따라 증가된 이자상당액은 그러하지 아 니한다.
- 부가가치세 면세사업자의 유형자산 취득에 따른 매입세액은 당해 자산에 대한 자

본적 지출로 한다.
- 사역용, 종축용, 착유용, 농업용 등에 사용하기 위하여 소, 말, 돼지, 면양 등을 사육하는 경우 그 목적에 사용될 때까지 사육을 위하여 지출한 사료비, 인건비, 경비 등은 이를 자본적 지출로 한다.
- 목장용 토지(초지)의 조성비 중 최초의 조성비는 토지에 대한 자본적 지출로 한다.
- 토지ㆍ건물만을 사용할 목적으로 첨가취득한 기계장치 등을 처분함에 따라 발생한 손실은 토지ㆍ건물의 취득가액에 의하여 안분계산한 금액을 각각 당해 자산에 대한 자본적 지출로 한다.
- 부동산매매업자(주택신축판매업자 포함)가 토지개발 또는 주택신축 등 당해 사업의 수행과 관련하여 그 토지의 일부를 도로용 등으로 국가 등에 무상으로 기증한 경우 그 토지가액은 잔존토지에 대한 자본적 지출로 한다.
- 기계장치를 설치함에 있어서 동 기계장치의 무게에 의한 지반침하와 진동을 방지하기 위하여 당해 기계장치 설치장소에만 특별히 실시한 기초공사로서 동 기계장치에 직접적으로 연결된 기초공사에 소요된 금액은 이를 동 기계장치에 대한 자본적 지출로 한다.

한편, 세법상 자본적 지출에 해당하는 증설의 범위에서는 건축법에서 규정하고 있는 신축, 개축, 재축의 경우는 제외되고 있는 바, 이 경우에는 기존 자산의 자본적 지출로 볼 것이 아니라 신규취득자산으로 보아 새로운 내용연수를 적용하여 감가상각을 하여야 한다(법기통 23-26…7).

② 수익적 지출의 예시

수익적 지출의 예를 들면 다음과 같다(법칙 17조 및 법기통 23-31…2).
- 건물 또는 벽의 도장
- 파손된 유리나 기와의 대체
- 기계의 소모된 부속품의 대체와 벨트의 대체
- 자동차의 타이어 대체
- 재해를 입은 자산에 대한 외장의 복구, 도장, 유리의 삽입
- 기타 조업가능한 상태의 유지 등 전 각호와 유사한 성질의 것
- 제조업을 영위하던 자가 새로운 공장을 취득하여 전에 사용하던 기계시설ㆍ집기비품ㆍ재고자산 등을 이전하기 위하여 지출한 운반비와 기계의 해체ㆍ조립 및 상하차에 소요되는 인건비
- 임대차계약을 해지한 경우 임차자산에 대하여 지출한 자본적 지출 해당액의 미상

각 잔액

- 분쇄기에 투입되는 쇠구슬(steel ball)비
- 유리제조업체의 병형(틀)비
- 토지만을 사용할 목적으로 건축물이 있는 토지를 취득하여 그 건축물을 철거하거나 자기소유의 토지상에 있는 임차인의 건축물을 취득하여 철거한 경우 이외의 사유로서 기존 건축물을 철거하는 경우 기존 건축물의 장부금액과 철거비용

(4) 내용연수와 상각률

세법에서는 법인이 감가상각시 적용하여야 할 내용연수를 구조 또는 자산별·업종별로 기획재정부령으로 정하고 있다. 이는 법인의 자의적인 내용연수 적용에 의한 감가상각범위액 계산의 왜곡여지를 제거함으로써 과세의 편리성과 통일성을 기하기 위한 것이다.

또한 세법에서는 내용연수뿐만 아니라 상각률까지도 기획재정부령으로 정하도록 하고 있는데, 이는 내용연수가 가지는 의미를 해석함에 있어 매우 중요하다. 기업회계에서 내용연수라고 하면 유형자산 및 무형자산의 사용기간을 말하는 것으로 그 사용기간에 걸쳐서 감가상각을 해야 하는 것을 의미하나, 세법에서의 내용연수는 유형자산 및 무형자산을 사업에 공한 후 내용연수 내에 반드시 감가상각을 해야 한다는 것은 아니며 유형자산 및 무형자산의 상각범위액을 계산하는 데 필요한 상각률만을 산정하는 데 그 실제적인 의미가 있다. 즉, 세법상 법인의 각 사업연도 소득금액 계산에 있어서 손금으로 계상할 수 있는 감가상각액은 유형자산 및 무형자산의 취득가액 또는 장부금액에 동 자산의 내용연수에 의하여 계산된 상각률을 곱하여 계산한다는 것이다.

1) 내용연수의 적용

① 일반유형자산(시험연구용자산 및 무형자산 제외)

시험연구용자산 및 무형자산이 아닌 일반 사업용 유형자산에 적용할 내용연수 및 상각률은 구조 또는 자산별·업종별로 기획재정부령으로 정하는 기준내용연수에 그 기준내용연수의 25%를 가감한 내용연수범위 안에서 각 법인이 선택하여 신고한 내용연수와 그에 따른 상각률을 적용한다. 이 때 법인이 내용연수를 신고하는 경우는 반드시 연단위로 하여야 한다. 만약 법인이 일정한 신고기한 내에 신고하지 아니한 경우에는 기준내용연수와 그에 따른 상각률을 적용한다(법령 28조 1항 2호).

한편, 내용연수 및 상각률의 적용에 있어 한번 적용한 내용연수는 내용연수의 변경사유에 해당되어 적법하게 내용연수를 변경하지 않는 한, 그 후의 사업연도에 있어서 계속 적용하여야 한다(법령 28조 4항).

② 시험연구용자산 및 무형자산

가. 시험연구용자산

기획재정부령이 정하는 시험연구용자산의 경우 기술개발 및 직업훈련에 대한 세제지원을 강화하기 위하여 일반 사업용 유형자산과 달리 그 상각내용연수를 단축하였다. 이때 적용할 내용연수 및 상각률은 일반 사업용 유형자산과는 달리 기준내용연수의 25%를 가감하여 내용연수를 신고할 수 없으며, 기준내용연수와 그에 따른 상각률을 적용하여야 한다. 그러나 법인은 시험연구용자산에 대해 시험연구용자산의 내용연수를 적용하지 아니하고 일반 사업용 유형자산과 같이 건축물 등의 기준내용연수 및 업종별 자산의 기준내용연수를 적용할 수 있다. 즉, 법인은 시험연구용자산을 별도로 구분하여 상각하든지 아니면 일반 사업용 유형자산으로 보아 상각하든지 선택 적용할 수 있는 것이다(법령 28조 1항 1호 및 법칙 별표 2).

다만, 시험연구용자산 중 조세특례제한법 시행령 제25조의 3 제3항 제2호에 따른 연구·시험용 시설 및 직업훈련용 시설에 대한 투자에 대해 조세특례제한법 제24조에 따른 세액공제를 이미 받은 자산에 대하여는 시험연구용자산으로 하여 감가상각할 수 없다.

나. 무형자산

법인세법 시행령 제24조 제1항 제2호 가목 내지 라목의 규정에 의한 무형자산의 경우 유형자산과는 달리 별도로 규정된 기준내용연수를 적용하여 상각하여야 한다. 이 때 적용할 내용연수 및 상각률은 반드시 정한 기준내용연수에 의해야 하며, 법인의 선택에 따라 기준내용연수에 25%를 가감하여 신고한 내용연수 및 상각률을 적용할 수는 없다(법령 28조 1항 1호 및 법칙 별표 3).

또한 법인세법 시행령 제24조 제1항 제2호 바목 내지 아목의 규정에 의한 무형자산 중 개발비는 관련 제품의 판매 또는 사용이 가능한 시점부터 20년의 범위에서 연단위로 신고한 내용연수에 따라 매 사업연도 경과월수에 비례하여 상각하여야 하며, 사용수익기부자산가액은 해당 자산의 사용수익기간(그 기간에 관한 특약이 없는 경우 신고내용연수)을 내용연수로 하고, 주파수이용권, 공항시설관리권 및 항만시설관리권은 주무관청에서 고시하거나 주무관청에 등록한 기간 내에서 사용기간을 내용연수로 하여야 한다(법령 26조 1항 6호 내지 8호).

2) 사업연도가 1년 미만인 경우의 내용연수 적용

사업연도가 1년 미만이면 다음의 계산식에 따라 계산된 내용연수 및 상각률을 적용하는데 이 때 사업연도라 함은 정관에 규정된 사업연도를 말하므로 의제사업연도가 1년 미만인 경우는 적용되지 않는다. 따라서 의제사업연도에 해당되어 실제 사업월수가 1년 미만인 경우는 정상 사업연도 상각액을 월할 계산하여야 할 것이다(법령 28조 2항).

$$
(내용연수 \cdot 신고내용연수 \; 또는 \; 기준내용연수) \times \frac{12}{사업연도의 \; 월수}
$$

3) 내용연수의 특례 및 변경

법인은 다음의 어느 하나에 해당하는 경우에는 기준내용연수에 기준내용연수의 50% (다음 '⑤' 및 '⑥' 해당하는 경우에는 25%)를 가감하는 범위에서 사업장별로 납세지 관할지방국세청장의 승인을 받아 내용연수범위와 달리 내용연수를 적용하거나 적용하던 내용연수를 변경할 수 있다(법령 29조 1항).

① 사업장의 특성으로 자산의 부식·마모 및 훼손의 정도가 현저한 경우

② 영업개시 후 3년이 경과한 법인으로서 당해 사업연도의 생산설비(건축물을 제외하며, 이하 "생산설비"라 함)의 일정한 가동률이 직전 3개 사업연도의 평균가동률보다 현저히 증가한 경우

③ 새로운 생산기술 및 신제품의 개발·보급 등으로 기존 생산설비의 가속상각이 필요한 경우

④ 경제적 여건의 변동으로 조업을 중단하거나 생산설비의 가동률이 감소한 경우

⑤ 일반유형자산(시험연구용자산 및 무형자산 제외)에 대하여 한국채택국제회계기준을 최초로 적용하는 사업연도에 결산내용연수를 변경한 경우(결산내용연수가 연장된 경우 내용연수를 연장하고 결산내용연수가 단축된 경우 내용연수를 단축하는 경우만 해당하되 내용연수를 단축하는 경우에는 결산내용연수보다 짧은 내용연수로 변경할 수 없음)

⑥ 일반유형자산(시험연구용자산 및 무형자산 제외)에 대한 기준내용연수가 변경된 경우. 다만, 내용연수를 단축하는 경우로서 결산내용연수가 변경된 기준내용연수의 25%를 가감한 범위 내에 포함되는 경우에는 결산내용연수보다 짧은 내용연수로 변경할 수 없음.

한편, 내용연수의 변경 사유에 해당하여 내용연수를 변경한 법인은 변경 내용연수를 최초로 적용한 사업연도의 종료일부터 3년 이내에는 내용연수를 다시 변경할 수 없다 (법령 29조 5항).

4) 중고자산의 내용연수 수정

다른 법인 또는 사업자로부터 취득(합병·분할에 의하여 자산을 승계하는 경우를 포함함)한 기준내용연수의 50%를 경과한 중고자산은 법인이 신고한 내용연수 또는 기준 내용연수 및 그에 따른 상각률을 적용하는 경우에는 경제적 실질에 맞지 않고 자산의 원가배분이 적절히 이루어지지 못하게 된다. 따라서, 이러한 중고자산에 대해서는 감가 상각시 적용할 내용연수를 기준내용연수의 50%에 상당하는 연수와 기준내용연수 범위 내에서 선택할 수 있도록 하고 있다(법령 29조의 2 1항).

5) 내용연수별 상각률

법인세법 시행규칙에서 규정하고 있는 감가상각자산의 상각률표는 정액법 및 정률법 으로 구분하여 내용연수별로 계산한 상각률로서 법인이 감가상각자산에 대한 내용연수 만 확정하면 동 상각률표에 의하여 상각률을 찾아 적용할 수 있도록 하고 있다. 동 상 각률표상의 상각률은 사업연도가 1년일 경우에 적용하는 바, 사업연도가 당해 법인의 정관상 6개월의 경우 "당해 자산의 내용연수×12/6"를 한 연수의 상각률을 적용하고 신 설이나 해산으로 사업연도가 1년 미만이거나, 또는 법인이 사업연도를 변경함으로써 변 경연도에 속하는 사업연도가 1년 미만이 되는 경우에는 "당해 자산의 법정내용연수에 의한 상각률×당해 사업연도 월수/12"를 적용한다. 중간예납세액을 계산할 때에도 "내용 연수에 해당하는 상각률×사업연도의 월수/12"를 적용하고 있다(법령 26조 8항).

(5) 잔존가액

잔존가액이란 자산이 폐기처분될 때 합리적으로 판단하여 수취할 수 있을 것이라고 기대되는 금액을 말한다. 세법에서는 감가상각계산의 자의성을 방지하고 한편으로는 투 자자본을 조기회수할 수 있도록 하여 기업의 경쟁력을 높여주고자 감가상각자산의 잔 존가액을 "영"으로 하였다.

다만, 정률법의 경우에는 잔존가액이 "영"이면 상각률을 구할 수 없게 되므로 잔존가 액을 취득가액의 5%로 하여 상각률을 계산하고, 그 금액은 미상각잔액이 최초로 취득 가액의 5% 이하가 되는 사업연도의 상각범위액에 가산하도록 하고 있다(법령 26조 6항).

또한 매각처분시까지 동 자산을 관리할 목적으로 감가상각이 종료되는 감가상각자산 에 대하여는 취득가액의 5%와 1,000원 중 적은 금액을 장부금액으로 남겨두었다가 매 각처분하는 사업연도에 손금산입하도록 하고 있다(법령 26조 7항).

(6) 감가상각방법과 상각범위액의 계산

감가상각자산에 대한 감가상각 대상가액과 내용연수가 확정되고 나면 각 사업연도에 동 감가상각자산이 얼마나 소모되었는가를 측정해야 한다. 물론 감가상각자산의 성격상 물리적인 원인에 의해서 사용함으로써 그 가치가 감소하는 것은 사업연도 초의 가액과 사업연도 말의 측정가액과의 차이를 감가상각하면 될 것이나, 감가의 원인이 이러한 물리적 원인 이외에 경제적 진부화 등에도 기인할 수 있으므로 실질적인 감가를 측정하는 것은 매우 어려우며 각 기업마다 자의성의 개입여지가 있기 때문에 법에서는 일정한 상각방법을 각 자산별로 적용하여 감가상각범위액을 계산하도록 규정하고 있다(법령 26조 1항).

이 때 법인의 감가상각자산에 대한 상각액은 다음 구분에 의한 상각방법 중 법인이 관할 세무서장에게 신고한 상각방법에 의하여 계산한다.

㉠ 건축물과 무형자산(광업권, 개발비, 사용수익기부자산가액, 주파수이용권, 공항시설관리권 및 항만시설관리권 제외) : 정액법

㉡ 건축물 외의 유형자산(광업용 유형자산 제외) : 정률법 또는 정액법

㉢ 광업권(해저광물자원개발법에 의한 채취권 포함) 또는 폐기물매립시설(폐기물관리법 시행령 별표 3 제2호 가목의 매립시설을 말함) : 생산량비례법 또는 정액법

㉣ 광업용 유형자산 : 생산량비례법·정률법 또는 정액법

㉤ 개발비 : 관련 제품의 판매 또는 사용이 가능한 시점부터 20년의 범위에서 연단위로 신고한 내용연수에 따라 매 사업연도별 경과월수에 비례하여 상각하는 방법

㉥ 사용수익기부자산가액 : 해당 자산의 사용수익기간(그 기간에 관한 특약이 없는 경우 신고내용연수)에 따라 균등하게 안분한 금액(그 기간 중에 해당 기부자산이 멸실되거나 계약이 해지된 경우 그 잔액)을 상각하는 방법

㉦ 전파법 제14조에 따른 주파수이용권, 공항시설법 제26조에 따른 공항시설관리권 및 항만법 제24조에 따른 항만시설관리권 : 주무관청에서 고시하거나 주무관청에 등록한 기간 내에서 사용기간에 따라 균등액을 상각하는 방법

법인이 감가상각자산의 상각액을 계산함에 있어서는 위에서 규정된 상각방법 중 하나의 상각방법만을 적용하여야 하며, 그 후의 사업연도에 있어서도 계속하여 그 상각방법을 적용하여야 한다(법령 26조 3항).

1) 상각방법의 신고

법인이 신고기한 내에 상각방법을 신고하지 아니한 경우에는 건축물 및 무형자산에 대하여는 정액법, 건축물을 제외한 유형자산에 대하여는 정률법, 광업권·폐기물 매립

시설 및 광업용 유형자산에 대하여는 생산량비례법, 개발비·사용수익기부자산가액·주
파수이용권·공항시설관리권·항만시설관리권에 대하여는 다음의 상각방법에 의하여 계
산한다(법령 26조 4항).

- 개발비 : 관련 제품의 판매 또는 사용이 가능한 시점부터 5년 동안 매년 균등액을
  상각하는 방법
- 사용수익기부자산가액 : 해당 자산의 사용수익기간(그 기간에 관한 특약이 없는 경
  우 신고내용연수)에 따라 균등하게 안분한 금액(그 기간 중에 해당 기부자산이 멸
  실되거나 계약이 해지된 경우 그 잔액)을 상각하는 방법
- 주파수이용권, 공항시설관리권 및 항만시설관리권 : 주무관청에서 고시하거나 주무
  관청에 등록한 기간 내에서 사용기간에 따라 균등액을 상각하는 방법

따라서 법인이 영업개시일이 속하는 사업연도의 법인세 과세표준 신고기한 내에 적
용할 감가상각방법을 신고하지 않으면 추후 사업연도에는 당초부터 신고대상법인에서
제외되므로 신고의 효력이 발생하지 않음은 물론이고, 상기에서 설명한 상각방법에 의
해서 감가상각을 해야 한다. 추후 다른 상각방법을 적용하려면 감가상각 변경요건의 충
족과 더불어 관할 세무서장의 변경승인을 득해야 한다.

2) 감가상각방법의 변경

① 감가상각방법의 변경요건

세법에서는 다음에서 규정한 요건에 한정하여 납세지 관할 세무서장의 승인을 얻어
감가상각방법을 변경할 수 있다(법령 27조 1항 및 법칙 14조).

- 상각방법이 서로 다른 법인이 합병(분할합병 포함)한 경우
- 상각방법이 서로 다른 사업자의 사업을 인수 또는 승계한 경우
- 외국인투자촉진법에 의하여 외국투자자가 내국법인의 주식 등을 20% 이상 인수
  또는 보유하는 경우
- 해외시장의 경기변동 또는 경제적 여건의 변동으로 인하여 종전의 상각방법을 변
  경할 필요가 있는 경우
- 한국채택국제회계기준을 최초로 적용한 사업연도에 결산상각방법을 변경하는 경우
  (변경한 결산상각방법과 같은 방법으로 변경하는 경우만 해당)
- 한국채택국제회계기준을 최초로 적용한 사업연도에 지배기업의 연결재무제표 작성
  대상에 포함되는 종속기업이 지배기업과 회계정책을 일치시키기 위하여 결산상각
  방법을 지배기업과 동일하게 변경하는 경우(변경한 결산상각방법과 같은 방법으로
  변경하는 경우만 해당)

만약 상각방법이 서로 다른 법인이 합병을 하거나 법인이 감가상각 계산방법이 다른 개인기업을 포괄적으로 승계받고 상각방법의 승인을 받지 않은 경우에는 승계받은 고정자산에 대하여는 합병법인이나 포괄승계받은 법인의 감가상각방법을 그대로 적용한다(법기통 23-26…3).

② 상각방법의 변경신청

법인이 감가상각방법을 변경하고자 할 때에는 변경하고자 하는 최초 사업연도의 종료일까지 관할 세무서장에게 감가상각방법변경신청서를 제출(국세정보통신망에 의한 제출 포함)하여 승인을 받아야 한다(법령 27조 2항).

3) 신규취득자산등의 상각범위액의 계산

① 사업연도가 1년인 법인의 상각액

사업연도 중에 새로이 취득한 자산의 상각범위액은 사업에 사용한 날부터 당해 사업연도 종료일까지의 월수에 따라 계산한다. 이 경우 월수는 역에 따라 계산하되 1월 미만의 일수는 1월로 한다(법령 26조 9항).

이를 산식으로 표시하면 다음과 같다.

$$\text{상각범위액} = \text{취득사업연도 전체의 상각범위액} \times \frac{\text{당해 사업연도 사용월수}}{12}$$

② 의제사업연도가 1년 미만인 법인의 상각액

사업연도의 변경으로 사업연도가 1년 미만인 경우와 해산, 합병 또는 분할, 청산, 외국법인이 사업연도 기간 중 사업장을 국내에 가지지 아니한 경우 등으로 인하여 사업연도가 1년 미만인 법인의 감가상각범위액은 아래의 산식에 의하여 계산된 금액으로 한다(법령 26조 8항).

$$\text{의제사업연도가 1년 미만인 법인의 상각액} = \text{1년의 상각범위액} \times \frac{\text{당해 사업연도 월수}}{12}$$

이 경우 월수는 역에 따라 계산하되 1월 미만인 월은 1월로 한다.

4) 리스회사의 운용리스자산에 대한 상각범위액의 계산

리스회사가 대여하는 리스자산 중 운용리스자산의 상각범위액은 리스회사의 자체 내용연수(법칙 별표 5의 자산별 및 별표 6의 "기계장비 및 소비용품 임대업"의 기준내용연수 및 내용연수범위)를 적용하여 계산한다. 참고로, 금융리스자산인 경우에는 리스이용자의 감각상각자산으로 본다(법령 24조 5항).

5) 직전 사업연도의 법인세가 추계결정·경정된 경우의 상각범위액의 계산

직전 사업연도의 법인세가 추계결정 또는 추계경정된 경우에도 그 법인의 감가상각자산에 대한 감가상각액의 계산은 신규취득자산을 제외하고는 직전 사업연도 종료일 현재의 감가상각자산의 장부가액을 기초로 한다. 이때 '장부가액'이란 취득가액, 자본적 지출 및 법인세법 제42조 제1항 각 호의 규정에 의한 자산의 평가차익의 합계액에서 감가상각누계액을 차감한 금액을 말한다(법기통 23-26…2, 23-26…6).

한편, 2018년 2월 13일이 속하는 사업연도 분부터 법인세가 추계결정 또는 경정된 경우에는 감가상각자산에 대한 감가상각비를 손금에 산입한 것으로 의제한다(법령 30조 2항).

6) 적격합병 등에 따라 취득한 자산의 상각범위액의 계산

적격합병 등(적격합병, 적격분할, 적격물적분할 또는 적격현물출자)에 의하여 취득한 자산의 상각범위액을 정할 때 취득가액은 적격합병 등에 의하여 자산을 양도한 법인(이하 "양도법인"이라 함)의 취득가액으로 하고, 미상각잔액은 양도법인의 양도 당시의 장부가액에서 적격합병 등에 의하여 자산을 양수한 법인(이하 "양수법인"이라 함)이 이미 감가상각비로 손금에 산입한 금액을 공제한 잔액으로 하며, 해당 자산의 상각범위액은 다음의 어느 하나에 해당하는 방법으로 정할 수 있다. 이 경우 선택한 방법은 그 후 사업연도에도 계속 적용한다(법령 29조의 2 2항).

① 양도법인의 상각범위액을 승계하는 방법 : 상각범위액은 법인세법 및 동법 시행령에 따라 양도법인이 적용하던 상각방법 및 내용연수에 의하여 계산한 금액으로 함.

② 양수법인의 상각범위액을 적용하는 방법 : 상각범위액은 법인세법 및 동법 시행령에 따라 양수법인이 적용하던 상각방법 및 내용연수에 의하여 계산한 금액으로 함.

한편, 적격물적분할 또는 적격현물출자함에 따라 상기 규정을 적용하여 감가상각하는 경우로서 상각범위액이 해당 자산의 장부가액을 초과하는 경우에는 그 초과하는 금액을 손금에 산입할 수 있다. 이 경우 그 자산을 처분하면 해당 손금에 산입한 금액의 합계액을 그 자산을 처분한 날이 속하는 사업연도에 익금에 산입한다(법령 29조의 2 3항).

7) 감가상각액 손금산입 특례

① 내국법인이 2003. 7. 1.~2004. 6. 30. 투자를 개시하거나 취득한 유형자산의 경우

법인이 2003. 7. 1.~2004. 6. 30. 기간 중에 투자를 개시하거나 취득한 유형고정자산에 대해서는 기준내용연수의 50%를 가감한 범위 내에서 신고한 내용연수에 의한 상각률을 적용하여 상각범위액을 계산할 수 있다. 또한 일반적인 고정자산에 대한 감가상각액은 각 사업연도에 손금으로 계상한 경우에만 손금으로 인정되나, 본 특례규정을 적용받는 경우에는 신고조정으로도 손금산입이 가능하다(구조특법 30조).

한편, 감가상각액 손금산입 특례신청을 하지 않은 법인이 특례요건에 해당하는 경우에는 국세기본법 제45조의 2 규정에 의한 경정청구에 의해 동 감가상각액 손금산입 특례를 적용받을 수 있다(재법인-228, 2007. 3. 30.).

② 중소기업이 2013. 9. 1.~2014. 3. 31. 및 2014. 10. 1.~2016. 6. 30. 기간 동안 취득한 설비투자자산의 경우

중소기업이 다음의 어느 하나에 해당하는 설비투자자산을 2013. 9. 1.~2014. 3. 31. 및 2014. 10. 1.~2016. 6. 30.까지 취득한 경우에는 자산별·업종별로 법인세법 시행규칙 별표 5 및 별표 6의 기준내용연수에 그 기준내용연수의 50%를 더하거나 뺀 내용연수 범위(1년 미만은 없는 것으로 함) 안에서 선택하여 신고할 수 있다. 다만, 중소기업이 해당 사업연도에 취득한 설비투자자산에 대한 취득가액의 합계액이 직전 사업연도의 합계액보다 적은 경우에는 그러하지 아니하다(구 법령 28조 6항 및 법령 부칙(2014. 9. 26.) 3조 2항).

   ㉠ 차량 및 운반구(운수업에 사용되거나 임대목적으로 임대업에 사용되는 경우로 한정)

   ㉡ 선박 및 항공기(어업 및 운수업에 사용되거나 임대목적으로 임대업에 사용되는 경우로 한정)

   ㉢ 공구, 기구 및 비품

   ㉣ 기계 및 장치

③ 서비스기업이 2015. 1. 1.~2015. 12. 31. 기간 동안 취득한 설비투자자산의 경우

조세특례제한법 시행령 제23조 제4항에 따른 서비스업을 영위하는 내국법인이 2년 연속 설비투자자산 투자액이 증가한 경우로서 2015. 1. 1.~2015. 12. 31.까지 중소기업 가속상각 특례대상 설비투자자산(상기 '②'의 ㉠~㉣)을 취득한 경우에는 법인세법 시행규칙 별표 5 및 별표 6의 기준내용연수에 그 기준내용연수의 40%를 더하거나 뺀 내용연수(1년 미만은 없는 것으로 함) 안에서 선택하여 신고할 수 있으며, 이 경우 결산을 확정할 때 손금으로 계상하였는지와 관계없이 신고한 내용연수를 적용하여 계산한 상

각범위액 내의 감가상각비를 해당 사업연도의 손금에 산입할 수 있다(조특법 28조 및 조특령 25조).

한편, 본 특례를 적용받는 설비투자자산에 대해서는 법인세법 제23조 제2항에 따른 한국채택국제회계기준 적용법인의 감가상각비 신고조정 특례규정을 적용하지 아니하며, 해당 설비투자자산을 적격합병 또는 적격분할로 취득한 경우에는 해당 합병법인, 분할 신설법인 또는 분할합병의 상대방 법인이 서비스업을 영위하여 해당 사업에 사용하는 경우로 한정하여 법인세법 시행령 제29조의 2 제2항 제1호의 규정에 따라 양도법인의 상각범위액을 승계하는 방법을 적용한다(조특령 25조 6항).

④ 중소기업 또는 중견기업이 2016. 7. 1.(중견기업의 경우 2016. 1. 1.)~2017. 6. 30. 기간 동안 취득한 설비투자자산의 경우

중소기업 또는 중견기업이 사업에 사용하기 위하여 상기 ②의 ㉠~㉣ 중 어느 하나에 해당하는 설비투자자산을 2016. 7. 1.(중견기업의 경우 2016. 1. 1.)~2017. 6. 30.까지 취득한 경우에는 법인세법 시행규칙 별표 5 및 별표 6의 기준내용연수에 그 기준내용연수의 50%를 가감한 범위(1년 미만은 없는 것으로 함) 안에서 선택하여 신고할 수 있으며 (사업연도가 1년 미만인 법인의 경우 법인세법 시행령 제28조 제2항을 준용하여 계산함), 이 경우 해당 설비투자자산에 대한 감가상각비는 각 사업연도의 결산을 확정할 때 손금으로 계상하였는지와 관계없이 신고한 내용연수를 적용하여 계산한 금액을 해당 사업연도에 손금으로 산입할 수 있다. 다만, 중소기업 또는 중견기업이 해당 사업연도에 취득한 설비투자자산에 대한 취득가액의 합계액이 직전 사업연도에 취득한 설비투자자산에 대한 취득가액의 합계액보다 적은 경우에는 그러하지 아니한다(조특법 28조의 2 1항, 2항 및 조특령 25조의 2 1항 내지 4항).

중소기업 또는 중견기업이 설비투자자산에 대하여 자산별·업종별로 적용한 신고내용연수는 이후의 사업연도에 계속하여 적용하여야 하고, 법인세법 시행령 제27조에 따라 상각방법을 변경한 경우에는 그 변경된 상각방법을 적용하여 설비투자자산의 상각범위액을 계산하며, 이 경우 상각범위액의 계산방법은 법인세법 시행령 제27조 제5항 및 제6항의 규정을 준용한다(조특령 25조의 2 5항, 7항).

한편, 본 특례를 적용받는 설비투자자산에 대해서는 법인세법 제23조 제2항에 따른 한국채택국제회계기준 적용법인의 감가상각비 신고조정 특례규정을 적용하지 아니하며, 해당 설비투자자산을 적격합병 또는 적격분할로 취득한 경우에는 법인세법 시행령 제29조의 2 제2항 제1호의 규정에 따라 양도법인의 상각범위액을 승계하는 방법을 적용한다(조특령 25조의 2 6항).

⑤ 2018. 7. 1.~2020. 6. 30. 및 2021. 1. 1.~2021. 12. 31. 기간 동안 취득한 설비투자자산

다음의 구분에 따라 설비투자자산을 2018. 7. 1.~2020. 6. 30.까지 및 2021. 1. 1.~2021. 12. 31.까지 취득하는 경우에는 법인세법 시행규칙 별표 5 및 별표 6의 기준내용연수에 그 기준내용연수의 50%(중소·중견기업이 2019. 7. 3.~2020. 6. 30. 및 2021. 1. 1.~2021. 12. 31. 기간 동안 취득하는 아래 '가.'의 자산의 경우에는 75%)를 가감한 범위(1년 미만은 없는 것으로 함) 안에서 선택하여 신고할 수 있으며(사업연도가 1년 미만인 법인의 경우 법인세법 시행령 제28조 제2항을 준용하여 계산함), 이 경우 해당 설비투자자산에 대한 감가상각비는 각 사업연도의 결산을 확정할 때 손비로 계상하였는지와 관계없이 신고한 내용연수를 적용하여 계산한 금액을 해당 사업연도의 소득금액을 계산할 때 손금에 산입할 수 있다(구 조특법 28조의 3, 구 조특령 25조의 3 1항 내지 5항 및 조특법 28조의 3 및 조특령 25조의 3 1항 내지 5항).

가. 중소기업 또는 중견기업 : 다음의 어느 하나에 해당하는 자산

• 차량 및 운반구(운수업에 사용되거나 임대목적으로 임대업에 사용되는 경우로 한정)
• 선박 및 항공기(어업 및 운수업에 사용되거나 임대목적으로 임대업에 사용되는 경우로 한정)
• 공구, 기구 및 비품
• 기계 및 장치

나. 상기 '가.' 외의 기업 : 다음의 구분에 따른 기간에 취득한 혁신성장투자자산

㉠ 2018. 7. 1.~2020. 6. 30.(에너지절약시설 및 생산성향상시설의 경우 2019. 7. 3.~2020. 6. 30.)

• 사업용 자산 중 신성장·원천기술 분야별 대상기술을 연구개발한 기업이 해당 기술을 사업화하는 시설(구 조특칙 13조의 8 1항 및 구 별표 8의 8)
• 연구시험용 시설 및 직업훈련용 시설(구 조특령 22조)
• 에너지절약시설(구 조특령 22조의 2)
• 생산성향상시설(구 조특법 25조 1항 6호)

㉡ 2021. 1. 1.~2021. 12. 31.

㉮ 신성장사업화시설(조특령 21조 4항 1호)

㉯ 다음의 어느 하나에 해당하는 연구·시험용 시설 및 직업훈련용 시설

• 연구개발을 위한 연구·시험용시설(조특칙 13조의 10 1항)
• 인력개발을 위한 직업훈련용 시설(조특칙 13조의 10 2항)

㉰ 다음의 어느 하나에 해당하는 에너지절약시설

- 에너지이용 합리화법에 따른 에너지절약형 시설(대가를 분할상환한 후 소유권을 취득하는 조건으로 같은 법에 따른 에너지절약전문기업이 설치한 경우를 포함함)(조특칙 13조의 10 3항 및 별표 7)
- 물의 재이용 촉진 및 지원에 관한 법률 제2조 제4호에 따른 중수도와 수도법 제3조 제30호에 따른 절수설비 및 같은 조 제31호에 따른 절수기기
- 신에너지 및 재생에너지 개발·이용·보급 촉진법 제2조 제1호에 따른 신에너지 및 같은 조 제2호에 따른 재생에너지를 생산하는 설비의 부품·중간재 또는 완제품을 제조하기 위한 시설(조특칙 13조의 10 4항 및 별표 7의 2)
  ㉣ 다음의 어느 하나에 해당하는 생산성향상시설
- 공정을 개선하거나 시설의 자동화 및 정보화를 위해 투자하는 시설(데이터에 기반하여 제품의 생산 및 제조과정을 관리하거나 개선하는 지능형 공장시설을 포함함)(조특칙 13조의 10 5항 및 별표 7의 3)
- 첨단기술을 이용하거나 응용하여 제작된 시설(조특칙 13조의 10 5항 및 별표 7의 3)
- 자재조달·생산계획·재고관리 등 공급망을 전자적 형태로 관리하기 위하여 사용되는 컴퓨터와 그 주변기기, 소프트웨어, 통신시설, 그 밖의 유형·무형의 시설로서 감가상각기간이 2년 이상인 시설

상기 설비투자자산에 대하여 자산별·업종별로 적용한 신고내용연수는 이후의 사업연도에 계속하여 적용하여야 하고, 상각방법을 변경한 경우에는 그 변경된 상각방법을 적용하여 설비투자자산의 상각범위액을 계산하며, 이 경우 상각범위액의 계산방법은 법인세법 시행령 제27조 제5항 및 제6항의 규정을 준용한다(조특령 25조의 3 6항, 8항).

한편, 본 특례를 적용받는 설비투자자산에 대해서는 법인세법 제23조 제2항에 따른 한국채택국제회계기준 적용법인의 감가상각비 신고조정 특례규정을 적용하지 아니하며, 해당 설비투자자산을 적격합병 또는 적격분할로 취득한 경우에는 법인세법 시행령 제29조의 2 제2항 제1호의 규정에 따라 양도법인의 상각범위액을 승계하는 방법을 적용한다(조특령 25조의 3 7항).

(7) 특별상각

내용연수의 단축에 따른 가속상각의 효과를 감안하여 구법인세법과 구조세감면규제법상의 특별상각은 전면 폐지되었으나, 1995. 1. 1. 현재 종전의 규정에 해당되는 자산은 상각 종료시까지 종전의 규정을 준용한다.

종전의 규정에 의하면 특별상각이란, 가속상각방법의 하나로서 법인의 각 사업연도 소득금액 계산시 고정자산에 대한 감가상각 용인범위액을 확장함으로써 자산취득의 초

기에 조세의 부담을 경감시키고 투자자본의 조기회수와 자본축적에 의한 재무의 건실화를 도모하는 제도적 장치인 것이다.

(8) 감가상각 의제

1) 개 요

감가상각 의제란 각 사업연도 소득에 대하여 법인세가 면제 또는 감면되거나 추계결정 또는 경정되는 법인이 감가상각비를 계상하지 아니하거나 과소계상한 경우에도 법인세법상 상각범위액까지 감가상각한 것으로 간주하여 그 후 사업연도의 상각범위액 계산의 기초가 될 자산의 가액에서 그 미계상 또는 과소계상한 감가상각비에 상당하는 금액을 공제한 잔액을 기초가액으로 하여 상각범위액을 계산하도록 하는 제도를 말한다(법법 23조 3항).

법인세법상 감가상각의 기본원칙 중 하나는 임의상각제도인 바, 이는 법인 스스로가 상각범위액을 초과하지 않는 범위 내에서 감가상각비의 계상 여부, 금액 또는 손금산입 시기를 임의적으로 선택할 수 있음을 의미한다. 그러나 법인세가 면제 또는 감면되거나 추계결정 또는 경정되는 법인의 경우 이러한 원칙을 그대로 적용하게 되면 법인의 세무정책에 따라서 법인소득의 임의적인 조절과 이에 따른 법인세 부담의 경감을 유발하게 된다. 예를 들어, 법인세를 면제 또는 감면받는 기간에는 감가상각비를 계상하지 않고 있다가 면제 또는 감면기간 경과 후에 감가상각비를 계상한다면 그렇지 않은 법인에 비해 과다하게 법인세를 경감받게 되는 결과가 초래된다. 이러한 법인세의 임의적인 조절을 방지하고자 법인세법에서는 감가상각 의제 규정을 두고 있다.

한편, 각 사업연도의 소득에 대하여 법인세가 면제 또는 감면되는 경우에는 개별 자산에 대한 감가상각비가 법인세법 제23조 제1항 본문에 따른 상각범위액이 되도록 감가상각비를 손금에 산입하여야 한다. 이 경우 한국채택국제회계기준을 적용하는 법인은 감가상각의제 규정에도 불구하고 법인세법 제23조 제2항에 따라 개별 자산에 대한 감가상각비를 추가로 손금에 산입할 수 있다(법령 30조 1항).

2) 적용대상

감가상각의 의제 규정의 적용대상은 '법인세가 면제되거나 감면되는 사업을 영위하는 법인' 또는 '법인세가 추계결정 또는 경정되는 법인'인 바, 여기서 '법인세가 면제되거나 감면되는 사업을 영위하는 법인'이라 함은 특정사업에서 생긴 소득에 대하여 법인세(토지 등 양도소득에 대한 법인세를 제외함)를 면제 또는 감면(소득공제를 포함함)받은 법인을 말한다. 감가상각의 의제규정 적용대상 여부를 예시하면 다음과 같다(집행기준 23-30-2 1항).

적용 대상 법인	적용 제외 법인
• 조세특례제한법 제102조 및 제121조의 2 제2항에 따라 법인세를 면제받는 법인 • 조세특례제한법 제6조·제7조·제34조 및 제63조부터 제68조에 따라 법인세를 감면받은 법인	• 조세특례제한법 제22조에 따라 법인세를 면제받는 법인 • 조세특례제한법 제12조에 따라 법인세를 감면받은 법인

한편, 법인세가 면제되거나 감면되는 사업을 영위하는 법인이 법인세를 면제 또는 감면받지 아니한 경우에는 감가상각 의제 규정을 적용하지 아니하며, 법인이 둘 이상의 사업장에서 각각 감면사업과 과세사업을 영위하는 경우에는 법인세가 면제되거나 감면받은 사업에 제공하는 자산에 한하여 감가상각의 의제규정을 적용한다(집행기준 23-30-2 2항 및 3항).

(9) 즉시상각의 의제

유형자산의 비용화 과정은 유형자산의 취득가액과 자본적 지출의 금액이 일단 유형자산계정으로 처리되었다가 동 유형자산의 내용연수에 걸쳐서 감가상각액으로서 비용화되는 것이다.

그러나 기업회계와 세무회계의 차이나 회계처리실무상 자산의 취득가액이나 자본적 지출액을 취득연도 또는 발생연도에 직접 손비로서 계상하는 경우가 있는 바, 이를 유형자산을 즉시상각한 것으로 간주한다는 것이 즉시상각의 의제인 것이다.

세법상으로는 이러한 즉시상각에 대하여 두 가지 입장을 취하고 있는데, 첫째는 즉시상각의제액을 감가상각액으로서 손금산입한 것으로 보아 상각시부인을 하는 것이고, 둘째는 적극적으로 손금경리한 것을 인정하여 주는 것이다. 전자의 경우는 유형자산에 대한 자본적 지출 등을 직접 손금에 계상한 경우에 대한 것이며, 후자의 경우는 소액자산의 구입·자산의 폐기 등의 상황에서 자산으로 처리하지 않고 직접 비용화할 수 있는 한계를 설정함으로써 취득한 사업연도에 잔존가액 없이 전액 비용화할 수 있도록 계산상의 편의를 도모하는 것이다.

1) 자본적 지출

법인이 유형자산을 취득하기 위하여 지출한 금액과 유형자산에 대한 자본적 지출에 해당하는 금액을 손금으로 계상한 경우에는 이를 감가상각한 것으로 보아 시부인계산한다. 따라서 손금으로 계상한 자본적 지출금액은 감가상각액조정명세서에 이기하여 동금액을 포함한 유형자산에 대하여 감가상각범위액을 구한다. 이 때 감가상각으로 보는 자본적 지출액과 회사가 계상한 감가상각액을 합한 금액이 감가상각범위액을 초과하는 경우에는 상각부인액으로서 추후에 시인부족액 내에서 손금으로 추인받게 된다.

2) 소액자산

그 고유업무의 성질상 대량으로 보유하는 자산 및 그 사업의 개시 또는 확장을 위하여 취득한 자산을 제외한 사업용 감가상각자산으로서 그 취득가액이 거래단위별로 100만원 이하인 것에 대하여는 이를 그 사업용에 공한 날이 속하는 사업연도의 손비로 계상한 것에 한하여 이를 손금에 산입한다. 여기서 "거래단위"라 함은, 취득한 자산을 그 취득자가 독립적으로 그 사업에 직접 사용할 수 있는 것을 말한다.

소액자산에 대한 즉시상각요건을 요약하면 다음과 같다.

① 거래단위별로 100만원 이하

수개의 자산을 동시에 구입함으로써 총거래가액이 100만원을 초과하는 경우라도 각 자산이 독립적으로 사업에 직접 사용할 수 있고 개별가액이 100만원 이하 단위인 경우에는 즉시상각할 수 있다고 보아야 할 것이며, 부분품과 같이 개별로는 거래단위의 요건을 충족할 수 없는 경우에는 즉시상각을 할 수 없다.

② 사업용에 공하는 사업연도에 손비계상

실제로 자산이 사용되는 사업연도에 손비로 계상해야 하는 바, 그 이외의 사업연도에 즉시 상각하는 것은 인정되지 않는다.

3) 폐기자산

시설의 개체 또는 기술의 낙후로 인하여 사업별 유형자산의 일부를 폐기하거나 사업의 폐지 또는 사업장의 이전으로 임대차계약에 따라 임차한 사업장의 원상회복을 위하여 시설물을 철거하는 경우에는 당해 자산의 장부금액에서 1,000원을 공제한 금액을 폐기일이 속하는 사업연도의 손금에 산입할 수 있다. 여기서 자산의 폐기라 함은, 일단 폐기 후에는 다시 사용가능한 자산으로 환원될 수 없는 것을 말하며, 1,000원을 비망가액으로 남겨 놓은 이유는 당해 자산의 매각시점까지 자산을 관리하도록 하기 위한 것이다. 따라서 법인이 폐기한 자산을 매각할 때에는 매각가액과 1,000원의 차액을 익금산입 또는 손금산입하게 된다.

4) 수산업에 사용되는 어구 및 소모성 자산 등

전술한 '2) 소액자산'에 해당하지 않더라도 어업에 사용되는 어구(어선용구 포함)나 공구·영화필름, 전화기(휴대용 전화기 포함) 및 개인용 컴퓨터(주변기기 포함) 등과 같은 소모성 자산은 사업에 사용한 날이 속하는 사업연도의 손비로 계상한 경우 이를 손금에 산입한다. 그러나 만약 법인이 이를 손비로 계상하지 아니한 경우에는 정상적인 감가상각절차를 통하여 당해 자산의 내용연수 동안 비용화하면 된다.

(10) 감가상각액의 시부인계산

법인이 감가상각액을 손비로 계상한 경우에 한하여 법인세법상의 상각범위액을 한도로 하여 각 사업연도 소득금액계산상 손금으로 용인된다. 그러나 법인의 감가상각액 계상액은 상각범위액과 반드시 일치하는 것은 아니며, 이 때는 양자 간의 차이금액이 발생하게 된다. 각 사업연도에 법인의 손비계상액이 상각범위액에 미달하는 경우의 차액은 시인부족액이 되어 소멸하며, 손비계상액이 상각범위액을 초과하는 경우의 차액은 상각부인액으로 되어 손금불산입됨으로써 각 사업연도 소득이 증가하게 된다.

1) 시부인액의 계산단위

법인의 각 사업연도 감가상각액의 시부인은 개별 감가상각자산별로 계산한 금액에 의한다.

2) 시부인액의 처분

① 상각부인액

각 개별 감가상각자산별로 계산된 상각부인액은 손금불산입되어 일단 당해 사업연도 소득에 포함되어 과세된다. 그러나 동 상각부인액은 그 후 사업연도에 시인부족액이 발생한 경우 그 시인부족액 한도 내에서 손금으로 인정(추인)받을 수 있다.

여기에서 주의할 사항은 감가상각부인누계액이 있는 법인은 그 후 사업연도에 발생한 시인부족액을 한도로 손금에 추인하여야 하는 것으로 이를 시인부족액이 발생한 각 사업연도에 손금추인하지 아니하고 이월하여 손금추인할 수는 없다는 것이다(법인 46012 -924, 2000. 4. 10.).

또한 건설자금이자로서 손금불산입된 금액의 경우 당해 고정자산의 건설이 완료되어 사용하는 때에는 이를 상각부인액으로 보기 때문에 당해 사업연도 시인부족액의 범위 내에서 추인한다.

② 시인부족액

개별 감가상각자산별로 계산된 시인부족액은 소멸하므로 회사계상 감가상각액을 전액 손금에 산입하게 된다. 만약 시인부족액이 발생한 사업연도 이전에 발생한 상각부인액이 있는 경우 당기의 시인부족액 한도 내에서 그 상각부인액은 손금추인할 수는 있으나, 시인부족액을 그 후 사업연도의 상각부인액에 충당할 수는 없다.

③ 평가증한 경우의 시부인액의 처리

보험업법 기타 법률의 규정에 의하여 감가상각자산을 평가함으로써 평가차익이 발생한 경우에 동 자산에 대해서 시인부족액이나 상각부인액이 있는 경우 평가차익에 대한 조정이 필요하다. 왜냐하면 평가차익은 평가액에서 장부금액을 차감하여 계산하는 바, 상각부인액이 있다면 자산의 장부금액은 동 금액만큼 감소되어 있을 것이므로 결국 평가차익에 동 상각부인액이 포함되어 과세되게 된다. 그러나 동 상각부인액은 이미 손금불산입되어 과세되었으므로 위의 평가차익금액을 익금산입하면 상각부인액에 해당하는 금액에 대해서는 이중과세가 되는 것이다.

따라서 이러한 이중과세를 방지하기 위해서는 평가증된 자산의 상각부인액 중 평가증의 한도까지는 손금에 산입하고, 평가증의 한도초과액은 이월하여 그 후의 사업연도에 시인부족액 발생시 그 부족액 한도 내에서 손금에 산입하여야 한다. 이 때 감가상각과 평가증을 병행한 경우 선 상각 후 평가증한 것으로 보아 상각범위액을 계산한다. 한편, 평가증된 자산의 시인부족액은 소멸하는 것으로 한다(법령 32조 3항, 4항).

3) 시부인의 효과

① 시인부족액의 경우

시인부족액이 발생하게 되면 이 부족액은 소멸한다 하였으므로 그 후 사업연도의 감가상각의 기초가액이 커지게 되고 법에서 정한 상각률을 계속 적용하게 되므로 결국 내용연수 연장의 효과가 있게 된다. 즉, 정상적으로 세법에서 정한 방법에 의해서 상각범위액까지 매 사업연도에 감가상각을 하였다면, 각 사업연도의 과세표준을 감소시키고 이에 대한 법인세를 적절히 계산할 수 있는 것이나, 감가상각액을 적게 계상하게 되면 동 자산의 비용화와 관련하여 볼 때 법인세를 조기에 납부하는 결과가 된다.

② 상각부인액의 경우

상각부인액이 발생하게 되면 발생연도에 손금불산입되어서 각 사업연도소득의 결정에 영향을 미친다. 그러나 상각부인액의 경우에는 시인부족액의 효과와는 달리 내용연수에는 영향이 없다. 왜냐하면 상각부인액은 추후 사업연도의 감가상각의 기초가액

에 포함되도록 되어 있고 자산의 내용연수 말기에 도달하게 되면 법인이 계상할 상각비는 감소되어 상각부족액이 발생하게 되므로 이 범위 내에서 추인을 받을 수 있기 때문이다.

4) 양도자산의 상각시부인

양도자산에 대한 시인부족액 또는 상각부인액이 있는 경우 이로 인하여 세무상 자산가액과 장부상 자산가액 간에 차이가 발생하므로 동 자산을 양도하는 경우 기업회계상 고정자산처분손익과 세무상의 처분손익도 차이가 발생하게 된다. 따라서 이러한 차이를 조정하는 세무조정이 필요하다.

① 상각부인액이 있는 경우

상각부인액이 있는 자산을 양도하는 경우 그 상각부인액은 양도일이 속하는 사업연도의 손금에 산입한다.

이를 사례를 들어 설명하기로 한다.

사례

	회계상	세무상
취득가액	1,000,000	1,000,000
감가상각누계액(세무상 한도액 400,000)	500,000	400,000
장부금액(미상각잔액)	500,000	600,000
처분가액	300,000	300,000
처분손실	200,000	300,000

상기 사례의 처분손익을 비교하여 보면 100,000원의 차이가 발생함을 알 수가 있는데, 그 차이는 상각부인액 100,000원과 동일함을 알 수 있다. 즉, 감가상각자산을 300,000원에 처분한 경우 회계상 장부금액은 500,000원이므로 회계상으로는 200,000원의 처분손실이 발생하나, 세무상 장부금액은 600,000원{취득가액 1,000,000 - (감가상각누계액 500,000 - 상각부인액 100,000)}이므로 300,000원의 처분손실이 발생하여 그 차이가 100,000원임을 알 수 있다. 따라서 각 사업연도의 소득을 계산하기 위해서는 회계상 처분손실과 세무상 처분손실의 차이를 조정하여야 하는데, 조정방법은 상각부인액 100,000원을 손금에 산입하면 된다.

② 시인부족액이 있는 경우

시인부족액이 있는 자산을 양도하는 경우 아무런 세무조정이 발생하지 않는다. 왜냐하면 세무상 시인부족액이 발생하면 그 부족액은 소멸하므로 결국 세법에서 회계상 감가상각액을 그대로 인정하게 되어 회계상 감가상각액과 세무상 감가상각액이 차이가 없기 때문이다.

③ 감가상각자산의 일부를 양도한 경우

상각부인액 또는 시인부족액이 있는 자산의 일부를 양도한 경우 일부 양도자산의 감가상각누계액 및 상각부인액 또는 시인부족액은 당해 감가상각자산 전체의 감가상각누계액 및 상각부인액 또는 시인부족액에 감가상각자산의 전체 취득 당시의 장부금액에서 양도부분의 취득 당시의 장부금액이 차지하는 비율을 곱하여 계산한 금액으로 한다.

(11) 한국채택국제회계기준 도입 법인의 감가상각비 손금산입 특례

1) 개 요

유형자산과 법인세법 시행령 제24조 제2항에 따른 내용연수가 비한정인 무형자산등의 감가상각비는 개별 자산별로 다음에 따른 금액의 한도 내에서 추가로 손금에 산입할 수 있다(법법 23조 2항).

- 2013년 12월 31일 이전 취득분(한도 : 종전감가상각비) : 한국채택국제회계기준 도입 직전 3년간의 평균 상각률을 적용한 종전감가상각비(법령 26조의 2)
- 2014년 1월 1일 이후 취득분(한도 : 기준감가상각비) : 세법상 기준내용연수를 적용한 기준감가상각비(법령 26조의 3)

법인세법은 감가상각방법의 원칙으로 결산확정주의를 취하고 있는 바, 한국채택국제회계기준을 최초로 채택한 법인의 경우 결산상 감가상각방법을 정률법에서 정액법으로 변경하거나, 내용연수를 연장하는 등에 따라 결산상 감가상각비 계상액이 감소하여, 세부담이 증가될 수 있다. 이에 본 규정은 한국채택국제회계기준을 최초로 채택함에 따라 증가할 수 있는 세부담을 완화하고자 도입된 제도로서, 2010년 12월 31일이 속하는 사업연도부터 적용한다.

2) 신고조정 대상 자산

한국채택국제회계기준을 적용하는 내국법인이 보유한 자산 중 유형자산과 법인세법 시행령 제24조 제1항 제2호 각 목에 따른 무형자산 중에서 다음 중 어느 하나에 해당하는 무형자산의 감가상각비는 신고조정에 의하여 감가상각비를 손금에 산입할 수 있다(법령 24조 2항 및 법칙 12조 2항).

가. 감가상각비를 손비로 계상할 때 적용하는 내용연수(이하 "결산내용연수"라 함)를

확정할 수 없는 것으로서 다음의 요건을 모두 갖춘 무형자산

- 법령 또는 계약에 따른 권리로부터 발생하는 무형자산으로서 법령 또는 계약에 따른 사용 기간이 무한하거나, 무한하지 아니하더라도 취득가액의 10% 미만의 비용으로 그 사용 기간을 갱신할 수 있을 것
- 한국채택국제회계기준에 따라 내용연수가 비한정인 무형자산으로 분류될 것
- 결산을 확정할 때 해당 무형자산에 대한 감가상각비를 계상하지 아니할 것

나. 한국채택국제회계기준을 최초로 적용하는 사업연도 전에 취득한 법인세법 시행령 제24조 제1항 제2호 가목에 따른 영업권

3) 신고조정의 적용방법

① 2013년 12월 31일 이전 취득자산

가. 개 요

2013년 12월 31일 이전 취득자산은 개별 자산별로 한국채택국제회계기준을 적용하지 아니하고 종전의 방식에 따라 감가상각비를 손금으로 계상한 경우 손금에 산입할 감가상각비 상당액(이하 "종전감가상각비"라 함)이 결산조정에 따라 시부인하여 손금에 산입한 금액보다 큰 경우 그 차액의 범위에서 추가로 손금에 산입하되, 동종자산별 감가상각비 한도를 초과하지 아니하는 범위에서 손금에 산입한다(법법 23조 2항 1호).

여기서 2013년 12월 31일 이전 취득자산이란 2013년 12월 31일 이전에 취득한 감가상각자산으로서 한국채택국제회계기준을 최초로 적용한 사업연도의 직전 사업연도(이하 "기준연도"라 함) 이전에 취득한 감가상각자산(이하 "기존보유자산"이라 함) 및 기존보유자산과 다음의 구분에 따른 동일한 종류의 자산으로서 기존보유자산과 법인세법 시행규칙 별표 6의 중분류에 따른 동일한 업종(한국채택국제회계기준 도입 이후에도 계속하여 영위하는 경우로 한정함)에 사용되는 것(이하 "동종자산"이라 함)을 말한다(법령 26조의 2 1항 및 법칙 13조 1항, 2항).

- 시험용구용 자산으로서 법인세법 시행규칙 별표 2에 따라 동일한 내용연수를 적용받는 자산
- 법인세법 시행령 제24조 제1항 제2호 가목부터 라목까지에 따른 무형자산으로서 법인세법 시행규칙 별표 3에 따라 동일한 내용연수를 적용받는 자산
- 법인세법 시행규칙 별표 5에 해당하는 자산으로서 같은 표에 따라 동일한 기준내용연수를 적용받는 자산
- 법인세법 시행규칙 별표 6에 따른 기준내용연수를 적용받는 자산

한편, 내국법인이 기준연도에 한국채택국제회계기준을 준용하여 비교재무제표를 작

성하고 비교재무제표를 작성할 때 사용한 상각방법 및 내용연수와 동일하게 해당 사업연도의 결산상각방법 및 내용연수를 변경한 경우에는 해당 사업연도에 한국채택국제회계기준을 최초로 적용한 것으로 본다(법령 26조의 2 5항).

나. 손금산입한도액의 계산

(가) 일반적인 경우 : 동종자산 상각 시 하나의 감가상각방법만을 적용한 경우

2013년 12월 31일 이전 취득분에 대한 감가상각비는 아래의 <1단계 : 개별자산 감가상각비 신고조정 손금산입액의 동종자산별 합계금액>이 <2단계 : 동종자산의 감가상각비 한도>를 초과하지 아니하는 범위에서 손금에 산입할 수 있다(법령 26조의 2 2항).

<1단계 : 개별자산 감가상각비 신고조정 손금산입액의 동종자산별 합계금액>

(i) 개별자산의 감가상각비 한도금액의 계산

㉠ 기준연도의 해당 자산의 동종자산에 대한 결산상각방법이 정액법인 경우

감가상각자산의 취득가액 × 기준상각률(아래 '참고 : 기준상각률' 참조)

㉡ 기준연도의 해당 자산의 동종자산에 대한 결산상각방법이 정률법인 경우

미상각잔액$^{(*)}$ × 기준상각률

$^{(*)}$ 이 경우 잔존가액은 취득가액의 5%에 상당하는 금액으로 하되, 그 금액은 당해 감가상각자산에 대한 미상각잔액이 최초로 취득가액의 5% 이하가 되는 사업연도의 상각범위액에 가산함(법령 26조 6항 단서).

(ii) 개별자산 감가상각비 신고조정 손금산입액의 동종자산별 합계금액 계산

상기 (i)에 따른 개별자산의 감가상각비 한도금액의 범위에서 개별자산에 대하여 본 감가상각비 손금산입 특례에 따라 추가로 손금에 산입한 감가상각비를 동종자산별로 합한다.

<2단계 : 동종자산의 감가상각비 한도금액>

㉠ 기준연도의 해당 자산의 동종자산에 대한 결산상각방법이 정액법인 경우

해당 사업연도에 결산조정에 따라 감가상각비를 손금에 산입한 동종자산의 취득가액 합계액 × 기준상각률 – 해당 사업연도에 동종자산에 대하여 결산조정에 따라 손금에 산입한 감가상각비 합계액

ⓛ 기준연도의 해당 자산의 동종자산에 대한 결산상각방법이 정률법인 경우

> 해당 사업연도에 결산조정에 따라
> 감가상각비를 손금에 산입한   × 기준상각률 –
> 동종자산의 미상각잔액 합계액
>
> 해당 사업연도에 동종자산에
> 대하여 결산조정에 따라 손금에
> 산입한 감가상각비 합계액

이 때 기준연도에 해당 자산의 동종자산에 대하여 감가상각비를 손비로 계상하지 아니한 경우에는 기준연도 이전 마지막으로 해당 자산의 동종자산에 대하여 감가상각비를 손비로 계상한 사업연도의 결산상각방법을 기준연도의 결산상각방법으로 한다(법령 26조의 2 3항).

한국채택국제회계기준 도입 법인에 대해 감가상각비 추가손금산입을 허용하는 이유는 한국채택국제회계기준 도입 이후 자산별 내용연수를 실제 사용기간에 맞게 변경함에 따라 내용연수가 증가하는 등 결산상 인식하는 감가상각비가 감소하게 되고 결과적으로 세부담이 증가하는 것을 방지하기 위한 것이다. 그러나 이 경우 자산에 따라 내용연수가 감소하는 등의 경우도 발생할 수 있는 바, 추가 손금산입을 인식함에 있어 개별자산의 감가상각비 한도만을 둘 경우 내용연수가 증가한 자산에 대해서는 개별 자산별 한도 내에서 추가로 손금산입을 하여 한국채택국제회계기준 도입 이전 감가상각비 수준으로 인식하고 내용연수가 감소한 자산에 대해서는 결산상 인식하는 감가상각비가 한국채택국제회계기준 도입 이전보다 증가하게 되어 결과적으로 총 감가상각비가 한국채택국제회계기준 도입 이전보다 오히려 증가될 수 있다. 이러한 결과를 방지하기 위하여 법인세법에서는 위의 <2단계 : 동종자산의 감가상각비 한도금액>을 두어 <1단계 : 개별자산 감가상각비 신고조정 손금산입액의 동종자산별 합계금액>이 이를 초과하지 못하도록 한 것이다.

한편, 이 경우 <2단계 : 동종자산의 감가상각비 한도금액>이 <1단계 : 개별자산 감가상각비 신고조정 손금산입액의 동종자산별 합계금액>보다 적은 경우, 손금산입 신고조정 한도금액을 개별 자산별로 어떻게 배분하여야 하는지에 대해 법령에 구체적으로 규정되어 있지 않아 논란이 예상되는 바, 이에 대해서는 법령정비 또는 과세관청의 명확한 유권해석이 필요할 것으로 판단된다.

참고 기준상각률

• 상기 감가상각비 한도를 계산할 때 기준상각률은 기준연도 및 그 이전 2개 사업연도에 대하여 각 사업연도별로 다음의 비율을 구하고 이를 평균하여 계산한다. 이 경우 기준연도 및 그 이전 2개 사업연도 중에 법인이 신규 설립된 경우, 합병 또는 분할한 경우, 법

인세법 시행령 제27조에 따라 상각방법을 변경한 경우 또는 법인세법 시행령 제29조에 따라 내용연수범위와 달리 특례 내용연수를 적용하거나 적용하던 내용연수를 변경한 경우에는 그 사유가 발생하기 전에 종료한 사업연도는 제외하고 계산한다(법령 26조의 2 4항).

• 기준상각률의 계산식

㉠ 기준연도의 해당 자산의 동종자산에 대한 결산상각방법이 정액법인 경우

> 동종자산의 감가상각비 손금산입액 합계액 / 동종자산의 취득가액 합계액

㉡ 기준연도의 해당 자산의 동종자산에 대한 결산상각방법이 정률법인 경우

> 동종자산의 감가상각비 손금산입액 합계액 / 동종자산의 미상각잔액 합계액

• 한편, 감가상각비 신고조정한도 및 기준상각률을 계산함에 있어 사업연도 중에 취득한 감가상각자산 및 사업연도 중에 처분한 감가상각자산의 취득가액 및 미상각잔액은 각각 그 취득가액 및 미상각잔액에 해당 감가상각자산을 사업에 사용한 월수를 사업연도의 월수로 나눈 금액을 곱하여 계산한다. 이 경우 월수는 역에 따라 계산하되, 1월 미만의 일수는 1월로 한다(법칙 13조 5항).

(나) 기준연도에 동종자산의 감가상각비 계산시 정액법과 정률법을 모두 적용한 경우

기준연도에 동종자산에 대하여 감가상각비를 손금으로 계상할 때 정액법과 정률법을 모두 적용한 경우(적격합병 등에 해당하는 경우로서 결산상각방법이 법인 간 다른 경우를 포함함) 개별자산의 감가상각비 한도 및 동종자산의 감가상각비 한도는 다음의 (i)과 (ii) 중 어느 하나에 해당하는 방법을 선택하여 계산한다. 이 경우 선택한 방법은 그 이후의 사업연도에도 계속하여 적용한다(법칙 13조 3항).

(i) 안분하는 방법

㉠ 개별자산의 감가상각비 한도

$$\left(\begin{array}{c}\text{감가상각}\\\text{자산의}\\\text{취득가액}\end{array} \times \begin{array}{c}\text{결산상각방법이}\\\text{정액법인}\\\text{감가상각자산의}\\\text{취득가액 비중}\end{array} \times \begin{array}{c}\text{정액법}\\\text{기준상각률}\end{array}\right) + \left(\begin{array}{c}\text{감가상각}\\\text{자산의}\\\text{미상각잔액}\end{array} \times \begin{array}{c}\text{결산상각방법이}\\\text{정률법인}\\\text{감가상각자산의}\\\text{취득가액 비중}\end{array} \times \begin{array}{c}\text{정률법}\\\text{기준상각률}\end{array}\right)$$

ⓛ 동종자산의 감가상각비 한도

$$\left(\begin{array}{c}\text{동종자산의}\\\text{취득가액}\\\text{합계}\end{array}\times\begin{array}{c}\text{결산상각방법이}\\\text{정액법인}\\\text{감가상각자산의}\\\text{취득가액 비중}\end{array}\times\begin{array}{c}\text{정액법}\\\text{기준상각률}\end{array}\right)+\left(\begin{array}{c}\text{동종자산의}\\\text{미상각잔액}\\\text{합계}\end{array}\times\begin{array}{c}\text{결산상각방법이}\\\text{정률법인}\\\text{감가상각자산의}\\\text{취득가액 비중}\end{array}\times\begin{array}{c}\text{정률법}\\\text{기준상각률}\end{array}\right)$$

(ii) 결산상각방법이 정액법인 감가상각자산과 정률법인 감가상각자산 중 취득가액 비중이 더 큰 감가상각자산의 결산상각방법을 기준연도의 결산상각방법으로 보고 상기 '(가) 일반적인 경우'에서 기술한 방법에 따라 개별자산의 감가상각비 한도 및 동종자산의 감가상각비 한도를 계산하는 방법

한편, 정액법 기준상각률 및 정률법 기준상각률은 해당 사업연도에 결산상각방법이 정액법인 자산 및 정률법인 자산에 대하여 상기 '(가) 일반적인 경우'에서 기술한 '참고 : 기준상각률'의 계산방법에 따라 계산한다(법칙 13조 4항).

② 2014년 1월 1일 이후 취득자산

가. 개요

2014년 1월 1일 이후 취득한 감가상각자산은 개별자산별로 해당 사업연도의 결산상각방법과 일정한 기준내용연수를 적용하여 계산한 감가상각비 상당액(이하 "기준감가상각비"라 함)이 결산조정에 따라 시부인하여 손금에 산입한 금액보다 큰 경우 그 차액의 범위에서 추가로 손금에 산입한다.

여기서 2014년 1월 1일 이후 취득한 감가상각자산이란 2014년 1월 1일 이후에 취득한 감가상각자산으로서 기존보유자산 및 동종자산을 말한다. 이 경우 기존보유자산이란 한국채택국제회계기준을 최초로 적용한 사업연도의 직전 사업연도(기준연도) 이전에 취득한 감가상각자산을 말하며, 동종자산이란 기존보유자산과 다음의 구분에 따른 동일한 종류의 자산으로서 기존보유자산과 법인세법 시행규칙 별표 6의 중분류에 따른 동일한 업종(한국채택국제회계기준 도입 이후에도 계속하여 영위하는 경우로 한정함)에 사용되는 것을 말한다(법령 26조의 3 1항, 26조의 2 1항 및 법칙 13조 1항, 2항).

- 시험연구용 자산으로서 법인세법 시행규칙 별표 2에 따라 동일한 내용연수를 적용받는 자산
- 법인세법 시행령 제24조 제1항 제2호 가목부터 라목까지의 무형자산으로서 법인세법 시행규칙 별표 3에 따라 동일한 내용연수를 적용받는 자산
- 법인세법 시행규칙 별표 5에 해당하는 자산으로서 같은 표에 따라 동일한 기준내

용연수를 적용받는 자산

－법인세법 시행규칙 별표 6에 따른 기준내용연수를 적용받는 자산

나. 손금산입한도액의 계산

2014년 1월 1일 이후 취득한 감가상각자산에 대한 감가상각비는 아래 '㉠ 개별자산의 기준감가상각비 한도' 범위에서 개별 자산에 대하여 추가로 손금에 산입하는 감가상각비를 동종자산별로 합한 금액이 '㉡ 기준감가상각비를 고려한 동종자산의 감가상각비한도'와 '㉢ 종전감가상각비를 고려한 동종자산의 감가상각비 한도' 중 작은 금액을 초과하지 아니하는 범위에서 손금에 산입한다. 다만, 이 경우 '㉢'에 따른 금액의 25%에 해당하는 금액이 '㉡'의 금액보다 큰 경우에는 개별 자산에 대하여 추가로 손금에 산입하는 감가상각비를 동종자산별로 합한 금액이 '㉢'에 따른 금액의 25%에 해당하는 금액을 초과하지 아니하는 범위에서 추가로 손금에 산입할 수 있다(법령 26조의3 2항, 3항).

㉠ 개별 자산의 기준감가상각비 : 해당 사업연도의 결산상각방법과 기준내용연수를 적용하여 계산한 금액

㉡ 기준감가상각비를 고려한 동종자산의 감가상각비 한도(0보다 작은 경우에는 0으로 봄)

> 해당 사업연도에 동종자산에 대하여 해당 사업연도의 결산상각방법과 기준내용연수를 적용하여 계산한 감가상각비 합계액 － 해당 사업연도에 동종자산에 대하여 결산조정에 따라 손금에 산입한 감가상각비 합계액

㉢ 종전감가상각비를 고려한 동종자산의 감가상각비 한도(0보다 작은 경우에는 0으로 봄)

㉮ 기준연도의 결산상각방법이 정액법인 경우

> 해당 사업연도에 결산조정에 따라 감가상각비를 손금에 산입한 동종자산의 취득가액 합계액 × 기준상각률 － 해당 사업연도에 동종자산에 대하여 결산조정에 따라 손금에 산입한 감가상각비 합계액

㉯ 기준연도의 결산상각방법이 정률법인 경우

> 해당 사업연도에 결산조정에 따라 감가상각비를 손금에 산입한 동종자산의 미상각잔액 합계액 × 기준상각률 － 해당 사업연도에 동종자산에 대하여 결산조정에 따라 손금에 산입한 감가상각비 합계액

여기서 기준감가상각비를 계산하기 위한 기준내용연수는 다음의 구분에 따른다(법칙 13조의 2).

　㉠ 시험연구용자산과 무형자산(법령 28조 1항 1호) : 법인세법 시행규칙 별표 2 및 별표 3에 따른 내용연수

　㉡ 상기 ㉠ 외의 감가상각자산(법령 28조 1항 2호) : 법인세법 시행규칙 별표 5 및 별표 6에 따른 기준내용연수

한편, 2014년 1월 1일 이후 취득자산에 대한 감가상각비 신고조정 손금산입 한도액을 계산할 때 '기준연도에 해당 자산의 동종자산에 대하여 감가상각비를 손금으로 계상하지 아니한 경우의 신고조정 손금산입 한도액의 계산방법(법령 26조의 2 3항)'과 '기준상각률의 계산방법(법령 26조의 2 4항)' 및 '한국채택국제회계기준의 최초 적용시점에 대한 간주(법령 26조의 2 5항)'에 대하여는 2013년 12월 31일 이전 취득자산에 대한 감가상각비 신고조정 손금산입 한도액의 계산규정을 준용하는 바(법령 26조의 3 4항), 이에 대해서는 전술한 '① 2013년 12월 31일 이전 취득자산'의 내용을 참고하기로 한다.

③ 적격합병 등 취득자산의 감가상각비의 손금산입 특례

가. 개 요

법인이 한국채택국제회계기준을 적용한 사업연도 및 그 후 사업연도에 적격합병, 적격분할 및 적격물적분할에 의하여 취득한 자산으로서 기존보유자산 및 동종자산(법령 26조의 2 1항), 즉 적격합병 등 취득자산의 감가상각비는 아래 '나. 손금산입 방법'에서 설명하는 방법에 따라 손금에 산입할 수 있다(법령 26조의 2 6항).

이 경우 기존보유자산 및 동종자산(법령 26조의 2 1항)을 판단함에 있어 양도법인이 취득한 날은 적격합병 등 취득자산의 취득일로 보되, 양도법인이 합병등기일이 속하는 사업연도 이전에 한국채택국제회계기준을 적용한 경우에는 양도법인의 기존보유자산과 동종자산이 아닌 자산에 대해서는 본 감가상각비 손금산입 규정을 적용하지 아니한다(법령 26조의 2 7항).

나. 손금산입 방법

적격합병 등 취득자산에 대한 감가상각비는 다음의 방법에 따라 손금에 산입한다(법령 26조의 2 6항).

(ⅰ) 동종자산을 보유한 법인 간 적격합병(적격분할에 해당하는 분할합병을 포함함)한 경우

(i)의 경우 계산방법

• 합병등기일이 속하는 사업연도의 직전 사업연도를 기준연도로 하여 법인세법 시행령 제26조의 2 제4항에 따른 기준상각률의 계산방법(상기 '참고 : 기준상각률'을 참조, 이하 '기준상각률의 계산방법'이라 함)에 따라 해당 동종자산의 기준상각률을 재계산한 후 그 기준상각률을 적용하여 상기 ① '나. 손금산입한도액의 계산'의 '(가) 일반적인 경우' 한도계산방법(이하 "일반적인 한도계산방법"이라 함)에 따라 손금에 산입한다. 이 경우 기준상각률을 계산할 때 동종자산의 감가상각비 손금산입액 합계액은 적격합병 등 취득자산을 양도한 법인과 양수한 법인이 해당 동종자산에 대하여 손금에 산입한 감가상각비를 더한 금액으로 하고, 동종자산의 취득가액 합계액은 양도법인과 양수법인이 계상한 해당 동종자산의 취득가액을 더한 금액으로 하며, 동종자산의 미상각잔액 합계액은 양도법인 및 양수법인이 계상한 해당 동종자산의 미상각잔액을 더한 금액으로 함.

(ii) 동종자산을 보유하지 아니한 법인 간 적격합병한 경우, 적격분할 또는 적격물적분할에 의하여 신설된 법인이 적격분할 또는 적격물적분할에 의하여 취득한 자산의 경우

(ii)의 경우 계산방법

㉠ 양도법인이 합병등기일 또는 분할등기일(이하 "합병등기일등"이라 함)이 속하는 사업연도 이전에 한국채택국제회계기준을 적용하여 감가상각비 손금산입 특례규정(법법 23조 2항)에 따라 해당 자산에 대한 감가상각비를 추가로 손금에 산입한 경우 : 해당 자산에 대하여 양도법인이 이미 계산한 기준상각률을 적용하여 일반적인 한도계산방법에 따라 손금에 산입함.

㉡ 상기 ㉠ 외의 경우 : 합병등기일등이 속하는 사업연도의 직전 사업연도를 기준연도로 하고 적격합병 등 취득자산을 양수법인이 보유한 다른 자산과 구분하여 업종 및 종류별로 기준상각률의 계산방법에 따라 기준상각률을 새로 계산한 후 그 기준상각률을 적용하여 일반적인 한도계산방법에 따라 손금에 산입한다. 이 경우 기준상각률을 계산함에 있어 동종자산의 감가상각비 손금산입액은 양도법인이 적격합병 등 취득자산에 대하여 손금에 산입한 감가상각비로 하고, 취득가액 및 미상각잔액은 각각 양도법인이 계상한 적격합병 등 취득자산의 취득가액 및 미상각잔액으로 함.

한편, 상기에 따라 적격합병취득자산의 감가상각비를 손금에 산입하는 경우 일반적인 한도계산방법을 적용할 때 적격합병 등 취득자산의 취득가액은 양도법인의 취득가액으로 하고, 미상각잔액은 양도법인의 양도 당시의 장부가액[양도 당시의 시가에서 자산조정계정(법령 80조의 4 1항, 82조의 4 1항)을 뺀 금액을 말함]에서 양수법인이 이미 감가상각비로 손금에 산입한 금액을 공제한 잔액으로 한다(법령 26조의 2 8항).

또한, 적격합병 등 취득자산의 기준상각률 및 손금산입한도를 계산할 때 양도법인 또는 양수법인의 결산상각방법이 한국채택국제회계기준을 최초로 적용한 사업연도 이후

에 변경된 경우에는 변경되기 전 결산상각방법을 기준연도의 결산상각방법으로 하여 일반적인 한도계산방법 및 기준상각률의 계산방법을 적용하며, 법인세법 시행령 제26조 의 2 제6항 제1호를 적용할 때 법인 간 결산상각방법이 서로 다른 경우의 기준상각률 및 손금산입한도의 계산방법은 상기 ① '나. 손금산입한도액의 계산'의 '(나) 기준연도 에 동종자산의 감가상각비 계산시 정액법과 정률법을 모두 적용한 경우'에서 설명한 방 법을 따른다(법령 26조의 2 9항 및 법칙 13조 3항).

다. 사후관리

적격합병 등 취득자산의 감가상각비의 손금산입 특례에 따라 감가상각비를 손금에 산입한 법인이 적격요건 위반사유(적격합병의 경우 법인세법 제44조의 3 제3항, 적격분 할의 경우 법인세법 제46조의 3 제3항, 적격물적분할의 경우 법인세법 제47조 제2항에 따른 사유를 말함)에 해당하는 경우 해당 사유가 발생한 날이 속하는 사업연도 이후의 소득금액을 계산할 때 '적격합병 등 취득자산의 감가상각비의 손금산입 특례'를 최초로 적용한 사업연도 및 그 이후의 사업연도에 그 특례를 적용하지 아니한 것으로 보고 감 가상각비 손금산입액을 계산하며, 다음의 계산식에 따른 금액을 적격요건위반사유가 발 생한 날이 속하는 사업연도의 소득금액을 계산할 때 익금에 산입한다(법령 26조의 2 10항).

사후관리 계산식
- ①의 금액에서 ②의 금액을 뺀 금액
  ① 적격합병등취득자산에 대한 감가상각비 손금산입특례를 최초로 적용한 사업연도부터 해당 사업연도의 직전 사업연도까지 손금에 산입한 감가상각비 총액
  ② 적격합병등취득자산에 대한 감가상각비 손금산입특례를 최초로 적용한 사업연도부터 해당 사업연도의 직전 사업연도까지 그 특례를 적용하지 아니한 것으로 보고 재계산한 감가상각비 총액

---

(12) 업무용승용차 관련비용의 손금불산입

1) 개요

2015년 12월 15일 법인세법 개정시 업무용승용차의 사적 사용분이 손금으로 인정되 는 것을 제한하기 위해 업무용승용차 관련비용의 손금인정 요건, 연간 감가상각비(상당 액) 및 처분손실의 손금인정 한도를 설정하는 등의 과세합리화 규정을 마련하였다(법법 27조의 2).

① 대상차량

개별소비세법 제1조 제2항 제3호에 해당하는 승용자동차를 말하되, 운수업 등에서 사업에 직접 사용하는 승용자동차와 연구개발을 목적으로 사용하는 승용자동차로서 다음의 승용자동차는 제외한다(법법 27조의 2 1항 및 법령 50조의 2 1항 및 법칙 27조의 2 1항).

㉠ 운수업, 자동차판매업, 자동차임대업, 운전학원업, 기계경비업무를 하는 경비업 또는 시설대여업에서 사용상 수익을 얻기 위하여 직접 사용하는 승용자동차

㉡ 한국표준산업분류표 중 장례식장 및 장의관련 서비스업을 영위하는 법인이 소유하거나 임차한 운구용 승용차

㉢ 자동차관리법 제27조 제1항 단서에 따라 시험·연구 목적으로 국토교통부장관의 임시운행허가를 받은 자율주행자동차

② 업무용승용차 관련 비용

내국법인이 업무용승용차를 취득하거나 임차하여 해당 사업연도에 손금에 산입하거나 지출한 감가상각비, 임차료, 유류비, 보험료, 수선비, 자동차세, 통행료, 금융리스부채에 대한 이자비용 등 업무용승용차의 취득, 유지 관련 비용을 말한다(법령 50조의 2 2항).

2) 손금불산입 특례

① 감가상각방법 및 내용연수의 의제

2016년 1월 1일 이후 개시하는 사업연도에 취득하는 업무용승용차에 대한 감가상각비의 경우 해당 사업연도의 소득금액을 계산할 유형자산의 감가상각방법 규정(법령 26조 1항 2호) 및 감가상각자산의 내용연수 규정(법령 28조 1항 2호)에도 불구하고 정액법을 상각방법으로 하고 내용연수를 5년으로 하여 계산한 금액을 감가상각비로 하여 손금에 산입한다(법령 50조의 2 3항).

② 업무 외 사용금액의 손금불산입

업무용승용차 관련비용 중 다음의 업무용 사용금액(이하 "업무사용금액"이라 함)에 해당하지 아니하는 금액은 해당 사업연도의 소득금액을 계산할 때 손금에 산입하지 아니한다(법법 27조의 2 2항 및 법령 50조의 2 4항, 8항, 9항 및 법칙 27조의 2 2항, 3항). 이 경우 손금에 산입하지 아니한 금액은 그 귀속자에 따라 상여 등으로 소득처분 한다(법령 106조 1항 1호).

㉠ 해당 사업연도 전체 기간(임차한 승용차의 경우 해당 사업연도 중에 임차한 기간을 말함) 동안 다음의 어느 하나에 해당하는 사람이 운전하는 경우만 보상을 하는 자동차보험(이하 "업무전용자동차보험"이라 함)에 가입[*]한 경우 : 업무용승용차

관련비용에 업무사용비율을 곱한 금액
- 해당 법인의 임원 또는 직원
- 계약에 따라 해당 법인의 업무를 위하여 운전하는 사람
- 해당 법인의 업무를 위하여 필요하다고 인정되는 경우로서 해당 법인의 운전자 채용을 위한 면접에 응시한 지원자

ⓒ 업무전용자동차보험에 가입하지 아니한 경우 : 전액 손금불인정. 다만, 해당 사업 연도 전체 기간(임차한 승용차의 경우 해당 사업연도 중에 임차한 기간을 말함) 중 일부 기간만 업무전용자동차보험에 가입한 경우의 업무사용금액은 다음의 계 산식에 따라 산정한 금액으로 함.

$$
\begin{array}{c}
\text{업무용승용차} \\
\text{관련비용}
\end{array}
\times \text{업무사용비율} \times
\dfrac{
\begin{array}{c}
\text{해당 사업연도에 실제로} \\
\text{업무전용자동차보험에 가입한 일수}
\end{array}
}{
\begin{array}{c}
\text{해당 사업연도에 업무전용자동차보험에} \\
\text{의무적으로 가입하여야 할 일수}
\end{array}
}
$$

(*) 시설대여업자 외의 자동차대여사업자로부터 임차하여 임차계약기간이 30일 이내인 승용차(해당 사업연도에 임 차계약기간의 합계일이 30일을 초과하는 승용차는 제외함)로서 다음의 어느 하나에 해당하는 사람을 운전자로 한정하는 임대차 특약을 체결한 경우에는 업무전용자동차보험에 가입한 것으로 봄.

- 해당 법인의 임원 또는 직원
- 계약에 따라 해당 법인의 업무를 위하여 운전하는 사람

한편, 상기 ㉠에서 업무사용비율은 운행기록 등에 따라 확인되는 총 주행거리 중 업 무용 사용거리가 차지하는 비율로 하되, 운행기록 등을 작성·비치하지 않은 경우에는 다음의 비율로 한다(법령 50조의 2 5항, 7항).

㉠ 해당 사업연도의 업무용승용차 관련비용이 1,500만원(해당 사업연도가 1년 미만인 경우에는 1,500만원에 해당 사업연도의 월수를 곱하고 이를 12로 나누어 산출한 금액을 말하고, 사업연도 중 일부 기간 동안 보유하거나 임차한 경우에는 1,500만 원에 해당 보유기간 또는 임차기간 월수를 곱하고 이를 사업연도 월수로 나누어 산출한 금액을 말함) 이하인 경우 : 100%

ⓒ 해당 사업연도의 업무용승용차 관련비용이 1,500만원을 초과하는 경우 : 1,500만 원을 업무용승용차 관련비용으로 나눈 비율

상기에서 운행기록 등이란 국세청장이 기획재정부장관과 협의하여 고시하는 운행기 록방법을 의미하고, 업무용 사용거리란 제조·판매시설 등 해당 법인의 사업장 방문, 거

래처·대리점 방문, 회의참석, 판촉활동, 출·퇴근 등 직무와 관련된 업무수행을 위하여 주행한 거리를 의미한다(법칙 27조의 2 3항, 6항).

③ 업무용승용차의 감가상각비 관련 손금산입 제한

가. 감가상각비 한도초과액의 손금불산입 및 이월

다음의 구분에 해당하는 비용에 업무사용비율을 곱하여 산출한 금액이 800만원(사업연도가 1년 미만인 경우 800만원에 해당 사업의 월수를 곱하고 이를 12로 나누어 산출한 금액을 말하고, 사업연도 중 일부 기간 동안 보유하거나 임차한 경우에는 800만원에 해당 보유기간 또는 임차기간 월수를 곱하고 이를 사업연도 월수로 나누어 산출한 금액을 말함)을 초과하는 경우 그 초과하는 금액은 해당 사업연도에 손금에 산입하지 아니하고 이월하여 손금에 산입한다(법법 27조의 2 3항 및 법령 50조의 2 10항, 12항 및 법칙 27조의 2 5항).

   ㉠ 업무용승용차별 감가상각비

   ㉡ 여신전문금융업법 제3조 제2항에 따라 등록한 시설대여업자로부터 임차한 승용차의 경우 임차료에서 해당 임차료에 포함되어 있는 보험료, 자동차세 및 수선유지비를 차감한 금액. 수선유지비를 별도로 구분하기 어려운 경우에는 임차료(보험료와 자동차세를 차감한 금액을 말함)의 7%를 수선유지비로 할 수 있음.

   ㉢ 시설대여업자 외의 자동차대여사업자로부터 임차한 승용차의 경우 임차료의 70%에 해당하는 금액

나. 감가상각비 한도초과액의 이월손금산입 방법

상기 '가.'에 따라 손금에 산입되지 않고 이월된 감가상각비 한도초과액은 다음의 구분에 따라 손금으로 추인하거나 손금에 산입한다(법법 27조의 2 3항 및 법령 50조의 2 11항 및 법칙 27조의 2 7항).

   ㉠ 업무용승용차별 감가상각비 이월액 : 해당 사업연도의 다음 사업연도부터 해당 업무용승용차의 업무사용금액 중 감가상각비가 800만원에 미달하는 경우 그 미달하는 금액을 한도로 하여 손금으로 추인함.

   ㉡ 업무용승용차별 임차료 중 감가상각비 상당액 이월액 : 해당 사업연도의 다음 사업연도부터 해당 업무용승용차의 업무사용금액 중 감가상각비 상당액이 800만원에 미달하는 경우 그 미달하는 금액을 한도로 손금에 산입함. 한편, 내국법인이 해산(합병·분할 또는 분할합병에 따른 해산을 포함함)한 경우에는 상기에 따라 이월된 금액 중 남은 금액을 해산등기일(합병·분할 또는 분할합병에 따라 해산한 경우에는 합병등기일 또는 분할등기일)이 속하는 사업연도에 모두 손금에 산입함.

④ 업무용승용차의 처분손실 관련 손금산입 제한

업무용승용차를 처분하여 발생하는 손실로서 업무용승용차별로 800만원(사업연도가 1년 미만인 경우 800만원에 해당 사업연도의 월수를 곱하고 이를 12로 나누어 산출한 금액을 말함)을 초과하는 금액은 해당 사업연도의 다음 사업연도부터 800만원을 균등하게 손금에 산입하되, 남은 금액이 800만원 미만인 사업연도에는 남은 금액을 모두 손금에 산입한다. 한편, 내국법인이 해산(합병·분할 또는 분할합병에 따른 해산을 포함함)한 경우에는 상기에 따라 이월된 금액 중 남은 금액을 해산등기일(합병·분할 또는 분할합병에 따라 해산한 경우에는 합병등기일 또는 분할등기일)이 속하는 사업연도에 모두 손금에 산입(법법 27조의 2 4항 및 법령 50조의 2 13항 및 법칙 27조의 2 7항).

⑤ 부동산임대업 주업 법인 등의 손금인정범위 제한

전술한 ②, ③, ④를 적용할 때 부동산임대업을 주된 사업으로 하는 등 법인세법 시행령 제42조 제2항 각 호의 요건을 모두 갖춘 내국법인의 경우에는 "1,500만원"은 각각 "500만원"으로, "800만원"은 각각 "400만원"으로 한다(법법 27조의 2 5항 및 법령 50조의 2 15항).

(13) 장기후불취득자산의 현재가치평가에 의한 감가상각액의 세무조정

기준서 제1016호 문단 23에 따르면 유형자산의 원가는 인식시점의 현금가격상당액이며, 대금지급이 일반적인 신용기간을 초과하여 이연되는 경우, 현금가격상당액과 실제 총 지급액과의 차액은 기준서 제1023호에 따라 자본화하지 않는 한 신용기간에 걸쳐 이자로 인식하도록 규정하고 있다.

법인세법에서도 현재가치회계를 수용한 바, 법인세법 시행령 제72조 제4항에서 장기할부조건 등에 의한 자산매입의 경우 한국채택국제회계기준이 정하는 바에 따라 현재가치로 평가하여 회계처리한 경우 현재가치할인차금으로 계상한 금액은 자산의 취득가액에 포함하지 않고 있다. 그리고 자산의 취득자가 계상하는 현재가치할인차금상각액에 대하여는 지급이자 부인규정 등을 적용하지 아니하도록 규정하고 있다.

(14) 건설자금이자

기준서 제1023호 문단 8에 따르면, 적격자산의 취득, 건설 또는 생산과 직접 관련된 차입원가는 당해 자산 원가의 일부로 자본화하여야 한다. 적격자산이란 의도된 용도로 사용하거나 판매 가능한 상태에 이르게 하는데 상당한 기간을 필요로 하는 자산을 말하며 재고자산, 제조설비자산, 전력생산설비, 무형자산, 투자부동산 등이 적격자산에 해당될 수 있다고 규정되어 있다. 적격자산을 취득하기 위한 목적으로 특정하여 차입한 자금에 한하여 회계기간 동안 그 차입금으로부터 실제 발생한 차입원가에서 당해 차입금의 일시적 운용에서 생긴 투자수익을 차감한 금액을 자본화가능차입원가로 결정한다. 반면 일반적인 목적으로 자금을 차입하고 이를 적격자산의 취득을 위해 사용하는 경우에 한하여 당해 자산관련 지출액에 자본화이자율을 적용하는 방식으로 자본화가능차입원가를 결정한다.

법인세법에서는 그 명목 여하에 불구하고 사업용 유형자산 및 무형자산의 매입·제작·건설에 소요되는 차입금(자산의 건설 등에 소요되었는지의 여부가 분명하지 아니한 차입금은 제외하며, 이하 "특정차입금"이라 함)에 대한 지급이자 등은 자본적지출로 보아 손금불산입하도록 하고 있으며, 일반차입금(해당 사업연도에 상환하거나 상환하지 아니한 차입금 중 특정차입금을 제외한 금액을 말하며, 이하 같음)에 대한 지급이자 등 중 일정한 산식에 따라 계산한 금액은 손금불산입(자본화) 여부를 법인이 선택할 수 있도록 하고 있다.

즉, 법인세법에서는 자본화대상자산을 사업용 유형자산 및 무형자산으로 한정하고 있으며, 특정차입금에 대한 지급이자 등은 자본화를 강제하고 있지만 일반차입금에 대한 지급이자 등은 자본화 여부를 선택할 수 있도록 규정하고 있어 자본화대상을 적격자산으로 폭넓게 규정하고 있고 특정차입금 및 일반차입금에 대한 지급이자를 모두 자본화하도록 하고 있는 한국채택국제회계기준과는 다소 차이를 보이고 있다.

이하에서는 세법상 건설자금이자의 계산방법에 대하여 구체적으로 살펴보기로 하겠다.

1) 특정차입금에 대한 건설자금이자

특정차입금에 대한 건설자금이자란 그 명목 여하에 불구하고 당해 사업용 유형자산 및 무형자산의 매입·제작·건설에 소요되는 차입금에 대한 지급이자 또는 이와 유사한 성질의 지출금을 말한다.

위에서 설명한 특정차입금에 대한 건설자금이자가 되기 위해서는 다음의 세 가지 요소를 만족시켜야 한다.

첫째, 지급이자의 발생원천인 차입금이 사용된 대상자산이 사업용 유형자산 및 무형자산이어야 한다.

둘째, 사업용 유형자산 및 무형자산에 대한 법인의 지출행위의 범위가 매입·제작 또는 건설로서 기존 고정자산의 증설이나 개량도 포함된다.

셋째, 차입금에 대한 지급이자의 범위는 명목이 어떻게 되든 지급이자 또는 이와 유사한 성질의 지출금을 모두 포함한다.

이러한 세 가지 요소가 동시에 충족되어야 특정차입금에 대한 건설자금이자로서 손금불산입되는 것이므로 이하에서는 각 요소별로 설명하기로 한다.

① 사업용 유형자산 및 무형자산의 범위

법인세법에서는 유형자산 및 무형자산의 범위에 대하여 명확하게 정의한 바가 없다. 다만, 법인세법 제23조 제1항에서 감가상각자산은 토지를 제외한 건물, 기계 및 장치, 특허권 등 대통령령이 정하는 자산으로 한다고 규정하고, 동법 시행령 제24조 제1항에서 이를 유형자산과 무형자산으로 세분하여 규정하고 있다. 따라서 건설자금이자 계산대상 유형자산 및 무형자산도 이를 준용해서 그 범위를 판단해야 할 것이며, 토지를 포함한 유형자산과 무형자산을 의미하는 것으로 보아야 할 것이다.

건설자금이자는 법인의 자산 중 법인의 사업목적에 사용하기 위하여 취득하는 사업용 유형자산 및 무형자산에 대하여 적용한다. 따라서 법인의 업무에 사용하지 않는 토지 등과 전매 또는 재판매를 위하여 취득한 자산은 유형자산에 해당하지 않으므로 당연히 건설자금이자의 계산대상에서 제외된다.

그러나 일정 자산이 사업용인가의 여부는 각 법인의 사업목적에 비추어 판단해야 할 것이나 다음의 자산은 업무와 관련없는 자산으로 규정되고 있으므로 건설자금이자의 계산대상에서 제외된다.

- 골동품·서화. 다만, 장식, 환경미화 등의 목적으로 사무실·복도 등 여러 사람이 볼 수 있는 공간에 상시 비치하는 것은 제외한다.
- 비업무용 자동차·선박·항공기. 다만, 저당권의 실행 기타 채권을 변제받기 위하여 취득한 자동차·선박 및 항공기로서 취득일로부터 3년이 경과되지 아니한 것은 제외한다.
- 비업무용 부동산

또한 법인이 판매하기 위하여 취득하는 자산은 물리적 형태를 불문하고 재고자산으로 분류되어야 하며, 건설자금이자의 계산대상에서 제외된다. 예를 들어, 토지개발회사가 판매를 위하여 보유하고 있는 토지나 주택건설업자가 신축한 판매용 주택은 유형자산으로 분류될 것이 아니라, 판매용 재고자산으로 분류되어야 할 것이므로 건설자금이자 계산대상에서 제외된다.

한편, 한국채택국제회계기준에서 차입원가 적격자산으로 보는 의도된 용도로 사용하거나 판매가능한 상태에 이르게 하는 데 상당한 기간을 필요로 하는 재고자산과 투자부동산 등의 경우에는 법인세법상 건설자금이자 계산대상 사업용 고정자산의 범위에 포함되지 않기 때문에 당해 자산의 취득에 사용된 차입금의 지급이자 등을 한국채택국제회계기준에 따라 자본화한 차입원가는 세무조정으로 손금에 산입하여야 한다(재법인 46012-9, 1998. 3. 31.).

② 매입·제작·건설의 범위

법인세법에서는 건설자금이자 계산대상을 사업용 유형자산 및 무형자산의 매입·제작·건설로 하고 있으며, 기존 건물의 증축 또는 기존 유형자산 및 무형자산의 증설·개량에 소요된 것이 분명한 차입금의 이자도 당해 자산이 목적에 실제로 사용되는 날까지 자본적 지출로 하여 원본에 산입할 수 있다.

여기에서 증설이란 기존 설비에 새롭고 독립적인 자산을 부가하거나 기존의 설비를 확장하는 것을 말한다. 기존 건물을 증축한다거나 보유하고 있는 차량 등에 새로운 장치를 부착하는 것 등이 이의 대표적인 예라 할 수 있다. 개량이란 기존 자산을 대치하는 등의 비경상적인 지출을 함으로써 더 나은 자산으로 바꾸어 놓는 것을 말한다. 따라서 증설과 개량의 공통점은 이에 대한 지출이 기존 자산과 반드시 연관이 있다는 점이다.

한편, 사실상 건물을 준공하고 가사용승인을 얻어 업무에 사용하던 건물을 다른 용도로 전환사용하기 위하여 증설 또는 개량하는 경우에는 당해 건축물을 장부상 건설가계정으로 계상하고 있는 경우에도 건설자금이자는 당해 증설 또는 개량부분에 한하여 적용한다(법인 46012-328, 1997. 2. 1.).

매입·제작·건설의 사례를 예시하면 다음과 같다.

ㄱ 기존 공장과는 별도의 지역에 새로운 공장을 건설하는 경우

ㄴ 기존 공장을 이전하기 위하여 신공장을 건설하여 새로운 기계장치를 설치하는 경우

ㄷ 동일제품의 생산량을 늘리기 위하여 기존 공장의 여유부지에 새로운 공장건물과 기계장치를 설치하는 경우

ㄹ 기존 공장의 여유부지에 사무실 또는 기숙사를 신축하는 경우

ㅁ 기존 공장 건물을 증축하여

- 기존 제품과 같은 제품을 생산하기 위한 기계장치를 설치하는 경우

- 기존 제품과는 다른 새로운 제품을 생산하기 위한 별도의 생산설비를 설치하는 경우

- 기존 제품의 생산라인을 연장하거나 확장하는 경우
- 기존 생산라인에 새로운 생산라인을 연장·설치하는 경우
ⓑ 기존 공장 내에 기존 제품과는 별도의 새로운 제품을 생산하기 위한 기계장치를 설치하는 경우
ⓐ 기존 기계장치를 개체하거나 기존 기계장치에 일부 설비를 새로이 설치하는 경우

③ 지급이자의 범위

건설자금이자로서 손금불산입되는 지급이자의 범위는 다음과 같다.

첫째, 특정차입금에 대한 지급이자 등의 경우 차입금이 사업용 유형자산 및 무형자산의 건설에 사용된 것이 명백함으로써 동 차입금에 대한 지급이자가 사업용 유형자산 및 무형자산의 건설에 직접적인 관련이 있어야 한다. 그러므로 명목상으로 특정 자산건설을 위한 차입금에 대한 지급이자라고 하더라도 실제로 특정 자산의 건설에 사용되지 않은 것이 명백한 경우에는 특정차입금에 대한 건설자금이자로 보지 않는다.

그러나 법인이 건설 등에 필요한 자금을 법인의 운영자금에서 우선 지급하고 그 후에 건설 등 명목으로 자금을 차입하여 이를 운영자금에 충당한 경우 당해 차입금은 특정차입금에 대한 건설자금이자 계산대상에 포함된다(재법인 46012-180, 1999. 11. 11.).

이 경우 법인의 차입금이 사업용 유형자산 및 무형자산의 건설 등에 사용되었는지의 여부는 실질적인 자금의 운용내용에 따라 판단하는 것이며, 법인이 유형자산 및 무형자산의 건설에 소요하였는 지의 여부가 불분명한 차입금은 특정차입금으로 볼 수 없다.

둘째, 지급이자와 이에 유사한 성질을 가진 지출금은 모두 포함한다. 즉, 차입금에 대한 할인료, 지급보증료, 신용보증료, 사채할인발행차금상각액 등은 회계처리에 있어서 계정과목의 명칭 여하에 불구하고 건설자금이자계산대상에 포함된다.

셋째, 사업용 유형자산 및 무형자산의 건설 등에 소요된 외화차입금에 대한 평가차손익(법령 61조 2항 1호부터 7호까지의 금융회사 등이 보유하는 화폐성 외화자산·부채와 통화선도 및 통화스왑과 금융회사 외의 일반법인이 보유하는 화폐성 외화자산·부채 및 환위험회피용 통화선도·통화스왑으로서 사업연도종료일 현재의 매매기준율로 평가한 분에 한함)·상환차손익은 법인세법 시행령 제76조의 규정에 의하여 해당 사업연도의 익금 또는 손금에 산입하여야 하므로 건설자금이자계산대상에 포함되지 아니한다(재법인 46012-180, 1999. 11. 11.).

넷째, 다음에 예시하는 현재가치할인차금의 상각액에 대하여는 건설자금이자의 손금불산입 규정을 적용하지 아니한다(법령 72조 6항).

- 자산을 장기할부조건 등으로 취득함으로써 발생한 채무를 한국채택국제회계기준이 정하는 바에 따라 현재가치로 평가하여 현재가치할인차금으로 계상한 경우 동

현재가치할인차금의 상각액(법령 72조 4항 1호)

- 장기금전대차계약에 의한 차입금을 현재가치로 평가하여 동 평가액과 장부금액과의 차액을 채무면제익으로 계상한 경우 이자비용으로 계상하는 현재가치할인차금 상각액(법인 46012-1855, 1999. 5. 17.)

- 회생계획인가의 결정 등으로 채권·채무에 관한 계약조건이 채권자에게 불리하게 변경되어 조정된 채무를 현재가치로 평가하여 장부금액과 현재가치와의 차액을 채무조정이익으로 계상하고 이로 인해 발생한 현재가치할인차금의 상각액을 이자비용으로 계상한 경우(법인 46012-529, 1999. 2. 9.)

다섯째, 자산을 매입함에 있어서 매입가격을 결정한 후 그 대금 중 일부 잔금의 지급지연으로 그 금액이 실질적으로 소비대차로 전환된 경우에 지급하는 이자는 "건설 등이 준공된 날"까지의 기간 중에는 특정차입금에 대한 건설자금이자로 보고, 건설 등이 준공된 날 이후의 이자는 이를 각 사업연도의 소득금액 계산상 손금에 산입한다(법기통 28-52…2).

여섯째, 법인이 건설중인자산에 대하여 건설가계정에 포함된 특정차입금에 대한 지급이자 중 일부를 면제받은 경우에는 당해 건설가계정에서 이를 직접 차감하여 처리한다(법인 46012-387, 2001. 2. 19.).

일곱째, 건설자금이자는 사업용 유형자산 및 무형자산의 매입·제작 또는 건설 등을 개시한 날부터 건설 등의 목적물이 전부 준공된 날까지 계산하며, 건설자금의 명목으로 차입한 것으로서 그 건설 등이 준공된 후에 남은 차입금에 대한 이자는 각 사업연도의 손금으로 한다. 준공된 날은 다음에 해당하는 날로 한다(법령 52조 6항).

- 토지를 매입하는 경우에는 그 대금을 청산한 날. 다만, 그 대금을 청산하기 전에 당해 토지를 사업에 사용하는 경우에는 그 사업에 사용되기 시작한 날

- 건축물의 경우에는 소득세법 시행령 제162조의 규정에 의한 취득일 또는 당해 건설의 목적물이 그 목적에 실제로 사용되기 시작한 날("사용개시일") 중 빠른 날

- 기타 사업용 유형자산 및 무형자산의 경우에는 사용개시일

여기에서 토지가 "사업에 사용되기 시작한 날"이라 함은 공장 등의 건설에 착공한 날 또는 당해 사업용 토지로 업무에 직접 사용한 날을 말하며, "사용개시일"이라 함은 정상제품을 생산하기 위하여 실제로 가동되는 날(선박의 경우에는 최초의 출항일, 전기사업법의 규정에 의한 전기사업자가 발전소를 건설하는 경우에는 당해 공작물 사용허가를 받은 날)을 말한다.

여덟째, 지급이자의 확정은 발생주의를 기준으로 한다. 건설기간 중의 지급이자로서 미지급된 지급이자는 가산하며, 건설기간 이전 해당 분의 지급이자는 차감한다.

아홉째, 사업용 유형자산 및 무형자산의 건설을 목적으로 차입한 특정차입금의 일시

예금에서 생기는 수입이자는 원본에 가산하는 자본적지출금액에서 차감한다(법령 52조 2항). 한편, 특정차입금의 연체로 인하여 생긴 이자를 원본에 가산하는 경우 그 가산한 금액은 이를 당해 사업연도의 자본적 지출로 하고, 그 원본에 가산한 금액에 대한 지급이자는 이를 손금에 산입한다(법령 52조 4항).

2) 일반차입금에 대한 건설자금이자

법인이 손금불산입(자본화) 여부를 선택할 수 있는 일반차입금(해당 사업연도에 상환하거나 상환하지 아니한 차입금 중 특정차입금을 제외한 금액을 말하며, 이하 같음)에 대한 건설자금이자란 다음 ㉠과 ㉡의 금액 중 적은 금액을 말한다(법법 28조 2항 및 법령 52조 7항).

㉠ 해당 사업연도 중 개별 사업용 유형자산 및 무형자산의 건설 등에 소요된 기간에 실제로 발생한 일반차입금의 지급이자 등의 합계

㉡ 다음 산식에 따라 계산한 금액

$$\left\{ \frac{\text{해당 건설 등에 대하여 해당 사업연도에 지출한 금액의 적수}}{\text{해당 사업연도 일수}} - \frac{\text{해당 사업연도의 특정차입금의 적수}}{\text{해당 사업연도 일수}} \right\} \times \text{자본화이자율}$$

상기에서 사업용 유형자산 및 무형자산의 범위, 건설 등의 범위, 지급이자의 범위에 대한 자세한 내용은 전술한 "1) 특정차입금에 대한 건설자금이자"의 관련 부분을 참조하기 바란다.

3) 건설자금이자의 세무조정

건설자금이자금액과 법인이 장부상 계산한 건설자금이자액은 서로 일치하지 않을 경우 각각 다음과 같이 조정하게 된다.

① 법인이 법인세법상의 건설자금이자보다 과다하게 계상한 금액은 손금에 산입한다.

② 법인이 각 사업연도에 특정차입금에 대한 건설자금이자를 과소하게 계상한 경우(미계상 포함)에는 법에 의하여 계산한 금액에 미달하는 금액은 손금불산입한다. 또한, 한국채택국제회계기준에 따라 법인이 일반차입금에 대해서도 건설자금이자를 계상하지만, 법에 의해 계상되어야 할 건설자금이자보다 과소하게 계상된 경우에는 법인의 선택에 따라 과소하게 계상된 금액을 손금불산입할 수 있다. 이렇게 손금불산입한 금액은 추후 당해 유형자산 및 무형자산을 매각하거나 감가상각을

함으로써 손금으로 추인된다.

가. 손금산입된 건설자금이자의 추인

⊙ 비상각자산의 경우

법인이 건설자금이자를 과다하게 계상한 금액은 손금에 산입하여 △유보로 처분하고, 이후 양도시 손금불산입 유보로 추인한다(법기통 28-52…1 2호).

ⓛ 상각자산의 경우

법인이 건설자금이자를 과다하게 계상한 금액은 손금에 산입하여 △유보로 처분하고, 당해 자산을 감가상각시 다음과 같은 동 감가상각비의 유보금액 해당액을 손금불산입하고 유보로 추인한다.

$$
\text{손금불산입할 유보금액} = \text{당해 자산의 감가상각비} \times \frac{\triangle\text{유보금액}}{\text{당해 자산의 장부가액}}
$$

손금산입된 건설자금이자의 손금추인 과정을 보면 다음과 같다.

① 사업연도 : 20×1. 1. 1.~20×1. 12. 31.
② 자산의 장부가액 : ₩1,000,000
③ 자본적 지출액 : ₩200,000(전기 이전의 건설자금이자의 과대계상분으로서 손금산입된 것으로 가정함)
④ 내용연수 : 5년
⑤ 건설완료일 : 20×1. 6. 30.
⑥ 회사의 감가상각방법 : 정액법
⑦ 20×1년도 회사계상 감가상각액 : ₩100,000
⑧ 20×1년도 손금불산입할 유보금액 : ₩100,000 × (₩200,000 ÷ ₩1,000,000)
　 = ₩20,000

나. 손금불산입된 건설자금이자 손금추인

⊙ 비상각자산의 경우

일단 손금불산입된 건설자금이자는 동 자산의 자본적 지출로써 취득원가에 가산되어 추후 자산을 매각하는 사업연도에 자산처분이익을 감소 또는 자산처분손실을 증가시킴으로써 손금추인을 하게 된다.

ⓛ 상각자산의 경우

당해연도에 건설 등이 완료된 경우 법인이 손금으로 계상한 건설자금이자는 손금불산입으로 하는 것이 아니라 동액만큼 감가상각한 것으로 의제한다. 따라서 동 이자는 감가상각액의 시부인액에 포함시켜 감가상각액의 한도 초과액이 나온 경우 이에 포함된 금액만을 손금불산입한다.

그러나 각 사업연도 말에 건설이 진행 중인 자산에 대해 과소계상된 건설자금이자는 일단 손금불산입된다. 이후 당해 자산의 건설이 완료되어 사용하는 날이 속하는 사업연도부터 동 손금불산입된 건설자금이자를 상각부인액으로 보아서 당해 사업연도의 시인부족액의 범위 내에서 손금추인한다.

손금불산입된 건설자금이자의 손금추인 과정을 보면 다음과 같다.
① 사업연도 : 20×2. 1. 1.~20×2. 12. 31.
② 자산취득가액 : ₩1,000,000
③ 자본적 지출액 : ₩200,000(전기 이전의 건설자금이자로서 손금불산입된 것으로 가정함)
④ 내용연수 : 5년
⑤ 건설완료일 : 20×2. 6. 30.
⑥ 회사의 감가상각방법 : 정액법
⑦ 20×2년도 회사계상 감가상각액 : ₩100,000
⑧ 20×2년도 감가상각 한도액의 계산
  (₩1,000,000 + ₩200,000) ÷ 5 × 6/12 = ₩120,000
⑨ 상각부족액 : ₩120,000 - ₩100,000 = ₩20,000

사례에서 손금불산입으로 누적된 건설자금이자는 건설완료일이 속하는 사업연도의 상각부인액으로 의제되었으므로 상각부족액의 범위 내에서 손금으로 인정하게 되므로 자본적 지출액 ₩200,000 중 ₩20,000은 건설완료일이 속하는 사업연도에 손금으로 인정받게 되는 것이다.

본 예에서는 누적된 건설자금이자 손금불산입액만이 자본적 지출이 되었다고 단순화하였으므로 미래에 추인되는 과정을 검토할 수 있다. 즉, 회사가 매 연도 감가상각액을 ₩100,000씩만 계산한다면 결국에는 당해 자산의 내용연수에 걸쳐서 총 자본적 지출액이 모두 손금으로 인정받게 되는 것이다.

(15) 유형자산 재평가

한국채택국제회계기준에서는 유형자산을 원가모형 또는 재평가모형을 적용하여 평가할 수 있도록 규정하고 있지만, 법인세법에서는 다음의 경우를 제외하고는 원가법만을 인정하고 있다(법법 42조 1항, 3항).

- 보험업법이나 그 밖의 법률에 의한 자산을 평가(증액에 한함)하는 경우
- 천재지변·화재 등의 사유로 인하여 자산이 파손 또는 멸실되는 경우

따라서, 법인이 원가모형을 적용한 경우에는 별도의 세무조정이 필요하지 않지만, 재평가모형을 적용하여 유형자산을 평가한 경우에는 한국채택국제회계기준의 규정에 의한 평가손익을 손금불산입 또는 익금불산입하는 세무조정을 하여야 한다.

유형자산 중 토지를 재평가하는 경우의 세무조정을 예시하면 다음과 같다.

1) 재평가이익을 인식하는 경우

유형자산인 토지의 장부금액이 재평가로 증가한 경우에는 (차) 토지 ××× (대) 유형자산재평가이익(기타포괄손익누계액) ×××으로 회계처리하기 때문에 당해 연도의 손익에는 영향이 없다. 따라서, 이 경우에는 세무상 유형자산의 장부금액과 자본항목의 장부금액을 조정하기 위한 세무조정이 필요하다. 즉, 유형자산 과대계상분을 익금불산입(△유보)하고 자본항목의 과대계상분을 익금산입(기타)한 후, 이후 사업연도에 재평가손실이 발생하여 재평가이익을 상계하는 경우 또는 토지를 처분하는 경우에 동 금액을 반대로 손금불산입(유보) 및 손금산입(기타)하여야 한다.

한편, 재평가대상 자산이 감가상각자산인 경우 평가 이후 사업연도에 해당 자산을 감가상각하는 경우, 평가시 발생한 익금불산입(△유보)한 금액의 추인 방법에 대하여 논란이 있을 수 있으나, 국세청 유권해석(법인-1111, 2010. 11. 30.)에 따르면 법인세법 기본통칙 67-106…9 제3항을 준용하여 재평가증한 금액에 대한 감가상각비분부터 우선 손금불산입(유보)한 후 잔여 감가상각비에 대하여 법인세법 제23조에 따라 감가상각 시부인하도록 해석하고 있다.

2) 재평가손실을 인식하는 경우

토지의 장부금액이 재평가로 감소하여 (차) 유형자산재평가손실(영업외비용) ××× (대) 토지 ×××로 회계처리한 경우에는 이를 손금불산입(유보)한 후, 이후 사업연도에 재평가이익이 발생하여 당기손익으로 계상하는 경우 또는 토지를 처분하는 경우에 손금산입(△유보)하여야 한다.

(16) 손상차손

기준서 제1016호 문단 66에 따르면 유형자산의 손상은 기업회계기준서 제1036호에 따라 인식하도록 규정되어 있어 손상차손이 발생하는 경우에는 당기손익으로 인식한다.

법인세법에서도 감가상각자산이 진부화, 물리적 손상 등에 따라 시장가치가 급격히 하락하여 법인이 한국채택국제회계기준에 따라 손상차손을 계상한 경우(고정자산으로서 천재지변·화재, 법령에 의한 수용, 채굴예정량의 채진으로 인한 폐광 등의 사유로 인하여 파손 또는 멸실됨에 따라 그 장부가액을 감액한 경우는 제외함)에는 해당 금액을 법인세법상 감가상각비로서 손비로 계상한 것으로 보도록 하고 있다(법령 31조 8항). 따라서, 법인이 손상차손을 계상한 경우에는 세법상으로는 손상차손을 감가상각비로 보아 감가상각비에 포함시켜 감가상각비 시부인을 한다.

(17) 국고보조금 등으로 취득한 사업용자산가액의 손금산입

내국법인이 보조금 관리에 관한 법률·지방자치단체 보조금 관리에 관한 법률·농어촌전기공급사업촉진법·전기사업법·사회기반시설에 대한 민간투자법·한국철도공사법·농어촌정비법·도시 및 주거환경정비법·산업재해보상보험법·환경정책기본법에 의한 보조금 등(이하 "국고보조금 등"이라 함)을 지급받아 그 지급 받은 날이 속하는 사업연도의 종료일까지 사업용 유형자산 및 무형자산과 석유류(이하 "사업용자산"이라 함)를 취득하거나 개량하는 데에 사용한 경우 또는 사업용자산을 취득하거나 개량하고 이에 대한 국고보조금 등을 사후에 지급받은 경우, 당해 사업용자산의 가액 중 그 사업용자산의 취득 또는 개량에 사용된 국고보조금 등에 상당하는 금액은 법인세법이 정하는 바에 따라 당해 사업연도의 소득금액계산에 있어서 이를 손금에 산입할 수 있다(법법 36조).

다만, 국고보조금 등을 지급받은 날이 속하는 사업연도의 종료일까지 사업용자산을 취득 또는 개량하지 아니한 내국법인이 그 사업연도의 다음 사업연도의 개시일부터 1년 이내에 사업용자산을 취득 또는 개량하고자 하는 경우에는 취득 또는 개량에 사용하려는 국고보조금 등의 금액을 손금에 산입할 수 있다. 이 경우 다음의 부득이한 사유로 국고보조금 등을 기한 내에 사용하지 못한 경우에는 해당 사유가 종료된 날이 속하는 사업연도의 종료일을 그 기한으로 본다.

① 공사의 허가 또는 인가 등이 지연되는 경우
② 공사를 시행할 장소의 미확정 등으로 공사기간이 연장되는 경우
③ 용지의 보상 등에 관한 소송이 진행되는 경우
④ 그 밖에 ① ~ ③에 준하는 사유가 발생한 경우

한편, 법인세법 제36조 제1항에 따라 국고보조금 등으로 사업용자산을 취득한 법인이 재무상태표를 작성함에 있어서 한국채택국제회계기준에 따라 정부보조금 등을 취득한 사업용자산에서 차감하는 형식으로 표시한 경우 이에 대한 세무조정방법은 다음과 같

다(법기통 36-64…1).

구 분	회계처리	세무조정
① 수령시 (수령 2,000)	현 금 2,000 / 정부보조금 2,000 　　　　　　　(현금차감계정)	(익산)정부보조금(현금차감계정) 2,000 (유보)
② 자산취득시 (취득 2,000)	차량운반구 2,000 / 현 금 2,000 정부보조금 2,000 / 정부보조금 2,000 (현금차감계정)　　(자산차감계정)	(손산)정부보조금(현금차감계정) 2,000 (△유보) (익산)정부보조금(자산차감계정) 2,000 (유보) (손산) 일시상각충당금 2,000 (△유보)
③ 결산시 (상각 400)	감가상각액 400 / 감가상각누계액 400 정부보조금 400 / 감가상각액 400 (자산차감계정)	(익산) 일시상각충당금 400 (유보) (손산) 정부보조금(자산차감계정) 400 (△유보)
④ 매각시 (매각 2,000)	현 금 2,000 / 사업용자산 2,000 감가상각누계액 400 / 처분이익 2,000 정부보조금 1,600 (자산차감계정)	(익산) 일시상각충당금 1,600 (유보) (손산)정부보조금(자산차감계정) 1,600 (△유보)

(18) 공사부담금으로 취득한 사업용자산가액의 손금산입

다음의 어느 하나에 해당하는 사업을 영위하는 내국법인이 그 사업에 필요한 시설을 하기 위하여 해당 시설의 수요자 또는 편익을 받는 자로부터 그 시설을 구성하는 토지 등 유형자산 및 무형자산(이하 "사업용자산"이라 함)을 제공받은 경우 또는 금전 등(이하 "공사부담금"이라 함)을 제공받아 그 제공받은 날이 속하는 사업연도의 종료일까지 사업용자산의 취득에 사용하거나 사업용자산을 취득하고 이에 대한 공사부담금을 사후에 제공받은 경우에는 해당 사업용자산의 가액(공사부담금을 제공받은 경우에는 그 사업용자산의 취득에 사용된 공사부담금에 상당하는 금액)을 법인세법이 정하는 바에 따라 당해 사업연도의 소득금액계산에 있어서 이를 손금에 산입할 수 있다(법법 37조).

① 전기사업법에 의한 전기사업
② 도시가스사업법에 의한 도시가스사업
③ 액화석유가스의 안전관리 및 사업법에 의한 액화석유가스충전사업·액화석유가스집단공급사업 및 액화석유가스판매사업
④ 집단에너지사업법 제2조 제2호의 규정에 의한 집단에너지공급사업
⑤ 지능정보화 기본법에 따른 초연결지능정보통신기반구축사업
⑥ 수도법에 의한 수도사업

사업용자산의 취득은 공사부담금을 제공받은 날이 속하는 사업연도의 종료일까지 또는 그 제공받은 날이 속하는 사업연도의 다음 사업연도의 개시일부터 1년 이내에 사업

용자산의 취득에 사용하여야 한다. 다만, 다음의 부득이한 사유로 인하여 공사부담금을 기한 내에 사용하지 못한 경우에는 당해 사유가 종료된 날이 속하는 사업연도의 종료일 까지 사용기한을 연장한다.

① 공사의 허가 또는 인가 등이 지연되는 경우
② 공사를 시행할 장소의 미확정 등으로 공사기간이 연장되는 경우
③ 용지의 보상 등에 관한 소송이 진행되는 경우
④ ① ~ ③에 준하는 사유가 발생한 경우

(19) 보험차익으로 취득한 자산가액의 손금산입

내국법인이 유형자산(이하 "보험대상자산"이라 함)의 멸실 또는 손괴로 인하여 보험 금을 지급받아 그 지급받은 날이 속하는 사업연도의 종료일까지 멸실한 보험대상자산 과 같은 종류의 자산을 대체 취득하거나 손괴된 보험대상자산을 개량(그 취득한 고정자 산의 개량을 포함)하는 경우에는 해당 자산의 가액 중 그 자산의 취득 또는 개량에 사 용된 보험차익상당액을 법인세법이 정하는 바에 따라 당해 사업연도의 소득금액계산에 있어서 이를 손금에 산입할 수 있다(법법 38조).

다만, 보험금을 지급받은 날이 속하는 사업연도의 종료일까지 자산을 취득 또는 개량 하지 아니한 내국법인이 그 사업연도의 다음 사업연도의 개시일부터 2년 이내에 이를 취득 또는 개량하고자 하는 경우에는 취득 또는 개량에 사용하려는 보험차익에 상당하 는 금액을 손금에 산입할 수 있다. 이 경우 다음의 부득이한 사유로 보험금을 기한 내 에 사용하지 못한 경우에는 해당 사유가 종료된 날이 속하는 사업연도의 종료일을 그 기한으로 본다.

① 공사의 허가 또는 인가 등이 지연되는 경우
② 공사를 시행할 장소의 미확정 등으로 공사기간이 연장되는 경우
③ 용지의 보상 등에 관한 소송이 진행되는 경우
④ 그 밖에 ① ~ ③에 준하는 사유가 발생한 경우

(20) 교환으로 인한 자산양도차익의 과세이연

부동산임대업·부동산중개업·부동산매매업·소비성서비스업을 제외한 사업을 영위 하는 내국법인이 2년 이상 당해 사업에 직접 사용하던 토지·건축물 등의 사업용자산 을 특수관계인 외의 다른 내국법인이 2년 이상 당해 사업에 직접 사용하던 동일한 종 류의 사업용자산과 교환하는 경우 당해 교환취득자산의 가액 중 교환으로 발생하는 사

업용자산의 양도차익에 상당하는 금액은 당해 사업연도의 소득금액계산에 있어서 이를 일시상각(압축기장)충당금 등의 설정을 통해 손금에 산입할 수 있다(법법 50조).

손금에 산입하는 양도차익에 상당하는 금액은 교환취득자산의 가액에서 현금으로 대가의 일부를 지급한 경우 그 금액 및 사업용자산의 장부금액을 차감한 금액(그 금액이 당해 사업용자산의 시가에서 장부금액을 차감한 금액을 초과하는 경우 그 초과금액을 제외함)을 의미한다.

한편, 손금에 산입한 일시상각충당금(건축물 등)과 압축기장충당금(토지)의 익금산입 시기를 살펴보면 일시상각충당금의 경우는 당해 사업용자산의 감가상각비와 상계하여 처리하고 당해 자산을 처분할 때는 상계하고 남은 일시상각충당금 잔액을 그 처분한 날이 속하는 사업연도에 전액 익금에 산입하여야 하며, 압축기장충당금의 경우는 당해 토지를 처분하는 사업연도에 전액 익금에 산입하여야 한다.

(21) 현물출자시 과세특례

1) 과세이연

내국법인(출자법인)이 다음의 요건을 갖춘 현물출자를 하는 경우 그 현물출자로 취득한 현물출자를 받은 내국법인(피출자법인)의 주식등(이하 "피출자법인주식등"이라 함)의 가액 중 현물출자로 발생한 자산의 양도차익에 상당하는 금액에 대하여는 해당 주식의 압축기장충당금으로 계상하여 손금에 산입함으로써 과세를 이연받을 수 있다. 다만, 법인세법 시행령 제84조의 2 제12항에 따른 부득이한 사유가 있는 경우에는 아래 ② 또는 ④의 요건을 갖추지 못한 경우에도 과세이연을 적용받을 수 있다(법법 47조의 2 1항).

① 출자법인이 현물출자일 현재 5년 이상 사업을 계속한 법인일 것
② 피출자법인이 그 현물출자일이 속하는 사업연도의 종료일까지 출자법인이 현물출자한 자산으로 영위하던 사업을 계속할 것
③ 다른 내국인 또는 외국인과 공동으로 출자하는 경우 공동으로 출자한 자가 출자법인의 특수관계인이 아닐 것
④ 출자법인 및 상기 ③에 따라 출자법인과 공동으로 출자한 자(이하 "출자법인등"이라 함)가 현물출자일 다음 날 현재 피출자법인의 발행주식총수 또는 출자총액의 80% 이상의 주식등을 보유하고, 현물출자일이 속하는 사업연도의 종료일까지 그 주식등을 보유할 것

2) 사후관리

① 양도차익의 일반적 익금산입

출자법인이 상기에 따라 손금에 산입한 양도차익에 상당하는 금액은 출자법인이 피출자법인으로부터 받은 주식등을 처분하거나, 피출자법인이 출자법인등으로부터 승계받은 감가상각자산(법령 제24조 제3항 제1호의 자산을 포함함), 토지 및 주식등(이하 "승계자산"이라 함)을 처분하는 경우(이 경우 피출자법인은 그 자산의 처분 사실을 처분일부터 1개월 이내에 출자법인에 알려야 함) 해당 사유가 발생하는 사업연도에 다음 계산식에 따른 금액만큼 익금에 산입한다. 다만 다음 3)에서 설명할 피출자법인이 적격합병되거나 적격분할하는 등의 사유가 있는 경우에는 그러하지 아니하다(법법 47조의 2 2항 및 법령 84조의 2 3항 내지 5항).

$$
\substack{\text{익금} \\ \text{산입액}} = \substack{\text{현재 피출자법인주식등의} \\ \text{압축기장충당금 잔액}} \times \left[\frac{\text{직전 사업연도 종료일}^{*1)}}{1} \right] \left[\left(\substack{\text{당기피출자} \\ \text{법인주식등} \\ \text{처분비율}^{*2)}} + \substack{\text{당기승계} \\ \text{자산처분} \\ \text{비율}^{*3)}} \right) - \left(\substack{\text{당기피출자} \\ \text{법인주식등} \\ \text{처분비율}^{*2)}} \times \substack{\text{당기승계} \\ \text{자산처분} \\ \text{비율}^{*3)}} \right) \right]
$$

*1) 현물출자일이 속하는 사업연도의 경우에는 현물출자일을 말함. 이하 같음.
*2) 출자법인이 직전 사업연도 종료일 현재 보유하고 있는 피출자법인주식등의 장부가액에서 해당 사업연도에 처분한 피출자법인주식등의 장부가액이 차지하는 비율
*3) 피출자법인이 직전 사업연도 종료일 현재 보유하고 있는 승계자산의 양도차익(현물출자일 현재 승계자산의 시가에서 현물출자일 전날 출자법인등이 보유한 승계자산의 장부가액을 차감한 금액을 말함)에서 해당 사업연도에 처분한 승계자산의 양도차익이 차지하는 비율(이하 "당기승계자산처분비율"이라 함)

② 양도차익의 일시 익금산입

양도차익 상당액을 손금에 산입한 출자법인은 현물출자일이 속하는 사업연도의 다음 사업연도 개시일부터 2년 이내에 다음의 어느 하나에 해당하는 사유가 발생하는 경우에는 손금에 산입한 금액 중 상기에 따라 익금에 산입하고 남은 금액을 그 사유가 발생한 날이 속하는 사업연도의 소득금액을 계산할 때 익금에 산입한다. 다만, 법인세법 시행령 제84조의 2 제12항에 따른 부득이한 사유가 있는 경우에는 그러하지 아니하다(법법 47조의 2 3항).

ㄱ) 피출자법인이 출자법인이 현물출자한 자산으로 영위하던 사업을 폐지하는 경우
ㄴ) 출자법인등이 피출자법인의 발행주식총수 또는 출자총액의 50% 미만으로 주식등을 보유하게 되는 경우

3) 출자법인 또는 피출자법인의 적격구조조정에 따른 계속 과세이연 및 사후관리

다음의 어느 하나에 해당하는 경우에는 상기 '2) 사후관리' 중 '① 양도차익의 일반적 익금산입'을 적용하지 아니하되, 법인세법 시행령 제84조의 2 제7항 내지 제11항에 따른 사후관리 규정이 적용된다(법법 47조의 2 2항 단서 및 법령 84조의 2 5항, 7항).

① 출자법인 또는 피출자법인이 최초로 적격구조조정(적격합병, 적격분할, 적격물적분할, 적격현물출자, 조세특례제한법 제38조에 따라 과세를 이연받은 주식의 포괄적 교환등 또는 같은 법 제38조의 2에 따라 과세를 이연받은 주식의 현물출자를 말하며, 이하 같음)에 따라 주식등 및 자산을 처분하는 경우

② 피출자법인의 발행주식 또는 출자액 전부를 출자법인이 소유하고 있는 경우로서 다음 중 어느 하나에 해당하는 경우

㉠ 출자법인이 피출자법인을 적격합병(법인세법 제46조의 4 제3항에 따른 적격분할합병을 포함하며, 이하 같음)하거나 피출자법인에 적격합병되어 출자법인 또는 피출자법인이 주식등 및 자산을 처분하는 경우

㉡ 출자법인 또는 피출자법인이 적격합병, 적격분할, 적격물적분할 또는 적격현물출자로 주식등 및 자산을 처분하는 경우. 다만, 해당 적격합병, 적격분할, 적격물적분할 또는 적격현물출자에 따른 합병법인, 분할신설법인등 또는 피출자법인의 발행주식 또는 출자액 전부를 당초의 출자법인이 직접 또는 법인세법 시행규칙 제42조에 따라 간접으로 소유하고 있는 경우로 한정함.

③ 출자법인 또는 피출자법인이 법인세법 시행령 제82조의 2 제3항 각 호의 어느 하나에 해당하는 사업부문의 적격분할 또는 적격물적분할로 주식등 및 자산을 처분하는 경우

한편, 이 경우 출자법인이 보유한 피출자법인주식등의 압축기장충당금은 다음의 방법으로 대체한다(법령 84조의 2 6항).

① 다음의 계산식에 따른 금액을 출자법인 또는 피출자법인이 새로 취득하는 자산승계법인(적격구조조정으로 피출자법인으로부터 피출자법인의 자산을 승계하는 법인을 말하며, 이하 같음)의 주식등(이하 "자산승계법인주식등"이라 함)의 압축기장충당금으로 할 것. 다만, 자산승계법인이 출자법인인 경우에는 피출자법인주식등의 압축기장충당금 잔액을 출자법인이 승계하는 자산 중 최초 현물출자 당시 양도차익이 발생한 자산의 양도차익에 비례하여 안분계산한 후 그 금액을 해당 자산이 감가상각자산인 경우 그 자산의 일시상각충당금으로, 해당 자산이 감가상각자산이 아닌 경우 그 자산의 압축기장충당금으로 한다.

$$\begin{array}{c}\text{자산승계법인주식등의} \\ \text{압축기장충당금}\end{array} = \begin{array}{c}\text{피출자법인주식등의} \\ \text{압축기장충당금 잔액}\end{array} \times \begin{array}{c}\text{당기자산처분비율} \\ \text{(법령 84조의 2 3항 2호)}^{(*1)}\end{array}$$

(*1) 당기자산처분비율(법령 84조의 2 3항 2호)을 산정할 때 '처분한 승계자산'은 적격구조조정에 따라 피출자법인이 자산승계법인에 처분한 승계자산에 해당하는 것을 말함.

② 다음의 계산식에 따른 금액을 주식승계법인(적격구조조정으로 출자법인으로부터 피출자법인주식등을 승계하는 법인을 말하며, 이하 같음)이 승계한 피출자법인주식등의 압축기장충당금으로 할 것.

$$\begin{array}{c}\text{주식승계법인이 승계한} \\ \text{피출자법인주식등의 압축기장충당금}\end{array} = \begin{array}{c}\text{피출자법인주식등의} \\ \text{압축기장충당금 잔액}\end{array} \times \begin{array}{c}\text{당기주식처분비율} \\ \text{(법령 84조의 2 3항 1호)}^{(*2)}\end{array}$$

(*2) 당기주식처분비율(법령 84조의 2 3항 1호)을 산정할 때 '처분한 주식'은 적격구조조정에 따라 주식승계법인에 처분한 피출자법인주식등에 해당하는 것을 말함.

(22) 유형자산 취득시 첨가취득한 국·공채

유형자산의 취득과 관련하여 국·공채 등을 불가피하게 매입하는 경우 취득원가는 기준서 제1109호 '금융상품'규정을 적용하여 평가한 가액으로 하고 취득가액과 평가액과의 차액은 당해 유형자산등의 취득원가로 계상하는 것이 타당할 것이다. 마찬가지로 법인세법에서도 유형자산의 취득과 함께 국·공채를 매입하는 경우 한국채택국제회계기준에 따라 그 국·공채의 매입가액과 현재가치의 차액을 당해 유형고정자산의 취득가액으로 하도록 하고 있다. 따라서 한국채택국제회계기준에 따라 적정하게 회계처리한 경우에는 유형자산의 취득원가와 관련하여 추가적인 세무조정사항이 발생하지 아니한다.

그러나 2006. 2. 8. 이전에 유형자산의 취득과 함께 국·공채를 매입하는 경우, 법인세법에서는 국·공채의 매입가액 총액을 국·공채의 취득가액으로 하도록 하고 있다. 따라서 한국채택국제회계기준에 의해 유형자산의 취득과 관련하여 불가피하게 매입한 국·공채의 취득원가를 현재가치 상당액으로 계상한 경우에는 세무상 유가증권 장부금액과 유형자산 장부금액을 조정하기 위한 세무조정이 필요하다. 즉, 세무상 유가증권 과소계상분을 익금산입(유보) 처분하고 동액의 유형자산 과대계상분을 익금불산입(△유보) 처분 후, 유가증권은 보유기간 동안 유효이자율법을 사용해서 이자수익으로 인식하여 장부금액을 액면가액으로 점차 조정해 나가는 회계처리를 할 때 또는 중도매각시에 반대로 익금불산입(△유보) 처분하며, 유형자산은 감가상각액을 인식할 때 또는 매각시에 손금불산입(유보)하여 상계처리하여야 한다. 예를 들면, 부동산의 취득시 첨가취득한

국·공채를 즉시 매각하는 경우 기업회계상으로는 처분손실이 발생하지 아니하나, 법인세법상으로는 처분손실이 과소계상되고 유형자산과 감가상각액(상각가능자산인 경우)이 과대계상되게 되므로 이에 따른 세무조정을 하여야 한다(법인 46012-2263, 1999. 6. 16.).

결국 유형자산의 취득시 국·공채를 불가피하게 매입하는 경우의 국·공채의 취득원가는 다음과 같이 계상되게 된다.

2006. 2. 9. 이후 취득		2006. 2. 8. 이전 취득	
한국채택국제회계기준	법인세법	한국채택국제회계기준	법인세법
현재가치	좌 동	현재가치	매입가액

(23) 동종 자산의 교환

한국채택국제회계기준에서는 일반기업회계기준과 달리 교환거래에 상업적 실질이 결여된 경우 또는 취득한 자산과 제공한 자산 모두의 공정가치를 신뢰성 있게 측정할 수 없는 경우를 제외하고는 취득자산의 취득가액은 공정가치로 측정하도록 하고 있다(기준서 제1016호 문단 24).

세법상 교환의 방법으로 취득한 고정자산의 취득가액에 대한 명확한 규정은 없으나, 법인세법 시행령 제72조 제2항 제7호의 규정에 따라 취득 당시의 시가를 취득가액으로 계상해야 할 것으로 판단된다. 따라서 한국채택국제회계기준에 따라 교환으로 받은 유형자산의 취득원가를 교환으로 제공한 유형자산의 공정가치 또는 장부가액(상업적 실질 결여 등의 경우)으로 회계처리한 경우에는 취득한 유형자산의 시가와 제공한 유형자산의 장부금액과의 차액에 대하여 세무조정이 필요할 것이며, 동 금액은 당해 유형자산의 처분시점이나 감가상각시점에 추인하여야 할 것이다.

다만, 앞서 '(20) 교환으로 인한 자산양도차익의 과세이연'에서 설명한 바와 같이 법인세법 제50조에서 규정하고 있는 교환으로 인한 자산양도차익 상당액의 손금산입 요건에 부합하는 경우에는 양도차익 상당액을 동시에 손금산입(△유보)하는 세무조정을 할 수 있을 것이다.

(24) 복구충당부채

기준서 제1016호 문단 16 (3)에서는 자산을 해체, 제거하거나 부지를 복구하는 데 소요될 것으로 최초에 추정되는 원가(이하 "복구원가"라 함)를 취득원가에 포함하도록 규정하고 있다. 하지만 법인세법에서는 미확정된 미래의 추정 복구원가를 취득원가로 인정하지 않고 있으며, 그 감가상각액 또한 손금으로 인정하지 않는다(서이 46012-11425,

2003. 7. 29.). 이에 대한 세무처리는 사례를 통하여 살펴보기로 한다.

〈가 정〉

- 해양구조물의 취득원가 : 400,000
- 감가상각방법 : 정액법
- 내용연수 : 10년
- 복구충당부채 : 194,879(유효이자율=8.5%)

구 분	회 계 처 리	세 무 조 정
취득시점	구 축 물 594,879 / 미 지 급 금 400,000 / 복구충당부채 194,879	(익산) 복구충당부채 194,879(유보) (손산) 구축물 194,879(△유보)[3]
결산시점	감가상각비 59,488[1] 복구충당부채전입액 16,565[2] / 감가상각누계액 59,488 / 복구충당부채 16,565	(손불) 감가상각누계액 19,488(유보)[3] (손불) 복구충당부채 16,565(유보)
중 략		
복구공사시점 (손실발생시)	복 구 충 당 부 채 440,619 복 구 공 사 손 실 59,381 / 미 지 급 금 500,000	(손산) 복구충당부채 440,619(△유보)
복구공사시점 (이익발생시)	복구충당부채 440,619 / 미 지 급 금 400,000 / 복구공사이익 40,619	(손산) 복구충당부채 440,619(△유보)

주1) 감가상각액의 산출 : 594,879/10년＝59,488
주2) 복구충당부채 전입액의 산출 : 194,879×8.5%＝16,565
주3) 손금산입(△유보)한 구축물과 손금불산입(유보)한 감가상각누계액은 구축물의 처분시점에 추인함.

(25) 토지 자본적 지출의 감가상각

기준서 제1016호 문단 제59에 따르면, 토지의 원가에 해체, 제거 및 복구원가가 포함된 경우, 경제적효익이 유입되는 기간 동안 토지를 감가상각해야 한다고 규정하고 있다. 그러나 법인세법에서는 미확정된 미래의 추정 복구원가를 취득원가로 인정하지 않고 있으며, 그 감가상각액 또한 손금으로 인정하지 않는다(서이 46012-11425, 2003. 7. 29.). 따라서 회사가 결산상 계상한 토지의 복구원가 등을 토지의 원가에 가산한 경우, 최초 발생시점에 손금산입(△유보)하고 추후 당해 고정자산을 매각하거나 감가상각을 할 때 추인하는 것이 타당할 것이다.

(26) 한국채택국제회계기준의 최초적용시점의 감가상각비 시부인

회사가 한국채택국제회계기준의 최초 적용에 따라 감가상각방법 및 내용연수를 변경하고, 감가상각방법 및 내용연수의 변경으로 인하여 자산 또는 부채에 미치는 누적효과를 한국채택국제회계기준에 따라 전기이월이익잉여금의 증감으로 반영한 경우, 법인세법 기본통칙 23-26…8에 따라 다음과 같이 처리하여야 한다(법인세과-89, 2012. 1. 27.).

① 전기이월이익잉여금의 증가

전기이월이익잉여금 증가분을 익금산입 기타 처분하고, 손금산입 (△)유보하여 동 금액을 이미 감가상각비로 손금에 산입한 금액으로 보아 처리한다.

② 전기이월이익잉여금의 감소

전기이월이익잉여금 감소분을 손금산입 기타 처분하고, 동 금액만큼 법인이 해당 사업연도의 손금에 계상한 것으로 보아 감가상각비 시부인계산에 따라 처리한다.

(27) 토지 등 양도소득에 대한 법인세

1) 과세대상

토지 등 양도소득에 대한 법인세의 과세대상이 되는 자산은 주택(부수토지 포함) 및 별장, 비사업용 토지, 주택을 취득하기 위한 권리로서 조합원입주권(소법 88조 9호) 및 분양권(소법 88조 10호)으로 구분할 수 있으며, 양도시기별로 과세대상을 구분하면 다음과 같다. 다만, 2009년 3월 16일부터 2012년 12월 31일까지의 기간 중에 취득한 주택(부수토지 포함) 및 별장 또는 비사업용 토지를 양도하는 경우 및 중소기업이 주택(부수토지 포함) 및 별장 또는 비사업용 토지(미등기 토지 등은 제외함)를 2014년 1월 1일부터 2015년 12월 31일까지 양도하는 경우에는 토지 등 양도소득에 대한 법인세의 과세대상에서 제외한다(법법 부칙(2009. 5. 21.) 4조, 법법 부칙(2014. 1. 1.) 8조).

구 분	과세대상
2021. 1. 1. 이후	① 주택(부수토지 포함) 및 별장 ② 비사업용 토지 ③ 조합원입주권(소법 88조 9호) 및 분양권(소법 88조 10호)
2013. 1. 1. ~ 2020. 12. 31.	① 주택(부수토지 포함) 및 별장[*] ② 비사업용 토지

(*) 2014년 12월 23일 법인세법 개정시 종전 '비사업용 토지'에서 규정하던 별장을 '주택'과 동일한 호로 이관하였으며, 동 개정규정은 2015년 1월 1일 이후 양도하는 분부터 적용함.

2) 과세 제외

① 다음에 해당하는 토지 등 양도소득은 과세하지 아니한다. 다만, 미등기토지 등의 양도소득은 제외한다(법법 55조의 2 4항).

㉮ 파산선고에 의한 토지 등의 처분으로 인하여 발생하는 소득

㉯ 법인이 직접 경작하던 농지로서 법인세법 시행령 제92조의 2 제3항에 해당하는 농지의 교환 또는 분할·통합으로 인하여 발생하는 소득

㉰ 도시 및 주거환경정비법이나 그 밖의 법률에 따른 환지 처분 등 법인세법 시행령 제92조의 2 제4항에 해당하는 소득령이 정하는 사유로 인하여 발생하는 소득

② 다음의 주택에 대한 양도소득은 과세하지 아니한다. 다만, 아래 ㉮, ㉯, ㉰, ㉱에 해당하는 임대주택(법률 제17482호 민간임대주택에 관한 특별법 일부개정법률 부칙 제5조 제1항이 적용되는 주택으로 한정함)으로서 민간임대주택에 관한 특별법 제6조 제5항에 따라 임대의무기간이 종료한 날 등록이 말소되는 경우에는 임대의 무기간이 종료한 날 아래 ㉮, ㉯, ㉰, ㉱에서 정한 임대기간 요건을 갖춘 것으로 본다(법령 92조의 2 2항).

㉮ 해당 법인이 임대하는 민간임대주택에 관한 특별법 제2조 제3호에 따른 민간매입임대주택 또는 공공주택 특별법 제2조 제1호의 3에 따른 공공매입임대주택으로서 다음의 요건을 모두 갖춘 주택. 다만, 민간임대주택에 관한 특별법 제2조 제7호에 따른 임대사업자의 경우에는 2018. 3. 31. 이전에 같은 법 제5조에 따른 임대사업자 등록과 법인세법 제111조에 따른 사업자등록(이하 "사업자등록 등"이라 함)을 한 주택으로 한정함.

ⓐ 5년 이상 임대한 주택일 것

ⓑ 민간임대주택에 관한 특별법 제5조에 따른 민간임대주택으로 등록하거나 공공주택 특별법 제2조 제1호 가목에 따른 공공임대주택으로 건설 또는 매입되어 임대를 개시한 날의 해당 주택 및 이에 딸린 토지의 기준시가(소득세법 제99조에 따른 기준시가를 말하며, 이하 같음)의 합계액이 6억원(수도권 밖의 지역인 경우에는 3억원) 이하일 것

㉯ 해당 법인이 임대하는 민간임대주택에 관한 특별법 제2조 제2호에 따른 민간건설임대주택 또는 공공주택 특별법 제2조 제1호의 2에 따른 공공건설임대주택으로서 다음의 요건을 모두 갖춘 주택이 2호 이상인 경우 그 주택. 다만, 민간임대주택에 관한 특별법 제2조 제7호에 따른 임대사업자의 경우에는 2018. 3. 31. 이전에 사업자등록등을 한 주택으로 한정함.

ⓐ 대지면적이 298㎡ 이하이고 주택의 연면적(소득세법 시행령 제154조 제3항 본문에 따라 주택으로 보는 부분과 주거전용으로 사용되는 지하실부분의 면

적을 포함하고, 공동주택의 경우에는 전용면적을 말함)이 149㎡ 이하일 것

ⓑ 5년 이상 임대하는 것일 것

ⓒ 민간임대주택에 관한 특별법 제5조에 따른 민간임대주택으로 등록하거나 공공주택 특별법 제2조 제1호 가목에 따른 공공임대주택으로 건설 또는 매입되어 임대를 개시한 날의 해당 주택 및 이에 딸린 토지의 기준시가의 합계액이 6억원 이하일 것

㉱ 부동산투자회사법 제2조 제1호에 따른 부동산투자회사 또는 간접투자자산 운용업법 제27조 제3호에 따른 부동산간접투자기구가 2008. 1. 1.부터 2008. 12. 31.까지 취득 및 임대하는 민간임대주택에 관한 특별법 제2조 제3호에 따른 민간매입임대주택 또는 공공주택 특별법 제2조 제1호의 3에 따른 또는 공공매입임대주택으로서 다음의 요건을 모두 갖춘 주택이 5호 이상인 경우 그 주택

ⓐ 대지면적이 298㎡ 이하이고 주택의 연면적(소득세법 시행령 제154조 제3항 본문에 따라 주택으로 보는 부분과 주거전용으로 사용되는 지하실부분의 면적을 포함하고, 공동주택의 경우에는 전용면적을 말함)이 149㎡ 이하일 것

ⓑ 10년 이상 임대하는 것일 것

ⓒ 수도권 밖의 지역에 소재할 것

㉲ 민간임대주택에 관한 특별법 제2조 제3호에 따른 민간매입임대주택 또는 공공주택 특별법 제2조 제1호의 3에 따른 공공매입임대주택(미분양주택[*]으로서 2008. 6. 11.부터 2009. 6. 30.까지 최초로 분양계약을 체결하고 계약금을 납부한 주택에 한정함)으로서 다음의 요건을 모두 갖춘 주택. 이 경우 해당 주택을 양도하는 법인은 해당 주택을 양도하는 날이 속하는 사업연도 과세표준신고 시 시장·군수 또는 구청장이 발행한 미분양주택 확인서 사본 및 미분양주택 매입 시의 매매계약서 사본을 납세지 관할 세무서장에게 제출해야 함.

ⓐ 대지면적이 298㎡ 이하이고 주택의 연면적(소득세법 시행령 제154조 제3항 본문에 따라 주택으로 보는 부분과 주거전용으로 사용되는 지하실부분의 면적을 포함하고, 공동주택의 경우에는 전용면적을 말함)이 149㎡ 이하일 것

ⓑ 5년 이상 임대하는 것일 것

ⓒ 수도권 밖의 지역에 소재할 것

ⓓ 상기 ⓐ~ⓒ의 요건을 모두 갖춘 미분양매입임대주택(이하 "미분양매입임대주택"이라 함)이 같은 시(특별시 및 광역시를 포함함)·군에서 5호 이상일 것(상기 ㉰에 따른 매입임대주택이 5호 이상이거나 ㉱에 따른 매입임대주택이 5호 이상인 경우에는 ㉰ 또는 ㉱에 따른 매입임대주택과 미분양매입임대주택을 합산하여 5호 이상일 것)

ⓔ 2020. 7. 11. 이후 종전의 민간임대주택에 관한 특별법(법률 제17482호 민간임대주택에 관한 특별법 일부개정법률에 따라 개정되기 전의 것을 말하며, 이하 같음) 제5조에 따른 임대사업자등록 신청(임대할 주택을 추가하기 위해 등록사항의 변경 신고를 한 경우를 포함함)을 한 같은 법 제2조 제5호에 따른 장기일반민간임대주택 중 아파트를 임대하는 민간매입임대주택 또는 같은 조 제6호에 따른 단기민간임대주택이 아닐 것

ⓕ 종전의 민간임대주택에 관한 특별법 제5조에 따라 등록을 한 같은 법 제2조 제6호에 따른 단기민간임대주택을 같은 법 제5조 제3항에 따라 2020. 7. 11. 이후 장기일반민간임대주택등으로 변경 신고한 주택이 아닐 것

(*) 주택법 제54조에 따른 사업주체가 같은 조에 따라 공급하는 주택으로서 입주자모집공고에 따른 입주자의 계약일이 지난 주택단지에서 2008. 6. 10.까지 분양계약이 체결되지 아니하여 선착순의 방법으로 공급하는 주택을 말함.

㉝ 다음의 요건을 모두 갖춘 부동산투자회사법 제2조 제1호 다목에 따른 기업구조조정부동산투자회사 또는 자본시장과 금융투자업에 관한 법률 제229조 제2호에 따른 부동산집합투자기구(이하 "기업구조조정부동산투자회사등"이라 함)가 2010. 2. 11.까지 직접 취득(2010. 2. 11.까지 매매계약을 체결하고 계약금을 납부한 경우를 포함함)을 하는 미분양주택(주택법 제54조에 따른 사업주체가 같은 조에 따라 공급하는 주택으로서 입주자모집공고에 따른 입주자의 계약일이 지나 선착순의 방법으로 공급하는 주택을 말하며, 이하 같음)

ⓐ 취득하는 부동산이 모두 서울특별시 밖의 지역(소득세법 제104조의 2에 따른 지정지역은 제외함)에 있는 미분양주택으로서 그 중 수도권 밖의 지역에 있는 주택수의 비율이 60% 이상일 것

ⓑ 존립기간이 5년 이내일 것

㉞ 상기 ㉝, 하기 ㉟ 또는 ㊱에 따라 기업구조조정부동산투자회사등이 미분양주택을 취득할 당시 매입약정을 체결한 자가 그 매입약정에 따라 미분양주택(하기 ㉟의 경우에는 수도권 밖의 지역에 있는 미분양주택만 해당함)을 취득한 경우로서 그 취득일부터 3년 이내인 주택

㉟ 다음의 요건을 모두 갖춘 신탁계약에 따른 신탁재산으로 자본시장과 금융투자업에 관한 법률에 따른 신탁업자가 2010. 2. 11.까지 직접 취득(2010. 2. 11.까지 매매계약을 체결하고 계약금을 납부한 경우를 포함함)을 하는 미분양주택

ⓐ 주택의 시공자가 채권을 발행하여 조달한 금전을 신탁업자에게 신탁하고, 해당 시공자가 발행하는 채권을 한국주택금융공사법에 따른 한국주택금융공사의 신용보증을 받아 자산유동화에 관한 법률에 따라 유동화 할 것

ⓑ 신탁업자가 신탁재산으로 취득하는 부동산은 모두 서울특별시 밖의 지역에 있는 미분양주택(주택도시기금법에 따른 주택도시보증공사가 분양보증을 하여 준공하는 주택만 해당함)으로서 그 중 수도권 밖의 지역에 있는 주택수의 비율(신탁업자가 다수의 시공자로부터 금전을 신탁받은 경우에는 해당 신탁업자가 신탁재산으로 취득한 전체 미분양주택을 기준으로 함)이 60% 이상일 것

ⓒ 신탁재산의 운용기간(신탁계약이 연장되는 경우 그 연장되는 기간을 포함함)이 5년 이내일 것

㉒ 다음의 요건을 모두 갖춘 기업구조조정부동산투자회사등이 2011. 4. 30.까지 직접 취득(2011. 4. 30.까지 매매계약을 체결하고 계약금을 납부한 경우를 포함함)하는 수도권 밖의 지역에 있는 미분양주택

ⓐ 취득하는 부동산이 모두 서울특별시 밖의 지역에 있는 2010. 2. 11. 현재 미분양주택으로서 그 중 수도권 밖의 지역에 있는 주택수의 비율이 50% 이상일 것

ⓑ 존립기간이 5년 이내일 것

㉓ 다음의 요건을 모두 갖춘 신탁계약에 따른 신탁재산으로 자본시장과 금융투자업에 관한 법률에 따른 신탁업자가 2011. 4. 30.까지 직접 취득(2011. 4. 30.까지 매매계약을 체결하고 계약금을 납부한 경우를 포함함)하는 수도권 밖의 지역에 있는 미분양주택

ⓐ 시공자가 채권을 발행하여 조달한 금전을 신탁업자에게 신탁하고, 해당 시공자가 발행하는 채권을 한국주택금융공사법에 따른 한국주택금융공사의 신용보증을 받아 자산유동화에 관한 법률에 따라 유동화할 것

ⓑ 신탁업자가 신탁재산으로 취득하는 부동산은 모두 서울특별시 밖의 지역에 있는 2010. 2. 11. 현재 미분양주택(주택도시기금법에 따른 주택도시보증공사가 분양보증을 하여 준공하는 주택만 해당함)으로서 그 중 수도권 밖의 지역에 있는 주택수의 비율(신탁업자가 다수의 시공자로부터 금전을 신탁받은 경우에는 해당 신탁업자가 신탁재산으로 취득한 전체 미분양주택을 기준으로 함)이 50% 이상일 것

ⓒ 신탁재산의 운용기간(신탁계약이 연장되는 경우 그 연장되는 기간을 포함함)은 5년 이내일 것

㉔ 다음의 요건을 모두 갖춘 기업구조조정부동산투자회사등이 2014. 12. 31.까지 직접 취득(2014. 12. 31.까지 매매계약을 체결하고 계약금을 납부한 경우를 포함함)하는 미분양주택

ⓐ 취득하는 부동산이 모두 미분양주택일 것

ⓑ 존립기간이 5년 이내일 것

㉗ 다음의 요건을 모두 갖춘 신탁계약에 따른 신탁재산으로 자본시장과 금융투자업에 관한 법률에 따른 신탁업자가 2012. 12. 31.까지 직접 취득(2012. 12. 31.까지 매매계약을 체결하고 계약금을 납부한 경우를 포함함)하는 미분양주택(주택도시기금법에 따른 주택도시보증공사가 분양보증을 하여 준공한 주택만 해당함)

  ⓐ 시공자가 채권을 발행하여 조달한 금전을 신탁업자에게 신탁하고, 해당 시공자가 발행하는 채권을 한국주택금융공사법에 따른 한국주택금융공사의 신용보증을 받아 자산유동화에 관한 법률에 따라 유동화할 것

  ⓑ 신탁재산의 운용기간(신탁계약이 연장되는 경우 그 연장되는 기간을 포함함)이 5년 이내일 것

㉘ 민간임대주택에 관한 특별법 제2조 제3호에 따른 민간매입임대주택 중 같은 조 제4호에 따른 공공지원민간임대주택 또는 같은 조 제5호에 따른 장기일반민간임대주택(이하 "장기일반민간임대주택"이라 함)으로서 다음의 요건을 모두 갖춘 주택[민간임대주택에 관한 특별법 제2조 제5호에 따른 장기일반민간임대주택의 경우에는 2020. 6. 17. 이전에 사업자등록등을 신청(임대할 주택을 추가하기 위해 등록사항의 변경 신고를 한 경우를 포함함)한 주택으로 한정함]. 다만, 종전의 민간임대주택에 관한 특별법 제5조에 따라 등록을 한 같은 법 제2조 제6호에 따른 단기민간임대주택을 같은 법 제5조 제3항에 따라 2020. 7. 11. 이후 장기일반민간임대주택등으로 변경 신고한 주택은 제외함.

  ⓐ 10년 이상 임대한 주택일 것

  ⓑ 민간임대주택에 관한 특별법 제5조에 따라 민간임대주택으로 등록하여 해당 주택의 임대를 개시한 날의 해당 주택 및 이에 딸린 토지의 기준시가의 합계액이 6억원(수도권 밖의 지역인 경우에는 3억원) 이하일 것

㉙ 민간임대주택에 관한 특별법 제2조 제2호에 따른 민간건설임대주택 중 장기일반민간임대주택등으로서 다음의 요건을 모두 갖춘 주택이 2호 이상인 경우 그 주택. 다만, 종전의 민간임대주택에 관한 특별법 제5조에 따라 등록을 한 같은 법 제2조 제6호에 따른 단기민간임대주택을 같은 법 제5조 제3항에 따라 2020. 7. 11. 이후 장기일반민간임대주택등으로 변경 신고한 주택은 제외함.

  ⓐ 대지면적이 298㎡ 이하이고 주택의 연면적(소득세법 시행령 제154조 제3항 본문에 따라 주택으로 보는 부분과 주거전용으로 사용되는 지하실부분의 면적을 포함하고, 공동주택의 경우에는 전용면적을 말함)이 149㎡ 이하일 것

  ⓑ 10년 이상 임대하는 것일 것

  ⓒ 민간임대주택에 관한 특별법 제5조에 따라 민간임대주택으로 등록하여 해당 주택의 임대를 개시한 날의 해당 주택 및 이에 딸린 토지의 기준시가의 합

계액이 6억원 이하일 것

㉻ 상기 ㉮, ㉯, ㉰, ㉲에 해당하는 임대주택(법률 제17482호 민간임대주택에 관한 특별법 일부개정법률 부칙 제5조 제1항이 적용되는 주택으로 한정함)으로서 민간임대주택에 관한 특별법 제6조 제1항 제11호에 따라 임대사업자의 임대의무기간 내 등록 말소 신청으로 등록이 말소된 경우(같은 법 제43조에 따른 임대의무기간의 50% 이상을 임대한 경우에 한정함)에는 해당 등록 말소 이후 1년 이내 양도하는 주택

㉮ 주주 등이나 출연자가 아닌 임원 및 직원에게 제공하는 사택 및 그 밖에 무상으로 제공하는 법인 소유의 주택으로서 사택제공기간 또는 무상제공기간이 10년 이상인 주택

㉯ 저당권의 실행으로 인하여 취득하거나 채권변제를 대신하여 취득한 주택으로서 취득일로부터 3년이 경과하지 아니한 주택

㉰ 주택도시기금법에 따른 주택도시보증공사가 같은 법 시행령 제22조 제1항 제1호에 따라 매입한 주택

3) 양도소득의 계산

토지 등 양도소득은 토지 등의 양도금액에서 양도 당시의 장부금액을 차감한 금액으로 한다.

4) 세 율

토지 등 양도소득에 대한 법인세율은 양도시기별로 다음과 같이 구분하며, 하나의 자산이 2 이상의 세율에 해당하는 때에는 그 중 가장 높은 세율을 적용한다(법법 55조의2 1항 및 법법 부칙(2014. 1. 1.) 8조). 한편, 2009년 3월 16일부터 2012년 12월 31일까지의 기간 중에 취득한 주택(부수토지 포함), 별장 또는 비사업용 토지를 양도하는 경우에는 토지 등 양도소득에 대한 법인세의 과세대상에서 제외한다(법법 부칙(2009. 5. 21.) 4조).

| 구 분 | | 2013 | 2014~2015 | | 2016~2020 | 2021 이후 |
			중소기업	중소기업 외		
㉠ 주택(부수토지 포함) 및 별장	등기	30%	과세제외	10%	10%	20%
	미등기	40%	40%	40%	40%	40%
㉡ 비사업용 토지	등기	30%	과세제외	10%	10%	10%
	미등기	40%	40%	40%	40%	40%
㉢ 조합원입주권 및 분양권		과세제외				20%

투자부동산

1. 투자부동산

(1) 의의 및 범위

1) 의 의

투자부동산이란 임대수익이나 시세차익 또는 두 가지 모두를 얻기 위하여 소유자나 리스이용자가 사용권자산으로 보유하고 있는 부동산으로서 토지, 건물(또는 건물의 일부분) 또는 두 가지 모두를 포함한다(기준서 제1040호 문단 5). 투자부동산은 기업이 보유하는 다른 자산과 거의 독립적으로 현금흐름을 창출하므로 자가사용부동산이나 재고자산과 구별된다. 따라서 다음의 목적으로 보유하는 부동산은 투자부동산의 정의에 포함되지 않는다(기준서 제1040호 문단 5, 9).

① 재화의 생산이나 용역의 제공 또는 관리 목적에 사용 : 유형자산 규정 적용
② 통상적인 영업과정에서의 판매 : 재고자산 규정 적용

2) 투자부동산의 범위

투자부동산은 임대수익이나 시세차익을 얻기 위하여 보유하는 부동산이므로, 이러한 특성에 근거하여 자산을 분류한다. 예를 들어, 부동산매매업을 영위하는 기업이 정상적인 영업과정에서 판매하기 위하여 보유하는 부동산은 재고자산으로, 부동산임대업을 목적사업으로 하는 기업의 임대용 부동산은 투자부동산으로, 부동산임대업을 목적사업으로 하는 기업이 관리활동 등을 위하여 자가사용하는 부동산은 유형자산으로 분류되어야 한다. 한편 제조업을 영위하는 기업이 보유하고 있는 부동산을 임대수익을 얻기 위하여 외부임대하는 경우도 투자부동산으로 분류한다.

투자부동산으로 분류되는 사례는 다음과 같다(기준서 제1040호 문단 8, 9).

투자부동산 분류	사 례
투자부동산에 해당됨	(1) 장기 시세차익을 얻기 위하여 보유하고 있는 토지 (2) 장래 사용목적을 결정하지 못한 채로 보유하고 있는 토지 (3) 직접 소유하고 운용리스로 제공하는 건물(또는 보유하는 건물에 관련되고 운용리스로 제공하는 사용권자산) (4) 운용리스로 제공하기 위하여 보유하고 있는 미사용 건물 (5) 투자부동산으로의 장래 사용을 위하여 개발중인 경우

투자부동산 분류	사 례
투자부동산에 해당되지 않음	(1) 가까운 장래에 판매하거나, 개발하여 판매하기 위한 목적으로만 취득한 부동산과 같이 통상적인 영업과정에서 판매하기 위한 부동산이나 이를 위하여 건설 또는 개발 중인 부동산 (2) 자가사용부동산 : 미래에 자가사용하기 위한 부동산, 미래에 개발 후 자가사용할 부동산, 종업원이 사용하고 있는 부동산, 처분 예정인 자가사용부동산 등 (3) 금융리스하에 제공된 부동산

투자부동산과 재고자산의 구분 사례는 다음과 같다.

계정 구분	사 례
재고자산	(1) 통상적인 영업과정에서 판매 목적으로 소유하는 부동산 (2) 단기간 내에 판매 목적으로 보유하는 토지와 가까운 미래(영업주기 내)에 오직 처분할 목적으로만 취득한 부동산 (3) 미래 사용 목적이 불분명하게 취득된 토지가 판매를 위한 개발이 시작된 경우
투자부동산	(1) 자본이득을 위해 보유하는 부동산 (2) 미래 사용 목적이 불분명하게 취득된 토지 (3) 임차가 종료되었을 때에만 부동산을 판매할 계획을 가지고 있는 경우

임대 목적 부동산의 투자부동산 분류시, 정관 상 부동산임대업을 목적사업으로 규정하고 있어도 부동산 사용자에게 제공하는 용역이 유의적이지 않다면 임대 목적으로 보유하는 부동산은 투자부동산으로 분류한다. 예를 들어, 사무실을 임대해주고 임차인에게 보안 및 관리용역을 제공하는 경우의 사무실은 투자부동산이다. 반대로 호텔을 경영하는 경우 투숙객에게 제공하는 용역은 전체 계약에서 유의적인 비중을 차지하므로 투자부동산이 아닌 유형자산으로 분류될 것이다(기준서 제1040호 문단 11, 12).

(2) 기업회계상 회계처리

1) 투자부동산의 최초 인식

투자부동산은 최초 인식시점에 원가로 측정하며, 거래원가는 최초 측정에 포함한다. 이 때 거래원가는 투자부동산의 구입에 직접적으로 관련이 있는 지출로써, 예를 들면 법률용역의 대가로 전문가에게 지급하는 수수료, 부동산 구입과 관련된 세금 및 그 밖의 거래원가 등이 있다. 투자부동산을 후불조건으로 취득하는 경우의 원가는 취득시점의 현금가격상당액으로 하고, 현금가격상당액과 실제 총지급액의 차액은 신용기간 동안의 이자비용으로 인식한다(기준서 제1040호 문단 20, 21, 24).

건물이 외관상으로 완성된 후의 추가원가가 일상적인 수선, 유지와 관련하여 발생하는 원가가 아닌 건물의 미래 경제적 효익을 증가시키는데 기여하는 지출이라면 건물의 장부금액에 포함되지만, 마케팅비용, 일상적인 수선, 유지비 등과 같은 미래의 경제적 효익의 증가에 기여하지 않는 지출은 자본화하지 않고 당기 비용으로 처리한다.

비화폐성자산 또는 화폐성자산과 비화폐성자산이 결합된 대가와 교환하여 투자부동산을 취득하는 경우의 원가는 교환거래에 상업적 실질이 결여되어 있거나, 취득 또는 제공한 자산의 공정가치를 신뢰성 있게 측정할 수 없는 경우를 제외하고는 공정가치로 측정한다(기준서 제1040호 문단 27).

2) 후속측정

투자부동산은 한 가지 예외를 제외하고는 공정가치모형 또는 원가모형 중 선택한 모형을 모든 투자부동산의 후속측정에 일관되게 적용해야 한다(기준서 제1040호 문단 30). 다만, 투자부동산의 평가에 공정가치모형 또는 원가모형을 선택하였는지와 무관하게, 투자부동산을 포함한 특정 자산군의 공정가치와 연동하는 수익 또는 그 자산군에서 얻는 수익으로 상환하는 부채와 연계되어 있는 모든 투자부동산은 공정가치모형 또는 원가모형을 선택하여 평가할 수 있다(기준서 제1040호 문단 32A(1)).

위에서 언급된 한 가지 예외는 다음과 같다.

투자부동산에 대하여 공정가치모형을 선택한 경우에는 기업은 투자부동산의 공정가치를 계속 신뢰성 있게 측정할 수 있다고 추정한다. 그러나 예외적인 경우에 처음으로 취득한 투자부동산의 공정가치를 계속 신뢰성 있게 측정하기가 어려울 것이라는 명백한 증거가 있을 수 있다. 이러한 경우는 비교할 수 있는 부동산의 시장이 활성화되어 있지 않고(예 : 최근 거래가 거의 없거나, 공시가격이 현행 가격이 아니거나, 관찰되는 거래가격이 매도자가 강제적으로 매도했음을 나타내는 경우) 신뢰성 있는 공정가치 측정치의 대안(예 : 할인현금흐름 예측에 근거)을 사용할 수 없는 경우에만 생긴다. 만일 기업이 건설중인 투자부동산의 공정가치를 신뢰성 있게 측정할 수 없지만, 건설이 완료된 시점에는 공정가치를 신뢰성 있게 측정할 수 있다고 예상하는 경우에는, 공정가치를 신뢰성 있게 측정할 수 있는 시점과 건설이 완료되는 시점 중 이른 시점까지는 건설중인 투자부동산을 원가로 측정한다. 만약 기업이 투자부동산(건설중인 투자부동산 제외)의 공정가치를 계속 신뢰성 있게 측정할 수 없다고 판단하면, 소유 투자부동산에는 기준서 제1016호의 원가모형을 사용하고 리스이용자가 사용권자산으로 보유하는 투자부동산에는 기준서 제1116호에 따라 원가모형을 사용하여 그 투자부동산을 측정한다. 투자부동산의 잔존가치는 영(0)으로 가정하며, 해당 투자부동산은 처분할 때까지 기준서 제1016호나 제1116호를 계속 적용한다(기준서 제1040호 문단 53).

종전에 원가로 측정해 온 건설중인 투자부동산의 공정가치를 신뢰성 있게 측정할 수 있게 되면 기업은 그 부동산을 공정가치로 측정한다. 일단 그 부동산의 건설이 완료되면, 공정가치는 신뢰성 있게 측정할 수 있다고 가정한다. 만약 그러하지 아니하면, 기준서 제1040호 문단 53에 따라 그 부동산은 소유 자산인 경우에는 기준서 제1016호에 따라, 리스이용자가 사용권자산으로 보유하는 투자부동산인 경우에는 기준서 제1116호에 따라 원가모형을 사용하여 회계처리 한다(기준서 제1040호 문단 53A). 건설중인 투자부동산의 공정가치가 신뢰성 있게 측정될 수 있다는 가정은 오직 최초 인식 시점에만 반박될 수 있다. 건설중인 투자부동산을 공정가치로 측정한 기업은 완성된 투자부동산의 공정가치가 신뢰성 있게 측정될 수 없다고 결론지을 수 없다(기준서 제1040호 문단 53B).

위와 같은 이유로 예외적인 경우에 해당하여 투자부동산을 기준서 제1016호나 제1116호에 따라 원가모형으로 측정하더라도 건설중인 투자부동산을 포함하여 그 밖의 모든 투자부동산은 공정가치모형을 선택한 경우 공정가치로 측정해야 한다(기준서 제1040호 문단 54).

공정가치 평가는 회사의 각 결산일마다 평가하며, 이 경우 전문 자격을 갖추고 있고 평가 대상 투자부동산의 소재 지역에서 최근에 유사한 부동산을 평가한 경험이 있는 독립된 평가자의 가치평가에 기초하여 공정가치를 산정할 것을 권고하고 있다(기준서 제1040호 문단 32). 투자부동산의 공정가치 변동으로 발생하는 손익은 발생한 기간의 당기손익에 반영한다(기준서 제1040호 문단 35). 투자부동산의 평가방법으로 공정가치모형을 선택한 경우에는 회사는 감가상각을 하지 않는다. 한국채택국제회계기준에서는 공정가치에 대한 세부적인 내용을 기준서 제1113호 '공정가치 측정'에서 다루고 있다. 이에 대한 지침은 '금융자산의 4. 공정가치'를 참고한다.

> 사례   12월 31일이 결산일인 A사는 2010년 1월 1일에 임대수익을 얻을 목적으로 건물을 ₩2,000에 취득하였다. 동 건물의 내용연수는 10년으로 추정하였고, 잔존가치는 없다고 판단하였다. 2010년 12월 31일에 동 임대용 건물의 공정가치는 ₩1,500이다. A사가 투자부동산에 대해 공정가치모형을 적용할 경우 A사의 회계처리는 다음과 같다.
>
> (차) 투자부동산평가손실(당기손익)   500   (대) 투 자 부 동 산   500

투자부동산의 평가방법을 원가모형으로 선택한 경우에는 최초로 인식한 이후 모든 투자부동산(문단 32A(1)이 적용되는 항목을 공정가치로 평가하기로 선택한 경우에 해당 항목을 제외하고)에 대하여 기준서 제1016호에 따른 원가모형을 적용하여 평가한다. 투자부동산은 취득원가에서 감가상각누계액과 손상차손누계액을 차감한 금액을 재무상태표에 표시한다. 다만, 원가모형을 선택한 경우에도 투자부동산이 매각예정으로 분류되는 기준을 충족하는 경우에는 기준서 제1105호의 규정에 따라 측정하고, 매각예정으로의 분류 기준을 충족하지 않는 리스이용자가 보유한 사용권자산은 기준서 제1116호에 따라 측정한다(기준서 제1040호 문단 56). 투자부동산에 대하여 원가모형을 적용할 지라도 주석 공시를 위하여 공정가치를 산정하여야 한다(기준서 제1040호 문단 79).

3) 재분류

투자부동산의 계정재분류가 이루어지기 위해서는 용도가 변경되고, 이 변경에 대한 증거가 존재해야 한다. 즉 취득 이후의 계정의 재분류는 회사 의도의 변화 보다는 사용의 실질적 변화에 기반을 둔다. 투자부동산의 재분류가 발생하는 사유 및 계정별 재분류 방법은 다음과 같다(기준서 제1040호 문단 57).

사용 목적의 변경	계정재분류	
	~ 에서	~ 으로
자가사용의 개시	투자부동산	유형자산
판매 목적 개발의 시작	투자부동산	재고자산
자가사용의 종료	유형자산	투자부동산
제3자에게 운용리스로 제공	재고자산/유형자산	투자부동산

투자부동산을 개발하지 않고 처분하기로 결정하는 경우에는 그 부동산이 제거(재무상태표에서 삭제)될 때까지 재무상태표에 투자부동산으로 계속 분류하며 재고자산으로 재분류하지 않는다(기준서 제1040호 문단 58).

투자부동산을 원가모형으로 평가하는 경우 투자부동산, 자가사용부동산, 재고자산 사이에 재분류가 발생할 때 재분류 전 자산의 장부금액을 승계하며 측정이나 주석공시 목적으로 자산의 원가를 변경하지 않는다(기준서 제1040호 문단 59). 투자부동산을 공정가치모형으로 평가하는 경우의 인식과 측정은 다음과 같다(기준서 제1040호 문단 60~65).

사용 목적의 변경		측 정
~ 에서	~ 으로	
투자부동산	유형자산/재고자산	간주원가 : 사용목적 변경시점의 공정가치로 함
자가사용 부동산(유형자산, 리스이용자가 사용권자산으로 보유하는 부동산 포함)	투자부동산	변경시점의 부동산 장부금액과 공정가치의 차액은 유형자산 재평가 회계처리와 동일함
재고자산	투자부동산	장부금액과 대체시점의 공정가치의 차액은 당기 손익으로 인식함

한편, 공정가치로 측정될 자가 건설중인 투자부동산의 건설이 완료된 경우에는 해당 일의 장부금액과 공정가치의 차이는 당기손익에 인식한다.

> **사례** A사는 자가사용하던 건물을 더 이상 자가사용하지 않게 되었다. 사용목적을 변경했을 때 그 시점까지의 감가상각비를 반영한 후의 해당 건물의 장부금액은 ₩2,000이고, 공정가치는 ₩4,000이었다. 이 건물과 관련하여 이전에 인식한 손상차손은 없다. A사는 투자부동산에 대하여 공정가치모형을 적용한다. 사용목적의 변경시점에 A사의 회계처리는 다음과 같다.
>
> (차) 투 자 부 동 산   4,000   (대) 유   형   자   산   2,000
>   재평가잉여금(기타포괄손익누계액)   2,000

4) 처 분

투자부동산을 처분하거나 투자부동산의 사용을 영구히 중지하고 처분으로도 더 이상의 경제적효익을 기대할 수 없는 경우에는 재무상태표에서 제거한다(기준서 제1040호 문단 66). 투자부동산의 처분대가와 처분대가의 후속적인 변동은 기준서 제1115호의 거래가격 산정과 거래가격 변동에 관한 요구사항에 따라 회계처리 한다(기준서 제1040호 문단 70). 또한, 투자부동산을 처분한 후 부담해야 하는 부채가 있다면 충당부채 기준에 따라 회계처리 한다(기준서 제1040호 문단 71). 투자부동산의 폐기나 처분으로 발생하는 손익은 순처분금액과 장부금액의 차액이며 판매후리스계약에 대하여 다르게 요구하는 경우를 제외하고는 폐기나 처분이 발생한 기간에 당기손익으로 인식한다(기준서 제1040호 문단 69). 투자부동산의 손상, 멸실 또는 포기로 제3자에게서 받는 보상은 받을 수 있게 되는 시점에 당기손익으로 인식한다(기준서 제1040호 문단 72).

투자부동산을 구성하는 일부 항목의 대체를 위해 취득하는 자산의 원가를 장부금액으로 인식하는 경우, 대체되는 항목이 별도로 감가상각되었는지 여부에 관계 없이 대체되는 부분의 장부금액은 재무상태표에서 제거한다.

- 원가모형을 적용하는 경우 : 대체되는 부분의 장부금액을 결정하기 어렵다면 대체하는 원가를 이용하여 추정한다.
- 공정가치모형을 적용하는 경우 : 대체되는 부분의 공정가치 감소액이 식별하기 어렵다면 다음의 방법으로 추정한다.

> (투자부동산의 장부금액 + 대체하는 원가) - 대체 후 재측정한 투자부동산의 공정가치

(3) 세무회계상 유의할 사항

1) 업무무관자산

투자부동산에 대해서 세무상 유의할 사항은 우선 기업이 보유하고 있는 투자부동산이 법인세법상의 업무무관자산에 해당되는 경우 업무무관자산에 대한 경비를 손금불산입하거나 지급이자를 손금불산입 한다는 점이다.

① 업무와 관련 없는 자산의 취득·관리비용

해당 법인의 업무와 직접 관련이 없다고 인정되는 자산을 취득·관리함으로써 생기는 비용은 손금에 산입하지 아니한다. 다만, 법령에 의하여 사용이 금지되거나 제한된 부동산, 자산유동화에 관한 법률에 의한 유동화전문회사가 동법 제3조의 규정에 의하여 등록한 자산유동화계획에 따라 양도하는 부동산 등 법인세법 시행규칙 제26조 제5항에 따른 부동산은 제외한다(법령 49조 및 법칙 26조 11항).

가. 업무와 관련 없는 부동산의 범위

- 법인의 업무에 직접 사용하지 아니하는 부동산. 다만 유예기간이 경과하기 전까지의 기간 중에 있는 부동산을 제외한다.
- 유예기간 중에 당해 법인의 업무에 직접 사용하지 아니하고 양도하는 부동산. 다만 부동산매매업을 주업으로 영위하는 법인의 경우를 제외한다.

나. 업무와 관련 없는 동산의 범위

- 서화 및 골동품. 다만 장식·환경미화 등의 목적으로 사무실·복도 등 여러 사람이 볼 수 있는 공간에 상시 비치하는 것은 제외한다.
- 업무에 직접 사용하지 아니하는 자동차·선박 및 항공기. 다만, 저당권의 실행 기타 채권을 변제받기 위하여 취득한 자동차·선박 및 항공기로서 취득일로부터 3년이 경과되지 아니한 것을 제외한다.
- 기타 위의 자산과 유사한 자산으로서 당해 법인의 업무에 직접 사용하지 아니하는 자산

다. 취득·관리함으로써 생기는 비용의 범위

업무와 관련 없는 자산을 취득·관리함으로써 생기는 비용이란 수선비, 유지비 및 관리비는 물론 보유기간 중에 납부하는 재산세 등의 세금과공과, 감가상각비 등을 포함한다. 그러나 취득세 등의 취득부대비용은 업무무관경비가 아니므로 자산의 취득원가에 산입하여야 한다. 또한 상기 업무와 관련없는 부동산 또는 동산의 처분시에 발생하는 처분손실은 손금에 산입된다(법령 50조 1항).

② 업무와 관련 없는 지출

기타 그 법인의 업무와 직접 관련이 없다고 인정되는 지출로서 다음에 해당하는 금액은 손금불산입한다(법령 50조 1항).

가. 해당 법인이 직접 사용하지 아니하고 다른 사람(주주 등이 아닌 임원과 소액주주인 임원 및 직원은 제외)이 주로 사용하고 있는 장소·건축물·물건 등의 유지비·관리비·사용료와 이와 관련되는 지출금. 다만 법인이 대·중소기업 상생협력 촉진에 관한 법률 제35조에 따른 사업을 중소기업(제조업을 영위하는 자에 한함)에 이양하기 위하여 무상으로 해당 중소기업에 대여하는 생산설비와 관련된 지출금 등을 제외한다.

나. 해당 법인의 주주 등(소액주주 등은 제외) 또는 출연자인 임원 또는 그 친족이 사용하고 있는 사택의 유지비·관리비·사용료와 이와 관련되는 지출금

다. 위에서 설명한 업무와 관련 없는 동산과 부동산을 취득하기 위하여 지출한 자금의 차입과 관련되는 비용

라. 해당 법인이 공여한 형법 또는 국제상거래에 있어서 외국공무원에 대한 뇌물방지법상 뇌물에 해당하는 금전 및 금전 외의 자산과 경제적 이익의 합계액

마. 노동조합 및 노동관계조정법 제24조 제2항 및 제4항을 위반하여 지급하는 급여

③ 업무무관자산에 대한 지급이자손금불산입

법인의 부동산 투기를 억제하고 자금이 비생산적인 용도로 사용되는 것을 규제하기 위해 업무와 관련이 없는 자산에 대하여 그에 상당하는 지급이자를 부채비율에 관계 없이 손금불산입한다.

가. 업무무관자산의 범위

앞에서 살펴본 업무와 관련 없는 자산의 취득·관리비용의 손금불산입 대상이 되는 동산 및 부동산의 범위와 동일하다.

나. 업무무관자산의 가액결정

업무무관자산의 가액은 취득가액으로 한다. 여기서 취득가액이란 취득부대비용을 포함하며 연불취득 등으로 미지급상태에 있는 경우에도 전체 가액을 취득가액으로 한다.

그리고 법인이 특수관계자로부터 자산을 시가보다 높은 가액으로 매입 또는 현물출자 받았거나 출자법인의 증자에 있어서 신주를 시가보다 높은 가액으로 인수하여 특수관계자인 다른 주주에게 이익을 분여함에 따라 부당행위계산 부인의 규정이 적용되는 경우에 있어 당해 시가초과액 또한 취득가액에 포함된다(법령 53조 3항).

다. 지급이자손금불산입액의 계산

업무무관자산과 관련한 지급이자손금불산입액은 다음과 같은 산식에 의해 계산한다.

$$\text{지급이자손금불산입액} = \text{지급이자} \times \frac{\text{업무무관자산 적수(한도 : 총차입금 적수)}}{\text{총차입금 적수}}$$

그리고 대상이 되는 지급이자와 총차입금은 채권자불분명 사채이자, 지급받은 자가 불분명한 채권·증권이자 및 건설자금이자에서 이미 부인된 지급이자와 그에 상당하는 차입금을 제외한 금액으로 계산한다. 이에 대한 자세한 내용은 '단기차입금'편을 참고하도록 한다.

2) 후속측정

① 원가모형

투자부동산의 평가방법으로 법인이 원가모형을 적용한 경우에는 원칙적으로 별도의 세무조정이 필요하지 않다. 다만, 투자부동산 중 사업에 사용하지 아니하는 것은 법인세법상 감가상각자산에 해당하지 아니하므로 법인이 사업에 사용하지 아니하는 투자부동산에 대하여 감가상각 또는 손상차손을 계상한 경우에는 이를 손금불산입하는 세무조정을 하여야 한다.

② 공정가치모형

투자부동산에 대하여 공정가치모형을 선택한 경우 한국채택국제회계기준에서는 투자부동산의 공정가치 변동으로 발생하는 손익을 발생한 기간의 당기 손익에 반영하도록 규정하고 있지만 법인세법에서는 이러한 재평가와 관련하여 일반적인 경우 원가법만을 인정하고 있다. 따라서, 투자부동산의 평가방법으로 공정가치모형을 선택하여 투자부동산을 재평가한 경우에는 한국채택국제회계기준의 규정에 의한 평가손익을 손금불산입 또는 익금불산입하는 세무조정을 하여야 한다.

제4절 무형자산

1. 무형자산의 일반사항

(1) 개념 및 범위

1) 적용범위

기준서 제1038호 '무형자산'은 다음 사항을 제외한 무형자산의 회계처리에 적용한다 (기준서 제1038호 문단 2). 하기와 같이 기준서 제1038호 '무형자산'의 적용범위에서는 다른 한국채택국제회계기준서의 적용범위에 해당하는 무형자산을 제외하고 있으므로, 법인세 법 제23조 '감가상각비의 손금불산입'의 무형고정자산의 범위와 일치하지는 않는다.

- ㉠ 다른 한국채택국제회계기준서의 적용범위에 포함되는 무형자산
- ㉡ 기준서 제1032호 '금융상품: 표시'에서 정의된 금융자산
- ㉢ 탐사평가자산의 인식과 측정(기준서 제1106호 '광물자원의 탐사와 평가' 참조)
- ㉣ 광물, 원유, 천연가스, 이와 유사한 비재생자원의 개발과 추출에 대한 지출

다른 한국채택국제회계기준서에서 규정하고 있는 특정 유형의 무형자산에 대해서는 기준서 제1038호 '무형자산' 대신 해당 한국채택국제회계기준서를 적용한다(기준서 제 1038호 문단 3).

- ㉠ 통상적인 영업과정에서 판매를 위하여 보유하고 있는 무형자산(기준서 제1002호 '재 고자산' 참조)
- ㉡ 이연법인세자산(기준서 제1012호 '법인세' 참조)
- ㉢ 기준서 제1116호 '리스'의 적용범위에 해당하는 무형자산 리스
- ㉣ 종업원급여와 관련하여 발생하는 자산(기준서 제1019호 '종업원급여' 참조)
- ㉤ 기준서 제1032호에서 정의된 금융자산. 일부 금융자산의 인식과 측정은 기준서 제 1110호 '연결재무제표', 기준서 제1027호 '별도재무제표'와 기준서 제1028호 '관 계기업과 공동기업에 대한 투자'에서 다룬다.
- ㉥ 사업결합으로 취득하는 영업권(기준서 제1103호 '사업결합' 참조)
- ㉦ 기준서 제1104호 '보험계약'의 적용범위에 해당하는 보험계약에서 보험계약자의 계약상 권리에서 발생하는 이연신계약비와 무형자산.
- ㉧ 기준서 제1105호 '매각예정비유동자산과 중단영업'에 따라 매각예정으로 분류되 는 (또는 매각예정으로 분류되는 처분자산집단에 포함되어 있는) 비유동 무형자산
- ㉨ 기준서 제1115호 '고객과의 계약에서 생기는 수익'에 따라 인식된 고객과의 계약

에서 생기는 자산

일부 무형자산은 컴팩트디스크, 법적 서류 또는 필름과 같은 물리적 형체에 담겨 있을 수 있다. 유형의 요소와 무형의 요소를 모두 갖추고 있는 자산을 기준서 제1016호 '유형자산'에 따라 회계처리 하는지 아니면 제1038호 '무형자산'에 따라 회계처리 하는지를 결정할 때에는, 어떤 요소가 더 유의적인지를 판단한다. 예를 들면, 고가의 수치제어 공작기계가 그 기계를 제어하는 소프트웨어가 없으면 가동이 불가능한 경우에는 그 소프트웨어를 공작기계의 일부로 보아 기계와 소프트웨어 모두를 유형자산으로 회계처리 한다. 그러나 관련 유형자산의 일부가 아닌 소프트웨어는 무형자산으로 회계처리 한다(기준서 제1038호 문단 4).

2) 무형자산의 정의

무형자산이란 일반적으로 물리적 실체가 없는 자산이라고 정의하고 있으나, 물리적 실체가 없다는 사실만으로는 무형자산이 될 수 없다. 왜냐하면 매출채권이나 선급금 항목 등과 같이 물리적 실체가 없는 자산이지만 무형자산에는 속하지 않는 항목들이 있기 때문이다.

기준서 제1038호 문단 8에서는 "무형자산"을 "물리적 실체는 없지만 식별가능한 비화폐성자산"으로 규정하고 있다.

3) 무형자산으로 정의되기 위한 요건

기준서 제1038호 문단 8에서는 "자산"을 "과거 사건의 결과로 기업이 통제하고 있고 미래경제적효익이 유입될 것으로 기대되는 자원"으로, "무형자산"을 "물리적 실체는 없지만 식별가능한 비화폐성자산"으로 정의하고 있다. 그리고 무형자산의 정의 즉, 식별가능성, 자원에 대한 통제와 미래경제적효익의 존재 요건을 충족하지 못할 경우에는 그것을 취득 또는 창출하는 데 소요되는 지출은 발생했을 때 비용으로 인식하도록 하고 있다(기준서 제1038호 문단 10).

① 식별가능성

식별가능성은 자산이 다음 중 하나에 해당하는 경우를 말한다(기준서 제1038호 문단 12).

> ㉮ 자산이 분리가능하다. 즉, 기업의 의도와는 무관하게 기업에서 분리하거나 분할할 수 있고, 개별적으로 또는 관련된 계약, 식별가능한 자산이나 부채와 함께 매각, 이전, 라이선스, 임대, 교환할 수 있다.
> ㉯ 자산이 계약상 권리 또는 기타 법적 권리로부터 발생한다. 이 경우 그러한 권리가 이전

> 가능한지 여부 또는 기업이나 기타 권리와 의무에서 분리가능한지 여부는 고려하지 아니한다.

무형자산의 정의에서는 영업권과 구별하기 위하여 무형자산이 식별가능할 것을 요구한다. 사업결합으로 인식하는 영업권은 사업결합에서 획득하였지만 개별적으로 식별하여 별도로 인식하는 것이 불가능한 그 밖의 자산에서 발생하는 미래경제적효익을 나타내는 자산으로, 그 미래경제적효익은 취득한 식별가능한 자산 사이의 시너지효과나 개별적으로 인식기준을 충족하지 않는 자산으로부터 발생할 수 있다(기준서 제1038호 문단 11).

자산이 분리가능한 경우 또는 자산이 기업이나 기업의 그 밖의 권리 및 의무로부터 분리가능하지 않고 양도가능하지 않더라도, 계약상 권리 또는 기타 법적 권리에서 발생한 경우 그 자산은 무형자산의 정의상 식별가능성 기준을 충족하는 것으로 처리하도록 규정하고 있다(기준서 제1038호 BC6).

② 통제가능성

무형자산의 미래경제적효익을 확보할 수 있고 제3자의 접근을 제한할 수 있다면 자산을 통제하고 있는 것이다. 무형자산의 미래경제적효익에 대한 통제는 일반적으로 법적 권리로부터 나오며, 법적 권리가 없는 경우에는 통제를 입증하기 어렵다. 그러나 권리의 법적 집행가능성이 통제의 필요조건은 아니다(기준서 제1038호 문단 13).

시장에 대한 지식 및 기술적 지식으로부터도 미래경제적효익이 발생할 수 있다. 이러한 지식이 저작권, 계약상의 제약 또는 기밀유지에 대한 종업원의 법적 의무 등과 같은 법적 권리에 의해 보호된다면, 기업은 그러한 지식으로부터 얻을 수 있는 미래경제적효익을 통제하고 있는 것이다(기준서 제1038호 문단 14).

숙련된 종업원이나 훈련을 통해 습득된 종업원의 기술도 미래경제적효익을 가져다줄 수 있으며, 기업은 이와 같은 효익이 미래에도 계속될 것으로 기대할 수 있다. 그러나 숙련된 종업원이나 그들의 기술로부터 창출될 미래경제적효익은 일반적으로 무형자산의 정의를 충족하기에는 충분한 통제를 가지고 있지 않다. 또한 특정 경영능력이나 기술적 재능도 기업이 그것을 사용하여 미래경제적효익을 확보하는 것이 법에 의해 보호되지 않거나 무형자산 정의의 기타 요건을 충족하지 않는다면 일반적으로 무형자산의 정의를 충족할 수 없다(기준서 제1038호 문단 15).

또한, 기업은 고객과의 관계를 잘 유지함으로써 고정고객과 시장점유율을 확보할 수 있다. 그러나 그러한 고객과의 관계나 고객의 충성도를 지속시킬 수 있는 법적 권리나 그것을 통제할 기타의 방법이 존재하지 않는다면 기업이 고객과의 관계로부터 창출될 미래경제적효익을 충분히 통제하고 있다고 보기 어렵다. 따라서 일반적으로 고정고객, 시장점유율, 고객과의 관계, 고객의 충성도 등이 무형자산의 정의를 충족하기에는 기업이 충분한 통제를 가지고 있지 않다. 그러나 고객관계를 보호할 법적 권리가 없는 경우에도, 동일하거나 유사한, 비계약적 고객관계를 교환하는 거래(사업결합 과정에서 발생한 것이 아닌)는 고객관계로부터 기대되는 미래경제적효익을 통제할 수 있다는 증거를 제공한다. 그러한 교환거래는 고객관계가 분리가능하다는 증거를 제공하므로 그러한 고객관계는 무형자산의 정의를 충족한다(기준서 제1038호 문단 16).

③ 미래경제적효익

무형자산의 미래경제적효익은 재화의 매출이나 용역수익, 원가절감 또는 자산의 사용에 따른 기타 효익의 형태로 발생한다(기준서 제1038호 문단 17).

4) 무형자산의 인식과 최초측정

재무제표에 무형자산으로 인식하기 위해서는 앞서 설명한 무형자산으로 정의되기 위한 요건과 함께 다음의 인식조건을 모두 충족하여야 한다(기준서 제1038호 문단 21).

> 첫째, 자산으로부터 발생하는 미래경제적효익이 기업에 유입될 가능성이 높다.
> 둘째, 자산의 원가를 신뢰성 있게 측정할 수 있다.

미래경제적효익이 기업에 유입될 가능성은 무형자산의 내용연수 동안의 경제적 상황에 대한 경영자의 최선의 추정치를 반영하는 합리적이고 객관적인 가정에 근거하여 평가하여야 한다(기준서 제1038호 문단 22). 자산의 사용에서 발생하는 미래경제적효익의 유입에 대한 확실성 정도에 대한 평가는 무형자산을 최초로 인식하는 시점에서 이용 가능한 증거에 근거하며, 외부 증거에 비중을 더 크게 둔다(기준서 제1038호 문단 23).

무형자산을 최초로 인식할 때에는 원가로 측정한다(기준서 제1038호 문단 24).

(2) 기업회계상 회계처리

1) 무형자산의 취득가액 결정

미래경제적효익을 얻기 위한 지출이 무형자산의 정의와 인식조건을 충족하였을 경우(기준서 제1038호 문단 18) 재무제표에 일정한 가액으로 기록하여야 한다. 기준서 제1038호 '무형자산'에서는 취득가액 결정과 관련하여 다음과 같이 규정하고 있다.

① 외부에서 개별 취득하는 경우

일반적으로 개별 취득하는 무형자산의 경우 그 자산으로부터 미래경제적효익이 기업에 유입될 확률에 대한 기대는 지급하는 가격에 반영될 것이므로, 무형자산의 인식요건 중 자산에서 발생하는 미래경제적효익의 유입가능성에 대한 인식기준을 항상 충족하는 것으로 본다(기준서 제1038호 문단 25). 또한 개별 취득하는 무형자산의 원가는 일반적으로 신뢰성 있게 측정할 수 있다(기준서 제1038호 문단 26).

개별적으로 취득하는 경우 무형자산의 원가는 다음 항목으로 구성된다.

> ★
> 기준서 제1038호 문단 27
> 첫째, 구입가격(매입할인과 리베이트를 차감하고 수입관세와 환급받을 수 없는 제·세금을 포함함)
> 둘째, 자산을 의도한 목적에 사용할 수 있도록 준비하는 데 직접 관련되는 원가

무형자산 원가의 인식은 그 자산을 경영자가 의도하는 방식으로 운용될 수 있는 상태에 이르면 중지한다(기준서 제1038호 문단 30). 한편, 무형자산에 대한 대금지급기간이 일반적인 신용기간보다 긴 경우 무형자산의 원가는 현금가격상당액이 되는데, 현금가격상당액과 실제 총지급액과의 차액은 기준서 제1023호 '차입원가'에 따라 자본화하지 않는 한 신용기간에 걸쳐 이자비용으로 인식한다(기준서 제1038호 문단 32).

② 사업결합으로 인한 취득의 경우

사업결합으로 취득한 무형자산의 원가는 기준서 제1103호 '사업결합'에 따라 취득일의 공정가치로 한다(기준서 제1038호 문단 33). 사업결합으로 취득하는 무형자산의 경우 그 자산이 갖는 미래경제적효익이 기업에 유입될 확률에 대한 기대는 무형자산의 공정가치에 반영될 것이므로, 무형자산의 인식요건 중 자산에서 발생하는 미래경제적효익의 유입가능성에 대한 인식기준을 항상 충족하는 것으로 본다. 또한 사업결합으로 취득하는 무형자산의 경우 자산이 분리가능하거나 계약상 또는 기타 법적 권리에서 발생한다면, 그 자산의 공정가치를 신뢰성 있게 측정하기에 충분한 정보가 존재할 것이므로 신뢰성 있는 측정기준을 항상 충족하는 것으로 간주한다(기준서 제1038호 문단 33).

계약적·법적 기준을 충족하는 무형자산으로서 피취득자로부터 또는 그 밖의 권리와 의무로부터 이전하거나 분리할 수 없더라도 식별가능한 예는 다음과 같다(기준서 제1103호 B32).
　㉠ 피취득자는 원자력 발전소를 소유하여 운영한다. 그 발전소를 운영하는 라이선스는 취득자가 그 발전소에서 분리하여 매각하거나 이전할 수 없더라도 영업권과 분

리하여 인식하는 계약적·법적 기준을 충족하는 무형자산이다. 취득자는 운영라이
선스와 발전소의 내용연수가 유사할 경우, 라이선스의 공정가치와 발전소의 공정
가치를 재무보고 목적상 하나의 자산으로 인식할 수 있다.

ⓛ 피취득자가 기술특허권을 소유한다. 그 특허권을 국내시장 밖에서 독점적으로 사용
할 수 있도록 라이선스하고, 그 대가로 미래 해외 수익의 일정 비율을 수취한다. 기
술특허권과 관련 라이선스 약정은 서로 분리하여 실무적으로 매각하거나 교환할
수 없더라도, 각각 영업권과 분리하여 인식하는 계약적·법적 기준을 충족한다.

피취득자 또는 결합기업에서 개별적으로 분리할 수 없는 무형자산이 관련 계약, 식별
가능한 자산이나 부채와 결합하여 분리할 수 있다면 분리가능성 기준을 충족한다. 예를
들면 다음과 같다(기준서 제1103호 B34).

㉠ 시장참여자가 예금부채 및 관련 예금자관계 무형자산을 관찰할 수 있는 교환거래
에서 교환한다. 그러므로 취득자는 예금자관계 무형자산을 영업권과 분리하여 인
식한다.

ⓛ 피취득자는 등록 상표와 그 상표를 붙인 제품의 제조에 사용되고 문서화되어 있지
만 특허를 얻지 않은 기술적 전문지식을 보유한다. 상표 소유권을 이전하기 위하여
과거 소유주는 자신이 생산한 제품이나 용역과 구별할 수 없을 정도의 제품이나 용
역을 새로운 소유주가 생산할 수 있도록 필요한 그 밖의 모든 것도 이전해야 한다.
특허를 얻지 않은 기술적 전문지식은 피취득자나 결합기업과 분리되어 있음이 분
명하고 관련 상표가 매각될 경우 매각되기 때문에 분리가능성 기준을 충족한다.

기준서 제1038호 '무형자산'과 제1103호 '사업결합'에 따라 사업결합 전에 그 자산을
피취득자가 인식하였는지 여부에 관계없이, 취득자는 취득일에 피취득자의 무형자산을
영업권과 분리하여 인식한다(기준서 제1038호 문단 34).

무형자산의 공정가치 측정과 관련해서는 기준서 제1113호 '공정가치측정'에서 규정
하고 있으며, '금융자산의 4. 공정가치'를 참고한다.

③ 정부보조 등에 의한 취득의 경우

정부보조 등에 의해 무형자산을 무상 또는 공정가치보다 낮은 대가로 취득한 경우에
는 기준서 제1020호 '정부보조금의 회계처리와 정부지원의 공시'에 따라 무형자산과 정
부보조금 모두를 최초에 공정가치로 인식할 수 있다. 최초에 자산을 공정가치로 인식하
지 않기로 선택하는 경우에는, 자산을 명목상 금액(기준서 제1020호에서 허용하는 대체
적인 회계처리)과 자산을 의도한 용도로 사용할 수 있도록 준비하는 데 직접 관련되는
지출을 합한 금액으로 인식한다(기준서 제1038호 문단 44).

④ 자산교환에 의해 취득한 경우

하나 이상의 무형자산을 하나 이상의 비화폐성자산 또는 화폐성자산과 비화폐성자산이 결합된 대가와 교환하여 취득하는 경우에는 공정가치로 측정한다. 단, (1) 교환거래에 상업적 실질이 결여된 경우 또는 (2) 취득자산과 제공자산의 공정가치를 둘 다 신뢰성 있게 측정할 수 없는 경우에는 제공한 자산의 장부가액으로 측정한다(기준서 제1038호 문단 45).

교환거래의 결과 미래현금흐름이 얼마나 변동될 것인지를 고려하여 해당 교환거래에 상업적 실질이 있는지를 결정하는데, 다음 ㉮ 또는 ㉯에 해당하면서 ㉰를 충족하는 경우이다(기준서 제1038호 문단 46).

> ㉮ 취득자산 관련 현금흐름의 구성(위험, 유출입시기, 금액)이 제공자산 관련 현금흐름의 구성과 다르다.
> ㉯ 교환거래의 영향을 받는 영업부분의 기업특유가치가 교환거래로 인하여 변동한다.
> ㉰ 위 ㉮나 ㉯의 차이가 교환된 자산의 공정가치에 비하여 유의적이다.

⑤ 내부적으로 창출한 영업권

내부적으로 창출한 영업권은 취득원가를 신뢰성 있게 측정할 수 없고 기업이 통제하고 있는 식별가능한 자원이 아니기 때문에 자산으로 인식하지 아니한다(기준서 제1038호 문단 48, 49).

⑥ 내부적으로 창출한 무형자산

내부적으로 창출한 무형자산은 (1) 기대 미래경제적효익을 창출할 식별가능한 자산이 있는지와 시점을 파악하기 어렵고, (2) 자산의 원가를 신뢰성 있게 결정하는 것이 어려워 인식기준을 충족하는지를 평가하는 것이 용이하지 않다(기준서 제1038호 문단 51). 내부적으로 창출한 무형자산이 인식기준을 충족하는지를 평가하기 위하여 무형자산의 창출과정을 연구단계와 개발단계로 구분한다(기준서 제1038호 문단 52). 무형자산을 창출하기 위한 내부 프로젝트를 연구단계와 개발단계로 구분할 수 없는 경우에는 그 프로젝트에서 발생한 지출은 모두 연구단계에서 발생한 것으로 본다(기준서 제1038호 문단 53). 관련 내용은 '제3절 무형자산' 중 '2. 개발비'를 참조하기로 한다.

2) 발생한 기간의 비용으로 인식

기준서 제1038호 문단 68에서는 (1) 인식기준을 충족하는 무형자산 취득원가의 일부가 되거나 (2) 사업결합에서 취득하였으나 무형자산으로 인식할 수 없는 경우로서 취득

일의 영업권으로 인식한 금액의 일부가 되는 경우가 아니라면 무형자산 관련 지출은 발생한 기간의 비용으로 인식하도록 규정하고 있다. 즉, 미래경제적효익을 가져오는 지출이 발생하였더라도 인식기준을 충족하는 무형자산이나 다른 자산이 획득 또는 창출되지 않는다면, (1) 재화가 제공되는 경우 그 재화를 이용할 수 있는 권리를 갖게 될 때 그러한 지출을 비용으로 인식하고, (2) 용역이 제공되는 경우 기업이 그 용역을 제공받았을 때 그러한 지출을 비용으로 인식한다. 발생기간의 비용으로 인식하는 지출의 예는 다음과 같다(기준서 제1038호 문단 69).

㉠ 사업개시활동에 대한 지출(즉, 사업개시원가). 다만 기준서 제1016호 '유형자산'에 따라 유형자산의 원가에 포함되는 지출은 제외한다. 사업개시원가는 법적 실체를 설립하는 데 발생한 법적비용과 사무비용과 같은 설립원가, 새로운 시설이나 사업을 개시하기 위하여 발생한 지출(개업원가), 또는 새로운 영업을 시작하거나 새로운 제품이나 공정을 시작하기 위하여 발생한 지출(신규영업준비원가)로 구성된다.

㉡ 교육 훈련을 위한 지출

㉢ 광고 또는 판매촉진 활동을 위한 지출

㉣ 기업의 전부 또는 일부의 이전 또는 조직 개편에 관련된 지출

한편, 무형자산에 대한 지출로서 과거 회계연도의 재무제표나 중간재무제표에서 비용으로 인식한 지출은 그 후의 기간에 무형자산의 원가로 인식할 수 없다(기준서 제1038호 문단 71).

3) 진행 중인 연구·개발 프로젝트의 취득 후 지출

(1) 개별 취득하거나 사업결합으로 취득하고 무형자산으로 인식한 진행 중인 연구·개발 프로젝트와 관련이 있고, (2) 그 프로젝트의 취득 후에 발생한 연구·개발 지출은 기준서 제1038호 문단 54-62에 따라 회계처리한다(기준서 제1038호 문단 42-43).

㉮ 연구 관련 지출인 경우에는 발생시점에 비용으로 인식한다.

㉯ 기준서 제1038호 문단 57에서 제시된 무형자산의 인식기준을 충족하지 않는 개발 관련 지출인 경우에는 발생시점에 비용으로 인식한다.

㉰ 기준서 제1038호 문단 57에서 제시된 무형자산의 인식기준을 충족하는 개발 관련 지출인 경우에는 취득한 진행 중인 연구·개발 프로젝트의 장부금액에 가산한다.

관련 내용은 '제3절 무형자산' 중 '2. 개발비'를 참조하기로 한다.

4) 차입원가의 자본화

기준서 제1023호 '차입원가' 문단 8에서는 적격자산의 취득, 건설 또는 생산과 직접

관련된 차입원가는 당해 자산 원가의 일부로 자본화하여야 하고, 기타 차입원가는 발생기간에 비용으로 인식하여야 한다고 규정하고 있다. 그리고 동 기준서 문단 7에서는 적격자산에 무형자산을 포함하고 있다. 이에 대한 자세한 내용은 '유형자산'편을 참조하기로 한다.

5) 인식 후의 측정

무형자산의 회계정책으로 원가모형이나 재평가모형을 선택할 수 있다. 재평가모형을 적용하여 무형자산을 회계처리하는 경우에는 같은 분류의 기타 모든 자산도 그에 대한 활성시장이 없는 경우를 제외하고는 동일한 방법을 적용하여 회계처리한다(기준서 제1038호 문단 72). 무형자산은 영업상 유사한 성격과 용도로 분류한다(기준서 제1038호 문단 73).

① 원가모형

최초 인식 후에 무형자산은 원가에서 상각누계액과 손상차손누계액을 차감한 금액을 장부금액으로 한다(기준서 제1038호 문단 74).

② 재평가모형

최초 인식 후에 무형자산은 재평가일의 공정가치에서 이후의 상각누계액과 손상차손누계액을 차감한 재평가금액을 장부금액으로 한다. 재평가 목적상 공정가치는 활성시장을 기초로 하여 측정한다. 보고기간말에 자산의 장부금액이 공정가치와 중요하게 차이가 나지 않도록 주기적으로 재평가를 실시한다(기준서 제1038호 문단 75). 재평가모형을 적용하는 경우 (1) 이전에 자산으로 인식하지 않은 무형자산의 재평가나 (2) 원가가 아닌 금액으로 무형자산을 최초로 인식하는 것은 허용하지 않는다(기준서 제1038호 문단 76).

재평가한 무형자산과 같은 분류 내의 무형자산을 활성시장을 기초로 한 공정가치를 측정할 수 없어서 재평가할 수 없는 경우에는 원가에서 상각누계액과 손상차손누계액을 차감한 금액으로 표시한다(기준서 제1038호 문단 81). 재평가한 무형자산의 공정가치를 더 이상 활성시장을 기초로 하여 측정할 수 없는 경우에는 자산의 장부금액은 활성시장을 기초로 한 최종 재평가일의 재평가금액에서 이후의 상각누계액과 손상차손누계액을 차감한 금액으로 한다(기준서 제1038호 문단 82).

무형자산을 재평가하는 경우에 재평가일의 상각누계액은 다음 중 하나로 처리한다(기준서 제1038호 문단 80).

㉮ 재평가 후의 자산의 장부금액이 재평가금액과 일치하도록 자산의 총장부금액을 조정한다. 이를 위해 재평가금액과 일치하도록 자산의 총장부금액과 감가상각누계액을 비례적으로 조정한다.
㉯ 장부금액의 재평가금액과 일치되도록 상각누계액을 제거한다.

무형자산의 장부금액이 재평가로 인하여 증가된 경우에 그 증가액은 기타포괄손익으로 인식하고 재평가잉여금의 과목으로 자본에 가산한다. 그러나 그 증가액 중 그 자산에 대하여 이전에 당기손익으로 인식한 재평가감소에 해당하는 금액이 있다면 그 금액을 한도로 당기손익으로 인식한다(기준서 제1038호 문단 85).

무형자산의 장부금액이 재평가로 인하여 감소된 경우에 그 감소액은 당기손익으로 인식한다. 그러나 감소액 중 그 자산에 대한 재평가잉여금 잔액이 있다면 그 금액을 한도로 재평가잉여금의 과목으로 기타포괄손익에 인식된다. 기타포괄손익으로 인식된 감소액은 재평가잉여금의 과목으로 자본에 누적되어 있는 금액을 줄인다(기준서 제1038호 문단 86).

자본에 포함된 재평가잉여금 누계액은 그 잉여금이 실현되는 시점에 이익잉여금으로 직접 대체할 수 있다. (1) 자산의 폐기나 처분 시점에 전체 잉여금이 실현될 수 있다. (2) 그러나 일부 잉여금은 자산을 사용하면서 실현될 수 있다. 이러한 경우에 실현된 잉여금은 재평가된 장부금액을 기초로 한 상각액과 자산의 역사적 원가를 기초로 하여 인식하였을 상각액의 차이가 된다. 재평가잉여금을 이익잉여금으로 대체하는 경우 그 금액은 당기손익으로 인식하지 않는다(기준서 제1038호 문단 87).

6) 내용연수

무형자산의 내용연수가 유한한지 또는 비한정인지를 평가하고, 만약 내용연수가 유한하다면 자산의 내용연수 기간이나 내용연수를 구성하는 생산량이나 이와 유사한 단위를 평가한다. 관련된 모든 요소의 분석에 근거하여, 그 자산이 순현금유입을 창출할 것으로 기대되는 기간에 대하여 예측가능한 제한이 없을 경우, 무형자산의 내용연수가 비한정인 것으로 본다(기준서 제1038호 문단 88). 내용연수가 유한한 무형자산은 상각하고, 내용연수가 비한정인 무형자산은 상각하지 아니한다(기준서 제1038호 문단 89).

무형자산의 내용연수를 결정하기 위해서 다음과 같은 요인을 포함하여 종합적으로 고려한다(기준서 제1038호 문단 90).
㉠ 기업이 예상하는 자산의 사용방식과 자산이 다른 경영진에 의하여 효율적으로 관리될 수 있는지 여부
㉡ 자산의 일반적인 제품수명주기와 유사한 방식으로 사용되는 유사한 자산들의 내

용연수 추정치에 관한 공개된 정보

ⓒ 기술적, 공학적, 상업적 또는 기타 유형의 진부화

ⓡ 자산이 운용되는 산업의 안정성과 자산으로부터 산출되는 제품이나 용역의 시장 수요 변화

ⓜ 기존 또는 잠재적인 경쟁자의 예상 전략

ⓗ 예상되는 미래경제적효익의 획득에 필요한 자산 유지비용의 수준과 그 수준의 비용을 부담할 수 있는 능력과 의도

ⓢ 자산의 통제가능 기간과 자산사용에 대한 법적 또는 이와 유사한 제한(예 : 관련된 리스의 만기일)

ⓞ 자산의 내용연수가 다른 자산의 내용연수에 의해 결정되는지의 여부

계약상 권리 또는 기타 법적 권리로부터 발생하는 무형자산의 내용연수는 그러한 계약상 권리 또는 기타 법적 권리의 기간을 초과할 수는 없지만, 자산의 예상사용기간에 따라 더 짧을 수는 있다. 만약 계약상 또는 기타 법적 권리가 갱신가능한 한정된 기간 동안 부여된다면, 유의적인 원가 없이 기업에 의해 갱신될 것이 명백한 경우에만 그 갱신기간을 무형자산의 내용연수에 포함한다(기준서 제1038호 문단 94). 특히 다음의 조건을 모두 충족하는 경우에는 유의적인 원가를 부담하지 않고 계약상 또는 기타 법적 권리의 갱신이 이루어질 수 있는 것으로 본다(기준서 제1038호 문단 96).

ⓖ 과거 경험 등에 비추어 계약상 권리나 기타 법적 권리가 갱신될 것이라는 증거가 있다. 갱신이 제3자의 승인을 조건으로 하는 경우에는 제3자가 승인할 것이라는 증거를 포함한다.

ⓛ 권리 갱신을 위해 필요한 조건들이 충족될 것이라는 증거가 있다.

ⓒ 갱신원가가 갱신으로 인하여 유입될 것으로 기대되는 미래경제적효익과 비교하여 유의적이지 않다.

만약 갱신원가가 갱신으로 인하여 유입될 것으로 기대되는 미래경제적효익과 비교하여 중요하다면, 그 갱신원가는 실질적으로 갱신일에 새로운 무형자산을 취득하기 위하여 발생한 원가를 나타낸다.

사례 무형자산의 내용연수 평가(기준서 제1038호 첨부 적용사례)

사례 1. 취득한 고객목록

직접우편발송 광고회사가 고객목록을 취득하고, 당해 고객목록 정보로부터 적어도 1년, 그러나 3년을 넘지 않는 기간 동안 효익을 얻을 수 있을 것으로 기대한다.

고객목록은 그 내용연수에 대한 경영진의 최선 추정기간(예 : 18개월) 동안 상각된다. 직접우편발송 광고회사가 미래에 그 고객목록에 고객이름과 그 밖의 정보를 추가할 의도를 가지고

있다고 하더라도 취득한 고객목록에서 기대되는 효익은 취득일의 당해 목록에 포함된 고객에게만 관련된다. 고객목록도 매 보고기간말마다 자산손상을 시사하는 징후가 있는지를 평가하여 기준서 제1036호에 따라 손상을 검토할 것이다.

사례 2. 취득한 특허권으로서 15년 후에 만료되는 경우

특허 기술에 의해 보호를 받는 제품이 적어도 15년 동안 순현금유입의 원천이 될 것으로 예상된다. 기업은 특허권 취득일 현재 공정가치의 60%로 5년 후에 특허권을 구매하려는 제3자와 약정하였으며 5년 후에 특허권을 매각할 의도를 가지고 있다.

기업은 특허권을 취득일 현재 공정가치의 60%에 대한 현재가치를 잔존가치로 하여 5년의 내용연수에 걸쳐 상각할 것이다. 특허권도 매 보고기간말마다 자산손상을 시사하는 징후가 있는지를 평가하여 기준서 제1036호에 따라 손상을 검토할 것이다.

사례 3. 취득한 저작권으로서 50년의 법정 잔여연수가 있는 경우

고객의 성향과 시장동향의 분석을 통해 저작권을 가진 해당 자료가 앞으로 30년 동안만 순현금유입을 창출할 것이라는 증거가 제공된다.

저작권은 30년의 추정 내용연수 동안 상각될 것이다. 저작권도 매 보고기간말마다 자산손상을 시사하는 징후가 있는지를 평가하여 기준서 제1036호에 따라 손상을 검토할 것이다.

사례 4. 취득한 방송 라이선스로서 5년 후에 만료되는 경우

방송 라이선스는 기업이 적어도 통상적인 수준의 서비스를 고객에게 제공하고 관련 법적 규정을 준수한다면 매 10년마다 갱신이 가능하다. 이 라이선스는 거의 원가 없이 비한정으로 갱신할 수 있으며 최근의 취득 이전에 두 번 갱신되었다. 취득 기업은 라이선스를 비한정으로 갱신하려는 의도를 가지고 있으며 갱신할 수 있는 능력을 가지고 있다는 증거도 있다. 과거에 라이선스를 갱신하는 데 어려움은 없었다. 방송하는 데 사용되는 기술은 예측가능한 미래의 어느 시점에라도 다른 기술에 의해 대체될 것으로 예상되지 않는다. 따라서 라이선스는 비한정으로 기업의 순현금유입에 기여할 것으로 기대된다.

방송 라이선스는 비한정으로 기업의 순현금유입에 기여할 것으로 기대되므로 내용연수가 비한정인 것으로 회계처리한다. 따라서 당해 라이선스는 그 내용연수가 유한하다고 결정할 때까지는 상각하지 않을 것이다. 라이선스에 대하여 매년 그리고 자산손상을 시사하는 징후가 있을 때마다 기준서 제1036호에 따라 손상검사를 할 것이다.

사례 5. 사례 4의 방송 라이선스

라이선스발급 기관이 방송 라이선스를 더 이상 갱신해주지 않고 이를 경매에 붙이기로 결정하였다. 라이선스 발급기관의 이러한 결정이 이루어진 시점에 당해 방송 라이선스는 그 만료시점까지 3년이 남아있다. 기업은 만료시점까지 라이선스가 순현금유입에 기여를 할 것으로 예상한다.

방송 라이선스가 더 이상 갱신될 수 없으므로 그 내용연수는 더 이상 비한정이지 않다. 따라서 취득한 라이선스는 3년의 잔여내용연수 동안 상각하고 기준서 제1036호에 따라 즉시 손상검사를 한다.

사례 6. 취득한 유럽의 두 도시 간 항공로 이용권으로서 3년 후에 만료되는 경우

항공로 이용권은 매 5년마다 갱신될 수 있고 취득 기업은 갱신과 관련된 법규와 규정을 준수할 의도를 가지고 있다. 항공로 이용권을 갱신하는 데 통상 미미한 원가밖에 들지 않으며 경험으로 볼 때 항공사가 적용 법규와 규정을 준수해온 경우에는 과거의 항공로 이용권이 갱신되었다. 취득 기업은 중심 공항에서부터 두 도시 간에 서비스를 비한정으로 제공할 수 있을 것으로 예상하고 있으며, 기업이 항공로 이용권을 가지고 있는 한 관련 지원기반(공항 출입구, 이착륙권, 공항시설 리스)이 해당 공항에서 계속 유지될 것으로 예상하고 있다. 수요와 현금흐름에 대한 분석이 이러한 가정을 뒷받침한다.

제반 사실과 상황이 두 도시 간 항공서비스를 비한정으로 계속하여 제공할 능력이 항공로 이용권을 취득한 기업에게 있음을 뒷받침하므로 당해 항공로 이용권과 관련된 무형자산의 내용연수는 비한정인 것으로 회계처리한다. 따라서 당해 항공로 이용권은 그 내용연수가 유한하다고 결정될 때까지 상각하지 않는다. 이 항공로 이용권은 매년 그리고 자산손상을 시사하는 징후가 있을 때마다 기준서 제1036호에 따라 손상검사를 한다.

사례 7. 취득한 상표권으로서 과거 8년간 시장점유율이 선두인 선도소비제품을 식별하고 구별하는 데 사용되는 경우

상표권은 잔여 법정 연수가 5년이나 매 10년마다 거의 원가 없이 갱신할 수 있다. 취득 기업은 당해 상표권을 계속적으로 갱신할 의도와 갱신할 수 있는 능력이 있음을 뒷받침하는 증거가 있다. (1) 제품수명주기 연구, (2) 시장, 경쟁과 환경 동향 그리고 (3) 브랜드 확장 기회를 분석해 볼 때, 상표권으로 보호되는 당해 제품이 비한정 기간에 걸쳐 취득 기업에게 순현금유입을 창출하게 할 것이라는 증거가 제시된다.

상표권은 비한정으로 기업의 순현금유입에 기여할 것이 예상되므로 내용연수가 비한정인 것으로 회계처리한다. 따라서 상표권은 그 내용연수가 유한하다고 결정될 때까지 상각하지 않는다. 그 상표권에 대하여 매년 그리고 자산손상을 시사하는 징후가 있을 때마다 기준서 제1036호에 따라 손상검사를 한다.

사례 8. 10년 전에 취득한 상표권으로서 선도소비제품으로 구별하는 경우

상표권으로 보호되는 제품이 비한정으로 순현금유입을 창출할 것이 예상되었으므로 취득 당시에 당해 상표권의 내용연수는 비한정인 것으로 간주되었다. 그러나 최근에 예상하지 못한 경쟁자가 시장에 진입하였고 이로 인하여 당해 상표 제품의 매출이 감소될 것으로 예상하고 있다. 경영진은 예측가능한 미래에 당해 제품으로 창출되는 순현금유입이 20% 정도 감소할 것으로 추정한다. 그러나 경영진은 그 제품이 이렇게 줄어든 금액의 순현금유입을 비한정으로 창출할 것이라고 예상한다.

추정된 미래 순현금유입 감소의 결과로 기업은 상표권의 추정 회수가능액이 장부금액에 미달하는 것으로 결정하고 손상차손을 인식한다. 그 상표권의 내용연수가 여전히 비한정인 것으로 간주되므로 상표권은 여전히 상각하지 않으나 매년 그리고 자산손상을 시사하는 징후가 있을 때마다 기준서 제1036호에 따라 손상검사를 한다.

사례 9. 수년 전 사업결합으로 취득한 하나의 제품군에 대한 상표권

사업결합 당시 피취득자는 그 상표권을 사용하여 새로운 모델을 많이 개발하여 35년간 특정

제품군을 생산해왔다. 취득일에 취득자는 그 제품군의 생산을 계속할 것으로 예상하였고, 여러 경제적 요소의 분석에 의할 때 상표권이 순현금유입에 기여하는 기간에 제한이 없는 것으로 밝혀졌다. 따라서 취득자는 상표권을 상각하지 않는다. 그러나 경영진은 제품군의 생산을 앞으로 4년 후에 중단하기로 최근에 결정하였다.

취득한 상표권의 내용연수는 더 이상 비한정으로 간주되지 않으므로 당해 상표권의 장부금액은 기준서 제1036호에 따라 손상검사를 하고 잔여 내용연수인 4년 동안 상각한다.

7) 내용연수가 유한한 무형자산

① 상각방법

무형자산을 상각할 때는 자산의 경제적효익이 소비되는 형태를 반영한 합리적인 방법을 사용해야 한다. 따라서 무형자산의 상각대상금액을 내용연수 동안 합리적으로 배분하기 위해 다양한 방법을 사용할 수 있다. 이러한 상각방법에는 정액법, 체감잔액법, 생산량비례법이 있다. 다만, 자산의 경제적효익이 소비되는 형태를 신뢰성 있게 결정할 수 없는 경우에는 정액법을 사용한다. 각 회계기간의 상각액은 기준서 제1038호나 다른 기준서에서 다른 자산의 장부금액에 포함하도록 허용하거나 요구하는 경우를 제외하고는 당기손익으로 인식한다(기준서 제1038호 문단 97, 98).

② 상각기간

내용연수가 유한한 무형자산의 상각대상금액은 내용연수 동안 체계적인 방법으로 배분하여야 한다. 상각은 자산이 사용가능한 때부터 시작한다. 즉 자산이 경영자가 의도하는 방식으로 운영할 수 있는 위치와 상태에 이르렀을 때부터 시작한다. 상각은 기준서 제1105호에 따라 자산이 매각예정으로 분류되는(또는 매각예정으로 분류되는 처분자산집단에 포함되는) 날과 자산이 재무상태표에서 제거되는 날 중 이른 날에 중지한다(기준서 제1038호 문단 97).

③ 잔존가치

무형자산을 계상하는 시점에서 향후 내용연수가 종료되는 시점의 자산가치를 합리적으로 추정한다는 것은 쉬운 일이 아닐 것이다. 기준서 제1038호 문단 100에서는 다음 중 하나에 해당하는 경우를 제외하고는 무형자산의 잔존가치는 없는 것을 원칙으로 하였다.

㉮ 내용연수 종료 시점에 제3자가 자산을 구입하기로 한 약정이 있다.

㉯ 무형자산의 활성시장이 있어 잔존가치를 그 활성시장에 기초하여 결정할 수 있고, 그러한 활성시장이 내용연수 종료 시점에 존재할 가능성이 높다.

무형자산의 잔존가치는 처분으로 회수가능한 금액을 근거로 하여 추정하는데, 그 자산이 사용될 조건과 유사한 조건에서 운용되었고 내용연수가 종료된 유사한 자산에 대해 추정일 현재 일반적으로 형성된 매각 가격을 사용한다. 따라서 영(0)이 아닌 잔존가치는 경제적 내용연수 종료 시점 이전에 그 자산을 처분할 것이라는 기대를 나타낸다. 잔존가치는 적어도 매 회계연도 말에는 검토한다. 잔존가치의 변동은 기준서 제1008호 '회계정책, 회계추정의 변경 및 오류'에 따라 회계추정의 변경으로 처리한다(기준서 제1038호 문단 101, 102).

무형자산의 잔존가치는 해당 자산의 장부금액과 같거나 큰 금액으로 증가할 수도 있다. 이 경우에는 자산의 잔존가치가 이후에 장부금액보다 작은 금액으로 감소될 때까지는 무형자산의 상각액은 영(0)이 된다(기준서 제1038호 문단 103).

④ 상각기간과 상각방법의 검토

내용연수가 유한한 무형자산의 상각기간과 상각방법은 적어도 매 회계연도 말에 검토한다. 자산의 예상 내용연수가 과거의 추정치와 다르다면 상각기간을 이에 따라 변경한다. 자산에 내재된 미래경제적효익의 예상 소비형태가 변동된다면, 변동된 소비형태를 반영하기 위하여 상각방법을 변경한다. 그러한 변경은 기준서 제1008호에 따라 회계추정의 변경으로 회계처리 한다(기준서 제1038호 문단 104). 회계정책, 회계추정의 변경 및 오류에 대한 자세한 내용은 '자본편 제5장(이익잉여금) 제4절(회계변경과 오류수정)'편을 참조하기로 한다.

8) 내용연수가 비한정인 무형자산

내용연수가 비한정인 무형자산은 상각하지 아니한다(기준서 제1038호 문단 107). 상각하지 않는 무형자산에 대하여 사건과 상황이 그 자산의 내용연수가 비한정이라는 평가를 계속하여 정당화하는지를 매 회계기간에 검토한다. 사건과 상황이 그러한 평가를 정당화하지 않는 경우에 비한정 내용연수를 유한 내용연수로 변경하는 것은 기준서 제1008호에 따라 회계추정의 변경으로 회계처리한다(기준서 제1038호 문단 109).

기준서 제1036호에 따라, (1) 매년 또는 (2) 무형자산의 손상을 시사하는 징후가 있을 때 회수가능액과 장부금액을 비교하여 내용연수가 비한정인 무형자산의 손상검사를 수행하여야 한다(기준서 제1038호 문단 108).

9) 장부금액의 회수가능성 – 손상차손

무형자산의 손상 여부를 결정하기 위해서는 기준서 제1036호를 적용한다. 기준서 제1036호는 자산의 장부금액의 검토시기와 방법, 자산의 회수가능액의 결정방법과 손상차손과 손상차손환입의 인식시기를 설명하고 있다(기준서 제1038호 문단 111). 무형자산에 대한 손상차손의 인식 및 환입에 대한 보다 자세한 설명은 '자산편 제2장(비유동자산) 제2절(유형자산)'편을 참조하기로 한다.

사례 다음 거래를 분개하라.

(가) (주)삼일은 2011. 1. 1.에 무형자산을 현금 ₩1,000,000에 취득하였다.

(나) 2012. 12. 31.에 회수가능액이 ₩300,000으로 하락하였으며, 장부금액과 회수가능액의 차이는 중요하다.

(다) 2013. 12. 31.에는 회수가능액이 ₩800,000으로 회복되었다.

(라) 2014. 6. 30.에는 처분을 위해 사용을 중지하였다.

(마) 2014. 12. 31.에는 ₩350,000에 처분하였다.

(바) (주)삼일의 당 무형자산에 대한 회계정책은 다음과 같다.

상각방법 : 정액법, 내용연수 : 5년, 잔존가치 : ₩0

(사) 무형자산의 사용 중지 시점에 기준서 제1105호에 따른 매각예정비유동자산으로의 분류요건을 충족하였으며, 동 시점에 자산의 공정가치에서 처분부대원가를 뺀 금액은 ₩360,000으로 추정되었다.

<분 개>

(차) 무 형 자 산　　　　　1,000,000　　　　(대) 현 금 및 현 금 성 자 산　　1,000,000

－2011. 1. 1.

(차) 무 형 자 산 상 각 액　　　200,000*　　　(대) 무 　형 　자 　산　　　200,000

－2011. 12. 31.

　　*₩1,000,000÷5년＝₩200,000

(차) 무 형 자 산 상 각 액　　　200,000*　　　(대) 무 　형 　자 　산　　　500,000
　　무 형 자 산 손 상 차 손　　　300,000

－2012. 12. 31.

　　*무형자산장부금액－회수가능액 ＝ (1,000,000－200,000×2)－300,000＝₩300,000

(차) 무 형 자 산 상 각 액　　　100,000*　　　(대) 무 　형 　자 　산　　　100,000**
　　무 　형 　자 　산　　　200,000　　　　무형자산손상차손환입　　200,000

－2013. 12. 31.

　　*₩300,000÷3년＝₩100,000

　　**환입한도액＝1,000,000－(1,000,000÷5년×3년)＝₩400,000

　　　환입액＝400,000－200,000＝₩200,000

(차) 무 형 자 산 상 각 액　　　100,000*　　　(대) 무 　형 　자 　산　　　100,000
　　매각예정비유동자산　　　300,000**　　　무 　형 　자 　산　　　300,000

- 2014. 6. 30.

  *₩400,000÷2년×(6개월÷12개월)=₩100,000

  **매각예정비유동자산으로 분류금액= Min[상각 및 손상반영 후 장부금액(₩300,000), 처분부대원가를 차감한 공정가치(₩360,000)]

(차) 현금및현금성자산	350,000	(대) 무 형 자 산	300,000
		무형자산처분이익	50,000

- 2014. 12. 31.

  *₩400,000÷2년×(6개월÷12개월)=₩100,000

10) 폐기와 처분

무형자산은 (1) 처분하는 때 또는 (2) 사용이나 처분으로 미래경제적효익이 기대되지 않을 때 재무상태표에서 제거한다(기준서 제1038호 문단 112). 무형자산의 제거로 인하여 발생하는 이익이나 손실은 순매각금액과 장부금액의 차이로 결정한다.

무형자산은 여러 방법(예 : 매각, 금융리스의 체결 또는 기부)으로 처분할 수 있다. 자산의 처분시점은 수령자가 기준서 제1115호 '고객과의 계약에서 생기는 수익'의 수행의무의 이행시기를 판단하는 규정에 따라 해당 자산을 통제하게 되는 시점이다. 판매후리스에 의한 처분에 대해서는 기준서 제1116호를 적용한다(기준서 제1038호 문단 114). 그 이익이나 손실은 자산을 제거할 때 당기손익으로 인식한다(단, 기준서 제1116호에서 판매후리스거래에 대하여 달리 규정하고 있는 경우는 제외). 이 때 차익은 수익으로 분류하지 아니한다(기준서 제1038호 문단 113).

11) 무형자산 관련 주석사항

무형자산은 각 분류별로, 내부적으로 창출한 무형자산과 기타 무형자산을 구분하여 다음 사항을 공시한다(기준서 제1038호 문단 118).

㉮ 내용연수가 비한정인지 아니면 유한한지와

㉯ 내용연수가 유한한 무형자산에 사용된 내용연수(또는 상각률)와 상각방법

㉰ 기초와 기말의 총장부금액, 상각누계액(손상차손누계액을 합산)

㉱ 무형자산의 상각액이 포함되어 있는 포괄손익계산서의 계정과목

㉲ 무형자산 기초장부금액에 다음의 변동내용을 가감하여 기말장부금액으로 조정한 내용

　㉠ 증가금액 : 내부적으로 개발한 부분, 개별 취득한 부분과 사업결합으로 취득한 부분을 구분하여 표시

　㉡ 기준서 제1105호에 따라 매각예정으로 분류되는 자산이나 매각예정으로 분류되는 처분자산집단에 포함되는 자산, 그리고 기타 처분자산

ⓒ 재평가로 인하여 발생한 당기 증가금액이나 감소금액과 기준서 제1036호에 따라 기타포괄손익에서 인식되거나 환입된 손상차손으로 인한 당기 증가금액이나 감소금액

ⓓ 기준서 제1036호에 따라 당기손익으로 인식한 손상차손

ⓔ 기준서 제1036호에 따라 당기손익으로 환입한 손상차손

ⓕ 당기 중에 인식한 상각액

ⓖ 재무제표를 표시통화로 환산할 때 발생하는 순외환차이와 해외사업장을 기업의 표시통화로 환산할 때 발생하는 순외환차이

ⓗ 당기 중 장부금액의 기타 변동

상기 중 ⓜ의 ⓒ ~ ⓗ에서 요구하는 정보 외에 기준서 제1036호에 따라 손상차손이 발생한 무형자산에 대한 정보를 추가로 공시한다(기준서 제1038호 문단 120).

다음 사항도 추가로 공시한다(기준서 제1038호 문단 122).
㉮ 내용연수가 비한정인 무형자산에 대하여, 그러한 자산의 장부금액과 비한정 내용연수에 대한 평가를 정당화하는 근거. 제시하는 근거에는 그 자산의 내용연수가 비한정이라고 결정하는 데 유의적인 역할을 한 요소에 대하여 설명한다.

㉯ 기업의 재무제표에 중요한 개별 무형자산에 대한 설명, 장부금액과 잔여상각기간

㉰ 정부보조금을 통하여 취득하고 최초에 공정가치로 인식한 무형자산과 관련된 다음 사항
   ㉠ 최초로 인식한 공정가치
   ㉡ 장부금액
   ㉢ 최초 인식 후의 측정방법(원가모형 또는 재평가모형)

㉱ 권리가 제한되어 있는 무형자산이 존재한다면 그 사실과 장부금액 및 부채에 대하여 담보로 제공되어 있는 무형자산의 장부금액

㉲ 무형자산을 취득하기 위한 계약상 약정금액

무형자산을 재평가금액으로 회계처리 하는 경우에는 다음 사항을 공시한다(기준서 제1038호 문단 124). 또한, 공정가치 측정과 관련한 추가 공시사항은 '금융자산의 4. 공정가치'를 참고한다.
㉮ 무형자산의 분류 별로 다음 사항을 기재한다.
   ㉠ 재평가 시행일
   ㉡ 재평가된 무형자산의 장부금액
   ㉢ 재평가된 무형자산의 분류에 대하여 최초 인식 후에 원가모형에 의하여 측정하였다면 인식하였을 장부금액

④ 기초와 기말의 무형자산 관련 재평가잉여금의 금액. 당기 중 변동사항과 주주에 대한 배당의 제한이 있다면 그 내용을 기재한다.

당기에 비용으로 인식한 연구와 개발 지출의 총액을 공시한다(기준서 제1038호 문단 126).

(3) 세무상 유의할 사항

1) 무형자산관련 일반사항

무형자산과 관련된 일반적인 사항은 이미 유형자산 부분에서 같이 기술한 바, 다음을 참고하기 바란다.

구 분	참고영역
세법상 감가상각의 특징	유형자산 12. (1)
내용연수와 상각률	유형자산 12. (4)
감가상각방법과 상각범위액의 계산	유형자산 12. (6)
감가상각액의 시부인계산	유형자산 12. (10)
한국채택국제회계기준 도입 법인의 감가상각비 손금산입 특례	유형자산 12. (11)
건설자금이자	유형자산 12. (14)
손상차손	유형자산 12. (16)
한국채택국제회계기준의 최초적용시점의 감가상각비 시부인	유형자산 12. (26)

2) 한국채택국제회계기준의 최초적용에 따른 비한정 무형자산에 대한 세무 처리

한국채택국제회계기준을 최초로 채택하는 경우 재무제표는 적어도 세 개의 재무상태 표, 두 개의 포괄손익계산서, 별도손익계산서(표시하는 경우), 현금흐름표 및 자본변동 표와 주석을 포함하여 비교표시하도록 되어 있으며, 개시 한국채택국제회계기준 재무상 태표와 최초 한국채택국제회계기준 재무제표에 표시된 모든 회계기간에는 동일한 회계 정책을 사용하도록 하고 있다. 따라서, 예외로 인정되는 부분이 아닌 이상 변경된 기준 에 따라서 소급법을 적용하여 과거 재무제표를 수정하도록 요구한다고 볼 수 있다.

무형자산의 경우에도 내용연수의 변경 및 감가상각방법의 변경에 따라서 과거 상각 액이 변동될 수 있다. 아래는 이러한 상황이 발생하는 경우 아래 사례를 통하여 적절한 세무처리를 설명하고자 한다.

사례 회사는 20×1년 1월 1일 외부에서 취득한 상표권이 있었으며, 이를 내용연수 5년을 적용하여 상각하고 있었다. 취득일로부터 3년이 경과한 20×4년도에 한국채택국제회계준을 최초 도입하면서 기존의 상표권은 내용연수가 비한정 무형자산으로 보아 다음과 같이 회계처리한 경우 세무조정은 어떻게 되는가?

- 최초취득금액 : 1,000
- 3년간 상각액 : 600
- 회계처리

(차) 상　　표　　권　　　　600　　　(대) 이 월 이 익 잉 여 금　　　　　600

기존 상표권 상각액에 대한 법인세 신고는 적정하게 이루어진 것으로 위의 회계처리는 세무상 임의평가증에 해당되어 상표권 증가금액에 대해서 손금산입 600(△유보)처리를 해야 하며, 이월이익잉여금의 증가는 익금산입 600(기타)로 처분하여야 한다. 손금에 산입된 유보금액 600은 추후 상표권에 대해서 손상차손 등을 인식하는 경우 해당 유보금액 내에서 익금으로 추인하여 소멸시킨다.

추가적으로 위의 상표권이 법인세법 제23조 제2항, 동법 시행령 제24조 제2항 및 동법 시행규칙 제12조 제2항의 요건을 만족하는 비한정 무형자산에 해당하는 경우에는 연도별 회계상 상각비는 발생하지 않을 것이나, 세무상 상표권 잔액인 400에 대해서 해당연도와 다음연도에 200씩 신고조정으로 손금산입이 가능할 수 있다. 이에 대한 자세한 내용은 "유형자산 12. (11) 한국채택국제회계기준 도입 법인의 감가상각비 손금산입특례"를 참고하기 바란다.

2. 개발비

(1) 의 의

내부적으로 창출한 무형자산이 인식기준을 충족하는지를 평가하는 것은 다음과 같은 이유 때문에 용이하지 않다(기준서 제1038호 문단 51).

㉠ 기대 미래경제적효익을 창출할 식별가능한 자산이 있는지와 시점을 파악하기 어렵다.

㉡ 자산의 원가를 신뢰성 있게 결정하는 것이 어렵다. 어떤 경우에는 무형자산을 내부적으로 창출하기 위한 원가를 내부적으로 창출한 영업권을 유지 또는 향상시키는 원가나 일상적인 경영관리활동에서 발생하는 원가와 구별할 수 없다.

그러므로 기준서 제1038호에서는 내부적으로 창출한 무형자산에 대해서는 무형자산의 인식과 최초 측정에 대한 일반적 규정과 함께 추가 지침을 제시하고 있다.

이하에서는 내부적으로 창출된 무형자산이 재무제표에 계상될 수 있는 요건이 어떠한지를 살펴보겠다.

(2) 기업회계상 회계처리

1) 내부적으로 창출된 무형자산

내부적으로 창출한 무형자산이 인식기준을 충족하는지를 평가하기 위하여 무형자산의 창출과정을 연구단계와 개발단계로 구분한다. '연구'와 '개발'은 정의되어 있지만, '연구단계'와 '개발단계'라는 용어는 이 기준서의 목적상 더 넓은 의미를 갖는다. 무형자산을 창출하기 위한 내부 프로젝트를 연구단계와 개발단계로 구분할 수 없는 경우에는 그 프로젝트에서 발생한 지출은 모두 연구단계에서 발생한 것으로 본다(기준서 제1038호 문단 52, 53).

2) 연구단계

연구(또는 내부 프로젝트의 연구단계)에 대한 지출은 미래경제적효익을 창출할 무형자산이 존재한다는 것을 제시할 수 없기 때문에, 무형자산을 인식하지 않고 발생시점에 비용으로 인식한다(기준서 제1038호 문단 54, 55).

연구활동의 예는 다음과 같다(기준서 제1038호 문단 56).

㉠ 새로운 지식을 얻고자 하는 활동

㉡ 연구결과나 기타 지식을 탐색, 평가, 최종 선택, 응용하는 활동

㉢ 재료, 장치, 제품, 공정, 시스템이나 용역에 대한 여러 가지 대체안을 탐색하는 활동

㉣ 새롭거나 개선된 재료, 장치, 제품, 공정, 시스템이나 용역에 대한 여러 가지 대체안을 제안, 설계, 평가, 최종 선택하는 활동

3) 개발단계

다음 사항을 모두 제시할 수 있는 경우에만 개발활동(또는 내부 프로젝트의 개발단계)에서 발생한 무형자산을 인식한다(기준서 제1038호 문단 57).

㉮ 무형자산을 사용하거나 판매하기 위해 그 자산을 완성할 수 있는 기술적 실현가능성
㉯ 무형자산을 완성하여 사용하거나 판매하려는 기업의 의도
㉰ 무형자산을 사용하거나 판매할 수 있는 기업의 능력

> ㉣ 무형자산이 미래경제적효익을 창출하는 방법. 그 중에서도 특히 무형자산의 산출물이나 무형자산 자체를 거래하는 시장이 존재함을 제시할 수 있거나 또는 무형자산을 내부적으로 사용할 것이라면 그 유용성을 제시할 수 있다.
> ㉤ 무형자산의 개발을 완료하고 그것을 판매하거나 사용하는 데 필요한 기술적, 재정적 자원 등의 입수가능성
> ㉥ 개발과정에서 발생한 무형자산 관련 지출을 신뢰성 있게 측정할 수 있는 기업의 능력

개발단계는 연구단계보다 훨씬 더 진전되어 있는 상태이기 때문에 어떤 경우에는 내부프로젝트의 개발단계에서는 무형자산을 식별할 수 있으며, 그 무형자산이 미래경제적효익을 창출할 것임을 제시할 수 있다(기준서 제1038호 문단 58).

개발활동의 예는 다음과 같다(기준서 제1038호 문단 59).

㉠ 생산이나 사용 전의 시제품과 모형을 설계, 제작, 시험하는 활동

㉡ 새로운 기술과 관련된 공구, 지그, 주형, 금형 등을 설계하는 활동

㉢ 상업적 생산 목적으로 실현가능한 경제적 규모가 아닌 시험공장을 설계, 건설, 가동하는 활동

㉣ 신규 또는 개선된 재료, 장치, 제품, 공정, 시스템이나 용역에 대하여 최종적으로 선정된 안을 설계, 제작, 시험하는 활동

무형자산이 어떻게 미래경제적효익을 창출하는지를 제시하기 위해서는 기준서 제1036호 '자산손상'에서 제시하고 있는 원칙을 사용하여 그 자산에서 얻게 될 미래경제적효익을 평가한다. 자산이 다른 자산과 결합해야만 경제적효익을 창출한다면, 기준서 제1036호에 따른 현금창출단위의 개념을 적용한다(기준서 제1038호 문단 60).

무형자산을 완성하고 사용하며 그로부터 효익을 획득하는 데 필요한 자원의 확보가능성은, 예를 들어, 필요한 기술적 자원 및 재무적 자원 등과 그러한 자원들을 확보할 수 있는 기업의 능력이 설명된 사업계획에 의하여 제시될 수 있다. 경우에 따라 기업은 그 사업계획에 대한 대출자의 자금제공 의사표시를 통해 외부자금조달의 가능성을 제시할 수도 있다(기준서 제1038호 문단 61).

원가계산시스템으로 무형자산을 내부적으로 창출하는 데 발생한 원가를 신뢰성 있게 측정할 수도 있다. 예를 들어, 저작권이나 라이선스를 획득하거나 컴퓨터소프트웨어를 개발하는 과정에서 발생한 급여 등의 지출을 원가계산시스템으로 신뢰성 있게 측정할 수 있다(기준서 제1038호 문단 62).

내부적으로 창출한 브랜드, 제호, 출판표제, 고객 목록과 이와 실질이 유사한 항목은 사업을 전체적으로 개발하는 데 발생한 원가와 구별할 수 없으므로 무형자산으로 인식하지 아니한다(기준서 제1038호 문단 63, 64).

4) 내부적으로 창출된 무형자산의 취득원가와 비용처리

내부적으로 창출한 무형자산의 원가는 그 무형자산이 인식기준(기준서 제1038호 문단 21 및 22)에 의하여 (1) 자산에서 발생하는 미래경제적효익이 기업에 유입될 가능성이 높고 (2) 자산의 원가를 신뢰성 있게 측정할 수 있는 경우로서 당해 기준서 문단 57에 따라 개발활동 또는 내부 프로젝트의 개발단계에서 발생한 원가로서 무형자산의 인식요건을 모두 만족하는 경우)을 최초로 충족시킨 이후에 발생한 지출금액의 합으로 한다. 이미 비용으로 인식한 지출은 무형자산의 원가로 인식할 수 없다(기준서 제1038호 문단 65).

내부적으로 창출한 무형자산의 원가는 그 자산의 창출, 제조 및 경영자가 의도하는 방식으로 운영될 수 있게 준비하는 데 필요한 직접 관련된 모든 원가를 포함한다. 직접 관련된 원가의 예는 다음과 같다(기준서 제1038호 문단 66).

ⓐ 무형자산의 창출에 사용되었거나 소비된 재료원가, 용역원가 등

ⓑ 무형자산의 창출을 위하여 발생한 종업원급여(기준서 제1019호의 정의 참조)

ⓒ 법적 권리를 등록하기 위한 수수료

ⓓ 무형자산의 창출에 사용된 특허권과 라이선스의 상각비

기준서 제1023호는 내부적으로 창출한 무형자산의 원가를 구성하는 요소로서 차입원가를 자본화하는 기준을 제시하고 있다.

다음 항목은 내부적으로 창출한 무형자산의 원가에 포함하지 아니한다(기준서 제1038호 문단 67).

ⓐ 판매비, 관리비 및 기타 일반경비 지출. 다만, 자산을 의도한 용도로 사용할 수 있도록 준비하는 데 직접 관련된 경우는 제외한다.

ⓑ 자산이 계획된 성과를 달성하기 전에 발생한 명백한 비효율로 인한 손실과 초기 영업손실

ⓒ 자산을 운용하는 직원의 교육훈련과 관련된 지출

> **사례** 회계기간이 1.1. ~ 12.31.인 A기업은 새로운 생산공정을 개발하고 있다. 20×5년 동안 발생한 지출은 1,000원이었으며 그 중 900원은 20×5년 12월 1일 전에 발생하였으며 100원은 20×5년 12월 1일과 20×5년 12월 31일 사이에 발생하였다. A기업은 20×5년 12월 1일에 새로운 생산공정이 무형자산의 인식기준을 충족했다는 사실을 제시할 수 있다. 그 공정에 내재된 노하우의 회수가능액(그 공정이 사용가능하기 전에 해당 공정을 완료하기 위한 미래 현금유출액 포함)은 500원으로 추정된다.
>
> 20×5년 말에, 그 생산공정은 100원의 원가(인식기준을 충족한 날 즉, 20×5년 12월 1일 이후에 발생된 지출)로 무형자산으로 인식된다. 20×5년 12월 1일 전에 발생한 900원의 지출은 비용으로 인식한다. 왜냐하면 무형자산의 인식기준이 20×5년 12월 1일까지 충족되지 않았기 때문

이다. 그러므로 900원의 지출은 재무상태표에 자산으로 인식되는 생산공정의 원가의 일부를 구성할 수 없다.

A기업이 20×6년 중 지출한 금액은 2,000원이었다. 20×6년 말에 해당 공정에 내재된 노하우의 회수가능액(해당 공정이 사용가능하게 되기 전에 해당 공정을 완료하기 위한 미래 현금유출액 포함)은 1,900원으로 추정된다. 20×6년 말에, 해당 생산공정의 원가는 2,100원(20×5년 말에 인식된 100원에 20×6년에 인식된 2,000원을 가산)이다.

A기업은 손상차손을 인식하기 전의 해당 공정의 장부금액인 2,100원을 회수가능액인 1,900원으로 수정하기 위하여 200원의 손상차손을 인식한다. 이 손상차손은 기준서 제1036호의 손상차손 환입에 대한 요구사항이 충족되는 경우, 차기 이후에 환입될 수 있다.

(3) 세무상 유의할 사항

1) 세무상 개발비의 정의

법인세법상 무형자산인 개발비라 함은 상업적인 생산 또는 사용 전에 재료·장치·제품·공정·시스템 또는 용역을 창출하거나 현저히 개선하기 위한 계획 또는 설계를 위하여 연구결과 또는 관련 지식을 적용하는 데 발생하는 비용으로서 기업회계기준에 따른 개발비의 요건을 갖춘 것(산업기술연구조합 육성법에 따른 산업기술연구조합의 조합원이 해당 조합에 연구개발 및 연구시설 취득 등을 위하여 지출하는 금액을 포함함)을 말한다(법령 24조 1항 2호 바목).

2) 개발비의 상각방법 및 내용연수

개발비는 관련 제품별로 판매 또는 사용이 가능한 시점부터 20년의 범위에서 연단위로 신고한 내용연수에 따라 매 사업연도별 경과월수에 비례하여 상각하는 방법을 통하여 손금에 산입한다(법령 26조 1항 6호). 따라서, 개발비는 상각기간을 1년으로 신고하여 적용할 수도 있다.

다만, 법인이 개발비의 내용연수를 기한 내에 신고하지 아니한 경우에는 관련 제품의 판매 또는 사용이 가능한 시점부터 5년 동안 매년 균등액을 상각하는 방법을 통하여 손금에 산입하여야 하며, 이 경우 사업연도 중에 판매 또는 사용이 가능한 시점이 도래한 경우의 상각범위액은 월수에 따라 계산한다(법령 26조 4항 4호).

3) 개발의 취소 또는 관련 제품의 판매·사용 중지

법인이 개발비를 감가상각자산으로 계상하였으나 해당 제품의 판매 또는 사용이 가능한 시점이 도래하기 전에 개발을 취소한 경우에는 다음의 요건을 모두 충족하는 날이 속하는 사업연도에 개발비를 손금에 산입한다(법령 71조 5항).

① 해당 개발로부터 상업적인 생산 또는 사용을 위한 해당 재료·장치·제품·공정·시스템 또는 용역을 개선한 결과를 식별할 수 없을 것

② 해당 개발비를 전액 손비로 계상하였을 것

한편, 개발비와 관련한 제품개발이 성공함에 따라 개발비의 감가상각 개시 후에 관련 제품의 판매·사용이 중지되는 경우의 미상각개발비는 그 자산성이 완전히 상실된 것이 아니므로 감가상각방법을 통하여 손금에 산입하여야 한다. 다만, 기술의 낙후로 인하여 자산성이 완전히 상실되어 법인세법 시행령 제31조 제7항의 규정에 해당되는 경우에는 장부가액에서 1천원을 공제한 금액을 폐기일이 속하는 사업연도의 손금에 산입할 수 있을 것이나 자산성의 완전 상실 여부는 사실 판단해야 할 사항이므로 해당 부분에 대한 적절한 근거자료를 구비해야 할 것이다(법인 46012-196, 2003. 3. 21.).

4) 정부출연금을 통한 기술개발

법인이 기초연구진흥 및 기술개발지원에 관한 법률이나 기타 관련 법령에 따라 정부로부터 기술개발에 소요되는 경비를 출연금 명목으로 지원받은 경우 추후 기술개발의 성공 여부에 따른 출연금 일부의 반환의무 여부에 불구하고 출연금 교부통지를 받은 날이 속하는 사업연도에 익금에 산입하며, 익금에 산입한 출연금 중 기술개발의 성공으로 출연금 일부의 반환통지 또는 기술료의 납부통지를 받은 경우 당해 통지를 받은 날이 속하는 사업연도에 반환할 금액을 손금에 산입한다(서면2팀-1497, 2005. 9. 20.).

이와 관련하여 내국법인이 2021년 12월 31일까지 연구개발 등을 목적으로 기초연구진흥 및 기술개발지원에 관한 법률이나 그 밖에 조세특례제한법 시행령 제9조의 2 제1항 및 동법 시행규칙 제7조의 3에서 정하는 법률에 따라 연구개발출연금 등을 지급받은 경우로서 해당 연구개발출연금 등을 구분경리하는 경우에는 연구개발출연금 등에 상당하는 금액을 그 지급받은 사업연도의 익금에 산입하지 아니하고 다음의 방법에 따라 익금에 산입할 수 있다(조특법 10조의 2 1항, 2항).

① 연구개발출연금 등을 해당 연구개발비로 지출하는 경우 : 해당 지출액에 상당하는 금액을 해당 지출일이 속하는 사업연도에 익금에 산입하는 방법

② 연구개발출연금 등으로 해당 연구개발에 사용되는 자산을 취득하는 경우 : 감가상각자산의 경우에는 손금에 산입하는 감가상각액에 상당하는 금액을 익금에 산입하며(처분시에는 잔액을 일시에 익금산입), 그 외의 자산은 처분시 익금에 산입하는 방법

한편, 위와 같이 연구개발출연금 등 상당액을 익금에 산입하지 아니한 내국법인이 해당 연구개발출연금 등을 해당 연구개발 목적 외의 용도로 사용하거나 해당 연구개발에 사용하기 전에 폐업 또는 해산하는 경우 그 사용하지 아니한 금액은 해당 사유가 발생

한 날이 속하는 과세연도에 익금에 산입하며, 이자상당가산액을 납부하여야 한다. 다만, 합병 또는 분할하는 경우로서 합병법인 등이 그 금액을 승계한 경우를 제외하며, 그 금액은 합병법인 등이 익금불산입한 것으로 본다(조특법 10조의 2 3항, 4항).

> **사례** (주)삼일은 기초연구진흥 및 기술개발지원에 관한 법률의 규정에 따라 정부로부터 출연금 1,000만원을 수령하였으며, 기술개발의 성공시에는 500만원을 반환하여야 하고, 기술개발의 실패시에는 반환의무가 전액 면제되며, 기술개발의 성공이 거의 확실할 것으로 예상하고 있는 경우 회계처리와 세무조정은?

(단위 : 백만원)

구 분	회계처리				세무조정
정부출연금의 수령(1,000)	현　　　금	1,000	/ 정 부 출 연 금	500[*1)]	(익산) 정부보조금 500(유보)
			/ 정 부 보 조 금	500	(익산) 정부출연금 500(유보)
			(현금차감계정)		(익불) 연구개발출연금 1,000 (△유보)
개발비의 지출(300)	개　발　비	300	/ 현　　　금	300	
	정 부 보 조 금	150	/ 정 부 보 조 금	150	
	(현금차감계정)		(개발비차감계정)		
개발비의 상각(30)	개 발 비 상 각	60	/ 개　발　비	60	(익산) 연구개발출연금60(유보)
	정 부 보 조 금	30	/ 개 발 비 상 각	30[*2)]	(손산) 정부보조금 30(△유보)
	(개발비 차감계정)				
경상개발비의 지출(300)	경 상 개 발 비	300	/ 현　　　금	300	(익산) 연구개발출연금300(유보)
	정 부 보 조 금	150	/ 경 상 개 발 비	150[*3)]	(손산) 정부보조금 150(△유보)
	(현금차감계정)				
개발장비의 취득(400)	유 형 자 산	400	/ 현　　　금	400	
	정 부 보 조 금	200	/ 정 부 보 조 금	200	
	(현금차감계정)		(유형자산차감계정)		
개발장비의 상각(100)	감 가 상 각 비	100	/ 감가상각누계액	100[*4)]	(익산) 연구개발출연금100(유보)
	경 상 개 발 비	50[*5)]	/ 감 가 상 각 비	100	(손산) 정부보조금 50(△유보)
	정 부 보 조 금	50	/		
	(유형자산차감계정)				
기술개발의 성공	정 부 출 연 금	500	/ 현　　　금	500[*6)]	(손산) 정부출연금 500(△유보)

*1) 정부출연금 : 기술개발의 성공시 반환해야 할 총금액이며, 기술개발의 성공이 거의 확실할 것으로 예상되므로 동 금액을 부채로 계상함.
*2) 개발비 상각 : 내용연수 5년, 1년분 상각 가정
*3) 금융감독원의 질의회신(금감원 2002-028)에서는 경상개발비로 계상한 금액 중 정부부담 비율에 상당하는 정부보조금은 경상개발비로 인식할 금액에서 차감하도록 하고 있으나, 한국회계기준원의 질의회신(KQA 02-015, 2002. 1. 11.)에서는 경상개발비의 발생시점에 자산수증이익의 과목으로 하여 영업외수익으로 처리하도록 하고 있으며, 한국채택국제회계기준에서는 해당 사항에 대한 적절한 예시가 없는 바, 경상개발비에서 차감하는 것으로 처리함.
*4) 유형자산 감가상각 : 내용연수 4년, 정액법, 1년분 상각 가정

*5) 개발장비의 감가상각액은 그 관련성에 따라 경상개발비 또는 개발비로 대체하여야 할 것이나, 본 사례에서는 설명편의상 경상개발비에 대체하는 것으로 가정함.

*6) 기술개발의 성공시에는 별도의 회계처리가 필요 없을 것이나, 그 이후 정부출연금의 상환시 상기와 같은 회계처리가 필요함.

3. 영업권

(1) 의 의

영업권은 개별적으로 식별하여 별도로 인식할 수 없으나, 사업결합에서 획득한 그 밖의 자산에서 발생하는 미래경제적효익을 나타내는 자산이다.

기준서 제1038호에 따라 내부적으로 창출한 영업권은 원가를 신뢰성 있게 측정할 수 없고, 기업이 통제하고 있는 식별가능한 자원이 아니므로(즉, 분리가능하지 않고 계약상 또는 기타 법적 권리로부터 발생하지 않기 때문에) 자산으로 인식하지 않는다. 따라서 영업권을 개발하고 유지하는 데 발생하는 모든 원가는 발생한 기간의 비용으로 처리한다(기준서 제1038호 문단 48, 49).

이 장에서는 사업결합에서 획득한 영업권의 기준서 제1103호에 따른 인식과 측정 및 기준서 제1036호에 따른 손상검사에 대하여 다룬다.

(2) 기업회계상 회계처리

1) 영업권의 인식과 측정

기준서 제1103호에 따라 사업결합의 취득자는 취득일 현재 (가)가 (나)보다 클 경우 그 초과금액을 측정하여 영업권으로 인식한다(기준서 제1103호 문단 32). 즉, 영업권은 잔여 항목으로 측정된다.

(가) 다음의 합계금액

　　㉠ 기준서 제1103호에 따라 측정된 이전대가로 일반적으로 취득일의 공정가치(기준서 제1103호 문단 37 참조)

　　㉡ 기준서 제1103호에 따라 측정된 피취득자에 대한 비지배지분의 금액

　　㉢ 단계적으로 이루어지는 사업결합(기준서 제1103호 문단 41과 42 참조)의 경우 취득자가 이전에 보유하고 있던 피취득자에 대한 지분의 취득일의 공정가치

(나) 이 기준서에 따라 측정된 취득일의 식별가능한 취득 자산과 인수 부채의 순액

사업결합 취득자는 취득일에 피취득자에 대한 비지배지분의 요소가 현재의 지분이며 청산 시 보유자에게 기업 순자산의 비례적 몫에 대하여 권리를 부여하고 있는 경우, 그

비지배지분의 요소를 (1) 공정가치로 측정하거나 (2) 피취득자의 식별가능한 순자산에 대해 인식한 금액 중 현재의 지분상품의 비례적 몫으로 측정한다(기준서 제1103호 문단 19). 기준서는 개별 사업결합에 대하여 이러한 선택이 가능하도록 하고 있다. 취득자가 종속기업에 대한 비지배지분을 (1) 공정가치로 측정하는 경우 100% 영업권(통상 "전부영업권(full goodwill)"으로 불림)을 인식하는 결과가 되고, (2) 피취득자의 식별가능한 순자산 중 비례적 몫으로 측정하는 경우 지배지분에 대하여만 영업권(통상 "부분영업권(partial goodwill)"으로 불림)을 인식하는 결과를 가져온다.

전부영업권(full goodwill)은 비지배지분이 공정가치로 측정되고 이에 대한 영업권도 사업결합에서 인식됨을 의미한다. 즉, 비지배지분과 영업권 모두 비지배지분에 해당하는 영업권 금액만큼 증가되므로, 재무상태표상의 보고되는 순자산(지배지분과 비지배지분의 몫)을 증가시킨다. 이로 인하여 미래에 연결재무제표에서 종속기업에 대해 당기비용으로 인식될 영업권의 손상액 총액도 더 커질 수 있다.

2) 영업권의 손상차손

① 영업권의 현금창출단위에 대한 배분

사업결합으로 취득한 영업권은 다른 자산이나 자산집단과 독립적인 현금흐름을 창출하지 못하므로 손상검사는 관련 현금창출단위에 대한 손상검사의 일부로서만 실시될 수 있다(기준서 제1036호 BC139). 따라서 영업권의 손상검사를 위해서는 사실상 기업가치평가가 이루어져야 하며, 이로 인하여 독립된 외부평가전문가의 필요성이 증대될 것이다.

손상검사 목적상 사업결합으로 취득한 영업권은 사업결합으로 인한 시너지효과의 혜택을 받게 될 것으로 기대되는 각 현금창출단위나 현금창출단위집단에 취득일로부터 배분된다. 이는 배분대상 현금창출단위나 현금창출단위집단에 피취득자의 다른 자산이나 부채가 할당되어 있는지와 관계없이 이루어진다. 또한 영업권이 배분되는 각 현금창출단위나 현금창출단위집단은 다음을 모두 충족하여야 한다(기준서 제1036호 문단 80).

> ㉮ 내부관리목적상 영업권을 관찰하는 기업 내 최저 수준이어야 한다.
> ㉯ 기준서 제1108호 '영업부문' 문단 5에 따라 정의되는 통합 전 영업부문보다 크지 않아야 한다.

이러한 영업권이 배분되는 현금창출단위 또는 현금창출단위집단에 대하여 상한을 두는 취지는 영업권에 대한 손상검사가 기존에 내부보고목적상 영업에 관한 정보가 제공되고 있는 수준에서 이루어질 수 있도록 함으로써, 영업권을 임의로 현금창출단위 또는 현금창출단위집단에 배분하거나 단순히 회계처리 목적 때문에 새로운 보고체계를 개발할 필요가 없도록 하기 위함이다.

영업권은 다른 자산이나 자산집단과는 독립적으로 현금흐름을 창출하지 못하며, 종종 여러 개 현금창출단위의 현금흐름에 기여하기도 한다. 경우에 따라서는 영업권이 자의적이지 않은 기준에 따라 개별 현금창출단위에 배분될 수는 없고 현금창출단위집단에만 배분될 수 있다. 따라서 내부관리목적상 영업권을 관찰하는 최저 수준은, 영업권과 관련되어 있지만 합리적이고 일관된 기준에 따라 영업권이 배분될 수 없는 여러 개의 현금창출단위로 구성될 수 있다. 이러한 여러 개의 현금창출단위는 현금창출단위집단을 구성한다. 결과적으로 영업권은 기업의 영업관리방식이 반영되어 있고 영업권과 자연스럽게 관련지어지는 수준에서 손상검사가 이루어진다. 따라서 일반적으로 영업권에 대한 손상검사를 하기 위해 추가로 보고체계를 개발할 필요는 없다(기준서 제1036호 문단 81, 82).

사업결합으로 취득한 영업권의 최초 배분을 사업결합이 이루어진 회계연도 말 이전에 완료할 수 없는 경우, 취득일 후 최초로 개시하는 회계연도 말까지 그 영업권의 최초 배분을 완료하여야 한다. 기준서 제1103호 '사업결합'에 의하면 사업결합거래에 대한 최초 회계처리가 사업결합이 이루어진 회계기간 말까지 잠정적으로만 결정되는 경우에는, ⑴ 우선 잠정적인 가치를 사용하여 사업결합거래에 대해 회계처리한다. ⑵ 이후 취득일로부터 12개월을 초과하지 않는 측정기간 동안에 사업결합거래에 대한 최초 회계처리가 확정될 때 그 확정결과를 당초의 잠정적인 회계처리에 조정하여 인식한다. 따라서 이러한 경우에는 사업결합에서 인식되는 영업권의 최초 배분도 사업결합이 이루어진 회계연도 말 이전에 완료될 수 없으므로 이러한 상황에 대한 정보를 기준서 제1036호 문단 133에 따라 공시한다(기준서 제1036호 문단 84, 85).

영업권이 배분된 현금창출단위 내의 영업을 처분하는 경우, 처분되는 영업과 관련된 영업권은, ⑴ 처분손익을 결정할 때 그 영업의 장부금액에 포함하며, ⑵ 좀 더 합리적인 다른 방법이 처분되는 단위와 관련된 영업권을 더 잘 반영한다는 것을 기업이 입증할 수 있는 경우를 제외하고는 현금창출단위 내에 존속하는 부분과 처분되는 부분의 상대적인 가치를 기준으로 측정한다(기준서 제1036호 문단 86). 예를 들어, 기업은 영업권이 배분된 현금창출단위에 포함되는 영업을 100에 매각하였다. 배분된 영업권은 자의적인 기준에 의하지 않는 한 당해 현금창출단위보다 더 낮은 수준의 자산집단과 관련하여 식별할 수 없다. 존속하는 현금창출단위의 회수가능액은 300이다. 현금창출단위에 배분된 영업권을 자의적인 기준에 의하지 않는 한 당해 현금창출단위보다 더 낮은 수준의 자산집단과 관련하여 식별할 수는 없으므로, 처분되는 영업과 관련된 영업권은 현금창출단위 내에 존속하는 영업과 처분되는 영업의 상대적인 가치를 기준으로 측정한다. 따라서 현금창출단위에 배분된 영업권 중 25%는 매각된 영업의 장부금액에 포함한다.

② 영업권을 포함하는 현금창출단위의 손상검사의 시기

가. 영업권과 관련되어 있지만 영업권이 배분되지 않은 현금창출단위에 대한 손상
   검사

손상을 시사하는 징후가 있을 때마다 영업권을 제외한 현금창출단위의 장부금액과
회수가능액을 비교하여 손상검사를 한다(기준서 제1036호 문단 88).

나. 영업권이 배분된 현금창출단위에 대한 손상검사

(1) 매년 그리고 (2) 손상을 시사하는 징후가 있을 때마다 영업권을 포함한 현금창출
단위의 장부금액과 회수가능액을 비교하여 손상검사를 한다. 현금창출단위의 회수가능
액이 장부금액을 초과하는 경우에는 그 현금창출단위와 배분된 영업권에 대해서는 손
상차손이 발생하지 않은 것으로 본다. 그러나 현금창출단위의 장부금액이 회수가능액을
초과하는 경우에는 손상차손을 인식한다(기준서 제1036호 문단 90).

다. 내용연수가 비한정인 무형자산 또는 아직 사용할 수 없는 무형자산이 포함되고,
   그러한 무형자산에 대한 손상검사가 현금창출단위의 일부로서만 수행될 수 있는
   경우 손상검사

매년 손상검사를 한다(기준서 제1036호 문단 89).

③ 영업권의 손상차손 및 손상차손환입

가. 현금창출단위(또는 영업권이나 공동자산이 배분된 최소 현금창출단위집단)의 회
   수가능액이 장부금액에 미달하는 경우 영업권의 손상차손 배부

다음과 같은 순서로 배분하여 현금창출단위(또는 현금창출단위집단)에 속하는 자산의
장부금액을 감소시키고, 손상차손을 인식한다.

(1) 우선, 현금창출단위(또는 현금창출단위집단)에 배분된 영업권의 장부금액을 감소시킨다.
(2) 그 다음 현금창출단위(또는 현금창출단위집단)에 속하는 다른 자산에 각각 장부금액에
   비례하여 배분한다. 단, 개별 자산의 장부금액은 다음 중 가장 큰 금액 이하로 감소시
   킬 수 없다.
   ㉠ 처분부대원가를 차감한 공정가치(측정가능한 경우)
   ㉡ 사용가치(산정가능한 경우)
   ㉢ 영(0)
   이러한 제약으로 인해 특정 자산에 배분되지 않은 손상차손은 현금창출단위(또는 현금
   창출단위집단) 내의 다른 자산에 각각 장부금액에 비례하여 배분한다.

이러한 장부금액의 감소는 개별 자산의 손상차손으로 회계처리하므로, 즉시 당기손익으로 인식한다. 다만, 다른 한국채택국제회계기준서(예 : 기준서 제1016호의 재평가모형)에 따라 재평가금액을 장부금액으로 하는 경우에는 당해 기준서에 따라 재평가감소액으로 처리한다(기준서 제1036호 문단 60, 104, 105).

(1) 자산의 사용가치가 그 자산의 처분부대원가를 차감한 공정가치에 근사하게 추정될 수 없으면서(예를 들어 자산을 계속 사용하는 동안에 창출되는 미래현금흐름이 무시할 수 있는 수준이라고 추정할 수 없는 경우) (2) 자산이 다른 자산의 현금흐름과 거의 독립적인 현금흐름을 창출하지 않는 경우(사용가치 즉, 회수가능액은 자산의 현금창출단위에 대해서만 결정할 수 있는 경우) 개별 자산의 회수가능액을 결정할 수 없다(기준서 제1036호 문단 67). 이와 같이 현금창출단위 내 개별 자산의 회수가능액을 결정할 수 없는 경우에는 개별 자산의 처분부대원가를 차감한 공정가치와 상기 상자 안에 기술된 절차에 따라 배분한 결과치 중에서 큰 금액이 장부금액보다 작은 경우에는 개별 자산에 대해 손상차손을 인식한다. 관련 현금창출단위에서 손상차손이 발생하지 아니한 경우에는 개별 자산에 대해 손상차손을 인식하지 않는데, 이는 개별 자산의 처분부대원가를 차감한 공정가치가 장부금액보다 작은 경우에도 적용된다(기준서 제1036호 문단 107).

기업이 비지배지분을 취득일 현재 공정가치가 아니라 종속기업의 식별가능한 순자산에 대한 비례적 지분으로 측정한다면, 비지배지분에 귀속되는 영업권이 관련 현금창출단위의 회수가능액에는 포함되지만 지배기업의 연결재무제표에서는 인식되지 않는다. 따라서 기업은 비지배지분에 귀속되는 영업권을 포함시키기 위해, 현금창출단위에 배분된 영업권의 장부금액을 가산조정(Gross up)한다. 조정된 장부금액은 당해 현금창출단위의 손상 여부를 결정하기 위해 그 회수가능액과 비교한다(기준서 제1036호 문단 C4).

ⓐ 비지배지분이 있는 종속기업이나 종속기업의 일부가 그 자체로서 현금창출단위인 경우

손상차손은 당기손익을 배분할 때와 동일한 근거로 지배기업과 비지배지분에 배분한다(기준서 제1036호 문단 C6).

ⓑ 비지배지분이 있는 종속기업이나 종속기업의 일부가 그보다 큰 현금창출단위의 일부인 경우

영업권 손상차손은 그 현금창출단위 내의 비지배지분이 있는 부분과 그렇지 않은 부분에 배분한다. 손상차손은 다음의 기준에 따라 현금창출단위 내의 여러 부분에 배분한다(기준서 제1036호 문단 C7).

(1) 손상이 현금창출단위의 영업권과 관련되는 만큼은 손상이 있기 전 각 부분 영업권의 상대적 장부가치에 따라 배분한다.

(2) 손상이 현금창출단위의 식별가능한 자산과 관련되는 만큼은 손상이 있기 전 각 부분의 식별가능한 순자산의 상대적 장부가치에 따라 배분한다. 각 부분에 배분된 손상차손은 당해 부분 내의 각 자산에 그 장부금액에 비례하여 배분한다. 그러한 부분들에 비지배지분이 있다면, 손상차손은 당기손익을 배분할 때와 동일한 근거로 지배기업과 비지배지분에 배분한다.

ⓒ 비지배지분에 귀속되는 손상차손이 지배기업의 연결재무제표에 인식되지 않은 영업권과 관련되어 있는 경우

그러한 손상차손은 영업권 손상차손으로 인식되지 않는다. 이러한 경우 지배기업에 배분된 영업권과 관련된 손상차손만을 영업권의 손상차손으로 인식한다(기준서 제1036호 문단 C8).

나. 현금창출단위(또는 영업권이나 공동자산이 배분된 최소 현금창출단위집단)의 회수가능액이 장부금액을 초과하는 경우 영업권의 손상차손환입

매 보고일에 영업권을 제외한 자산에 대해 과거기간에 인식한 손상차손이 더 이상 존재하지 않거나 감소된 것을 시사하는 징후가 있는지를 검토한다. 징후가 있는 경우 당해 자산의 회수가능액을 추정한다(기준서 제1036호 문단 110). 회수가능액의 추정 시, 영업권을 제외한 자산에 대하여 과거기간에 인식한 손상차손은 직전 손상차손의 인식시점 이후 회수가능액을 결정하는 데 사용된 추정치에 변화가 있는 경우에만 환입한다. 자산의 장부금액을 회수가능액으로 증가시킬 때 당해 증가금액이 손상차손환입에 해당하는데, 영업권을 제외한 자산의 손상차손환입으로 증가된 장부금액은 과거에 손상차손을 인식하기 전 장부금액의 감가상각 또는 상각 후 잔액을 초과할 수 없다(기준서 제1036호 문단 114, 117).

현금창출단위의 손상차손환입은 현금창출단위를 구성하는 자산들(영업권 제외)의 장부금액에 비례하여 배분하는데, 이 때 개별 자산의 장부금액은 다음 중 작은 금액을 초과하여 증가시킬 수 없다.

(1) 회수가능액(산정가능한 경우)

(2) 과거기간에 손상차손을 인식하지 않았다면 현재 기록되어 있을 장부금액(감가상각 또는 상각 후)

이러한 제약으로 인해 특정 자산에 배분되지 않은 손상차손환입액은 현금창출단위 내의 영업권을 제외한 다른 자산에 각각 장부금액에 비례하여 배분한다.

이러한 장부금액의 증가는 개별 자산의 손상차손환입으로 회계처리 하므로, 영업권을 제외한 자산의 손상차손환입은 즉시 당기손익으로 인식한다. 다만, 영업권을 제외한 자산이 다른 한국채택국제회계기준서(예 : 기준서 제1016호의 재평가모형)에 따라 재평가금액을 장부금액으로 하는 경우에는 재평가되는 자산의 손상차손환입은 당해 기준서에 따라 재평가증가로 처리한다. 수정된 장부금액에서 잔존가치를 차감한 금액을 자산의 잔여내용연수에 걸쳐 체계적인 방법으로 배분하기 위해서, 손상차손환입을 인식한 후에는 감가상각액 또는 상각액을 조정한다(기준서 제1036호 문단 119, 121, 122, 123).

영업권에 대해 인식한 손상차손은 후속기간에 환입할 수 없다(기준서 제1036호 문단 124).

사례 　**영업권과 비지배지분을 포함하는 현금창출단위의 손상검사**

1. 최초에 식별가능한 순자산의 비례지분으로 측정된 비지배지분(기준서 제1036호 사례 7A)

이 사례에서는 법인세효과를 고려하지 않는다.

[배경]

지배기업은 20X3년 1월 1일에 종속기업의 지분 80%를 2,100원에 취득하였다. 취득일 현재 종속기업의 식별가능한 순자산의 공정가치는 1,500원이다. 지배기업은 비지배지분을 종속기업의 식별가능한 순자산에 대한 비례적 지분 300원(1,500원의 20%)으로 측정하기로 선택하였다. 영업권 900원은 이전대가와 비지배지분 금액의 합계(2,100원+300원)와 식별가능한 순자산(1,500원)의 차액이다.

종속기업의 자산집단은 연결실체의 다른 자산이나 자산집단과 거의 독립적인 현금유입을 창출하는 최소 자산집단이다. 따라서 종속기업은 하나의 현금창출단위가 된다. 지배기업의 다른 현금창출단위가 사업결합으로 인한 시너지효과의 혜택을 받게 될 것으로 기대되기 때문에, 그러한 시너지효과와 관련된 영업권 500원은 지배기업 내 다른 현금창출단위에 배분되었다. 종속기업을 구성하는 현금창출단위의 장부금액에는 영업권이 포함되어 있으므로 매년 손상검사를 하고, 손상가능성을 시사하는 징후가 있다면 그보다 더 자주 손상검사를 하여야 한다(기준서 제1036호 문단 90).

20×3년 말에 현금창출단위인 종속기업의 회수가능액은 1,000원으로 결정되었다. 종속기업의 영업권을 제외한 순자산 장부금액은 1,350원이다.

[종속기업(현금창출단위)의 손상검사]

비지배지분에 귀속되는 영업권이 종속기업의 회수가능액 1,000원에는 포함되지만 지배기업의 연결재무제표에는 인식되지 않았다. 따라서 회수가능액 1,000원과 비교하기 전에 종속기업의 장부금액은 비지배지분에 귀속될 영업권금액만큼 가산조정한다. 취득일 현재 지배기업의 종속기업에 대한 80% 지분에 귀속되는 영업권은 지배기업 내 다른 현금창출단위에 500원을 배분하고 남은 400원이 된다. 따라서 취득일 현재 종속기업에 대한 비지배지분 20%에 귀속되는 영업권은 100원이 된다.

| ⟨표 1⟩ 20×3년 말 종속기업의 손상검사 |

20×3년 말	종속기업의 영업권	식별가능한 순자산	합계
장부금액	400	1,350	1,750
인식되지 않은 비지배지분	100	–	100
조정된 장부금액	500	1,350	1,850
회수가능액			1,000
손상차손			850

[손상차손의 배분]

손상차손 850원은 현금창출단위 내의 자산들에 배분하는데 우선 영업권 장부금액부터 감액한다. 따라서 현금창출단위의 손상차손 850원 중 500원이 영업권에 배분된다. 부분소유 종속기업이 그 자체로서 현금창출단위가 된다면, 당기손익을 배분할 때와 동일한 기준에 따라 영업권 손상차손을 지배기업과 비지배지분에 배분한다. 이 사례에서 당기손익은 상대적 소유지분에 따라 배분된다. 영업권은 지배기업의 종속기업에 대한 지분 80%에 상당하는 정도로만 인식되므로 영업권 손상차손의 80%(즉, 400원)만 인식한다.

잔여손상차손 350원은 종속기업의 식별가능한 자산의 장부금액을 감액하면서 인식한다(<표 2> 참조).

| ⟨표 2⟩ 20×3년 말 종속기업에 대한 손상차손의 배분 |

20×3년 말	영업권	식별가능한 순자산	합계
장부금액	400	1,350	1,750
손상차손	(400)	(350)	(750)
손상차손 인식 후 장부금액	–	1,000	1,000

2. 비지배지분이 최초에 공정가치로 측정되고 관련 종속기업이 독립적인 현금창출단위인 경우 (기준서 제1036호 사례 7B)

이 사례에서는 법인세효과를 고려하지 않는다.

[배경]

지배기업은 20X3년 1월 1일에 2,100원에 종속기업의 지분 80%를 취득하였다. 취득일 현재 종속기업의 식별가능한 순자산의 공정가치는 1,500원이다. 지배기업은 비지배지분을 공정가치인 350원으로 측정하기로 선택하였다. 영업권 950원은 이전대가와 비지배지분 금액의 합계액(2,100원+350원)과 식별가능한 순자산(1,500원)의 차액이다.

종속기업의 자산집단은 연결실체의 다른 자산이나 자산집단과 거의 독립적인 현금유입을 창출하는 최소 자산집단이다. 따라서 종속기업은 하나의 현금창출단위가 된다. 지배기업의 다른 현금창출단위가 사업결합으로 인한 시너지효과의 혜택을 받게 될 것으로 기대되기 때문에, 그러한 시너지효과에 관련된 영업권 500원은 지배기업 내 다른 현금창출단위에 배분되었다.

종속기업의 장부금액에는 영업권이 포함되어 있으므로 매년 손상검사를 하고, 손상가능성을 시사하는 징후가 있다면 그보다 더 자주 손상검사를 하여야 한다(기준서 제1036호 문단 90).

[종속기업의 손상검사]

20×3년 말에 지배기업은 현금창출단위인 종속기업의 회수가능액을 1,650원으로 결정하였다. 종속기업의 영업권을 제외한 순자산 장부금액은 1,350원이다.

| 〈표 1〉 20X3년 말 종속기업의 손상검사 |

20×3년 말	영업권	식별가능한 순자산	합계
장부금액	450	1,350	1,800
회수가능액			1,650
손상차손			150

[손상차손 배분]

손상차손 150원은 현금창출단위 내의 자산들에 배분하는데 우선 영업권 장부금액부터 감액한다. 따라서 현금창출단위의 손상차손 150원 전액이 영업권에 배분된다. 부분소유 종속기업이 그 자체로서 현금창출단위가 된다면, 당기손익을 배분할 때와 동일한 기준에 따라 영업권 손상차손을 지배기업과 비지배지분에 배분한다.

3. 비지배지분이 최초에 공정가치로 측정되고 관련 종속기업이 그보다 큰 현금창출단위의 일부인 경우(기준서 제1036호 사례 7C)

이 사례에서는 법인세효과를 고려하지 않는다.

[배경]

사례 7B의 사업결합에서, 종속기업의 자산이 지배기업의 다른 자산이나 자산집단과 함께 현금유입을 창출한다고 가정해 보자. 그 결과 종속기업은 손상검사 목적상 그 자체로서 현금창출단위가 되지는 못하고 그보다 큰 현금창출단위인 Z의 일부가 된다. 지배기업의 다른 현금창출단위도 사업결합으로 인한 시너지효과의 혜택을 받게 될 것으로 기대된다. 따라서 그러한 시너지효과에 관련된 영업권 500원은 다른 현금창출단위에 배분되었다. Z의 종전 사업결합과 관련된 영업권은 800원이다.

Z의 장부금액에는 종속기업과 종전 사업결합에서 발생한 영업권이 포함되어 있으므로 매년 손상검사를 하고, 손상가능성을 시사하는 징후가 있다면 그보다 더 자주 손상검사를 하여야 한다(기준서 제1036호 문단 90).

[종속기업의 손상검사]

20×3년 말에 지배기업은 현금창출단위 Z의 회수가능액을 3,300원으로 결정하였다. Z의 영업권을 제외한 순자산 장부금액은 2,250원이다.

| 〈표 3〉 20×3년 말 Z의 손상검사 |

20×3년 말	영업권	식별가능한 순자산	합계
장부금액(*)	1,250	2,250	3,500
회수가능액			3,300
손상차손			200

(*) 영업권 장부금액 = 종전 사업결합 관련 800 + (당 사업결합 관련 950 − 다른 현금창출단위에 배분 500)
= 1,250

[손상차손 배분]

손상차손 200원은 현금창출단위 내의 자산들에 배분하는데 우선 영업권 장부금액부터 감액한다. 따라서 현금창출단위 Z의 손상차손 200원 전액이 영업권에 배분된다. 부분소유 종속기업이 그보다 큰 현금창출단위의 일부가 된다면, 영업권 손상차손을 현금창출단위 Z의 각 부분에 먼저 배분한 다음 부분소유 종속기업의 지배지분과 비지배지분에 배분한다.

지배기업은 손상이 있기 전 각 부분의 영업권의 상대적 장부가치에 따라 손상차손을 현금창출단위의 각 부분에 배분한다. 이 사례에서 종속기업에는 손상차손의 36%(450원/1,250원)를 배분한다. 이 손상차손금액은 다시 당기손익을 배분할 때와 동일한 기준에 따라 지배지분과 비지배지분에 배분한다.

(3) 세무회계상 유의할 사항

1) 영업권의 범위

법인세법 시행규칙 제12조 제1항에서 영업권에는 다음의 금액이 포함된다고 규정하고 있다.

① 사업의 양도·양수과정에서 양도·양수자산과는 별도로 양도사업에 관한 허가·인가 등 법률상의 지위, 사업상 편리한 지리적 여건, 영업상의 비법, 신용·명성·거래처 등 영업상의 이점 등을 감안하여 적절한 평가방법에 따라 유상으로 취득한 금액

② 설립인가, 특정 사업의 면허, 사업의 개시 등과 관련하여 부담한 기금·입회금 등으로서 반환청구를 할 수 없는 금액과 기부금 등

한편, 2010년 7월 1일 이후 최초로 합병·분할하는 분부터는 합병·분할로 인하여 합병법인 등이 계상한 영업권은 감가상각자산으로 인정하지 아니하며, 다만 비적격합병·분할시 또는 적격합병·분할 후 사후관리 위반시에만 합병·분할매수차손(양도가액이 순자산시가를 초과하는 경우 그 차액)을 계상하되, 합병법인 등이 피합병법인 등의 상호·거래관계, 그 밖의 영업상의 비밀 등에 대하여 사업상 가치가 있다고 보아 대가를 지급한 경우에 한하여 합병·분할등기일부터 5년간 균등 분할하여 손금에 산입하도록 하고 있다(법법 44조의 2 3항, 44조의 3 4항, 46조의 2 3항, 46조의 3 4항). 합병·분할관련 합

병·분할매수차손에 대한 자세한 내용은 기업인수·합병회계를 참조하기 바란다.

2) 사업양수도를 통하여 취득한 영업권

한국채택국제회계기준에서는 사업양수도 등을 통하여 사업양수도 대가가 식별가능한 순자산 공정가치를 초과한 부분에 대하여 영업권으로 인식하도록 하고 있으며, 영업양수도시 식별가능한 무형자산(고객가치, 상표가치 등)이 있는 경우 영업권과 분리하여 인식하도록 하고 있다.

세무상 영업권은 위의 "1)"과 같이 경제적 가치가 있는 부분을 유상으로 취득한 경우에만 인정하는 것으로, 사업양수도 과정에서 확인된 식별가능한 고객가치 및 상표가치 (법인-253, 2010. 3. 18.) 등과 회계상 영업권 중 위의 "1)"의 요건을 충족하는 부분에 대하여만 세무상 영업권으로 보아야 할 것이다.

따라서, 단순히 순자산가액과 양수도대가 등의 차액을 영업권으로 계상한 경우에는 위 "1)"에서 설명하고 있는 세무상 영업권의 요건을 만족하지 않는 것으로 판단된다(법인-511, 2009. 5. 4., 법인-4006, 2008. 12. 16., 서이 46012-11027, 2003. 5. 22.).

이하에서는 세무상 영업권을 식별 가능한 무형자산(고객가치 및 상표가치 등)과 세무상 인정되는 회계상 영업권으로 나누어 설명하도록 한다.

3) 영업권의 상각

① 세법상 영업권의 법정내용연수는 5년이며 잔존가액은 0이다.
② 영업권의 상각방법은 정액법이다.
③ 계상주의(결산조정)

영업권은 그 상각액을 반드시 손금경리에 의하여 손익계산서에 반영하여야 하며, 영업권상각액을 신고조정에 의하여 손금에 산입할 수 없다.

다만, 2012년 2월 2일 법인세법 시행령 개정시 영업권의 감가상각비를 손금으로 산입하지 못함에 따른 기업의 세부담을 완화하기 위하여 한국채택국제회계기준을 최초로 적용하는 사업연도 전에 취득한 세무상 영업권에 대하여는 한국채택국제회계기준 도입 법인의 감가상각비 손금산입 특례에 따라 감가상각비의 신고조정을 통한 손금산입을 허용하도록 하였다(법령 24조 2항). 이에 대한 자세한 내용은 "유형자산 12. (11) 한국채택국제회계기준 도입 법인의 감가상각비 손금산입 특례"를 참고하기 바란다.

따라서, 식별가능한 무형자산(고객가치 및 상표가치 등)은 한국채택국제회계기준에서 결산상 손금으로 계상할 것이므로 결산조정을 통하여 손금산입될 것이며, 세무상 인정되는 회계상 영업권은 한국채택국제회계기준에 따라 상각하지 않고 손상차손만 인식할 것이므로 손상차손을 인식하는 시점에 이를 세무상 즉시상각의제로 보아 상각범위액 이내에서 손금산입될 것이며, 만약 한국채택국제회계기준을 최초로 적용하는 사업연도 전에 취득한 세무상 영업권에 대하여 손금에 산입한 금액이 법인세법 제23조 제2항 각 호에 따른 금액보다 작은 경우에는 그 차액의 범위에서 추가로 손금에 산입할 수 있을 것이다. 이를 정리하면 다음 표와 같다.

구 분		기준서상 처리	세무상 처리
식별가능한 무형자산 (고객가치 및 상표가치 등)		합리적인 기간에 상각	기준내용연수(5년)를 적용한 상각범위액 내에서 손금산입
세무상 인정되는 회계상 영업권	K-IFRS 도입 전 계상분	상각하지 않으며, 손상차손 인식	손상차손 인식시 감가상각을 한 것으로 보아 기준내용연수(5년)를 적용한 상각범위액 내에서 손금산입 후 부족액은 특례에 따라 신고조정을 통해 손금산입
	K-IFRS 도입 이후 계상분		손상차손 인식시 감가상각을 한 것으로 보아 기준내용연수(5년)를 적용한 상각범위액 내에서 손금산입

④ 상각부인액과 시인부족액의 처리

가. 상각부인액이 계상된 경우

특정 사업연도에 상각부인액이 계상된 경우 그 상각부인액은 그 후의 사업연도에 있어서 법인이 계산한 상각액이 상각범위액에 미달하여 시인부족액이 생긴 경우에는 그 시인부족액을 한도로 하여 손금으로 추인하며, 이 때에 법인이 스스로 상각액을 계상하지 않은 경우에도 당해 사업연도의 상각범위액을 한도로 하여 이를 손금으로 추인한다.

나. 시인부족액이 계상된 경우

법인의 상각비계상액이 상각범위액에 미달할 때 그 미달액을 시인부족액이라 하며, 이러한 시인부족액은 그 후 사업연도에 상각부인액에 충당하지 못한다.

따라서, 특정 사업연도에 상각비를 전혀 계상하지 않거나 또는 적게 계상한 경우 그 다음 사업연도에 전년도에 적게 계상한 만큼을 추가로 더 계상할 수는 없는 것이다.

4. 기타의 무형자산

한국채택국제회계기준은 원칙중심(principal-based)의 기준체계로서 기준서 제1038호 '무형자산'에서는 무형자산을 영업상 유사한 성격과 용도로 분류하도록 규정하고 있으나(기준서 제1038호 문단 73), 구체적인 분류별 회계처리에 대하여 규정하고 있지는 않다. 실무적으로 다음과 같은 무형자산 분류 및 회계처리가 가능할 것이다.

(1) 산업재산권

1) 의 의

산업재산권이란 일정기간 독점적·배타적으로 이용할 수 있는 권리로서 특허권·실용신안권·의장권·상표권·상호권 및 상품명 등을 말한다.

① 특허권

특허권은 정부가 특수한 기술적인 발명이나 사실에 대하여 그 발명인 및 소유자를 보호하려는 취지에서 일정한 기간 동안 그 발명품의 제조 및 판매에 관하여 부여하는 특권이며 특허법에 의하여 등록을 함으로써 취득된다.

특허권의 법적 성질은 산업재산권의 일종으로서 사권, 절대권, 지배권, 재산권, 무체재산권이다. 그러므로 타인에게 상속·양도할 수 있으며 근저당권의 설정대상도 될 수 있다.

② 실용신안권

실용신안권이란 특정 고안이 실용신안법에 의하여 등록되어 이를 일정기간 독점적·배타적으로 이용할 수 있는 권리를 말한다. 실용신안권의 대상이 되는 고안이란 자연법칙을 이용한 기술적 사고의 창작을 의미하는 것으로서 특허권의 대상인 발명이 유형적인 것에 국한되지 않고 그것을 생성하는 원천에까지 미치고 있는 데 반하여, 고안은 유형적인 것으로 파악되는 창작만을 대상으로 하고 있는 점에서 명백한 차이가 있다.

③ 의장권

의장권이란 특정 의장이 의장법에 의하여 등록되어 이를 일정기간 독점적·배타적으로 이용할 수 있는 권리를 말한다. 실용신안권은 미감을 무시하고 물품의 형상, 구조 등의 고안적 가치에 중점을 두고 있는 데 비하여 의장권은 전적으로 미감에 중점을 두고 있다.

④ 상표권

상표권이란 특정 상표가 상표법에 의하여 등록되어 이를 일정기간 독점적·배타적으로 이용할 수 있는 권리를 말한다.

기업이 상표법에 의하여 등록된 서비스표의 제작·등록에 지출한 비용이 아닌 이미

지 부각전략과 관련하여 지출한 비용은 발생연도의 비용으로 회계처리하여야 한다. 따라서 K·S획득비용, Q마크획득비용 등은 상표법에 의한 등록자산에 해당하지 아니하며, 연구개발비에도 해당하지 아니하는 바, 동 비용은 발생연도에 비용으로 계상한다.

상표법상 상표권의 유효기간은 10년으로 되어 있으며, 갱신등록의 출원에 의하여 다시 10년씩 갱신할 수 있다. 이와 같이 상표권은 갱신등록이 가능하기 때문에 새로 상표를 만들어냈는가의 여부를 묻지 않는다는 점에서 다른 산업재산권과는 다르다.

2) 기업회계상 회계처리

① 산업재산권의 취득가액

산업재산권의 취득원가는 그 취득방법에 따라 각각 다음과 같이 결정된다.

가. 타인으로부터 산업재산권을 매수한 경우

타인으로부터 산업재산권을 매수한 경우에는 매수를 위하여 소요된 일체의 비용을 취득원가로 한다.

나. 타인으로부터 출원권을 취득하여 출원등록을 한 경우

타인으로부터 출원권을 취득하여 출원등록을 한 경우에는 당해 출원권의 취득을 위해 지불한 금액에 출원등록비용을 가산한 금액을 취득원가로 한다.

② 산업재산권의 상각

산업재산권의 내용연수가 유한한지 또는 비한정인지를 평가하고, 만약 내용연수가 유한하다면 해당 산업재산권에 대한 법적 권리가 보장된 기간(유의적인 원가 없이 갱신될 것이 명백한 경우 갱신기간을 포함) 및 자산의 예상사용기간을 고려하여 결정된 내용연수 동안 상각한다. 산업재산권의 경제적효익이 소비되는 형태를 반영하여 상각방법을 결정하는데, 소비되는 형태를 신뢰성 있게 결정할 수 없는 경우에는 정액법으로 상각한다. 만약 내용연수가 비한정이라면 상각하지 않고, 기준서 제1036호에 따라 (1) 매년 그리고 (2) 무형자산의 손상을 시사하는 징후가 있을 때마다 손상검사를 수행한다.

(2) 라이선스와 프랜차이즈

1) 의 의

라이선스(licence)란 다른 기업이나 개인이 개발하였거나 소유하는 제품제조에 대한 신기술·신제조법·노하우(know-how : 기술정보) 또는 상표·마크 등을 사용할 수 있는 권리 등을 말하며, 프랜차이즈(franchise)란 독점규제 및 공정거래에 관한 법률에서는 가맹사업이라 하며 가맹사업자(가맹사업관련 권리를 부여하는 자)가 다수의 가맹계약자(가맹사업관련 권리를 부여받은 자)에게 자기의 상표, 상호, 서비스표, 휘장 등을 사용하여 자기와 동일한 이미지로 상품판매, 용역제공 등 일정한 영업활동을 하도록 하고 그에 따른 각종 영업의 지원 및 통제를 하며, 가맹계약자는 가맹사업자로부터 부여받은 권리 및 영업상 지원의 대가로 일정한 경제적 이익을 지급하는 계속적인 거래관계를 말한다.

2) 기업회계상 회계처리

① 라이선스 및 프랜차이즈의 취득가액

라이선스 및 프랜차이즈의 취득가액은 권리의 획득의 대가로 지급한 구입가격(매입할인과 리베이트를 차감하고 수입관세와 환급받을 수 없는 제세금을 포함함)과 그 자산을 의도한 목적에 사용할 수 있도록 준비하는 데 직접 관련되는 원가로 구성된다.

② 라이선스 및 프랜차이즈의 상각

라이선스 및 프랜차이즈에 대한 계약상 권리가 보장된 기간(유의적인 원가 없이 갱신될 것이 명백한 경우 갱신기간을 포함) 및 자산의 예상사용기간을 고려하여 결정된 내용연수 동안 상각한다. 라이선스 및 프랜차이즈의 경제적효익이 소비되는 형태를 반영하여 상각방법을 결정하는데, 소비되는 형태를 신뢰성 있게 결정할 수 없는 경우에는 정액법으로 상각한다. 상각은 자산이 사용가능한 때 즉, 자산을 경영자가 의도하는 방식으로 운영할 수 있는 위치와 상태에 이르렀을 때부터 시작하며, 기준서 제1105호에 따라 자산이 매각예정으로 분류되는(또는 매각예정으로 분류되는 처분자산집단에 포함되는) 날과 재무상태표에서 제거되는 날 중 이른 날에 중지한다.

> 사례   다음을 회계처리하라.
>
> (1) (주)삼일은 20×1. 1. 1. 외식사업을 시작하기 위하여 1차 프랜차이즈 가입비(initial franchise fee)로 ₩50,000,000을 지급하였으며, 매출총이익의 5%를 프랜차이즈료(running franchise fee)로 매년 말 지급하기로 계약하였다.
> (2) 위의 프랜차이즈 계약의 유효기간은 5년이며 무형자산의 상각방법은 정액법으로 무형자산의 잔존가치는 없는 것으로 본다.
> (3) 20×1년도 매출총이익은 ₩10,000,000이다.
>
> 〈회계처리〉
> -20×1. 1. 1.
>
> (차) 프 랜 차 이 즈   50,000,000   (대) 현금 및 현금성자산   50,000,000

－20×1. 12. 31.

| (차) 무 형 자 산 상 각 액 | 10,000,000* | (대) 프 랜 차 이 즈 | 10,000,000 |
| 지 급 수 수 료 | 500,000** | 현금 및 현금성자산 | 500,000 |

* 상각액 = ₩50,000,000÷5년 = ₩10,000,000
** 프랜차이즈료 = ₩10,000,000×5% = ₩500,000

3) 세무상 유의할 사항

국세청의 유권해석에서는 내국법인이 외국법인에게 지급하는 라이선스대가의 성격에 따라 각각의 손금산입방법이 다르다고 해석하고 있다(제도 46012-11316, 2001. 6. 2.). 첫째로, 내국법인이 외국법인에게 상표 및 시스템사용대가(Initial Consulting Fee) 명목으로 국내매장 개설시 일시에 지급하는 금액이 매월 매출액의 일정률에 상당하는 금액을 지급하는 대가(로열티)와는 별도로 지급하는 사용대가로서 그 사용기간이 구체적으로 명시된 경우에는 사용수익기간 동안 균등하게 안분하여 계산한 금액을 각 사업연도의 손금에 산입하는 것으로 보고 있다.

둘째로, 상표 및 시스템 사용에 대한 배타적 권리의 취득대가로서 동 권리를 타인에게 양도 또는 승계할 수 있는 경우에는 법인세법 제23조의 규정에 의한 무형고정자산의 감가상각액 손금계상방법에 의하여 손금에 산입하는 것으로 하고 있다.

마지막으로 당해 법인의 업무와 관련하여 지급된 경우로서 지급명목에 불구하고 사용수익기간에 대응되는 비용으로 인정되지 않는 경우에는 당해 지급액의 지급의무가 확정된 날이 속하는 사업연도의 손금으로 산입하도록 하고 있다.

(3) 저작권

1) 의 의

지적소유권을 구성하는 2대 부문의 하나인 저작권은 문학·연극·음악·예술 및 기타 지적·정신적인 작품을 포함하는 저작물의 저작자에게 자신의 저작물을 사용 또는 수익처분하거나 타인에게 그러한 행위를 허락할 수 있는 독점적·배타적인 권리이다. 저작권은 복제에 의한 저작권자의 저작물 판매·배포, 즉, 출판 또는 발행을 못하도록 보호하는 권리이다.

1차 저작물의 경우는 당연히 원저작자가 저작권자가 되지만 개작·편집·번역 등에 의한 2차 저작물에는 2차 저작물을 작성한 자가 저작권자가 된다.

저작권은 이전성이 있으므로 제3자에게 양도할 수 있을 뿐만 아니라 사망시 상속할 수도 있다. 따라서 저작자가 아닌 저작권자가 있을 수 있다.

2) 기업회계상 회계처리

① 저작권의 취득가액

저작권은 저작권법에 의거하여 등록신청을 하고 문화체육관광부장관에 의해 저작권 등록부에 등재됨으로써 그 효력이 발생하며 해당 권리의 취득 및 창출과 관련된 직접원가 중 무형자산의 인식요건을 충족하는 지출액과 당해 권리의 설정에 소요된 직접 관련된 지출액을 그 취득원가로 계상한다.

② 저작권의 상각

저작권은 추정내용연수 즉, 권리의 존속기간 또는 경제적효익의 기대기간 등 합리적인 내용연수를 추정하여 그 내용연수 동안 정액법 등의 합리적인 방법을 통하여 상각하여야 한다.

(4) 컴퓨터소프트웨어

1) 개념 및 의의

내부에서 개발된 소프트웨어에 소요된 원가가 무형자산 인식조건을 충족하는 경우 개발비의 과목으로 하여 무형자산으로 처리해야 하며, 소프트웨어를 구입하여 사용하는 경우에는 동 구입비용을 컴퓨터소프트웨어의 과목으로 하여 무형자산으로 인식해야 한다.

구 분		계 정 분 류
외부 구입		컴퓨터소프트웨어(무형자산)
자체 개발	자산인식조건 충족	개발비(무형자산)
	자산인식조건 미충족	경상개발비(당기비용)

2) 기업회계상 회계처리

① 컴퓨터소프트웨어의 취득가액

컴퓨터소프트웨어가 외부로부터 구입되는 경우 취득가액은 구입가격(매입할인과 리베이트를 차감하고 수입관세와 환급받을 수 없는 제세금을 포함함)과 자산을 의도한 목적에 사용할 수 있도록 준비하는 데 직접 관련되는 원가로 구성된다.

② 컴퓨터소프트웨어의 상각

컴퓨터소프트웨어는 경제적효익의 기대기간 등 합리적인 내용연수를 추정하여 그 내용연수 동안 정액법 등의 합리적인 방법을 통하여 상각하여야 한다.

3) 세무상 유의할 사항

국세청의 유권해석(서면2팀-705, 2004. 4. 6.)에서는 게임소프트웨어를 이동통신사업자에게 제공하고 동 통신사업자로부터 일정률의 수수료를 지급받는 사업을 영위하는 법인이 동 통신사업자에게 제공한 게임프로그램의 감가상각액을 손금산입 함에 있어서 게임프로그램을 타인으로부터 매입한 경우에는 법인세법 시행규칙 별표 6의 업종별자산의 내용연수를 적용하는 것이며, 당해 법인이 자체 개발한 것으로서 무형자산 인식조건을 충족하여 당해 법인이 개발비로 계상한 경우에는 법인세법 시행령 제26조 제1항 제6호의 규정에 따라 감가상각하여야 한다고 해석하였다.

구 분		계 정 분 류
외부 구입	직접 수익창출에 사용	업종별자산(유형자산)
	그 이외의 경우	기구 및 비품(유형자산)
자체 개발	개발비 요건 충족	개발비(무형자산)
	직접 수익창출에 사용	업종별자산(유형자산)
	그 이외의 경우	기구 및 비품(유형자산)주)

주) 법인세법상 개발비에 해당하지 않는 자체 개발하여 사용하는 소프트웨어로서 법인세법 시행규칙 별표 6의 사업용 자산에 해당하지 않는 경우에는 법인세법 시행규칙 별표 5 구분 1의 기구 및 비품으로 보아 내용연수를 적용함(서면2팀-2068, 2005. 12. 14.).

(5) 임차권리금

1) 의 의

임차권리금이란 일반적으로 용익권·임차권 등의 권리를 양수하는 대가로 지급한 금액을 말한다. 예를 들면, 택지나 건물의 임대차에서 임대료나 보증금 외에 별도로 주고받는 금전을 말한다. 갑으로부터 점포를 임차하고 있는 을이, 그 임차권을 병에게 양도함에 있어서 그 양도의 대가로서 병이 을에게 지급하는 금전을 가리킬 때 쓰인다.

2) 기업회계상 회계처리

2019년 1월 1일 이후 개시하는 회계연도부터 도입된 기준서 제1116호 '리스' 적용 이전에는, 임차권리금을 외부로부터 개별 취득한 무형자산으로 인식하고 경제적 효익의 기대기간 등을 추정하여 합리적인 방법으로 상각하였다. 그러나 기준서 제1116호에 따르면 임차권리금은 임차인이 리스계약을 체결하지 않았다면 부담하지 않았을 리스계약의 증분원가에 해당하므로, 리스개설직접원가로 간주되며, 사용권자산의 원가에 포함되어야 한다(기준서 제1116호 부록 A, 문단 24). 이에 대한 지침은 '리스'편의 제2장 제1절 '리스이용자의 회계처리'를 참고한다.

3) 세무상 유의사항

국세청의 유권해석에서는(서이 46012-10970, 2002. 5. 7.) 법인이 사업장용 건물의 임차를 위하여 전 임차인에게 지급하는 비반환성 권리금으로서 임차보증금과 구분이 객관적인 서류에 의해 입증이 가능하고, 사업상 편리한 지리적 여건·위치 등 영업상의 이점 등을 감안하여 상관행상 적절하다고 인정되는 평가방법에 따라 유상으로 지급한 금액(법법 제52조의 규정에 의한 부당행위계산 부인대상 제외)은 법인세법 시행령 제24조 제1항 제2호 가목의 영업권으로 보아 감가상각하도록 하고 있다.

(6) 광업권

1) 의 의

광업권이란 광업법에 따른 탐사권과 채굴권을 말하는 것으로 탐사권은 등록을 한 일정한 광구에서 등록을 한 광물과 이와 같은 광상(鑛床)에 묻혀 있는 다른 광물을 탐사하는 권리를 말하고, 채굴권은 광구에서 등록을 한 광물과 이와 같은 광상에 묻혀 있는 다른 광물을 채굴하고 취득하는 권리를 말한다. 이러한 탐사권의 존속기간은 7년을 넘을 수 없으며, 채굴권의 존속기간은 20년을 넘을 수 없다. 다만, 채굴권자는 채굴권의 존속기간이 끝나기 전에 산업통상자원부장관의 허가를 받아 채굴권의 존속기간을 연장할 수 있으나, 이 경우 연장할 때마다 그 연장기간은 20년을 넘을 수 없다. 한편, 법인세법은 광업권의 내용연수를 20년으로 규정하고 있다.

2) 기업회계상 회계처리

① 광업권의 취득가액

광업권은 광업법에 의거하여 출원신청을 하고 산업통상자원부장관으로부터 허가를 받음으로써 설정되므로 당해 권리의 설정에 소요된 직접 관련 지출액을 그 취득원가로 계상한다.

② 광업권의 상각

광업권의 상각방법은 정액법 및 생산량비례법 등 자산에 내재된 경제적효익이 소비되는 형태를 반영하여 결정한다. 생산량(사용량)비례법(unit-of-production method)이란 사용된 자산의 조업도를 기준으로 상각비용을 계산하는 방법을 말한다. 생산량비례법으로 상각하는 경우 내용연수는 자산에서 얻을 것으로 예상되는 생산량이나 이와 유사한 단위 수량으로 정의된다. 이 때 조업도의 측정치는 자산의 용역잠재력의 감소분과 일정한 관계를 갖고 있어야 한다. 생산량비례법에 따른 매년의 상각비는 다음과 같이 계산한다.

> 조업도단위당 상각액＝상각기준액 / 총추정조업도
> 당해연도 상각비＝조업도단위당 상각액 × 당해연도의 조업도

사례 다음 거래를 분개하라.
㉠ 20×1. 1. 1. 광업권을 출원하여 허가를 받고 등록을 마치다. 이에 소요된 부대비용은 ₩54,975,000이다.
㉡ 20×1. 12. 31. 결산시에 광업권에 대하여 상각을 하라. 단, 상각의 방법은 생산량비례법에 의하기로 결정하였으며, 당해 광물의 채굴수량은 1,500,000톤이고, 당기의 채굴수량은 150,000톤이다.

〈분 개〉

㉠ (차) 광   업   권   54,975,000   (대) 현금 및 현금성자산   54,975,000
㉡ (차) 광 업 권 상 각   5,497,500[*]   (대) 광   업   권   5,497,500

* ₩54,975,000×150,000/1,500,000 ＝ ₩5,497,500

(7) 어업권

1) 의 의

어업권이란 입어권을 포함하는 것으로 수산업법에 의하여 등록된 일정한 수면에서 어획을 할 수 있는 권리를 말한다. 입어권이란 타인의 공동어업권 등에 속하는 어장에서 그 어업권의 내용인 어업의 전부 또는 일부를 영위할 수 있는 권리를 말한다.

어업권은 그 면허어업의 종류에 따라 법률상의 유효기간이 다르지만, 법인세법에서는 일괄해서 10년으로 규정하고 있다.

2) 기업회계상 회계처리

① 어업권의 취득가액

어업권은 어업법에 따라 등록함으로써 설정되는 것이므로 당해 권리의 설정 등에 소요된 직접 관련 지출액을 그 취득원가로 계상하게 된다.

② 어업권의 상각

어업권의 법정유효기간은 그 면허어업의 종류에 따라 다르므로 법적 권리가 보장된 기간(유의적인 원가 없이 갱신될 것이 명백한 경우 갱신기간을 포함) 및 자산의 예상사용기간을 고려하여 결정된 내용연수 동안 상각한다.

> **사례** 다음을 분개하라.
> 가. 갑회사는 20×1. 10. 1. 어업권의 출원·신청에 필요한 비용 ₩1,400,000 현금 지급하고 그 권리를 취득하였다. 예상 사용기간은 10년으로 추정하였다.
> 나. 상기의 어업권에 대하여 정액법에 의하여 상각하라(갑회사의 사업연도는 1. 1.~12. 31.임).
> 〈분 개〉
>
> 가. (차) 어　　업　　권　　1,400,000　　(대) 현금 및 현금성자산　　1,400,000
> 나. (차) 어 업 권 상 각　　35,000*　　(대) 어　　업　　권　　35,000
>
> * ₩1,400,000×1/10×3/12＝₩35,000

(8) 기타의 무형자산

1) 의의와 범위

기준서 제1038호 문단 9에서는 무형자산의 종류를 예시하고 있다. 다만, 동 규정은 예시규정으로서 동 규정에 열거되지 아니한 것도 동 기준상의 무형자산의 정의 및 인식조건을 충족한 경우에는 무형자산으로 인식해야 할 것이다.

2) 기업회계상 회계처리

① 기타의 무형자산의 취득가액

다른 무형자산과 마찬가지로 각 무형자산을 취득하기 위하여 소요된 직접 관련된 원가를 취득원가로 한다.

② 기타의 무형자산의 상각

기타의 무형자산의 내용연수가 유한한지 또는 비한정인지를 평가하고, 만약 내용연수가 유한하다면 해당 무형자산에 대한 법적 권리 또는 계약상 권리가 보장된 기간(유의적인 원가 없이 갱신될 것이 명백한 경우 갱신기간을 포함) 및 자산의 예상사용기간을 고려하여 결정된 내용연수 동안 상각한다. 무형자산의 경제적효익이 소비되는 형태를 반영하여 상각방법을 결정하는데, 소비되는 형태를 신뢰성 있게 결정할 수 없는 경우에는 정액법으로 상각한다. 만약 내용연수가 비한정이라면 상각하지 않고, 기준서 제1036

호에 따라 (1) 매년 그리고 (2) 무형자산의 손상을 시사하는 징후가 있을 때마다 손상검사를 수행한다.

3) 세무회계상 유의할 사항

① 사용수익기부자산

한국채택국제회계기준에는 사용수익기부자산에 대한 별도의 명문규정이 없으나, 법인세법에서는 사용수익기부자산가액을 무형자산의 하나로 규정하고 있다. 여기서 사용수익기부자산가액이란 금전 외의 자산을 국가 또는 지방자치단체, 법인세법 제24조 제2항 제1호 라목부터 바목까지의 규정에 따른 법인 또는 동법 시행령 제39조 제1항 제1호의 규정에 의한 법인에게 기부한 후 그 자산을 사용하거나 그 자산으로부터 수익을 얻는 경우 당해 자산의 장부금액을 말한다(법령 24조 1항 2호 사목).

사용수익기부자산가액에 대한 감가상각은 해당 자산의 사용수익기간(그 기간에 관한 특약이 없는 경우 신고내용연수)에 따라 균등하게 안분한 금액(그 기간 중에 해당 기부자산이 멸실되거나 계약이 해지된 경우 그 잔액)을 상각하는 방법으로 손금에 산입한다(법령 26조 1항 7호).

한편, 사용수익기부자산의 사용수익권을 다른 법인으로부터 취득하면서 그 대가로 지급한 금액에 대하여는 그 자산의 잔여사용수익기간 동안에 균등하게 안분하여 각 사업연도의 소득금액 계산시 손금에 산입해야 한다(법인 46012-874, 2001. 8. 10.).

② 주파수이용권 · 공항시설관리권 · 항만시설관리권

한국채택국제회계기준에는 주파수이용권, 공항시설관리권 및 항만시설관리권에 대한 별도의 명문규정이 없다. 그러나 법인세법에서는 전파법 제14조에 따른 주파수이용권, 공항시설법 제26조에 따른 공항시설관리권 및 항만법 제24조에 따른 항만시설관리권을 무형자산의 하나로 규정하고 있으며, 주파수이용권, 공항시설관리권 및 항만시설관리권에 대한 감가상각은 주무관청에서 고시하거나 주무관청에 등록한 기간 내에서 사용기간에 따라 균등액을 상각하는 방법을 통하여 손금에 산입하도록 하고 있다(법령 24조 1항 2호 아목, 26조 1항 8호).

③ 창업비 · 개업비

기준서 제1038호 문단 69에서 발생시점에 비용으로 인식하는 지출의 예로 사업개시활동에 대한 지출(즉, 사업개시원가)을 들고 있으며, 사업개시원가는 법적 실체를 설립하는데 발생한 법적비용과 사무비용과 같은 설립원가(창업비), 새로운 시설이나 사업을 개시하기 위하여 발생한 지출(개업원가), 또는 새로운 영업을 시작하거나 새로운 제품이나 공정을 시작하기 위하여 발생하는 지출(신규영업준비원가)로 구성되는 것으로 하고 있다.

세법에서도 2002. 12. 30. 법인세법 시행령 개정시 과거 기업회계기준과 세무회계를 일치시키기 위하여 창업비를 무형자산에서 삭제함에 따라 2003. 1. 1. 이후 최초로 개시하는 사업연도 이후에 발생하는 창업비부터는 당기비용으로 처리하여야 한다. 다만, 개정령 부칙(2002. 12. 30. 대통령령 제17826호) 제16조에서 2003. 1. 1. 이후 최초로 개시하는 사업연도의 개시일 전에 발생한 창업비의 손금산입에 관하여는 종전의 규정에 의하여 감가상각하도록 하고 있다.

한편, 개업비의 경우에는 2001. 12. 31. 법인세법 시행령 개정시에 이연자산에서 삭제되어 2002. 1. 1. 이후 최초로 개시하는 사업연도 이후에 발생하는 개업비부터는 당기비용으로 처리하여야 한다. 다만, 개정령 부칙(2001. 12. 31. 대통령령 제17457호) 제28조에서 개정령의 시행 전에 발생한 개업비의 손금산입에 관하여는 종전의 규정에 따라 상각하도록 하고 있는 바 법인세 신고시 이 점을 유의하여야 할 것이다.

④ 홈페이지 구축비용

법인이 대외홍보를 목적으로 인터넷 홈페이지를 구축하면서 소요되는 비용은 자산(기구 및 비품)으로 계상하여 동 홈페이지가 정상적으로 가동되기 시작한 날로부터 감가상각한다(법인 46012-306, 2001. 2. 6.). 따라서, 해당 비용은 세무상 무형자산이 아닌 유형자산으로 보고 있다.

⑤ 기 타

기타의 무형자산의 세무처리에 관한 사항은 내용연수가 5년 내지 50년이라는 점 외에는 영업권 등의 경우와 다를 바 없으므로 자세한 내용은 이들 계정의 설명을 참조하기 바란다.

제5절 **관계기업과 공동기업에 대한 투자**

1. 관계기업과 공동기업에 대한 투자 및 지분법

(1) 개념 및 범위

1) 의 의

공동기업 및 관계기업 지분에 대해서는 지분법 회계처리가 요구된다. 관계기업은 투자자가 유의적 영향력을 행사하는 기업으로 일반적으로, 투자기업의 피투자기업에 대한 의결권이 20% 이상이라면 명백한 반증이 있는 경우를 제외하고는 투자기업은 피투자기업에 대해 유의적인 영향력이 있다고 본다.

공동기업은 기준서 제1111호에 따라서 약정의 공동지배력을 보유하는 당사자들이 그 약정의 순자산에 대한 권리를 보유하는 공동약정으로 정의되며 공동기업의 판단에 대한 세부적인 내용은 '공동약정'장을 참고한다. 공동기업에 대해서도 관계기업과 동일하게 지분법 회계처리가 요구되므로 공동기업에 대한 회계처리에 대해서는 이 절의 지분법 회계처리를 참고한다.

2) 지분법의 정의

지분법(equity method)은 투자주식을 취득할 때는 원가로 인식하고, 취득시점 이후 발생한 피투자자의 순자산변동액 중 투자자의 몫을 당해 투자주식에 가감하여 보고하는 회계처리방법이다. 투자자의 몫에 해당하는 관계기업 당기순이익 및 기타포괄손익은 각각 지분법 평가로 투자자의 당기손익 및 기타포괄손익에 계상한다(기준서 제1028호 문단 3).

3) 지분법적용 면제 대상

기준서 제1028호는 공동기업 및 관계기업에 적용되는 지분법 회계처리에 대한 규정을 제공한다. 그러나 다음의 경우에는 지분법의 적용을 면제한다(기준서 제1028호 문단 1, 17, 18, 19).

　㉠ 벤처캐피탈 투자기구, 뮤추얼펀드, 단위신탁 및 이와 유사한 기업(투자와 연계된 보험펀드 포함)이 관계기업 또는 공동기업에 대한 투자를 보유하거나, 이 같은 기업을 통해 간접적으로 보유하는 경우, 기준서 제1109호 '금융상품'에 따라 당기손익－공정가치 측정 항목으로 선택하여 회계처리하는 투자주식. 그러한 투자자산은 기준서 제1109호에 따라 공정가치로 평가하고 공정가치 변동을 당기손익으로 처리한다. 또한 투자자가 관계기업 투자의 일부를 벤처캐피털 투자기구나 뮤추얼

펀드, 단위신탁 및 이와 유사한 기업(투자와 연계된 보험펀드 포함)을 통해 간접적으로 보유하는 경우, 투자자는 그 투자의 일부에 대해 유의적인 영향력을 갖는지와 무관하게 기준서 제1109호에 따라 당기손익-공정가치 측정 금융자산으로 선택할 수 있다. 이 경우, 투자자는 벤처캐피털 투자기구, 뮤추얼펀드, 단위신탁 및 이와 유사한 기업(투자와 연계된 보험펀드 포함)을 통하여 보유하지 않은 관계기업 투자의 나머지 부분에 대하여 지분법을 적용한다. 이러한 회계처리는 해당 지분을 최초 인식 시 개별 지분별로 선택 가능하다.

ⓛ 투자자산이 기준서 제1105호 '매각예정비유동자산과 중단영업'에 따라 매각예정으로 분류되는 경우 : 만일 관계기업 또는 공동기업의 지분 일부만 매각예정의 분류를 충족하고 일부 지분은 여전히 보유하고자 하는 경우라면 매각예정인 지분에만 기준서 제1105호를 적용하여 회계처리(즉, 지분법 적용을 중지하고 장부금액과 순공정가치 중 낮은 금액으로 측정)하고 계속 보유할 지분은 매각예정으로 분류된 지분이 매각될 때까지 계속 지분법을 적용한다. 매각 이후 잔여 보유지분이 계속 관계기업이나 공동기업에 해당하여 지분법을 적용해야 하는 경우가 아니라면 매각시점부터 잔여지분은 기준서 제1109호에 따라서 회계처리한다(기준서 제1028호 문단 20). [참고로 기준서에서는 매각예정으로 분류된 관계기업이나 공동기업 투자지분이 더 이상 매각예정으로의 분류를 충족하지 않는다면 매각예정으로 분류되었던 시점부터 소급하여 지분법을 적용하고 비교기간의 재무제표도 이에 따라 수정되도록 하고 있다(기준서 제1028호 문단 21).]

ⓒ 투자자가 기준서 제1110호 '연결재무제표'의 문단 4(1)의 적용범위 제외에 따라 연결재무제표 작성이 면제되는 지배기업인 경우

② 다음의 조건을 모두 충족하는 경우
- 투자자가 그 자체의 지분 전부를 소유하고 있는 다른 기업의 종속기업이거나, 투자자가 그 자체의 지분 일부를 소유하고 있는 다른 기업의 종속기업이면서 그 투자자가 지분법을 적용하지 않는다는 사실을 그 투자자의 다른 소유주들(의결권이 없는 소유주 포함)에게 알리고 그 다른 소유주들이 그것을 반대하지 않는 경우
- 투자자의 채무상품 또는 지분상품이 공개된 시장(국내외 증권거래소나 장외시장, 지역시장 포함)에서 거래되지 않는 경우
- 투자자가 공개된 시장에서 증권을 발행할 목적으로 증권감독기구나 그 밖의 감독기관에 재무제표를 제출한 적이 없으며 현재 제출하는 과정에 있지도 않는 경우
- 투자자의 최상위 지배기업이나 중간 지배기업이 기준서 제1110호 '연결재무제표'를 적용하여 일반 목적으로 이용가능한 연결재무제표를 작성하거나, 종속기

업을 공정가치로 측정하여 당기손익에 반영한 경우

4) 관계기업의 식별

기준서 제1028호에서는 유의적인 영향력이 있는 투자주식에 대하여는 지분법을 적용하여 평가하도록 하고 있다. 유의적인 영향력이란 투자기업이 피투자기업의 재무정책과 영업정책에 관한 의사결정에 참여할 수 있는 능력을 말한다.

유의적인 영향력이 있는지 여부는 지분율 기준 및 기타 증거를 고려하여 판단할 수 있다.

① 지분율 기준

투자기업이 직접 또는 종속기업을 통하여 간접으로 피투자기업의 의결권 있는 주식의 20% 이상을 보유하고 있다면 명백한 반증이 있는 경우를 제외하고는 유의적인 영향력이 있는 것으로 본다. 따라서 투자기업이 직·간접적으로 보유하고 있는 피투자기업에 대한 의결권 있는 주식이 20%에 미달하는 경우에는 일반적으로 피투자기업에 대하여 유의적인 영향력이 없는 것으로 본다(기준서 제1028호 문단 5).

유의적인 영향력 판단을 위한 지분율 계산시에는 다음의 사항을 고려하여야 한다.
- 유의적인 영향력을 판단함에 있어 피투자기업에 대한 지분율은 투자기업의 지분율과 종속기업이 보유하고 있는 지분율의 단순합계로 계산한다. 예를 들면 지배기업과 종속기업이 피투자기업의 주식을 각각 19%, 11%를 보유하고 있는 경우, 지배기업은 종속기업을 통해 종속기업이 보유하고 있는 피투자기업의 지분율 전체에 대해 영향력을 행사할 수 있기 때문에 지분율의 단순합계인 30%를 기준으로 유의적인 영향력을 판단하여야 한다.
- 피투자기업의 의사결정에 영향력을 행사할 수 없는 의결권 없는 주식(예 : 의결권이 부여되지 않은 우선주)은 피투자기업에 대한 투자기업의 지분율 계산에 포함하지 않는다. 다만, 전환증권(예 : 전환사채, 신주인수권부사채)은 행사되거나 전환될 경우 해당 피투자자의 재무정책과 영업정책에 대한 기업의 의결권을 증가시키거나 다른 상대방의 의결권을 줄일 수 있는 잠재력("잠재적 의결권")을 가지고 있다. 따라서 기업이 해당 피투자자에 대하여 유의적인 영향력을 판단할 때에는 다른 기업이 보유한 잠재적 의결권을 포함하여 현재 행사할 수 있거나 전환할 수 있는 잠재적 의결권의 존재와 영향을 고려하여야 한다. 잠재적 의결권이 유의적인 영향력에 영향을 미치는지를 판단할 때 잠재적 의결권에 영향을 미치는 모든 사실과 상황을 검토하여야 한다. 다만, 행사나 전환에 대한 경영진의 의도와 재무 능력은 고려하지 아니한다(기준서 제1028호 문단 7-8). 유의적인 영향력의 판단 시와는 상이하게 지분

법평가를 위한 지분변동액의 산정시에는 원칙적으로 이러한 주식전환권 또는 신주인수권을 고려하지 아니한다(기준서 제1028호 문단 12). 그러나 만일 피투자자에 대한 수익에 대해 현재 접근할 수 있게 하는 거래의 결과로 실질적으로는 현재의 소유권을 보유하는 것과 동일한 결과를 초래하는 잠재적 의결권과 기타 파생상품을 보유하고 있다면 이의 궁극적인 행사를 고려하여 지분법 평가시의 지분율을 결정한다(기준서 제1028호 문단 13).

한편, 투자기업의 피투자기업에 대한 의결권 있는 주식이 20% 이상이더라도 다음 중 하나 이상에 해당하는 경우 일반적으로 투자기업은 피투자기업에 대하여 유의적인 영향력이 없다고 본다(기준서 제1028호 문단 9).

- 정부, 법원, 관재인, 감독기구의 통제를 받게 되는 경우
- 계약이나 법규 등에 의하여 투자기업이 의결권을 행사할 수 없는 경우
- 위에 열거된 경우에 준하는 사유

투자자 외의 다른 투자자가 해당 피투자자의 주식을 상당한 부분 또는 과반수 이상을 소유하고 있다고 하여도 투자자가 피투자자에 대하여 유의적인 영향력이 있다는 것을 배제할 필요는 없다(기준서 제1028호 문단 5).

② 기타 증거의 고려

투자기업의 피투자기업에 대한 의결권 있는 주식이 20%에 미달하더라도, 투자기업이 다음 중 하나 이상에 해당하는 경우 일반적으로 피투자기업에 대하여 유의적인 영향력이 있다는 것이 입증된다(기준서 제1028호 문단 6).

- 피투자기업의 이사회 또는 이에 준하는 의사결정기구에 참여
- 배당이나 다른 분배에 관한 의사결정에 참여하는 것을 포함하여 정책결정과정에 참여
- 투자자와 피투자자 사이의 중요한 거래
- 경영진의 상호교류
- 필수적인 기술정보의 제공

5) 지분법적용 재무제표

① 이용가능한 재무제표의 범위

가. 개 요

지분법은 투자자의 보고기간종료일을 기준으로 작성된 관계기업이나 공동기업의 재무제표를 사용하여 적용한다. 투자기업과 관계기업이나 공동기업의 보고기간종료일이

다른 경우, 관계기업이나 공동기업은 실무적으로 적용할 수 없는 경우가 아니면 투자자의 재무제표와 동일한 보고기간종료일의 재무제표를 사용한다. 만약 실무적으로 적용할 수 없는 경우라고 하더라도 투자자의 보고기간종료일과 관계기업이나 공동기업의 보고기간종료일 간의 차이는 3개월 이내여야 한다. 이 경우 관계기업이나 공동기업의 보고기간종료일과 투자자의 보고기간종료일 사이에 발생한 유의적인 거래나 사건은 적절히 반영하여 회계처리한다(기준서 제1028호 문단 33-34).

투자자 재무제표의 보고기간종료일이나 보고기간과 다른 관계기업이나 공동기업의 재무제표를 사용한 경우, 그 관계기업이나 공동기업 재무제표의 보고기간종료일, 그리고 재무제표의 보고기간종료일이 다르거나 보고기간이 다른 관계기업이나 공동기업의 재무제표를 사용한 이유를 공시하여야 한다(기준서 제1112호 문단 22(2)).

한편, 관계기업이나 공동기업이 종속기업, 관계기업, 공동기업을 소유하는 경우에는 지분법을 적용하기 위한 당기순손익과 순자산은 동일한 회계정책의 적용효과를 가져오기 위하여 필요한 조정을 거친 후의 관계기업이나 공동기업의 재무제표(관계기업이나 공동기업 자신의 관계기업 및 공동기업의 당기순손익, 기타포괄손익과 순자산 중 자신의 지분을 포함)에 인식된 금액이다(기준서 제1028호 문단 27).

또한, 지분법 평가를 위한 관계기업이나 공동기업에 대한 지분율은 연결실체 내 지배기업과 종속기업이 소유하고 있는 지분을 단순합산한 것이며 다른 관계기업이나 공동기업이 소유하고 있는 해당 관계기업이나 공동기업의 지분율은 합산하지 않는다.

나. 유의적인 거래나 사건

투자자와 관계기업이나 공동기업의 보고기간종료일이 다른 경우로서 관계기업이나 공동기업이 투자자의 보고기간종료일과 동일한 일자의 재무제표의 작성이 실무적으로 어려운 경우 그 차이가 3개월 이내라면 관계기업이나 공동기업의 보고기간종료일 기준으로 작성된 재무제표를 사용할 수 있다. 이 경우 관계기업이나 공동기업의 보고기간종료일과 투자자의 보고기간종료일 사이에 발생한 유의적인 거래나 사건은 이를 적절히 반영하여 지분법을 적용하여야 한다.

예를 들면 보고기간종료일이 12월 말인 투자자가 9월 말인 관계기업의 재무제표를 이용할 경우 투자자는 관계기업의 9월 말 재무제표와 10월부터 12월 사이에 개별적으로 발생한 특히 유의적인 변동사항(화재손실, 토지처분손익 등)을 반영하여 지분법을 적용한다. 이 경우 투자기업이 개별적으로 미리 반영한 관계기업의 당해 회계기간의 10월부터 12월 사이의 유의적인 변동사항은 다음 회계기간의 지분법적용시 지분변동액으로 중복 반영하지 않도록 주의하여야 한다.

다. 사 례

투자기업 A사는 2010년 10월 1일에 B사의 지분을 20% 이상 취득하여 B사는 A사의 관계기업이 되었다. A사의 보고기간종료일은 12월 31일이며, B사는 2월 28일이다. B사는 상장기업으로서 반기보고서를 작성하여 보고하는 기업이다(반기 보고기간종료일은 8월 31일이다).

취득 후 A사가 B사에 대하여 지분법을 적용하는 경우 원칙적으로 A사의 보고기간종료일인 2010년 12월 31일을 기준으로 작성한 B사의 재무제표를 사용하여야 한다. 그러나 만약 이 시점의 재무정보의 작성이 실무적으로 불가능할 경우 A사는 자신의 보고기간종료일과 차이가 3개월 이내인 다음의 일자를 기준으로 작성한 B사의 재무제표를 사용할 수 있을 것이다.

ⓐ A사의 B사 취득일인 2010년 10월 1일

ⓑ B사의 보고기간종료일인 2011년 2월 28일

② 회계정책의 수정

유사한 상황에서 발생한 동일한 거래나 사건에 대하여는 관계기업이나 공동기업의 회계정책을 투자자의 회계정책과 일치하도록 적절히 수정하여 지분법을 적용한다.

다음에서는 지분법의 구체적인 회계처리에 대하여 살펴보기로 한다. 기준서 제1028호 문단 26에서는 지분법 적용 절차의 많은 부분이 기준서 제1110호에서 규정한 연결절차와 유사하다고 설명하고 있다.

(2) 기업회계상 회계처리

1) 관계기업의 취득과 투자차액[3] 등

① 취득원가

투자자는 관계기업 및 공동기업을 최초 취득시 원가로 인식한다(기준서 제1028호 문단 10). 기준서 제1028호에서는 관계기업이나 공동기업의 주식을 단계적으로 취득하여 유의적인 영향력이나 공동지배력을 획득하게 된 경우 관계기업이나 공동기업투자의 취득대가를 측정하는 구체적인 규정을 두고 있지 않다. 따라서, 기준서 제1008호에 따라 적절한 회계정책을 개발하여 일관성있게 적용할 필요가 있다. 실무에서는 다음과 같은 접근법이 일반적으로 적용 가능한 방법에 포함될 것으로 판단된다.

---

3) 과거 회계기준에서 사용하던 '투자차액'의 용어는 한국채택국제회계기준에서는 더 이상 사용되지 않으나 설명의 편의를 위하여 사용한다. 투자자산을 취득하는 시점에 투자자산의 원가가 관계기업이나 공동기업의 식별가능한 자산과 부채의 순공정가치 중 투자자의 지분을 초과하는 금액은 이하 '영업권'으로, 그 반대의 경우에는 '염가매수차익'으로 표시한다.

ⓐ 단계별 취득원가법

　단계별로 취득한 관계기업이나 공동기업투자의 취득대가는 각 단계별로 지급한 대가의 합(취득 관련 직접원가 포함)에 최초 취득 이후 유의적인 영향력이나 공동지배력을 취득한 시점까지의 관계기업 및 공동기업의 손익 및 자본의 변동에 대한 투자자의 지분을 합한 금액으로 측정한다.

ⓑ 공정가치 접근법

　단계별로 취득한 관계기업이나 공동기업투자의 취득대가는 기존에 취득한 투자지분의 공정가치와 유의적인 영향력 또는 공동지배력을 취득하는 시점에 지불하는 대가의 공정가치의 합으로 측정한다. 기준서 제1103호 '사업결합'에서 규정하는 종속기업의 단계적 취득의 규정을 준용하는 것으로 기존에 취득한 투자지분의 장부금액과 공정가치와의 차이는 당기손익으로 인식한다.

사례　**관계기업투자의 단계적 취득**

2009년 1월 1일에 C사는 D사 주식의 10%를 1,000에 취득하였다. 취득 시점의 D사의 순자산공정가치는 5,000이었다. 2009년 말에 C사는 D사의 주식을 기타포괄손익－공정가치 측정 금융자산으로 분류하고 공정가치로 평가하여 600의 기타포괄이익을 인식하였다. C사는 2010년 1월 1일에 D사의 주식 25%를 4,000에 추가 취득하여 유의적인 영향력을 취득하였다. 2010년 1월 1일의 순자산공정가치는 8,000이다.

| 단계별 취득원가법 |

10% 취득 시 취득원가	1,000
10% 취득시점의 관계기업의 순자산에 대한 지분(10% × 5,000)	(500)
10% 취득시점의 영업권	500
추가 취득	4,000
추가 취득시점의 관계기업의 순자산에 대한 지분(25% × 8,000)	(2,000)
추가 취득시점의 영업권	2,000
영업권	2,500

| 공정가치 접근법 |

기존 지분 10%의 공정가치	1,600
추가 취득대가의 공정가치	4,000
관계기업투자 취득원가	5,600
유의적인 영향력 취득시점의 관계기업의 순자산에 대한 지분(35% × 8,000)	(2,800)
영업권	2,800

② 투자차액 등

투자자산을 취득한 시점에 투자자산의 원가와 관계기업이나 공동기업의 식별가능한 자산과 부채의 순공정가치 중 투자자의 지분에 해당하는 금액과의 차이는 다음과 같이 회계처리한다(기준서 제1028호 문단 32).

　㉠ 영업권－즉, 투자자산의 원가가 관계기업이나 공동기업의 순공정가치 중 투자자의 지분을 초과하는 금액－은 해당 투자자산의 장부금액에 포함된다. 영업권의 상각은 허용되지 않는다.

　㉡ 관계기업이나 공동기업의 식별가능한 자산과 부채의 순공정가치 중 투자자의 지분이 투자자산의 원가를 초과하는 부분은 투자자산을 취득한 회계기간의 관계기업이나 공동기업의 당기순손익 중 투자자의 지분을 결정할 때 수익에 포함된다.

또한, 취득 후 발생하는 관계기업이나 공동기업의 당기순손익 중 투자자의 지분을 적절히 조정하는 회계처리를 하여야 한다. 예를 들면, 투자자산 취득일에 공정가치로 평가된 감가상각대상 자산의 경우 관계기업이나 공동기업 자체의 재무제표에는 최초 관계기업이나 공동기업이 자산을 취득한 시점의 원가를 기준으로 감가상각을 하였을 것이나(관계기업이나 공동기업이 유형자산에 대하여 원가법을 적용한 경우를 가정), 지분법을 적용하는 경우에는 공정가치 평가된 금액을 기준으로 감가상각을 인식하여야 하므로 동 차이에 대한 조정이 추가적으로 필요하다(기준서 제1028호 문단 32).

사례 1　20×2. 1. 3.에 갑기업은 을기업의 주식 30%를 400,000에 취득하였고, 취득일 현재 을기업의 재무상태는 다음과 같다(부채의 장부금액은 공정가치와 동일하다고 가정).

| 을기업의 요약 재무상태표 |

	장부금액	공정가치		장부금액
현금	100,000	100,000	부 채	50,000
재고자산	100,000	200,000	자 본	800,000
기계장치	250,000	250,000		
건물	100,000	200,000		
토지	300,000	500,000		
	850,000	1,250,000		850,000

위 재고자산은 20×2년 중 전액 외부에 매출되었으며, 기계장치의 잔존내용연수는 5년, 건물의 잔존내용연수는 10년이며, 잔존가액 없이 정액법으로 상각한다.

1. 영업권을 계산하시오.
2. 을기업의 20×2년과 20×3년의 순이익이 각각 1,000,000인 경우 각 연도의 지분법이익을 계산하시오.

해답

1. 영업권의 계산

   영업권 = 400,000 − 1,200,000 × 30% = 40,000
2. 각 회계연도별 지분법이익의 계산

	20×2	20×3
당기순이익 중 투자기업 지분액	300,000	300,000
재고자산과 과소계상분(100,000×30%)	(30,000)	
건물감가상각액(100,000×30%×1/10)	(3,000)	(3,000)
지분법이익	267,000	297,000

사례 2 20×2. 1. 3.에 갑기업은 을기업의 주식 30%를 200,000에 취득하였고, 취득일 현재 을기업의 재무상태는 다음과 같다(부채의 장부금액은 공정가치와 동일하다고 가정).

| 을기업의 요약 재무상태표 |

	장부금액	공정가치		장부금액
현금	100,000	100,000	부채	50,000
재고자산	100,000	200,000	자본	800,000
기계장치	250,000	250,000		
건물	100,000	200,000		
토지	300,000	350,000		
	850,000	1,100,000		850,000

위 재고자산은 20×2년 중 전액 외부에 매출되었으며, 기계장치의 잔존내용연수는 5년, 건물의 잔존내용연수는 10년이며, 잔존가액 없이 정액법으로 상각한다.

1. 영업권(염가매수차익)을 계산하시오.
2. 을기업의 20×2년과 20×3년의 순이익이 각각 1,000,000인 경우 각 연도의 지분법이익을 계산하시오(토지는 계속 보유 중임).

해답

1. 염가매수차익의 계산 및 안분

   염가매수차익 = 200,000 − 1,050,000 × 30% = (−)115,000
2. 각 회계연도별 지분법이익의 계산

	20×2	20×3
당기순이익 중 투자기업 지분액	300,000	300,000
재고자산 과소계상분(100,000×30%)	(30,000)	
건물감가상각액(100,000×30%×1/10)	(3,000)	(3,000)
염가매수차익	115,000	−
지분법이익	382,000	297,000

2) 지분변동액의 회계처리

① 보통주만을 발행한 경우의 회계처리

지분변동액은 피투자자의 순자산변동액 중 투자기업의 지분율에 해당하는 금액을 말하는 것으로, 순자산가액의 변동의 원천에 따라 다음과 같이 처리한다(기준서 제1028호 문단 10).

㉠ 피투자자의 순자산가액 변동이 당기순이익 또는 당기순손실로 인하여 발생한 경우의 지분변동액은 당기손익항목(예 : 지분법손익)으로 처리한다.

㉡ 피투자자의 순자산가액 변동이 기타포괄손익의 증감으로 인하여 발생하는 경우에는 기타포괄손익(예 : 피투자자 기타포괄손익 중 지분)으로 처리한다. 단, 피투자자가 보험수리적손익을 발생시점에 기타포괄손익으로 인식함으로 인하여 변동이 발생한 경우 기준서 제1019호 문단 122에 따라 보험수리적손익을 기타포괄손익에서 이익잉여금으로 대체하고 있다면 피투자자의 보험수리적손익 중 투자자 지분을 기타포괄손익으로 인식하고 이는 즉시 이익잉여금으로 대체된다.

피투자자가 배당을 결의한 경우에는 배당금지급을 결의한 시점에 투자자가 수취하게 될 배당금 금액을 지분법 주식가액에서 직접 차감한다. 한편 지분법주식의 장부금액이 투자자가 수취하게 될 배당금액에 미달하는 경우로서 투자자가 피투자자를 대신하여 지급하여야 하는 법적 또는 의제의무가 없는 경우라면 동 미달액은 당기이익으로 인식한다. 이후 회계기간에 피투자자가 당기순이익을 인식하는 경우 투자자는 이 중 전 회계기간에 당기이익으로 인식한 부분에 해당하는 금액을 제외한 나머지 부분에 대하여만 지분법이익으로 인식하는 방식(기준서 제1028호 문단 39 유추) 또는 투자자의 당기순이익 중 투자자의 지분에 해당하는 금액을 지분법이익으로 인식하고 손상검사를 수행하는 방식 중 관련 상황을 가장 적절히 반영하는 방식을 적용하여 회계처리할 수 있을 것으로 판단된다.

② 우선주를 발행한 경우의 회계처리

관계기업이나 공동기업이 우선주를 발행한 경우 투자기업이 소유하고 있는 투자지분(보통주)에 대해 지분법을 적용하기 위해서는 피투자자의 순자산가액을 보통주주지분과 우선주주지분으로 구분하여야 한다.

우선주는 다양한 권리가 부여된 형태로 발행된다. 우선주의 발행조건에 따라 잔여재산분배기준이나 참가 여부 및 분배비율 등에 관해 다양한 방식이 가능하므로 투자기업이 지분법을 적용할 때는 그러한 발행조건 등 실제 계약내용을 반영하여 회계처리하여야 한다. 기준서 제1028호에서는 피투자자가 누적적 우선주를 발행하였고 이를 다른 투자자가 보유하고 있는 경우, 투자자는 배당결의 여부에 관계없이 이러한 주식의 배당금에 대하여 조정한 후 당기순손익에 대한 자신의 지분을 산정한다고 규정하고 있다(기준서 제1028호 문단 37). 동 기준서에서는 이외에 구체적인 회계처리의 언급은 없으나 일반기업회계기준의 지분법 기준에 해당 상황에 대한 예시를 포함하고 있어, 실무상 다음의 내용을 참고할 수 있을 것으로 보인다.

(가) 피투자자의 자본(우선주 발행 이후에 발생한 이익잉여금을 제외한다. 이하 같다) 중 보통주주지분과 우선주주지분은 우선주의 잔여재산분배청구권의 성격에 따라 계산한다. 예를 들면 우선주주가 보통주주와 같이 잔여재산(순자산가액에서 우선주 발행 이후에 발생한 이익잉여금을 제외한다)분배에 참가할 수 있는 경우에는 피투자자의 자본에, 보통주자본금이 보통주자본금과 우선주자본금 합계액에서 차지하는 비율(이하 보통주자본금비율이라 한다. 단, 계약상 분배비율을 정한 경우에는 그 비율)을 곱한 금액이 보통주주지분이 되고, 우선주주지분은 피투자자의 자본에, 우선주자본금이 보통주자본금과 우선주자본금 합계액에서 차지하는 비율(이하 우선주자본금비율이라 한다. 단, 계약상 분배비율을 정한 경우에는 그 비율)을 곱한 금액이 된다.

(나) 피투자자의 우선주 발행 이후에 발생한 이익잉여금은 우선주의 이익배당 성격에 따라 다음과 같이 보통주주지분과 우선주주지분으로 구분한다.

　㉠ 피투자자가 누적적·참가적(참가비율 예 : 우선주자본금비율) 우선주를 발행한 경우 피투자자의 당기순이익 중 보통주주의 지분은 우선주에 대한 배당결의 여부에 관계 없이 피투자자의 당기순이익에서 보통주배당금과 우선주배당금(과거에 우선주배당률에 미달하는 우선주배당액이 있는 경우에는 그 금액 포함)을 차감한 후의 금액에 보통주자본금비율을 곱한 값과 보통주배당금을 합하여 계산한다.

　㉡ 피투자자가 누적적·비참가적 우선주를 발행한 경우 피투자자의 당기순이익 중 보통주주의 지분은 우선주에 대한 배당결의 여부에 관계 없이 피투자자의 당기순이익에서 우선주배당금(과거에 우선주배당률에 미달하는 우선주배당액이 있는 경우에는 그 금액 포함)을 차감한 금액으로 계산한다.

　㉢ 피투자자가 비누적적·참가적(참가비율 예 : 우선주자본금비율) 우선주를 발행한 경우 피투자자의 당기순이익 중 보통주주의 지분은 우선주에 대한 배당결의를 하지 않은 경우에는 피투자자의 당기순이익에 보통주자본금비율을 곱하여 계산하고, 우선주에 대한 배당결의를 한 경우에는 피투자자의 당기순이익에서 보통주배당금과 우선주배당금을 차감한 후의 금액에 보통주자본금비율을 곱한 값과 보통주배당금을 합하여 계산한다.

ㄹ 피투자자가 비누적적·비참가적 우선주를 발행한 경우 피투자자의 당기순이익 중 보통주주의 지분은 우선주에 대한 배당결의를 하지 않은 경우에는 피투자자 당기순이익 전체 금액으로 하고, 우선주에 대한 배당결의를 한 경우에는 피투자자 당기순이익에서 우선주배당금을 차감한 금액으로 한다.

3) 내부거래미실현손익의 제거

투자자(투자자의 연결대상 종속기업 포함)와 관계기업이나 공동기업 사이의 '상향'거래나 '하향'거래에서 발생한 당기손익에 대하여 투자자는 그 관계기업이나 공동기업에 대한 투자지분과 무관한 손익까지만 투자자의 재무제표에 인식한다. '상향'거래의 예로는 관계기업이나 공동기업이 투자자에게 자산을 매각하는 거래를 들 수 있으며, '하향'거래의 예로는 투자자가 관계기업이나 공동기업에게 자산을 매각하거나 출자하는 거래를 들 수 있다. 이러한 거래의 결과로 발생한 관계기업이나 공동기업의 당기손익 중 투자자의 몫은 제거한다(기준서 제1028호 문단 28).

기준서 제1028호에서는 상기에 설명한 내부거래를 실무상 제거하는 방법에 대해서는 규정하고 있지 않으나, 상향 및 하향 거래에 대하여 실무상 다음의 방법을 사용하여 내부거래를 제거할 수 있을 것이다.

① 상향판매
㉠ 미실현손익을 관계기업투자에서 조정하는 방법
상향판매로 인한 미실현손익을 관계기업이나 공동기업투자에서 조정하는 방법이다.
㉡ 미실현손익을 상향판매된 해당 자산에서 조정하는 방법
상향판매의 경우 관계기업이나 공동기업이 투자자에게 판매한 자산이 투자자의 재무제표에 표시될 것이므로 관련 자산에서 미실현손익을 조정하는 방법이다. 다만, 국내에서는 한국채택국제회계기준 도입 전의 회계기준에 따라 투자주식에서 조정하는 방법을 일반적으로 적용하고 있다.

다음의 사례를 통하여 구체적인 회계처리 방법을 살펴보자.

사례 투자자는 관계기업 A에 대하여 20%의 지분을 보유하고 있다. 관계기업 A는 원가 300에 해당하는 재고자산을 500에 투자자에게 판매하였다. 투자자는 동 재고를 보고기간종료일 현재 제3자에게 판매하지 않고 보유하고 있다.
투자자가 관계기업투자에 대하여 지분법 적용시 제거하여야 하는 미실현이익은 40(200×20%)이다.

㉠ 미실현손익을 관계기업투자에서 조정하는 경우 회계처리

(차) 지 분 법 손 익　　　　　40　　(대) 관 계 기 업 투 자　　　　40

　㉡ 미실현손익을 상향판매된 해당 자산에서 조정하는 방법

(차) 지 분 법 손 익　　　　　40　　(대) 재 　 고 　 자 　 산　　　　40

② 하향판매

하향판매의 경우에는 미실현손익을 관계기업이나 공동기업투자에서 제거하는 방법만
이 사용된다.

투자기업이 관계기업이나 공동기업의 설립시 또는 유상증자시 현물출자에 의해 관계
기업이나 공동기업의 지분을 취득한 경우 관계기업이나 공동기업투자는 최초 인식시점
에 공정가치로 측정하고, 이에 따라 현물출자한 자산의 장부금액을 제거하면서 발생한
처분손익 중 보고기간종료일 현재 관계기업이나 공동기업이 보유하고 있는 당해 현물출
자자산에 반영되어 있는 부분은 내부거래에 의한 미실현손익으로 보아 이를 제거한다.

투자자 및 관계기업이나 공동기업 간의 거래는 투자자와 관계기업이나 공동기업 간
거래, 간접적인 투자관계에 있는 피투자기업 간의 거래 등 다양하게 발생한다. 이 경우
투자기업이 제거해야 할 내부거래미실현손익은 다음과 같이 산정할 수 있다.

[사례 1] A사는 B사의 주식 30%를 보유하고 있으며, A사가 B사에게 토지(장부금액 100억
원)를 150억원에 매각하고 계속 B사가 보유하고 있는 경우
① 내부거래에 의한 A사의 토지처분이익 50억
② A사가 B사 주식에 대한 지분법 적용시 제거하여야 할 내부미실현이익
　　토지처분이익(50억) × A사의 B사에 대한 지분율(30%) = 15억

[사례 2] A사, B사, C사의 지분관계는 다음과 같다. B사가 C사에게 토지(장부금액 100억원)
를 150억원에 매각하고, 계속 C사가 보유하고 있는 경우

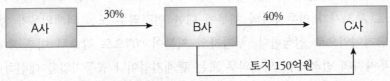

① 내부거래에 의한 B사의 토지처분이익 50억
② B사가 C사 주식에 대한 지분법적용시 제거하여야 할 내부미실현이익
　　B사 토지처분이익 50억 × B사의 C사에 대한 지분율 40% = 20억
③ A사의 B사 주식에 대한 지분법이익

B사 이익 30억[1] × A사의 B사에 대한 지분율 30% = 9억

  1) 토지처분이익 50억 – 내부미실현이익 20억 = 30억

  ④ A사가 B사 주식에 대한 지분법적용시 제거하여야 할 내부미실현이익 = 0

사례 3 A사, B사, C사의 지분관계는 다음과 같고, C사가 B사에게 토지(장부금액 100억원)를 150억원에 매각하고, 계속 B사가 보유하고 있는 경우

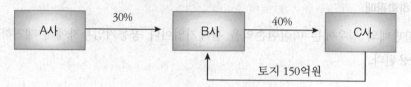

  ① 내부거래에 의한 C사의 토지처분이익 50억
  ② B사의 C사 주식에 대한 지분법이익
    C사 토지처분이익 50억 × B사의 C사에 대한 지분율 40% = 20억
  ③ B사가 C사 주식에 대한 지분법적용시 제거하여야 할 내부미실현이익 = 20억(상향판매)
  ④ A사의 B사 주식에 대한 지분법이익
    B사 손익(0)[1] × A사의 B사에 대한 지분율(30%) = 0

    1) ①+②=20억 – 20억 = 0

4) 지분법적용투자주식의 금액이 "0" 이하가 될 경우

① 지분법적용의 중지

관계기업이나 공동기업의 손실 중 투자자의 지분이 피투자자에 대한 투자지분과 같거나 초과하는 경우 투자자는 피투자자에 대한 투자지분 이상의 손실에 대하여 인식을 중지한다. 피투자자에 대한 투자지분은 지분법이 적용되는 투자자산의 장부금액과 실질적으로 투자자의 순투자의 일부를 구성하는 장기투자지분 항목을 합한 금액이다(기준서 제1028호 문단 38).

만약 지분법적용을 중지한 후 피투자자가 배당을 결의한 경우에는 투자자가 받을 금액을 피투자자에 대한 투자지분에서 직접 차감하여야 하나, 동 투자지분의 장부금액이 "0"이므로, 투자자가 피투자자의 채무에 대한 법적의무 또는 의제의무가 없다면 동 배당액은 당기이익으로 인식한다. 투자자의 지분이 "0"으로 감소된 이후 추가 손실분에 대하여 투자자의 법적의무, 의제의무 또는 관계기업이나 공동기업을 대신하여 지급해야 하는 의무가 있다면, 그 금액까지만 손실과 부채를 인식한다(기준서 제1028호 문단 39).

한편, 기타포괄손익누계액에 계상되어 있는 관계기업이나 공동기업의 기타포괄손익 중 투자자의 지분은 투자기업이 관련 지분법적용투자주식을 처분하는 경우에만 당기손

익(기타포괄손익으로 인식했던 관련 자산이나 부채가 처분될 경우 당기손익으로 재분류되는 경우에 한함. 만일 관련 자산이나 부채가 처분되더라도 당기손익이 아닌 이익잉여금 등으로 대체되는 경우라면 지분법적용투자주식이 처분되는 경우에도 관련 기타포괄손익은 당기손익으로 재분류되지 않음)으로 처리할 수 있다. 따라서 지분법적용에 의해 지분법 적용 투자주식의 장부금액이 "0"으로 되는 경우에는 기타포괄손익누계액에 계상되어 있는 관계기업이나 공동기업의 기타포괄손익 중 투자자의 지분은 계속하여 기타포괄손익누계액으로 표시된다.

② 우선주 등 투자성격의 자산을 보유하고 있는 경우

투자자가 보유한 관계기업이나 공동기업에 대한 다른 금융상품(지분법을 적용하지 않는 금융상품)에는 기업회계기준서 제1109호를 적용한다. 투자자가 투자주식과는 별도로 관계기업이나 공동기업에 대해 실질적으로 관계기업이나 공동기업에 대한 순투자의 일부를 구성하는 장기투자항목을 보유하고 있다면 상기 ①에서 설명한 순투자에 대한 지분법손실을 반영하기 전에 우선적으로 기준서 제1109호에 따른 회계처리(손상을 포함)를 적용해야 한다. 투자자가 이러한 장기투자항목에 기준서 제1109호를 적용할 때는 순투자에 대한 지분법의 적용으로 발생한 조정은 고려하지 않아야 한다(기준서 제1028호 문단 14A).

여기에서의 장기투자항목이란 예측 가능한 미래에 상환받을 계획이 없고 상환 가능성도 거의 없어 사실상 관계기업이나 공동기업에 대한 투자로 볼 수 있는 자산을 말하는 것으로, 우선주와 장기대여금 및 장기수취채권은 포함될 수 있으나, 매출채권, 매입채무, 담보자산으로 회수 가능한 장기수취채권(예 : 담보부대여금)은 제외한다(기준서 제1028호 문단 38).

이와 같이 사실상 투자성격이 있는 우선주, 채권 등이 있음에도 불구하고 투자주식에 대해서만 지분법손실 등을 반영한다면, 투자기업은 지분법손실의 인식을 회피하기 위해 유상증자 방식이 아닌 다른 방식(예 : 자금대여)을 선택할 수 있을 것이다. 따라서, 그러한 투자성격의 채권에 대하여는 장부금액이 "0"이 될 때까지 관계기업이나 공동기업의 손실 등을 반영하며, 지분법적용 후 순투자자산의 장부금액에 대하여 추가적으로 손상을 인식할 필요가 있는지를 지분법 기준서에 따라서 검토한다(기준서 제1028호 문단 40, '5) 손상차손' 참조).

사례 투자자가 관계기업에 대하여 장부금액 1,000원의 보통주식과 장부금액 2,000원의 장기성 채권을 보유하고 있으며, 당해연도 관계기업의 손실로 투자기업이 반영할 지분법손실이 1,400 원이 있는 경우의 회계처리(단, 장기성채권의 기준서 제1109호에 따른 기대신용손실 추정액 은 500으로 계산되었으며, 관계기업 주식에 대한 추가 손상의 징후는 발견되지 않았음)

해답

1. 기준서 제1109호에 따른 장기성채권의 평가

(차) 대　손　상　각　비　　　500　　　(대) 장기성채권(대손충당금)　　　500

2. 순투자에 대한 지분법적용

(차) 지　분　법　손　실　　　1,400　　　(대) 관　계　기　업　투　자　　　1,000
　　　　　　　　　　　　　　　　　　　　　　장기성채권(대손충당금)　　　400

한편 우선주 등 순투자성격의 자산에 대해 추가적인 손실 등을 인식하는 경우에는 보통주의 성격에 가까운 자산부터 감소시킨다. 즉 관계기업이나 공동기업이 청산된다면 상환받는 우선순위를 고려한다. 예를 들면 투자기업이 관계기업이나 공동기업의 우선주와 채무증권을 보유하고 있는 경우 관계기업이나 공동기업의 손실에 의한 지분변동액을 우선주에서 먼저 차감한 후 잔액은 채무증권에서 차감하고, 이후에 관계기업이나 공동기업이 이익을 보고하기 시작하면 그 역순으로 당해 자산을 회복시킨다(기준서 제1028호 문단 38).

③ 지분법적용의 재개

지분법적용투자주식에 대하여 지분법 적용을 중지한 후, 관계기업이나 공동기업의 당기이익으로 인하여 지분변동액이 발생하는 경우 지분법적용 중지기간 동안 인식하지 아니한 관계기업이나 공동기업의 손실누적분 등을 상계한 후 지분법을 적용한다(기준서 제1028호 문단 39).

사례 • 투자기업의 관계기업에 대한 지분율 : 20%
　　　• 과거 지분법적용 중지기간 동안 투자기업이 인식하지 않은 관계기업의 손실누적분 : 100
　　　　관계기업의 당기이익이 600인 경우의 회계처리는?

〈투자기업의 회계처리〉
• 관계기업의 당기이익에 대한 투자기업의 지분변동액

(차) 관　계　기　업　투　자　　　120[1)]　　　(대) 지　분　법　이　익　　　120

1) 600 × 20% = 120

• 손실누적분 반영

　(차) 지 분 법 이 익　　　　100　　　(대) 관 계 기 업 투 자　　　　100

5) 손상차손

관계기업이나 공동기업에 대한 지분법 적용 이후, 잔여 투자지분 및 관계기업이나 공동기업에 대한 순투자자산에 대하여 추가적인 손상차손을 인식할 필요가 있는지 결정하기 위하여 다음을 적용한다(기준서 제1028호 문단 40, 41A~41C).

① 손상 징후 검토

관계기업과 공동기업에 대한 순투자의 최초 인식 이후 발생한 하나 또는 그 이상의 사건('손실사건')이 발생한 결과, 손상되었다는 객관적인 증거가 있으며 그 손실사건이 신뢰성 있게 추정할 수 있는 순투자의 추정미래현금흐름에 영향을 미친 경우에만 해당 순투자는 손상된 것이고 손상차손이 발생한 것이다. 손상을 초래한 단일의 특정 사건을 식별하는 것이 가능하지 않을 수 있다. 오히려 여러 사건의 복합적인 결과가 손상의 원인이 될 수도 있다. 미래사건의 결과로 예상되는 손실은 발생 가능성에 상관없이 인식하지 않는다. 순투자가 손상되었다는 객관적인 증거에는 투자기업의 주의를 끄는 다음의 손실사건에 대한 관측 가능한 자료가 포함된다.

　㉠ 관계기업이나 공동기업의 유의적인 재무적 어려움

　㉡ 관계기업이나 공동기업의 채무불이행 또는 연체와 같은 계약의 위반

　㉢ 관계기업이나 공동기업의 재무적 어려움에 관련된 경제적 또는 법률적 이유로 인해 다른 경우라면 고려하지 않았을 양보를 그 관계기업이나 공동기업에게 제공

　㉣ 관계기업이나 공동기업이 파산이나 그 밖의 재무적 구조조정의 가능성이 높은 상태가 됨

　㉤ 관계기업이나 공동기업의 재무적 어려움으로 순투자에 대한 활성시장의 소멸

예시한 유형의 사건 이외에 관계기업이나 공동기업의 지분상품에 대한 순투자가 손상되었다는 객관적 증거는 관계기업이나 공동기업이 영업하는 기술·시장·경제·법률 환경에서 발생한 변화 중 불리한 영향을 미치는 유의적인 변화에 대한 정보를 포함하며, 지분상품 투자의 원가가 회복되지 않을 수 있다는 것을 의미한다. 또, 지분상품 투자의 공정가치가 원가 이하로 유의적이거나 지속적으로 하락하는 것은 손상의 객관적인 증거가 된다. 관계기업이나 공동기업의 지분 또는 금융상품이 더 이상 공개적으로 거래되지 않아 활성시장이 소멸하더라도 그것이 손상의 증거가 되는 것은 아니다. 관계기업이나 공동기업의 신용등급 또는 공정가치가 하락한 사실 자체가 손상의 증거는 아

니지만 이용할 수 있는 그 밖의 정보를 함께 고려하는 경우에는 손상의 증거가 될 수도 있다.

② 손상차손의 인식

지분법 순투자자산의 장부금액을 구성하는 영업권은 분리하여 인식하지 않으므로 기준서 제1036호 '자산손상'의 영업권 손상검사에 관한 요구사항을 순투자자산의 손상검사에 별도로 적용하지는 않는다. 대신에 위 ①의 요구사항을 적용한 결과로 순투자자산이 손상될 징후가 나타날 때마다 순투자자산의 전체 장부금액을 기준서 제1036호에 따라 단일자산으로서 회수가능액(순공정가치와 사용가치 중 큰 금액)과 비교하여 손상검사를 한다. 이러한 상황에서 인식된 손상차손은 지분법 순투자자산의 장부금액의 일부를 구성하는 어떠한 자산(영업권 포함)에도 배분하지 않는다는 점에 주의하여야 한다(기준서 제1028호 문단 42).

순투자자산의 사용가치는 다음의 (가) 또는 (나)의 금액으로 측정한다(기준서 제1028호 문단 42).

(가) 관계기업이나 공동기업이 영업 등을 통하여 창출할 것으로 기대되는 추정 미래현금흐름의 현재가치 중 투자자의 지분과 해당 투자자산의 최종 처분금액의 현재가치

(나) 투자자산에서 배당으로 기대되는 추정 미래현금흐름의 현재가치와 해당 투자자산의 최종 처분금액의 현재가치

적절한 가정에 따른다면 위 두 방법의 결과가 동일할 것이다.

한편 당해 지분법주식과 관련한 기타포괄손익누계액이 있는 경우 동 기타포괄손익누계액은 관계기업 및 공동기업 투자지분의 처분 시 실현되는 것으로 판단되므로 손상차손을 인식할 때 이에 대한 별도의 조정을 하지 않는 것이 타당할 것이다.

> **사례**
> • 장부금액 : 관계기업투자 120(영업권 40 포함)
> • 관계기업의 기타포괄손익－공정가치 측정 금융자산평가이익으로 인한 기타포괄손익증가분 중 투자자 지분 20
> 회수가능액이 90인 경우의 회계처리는?
> 〈회계처리〉
> (차) 관계기업투자손상차손　　　30　　(대) 관 계 기 업 투 자　　30
> 장부금액 기준으로 손상차손은 30(＝120－90)임.

손상차손을 인식한 후에 지분법주식의 회수가능가액이 회복된 경우에는 이전에 인식

하였던 손상차손금액을 한도로 하여 회복된 금액을 당기이익으로 인식한다(기준서 제1028호 문단 42). 이 경우 회복 후 지분법주식의 장부금액이 당초에 손상차손을 인식하지 않았다면 회복일 현재의 지분법주식의 장부금액이 되었을 금액을 초과하지 않도록 한다. 앞에서 언급한 바와 같이 지분법주식에 대하여 인식된 손상차손은 영업권에 배분하지 않으므로 환입시에도 영업권에 대한 별도의 고려는 필요하지 않다.

> **사례** 　상기 사례 1에서 손상차손을 인식한 후 다음 회계연도에 회수가능가액이 110으로 증가한 경우의 회계처리는? 단, 다음 회계연도에 관계기업의 순자산변동은 없다고 가정한다.
>
> 　(차) 관 계 기 업 투 자　　　　20　　　(대) 관계기업투자손상차손환입　　　　20

6) 관계기업 및 공동기업 투자지분의 처분

관계기업이나 공동기업 투자지분의 처분에 의한 투자기업의 지분율 하락 등으로 인하여 피투자기업에 대한 유의적인 영향력이나 공동지배력을 상실하는 경우 당해 투자주식에 대하여는 지분법적용을 중단하고 기준서 제1109호에 따라 회계처리한다. 유의적인 영향력이나 공동지배력을 상실하게 된 시점에 이전의 관계기업이나 공동기업에 대한 투자자산이 있다면 그 투자자산을 공정가치로 측정한다. 투자자는 다음 ①과 ②의 차이가 있다면 그 차이를 당기손익으로 인식한다(기준서 제1028호 문단 22).

　① 보유하는 투자자산의 공정가치와 관계기업이나 공동기업에 대한 지분의 일부 처분으로 발생한 대가의 공정가치

　② 지분법적용을 중단한 시점의 투자자산의 장부금액

지분법적용을 중단한 경우, 투자자는 피투자자가 관련 자산이나 부채를 직접 처분한 경우의 회계처리와 동일한 기준으로 지분법적용주식과 관련하여 기타포괄손익으로 인식한 모든 금액에 대하여 회계처리한다. 예를 들어, 관계기업이 해외사업장과 관련된 누적 외환차이가 있고 투자자가 그 관계기업에 대한 유의적인 영향력을 상실한 경우, 투자자는 그 해외사업장과 관련하여 이전에 기타포괄손익으로 인식한 손익을 전액 당기손익으로 재분류한다.

요약하면, 지분법적용을 중단하는 경우에는 기존에 보유하던 지분법주식을 전부 처분하고 새로이 기준서 제1109호의 적용을 받는 투자자산을 취득하는 것으로 회계처리한다는 의미이다.

관계기업이나 공동기업에 대한 소유지분이 감소하지만 여전히 관계기업 또는 공동기업의 정의를 충족하는 경우, 투자자는 이전에 기타포괄손익으로 인식한 손익이 관련 자

산이나 부채를 직접 처분한 경우에 당기손익으로 재분류될 항목이라면, 이 중 감소한 지분율에 해당하는 비례적 금액만을 당기손익으로 재분류한다(기준서 제1028호 문단 25).

또한, 관계기업투자가 공동기업투자로 되거나 반대의 경우에는 지분법을 계속 적용하게 되므로 잔여 보유지분을 재측정하지 않는다(기준서 제1028호 문단 24).

사례
- A사는 1월 1일 현재 B사의 지분 30% 보유
- 지분법적용투자주식 장부금액 600(누적기타포괄이익 60)
  A사는 6월 30일에 B사의 지분 20%를 450에 매각하고 10%를 보유하여 유의적인 영향력 상실
- B사의 1월 1일~6월 30일 순자산 증가액 150(순이익으로 인한 순자산 증가 100, 해외사업장 환산이익 증가로 인한 순자산 증가 50)
- 6월 30일 현재 B사 10% 지분에 대한 공정가치 230

A사가 6월 30일에 하여야 할 회계처리는? (A사는 B사에 대한 10% 지분을 기타포괄손익-공정가치 측정 금융자산으로 인식하기로 함)

해답

6월 30일 A사의 회계처리
- 1.1.~6.30.의 지분변동액에 대한 회계처리

(차) 관 계 기 업 투 자   45   (대) 지 분 법 이 익   30[1]
                                          기타포괄손익중투자자지분   15[2]

1) $100 \times 30\% = 30$
2) $50 \times 30\% = 15$

- 매각에 관한 회계처리

(차) 현금 및 현금성자산   450   (대) 관 계 기 업 투 자   645[1]
     기타포괄손익 중 투자자지분   75[2]   관계기업투자처분이익   110
     기타포괄손익-공정가
     치 측 정 금융자산   230

1) $600 + 45$
2) $60 + 15$

사례와 다른 사항은 동일하고, A사가 6월 30일에 B사의 지분 10%를 230에 매각하고 20%를 보유하여 여전히 유의적인 영향력을 보유한다고 가정하는 경우 A사가 6월 30일에 해야 하는 회계처리는?

(차) 현 금 및 현 금 성 자 산   230   (대) 관 계 기 업 투 자   215[1]
     기타포괄손익 중 투자자지분   25[2]   관계기업투자처분이익   40

1) $(600 + 45) \times 10\%/30\% = 215$
2) $(60 + 15) \times 10\%/30\% = 25$

7) 유상증(감)자 및 무상증(감)자시의 처리

유상증(감)자 및 무상증(감)자시의 회계처리에 대하여 기준서 제1028호에서 구체적으로 규정하고 있는 사항은 없으나, 실무상 다음과 같이 회계처리될 것으로 판단된다.

① 지분율이 증가하는 경우

관계회사가 유상증자(유상감자, 무상증자, 무상감자 포함)를 실시한 결과 투자자의 지분율이 증가하는 경우 지분법투자주식의 추가취득에 해당하므로 영업권 등 투자차액을 산정하고 이 기준서 제1103호 '사업결합'에서 정하는 바에 따라 회계처리한다. 영업권에 관한 자세한 내용은 앞의 내용을 참고하기 바란다.

사례 **불균등 유상증자**

- 투자기업 : A사, 피투자기업 : B사, 지분율 40%(증자 전 B사 총 발행주식수 1,000주, 증자 전 B사 순자산 장부금액 : 1,000,000원)
- 유상증자 전 투자차액은 없다고 가정함.

B사가 500주를 1,200원에 유상증자할 때, A사가 275주를 인수한 경우의 회계처리는(유상증자 시 B사 순자산의 공정가치와 장부금액의 차이는 없다고 가정함)?

해답

	유상증자 전	B사의 유상증자	유상증자 후
B사의 순자산액	1,000,000원		1,600,000원
B사의 발행주식수	1,000주		1,500주
A사의 보유 지분율/주식수	40%/400주	50% 증자 @1,200원×500주 = 600,000	45%/675주
A사의 B주식 장부금액	400,000원		400,000 + 330,000* = 730,000원
A사의 B주식 지분금액	1,000,000×40% = 400,000원		1,600,000×45% = 720,000원

* A사는 B사의 유상증자분 중 275주를 주당 1,200원(현금납입액 330,000)에 취득

〈회계처리〉

(차) 관 계 기 업 투 자　　　　330,000　　　(대) 현금 및 현금성자산　　　　330,000

A사는 B사에 유상증자분에 대한 330,000원을 납입하였지만, A사의 B사에 대한 지분변동액은 320,000(720,000-400,000)이므로 납입금액과 지분변동액의 차액 10,000원을 영업권으로 회계처리한다.

* 이 사례에서 제시된 거래는 다음과 같이 두 개의 거래가 통합된 것으로 분석할 수 있다.

㉠ B사의 유상증자에 A사는 균등(40%)참여 : 500주×40%×@1,200=240,000

(차) 관 계 기 업 투 자   240,000   (대) 현금 및 현금성자산   240,000

(균등유상증자이므로 투자차액이 발생하지 않음)

ⓛ 불균등유상증자분(5%)을 다른 주주로부터 취득 : 75주×1,200＝90,000

〈회계처리〉

(차) 관 계 기 업 투 자   90,000   (대) 현금 및 현금성자산   90,000

(지분 추가취득으로 90,000－1,600,000×5%＝10,000의 영업권이 발생함)

② 지분율이 감소하는 경우

관계회사나 공동기업이 유상감자(유상증자, 무상증자, 무상감자 포함)를 실시한 결과 투자기업의 지분율이 감소하는 경우 지분감소 대가로 수령하는 금액과 유상감자 후의 투자기업의 지분액에서 유상감자 전의 투자기업의 지분액을 차감한 지분변동액의 차액은 처분손익으로 회계처리한다.

사례 1   • 투자기업 : A사, 피투자기업 : B사, 지분율 : 40%(증자 전 B사 총 발행주식수 1,000주, 증자전 B사 순자산 장부금액 : 1,000,000원)
• 투자차액은 없다고 가정함.
B사가 500주를 800원에 유상감자할 때, A사가 감자에 참여하여 300주를 처분한 경우의 회계처리는?

풀이

	유상감자 전	B사의 유상증자	유상감자 후
B사의 순자산액	1,000,000원		600,000원
B사의 발행주식수	1,000주		500주
A사의 보유 지분율/주식수	40%/400주	50% 감자 @800원×500주 ＝ 400,000	20%/100주
A사의 B주식 장부금액	400,000원		400,000－240,000* ＝ 160,000원
A사의 B주식 지분금액	1,000,000×40% ＝ 400,000원		600,000×20% ＝ 120,000원

* A사는 B사 주식 중 300주를 주당 800원(현금수령액 240,000)에 감자받음.

〈회계처리〉

(차) 현 금 및 현 금 성 자 산   240,000[1)]   (대) 관 계 기 업 투 자   280,000[2)]
    관계기업투자처분손실   40,000

1) @800×300주＝240,000
2) 1,000,000×40%－600,000×20%＝280,000

A사는 B사로부터 유상감자분에 대하여 240,000원을 수령하였지만, A사의 B사에 대한 지분변동액은 280,000(400,000 – 120,000)이므로 수령금액과 지분변동액의 차액 40,000원을 처분손실로 회계처리한다.

* 이 사례에서 제시된 거래는 다음과 같이 두 개의 거래가 통합된 것으로 분석할 수 있다.

㉠ B사의 유상감자에 A사는 균등(40%) 참여 : 500주×40%×@800＝160,000

〈회계처리〉

(차) 현 금 및 현 금 성 자 산　　　160,000　　　(대) 관 계 기 업 투 자　　　160,000

(유상감자에 균등참여시 수령금액(160,000원)과 지분변동액(400,000 – 600,000×40%＝160,000)은 동일하므로 처분손익이 발생하지 않음)

㉡ 불균등유상감자분(20%)을 다른 주주에게 처분 : 100주×800＝80,000

〈회계처리〉

(차) 현 금 및 현 금 성 자 산　　　80,000　　　(대) 관 계 기 업 투 자　　　120,000
　　　관계기업투자처분손실　　　40,000[1]

1) (400,000 – 160,000)×(20%/40%) – 80,000＝40,000

사례 2　　• 투자기업 : A사, 피투자기업 : B사, 지분율 30%(최초 B사 발행주식 100 중 A사 30주 보유)

• 최초 취득원가 100,000원. 유상증자 전 30,000의 영업권이 있다고 가정함.

B사가 50주를 6,000원에 유상증자할 때, A사가 참여하지 않은 경우의 회계처리는(유상증자시 B사 순자산의 공정가치와 장부금액의 차이는 없다고 가정함)?

해답

	유상증자 전	B사의 유상증자	유상증자 후
B사의 순자산액	233,333원		533,333원
B사의 발행주식수	100주		150주
A사의 보유 지분율/주식수	30%/30주	@6,000원×50주	20%/30주
A사의 B주식 장부금액	100,000원	＝ 300,000	66,667원[*2]
A사의 B주식 지분금액	233,333×30% ＝ 70,000원[*1]		533,333×20% ＝ 106,667원[*3]

(*1) B사 주식의 최초 취득시 영업권 30,000 (100,000 – 70,000)
(*2) 희석화로 인한 지분감소액 반영후의 장부금액 (100,000×20%/30%)
(*3) 유상증자 후 영업권 잔액 20,000 (30,000×20%/30%)

〈회계처리〉

(차) 관 계 기 업 투 자　　　26,667[1]　　　(대) 관계기업투자처분이익　　　26,667

1) 유상증자로 인한 A사의 관계기업지분에 대한 증가액(300,000×20%) - 희석화로 인한 지분감소액(100,000 × 10% / 30%)

A사는 B사에 유상증자에 참여하지 않아 지분율이 감소하는 희석화(dilution)가 발생하였으며 이는 관계기업투자의 부분매각으로 보아 회계처리한다.

종속기업에 대하여 희석화가 발생하였으나 여전히 지배력을 보유하고 있는 경우에는 상기의 희석화로 인한 효과는 자본으로 인식한다. 그러나 관계기업이나 공동기업의 경우에는 희석화가 발생하였으나 계속 유의적인 영향력 또는 공동지배력을 보유하고 있는 경우라 하더라도 종속기업과는 상이하게 그 효과를 당기손익으로 인식하여야 함에 유의하여야 한다.

8) 주식의 상호보유

투자기업 및 관계기업 상호 간에 유의적인 영향력을 행사하고 있는 경우에 대하여 기준서 제1028호에서 규정하고 있는 사항은 없다. 그러나 상호보유에 따른 효과를 제거하지 않고 지분법을 적용하는 경우 관계기업의 성과가 이중으로 반영되는 효과가 발생할 것이므로 상호보유 효과를 제거하는 것이 필요하다. 일반기업회계기준에서는 산식을 통한 상호보유 효과에 대한 제거를 소개하고 있으며, 실무에서는 이를 참고할 수도 있을 것이다.

예를 들어, 투자기업 A, B 상호 간에 유의적인 영향력이 있으며, 주식을 각각 20%씩 소유하고 있는 경우 각 투자기업의 당기순이익은 다음의 산식을 이용하여 구할 수 있다. 다음의 산식에서 지분법적용 전 당기순이익은 내부거래미실현손익을 제거한 후의 당기순이익을 말한다.

$A' = A + 0.2B$

$B' = B + 0.2A$

$A' = $ 지분법적용 후 A사 당기순이익

$B' = $ 지분법적용 후 B사 당기순이익

$A = $ 지분법적용 전 A사 당기순이익

$B = $ 지분법적용 전 B사 당기순이익

이러한 회계처리는 상호 유의적 영향력을 보유하고 있는 경우뿐만 아니라 일방은 유의적 영향력, 일방은 공동지배력 등 상호 간 지분법을 적용하게 되는 기타 상황에서도 동일하게 적용될 것이다.

9) 재무제표 표시

① 투자자의 재무제표 및 별도재무제표

관계기업이나 공동기업을 보유하고 있는 투자자는 재무제표 작성시 지분법을 적용하여야 한다. 종속기업을 보유하고 있는 투자자의 경우에는 연결재무제표에서 관계기업이나 공동기업에 대하여 지분법을 적용하게 될 것이며, 종속기업을 보유하고 있지 않은 투자자의 경우에는 자체의 재무제표에서 지분법을 적용하게 될 것이다.

'지분법적용 배제 대상'에서 설명한 바와 같이 기준서 제1110호에 의하여 연결재무제표의 작성이 면제되거나, 기준서 제1028호의 예외에 해당하여 지분법 적용이 면제되는 경우에 투자자는 별도재무제표를 작성한다(별도재무제표의 작성은 기준서에서 강제하는 것은 아니며 해당 국가의 규정에 따라 상이할 수 있다). 별도재무제표에서는 관계기업이나 공동기업 투자에 대하여 원가법, 기준서 제1109호에 따른 방법 또는 지분법에 따라 회계처리하도록 규정하고 있다(기준서 제1027호 문단 10). 관계기업이나 공동기업으로부터 배당금을 수령한 경우 지분법을 사용하지 않는다면 배당금의 재원이 되는 관계기업 또는 공동기업의 이익이 취득 전 또는 취득 후에 발생하였는지의 여부에 관계없이 당기이익으로 인식한다.

② 재무상태표

지분법을 적용한 관계기업 및 공동기업 투자주식은 재무상태표상 비유동자산으로 분류하고 별도의 계정과목으로 표시한다(기준서 제1028호 문단 15). 앞에서 언급한 관계기업이나 공동기업 순투자에 해당하는 장기투자항목은 관계기업 및 공동기업 투자주식과는 별도의 항목으로 재무상태표에 표시한다. 다음은 관계기업투자와 관련한 재무상태표의 표시 사례이다.

	주석	2010	2011
자산			
비유동자산			
유형자산	10	14,075	13,100
영업권	11	12,039	11,285
기타 무형자산	11	10,331	9,534
관계기업 및 공동기업 투자주식	4	17,791	17,712
이연법인세자산	12	4,615	4,423
금융자산	13	2,635	1,072
기타 비유동자산		328	292
총비유동자산		61,814	57,418

주석 13. 금융자산 (발췌)

	2010	2011
장기대여금	1,047	890
관계기업에 대한 대여금	3	–
확정급여제도에 대한 선급비용	1,585	182
총금융자산	2,635	1,072

③ 포괄손익계산서

관계기업 및 공동기업의 당기순손익 중 투자자의 지분은 별도로 표시한다. 기준서 제1028호에서는 관계기업 및 공동기업의 당기순손익 중 투자자의 지분을 포괄손익계산서의 어느 위치에 표시하여야 하는지에 대한 구체적인 설명은 없으나 기준서 제1001호의 영업손익에 대한 개정(2012년) 및 이에 따른 '회계기준적용의견서 12 - 1'에서는 지분법적용투자주식에의 투자를 주된 영업으로 하지 않는 기업은 지분법손익을 영업손익에 포함하지 않도록 하고 있다.

관계기업 및 공동기업 투자지분에 대한 손상차손 및 처분손익의 인식에 대하여도 기준서 제1028호에서 별도로 규정하고 있는 바는 없다. 그러나 상기에서 언급한대로 한국채택국제회계기준 적용시는 '회계기준적용의견서 12 - 1' 및 기준서 제1001호 문단 한138.2에 따라 일반적으로는 영업외손익에 계상하게 될 것으로 예상된다.

다음은 관계기업투자와 관련한 손익계산서의 표시 사례이다.

	주석	2010	2011
수익	25	26,690	20,518
매출원가	23	(13,531)	(10,778)
판매비	23	(5,028)	(3,567)
관리비	23	(4,261)	(2,310)
기타영업수익	24	11	43
기타영업비용		(98)	(29)
영업이익		3,783	3,877
금융수익	25	572	1,328
금융비용	25	(875)	(340)
관계기업 당기순손익 중 투자자 지분	25	1,473	654
관계기업투자 손상차손	7	(214)	(279)
관계기업투자 처분이익	7	36	–
세전이익		4,775	5,240

관계기업 및 공동기업의 중단영업에 대한 투자자의 지분도 별도로 공시한다.

관계기업 및 공동기업의 기타포괄손익의 변동 중 투자자의 지분은 투자자의 기타포괄손익으로 인식한다.

10) 주석공시

투자기업은 다음의 사항을 주석으로 기재하여야 한다. 공동기업 및 관계기업에 대한 주석공시 사항은 기준서 제1112호 '타기업에 대한 지분의 공시'에서 규정하고 있다.

① 다음의 결정을 할 때 내린 유의적인 판단과 가정(그리고 그러한 판단과 가정에 대한 변동)
  - 약정에 대하여 공동지배력을 보유하거나 타 기업에 대하여 유의적인 영향력을 보유한다는 결정(예를 들어, 타 기업에 대한 의결권을 20% 이상 보유하더라도 유의적인 영향력이 없다는 결정 또는 타 기업에 대한 의결권을 20% 미만 보유하더라도 유의적인 영향력이 있다는 결정의 근거)
  - 약정이 별도 기구를 통하여 구조화된 경우, 공동약정의 유형(즉, 공동영업이나 공동기업)에 대한 결정
② 보고기업에 중요한 각 공동약정과 관계기업에 대한 다음 사항
  - 공동약정/관계기업의 명칭
  - 공동약정/관계기업과의 관계의 성격(예 : 공동약정이나 관계기업 활동의 성격에 대한 서술과 그 활동들이 기업의 활동에 전략적인지에 대한 서술)
  - 주된 사업장(그리고 이와 다른 경우 설립지의 국가명)
  - 소유지분율이나 참여지분율. 이와 다른 경우 보유한 의결권 지분율
  - 공동기업이나 관계기업 투자에 대해 지분법 또는 공정가치로 측정 여부
  - 지분법 적용시, 공표된 시가 있는 경우 공정가치
③ 보고기업에 중요한 각 공동기업과 관계기업에 대하여 다음의 정보
  - 공동기업이나 관계기업으로부터 수령한 배당금
  - 요약재무정보 : 유동/비유동자산, 유동/비유동부채, 수익, 계속영업손익, 세후중단영업손익, 기타포괄손익, 총포괄손익의 항목을 포함
  - 공동기업의 경우에는 상기의 요약 재무정보에 현금 및 현금성자산, 유동/비유동 금융부채(매입채무, 기타채무 및 충당부채 제외), 감가상각비와 상각비, 이자수익, 이자비용, 법인세비용의 정보를 추가로 공시
  - 표시된 요약재무정보 금액과 공동기업 및 관계기업의 장부금액으로의 조정내역
④ 개별적으로 중요하지 않은 경우 모든 공동기업이나 관계기업에 대하여 계속영업

손익, 세후중단영업손익, 기타포괄손익, 총포괄손익에 대한 지분총액을 공시(관계
기업과 공동기업은 구분하여 공시)

⑤ 현금 배당의 형식으로 기업에게 자금을 이전하거나, 기업에 대한 차입금이나 선수
금을 상환하거나 반환하는 공동기업이나 관계기업의 능력에 유의적인 제약(예 :
공동기업이나 관계기업에 대하여 공동지배력이나 유의적인 영향력을 보유하는 투
자자들 간의 차입 약정, 규제 요구사항 또는 계약상 약정)이 있는 경우 그 제약의
성격과 범위

⑥ 공동기업에 대한 지분에 관하여 보고기간종료일 현재 발생되었으나 인식되지 않
은 총 약정(공동기업의 공동지배력을 보유하는 다른 투자자와 공동으로 약정한 경
우 자신의 몫을 포함)

⑦ 기업회계기준서 제1037호 '충당부채, 우발부채 및 우발자산'에 따라, 손실의 발생
가능성이 희박하지 않다면, 공동기업이나 관계기업에 대한 지분과 관련하여 발생
한 우발부채(공동기업이나 관계기업에 대하여 공동지배력이나 유의적인 영향력을
보유하는 다른 투자자들과 공동으로 발생한 우발부채의 지분을 포함)를 다른 우발
부채 금액과 구분하여 공시

⑧ 지분법 적용 시 보고기업과 상이한 보고기간 종료일을 사용한 경우 i) 공동기업이
나 관계기업 재무제표의 보고기간종료일 및 ii) 다른 보고기간종료일이나 보고기
간을 사용한 이유

(3) 세무상 유의할 사항

1) 지분법손익 등

기준서 제1028호에서는 공동지배력이나 유의적인 영향력이 있는 투자주식의 경우에
는 주식의 시장성 유무에 불구하고 지분법을 적용하도록 하고 있으며, 이 때 발생하는
평가손익은 그 원천별로 구분하여 달리 회계처리를 하도록 하고 있다.

한국채택국제회계기준을 적용하여 연결재무제표를 작성하는 경우 지분법주식에 대한
지분법 적용에 따른 평가손익이 재무제표에 반영되므로 연결재무제표상의 이연법인세
인식목적상 이에 대한 세무조정이 필요할 것으로 판단된다.

① 피투자자의 순자산가액 변동이 당기순손익으로 인하여 발생한 경우

지분법주식의 증가액이 피투자자의 당기순이익에 기인하여 발생함에 따라 (차) 관계기
업투자 ××× (대) 지분법이익 ×××으로 회계 처리한 경우에는 세무상 이를 익금불산입(△
유보)한 후, 그 이후 사업연도에 동 지분법주식에 대하여 지분법 손실이 발생함에 따라

지분법주식의 가액이 감소될 때 또는 동 지분법주식의 처분시에 익금산입 (유보)한다.

피투자자의 당기순손실에서 기인하여 지분법주식의 가액이 감소되는 경우에는 위와 반대의 세무조정이 필요하다.

② 피투자자의 순자산가액 변동이 기타포괄손익의 증감으로 인하여 발생하는 경우

지분법주식의 증가액이 피투자자의 기타포괄손익의 증가에 기인하여 발생한 경우에는 (차) 관계기업투자 ××× (대) 기타포괄손익 ×××으로 회계처리하기 때문에 당해 연도의 손익에 미치는 영향은 없다. 따라서, 이 경우에는 세무상 지분법주식의 장부가액과 기타포괄손익의 장부가액을 조정하기 위한 세무조정이 필요하다. 즉, 지분법주식 과대계상분을 익금불산입(△유보)하고 기타포괄손익 과대계상분을 익금산입(기타) 후 이후 사업연도에 기타포괄손익의 감소에 기인하여 기타포괄손익과 상계시 또는 지분법주식의 처분시 반대로 손금불산입(유보), 손금산입(기타) 처분한다.

피투자자의 기타포괄손익의 감소에 기인하여 지분법주식의 가액이 감소하는 경우에는 위와 반대로 세무조정하면 된다.

2) 손상차손

한국채택국제회계기준에서는 지분법주식에 대한 지분적 적용 이후 잔여 투자지분 및 관계기업이나 공동기업에 대한 순투자자산에 대하여 추가적인 손상차손 인식 필요성을 검토하고, 그 손상징후가 있는 경우 손상차손을 인식하도록 되어 있다. 이와 관련하여 세무상 유의할 사항은 '유동자산 중 3. 당기손익인식금융자산'편에서 설명한 바 있으므로 이를 참조하기로 한다.

제6절　기타비유동비금융자산

1. 이연법인세자산

　이연법인세자산이란 자산·부채가 회수·상환되는 미래 기간의 과세소득을 감소시키는 효과를 가지는 일시적 차이(차감할 일시적 차이), 이월공제가 가능한 세무상 결손금 및 이월공제가 가능한 세액공제·소득공제 등으로 인하여 미래에 경감될 법인세부담액을 말한다. 기준서 제1001호 '재무제표의 표시' 문단 56에서는 기업이 재무상태표에 유동자산과 비유동자산, 그리고 유동부채와 비유동부채로 구분하여 표시하는 경우, 이연법인세자산(부채)은 유동자산(부채)으로 분류하지 않는 것으로 규정하고 있다. 따라서, 이연법인세자산(부채)은 12개월 이내에 결제 또는 회수되는지 여부에 무관하게 비유동으로 분류된다.

　이연법인세자산에 대한 자세한 내용은 '포괄손익계산서편 법인세비용'편을 참조하기 바란다.

2. 기 타

　장기선급비용, 장기선급금, 장기미수금 등은 보고기간종료일로부터 1년을 초과한 시점에 현금화할 수 있는 자산을 처리하는 계정과목으로서 구체적인 내용은 '제1장 유동자산'을 참고하기로 한다.

부채

Chapter 01 유동부채

유동부채의 일반사항

(1) 개 념

자산과 부채의 유동과 비유동 분류에 사용되는 기간기준은 1년 기준(one year rule)과 정상영업주기(normal operating cycle) 기준이 있다(기준서 제1001호 문단 69). 예를 들어, 유동부채(current liabilities)에는 보고기간 후 1년 이내에 결제되어야 하는 부채뿐만 아니라, 기업의 정상영업주기가 1년을 초과하는 경우에는 정상영업주기 내에 상환 등을 통하여 결제될 것이 예상되는 매입채무와 미지급비용 등이 포함된다. 계약 상대방의 선택에 따라 기업이 자신의 지분상품을 이전하여 부채를 결제할 수 있는 조건은 유동·비유동 분류에 영향을 미치지 않는다. 부채의 각 개별 항목이 보고기간 후 12개월 이내와 보고기간 후 12개월 후 결제될 것으로 기대되는 금액을 합산하여 표시하는 경우 12개월 후에 결제될 것으로 기대되는 금액을 주석으로 공시한다(기준서 제1001호 문단 61).

유동부채로 분류되는 기준에 관한 보다 자세한 내용은 '제2편 재무상태표'편 중 '제3장 재무상태표의 작성기준'의 '2. 유동과 비유동의 구분'을 참고한다.

(2) 유동부채의 구성

유동부채는 단기차입금, 매입채무, 당기법인세부채, 미지급비용, 미지급금, 계약부채, 예수금, 유동성장기부채, 선수수익 등으로 구성되어 있다. 한편, 기준서 제1001호에서는 재무상태표에 적어도 다음의 부채는 별도로 표시할 것으로 명시하고 있으며, 부채의 금액, 성격 및 시기에 따라 추가 항목을 구분하여 표시할지 여부를 판단하도록 하고 있다(기준서 제1001호 문단 54, 58).

① 매입채무 및 기타 채무
② 충당부채
③ 금융부채 (①과 ②는 제외)
④ 기준서 제1012호 '법인세'에서 정의된 당기 법인세와 관련한 부채와 자산
⑤ 기준서 제1012호에서 정의된 이연법인세부채 및 이연법인세자산
⑥ 기준서 제1105호에 따라 매각예정으로 분류된 처분자산집단에 포함된 부채

유동금융부채

1. 금융부채의 일반

(1) 금융부채의 정의

금융부채는 다음의 부채를 말한다(기준서 제1032호 문단 11).

다음 중 하나에 해당하는 계약상 의무
- 거래상대방에게 현금 등 금융자산을 인도하기로 한 계약상 의무
- 잠재적으로 불리한 조건으로 거래상대방과 금융자산이나 금융부채를 교환하기로 한 계약상 의무

자기지분상품으로 결제되거나 결제될 수 있는 다음 중 하나의 계약
- 인도할 자기지분상품의 수량이 변동 가능한 비파생상품
- 확정 수량의 자기지분상품에 대하여 확정 금액의 현금 등 금융자산을 교환하여 결제하는 방법이 아닌 방법으로 결제되거나 결제될 수 있는 파생상품. 이러한 목적상 기업이 같은 종류의 비파생 자기지분상품을 보유하고 있는 기존 소유주 모두에게 주식인수권, 옵션, 주식매입권을 지분비율에 비례하여 부여하는 경우, 어떤 통화로든 확정금액으로 확정수량의 자기지분상품을 취득하는 주식인수권, 옵션, 주식매입권은 지분상품이다. 또 이러한 목적상 자기지분상품에는 ① 지분상품으로 분류되는 풋가능 금융상품, ② 발행자가 청산하는 경우에만 거래상대방에게 지분비율에 따라 발행자 순자산을 인도해야 하는 의무를 부과하는 금융상품으로서 지분상품으로 분류되는 금융상품, 또는 ③ 자기지분상품을 미래에 수취하거나 인도하기 위한 계약인 금융상품은 포함되지 않는다.

금융부채에는 차입금, 사채뿐만 아니라 매입채무, 미지급금 등 금융부채의 정의를 충족하는 부채가 포함되나, 기준서 제1019호 '종업원급여'를 적용하는 종업원급여제도에 따른 사용자의 권리와 의무, 기준서 제1104호 '보험계약'에서 정의하는 보험계약, 임의배당요소가 있어 기준서 제1104호를 적용하는 금융상품, 기준서 제1102호 '주식기준보상'을 적용하는 주식기준보상거래에 따른 금융상품·계약·의무와 같이 기준서 제1032호 및 기준서 제1109호의 적용범위에서 제외되는 금융부채도 있다(기준서 제1032호 문단 4). 기준서 제1032호를 적용하여 금융부채로 분류된 경우 해당 금융부채는 기준서 제1109호를 적용하여 회계처리한다. 이번 절에서는 금융부채에 요구되는 회계처리를 살펴본다. 금융

부채로의 분류 및 금융부채와 자본의 정의에 대한 추가 설명은 '제2편 재무상태표편' 중 '자본'을 참고한다.

(2) 금융부채의 분류

모든 금융부채는 다음을 제외하고는 후속적으로 유효이자율법을 사용하여 상각후원 가로 측정되도록 분류한다(기준서 제1109호 문단 4.2.1).

- 당기손익 – 공정가치 측정 금융부채('부채'편 '제1장 유동부채' 중 '제2절 유동금융 부채' 참고)
- 금융자산의 양도가 제거 조건을 충족하지 못하거나 지속적 관여 접근법이 적용되 는 경우에 생기는 금융부채('자산'편 '제1장 유동자산' 중 '제1절 금융자산' 참고)
- 금융보증계약('부채'편 '제1장 유동부채' 중 '제2절 유동금융부채' 참고)
- 시장이자율보다 낮은 이자율로 대출하기로 한 약정('부채'편 '제1장 유동부채' 중 '제2절 유동금융부채' 참고)
- 기준서 제1103호를 적용하는 사업결합에서 취득자가 인식하는 조건부 대가. 이러 한 조건부 대가는 후속적으로 당기손익 – 공정가치로 측정한다.

다음 중 하나의 조건을 충족하는 금융부채는 당기손익 – 공정가치 측정 금융부채로 분류한다(기준서 제1109호 부록 A).

- 다음 중 하나에 해당하여 단기매매항목으로 분류된다(기준서 제1109호 부록 A).
    - 주로 단기간에 매각하거나 재매입할 목적으로 취득하거나 부담한다.
    - 최초인식시점에 공동으로 관리하는 특정 금융상품 포트폴리오의 일부로 운용 형 태가 단기적 이익 획득 목적이라는 증거가 있다.
    - 파생상품이다(다만 금융보증계약인 파생상품이나 위험회피수단으로 지정되고 위 험회피에 효과적인 파생상품은 제외한다).
- 다음 중 하나 이상을 충족하여 최초인식시점에 당기손익인식항목으로 지정한다.
    - 당기손익 – 공정가치 측정 항목으로 지정하면, 서로 다른 기준에 따라 자산이나 부채를 측정하거나 그에 따른 손익을 인식하여 생길 수 있는 인식이나 측정의 불일치('회계불일치'라 말하기도 한다)를 제거하거나 유의적으로 줄인다(기준서 제 1109호 문단 4.2.2).
    - 문서화된 위험관리전략이나 투자전략에 따라, 금융상품 집합(금융부채, 금융자산 과 금융부채의 조합으로 구성된 집합)을 공정가치 기준으로 관리하고 그 성과를 평가하며 그 정보를 이사회, 대표이사 등 주요 경영진(기준서 제1024호 '특수관계자

공시' 문단 9)에게 그러한 공정가치 기준에 근거하여 내부적으로 제공한다(기준서 제1109호 문단 4.2.2).

- 계약이 하나 이상의 내재파생상품을 포함하고 주계약이 기준서 제1109호의 적용범위에 포함되는 자산이 아닌 경우에는 복합계약 전체를 당기손익－공정가치 측정 항목으로 지정할 수 있다. 다만, ① 내재파생상품으로 인해 복합계약의 현금흐름이 유의적으로 변경되지 않는 경우나 ② 비슷한 복합상품을 고려할 때, 내재파생상품의 분리가 금지된 것을 별도로 상세하게 분석하지 않아도 명백하게 알 수 있는 경우는 제외한다(기준서 제1109호 문단 4.3.5).

• 금융상품의 전부나 일부의 신용위험(신용 익스포저)을 관리하기 위하여 당기손익－공정가치 측정 신용파생상품을 사용하는 경우로서 조건을 충족하여 최초인식시점 또는 후속적으로 당기손익－공정가치 측정 항목으로 지정한다(기준서 제1109호 문단 6.7.1).

단기매매금융부채의 예는 다음과 같다(기준서 제1109호 부록 A).

• 위험회피수단으로 회계처리하지 아니하는 파생상품부채

• 공매자(차입한 금융자산을 매도하고 아직 보유하고 있지 아니한 자)가 차입한 금융자산을 인도할 의무. 공매란, 기업이 소유하고 있지 않은 증권을 매도하는 거래이다. 해당 매도에 대한 의무를 이행하기 위해 미래 일자에 합의한 가격으로 증권을 구매할 의도를 가진다. 차입한 증권은 제3자에게 매도하지 않는 한 재무상태표 상에 인식되지 않는다. 제3자에게 매도한 경우에, 증권을 반환할 의무는 공정가치로 측정하여 단기매매항목으로 기록하고 이에 대한 손익은 손익계산서에 포함한다.

• 단기간 내에 재매입할 의도로 발행하는 금융부채(예 : 공정가치의 변동에 따라 발행자가 재매입할 수 있는 공시된 채무상품)

• 최근의 실제 운용형태가 단기적 이익획득 목적이라는 증거가 있고 공동으로 관리되는 특정 금융상품 포트폴리오를 구성하는 금융부채

부채가 단기매매활동의 자금조달에 사용된다는 사실만으로는 당해 부채를 단기매매금융부채로 분류할 수 없다(기준서 제1109호 부록 A).

금융상품을 당기손익인식항목으로 지정하는 것은 기업의 선택이다. 그러나 금융부채는 재분류하지 않는다는 점에 유의한다(기준서 제1109호 문단 4.4.2).

당기손익－공정가치 측정 항목으로 지정한 금융부채의 손익은 금융부채의 신용위험 변동에 따른 금융부채의 공정가치 변동은 기타포괄손익으로 표시하고, 해당 부채의 나

머지 공정가치 변동은 당기손익으로 표시한다(기준서 제1109호 문단 5.7.7). 다만 부채의 신용위험 변동 효과의 회계처리가 당기손익의 회계불일치를 일으키거나 확대하는 경우는 해당 부채의 모든 손익(해당 부채의 신용위험 변동 효과를 포함)을 당기손익으로 표시한다(기준서 제1109호 문단 5.7.8).

공정가치 측정에 대해서는 아래 '(3) 금융부채의 인식과 측정'에서 좀 더 상세하게 다룬다.

(3) 금융부채의 인식과 측정

1) 인식 및 최초측정

금융부채는 금융자산과 마찬가지로 금융상품의 계약당사자가 되는 때에만 재무상태표에 인식한다(기준서 제1109호 문단 3.1.1).

최초 인식 시 금융부채는 공정가치로 측정한다. 다만, 당기손익－공정가치 측정 금융부채가 아닌 경우 금융부채의 취득이나 발행과 직접 관련되는 거래원가는 최초 인식하는 공정가치에 가감하여 측정한다(기준서 제1109호 문단 5.1.1).

> **사례** 사채를 액면 발행하여 현금 ₩100,000을 수취하였다. 이 사채의 발행과 직접 관련되는 수수료는 ₩1,000원이었다. 동 사채는 당기손익－공정가치 측정 금융부채가 아니다.
>
> (차) 현금및현금성자산   99,000   (대) 사   채[*]   99,000
>
> [*] 실무적으로는 액면금액과 이자부분을 구분하기 위해 사채 100,000원과 사채할인발행차금 1,000원을 구분하여 회계처리할 수도 있다. 그러나 한국채택국제회계기준은 이러한 구분을 규정하고 있지 않으며, 재무상태표의 순장부금액으로 표시하게 될 금액은 99,000원이다.

2) 후속 측정

금융부채는 최초 인식 후에 그 분류에 따라 후속 측정한다(기준서 제1109호 문단 5.3.1).

① 상각후원가 측정 금융부채

상각후원가 측정 금융부채로 분류되는 조건은 위에서 다룬 '(2) 금융부채의 분류'를 참고한다. 상각후원가 측정 금융부채에서 상각후원가 측정의 자세한 설명은 '제2편 재무상태표편' 중 '금융자산'을 참고한다.

② 당기손익－공정가치 측정 금융부채

당기손익－공정가치 측정 금융부채로 분류되는 조건은 위에서 다룬 '(2) 금융부채의

분류'를 참고한다. 당기손익 – 공정가치 측정 금융부채에서 공정가치 측정의 자세한 설명은 아래 '3) 공정가치 측정'을 참고한다.

기준서 제1107호에서는 금융부채의 상기 두 가지 범주별 장부금액을 재무상태표에 표시하거나 주석에 공시할 것으로 요구하고 있다(기준서 제1107호 문단 8). 범주별 장부금액에 포함되지 않는 그 밖의 금융부채 분류로서 금융자산의 양도가 제거 요건을 충족하지 못하거나 지속적 관여 접근법이 적용되는 경우 생기는 금융부채는 '제2편 재무상태표편' '제1장 유동자산' 중 '제1절 금융자산'을 참고하고, 금융보증계약 및 시장이자율보다 낮은 이자율로 대출하기로 한 약정의 후속측정은 후술하는 유동금융부채의 계정별 회계처리를 참고한다.

한편 위험회피대상항목으로 지정한 금융부채에는 위험회피회계 요구사항[1]을 적용한다(기준서 제1109호 문단 5.3.2). 위험회피회계 요구사항에 대해서는 '제5편 특수회계편' 중 'Ⅰ. 파생상품회계'를 참고한다.

3) 공정가치 측정

① 부채 및 지분상품의 공정가치 측정

기준서 제1113호는 공정가치의 측정 및 공시를 규정하고 있다. 기준서 제1113호의 일반원칙에 대해서는 '금융자산'절을 참조하고 여기서는 부채와 지분상품에 대한 공정가치 측정원칙의 적용을 살펴보기로 한다.

기준서 제1113호 문단 34는 다음과 같이 규정하여, 부채의 공정가치가 결제될 때의 소멸가치가 아니라 이전가치라는 것을 명확히 하였다.

> ★
> **한국채택국제회계기준 제1113호【공정가치측정】**
> 34. 공정가치 측정은 측정일에 금융부채나 비금융부채 또는 자기지분상품(예 : 사업결합의 대가로 발행된 지분)이 시장참여자에게 이전되는 것을 가정한다. 부채나 자기지분상품의 이전은 다음을 가정한다.
> (1) 부채는 여전히 남아있으며 시장참여자인 인수자는 의무를 이행하여야 한다. 측정일에 부채는 거래상대방과 결제가 이루어지지 않으며 소멸되지도 않는다.
> (2) 자기지분상품은 여전히 남아있으며 시장참여자인 인수자는 지분상품과 관련된 권리와 책임을 인수한다. 측정일에 지분상품은 취소되거나 소멸되지 않는다.

---

1) 기준서 제1109호 문단 6.5.8~6.5.14(해당사항이 있다면, 이자율위험의 포트폴리오 위험회피에 대한 공정가치위험회피회계를 규정하는 기준서 제1039호 문단 89~94)에 따른 위험회피회계 요구사항을 적용한다.

② 다른 상대방이 자산으로 보유하는 부채 및 지분상품

자산과는 달리 부채와 자본의 이전에는 계약 및 법적 제약이 많기 때문에 부채와 자본의 관측가능한 활성시장은 존재할 가능성이 적다. 시장에서 거래되는 채무증권이나 지분증권의 경우에도 시장은 발행자의 입장이 아닌 거래상대방인 증권 보유자의 유출가격을 제공한다. 결과적으로 공시가격은 발행자 입장이 아닌 투자자 입장의 유출가격을 반영한다. 기준서 제1113호는 부채나 자기지분상품이 직접 거래되는 유출시장이 존재하는 경우와 그렇지 않은 경우를 구별하고 있다. 이전을 위한 공시가격을 이용할 수 없으나 다른 상대방이 동일한 항목을 자산으로 보유하고 있는 경우, 기업은 자산 보유자의 관점에서 공정가치를 측정한다(기준서 제1113호 문단 37).

이러한 경우에 부채나 자기지분상품의 공정가치는 다음과 같이 측정한다(기준서 제1113호 문단 38).

(1) 다른 상대방이 자산으로 보유하는 동일한 항목에 대한 활성시장의 공시가격(예 : 활성시장에서 공시되는 채무증권 가격)을 사용한다.

(2) 위의 (1)의 가격을 이용할 수 없다면, 다른 상대방이 자산으로 보유하는 동일한 항목에 대해 비활성시장의 공시가격과 같은 기타 관측가능한 투입변수(예 : 비활성시장에서 공시되는 채무증권 가격)를 사용한다.

(3) 위의 (1)과 (2)의 관측가능한 투입변수를 사용할 수 없다면, 다음과 같은 가치평가 기법

㉠ 이익접근법 – 이 접근법은 시장참여자가 부채나 지분상품을 자산으로 보유하면서 수취할 것으로 기대하는 미래현금흐름을 고려하는 현재가치기법을 사용한다.

㉡ 시장접근법 – 이 접근법에서 공정가치는 다른 상대방이 자산으로 보유하는 유사한 부채 또는 지분상품의 공시가격을 사용하여 결정된다.

③ 다른 상대방이 자산으로 보유하지 않는 부채

다른 상대방이 자산으로 보유하지 않는 부채도 일부 있다. 이러한 경우, 부채의 공정가치는 부채를 이전하는 시장참여자의 관점에서 측정되어야 할 것이다. 만약 부채에 대한 시장이 이용가능하지 않다면, 부채의 공정가치를 측정하기 위하여 가치평가기법의 사용이 요구된다(기준서 제1113호 문단 40).

④ 불이행위험

기준서 제1113호는 부채의 공정가치 측정에 불이행위험의 효과를 반영할 것을 요구하고 있다. 불이행위험은 기업이 의무를 이행하지 않을 위험으로서 신용위험과 그 밖의 위험을 포함한다(기준서 제1113호 부록 A). 이는 금융부채와 비금융부채에 모두 적용된다(기준

서 제1113호 문단 42).

기준서 제1113호에 따라 부채의 공정가치 측정에서 불이행위험은 부채를 시장참여자에게 이전하는 것으로 가정할 때에 부채 이전의 전·후에 동일한 것으로 가정한다(기준서 제1113호 문단 42).

공정가치에 반영된 불이행위험의 수준은 회계단위와 일관되어야 한다. 예를 들어, 제3자의 신용보강을 부채와 분리하여 회계처리하는 경우에는 부채의 공정가치 측정 시 신용보강의 효과를 포함하지 않는다(기준서 제1113호 문단 44).

> **사례**   액면이 ₩100,000이고 시장가치가 ₩95,000인 은행에 대한 채무를 생각해 보자. 이 사례의 목적상 시장이자율이 표면이자율과 동일하다고 가정하자. ₩5,000의 할인은 불이행위험에 대한 시장의 우려 때문이다.
>
> **결제가치**
> 예외적인 상황이 아니라면 은행이 시장 할인이나 신용위험의 조정을 반영하여 채무 금액을 할인해 주지 않을 것이므로 거래당사자(거래당사자 A)가 의무를 결제하기 위해 채무상품의 액면 총액을 지급하여야 할 것으로 예상할 수 있다. 따라서 결제가치는 이 채무상품의 액면 금액과 동일할 것이다.
>
> **이전가치**
> 이전가치를 계산하기 위해 거래당사자 A는 유사한 신용 특성을 가지고 회사의 채무상품과 실질적으로 동일한 계약조건에 자금을 조달하려고 하는 다른 당사자(거래당사자 B)와의 가상거래를 가정해야 한다. 거래당사자 A와 거래당사자 B의 신용 특성이 유사하므로 부채를 이전하는 것으로 가정할 때에 관련 부채의 불이행위험은 부채의 이전 전·후에 동일할 것이다. 거래당사자 B는 새로운 채무상품 계약을 은행과 체결하거나 거래당사자 A로부터 이미 존재하는 채무상품을 이전 거래로 인수하는 것을 선택할 수 있다. 이 거래에서, 거래당사자 B는 ₩95,000을 수취하고 새로운 채무상품을 발행하는 것과 이미 존재하는 채무상품을 인수하는 것이 무차별해야 한다. 따라서 이전가치는 결제금액보다 ₩5,000이 낮은 ₩95,000이 될 것이다.
>
> 기준서 제1113호의 규정을 준수하기 위해 보고기업은 부채의 이전을 가정하여 부채의 공정가치를 측정하는 접근법을 채택해야 한다. 위 사례에서 채무상품 A의 공정가치는 결제가치 ₩100,000이 아니라 이전가치 ₩95,000으로 측정한다.

⑤ 지분상품

기준서 제1113호의 원칙은 지분상품의 공정가치 측정(예 : 사업결합의 대가로 발행된 지분상품의 공정가치 측정)에도 동일하게 적용된다. 지분상품으로 분류된 금융상품의 공정가치 측정원칙은 부채의 공정가치 측정원칙과 일관된다. 지분상품을 자산으로 보유하는 시장참여자의 관점에서 자기지분상품의 공정가치를 측정한다. 지분상품을 다른 상대방이 자산으로 보유하지 않는 경우에는 시장참여자 관점에서 가치평가기법을 사용하여 지분상품의 공정가치를 측정한다.

(4) 금융부채의 제거

1) 금융부채의 소멸

금융부채(또는 금융부채의 일부)는 소멸한 경우(즉, 계약상 의무가 이행, 취소 또는 만료된 경우)에만 재무상태표에서 제거한다(기준서 제1109호 문단 3.3.1).

소멸하거나 제3자에게 양도한 금융부채(또는 금융부채의 일부)의 장부금액과 지급한 대가(양도한 비현금자산이나 부담한 부채를 포함)의 차액은 당기손익으로 인식한다(기준서 제1109호 문단 3.3.3).

금융부채의 일부를 재매입하는 경우, 금융부채의 장부금액은 계속 인식되는 부분과 제거되는 부분에 대해 재매입일 현재 각 부분의 상대적 공정가치를 기준으로 배분한다. 제거되는 부분에 배분된 금융부채의 장부금액과 제거되는 부분에 대하여 지급한 대가(양도한 비현금자산이나 부담한 부채를 포함)의 차액은 당기손익으로 인식한다(기준서 제1109호 문단 3.3.4).

2) 금융부채의 조건 변경

한편, 기존 차입자와 대여자가 실질적으로 다른 조건으로 채무상품을 교환하거나 기존 금융부채(또는 금융부채의 일부)의 조건이 실질적으로 변경된 경우에도 최초의 금융부채를 제거하고 새로운 금융부채를 인식한다(기준서 제1109호 문단 3.3.2). 이전의 기업회계기준과 현행 일반기업회계기준은 채무자의 재무적 어려움으로 인해 채무를 조정할 경우의 회계처리를 별도로 규정하고 있지만, 한국채택국제회계기준은 금융부채의 조건 변경 지침을 채무자의 재무적 어려움으로 인한 경우와 그렇지 아니한 경우 모두에 적용한다.

새로운 조건에 따른 현금흐름의 현재가치와 최초 금융부채의 잔여현금흐름의 현재가치의 차이가 적어도 10% 이상이라면, 계약조건이 실질적으로 달라진 것이다. 이때 새로운 조건에 따른 현금흐름에는 지급한 수수료에서 수취한 수수료를 차감한 수수료 순액이 포함되며, 현금흐름을 할인할 때에는 최초의 유효이자율을 사용한다. 지급한 수수료에서 수취한 수수료를 차감한 수수료 순액을 결정할 때, 차입자와 대여자 사이에서 지급하거나 수취한 수수료(상대방을 대신하여 지급하거나 수취한 수수료 포함)만 포함한다[2]. 채무상품의 교환이나 계약조건의 변경을 금융부채의 소멸로 회계처리한다면, 발생한 원가나 수수료는 금융부채의 소멸에 따른 손익의 일부로 인식한다. 채무상품의 교환이나 계약조건의 변경을 금융부채의 소멸로 회계처리하지 아니하면, 발생한 원가나 수수료는 부채의 장부금액에서 조정하며, 변경된 부채의 잔여기간에 상각한다(기준서 제1109호 문단 B3.3.6).

금융부채의 조건 변경이 실질적인 경우에는 기존의 금융부채를 제거하고 새로운 금융부채를 인식하며, 해당 금액의 차액에 관련 비용을 반영한 금액은 당기손익으로 인식한다. 이때 새로운 금융부채는 인식 시점의 공정가치로 계상되므로('(3) 금융부채의 인식과 측정' 참조), 인식 시점의 채무자 신용도를 반영한 할인율로 할인되어야 한다. 즉, 실질적인 조건 변경인지를 판단할 때는 현금흐름을 기존 금융부채의 최초 유효이자율로 할인하지만, 실질적인 조건 변경으로 인해 새로운 금융부채를 인식할 때는 조건 변경 시점의 이자율로 할인한다. 채무자의 재무적 어려움으로 인해 조건이 변경된 경우라면 조건 변경 시점의 이자율이 최초의 유효이자율보다 클 것이다. 따라서 이 경우 실질적인 조건 변경으로 새로운 부채를 인식한다면 원금 감면이나 기간 변경과 같은 현금흐름 변동으로 인한 채무조정이익뿐 아니라 이자율 변동으로 인한 채무조정이익도 인식하게 될 것이다.

사례　㈜용산은 20×0년 1월 1일에 연 이자율 9%, 만기 10년 조건으로 1,000,000원을 차입했고, 거래원가 100,000원 발생했다. 이 차입금에 대한 이자는 매년 후불로 지급된다. 20×5년에 ㈜용산은 채권자와 차입금 조건을 재협상하였다. 재협상에 따라 변경된 다음의 조건은 20×6년 1월 1일부터 유효하다. 차입자와 대여자 사이에서 30,000원의 원가가 재협상을 위해 발생했다. 조건변경 시점의 ㈜용산의 신용도를 반영할 할인율은 13%이다.

- 연 이자율은 7.5%로 후불
- 원금은 800,000원으로 감액
- 차입금 만기를 20Y1년 12월 31일까지로 2년 연장

조건변경 전 차입금의 최초 인식 시 유효이자율은 10.6749%였으며, 조건 변경 시 장부금액은 잔여 현금흐름의 현재가치인 947,674원이다.

변경된 조건에 따른 현금흐름을 기존 차입금의 최초 인식 시 유효이자율인 10.6749%로 할인한 현재가치는 785,591원이다.

---

2) 한국채택국제회계기준 2018-2020 연차개선에 따라 금융부채의 제거에 대한 10% 테스트에 포함되는 수수료의 범위를 명확히 하였다. 해당 개정내용은 2022년 1월 1일 이후 최초로 시작되는 회계연도부터 적용하되 조기 적용할 수도 있다.

날짜	현금흐름	현재가치	비고
20×6.1.1	30,000	30,000	수수료
20×6.12.31	75,000	67,766	변경된 이자
20×7.12.31	75,000	61,230	변경된 이자
20×8.12.31	75,000	55,324	변경된 이자
20×9.12.31	75,000	49,988	변경된 이자
20Y0.12.31	75,000	45,166	변경된 이자
20Y1.12.31	875,000	476,116	변경된 이자 + 변경된 원금
		785,591	합계

785,591원의 현재가치는 기존 금융부채의 잔여 현금흐름 현재가치의 82.9%이다. 현금흐름 현재가치의 차이가 162,083원(947,674 − 785,591)으로 잔여 현금흐름 현재가치의 10% 이상이다. 따라서 실질적으로 계약조건이 달라진 것으로 보아 기존 금융부채를 제거하고 새로운 금융부채를 인식한다.

새로운 금융부채를 인식할 때는 금융부채의 최초 측정에 대한 일반원칙을 적용하여 조건이 변경된 차입금의 공정가치로 계상하고 재산정 된 유효이자율을 사용하여 상각한다. 조건 변경 시점의 유효이자율인 13%로 계상된 상각표는 다음과 같다.

날짜	현금흐름	현재가치	비고
20×6.1.1	30,000	30,000	수수료
20×6.12.31	75,000	66,372	변경된 이자
20×7.12.31	75,000	58,736	변경된 이자
20×8.12.31	75,000	51,979	변경된 이자
20×9.12.31	75,000	45,999	변경된 이자
20Y0.12.31	75,000	40,707	변경된 이자
20Y1.12.31	875,000	420,279	변경된 이자 + 변경된 원금
		714,071	합계

㈜용산의 금융부채 조건변경 분개는 다음과 같다.

(차) 기 존 금 융 부 채	947,674	(대) 신 규 금 융 부 채	714,071
		현 금 및 현 금 성 자 산	30,000
		채 무 조 정 이 익	203,603

3) 지분상품에 의한 금융부채의 소멸

채무자와 채권자가 금융부채의 조건을 재협상하여 채무자가 채권자에게 지분상품을 발행하는 방법으로 금융부채의 전부 또는 일부를 소멸시킬 수 있다. 이러한 거래를 '출자전환'이라고도 한다. 해석서 제2119호 '지분상품에 의한 금융부채의 소멸'은 이러한 거래에서 채권자에게 발행한 지분상품은 금융부채의 전부 또는 일부를 소멸시키기 위하여 지급한 대가이며, 해당 지분상품을 최초에 인식할 때 그 공정가치를 신뢰성 있게 측정할 수 없는 경우가 아니라면 공정가치로 측정한다고 규정하고 있다. 발행된 지분상품의 공정가치를 신뢰성 있게 측정할 수 없다면 소멸된 금융부채의 공정가치를 반영하여 지분상품을 측정한다. 다만, 해석서 제2119호는 금융부채의 조건을 재협상한 경우에 적용하는 것이며, 전환사채의 전환처럼 이미 정해져 있던 조건에 따라 부채가 자본으로 전환되는 경우에는 이 해석서를 적용할 수 없다.

> **사례** ㈜용산은 20×0년 1월 1일에 연 액면이자율 9%, 만기 10년 조건으로 액면가 1,000,000원의 사채를 900,000원에 발행하였다. 이 사채의 이자는 매년 후불로 지급된다. 20×3년 말에 ㈜용산은 사채 보유자와의 재협상을 통해 주당 공정가치가 90,000원인 자사 주식을 10주 발행하여 동 사채를 중도에 상환하였다. 사채 소멸 시 사채의 장부금액은 928,473원이었다.
>
> ㈜용산은 이때 어떠한 회계처리를 해야 하는가?
>
> | | |
> |---|---:|
> | 소멸한 금융부채의 장부금액 | 928,473 |
> | 발행된 지분상품의 공정가치 | 900,000 |
> | 당기손익 인식 | 28,473 |
>
> (차) 사　　　　　채　928,473　(대) 자　　　　　본　900,000
> 　　　　　　　　　　　　　　　　　　사 채 상 환 이 익　28,473(당기손익)

(5) 세무회계상 유의할 사항

1) 금융부채의 공정가치 평가

법인세법은 제한적으로 열거하고 있는 자산 및 부채에 한하여 평가를 허용하고 있는 바, 화폐성 외화자산·부채나 일정한 파생상품 등 법인세법 시행령 제73조에서 규정하고 있는 일부 예외적인 경우를 제외하고는 자산 및 부채를 취득가액으로 인식하며 평가를 인정하지 않는다(법법 42조). 따라서, 화폐성 외화부채나 일정한 파생상품 이외의 금융부채를 기준서에 따라 공정가치로 회계처리할 경우(기준서 제1109호 문단 4.2.1)에는 세무조정이 필요하다.

한편, 화폐성 외화부채의 평가에 대한 세무해설은 제3편(Ⅱ) 제4장 중 '3. 외환차이'의 내용을, 파생상품의 평가에 대한 세무해설은 제5편(Ⅰ) 제3장 중 '6. 세무회계상 유의할 사항'의 내용을 참조하기 바란다.

2) 금융부채의 조건변경에 따른 채무조정이익

법인세법에서는 채무의 면제 또는 소멸로 인하여 생기는 부채의 감소액은 익금으로 규정하고 있으나(법령 11조 6호), 기업회계기준에 의한 채무의 재조정에 따라 채무의 장부가액과 현재가치의 차액을 채무면제익으로 계상한 채무법인은 이를 익금에 산입하지 아니한다(법기통 19의 2-19의 2…9). 즉, 법인세법상 현재가치할인차금은 채무의 임의평가로 보아 부인하여야 하므로, 원금감면 이외 이자율인하 또는 만기연장으로 발생하는 채무조정이익은 과세대상소득에 해당하지 않는다.

2. 단기차입금

단기차입금은 실무에서 당기에 조달한 차입금 중 보고기간종료일로부터 1년 이내에 상환되어야 하는 부채를 나타내기 위해 사용하는 계정으로서, 금융기관으로부터의 당좌차월액을 포함한다. 이하에서는 당좌차월액과 단기차입금으로 나누어 설명하기로 한다. 단기차입금은 일반적으로 단기매매항목이 아니므로 당기손익-공정가치 측정 금융부채로 지정하지 않는다면 상각후원가로 측정된다. 이하에서 상각후원가로 측정되는 경우의 회계처리도 살펴본다.

(1) 당좌차월

1) 개념 및 범위

예금의 인출은 예금 잔액의 범위 내에 한정되어 있다. 그러나 사전에 금융기관과 당좌차월 계약을 체결해 두면 일정기간, 일정금액까지는 예금 잔액이 부족한 경우에도 수표를 발행하여 지급할 수 있게 되는데, 이때 예금 잔액을 초과하는 인출 금액은 차입금의 성격으로 이를 당좌차월이라 한다.

당좌차월 계약을 체결하기 위해서는 일반적으로 근저당에 의한 담보를 제공하여야 한다. 근저당은 계속적인 거래관계로부터 발생하는 다수의 채권에 대하여 사전에 일정한 도액을 정해 놓고 그 범위 내에서 장래의 결산기에 확정되는 채권을 담보하려고 하는 저당권을 말한다.

2) 기업회계 상 회계처리

금융기관과 당좌를 개설하여 현금 등을 예입하였을 때에는 현금및현금성자산계정의 차변에 기재하고 수표를 발행하여 현금과 예금을 인출한 때에는 대변에 기재한다.

그런데 당좌예금의 잔액보다 많은 금액의 수표를 발행하여 당좌차월이 발생하게 된 경우 원칙적으로 당좌차월계정을 사용하여야 하지만, 실무적으로는 예입과 인출이 매우 빈번하게 발생하므로 잔액에 따라 계정을 달리 사용하는 데에 불편한 점이 있다. 따라서 당좌계정 또는 은행예금계정과 같은 단일 계정으로 회계처리하고 있기 때문에 차변 잔액일 때에는 당좌예금이 되며 대변 잔액일 때에는 당좌차월이 된다. 이러한 회계처리도 당좌예금과 당좌차월이 당좌거래 약정이라는 단일계약에 따라 발생하는 것이고, 당좌차월이 있을 때 예입을 하면 당좌차월을 우선 결제하는 것으로 보아 타당한 것으로 보인다.

① 당좌차월에 대한 회계처리 사례

가. 상품 ₩10,000을 매입하고 수표를 발행하여 대금을 지급하였다. 현재 당좌예금 잔액은 ₩3,000이고 당좌거래약정에 의한 당좌차월 한도액은 ₩20,000이다.

㉠ 당좌예금계정과 당좌차월계정으로 분리하는 경우

(차) 매　　　　　입　　10,000　　(대) 당 좌 예 금　　3,000
　　　　　　　　　　　　　　　　　　 당 좌 차 월　　7,000

㉡ 당좌계정에서 처리하는 경우

(차) 매　　　　　입　　10,000　　(대) 당 좌 계 정　　10,000

나. 상품 ₩30,000을 매출하고 그 대금을 수표로 받아 즉시 은행에 예입하였다.

㉠ 당좌예금계정과 당좌차월계정으로 분리하는 경우

(차) 당 좌 차 월　　7,000　　(대) 매　　　　　출　　30,000
　　 당 좌 예 금　　23,000

㉡ 당좌계정에서 처리하는 경우

(차) 당 좌 계 정　　30,000　　(대) 매　　　　　출　　30,000

이 밖에 당좌차월과 관련된 회계처리는 '제2편 재무상태표편' 중 '금융자산'에서 당좌예금 회계처리를 참고한다.

② 결산 시 유의할 사항

결산 시 당좌차월계정 회계처리에서 유의할 사항은 당좌예금과 유사하다.

첫째, 당좌예금과 당좌차월을 상계하지 않도록 한다.

예를 들어, (주)삼일이 A, B, C은행과 당좌거래를 하고 있는 경우 A은행에는 당좌예금이, B·C은행에는 당좌차월이 있는 경우 이를 상계하여 재무상태표에 표시할 수 없다. 이는 기준서 제1001호에서 한국채택국제회계기준에서 요구하거나 허용하지 않는한 자산과 부채는 상계하지 않도록 하고 있고(기준서 제1001호 문단 32), 서로 다른 은행과의 당좌거래에 따른 당좌예금과 당좌차월이 기준서 제1032호에서 규정하고 있는 금융자산과 금융부채의 상계요건을 충족하지 못할 것이기 때문이다(기준서 제1032호 문단 42).

둘째, 은행계정조정을 하여 회사의 당좌예금 잔액과 은행측 잔액이 일치하더라도 은행계정조정이 끝난 것은 아니며, 차이 내역을 조정한 것 중 회사측 잔액을 수정하여야 할 금액은 수정분개를 반영하여야 한다.

예를 들어, 회사측 잔액과 은행측 잔액의 은행계정조정 내역 중 회사측 잔액에 반영되지 않은 은행수수료 ₩100,000이 있다면 다음의 분개를 반영하여 회사측 잔액을 수정한다.

(차) 지 급 수 수 료   100,000   (대) (당좌)예금 또는 당좌차월   100,000

(2) 단기차입금

1) 개념 및 범위

① 개 념

기업이 필요한 운용자금 조달을 위하여 금전이나 어음 등을 차입하는 경우 보고기간후 12개월 이내에 결제하기로 되어 있거나 보고기간말 현재 보고기간 후 적어도 12개월 이상 부채의 결제를 연기할 수 있는 권리를 가지고 있지 않다면 유동부채로 분류할 것이다(기준서 제1001호 문단 69). 실무적으로는 당기에 조달한 차입금으로서 유동부채로 분류되는 차입금을 단기차입금계정으로 계상한다.

② 범위 및 표시

가. 차입금의 만기를 기준으로 한 범위 및 표시

단기차입금은 당기에 조달한 차입금으로서 보고기간 후 12개월 이내에 결제하기로 되어 있거나 보고기간말 현재 보고기간 후 적어도 12개월 이상 부채의 결제를 연기할 수 있는 권리를 가지고 있지 않는 차입금을 말한다(기준서 제1001호 문단 69). 즉, 재무상태표에서 차입금의 유동분류는 기준서 제1001호를 적용하여 판단하나 실무적으로는 유동분류 외에 차입금이 조달된 보고기간을 기준으로 장·단기차입금, 유동성장기부채의 계정 구분을 결정한다. 계약 시에는 장기차입금이었으나 기간이 경과함에 따라 상환기한이 1년 이내에 도래하는 차입금은 실무상 유동성장기차입금계정을 사용하여 단기차입금계정과 구분하여 관리한다.

한편, 차입금의 유동분류에서 보고기간말 현재 보고기간 후 적어도 12개월 이상 부채의 결제를 연기할 수 있는 권리를 가지는지 판단할 때에 다음을 참고한다.

㉠ 금융부채가 보고기간 후 12개월 이내에 결제일이 도래하는 경우에는 보고기간말과 재무제표 발행승인일 사이에 장기로 차환하는 약정 또는 지급기일을 장기로 재조정하는 약정이 체결된 경우에도 관련 부채를 유동부채(단기차입금 또는 유동성장기부채)로 분류하고 이를 기준서 제1010호 '보고기간후사건'에 따른 수정을 요하지 않는 사건으로 주석에 공시한다(기준서 제1001호 문단 76).

㉡ 보고기간말 이전 장기차입약정의 조건을 위반하는 경우에 대여자가 즉시 상환을 요구할 수 있는 채무는 보고기간 후 재무제표 발행승인일 전에 대여자가 약정위반을 이유로 상환을 요구하지 않기로 합의하더라도 유동부채로 분류한다. 이는 기업이 보고기간말 현재 그 시점으로부터 적어도 12개월 이상 결제를 연기할 수 있는 권리를 가지고 있지 않기 때문이다(기준서 제1001호 문단 74).

㉢ 그러나 대여자가 보고기간말 이전에 보고기간 후 적어도 12개월 이상의 유예기간을 주는 데 합의하여 그 유예기간 내에 기업이 위반사항을 해소할 수 있고, 또 그 유예기간 동안에는 대여자가 즉시 상환을 요구할 수 없다면 그 부채는 비유동부채로 분류한다(기준서 제1001호 문단 75).

이에 대한 보다 자세한 내용은 '제2편 재무상태표편' 중 '제3장 재무상태표의 작성기준'의 '2. 유동과 비유동의 구분'을 참고한다.

나. 차입금의 성격을 기준으로 한 범위 및 표시

한국채택국제회계기준에는 '차입금'에 대한 구체적인 정의가 없다. 실무적으로 단기차입금계정에 속하는 차입금에는 금전소비대차 계약에 따른 기업자금의 단기차입금과 어음차입금, 관계회사로부터의 차입금, 주주·임원·종업원으로부터의 차입금 등이 포함된다.

한편, 기준서 제1001호 '재무제표 표시'에서는 재무상태표에 '매입채무 및 기타 채무', '충당부채'와 그 밖의 '금융부채' 금액을 나타내는 항목을 표시하도록 요구하고 있으며 부채의 금액, 성격 및 시기를 고려하여 추가 항목을 구분하여 표시할지를 판단하도록 하고 있다(기준서 제1001호 문단 54, 58). 실무에서는 재무상태표에 차입금을 나타내는 추가 항목을 표시하는 것이 일반적이다.

2) 기업회계 상 처리

① 금융기관으로부터 단기차입하는 경우

기업이 금융기관으로부터 단기로 차입하는 거래의 유형은 일반적으로 어음차입과 차용증서에 따른 증서차입으로 나눌 수 있다. 어음차입의 경우 금융기관을 수취인으로 하고 차용인을 지급인으로 하는 약속어음을 발행하거나, 자기앞환어음을 발행하는 것이 일반적이다.

가. 어음차입을 하는 경우

어음차입은 무담보 또는 담보부로 이루어지는데 무담보로 어음차입을 하는 경우 자기앞환어음보다는 약속어음을 발행하는 경우가 많다. 보증부 어음차입에서는 어음표면에 정식으로 보증문구를 써넣고 기명날인하는 방법이 주로 쓰인다. 또 보증인을 수취인으로 하고 차입인을 지급인으로 하는 약속어음을 발행하고 보증인이 해당 약속어음을 대출금융기관에 배서양도하여 보증과 같은 효과가 생기도록 하는 방법도 있다.

어음을 발행 원인에 따라 구분하기도 한다. 지급어음은 상거래를 원인으로 하여 발행되는 어음으로 진성어음이라고도 한다. 이와 달리 금융어음(융통어음)은 단순히 타인에게 신용을 이용하게 할 목적으로 발행(또는 배서)되는 어음을 말한다. 단기차입어음은 현금을 차입하는 경우나 단기간 내에 대금을 지불할 조건으로 설비를 구입하는 경우와 같이 일상적인 상거래가 아닌 다른 특정 목적을 위해 발행하는 어음으로서, 일반적으로 상거래 지급어음을 제외한 모든 단기어음을 포함한다.

어음을 발행해 주고 차입하는 경우의 회계처리 사례는 다음과 같다.

사례 ① 용산은행으로부터 단기운영자금 ₩110,000을 차입하고 6개월 만기 약속어음을 발행하였다. 용산은행은 이자를 따로 지급하지 않는 대신 이자 해당분 ₩10,000을 차감한 ₩100,000을 지급하고 회사는 어음발행으로 조달된 ₩100,000을 당좌예입하였다. 동 단기차입금은 당기손익-공정가치 측정 금융부채가 아니다.

(차) 현금및현금성자산	100,000	(대) 단 기 차 입 금	110,000
이 자 비 용	10,000		

② 회사의 사업연도는 1월 1일~12월 31일이며, 10월 1일에 상기 약속어음을 발행하여 12월 31일 결산 시 선급이자 ₩5,000(10,000×3/6=5,000)이 발생하였다.

(차) 선 급 비 용	5,000	(대) 이 자 비 용	5,000

③ 익년 3월 31일에 만기가 되어 수표를 발행하여 ₩110,000을 상환하였다.

(차) 단 기 차 입 금	110,000	(대) 현금 및 현금성자산	110,000
이 자 비 용	5,000	선 급 비 용	5,000

당기손익-공정가치 측정 금융부채가 아닌 단기차입금은 유효이자율법을 적용한 상각후원가로 측정한다. 위의 회계처리 '②'는 기간 경과에 따른 이자비용을 인식하기 위해 결산 시 기간 미경과분에 대한 이자비용을 선급비용으로 대체한 것이다. 이때 이자

율 적용 시 유효이자율법을 적용하는 것이 원칙이나 [사례]의 경우는 기간이 짧아 중요하지 않다고 보아 기간에 비례하여 인식하였다.

이와 유사하게 보유한 어음을 금융기관에 할인하였으나 양도자산의 제거요건을 충족하지 않는다면 해당 어음을 계속 인식하고, 수취한 대가는 금융부채로 인식한다(기준서 제1109호 문단 3.2.15). 실무적으로는 관련 금융부채를 차입금계정(단기차입금 또는 장기차입금)으로 계상한다.

나. 증서차입을 하는 경우

증서차입은 차용증서에 따른 차입거래를 말한다.

적용되는 회계처리 원칙은 증서차입과 어음차입이 다르지 않다. 증서차입의 회계처리 사례는 다음과 같다.

사례 용산은행으로부터 금전소비대차 계약에 따라 ₩100,000을 차입하였다. 연 이자율 15%로 이자는 후급하는 조건이다. 회사의 사업연도는 1월 1일~12월 31일이며 차입일은 10월 1일이고 만기는 6개월 후이다.

① 10월 1일 차입 시 회계처리

(차) 현금및현금성자산	100,000	(대) 단 기 차 입 금	100,000

② 12월 31일 결산 시 회계처리

(차) 이 자 비 용	3,750*	(대) 미 지 급 비 용	3,750**

*₩100,000×15%×3/12 = ₩3,750

**이자를 후급하는 조건이므로 결산 시 미지급비용(이자)이 발생하였다.

③ 3월 31일 상환기일이 도래하여 이자 ₩7,500과 함께 차입금을 상환한 경우의 회계처리

(차) 단 기 차 입 금	10,000	(대) 현 금 및 현 금 성 자 산	107,500
미 지 급 비 용	3,750		
이 자 비 용	3,750		

---

② 은행신용(Banker's usance)과 공급자신용(Shipper's usance)

은행신용(Banker's usance) 또는 공급자신용(Shipper's usance) 방식의 연불조건수입 거래에서 구매자인 회사가 공급자에 지급하여야 할 매입대금을 은행이 공급자에게 먼저 지급한 이후에 회사가 은행에 관련 대금을 지급하기로 합의할 수 있다. 이러한 거래는 공급망 금융(supply chain financing arrangements) 또는 역팩토링(reverse factoring arrangement)으로 불리기도 한다.

역팩토링 대상이 되는 공급자에 대한 부채를 제거하는지를 판단하기 위해 기준서 제1109호의 금융부채 제거규정을 적용한다. 보다 자세한 내용은 위에서 다룬 '(4) 금융부

채의 제거'를 참고한다.

한편 제거 여부와는 별도로 역팩토링 관련 지급의무를 매입채무 및 기타채무, 기타 금융부채 또는 별개의 구분되는 항목으로 표시할지를 판단하기 위해 기준서 제1001호를 적용한다(기준서 제1001호 문단 54, 55, 57). 한국채택국제회계기준에는 '차입금'에 대한 구체적인 정의는 없으나 '매입채무'에 대해서는 기준서 제1037호 '충당부채, 우발부채, 우발자산'에서 '공급받은 재화나 제공받은 용역에 대하여, 청구서를 받았거나 공급자와 공식적으로 합의한 경우에 지급하여야 하는 부채'로 설명하고 있다(기준서 제1037호 문단 11). 2020년 12월 국제회계기준해석위원회의 안건결정에서는 금융부채가 ① 재화나 용역에 대한 부채를 나타내는지, ② 청구서를 받았거나 공급자와 공식적으로 합의하였는지, ③ 정상영업주기 내에서 사용되는 운전자본의 일부인지를 고려하여 매입채무로 표시한다고 언급하였다(기준서 제1001호 문단 70). 관련 부채가 매입채무와 유사한 성격과 기능을 갖는 경우에 '매입채무 및 기타채무'의 일부로 표시하고, 해당 부채의 규모, 성격, 기능을 고려할 때에 기업의 재무상태를 이해하는 데 목적적합한 정보를 제공하기 위해 필요한 경우에는 별도의 구분되는 항목으로 표시한다(기준서 제1001호 문단 29, 55, 57, 58). 역팩토링 관련 금융부채의 표시를 검토할 때 추가로 제공된 담보가 있는지, 또는 역팩토링 대상인 부채와 대상이 아닌 부채의 조건에 차이가 있는지 등을 고려할 수 있다.

(3) 결산 시 유의할 사항

① 단기차입금계정 중 보고기간종료일로부터 상환기일이 1년 이후에 도래하는 금액이 있는지, 장기차입금계정 중 상환기일이 1년 이내에 도래하는 금액은 없는지를 검토한다.

> 사례   장기차입금 중 ₩1,000,000,000은 상환기일이 보고기간종료일로부터 1년 이내에 도래한다.

(차) 장 기 차 입 금   1,000,000,000   (대) 유 동 성 장 기 부 채   1,000,000,000

② 외화 단기차입금에 대하여 외화환산손익을 계상한다.

외화환산손익에 대한 자세한 내용은 '제3편 포괄손익계산서편'을 참고한다.

> 사례   기능통화가 원화인 회사는 외화채무 $200,000이 있으며 부채의 장부금액은 ₩230,000,000이다. 보고기간종료일 현재 현물환율은 $1당 ₩1,200이다.

(차) 외 화 환 산 손 실   10,000,000   (대) 단 기 차 입 금   10,000,000

* ₩230,000,000 - ($200,000×1,200) = ₩10,000,000

③ 예금을 담보로 조달한 차입금의 경우 담보로 제공된 예금과 차입금이 기준서 제 1032호의 상계요건을 충족하지 않는다면 상계하지 않고 재무상태표에 이를 각각 표시한다.

(4) 세무회계 상 유의할 사항

1) 지급이자 손금불산입

법인세법상 지급이자는 원칙적으로 순자산을 감소시키는 손비에 해당하지만 기업의 재무구조개선 등의 목적으로 다음의 지급이자에 대해서는 예외적으로 손금불산입된다 (법법 28조 1항).

① 채권자가 불분명한 사채의 이자
② 지급받은 자가 불분명한 채권·증권의 이자·할인액 또는 차익
③ 건설자금에 충당한 차입금의 이자
④ 업무무관자산과 업무무관가지급금에 대한 지급이자

① 채권자가 불분명한 사채의 이자

채권자가 불분명한 사채의 이자라 함은 다음에 해당하는 차입금의 이자(알선수수료· 사례금 등 명목 여하에 불구하고 사채를 차입하고 지급하는 금품을 포함함)를 말한다. 다만, 거래일 현재 주민등록표에 의하여 그 거주사실 등이 확인된 채권자가 차입금을 변제받은 후 소재불명이 된 경우의 차입금에 대한 이자를 제외한다(법령 51조 1항).

㉠ 채권자의 주소 및 성명을 확인할 수 없는 차입금
㉡ 채권자의 능력 및 자산상태로 보아 금전을 대여한 것으로 인정할 수 없는 차입금
㉢ 채권자와의 금전거래사실 및 거래내용이 불분명한 차입금

이와 같은 채권자불분명사채이자에 대하여는 그 지급이자를 부인하여 손금불산입하고 그 소득귀속이 불분명하므로 대표자상여로 소득처분한다. 다만, 동 이자에 대한 원천징수세액 상당액은 기타사외유출로 처분한다(법기통 67-106…3).

② 지급받은 자가 불분명한 채권·증권의 이자·할인액

다음의 채권·증권의 이자·할인액 또는 차익을 당해 채권 또는 증권의 발행법인이 직접 지급하는 경우에 그 지급사실이 객관적으로 인정되지 아니하는 이자·할인액 또는 차익은 손금불산입한다(법법 28조 1항 2호). 이 경우 소득처분은 대표자상여로 하되, 이자에 대한 원천징수세액 상당액은 기타사외유출로 처분한다.

㉠ 국가나 지방자치단체가 발행한 채권 또는 증권의 이자와 할인액
㉡ 내국법인이 발행한 채권 또는 증권의 이자와 할인액

ⓒ 외국법인의 국내지점 또는 국내영업소에서 발행한 채권 또는 증권의 이자와 할인액

ⓔ 채권 또는 증권의 환매조건부 매매차익

한편, 위 ③ 건설자금에 충당한 차입금 이자는 제2편(Ⅱ) 중 자산편 제2장 제2절의 '12. 세무회계상 유의할 사항'을, ④ 업무무관자산과 업무무관가지급금에 대한 지급이자는 제2편(Ⅱ) 중 자산편 제1장 제1절 '4. 단기대여금'의 세무해설 및 제2편(Ⅱ) 중 자산편 제2장 제3절 '1. 투자부동산'의 세무해설을 각각 참고하기로 한다.

2) 부외(簿外)부채 및 관련 지급이자의 세무조정

① 부외부채액(부채누락액)

차입금은 당연히 장부에 계상하여야 하는 것이나 법인이 장부에 계상하지 아니한 부채가 있는 경우 그에 대응하는 자산의 귀속에 따라 처리하여야 한다. 대응자산이 불분명한 경우에는 대차평균의 원리에 따라 대응하는 자산의 누락 및 임의포기로 보아 동액을 익금에 산입하고 대표자상여로 처분함과 동시에 동액을 손금에 산입하고 △유보로 처분한다.

그러나 대응자산의 귀속자가 따로 있는 경우에는 익금산입액을 그 귀속자에 따라 배당 등으로 처분함과 동시에 동액을 손금에 산입하고 △유보로 처분한다. 다만, 대응자산을 특정인이 유용하고 있고 회수할 것임이 객관적으로 입증되는 경우에는 이를 동인에 대한 가지급금 등으로 보아 부외부채액을 익금과 손금에 각각 산입하여 유보와 △유보로 처분함과 동시에 가지급금 인정이자 상당액은 익금에 산입하고 동인에 대한 배당 등으로 처분하여야 할 것이다. 한편, 부외부채와 관련된 유보액 및 △유보액은 법인이 장부에 계상하는 바에 따라 처리한다.

② 부외부채 관련 이자비용

법인이 부채는 장부에 계상하지 아니하였으나 이자비용은 장부상에 비용으로 계상하는 경우가 있다. 이 때에도 관련 증빙에 의하여 당해 차입금이 실제로 회사의 업무에 사용되었음이 입증되는 경우에는 손금으로 계상할 수 있다. 따라서 금융자료 등의 증빙을 갖추어 두어야 한다.

3) 타인명의의 차입금

차입금의 명의인과 실질적인 차용인이 다른 경우에는 실질적인 차용인의 차입금으로 하는 것인 바(법기통 4-0…8), 차입금의 명의가 타인으로 되어 있는 경우에도 그 차입금이

법인의 장부에 계상되어 있고 실질적으로 당해 법인의 사업에 사용되었음이 확인되는 경우에는 법인의 차입금으로 간주하도록 하고 있으므로 이자비용 역시 손금산입이 가능하다. 그러나 법인은 실질적으로 법인의 사업에 사용되었는지 확인할 수 있는 증빙을 갖추어야 할 것이다.

3. 매입채무

기준서 제1037호 '충당부채, 우발부채, 우발자산'에서는 '매입채무'를 '공급받은 재화나 제공받은 용역에 대하여, 청구서를 받았거나 공급자와 공식적으로 합의한 경우에 지급하여야 하는 부채'로 설명하고 있다(기준서 제1037호 문단 11). 실무에서 매입채무는 통상적인 상거래에서 발생한 외상매입금과 지급어음으로서, 보고기간종료일로부터 1년 이내에 결제하기로 되어 있거나 정상영업주기 이내에 결제될 것으로 예상되는 부채이다. 보고기간종료일로부터 적어도 1년 이상 부채의 결제를 연기할 수 있는 권리를 가지거나 정상영업주기를 초과하여 결제될 것으로 예상하는 부채는 장기매입채무(비유동부채)로 분류한다(기준서 제1001호 문단 69).

이하에서는 매입채무를 외상매입금과 지급어음으로 구분하여 설명하기로 한다.

(1) 외상매입금

1) 개념 및 범위

외상매입금(accounts payable)은 통상적인 상거래에서 재화나 용역을 구입하고 그 대금을 구입시점 이후에 결제하기로 약정함으로써 발생하는 유동부채를 나타내기 위해 실무에서 사용하는 계정이다. 여기서 통상적인 상거래는 당해 기업의 사업목적을 위한 주된 영업활동에서 발생하는 거래를 포함한다. 설비구입대금 등 통상적인 상거래 외의 거래에서 발생하는 부채는 미지급금계정으로 계상하여 외상매입금계정과 구분하는 것이 일반적이다.

2) 기업회계 상 회계처리

① 외상매입금계정의 설정

외상매입금 회계처리에서 매입처의 수가 극히 적을 때에는 총계정원장에 매입처의 인명을 붙인 이른 바 인명계정을 사용하여 처리하는 방법을 택할 수도 있다. 그러나 매입처의 수가 많을 때에는 외상매입금계정을 통제계정으로 하고 별도로 보조장부로서 매입처원장을 사용하는 것이 바람직하다.

② 외상매입금의 인식 회계처리

상품 등을 외상매입하는 경우 외상매입금 계정의 대변에 처리한다.

사례 갑회사는 을회사로부터 상품 ₩2,000,000을 외상매입하였다.

(차) 매　　　　　　　입　　2,000,000　　(대) 외 상 매 입 금　　2,000,000

금융부채는 계약당사자가 되는 때에 인식하는데, 언제 계약당사자가 되는지가 문제이다. 재화나 용역을 매입하거나 매도하는 확정계약에 따라 취득하는 자산과 부담하는 부채는 일반적으로 당사자 중 적어도 어느 한쪽이 계약을 이행할 때 비로소 인식한다(기준서 제1109호 문단 B3.1.2). 예를 들면 확정주문을 받은 기업은 계약시점에는 일반적으로 자산을 인식하지 아니하며(주문한 기업도 부채를 인식하지 아니하며), 주문한 재화를 선적하거나 인도할 때 또는 용역을 제공할 때 비로소 인식한다.[3]

아래와 같이 판매자가 상품을 출고하는 때로부터 매입자의 검수가 완료되어 입고될 때까지는 여러 단계를 거치게 되는데, 매입자의 입장에서 어느 시점에 외상매입금으로 인식할 것인가 하는 인식기준을 검토한다.

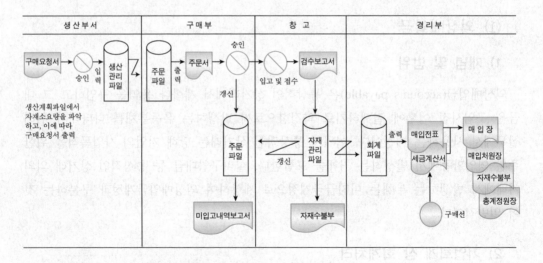

위와 같은 거래에서는 일반적으로 계약당사자 중 한 쪽인 판매자가 재화를 공급하여 계약을 이행하는 시점에서 외상매입금을 인식하며 이 시점은 검수완료시점(검수서에 압인 즉, 도장이 찍힌 검수일자)일 수 있다.

---

3) 비금융항목을 매입하거나 매도하는 확정계약이 기준서 제1109호의 적용범위에 포함된다면, 계약일에 계약의 순공정가치를 자산이나 부채로 인식한다(기준서 제1109호 문단 B4.1.30(3)). 또 미인식 확정계약을 공정가치위험회피의 위험회피대상항목으로 지정하면 회피대상위험에 따른 순공정가치의 변동은 위험회피의 개시 후에 자산이나 부채로 인식한다(기준서 제1109호 문단 6.5.8(2), 6.5.9).

검수 이전이라도 운송화물을 대표하는 대표증권(화물상환증 또는 선화증권 등)의 수수나 화환어음[4]의 인수 등에 따라 판매자가 매입자에게 재화의 소유권을 이전하여 계약을 이행하고 관련 지급채무가 확정되어 매입자가 대금지급의무를 부담하게 된다면 상품 자체는 아직 운송 중인 미착상품이라도 외상매입금을 인식한다.

③ 외상매입금의 제거 회계처리

외상매입금은 금융부채이므로 소멸하거나 실질적으로 조건이 변경한 때에만 재무상태표에서 제거한다.

가. 외상매입금 지급 회계처리

외상매입금은 보통 매월 일정한 날짜에 매입처로부터 청구서를 받아 청구서 금액을 외상매입금 계상액과 대조·검증 후 일정한 지급일에 당좌수표나 약속어음의 발행, 받을어음의 배서양도, 당좌이체, 외상매출금과의 상계 등의 방법으로 결제하게 된다.

이와 같이 외상매입금을 결제하는 경우에는 외상매입금계정의 차변에 그 지급액을 기입한다.

한편 회사는 받을어음을 배서로 양도하여 외상매입금을 지급할 수도 있으나 해당 거래가 금융자산의 제거 조건을 충족하지 못하는 경우에는 외상매입금에 대한 담보제공으로 처리한다.

> **사례** 갑회사에 대한 외상매입금 ₩1,500,000 중 ₩500,000은 현금으로, ₩1,000,000은 약속어음을 발행하여 지급하였다. 회사는 관리목적 상 외상매입금계정과 매입채무로 표시되는 지급어음계정을 구분하여 사용하는 것으로 가정한다.
>
> (차) 매입채무(외상매입금)　　1,500,000　　(대) 매입채무(지급어음)　　1,000,000
> 　　　　　　　　　　　　　　　　　　　　　　현 금 및 현 금 성 자 산　　500,000

나. 외상매입금의 결제절차

일반적으로 외상매입대금의 결제 시기나 방법 등은 거래처와의 합의에 따르는 경우가 대부분이며, 이러한 대금지급절차는 다음과 같다.

---

4) 화환어음은 외국과의 무역에서 주로 쓰이는 것으로서 환어음에 선적서류(예컨대, 선화증권, 송장, 보험증권 등)가 첨부되어 있는 상태의 어음을 말한다.

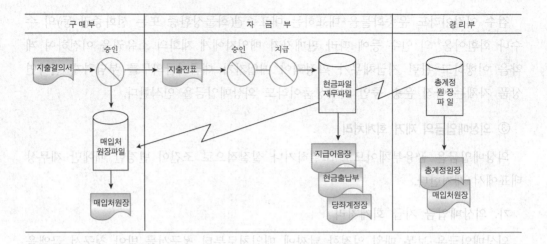

외상매입금의 지급은 거래처로부터 대금지급청구서를 받은 때에 그 청구액을 매입처원장에 계상된 금액과 대조하여 지급하는 것이 보통이다. 그러나 담당자의 부주의나 매입처원장의 기장 지연으로 청구서와 대조할 수 없다면 검수보고서와 청구서를 대조하여 그 금액이 일치되는 부분에 대해서만 지급하는 경우가 있다. 이 경우 에누리액 등을 공제하지 아니하고 지급함으로써 초과 지급할 가능성이 있다. 따라서 대금지급 시 다음과 같은 사항들을 확인하여야 한다.

㉮ 충당할 선급금이 있는가

㉯ 중도금이 있는가

㉰ 리베이트(sales rebate) 또는 대체 지급한 운임 등을 공제할 금액이 있는가

㉱ 환출품, 매입에누리 등과 같은 공제대상이 있는가

㉲ 외상매출금 또는 대여금 등과 상계할 금액이 있는가

다. 외상매입금 잔액 관리

매입처별로 외상매입금의 내용을 명확히 확인하고 그 잔액을 파악하기 위하여 매입처원장을 사용한다. 그러나 담당자의 오류나 부정으로 인한 외상매입금의 과다계상액 또는 과소계상액은 이를 매입처에 조회하지 않으면 발견하기 어렵다. 정기적으로 매입처 잔액과 장부상의 잔액을 대조하여 보는 한편 다음과 같은 계정계좌에 관하여는 특히 유의하여야 한다.

㉮ 계속 거래가 있었던 거래처이나 특정 달에는 계상이나 결제가 전혀 없는 계좌

㉯ 특정 달에 특별히 거래가 많거나 적은 계좌

㉰ 잔액 변동이 없는 계좌

㉱ 새로운 외상매입금이 결제되었으나 이전 채무는 그대로 남아 있는 계좌

㉲ 외상매입금의 발생과 결제의 기간 간격이 너무 긴 계좌

ⓑ 청구시기가 일정하지 않은 계좌

ⓢ 에누리 및 반품의 건수나 금액이 지나치게 많은 계좌

(2) 지급어음

1) 개념 및 범위

지급어음이란 매입처와의 통상적인 상거래에서 발생한 어음채무 즉, 상품매입대금이나 외상매입금에 대한 약속어음을 발행한 경우나 환어음을 인수하거나 자기앞환어음을 발행한 경우의 어음채무를 말한다. 실무에서는 통상적인 상거래 외에 비유동자산이나 유가증권의 매입에 따라 부담하는 부채는 미지급금계정으로 계상하고 금융기관으로부터의 차입을 위해 발행하는 어음은 단기차입금계정으로 계상하여 계정을 구분하여 처리하는 것이 일반적이다. 자금융통목적으로 발행된 금융어음은 어음으로서의 요건을 구비하고 있는 한 법률상으로는 독립된 어음채무지만 그 원인관계인 채권·채무가 아직 발생하지 않아 계약당사자가 되지 않은 상태라면 이를 재무상태표에 계상하지 않는다.

2) 기업회계 상 회계처리

다음의 회계처리 사례에서는 회사가 관리목적 상 외상매입금계정과 매입채무로 표시되는 지급어음계정을 구분하여 사용한다고 가정한다. 어음발행 시점에서 기존 외상매입금계정의 금융부채를 제거하고 지급어음계정의 금융부채를 인식하여 금융부채의 제거에 따른 당기손익을 인식하여야 하는지는 별도로 검토되어야 한다(기준서 제1109호 문단 3.3.3).

① 지급어음의 인식

가. 어음발행 및 인수 회계처리

외상매입채무에 대하여 약속어음을 발행하였을 때에는 그 어음금액을 지급어음계정의 대변에 기입한다.

(차) 매입채무(외상매입금)　　　×××　　　(대) 매입채무(지급어음)　　　×××

나. 통상적인 상거래가 아닌 거래에서의 지급어음 회계처리

유형자산이나 유가증권을 구입하고 약속어음을 발행하여 주는 경우 미지급금계정으로 표시한다. 즉, 유형자산 등을 구입하고 그 대금지급을 위하여 어음을 발행하여 교부한 경우에는 다음과 같이 회계처리한다.

(차) 토　　　　　　지　　　×××　　　(대) 미지급금(지급어음)　　　×××

② 지급어음의 제거

가. 지급어음 결제 시 회계처리

지급어음의 만기일이 도래하여 어음소지인이 지급은행에 어음금액의 지급을 청구하는 경우 그 어음금액은 지급은행에 예입되어 있는 당좌예금에서 이체하여 결제되는 것이 보통이다. 이때의 회계처리는 다음과 같다.

(차) 지 급 어 음	×××	(대) 현금 및 현금성자산	×××
		(당 좌 예 금)	

어음이 지급제시기간 내에 결제되지 않더라도 어음채무는 소멸시효가 완성될 때까지 소멸되지 않으므로 제거하지 않는다.

나. 어음개서한 경우의 회계처리

회사의 자금사정으로 어음소지인과 협의하여 어음의 지급기일을 연장할 수 있다. 이 경우 종전 발행된 어음을 회수하고 새로 어음을 교부하면서 기간연장에 따른 이자를 지급하는 것이 보통이다.

> **사례** (주)삼일은 만기일이 도래한 약속어음 ₩2,000,000의 지급기일을 2개월간 연장하기로 합의하고 새로 어음을 발행·교부하면서 2개월간의 이자 ₩57,000을 현금지급하였다. 해당 어음 교환은 실질적인 조건의 변경이 아니다. 회사는 관리목적 상 금융부채의 제거요건을 충족하지 않는 경우에도 조건변경 전 지급어음계정과 조건변경 후 지급어음계정을 구분하여 사용하는 것으로 가정한다.

(차) 지 급 어 음	2,000,000	(대) 지 급 어 음	2,000,000
(조 건 변 경 전)		(조 건 변 경 후)	
현 재 가 치 할 인 차 금	57,000	현금 및 현금성자산	57,000

③ 기타의 경우

가. 견질어음의 회계처리

건설공사의 경우 도급업자가 당해 공사발주자에 대하여 계약기간 내에 공사를 완료하지 못할 경우에 부담할 손해배상금을 담보하기 위하여 미리 어음을 기탁하는 경우가 있다. 이와 같이 장차 발생가능성이 있는 채무의 이행을 담보하기 위하여 어음을 발행하여 교부하는 경우 그 계약상 의무가 실제로 발생하지 않는다면 어음 발행에 따른 금융부채가 발생하지 않는다.

나. 어음에 대한 보증제공 회계처리

어음발행에 대한 보증에서 보증을 제공한 회사는 주채무자인 어음 발행회사가 채무를 이행하지 아니한 경우 어음보유자가 입은 손실을 보상하기 위해 특정 금액을 지급해야 하는 의무를 부담하므로 어음에 대한 보증제공은 금융보증계약의 정의를 충족할 수도 있다(기준서 제1109호 부록 A). 금융보증계약의 회계처리는 아래 '8. 금융보증계약'을 참고한다.

4. 미지급비용

(1) 개념 및 범위

기준서 제1037호 '충당부채, 우발부채, 우발자산'에서는 '미지급비용'을 '공급받은 재화나 제공받은 용역에 대하여, 아직 그 대가를 지급하지 않았거나 청구서를 받지 않았거나 공급자와 공식적으로 합의하지 않은 경우에 지급하여야 하는 부채(미지급유급휴가비용처럼 종업원에게 지급할 의무가 있는 금액 포함)'로 설명하고 있다(기준서 제1037호 문단 11). 미지급비용도 지급하는 시기나 금액의 추정이 필요한 경우가 있지만 일반적으로 충당부채보다는 불확실성이 훨씬 작다는 면에서 충당부채와 구분된다. 기준서 제1001호 '재무제표 표시'에 따라 충당부채는 별도로 보고하지만 미지급비용은 '매입채무와 기타 채무'의 일부로 보고하기도 한다(기준서 제1001호 문단 54).

미지급비용계정은 일반적으로 당기 이전에 비용이 발생하였으나 아직 지급되지 않은 계약상 지급의무를 나타내기 위해 사용하는 계정이다. 예를 들어, 당기에 발생하였으나 계약상의 지급기일이 도래하지 않아 지급되지 않은 이자, 임차료, 임금 등은 미지급비용에 속한다. 그러나 미지급된 이자, 임차료, 임금 등이라도 지급기일이 이미 경과한 경우에는 미지급비용계정이 아니라 미지급금계정으로 계정을 재분류하여 관리하기도 한다.

미지급비용은 이연계정으로서 기간손익계산과 밀접한 관계가 있는 부채이다. 예를 들어 기준서 제1109호 '금융상품'의 적용범위에 해당하는 금융부채의 상각후원가 측정에서 유효이자율법 사용에 따라 이자비용에 대해 미지급비용계정을 사용할 수 있다(기준서 제1109호 문단 4.2.1, 부록 B). 기준서 제1116호 '리스'의 적용범위에 해당하는 리스거래에서 리스이용자가 단기리스나 소액 기초자산 리스에 대하여 사용권자산 및 리스부채를 인식하지 않기로 선택한 경우 관련되는 리스료를 리스기간에 걸쳐 정액 기준이나 다른 체계적인 기준에 따라 비용으로 인식하면서 임차료에 대해 미지급비용계정을 사용할 수 있다(기준서 제1116호 문단 6). 기준서 제1019호 '종업원 급여'의 적용범위에 해당하는 단기종업원급여를 종업원이 회계기간에 근무용역을 제공할 때 그 대가로 지급이 예상되는 할인하지 않은 금액으로 인식하면서 급여에 대해 미지급비용계정을 사용할 수 있다(기준서 제1019호 문단 11).

위에서 보듯 미지급비용은 다양한 거래에서 인식될 수 있는 포괄계정이다. 미지급비용은 기말 결산항목으로 반영하는 것이 일반적이다.

(2) 기업회계 상 회계처리

회사는 관리목적 상 당기 이전에 발생한 비용으로서 아직 지급기일이 도래하지 않아 지급되지 않은 비용은 미지급비용계정을 사용하고 이후 지급기일이 도래하였으나 아직 지급되지 않은 비용은 미지급금계정으로 계정을 재분류하여 관리하기도 한다.

일반적으로 미지급비용은 결산조정항목이다. 결산과정에서 모든 비용항목을 검토하여 다음과 같이 미지급비용에 해당하는 금액을 회계처리한다.

(차) 관련비용항목(계정과목)   ×××   (대) 미 지 급 비 용   ×××

미지급비용은 그 금액이 대개 소액이며 그 거래 내용도 복잡하지 않은 것이 보통이므로 이를 재무상태표에 표시할 때에는 '매입채무 및 기타 채무'로 통합하여 표시하는 것이 일반적이나 부채의 금액, 성격 및 시기를 고려하여 재무상태표에 추가 항목으로 표시할지를 판단하여야 한다(기준서 제1001호 문단 54, 58). 재무상태표에서의 표시와 달리 관리목적 상 각 개별비용의 미지급비용계정을 구체적인 항목별로 나누어 처리하는 것이 편리한 경우도 있다. 예를 들어 일반적인 미지급비용계정과 구별되는 미지급이자비용계정이나 미지급보험료계정과 같은 개별계정을 사용한다.

① 미지급이자

가. 개 념

상각후원가로 측정하는 금융부채는 유효이자율법에 따라 상각후원가를 계산하고 관련 기간에 이자비용을 당기손익으로 배분하여 인식한다(기준서 제1109호 부록 A). 유효이자율법에 따라 관련 기간에 이자비용을 배분하여 인식하면서 해당 기간의 현금지급액과의 차액은 이연계정으로 회계처리한다. 미지급이자계정은 유효이자율법에 따라 특정 회계기간에 인식하는 이자비용 중 월말 또는 결산기말 현재로 지급되지 않은 경우 사용하는 이연계정이다. 한국채택국제회계기준에서는 미지급이자를 원본계정과 구분할지를 규정하고 있지 않으므로 해당 금액을 원본 금융부채에 가감하여 관리할 수도 있다.

나. 회계처리방법

미지급이자의 계상은 기말결산조정항목으로 전기 기말 결산시에 그 금액을 미지급이자계정의 대변금액으로 인식하고 당기 기초에 해당 금액에 대한 재수정분개를 하거나 재수정분개를 생략하고 실제로 이자를 지급하는 시점에서 미지급이자의 차변에 기입하는 회계처리를 하게 된다.

다. 회계처리사례

다음 자료를 참고로 하여 [기초에 재수정분개를 하는 방법]과 [이자지급 시에 회계처리하는 방법]으로 나누어 분개를 예시하라.

1) 사업연도 : 20×7년 1월 1일~20×7년 12월 31일
2) 차입금액 : ₩20,000,000(20×3년 2월 1일 차입)
3) 이 율 : 연 12%
4) 이자계산기간 : 매년 2월 1일부터 1월 31일까지
5) 이자지급일 : 매년 1월 31일

이 사례에서는 20×6년 12월 31일의 결산 시에 2월 1일부터 12월 31일까지의 11개월간의 미지급이자 ₩2,200,000이 인식되었으며, 이 금액은 당기 초에 미지급이자계정의 대변금액으로 남아있다.

〈분 개〉

[기초에 재수정분개하는 방법]

㉠ 20×7년 1월 1일(재수정분개)

　　(차) 미 지 급 이 자　　2,200,000　　(대) 이　자　비　용　　2,200,000

　* ₩20,000,000×12%×11/12 = ₩2,200,000(11개월분 미지급이자)

㉡ 20×7년 1월 31일(이자지급)

　　(차) 이　자　비　용　　2,400,000　　(대) 현금 및 현금성자산　　2,400,000

　* ₩20,000,000×12% = ₩2,400,000(이는 전기이월의 미지급이자 ₩2,200,000과 당기의 1월분이자 ₩200,000을 합한 금액이다)

㉢ 20×7년 12월 31일(결산)

　　(차) 이　자　비　용　　2,200,000　　(대) 미 지 급 이 자　　2,200,000[*]

　(*) 재무상태표에는 미지급이자를 해당 차입금에 가산하여 표시할 수도 있다. 이는 아래 사례의 경우에도 동일하다.

[이자지급 시에 회계처리하는 방법]

㉠ 20×7년 1월 1일 재수정분개 없음

㉡ 20×7년 1월 31일(이자지급)

| (차) 미 지 급 이 자 | 2,200,000 | (대) 현금 및 현금성자산 | 2,400,000 |
| 이 자 비 용 | 200,000 | | |

㉢ 20×7년 12월 31일(결산)

| (차) 이 자 비 용 | 2,200,000 | (대) 미 지 급 이 자 | 2,200,000 |

② 미지급사채이자

가. 개 념

미지급사채이자계정은 사채에 대한 미지급이자를 나타내기 위해 사용하는 계정이다. 사채이자는 3개월 또는 6개월의 분기별 후지급방법으로 지급되는 조건이 일반적이다. 상각후원가로 측정하는 사채의 경우 유효이자율법에 따라 월차결산이나 기말 결산에 해당 사채의 발행일, 직전 이자지급일 또는 직전 월말이나 결산기말부터 당해 월말이나 결산기 말까지의 기간에 발생한 기간경과분에 대한 미지급사채이자를 회계처리할 필요가 있다.

나. 회계처리방법

미지급사채이자는 결산조정항목이다. 기말 결산 시 당기에 발생한 사채이자 중 지급 기일이 도래하지 않고 미지급된 금액을 미지급사채이자계정 대변과 이자비용(사채이자) 계정 차변에 계상한다.

다. 회계처리사례

[기초에 재수정분개하는 방법]

사례 1 (주)삼일은 결산시에 사채에 대한 미지급이자 ₩50,000,000을 계상하였다.

| (차) 이 자 비 용 | 50,000,000 | (대) 미 지 급 사 채 이 자 | 50,000,000 |

사례 2 (주)삼일은 상기 미지급이자를 다음해 1월 3일에 이자비용계정에 기초 재수정분개 로 반영하였다.

| (차) 미 지 급 사 채 이 자 | 50,000,000 | (대) 이 자 비 용 | 50,000,000 |

사례 3 (주)삼일은 위 미지급이자 ₩50,000,000과 당기분 이자 ₩50,000,000을 당좌수표를 발행하여 지급하였다.

(차) 이　자　비　용　　100,000,000　　(대) 현금 및 현금성자산　　100,000,000

[이자지급 시에 회계처리하는 방법]

사례　4　을회사는 결산시 사채에 대한 미지급이자로 ₩15,000,000을 계상하였다.

(차) 이　자　비　용　　15,000,000　　(대) 미 지 급 사 채 이 자　　15,000,000

사례　5　을회사는 상기 금액에 대하여 기초에 재수정분개 없이 동 금액을 포함하여 다음해 2월에 ₩30,000,000을 지급하였다.

(차) 미 지 급 사 채 이 자　　15,000,000　　(대) 현금 및 현금성자산　　30,000,000
　　　이　자　비　용　　15,000,000

사례　6　갑회사는 20×7년 4월 1일에 액면 ₩100,000,000의 사채를 ₩98,000,000 이율 7.5%, 이자지급 연 2회(5월 31일, 11월 30일), 상환기한 5년의 조건으로 발행하였다.
갑회사의 결산일은 9월 말이다. 사채발행 시와 발행 후 1년간 필요한 회계처리를 하라. 동 사채의 유효이자율은 8%인 것으로 가정한다. 이자비용은 중요성 관점에서 연 이자율로 월할 계산을 가정한다.

㉠ 20×7년 4월 1일(사채발행)

(차) 현금및현금성자산　　98,000,000　　(대) 사　　　　　채　　98,000,000

㉡ 20×7년 5월 31일(이자지급)

(차) 이　자　비　용　　1,306,667[**]　　(대) 현 금 및 현금성자산　　1,250,000[*]
　　　　　　　　　　　　　　　　　　　　사　　　　　채　　56,667

　* ₩100,000,000×7.5%×2/12 = ₩1,250,000
　** ₩98,000,000×8%×2/12 = ₩1,306,667

㉢ 20×7년 9월 30일(결산)

(차) 이　자　비　용　　2,613,333[**]　　(대) 사채(미지급사채이자)　　2,500,000[*]
　　　　　　　　　　　　　　　　　　　　사　　　　　채　　113,333[**]

　* ₩100,000,000×7.5%×4/12 = ₩2,500,000
　** ₩98,000,000×8%×4/12 = ₩2,613,333

㉣ 20×7년 11월 30일(이자지급)

(차) 사채(미지급사채이자)　　2,500,000　　(대) 현 금 및 현금성자산　　3,750,000[**]
　　　이　자　비　용　　1,306,667[*]　　사　　　　　채　　56,667[**]

　* ₩98,000,000×8%×2/12 = ₩1,306,667
　** ₩100,000,000×7.5%×6/12 = ₩3,750,000

③ 미지급임차료

가. 개 념

자산 사용의 대가를 지급하는 임차계약이 기준서 제1116호 '리스'의 적용범위에 해당하는 경우 리스이용자는 리스기간이 12개월을 초과하고 기초자산이 소액이 아닌 모든 리스에 대하여 사용권자산과 리스부채를 인식하여야 한다. 그러나 단기리스나 소액 기초자산 리스에 해당한다면 관련 리스료를 리스기간에 걸쳐 정액 기준이나 다른 체계적인 기준에 따라 비용으로 인식하는 것을 선택할 수 있다(기준서 제1116호 문단 5~8). 단기리스나 소액 기초자산 리스에서 관련 리스료를 사용권자산과 리스부채로 인식하지 않고 리스기간에 걸쳐 비용으로 인식하기로 선택하였다면 리스료를 리스기간에 걸쳐 정액 기준이나 다른 체계적인 기준에 따라 비용으로 인식하면서 해당 기간의 리스료지급액과의 차액은 이연계정으로 회계처리한다.

한편 특허권 등의 지적재산에 대한 권리를 부여하는 라이선싱 계약이 기준서 제1038호 '무형자산'의 적용범위에 해당하는 경우 인식기준을 충족하는 무형자산 원가의 일부를 구성하는 경우나 사업결합에서 취득하였으나 무형자산으로 인식할 수 없어 영업권 원가의 일부를 구성하는 경우가 아니라면 관련 지출은 발생시점에서 비용으로 인식한다(기준서 제1038호 문단 68~70). 발생시점에서 인식하는 비용과 해당 기간의 지출액과의 차액은 이연계정으로 회계처리한다.

미지급임차료계정은 위와 같이 단기리스나 소액 기초자산 리스의 리스료나 라이선싱 계약에서의 지출액을 관련 기간에 당기비용으로 인식하면서 아직 미지급된 금액을 회계처리하기 위한 이연계정이다.

예를 들어 임차인이 후지급으로 약정한 임대차계약을 기준서 제1116호 '리스'의 적용범위에 해당하는 단기리스로 검토하고 해당 단기리스에 대하여 사용권자산과 리스부채를 인식하지 않고 관련 리스료를 리스기간에 걸쳐 비용 인식하기로 선택하였다. 이때 임차인은 월말이나 결산기말에 리스개시일, 직전 임차료 지급일 또는 직전 월말이나 결산기말부터 당해 월말이나 결산기말까지의 기간에 발생된 임차료의 미지급분을 임차료로 계상하면서 미지급임차료계정으로 회계처리한다.

나. 회계처리

사례 1 ㈜삼일은 사무실 임차계약을 기준서 제1116호 '리스'의 적용범위에 해당하는 단기리스로 검토하였으며 해당 단기리스에 대하여 사용권자산과 리스부채를 인식하지 않고 관련 리스료를 리스기간에 걸쳐 비용 인식하기로 선택하였다. (주)삼일은 결산시에 해당 사무실의 임차료에 대하여 미지급임차료로 ₩1,500,000을 계상하였다.

(차) 임　　차　　료	1,500,000	(대) 미 지 급 임 차 료	1,500,000

[기초에 재수정분개하는 방법]

사례 2 (주)삼일은 다음 회계연도 기초에 위 미지급임차료 ₩1,500,000을 재수정분개를 반영하였다.

(차) 미 지 급 임 차 료	1,500,000	(대) 임　　차　　료	1,500,000

사례 3 (주)삼일은 1월 중순에 미지급임차료로 계산한 ₩1,500,000을 포함하여 임차료로 ₩2,500,000을 지급하였다.

(차) 임　　차　　료	2,500,000	(대) 현금 및 현금성자산	2,500,000

[임차료지급 시에 회계처리하는 방법]

사례 4 (주)삼일은 기초 재수정분개 없이 임차료로 ₩2,500,000을 지급하였다.

(차) 미 지 급 임 차 료	1,500,000	(대) 현금 및 현금성자산	2,500,000
임　　차　　료	1,000,000		

(3) 세무회계 상 유의사항

법인이 지급하는 이자 및 할인액의 손금 귀속시기는 소득세법 시행령 제45조(이자소득의 수입시기)의 규정에 의한 수입시기에 해당하는 날이 속하는 사업연도로 하되, 결산을 확정할 때 이미 경과한 기간에 대응하는 이자 및 할인액(차입일부터 이자지급일이 1년을 초과하는 특수관계인과의 거래에 따른 이자 및 할인액은 제외함)을 해당 사업연도의 손비로 계상한 경우에는 그 계상한 사업연도의 손금으로 한다(법령 70조 1항 2호). 즉, 법인이 한국채택국제회계기준에 따라 기간경과분 이자 등을 미지급비용으로 계상한 경우 세무상 특별한 세무조정은 발생하지 아니한다.

다만, 급여 및 연차수당의 경우에는 원칙적으로 법인세법상 권리·의무확정주의에 따라 손금의 귀속시기가 결정된다(법법 40조). 즉, 법인이 연차수당의 지급기준을 정하고 이에 따라 근로자별로 지급금액을 확정한 때에는 당해 미지급수당을 그 지급이 확정된 날이 속하는 사업연도의 손금으로 하는 것이다(법인 46012-686, 1994. 3. 9.). 예를 들어, 근로기준법에 의한 연차휴가일에 근로를 제공함에 따라 통상임금에 가산하여 지급하는 연차수당을 매년 12월 31일을 기준일로 하여 계산하고 지급은 익년 1월에 하는 경우에 동 연차수당에 대한 법인세법상 손금의 귀속 사업연도는 그 기준일이 속하는 사업연도이다(법인 46012-3223, 1996. 11. 20.). 따라서, 법인이 한국채택국제회계기준에 따라 근무용역을 제공한 사업연도에 미사용 연차휴가에 대한 비용 및 부채를 인식한 경우 이를 전액 손금불산입(유보)한 후, 연차휴가를 사용함에 따라 급여에서 차감하는 시점 또는 연차수당의 계산기준일이 속하는 사업연도에 손금산입(△유보)하여야 할 것이다.

5. 미지급금

(1) 개념 및 범위

미지급금계정은 기업의 통상적인 상거래 외의 거래나 계약관계 등에서 이미 확정된 채무 중 아직 지급이 완료되지 않은 유동부채를 나타내는 계정이다. 고정자산구입대금 중 아직 지급되지 않은 부채는 미지급금의 대표적인 예라 할 수 있다. 미지급된 이자, 임차료, 임금 등이라도 지급기일이 이미 경과한 경우에는 미지급비용계정이 아니라 미지급금계정으로 계정을 재분류하여 관리하기도 한다. 미지급금계정의 특징을 구체적으로 살펴보면 다음과 같다.

① 미지급금은 통상적인 상거래 외의 거래나 계약 등에서 발생한다.

기업이 재화나 용역을 외상으로 매입하고 그 대가로 미래에 현금을 지급할 의무가 있는 경우 또는 자금을 차입하고 장래에 일정한 현금을 지급할 의무가 있는 경우 등에 발생하는 채무를 일반적으로 지불채무라 통칭한다. 이러한 지불채무는 미래에 일정한 금액을 지불할 의무를 나타내는데 크게 통상적인 상거래에서 발생한 채무와 통상적인 상거래 외의 거래에서 발생한 채무로 구분할 수 있다.

여기서 통상적인 상거래는 당해 기업의 본래의 사업목적을 위한 주된 영업활동에서 발생하는 거래를 포함한다.

예를 들어, 특정 기업이 통상적인 영업과정에서 판매하기 위해 가구를 매입하였다면, 이 거래는 통상적인 상거래라고 할 수 있다. 그러나 해당 기업이 관리활동에 사용할 목적으로 컴퓨터를 매입하였다면 해당 거래는 통상적인 상거래 외의 거래라 할 수 있다. 기계나 건물, 공기구·비품 등의 유형자산 구입대가를 미지급하는 경우 미지급금계정을 사용한다.

② 이미 계약상 확정된 채무로서 그 지급이 완료되지 않았어야 한다.

미지급금계정은 계약 등에 따라 이미 확정된 채무 중 아직 지급되지 않은 금액을 나타낸다. 일반적으로 충당부채보다는 불확실성이 훨씬 작다는 면에서 충당부채와 구분된다.

(2) 기업회계 상 회계처리

① 미지급금계정과 미지급비용계정의 구분관리

실무적으로 상대방이 계약상 의무를 이행하거나 지급기일이 경과한 부채로서 확정된 미지급액은 비용항목에 관계없이 미지급금계정으로 관리한다. 예를 들면, 당기에 발생하였으나 계약상의 지급기일이 도래하지 않아 지급되지 않은 이자, 임차료, 임금 등은 미지급비용계정을 사용한다. 그러나 미지급된 이자, 임차료, 임금 등이라도 지급기일이 이미 경과한 경우는 미지급비용계정이 아니라 미지급금계정으로 재분류하여 관리할 수 있다.

② 회계처리

사례 1   (주)삼일은 사택임차계약을 기준서 제1116호 '리스'의 적용범위에 해당하는 단기리스로 검토하였으며 해당 단기리스에 대하여 사용권자산과 리스부채를 인식하지 않고 관련 리스료를 리스기간에 걸쳐 비용인식하기로 선택하였다. (주)삼일은 결산일 현재 지급기일이 도래하지 않아 미납부한 10일분 사택임차료 ₩2,000,000을 계상하였다.

(차) 임　　차　　료	2,000,000	(대) 미　지　급　비　용	2,000,000

사례 2   (주)삼일은 상기의 사택임차료를 포함한 30일분 사택임차료 ₩6,000,000의 지급기일이 도래하였으나 자금이 부족하여 지급하지 못했다. ㈜삼일은 지급기한이 도래하였으나 지급되지 않은 미지급비용계정 잔액을 미지급금계정으로 재분류하고 있다.

(차) 미　지　급　비　용	2,000,000	(대) 미　　지　　급　　금	6,000,000
임　　차　　료	4,000,000		

사례 3   (주)삼일은 상기의 미지급 사택임차료 ₩6,000,000을 지급하였다.

(차) 미　지　급　금	6,000,000	(대) 현금 및 현금성자산	6,000,000

6. 미지급배당금

(1) 개념 및 범위

배당은 지분상품의 보유자가 특정 종류의 자본의 보유비율에 비례하여 받는 이익의 분배금이다(기준서 제1109호 부록 A). 금융부채나 금융부채인 구성요소와 관련하여 생기는 배당은 수익이나 비용으로 당기손익으로 인식하고 지분상품의 보유자에 대한 분배는 자본으로 직접 인식한다(기준서 제1032호 문단 11, 35). 자본변동표나 주석에 당해 기간 동안에 소유주에 대한 배분으로 인식된 배당금액과 주당배당금을 표시한다(기준서 제1001호 문단 107).

보고기간 후에 지분상품 보유자에 대해 배당을 선언한 경우, 보고기간말에 어떠한 의무도 존재하지 않으므로 그 배당금을 보고기간말의 부채로 인식하지 아니한다. 그러한 배당 결의는 수정을 요하지 않는 보고기간후사건으로서 기준서 제1001호 '재무제표 표시'에 따른 공시를 고려한다(기준서 제1010호 '보고기간후사건' 문단 12, 13).

(2) 기업회계 상 회계처리

미지급배당금계정은 지분상품의 보유자에 대한 분배로서 주주총회에서 배당금 지급을 결의하여 그 지급에 더 이상 기업의 재량이 없으나 아직 지급되지 않은 경우 그 지급의무인 금융부채를 나타내는 계정이다. 배당금을 지급하여 계약상 지급의무를 이행하는 시점에 해당 미지급배당부채를 제거한다.

> 사례
>
> (주) 삼일은 기준서 제1032호에 따라 지분상품으로 분류되는 보통주 주주에 대하여 ₩50,000,000을 현금배당하기로 주주총회에서 결의하였다.
>
> ① 주주총회 결의
>
> (차) 미처분이익잉여금　50,000,000　　(대) 미 지 급 배 당 금　50,000,000
>
> ② 배당금 지급
>
> (차) 미 지 급 배 당 금　50,000,000　　(대) 현금 및 현금성자산　50,000,000

7. 유동성장기부채

(1) 개념 및 범위

유동성장기부채계정은 차입금 등 재무 목적으로 조달하여 최초인식시점에는 비유동부채로 분류되었으나 1년 이내에 상환기일이 도래하여 유동부채로 재분류되는 부채를 나타내는 계정이다. 계약조건에 따라 유동부채 분류 요건을 충족하는 시점에서 재분류한다.

보고기간말 현재 기업이 보고기간 후 적어도 12개월 이상 부채의 결제를 연기할 수 있는 권리를 가지지 않으므로 유동성장기부채계정으로 재분류하여야 하는지를 판단할 때에 다음 사례를 참고한다(기준서 제1001호 문단 73~76).
① 기업이 보고기간말 현재 기존의 대출계약조건에 따라 보고기간 후 적어도 12개월

이상 부채를 연장할 권리가 있다면, 보고기간 후 12개월 이내에 만기가 도래한다 하더라도 비유동부채로 분류한다. 만약 기업에 그러한 권리가 없다면 차환가능성을 고려하지 않고 유동부채로 분류한다.

② 보고기간말 이전에 장기차입약정의 조건을 위반했을 때 대여자가 즉시 상환을 요구할 수 있는 채무는 보고기간 후 재무제표 발행승인일 전에 대여자가 약정위반을 이유로 상환을 요구하지 않기로 합의하더라도 유동부채로 분류한다. 그 이유는 기업이 보고기간말 현재 그 시점으로부터 적어도 12개월 이상 결제를 연기할 수 있는 권리를 가지고 있지 않기 때문이다.

③ 그러나 대여자가 보고기간말 이전에 보고기간 후 적어도 12개월 이상의 유예기간을 주는 데 합의하여 그 유예기간 내에 기업이 위반사항을 해소할 수 있고, 또 그 유예기간 동안에는 대여자가 즉시 상환을 요구할 수 없다면 그 부채는 비유동부채로 분류한다.

이에 대한 보다 자세한 내용은 '제2편 재무상태표편' 중 '제3장 재무상태표의 작성기준'의 '2. 유동과 비유동의 구분'을 참고한다.

(2) 기업회계 상 회계처리

유동성장기부채는 최초인식시점에서 비유동부채로 분류되었으나 상환기일이 1년 이내로 다가왔을 때 유동부채로 재분류하면서 사용하는 계정이다.

예를 들어, 장기차입금 중 일부가 대출계약조건에 따라 보고기간종료일 시점에서 만기일이 1년 이내에 도래하게 된 경우는 다음과 같은 분개가 필요하다.

(차) 장 기 차 입 금　　　×××　　　(대) 유 동 성 장 기 부 채　　　×××

전기에 유동성장기부채로 재분류된 후 당기에 상환되는 경우의 분개는 다음과 같다.

(차) 유 동 성 장 기 부 채　　　×××　　　(대) 현 금 및 현 금 성 자 산　　　×××

8. 금융보증계약

(1) 개념 및 범위

금융보증계약은 '채무상품의 최초 계약조건이나 변경된 계약조건에 따라 지급기일에 특정 채무자가 지급하지 못하여 보유자가 입은 손실을 보상하기 위해 발행자가 특정 금액을 지급하여야 하는 계약'이다(기준서 제1109호 부록 A). 이러한 금융보증은 차입자가 채무를 불이행하는 경우에 대여자가 보증인에게서 현금을 수취할 계약상 권리이며, 이에 대응하여 보증인이 대여자에게 지급할 계약상 의무이다. 이러한 계약상 권리와 의무는 대여자의 권리 행사와 보증인의 의무 이행 모두가 차입자의 채무불이행이라는 미래 사건의 발생을 조건으로 하고 있더라도, 보증의 부담이라는 과거 사건이나 거래의 결과로 존재한다. 따라서 금융보증계약은 금융부채이다.

(2) 기업회계 상 회계처리

금융보증계약의 발행자가 해당 계약을 보험계약으로 본다는 것을 사전에 명백히 하고 보험계약에 적용 가능한 회계처리를 하였다면, 그 발행자는 이러한 금융보증계약에 기준서 제1109호나 기준서 제1104호를 선택하여 적용할 수 있다(기준서 제1109호 문단 2.1). 발행자는 각 계약별로 회계처리방법을 선택할 수 있으나 선택한 후에는 변경할 수 없다.

금융보증계약을 발행자의 금융부채로서 기준서 제1109호를 적용하는 경우 최초 인식 시에는 공정가치로 측정하고 최초 인식 후 다음 중 큰 금액으로 측정한다(기준서 제1109호 문단 4.2.1)[5].

- 기준서 제1109호 손상 지침에 따라 결정된 금액
- 최초 인식금액에서 기준서 제1115호에 따라 인식한 상각누계액을 차감한 금액

> **사례** (주)삼일은 기초에 ㈜경영의 2년 만기 차입금에 대해 지급보증을 제공하고 ₩2,000,000을 수취하였다. 동 금액은 금융보증계약의 공정가치이다. 기말 결산 시 기준서 제1109호에 따라 결정된 기대신용손실금액은 ₩700,000이다.
>
> (1) 기초 지급보증 제공 시
>
>   (차) 현   금   2,000,000   (대) 금 융 보 증 부 채   2,000,000
>
> (2) 기말 결산 시
>
>   (차) 금 융 보 증 부 채   1,000,000   (대) 보   증   수   익   1,000,000

---

5) 당기손익-공정가치 측정 금융부채와 금융자산의 양도가 제거 조건을 충족하지 못하거나 지속적 관여 접근법이 적용되는 경우에 생기는 금융부채로서 별도의 측정이 적용되는 계약은 제외한다.

9. 대출약정

(1) 개념 및 범위

기준서 제1109호에서는 '대출약정'을 정의하지 않았으나 결론도출근거에서는 '미리 정한 조건에 따라 신용을 제공하는 확정계약'으로 설명하고 있다(기준서 제1109호 BCZ2.2). 자금보충약정, 유동성공급약정, 유가증권매입약정 등은 일반적으로 대출약정에 해당할 수 있으므로 검토에 유의한다.

(2) 기업회계 상 회계처리

다음의 대출약정에는 기준서 제1109호를 적용한다(기준서 제1109호 문단 2.3).

- 당기손익-공정가치 측정 금융부채로 지정한 대출약정. 당기손익-공정가치 측정 금융부채 지정에 대한 내용은 위에서 다룬 '(2) 금융부채의 분류'를 참고한다. 대출 약정으로 생긴 자산을 최초 발생 후에 단기간에 매도한 과거 실무 관행이 있는 경 우에는 같은 종류에 속하는 모든 대출약정에 기준서 제1109호를 적용한다.

- 현금으로 차액결제할 수 있거나 다른 금융상품을 인도하거나 발행하여 결제할 수 있는 대출약정. 이 대출약정은 파생상품이다. 대여금을 분할하여 지급한다는 이유 만으로 차액결제한다고 볼 수는 없다(예 : 공사진행률에 따라 분할하여 지급하는 공사 관련 부동산담보대출).

- 시장이자율보다 낮은 이자율로 대출하기로 한 약정. 최초 인식 후에 이러한 약정 (당기손익-공정가치 측정 금융부채로 지정한 대출약정 제외)의 발행자는 후속적으 로 해당 약정을 다음 중 큰 금액으로 측정한다.
  - 기준서 제1109호 손상 요구사항에 따라 산정한 손실충당금
  - 최초 인식금액에서 기준서 제1115호에 따라 인식한 이익누계액을 차감한 금액

다만 기준서 제1109호의 적용범위에 포함되지 않는 대출약정의 제공자는 해당 대출 약정에 기준서 제1109호의 손상 요구사항을 적용한다. 또 모든 대출약정의 제거와 관련 된 회계처리에는 기준서 제1109호를 적용한다(기준서 제1109호 문단 2.1).

1. 계약부채와 선수금

(1) 개념 및 범위

계약부채란 기업회계기준서 제1115호 '고객과의 계약에서 생기는 수익'에 따라 기업이 고객에게서 받은 대가(또는 지급받을 권리가 있는 대가)에 상응하여 고객에게 재화나 용역을 이전하여야 하는 기업의 의무를 의미한다. 따라서 기업이 고객에게 재화나 용역을 이전하기 전에 고객이 대가를 지급하거나 기업이 대가를 받을 무조건적인 권리를 갖고 있는 경우에 기업은 지급받은 때나 지급받기로 한 때(둘 중 이른시기)에 그 계약을 계약부채로 표시한다(기준서 제1115호 문단 106).

기준서 제1115호의 범위에 포함되지 않는 선수한 대가는 3.선수수익에 해당하지 않는다면 일반적으로 선수금으로 계상하며, 유형자산이나 유가증권 등의 매각 대금이 이에 해당한다.

(2) 기업회계 상 회계처리

기준서 제1115호의 고객과의 계약에서 계약 당사자 중 어느 한 편이 계약을 수행했을 때, 기업의 수행정도와 고객의 지급과의 관계에 따라 계약자산이나 계약부채로 재무상태표에 표시한다. 만약 대가를 받을 무조건적인 권리가 있다면 수취채권으로 구분하여 표시하여야 한다.

기준서 제1115호의 범위가 아닌 선수금과 관련하여 회계처리시 주의해야 할 점은 선수수익이나 예수금계정과의 구분 여부이다. 또한 자금의 융통과 관련하여 미리받은 금액은 차입금이므로 선수금계정으로 처리하지 않는다.

① 예수금과의 구분

예수금이란 일반적 상거래 이외에서 발생한 일시적 제예수액으로서 소득세 등을 원천징수한 금액이나 부가세의 예수금 등과 같이 타인의 금전을 일시적으로 보관하였다가 장차 이를 반제하여야 할 의무를 갖는 단기성부채로 직접 영업활동과는 관련이 없는 일시적인 보관금을 말한다. 반면 계약부채는 고객과의 계약에서 고객에게서 받은 대가에 상응하여 고객에게 재화나 용역을 이전하여야 하는 기업의 의무를 말하고, 선수금은 그 외 일반적 상거래에서 발생한 선수금액을 말한다.

② 선수수익과의 구분

계약부채는 고객과의 계약에서 생기는 수익에 대한 선수 금액이고, 선수금은 그 외의 거래에서 생기는 선수 금액이지만 선수수익은 선수이자, 선수임대료, 선수할인료 등과 같이 일정한 계약에 따라 제공하는 급부에 대한 선수금액으로서 시간이 경과하면 자동적으로 수익으로 이전해 간다는 점에 있어서 차이가 있다.

③ 회계처리

계약부채는 고객에게서 받은 대가에 상응하여 고객에게 재화나 용역을 이전하여야 하는 기업의 의무이므로, 고객에게 재화나 용역을 이전하기 전에 그 대가의 일부 또는 전부를 받은 시점에서 계약부채로 부채계정의 대변에 기입하고, 실제로 재화나 용역을 이전한 때에는 계약부채를 차기함과 동시에 수익을 인식한다. 기준서에서는 계약부채라는 용어를 사용하지만 재무상태표에서 그 항목에 대해 다른 표현을 사용하는 것을 금지하지 않는다.

한편, 계약이 취소되거나 파기되어 계약부채의 반환이 확정되는 시점에 계약부채를 제거하고 금융부채를 계상하게 되며, 동 금액을 반환할 의무가 없을 때에는 계약부채에 대해 손익으로 인식한다.

사례 1 (주)삼일은 기준서 제1115호에 따른 고객인 을법인으로부터 재화를 이전하기 전에 물품판매대금 ₩350,000,000 중 계약금으로 ₩50,000,000을 당좌수표로 받았다.

(차) 현금 및 현금성자산　　　50,000,000　　　(대) 계　약　부　채　　　50,000,000

사례 2 상기 물품판매에 대한 동 판매대금 ₩350,000,000에 해당하는 물품을 을법인에게 이전하였다.

(차) 계　약　부　채　　　50,000,000　　　(대) 매　　　　　　출　　　350,000,000
　　　매　출　채　권　　300,000,000

2. 예수금

(1) 개념 및 범위

예수금은 향후 되돌려 줄 것을 전제로 하고 있는 영업상 또는 영업 외의 일시적인 채무로서 기업이 타인으로부터 일단 금전을 받고 그 후 그 타인 또는 그 타인을 대신하는 제3자에게 금전으로 반환하여야 할 채무를 말한다. 이를 간단히 요약한다면 현금으로 반환하여야 할 영업상 또는 영업 외의 사유로 예수한 금액을 말한다.

그러므로 이는 물품의 인도 또는 공사의 완성 등을 조건으로 미리 받는 계약부채 또는 선수금 과 구별되는 개념이다.

통상 예수금은 공사입찰 담보금이나 맥주병에 대한 예치금 등과 같이 계약의 이행이나 용역의 제공을 보증받기 위해서, 또는 거래처가 임시로 보관하고 있는 회사재산의 손실에 대비해서 고객으로부터 일시적으로 수취한 금액을 말한다. 이것은 고객이 소정의 의무를 이행하면 반환되는 성질의 것으로서, 이를 수취한 회사의 입장에서 보면 부채에 속하는 것이다.

또한 세법에서는 고용자로 하여금 피고용인의 급여에 대한 소득세·개인지방소득세를 원천징수하게 하고 피고용인을 대신하여 세무당국에 납부하도록 규정하고 있다.

고용자가 원천징수한 소득세·개인지방소득세는 세무당국에 납부할 때까지 예수금계정에 기재한다.

(2) 기업회계 상 회계처리

예수금계정에 처리하는 대상은 일반적 상거래에서 발생한 것이든 혹은 일반적 상거래 외에서 발생한 것이든 간에 기업이 예수하여 두는 금액이다. 이처럼 예수금은 포괄적인 것이므로, 그 내용을 보통의 상거래에서 발생한 것과 기타의 것으로 나누어 볼 수 있다.

예수금에는 이처럼 여러 가지 종류가 있지만, 기업의 편의에 따라 이들을 모두 포괄적으로 하나의 예수금계정에 합산처리할 수도 있고, 예수금관리의 편의상 이들을 여러 개의 계정으로 나누어 처리할 수도 있다.

이하에서는 이들 두 가지에 해당하는 구체적인 예를 설명하기로 한다.

① 일반적 상거래에 의한 예수금

여기에는 앞에서 설명한 공사입찰 담보금이나 맥주병에 대한 예치금 등과 같이 계약의 이행이나 용역의 제공을 보증받기 위해서 또는 거래처가 임시로 보관하고 있는 회사재산의 손실에 대비해서 고객으로부터 일시적으로 수취한 금액을 말한다.

이것은 고객이 소정의 의무를 이행하면 반환되는 성질의 것으로 회사가 거래처로부터 영업보증금이나 입찰보증금을 징수한 때에는 그것을 예수금 계정의 대변에 계상하고, 낙찰 등으로 인하여 당해 입찰보증금 등을 반환하는 때에는 예수금 계정의 차변에 기재하여 그 잔액을 감소시킨다.

사례 1 (주)삼일은 공장건설을 위하여 5개의 건설회사를 선정하여 공개입찰을 실시하면서 입찰보증금으로 각각 ₩20,000,000을 예수하고 즉시 당좌예입하다.

　(차) 현금 및 현금성자산　100,000,000　(대) 예　　수　　금　100,000,000

사례 2 위의 입찰경쟁계약에서 을회사가 낙찰되어 예수한 입찰보증금을 4개 회사에게 각각 수표를 발행하여 지급하다.

　(차) 예　　수　　금　80,000,000　(대) 현금 및 현금성자산　80,000,000

② 기타의 예수금

일반적 상거래 이외에서 발생하는 예수금으로는 종업원들로부터 예수하여 세무서 등에 납부하는 소득세·개인지방소득세의 원천징수세액, 보험료를 처리하는 종업원예수금 및 부가가치세 매출세액을 처리하는 부가가치세 예수금 등을 들 수 있다.

예컨대, 종업원에게 급여를 지급하는 경우에 당해 급여로부터 원천징수한 세액을 원천징수 예수금 계정의 대변에 기장하며, 당해 예수금을 세무서에 납부하였을 때에는 그것을 위 계정의 차변에 기장한다.

사례 1 (주)삼일은 종업원에게 급여 ₩520,000,000을 지불하면서 ₩20,000,000을 원천징수 하였다.

　(차) 급　　　　　여　520,000,000　(대) 현금 및 현금성자산　500,000,000
　　　　　　　　　　　　　　　　　　　　　예　　수　　금　　20,000,000

사례 2 (주)삼일은 상기 원천징수한 금액을 다음달 10일에 납부하였다.

　(차) 예　　수　　금　20,000,000　(대) 현금 및 현금성자산　20,000,000

③ 부가가치세 예수금

가. 개념 및 범위

부가가치세 예수금이란 앞에서 살펴본 것과 같이 예수금의 일종으로 사업자(부가가치세 납세의무자)가 상품 등을 매출하는 경우 또는 무형적인 용역을 판매하는 경우에 상대방 거래처로부터 거래징수방법에 의하여 징수한 부가가치세 매출세액을 처리하는 계정을 말한다. 이는 재화의 매입이나 용역의 구입시에 거래징수당한 부가가치세 매입세액을 처리하는 부가가치세 대급금계정에 대응하는 계정으로 부가가치세 예수금은 거래처로부터 거래징수한 부가가치세 매출세액을 의미하는 것이므로 나중에 부가가치세를 신고·납부할 때에 이를 부가가치세 대급금과 상계하여야 하며, 남은 잔액을 정부(세무서)에 납부할 의무가 있는 것이다.

나. 기업회계 상 회계처리

상품 등을 매출할 때 거래징수한 금액은 부가가치세 예수금 계정의 대변에 기입한다. 그리고 부가가치세를 기중에 납부하는 경우에는 부가가치세 대급금과 상계한 후에 부가가치세 예수금 계정의 대변잔액에 상당하는 금액을 납부하고, 이를 부가가치세 예수금 계정의 차변에 기재한다.

사례 3 다음 거래를 분개하라.

㉮ 갑회사는 상품 ₩66,000,000을 매입하다(부가가치세 매입세액 ₩6,000,000 포함).

㉯ 위의 상품을 ₩110,000,000에 매출하다(부가가치세 매출세액 ₩10,000,000 포함).

㉰ 부가가치세의 신고·납부기일이 도래하여 위 부가가치세의 납부세액을 세무서에 납부하다.

〈분 개〉

㉮
(차) 매 입	60,000,000	(대) 매 입 채 무	66,000,000
부가가치세대급금	6,000,000		

㉯
(차) 매 출 채 권	110,000,000	(대) 매 출	100,000,000
		부가가치세예수금	10,000,000

㉰
(차) 부가가치세예수금	10,000,000	(대) 부가가치세대급금	6,000,000
		현금 및 현금성자산	4,000,000

다. 부가가치세 예수금의 정리

부가가치세를 거래징수하여 부가가치세 예수금이 있는 경우 통상 부가가치세를 거래징수 당한 부가가치세 대급금이 있을 것이므로 이들을 서로 상계처리하여야 한다. 이 경우 부가가치세 예수금이 많으면 그 잔액은 부가가치세 납부세액이 되고, 반대로 부가가치세 대급금이 많으면 그 잔액은 부가가치세 환급세액이 된다.

(3) 세무회계 상 유의할 사항

예수금계정과 관련하여 세무처리상 문제되는 점은 별로 없으나 특수한 예수금에 해당하는 원천징수예수금과 부가가치세 예수금에 대하여 다음과 같은 점을 주의해야 한다.

원천징수의무자가 원천징수한 금액을 다음달 10일까지 납부(법법 73조·98조 및 소법 128조·156조)하지 않으면 원천징수등 납부지연가산세(국기법 47조의 5)의 적용을 받게 되므로, 원천징수세액의 예수와 그 납부의 이행에 차질이 없도록 해야 한다.

부가가치세 예수금은 매출처로부터 거래징수한 부가가치세 매출세액으로서 법인세법상 익금불산입조정대상(법법 18조 5호)이 된다. 따라서, 부가가치세 예수금을 예수금으로 처리하지 않고 매출계정에 포함하여 처리한 경우에는 이를 익금불산입조정하여 법인세를 신고하여야 한다.

3. 선수수익

(1) 개념 및 범위

기준서 제1115호 '고객과의 계약에서 생기는 수익'에서는 계약부채를 '기업이 고객에게서 이미 받은 대가(또는 지급기일이 된 대가)에 상응하여 고객에게 재화나 용역을 이전하여야 하는 기업의 의무'로 정의한다(기준서 제1115호 부록 A). 따라서 기준서 제1115호가 적용되는 거래에서 고객으로부터 선수한 대가는 계약부채로 표시 또는 공시하므로 별도의 계정으로 관리하는 것이 효과적일 수 있다. 해당 기준서의 적용범위에 해당하지 않는 거래에서 선수한 대가는 일반적으로 선수수익계정을 사용한다. 선수수익계정은 이미 받은 대가 중 미래에 수익을 인식하기 위해 현재의 현금유입액을 부채로 인식하는 경우에 사용하는 이연계정이다. 예를 들어 기준서 제1109호 '금융상품'의 적용범위에 해당하는 금융자산의 상각후원가 측정에서 유효이자율법 사용에 따른 이자수익에 대해 선수수익계정을 사용할 수 있다(기준서 제1109호 문단 4.2.1, 부록 B). 기준서 제1116호 '리스'의 적용범위에 해당하는 리스거래에서 리스제공자가 정액 기준이나 다른 체계적인 기준으로 운용리스의 리스료를 수익으로 인식할 때에 리스수익에 대해 선수수익계정을 사용할 수 있다(기준서 제1116호 문단 81).

선수수익이 비금융의무를 나타낼 때에는 금융부채에 해당하지 않을 것이나 계약 조건 등에서 간접적으로 현금 등 금융자산을 인도해야 하는 계약상 의무를 정하는 경우에는 금융부채에 해당한다(기준서 제1032호 문단 20). 예를 들어 비금융의무를 결제하여 현금 등 금융자산의 인도를 회피할 수 있는 금융상품은 금융부채이다.

(2) 기업회계 상 회계처리

일반적으로 선수수익은 결산조정항목이다. 선수수익계정은 관리목적상 선수이자계정, 선수임대료계정 등 거래유형별로 계정과목을 구분하여 사용할 수 있다.

① 선수이자

가. 개 념

이자수익은 취득시 신용이 손상되어 있는 금융자산이나 취득시 신용이 손상되어 있는 금융자산은 아니지만 후속적으로 신용이 손상된 금융자산이 아니라면 금융자산의 총 장부금액에 유효이자율을 적용하는 유효이자율법으로 계산한다(기준서 제1109호 문단 5.4.1). 선수이자계정은 유효이자율법으로 계산된 특정 회계기간의 이자수익을 선수한 경우에 사용되는 이연계정이다.

나. 회계처리

선수이자는 이연계정으로서 일반적으로 결산조정항목이다.

기말 결산 시 기중에 회계처리된 이자수익계정을 검토하여 당기 이후분에 해당하는 이자수익을 선수수익계정으로 대체한다.

이 경우 회계처리는 다음과 같다.

(차) 이 자 수 익　　　×××　　　(대) 선 수 이 자　　　×××

선수이자 중 유효이자율법에 따라 계산된 이자수익을 이자수익계정으로 대체한다. 다른 이연계정과 마찬가지로 기초 재수정분개로 반영할 수도 있다.

(차) 선 수 이 자　　　×××　　　(대) 이 자 수 익　　　×××

다. 회계처리사례

사례 1 (주)삼일은 20×7년 11월 1일에 대여금 ₩500,000,000을 대여하면서 이자 3개월분을 선수로 받았다. 대여금에 대한 연 이자율은 15%이며 만기는 20×8년 10월 31일이다. 이자수익은 중요성 관점에서 연 이자율로 월할 계산을 가정한다.

〈20×7년 11월 1일 분개〉

(차) 단 기 대 여 금　　500,000,000　　(대) 현금 및 현금성자산　　500,000,000
　　현금 및 현금성자산　　18,750,000　　　　이 자 수 익　　18,750,000[*]

[*] ₩500,000,000×15%×3/12 = ₩18,750,000

〈20×7년 12월 31일 분개〉

(차) 이 자 수 익   6,250,000* (대) 선 수 수 익   6,250,000

* ₩18,750,000×1/3＝₩6,250,000

사례 2   (주)삼일은 상기 선수수익의 기초 잔액을 다음해 1월 1일에 이자수익계정에 대체
하였다.

(차) 선 수 수 익   6,250,000   (대) 이 자 수 익   6,250,000

② 선수임대료

가. 개 념

기준서 제1116호 '리스'의 적용범위에 해당하는 리스거래에서 리스제공자가 정액 기준이나 다른 체계적인 기준으로 운용리스의 리스료를 수익으로 인식할 때에 리스수익에 대해 선수수익계정을 사용할 수 있다(기준서 제1116호 문단 81). 예를 들어, 타인에게 건물·토지 등을 임대하고 이에 대한 임대료를 선수로 받아 기중에 임대료수익으로 계상하였으나, 그 중 차기에 귀속될 부분은 차기로 이연처리하기 위하여 선수임대료계정을 사용할 수 있다.

나. 회계처리

관리 목적에 따라 선수수익계정이 아닌 선수임대료계정을 사용할 수 있고 그 부속명세서로 기타유동부채명세서를 사용할 수 있다.

사례 1   (주)삼일은 20×7년 10월 1일 점포용 건물을 임대하고 6개월분의 임대료로 ₩15,000,000을 현금으로 받았다. (주)삼일은 해당 임대계약을 기준서 제1116호가 적용되는 운용리스 제공으로 판단하고 정액 기준으로 수익을 인식하였다.

(차) 현금 및 현금성자산   15,000,000   (대) 임 대 료   15,000,000

사례 2   (주)삼일은 기말 결산 시 위 임대료 중 ₩7,500,000을 선수수익으로 계상한다.

(차) 임 대 료   7,500,000   (대) 선 수 수 익   7,500,000

사례 3   20×8년 1월 1일 (주)삼일은 기초 재수정분개의 일부로 상기 선수수익을 임대료계정으로 대체하였다.

(차) 선 수 수 익   7,500,000   (대) 임 대 료   7,500,000

4. 당기법인세부채

(1) 개념 및 범위

당기법인세부채라 함은 당기 및 과거 회계기간의 과세소득에 대하여 회사가 납부하여야 할 법인세 중 아직 납부하지 않은 금액을 말한다. 이 경우 법인세의 범위에는 국내 또는 국외에서 법인의 과세소득에 기초하여 부과되는 모든 세금을 포함하며, 법인세, 법인지방소득세, 농어촌특별세 등을 포함하는 것으로 판단된다.

당기법인세부채계정은 주로 기업의 결산시 당해 사업연도의 과세소득에 대한 법인세액을 추정하고 기중에 이미 납부한 중간예납세액, 원천납부세액, 수시부과세액 등을 차감한 잔액을 처리하는 계정과목 또는 과거 이전의 법인세 과세표준 및 세액을 정부가 경정결정하면서 추가납부세액을 고지했으나 회계연도 말 현재 미지급상태인 경우 동 금액을 회계처리하는 계정과목이다.

따라서 당기법인세부채계정은 일부 확정된 부채도 포함되지만 대개는 미확정부채로 구성되므로 추정이 필요하다.

(2) 기업회계 상 회계처리

당기법인세부채의 발생은 회계결산시(법인세 등을 추정하는 경우)와 정부로부터 경정결정을 받았을 경우 등이며 소멸은 실제로 법인세 등을 납부하는 때이다.

한편, 전기 이전의 기간과 관련된 납부할(환급받을) 법인세를 당기에 인식한 금액이 전기오류에 해당하지 않는다면, 즉 법인세 추납액 또는 환급액은 이를 당기 법인세부채(자산)으로 하여 법인세비용에 포함하여야 한다. 예를 들어, 오류수정을 손익계산서에 당기손익으로 처리하는 경우 또는 회계처리와 무관하게 전기 이전의 법인세부담액(환급액)에 대한 조정사항이 있어 당기에 법인세를 부담하거나 환급받는 경우 그에 대한 법인세효과는 당기 법인세비용에 반영하여야 한다. 다만, 소급 적용되는 회계정책의 변경이나 오류의 수정으로 인한 기초이익잉여금 잔액의 조정은 자본계정에 직접 가감하여야 한다.

1) 결산시 법인세 등의 금액을 추정하는 경우

사례 ① (주)삼일은 20×7. 12. 31. 당 회계연도의 과세소득에 대한 법인세를 추정한 결과 법인세 ₩17,500,000, 법인지방소득세 ₩1,750,000이고, 당기 중 기납부한 중간예납세액과 원천납부세액이 선급법인세계정에 ₩13,500,000 계상되어 있다.

② (주)삼일은 20×8. 3. 25. 법인세를 신고조정한 결과 법인세가 ₩19,000,000이고 이를 관할

세무서에 수표를 발행하여 납부하다(법인지방소득세는 ₩1,900,000이다).

③ (주)삼일은 20×8. 4. 30. 법인지방소득세 ₩1,900,000을 신고·납부하다.

④ 20×7년 말 현재 이연법인세부채 금액은 ₩500,000이며, 20×8년 법인세납액에는 이연법인
세부채에 영향을 미치는 세무조정사항은 없으며 회계상 중요한 오류에 해당하지 않는다.

〈분 개〉

① 20×7. 12. 31. (결산 시)

(차) 법 인 세 비 용	19,750,000	(대) 선 급 법 인 세	13,500,000
		당 기 법 인 세 부 채	5,750,000
		이 연 법 인 세 부 채	500,000

② 20×8. 3. 25. (법인세 납부 시)

(차) 당 기 법 인 세 부 채	3,850,000	(대) 현금 및 현금성자산	5,500,000*
법 인 세 비 용	1,650,000**		

* ₩19,000,000 − ₩13,500,000 = ₩5,500,000

** (₩19,000,000 − ₩17,500,000) + (₩1,900,000 − ₩1,750,000) = ₩1,650,000

주) 법인지방소득세는 ①과 ②에서 당기법인세부채로 회계처리하였으므로 추가적인 분개가 불필요함.

③ 20×8. 4. 30. (법인지방소득세 납부 시)

(차) 당 기 법 인 세 부 채	1,900,000	(대) 현금 및 현금성자산	1,900,000

2) 정부의 경정결정으로 법인세를 추가납부하는 경우

사례 ① (주)삼일은 20×7. 12. 25. 정부의 세법에 대한 새로운 해석으로 인하여 직전사업연도
의 법인세 경정결정서를 받은 바, 법인세 ₩4,500,000을 추가납부하게 된다. 법인세추납액에
는 이연법인세자산·부채에 영향을 미치는 사항은 없으며, 또한 회계상 중요한 오류에 해당
하지 않는다.

② (주)삼일은 20×8. 1. 8. ①의 법인세 ₩4,500,000을 당좌수표로 납부하다.

〈분 개〉

① 20×7. 12. 25. (경정결정서 수령 시)

(차) 법 인 세 비 용	4,500,000	(대) 당 기 법 인 세 부 채	4,500,000

② 20×8. 1. 8. (법인세 납부 시)

(차) 당 기 법 인 세 부 채	4,500,000	(대) 현금 및 현금성자산	4,500,000

3) 결산시 유의할 사항

결산시 법인세 등을 추산함에 있어서 전기 이전의 유보사항이 세무조정에 모두 반영되도록 하고, 최근 개정 또는 제정된 세법 내용을 숙지하여 결산확정 후 법인세 신고·납부시 산출되는 법인세 등과의 차이를 가급적 근소하게 하도록 해야 한다. 또한 과세당국이 회사의 법인세처리를 수용할지 여부를 고려하여 추가적으로 납부할(환급받을) 법인세부채(자산)가 있는지 여부 및 당기법인세부채(자산)에 적절히 반영되었는지, 소송 또는 심사청구, 계류 중인 사항을 재무제표의 주석으로 공시해야 하는지 여부를 충분히 검토한다.

5. 충당부채

충당부채란 ① 과거사건의 결과로 현재의무(법적의무 또는 의제의무)가 존재하고, ② 당해 의무를 이행하기 위하여 경제적효익을 갖는 자원이 유출될 가능성이 높으며, ③ 당해 의무의 이행에 소요되는 금액을 신뢰성 있게 추정할 수 있는 부채이다(기준서 제1037호 문단 14).

이와 같은 충당부채의 요건을 충족하는 경우에는 재무상태표에 부채로 인식하여야 하나, 상기의 요건 중 하나의 요건이라도 충족하지 못하는 경우에는 우발부채로서 주석 공시 여부를 고려하여야 한다.

일반적으로 충당부채는 1년 기준에 따라 유동충당부채와 비유동충당부채로 구별된다. 즉, 보고기간말로부터 1년 이내에 결제하기로 되어 있거나, 보고기간말 현재 보고기간 후 적어도 12개월 이상 부채의 결제를 연기할 수 있는 무조건의 권리를 가지고 있지 않다면 유동충당부채로 분류하고, 그 밖의 부채는 비유동충당부채로 분류한다.

충당부채에 관한 회계처리 및 세부사항은 '부채편, 제2장 비유동부채, 제2절 비유동 비금융부채, 3. 충당부채와 우발부채'편을 참조하기로 한다.

6. 미지급단기유급휴가

종업원급여는 종업원이 제공한 근무용역의 대가로 또는 종업원을 해고하는 대가로 기업이 제공하는 모든 종류의 보수로 정의된다(기준서 제1019호 문단 8). 기준서 제1102호 '주식기준보상'을 적용하는 경우를 제외한 모든 종업원급여의 회계처리에는 기준서 제1019호를 적용하며, 기준서 제1019호가 적용되는 종업원급여제도에 따른 사용자의 권리와 의무는 금융상품의 정의를 충족하는 경우에도 기준서 제1109호 '금융상품'을 적용하지 않는다(기준서 제1019호 문단 2, 기준서 제1109호 문단 2.1).

종업원급여 중 단기종업원급여는 종업원이 관련 근무용역을 제공하는 연차 보고기간 후 12개월이 되기 전에 모두 결제될 것으로 예상하는 종업원급여(해고급여 제외)로 정의되며 여기에는 임금, 사회보장분담금, 유급연차휴가·유급병가이익, 분배금·상여금, 현직 종업원을 위한 비화폐성급여(예 : 의료, 주택, 자동차, 무상이나 일부 보조로 제공하는 재화·용역) 등이 포함된다(기준서 제1019호 문단 5, 8). 여기서는 단기종업원급여에 해당하는 유급연차휴가급여에 따른 미지급비용 회계처리를 살펴본다.

기업은 연차휴가, 병가, 단기장애휴가, 출산육아휴가, 배심원참여 및 병역 등과 같은 여러 가지 이유로 생기는 종업원 휴가에 대하여 보상할 수 있다. 이러한 유급휴가는 누적유급휴가와 비누적유급휴가로 구분한다(기준서 제1019호 문단 13, 14).

누적유급휴가는 당기에 사용되지 않으면 이월되어 차기 이후에 사용되는 유급휴가를 말한다. 이러한 누적유급휴가는 가득되거나(즉, 종업원이 퇴사하는 경우 미사용 유급휴가에 상응하는 현금을 수령할 수 있는 자격이 있거나) 가득되지 않을(즉, 종업원이 퇴사하는 경우 미사용유급휴가에 상응하는 현금을 수령할 자격이 없을) 수 있다. 기업의 채무는 종업원이 미래 유급휴가에 대한 권리를 증가시키는 근무용역을 제공함에 따라 발생한다. 유급휴가가 아직 가득되지 않은 경우에도 관련 채무는 존재하므로 그 채무를 인식하여야 한다. 다만, 채무를 측정할 때에는 가득되지 않은 누적유급휴가를 사용하기 전에 종업원이 퇴사할 가능성을 고려한다(기준서 제1019호 문단 15). 누적유급휴가의 예상원가는 보고기간 말 현재 미사용 유급휴가가 누적되어 기업이 지급할 것으로 예상하는 추가 금액으로 측정한다(기준서 제1019호 문단 16). 누적유급휴가의 예상원가 인식에 따른 채무는 이연계정인 미지급비용계정이나 미지급급여계정으로 회계처리하는 것이 일반적이다.

한편 비누적유급휴가는 이월되지 않으므로 당기에 사용하지 않은 유급휴가는 소멸되며 관련 종업원이 퇴사하더라도 미사용 유급휴가에 상응하는 현금을 수령할 자격이 없다. 이 경우 종업원이 근무용역을 제공하더라도 관련 급여가 증가되지 않으므로 종업원이 실제로 유급휴가를 사용하기 전에는 부채나 비용을 인식하지 않는다(기준서 제1019호 문단 18).

사례 1 미사용 연차휴가에 대하여 현금 지급되는 경우

- 20×1년 말 현재 누적되어 20×2년 중 종업원들에게 부여될 총 연차유급휴가 일수는 150일
- 20×2년 중 종업원들이 사용할 것으로 예상되는 휴가일수는 120일이며 30일은 미사용 예상
- 회사는 사용기일이 경과된 미사용 연차에 대해 현금으로 보상하는 정책을 시행
- 부여된 연차 중 20×2년 사용분에 대한 예상원가 : 2,400,000
  부여된 연차 중 20×2년 미사용분에 대한 예상원가 : 900,000
- 연차의 사용기간 : 전기에 부여된 연차를 당기 1월 1일~12월 31일까지 사용
- 가득된 미사용 연차에 대한 현금보상 정산기간 : 익년 3월

- 연차사용은 예상과 동일하게 120일이 사용되었다고 가정

[회계처리]
⟨20×1년 말 연차휴가 누적⟩
20×1년 근속의 대가로 부여될 연차에 대한 예상원가를 부채로 계상

(차) 급　　　　　여　　3,300,000　　(대) 연 차 미 지 급 비 용　　3,300,000

⟨20×2년 중 연차휴가 사용 시(또는 결산일 정산 시)⟩

(차) 연 차 미 지 급 비 용　　2,400,000　　(대) 급　　　　　여　　2,400,000

⟨20×3년 3월 미사용 연차휴가 지급 시⟩

(차) 연 차 미 지 급 비 용　　900,000　　(대) 현　　　　　금　　900,000

사례 2 연차사용촉진제도가 시행되는 경우(미사용 연차휴가가 소멸되는 경우)

- 20×1년 말 현재 누적되어 20×2년 중 종업원들에게 부여될 총 연차휴가 일수는 150일
- 20×2년 중 종업원들이 사용할 것으로 예상되는 휴가일수는 120일이며 30일은 미사용 예상
- 연차의 사용기간 : 전기에 부여된 연차를 당기 1월 1일~12월 31일까지 사용
- 연차사용촉진제도에 따라 가득되지 않은 연차 미사용분은 소멸
- 부여된 연차 중 20×2년 사용분에 대한 예상원가 : 1,200,000
- 당기말까지 연차사용은 예상과 동일하게 120일이 사용되었다고 가정

[회계처리]
⟨20×1년 말 연차휴가 누적⟩
20×1년 근속의 대가로 부여될 연차에 대한 예상원가를 부채로 계상

(차) 급　　　　　여　　1,200,000　　(대) 연 차 미 지 급 비 용　　1,200,000

⟨20×2년 중 연차휴가 사용 시⟩

(차) 연 차 미 지 급 비 용　　1,200,000　　(대) 급　　　　　여　　1,200,000

Chapter 02 비유동부채

유동부채 외의 모든 부채는 비유동부채(non-current liabilities)로 분류한다(기준서 제 1001호 문단 69). 예를 들어 차입금 및 사채의 계약조건이 보고기간 후 12개월 이내에 결 제하기로 되어 있다면 유동부채로 분류하지만 보고기간말 현재 보고기간 후 적어도 12 개월 이상 부채의 결제를 연기할 수 있는 권리가 있다면 비유동부채로 분류한다.

제1절 비유동금융부채

1. 사 채

(1) 개 요

1) 사채의 의의

사채계정은 기업이 자금조달을 위해 직접 발행하는 채권으로서 일반적으로 최초인식 시점에서 비유동부채로 분류되는 금액을 나타내는 계정이다. 한편 전환사채나 신주인수 권부사채 등은 일반사채와 구분하여 별도 계정으로 회계처리하는 것이 일반적이다.

사채발행회사는 만기일에 원금을 지급해야 할 뿐만 아니라, 만기일까지 사채계약에서 정한 기간마다 이자를 지급해야 한다. 사채이자는 3개월 또는 6개월마다 사채에 표시된 이자율에 따라 지급하는 것이 일반적이다.

금융부채로 분류되는 사채는 최초인식시점에서 공정가치로 측정하며 당기손익-공정 가치 측정 금융부채가 아닌 경우에 해당 금융부채의 발행과 직접 관련되는 거래원가는 공정가치에 가감한다(기준서 제1109호 문단 5.1.1). 사채의 공정가치는 비슷한 신용등급을 가 진 비슷한 금융상품(통화, 기간, 이자율유형, 그 밖의 요소에 관하여 비슷함)의 시장이자 율로 할인한 미래 모든 현금흐름의 현재가치로 측정할 수 있다.

사채는 만기에 상환하여 제거하는 외에 다음과 같은 방법으로 제거할 수도 있다.

첫째, 사채발행회사가 증권시장에서 자기가 발행한 사채를 재매입하여 사채를 제거할 수 있다.

둘째, 사채의 계약조건에 따라 발행회사가 사채에 대한 조기상환권(콜옵션)을 행사하거나 사채권자가 사채에 대한 조기상환권(풋옵션)을 행사하여 사채를 제거할 수 있다.

셋째, 전환사채(convertible bonds)의 사채권자가 전환권을 행사하거나 신주인수권부사채의 사채권자가 신주인수권을 행사하면서 사채를 대용 납입하여 사채를 제거할 수 있다.

넷째, 발행회사의 재무상태 악화 등을 사유로 사채권자가 권리를 포기하여 사채를 제거할 수 있다.

2) 사채발행과 주식발행의 장·단점

일반사채와 보통주를 비교하면 사채는 증서를 발행하여 장기자금을 조달한다는 점에서는 보통주와 비슷하지만 다음과 같은 차이가 있다.

- ㉠ 일반적으로 사채는 약정이자를 지급해야 하는 계약상 의무를 부담하나, 보통주는 배당의 지급을 기업의 재량으로 결정한다.
- ㉡ 일반적으로 사채는 만기에 원금을 지급할 계약상 의무를 부담하나, 보통주는 이러한 의무를 부담하지 않는다.
- ㉢ 회사가 청산하는 경우 일반적으로 사채권자가 보통주 주주보다 순자산 분배에 대해 우선하는 권리를 가진다.
- ㉣ 일반적으로 사채권자는 의결권이 없으나, 주주는 주주총회에서 의결권을 행사함으로써 회사의 경영에 참가할 수 있다.

전환사채나 우선주의 경우 위에서 설명한 일반사채의 성격과 보통주의 성격을 모두 가지기도 한다.

(2) 기업회계 상의 처리

1) 사채발행 회계처리

사채가 발행되면 사채발행회사는 정해진 이자지급일에 이자를 지급해야 하고, 만기일에 액면금액인 원금을 상환할 의무를 부담한다. 그러나 사채를 발행할 때 사채발행회사가 항상 액면금액을 수취하는 것은 아니다. 시장이자율과 사채의 표시이자율이 일치하지 않는 경우 사채발행회사는 사채를 할인발행 할 수도 있고 할증발행 할 수도 있다.

① 할인발행

사채의 할인발행이란, 사채가 발행될 때 사채발행 금액이 사채의 액면금액보다 적은 경우를 말한다. 사채의 할인발행은 현행 시장이자율(current market interest rate)이 사채의 표시이자율(stated interest rate)보다 높기 때문에 발생한다.

사채발행회사는 발행한 사채를 최초인식시점에서 공정가치로 측정한다. 발행금액이 공정가치일 경우 발행금액으로 사채를 계상한다. 실무에서는 일반적으로 할인액을 사채할인발행차금계정으로 설정하여 처리한다. 사채할인발행차금계정의 잔액은 사채의 액면금액에서 차감하는 형식으로 기재한다. 이는 사채할인발행차금의 성격이 자산계정이 아니라 부채의 차감계정이기 때문이다. 즉, 이 계정은 사채발행금액이 액면금액보다 적기 때문에 설정되는 것일 뿐, 미래에 용역을 제공받을 권리가 아니다. 상각후원가로 후속 측정하는 금융부채로 분류되는 사채의 경우 사채할인발행차금은 사채기간 동안 이자비용으로 인식한다. 즉, 만기일에 상환해야 할 금액은 발행금액이 아니라 사채의 액면금액이므로 액면금액과 발행금액과의 차이는 유효이자율법을 사용하여 사채발행회사가 부담하는 이자비용으로 회계처리한다. 원금과의 구분을 위해 사채할인발행차금계정을 사용하는 경우에도 재무상태표에는 사채할인발행차금을 차감한 금액을 사채의 순장부금액으로 표시한다.

가. 할인발행 회계처리

사채를 액면금액보다 적은 금액으로 발행하면서 사채할인발행차금계정을 사용할 경우의 회계처리는 다음과 같다.

(차) 현금 및 현금성자산　　　×××　　　(대) 사　　　　　채　　　×××
　　　사채할인발행차금　　　×××

나. 사채할인발행차금의 상각방법

사채할인발행차금의 상각이란, 할인액을 사채기간에 인식하여야 할 이자비용으로 배분하는 과정을 말한다. 즉, 기간이자비용을 정확하게 계산하기 위한 과정이다.

유효이자율(effective interest rate)이란 금융부채의 기대존속기간에 추정 미래현금지급액이나 수취액의 현재가치를 금융부채의 상각후원가와 정확히 일치시키는 이자율이다(기준서 제1109호 부록 A). 사채발행회사가 각 연도에 인식할 이자비용은 다음과 같이 계산된다.

> 당해 연도의 이자비용＝사채의 기초(또는 발행 시점) 장부금액×유효이자율

그러나 각 이자지급일에 현금으로 지급되는 이자액은 사채의 액면금액에 표시이자율을 곱하여 계산된 금액이다. 따라서 유효이자율법에서는 각 연도에 인식할 이자비용(유효이자액)과 각 이자지급일에 실제로 지급할 이자액(표시이자액)의 차이만큼 할인액을

상각한다. 이를 분개를 통해 살펴보면 다음과 같다.

(차) 사채이자(유효이자액)   ×××   (대) 현 금(액면금액×표시이자율)   ×××

                                          사채할인발행차금   ×××

                                     (유효이자액－표시이자액)

이 방법에서 각 연도에 적용되는 이자율은 유효이자율로 일정하지만 각 연도에 인식할 이자비용(유효이자액)은 장부금액에 따라 달라진다. 사채가 할인발행 된 경우, 각 연도의 사채의 장부금액은 사채할인발행차금의 상각액만큼 계속 증가하여 만기일에 액면금액과 일치하게 된다. 따라서 부채금액이 증가함에 따라 기간이자비용 역시 계속 증가한다.

사채할인발행차금계정을 사용하지 않는 경우에는 위의 분개처럼 사채할인발행차금을 감소시키는 것이 아니라 사채계정의 금액을 직접 증가시킨다.

② 할증발행

사채의 할증발행이란, 사채가 발행될 때 사채발행 금액이 사채의 액면금액보다 큰 경우를 말한다.

사채의 할증발행은 시장이자율이 사채의 표시이자율보다 낮기 때문에 발생한다. 사채발행회사는 발행한 사채를 최초인식시점에서 공정가치로 측정한다. 발행금액이 공정가치일 경우 발행금액으로 사채를 계상한다. 실무에서는 일반적으로 할증액을 사채할증발행차금계정으로 설정하여 처리한다. 사채할증발행차금계정의 잔액은 사채의 액면금액에 가산하는 형식으로 기재하고 그 환입액을 사채이자에서 차감한다. 원금과의 구분을 위해 사채할증발행차금계정을 사용하는 경우에도 재무상태표에는 사채할증발행차금을 가산한 금액을 사채의 장부금액으로 계상한다.

가. 할증발행 회계처리

사채를 액면금액보다 많은 금액으로 발행하면서 사채할증발행차금계정을 사용하는 경우의 회계처리는 다음과 같다.

(차) 현금 및 현금성자산   ×××   (대) 사   채   ×××

                                         사채할증발행차금   ×××

나. 사채할증발행차금의 환입방법

사채할증발행차금의 환입이란, 할증액을 사채기간에 걸쳐 인식하여야 할 이자비용으로 배분하는 과정을 말한다. 즉, 기간이자비용을 정확하게 계산하기 위한 과정이다.

유효이자율(effective interest rate)이란, 금융부채의 기대존속기간에 추정 미래현금지급액이나 수취액의 현재가치를 금융부채의 상각후원가와 정확히 일치시키는 이자율이다(기준서 제1109호 부록 A). 사채발행회사가 각 연도에 인식할 이자비용은 다음과 같이 계산된다.

> 당해 연도의 이자비용＝사채의 기초(또는 발행 시점) 장부금액×유효이자율

그러나 각 이자지급일에 현금으로 지급되는 이자액은 사채의 액면금액에 표시이자율을 곱하여 계산된 금액이다. 따라서 유효이자율법에서는 각 연도에 인식할 이자비용(유효이자액)과 각 이자지급일에 실제로 지급할 이자액(표시이자액)의 차이만큼 할증액을 환입한다. 이를 분개를 통해 살펴보면 다음과 같다.

(차) 사채이자(유효이자액)　　　×××　(대) 현　　　　　금　　　×××
　　　　　　　　　　　　　　　　　　　　(사채액면금액×표시이자율)

　　사채할증발행차금　　　×××
　　(표시이자액−유효이자액)

이 방법에서 각 연도에 적용되는 이자율은 유효이자율로 일정하지만 각 연도에 인식할 이자비용(유효이자액)은 장부금액에 따라 달라진다. 사채가 할증발행 된 경우, 각 연도의 사채 장부금액은 사채할증발행차금의 환입액만큼 계속 감소하여 만기일에 액면금액과 일치하게 된다. 따라서 부채금액이 감소함에 따라 기간이자비용 역시 계속 감소한다.

사채할증발행차금계정을 사용하지 않는 경우에는 위의 분개처럼 사채할증발행차금을 감소시키는 것이 아니라 사채계정의 금액을 직접 감소시킨다.

사례 1　20×7년 1월 1일에 (주)삼일은 20×9년 12월 31일에 만기가 도래하는 사채(액면금액 ₩500,000, 표시이자율 10%)를 발행하였다. 이자지급일은 매년 12월 31일이며 시장이자율은 18%이다.

물음

다음 질문에 답하시오.
1. 20×7년 1월 1일에 필요한 분개를 하시오.
2. 할인액 상각표를 작성하시오.
3. 20×7년 12월 31일에 필요한 분개를 하시오.
4. 20×7년 12월 31일에 사채금액을 계산하시오.

풀이

1.

(차) 현금 및 현금성자산	413,029	(대) 사　　　채	500,000
사채할인발행차금	86,971		

원금의 현가	₩500,000×0.60863* =	₩304,315
이자의 현가	₩50,000×2.17427** =	₩108,714
합 계(사채의 현가)		₩413,029

* $\dfrac{1}{(1+i)^n}$: i(유효이자율), n(기간)

** $\dfrac{1-\dfrac{1}{(1+i)^n}}{i}$: i(유효이자율), n(기간)

2. 유효이자율법에 따른 할인액 상각표

연 도	기초부채	유효이자율	총이자비용	현금지급이자	할인액상각	부채증가액	기말부채
	①	②	①×②=③	④	③-④=⑤	⑤	
20×7	₩413,029	18%	₩74,345	₩50,000	₩24,345	₩24,345	₩437,374
20×8	437,374	18%	78,727	50,000	28,727	28,727	466,101
20×9	466,101	18%	83,899	50,000	33,899	33,899	500,000
계			₩236,971	₩150,000	₩86,971	₩86,971	

3.

(차) 사　채　이　자	74,345	(대) 사채할인발행차금	24,345
		현금 및 현금성자산	50,000

4.

사채	₩500,000
사채할인발행차금	(62,626)
사채의 장부금액	₩437,374

사례 2 　20×7년 1월 1일에 (주)삼일은 사채(액면 ₩1,000,000, 표시이자율 12%)를 발행하였다. 사채이자계산은 20×7년 1월 1일부터 시작되며 만기일은 20×9년 12월 31일이다. 시장이자율은 10%이며, 사채의 발행금액은 ₩1,049,730이다.

물음

1. 20×7년 1월 1일에 필요한 분개를 하시오. 또 만기일까지 인식될 총이자비용을 계산하시오.
2. 유효이자율법을 적용하여 다음 사항에 답하시오.
　㉠ 할증액 상각표를 작성하시오.
　㉡ 20×7년 결산 시 필요한 분개를 하시오.

풀이

1. 만기일까지 인식될 총이자비용 : ₩310,270

   (₩1,360,000 − ₩1,049,730 = ₩310,270)

[20×7년 1월 1일 분개]

(차) 현 금 및 현 금 성 자 산　　1,049,730　　(대) 사　　　　　채　　1,000,000

　　　　　　　　　　　　　　　　　　　　　　　사 채 할 증 발 행 차 금　　49,730

[할증액 상각표]

연 도	기초부채	총이자비용	현금지급이자	할증액상각	부채의 감소액	기말부채
20×7	₩1,049,730	₩104,973	₩120,000	₩15,027	₩15,027	₩1,034,703
20×8	1,034,703	103,470	120,000	16,530	16,530	1,018,173
20×9	1,018,173	101,827*	120,000	18,173	18,173	1,000,000
합 계		₩310,270	₩360,000	₩49,730	₩49,730	

* 단수차이를 조정한 것임.

[20×7년 12월 31일 분개]

(차) 사　　채　　이　　자　　104,973　　(대) 현 금 및 현 금 성 자 산　　120,000

　　　사 채 할 증 발 행 차 금　　15,027

2) 거래원가

사채를 발행할 때 발행수수료나 기타 지출이 발생할 수 있다. 기준서 제1109호는 금융부채의 취득, 발행 또는 처분과 직접 관련된 증분원가를 거래원가로 정의하고 당기손익−공정가치 측정 금융부채가 아닌 경우 당해 금융부채의 발행과 직접 관련되는 거래원가는 최초 인식하는 공정가치에 가감하여 측정하도록 한다(기준서 제1109호 부록 A, 문단 5.1.1). 실무상 사채할인(할증)발행차금계정을 사용하는 경우에는 해당 할인차금(할증차금)에 가감된다. 사채발행과 관련된 거래원가의 예로는 사채인쇄비용, 법률 및 기타 절차비용, 인지세 등을 들 수 있다. 이러한 거래원가로 인한 현금유출은 사채를 발행하여 조달한 현금을 감소시켜 미래의 이자비용을 증가시키는 효과가 있다. 따라서, 사채의 표시이자율과 시장이자율이 동일한 경우 거래원가를 부담하지 않았다면 사채발행 당시 시장이자율과 유효이자율이 일치하겠지만, 거래원가를 부담하였다면 거래원가가 사채의 할인차금(할증차금)에 가산(차감)되므로 유효이자율은 사채발생 당시 시장이자율보다 상승하는 결과가 된다.

3) 이자지급일 사이의 사채발행

사채발행회사는 사채계약에 발행일로 명시된 날짜에 사채를 발행하지 않을 수도 있다. 또는 이미 유통 중인 사채를 재매입 후 재발행할 수도 있다. 사채가 이자지급일 사이에 발행(또는 재발행)될 경우에도 금융상품의 계약당사자가 되는 때에만 사채를 재무상태표에 인식한다(기준서 제1109호 문단 3.1.1). 최초인식시점에서 사채를 공정가치로 측정하고, 당기손익-공정가치 측정 금융부채가 아닌 경우에 해당 금융부채의 발행과 직접 관련되는 거래원가는 공정가치에 가감한다(기준서 제1109호 문단 5.1.1). 일반적으로 사채의 발행금액(또는 재발행금액)이 최초인식시점에서 사채의 공정가치일 것이다. 사채를 상각후원가로 측정하는 금융부채로 분류하였다면 해당 사채의 최초인식시점에서 유효이자율을 산정한다. 관리목적에 따라 사채권면에 표시된 발행일이나 직전 이자지급일로부터 최초인식시점까지 이미 발생한 현금이자액을 미지급이자비용계정으로 구분하여 회계처리할 수도 있다. 이미 유통 중인 사채를 재매입 후 재발행 하는 경우의 회계처리 사례는 아래 '6) 자기사채의 재발행'을 참고한다.

4) 이자지급기간과 회계기간의 불일치

회사의 회계기간과 사채이자지급기간은 일치하지 않을 수 있는데 이자지급일로부터 회계연도 말까지 발생한 이자비용을 결산 시에 인식하기 위한 수정분개가 필요하다.

예를 들어, 사채이자가 6개월마다 지급된다면 사채에 대한 회계처리도 이자지급기간을 기준으로 한다. 실무적으로는 각 기간 경과에 따른 유효이자율법에 따른 이자비용을 계산하기 보다는 할인액 및 할증액 상각표를 6개월 단위로 작성하고 해당 월할 또는 일할 기간만큼 안분하여 상각한다.

> **사례** 20×7년 3월 1일에 (주)삼일은 만기 3년인 사채(액면금액 ₩500,000, 표시이자율 10%)를 발행하였다. 20×7년 3월 1일부터 이자는 계산되고 매년 9월 1일과 3월 1일에 5%씩 지급된다. 시장이자율은 6개월 기준 7%이다.

> **물음**
> 1. 사채할인발행차금의 상각표를 작성하시오.
> 2. 20×7년 3월 1일, 9월 1일, 12월 31일에 필요한 분개를 하시오.
> 3. 20×8년 3월 1일에 필요한 분개를 하시오.

> **해답**
> 1. 사채할인발행차금의 상각표

기　　간	기초부채	총이자비용	현금지급이자	할인액상각	부채증가액	기말부채
20×7. 3. 1.~20×7. 9. 1.	₩452,334	₩31,663	₩25,000	₩6,663	₩6,663	₩458,997
20×7. 9. 1.~20×8. 3. 1.	458,997	32,130	25,000	7,130	7,130	466,127
20×8. 3. 1.~20×8. 9. 1.	466,127	32,629	25,000	7,629	7,629	473,756
20×8. 9. 1.~20×9. 3. 1.	473,756	33,163	25,000	8,163	8,163	481,919
20×9. 3. 1.~20×9. 9. 1.	481,919	33,734	25,000	8,734	8,734	490,653
20×9. 9. 1.~20Y0. 3. 1.	490,653	34,347	25,000	9,347	9,347	500,000
합　　계		₩197,666	₩150,000	₩47,666	₩47,666	

| 유효이자율법에 따른 상각표 |

2. [20×7년 3월 1일 분개]

(차) 현금 및 현금성자산　452,334　　(대) 사　　　채　500,000
　　　사채할인발행차금　47,666

[20×7년 9월 1일 분개]

(차) 이　자　비　용　31,663　　(대) 현금 및 현금성자산　25,000
　　　　　　　　　　　　　　　　　사채할인발행차금　6,663

[20×7년 12월 31일 분개]

(차) 이　자　비　용　21,420　　(대) 사채할인발행차금　4,753
　　(₩32,130×4/6)*　　　　　　　　(₩7,130×4/6)
　　　　　　　　　　　　　　　　　미　지　급　이　자　16,667
　　　　　　　　　　　　　　　　　(₩25,000×4/6)

* 실제 이자는 유효이자율법에 따라 계산하여야 하나 편의를 위해 이자지급일 사이의 기간은 월할 계산함.

3. [20×8년 3월 1일 분개]

(차) 미　지　급　이　자　16,667　　(대) 현금 및 현금성자산　25,000
　　　이　자　비　용　10,710　　　　사채할인발행차금　2,377
　　(₩32,130×2/6)　　　　　　　　　(₩7,130×2/6)

5) 사채의 상환

① 사채상환의 의의

　사채의 상환은 그 상환시점에 따라 만기상환과 조기상환으로 구분할 수 있다. 사채의 만기가 도래하기 전에 사채를 상환하는 것을 사채의 조기상환이라 하는데, 조기상환방법에는 일반적으로 다음과 같은 세 가지가 있다.

　㉠ 시장성 있는 사채의 경우 증권시장에서 사채의 현행 시장가격을 지급하고 사채를 재매입하는 방법

　ⓒ 사채의 계약조건에 따라 발행회사가 조기상환권(콜옵션)을 행사하거나 사채권자가 조기상환권(풋옵션)을 행사하여 상환가격을 지급함으로써 사채를 상환하는 방법
　ⓓ 차환(refunding)에 의한 방법, 즉, 구사채 대신에 신사채를 발행하여 구사채를 상환하는 방법

조기상환으로 소멸한 금융부채(또는 금융부채의 일부)의 장부금액과 지급한 대가(양도한 비현금자산이나 부담한 부채를 포함)의 차액은 당기손익으로 인식한다(기준서 제1109호 문단 3.3.3).

사채발행회사가 자기회사의 사채를 재매입하여 보유하고 있는 사채를 자기사채라고 한다. 자기사채를 보유하는 이유는 사채의 조기상환을 목적으로 한 경우와 유휴자금의 운용을 목적으로 한 경우가 있다. 채무상품의 발행회사가 당해 금융상품을 재매입한다면, 발행회사가 당해 금융상품을 단기간 내에 재매도할 의도가 있더라도 금융부채의 제거로 회계처리한다. 즉, 자기사채 재매입 시의 장부금액과 재매입금액의 차이를 사채상환손익으로 당기손익으로 인식한다(기준서 제1109호 문단 3.3.4).

자기가 발행한 사채를 재매입하는 경우 사채의 조기상환손익이 발생하는 이유는 상환일의 시장이자율이 발행일의 시장이자율과 다르기 때문이다. 즉, 상대적으로 상환일의 시장이자율이 발행일의 시장이자율보다 높을 경우에는 사채의 가격은 하락하여 사채상환이익이 발생하게 된다.

한편, 사채의 차환과 같이 기존 차입자와 대여자가 실질적으로 다른 조건으로 채무상품을 교환하거나 기존 금융부채(또는 금융부채의 일부)의 조건이 실질적으로 변경된 경우에도 최초의 금융부채를 제거하고 새로운 금융부채를 인식한다(기준서 제1109호 문단 3.3.2). 새로운 조건에 따른 현금흐름의 현재가치와 최초 금융부채의 잔여현금흐름의 현재가치의 차이가 적어도 10% 이상인 경우 계약조건이 실질적으로 달라진 것이다. 이때 새로운 조건에 따른 현금흐름에는 지급한 수수료에서 수취한 수수료를 차감한 수수료 순액이 포함되며, 현금흐름을 할인할 때에는 최초의 유효이자율을 사용한다. 지급한 수수료에서 수취한 수수료를 차감한 수수료 순액을 결정할 때, 차입자와 대여자 사이에서 지급하거나 수취한 수수료(상대방을 대신하여 지급하거나 수취한 수수료 포함)만을 포함한다.

- 채무상품의 교환이나 계약조건의 변경을 금융부채의 소멸로 회계처리한다면, 발생한 원가나 수수료는 금융부채의 소멸에 따른 손익의 일부로 인식한다.
- 채무상품의 교환이나 계약조건의 변경을 금융부채의 소멸로 회계처리하지 아니하면, 발생한 원가나 수수료는 부채의 장부금액에서 조정하며, 변경된 부채의 잔여기간에 상각한다(기준서 제1109호 문단 B3.3.6).

금융부채의 조건변경과 관련한 자세한 내용은 위에서 다룬 '(4) 금융부채의 제거'를 참고한다.

② 조기상환손익계산

일반적으로 자기가 발행한 사채의 재매입에 따른 사채의 조기상환은 다음에 설명하는 방법으로 회계처리한다. 우선 상환될 사채와 관련되어 상환일까지 유효이자율법에 따라 계산된 사채이자, 할인액 또는 할증액의 상각 등을 회계처리한다. 즉, 상환일이 이자지급일과 일치하지 않는 경우, 상환일 직전의 이자지급일(또는 사채 발행일이나 직전 결산일)로부터 상환일까지의 유효이자액을 인식하고 할인액 또는 할증액의 상각, 미지급이자액 등을 수정하는 분개를 한다.

상환시점의 사채 장부금액을 결정한 후에 조기상환에 따른 손익을 인식하는데, 이때 조기상환손익은 사채의 재매입가격과 순장부금액과의 차이다. 차입자와 대여자 사이에서 지급하거나 수취한 수수료(상대방을 대신하여 지급하거나 수취한 수수료 포함)는 조기상환손익으로 인식한다. 사채의 순장부금액은, 유효이자율법에 따라 조기상환일 시점에서 계산된 장부금액으로서 사채의 만기금액에 상환일까지 발생한 미지급된 현금이자액을 가산하고 미상각된 할증액 또는 할인액을 가감한 금액이다.

사채의 재매입에 따른 원가나 수수료가 없다면 사채의 조기상환이익은 사채의 순장부금액이 재매입가격을 초과하는 부분이며, 반대로 사채의 조기상환손실은 재매입가격이 순장부금액을 초과하는 부분이다. 사채의 조기상환 분개를 할 때에는 유효이자율법에 따라 조기상환일 시점에서 계산된 사채의 장부금액을 제거하기 위해 미상각된 할인액 또는 할증액을 모두 제거해야 한다는 점에 유의한다.

> **사례** 　20×7년 1월 1일에 (주)삼일은 3년 만기 사채(액면금액 ₩200,000, 표시이자율 : 15%)를 발행하였다. 이자는 매년 12월 31일에 지급되며 유효이자율은 18%이다.

> **물음**

1. 사채할인발행차금 상각표를 작성하시오.
2. 20×9년 7월 1일에 현금 ₩203,000을 지급하고 사채를 재매입하였을 경우 조기상환 분개를 하시오. 사채의 재매입에 따른 원가나 수수료는 없는 것으로 가정한다.

> **해답**

1. 사채할인발행차금 상각표(유효이자율법)

연 도	기초부채	유효이자율	총이자비용	현금지급이자	할인액상각 =부채증가	기말부채
20×7	₩186,954	18%	₩33,652	₩30,000	₩3,652	₩190,606
20×8	190,606	18%	34,309	30,000	4,309	194,915
20×9	194,915	18%	35,085	30,000	5,085	200,000
합 계			₩103,046	₩90,000	₩13,046	

2. 20×9년 1월 1일 ~ 20×9년 6월 30일까지의 이자비용인식을 위한 분개

(차) 사 채 이 자	17,543	(대) 사채할인발행차금	2,543
		미 지 급 이 자	15,000

• 사채의 조기상환을 기록하기 위한 분개

(차) 사 채	200,000	(대) 사채할인발행차금	2,542
미 지 급 이 자	15,000	현 금	203,000
		사 채 상 환 이 익	9,458

*사채조기상환손익계산내역

사채의 재매입금액 ;		₩203,000
사채의 순장부금액 ;		
액면금액	200,000	
미지급이자(₩200,000×15% × 6/12)	15,000	
미상각할인액(₩5,085 × 6/12)	(2,542)	212,458
사채조기상환이익		₩9,458

* 실제 이자는 유효이자율법에 따라 계산하여야 하나 편의를 위해 이자지급일 사이의 기간은 월할 계산함.

6) 자기사채의 재발행

회사가 자기사채를 재발행하는 경우 사채발행의 회계처리를 한다. 즉 재발행에 따른 최초인식시점에서 사채를 공정가치로 측정하고, 당기손익-공정가치 측정 금융부채가 아닌 경우에 해당 금융부채의 발행과 직접 관련되는 거래원가는 공정가치에 가감한다 (기준서 제1109호 문단 5.1.1).

사례 (주)삼일은 20×7년 3월 1일 액면가 ₩1,000,000,000, 이자율 10%, 5년 만기 회사채를 ₩970,000,000에 발행하였다. 회사는 20×8년 3월 1일에 액면가 ₩300,000,000 자기사채를 ₩270,000,000에 재매입했다. 또한 해당 자기사채를 20×8년 6월 1일에 ₩280,000,000에 재발행 했다. 계산편의상 자기사채 취득 시의 사채할인발행차금 잔액은 ₩24,000,000이라 가정한다.

물음

1. 20×7년 3월 1일 사채 발행 분개를 하시오.
2. 20×8년 3월 1일 자기사채 재매입 분개를 하시오.
3. 20×8년 6월 1일 자기사채 재발행 분개를 하시오

해답

1. 사채 발행 분개

(차) 현금 및 현금성자산	970,000,000	(대) 사 채	1,000,000,000
사채할인발행차금	30,000,000		

2. 자기사채 재매입 분개

 (차) 사   채   300,000,000   (대) 현금 및 현금성자산   270,000,000
                     사채할인발행차금   7,200,000*
                     사 채 상 환 이 익   22,800,000

 * 24,000,000 × 3/10

3. 자기사채 재발행 분개

 (차) 현금 및 현금성자산   280,000,000   (대) 사   채   300,000,000
    사채할인발행차금   20,000,000

(3) 세무상 유의할 사항

사채와 관련하여 세무조정시 유의하여야 할 사항은 다음과 같다.

1) 사채할인발행차금

법인세법에서는 법인이 사채를 발행하는 경우에 상환할 사채금액의 합계액에서 사채발행가액(사채발행수수료와 사채발행을 위하여 직접 필수적으로 지출된 비용을 차감한 후의 가액을 말함)의 합계액을 공제한 금액, 즉, 사채할인발행차금은 기업회계기준에 의한 사채할인발행차금의 상각방법에 따라 이를 손금에 산입한다(법령 71조 3항).

2) 사채할증발행차금

실무상 사채를 할증발행하는 경우는 거의 없고 현재까지 사채할증발행차금의 세무조정에 관하여 규정된 바는 없으나, 사채할증발행차금을 환입처리함에 있어서는 사채할인발행차금의 예에 준하여 환입처리하는 것으로 보아야 할 것이다(서이 46012-11686, 2002. 9. 10.).

3) 자기사채의 처리

자기사채와 관련한 법인세법 기본통칙 19-19…38의 내용은 다음과 같다.

> 법인세법 기본통칙19-19…38【자기사채 처분손익의 처리】① 주간사회사와 인수단이 발행총액을 인수하여 매출하는 조건으로 회사채를 발행한 법인이 주간사회사 등이 매출하지 못한 회사채를 발행가액으로 취득한 후, 동 사채를 시가에 의하여 매각함에 따라 발생하는 처분손익은 각 사업연도의 익금 또는 손금으로 한다.
> ② 매입소각하거나 상환일까지 보유할 목적으로 자기사채를 취득하는 경우 취득일까지의 이자상당액을 지급이자로 하여 원천징수하고, 자기사채의 발행가액과 취득가액과의

차액(사채할인발행차금 미상각액을 포함한다)을 취득일이 속하는 사업연도의 손익에 산입한다.

③ 제2항의 규정 중 "취득일까지의 이자상당액"은 다음 각호의 합계액으로 한다.

1. 당해 사채취득시까지 약정이자율에 의하여 계산한 미지급이자 상당액
2. 사채할인발행차금 중 발행일로부터 취득시까지의 기간에 상당하는 금액

상기 기본통칙 제2항과 제3항의 내용은 매입소각하거나 상환일까지 보유할 목적으로 자기사채를 취득하는 경우 이에 상당하는 액면가액과 사채할인발행차금을 직접 차감하고 취득가액과의 차이는 사채상환이익 또는 사채상환손실의 과목으로 처리하는 한국채택국제회계기준과 동일하다(기준서 제1109호 문단 3.3.1 및 3.3.3). 그러나, 제1항의 내용은 한국채택국제회계기준과 상이하다. 한국채택국제회계기준에서는 자기사채의 취득시에는 상환에 준하여 처리하고 그 자기사채의 재매각시에는 재매각을 사채를 재발행하는 것으로 보아 액면가액과 재매각가액과의 차액을 사채발행차금으로 계상하여야 하며 사채처분손익 등으로 직접 계상하는 것은 아니다.

한편, 내국법인이 유휴자금의 일시적 운용 등 매각을 전제로 자기가 발행한 회사채를 취득하여 보유하는 경우 원천징수와 관련하여 국세청의 유권해석(법인 46013-2485, 1997. 9. 26.)에서는 "내국법인이 매각을 전제로 보유하고 있는 자기사채에 대해 이자지급시기가 도래하여 이자를 지급하는 경우와 이자계산기간 중 증권회사 등에 매각하는 경우 당해 자기사채에 대한 보유기간이자상당액은 법인세법의 규정을 적용함에 있어서 채권 등의 이자소득금액에 해당하는 원천징수대상 소득"이라고 회신한 바가 있다.

2. 전환사채

(1) 전환사채의 의의

1) 개 요

기업의 유지·발전을 위해서 기업자금이 조달되어야 하는 데 주주 외의 자로부터 기업자금을 조달하는 경우가 많다. 현실적으로 자금조달 비용측면에서 타인자본을 조달하는 것이 더 유리한 경우도 있다.

기업의 입장에서 보면 사채이자는 세법상 손금으로 인정되어 법인세 절감효과가 있고, 사채의 발행은 기존 주주의 기업에 대한 지배권에 변동을 주지 않고 자금을 조달할 수 있다는 장점이 있다.

전환사채는 보증사채나 일반사채와 달리 표면금리가 낮게 책정되어 발행된다. 이는

사채가 주식으로 전환되는 권리가 부여되어 있으므로 전환권이라는 일종의 프리미엄, 즉, 전환권대가가 생기기 때문이다. 한편, 전환사채가 발행된 후 주가가 전환가격보다 적은 금액으로 형성되어 전환권을 행사하지 않는 경우 사채권자는 전환사채에 대한 상환을 요구하게 된다. 이 경우 사채발행회사는 전환사채원금에 미리 정해진 보장수익률로 상환할증금을 붙여 상환하는 것이 일반적이다.

2) 전환사채의 법적 성질

전환사채는 일정한 요건에 따라 사채권자에게 사채를 사채발행회사의 주식으로 전환할 수 있는 권리를 부여하여 사채권자가 전환권을 행사하면 주주가 된다.

전환권은 사채권자의 지위를 주주로 변경시키는 효력을 갖는 일종의 형성권이기 때문에 발행회사는 사채권자가 사채를 보유하는 동안 사채원리금 지급의무를 지게 되나, 사채권자가 주식으로의 전환을 선택하면 사채원리금 상환의무 대신 신주를 발행하여 교부하여야 하며, 사채권자의 전환권 행사에 따라서 발행회사의 사채원리금 지급의무가 소멸한다.

(2) 기업회계 상 회계처리

1) 전환권의 인식방법

전환사채는 사채와 전환권의 두 가지 요소로 구성되어 있다. 전환권은 미래에 발행회사의 주식으로 결제될 파생상품이다. 기준서 제1032호에서는 자기지분상품으로 결제될 파생상품은 확정 수량의 자기지분상품에 대하여 확정 금액의 현금 등 금융자산을 교환하여 결제될 경우 자본이라고 규정하고 있다(기준서 제1032호 문단 16). 해당 요건을 충족하지 못할 경우의 전환권은 사채에 내재된 분리하여 회계처리해야 할 내재파생상품이며, 최초 인식 시 공정가치로 측정하고 이후 공정가치로 평가하여야 한다. 자본 분류에 대한 내용은 '제2편 재무상태표편' 중 '자본'을, 내재파생상품과 관련한 자세한 설명은 '파생상품회계'를 참고한다.

여기에서는 자본 분류 요건을 충족하여 자본으로 분류되는 전환권을 포함하는 전환사채와 관련한 회계처리를 살펴본다. 전환사채의 전환권이 자본인 경우 당해 전환사채는 자본요소와 부채요소를 모두 가지고 있는 복합금융상품이 된다. 기준서 제1032호에 따르면 발행회사는 금융상품의 조건을 평가하여 당해 금융상품이 자본요소와 부채요소를 모두 가지고 있는지를 결정하여야 하며 각 요소별로 금융부채, 금융자산 또는 지분상품으로 분류하여야 한다. 즉, 발행회사는 ① 금융부채를 발생시키는 요소와 ② 발행회사의 지분상품으로 전환할 수 있는 옵션을 보유자에게 부여하는 자본요소를 별도로 분리하여 인식하여야 한다. 보유자가 확정 수량의 발행회사의 보통주로 전환할 수 있는 사채인 전환사채는 복합금융상품의 대표적인 예이며, 발행회사의 관점에서 이러한 금융상품은 금융부채(현금 등 금융자산을 인도하는 계약)의 요소와 자본(확정 금액으로 확정 수량의 발행회사의 보통주로 전환할 수 있는 권리를 정해진 기간 동안 보유자에게 부여하는 콜옵션)의 요소로 구성된다. 이러한 금융상품을 발행하는 거래는 조기상환규정이 있는 채무상품과 주식을 매입할 수 있는 주식매입권을 동시에 발행하는 거래 또는 분리형 주식매입권이 있는 채무상품을 발행하는 거래와 실질적으로 동일한 경제적 효과가 있다. 따라서 이러한 모든 거래들의 경우 발행회사는 재무상태표에 부채요소와 자본요소를 분리하여 표시한다(기준서 제1032호 문단 28, 29).

전환사채의 발행금액 − 일반사채에 해당하는 부분 = 전환권
(부채요소)　　　　　　　(자본요소)

여기에서 자본인 전환권은 당해 전환사채의 발행금액에서 전환권이 없는 일반사채의 공정가치를 차감하여 계산한다(기준서 제1032호 문단 31). 이 경우 일반사채의 공정가치는 계약상 정해진 미래현금흐름(상환할증금이 있는 경우에는 이를 포함)을 사채발행일 현재 발행회사의 전환권이 없는 일반사채의 시장이자율로 할인한 금액을 말한다(기준서 제1032호 문단 AG31).

예를 들면, 전환권이 부여된 전환사채를 발행하는 경우에는 일반사채를 발행하는 경우보다 낮은 이자율로 발행할 수 있다. 따라서 3년 만기, 액면 ₩1,000,000, 액면이자 10% 조건의 일반사채와 동일한 금액 ₩886,000에 발행할 수 있는 액면이자율이 8%인 전환사채가 있다면 다른 조건은 일치한다고 가정할 때 이자율 10%와 8%의 차이는 전환권에 대한 대가일 것이다.

전환사채를 일반사채와 동일한 이자율로 발행한다면 일반사채보다 높은 금액으로 발행할 수 있다. 예를 들면, 3년 만기, 액면 ₩1,000,000, 액면이자 8%인 일반사채는 ₩840,200에 발행할 수 있다. 그러나 전환권가치가 ₩45,800이라면 전환사채는 ₩886,000에 발행할 수 있을 것이다.

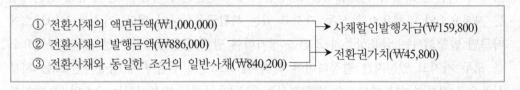

① 전환사채의 액면금액(₩1,000,000) ――――――→ 사채할인발행차금(₩159,800)
② 전환사채의 발행금액(₩886,000) ――――
③ 전환사채와 동일한 조건의 일반사채(₩840,200) ――――→ 전환권가치(₩45,800)

자본으로 분류되는 전환권은 최초인식 시에 기타자본잉여금 등으로 분류한다. 만기시

점에서 전환사채가 전환되는 경우 발행회사는 부채요소인 사채를 제거하고 자본으로 인식한다. 최초인식시점의 자본요소인 전환권은 주식발행초과금 등 자본의 다른 항목으로 대체될 수 있지만 계속 자본으로 유지된다(기준서 제1032호 문단 AG32).

2) 전환사채와 관련된 여러 가지 이자율의 개념

전환사채를 발행하게 되면 다음과 같은 3가지 종류의 이자율이 나타나게 된다. 이러한 이자율의 개념적 차이점을 명확히 구분할 필요가 있다.

① 표시이자율

표시이자율(또는 액면이자율)이란 전환사채 발행회사가 투자자에게 매기 지급하는 액면이자를 결정하는 이자율로서 전환사채의 액면금액에 표시이자율을 곱한 금액을 매기 액면이자로 지급한다.

② 보장수익률

보장수익률이란 전환사채의 발행으로 발생하는 모든 현금유출액의 현재가치와 전환사채의 액면금액을 일치시켜주는 이자율을 말하며 보장수익률을 이용하면 전환사채를 만기까지 전환권을 행사하지 않고 보유하고 있을 경우의 상환할증금을 계산할 수 있다. 이를 수식으로 나타내면 다음과 같다.

$$F = \sum_{t=1}^{n} \frac{Ct}{(1+R)^t} + \frac{(F+A)}{(1+R)^n}$$

R : 보장수익률
Ct : t기의 액면이자
n : 만기
F : 액면금액
A : 상환할증금

③ 유효이자율

유효이자율은 금융상품의 기대존속기간이나 적절하다면 더 짧은 기간에 예상되는 미래 현금 유출과 유입의 현재가치를 금융부채의 순장부금액과 일치시키는 이자율이다. 이를 수식으로 나타내면 다음과 같다. 기준서 제1032호에서는 전환사채 최초인식시점에서 부채요소의 공정가치는 그 미래현금흐름을 해당 금융상품과 조건이 같고 신용상태가 비슷하며 실질적으로 동일한 현금흐름을 제공하지만 전환권은 없는 채무상품의 시장이자율을 적용하여 할인한 현재가치라고 규정하고 있다(기준서 제1032호 문단 AG31). 따라서 일반적인 경우 채무증권으로부터 만기일까지 기대되는 현금유출액의 현재가치를 최초 장부금액과 일치시키는 유효이자율은 시장이자율이 될 것이다.

$$P = \sum_{t=1}^{n} \frac{Ct}{(1+r)^t} + \frac{(F+A)}{(1+r)^n}$$

r : 유효이자율
Ct : t기의 액면이자
n : 만기
P : 발행금액
F : 액면금액
A : 상환할증금

전환사채의 이자비용은 사채의 장부금액에 일반사채의 유효이자율을 적용하여 계산하며, 유효이자율법에 따라 계산된 전환사채의 장부금액은 액면금액에 다음 계정잔액을 가감한 금액으로 관리한다. 이 경우 사채할인(증)발행차금은 당해 전환사채의 액면금액에서 차감(가산)하고, 사채상환할증금은 당해 전환사채의 액면금액에 가산한다.

㉠ 사채할인(증)발행차금
㉡ 사채상환할증금(상환할증금 지급조건이 있는 경우)

사례 (주)삼일은 20×7년 1월 1일에 전환사채를 다음과 같은 조건으로 발행하였다. 이 경우 다음의 물음에 답하시오.

> 액면금액 : ₩1,000,000
> 발행금액 : ₩1,000,000
> 표시이자율 : 7%
> 보장수익률 : 12%
> 일반사채의 시장이자율 : 15%
> 이자지급일 : 매년 12월 31일
> 원금상환방법 : 상환기일에 원금과 함께 보장수익률에 따른 상환할증금을 지급함.
> 만기 : 20×9년 12월 31일

물음

1. 투자자가 만기까지 전환권을 행사하지 않고 전환사채를 보유하고 있을 경우 지급해야 할 상환할증금을 계산하시오.
2. 상기 전환사채의 발행금액 중 전환권대가로 수령한 금액을 계산하시오.
3. 20×7년 말 결산에서 (주)삼일이 상기 전환사채와 관련하여 이자비용으로 계상해야 할 금액을 구하시오.

해답

1. 상환할증금(A) 계산

$$1,000,000 = \sum_{t=1}^{3} \frac{70,000}{(1+12\%)^t} + \frac{(1,000,000+A)}{(1+12\%)^3}$$

$$1,000,000 = 70,000 \times 2.4018 + (1,000,000+A) \times 0.7118$$

∴ 상환할증금(A) = ₩168,690

2. 전환권 대가 계산

$$\text{일반사채 해당분} = \sum_{t=1}^{3} \frac{70,000}{(1+15\%)^t} + \frac{(1,000,000+168,690)}{(1+15\%)^3} = ₩928,244$$

전환권 대가 = 1,000,000 − 928,244 = ₩71,756

3. 20×7년 이자비용 = 장부가액 × 유효이자율

= (액면금액 + 상환할증금 − 사채할인발행차금) × 유효이자율

= (1,000,000 + 168,690 − 240,446) × 15% = ₩139,236

3) 상환할증금의 인식방법

상환할증금이란 전환사채의 투자자가 만기까지 전환권을 행사하지 않아 만기 상환하는 경우에 사채발행회사가 투자자에게 일정 수준의 수익률을 보장하기 위하여 만기금액에 추가하여 지급하기로 약정한 금액을 말한다. 따라서 상환할증금은 전환사채의 투자자가 전환권을 행사하여 보통주를 교부받으면 지급할 필요가 없으나 전환권을 행사하지 않으면 만기에 추가로 지급해야 할 일종의 조건부 부채이다. 해당 조건부 부채의 결제 여부가 전환사채 투자자에 의해 결정되므로 발행회사는 그 지급을 회피할 수 있는 무조건적인 권리를 가지고 있지 않다. 따라서 해당 금액은 부채 요소의 현재가치를 계산할 때 포함한다.

전환이 이루어진 경우에는 사채상환할증금은 전환된 부분만큼 주식의 발행금액에 포함된다. 사채상환할증금은 유효이자율 계산에서 반영되는 전환사채와 관련한 현금흐름의 일부이므로 별도의 계정으로 관리하는 경우에도 재무상태표에서는 전환사채 장부금액에 가산하여 표시한다.

한편 전환사채의 할인(할증)발행차금 회계처리는 앞서 살펴본 일반사채의 할인(할증)발행차금 회계처리를 참고한다.

4) 전환사채의 전환

기준서 제1032호에 따라 만기시점에서 전환사채가 전환되는 경우 발행회사는 부채요소인 사채를 제거하면서 자본으로 인식하고, 최초인식시점의 자본요소인 전환권은 자본의 다른 항목으로 대체될 수 있지만 계속해서 자본으로 유지하여 만기시점에서 전환사

채의 전환에 따라 인식할 손익은 없다(기준서 제1032호 문단 AG32).

여기서 전환사채의 전환시 부채의 장부금액은 유효이자율법에 따라 계산된 장부금액으로 액면금액에서 다음의 계정금액을 가감한 금액을 말한다.

　㉠ 사채할인(증)발행차금

　㉡ 사채상환할증금(상환할증금 지급조건이 있는 경우)

　㉢ 최종 이자지급일로부터 전환권 행사일까지 발생한 미지급액면이자(전환권이 이자
　　지급일 사이에 행사된 경우)

전환사채의 전환권을 기중에 행사한 경우 실제 행사된 날을 기준으로 직전 이자지급일(또는 전환사채 발행일)로부터 전환권 행사일까지 발생한 미지급액면이자와 사채할인(증)발행차금과 사채상환할증금 잔액을 가감하여 그 시점의 보통주의 발행금액을 결정한다.

5) 만기 전 유도전환

발행회사는 전환사채의 조기전환을 유도하기 위하여 좀 더 유리한 전환비율을 제시하거나 특정 시점 이전의 전환에 대해서는 추가 대가를 지급하는 등의 방법으로 전환사채의 조건을 변경할 수 있다. 조건이 변경되는 시점에 변경된 조건하에서 전환으로 투자자가 수취하는 대가의 공정가치와 원래의 조건하에서 전환으로 투자자가 수취하였을 대가의 공정가치의 차이는 손실이며 당기손익으로 인식한다(기준서 제1032호 문단 AG35).

6) 전환사채의 조기상환이나 재매입

최초의 전환권 조건이 변경되지 않은 상태에서 조기상환이나 재매입을 통하여 만기 전에 전환상품이 제거되는 경우 조기상환이나 재매입을 위하여 지급한 대가와 거래원가를 거래 발생시점의 부채요소와 자본요소에 배분한다. 지급한 대가와 거래원가를 각 요소별로 배분하는 방법은 전환사채가 발행되는 시점에 발행금액을 각 요소별로 배분한 방법과 일관되어야 한다. 즉, 자본요소에는 복합금융상품 전체의 공정가치에서 부채요소에 대하여 별도로 결정한 금액을 차감한 잔액을 배분한다(기준서 제1032호 문단 AG33).

대가를 배분한 결과로 발생되는 손익은 관련 요소에 적용되는 회계원칙에 따라 부채요소에 관련된 손익은 당기손익으로, 자본요소와 관련된 대가는 자본으로 인식한다(기준서 제1032호 문단 AG34).

7) 전환사채 회계처리 사례

사례 원화표시 전환사채 : 상환할증금이 있는 경우

- 12월말 결산인 A회사는 20×7년 1월 1일 다음과 같은 조건으로 전환사채 발행
  - ○ 액면금액 : 10,000백만원
  - ○ 표시이자율 : 연 7%
  - ○ 일반사채의 시장수익률 : 연 15%
  - ○ 발행금액 : 10,000백만원
  - ○ 이자지급방법 : 매 연도 말 후급
  - ○ 전환조건 : 전환으로 인하여 발행되는 주식 1주(액면금액 : 5,000원)에 대하여 요구되는
      사채발행금액은 20,000원으로 한다.
  - ○ 전환청구기간 : 사채발행일 이후 1개월 경과일부터 상환기일 30일 전까지
  - ○ 상환기일(만기) : 20×9년 12월 31일
  - ○ 원금상환방법 : 상환기일에 액면금액의 116.87%를 일시상환
  - ○ 전환권 행사 시 기타자본잉여금으로 분류된 전환권대가를 주식발행초과금으로 대체하는
      것으로 가정
  - ○ 사례 목적 상 관련 세효과는 무시하는 것으로 가정

- 20×9년 1월 1일 액면 5,000백만원의 전환 청구
  * 전환권대가의 계산
  ① 발행가 : 10,000백만원
  ② 일반사채의 가치 :
      이자현가 700 × 2.2832(이자율 15%, 기간 3, 1원의 연금현가) = 1,598백만원
      원금현가 11,687 × 0.6575(이자율 15%, 기간 3, 1원의 현가) = 7,684백만원
                                                          계 : 9,282백만원
  ③ 전환권의 대가 : ①-② = 718백만원

| 만기상환을 가정한 사채할인발행차금 상각표 |

(단위 : 백만원)

구 분		20×7년	20×8년	20×9년
기초장부금액(A)		9,282	9,974	10,770
사채이자비용(B = A×15%)		1,392	1,496	1,616
현금이자(C)		700	700	700
사채할인 발행차금	상각액(D = B - C)	692	796	916
	잔 액	1,712	916	0
기말장부금액		9,974	10,770	11,686

〈회계처리〉 (단위 : 백만원)

20×7년 1월 1일(발행)

(차) 현금 및 현금성자산	10,000	(대) 전 환 사 채	10,000
사 채 할 인 발 행 차 금	2,404	사 채 상 환 할 증 금	1,686
		전 환 권	718

20×7년 12월 31일(이자지급)

(차) 이 자 비 용	1,392	(대) 현금 및 현금성자산	700
		사 채 할 인 발 행 차 금	692

〈20×7년 12월 31일 재무상태표 표시〉

○ 전 환 사 채 9,974백만원(＝10,000백만원＋1,686백만원－1,712백만원)
○ 전 환 권(기타자본잉여금) 718백만원

20×8년 12월 31일(이자지급)

(차) 이 자 비 용	1,496	(대) 현금 및 현금성자산	700
		사 채 할 인 발 행 차 금	796

〈20×8년 12월 31일 재무상태표 표시〉

○ 전 환 사 채 10,770백만원(＝10,000백만원＋1,686백만원－916백만원)
○ 전 환 권(기타자본잉여금) 718백만원

20×9년 1월 1일(전환청구로 신주식 발행)

(차) 전 환 사 채	5,000	(대) 자 본 금	1,250[*]
사 채 상 환 할 증 금	843[**]	주 식 발 행 초 과 금	4,135
		사 채 할 인 발 행 차 금	458[***]
(차) 전 환 권	359	(대) 주 식 발 행 초 과 금	359[****]

[*] 발행주식수 : 5,000백만원 ÷ 20,000원 ＝ 250,000주
  자 본 금 : 250,000주 × 5,000원 ＝ 1,250백만원
[**] 사채상환할증금을 주식발행초과금으로 대체 : 1,686 × 5,000 / 10,000 ＝ 843
[***] 사채할인발행차금 상각 : 916백만원 × 5,000 / 10,000 ＝ 458백만원
[****] 전환권을 주식발행초과금으로 대체 : 718 × 5,000 / 10,000 ＝ 359

〈20×9년 1월 1일 전환 후 재무상태표 표시〉

○ 전 환 사 채 5,385백만원(＝ 5,000백만원＋843백만원－458백만원)
○ 전 환 권(기타자본잉여금) 359백만원

20×9년 12월 31일(이자지급)

(차) 이 자 비 용   808   (대) 현금 및 현금성자산   350
                               사 채 할 인 발 행 차 금   458

〈20×9년 12월 31일 이자지급 후 상환 전 재무상태표 표시〉

> ○ 전 환 사 채   5,843백만원(=5,000백만원+843백만원)
> ○ 전 환 권(기타자본잉여금)   359백만원

20×9년 12월 31일(액면 5,000백만원의 만기상환)

(차) 전 환 사 채   5,000   (대) 현금 및 현금성자산   5,843[*]
     사 채 상 환 할 증 금   843

[*] 현금 상환액 : 5,000 × 116.87%=5,843(전환이 이루어지지 않은 부분의 전환권 대가는 전환사채 상환 후에도 기타자본잉여금으로 남아 있음)

사례   전환사채 재매입

다음 사례는 전환사채의 재매입에 대한 회계처리방법을 보여준다. 사례의 단순화를 위하여, 발행시점에 전환사채의 액면금액은 재무제표에서의 부채요소와 자본요소의 장부금액 합계와 같다고 가정한다. 즉 발행시 할증발행차금이나 할인발행차금이 없다. 또한 사례의 단순화를 위하여, 관련 세효과는 무시한다.

20×0년 1월 1일에 만기가 20×9년 12월 31일이며, 연 10%의 액면이자를 지급하는 액면금액 1,000원의 전환사채를 발행하였다. 이 사채는 주당 25원의 전환가격으로 A사의 보통주로 전환할 수 있다. 이자는 6개월마다 현금으로 지급된다. 발행일에 A사는 만기 10년의 전환권이 없는 사채를 액면이자율 11%로 발행할 수 있었다.

A사의 재무제표에 이 사채의 발행시 장부금액은 다음과 같이 배분된다.

(단위 : 원)

부채요소

6개월마다 20회 지급하는 50원의 이자금액을 11%로
할인한 현재가치   597

10년 후인 만기 시점에 지급하는 1,000원의
원금을 11%(6개월 복리)로 할인한 현재가치   343
                                          940

자본요소

(1,000원의 발행금액과 위와 같이 배분된 940원의 차이)   60
총 발행금액   1,000

20×5년 1월 1일 전환사채의 공정가치는 1,700원이다.

A사는 전환사채의 투자자에게 1,700원에 당해 전환사채를 재매입하고자 제안하였으며, 투자자는 이러한 제안을 승낙하였다. 재매입일에 A사는 만기 5년의 전환권이 없는 채무를 표시이자율 8%로 발행할 수 있었다.

재매입가격은 다음과 같이 배분된다.

(단위 : 원)

	장부 금액	공정 가치	차이
부채요소			
10회 남아있는, 6개월마다 50원씩 지급하는 이자금액을 11%와 8%로 각각 할인한 현재가치	377	405	
5년 후인 만기 시점에 지급하는 1,000 원의 원금을 11%와 8%(6개월 복리)로 각각 할인한 현재가치	585	676	
	962	1,081	(119)
자본요소	60	619*	(559)
합계금액	1,022	1,700	(678)

* 이 금액은 부채요소에 배분된 공정가치와 재매입가격 1,700원의 차이를 나타낸다.

A사는 전환사채 재매입을 다음과 같이 인식한다.

(차) 전 환 사 채	1,000	(대) 현금 및 현금성자산	1,081
사채상환손실(당기손익)	119	사 채 할 인 발 행 차 금	38*

(차) 전 환 권	60	(대) 현금 및 현금성자산	619
전환권매입손실(자본)	559		

* 재매입시점의 장부금액 962와 전환사채 액면 1,000의 차이이다.

(3) 세무회계 상 유의할 사항

기준서 제1032호 문단 16에 따르면, 전환권이 자본분류요건을 충족하여 자본으로 분류되는 경우에 한하여 전환사채를 일반사채에 해당하는 부채부분과 전환권에 해당하는 자본부분으로 분리하여 인식하도록 회계처리한다(기준서 제1032호 문단 29).

전환사채를 발행한 법인이 기업회계기준에 따라 전환권의 가치를 별도로 인식한 경우, 그에 대한 세무상 처리는 다음의 법인세법 기본통칙 40-71…2(전환사채 또는 신주인수권부사채의 발행 및 상환에 따른 세무상 처리방법)의 규정을 따른다.

㉠ 발행시 전환사채의 차감계정으로 계상한 사채할인발행차금 중 전환권대가와 사채

상환할증금의 합계액에 상당하는 금액은 손금산입 유보처분하고, 기타자본잉여금으로 계상한 전환권대가는 익금산입 기타처분하며, 사채상환할증금은 손금불산입 유보처분한다.

ⓛ ㉠의 규정에 의하여 발행시 손금산입한 사채할인발행차금을 만기일 전에 이자비용으로 계상한 경우 동 이자비용은 이를 손금불산입하고 유보처분한다.

ⓒ 전환권을 행사한 경우 ㉠의 규정에 의하여 손금불산입한 사채상환할증금 중 전환권을 행사한 전환사채에 해당하는 금액은 손금으로 추인하고, 주식발행초과금으로 대체된 금액에 대해서는 익금산입 기타처분하며, 사채할인발행차금과 대체되는 금액은 익금산입 유보처분한다.

ⓔ 만기일까지 전환권을 행사하지 아니함으로써 지급하는 사채상환할증금은 그 만기일이 속하는 사업연도에 손금으로 추인한다.

이상의 관련 내용을 토대로 하여 전환사채와 관련한 세무처리에 대하여 사례를 통하여 검토해 보기로 한다.

사례 12월 결산인 ㈜삼일은 20×7. 1. 1. 다음과 같은 조건으로 전환사채를 발행하였다. 20×9. 1. 1. 액면 5,000백만원의 전환청구가 있었으며, 나머지 5,000백만원은 만기상환되었다.
- 액면가액 : 10,000백만원
- 표시이자율 : 연 7%
- 일반사채 시장수익률 : 연 15%
- 발행가액 : 10,000백만원
- 이자지급방법 : 매 연도 말 후급
- 전환조건 : 전환으로 인하여 발행되는 주식 1주(액면금액 : 5,000원)에 대하여 요구되는 사채발행가액은 20,000원으로 한다.
- 전환청구기간 : 사채발행일 이후 1개월 경과일부터 상환기일 30일 전까지
- 상환기일(만기) : 20×9. 12. 31.
- 원금상환방법 : 상환기일에 액면가액의 116.86%를 일시상환

구 분	회 계 처 리	세 무 조 정
20×7. 1. 1. (전환사채 발행)	현금 및 현금성자산　　　10,000 사채할인발행차금　　　2,404 /　　전 환 사 채　　10,000 　　　사채상환할증금　　1,686 　　　전 환 권　　718	(익산) 전 환 권　　718 (기타) (익산) 사채상환할증금　1,686 (유보) (손산) 사채할인발행차금　2,404 (△유보)
20×7. 12. 31. (이자지급)	이 자 비 용　　　1,392 /　　현금 및 현금성자산　　700 　　　사 채 할 인 발 행 차 금　692	(손불) 사채할인발행차금 [*1]　692 (유보)

구 분	회 계 처 리	세 무 조 정
20×8. 12. 31. (이자지급)	이 자 비 용 1,496 / 현금 및 현금성자산 700 사채할인발행차금 796	(손불) 사채할인발행차금 [*1] 796 (유보)
20×9. 1. 1. (전환청구로 신주식 발행)	전 환 사 채 5,000 사 채 상 환 할 증 금 843 / 자 본 금 1,250 주 식 발 행 초 과 금 [*2] 4,135 사채할인발행차금 458 전 환 권 359 / 주 식 발 행 초 과 금 [*2] 359	(익산) 사채할인발행차금 458 (유보) (익산) 주식발행초과금 [*2] 385 (기타) (손산) 사채상환할증금 843 (△유보)
20×9. 12. 31. (이자지급)	이 자 비 용 808 / 현금 및 현금성자 산 350 사채할인발행차금 458	(손불) 사채할인발행차금 [*1] 458 (유보)
20×9. 12. 31. (액면 5,000 만기상환)	전 환 사 채 5,000 사 채 상 환 할 증 금 843 / 현금 및 현금성자산 5,843	(손산) 사채상환할증금 [*3] 843 (△유보)

(*1) 이자비용 중 손금부인된 금액은 법인세법 제28조에 의한 지급이자의 범위에 해당되지 않는 바, 동 세무조정사항은 지급이자 손금불산입뿐만 아니라 회사의 가중평균차입이자율을 산출하거나(법인-1232, 2009. 11. 5.) 수입배당금 익금불산입 계산상 익금불산입 배제액을 산정하는 경우(법법 18조의 2·18조의 3)에도 그 지급이자의 범위에서 고려되어야 하므로 유의하여야 함.

(*2) 주식발행초과금 중 359백만원 및 385백만원은 세무상 주식발행초과금이 아니므로, 이를 자본전입하는 경우, 즉 무상증자시 주주에게 의제배당으로 과세됨.

(*3) 전환권 미행사로 만기시 지급하는 상환할증금의 세무상 손금 귀속시기는 그 만기일이 속하는 사업연도임. 따라서 상환할증금에 대한 세무상 손금추인액은 해당 사업연도의 세무상 지급이자의 범위에 포함하고, 지급이자 손금불산 입 조정 및 수입배당금 익금불산입 조정, 가중평균차입이자율 등을 산출시 고려되어야 함.

3. 신주인수권부사채

(1) 개 요

1) 개 념

신주인수권부사채란 유가증권의 투자자에게 발행 후 정해진 기간 동안 일정한 가격 (행사가격)으로 발행회사의 신주를 인수할 수 있는 권리(신주인수권)가 부여된 사채를 의미하며, 일반적으로 사채를 유리한 조건으로 발행하기 위하여 또는 사채발행을 원활 하게 하기 위해 발행된다. 발행회사는 신주인수권 부여로 자금조달 원가가 적은 자금을 이용할 수 있으며, 사채발행과 신주발행을 통하여 자금이 각각 유입되므로 더 많은 자 금조달이 가능할 뿐 아니라 사채권자가 신주인수권을 행사하여 신주가 발행되면 재무구조가 개선될 수 있다.

2) 분리형과 비분리형 신주인수권부사채

신주인수권부사채는 분리형과 비분리형이 있다.

① 분리형 신주인수권부사채(bonds with detachable stock warrants)

분리형 신주인수권부사채는 사채권과 신주인수권증권이 별도의 증권으로 분리·표시되어 독자적으로 각각 양도할 수 있는 사채를 의미한다.

② 비분리형 신주인수권부사채(bonds with nondetachable stock warrants)

비분리형 신주인수권부사채는 사채권에 신주인수권과 사채의 권리를 병행하여 표시하여 신주인수권과 사채권을 따로 분리하여 양도할 수 없는 사채를 의미한다.

(2) 기업회계 상의 처리

1) 신주인수권의 인식

신주인수권도 전환권과 마찬가지로 미래에 발행회사의 주식으로 결제될 파생상품이다. 따라서 기준서 제1032호의 자본 요건을 충족해야 자본으로 분류된다. 자세한 내용은 위에서 다룬 '2. 전환사채'를 참고한다.

여기에서는 자본 분류 요건을 충족하여 자본으로 분류되는 신주인수권을 부여하는 비분리형 신주인수권부사채와 관련한 회계처리를 살펴본다. 비분리형 신주인수권부사채의 신주인수권이 자본인 경우 당해 신주인수권부사채는 자본요소와 부채요소를 모두 가지고 있는 복합금융상품이 된다. 기준서 제1032호에 따르면 발행회사는 금융상품의 조건을 평가하여 당해 금융상품이 자본요소와 부채요소를 모두 가지고 있는지를 결정하여야 하며 각 요소별로 금융부채, 금융자산 또는 지분상품으로 분류하여야 한다. 즉, 발행회사는 ① 금융부채를 발생시키는 요소와 ② 발행회사의 지분상품으로 전환할 수 있는 옵션을 투자자에게 부여하는 요소를 별도로 분리하여 인식하여야 한다(기준서 제1032호 문단 28, 29).

복합금융상품의 최초 장부금액을 부채요소인 사채와 자본요소인 신주인수권에 배분하는 경우 자본요소에는 복합금융상품 전체의 공정가치에서 부채요소에 대하여 별도로 결정한 금액을 차감한 잔액을 배분한다. 최초인식시점에서 부채요소와 자본요소에 배분된 금액의 합계는 항상 금융상품 전체의 공정가치와 동일해야 한다. 금융상품의 구성요소를 분리하여 인식하는 최초인식시점에는 어떠한 손익도 발생하지 않는다(기준서 제1032호 문단 31). 신주인수권대가는 기타자본잉여금계정으로 회계처리 후, 신주인수권이 행사되어 추가로 발행하는 시점에서 주식발행초과금으로 대체할 수 있다.

2) 상환할증금의 인식방법

상환할증금이란 비분리형 신주인수권부사채의 투자자가 만기까지 신주인수권을 행사하지 않고 만기상환하는 경우에 사채발행회사가 투자자에게 일정 수준의 수익률을 보장하기 위하여 만기금액에 추가하여 지급하기로 약정한 금액을 말한다. 따라서 상환할증금은 신주인수권부사채의 투자자가 신주인수권을 행사하는 경우에는 지급할 필요가 없으나 신주인수권을 행사하지 않으면 만기에 추가로 지급해야 할 일종의 조건부 부채이다. 해당 조건부 부채의 결제 여부가 신주인수권부사채 투자자에 의해 결정되므로 발행회사는 그 지급을 회피할 수 있는 무조건적인 권리를 가지고 있지 않다. 따라서 해당금액은 부채 요소의 현재가치를 계산할 때 포함한다.

한편 신주인수권부사채의 할인(할증)발행차금 회계처리는 앞서 살펴본 일반사채의 할인(할증)발행차금 회계처리를 참고한다.

3) 신주인수권의 행사

신주인수권 행사시 주식의 발행금액은 신주인수권의 행사에 따라 납입되는 금액이다. 신주인수권 행사에 따라 기타자본잉여금으로 처리한 신주인수권대가를 주식발행초과금으로 대체하는 회계정책을 선택하였다면 주식의 발행금액은 신주인수권을 행사한 부분에 해당하는 신주인수권대가를 가산한 계정금액으로 회계처리된다. 상환할증금 지급조건이 있는 경우에는 신주인수권을 행사한 부분에 해당하는 사채상환할증금을 납입금액에 가산한다.

이때 주의할 점은 상환할증조건인 경우 행사비율만큼 상환할증금의 지급의무가 감소하게 되므로 신주인수권이 실제로 행사된 시점까지 미상각된 사채할인발행차금계정의 잔액에 포함된 상환할증금 중 행사비율에 해당하는 부분도 함께 제거하여 주식의 발행금액으로 회계처리한다.

4) 비분리형 신주인수권부사채 회계처리 사례

> **사례**　**원화표시 비분리형 신주인수권부사채**
>
> -20×7년 1월 1일 다음의 조건으로 신주인수권부사채 발행
>   - 발행금액 : 액면 10,000백만원(액면발행)
>   - 표시이자율 : 연 9%
>   - 일반사채의 시장이자율 : 연 13%
>   - 이자지급방법 : 매 연도 말 후급

ㅇ신주인수권의 내용

　• 행사비율 : 사채권면액의 100%(1주당 액면금액 : 5,000원)

　• 행사가액 : 15,000원

　• 행사기간 : 발행일로부터 1개월이 경과한 날부터 상환기일 30일 전까지

ㅇ상환기일(만기) : 20×9년 12월 31일

ㅇ원금상환방법 : 상환기일에 일시상환

ㅇ신주인수권 행사 시 기타자본잉여금으로 분류된 신주인수권대가를 주식발행초과금으로 대체하는 것으로 가정

-20×8년 12월 31일 액면 6,000백만원의 신주인수권 행사

* 신주인수권 대가

　① 발행금액 : 10,000백만원

　② 일반사채금액 :

　　이자현가 900 × 2.3612(이자율 13%, 기간 3, 1원의 연금현가) = 2,125백만원

　　원금현가 10,000 × 0.6931(이자율 13%, 기간 3, 1원의 현가) = 6,931백만원

　　　　　　　　　　　　　　　　　　　　　　　　　계 : 9,056백만원

　③ 신주인수권의 대가=①-②=944백만원

| 사채할인발행차금 상각표 |

(단위 : 백만원)

구 분		20×7년	20×8년	20×9년
기초장부금액(A)		9,057	9,334	9,647
사채이자비용(B=A×13%)		1,177	1,213	1,253
현금이자(C)		900	900	900
사채할인 발행차금	상각액(B-C)	277	313	353
	잔 액	666	353	0
기말장부금액		9,334	9,647	10,000

〈회계처리〉　(단위 : 백만원)

20×7년 1월 1일(발행)

(차) 현금 및 현금성자산	10,000	(대) 신주인수권부사채	10,000
사채할인발행차금	944	신주인수권	944

20×7년 12월 31일(이자지급)

(차) 이 자 비 용	1,177	(대) 현금 및 현금성자산	900
		사채할인발행차금	277

〈20×7. 12. 31. 재무상태표 표시〉

> ○ 신주인수권부사채 9,333백만원(= 10,000백만원 − 667백만원)
> ○ 신주인수권(기타자본잉여금) 944백만원

20×8년 12월 31일(이자지급)

(차) 이 자 비 용   1,213   (대) 현금 및 현금성자산   900
            사 채 할 인 발 행 차 금   313

〈20×8년 12월 31일 재무상태표 표시〉

> ○ 신주인수권부사채 9,646백만원(= 10,000백만원 − 354백만원)
> ○ 신주인수권(기타자본잉여금) 944백만원

20×8년 12월 31일(신주인수권행사로 신주식 발행)

(차) 현금 및 현금성자산   6,000   (대) 자 본 금   2,000[*]
            주 식 발 행 초 과 금   4,000

(차) 신 주 인 수 권   566[**]   (대) 주 식 발 행 초 과 금   566

* 발행주식수 : 6,000백만원 ÷ 15,000원 = 400,000주
　자 본 금 : 400,000주 × @5,000원 = 2,000백만원
** 신주인수권대가의 주식발행초과금으로 대체 : 944 × (6,000/10,000) = 566백만원

〈20×8년 12월 31일 신주인수권행사 후 재무상태표 표시〉

> ○ 신주인수권부사채 9,646백만원(= 10,000백만원 − 354백만원)
> ○ 신주인수권(기타자본잉여금) 378백만원

20×9년 12월 31일(이자지급)

(차) 이 자 비 용   1,253   (대) 현금 및 현금성자산   900
            사 채 할 인 발 행 차 금   353

〈20×9. 12. 31. 이자지급 후 상환 전 재무상태표 표시〉

> ○ 신주인수권부사채   10,000백만원
> ○ 신주인수권(기타자본잉여금) 378백만원

20×9년 12월 31일(만기상환)

(차) 신 주 인 수 권 부 사 채   10,000   (대) 현금 및 현금성자산   10,000

(3) 세무회계 상 유의할 사항

신주인수권부사채와 관련한 세무회계상 유의할 사항은 앞서 살펴본 '2. 전환사채'의 내용을 참조하기로 한다.

4. 장기차입금

(1) 개념 및 성격

장기차입금계정은 기업자금의 차입거래 중 보고기간종료일로부터 1년 이후에 상환기일이 도래하는 장기채무를 나타내는 계정이다. 수출설비자금대출, 에너지자금대출, 특별설비자금, 기술개발자금 등 차입금의 명칭과 관계없이 장기차입금계정을 사용한다. 최초인식시점에서 유효이자율과 약정이자율이 다른 경우 현재가치할인차금계정을 구분하여 사용하기도 한다.

(2) 기업회계 상 회계처리

1) 장기차입금의 구분

장기차입금계정은 일반적으로 금전소비대차계약에 따른 차입금 중 보고기간종료일로부터 1년 이후에 상환되는 채무로 특수관계자 장기차입금이나 주주·임원·종업원장기차입금도 포함한다. 관리목적 상 관계사장기차입금계정과 같이 채권자에 따라 계정을 구분하여 사용할 수도 있다.

장기차입금은 단기차입금보다 이자율이 높은 것이 일반적이다. 수출촉진과 설비투자를 위한 정책금융으로서 이자율이 낮은 경우에는 기준서 제1020호 '정부보조금의 회계처리와 정부지원의 공시'가 적용되는지 검토하여야 한다.

2) 외화장기차입금

화폐성 외화장기차입금에 대한 외화환산손익은 당기손익으로 인식한다(기준서 제1021호 문단 28). 당기손익으로 인식한 외화차이금액은 주석으로 공시한다(기준서 제1021호 문단 52). 또한, 외화장기차입금은 환율 변동으로 인하여 금융상품의 공정가치나 미래현금흐름이 변동할 위험인 환위험을 발생시키는 금융부채로서 유의적인 노출정도가 있는 외화별로 민감도분석을 공시한다(기준서 제1107호 문단 B23, B24).

(3) 세무회계 상 유의할 사항

장기차입금과 관련한 세무상 유의할 사항은 제2편(Ⅱ) 중 부채편 제1장 제2절의 '2. 단기차입금'의 세무해설을 참고하도록 한다.

5. 장기성매입채무

(1) 의 의

장기성매입채무계정은 지급기일이 보고기간종료일로부터 1년 또는 기업의 정상영업 주기를 초과하여 도래하는 장기의 외상매입금 및 지급어음을 나타내는 계정이다.

일반적으로 매입채무는 1년(또는 정상영업주기) 이내에 결제되는 것이 보통이므로 유동부채로 분류되나, 결제기간이 1년(또는 정상영업주기)를 초과하는 경우에는 매입채무 계정과는 별도로 장기성매입채무계정을 설정하여 비유동부채로 구분처리한다.

(2) 기업회계 상 회계처리

장기성매입채무의 회계처리도 일반 매입거래의 회계처리와 유사하다. 다만, 원재료 등을 장기연불거래로 구입하고 대금을 지급하는 경우 현재가치평가의 문제가 대두된다.

기준서 제1109호에 따라 금융부채는 최초인식시점에서 공정가치로 측정하고, 당기손익-공정가치 또는 상각후원가 측정 금융부채로 분류한다. 장기성매입채무의 경우 요건을 충족하여 당기손익-공정가치 측정 금융부채로 분류되지 않으면 상각후원가로 측정한다. 장기성매입채무의 공정가치는 미래현금흐름의 현재가치로 측정하므로 원재료 등을 장기연불로 구입한 경우 이자를 별도로 지급하기로 하지 않는 한 향후 지급할 금액과 해당 금액의 현재가치 간에 차이가 생긴다. 금융부채의 인식 및 측정은 위에서 다룬 '1. 금융부채의 일반'을 참고하기로 하고, 여기서는 일반적인 회계처리에 대하여 살펴본다.

1) 매입거래의 발생

결제기간이 1년 또는 기업의 정상영업주기를 초과하는 매입채무는 발생시에 장기성 매입채무계정으로 처리하게 된다.

예를 들어, 원재료를 구입하고 만기가 3년인 어음을 발행한 경우에는 최초 인식 시 해당 매입채무를 현재가치로 계상하여야 한다. 실무상 현재가치할인차금계정을 사용하는 경우의 회계처리는 다음과 같다. 재무상태표에 표시할 때에는 해당 현재가치할인차금을 차감한 금액을 장기성매입채무의 장부금액으로 한다. 이때 현재가치할인차금계정은 채무를 상환할 때까지 유효이자율법에 따라 지급이자로 인식될 금액이다.

(차) 원　　재　　료　　　×××　　(대) 장 기 성 매 입 채 무　　　×××
　　　현재가치할인차금　　　×××

2) 현재가치할인차금의 상각

장기성매입채무계정에 대하여 현재가치할인차금을 계상한 경우에는 이를 유효이자율법을 적용하여 상각하고 이자비용계정으로 계상한다. 이때 회계처리는 다음과 같다.

(차) 이　자　비　용　　　×××　　(대) 현재가치할인차금　　　×××

제2절 비유동비금융부채

1. 퇴직급여부채

(1) 개념 및 범위

퇴직급여부채는 임직원이 실제로 퇴직할 경우에 지급하여야 할 퇴직금을 감안하여 현재 근무하고 있는 임직원의 퇴직금 상당액을 당기의 비용으로 반영하기 위하여 결산시점에 설정하는 부채를 말한다.

한국채택국제회계기준에서는 퇴직급여를 다음과 같이 정의하고 있다.

★
> **기준서 제1019호【종업원급여】**
> 8. 퇴직급여 : 퇴직 후에 지급하는 종업원급여(해고급여와 단기종업원급여는 제외)

회사가 실제 퇴직금을 지급할 때 그 계산 근거를 근로기준법 및 근로자퇴직급여 보장법에 따르든지 혹은 회사의 내부규정에 따르든지에 관계-없이 퇴직금은 일반적으로 (평균급여×근속연수)라는 기본적인 계산구조에 따라 계산되는데, 이는 바꾸어 말하면 퇴직금의 지급원인은 임직원의 재직기간을 통하여 연속적으로 발생하며, 재직기간이 경과함에 따라 퇴직금의 액수도 그만큼 증가하는 것을 의미한다. 임원이나 사용인이 실제 퇴직하는 경우에 지급하게 되는 퇴직금이라는 비용은 여러 회계기간 동안에 누적적으로 발생한다는 것을 의미한다.

이와 같이 계속적으로 발생한 비용의 누적액인 퇴직금을 실제 지급시점에서 일시적인 비용으로 계상한다는 것은 발생주의라는 기본적 회계원칙을 위배하는 결과가 되고 기간손익이 왜곡되는 결과를 초래하게 된다.

따라서 실제의 퇴직금지급은 비록 장래에 이루어지는 것이지만 기간의 경과에 따른 퇴직금의 증가분은 매 회계연도에 각각 비용과 부채로서 계상하여야 한다. 회계상 매 결산기마다 종업원의 근로를 제공받는 시점에 퇴직급여 비용 및 부채를 설정해야 하는 이론적 근거는 충분하지만 실제로 한국채택국제회계기준에 따라 퇴직급여부채를 설정하기 위해서는 회계상으로 상당한 비용을 계상해야 하는 반면 법인세법에서는 한국채택국제회계기준에 따라 계상된 퇴직급여부채와 퇴직급여를 모두 인정해 주는 것은 아니기 때문에 기업의 경영자 입장에서는 한국채택국제회계기준에 따라 충실하게 퇴직급여부채를 설정하는 데에 많은 부담을 느끼는 것도 사실이다.

기존의 퇴직금제도는 1961년에 도입된 이후 사회・경제적 여건이 급변함에 따라, 노후소득 보장이라는 당초의 취지를 살리기 위하여 '퇴직연금제도'를 도입하여 2005년 12월 1일부터 시행하고 있다.

　퇴직연금제도라 함은 '퇴직일시금의 연금화 제도'를 말한다. 즉, 퇴직시 일시금으로 받는 퇴직금 대신에 사용자로 하여금 매월 또는 매년 일정금액을 사외의 금융기관에 적립・운용(확정기여형은 근로자가 운용)하도록 하고, 근로자는 퇴직 후 매월 또는 매년 연금으로 받을 수 있도록 하는 것이다. 다만, 근로자가 희망하는 경우에는 일시금으로 수령할 수도 있다.

　퇴직연금 형태는 사업장 및 근로자의 속성별로 선호도가 다르므로 확정급여형(Defined Benefit) 및 확정기여형(Defined Contribution) 제도를 모두 도입하였다. '확정급여형'은 근로자의 연금급여가 사전에 확정되고 사용자의 적립부담은 적립금 운용결과에 따라 변동하는 형태이며, '확정기여형'은 사용자의 부담금이 사전에 확정되고 근로자의 연금급여는 적립금 운용결과에 따라 변동하는 형태를 말한다.

　퇴직급여부채를 실제로 설정하는 회사 입장에서는 항상 두 가지의 문제에 부딪히게 된다. 하나는 한국채택국제회계기준에 따라 충실히 회계처리하게 되면 회계상으로 많은 비용이 계상되어 손익계산서상의 당기순이익이 줄어들게 되므로 이를 부담스럽게 생각한다는 것이다.

　다른 하나는 이렇게 회계상으로 비용계상된 퇴직급여부채 설정액이 세무상으로 모두 손금으로 용인되어 법인세 부담을 줄이는 효과를 가져올 수 있느냐 하는 것이다.

　회사의 회계처리라는 것이 기본적으로 한국채택국제회계기준을 근거로 이루어져야 한다는 점을 생각할 때 첫 번째의 문제는 기업이 아무리 부담스럽게 생각한다 하더라도 그대로 따르는 수밖에 없으므로 한국채택국제회계기준을 위배하지 않고서는 회계상으로 해결될 수 없는 문제이다.

　두 번째의 문제를 보면 일단 법인세법상으로는 손금으로 인정할 수 있는 퇴직급여부채의 범위를 명확하게 규정하고 있기 때문에 범위를 초과하여 설정한 부분에 대해서는 당해 사업연도에 손금으로 인정받을 수 없는 불이익을 당하게 된다.

　따라서 법인세법에서는 이러한 기업회계와 세무회계의 차이에서 생기는 갈등을 해소하기 위하여 회사가 임원 또는 직원의 퇴직을 보험금 또는 신탁금의 지급사유로 하는 퇴직보험 등에 가입하고 그 금액을 지출하는 경우에는 세무상으로도 이를 손금으로 인정하는 제도등을 마련하고 있다.

(2) 기업회계 상 회계처리

1) 회계처리를 위한 기본개념

한국채택국제회계기준은 퇴직급여를 확정기여제도와 확정급여제도 두 가지로 구분하고, 각각 회계처리를 규정하고 있다.

확정기여제도는 각 종업원에 대해 출연된 기여금과 그 기여금에서 발생하는 투자수익에 따라 급여의 수준이 결정되는 제도이다. 일반적으로 사용자가 납부하는 기여율은 기금의 약관에 따라 결정될 것이다. 따라서 사용자의 채무는 지급하기로 결정된 금액으로 제한된다. 종업원은 보험수리적위험(급여가 예상에 미치지 못할 위험)과 투자위험(투자한 자산이 예상급여액을 지급하는 데 충분하지 못할 위험)을 부담한다. 기준서 제1019호는 사외적립자산이 개인계좌로 구별될 것을 요구하지는 않는다.

대조적으로 확정급여제도는 지급될 금액을 명시하고, 운용하는 제도이다. 이 제도의 대부분은 종업원의 급여와 관련 있다. 대개 확정급여제도는 연금수급권이 있는 용역제공기간에 대해 최종임금의 비율에 기초한다. 점점 증가하고 있는 확정급여제도의 다른 형태는 장기간에 걸친 평균임금에 근거하여 계산되는 방식이다. 확정급여제도에서 투자위험은 기업이 부담한다. 한국채택국제회계기준에서 확정급여제도는 '확정기여제도 이외의 모든 퇴직급여제도'(기준서 제1019호 문단 8)로 정의되는 잔여항목이다.

확정기여제도로 분류되지 않는 모든 퇴직연금제도를 확정급여제도로 취급한다. 이에 따라 사용자가 제도에 납부해야 하는 금액에 대해 법적, 의제 의무가 한정되지 않는다면, 해당 제도는 확정급여제도가 된다.

2) 확정기여제도 회계처리

한국채택국제회계기준은 확정기여제도를 "기업이 별개의 실체(기금)에 고정 기여금을 납부하고, 기여금을 납부해야 하는 법적의무나 의제의무가 더는 없는 퇴직급여제도(기준서 제1019호 문단 8)"라고 정의한다.

확정기여제도의 회계처리는 출연한 기여금만큼 비용으로 인식되므로 단순하다. 미지급 또는 선급된 기여금을 제외하고 사용자 입장에서 확정기여제도와 관련해 인식할 자산과 부채는 없다(기준서 제1019호 문단 50).

확정기여제도 관련한 회계처리의 예시는 다음과 같다.

① 기여금을 미달하여 납부

미달액을 미지급비용의 과목으로 하여 부채로 인식한다.

(차) 퇴 직 급 여	1,000	(대) 현 금	800
		미지급비용(미달액)	200

② 기여금을 초과하여 납부

초과액을 선급비용의 과목으로 하여 자산으로 인식한다.

(차) 퇴 직 급 여	800	(대) 현 금	1,000
선급비용(초과액)	200		

3) 확정급여제도 회계처리

① 기본원칙

확정급여제도 회계처리는 복잡하다. 보험수리적 가정과 평가방법을 통해 재무상태표상 부채와 포괄손익계산서상 비용의 측정하기를 요구하기 때문이다. 기준서 제1019호의 첫째 목적은 미래에 지급할 종업원급여와 대응하여 종업원이 근무용역을 제공하는 때에 사용자의 재무제표에 인식할 부채를 확정하는 것이다. 따라서 이 기준은 어떻게 확정급여채무가 인식되고 측정되어야 할지를 결정한다. 퇴직급여부채는 확정급여채무의 현재가치에서 사외적립자산의 공정가치를 차감하여 표시한다.

초과적립액은 사외적립자산의 공정가치가 확정급여채무의 현재가치를 초과하는 금액을 말한다. 과소적립액은 대부분 사용자가 부담하는 법적, 의제 의무에 해당하는 부채가 사외적립자산의 공정가치보다 적은 경우의 금액을 말한다. 기금이 적립되지 않은 제도에서 사용자는 퇴직급여를 지급할 직접의무를 가지므로 확정급여채무의 총액을 부채로 인식한다. 기금이 적립되는 제도에서는 기업이 보유하는 사외적립자산이 보고기업과 법적으로 구분되고 순초과적립액 또는 과소적립액이 자산과 부채로 인식된다.

퇴직급여부채(만약 부(-)의 금액이라면 자산)로 인식하는 금액은 다음의 순 합계액이다.

- 보고기간말 현재 확정급여채무의 현재가치
- 관련 확정급여채무를 직접 결제하는 데 사용할 수 있는 사외적립자산의 보고기간 말 현재 공정가치 차감

(기준서 제1019호 문단 57)

② 사외적립자산

재무상태표에서 사외적립자산은 확정급여채무의 차감항목으로 표시된다. 손익계산서에서는 사외적립자산의 이자수익은 대변에 기록되며, 이자수익과 사외적립자산의 수익

의 차이는 재측정요소로 포함된다.

기준서 제1019호에서 사외적립자산은 다음과 같이 정의된다.

■ 장기종업원급여기금이 보유하고 있는 자산 : 다음의 요건을 모두 충족하는 자산(보고기업이 발행한 양도 불가능한 금융상품은 제외)

• 보고기업과 법적으로 별개이고, 오로지 종업원급여를 지급하기 위하여 또는 종업원급여 기금적립을 위하여만 존재하는 실체(기금)가 보유하고 있다.

• 종업원급여를 지급하기 위하여 또는 종업원급여 기금적립에만 사용될 수 있고 보고기업 자신의 채권자(파산의 경우 포함)에게는 이용 가능하지 않으며 다음 중 하나의 경우를 제외하고는 보고기업에게 반환될 수 없다.

– 반환 후에도 기금의 잔여자산이 급여제도 또는 보고기업의 관련 종업원급여채무를 이행하기에 충분한 경우

– 보고기업이 이미 지급한 종업원급여를 보상하기 위한 경우

■ 적격보험계약 : 보고기업과 특수관계자가 아닌 보험자와의 보험계약으로서 다음의 요건을 모두 충족하는 것

• 보험금은 오직 확정급여제도상 종업원급여를 지급하기 위하여 또는 종업원급여 기금 적립에만 사용될 수 있다.

• 보험금은 보고기업 자신의 채권자(파산의 경우 포함)에게 이용가능하지 않으며 다음 중 하나의 경우를 제외하고는 보고기업에게 지급될 수 없다.

– 보험금이 관련 종업원급여채무를 모두 이행하고도 남는 경우

– 보고기업이 이미 지급한 종업원급여를 보상하기 위한 경우

(기준서 제1019호 문단 8)

사외적립자산은 재무상태표일 현재의 공정가치로 측정되어야 한다(기준서 제1019호 문단 57). 기준서 제1019호에서의 공정가치는 다른 회계기준에서와 동일한 의미를 지닌다. 공정가치는 측정일에 시장참여자 사이의 정산거래에서 자산을 매도하면서 수취하거나 부채를 이전하면서 지급하게 될 가격을 의미한다(기준서 제1019호 문단 8).

비록 퇴직급여와 기타 종업원 급여제도는 분명히 기준서 제1109호 '금융상품'의 적용범위가 아니지만, 이 기준은 기준서 제1113호 '공정가치측정'을 활용할 수 있을 것이며, 이에 대해서는 '제2편 재무상태표편' 중 '금융자산'의 '4.공정가치'를 참고한다.

③ 확정급여채무의 인식 및 측정

확정급여채무는 "당기와 과거기간에 근무용역을 제공하여 발생한 채무를 결제하는데 필요한 예상미래지급액의 현재가치"(기준서 제1019호 문단 8)를 반영한다. 기업은 확정급여제도의 공식적 규약에 따른 법적의무에 대해서 뿐만 아니라 비공식적 관행에서 생기

는 의제의무에 대해서도 회계처리를 한다(기준서 제1019호 문단 61). 더 나아가, 보험수리적 기법을 사용하면 충분한 신뢰성을 가지고 채무를 측정할 수 있다.

기준서 제1019호 문단 57은 확정급여채무를 측정하기 위해 필요한 절차를 기술하고 있다.

- 당기와 과거기간에 귀속되는 급여액을 결정한다.
- 급여원가에 영향을 미치는 인구통계적 변수(예 : 종업원의 이직률과 사망률)와 재무적 변수(예 : 미래의 임금상승률 및 의료원가상승률)에 대해 추정(보험수리적 가정)을 한다.
- 예측단위적립방식을 사용하여 현재가치로 할인한다.

(기준서 제1019호 문단 57)

이러한 과정의 목적은 평가일에 종업원에 의해 가득된 급여에 대해 발생할 미래현금지출의 현재가치의 최선의 추정치를 계산하기 위함이다. 더 세부적인 3단계 절차를 다음에서 설명한다.

기준서 제1019호에서 확정급여채무의 현재가치와 사외적립자산의 공정가치는 재무상태표에 인식된 금액이 보고기간말에 결정될 금액과 중요한 차이가 나지 않을 정도의 주기를 두고 측정되어야 한다(기준서 제1019호 문단 58). 기준서는 확정급여채무의 측정에 자격 있는 보험계리인의 참여를 권장하고 있으나, 항상 요구하고 있는 것은 아니다(기준서 제1019호 문단 59). 그러나 실무적 이유로 대부분의 회사는 자격 있는 보험계리인이 계리보고서를 받는 것을 고려한다.

가. 첫 번째 단계 : 급여액의 근무기간에 걸친 배분

기업은 제도에서 정하고 있는 급여산정식에 따라 종업원의 근무기간에 걸쳐 급여를 배분하여야 한다(기준서 제1019호 문단 70). 당기근무원가를 결정하기 위해 급여를 당기에 배분하며, 확정급여채무의 현재가치를 결정하기 위해 확정급여제도의 급여를 당기와 과거기간에 배분한다.

확정급여제도하에서는 급여가 가득되었는지에 관계없이 종업원이 근무용역을 제공함에 따라 채무가 발생한다. 그러나 근무기간에 대한 급여를 배분할 때에는, 일부 종업원이 가득조건을 충족하지 못할 가능성을 고려하여 회계처리하여야 한다(기준서 제1019호 문단 72).

반면에 어느 제도의 급여산정식은 초반보다 후반의 급여가 더 높은 결과를 초래할 수 있다. 이러한 상황에서 근무기간 후반에 귀속되는 급여 수준이 근무기간 초반에 귀속되는 급여 수준보다 중요하게 높은 경우에, 기준서 제1019호는 근무기간 전체에 대해서 정액법에 따라 급여를 배분할 것을 요구한다.

매 근무연도에 귀속되는 급여액이 퇴직 전 최종임금의 일정비율인 경우, 미래임금상 승은 보고기간말 이전에 제공된 근무용역에 대해 발생한 확정급여채무를 결제하는 데 필요한 금액에 영향을 미치지만 추가적인 의무를 발생시키지는 않는다(기준서 제1019호 문 단 74). 예를 들어, 종업원이 근속년수 20년을 상한으로 매년 최종임금의 1/30을 퇴직급 여로 받게 된다면, 최종임금추정액의 1/30인 퇴직급여가 20년의 근무기간에 걸쳐 배분 된다. 그 이후 시점에는 퇴직급여가 배분되지 않는다. 퇴직일의 실제 최종임금과 확정급 여채무의 계산시 예측했던 임금의 차이는 보험수리적 예측의 변경으로 인해 발생한 것 이므로 보험수리적 손익으로 반영한다.

나. 두 번째 단계 : 보험수리적 가정

보험수리적 가정은 퇴직급여의 궁극적인 원가를 결정하는 여러 가지 변수들에 대한 최선의 추정을 반영하는 것이다. 확정급여퇴직연금 중에는 특정 성과 목표 달성 여부에 기초한 제도가 있을 수 있다. 이러한 조건도 궁극적으로 퇴직급여 원가에 영향을 미치 는 변수들에 해당하므로, 종업원급여 결정시에 반영되어야 한다.

급여를 수령할 권리를 갖는 전·현직 종업원의 미래특성에 관한 다음과 같은 인구통 계적 가정이 고려된다.

- 사망률
- 이직률, 신체장애율 및 조기퇴직률
- 급여수령권을 갖는 피부양자가 있는 종업원의 비율
- 제도규약에 따라 이용할 수 있는 지급 선택권의 각 형태를 선택할 종업원의 비율
- 의료급여제도의 경우 의료원가청구율

재무적 가정은 다음과 같은 사항을 포함한다.
- 할인율
- 급여 수준과 미래의 임금
- 의료급여의 경우 보험금청구원가를 포함하는 미래 의료원가
- 보고일 이전의 근무용역과 관련된 기여금 또는 보고일 이전의 근무용역으로 인하 여 발생하는 급여에 대하여 제도자체에 부과되는 세금

할인율을 비롯한 그 밖의 재무적 가정은 명목기준으로 결정한다. 다만, 다음과 같이 인플레이션효과만큼 조정된 실질기준에 의한 추정치가 명목기준보다 더 신뢰성이 있는 경우 실질기준으로 할인율 등을 결정한다. 예를 들면, 초인플레이션 경제에 있는 경우나

급여가 지수에 연동되고 급여와 동일한 통화와 만기를 갖는 지수연동채권에 대해 거래 층이 두터운 시장이 있는 경우가 있다(기준서 제1019호 문단 79). 재무적 가정은 채무가 결제 될 회계기간에 대하여 보고기간말 현재 시장에서 형성되는 기대치에 기초한다(기준서 제 1019호 문단 80).

보험수리적 가정은 편의가 없어야 하며 서로 양립 가능해야 한다(기준서 제1019호 문단 75). 보험수리적 가정은 지나치게 낙관적이지 않으면서 지나치게 보수적이지도 않을 때 편의가 없는 것으로 본다(기준서 제1019호 문단 77). 보험수리적 가정이 서로 양립가능하기 위해서는 물가상승률, 임금상승률, 할인율 등과 같은 요소들 사이의 경제적 관계를 반영 하여야 한다(기준서 제1019호 문단 78). 기준서 제1019호에서는 주요 보험수리적 가정의 공 시를 요구하고 있다.

할인율은 퇴직급여의 예상지급시기에 기초하여 화폐의 시간 가치를 반영한다. 할인율 을 제외한 보험수리적 가정에 보험수리적위험 및 투자위험이 반영되므로, 할인율에는 보험수리적위험이나 투자위험이 반영되지 않는다. 그리고 할인율에는 채권자가 부담하 고 있는 기업 고유의 신용위험이 반영되지 않을 뿐만 아니라 미래의 실제 결과가 보험 수리적 가정과 다를 위험도 반영되지 않는다. 기준서 제1019호는 퇴직급여채무를 할인 하기 위해 사용하는 할인율은 보고기간말 현재 확정급여채무의 통화 및 예상지급시기 와 일관성이 있는 우량회사채의 시장수익률을 참조하여 결정할 것을 요구하고 있다(기준 서 제1019호 문단 83). 회사채의 통화는 확정급여채무가 지급될 통화와 일치하여야 한다. 그 통화가 해당 기업의 기능통화와 반드시 일치할 필요는 없다. 실무상 보통 기준서 제 1019호 목적상 우량회사채란 최소한 신용등급이 AA 이상을 말한다.

만약 그러한 회사채에 대해 거래층이 두터운 시장이 없는 경우에는 보고기간말 현재 국공채의 시장수익률을 사용한다. 그러한 회사채나 국공채의 통화 및 만기는 퇴직급여 채무의 통화 및 예상지급시기와 일관성이 있어야 한다(기준서 제1019호 문단 83).

퇴직급여의 모든 예상지급시기에 상응할 수 있을 정도로 충분히 긴 만기를 갖는 채권 에 대해 거래층이 두터운 시장이 존재하지 않을 수 있다. 이러한 경우 상대적으로 지급 시기가 빠른 급여액을 할인하기 위해서는 이에 상응하는 적절한 만기의 현행 시장수익 률을 적용하고, 상대적으로 지급시기가 늦은 급여액에 대해서는 수익률곡선상의 현행 시장수익률을 예상지급시기까지 확장하여 합리적으로 추정한 할인율을 적용한다(기준서 제1019호 문단 86).

미래의 임금상승은 물가상승률, 연공, 승진 및 고용시장의 수요와 공급 등을 고려하 여 추정한다. 미래 임금상승에 대한 가정에는 기업의 법적의무 및 의제의무가 반영되어 야 한다.

보험수리적 가정은 보고기간말 제도의 공식적 규약에서 정하고 있는 미래급여 변동

(또는 공식적 규약을 넘어서는 의제의무)을 반영한다. 이러한 경우의 예는 다음과 같다.

- 물가상승의 영향을 완화할 목적 등으로 퇴직급여를 증액한 관행이 있고, 그러한 관행이 미래에 바뀔 것이라고 예상되지 않는 경우
- 제도의 공식적 규약(또는 공식적 규약을 넘어서는 의제의무)이나 법규에 따라 제도의 초과적립액을 제도가입자의 급여를 위하여 사용할 의무가 있는 경우
- 급여가 성과목표나 그 밖의 기준에 따라 변동하는 경우

(기준서 제1019호 문단 88)

사망률과 연금지급가능 이익의 성장률과 같은 비교적 작은 주요 가정의 변경이 확정급여채무 금액에 중요한 영향을 줄 수 있기 때문에, 가정의 선택은 어려운 판단의 영역이다.

다. 세 번째 단계 : 보험수리적 방법

확정급여채무를 측정하는 과정의 세 번째 단계는 종업원급여 예상액을 보험수리적 방법에 따라 현재가치로 할인하는 것이다. 기준서 제1019호는 퇴직급여채무의 일부가 보고기간말부터 12개월 이내에 지급기일이 도래하더라도 퇴직급여채무 전부를 할인할 것을 요구한다(기준서 제1019호 문단 69).

퇴직연금부채의 주요 평가방법은 소위 "발생급여방식"과 "예측급여방식"의 두 가지가 있다.

명칭에서 알 수 있는 바와 같이, 발생급여평가방식은 측정일까지의 근무용역에 대해 배분된 종업원급여의 현재가치를 측정한다. 미래의 급여발생액의 증가에 대한 조정이 이루어질 수도 있다. 반면에 예측급여평가방식은 이미 발생한 급여 및 미래근무용역으로 발생할 것으로 예상되는 급여를 고려하여 총원가를 예측한다. 그 이후에 총원가는 종업원의 근무기간 동안 균등하게(일반적으로는 급여의 일정 %) 배분된다.

두 가지 방법의 중요한 차이는 예측급여방식이 매년 발생하는 원가를 발생급여방식보다 균등하게 만들어 준다는 것이다. 예를 들어, 발생급여방식에서는 종업원의 근속연수가 늘수록 종업원 개인에게 배부되는 급여가 증가하게 된다. 왜냐하면 퇴직일 및 퇴직급여수령일이 가까워질수록 매년 발생하는 퇴직급여의 현재가치가 증가하기 때문이다. 그러므로, 종업원의 근속연수가 증가하는 상황에서, 발생급여방식에서는 당기근무원가가 급여의 상승과 함께 증가하게 되는 반면, 예측급여방식에서는 급여의 상승이 이미 예측되어 과거의 원가에 배분되어 있으므로, 당기근무원가가 일정하게 유지된다.

기준서 제1019호는 확정급여채무의 현재가치를 결정할 때, 발생급여방식의 일종인 예측단위적립방식을 사용할 것을 요구한다(기준서 제1019호 문단 67).

예측단위적립방식에서는 매 근무기간에 추가적인 급여수급권단위가 발생한다고 보며,

궁극적인 확정급여채무액을 결정하기 위하여 각 급여수급권단위를 별도로 측정한다. 이에 대한 사례는 다음과 같다.

사례 **예측단위적립방식**

기업은 근속년수에 최종임금의 1%를 곱한 금액을 퇴사시에 퇴직금으로 일시불 지급하는 확정급여제도를 운영하고 있다. ×1년 초에 종업원 A가 입사하였고, 임금은 50,000이다. 임금은 매년 7% 상승하고, 할인율은 8%라고 가정한다. 종업원 A는 5년 근무 후 퇴직할 것으로 예상된다.

다음의 표는 종업원A가 5년간 근무하는 동안 확정급여채무가 어떻게 계산되는지를 보여준다. 보험수리적 가정의 변경은 없으며, 종업원 A가 퇴직일 이전에 퇴사할 가능성은 없다고 가정한다.

연차	1	2	3	4	5
예상임금(7% 성장)	50,000	53,500	57,245	61,252	65,540
각 기간에 배부될 퇴직급여	655	655	655	655	655
누적 미지급퇴직급여	655	1,311	1,966	2,622	3,277
기초 확정급여채무	0	482	1,041	1,686	2,428
이자원가(기초 채무금액의8%)	0	39	83	135	194
당기근무원가(할인율 8%)	482	520	562	607	655
기말 확정급여채무	482	1,041	1,686	2,428	3,277

×5년 말에 종업원의 최종임금은 65,540(50,000×1.07^4)이다. ×5년 말 누적 퇴직금은 최종임금의 1%에 근속년수 5년을 곱한 금액(3,277)이다. 매년 가득된 퇴직급여는 이 금액의 1/5 (655)가 된다. 당기 근무원가는 당해년도에 귀속되는 급여의 현재가치를 말한다. 따라서, 예를 들면, ×2년의 당기근무원가는 520(655/1.08^3)이 된다.

④ 확정급여제도의 회계처리

확정급여제도의 회계처리는 다음과 같다.

가. 당기 근무원가의 인식

당기에 종업원이 근무용역을 제공함에 따라 발생하는 확정급여채무 현재가치 증가액을 인식한다.

(차) 퇴 직 급 여 ××× (대) 확 정 급 여 채 무 ×××

나. 순확정급여부채(자산)의 순이자의 인식

순확정급여부채(자산)의 순이자는 기초의 순확정급여부채(자산)에 기초의 할인율을 곱하여 결정되며 보고기간 동안의 기여금납부와 급여지급으로 인한 순확정급여부채(자산)의 변동을 고려하여 산정한다.

(차) 이 자 원 가 ×××   (대) 확 정 급 여 채 무 ×××

다. 사외적립자산의 적립

(차) 사 외 적 립 자 산 ×××   (대) 현　　　　금 ×××

(가) 사외적립자산의 수익

(차) 사외적립자산(실제수익) ×××   (대) 이 자 수 익 ×××
　　　　　　　　　　　　　　　　　　　 재 측 정 요 소 ×××

(나) 퇴직급여의 지급

(차) 확 정 급 여 채 무 ×××   (대) 사 외 적 립 자 산 ×××
　　　　　　　　　　　　　　　　　　　 현　　　　금 ×××

라. 재측정요소의 인식

(가) 확정급여채무의 현재가치가 증감하는 경우의 보험수리적손익

(차) 확 정 급 여 채 무 ×××   (대) 보험수리적손익(재측정요소) ×××

(나) 사외적립자산의 공정가치가 증감하는 경우의 재측정요소

(차) 사외적립자산(실제수익) ×××   (대) 재 측 정 요 소 ×××

사례　A사는 퇴직한 종업원과 관련한 확정퇴직급여제도를 시행하고 있으며, 확정급여채무의 내역은 다음과 같음.

확정급여채무의 현재가치	40,000
사외적립자산의 공정가치	(36,000)
확정급여채무	4,000

사외적립자산에 대한 실제수익률은 연 7%임.
확정급여채무의 현재가치를 인식하는 데 사용한 할인율은 연 10%이며, 당기근무원가는 `5,000임.

1) 20×1년 말 회계처리
• 당기근무원가

(차) 퇴 직 급 여 5,000   (대) 확 정 급 여 채 무 5,000

• 이자비용(확정급여채무의 현재가치 ×10%)

  (차) 이 자 비 용   4,000   (대) 확 정 급 여 채 무   4,000

• 기대수익

  (차) 사 외 적 립 자 산   2,520   (대) 이 자 수 익   3,600
     (36,000×7%)   (36,000×10%)
     재 측 정 요 소   1,080
     (기타포괄손익)

2) 포괄손익계산서

포괄손익계산서
20×1년 1월 1일부터 12월 31일까지

퇴직급여*	(5,400)
	...
당기순이익	200,000
기타포괄손익	
재측정요소	(1,080)
총포괄이익	198,920

* 순이자원가 400을 금융원가로 별도 표시할 수 있다.

보험수리적손익의 회계처리, 축소 및 청산 회계처리에 대해서는 '포괄손익계산서편, 제3장 판매비와관리비, 2. 종업원급여, (3) 퇴직급여'에서 자세히 설명한다.

⑤ 확정급여제도의 표시

회사가 한 가지 이상의 퇴직급여제도를 운영하고 있을 때, 특정제도는 초과적립되고 특정제도는 과소적립 될 수 있다. 이러한 상황이 발생하였을 때 총 확정급여자산 및 순 확정급여채무는 재무상태표에 각각 구분하여 공시하여야 한다. 기준서 제1019호에서는 다음의 상황을 제외하고는 한 제도에서 발생한 순 자산금액과 다른 제도에서 발생한 순 부채금액을 상계하는 것을 허용하지 아니하며 각각의 금액을 재무제표에 표시하여야 한다.

• 한 제도의 초과적립액을 다른 제도의 확정급여채무를 결제하는 데 사용할 수 있는 법적 집행권리가 있다.
• 순액기준으로 확정급여채무를 결제할 의도가 있거나, 제도의 초과적립액을 실현시 켜 동시에 다른 제도의 확정급여채무를 결제할 의도가 있다.

(기준서 제1019호 문단 131)

(3) 세무회계 상 유의할 사항

현행 법인세법에서는 퇴직급여충당금이라는 용어를 사용하고 있는 바, 이하에서는 설명편의상 퇴직급여부채 대신 퇴직급여충당금이라는 용어를 사용하기로 한다.

1) 법인세법상 퇴직급여충당금의 의의

법인은 임원 또는 직원의 퇴직을 요건으로 하여 근로자퇴직급여보장법 또는 이에 준하여 법인내부에서 규정한 퇴직급여지급규정에 따라 퇴직하는 임원 또는 직원에게 퇴직금을 지급하여야 한다. 이러한 퇴직금에 대하여 앞서 살펴본 바와 같이 한국채택국제회계기준에서는 발생주의와 수익·비용대응의 원칙에 따라 임원 또는 직원의 퇴직금을 퇴직금지급시점이 아니라 임원 또는 직원의 근로제공기간에 배분하여 인식하기 위하여 퇴직급여충당금이라는 충당부채를 계상토록 하고 있다.

법인세법 제33조 제1항에서도 기업회계를 존중하여 법인이 설정한 퇴직급여충당금은 원칙적으로 법인의 손금에 산입하도록 "내국법인이 각 사업연도의 결산을 확정할 때 임원이나 직원의 퇴직급여에 충당하기 위하여 퇴직급여충당금을 손비로 계상한 경우에는 대통령령으로 정하는 바에 따라 계산한 금액의 범위에서 그 계상한 퇴직급여충당금을 해당 사업연도의 소득금액을 계산할 때 손금에 산입한다"라고 규정하고 있다.

그러나 2016년 1월 1일 이후 개시하는 사업연도부터는 퇴직연금 등으로 사외에 적립한 경우에만 손금산입을 허용함으로써 기업회계기준에 따라 설정한 퇴직급여충당금 전액을 손금에 산입하는 것은 허용하고 있지 않다.

2) 퇴직급여충당금의 설정대상자

법인세법상 퇴직급여충당금을 설정할 수 있는 대상자는 해당 사업연도말 현재 해당 법인에 근속하고 있는 퇴직급여의 지급대상이 되는 임원 또는 직원으로 하되, 확정기여형 퇴직연금 등이 설정된 자를 제외한다. 따라서, 1년 미만 근속한 임원 또는 직원이라 하더라도 해당 법인의 정관이나 퇴직금지급규정에서 퇴직금을 지급하도록 규정하고 있는 경우에는 법인세법상 퇴직급여충당금의 설정대상자에 포함된다.

① 사업연도 종료일 현재 근무

해당 사업연도 종료일 현재 근속하고 있어야 한다. 따라서 해당 사업연도 중에 퇴직한 임원 또는 직원에 대하여는 퇴직급여충당금을 설정할 수 없다.

한편, 특수관계에 있는 타법인에 전출한 자의 경우 사업연도 종료일 현재 전출법인에는 재직하고 있지 않으므로 원칙적으로는 현실적인 퇴직으로 보아 전출법인에서 퇴직

급여충당금을 설정할 수 없다. 그러나, 법인이 현실적인 퇴직으로 보지 아니하고 퇴사시 전출·입법인이 전체 근무기간에 대한 퇴직급여를 안분계산하여 지급하기로 한 경우(전입시 퇴직급여 상당액을 전입법인이 인수하지 아니한 경우를 말함)에는 전출법인도 그 직원이 전입법인에서 현실적으로 퇴직할 때까지 매 사업연도의 퇴직급여충당금의 손금산입 범위액 계산시 적용할 '퇴직급여추계액'에 전출한 직원의 퇴직급여추계액 중 전출법인이 부담할 안분계산액을 합산하여 계산한다(법령 44조 3항 및 법칙 22조 4항).

② 퇴직급여의 지급대상

퇴직급여의 지급대상이 되는 임원 또는 직원이라 함은 근로자퇴직급여보장법 또는 법인의 퇴직급여지급규정 등에 의하여 퇴직급여의 지급대상으로 규정된 임원 또는 직원을 말한다.

③ 임원 및 직원

퇴직급여충당금의 설정대상자는 임원 또는 직원이어야 한다. 이 중 직원의 범위에 대하여는 법에서 명확히 규정하고 있는 바는 없으며 대체로 근로기준법에서 규정하고 있는 근로자의 개념을 원용하여 적용할 수 있을 것이다.

근로기준법상 근로자란 직업의 종류에 관계없이 임금을 목적으로 사업이나 사업장에 근로를 제공하는 사람을 말한다(근로기준법 2조 1항 1호).

한편, 임원이란 상법에 의하면 주주총회에서 선임된 이사나 감사를 뜻하나, 세법에서 임원이라 함은 그 임원이 등기가 되어 있는지의 여부에 관계 없이 다음에서 규정하는 직무에 종사하는 자를 말하는 것으로 상법에 의한 임원보다 좀 더 포괄적으로 규정하고 있다(법령 40조 1항).

ⓐ 법인의 회장, 사장, 부사장, 이사장, 대표이사, 전무이사, 상무이사 등 이사회의 구성원 전원과 청산인

ⓑ 합명회사, 합자회사 및 유한회사의 업무집행사원 또는 이사

ⓒ 유한책임회사의 업무집행자

ⓓ 감 사

ⓔ 그 밖에 'ⓐ 내지 ⓓ'에 준하는 직무에 종사하는 자

위의 'ⓐ 내지 ⓓ'에서 규정하는 임원은 상법상 등기사항이며, 'ⓔ'의 「그 밖에 'ⓐ 내지 ⓓ'에 준하는 직무에 종사하는 자」함은 등기나 정관에 기재된 임원은 아니나, 사실상 경영에 참여하여 경영전반의 의사결정과 집행에 적극적으로 참여하거나 회계와 업무에 관한 감독권을 행사하는 자를 의미한다. 즉, 주주총회의 결의가 아닌 이사회의 결의로서 선임되고 법인등기부등본상에 이사로서 등기되지 않은 이사대우의 직위를 지닌

자가 이와 같은 업무에 종사하는 경우에는 임원에 해당하며, 이사회의 구성원이 아니더라도 이러한 직무에 종사하면 임원에 해당한다.

합명회사의 경우 업무집행사원에 한정되므로 이러한 직무권한이 없는 사원은 임원의 범위에 포함되지 않는다.

④ 확정기여형퇴직연금 등이 설정된 자

확정기여형퇴직연금제도를 설정한 경우에는 해당 회계연도에 대하여 회사가 납부하여야 할 부담금(기여금)을 퇴직급여로 인식하게 된다. 즉, 해당 회계연도에 대한 부담금(기여금)을 불입하고 퇴직급여로 처리하여 손금산입함으로써 차기 이후에 퇴직금을 지급할 의무가 소멸하는 것이다. 따라서 확정기여형퇴직연금제도를 설정한 임원 및 사용인에 대해서는 퇴직급여충당금을 설정하지 아니한다(법령 60조 1항).

한편, 임원에 대한 확정기여형퇴직연금 등의 부담금은 법인이 퇴직 시까지 부담한 부담금의 합계액을 퇴직급여로 보아 법인세법 시행령 제44조 제4항(임원 퇴직급여 한도액)을 적용하되, 손금산입 한도초과금액이 있는 경우에는 퇴직일이 속하는 사업연도의 부담금 중 손금산입 한도초과금액 상당액을 손금에 산입하지 아니하고, 손금산입 한도초과금액이 퇴직일이 속하는 사업연도의 부담금을 초과하는 경우 그 초과금액은 퇴직일이 속하는 사업연도의 익금에 산입한다(법령 44조의 2 3항).

3) 퇴직급여충당금의 손금산입한도

법인세법상 퇴직급여충당금의 손금산입한도액은 다음과 같으며, 2016년 1월 1일 이후 개시하는 사업연도부터는 누적액기준의 한도율이 0%로 퇴직급여충당금을 손금에 산입하는 것을 허용하고 있지 않다.

> 퇴직급여충당금의 손금산입한도 = MIN(㉮ 총급여액기준, ㉯ 누적액기준)

㉮ 총급여액기준 : 총급여액 × 5%
㉯ 누적액기준 : MAX(일시퇴직기준 퇴직급여추계액, 보험수리적기준 퇴직급여추계액)[*1] × 한도율[*2] + 퇴직금전환금 − 퇴직급여충당금의 누적액

(*1) 다만, 법인세법 시행령 제44조에 따라 손금에 산입하지 아니하는 금액은 제외함.
(*2) 연도별 한도율

구 분	누적액기준
2010년 1월 1일부터 2010년 12월 31일까지의 기간 중에 개시하는 사업연도	30%
2011년 1월 1일부터 2011년 12월 31일까지의 기간 중에 개시하는 사업연도	25%
2012년 1월 1일부터 2012년 12월 31일까지의 기간 중에 개시하는 사업연도	20%
2013년 1월 1일부터 2013년 12월 31일까지의 기간 중에 개시하는 사업연도	15%
2014년 1월 1일부터 2014년 12월 31일까지의 기간 중에 개시하는 사업연도	10%
2015년 1월 1일부터 2015년 12월 31일까지의 기간 중에 개시하는 사업연도	5%
2016년 1월 1일 이후 개시하는 사업연도	0%

① 총급여액의 범위

임원 또는 직원에게 지급한 총급여액이란 원칙적으로 소득세법 제20조 제1항 제1호, 제2호에 해당하는 근로소득(비과세소득은 제외)으로서 (가) 근로를 제공함으로써 받는 봉급·급료·보수·세비·임금·상여·수당과 이와 유사한 성질의 급여와 (나) 법인의 주주총회·사원총회 또는 이에 준하는 의결기관의 결의에 따라 상여로 받는 소득을 말한다.

또한 총급여에는 사업연도 종료일 현재 결산상 반영된 미지급 급여도 포함되며, 당해 사업연도에 지급의무가 확정된 연차수당도 포함된다(법인 46012-2549, 1996. 9. 11. 및 서면2 팀-2646, 2004. 12. 16.).

그러나 법인세법에 따라 상여로 처분된 금액(인정상여)과 퇴직함으로써 받는 소득으로서 퇴직소득에 속하지 아니하는 소득은 (가), (나)에 해당하지 아니하므로 총급여액에 포함되지 않는다.

또한 다음의 금액은 법인세법상 손금에 산입하지 아니하며 퇴직급여충당금 손금산입 한도액 계산시의 총급여액에도 포함되지 않는다(법령 43조).

ⓐ 법인이 그 임원 또는 직원에게 이익처분에 의하여 지급하는 상여금(합명회사 또는 합자회사의 노무출자사원에게 지급하는 보수는 이익처분에 의한 상여로 봄)

ⓑ 법인이 임원에게 지급하는 상여금 중 정관·주주총회·사원총회 또는 이사회의 결의에 의하여 결정된 급여지급기준에 의하여 지급하는 금액을 초과하여 지급한 경우 그 초과금액

ⓒ 법인이 지배주주 등(특수관계에 있는 자 포함)인 임원 또는 직원에게 정당한 사유 없이 동일 직위에 있는 지배주주 등 외의 임원 또는 직원에게 지급하는 금액을 초과하여 보수를 지급한 경우 그 초과금액

② 퇴직급여 총추계액

퇴직급여충당금의 손금산입한도 계산상 퇴직급여 총추계액이란 다음의 금액 중 큰 금액을 말하며, 이 경우 법인세법 시행령 제44조에 따라 퇴직급여 손금불산입 대상이 되는 금액은 제외한다(법령 60조 2항).

㉠ 일시퇴직기준 퇴직급여 추계액

일시퇴직기준 퇴직급여 추계액이란 해당 사업연도 종료일 현재 재직하는 임원 또는 직원의 전원이 퇴직할 경우에 퇴직급여로 지급되어야 할 금액의 추계액을 뜻하며, 정관이나 퇴직급여지급규정 등에 의하여 계산한 금액을 말한다. 따라서 퇴직급여 추계액은 사업연도 종료일 기준으로 소급하여 입사 후 또는 퇴직금 중간정산 후 1년 미만 근로 여부와 관계없이 법인이 정관이나 퇴직급여 지급규정 등에 의하여 계산한 금액을 말한다(법인 46012-3387, 1997. 12. 24.). 다만, 퇴직급여 지급규정 등이 없는 법인은 근로자퇴직급여 보장법 등이 정하는 바에 의하여 계산한 금액으로 한다.

㉡ 보험수리적기준 퇴직급여 추계액

보험수리적기준 퇴직급여 추계액이란 "근로자퇴직급여 보장법 제16조 제1항 제1호에 따른 금액"에 "해당 사업연도 종료일 현재 재직하는 임원 또는 직원 중 근로자퇴직급여 보장법 제2조 제8호에 따른 확정급여형퇴직연금제도에 가입하지 아니한 사람 전원이 퇴직할 경우에 퇴직급여로 지급되어야 할 금액의 추계액"과 "확정급여형퇴직연금제도에 가입한 사람으로서 그 재직기간 중 가입하지 아니한 기간이 있는 사람 전원이 퇴직할 경우에 그 가입하지 아니한 기간에 대하여 퇴직급여로 지급되어야 할 금액의 추계액"을 더한 금액으로 한다(법령 44조의 2 4항 1호의 2, 재법인-1039, 2013. 10. 21.).

한편 앞에서 설명한 바와 같이 퇴직연금 중 확정기여형 퇴직연금제도가 설정된 임원 및 직원에 대해서는 퇴직급여충당금을 설정할 수 없다. 따라서 확정기여형 퇴직연금제도가 설정된 임원 및 직원에 대한 퇴직금추계액은 퇴직급여총추계액 계산시 제외하여야 한다.

③ 퇴직급여충당금의 누적액

퇴직급여충당금의 누적액이란 전기 이전 각 사업연도의 소득금액계산상 손금에 산입한 퇴직급여충당금의 누적액 중 당해 사업연도 말까지 퇴직금지급액과 상계하고 남은 잔액을 말하는데, 이를 산식으로 나타내면 다음과 같다(통칙 33-60…3).

퇴직급여 충당금의 누적액	=	장부상 퇴직급여충당금 기초잔액	−	기중 충당금 환입액	−	충당금 부인 누계액	−	기중 퇴직금 지급액	−	확정기여형 퇴직연금 등이 설정된 자의 퇴직급여충당금

4) 퇴직급여충당금의 손금산입방법

① 결산조정

퇴직급여충당금을 법인의 손금에 산입하기 위해서는 반드시 법인의 장부에 손금으로 계상하여야 한다. 즉, 신고조정에 의하여 손금에 산입함을 허용하지 않는다. 다만, 한국채택국제회계기준에 의거 전기이월이익잉여금에서 차감처리된 전기부족설정분은 세무조정시 신고조정에 의하여 손금에 산입하고, 동 금액을 당기에 설정한 것으로 보아 법인이 손비로 계상한 퇴직급여충당금에 가산하여 시부인계산을 하여야 한다(법인세과-389, 2009. 4. 3.).

② 퇴직급여충당금 부인액의 처리방법

세무상 퇴직급여충당금 손금산입 한도 초과액은 손금불산입·유보처분하며, 이러한 부인액은 임원 또는 직원이 실제 퇴직함에 의해 지급되는 퇴직금이 세법상 손금으로 계상된 퇴직급여충당금을 초과하는 경우에 그 초과하는 금액의 범위 내에서 퇴직급여충당금 부인액을 손금추인한다.

5) 퇴직위로금(명예퇴직금) 등의 세무처리

퇴직급여충당금을 계상한 법인이 퇴직하는 임원 또는 직원에게 퇴직금을 지급하는 때에는 개인별 퇴직급여충당금과는 관계 없이 이를 동 퇴직급여충당금에서 지급하여야 한다. 한편 사업구조조정과 관련하여 퇴직금 외에 별도의 퇴직위로금을 지급할 때 '퇴직금지급규정·취업규칙 또는 노사합의' 등에 의거 지급하는 경우에는 퇴직소득처리가 가능한데 법인세법에서는 앞에서 설명한 바와 같이 퇴직소득을 지급하는 경우에 기 설정된 퇴직급여충당금과 우선적으로 상계하는 것을 원칙으로 하고 있다. 다만, 내국법인이 일부 사업의 폐지 또는 중단 등으로 인하여 부득이하게 퇴직하는 임원 및 직원에게 퇴직급여지급규정에 따라 명예퇴직금을 지급하는 경우에는 퇴직급여충당금에서 지급하지 아니하고 직접 해당 사업연도의 손비로 처리할 수 있다(법기통 33-60…6 ②).

6) 사업양수도·합병·분할·특수관계법인 전출입시 퇴직급여충당금의 처리

법인이 다른 법인 또는 개인사업자로부터 사업을 포괄적으로 양수한 경우, 합병·분할에 의한 경우 및 특수관계법인 간의 전출입의 경우에 퇴직급여충당금의 처리에 대해서 법인세법 기본통칙 33-60…2에서는 다음과 같이 규정하고 있다.

① 법인이 다음의 사유로 다른 법인 또는 사업자로부터 임원 또는 사용인(이하 "종업원"이라 함)을 인수하면서 인수시점에 전 사업자가 지급하여야 할 퇴직급여상당액

전액을 인수(퇴직보험 등에 관한 계약의 인수를 포함함)하고 해당 종업원에 대한 퇴직급여 지급시 전 사업자에 근무한 기간을 통산하여 해당 법인의 퇴직급여지급규정에 따라 지급하기로 약정한 경우에는 해당 종업원에 대한 퇴직급여와 법인세법 시행령 제60조 제2항의 퇴직급여추계액은 전 사업자에 근무한 기간을 통산하여 계산할 수 있다.

   ㉠ 다른 법인 또는 개인사업자로부터 사업을 인수(수개의 사업장 또는 사업 중 하나의 사업장 또는 사업을 인수하는 경우를 포함함)한 때

   ㉡ 법인의 합병 및 분할

   ㉢ 법인세법 시행령 제2조 제5항에 따른 특수관계 법인간의 전출입

② 인수 당시에 퇴직급여상당액을 전 사업자로부터 인수하지 아니하거나 부족하게 인수하고 전 사업자에 근무한 기간을 통산하여 퇴직급여를 지급하기로 한 경우에는 인수하지 아니하였거나 부족하게 인수한 금액은 해당 법인에 지급의무가 없는 부채의 인수액으로 보아 종업원별 퇴직급여상당액명세서를 작성하고 인수일이 속하는 사업연도의 각 사업연도 소득금액계산상 그 금액을 손금산입 유보처분함과 동시에 동액을 손금불산입하고 법인세법 시행령 제106조에 따라 전 사업자에게 소득처분한 후, 인수한 종업원에 대한 퇴직급여 지급일이 속하는 사업연도에 해당 종업원에 귀속되는 금액을 손금불산입 유보처분한다. 다만, 상기 '①의 ㉢'의 경우에는 법인세법 시행령 제44조 제3항에 따른다.

③ 법인이 상기 '①의 ㉠'에 따른 사유로 종업원을 다른 사업자에게 인계함으로써 해당 종업원과 실질적으로 고용관계가 소멸되는 경우에 인수하는 사업자에게 지급한 종업원 인계시점의 퇴직급여상당액은 퇴직급여충당금과 상계하고 부족액은 각 사업연도 소득금액 계산상 손금에 산입한다.

한편, 퇴직급여충당금을 손금에 산입한 내국법인이 합병하거나 분할하는 경우 그 법인의 합병등기일이나 분할등기일 현재의 해당 퇴직급여충당금 중 합병법인·분할신설법인 또는 분할합병의 상대방법인(이하 "합병법인등"이라 함)에 승계받은 금액은 그 합병법인등이 합병등기일이나 분할등기일에 가지고 있는 퇴직급여충당금으로 본다(법법 33조 3항). 이에 따라 퇴직급여충당금과 관련하여 피합병법인 또는 분할법인(소멸한 분할합병의 상대방법인을 포함)의 각 사업연도의 소득금액 및 과세표준의 계산에 있어서 익금에 산입하지 아니하거나 손금에 산입하지 아니한 금액, 즉 세무조정사항은 과세특례요건(법법 44조 2항, 46조 2항)을 갖춘 적격합병·적격분할의 경우 합병법인 등에 승계되며, 그 외의 합병·분할의 경우에도 상기 법인세법 33조 3항에 따라 퇴직급여충당금을 합병법인등이 승계한 경우에는 그와 관련된 세무조정사항을 승계한다(법령 85조). 즉, 합병 또는 분할의 경우 임원 또는 직원이 합병 또는 분할시점에 퇴직급여를 실제로 지급받고

합병법인등에 고용승계가 이루어진 경우에는 현실적인 퇴직에 해당하므로 세무상 퇴직급여충당금과 관련하여 유보사항이 발생할 여지가 없을 것이나, 합병 또는 분할시점에 퇴직급여를 실제로 지급받지 않고 고용승계와 더불어 퇴직급여충당금의 승계가 이루어진 경우에는 현실적인 퇴직으로 보지 않기 때문에 피합병법인 또는 분할법인(소멸한 분할합병의 상대방법인을 포함)이 법인세 세무조정시 계상한 퇴직급여충당금과 관련된 유보사항은 별도로 추인받을 수 있는 방법이 없게 된다. 따라서 법인세법에서는 합병·분할의 경우 퇴직급여충당금과 관련하여 계상된 유보사항을 합병법인등이 승계하도록 한 것이다.

7) 퇴직연금 부담금의 손금산입

① 의 의

법인이 회계상 퇴직금추계액의 100%를 퇴직급여충당금으로 설정한다고 하더라도 기업의 도산 등으로부터 임직원의 퇴직금을 보호할 수 없기 때문에 2016년 1월 1일 이후 개시하는 사업연도부터는 내국법인이 임원 또는 직원의 퇴직을 퇴직급여의 지급사유로 하고 임원 또는 직원을 수급자로 하는 퇴직연금의 부담금으로서 지출하는 금액에 한하여 손금으로 인정받을 수 있게 하여 퇴직금의 사외적립을 유도하고 있다.

이때 임원 또는 직원의 퇴직금을 지급하기 위하여 불입한 퇴직연금의 부담금은 법인의 장부에 손금으로 계상한 경우에 한하여 손금으로 인정하는 것이 타당하겠으나, 현행 한국채택국제회계기준에서는 불입한 퇴직연금의 부담금을 비용으로 인정하고 있지 않으므로 법인세법에서는 신고조정에 의하여 각 사업연도 소득금액계산시 손금에 산입할 수 있도록 규정하고 있다.

참고로, 법인세법에서는 퇴직연금을 확정기여형 퇴직연금(근로자퇴직급여 보장법 제19조에 따른 확정기여형 퇴직연금, 같은 법 제24조에 따른 개인형퇴직연금제도 및 과학기술인공제회법에 따른 퇴직연금 중 확정기여형 퇴직연금에 해당하는 것을 말함)과 그 이외의 퇴직연금으로 구분하여 규정하고 있다.

② 손금산입범위액

확정기여형 퇴직연금의 부담금은 전액 손금에 산입한다. 다만, 임원에 대한 부담금은 법인이 퇴직 시까지 부담한 부담금의 합계액을 퇴직급여로 보아 임원퇴직금 한도 초과액 손금불산입 규정(법령 44조 4항)을 적용하되, 손금산입 한도 초과금액이 있는 경우에는 퇴직일이 속하는 사업연도의 부담금 중 손금산입 한도 초과금액 상당액을 손금에 산입하지 아니하고, 손금산입 한도 초과금액이 퇴직일이 속하는 사업연도의 부담금을 초과하는 경우 그 초과금액은 퇴직일이 속하는 사업연도의 익금에 산입한다(법령 44조의 2 3항).

확정급여형 퇴직연금의 부담금을 기업이 손금으로 인정받기 위해서는 당기 말 현재 퇴직금추계액 대비 세무상 퇴직급여충당금의 부족설정분이 있어야 하며, 확정급여형 퇴직연금예치금의 기말잔액이 존재해야 한다. 즉, 법인세법상 확정급여형 퇴직연금 부담금의 손금산입범위액은 다음과 같다(법령 44조의 2 4항).

확정급여형 퇴직연금 부담금의 손금산입범위액
=MIN(퇴직금추계액* 대비 세무상 퇴직급여충당금 부족설정액, 확정급여형 퇴직연금예치금의 기말잔액) - 기 손금산입된 퇴직연금 부담금

---

* 퇴직급여추계액 = MAX[A, (B + C + D)]
  A = 해당 사업연도 종료일 현재 재직하는 임원 또는 직원의 전원이 퇴직할 경우에 퇴직급여로 지급되어야 할 금액의 추계액(법인세법 시행령 제44조에 따라 손금에 산입하지 아니하는 금액 및 확정기여형 퇴직연금의 부담금으로 손금에 산입된 금액은 제외함)
  B = 근로자퇴직급여 보장법 제16조 제1항 제1호에 따른 금액
  C = 해당 사업연도 종료일 현재 재직하는 임원 또는 직원 중 근로자퇴직급여 보장법 제2조 제8호에 따른 확정급여형 퇴직연금 제도에 가입하지 아니한 사람 전원이 퇴직할 경우에 퇴직급여로 지급되어야 할 금액의 추계액
  D = 확정급여형 퇴직연금제도에 가입한 사람으로서 그 재직기간 중 가입하지 아니한 기간이 있는 사람 전원이 퇴직할 경우에 그 가입하지 아니한 기간에 대하여 퇴직급여로 지급되어야 할 금액의 추계액
다만, (B + C + D)의 금액에는 법인세법 시행령 제44조에 따라 손금에 산입하지 아니하는 금액 및 확정기여형 퇴직연금의 부담금으로 손금에 산입된 금액은 제외함.

위 산식 중 퇴직금추계액 대비 세무상 퇴직급여충당금 부족설정액은 당기 말 현재 퇴직금추계액과 당기 말 현재 재무상태표상의 퇴직급여충당금 잔액에서 세법상 손금부인누계액을 차감한 금액과의 차액을 말하며, 기 손금산입된 퇴직연금 부담금이라 함은 직전 사업연도 종료일까지 불입한 부담금의 누계액에서 해당 사업연도 종료일까지 퇴직연금등의 해약이나 임원 또는 직원의 퇴직으로 인하여 수령한 해약금 및 퇴직급여와 확정기여형 퇴직연금등으로 전환된 금액을 차감한 금액을 의미한다(법칙 24조 2항).

2. 기타장기종업원급여부채

(1) 개념 및 범위

기타장기종업원급여는 단기종업원급여, 퇴직급여, 해고급여를 제외한 종업원급여이다(기준서 제1019호 문단 8). 장기상여금, 장기인센티브제도, 장기근속보상과 같은 장기종업원급여는 단기종업원과 많은 성격이 동일하므로 혹자는 기타장기종업원급여의 회계처리가 단기종업원급여 회계처리에 화폐시간가치와 불확실성의 증가에 대한 적절한 조정을 반영하는 것 뿐이라고 예상할 수도 있다. 하지만 다음에서 설명하는 예외사항을 제외하고 장기종업원급여는 퇴직급여의 확정급여제도와 같은 방식으로 회계처리 된다. 이것은

발생한 채무를 측정하기 위한 예측단위적립방식을 사용하는 것을 포함한다. 기타장기종 업원급여와 관련하여 다른 한국채택국제회계기준서에 따라 자산의 원가에 포함하는 경 우를 제외하고는 다음의 순합계금액을 당기손익으로 인식한다.

(1) 근무원가
(2) 순확정급여부채(자산)의 순이자
(3) 순확정급여부채(자산)에 대한 재측정요소

(기준서 제1019호 문단 156)

> **사례** **5년 근속에 대한 상여금**
>
> A법인은 종업원이 5년 근속할 경우 상여금을 받는 장기상여금 제도를 운영한다. 상여금은 매 년 임금의 1%로 계산된다. 임금은 매년 5%씩 상승할 것으로 예상되고, 할인율은 8%이다.
>
> 아래 테이블은 종업원이 입사한 첫 해부터 5년에 걸쳐 상여에 대한 부채가 어떻게 증가하는 지 보여준다. 종업원은 5년까지 근무하며 보험수리적가정의 변경은 없다고 가정한다. 종업원 의 첫 해 임금은 40,000이다.

Year	1	2	3	4	5
당기 급여(당기 임금의 1%)	400	420	441	463	486
누적미지급상여금	400	820	1,261	1,724	2,210
기초 채무	–	325	702	1,137	1,637
이자율(8%)	–	26	56	91	131
당기근무원가	325	351	379	409	442
기말 부채	325	702	1,137	1,637	2,210

상기 테이블에 따르면, 당기근무원가는 당기에 배분되는 급여의 현재가치이다. 매년 당기에 배분되는 급여는 대략 2,210을 5로 나눈 442이다. 그러므로 예를 들어 3년이 되는 해의 당기 근무원가는 379이다(즉, $442/1.08^2$).

(2) 세무회계 상 유의사항

법인세법상 상여금의 손금 귀속시기는 상여금에 대한 지급의무가 확정되는 날을 기 준으로 한다. 여기서 지급의무가 확정된다는 것은 상여금의 지급대상인 사용인 개인별 로 사규 등에 의하여 지급금액이 확정되는 것을 뜻한다. 또한, 국세청의 유권해석에 따 르면, 상여금지급규정에서 상여금을 12월 16일부터 다음 해 4월 15일까지를 상여금 지 급대상기간으로 하여 4월 30일에 지급하기로 한 경우에는 그 상여금 지급대상기간의 종료일이 도래하기 전인 3월 31일에 12월 16일부터 다음 해 3월 31일까지의 기간에 해당하는 상여금을 미지급상여금으로 계상한 경우 손금에 산입할 수 없다고 하고 있다(법인 22601-2576, 1985. 8. 29.). 결국, 한국채택국제회계기준에 따라 종업원의 관련 용역이 제공된 회계기간에 계상된 장기종업원급여의 경우에도 계상시 손금불산입(유보)한 후 실제 지급의무가 확정된 사업연도에 손금추인(△)하여야 할 것으로 판단된다.

3. 충당부채와 우발부채

(1) 개념 및 범위

1) 개 요

한국채택국제회계기준에 따르면 부채는 과거사건으로 생긴 현재의무로서, 기업이 가진 경제적 효익이 있는 자원의 유출을 통해 그 이행이 예상되는 의무이고, 충당부채는 지출의 시기 또는 금액이 불확실한 부채로 정의된다(기준서 제1037호 문단 10). 부채의 기본 정의가 충당부채에 동일하게 적용됨에도 불구하고, 기준서 제1037호 '충당부채, 우발부채, 우발자산'은 충당부채를 다른 범주의 부채와 명확히 구분하고, 충당부채의 측정 및 인식, 공시에 대하여 상세한 규정을 정하고 있다.

기준서 제1037호 '충당부채, 우발부채, 우발자산'은 우발부채와 우발자산에 대한 기준도 제시한다.

2) 적용범위

★
기업회계기준서 제1037호 '충당부채, 우발부채, 우발자산'

1. 이 기준서는 다음의 경우를 제외한 충당부채, 우발부채, 우발자산의 회계처리에 적용한다.
   (1) 미이행계약으로부터 발생하는 경우. 다만, 손실부담계약은 제외
   (2) [국제회계기준위원회에 의하여 삭제됨]
   (3) 다른 한국채택국제회계기준서에서 다루어지고 있는 경우
2. 이 기준서는 기업회계기준서 제1109호 '금융상품'의 적용범위에 해당하는 금융상품(보증 포함)에는 적용하지 아니한다.

이상과 같이, 기준서 제1037호는 손실부담계약이 아닌 미이행계약으로부터 발생하는 경우, 다른 한국채택국제회계기준서에서 다루어지고 있는 경우, 기준서 제1109호 '금융상품'의 적용범위에 해당하는 금융상품(보증 포함)의 경우를 제외한 충당부채, 우발부채, 우발자산의 회계처리에 적용된다.

① 손실부담계약이 아닌 미이행계약의 경우

손실부담계약이 아닌 미이행계약으로부터 발생하는 권리와 의무에는 충당부채, 우발부채, 우발자산과 관련된 인식과 측정 기준을 적용하지 아니한다. 미이행계약이란 계약당사자 모두가 계약상의 의무를 전혀 이행하지 아니하였거나 동일한 정도로 의무를 부분적으로 이행한 계약을 의미하며(기준서 제1037호 문단 3), 손실부담계약이란 계약상의 의무이행에서 발생하는 회피 불가능한 원가가 그 계약에 의하여 받을 것으로 기대되는 경제적효익을 초과하는 계약을 의미한다(기준서 제1037호 문단 10).

② 다른 한국채택국제회계기준서에서 다루는 경우

다른 한국채택국제회계기준서에서 특정 종류의 충당부채, 우발부채, 우발자산과 관련된 사항을 규정하고 있는 경우에는 해당 기준서를 적용하여야 한다. 예를 들어, 사업결합(기업회계기준서 제1103호), 고객과의 계약에서 생기는 수익(기업회계기준서 제1115호), 법인세(기업회계기준서 제1012호), 리스(기업회계기준서 제1116호), 종업원급여(기업회계기준서 제1019호), 보험계약(기업회계기준서 제1104호)의 경우 해당 기준서에서 정하는 바에 따라 충당부채, 우발부채, 우발자산을 처리한다. 단, 리스개시일 전에 기준서 제1116호에서 정의하는 손실부담계약이 되는 모든 리스와 기준서 제1104호의 적용범위에 해당하는 보험계약의 의무와 권리에 따라 발생하는 충당부채, 우발부채, 우발자산 이외의 보험자의 충당부채, 우발부채, 우발자산의 경우에는 기준서 제1037호를 적용한다.

③ 충당부채와 관련된 지출

지출을 자산이나 비용으로 처리할지에 대해서는 다른 한국채택국제회계기준서에서 규정하고 있으며, 기준서 제1037호에서는 다루지 아니한다. 즉 기준서 제1037호는 충당부채의 설정시점에 인식된 원가의 자본화를 금지하거나 요구하지 아니한다(기준서 제1037호 문단 8).

④ '충당부채' 용어의 사용

한국채택국제회계기준에서는 충당부채를 지출의 시기 또는 금액이 불확실한 부채로 정의하고 있다. 충당부채라는 용어를 감가상각, 자산손상 및 대손 항목 등과 관련하여 실무적으로 사용하고 있는 경우도 있으나, 한국채택국제회계기준의 관점에서 이런 항목은 자산 장부금액의 조정에 해당하는 것이며, 기준서 제1037호에서 다루는 항목이 아니다(기준서 제1037호 문단 7).

⑤ 기타 사항

한국채택국제회계기준은 미래에 발생 가능한 지출 또는 손실이라 할지라도 보고기간

말 현재 의무가 존재하지 않는다면 충당부채의 인식을 금지하고 있다. 따라서 기준서 제1037호의 규정은 다음과 같은 기업에 중요한 영향을 미친다.

- 주요 구조조정절차가 진행 중인 기업
- 채굴산업이나 원자력 관련 산업 내 회사의 사후해체관련 사항의 회계처리
- 수자원산업 내 회사의 주요 기반시설의 유지보수 프로그램 관련 회계처리
- 환경관련 복구의무를 부담하는 기업
- 진행 중인 소송사건이 있는 기업. 특히, 소송과 관련한 부담을 보전하는 보험계약이 존재하는 경우
- 손실부담계약을 체결한 기업

3) 용어의 정의

★
기업회계기준서 제1037호 '충당부채, 우발부채, 우발자산'

10. 이 기준서에서 사용하는 용어의 정의는 다음과 같다.
- 충당부채 : 지출의 시기 또는 금액이 불확실한 부채
- 부채 : 과거사건으로 생긴 현재의무로서, 기업이 가진 경제적 효익이 있는 자원의 유출을 통해 그 이행이 예상되는 의무
- 의무발생사건 : 당해 의무를 이행하는 것 외에는 실질적인 대안이 없는 법적의무 또는 의제의무를 발생시키는 사건
- 법적의무 : 다음 중 하나에 의하여 발생하는 의무
  (1) 명시적 또는 묵시적 조항에 따른 계약
  (2) 법률
  (3) 기타 법적 효력
- 의제의무 : 다음을 모두 충족하는 기업의 행위에 따라 발생하는 의무
  (1) 과거의 실무관행, 발표된 경영방침 또는 구체적이고 유효한 약속 등을 통하여 기업이 특정 책임을 부담하겠다는 것을 상대방에게 표명함.
  (2) 위 (1)의 결과 기업이 당해 책임을 이행할 것이라는 정당한 기대를 상대방이 가지게 함.
- 우발부채 : 다음의 (1) 또는 (2)에 해당하는 의무
  (1) 과거사건에 의하여 발생하였으나, 기업이 전적으로 통제할 수는 없는 하나 이상의 불확실한 미래사건의 발생 여부에 의하여서만 그 존재가 확인되는 잠재적 의무
  (2) 과거사건에 의하여 발생하였으나 다음 (가) 또는 (나)의 경우에 해당하여 인식하지 아니하는 현재의무
    (가) 당해 의무를 이행하기 위하여 경제적효익을 갖는 자원이 유출될 가능성이 높지 아니한 경우
    (나) 당해 의무를 이행하여야 할 금액을 신뢰성 있게 측정할 수 없는 경우
- 우발자산 : 과거사건에 의하여 발생하였으나 기업이 전적으로 통제할 수는 없는 하나

이상의 불확실한 미래사건의 발생 여부에 의하여서만 그 존재가 확인되는 잠재적 자산
- 손실부담계약 : 계약상의 의무이행에서 발생하는 회피 불가능한 원가가 그 계약에 의하여 받을 것으로 기대되는 경제적효익을 초과하는 당해 계약
- 구조조정 : 경영진의 계획과 통제에 따라 사업의 범위 또는 사업수행방식을 중요하게 변화시키는 일련의 절차

이상의 기준서 내용과 같이, 충당부채는 지출의 시기 또는 금액이 불확실한 부채로 간단히 정의될 수 있다. 따라서 다른 부채와 마찬가지로 충당부채 설정 시 기업은 과거 거래나 사건으로 인하여 경제적효익을 갖는 자원이 유출될 것으로 예상되는 의무를 현재 부담하여야 한다. 그러나 충당부채는 다른 부채 항목과 비교하여 볼 때, 지출의 시기와 금액의 확실성에 있어 정도의 차이가 존재한다.

① 충당부채와 기타부채의 비교

전술한 바와 같이, 충당부채는 결제에 필요한 미래지출의 시기 또는 금액의 불확실성으로 인하여 다음과 같은 기타 부채와 구별된다(기준서 제1037호 문단 11).
- 매입채무는 공급받았거나 제공받은 재화나 용역에 대하여 송장을 받았거나 공급자와 공식적으로 합의한 경우에 지급하여야 하는 부채이다.
- 미지급비용은 공급받은 재화나 제공받은 용역에 대하여, 아직 그 대가를 지급하지 않았거나, 송장을 받지 않았거나 공급자와 공식적으로 합의하지 못한 경우에 지급하여야 하는 부채(미지급유급휴가비용과 관련된 금액과 같이 종업원에게 지급의무가 있는 금액 포함)이다. 미지급비용도 지급시기 또는 금액을 추정할 필요가 있는 경우가 있지만 일반적으로 충당부채보다는 불확실성이 훨씬 작다.

다음은 일반적으로 충당부채로 표시하는 항목과 기타부채로 표시하는 항목을 요약한 표이다.

의무의 속성	충당부채	기타부채	비고
제품이나 용역 판매 관련 품질보증	○		기준서 제1115호 '고객과의 계약에서 생기는 수익'에 따른 별도 용역 제공이 아닌 경우
지급가능성이 높은(probable) 소송관련 손해배상액	○		
취소할 수 없고 재임대도 할 수 없는 운용리스자산의 사용중단	○		운용리스가 손실부담계약에 해당되는 경우

의무의 속성	충당부채	기타부채	비고
이자지급액		○	미지급비용 : 관련 대출금이 인출되었으며, 지급액 및 지급시기를 알 수 있음.
종업원 휴가수당		○	미지급비용 : 기준서 제1019호에 따른 단기유급휴가의 부채인식
회계기간말 이전에 선언된 배당액		○	유동금융부채로 인식

한편 충당부채는 별도로 보고되는 반면 미지급비용은 흔히 매입채무와 기타 부채의 일부분으로 보고된다(기준서 제1001호 문단 54 (11), (12)).

② 충당부채와 우발부채의 관계

한국채택국제회계기준은 모든 충당부채가 기본적으로 지급시기와 금액이 불확실하여 '우발적'이라는 사실을 인정하고 있다(기준서 제1037호 문단 12). 하지만 한국채택국제회계기준에서는 기업이 전적으로 통제할 수는 없는 하나 이상의 불확실한 미래사건의 발생 여부에 의해서만 부채나 자산의 존재가 확인되기 때문에 재무제표에 부채나 자산으로 인식할 수 없는 경우에 한정하여 '우발'이라는 용어를 사용한다. 또한 부채의 인식기준을 충족하지 못하기 때문에 부채로 인식하지 아니하는 경우에 '우발부채'라는 용어를 사용한다.

충당부채와 우발부채는 다음과 같이 구별된다.
- 충당부채는 현재의무이고 이를 이행하기 위하여 경제적효익을 갖는 자원이 유출될 가능성이 높고 당해 금액을 신뢰성 있게 추정할 수 있으므로 부채로 인식한다.
- 우발부채는 다음 ㈎ 또는 ㈏의 이유 때문에 부채로 인식하지 아니한다.
  (가) 경제적효익을 갖는 자원의 유출을 초래할 현재의무가 있는지의 여부가 아직 확인되지 아니한 잠재적 의무이다.
  (나) 현재의무이지만 당해 의무를 이행하기 위하여 경제적효익을 갖는 자원이 유출될 가능성이 높지 아니하거나 당해 금액을 신뢰성 있게 추정할 수 없어서 인식기준을 충족하지 못한다.

충당부채와 우발부채의 인식요건을 간단히 나타내면 다음과 같다.

금액추정가능성 자원유출가능성	신뢰성 있게 추정가능	신뢰성 있게 추정 불가능
가능성이 높음.	충당부채로 인식	우발부채로 주석공시
가능성이 어느 정도 있음.	우발부채로 주석공시	
가능성이 거의 희박함.	공시하지 않음.	공시하지 않음.

4) 충당부채와 우발부채 인식의 순서도

통상 우발부채는 의무를 이행하기 위한 자원의 유출가능성이 희박하지 않은 한 공시되어야 하며, 충당부채와 우발부채 관련 규정의 개요는 다음과 같다.

- 과거 사건으로 인한 현재의무가 존재하고 이를 이행하기 위하여 경제적효익을 갖는 자원이 유출될 가능성이 높고 당해 금액을 신뢰성 있게 추정할 수 있는 경우에는 충당부채를 설정한다.
- 우발부채가 존재하는 경우, 다음과 같은 상황 하에서는 공시되어야 한다.
  - 경제적효익을 갖는 자원의 유출 가능성이 높으나, 당해 금액을 신뢰성 있게 추정할 수 없는 과거사건의 결과로서 현재의무가 존재하는 경우
  - 경제적효익을 갖는 자원의 유출 가능성이 높지 않은 과거사건의 결과로서 현재의무가 존재하는 경우
  - 과거사건의 결과로 경제적효익을 갖는 자원의 유출 가능성이 있는 잠재적 의무가 존재하는 경우
- 우발부채가 존재하지만 관련 현재의무 또는 잠재적의무로부터의 경제적효익을 갖는 자원의 유출가능성이 희박하다면 공시 의무는 존재하지 않는다.

이러한 충당부채 및 우발부채 관련 규정은 순서도를 사용하여 아래와 같이 재구성할 수 있다.

기준서 제1037호 부록 B 의사결정도 참조

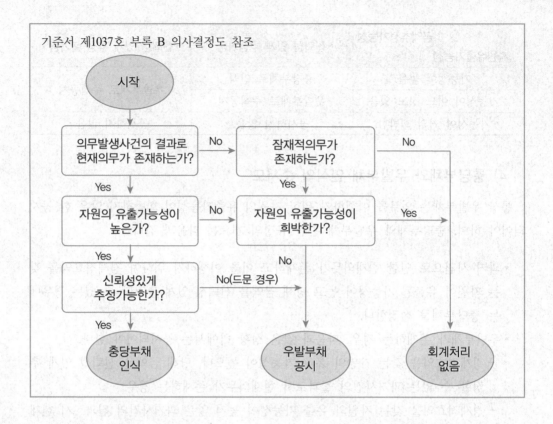

(2) 기업회계 상 처리

1) 충당부채의 인식

★

기업회계기준서 제1037호 '충당부채, 우발부채, 우발자산'

14. 충당부채는 다음의 요건을 모두 충족하는 경우에 인식한다.
 (1) 과거사건의 결과로 현재의무(법적의무 또는 의제의무)가 존재한다.
 (2) 당해 의무를 이행하기 위하여 경제적효익을 갖는 자원이 유출될 가능성이 높다.
 (3) 당해 의무의 이행에 소요되는 금액을 신뢰성 있게 추정할 수 있다.
 위의 요건을 충족하지 못할 경우에는 어떠한 충당부채도 인식할 수 없다.

① 현재의무

 현재의무는 법적 계약(법적의무)에서 비롯되거나 기업의 활동 중에 자연스럽게 형성되된 의무(의제의무)로부터 생성될 수 있다. 과거사건이 현재의무를 발생시켰는지의 여부는 대부분의 경우 분명하다.

사례 **현재의무 : 법적의무의 경우**

해저유전을 운영하는 기업이 채굴허가 계약상 허가기간 만료 시점에 시추시설을 해체하고 해저를 원상태로 복원되어야 하는 법적의무가 발생할 수 있다. 다른 예로, 정부의 신규 법령 제정으로 이미 발생한 환경오염을 정화하도록 하는 경우에도 법적의무가 발생할 수 있다. 하지만, 신규 법률의 제정과 관련한 법적의무는 해당 법률이 발효되거나, 법제화하는 것이 거의 확실한 경우에 한하여 형성된다(기준서 제1037호 문단 21, 22).

법적의무의 유무는 계약상의 명시적 또는 암묵적인 약정사항, 신규 법규 제정이나 기존 법규의 적용에 의하여 발생하므로 실무상 상대적으로 쉽게 판단할 수 있다. 반면 의제의무는 과거의 실무관행, 발표된 경영방침 또는 구체적이고 유효한 약속 등을 통하여 기업이 특정 책임을 부담하겠다는 것을 상대방에게 표명하고, 그 결과 기업이 당해 책임을 이행할 것이라는 정당한 기대를 상대방이 가지게 하는 행위에 의해 형성되므로(기준서 제1037호 문단 10) 실무상 법적의무보다 식별하기 어렵다.

사례 **현재의무 : 의제의무의 경우**

환경정화를 강제하는 법규가 존재하지 않는 경우에도 기업이 대외적으로 공표하는 환경정책으로 인하여 의제의무가 형성될 수 있다. 즉 의제의무가 성립하기 위해서는 제3자에 대한 기업의 확약이 필수적이다. 이러한 확약은 기업이 일정한 업무관행을 수립하거나, 외부에 경영정책을 공표하거나, 구체적인 미래 기업행동강령을 작성하는 등의 행위에 의해 성립한다.

드문 경우이지만 현재의무의 존재 여부가 불분명한 경우가 있다. 이러한 경우 이용할 수 있는 모든 증거를 고려하여 보고기간말에 현재의무가 존재할 가능성이 존재하지 아니할 가능성보다 높은 경우에는 과거사건이 현재의무를 발생시킨 것으로 간주한다(기준서 제1037호 문단 15). 즉 부채의 존재 여부에 대한 평가에는 확률의 적용이 필요하게 된다. 현재의무가 "존재할 가능성이 존재하지 아니할 가능성보다 높은 경우(more likely than not)"라는 것은 50% 초과의 확률을 의미하는 것으로 보여지며, 의무의 이행을 위하여 경제적효익을 갖는 자원의 유출 가능성에 대해 규정한 기준서 제1037호 문단 23은 "가능성이 높은 경우"를 "특정 사건이 발생할 가능성이 발생하지 아니할 가능성보다 높은 경우"라고 규정하여 이러한 견해를 뒷받침한다.

한편, 소송이 진행 중인 경우와 같이 어떤 사건이 실제로 발생하였는지 혹은 당해 사건으로 현재의무가 발생하였는지의 여부가 분명하지 아니한 경우가 있다. 이러한 경우에는 모든 이용가능한 증거(전문가의 의견 포함)를 고려함으로써 보고기간말 현재 의무가 존재하는지를 결정한다. 고려해야 할 증거에는 보고기간후사건이 제공하는 추가적인 증거도 포함된다. 고려한 증거를 바탕으로 다음과 같이 처리한다(기준서 제1037호 문단 16).

- 보고기간말에 현재의무가 존재할 가능성이 존재하지 않을 가능성보다 높고 인식기준을 충족하는 경우에는 충당부채를 인식한다.
- 보고기간말에 현재의무가 존재하지 아니할 가능성이 높더라도 경제적효익을 갖는 자원의 유출가능성이 희박하지 않다면 우발부채로 공시한다.

② 과거사건

★

기업회계기준서 제1037호 '충당부채, 우발부채, 우발자산'

17. 현재의무를 발생시키는 과거사건을 의무발생사건이라고 한다. 의무발생사건이 되기 위해서는 당해 사건으로부터 발생된 의무를 이행하는 것 외에는 실질적인 대안이 없어야 한다. 이러한 경우는 다음 (1) 또는 (2)의 경우에만 해당한다.
   (1) 의무의 이행을 법적으로 강제할 수 있는 경우
   (2) 의제의무와 관련해서는 기업이 당해 의무를 이행할 것이라는 정당한 기대를 상대방이 가지게 되는 경우

부채 또는 충당부채를 인식하기 위해서는 현재의무의 원인이 되는 과거 사건이 발생하였어야 한다. 한국채택국제회계기준상 이러한 과거사건은 '의무발생사건'으로 정의된다. '의무발생사건'은 '당해 의무를 이행하는 것 외에는 실질적인 대안이 없는 법적의무 또는 의제의무를 발생시키는 사건'이다.

사례 | 과거 의무발생사건

토양오염의 의무발생사건은 최초의 오염행위이다. 의무발생사건이 일정기간동안 점진적으로 발생하기도 하는데, 예를 들어 원유시추시설을 건설하여 석유와 가스를 채취하는 경우 시추시설을 제거할 의무는 최초 시설을 건설할 때 발생하게 되지만 석유와 가스를 추출로 인하여 발생하는 환경훼손에 대한 복구의무에 대한 의무발생사건은 채취기간 동안 발생한다.

의무발생사건이 일정 기간에 걸쳐서 발생하는 다른 예로 노천광산이 있다. 노천광산의 경우 표토층을 제거한 후 석탄을 채굴하는 과정에서 환경이 훼손된다. 이러한 채굴로 인한 훼손이 진행됨에 따라 의무발생사건도 발생하게 되며 기업은 사전합의된 채굴 이전 상태로 환경을 복원하는데 필요한 충당부채를 설정하여야 한다.

'실질적인 대안이 없음'은 의무발생사건을 정의하는데 핵심적인 개념이다. 즉, 기업이 일정 의무를 이행하지 않는 것이 실제로 가능하다면, 어떤 의무도 부담하지 않는다는 것이다. 기업이 다음과 같은 경우, 의무이행 외에 실질적 대안이 없는 상황에 있다(기준서 제1037호 문단 17).

- 의무의 이행이 법적으로 강제되는 경우, 또는

• 의제의무와 관련해서는 기업이 당해 의무를 이행할 것이라는 정당한 기대를 상대
방이 가지게 되는 경우

법적 강제력이 존재하는 경우는 실무상 적용하기가 상대적으로 수월하다. 그러나 이
경우에도 법 제·개정이 진행 중에 있어 아직 정식으로 법령으로 제정되지 않은 경우
에는 법적 강제력과 관련한 문제가 제기될 수 있다. 예를 들어 환경문제와 관련하여
환경정화를 강제하는 법규는 없으나, 보고기간 후 단시일 내에 법규가 제정될 것으로
예상되는 경우에 법규제정이 거의 확실하고 환경오염은 이미 발생하였으므로 기업에
과거사건으로 인한 현재의무가 발생한 것으로 본다. 이러한 경우의 의무는 법규안대로
제정될 것이 거의 확실하므로 법적의무로 보아야 한다(기준서 제1037호 문단 22). 반면 환
경법규 제정이 아직 초기단계(초안만 발표된 경우 등)인 경우에는 잠재적인 의무발생
사건(환경오염)이 발생하였더라도 법으로 강제할 수 있는 의무가 존재하지 않으므로
의무가 발생하였다고 할 수 없다.

한편, 상업적 압력이나 법률 규정 때문에 공장에 특정 정화장치를 설치하는 지출을
계획하고 있거나 그런 지출이 필요한 경우에는 공장 운영방식을 바꾸는 등의 미래 행위
로 미래의 지출을 회피할 수 있으므로 미래에 지출을 해야 할 현재의무는 없으며 충당
부채도 인식하지 아니한다(기준서 제1037호 문단 19).

> **사례** **과거 의무발생사건과 미래행위 : 법규정에 따른 매연여과장치 설치의 사례**(기준서 제1037
> 호 부록C 사례 6)
> 새로운 법규에 따라 20×1년 6월까지 매연여과장치를 공장에 설치하여야 한다. 기업은 지금까
> 지 매연여과장치를 설치하지 않고 있다.
> (1) 보고기간말인 20×0년 12월 31일 현재
> • 과거 의무발생사건의 결과로 인한 현재의무 : 그 법규에 따르는 매연여과장치의 설치원
>   가나 벌금에 대한 의무발생사건이 없으므로 의무는 존재하지 않는다.
> • 결론 : 매연여과장치의 설치원가에 대해 충당부채를 인식하지 아니한다.
> (2) 보고기간말인 20×1년 12월 31일 현재
> • 과거 의무발생사건의 결과로 인한 현재의무 : 의무발생사건(매연여과장치 설치)이 발생하
>   지 않았기 때문에 매연여과장치 설치원가에 대한 의무는 여전히 없다. 그러나 공장이 법
>   규를 위반하는 의무발생사건이 발생하였기 때문에 법규에 따른 벌과금을 지급해야 하는
>   의무는 발생할 수 있다.
> • 당해 의무를 이행하기 위해 경제적효익을 갖는 자원의 유출 : 법규위반으로 인한 벌과금
>   이 발생할 가능성에 대한 평가는 법규의 구체적인 내용과 집행강도에 따라 다르다.
> • 결론 : 매연여과장치 설치에 소요되는 원가에 대한 충당부채는 인식하지 않는다. 그러나
>   벌과금이 부과될 가능성이 그렇지 않을 가능성보다 높은 경우에는 이에 대한 최선의 추
>   정치로 충당부채를 인식한다.

실질적으로 취소할 수 없는 의제의무의 경우, 그 발생시기를 결정하는 데 실무적인 어려움이 따를 수 있다. 이와 관련해서 당해 의무의 이행대상이 되는 상대방의 기대가 중요한 판단 요소이다. 예를 들어, 중요한 구조조정을 실시하는 계획에 대한 이사회결의가 있었더라도 보고기간말이 되기 전에 구조조정 계획의 착수가 없거나 실질적으로 이러한 일련의 행동을 취소하기 어려울 정도(즉, 다른 현실적인 대안이 없는 경우)로 구조조정의 영향을 받을 당사자에게 구조조정의 주요 내용을 공표되지 않은 경우에는 보고기간말에 의제의무가 생기지 않은 것으로 본다.

의무가 발생하기 위해서 상대방의 기대가 중요한 부분이긴 하지만 한국채택국제회계기준에 따르면 의무의 상대방이 누구인지 반드시 알아야 하는 것은 아니다(기준서 제1037호 문단 20). 이것은 보증이 제공된 제품 판매 이후 어떤 고객이 보증수리를 요구할지 사실상 알 수 없는 경우에도 표준 제품보증 약정에 따라 구매고객에게 보증의무를 진다는 사례를 보면 확실해진다.

> **사례** **제품보증**(기준서 제1037호 부록C 사례 1)
>
> 제조자는 제품을 판매하는 시점에 구매자에게 제품보증을 약속한다. 판매 후 3년 안에 제조상 결함이 명백한 경우 제조자는 판매 계약조건에 따라서 수선해 주거나 대체해 준다. 과거 경험에 비추어 보면 제품보증에 따라 일부 청구가 있을 가능성이 높다. 즉, 청구될 가능성이 청구되지 않을 가능성보다 높다.
>
> - **과거 의무발생사건의 결과로 인한 현재의무** : 의무발생사건은 제품의 보증판매이며, 이는 법적의무를 발생시킨다.
> - **당해 의무를 이행하기 위해 경제적효익을 갖는 자원의 유출** : 제품보증을 전체적으로 볼 때 가능성이 높다.
> - **결론** : 충당부채는 보고기간말 전에 판매된 제품의 보증을 이행하는 원가에 대한 최선의 추정치로 인식된다.

법적 의무가 존재하지는 않지만 환경훼손과 같은 잠재적 의무발생사건이 발생하고 있는 상황에서 기업이 환경관련 정책을 수정하여 향후 이러한 환경훼손에 대한 의무를 공개적으로 수용하는 경우에는 의제의무가 후속적으로 발생할 수 있다. 이 경우에도 환경에 대한 책임을 부담하겠다는 기업의 발표로 기업이 환경개선활동을 수행하는 것 외에 다른 대안을 갖지 못하는 상황이어야 한다.

실무상 의제의무는 존재하지만 해당 의무가 회피가능하여 의무발생사건이 발생하지 않는 경우도 있다. 예를 들어 항공운항 허가당국이 일정 주기(매 5년 등)마다 항공기의 주요 엔진을 분해수리하도록 하고, 분해수리하지 않은 항공기의 운항면허는 갱신되지 않도록 하여 항공기 운항을 제한하는 경우가 있다. 그러나 항공사는 검사 전에 항공기

를 처분함으로써 검사비용을 회피할 수 있어 분해수리실시 전에는 의무발생사건이 발생하지 않아 해당 비용에 대한 충당부채를 설정하지 않는다. 따라서 미래 분해수리비용의 가능한 회계처리는 수선발생시점에 수선유지비로 처리하거나 항공기 구성품 중 5년의 내용연수를 가지는 부분에 대한 상각을 실시하고 이를 비용-처리하는 것이다. 분해수리가 발생하는 경우, 분해수리로 대체되는 부품과 관련하여 발생한 수리비용은 자본화하고 다음 분해수리 시점까지 상각한다. 분해수리비용과 관련한 내용은 기준서 제1016호 '유형자산'에서 상세히 다루고 있다.

사례 **수선유지 및 수선원가**(기준서 제1037호 부록C 사례 11, 11A, 11Bs)

■ 수선유지
어떤 자산은 일상적인 유지 외에도 몇 년 마다 대수선 및 주요 부품의 교체를 위해 상당한 지출이 요구된다. 기업회계기준서 제1016호 '유형자산'은 각 구성요소가 다른 내용연수를 가진 경우 또는 다른 형태로 효익을 제공하는 경우에 자산에 대한 지출금액을 각 구성요소에 배분하는 지침을 제시한다.

■ 수선원가 : 법률적인 요구사항이 아닌 경우
기술적인 이유로 5년마다 대체할 필요가 있는 내벽을 갖고 있는 용광로가 있다. 보고기간말에 이 내벽은 3년 동안 사용되었다.
과거 의무발생사건의 결과로 인한 현재의무: 현재의무는 없다.

• **결론** : 충당부채를 인식하지 아니한다.
보고기간말에는 내벽을 교체하는 의무는 기업의 미래행위에 대해 독립적으로 존재하지 아니하므로 내벽의 교체원가는 인식하지 아니한다. 그러한 지출 여부는 용광로를 그대로 계속 운영할 것인지 아니면 내벽을 교체할 것 인지에 대한 기업의 의사결정에 달려 있다. 충당부채로 인식하는 대신에 5년에 걸쳐 감가상각을 하는 것이 내벽의 사용을 반영해준다. 그러한 내벽교체 원가는 자본화하고 각각 새로운 내벽의 사용에 따라 후속 5년간에 걸쳐 감가상각을 한다.

■ 수선원가 : 법률적인 요구가 있는 경우
항공사는 법률에 따라 항공기를 3년에 한 번씩 분해수리하여야 한다.
과거 의무발생사건의 결과로 인한 현재의무 : 현재의무는 없다.

• **결론** : 충당부채를 인식하지 아니한다.
전술한 용광로 사례에서 설비교체 원가에 대해 충당부채를 인식하지 않았던 것과 같은 이유로 항공기 분해수리 원가도 충당부채를 인식하지 않는다. 기업이 미래에 항공기를 매각하는 등의 미래행위로써 미래지출을 회피할 수 있으므로 기업의 미래행위에 대해 독립적인 의무는 존재하지 않기 때문에 법률적 요구사항인 분해수리원가에 대해 부채를 발생시키지 않는다. 충당부채로 인식하는 대신에 유지원가의 미래 발생을 반영한다. 즉, 예상되는 유지원가에 상당하는 금액을 3년에 걸쳐 감가상각한다.

충당부채가 설정되기 위해서는 현재의무를 발생시키는 과거사건이 존재해야 한다는 기준서 제1037호의 전제조건으로 인하여, 미래영업을 위하여 발생하게 될 원가에 대하여는 충당부채를 인식하지 않는다(기준서 제1037호 문단 18). 따라서 이러한 원칙하에서는 구조조정계획과 관련하여 기업이 충당부채를 설정하지 않아야 하는 것을 볼 수 있으나, 기준서 제1037호는 특정한 상황하에서 충당부채를 인식하도록 요구하는 별도 규정을 두고 있다(기준서 제1037호 문단 70-83).

③ 경제적효익을 갖는 자원의 유출가능성

★
기업회계기준서 제1037호 '충당부채, 우발부채, 우발자산'

23. 부채로 인식하기 위해서는 현재의무가 존재하여야 할 뿐만 아니라 당해 의무의 이행을 위하여 경제적효익을 갖는 자원의 유출가능성이 높아야 한다. 이 기준서에서는 특정 사건이 발생할 가능성이 발생하지 아니할 가능성보다 높은 경우에 자원의 유출 또는 기타 사건의 가능성이 높다고 본다. 현재의무의 존재가능성이 높지 아니한 경우에는 우발부채를 공시한다. 다만, 당해 의무의 이행을 위하여 경제적효익을 갖는 자원의 유출가능성이 아주 낮은 경우에는 공시하지 아니한다(문단 86 참조).

현재의무가 존재하는 것으로 확인된 경우(또는 최소한 현재의무가 존재할 가능성이 그렇지 않을 가능성보다 더 큰 경우), 현재의무를 이행하는 데 경제적효익을 갖는 자원의 유출가능성이 높은지 여부를 확인해야 한다. 기준서 제1037호는 "특정 사건이 발생할 가능성이 발생하지 아니할 가능성보다 높은 경우에 자원의 유출 또는 기타 사건의 가능성이 높다고 본다"로 기술하고 있다. '① 현재의무'에서 전술한 바와 같이, 기준서 제1037호의 맥락에서 '발생가능성이 높다(more likely than not)'는 사건이 발생할 확률이 50% 초과한다는 것을 의미한다. 즉 경제적효익을 갖는 자원의 유출 가능성이 50% 이하라면 충당부채의 설정이 필요하지 않으나, 우발상황의 발생가능성이 희박하지 않다면 우발부채에 대하여 주석공시하여야 한다.

이 규정을 실무적으로 적용하기 위하여 여러 건의 유사한 거래로 인해 발생하는 의무에 대해서 고려할 필요가 있다. 가령 제품보증을 제공한 제품의 경우 특정 개별고객이 경제적효익의 유출을 야기하는 보증수리를 요구할 가능성은 매우 낮을 수도 있으므로, 의무이행에 필요한 자원의 유출될 가능성은 당해 유사한 의무를 전체로 묶어 고려하여 결정한다(기준서 제1037호 문단 24). 그러므로 제품보증충당부채 설정금액은 제품보증약정하에 판매된 제품 전체에 대한 최선의 보증수리비용 추정치로 결정되어야 한다(② 과거 사건 '사례 : 제품보증' 참조)

④ 의무에 대한 신뢰성 있는 추정

★
기업회계기준서 제1037호 '충당부채, 우발부채, 우발자산'

25. 추정치를 사용하는 것은 재무제표 작성의 필수적인 과정이며 재무제표의 신뢰성을 손상시키지 아니한다. 충당부채의 성격상 다른 재무상태표 항목에 비하여 불확실성이 더 크므로 그에 대한 추정치의 사용은 특히 필수적이다. 극히 드문 경우를 제외하고는 가능한 결과의 범위를 결정할 수 있으므로 충당부채를 인식할 때 충분히 신뢰성 있는 금액을 추정할 수 있다.

기준서 제1037호는 대부분의 경우 기업들이 우발적 상황으로부터 발생할 수 있는 결과들을 알 수 있을 것이므로 충당부채를 인식하는 데 충분히 신뢰할 만한 추정치를 산정할 수 있을 것이라는 사실을 강조한다(기준서 제1037호 문단 25). 그러나 충당부채가 인식되지 않는 상황에 대해서는 보다 자세히 언급하지는 않는다. 즉, 지출시기의 불확실성과는 별도로, 지출금액의 불확실성과 관련해서는 충당부채 금액이 적절한지에 대한 판단이 필요한데, 많은 경우 다양한 추정기법들을 활용하게 되므로 이러한 판단은 상대적으로 쉽게 이루어진다고 보는 것이다.

극히 드문 경우로 신뢰성 있는 금액의 추정이 불가능한 경우에는 부채로 인식하지 아니하고 우발부채로서 공시하여야 한다(기준서 제1037호 문단 26).

2) 우발부채

'(1) 개념 및 범위 3) 용어의 정의'에서 제시된 바와 같이, 우발부채는 다음 중 하나에 해당하는 잠재적인 부채를 말한다.
⑴ 과거사건에 의하여 발생하였으나, 기업이 전적으로 통제할 수는 없는 하나 이상의 불확실한 미래사건의 발생 여부에 의하여서만 그 존재가 확인되는 잠재적 의무
⑵ 과거사건에 의하여 발생하였으나 다음 ㈎ 또는 ㈏의 경우에 해당하여 인식하지 아니하는 현재의무
　㈎ 당해 의무를 이행하기 위하여 경제적효익을 갖는 자원이 유출될 가능성이 높지 아니한 경우
　㈏ 당해 의무를 이행하여야 할 금액을 신뢰성 있게 측정할 수 없는 경우

우발부채는 부채로 인식하지 아니하나, 의무를 이행하기 위하여 경제적효익을 갖는 자원이 유출될 가능성이 희박하지 않다면 주석공시하여야 한다(기준서 제1037호 문단 27, 28). 제3자와 연대하여 의무를 지는 경우에는 이행할 전체의무 중 제3자가 이행할 것으로 기대되는 부분을 우발부채로 처리한다. 단, 신뢰성 있게 추정할 수 없는 극히 드문 경우를 제외하고는 연대 의무 중에서 경제적효익을 갖는 자원의 유출가능성이 높은 부

분에 대하여 충당부채를 인식하여야 한다(기준서 제1037호 문단 29).

우발부채는 당초에 예상하지 못한 상황에 따라 변화할 수 있으므로, 경제적효익을 갖는 자원의 유출가능성이 높아졌는지 여부를 결정하기 위하여 지속적인 검토가 필요하다. 예를 들어, 과거에 우발부채로 처리하였더라도 미래경제적효익의 유출가능성이 높아진 경우에는 그러한 가능성의 변화가 발생한 기간의 재무제표에 충당부채로 인식한다(신뢰성 있게 추정할 수 없는 극히 드문 경우는 제외)(기준서 제1037호 문단 30).

3) 우발자산

우발자산은 과거사건에 의하여 발생하였으나 기업이 전적으로 통제할 수는 없는 하나 이상의 불확실한 미래사건의 발생 여부에 의하여서만 그 존재가 확인되는 잠재적 자산이므로, 재무제표에 자산으로 인식한다면 실현될 수 없는 이익을 인식하게 되는 결과를 초래할 수도 있다. 그러므로 우발자산은 자산으로 인식하지 아니하고 경제적효익의 유입가능성이 높은 경우에만 주석에 기재하여야 한다(기준서 제1037호 문단 31, 34). 이는 경제적효익의 유출가능성이 희박하지 않다면 공시를 요구하는 우발부채의 기준과 대조적이다. 한편 상황변화로 인하여 경제적효익이 유입될 것이 거의 확실하게 되는 경우, 더 이상 우발자산이 아니므로 그러한 상황변화가 발생한 기간에 그 자산과 이익을 인식한다(기준서 제1037호 문단 35).

금액추정가능성 / 경제적효익 유입가능성	신뢰성 있게 추정가능	추정불가능
가능성이 높음[*]	우발자산으로 주석공시	우발자산으로 주석공시
가능성이 높지 않음.	공시하지 않음.	공시하지 않음.

* 경제적효익의 유입가능성이 높은 경우 우발자산으로 주석공시하고, 경제적효익의 유입가증성이 사실상 확정적인 (virtually certain) 경우 그러한 상황변화가 발생한 기간에 관련 자산과 이익을 인식한다.

우발자산을 우발부채와 상계하는 것은 인정되지 않으며 기업은 우발상황들을 각각 독립적으로 다루어야 한다.

4) 충당부채의 측정

충당부채는 그 정의상 경제적효익의 유출시기 또는 당해 금액이 불확실하며, 이 불확실성으로 인하여 측정과 관련된 쟁점이 제기될 수 있다. 이하에서는 충당부채의 측정과 관련된 주요 사항들을 다룬다.

① 최선의 추정치

★
기업회계기준서 제1037호 '충당부채, 우발부채, 우발자산'
36. 충당부채로 인식하는 금액은 현재의무를 보고기간말에 이행하기 위하여 소요되는 지출
   에 대한 최선의 추정치이어야 한다.

현재의무를 이행하기 위하여 소요되는 지출에 대한 최선의 추정치는 보고기간말에 의무를 이행하거나 제3자에게 이전시키는 경우에 합리적으로 지급하여야 하는 금액이다. 보고기간말에 의무를 이행하거나 제3자에게 이전하는 것이 불가능하거나 과다한 비용이 소요되는 경우도 있다. 그러나 그러한 경우에도 의무를 이행하거나 이전시키기 위하여 합리적으로 지급하여야 할 금액의 추정액은 현재의 의무를 보고기간말에 이행하는 데 소요될 지출에 대한 최선의 추정치가 된다(기준서 제1037호 문단 37).

결과 및 재무적 효과의 추정은 유사한 거래에 대한 과거의 경험, 독립적인 전문가의 보고서 및 보고기간후사건에 의해 확인할 수 있는 추가적 증거 등을 종합적으로 고려하여 경영자가 판단한다(기준서 제1037호 문단 38). 즉 충당부채를 인식하기 위한 전제조건으로서 보고기간말 전에 의무사건이 발생하여야 하는데 반해, 충당부채의 금액을 결정하는 데 있어 기업은 보고기간말 후에 발생하는 사건으로부터 추가적인 증거를 고려할 수 있다.

일반적으로 최선의 추정치는 유사한 상황에서의 경험을 바탕으로 형성된다. 예를 들어 제품보증의무에 대하여 경영진은 과거에 발생한 클레임의 유형 및 회수 등의 실적정보를 보유하고 있을 것이며, 이러한 과거 경험으로부터 충당부채 설정을 위한 클레임의 발생횟수 및 중요성에 대한 어느 정도 합리적인 확실성을 지니는 추정이 적절하게 이루어질 것이다. 한편 경영진은 추정을 위해 전문자의 조언을 필요로 할 수도 있는데, 예를 들어 소송사건에서 소송결과로 인한 부채발생의 가능성뿐만 아니라 소송에 따른 배상총액에 대하여도 전문가의 법적 조언이 필요할 수 있다.

한편, 충당부채의 법인세효과 및 변동은 기준서 제1012호 '법인세'에 따라 회계처리하므로 충당부채는 세전 금액으로 측정한다(기준서 제1037호 문단 41).

• 충당부채가 다수의 항목과 관련된 경우
측정하고자 하는 충당부채가 다수의 항목과 관련되는 경우에 당해 의무는 모든 가능한 결과와 그와 관련된 확률을 가중평균하여 추정한다. 이러한 통계적 추정방법을 '기대가치'라고 한다. 따라서 특정금액의 손실이 발생할 확률(예를 들어, 60% 또는 90%)에 따라 충당부채로 인식하는 금액은 다르게 된다. 가능한 결과가 연속

적인 범위 내에 분포하고 각각의 발생확률이 동일할 경우에는 당해 범위의 중간 값을 사용한다(기준서 제1037호 문단 39).

충당부채가 다수의 항목과 관련된 경우

구입 후 첫 6개월 이내에 제조상 결함으로 인하여 발생하는 수선비용을 보장하는 보증서와 함께 재화를 판매하는 기업이 있다. 판매한 모든 생산품에서 사소한 결함이 발생할 경우에는 1백만원의 수선비용이 발생한다. 판매한 모든 생산품에서 중요한 결함이 발생할 경우에는 4백만원의 수선비용이 발생한다. 기업의 과거경험 및 미래예상에 따르면 내년도에 판매될 재화 중에서 75%는 전혀 결함이 발생하지 아니하는 반면, 20%는 사소한 결함, 나머지 5%는 중요한 결함이 발생할 것으로 예상된다. 이 경우 기업은 보증의무와 관련된 자원의 유출가능성을 판단할 때 당해 의무 전체에 대하여 판단한다('1) 충당부채의 인식 ③ 경제적효익을 갖는 자원의 유출가능성' 참조).

제품보증 약정하에 수선비용의 기대가치는 다음과 같이 계산된다.

	기대가치
75% × 0	0
20% × 1,000,000	200,000
5% × 4,000,000	200,000
합계	400,000

• 충당부채가 개별 의무와 관련된 경우

하나의 의무를 측정하는 경우에는 가장 가능성이 높은 단일의 결과가 당해 부채에 대한 최선의 추정치가 될 수 있으나, 그러한 경우에도 기타 가능한 결과들도 고려하여야 한다. 만약 기타 가능한 결과들이 가장 가능성이 높은 결과보다 대부분 높거나 낮다면 최선의 추정치도 높거나 낮은 금액일 것이다. 예를 들어, 고객을 위하여 건설한 주요 설비의 중대한 결함을 해결하여야 하는 경우에, 가장 가능성이 높은 결과는 한 차례의 시도로 1,000원의 원가를 들여 수선하는 것이다. 그러나 추가 수선이 필요할 가능성이 유의적이라면 보다 많은 금액을 충당부채로 인식하여야 한다(기준서 제1037호 문단 40).

② **위험과 불확실성**

★
기업회계기준서 제1037호 '충당부채, 우발부채, 우발자산'
42. 충당부채에 대한 최선의 추정치를 구할 때에는 관련된 사건과 상황에 대한 불가피한 위험과 불확실성을 고려한다.

위험은 결과의 변동성을 의미한다. 위험조정으로 인하여 측정되는 부채금액은 증가할 수 있다. 불확실한 상황에서는 수익 또는 자산을 과대 계상하거나 비용 또는 부채를 과소 계상하지 않도록 주의하여야 한다. 그러나 불확실성을 이유로 과도한 충당부채를 계상하거나 부채를 고의적으로 과대표시하는 것은 정당화되지 아니한다. 예를 들어, 특정한 부정적 결과에 대해 예상원가를 신중하게 추정하였다면 고의적으로 당해 결과의 발생가능성이 실제보다 더 높은 것처럼 회계처리해서는 아니 된다. 위험과 불확실성의 이중조정으로 인하여 충당부채가 과대 계상되지 아니하도록 주의하여야 한다(기준서 제1037호 문단 43). 그러므로 충당부채 금액을 추정시 균형잡힌 접근이 필요하며, '재무보고를 위한 개념체계'에서 제시되고 있는 바와 같이, 신중을 기하더라도 과도한 충당부채의 계상은 재무제표의 중립성과 신뢰성을 향상시키지 않는다는 것에 유념해야 한다(개념체계 문단 2.16). 충당부채와 관련하여 추정의 불확실성이 존재하는 경우, 회사는 그 불확실성에 대하여 공시하여야 한다(기준서 제1037호 문단 44).

③ 현재가치

기업회계기준서 제1037호 '충당부채, 우발부채, 우발자산'

45. 화폐의 시간가치 효과가 중요한 경우 충당부채는 의무를 이행하기 위하여 예상되는 지출액의 현재가치로 평가한다.

46. 화폐의 시간가치로 인하여 동일한 금액이라도 보고기간 후에 즉시 지급하는 충당부채의 부담이 더 늦게 지급하는 충당부채에 비하여 더 크다. 따라서 그 차이가 중요한 경우에는 현재가치로 평가한 금액으로 충당부채를 인식한다.

47. 할인율은 부채의 특유위험과 화폐의 시간가치에 대한 현행 시장의 평가를 반영한 세전 이율이다. 이 할인율에 반영되는 위험에는 미래 현금흐름을 추정할 때 고려된 위험은 반영하지 아니한다.

충당부채의 측정과 관련하여 한국채택국제회계기준에서는 시간가치가 중요한 영향을 미치는 경우 예상지출액을 할인하여 평가하도록 하고 있다. 따라서 단기 내 환입될 것으로 예상되는 충당부채는 대부분의 경우 할인의 영향이 중요하지 않을 것이므로 할인을 고려할 필요가 없다.

충당부채의 현재가치는 부채 고유의 위험과 화폐의 시간가치에 대한 현행 시장의 평가를 반영하는 세전이자율을 기초로 계산되어야 한다. 실무적으로는 할인하려는 부채의 만기와 일치되는 이자율을 고려할 것이다. 만기에 일시 상환되는 정부채권처럼 할인될 금액이 미래 한 번에 지급되는 경우에는 적용이 상대적으로 간단하다. 그러나 충당부채가 각각 다른 기간에 지급이 이루어지는 현금흐름으로 구성되었다면, 현금유출의 시기를 반영하기 위하여 할인율의 조정이 필요하다.

이 할인율은 미래현금흐름의 추정 관련 변동에 대한 위험은 반영하지 않는다. 미래에 지급할 현금흐름의 추정은 다음 요소에 의해 결정되며, 의무의 현재가치를 계산하는 데 사용하는 할인율에 영향을 미친다.

- 인플레이션
- 의무청산에 소요될 금액에 대한 기타 위험과 불확실성
- 세금효과

이하에서는 이상의 세 가지 요소에 대하여 좀 더 구체적으로 다룬다.

가. 인플레이션

충당부채를 측정하기 위해서 현금흐름은 주로 인플레이션을 반영한 예상 미래가치로 표현되므로 명목이자율(인플레이션을 반영한 이자율)로 할인되어야 한다. 반대로 현행 가격으로 표시된 현금흐름은 실질이자율(인플레이션의 영향을 제외시킨 이자율)을 이용 하여 할인할 수도 있다. 디플레이션이 없다면 명목할인율은 실질할인율보다 높으며, 이 론적으로 물가변동을 반영한 현금흐름을 명목이자율로 할인한 금액은 인플레이션을 조 정한 현금흐름을 실질이자율로 할인한 금액과 동일하다.

나. 의무청산에 소요될 금액에 대한 기타위험과 불확실성

보고기간말 현재 의무이행에 필요한 충당부채에 대한 최선의 추정을 위해서는 미래 에 지급할 현금흐름의 금액과 시기에 대한 위험과 불확실성을 고려하여야 한다(기준서 제 1037호 문단 42). 이론적으로 최선의 추정치는 공정가치 또는 당사자 간의 합의된 현행 정 산금액에 근거하지만, 통상 최선의 추정치는 의무이행에 필요한 자원유출액에 대한 추 정에 기초한다. 현재 의무이행에 필요한 금액을 추정하기 위해서는 다양한 위험과 불확 실성을 고려하여 각기 다른 발생가능한 결과로부터의 현금유출을 추정하여야 한다. 특 히, 유사한 다수의 항목에 대해 충당부채를 인식하면서 당해 유사한 의무 전체를 고려 하여 미래현금유출액을 추정하는 경우, 기대가치법은 단일 현금유출의 추정치를 구하는 방법이 될 수 있다. 그러나 이 방법은 불확실성의 한 측면을 다루고 있으나, 기대되는 결과의 변동성이 가치에 미치는 영향을 완전히 반영하지는 못한다.

다. 세금효과

현재 의무와 관련된 미래현금유출에 적용하는 할인율은 세전이자율이어야 한다(기준서 제1037호 문단 47). 예를 들어 회사가 위험을 세전 현금흐름에 반영하기로 하고 할인율은 무위험이자율로 사용하기로 결정했다면 동 할인율에 대하여 세금효과를 반영하지 않는 다. '4) 충당부채의 측정 ① 최선의 추정치'에서 전술하였듯이, 충당부채와 관련된 법인

세효과는 기준서 제1012호 '법인세'에 따라 별도로 고려하기 때문에 충당부채 추정시 미래 유출될 것으로 추정되는 현금흐름에는 세금효과가 반영되지 않는다. 따라서, 충당부채에 적용되는 할인율 역시 세전할인율이여야 한다.

사례 **현재가치**

Q : 회사는 소송 중에 있으며, 법률전문가의 조언에 따르면 회사는 패소할 것이고 1,200의 지출이 2년 후 발생될 것으로 예상된다. 이 부채를 할인할 때 적절한 할인율은 연 4.5%이고 이 사례에서 할인율은 변동하지 않는 것으로 가정한다.

경영진은 시간경과에 따라 인식하는 이자비용을 어떻게 계산해야 하는가?

A : 경영진은 1,200을 연 4.5%로 할인한 1,099을 보고기간말 현재 충당부채로 인식해야 한다.

	할인요소(4.5%)	현재가치	현금흐름	이자비용
기초 시점	0.9157	1,099		
1차년도 말	0.9569	1,148		49
2차년도 말	1.0000	1,200	1,200	52

1년이 지나면 1,200에 대한 현금유출이 일어나기까지 1년이 남았기 때문에 충당부채는 1,148으로 증가할 것이며, 손익계산서의 이자비용은 49이 계상되어야 한다. 2차년도에 충당부채는 추가적으로 52 만큼 증가하여 명목지출금액인 1,200이 된다.

할인율이 측정시점마다 변하는 경우라면 상황은 훨씬 더 복잡하다. 특히 사용되는 이자율이 명목이자율인 경우라면 인플레이션의 영향을 포함하므로 할인율은 시기마다 변동한다. 충당부채 금액의 산정에 적용하는 이자율은 보고기간말의 이자율이어야 하는데 이는 이론적으로 보고기간말마다 다른 할인율이 적용되어야 한다는 것을 의미한다.

매 보고기간말마다 기업은 충당부채에 대한 재평가가 필요한데, 적용한 할인율에 큰 변동이 있다면 현재가치를 재계산하여야 한다. 기준서 제1037호 문단 84(5)에 따르면 회사는 현재가치로 평가한 충당부채의 기간 경과에 따른 당기 증가금액 및 할인율 변동에 따른 효과를 구별하여 공시하여야 한다.

④ 미래사건

★

기업회계기준서 제1037호 '충당부채, 우발부채, 우발자산'

48. 현재의무를 이행하기 위하여 소요되는 지출 금액에 영향을 미치는 미래사건이 발생할 것이라는 충분하고 객관적인 증거가 있는 경우에는 그러한 미래사건을 감안하여 충당부채 금액을 추정한다.

충당부채를 측정하는 데 있어서 예상되는 미래사건은 특히 중요할 수 있다. 예를 들어, 내용연수 종료 후에 부담하여야 하는 오염지역의 정화에 필요한 원가는 미래의 기술변화에 따라 감소할 수 있다. 이 경우 부채 인식금액은 정화시점에 이용할 수 있는 기술에 대한 모든 이용가능한 증거를 기초로 하여 자격을 갖춘 독립적인 전문가의 합리적인 예측을 반영한다. 예를 들어, 현재 기술의 적용시 축적된 경험과 관련된 예상되는 원가감소나 과거에 수행된 것보다 광범위하고 복잡한 오염정화작업에 현재의 기술 적용시 예상되는 원가를 반영하는 것이 적절하다. 그러나 충분하고 객관적인 증거가 있지 아니하는 한 정화와 관련된 전혀 새로운 기술개발을 예상하여서는 아니 된다(기준서 제1037호 문단 49). 충분하고 객관적인 증거로 볼 때 새로운 법규가 제정될 것이 거의 확실하다면 당해 법규의 효과를 고려하여 충당부채를 측정한다. 실무에서 일어나는 수많은 상황들로 인하여 충분하고 객관적인 증거를 제공하는 단일 사건을 개별 상황마다 일일이 지정하는 것은 불가능하다. 따라서 새로운 법규가 요구하게 될 사항과 당해 법규가 적당한 시기 내에 제정되어 시행될 것이 거의 확실한지 여부에 대한 증거가 있어야 한다. 일반적으로 새로운 법규가 제정되기 전까지는 충분하고 객관적인 증거가 존재하지 아니한다(기준서 제1037호 문단 50).

⑤ 예상되는 자산처분

★
기업회계기준서 제1037호 '충당부채, 우발부채, 우발자산'
51. 자산의 예상처분이익은 충당부채를 측정하는 데 고려하지 아니한다.

예상되는 자산처분이 충당부채를 발생시킨 사건과 밀접하게 관련되었더라도 당해 자산의 예상처분이익은 충당부채를 측정하는 데 고려하지 아니한다. 자산의 예상처분이익은 당해 자산과 관련된 회계처리를 다루고 있는 다른 한국채택국제회계기준서에서 규정하고 있는 시점에 인식한다(기준서 제1037호 문단 52).

5) 충당부채의 변제

★
기업회계기준서 제1037호 '충당부채, 우발부채, 우발자산'
53. 충당부채를 결제하기 위하여 필요한 지출액의 일부 또는 전부를 제3자가 변제할 것이 예상되는 경우 기업이 의무를 이행한다면 변제를 받을 것이 거의 확실하게 되는 때에 한하여 변제금액을 인식하고 별도의 자산으로 회계처리한다. 다만, 자산으로 인식하는 금액은 관련 충당부채 금액을 초과할 수 없다.
54. 충당부채와 관련하여 포괄손익계산서에 인식된 비용은 제3자의 변제와 관련하여 인식한 금액과 상계하여 표시할 수 있다.

기업이 의무이행을 위하여 지급한 금액을 보험약정이나 보증계약 등에 따라 제3자가 보전하여 주거나, 기업이 지급할 금액을 제3자가 직접 지급하는 경우가 있다. 대부분의 경우 기업은 전체 의무금액에 대하여 책임이 있으므로 제3자가 변제할 수 없게 될 경우 당해 전체 금액을 이행해야 할 책임을 진다. 이 경우 전체 의무금액을 충당부채로 인식하고 기업이 의무를 이행한다면 변제를 받을 것이 거의 확실하게 되는(virtually certain) 때에 한하여 당해 예상변제금액을 별도의 자산으로 인식한다. 제3자가 지급하지 아니하더라도 기업이 당해 금액을 지급할 의무가 없는 경우에는 충당부채에 포함하지 아니한다.

변제가능성	보고기간말 현재의무 존재
거의 확실함.	- 재무상태표 : 별도의 자산으로 인식. 관련 단, 해당 관련자산은 충당부채를 초과할 수 없음. - 포괄손익계산서 : 비용과 상계하여 표시할 수 있음. - 제3자에 의한 변제예상금액과 관련 자산금액 주석공시
거의 확실하지 않음.	- 변제액은 자산으로 인식되지 않음. - 변제가능성 주석공시

보고기간말에 존재하였던 상황과 관련하여 보고기간 후에 사건이 발생한 경우, 기준서 제1010호 '보고기간후사건'에 따라 수정을 요하는 사건에 해당하여 현재의무에 대한 부채를 인식하게 된다. 보고기간말 현재 회사가 의무를 정산하고 변제받을 것이 거의 확실한 경우, 예를 들어 보고기간후사건(보험회사와의 협상 등)이 변제의 지급 여부에 대한 것이 아니라 최종 변제금액에 대한 것인 경우에는 변제와 관련하여 별도의 자산을 인식한다.

6) 충당부채의 변동과 사용

충당부채는 매 보고기간말마다 충당부채의 잔액을 검토하고, 보고기간말 현재 최선의 추정치를 반영하여 조정한다. 의무이행을 위하여 경제적효익을 갖는 자원이 유출될 가능성이 더 이상 높지 아니한 경우에는 관련 충당부채를 환입한다(기준서 제1037호 문단 59). 충당부채를 현재가치로 평가하여 표시하는 경우에는 장부금액을 기간 경과에 따라 증가시키고 해당 증가 금액은 차입원가로 인식한다.

충당부채를 현재가치로 평가하여 표시하는 경우에는 장부금액을 기간 경과에 따라 증가시키고 해당 증가 금액은 차입원가로 인식한다(기준서 제1037호 문단 60).

충당부채는 최초 인식과 관련 있는 지출에만 사용한다. 당초 충당부채에 관련된 지출에 대해서만 그 충당부채를 사용한다. 당초에 다른 목적으로 인식된 충당부채를 어떤 지출에 대하여 사용하게 되면 다른 두 사건의 영향이 적절하게 표시되지 않는다(기준서 제1037호 문단 61, 62).

7) 인식과 측정의 특수한 상황

① 미래의 예상 영업손실

★
기업회계기준서 제1037호 '충당부채, 우발부채, 우발자산'
63. 미래의 예상 영업손실은 충당부채로 인식하지 아니한다.

미래의 예상 영업손실은 한국채택국제회계기준상 부채의 정의에 부합하지 아니할 뿐만 아니라 기준서 제1037호에 규정되어 있는 충당부채의 인식기준을 충족시키지 못한다('1) 충당부채의 인식' 참조). 부채로 인식되기 위해서는 과거사건으로부터 발생한 현재의무가 존재하여야 하기 때문이다. 단, 미래의 예상 거래손실이 기업이 체결한 손실부담계약에서 비롯되는 경우 관련된 현재의무 부분에 대해서는 충당부채를 인식하여야한다.

한편, 미래에 영업손실이 예상되는 경우에는 영업과 관련된 자산에 손상이 발생하였을 가능성이 있으므로 기준서 제1036호 '자산손상'에 따라 손상검사를 수행한다(기준서제1037호 문단 65).

② 손실부담계약

★
기업회계기준서 제1037호 '충당부채, 우발부채, 우발자산'
66. 손실부담계약을 체결하고 있는 경우에는 관련된 현재의무를 충당부채로 인식하고 측정한다.

통상적인 구매주문과 같이 상대방에게 보상 없이 해약할 수 있는 계약은 아무런 의무가 발생하지 아니한다. 반면 당사자 간에 권리와 의무를 발생시키는 계약도 있으며 그런 계약이 특정 사건으로 인하여 손실부담계약이 될 경우 기준서 제1037호 '충당부채, 우발부채, 우발자산'의 적용범위에 해당되므로 충당부채를 인식한다. 단, 손실을 부담하지 아니하는 미이행계약은 동 기준서의 적용대상이 아니다. 한국채택국제회계기준에서 손실부담계약은 '계약상의 의무에 따라 발생하는 회피 불가능한 원가가 당해 계약에 의하여 얻을 것으로 기대되는 경제적효익을 초과하는 계약'으로 정의된다. 이때 회피 불가능한 원가는 계약을 해지하기 위한 최소순원가로서 다음의 (a)과 (b) 중에서 작은 금액을 말한다(기준서 제1037호 문단 68).

ⓐ 계약을 이행하기 위하여 소요되는 원가

ⓑ 계약을 이행하지 못하였을 때 지급하여야 할 보상금 또는 위약금

손실부담계약에 대한 충당부채를 설정하기 전에 당해 손실부담계약을 이행하는데 사용하는 자산에서 발생한 손상차손을 먼저 인식한다(기준서 제1037호 문단 69).

> **사례** **손실부담계약 해당 여부 사례 1 : 일반적인 매입계약의 경우**
>
> 회사는 과거 단위당 23의 가격으로 백만 단위의 가스를 매입하는 계약(계약총액 : 23,000,000)을 체결하였으나 현재 시장에 단위당 16에 가스를 매입할 수 있는 계약(계약총액 : 16,000,000)이 있다고 하며, 회사는 매입예정 가스를 전력 생산에 이용하면 이익이 발생할 것으로 예상하고 있다.
>
> ☞ 매입한 가스로 전기를 생산하면, 영업상 이윤창출이 가능하므로 손실부담계약에 해당하지 않는다.

> **사례** **손실부담계약 해당 여부 사례 2 : 제3자에게 매입가격보다 저렴한 가격으로 판매하는 경우**
>
> '손실부담계약 해당 여부 사례 1'과 시장상황 및 매입가격은 동일하지만, 회사가 백만 단위의 가스를 단위당 18에 판매하는 계약을 제3자와 체결하고 있고 있으며, 회사가 매입계약을 해지하기 위해서는 5,500,000을 지불해야 한다.
>
> ☞ 회사가 23,000,000을 지불해야 하는 가스매입계약으로부터 획득할 수 있는 효익은 가스판매를 통한 18,000,000이다. 따라서 회사는 계약이행에 따른 손실 5,000,000과 계약해지에 소요되는 5,500,000 중 작은 금액인 5,000,000의 손실부담계약충당부채를 인식하여야 한다.

③ 구조조정

한국채택국제회계기준은 '구조조정'을 '경영진의 계획과 통제에 따라 사업의 범위 또는 사업수행방식을 중요하게 변화시키는 일련의 절차'로 정의한다(기준서 제1037호 문단 10). 구조조정의 정의에 해당될 수 있는 사건의 예는 다음과 같다(기준서 제1037호 문단 70).

- 일부 사업의 매각 또는 폐쇄
- 특정 국가 또는 특정 지역에 소재하는 사업체를 폐쇄하거나 다른 나라 또는 다른 지역으로 이전하는 경우
- 특정 경영진 계층을 조직에서 없애는 등과 같은 조직구조의 변경
- 영업의 성격과 목적에 중대한 변화를 초래하는 근본적인 사업구조조정

'1) 충당부채의 인식 ② 과거사건'에서 전술한 바와 같이 충당부채를 인식하기 위해서는 현재의무를 발생시키는 과거사건('의무발생사건')이 있어야 한다. 구조조정의 경우, 지급시기나 금액이 불확실한 경제적효익의 유출이 수반될 것이나, 기업의 미래 사업

을 재구성하는 것이므로 근본적으로는 과거와 무관하다는 주장에 대하여 충당부채의 설정 대상 의무를 발생시키는 과거사건의 성립 여부를 확인하는 것이 쉽지 않게 된다.

기준서 제1037호는 구조조정에 대한 의제의무가 어떠한 요건을 충족할 때 발생하는 지에 대하여 규정하고 있으며, 이는 다음과 같이 일부 제한적인 상황 하에서 구조조정 충당부채를 인식할 수 있다는 것을 의미한다.

★

기업회계기준서 제1037호 '충당부채, 우발부채, 우발자산'

72. 구조조정에 대한 의제의무는 다음의 요건을 모두 충족하는 경우에만 발생된다.
  (1) 구조조정에 대한 공식적이며 구체적인 계획에 의하여 적어도 아래에 열거하는 내용 을 모두 확인할 수 있어야 한다.
    (가) 구조조정 대상이 되는 사업 또는 사업의 일부
    (나) 구조조정의 영향을 받는 주사업장 소재지
    (다) 해고에 따른 보상을 받게 될 것으로 예상되는 종업원의 근무지, 역할 및 대략적인 인원
    (라) 구조조정에 소요되는 지출
    (마) 구조조정계획의 이행시기
  (2) 기업이 구조조정 계획의 이행에 착수하였거나 구조조정의 주요 내용을 공표함으로써 구조조정의 영향을 받을 당사자가 기업이 구조조정을 이행할 것이라는 정당한 기대 를 가져야 한다.

구조조정계획의 이행에 착수한 증거로 볼 수 있는 사례는 다음과 같다(기준서 제1037호 문단 73).

- 공장 철거
- 자산매각
- 구조조정계획에 관한 주요 내용의 공표

즉, 구조조정과 관련된 소비자, 공급자 및 종업원(또는 노동조합 대표)과 같은 당사자 들이 기업의 구조조정 이행에 대한 정당한 기대를 가질 정도로 충분히 구체적인 구조조 정계획(구조조정계획의 주요 내용을 포함)의 공표가 있는 경우에만 당해 구조조정과 관 련된 의제의무가 발생한다. 또한 영향을 받을 당사자에게 알려졌을 때 의제의무가 발생 할 수 있는 충분한 구조조정계획이 되기 위해서는 당해 구조조정이 가능한 신속하게 착 수될 수 있도록 계획되어야 하며 구조조정계획의 내용이 유의적인 변경의 여지가 없을 정도로 빠른 시기에 구조조정이 완결되어야 한다. 구조조정의 착수가 상당히 지연되거 나 비합리적으로 장기간이 소요될 것으로 예상되는 경우에는 구조조정계획이 변경될 가능성이 있으므로 현재 기업이 구조조정을 이행할 것이라는 정당한 기대가 형성되었

다고 볼 수 없다(기준서 제1037호 문단 74).

단지 보고기간말 전에 경영진 또는 이사회가 구조조정계획을 수립하였다는 것 자체로는 의제의무를 발생시키지 않으므로 충당부채를 인식할 수 없다(기준서 제1037호 문단 75). 기준서 제1037호 문단 72에서 제시된 바와 같이, 보고기간말 전에 경영진 또는 이사회가 구조조정계획을 수립하였더라도 보고기간말 전에 다음 중 적어도 하나에 해당하는 사건이 발생하지 아니하였다면 보고기간말에 의제의무가 발생하지 아니한 것으로 본다.

- 구조조정계획의 착수
- 구조조정의 영향을 받을 당사자가 기업이 구조조정을 이행할 것이라는 정당한 기대를 가질 정도로 구조조정계획의 주요 내용을 충분히 구체적으로 공표

기업이 보고기간말 후에 구조조정계획의 이행을 시작하거나 그러한 구조조정으로 영향을 받는 당사자에게 구조조정의 주요 내용을 공표한 경우에는, 당해 구조조정이 중요하며 공시하지 않을 경우 재무제표에 기초하여 이루어지는 이용자의 경제적 의사결정에 영향을 미칠 수 있다면 기준서 제1010호 '보고기간후사건'에 따라 공시한다.

★ 기업회계기준서 제1037호 '충당부채, 우발부채, 우발자산'
78. 기업이 매각의 이행을 확약하기 전까지, 즉 구속력 있는 매각약정을 체결하기 전에는 사업매각과 관련된 의무가 발생하지 아니한다.

한편 사업매각 결정을 하고 그 결정을 대외에 공표하더라도 원매자와 구속력 있는 매각계약을 체결할 때까지는 매각의 이행이 약정된 것이 아니다. 구속력 있는 매각계약을 체결할 때까지는 이미 내린 의사결정을 번복할 수도 있고 기업이 제시하는 조건에 맞는 원매자가 나타나지 않을 경우에 다른 방안을 강구할 수도 있기 때문이다. 구조조정의 일환으로 특정사업의 매각을 계획하는 경우 기준서 제1036호 '자산손상'에 따라 당해 사업과 관련된 자산에 대한 손상 여부를 검토한다. 사업매각이 구조조정의 한 부분인 경우에는 사업매각과 관련된 구속력 있는 계약을 체결하기 전이라도 구조조정의 다른 부분에서 의제의무가 발생할 수 있다(기준서 제1037호 문단 79).

★ 기업회계기준서 제1037호 '충당부채, 우발부채, 우발자산'
80. 구조조정충당부채로 인식할 수 있는 지출은 구조조정과 관련하여 직접 발생하여야 하고 다음의 요건을 모두 충족하여야 한다.
    (1) 구조조정과 관련하여 필수적으로 발생하는 지출
    (2) 기업의 계속적인 활동과 관련 없는 지출

구조조정충당부채에 포함될 수 있는 지출의 예는 다음과 같다.

- 구조조정에 수반되는 비용이며, 기업이 계속 진행중인 활동과 관련되지 않은 지출
- 종업원 명예퇴직 관련 비용(명예퇴직비용은 기준서 제1019호 '종업원급여'에서 보다 상세히 규정됨)
- 구조조정에 따른 리스계약 또는 기타 계약 등의 만료와 관련된 지출
- 구조조정 후 기업에 경제적효익을 가지지 않는 계약상의 의무와 관련한 비용. 예를 들어 기업이 특정 리스계약을 해지할 수 없으면서 계속영업에 해당 리스자산을 사용할 수 없는 경우

다음 표는 구조조정충당부채에 포함되어야 하는 비용과 배제되어야 할 비용을 예시한다.

비용내역	포함	배제	배제사유
자발적 퇴직 관련 비용	○		
자발적 퇴직에 추가되는 강제적 해고 비용	○		
공장 임차 계약 취소 비용	○		
종업원 및 공장 재배치 비용		○	기업의 계속적인 활동과 관련됨
존속 종업원 유지 비용		○	기업의 계속적인 활동과 관련됨
새로운 경영자 유치 비용		○	기업의 계속적인 활동과 관련됨
기업 이미지 관련 마케팅 비용		○	기업의 계속적인 활동과 관련됨
신규 투자 비용		○	기업의 계속적인 활동과 관련됨.
미래 구조조정의 시기에 따라 달라지는 비용		○	기업의 계속적인 활동과 관련됨.
특정 자산, 공장, 설비 등의 손상		○	손상차손은 기준서 제1036호에 의하여 인식하고, 자산의 장부금액을 차감하여 표시함.
회사의 향후 전략 및 조직구성에 대한 컨설팅 비용		○	기업의 계속적인 활동과 관련됨.
다른 장소에서 사용할 재고 및 장비에 대한 이전 비용		○	기업의 계속적인 활동과 관련됨.
취득통합비용, 예를 들어, 결합하는 회사 간의 시스템 통합		○	기업의 계속적인 활동과 관련됨.

8) 충당부채와 우발부채 관련 기타 실무적용

지금까지 다양한 예를 통해 충당부채를 인식하는 요건과 관련한 사항을 실무상 어떻게 적용할지에 대하여 설명하였으며, 이하에서는 개별사례를 통해 기준서 제1037호를 다양한 거래유형에 적용하는 방안에 대하여 살펴본다.

이하의 사례들을 검토할 때, 기업이 보고기간말에 관련 거래를 중단하면 어떻게 될지에 대해서 고려하면 추가적으로 지출을 부담해야 하는 의무가 존재하는지 여부를 판단하는데 도움이 될 수 있다.

① 제품보증

제품보증은 보통 재화의 판매와 함께 제공되는데, 제품보증비용은 제조업자나 판매업자가 직접 부담하는 판매제품의 하자보완 및 제품교환에 소요되는 비용을 의미하며 제품보증의무는 법규 또는 기업의 보증정책으로 인해 발생한다. 한편, 제품보증계약이 보험계약의 정의를 충족하더라도 기준서 제1104호 '보험계약'을 적용하지 않고 기준서 제1037호를 적용한다(기준서 제1104호 문단 4(1) 참조).

제품보증의 대상이 되는 재화 판매 시, 기업은 제품보증이 재화의 판매와 구별되는 별도의 용역제공에 해당하는지를 기준서 제1115호 '고객과의 계약에서 생기는 수익'에 따라 우선 판단하여야 한다.

제품보증이 재화의 판매와 구별되는 별도의 용역 제공이 아닌 경우, 일반적으로 판매 시 수취한 전체 금액을 매출로 인식하고 제품보증과 관련하여 발생할 것으로 예상되는 미래비용에 대하여 충당부채를 인식한다. 통상적인 판매조건에 따라 제공된 일반제품보증은 이런 보증약정에 포함될 수 있다.

> **사례 제품보증**
>
> 원예·조경장비를 판매하는 회사가 일부 제품에 대하여 판매일로부터 1년 내에 발생하는 제품결함에 대해 수선 혹은 교체를 약속하는 보증을 제공하고 있으며, 과거 경험상 이와 같은 조건 하에 판매된 제품에 대하여 제품보증 청구가 제기될 것으로 예상된다.
>
> 이 사례의 경우 다음과 같은 이유로 현재의무의 최선의 측정치로 충당부채가 설정되어야 한다.
>
> • 발생가능성이 높은 법적 의무가 존재하며,
> • 의무발생사건은 제품의 판매이고 법적으로 1년의 보증기간 동안은 의무이행이 강제되며,
> • 보증수리비용은 회사의 미래 영업과 무관하고,
> • 과거 경험상 이러한 보증의무로 인해 경제적효익이 유출된 가능성이 높으며,
> • 과거 경험으로부터 보증관련 비용의 신뢰성 있는 추정이 가능하다

기말 시점에 회사가 영업을 중단한다고 가정하자. 영업이 중단되더라도 회사는 과거에 이미 제공한 제품보증에 대하여 책임을 부담하므로 충당부채를 설정해야 한다. 잠재적인 제품하자에 대한 보증청구 발생에 따른 비용을 신뢰성 있게 추정하기 위하여 과거 경험을 이용한다.

② 리스

대규모 수선유지의무는 리스계약에 명시적으로 포함될 수도, 또는 포함되지 않을 수 있다. 다음 사례는 이런 상황을 예시하고 있다.

> **사례**
>
> 회사는 25년 동안 선박을 용선하는 리스계약을 체결하였으며, 항해를 하기 위해서는 5년마다 중요 부분에 대한 수리를 실시하여 항해인증서를 받아야 한다. 항해인증서 없이는 선박의 운영이 불가능하다. 리스계약에는 선박을 항해가능한 상태로 유지한다라는 조건이 명시되어 있다.
>
> 항해인증서 없이 선박운영을 지속하는 것이 불가능하더라도, 회사는 선박운항을 중단할 수 있기 때문에 항해인증의무가 존재한다는 자체로 회사가 선박에 대한 수선유지활동을 수행해야 하는 의무를 부담하는 것은 아니다. 다만 리스계약의 해지조항 등으로 인해 리스이용자의 의무가 발생될 수 있으므로, 리스계약 조건들을 면밀히 검토하여 리스와 관련한 수선유지 의무에 대한 결론을 변경시키는 조항이 없음을 확인하여야 한다. 리스계약에 의해 현재의무가 발생하지 않는다면, 충당부채를 인식해서는 안 된다. 상기 선박의 구성요소 중 5년마다 주기적으로 교체되어야 하는 부분이 있는 경우 다른 일반적인 자산취득과 동일하게 해당 부분의 취득가액은 5년 동안 상각한다. 또한, 수선유지로 선박의 경제적효익이 복원되는 경우, 수선유지비용은 자본화된다.
>
> 리스기간종료 시 회사가 선박을 원상복구해야 한다면 그 선박 사용권자산은 실제 소유한 다른 선박과 달리 원상복구에 대하여 충당부채가 설정되어야 한다.

9) 공 시

① 충당부채, 우발부채, 우발자산의 공시사항

충당부채를 인식하거나 우발부채, 우발자산이 있는 기업은 기준서 제1037호에 따라 광범위한 공시를 하게 된다. 한편 금융상품의 정의를 충족하지만 기준서 제1116호 '금융상품'의 적용범위에 해당하지 않아 기준서 제1037호에 따라 회계처리되는 충당부채는, 따로 제외규정이 없는 한 기준서 제1107호 '금융상품 : 공시'를 적용한다.

충당부채는 유형별로 통합하여 공시할 수 있다. 어떤 충당부채가 하나의 유형으로 통합될 수 있는지를 결정하는 데에 있어서 당해 항목의 성격이 하나의 주석항목으로 기재될 수 있을 만큼 충분히 유사한지를 고려한다. 충당부채의 유형의 예로는 구조조정충당부채, 사업결합 후 통합관련 충당부채, 판매보증충당부채, 환경관련 충당부채 등이 있다. 예를 들어, 다양한 제품의 보증과 관련된 충당부채는 하나의 유형으로 통합하여 표시할 수 있으나, 제품보증과 관련된 것이더라도 법적 소송 중에 있는 것은 별도의 유형으로 분리하여 처리하는 것이 적절하다(기준서 제1037호 문단 87).

기준서 제1037호에서 요구하는 공시사항은 다음과 같다.

★
기업회계기준서 제1037호 '충당부채, 우발부채, 우발자산'

84. 충당부채의 유형별로 다음의 내용을 공시한다. 비교표시 정보는 생략할 수 있다.
    (1) 기초와 기말 장부금액
    (2) 당기에 추가된 충당부채 금액(기존 충당부채의 증가금액 포함)
    (3) 당기에 사용된 금액(즉, 발생하여 충당부채에서 차감한 금액)
    (4) 당기에 환입된 금액
    (5) 현재가치로 평가한 충당부채의 기간 경과에 따른 당기 증가금액 및 할인율 변동에 따른 영향

충당부채가 현재가치로 할인된 경우, 공시사항에는 기간경과에 따른 충당부채의 증가액 및 할인율의 변동에 따른 효과가 포함되며, 기간경과에 따른 충당부채의 증가는 손익계산서에 금융원가로 계상된다.

한편 충당부채의 각 유형별로 다음의 사항을 추가적으로 공시하여야 한다(기준서 제1037호 문단 85).

• 부채의 성격에 대한 간단한 서술과 경제적효익의 유출이 예상되는 시기
• 유출될 경제적효익의 금액과 시기에 대한 불확실성 정도. 필요한 경우 관련된 미래 사건에 대한 중요한 가정의 공시가 필요할 수 있다.
• 제3자에 의한 변제예상금액 및 그와 관련하여 인식한 자산 금액

'(2) 기업회계 상 처리 2) 우발부채'에서 전술한 바와 같이 우발부채에 대하여 충당부채를 인식하는 것은 적절하지 않으나, 우발부채가 존재하는 상황은 향후 의무로 전환될 가능성이 있기 때문에 의무를 이행하기 위한 자원의 유출가능성이 희박하지 않다면 우발상황의 성격이 공시되어야 한다. 즉 보고기간말 현재 존재하는 우발부채의 유형별로 당해 성격을 공시해야 하며, 실무적으로 적용할 수 있는 경우 다음의 내용도 공시한다(기준서 제1037호 문단 86).

• 기준서 제1037호에 따라 측정된 재무적 영향의 추정금액

• 자원의 유출금액 및 시기와 관련된 불확실성 정도
• 변제의 가능성

상기 첫 번째 및 두 번째 요구사항을 만족시키기 위하여 다음 두 가지 사항이 공시되어야 한다.

• 기준서 제1037호 문단 36–52(본서 '(2) 기업회계 상 처리 4) 충당부채의 측정'에서 서술된 내용)에 따라 측정된 최선의 추정치. 그 예는 다음과 같다.
  ① 가장 가능성 높은 금액
  ② 기대가치(모든 가능한 결과와 그와 관련된 확률을 가중평균하여 추정한 금액)
• 자원의 유출금액 및 시기와 관련된 불확실성 정도는 다음과 같은 방법으로 공시될 수 있다.
  ① 최대손실가능액을 제시하는 등 결과의 범위를 제시하고 해당 불확실성에 대한 서술적 설명을 덧붙이는 방법
  ② 가중평균금액을 산정할 때 사용된 확률을 제시하여 정보이용자가 불확실성을 평가할 수 있도록 하고 해당 불확실성에 대한 서술적 설명을 덧붙이는 방법

우발자산의 경우, 경제적효익의 유입가능성이 높은 경우에만 당해 성격에 대한 간결한 설명을 공시한다. 즉 경제적효익의 유입가능성이 높은 우발자산은 보고기간말에 당해 성격에 대한 간결한 설명을 공시하고 실무적으로 적용할 수 있는 경우에는 측정된 재무적 영향의 추정금액을 공시한다(기준서 제1037호 문단 89). 우발자산을 공시할 때에는 그로부터 수익이 발생할 가능성이 있다는 오해를 주지 않도록 주의한다(기준서 제1037호 문단 90).

사례 **제품보증**(기준서 제1037호 부록D 사례 1)

제조업자는 판매 시점에 회사의 세 가지 종류의 제품설비를 구입한 구매자에게 제품보증을 제공한다. 제조업자는 판매 시점으로부터 2년 동안 제대로 기능을 하지 못한 제품에 대해 제품보증조건에 따라 수선하거나 교체하여야 한다. 보고기간말에 60,000원을 충당부채로 인식하고 있다. 현재가치 평가의 효과가 중요하지 않으므로 충당부채를 현재가치로 평가하지 않았다. 다음과 같은 정보를 공시한다.

최근 3년 동안 판매된 제품에 대해 품질보증청구 예상액 60,000원을 충당부채로 인식하였습니다. 다음 회계연도에 대부분의 지출이 발생할 것으로 예상되며, 보고기간말 후 2년 안에 지출이 모두 발생할 것으로 예상됩니다.

사례 **사후처리원가**(기준서 제1037호 부록D 사례 2)

원자력사업에 관여하는 기업은 이에 따르는 사후처리원가로 2000년도에 3억원을 충당부채로

인식하였다. 60~70년 후에 그러한 사후처리가 발생할 것이라고 가정하여 충당부채를 추정한다. 그러나 그러한 사후처리가 100~110년 후에 발생할 가능성도 있으며, 그러한 경우에는 사후처리원가의 현재가치가 유의적으로 감소하게 될 것이다. 다음과 같은 정보를 공시한다.

사후처리원가로 3억원의 충당부채를 인식하였습니다. 이러한 원가는 2060년~2070년에 발생될 것으로 예상되었지만, 2100~2110년이 되어서야 사후처리가 발생할 가능성도 있습니다. 만일 사후처리원가가 2100~2110년이 되어서야 발생한다는 예상하에 측정하였다면 충당부채는 1.36억원으로 감소하게 될 것입니다. 이러한 충당부채는 현행가격에 현존하는 기술을 사용하여 추정하였으며 2%의 실질 할인율을 사용하여 할인하였습니다.

② 공시 예외 사항

'① 충당부채, 우발부채, 우발자산의 공시사항'에서 전술한 바와 같이 충당부채 등에 대하여 공시하기 위하여 상당한 정보가 필요하나, 어떤 경우에는 이러한 정보를 얻기 어려울 수도 있고, 매우 민감한 성격을 지닌 정보가 있을 수도 있다. 만일 요구되는 정보 중에서 실무적인 이유로 공시하지 못한 사항이 있는 경우에는 당해 사실을 공시한다(기준서 제1037호 문단 91). 기준서 제1037호는 이 문맥상 '실무적인 이유'에 대하여 자세한 설명을 제시하지 않으나, 충당부채의 인식 시기에 관련하여 어떤 불확실성이 있는지 확실히 알지 못하거나, 또는 재무적 효과를 측정하기 어려운 상황 등을 생각해 볼 수 있다. 그러나 기준서 제1037호의 제정 의도는 공시가 요구되는 정보를 얻기 위해 기업들이 최선의 노력을 다 하여야하며, 다만 그것이 실무적으로 완전히 불가능한 경우 대신 그러한 문제에 관련된 사실을 공시해야 한다는 것으로 이해하여야 한다.

충당부채, 우발부채, 우발자산과 관련된 정보 중, 예를 들어 소송 및 소송관련 변제액은 매우 민감한 사안일 수 있으며 그 공시가 어떤 특정 사건에 불리한 영향을 미칠 수 있다. 한국채택국제회계기준에서는 이러한 상황이 존재할 수 있음을 인정하여, 극히 드문 경우이지만 기준서 제1037호에서 규정하고 있는 모든 사항 또는 일부 사항을 공시하는 것이 당해 충당부채, 우발부채, 우발자산과 관련하여 진행 중인 상대방과의 분쟁에 현저하게 불리한 영향을 미칠 수 있는 경우 공시 요구사항을 준수하지 않아도 됨을 허락하고 있다. 이러한 면제규정을 적용한 기업은 당해 분쟁의 전반적인 성격과 공시를 생략한 사실 및 이유를 공시하여야 한다(기준서 제1037호 문단 92).

`사례` **공시 예외 사항**(기준서 제1037호 부록D 사례 3)

기업이 특허권을 침해하였다고 주장하며 1억원의 손해배상을 청구한 경쟁회사와 분쟁 중에 있다. 기업은 최선의 추정치로 충당부채를 인식하였으나 기준서 제1037호 문단 84와 85에서 요구하는 정보를 공시하지 않는 경우 다음과 같은 정보를 공시한다.
특허권을 침해했다고 주장하며 1억원의 배상을 청구한 경쟁회사와의 분쟁과 관련하여 소송이

진행 중입니다. 일반적으로는 기업회계기준서 제1037호 '충당부채, 우발부채, 우발자산'에 따라 공시가 요구되는 정보이지만 그러한 정보가 소송결과에 현저하게 불리한 영향을 미칠 것으로 예상될 수 있기 때문에 공시하지 않았습니다. 회사의 이사들은 회사가 승소할 수 있을 것이라고 보고 있습니다.

(3) 세무회계 상 유의할 사항

세법에서는 권리·의무 확정주의에 의해 손익의 귀속시기가 결정(법법 40조 1항)되므로 기업회계 상 충당부채의 전입(환입)에 대한 회계처리는 세무회계 상 인정되지 않는다. 따라서, 한국채택국제회계기준에 따라 계상한 충당부채전입액은 손금불산입(유보)하고, 추후 관련 비용이 발생하여 충당부채와 상계하는 시점에 손금산입(△유보)해야 한다.

4. 이연법인세부채

기준서 제1012호에서 법인세비용(수익)은 당기법인세 및 이연법인세와 관련하여 당해 회계기간의 손익을 결정하는 데 포함되는 총액으로 규정하고 있어, 이연법인세회계를 채택하고 있다.

이연법인세부채란 자산·부채가 회수·상환되는 미래기간의 과세소득을 증가시키는 효과를 가지는 일시적 차이 즉, 가산할 일시적 차이와 관련하여 미래 회계기간에 납부할 법인세 금액이다.

이연법인세부채는 세법의 규정에 따라 미래기간에 과세될 법적인 의무로서, 가산할 일시적 차이를 가져온 과거사건과 동일한 사건에 의하여 발생한 의무이다. 즉, 이연법인세부채는 '과거의 거래나 사건의 결과로 현재 기업실체가 부담하고 있고 미래에 자원의 유출 또는 사용이 예상되는 의무'라는 개념체계의 부채 정의에 부합한다.

한편, 기준서 제1001호 '재무제표의 표시' 문단 56에서는 기업이 재무상태표에 유동자산과 비유동자산, 그리고 유동부채와 비유동부채로 구분하여 표시하는 경우, 이연법인세자산(부채)은 유동자산(부채)으로 분류하지 않는 것으로 규정하고 있다. 따라서, 이연법인세자산(부채)은 12개월 이내에 결제 또는 회수되는지 여부에 무관하게 비유동으로 분류된다.

이연법인세부채에 대한 자세한 내용은 '포괄손익계산서편 법인세비용'을 참조하기 바란다.

684 | 제 2 편 · 재무상태표편

5. 보고기간후사건

(1) 개념 및 의의

보고기간후사건은 보고기간말과 재무제표 발행승인일 사이에 발생한 유리하거나 불리한 사건으로 기업 재무상태에 영향을 미치는 사건을 말한다. 일반적으로 회계기간 종료일로부터 재무제표가 사실상 확정된 날까지는 보통 수개월의 기간이 소요된다. 그런데 이 기간 동안에도 기업의 재무상태에 영향을 미칠 수 있는 중요한 거래나 사건이 발생할 수 있다. 회계정보 이용자들은 회계기간 종료일 현재의 재무제표에 공시된 정보를 바탕으로 회계기말 현재의 재무상태와 해당 기간의 경영성과를 평가하고 또한 미래를 예측한다. 따라서 보고기간후사건이라 하더라도 보고기간말 현재 존재하였던 상황에 대한 추가적 증거를 제공하는 사건에 대해서는 이를 적절히 인식하여 회계처리하고 공시하여야 한다. 이렇게 함으로써 재무제표가 왜곡되지 않고, 회계정보 이용자들이 재무제표에 대하여 잘못 해석하는 오류를 범하지 않게 될 것이다.

1) 보고기간후사건

기업회계기준서 제1010호 문단 3에서는 '보고기간후사건'에 대해 다음과 같이 정의하였다.

> ★
> **기업회계기준서 제1010호 '보고기간후사건'**
> 보고기간후사건 : 보고기간말과 재무제표 발행승인일 사이에 발생한 유리하거나 불리한 사건.
> 보고기간후사건은 다음 두 가지 유형으로 구분한다.
>
> ⑴ 보고기간말에 존재하였던 상황에 대해 증거를 제공하는 사건(수정을 요하는 보고기간후사건)
> ⑵ 보고기간 후에 발생한 상황을 나타내는 사건(수정을 요하지 않는 보고기간후사건)

보고기간말인 회계기간 종료일로부터 재무제표가 공표되는 시점까지는 통상적으로 수주 내지 수개월이 소요된다. 즉, 회계기간 종료 후 재고실사·수정분개·장부마감 등의 결산과정을 거쳐 재무제표가 작성되고, 외부감사인에 의해 재무제표에 대한 회계감사가 실시되고, 재무제표발행에 대한 승인을 얻어 재무제표가 공표되기 때문이다. 이와 같이 보고기간종료일과 재무제표 발행승인일 사이에는 기업의 재무상태에 영향을 미칠 수 있는 중요한 거래나 사건들이 발생할 수 있는 바, 이를 보고기간후사건이라 한다. 이는 재무제표의 수정을 요하는 사건과 수정을 요하지 않는 사건으로 구분된다.

2) 재무제표 발행승인일

재무제표를 발행하기 위한 승인과정은 경영조직, 법적 요구사항, 재무제표를 작성하고 완성하기 위한 절차 등 여러 가지 요건에 따라 다르다. 일반적으로 재무제표 발행승인일은 일반적으로는 정기주주총회 제출용 재무제표가 이사회에서 최종적으로 승인된 날이다. 하지만, 재무제표를 발행한 이후에 주주에게 승인을 받기 위하여 제출하는 경우 재무제표 발행승인일은 주주가 재무제표를 승인한 날이 아니라 재무제표를 발행한 날이다. 또한, 경영진은 별도의 감독이사회(비집행이사로만 구성)의 승인을 얻기 위하여 재무제표를 발행하는 경우가 있다. 그러한 경우, 경영진이 감독이사회에 재무제표를 제출하기 위하여 승인한 날이 재무제표 발행승인일이 된다.

주주총회에 제출된 재무제표가 주주총회에서 수정·승인된 경우에는 당해 주주총회일이 재무제표가 사실상 확정된 날이 될 것이다. 일반적으로 재무제표가 사실상 확정된 날은 주주총회에 제출하기 위하여 이사회가 감사받은 재무제표를 최종적으로 승인한 날이 될 것이며 우리나라에서는 이사회에서 승인된 재무제표가 주주총회에서 수정없이 확정되는 경우가 대부분이기 때문이다. 하지만 상법상 주주총회는 재무제표에 대한 승인 및 수정권한을 가지고 있고, 주주총회에서 재무제표를 수정·승인하면 수정된 재무제표가 법적으로 유효한 회사의 재무제표가 되므로 이사회의 승인내용이 주주총회에서 수정·승인된 경우에는 주주총회일이 재무제표가 사실상 확정된 날이 된다. 따라서 일반적으로는 이사회에서 승인된 재무제표의 내용이 주주총회에서 수정·승인된 경우를 제외하고는 재무제표가 주주총회에 제출되기 위해 이사회에서 최종적으로 승인된 날이 재무제표 발행승인일이 될 것이다. 그리고 재무정보 이용자가 재무제표가 발행승인된 날을 알 수 있도록 재무제표의 발행승인일과 승인자를 주석으로 기재하여야 한다. 또한, 재무제표 발행 후에 기업의 소유주가 재무제표를 수정할 권한이 있다면 그 사실을 공시한다(기준서 제1010호 문단 17).

(2) 기업회계 상 회계처리

1) 수정을 요하는 보고기간후사건

기준서 제1010호에 문단 3 및 8에 따르면 '수정을 요하는 보고기간후사건'은 보고기간말에 존재하였던 상황에 대해 증거를 제공하는 사건으로 수정을 요하는 보고기간후사건을 반영하기 위하여 재무제표에 인식된 금액을 수정하도록 규정하고 있다.

보고기간말 현재 존재하였던 상황에 대한 정보를 보고기간 후에 추가로 입수한 경우에는 그 정보를 반영하여 공시 내용을 수정하며, 재무제표 인식하지 아니한 항목은 새로 인식하여야 한다. 예를 들면, 보고기간말 현재 존재하였던 우발부채에 관하여 보고기간 후에 새로운 증거를 입수한 경우에는 이를 반영하여 우발부채에 관한 공시내용을 수정한다. 위와 같이 수정을 요하는 보고기간종료일 후 발생한 사건의 예는 다음과 같다 (기준서 제1010호 문단 9).

㉠ 보고기간말에 존재하였던 현재의무가 보고기간 후에 소송사건의 확정에 의해 확인되는 경우. 소송사건과 관련하여 기준서 제1037호 '충당부채, 우발부채, 우발자산'에 따라 이전에 인식하였던 충당부채를 수정하거나 새로운 충당부채를 인식한다. 소송사건의 확정은 기준서 제1037호의 문단 16에 따라 고려하여야 할 추가적인 증거를 제공하므로 단순히 우발부채로 공시하는 것은 적절하지 아니하다.

㉡ 보고기간말에 이미 자산손상이 발생되었음을 나타내는 정보를 보고기간 후에 입수하는 경우나 이미 손상차손을 인식한 자산에 대하여 손상차손금액의 수정이 필요한 정보를 보고기간 후에 입수하는 경우. 다음과 같은 예를 들 수 있다.

• 보고기간 후의 매출처 파산은 일반적으로 보고기간말의 매출채권에 손실이 발생하였음을 확인하는 추가적인 정보이므로 매출채권의 장부금액을 수정할 필요가 있다.

• 보고기간 후의 재고자산 판매는 보고기간말의 순실현가능가치에 대한 증거를 제공할 수 있다.

㉢ 보고기간말 이전에 구입한 자산의 취득원가나 매각한 자산의 대가를 보고기간 후에 결정하는 경우

㉣ 보고기간말 이전 사건의 결과로서 보고기간말에 종업원에게 지급하여야 할 법적의무나 의제의무가 있는 이익분배나 상여금지급 금액을 보고기간 후에 확정하는 경우(기준서 제1019호 '종업원급여' 참조)

㉤ 재무제표가 부정확하다는 것을 보여주는 부정이나 오류를 발견한 경우

사례 1 (주)삼일은 20×1. 12. 31. 현재의 재무상태표에 (주)갑에 대한 매출채권 1,000,000과 대손충당금 100,000을 계상하고 있었다. 하지만 정기주주총회 제출용 재무제표가 이사회에서 최종 승인되기 전인 20×2. 2. 20.에 (주)갑은 부도로 파산하였으며, 이에 따라 매출채권은 전액 회수가 불가능하다. 이 경우 (주)삼일의 회계처리를 예시하라.

(차) 대 손 상 각 비　　 900,000　　(대) 대 손 충 당 금　　 900,000

* 대손상각비 ₩900,000은 20×1년 재무제표에 반영되어야 한다.

사례 2 (주)삼일은 20×1. 12. 31. 현재의 재무상태표에 500,000의 제품 A를 재고자산으로 계상하고 있으며, 제품 A와 관련하여 재고자산평가손실 50,000을 매출원가에 가산하였다. 하지만 정기주주총회 제출용 재무제표가 이사회에서 최종 승인되기 전인 20×2. 2. 2.에 제품 A

는 300,000에 판매되었다. 이 경우 (주)삼일의 회계처리를 예시하라.

(차) 재고자산평가손실   150,000*   (대) 재고자산평가충당금   150,000

* 재고자산평가손실 150,000은 20×1년 재무제표에 반영되어야 한다.

2) 수정을 요하지 않는 보고기간후사건

수정을 요하지 않는 사건은 보고기간 후 발생한 상황을 나타내는 사건이며, 수정을 요하지 않는 보고기간후사건을 반영하기 위해서 재무제표에 인식된 금액을 수정하지 아니한다.

예를 들어 유가증권의 시장가격이 보고기간말과 재무제표가 사실상 확정된 날 사이에 하락한 것은 수정을 요하지 않는 보고기간후사건의 예다. 이 경우 시장가격의 하락은 보고기간말 현재의 상황과 관련된 것이 아니라 보고기간말 후에 발생한 상황이 반영된 것이다. 따라서 그 유가증권에 대해서 재무제표에 인식한 금액을 수정하지 아니한다.

하지만 아래의 예와 같이 수정을 요하지 않는 보고기간후사건으로서 공시되지 않을 경우 재무제표 이용자의 의사결정에 중요한 영향을 미치는 사건에 대해서는 사건의 성격 및 사건의 재무적 영향에 대한 설명을 주석으로 기재하여야 한다

    ㉠ 보고기간 후에 발생한 주요 사업결합(기준서 제1103호 '사업결합'에서는 이 경우 특정한 공시를 하도록 규정하고 있다) 또는 주요 종속기업의 처분

    ㉡ 영업 중단 계획의 발표

    ㉢ 주요 자산 구입, 기준서 제1105호 '매각예정비유동자산과 중단영업'에 따라 자산을 매각예정으로 분류, 자산 매각, 정부에 의한 주요 자산의 수용

    ㉣ 보고기간 후에 발생한 화재로 인한 주요 생산 설비의 파손

    ㉤ 주요한 구조조정계획의 공표나 이행착수(기준서 제1037호 참조)

    ㉥ 보고기간 후에 발생한 주요한 보통주 거래와 잠재적보통주 거래(기준서 제1033호 '주당이익'에서는 그러한 거래에 대한 설명을 공시하도록 하고 있으나, 동 기준서에 따라서 조정되는 자본금전입이나 무상 신주 관련 거래, 주식분할, 주식병합을 포함한 거래는 제외하고 있다)

    ㉦ 보고기간 후에 발생한 자산 가격이나 환율의 비정상적 변동

    ㉧ 당기법인세 자산과 부채 및 이연법인세 자산과 부채에 중요한 영향을 미치는 세법이나 세율에 대한 보고기간 후의 변경 또는 변경 예고(기준서 제1012호 '법인세' 참조)

    ㉨ 중요한 지급보증 등에 의한 우발부채의 발생이나 중요한 계약의 체결

    ㉩ 보고기간 후에 발생한 사건에만 관련되어 제기된 주요한 소송의 개시

3) 배 당

보고기간 후에 주주(지분상품 보유자)에 대해 배당을 선언한 경우, 그 배당금을 보고기간말의 부채로 인식하지 아니하며, 재무상태표에는 배당금을 처분하기 전의 재무상태를 표시하여야 한다. 이에 대한 근거는 이익잉여금의 처분은 주주총회의 고유한 권한으로서 보고기간말 현재는 배당과 관련하여 기업이 부채로 인식해야 할 어떠한 사건도 발생하지 않았기 때문이다.

이에 관해 보다 자세한 사항은 '현금흐름표/자본변동표' 편을 참고하기 바란다.

4) 계속기업

계속기업의 전제는 재무제표를 작성 및 공시하는 데 있어 기초가 되는 기본 전제이다. 계속기업의 전제 하에서 회사는 계속기업, 즉, 예측가능한 미래에는 영업을 계속하며 청산이나 거래를 중단할 의도나 필요성이 없는 것으로 본다. 따라서 자산과 부채는 회사가 정상적인 사업활동과정을 통하여 자산을 회수할 수 있고 부채를 상환할 수 있다는 가정 하에 회계처리된다. 하지만 이러한 전제가 타당하지 아니하다면 회사는 그 자산을 장부가액으로 회수하지 못할 수도 있으며 상환금액과 만기일이 변경될 수도 있다.

따라서 보고기간 후에 기업의 청산이 확정되거나 청산 이외의 다른 현실적인 대안이 없다고 판단되는 경우에는 계속기업의 전제에 기초하여 재무제표를 작성하여서는 아니 된다. 또한 보고기간 후에 경영성과와 재무상태가 심각하게 악화된 경우에는 계속기업의 전제를 적용하는 것이 적절한가에 대해 판단할 필요가 있다. 만약 계속기업의 가정이 더 이상 적절하지 않다면 그 효과가 광범위하게 미치므로, 단순히 원래의 회계처리방법 내에서 이미 인식한 금액을 조정하는 정도가 아니라 회계처리방법을 근본적으로 변경해야 한다.

그리고 다음의 경우에 대해서는 그 내용을 주석으로 기재하여야 한다(기준서 제1010호 문단 16).

㉠ 재무제표가 계속기업의 전제에 기초하여 작성되지 않은 경우

㉡ 계속기업으로서의 존속 능력에 대해 유의적인 의문이 제기될 수 있는 사건이나 상황과 관련된 중요한 불확실성을 경영진이 알게 된 경우

자 본

전통적으로 소유주지분이라고 불려온 자본은 오늘날 주식회사가 기업의 대표적인 형태가 됨에 따라 주주지분이라는 말로 통용되고 있다.

자본은 기업의 자산에서 모든 부채를 차감한 후의 잔여지분을 나타내며, 주주로부터의 납입자본에 기업활동을 통하여 획득하고 기업의 활동을 위해 유보된 금액을 가산하고, 기업활동으로부터의 손실 및 소유자에 대한 배당으로 인한 주주지분 감소액을 차감한 잔액이다. 이러한 주주지분은 특정자산에 대한 청구권이 아니라 순자산에 대한 청구권을 나타내는 것이며, 그 금액도 일정액으로 고정되어 있는 것이 아니라 기업의 수익성에 따라 변한다.

이와 같은 주주지분은 법률적 관점과 경제적 관점에서 분류할 수 있다.

법률적 관점에서 보면 주주지분은 법정자본과 잉여금으로 분류된다. 법정자본(legal capital)은 자본금(capital stock)으로 부르기도 한다. 법정자본은 채권자를 보호하기 위해서 회사가 보유하여야 할 재산의 최소한의 기준액 또는 채권자를 위한 최소한의 담보액을 의미하며, 잉여금(surplus)은 전체 주주지분 중 법정자본인 자본금을 초과하는 부분을 의미한다. 이러한 법률적 관점에 따른 분류기준은 주식회사가 유한책임제도를 채택하고 있다는 점과 밀접한 관련이 있다. 즉, 주식회사의 주주는 회사에 대해 주식의 인수가액을 한도로 하여 출자의무를 부담할 뿐이며 회사의 채권자에 대해서는 아무런 책임을 지지 않으므로 회사의 재산이 주주에게 과대하게 배분될 경우에는 채권자의 권익이 침해된다. 그러므로 채권자 보호의 관점에서 법정자본을 기타의 자본항목이나 잉여금과 구분하는 것이다.

경제적 관점에서 보면 주주지분은 조달원천에 따라 불입자본과 유보이익(이익잉여금)으로 분류된다. 불입자본(contributed capital 또는 paid-in capital)은 주주가 기업에 불입한 금액으로 자본금(1주당 액면가액×발행주식수)에 주식발행초과금을 가산하거나 주식할인발행차금을 차감한 금액을 의미하며, 유보이익(earned capital) 또는 이익잉여금(retained earnings)은 기업활동에 의해 창출된 이익 중에서 사외로 유출되지 않고 사내에 유보된 부분을 의미한다. 즉, 주주지분을 경제적 관점에서 분류하는 것은 주주지분을 발생시킨 거래의 성격을 기준으로 하여 자본거래에서 비롯된 불입자본과 손익거래에서 비롯된 유보이익으로 구분하는 것이다.

한국채택국제회계기준은 재무상태표상 자본의 표시에 대하여 최소한의 표시 요구만을 명시하고 있으며, 기업이 세분화하여 표시하는 계정과목은 기업이 속한 국가의 상법 등 법률, 규제 또는 그 밖의 요구사항의 영향을 받을 수 있다. 기준서 제1001호는 재무

상태표 본문에서 자본에 표시된 비지배지분 및 지배기업의 소유주에게 귀속되는 납입자본과 적립금을 나타내는 항목을 표시하도록 요구하고 있으며, 세분류상의 세부내용은 한국채택국제회계기준의 요구사항, 당해 금액의 크기, 성격 및 기능에 따라 달라진다. 예를 들어, 납입자본과 적립금은 자본금, 주식발행초과금, 적립금 등과 같이 다양한 분류로 세분화한다(기준서 제1001호 문단 54, 78).

Chapter 01 자본과 부채의 분류

(1) 자본의 정의

종전의 기업회계기준에서는 법적으로 자본으로 발행되는 금융상품을 자본으로 분류하였다. 그러나 한국채택국제회계기준에서는 금융부채와 자본의 정의를 기준서에서 정의하고 있어 해당 정의에 따라 법적으로 자본인 경우에도 재무상태표에서는 금융부채로 분류될 수도 있다.

한국채택국제회계기준에서는 금융상품을 법적 형식이 아니라 계약의 실질에 따라 재무상태표에 분류한다. 계약상의 실질이 경제적 실질과 혼동되어서는 안 된다. 계약상 실질과 경제적 실질은 다를 수 있으며, 법적 형식과도 다를 수 있다. 계약상 의무를 결제하기 위한 현금 등 금융자산의 인도를 회피할 수 있는 무조건적인 권리를 기업이 가지고 있지 않은 경우 그 계약은 자본이 아니다.

기준서 제1032호는 자본(지분상품)을 기업의 자산에서 모든 부채를 차감한 후의 잔여지분을 나타내는 모든 계약으로 정의하고 있다(기준서 제1032호 문단 11). 자본은 다음과 같은 요건을 충족해야 한다(기준서 제1032호 문단 16).

다음의 계약상 의무를 포함하지 아니한다.
- 거래상대방에게 현금 등 금융자산을 인도하기로 하는 계약상 의무
- 발행자에게 잠재적으로 불리한 조건으로 거래상대방과 금융자산이나 금융부채를 교환하는 계약상 의무

자기지분상품으로 결제되거나 결제될 수 있는 계약으로서, 다음 중 하나에 해당한다.
- 변동 가능한 수량의 자기지분상품을 인도할 계약상 의무가 없는 비파생상품
- 확정 수량의 자기지분상품에 대하여 확정 금액의 현금 등 금융자산의 교환을 통해서만 결제될 파생상품. 이러한 목적상 자기지분상품에는 ① 지분상품으로 분류되는

풋가능 금융상품과 발행자가 청산하는 경우에만 거래상대방에게 지분비율에 따라 발행자 순자산을 인도해야 하는 의무를 발행자에게 부과하는 금융상품, ② 자기지분상품을 미래에 수취하거나 인도하기 위한 계약인 금융상품은 포함되지 않는다.

계약상 의무(파생금융상품에서 발생하는 계약상 의무를 포함한다)에 따라 자기지분상품을 미래에 수취하거나 인도하는 결과가 발생하더라도, 위의 조건들을 충족하지 않는 계약상 의무는 지분상품이 아니다. 금융부채 정의의 예외로서, 풋가능 금융상품과 발행자가 청산하는 경우에만 거래상대방에게 지분비율에 따라 발행자 순자산을 인도해야 하는 의무를 발행자에게 부과하는 금융상품 중 특정 요건(기준서 제1032호 문단 16A-16D)을 충족시키는 상품은 지분상품으로 분류한다. 기준서 제1032호는 계약에 근거하여 적용한다. 이 기준서에서 '계약' 및 '계약상'은 명확한 경제적 결과를 가지고 있고, 대개 법적 구속력이 있기 때문에 당사자가 그러한 경제적 결과를 자의적으로 회피할 여지가 적은 둘 이상의 당사자 간 합의를 말한다. 금융상품을 포함하여 계약은 다양한 형태로 존재할 수 있으며, 반드시 서류로 작성되어야만 하는 것은 아니다(기준서 제1032호 문단 13). 계약에 의하지 않은 자산이나 부채는 금융자산이나 금융부채가 아니다. 마찬가지로, 기준서 제1037호에서 정의된 의제의무는 계약상의 효력이 없으므로 금융부채가 아니다(기준서 제1032호 문단 AG12).

금융상품의 발행자는 계약의 실질과 금융부채, 금융자산 및 지분상품의 정의에 따라 최초 인식시점에 금융상품이나 금융상품의 구성요소를 금융부채, 금융자산 또는 지분상품으로 분류하여야 한다(기준서 제1032호 문단 15). 금융상품 분류에서 '실질'의 적용은 계약상의 조건들을 고려하는 것으로 제한되어야 한다. 계약상의 조건 외의 것들은 분류대상에서 제외한다. 계약상의 실질을 평가할 때 법적 규정들에 대해서도 고려한다(해석서 제2102호 문단 5).

계약상의 의무를 발행자에게 부과하는 금융상품은 부채로 인식한다. 그러한 계약상의 의무는 명시적 혹은 간접적으로 성립될 수 있다. 그러나 그러한 의무는 계약상의 조건을 통해서 성립되어야만 한다. 2006년 3월에 IFRS 해석위원회가 동의한 바와 같이, 경제적 강박으로 금융상품이 부채로 인식되는 결과가 되지 않는다.

> **사례** 기업이 액면이자율 6%의 사채를 발행하였으며 해당 사채의 보유자는 상환을 청구할 수 있는 권리가 없다. 발행기업은 해당 사채를 상환할 수 있는 권리가 있으며, 액면이자는 발행자의 선택에 따라 영구적으로 이연될 수 있다. 발행자는 매년 액면이자를 지급해 왔으며 현재 채권의 가격은 액면이자가 계속 지급될 것이라는 기대를 반영하고 있다. 또한, 회사는 정책으로 매년 액면이자를 지급할 것을 정하고 있다.

회사는 6%의 이자를 지급하고 채권 가격을 유지해야 하는 경제적 강박과 그렇게 해야 할 의제의무는 있지만 계약상의 의무는 없다. 따라서 상기 사채는 자본으로 분류된다.

금융상품의 구성 요소를 검토하는 것은 금융상품을 분류하는 데 중요하다. 채무상품과 주식들은 여러 형태로 구성될 수 있기 때문이다. 상품의 구성요소들은 상환조건이거나 비상환조건일 수 있고, 발생하는 수익은 의무적으로 지급하거나 회사의 재량에 따라 지급하거나 또는 두 가지 모두 해당할 수 있다. 때로는 현금이나 기타 금융자산을 결제해야 하는 풋이나 콜 옵션이 있을 수 있다. 결과적으로 계약조건들의 면밀한 검토를 금융상품의 정의에 근거하여 수행하여야 한다. 그 후에 해당 상품이 금융부채, 지분상품 또는 부채와 자본 요소를 둘 다 가지고 있는지 결정할 수 있다.

금융상품의 발행자는 계약의 실질과 금융부채, 금융자산 및 지분상품의 정의에 따라 최초 인식시점에 금융상품이나 금융상품의 구성요소를 금융부채, 금융자산 또는 지분상품으로 분류하여야 한다. 그러나 계약사항이나 조건들이 변경될 경우 기존에 인식하였던 상품의 재분류가 일어날 수 있다.

부채를 자본과 구분 짓는 중요한 요소는 현금 등 금융자산을 인도해야 하거나 잠재적으로 불리한 조건으로 거래상대방과 금융자산이나 금융부채를 교환하기로 한 계약상의 의무가 존재하느냐이다. 다시 말해 계약상 의무를 결제하기 위한 현금 등 금융자산의 인도를 회피할 수 있는 무조건적인 권리를 기업이 가지고 있지 않은 경우 이러한 의무는 풋가능 금융상품이나 발행자가 청산하는 경우에만 거래상대방에게 지분비율에 따라 발행자 순자산을 인도해야 하는 의무를 발행자에게 부과하는 금융상품 등 일부 예외를 제외하고는 금융부채의 정의를 충족한다.

발행자가 현금이나 다른 금융상품을 지급할 의무가 있는 경우 금융부채로 인식한다. 예를 들어 현금을 지급할 의무는 원금이나 이자 또는 그 모두를 지급해야 하는 의무를 포함한다. 또한 그 의무를 특정 상황에서는 현금이나 다른 금융자산이 아니라 부동산 등의 다른 종류의 자산의 이전을 통해 이행할 수도 있다. 어떤 경우에는 발행자의 자기 지분상품으로 결제할 수도 있다. 현금이나 다른 금융자산을 인도해야 하는 계약상의 무조건적인 의무를 포함하는 한, 해당 상품은 부채로 분류된다. 풋가능 금융상품이나 발행자가 청산하는 경우에만 거래상대방에게 지분비율에 따라 발행자 순자산을 인도해야 하는 의무를 발행자에게 부과하는 금융상품에 적용되는 금융부채 정의의 예외규정은 아래에서 살펴본다.

사례　회사는 6%의 확정된 배당금을 지급하고, 만기에 투자 원금을 상환하여야 하는 상환우선주를 발행하였다. 한국채택국제회계기준에 의할 경우, 이 상환우선주는 어떻게 분류되는가?

우선주는 보통주와 비교해서 우선적인 권리가 있는 주식이다. 이런 권리의 범위는 다양하다. 회사의 청산 혹은 분배 시에 자본의 확정금액을 받을 권리나 회사의 자산 분배에 참가할 수 있는 권리 등도 있지만, 일반적으로 확정배당금을 우선적으로 받을 권리를 가진 경우가 많다.

상환우선주가 금융부채인지 자본인지를 결정하기 위해 상품의 원금과 수익 구성요소에 대한 특정 계약상의 의무를 검토한다. 사례의 금융상품은 확정된 배당금을 지급하고 정해진 날짜에 정해진 금액을 상환해야 하며 배당금과 원금의 지급의무를 회피할 수는 없다. 따라서 배당금과 원금의 지급은 금융부채 정의를 충족한다. 즉, 이 상환우선주는 주주에게 현금을 지급해야 하는 의무가 존재하므로 금융부채로 분류된다.

사례　회사는 확정배당금을 지급해야 하는 의무를 부담하지만 원금의 상환의무는 없는 우선주를 발행하였다. 한국채택국제회계기준에 의할 경우 이 우선주는 어떻게 분류되는가?

상환우선주가 아닌 경우 우선주에 부가된 그 밖의 권리에 따라 적절하게 분류한다. 계약의 실질에 대한 평가와 금융부채 및 지분상품의 정의에 기초하여 우선주를 분류한다(기준서 제1032호 문단 AG26).

상품의 원금과 수익 구성요소에 부가된 특정 계약상의 의무를 검토한다. 이 사례에서 우선주는 상환되지 않으므로 원금은 자본이다. 그러나 발행기업은 우선주주에게 배당금을 지급해야 할 계약상 의무가 있다. 기업의 자금이 부족하거나 배당가능이익이 부족하다는 이유로 배당을 지급하지 못한다고 해도 계약상의 의무를 무효로 하지는 않는다. 따라서 배당금을 지급해야 하는 의무는 금융부채의 정의를 충족한다. 전체적으로 보면 해당 우선주는 복합금융상품이고 분리하여 회계처리해야 할 수도 있다. 복합금융상품의 액면이자가 시장이자율이 아닌 이자율로 정해지고 확정이자에 재량적인 추가 배당의 지급이 가능하다면 해당 금융상품 발행금액의 일부는 자본요소에 배분될 것이다. 만약 우선주 액면이자가 발행 시점의 시장이자율이고 재량적인 배당의 지급 조항이 없다면 영구적인 현금흐름으로 인해 전체 금융상품 발행금액이 금융부채로 배분된다.

(2) 풋가능 금융상품

금융상품의 보유자가 발행자에게 당해 금융상품의 환매를 요구하여 현금 등 금융자산을 수취할 권리가 부여된 금융상품('풋가능 금융상품')은 일반적으로 금융부채이다. 예를 들어 기업이 보유자에 의해 상환요청이 가능한 상환우선주를 발행하면 금융부채로 인식한다. 보유자는 발행자로부터 미리 정해진 시점에 특정 금액을 상환받을 수 있는 권리를 가진다. 보유자가 금융상품의 발행자에게 환매를 요구하여 현금이나 기타 금융자산을 수취할 수 있는 권리를 가진다는 것은 발행자가 현금 등의 자산을 인도해야 하는 의무를 회피할 수 있는 무조건적인 권리가 없다는 것이므로 풋가능 금융상품은 금융부채의 정의를 충족한다. 이러한 현금 등 금융자산의 금액이 확정되어 있지 않고 지수 또는 다른 항목의 변동에 기초하여 증가하거나 감소될 수 있는 경우에도 이러한 금융상품은 금융부채이다(기준서 제1032호 문단 18(2)). 존속기간이 정해진 기업이 발행하는 금융상품에는 발행자가 청산하는 경우에만 거래상대방에게 지분비율에 따라 발행자 순자산을 인도해야 하는 계약상 의무가 포함될 수도 있다.

사례 합자회사인 A사는 25년으로 존속기간이 한정되어 있다. 회사의 자기자본은 만기가 끝나면 상환될 것이다.

이런 상황에서 만약 금융부채 정의의 예외규정을 충족하지 못한다면 회사의 자기자본은 부채로 표시된다. 왜냐하면 해당 금액은 청산할 때 지급될 것이고, 정해진 만기에 따라 해당 실체는 확실하게 청산될 것이기 때문이다.

존속기간이 정해지지 않은 합자회사일지라도 금융부채 정의의 예외규정이 충족되지 못하는 경우로서 파트너의 사망 시에 출자자지분이 상환될 경우 그 파트너의 출자자지분은 부채로 분류되어야 할 것이다. 비록 회사 자체가 청산되지 않을지라도 상환이 확실히 발생할 사건에 기초해 발생하기 때문이다.

기준서 제1032호는 금융부채 정의의 예외로서 이러한 풋가능 금융상품 중 특정 조건을 충족시키는 상품에 대해서는 자본으로 분류하도록 하고 있다. 해당 조항에 따라 자본으로 분류될 수 있는 금융상품은 다음과 같다.

- 풋가능 금융상품. 풋가능 금융상품이란 보유자가 발행자에게 당해 금융상품의 환매를 요구하여 현금 등 금융자산을 수취할 권리가 부여된 금융상품 또는 불확실한 미래 사건이 발생하거나 금융상품 보유자가 사망하거나 퇴직하는 경우 발행자에게 자동으로 환매되는 금융상품으로 정의된다(기준서 제1032호 문단 11).
- 발행자가 청산되는 경우에만 거래상대방에게 지분비율에 따라 발행자 순자산을 인도해야 하는 의무를 발행자에게 부과하는 금융상품이나 금융상품의 요소. 그러한 의무는 (1) 청산의 발생이 확실하고 그 청산을 발행자가 통제할 수 없거나(예 : 존속기간이 정해진 기업) (2) 청산의 발생이 불확실하지만 그 청산을 해당 금융상품 보유자가 선택할 수 있기 때문에 생겨난다(기준서 제1032호 문단 16C).

풋가능 금융상품이나 발행자가 청산될 경우에만 거래상대방에게 발행자 순자산을 인도해야 하는 의무가 있는 금융상품의 경우 다음의 기준에 충족되는 경우에만 자본으로 분류된다.

기준	설명
1 [풋가능 금융상품·발행자가 청산될 경우에만 거래상대방에게 발행자 순자산을 인도해야 하는 의무가 있는 금융상품] 그 금융상품은 그 밖의 모든 종류의 금융상품보다 후순위인 금융상품의 종류에 포함된다. 그러한 금융상품의 종류에 포함되기 위해서는 해당 금융상품이 다음의 조건을 모두 충족하여야 한다. (1) 청산 시 발행자의 자산에 대한 그 밖의 청구권에 우선하지 않는다. (2) 그 밖의 모든 종류의 금융상품보다 후순위인 금융상품의 종류에 포함되기 전에 또 다른 금융상품으로 전환될 필요가 없다(기준서 제1032호 문단 16A(2)와 16C(2)).	그 금융상품을 분류하는 시점에 발행자가 청산된다고 가정하여 그 금융상품의 청산 시 청구권을 평가한다(기준서 제1032호 문단 AG14B). 만약 발행자가 계약조건이 다른 동일한 후순위인 금융상품을 보유한다면 해당 금융상품은 둘 다 자본으로 분류될 수 없다. 만약 만기가 정해지지 않은 투자펀드가 상환청구권이 없고 의결권이 있는 가장 후순위의 경영자 지분과 의결권이 없고 보유자의 선택에 따라 공정가치로 상환되는 다수의 투자자 지분을 발행했다면 투자자 지분은 가장 후순위가 아니다. 따라서 투자자 지분은 경영자지분의 가치나 지분의 수와는 관계없이 자본으로 분류될 수 없다.
2 [풋가능 금융상품] 그 밖의 모든 종류의 금융상품보다 후순위인 금융상품의 종류에 포함되는 모든 금융상품은 동일한 특성을 갖는다(기준서 제1032호 문단 16A(3)). [발행자가 청산될 경우에만 거래상대방에게 발행자 순자산을 인도해야 하는 의무가 있는 금융상품] 그 밖의 모든 종류의 금융상품보다 후순위인 금융상품의 종류에 포함되는 모든 금융상품은, 발행자가 청산되는 경우 지분비율에 따라 발행자 순자산을 인도해야 하는 동일한 계약상 의무를 가지고 있어야만 한다(기준서 제1032호 문단 16C(3).	동일한 특성을 갖기 위해서는 다음의 조건을 충족해야 한다. • 상환금액을 계산하는 식이나 방법이 같아야 한다. • 청산 시 순위가 동일해야 한다. • 동일한 의결권을 가져야 한다. • 기타 동일한 특성을 가져야 한다(예를 들어 콜옵션, 관리수수료, 화폐측정단위). 예를 들어 만기가 없는 펀드가 A와 B의 두 개의 하위 펀드와 두 종류의 풋가능한 지분 A, B를 발행하였다. 지분 A와 B의 수익은 각각 하위펀드 A와 B의 성과에 따라 결정된다. 지분 A와 B는 모두 최후순위이다. 이때 두 종류의 지분은 다른 하위 펀드에 대한 권리를 각각 보유하기 때문에 동일한 특성을 가졌다고 볼 수 없다. 따라서 지분 A와 B는 모두 자본으로 분류될 수 없다.

기준	설명
3 [풋가능 금융상품·발행자가 청산될 경우에만 거래상대방에게 발행자 순자산을 인도해야 하는 의무가 있는 금융상품] 발행자가 청산되는 경우, 보유자에게 지분비율에 따른 발행자 순자산에 대한 권리가 부여된다(기준서 제1032호 문단 16A(1)과 16C(1)).	발행자가 청산되는 경우 우선적 권리를 갖는 금융상품은 지분비율에 따른 발행자 순자산에 대한 권리를 갖는 금융상품이 아니다. 예를 들어 어떤 금융상품이 청산 시 당해 금융상품 보유자에게 발행자 순자산에 대한 지분에 추가하여 확정 배당에 대한 권리를 부여하지만, 지분비율에 따른 발행자 순자산에 대한 권리를 갖고 있는 후순위인 종류에 포함되는 그 밖의 금융상품은 청산 시 이와 동일한 배당 권리를 갖고 있지 않은 경우, 당해 금융상품은 청산 시 우선적 권리를 갖고 있는 것이다(기준서 제1032호 문단 AG14C).
4 [풋가능 금융상품] 금융상품의 존속기간에 걸쳐 그 금융상품에 귀속되는 총 예상현금흐름은 실질적으로 그 해당기간 중 발행자의 당기손익, 인식된 순자산의 변동 또는 인식 및 미인식된 순자산의 공정가치 변동(해당 금융상품의 효과는 제외)에 기초한다(기준서 제1032호 문단 16A(5)).	당기손익과 인식된 순자산의 변동은 관련 한국채택국제회계기준에 따라 측정한다(기준서 제1032호 문단 AG14E). 금융상품의 존속기간에 걸친 그 금융상품의 총 예상현금흐름은 실질적으로 그 금융상품 존속기간 중 발행자의 당기손익, 인식된 순자산의 변동 또는 인식 및 미인식된 순자산의 공정가치 변동에 기초해야 한다. 이러한 조건은 해당 풋의 행사로 받을 금액이 다음의 가치에 해당하는 현금등가물일 때 충족된다. • 기업의 공정가치 • 한국채택국제회계기준에 따른 순자산 금액 • EBITDA의 배수 등 순이익에 근거하여 계산된 회사 공정가치의 근사치. 다만, 정기적으로 그 결과가 실제 공정가치의 근사치인지를 검토해야 한다.
5 [풋가능 금융상품·발행자가 청산될 경우에만 거래상대방에게 발행자 순자산을 인도해야 하는 의무가 있는 금융상품] 기준서 제1032호 문단 16A 또는 문단 16C의 기준을 충족하는 금융상품을 자본으로 분류하기 위한 추가 조건은, 총 현금흐름이 실질적으로 발행자의 당기손익, 인식된 순자산의 변동 또는 인식	기업 실체가 발행한 다른 금융상품과의 상호작용으로(예를 들어 다른 금융상품이 순자산의 지분에 참가적 권리를 갖는 경우) 풋가능 금융상품의 수익이 고정되거나 제한되는 경우 해당 풋가능 금융상품은 자본이 아니다. 발행자는 풋가능 금융상품 보유자와의 비금융계약이 금융상품을 보유하지 않은 자와 발

기준	설명
5	및 미인식된 순자산의 공정가치 변동 (그러한 금융상품이나 계약의 효과는 제외)에 기초하거나 풋가능 금융상품 보유자의 잔여 수익을 실질적으로 제한하거나 고정시키는 효과가 있는 그 밖의 금융상품이나 계약을 보유하지 않아야 한다는 것이다(기준서 제1032호 문단 16B와 16D).	행자 사이에서 발생할 수 있는 동등한 계약의 계약조건과 유사한 계약조건을 갖는 계약인 경우 해당 비금융계약은 자본 분류 시 고려하지 않는다. 그러나 발행자가 이 조건이 충족된다고 결정할 수 없다면, 그 풋가능 금융상품은 자본으로 분류하지 않는다. 특수관계가 없는 자와 정상적인 상업적인 조건으로 체결된 다음의 금융상품 등이, 이러한 금융상품이 없었더라면 자본 분류요건을 충족하는 금융상품이 자본으로 분류되는 것을 막을 가능성은 높지 않다. • 총현금흐름이 실질적으로 발행자의 특정자산이나 수익의 일정비율에 기초하는 금융상품 • 개별 종업원이 발행자에 제공한 용역에 대해 동 종업원에게 보상하도록 되어 있는 계약 • 제공된 용역이나 재화의 대가로 당기손익 중 경미한 일정비율을 지급하도록 요구하는 계약 (기준서 제1032호 문단 AG14J)
6	[풋가능 금융상품] 발행자가 현금 등 금융자산으로 그 금융상품을 재매입하거나 상환해야 하는 계약상 의무를 제외하고는, 그 금융상품은 거래상대방에게 현금 등 금융자산을 인도하거나 발행자에게 잠재적으로 불리한 조건으로 거래상대방과 금융자산이나 금융부채를 교환하는 계약상 의무를 포함하지 않아야 한다(기준서 제1032호 문단 16A(4)).	풋가능 금융상품은 풋가능하다는 것 외의 다른 계약상의 의무가 없어야 하고, 따라서 복합금융상품이 될 수 없다. 하지만, 청산 시에만 상환할 의무를 포함하는 금융상품은 이러한 다른 계약상의 의무가 있어서는 안 된다는 조건이 없으므로 복합금융상품이 될 수 있다(예를 들어 해당 금융상품의 존속기한 동안 소멸되는 부채 요소). 즉, 다음의 의무를 포함하는 풋가능 금융상품은 자본으로 분류될 수 없다. • 손익에 대한 지분 비율에 근거하여 보유자의 요구에 따라 당기 이익을 분배 • 정관의 규정에 따라 모든 과세대상 손익을 분배

자본은 기업의 자산에서 모든 부채를 차감한 후의 잔여지분을 나타내는 모든 계약이다. 그러므로 부채의 정의를 충족하지 않는 상품만이 자본으로 분류된다. 즉, 자본으로 분류하기 위해서는 현금이나 다른 금융자산의 이전을 회피할 수 있는 무조건적인 권리를 가지고 있어야 한다. 자본의 전형적인 예로는 기업의 풋가능하지 않은 보통주가 있다. 이 원칙에 대한 예외는 풋가능 금융상품이나 발행자가 청산하는 경우에만 거래상대방에게 지분비율에 따라 발행자 순자산을 인도해야 하는 의무를 발행자에게 부과하는 금융상품이 기준서 제1032호에서 규정하는 자본 분류의 예외요건을 충족하는 경우이다.

(3) 기업 자신의 지분상품으로 결제되거나 결제될 수 있는 계약

단순히 자기지분상품을 수취하거나 인도하게 된다고 해서 그러한 계약이 지분상품(자본)이 되는 것은 아니다(기준서 제1032호 문단 21). 기업실체의 자기지분상품으로 결제될 수 있는 계약의 분류는 인도되는 자기지분상품의 수량이 변동되는지 그리고 수취한 금융자산이나 현금의 금액이 변동되는지 또는 둘 다 확정되어 있는지 여부에 따라 다르다. 자기지분상품으로 결제하거나 결제할 수 있는 계약으로서 변동 가능한 수량의 자기지분상품을 인도할 계약상 의무가 없는 비파생상품과 확정 수량의 자기지분상품에 대하여 확정 금액의 현금 등 금융자산을 교환해야만 결제할 파생상품은 지분상품(자본)이다(IAS 32 문단 16).

기업이 확정금액의 현금 등 금융자산을 대가로 확정 수량의 자기지분상품을 수취하거나 인도하여 결제되는 계약은 지분상품이다(IAS 32 문단 22). 이것은 일반적으로 '확정 금액에 대한 확정수량' 상품으로 일컬어진다. 예를 들어 3년 후 기업이 100주의 자기지분상품을 발행하는 대가로 보유자로부터 100만원을 받기로 한 경우, 금융상품이 최초에 인식될 때 인도될 자기지분 수량과 수취할 현금이 모두 확정되어 있으므로 '확정금액에 대한 확정수량'의 요건을 충족한다. 이 상품은 보유자가 기업의 잔여 지분을 획득하게 되므로 자본의 정의를 충족한다. 보유자가 지급하는 금액과 수취하는 주식수량을 확정시킴에 따라, 보유자는 기업의 잔여지분의 모든 상승으로 인해 이익을 얻고 모든 하락으로 인해 손실을 입게 된다.

하지만 기업은 수취하거나 인도해야 할 자기지분상품의 공정가치가 계약상 권리나 의무의 금액과 일치하도록 수량이 변동하는 기업 자신의 주식이나 그 밖의 지분상품을 수취할 권리 또는 인도할 의무를 가질 수 있다. 이러한 계약상 권리나 의무의 금액은 확정금액일 수도 있으며, 자기지분상품의 시장가격이 아닌 다른 변수의 변동의 전부 또는 일부에 따라 변동하는 금액일 수도 있다(기준서 제1032호 문단 21). 이러한 계약은 특정 잔여 자본에 대한 지분이 아니라 특정 금액에 대한 권리와 의무를 나타낸다. 즉, 기업의 자기지분상품이 '결제수단'으로 사용된 것이므로 그 계약을 자본으로 분류하는 것은 부적절하다. 그러한 계약은 금융부채로 분류한다. 기업 자신의 주식 가격도 기초변수가 될 수 있다(기준서 제1032호 문단 AG27(4)).

> [사례] 회사는 미래에 ₩1백만을 수취하고 ₩1백만의 가치에 해당하는 주식을 발행할 것이다. 주식 인도일에 주식의 가격이 ₩5에 해당하는 경우, 실체는 ₩1백만의 가치에 해당하는 200,000주의 주식을 발행해야 한다.
>
> 계약상대방 입장에서 결제일에 현금 ₩1백만을 받는 것과 ₩1백만에 해당하는 금액의 주식을 받는 것은, 주식을 처분하여 ₩1백만의 현금을 수령할 수 있으므로 무차별하게 된다. 따라서 이 경우 회사는 기업 자신의 지분상품을 '결제수단'으로 사용한 것이고 계약상대방은 기업의 잔여 지분에 대한 가치를 얻게 되는 것이 아니다. 그러므로 당해 금융상품은 금융부채로 분류된다.

2009년 10월 IASB는 확정된 수량의 기업실체의 지분상품을 획득할 수 있는 권리의 분류와 관련하여 IAS 32를 개정했다. 이 개정은 발행회사의 기능통화 외의 다른 통화로 발행된 권리를 회계적으로 어떻게 다룰지를 명확히 하고 있다. 기업의 기능통화 외의 통화로 발행된 전환권은 개정 전에 파생부채로 취급되었다. 그러나 개정내용에 따르면 기업이 동일 종류의 비파생 자기지분상품을 보유하고 있는 기존 소유주 모두에게 주식인수권, 옵션 또는 주식매입권을 지분비율대로 비례하여 부여하는 경우, 어떤 통화로든 확정금액으로 확정수량의 자기지분상품을 취득하는 주식인수권, 옵션, 또는 주식매입권은 지분상품이다(기준서 제1032호 문단 16).

(4) 복합금융상품

모든 상품이 전체가 부채이거나 자본인 것은 아니다. 특정 금융상품은 한 계약 내에 두 가지의 요소를 모두 가지고 있다. 복합금융상품은 부채요소와 자본요소를 모두 가지고 있는 비파생상품이다(기준서 제1032호 문단 28, AG30). 이러한 상품의 전형적인 예는 다음과 같다.

- 보유자의 선택에 따라 확정수량의 발행자 보통주로 전환할 수 있는 사채

  발행자의 관점에서 이러한 금융상품은 금융부채(현금 등 금융자산을 인도하는 계약)의 요소와 지분상품(확정수량의 발행자의 보통주로 전환할 수 있는 권리를 정해진 기간 동안 보유자에게 부여하는 콜옵션)의 요소로 구성된다. 이러한 금융상품을 발행하는 거래는 조기상환규정이 있는 채무상품과 주식을 매입할 수 있는 주식매

입권을 동시에 발행하는 거래 또는 분리형 주식매입권이 있는 채무상품을 발행하는 거래와 실질적으로 동일한 경제적 효과가 있다.

- 의무적으로 현금으로 상환되어야 하지만 상환 전까지의 배당은 발행자의 재량에 따라 지급되는 비누적적 우선주

  이러한 상품은 부채요소(현금 또는 기타 자산으로 상환액을 지급하여야 하는 발행자의 계약상의 의무)와 자본요소(배당 선언시 배당을 받을 수 있는 주주의 권리)를 가지고 있는 상품이다(기준서 제1032호 문단 AG37).

> **사례** A사는 전환할 경우 확정된 수량의 주식으로 전환되는 전환사채를 발행했다. 전환사채는 발행회사의 주식 가격이 적어도 20일 동안 전환가격의 130%가 되면 액면가로 사채를 상환할 수 있는 잠정적인 콜옵션을 발행회사가 갖는 것을 포함하고 있다.

전환사채는 부채 요소가 주계약이고 전환권이 자본 요소인 복합금융상품이다. 발행자의 콜옵션은 공정가치가 아닌 확정된 액면금액으로 상환되는 것이기 때문에, 이로 인해 전환권이 여러 가지 결제방법(예 : 현금 차액결제 또는 현금과 주식의 교환) 중 발행자나 보유자가 결제방법을 선택할 수 있는 파생금융상품이 되지 않는다. 따라서, 전환사채에 포함된 전환권은 기준서 제1032호 문단 26에 따라 부채로 분류되는 파생상품이 아니다.

복합금융상품의 자본요소가 아닌 파생상품의 특성(예 : 콜옵션)에 해당하는 가치는 부채요소의 장부금액에 포함한다. 따라서, 콜옵션은 자본요소가 아닌 부채요소로 고려되어야 한다(기준서 제1032호 문단 31). 내재옵션이 주계약과 밀접하게 관련되어 있는지 평가할 때에는, 전환채무상품의 자본요소를 분리하기 전에 내재된 콜옵션이나 풋옵션이 주채무계약과 밀접하게 관련되어 있는지를 평가한다(기준서 제1109호 문단 B4.3.5).

비파생금융상품의 발행자는 금융상품의 조건을 평가하여 당해 금융상품이 자본요소와 부채요소를 모두 가지고 있는지를 결정하여야 하며 이러한 결정은 각 요소별로 계약적 실질과 금융자산, 금융부채 및 자본의 정의에 부합하게 수행되어야 한다(기준서 제1032호 문단 28). 이러한 구성요소가 식별되었다면 발행자는 재무상태표에 부채요소와 자본요소를 분리하여 표시한다(기준서 제1032호 문단 29).

상기의 접근방법은 'split accounting'으로 불리곤 한다. 'split accounting'은 금융상품의 발행자가 해당 금융상품의 최초 인식시에 부채와 자본 요소를 측정할 때 적용된다. 복합금융상품 대가의 공정가치를 부채와 자본 요소에 배분하는 방법을 복합금융상품의 대표적인 형태인 전환사채를 통해 살펴보기로 한다.

① 부채요소

자본으로 전환할 수 있는 옵션이 없는 부채요소(채권을 조기상환할 수 있는 발행자의 콜옵션과 같은 비자본 파생요소를 포함)에 대한 공정가치가 먼저 측정되어야 한다. 이 것이 부채의 최초 인식시점의 장부금액이 된다. 실무적으로 부채요소의 최초 장부금액 은 유사한 신용상태와 같은 기간 동안 같은 현금흐름을 계속적으로 지급하는, 자본요소 (자본전환옵션)를 포함하지 않은 채무상품에 적용되는 최초 인식시점의 이자율로 미래 현금흐름을 현재가치로 할인하여 계산된다. 자본이 아닌 파생요소의 가치는 부채요소에 포함된다.

② 자본요소

자본요소(자본전환옵션)에는 전체 공정가치에서 부채요소의 공정가치를 차감한 후의 잔여 금액이 배분된다. 자본요소는 기준서 제1109호의 적용범위에서 제외되며, 최초 인 식 후 재측정하지 않는다.

최초 인식시점에 부채요소와 자본요소에 배분된 금액의 합계는 항상 금융상품 전체 의 공정가치와 동일해야 한다. 금융상품의 구성요소를 분리하여 인식하는 최초 인식시 점에는 어떠한 손익도 발생하지 않는다(기준서 제1032호 문단 31, AG31).

복합금융상품이 최초 인식시점에 부채요소와 자본요소로 분리된 후에는 전환권을 행 사할 가능성이 변동하는 경우에도(특히, 특정 보유자의 입장에서 전환권의 행사가 경제 적으로 유리해지는 경우에도) 전환상품의 부채요소와 자본요소의 분류를 수정하지 않는 다. 왜냐하면 미래에 원리금을 지급할 계약상의 의무는 전환, 금융상품의 만기 도래 또는 그 밖의 거래를 통하여 소멸되기 전까지는 남아 있기 때문이다(기준서 제1032호 문단 30).

> **사례**　B사는 1년도 초에 600,000좌의 전환사채를 발행했다. 동 전환사채는 3년 만기이며 전환 사채 1좌당 액면가 ₩100에 발행되었다. 총 수령액 ₩6천만은 전환사채의 공정가치이다. 이자 는 매년 6%의 명목이자율로 후불이다. 각 ₩100의 명목채권은 만기 이전에는 언제라도 25주 의 보통주로 전환가능하다. 채권 발행 시점에 전환권이 없는 유사한 채무에 대한 시장이자율 은 9%이다. 전환사채 명목가치의 1%에 해당하는 ₩600,000의 발행 원가가 발생하였다.
>
> 부채의 구성요소는 아래와 같이 전환권이 없는 유사한 채권의 시장이자율인 9%를 사용하여 계약상 미래현금흐름을 할인하여 측정된다.

		1차년도 말 이자의 현재가치 - 3,600,000/1.09	3,302,752

1차년도 말 이자의 현재가치 - 3,600,000/1.09 3,302,752

2차년도 말 이자의 현재가치 - 3,600,000/(1.09)^2 3,030,048

3차년도 말 이자의 현재가치 - 3,600,000/(1.09)^3 2,779,861

3차년도 말 원금(₩60,000,000)의 현재가치 – 60,000,000/(1.09)^3 46,331,009

총 부채요소 55,443,670

총 자본요소(잔여금액)* 4,556,330

채권의 공정가치 60,000,000

* 자본요소는 전환사채 보유자가 만기 이전에 언제든지 행사할 수 있는 콜옵션이다(아메리칸 옵션). 자본은 잔여금액이기 때문에 자본 요소의 금액을 결정하기 위해서 복잡한 옵션의 가격결정 모형은 필요하지 않다. 대신 전환사채 발행으로 수취한 금액과 위에서 계산한 부채요소의 공정가치의 차이가 자본요소에 배분된다.

₩600,000의 발행원가는 기준서 제1032호에 따라 아래와 같이 안분하여 부채와 자본의 구성요소에 배분한다.

	자본 요소	부채 요소	합계
전환사채 대가의 안분	4,556,330	5,443,670	60,000,000
발행 비용	(45,563)	(554,437)	(600,000)
순 대가 수령액	4,510,767	54,889,233	59,400,000

자본으로 분류된 ₩4,510,767는 후속적으로 재측정 되지 않는다.

(5) 이자와 배당

이자, 배당, 손실과 이익의 회계처리는 관련 금융상품의 분류를 따르는 것이 기준서 제1032호의 기본원칙이다. 따라서 이러한 항목들이 자본과 관련된 것이면 해당 이자와 배당도 자본에 포함된다. 반면 만약 이들이 금융부채로 분류되었다면 관련 이자와 배당은 이익이나 손실에 포함된다. 기준서 제1032호는 다음과 같이 처리하도록 한다.

• 금융부채인 금융상품이나 금융상품의 구성요소와 관련하여 발생하는 이자, 배당, 손익은 수익 또는 비용으로 당기손익에서 인식한다.

• 기업이 지분상품의 보유자에게 일정 금액을 배분하는 경우, 관련 법인세는 기준서 제1012호 '법인세'에 따라 회계처리한다(기준서 제1032호 문단 35A).

위의 요건에 따라 전체가 부채로 분류되는 우선주에 대한 배당금은 상각후원가를 계산하는 데 포함되고 사채 이자와 동일하게 비용으로 회계처리한다. 손익계산서에는 이자비용 또는 별도의 항목으로 표시될 수 있다. 기준서에서는 어떤 경우에는 세무상 손금인정 여부에 영향을 미치므로 이자와 배당을 별도로 공시하는 것이 바람직할 수 있다고 언급하고 있다. 이자와 배당의 공시는 기준서 제1001호 '재무제표의 작성과 표시'나 제1107호 '금융상품 : 공시'의 규정을 따른다. 세효과의 공시는 기준서 제1012호 '법인세'의 지침을 따른다(기준서 제1032호 문단 40).

해당 원칙을 복합금융상품에 적용할 경우, 부채 요소에 해당하는 지급액은 손익으로 계상되어야 하고 자본 요소에 해당하는 지급액은 자본으로 계상되어야 한다. 배당의 지급이 발행자의 재량에 달려 있는 비누적적 상환우선주를 전형적인 예로 들 수 있는데, 이러한 상품은 상환금액의 현재가치인 부채요소를 갖고 있는 복합금융상품이다. 부채요소에 대한 할인액의 상각은 이자비용으로 분류된다. 자본요소와 관련하여 지급된 모든 배당금은 손익의 분배로 인식된다. 우선주가 확정 금액이나 특정 기초 변수(예 : 상품)에 기초한 금액에 해당하는 변동 가능한 수량의 보통주로 의무적으로 전환되는 경우에도 유사한 회계처리가 이루어진다. 그러나 지급되지 않은 배당이 상환금액에 가산되는 경우에는 금융상품 전체가 부채에 해당하고 배당은 이자비용으로 분류한다. 이러한 경우 이자비용으로 분류된 배당금은 유효이자율법에 따라 회계처리된다(기준서 제1032호 문단 AG37).

(6) 지분상품의 거래원가

일반적으로 자기지분상품을 발행하거나 취득하는 과정에서 다양한 원가가 발생한다. 이러한 원가는 등록 및 기타 감독과 관련된 수수료, 법률, 회계 및 기타 자문수수료, 주권인쇄비 및 인지세 등을 포함한다. 이러한 원가의 대부분은 지분상품을 발행하지 않았다면 발생하지 않았을 자본거래와 직접적으로 관련되어 발생하는 증분원가에 해당되는 거래원가이다. 그러나 지분상품 발행에 따라 발생하는 거래원가에는 지분상품이 발행되지 않는 경우에도 발생하였을 간접관리비, 또는 내부 원가의 배분액과 같은 간접비용은 포함되지 않는다. 다른 형태의 지분상품에 대한 조사 및 특정 지분상품의 적합성 혹은 실현 가능성을 확인하는 데 소요된 비용 역시 포함되지 않는다. 일반적으로 로드쇼와 같은 IPO 마케팅 활동원가는 거래원가의 정의에 부합하지 않는다. 마케팅 비용은 주로 기업 자체의 마케팅 활동과 관련되어 있다. 그러므로 대부분의 경우 IPO를 위한 마케팅 비용은 지분상품의 발행에 직접적으로 관련되지 않고, 따라서 비용으로 당기손익에 반영한다.

기준서 제1032호에 따라 자본거래의 거래원가는 자본에서 직접 차감한다(기준서 제1032호 문단 35). 자본거래의 거래원가와 관련된 법인세는 기준서 제1012호에 따라 회계처리한다(기준서 제1032호 문단 35A). 이러한 회계처리는 거래원가가 자본거래를 완성하는 데 필수적인 부분이고, 그 일부분을 구성한다는 관점에 기초하고 있다. 자본거래와 거래원가의 연계로 자본거래로부터 수령한 순수취액을 반영하게 된다. 결과적으로 발행자의 자본으로 분류되는 금융상품과 관련된 지급액은 자본의 변동으로 보고된다.

(7) 세무상 유의할 사항

한국채택국제회계기준은 법인이 발행하는 금융상품을 법적 형식이 아니라 계약의 실질에 따라 자본 또는 부채로 분류하도록 하고 있으나, 세법은 법적 발행 형태에 따라 자본 또는 부채로 분류하여야 한다.

따라서, 상환우선주의 발행시 한국채택국제회계기준은 실질에 따라 자본 또는 부채로 구분하여 처리하나, 세법은 자본으로 분류하여야 하므로 상환우선주의 상환시 당초의 납입금액을 초과하여 지급하는 금전은 자본의 환급(자본거래)으로 보아 배당으로 처리하여야 한다(서면-2018-법령해석법인-2242, 2018. 12. 14.).

반대로, 내국법인이 상법 제469조 내지 제516조의 10 규정에 따라 사채의 형태로 발행한 신종자본증권의 투자자에게 권면이자를 지급하면서 한국채택국제회계기준에 따라 이익잉여금의 감소로 회계 처리한 경우 동 이익잉여금 감소액으로 처리한 금액은 법인이 지급하는 이자에 해당하므로 법인세법 시행령 제70조 제1항 제2호에 규정된 날이 속하는 사업연도의 소득금액 계산 시 신고조정으로 손금에 산입하여야 한다(법인세과-329, 2014. 7. 24.).

납입자본

1. 자본금

(1) 개념 및 범위

1) 자본과 자본금

한국채택국제회계기준에서는 납입자본과 적립금은 자본금, 주식발행초과금, 적립금 등과 같이 다양한 분류로 세분화한다(기준서 제1001호 문단 78(5)). 해당 분류는 재무제표에 표시된 개별항목을 기업의 영업활동을 나타내기에 적절한 방법으로 세분류하는 방식에 대한 예로서 해당 방식으로만 표시해야 하는 것은 아니지만, 액면이 있는 주식을 발행한 기업의 경우 자본금을 표시하는 것이 보다 유용한 정보를 제공할 것이다. 자본금계정은 주주의 불입자본 중 이전 상법[1]의 규정에 따라 정관에 자본금으로 확정되어 있는 법정자본금을 의미한다. 이러한 자본금은 원칙적으로 기업 내부에 영구히 유보되어 기업 활동의 기초가 되며 채권자 보호 등의 관점에서 사내에 유보시켜야 하는 자산가액의 최저한도를 표시한다.

자본금은 엄격한 의미에서 상법상 주식회사에서 나타나는 특유한 개념으로, 기업주의 순자산액을 표시하는 개인기업의 자본금이나 사원의 자본갹출액을 나타내는 합명ㆍ합자회사의 출자금과는 차이가 있다. 합명ㆍ합자회사 등의 출자금에 대하여는 아래 '2. 출자금'에서 살펴본다.

주식회사의 경우 법정자본금의 증감변동 내용은 자본금계정에서 처리하고 각 주주 개인에 대한 주식인수액은 주식원부 또는 주식대장과 같은 보조부를 설정하여 처리하는 실무에 비추어 보면 자본금계정은 이러한 보조부에 대한 통제계정으로 볼 수도 있다.

2) 주식의 종류

상법은 이익배당이나 잔여재산분배 등에 관하여 그 내용이 다른 수종의 주식을 인정하고 있다. 즉, 재산적 내용에 따라 분류하면 재산적 내용에 관하여 상대적인 의미에서 표준이 되는 보통주, 이에 비하여 재산적 내용에 관하여 우선적 지위를 가지는 우선주,

---

[1] 2011년 상법의 개정으로 우리나라에서도 무액면주식의 발행이 가능해졌다.

보통주보다 후순위로 배당을 받는 후배주, 이익배당에서는 보통주에 우선하고 잔여재산 분배에서는 후순위로 배당하는 혼합주로 구분된다. 또 주식에 부가된 특성에 따라 분류하면 회사가 일시적 자금조달의 필요에 따라 배당우선주를 발행하지만 일정한 요건 하에 이익으로 소각할 수 있는 상환주식, 수종의 주식을 발행하는 경우에 다른 종류의 주식으로 전환할 수 있는 권리가 인정된 전환주식, 정관으로 배당우선주에 대하여 주주에게 의결권이 없는 것으로 규정된 무의결권주식으로 구분된다.

이외에 액면가액의 표시 여부에 따라 주식을 액면주식과 무액면주식으로 나눌 수 있다.

(2) 기업회계 상 회계처리

1) 보통의 주식발행

보통의 주식발행이란 회사 설립시 발기인 등이 불입하는 원시출자와 회사설립 후 주식을 유상으로 발행하는 유상증자의 경우를 말한다. 원시출자와 유상증자는 각각 법령상 그 절차에 있어서 다소 차이가 있으나, 회사가 법정사항을 기재하여 작성한 주식청약서에 서명 날인함으로써 주식청약을 행하게 된다.

이와 같이 주식청약을 하는 경우에는 일정액의 청약증거금을 동시에 납입하게 되는 것이 보통이며 청약증거금은 그 후 주금의 납입기일에 신주식의 납입금액으로 대체 충당하고 신주납입금액을 초과하는 금액은 청약자에게 반환한다.

> **사례** (주)삼일은 회사설립을 위하여 주식 10,000주(1주당 액면가액 ₩5,000)를 액면가액으로 발행하고 그 전부를 발기인이 인수하여 현금으로 납입하였다.
>
> (차) 현금 및 현금성자산　　50,000,000　　(대) 자　　　본　　　금　　50,000,000

2) 현물출자

현물출자란 금전 외의 자산을 출자하여 주식의 배정을 받는 것을 말한다. 통상 현물출자시에는 영업용 건물이나 토지를 출자하지만 그 대상에 특별한 제한이 있는 것은 아니다. 그러나 상법에서는 자본충실의 원칙에 입각하여 현물출자에 엄격한 제한을 가하고 있다.

현물출자는 기업이 재화를 제공받고 그 대가로 기업의 주식을 발행하는 거래로 기준서 제1102호 '주식기준보상'에 따른 주식결제형 주식기준보상거래이다. 주식결제형 주식기준보상거래의 경우, 제공받는 재화나 용역과 그에 상응하는 자본의 증가를 제공받는 재화나 용역의 공정가치로 직접 측정한다(기준서 제1102호 문단 10). 자세한 회계처리는

아래 '제3장 기타자본항목' 중 '8. 주식선택권'을 참고한다. 현물출자를 받은 기업은 취득한 자산의 공정가치를 결정한 후 그 재화나 용역을 제공받은 날에 다음과 같이 회계처리한다.

(차) 현물출자자산(건물 등)　　×××　　(대) 자　　본　　금　　×××
　　　　　　　　　　　　　　　　　　　　주식발행초과금　　×××

3) 주식배당

주주에 대한 이익배당의 지급은 금전으로 하는 것이 원칙이지만 새로이 발행하는 자사의 주식으로 이익배당을 할 수도 있다.

주식배당제도는 원래 결산재무제표상 잉여금이 산출되나 주주에게 배당할 현금이 부족한 경우의 배당정책으로서 회사자금을 사내에 유보하고 회사의 대외적인 신용을 높이는 효과가 있으며, 주주의 입장에서도 주가가 액면가액보다 높은 경우에는 주식배당이 금전배당보다 유리할 수 있다.

한편, 기준서 제1010호 문단 12에 따라 보고기간 후에 배당이 선언된 경우 해당 배당금을 보고기간말의 부채로 계상하지 않는다. 주식배당의 경우 부채로 계상할 미지급배당금은 발생하지 않지만 마찬가지로 결산시점에 해당 주식배당의 회계처리는 하지 않는 것이 타당할 것이다. 실제 주식배당 시에 자본 내에서 이익잉여금과 자본금의 계정을 재분류하는 회계처리를 한다.

사례 (주)삼일은 주주총회의 결의에 의하여 이익배당액을 ₩250,000,000으로 확정하고, 이 중 ₩100,000,000만큼은 1주당 액면 ₩5,000의 신주를 발행하여 교부하고 잔액은 현금으로 지급하기로 하였다. 배당소득에 대한 원천징수세액은 없는 것으로 가정한다.

(차) 미처분이익잉여금　250,000,000　　(대) 자　　본　　금　100,000,000
　　　　　　　　　　　　　　　　　　　　　현금및현금성자산　150,000,000

이때 회사가 보유하고 있는 자기주식에는 이익배당을 할 수 없다고 보는 입장에서 주식배당도 하지 못하는 것으로 보는 것이 통설이므로, 자기주식에 상당하는 주식배당액만큼은 차감되어야 할 것이다.

한편 주식배당은 형식적으로는 주주에게 주식을 분배함으로써 배당욕구를 충족시키는 것이지만, 실질적으로는 기업이 보유하고 있는 이익잉여금을 영구적으로 자본화시키는 것이므로 주식배당이 결의되면 주주들은 자신의 보유지분율에 비례해서 새로운 주식을 배당받지만 주주들이 기업에 대하여 가지는 지분율이나 기업의 자본총액은 변함이 없으며 단지 기업의 자본계정 중 이익잉여금이 자본금으로 재분류될 뿐이다.

4) 무상증자

주식회사의 자본금과 준비금은 그 성격이 같지는 않으나 이익산정을 위한 공제항목으로서 회사에 유보할 재산의 한도를 정하는 점에서는 같다. 그러므로 준비금의 적립액이 방대하여 자본의 구성이 적절하지 못하게 된 경우에는 이를 자본에 전입하여도 주주에게 불리한 것이 없고 회사채권자에게도 유리하다. 따라서 상법은 이사회 또는 주주총회의 결의에 의하여 준비금의 전부 또는 일부를 자본에 전입할 수 있도록 하고 그 전입액에 대하여는 신주를 발행하여 주주에게 무상으로 교부할 수 있도록 하고 있는데, 이것이 무상증자이다.

무상증자는 자본잉여금 또는 이익잉여금계정을 자본금계정으로 대체하는 것에 불과하므로 회사의 자본구성 내용에 변동을 가져올 뿐 기업의 순자산액에는 증감이 없다. 또한 무상증자에 의하여 신주를 교부받은 주주의 입장에서는 비록 소유주식수는 증가하더라도 지분율은 변동하지 않는다. 한국채택국제회계기준에서도 이러한 자본금전입을 자원의 실질적인 변동을 유발하지 않으면서 보통주가 새로 발행되는 것으로 언급하였다(기준서 제1033호 문단 27(1)).

> **사례** (주)삼일은 주식발행초과금 ₩50,000,000, 이익준비금 ₩100,000,000을 재원으로 하여 무상증자를 결의하고 액면 ₩5,000의 신주 30,000주를 발행하여 주주에게 무상교부하였다.
>
> (차) 주 식 발 행 초 과 금   50,000,000   (대) 자   본   금   150,000,000
>   이 익 준 비 금   100,000,000

5) 전환주식의 전환

전환권이 인정되는 특정 종류의 전환주식에 관하여 당해 주주로부터 전환의 청구가 있으면 기존 종류의 전환주식은 소멸하고 이것에 대신하여 정관에서 정한 종류의 주식이 새로 발행되어 교부된다. 이 경우 전환주주는 새로운 출자를 하지 아니하므로 전환주식이 기준서 제1032호에 따라 자본으로 분류되었다면 회사의 순자산액은 변동이 없다.

자본구성의 변동을 보면 신·구주식의 수가 같으면 자본금 총액에 변동이 없고, 전환 후 신주식의 수가 구주식수보다 많은 경우에는 양자의 액면총액의 차액만큼이 자본잉여금에서 자본금으로 전입된다.

전환우선주의 경우 해당 전환우선주가 자본요건을 충족[2]한다면 전환우선주의 발행시에 자본으로 회계처리하며, 전환우선주가 보통주로 전환되는 경우에는 우선주와 보통주 모두 지분상품이라는 점에서 보통주의 발행가액은 전환우선주의 장부가액으로 하여

---

2) 확정수량의 보통주로 전환되는 전환우선주

야 할 것으로 판단된다. 이는 전환우선주와 보통주가 의결권 행사, 이익배당 및 잔여재산분배청구권에서 차이가 있을 뿐 지분상품이라는 점에서는 차이가 없기 때문이다.

> **사례** (주)삼일은 우선주주가 전환권 행사를 청구하여 전환우선주 10,000주(액면총액 ₩50,000,000)에 대하여 보통주 10,000주(액면총액 ₩50,000,000)로 교부하였다.
>
> (차) 자 본 금 (우선주)　　50,000,000　　(대) 자 본 금 (보통주)　　50,000,000

6) 전환사채의 전환

사채권자가 전환사채의 전환을 청구하면 기존 사채가 소멸하고 그 대신 정관이나 이사회 또는 주주총회의 결의에서 정하여진 주식이 새로이 발행되어 종전의 사채권자에게 교부된다. 이때에는 부채계정인 전환사채금액이 감소하는 동시에 새로 사채권자에게 교부되는 주식의 주금액만큼 자본금이 증가한다.

> **사례** (주)삼일은 액면 ₩10,000에 대하여 발행가액 ₩10,000, 상환기한 3년, 표시이자율 연 7%, 보장수익률 연 12%, 일반사채의 시장이자율 연 15%, 전환가격 ₩20,000의 조건으로 총 ₩100,000,000 상당의 전환사채를 발행 후 사채권자로부터 ₩40,000,000의 전환청구를 받고 소정의 절차를 거쳐 신주를 교부하였다 주식의 액면가액은 주당 ₩5,000이며, 전환청구 직전 재무상태표에는 사채상환할증금, 사채할인발행차금 및 전환권의 잔액이 각각 ₩600,000, ₩400,000 및 ₩300,000 계상되어 있었다. 해당 전환권은 자본요건을 충족한다.
>
> | (차) 전　환　사　채 | 40,000,000 | (대) 자　　本　　金 | 10,000,000* |
> |---|---|---|---|
> | 사 채 상 환 할 증 금 | 240,000 | 주 식 발 행 초 과 금 | 30,200,000 |
> | 전　　환　　권 | 120,000 | 사 채 할 인 발 행 차 금 | 160,000 |
>
> * 발행주식수 : ₩40,000,000÷₩20,000＝2,000주
> 자 본 금 : 2,000주×₩5,000＝₩10,000,000

전환사채 전환은 그 효력이 발생하는 시점에 회계처리한다. 전환사채의 전환과 관련된 회계처리 및 세무상 유의할 사항에 대한 자세한 내용은 '제2편 재무상태표편' 중 '제2장 비유동부채'의 '2. 전환사채'를 참고한다.

7) 신주인수권부사채의 신주인수권 행사

신주인수권부사채가 발행된 경우에 사채권자 또는 신주인수권증서의 취득자가 신주인수권을 행사한 때에는 신주의 청약·배정 등의 절차가 필요하지 않으며 사채권자 등이 신주발행청구를 하고 신주발행가액의 전액을 납입하면 주주가 된다. 이때에도 신주발행에 의하여 늘어나는 주식의 액면총액만큼의 자본금이 증가한다. 신주인수권부사채

의 신주인수권 행사와 관련된 회계처리 및 세무상 유의할 사항에 대한 자세한 내용은 '제2편 재무상태표편' 중 '제2장 비유동부채'의 '3. 신주인수권부사채'를 참고한다.

8) 출자전환

채무자가 채무를 변제하기 위하여 채권자에게 지분증권을 발행하는 경우, 즉 채무를 출자전환하는 경우 자본금이 증가한다. 출자전환과 관련한 자세한 회계처리는 '제2편 재무상태표편' 중 '제1장 유동부채'의 '1. 금융부채의 일반'을 참고한다.

9) 흡수합병

회사가 타회사를 흡수합병하면 승계 받은 순자산에 대하여 존속회사가 소멸회사의 주주들에게 주식을 발행하여 교부할 수 있는데, 이때 존속회사의 입장에서 보면 자본금이 증가하므로 이에 따른 회계처리가 필요하다.

사례 (주)삼일은 액면 ₩5,000의 주식 14,000주를 발행하여 을회사의 주주에게 교부하고 합병교부금으로 현금 ₩10,000,000을 지급하는 조건으로 을회사를 흡수합병하기로 하다. 발행주식의 공정가치는 액면금액과 일치한다. 그리고 을회사의 자산, 부채는 모두 공정가치가 장부금액과 일치한다.

(주)삼일 재무상태표(합병 전)			
자 산	₩550,000,000	부 채	₩300,000,000
		자 본 금	150,000,000
		자 본 잉 여 금	40,000,000
		이 익 잉 여 금	60,000,000
	₩550,000,000		₩550,000,000

을회사 재무상태표			
자 산	₩200,000,000	부 채	₩120,000,000
		자 본 금	50,000,000
		이 익 잉 여 금	30,000,000
	₩200,000,000		₩200,000,000

(차) 자 산	200,000,000	(대) 부 채	120,000,000
		자 본 금	70,000,000
		현금 및 현금성자산	10,000,000

| 재무상태표(합병 후) |

자　　　　　산	₩740,000,000	부　　　　　채	₩420,000,000
		자　　본　　금	220,000,000
		자　본　잉　여　금	40,000,000
		이　익　잉　여　금	60,000,000
	₩740,000,000		₩740,000,000

흡수합병의 경우 존속회사는 순자산이 늘고 신주가 발행되는 점에서 통상의 신주발행과 유사하다. 그러나 개별 주주에 의해 직접 출자되는 통상의 신주발행과는 달리 합병으로 인하여 소멸한 회사의 순자산이 포괄적으로 승계되고 신주가 발행되어 소멸회사의 주주에게 교부된다는 점에서 다르다.

상기 [사례]의 경우는 단순한 합병의 사례를 예시한 것이며 실제 합병의 경우에는 승계재산의 평가, 승계재산의 범위 등 회계처리과정이 복잡할 수 있다. 이에 대하여는 '제5편 특수회계편' 중 'Ⅳ. 사업결합'에서 살펴보기로 한다.

10) 주식소각

자본금 감소의 방법에는 발행주식의 수를 감소시키는 방법, 각주의 주금액을 감소시키는 방법 또는 상기 양자를 병행하는 방법이 있으며, 발행주식의 수를 감소시키는 방법에는 특정주식을 소멸시키는 주식소각과 수개의 주식을 합하여 그것보다 소수의 주식으로 하는 주식병합이 있다.

주식소각에는 소각형태에 따라 주주의 의사와는 관계없이 회사의 일방적 행위에 의하여 특정주식을 소멸시키는 강제소각과 회사와 주주 간의 임의적 법률행위에 의하여 회사가 주식을 취득하여 이것을 소멸시키는 임의소각이 있으며, 대가 지급유무에 따라 주주에게 대가가 지급되는 실질상의 감자인 유상소각과 대가가 지급되지 아니하는 명목상의 감자인 무상소각이 있다.

주식을 유상으로 매입하여 소각하는 경우에는 1주당 액면금액에 매입소각하는 주식수를 곱하여 산출한 금액만큼의 자본금이 감소한다.

그러나 주식을 매입한 후에 즉각 소각의 절차를 밟지 않고 일정 기간 보유하고 있다가 소각하는 경우에는 일단 자기주식계정을 설정하여 처리하여야 하며, 주식의 매입일과 소각일의 사이에 결산일을 맞은 경우에는 자기주식의 취득가액을 자기주식 등의 계정으로 재무상태표에 표시한다.

<u>사례 1</u>　(주)삼일은 감자를 위하여 1주당 액면금액 ₩5,000의 주식 20,000주를 액면금액으로 매입 소각하기로 결정하고 소정의 절차를 완료하였다.

(차) 자　　본　　금　100,000,000　　(대) 현금 및 현금성자산　100,000,000

<u>사례 2</u>　을회사는 이월미처리결손금 ₩250,000,000을 보전하기 위하여 주식 90,000주(1주당 액면금액 ₩5,000)를 ₩2,000에 매입하여 소각하였다.

(차) 자　　본　　금　450,000,000　　(대) 현금 및 현금성자산　180,000,000
　　　　　　　　　　　　　　　　　　　　　감　자　차　익　270,000,000

(차) 감　자　차　익　250,000,000　　(대) 미 처 리 결 손 금　250,000,000

11) 주식병합

주식병합이란 1인의 주주에게 속하는 수개의 주식을 합하여 보다 적은 수의 주식으로 하는 것을 말한다.

<u>사례</u>　자본금 ₩500,000,000(발행주식수 100,000주, 1주당 액면가액 ₩5,000)을 가진 (주)삼일은 이월미처리결손금 ₩35,000,000의 보전을 위하여 구주 10주당 신주 9주를 교부하는 주식병합을 실시하였다.

(차) 자　　본　　금　50,000,000　　(대) 감　자　차　익　50,000,000

(차) 감　자　차　익　35,000,000　　(대) 미 처 리 결 손 금　35,000,000

12) 주금의 감소

주금액을 감소시키는 방법에는 주금액 감소액을 주주에게 반환하는 방법과 반환하지 않는 방법이 있다. 전자는 실질상의 자본감소에, 후자는 명목상의 자본감소에 해당된다.

<u>사례</u>　갑회사는 사업규모 축소를 위하여 1주당 액면금액 ₩6,000, 발행주식수 200,000주에 대하여 액면금액을 1주당 ₩5,000으로 감소시키기로 결의하고 법정절차를 완료한 다음 1주에 대하여 ₩1,000씩을 환급하였다.

(차) 자　　본　　금　200,000,000　　(대) 현금 및 현금성자산　200,000,000

13) 주식의 상환

발행 당시부터 일정 기간 후에 회사의 이익으로 소각될 것이 예정되어 있는 특별한 종류의 주식을 상환주식이라 한다.

회사가 상환주식을 상환해야 할 의무가 있거나 보유자의 선택에 따라 상환해야 하는 상환주식의 경우에는 발행회사가 현금 등 금융자산을 지급해야 할 계약상 의무가 있으므로 해당 상환주식은 자본이 아니라 부채로 분류된다. 따라서, 상환주식의 발행 시에 부채의 발행으로 회계처리하고 상환 시에는 부채의 제거 회계처리를 한다. 자본/부채의 분류에 대해서는 위에서 다룬 '제1장 자본과 부채의 분류'를 참고한다.

14) 이익소각

이익소각제도라 함은 주주에게 배당할 이익으로써 주식을 소각할 수 있도록 하는 제도를 말한다. 이는 자기주식의 이익소각을 통하여 자본금의 감소 없이 유통주식수를 감소시킴으로써 주가관리 등의 편의를 위하여 도입된 제도이다.

한국채택국제회계기준에서 이와 관련한 회계처리를 별도로 규정하고 있지는 않지만, 자기지분상품의 취득 시 자본의 차감으로 하고 자본 내의 계정 분류를 적절하게 하도록 하고 있으므로 실무적으로 다음과 같이 회계처리할 수 있을 것이다.

① 자기주식 취득시

(차) 자 기 주 식　　　×××　　　(대) 현금 및 현금성자산　　　×××

② 자기주식 소각시

(차) 자 기 주 식 소 각 액　　　×××　　　(대) 자 기 주 식　　　×××
　　 (이 익 잉 여 금)

15) 주석공시

자본거래 등과 관련된 다음의 사항은 주석으로 기재한다(기준서 제1001호 문단 79).

① 주식의 종류별로 다음의 사항

　㈎ 수권주식수
　㈏ 발행되어 납입 완료된 주식수와 발행되었으나 부분 납입된 주식수
　㈐ 주당 액면가액 또는 무액면주식이라는 사실
　㈑ 유통주식수의 기초 수량으로부터 기말 수량으로의 조정내역

㈐ 배당의 지급 및 자본의 환급에 대한 제한을 포함하여 각 종류별 주식에 부여된 권리, 우선권 및 제한사항

㈑ 발행주식 중 당해 기업, 종속기업 또는 관계기업이 소유하고 있는 주식

㈒ 옵션과 주식 매도 계약에 따라 발행 예정된 주식(조건과 금액 포함)

② **자본을 구성하는 각 적립금의 성격과 목적에 대한 설명**

또한, 재무제표이용자가 자본관리를 위한 기업의 목적, 정책 및 절차를 평가할 수 있도록 관련 정보를 공시한다(기준서 제1001호 문단 134 – 135).

③ **자본관리를 위한 기업의 목적, 정책 및 절차에 대한 비계량적 정보**

㈎ 자본으로 관리하고 있는 항목에 대한 설명

㈏ 외부적으로 부과된 자본유지요건이 있는 경우, 그러한 요건의 내용과 그 요건이 자본관리에 어떻게 반영되고 있는지에 대한 내용

㈐ 자본관리의 목적을 어떻게 달성하고 있는지에 대한 내용

④ **자본으로 관리하고 있는 항목에 대한 계량적 자료의 요약**

일부 기업은 특정 금융부채(예 : 일부의 후순위채무)를 자본의 일부로 간주한다. 또 다른 기업은 어떤 지분의 구성요소(예 : 현금흐름위험회피에서 발생하는 구성요소)를 자본의 개념에서 제외하기도 한다.

⑤ **전기 이후 ③과 ④의 변경사항**

⑥ **외부적으로 부과된 자본유지요건을 회계기간 동안 준수하였는지의 여부**

⑦ **외부적으로 부과된 자본유지요건을 준수하지 아니한 경우, 그 미준수의 결과**

(3) 세무회계 상 유의할 사항

세법상 자본 또는 출자의 납입은 법인의 익금에서 제외되므로(법법 15조 1항) 자본금의 불입 및 감소사항은 법인의 익금 또는 손금에 산입되지 아니한다.

이하에서는 자본금 증감에 관련한 여타의 세무회계사항을 살펴보기로 한다.

1) 세법상 자본금의 범위

상법 규정에 의하여 정당하게 설립된 회사의 자본금은 동법 규정에 의한 자본금이 감소될 때까지는 당초의 자본금을 정당한 자본금으로 본다. 또한 청산소득을 계산함에 있어서 "납입자본금"이라 함은 사실상 납입된 자본금을 말하는 것이나 잉여금을 자본에 전입한 경우 그 전입액을 포함하는 것으로 한다.

2) 의제배당에 따른 배당소득세 과세

유상감자나 사원탈퇴, 잉여금의 자본전입, 자기주식 또는 자기출자지분 무상주분배, 해산·합병 및 분할의 경우 등에는 실제 배당소득의 지급 여부에 불구하고 일정한 방법에 의하여 산출된 금액만큼 배당소득으로 지급한 것으로 의제하고 있으므로 회사로서는 일정액의 배당소득세를 개인주주로부터 원천징수하여야 할 의무가 있다.

3) 부당행위계산의 부인

① 현물출자

세무상 현물출자에 대하여는 출자자산 평가의 적정성과 출자자산이 무수익자산인지의 여부에 초점이 모아진다.

즉, 특수관계인으로부터 시가를 초과한 가액으로 현물출자받았거나 그 자산을 과대상각할 경우와 무수익자산을 현물출자받았거나 그 자산에 대한 비용을 부담할 경우에는 세법상 부당행위계산 부인의 규정이 적용된다.

회사가 현물출자 받는 경우 상법의 규정에 따라 검사인을 선임하고 감정하도록 하고 있으나, 법원이 선임한 검사인은 세법상 감정기관이 아니므로 법원검사인의 감정가액은 시가로 인정받을 수 없다. 그러므로 시가를 산정하기 어려운 경우에는 다음을 차례로 적용하여 계산한 금액을 시가로 보아 부당행위계산 부인규정의 해당 여부를 판단해 보아야 할 것이다(법령 89조 2항).

　㉠ 감정평가 및 감정평가사에 관한 법률에 따른 감정평가법인등이 감정한 가액이 있는 경우 그 가액(감정한 가액이 2 이상인 경우에는 그 감정한 가액의 평균액). 다만, 주식등 및 가상자산은 제외함.

　㉡ 상속세 및 증여세법 등을 준용하여 평가한 가액

② 신주인수권의 포기·양도

신주인수권을 특수관계인에게 무상으로 양도하거나 저렴한 가액으로 양도하는 경우에는 신주인수권의 시가 또는 시가와 양도가액과의 차액을 익금에 산입하여 그 귀속자가 법인인 경우 또는 개인으로서 증여세가 과세되는 경우에는 기타사외유출로, 그 외의 경우에는 배당, 상여 등으로 소득처분하며, 이를 특수관계 없는 자에게 무상양도하거나 저렴한 가액으로 양도하는 경우에는 신주인수권의 시가 또는 정상가액과 양도가액과의 차액을 접대비 또는 기부금으로 보아 시부인계산을 한다.

여기서 정상가액이라 함은 시가에 시가의 30%를 가감한 범위 내의 가액을 말한다.

2. 출자금

(1) 개념 및 범위

조합, 합명회사, 합자회사 등 주식회사 외의 회사가 조합원 또는 사원 등 출자자로부터 갹출한 급부액을 출자금이라 하며, 이는 주식회사의 자본금 개념과 유사하다. 그러나 합명회사 및 합자회사는 상법 규정에 따른 법인이라는 점을 제외하고는 경제적으로 여러 면에서 민법상 조합과 다를 바가 없으므로 출자금에 대한 회계처리는 조합과 거의 유사하게 이루어진다.

또한 자본금 개념의 출자금계정은 투자자산으로서의 출자금계정과 구별되어야 한다. 즉, 재무상태표 대변항목인 출자금계정은 주식회사의 자본금계정에 해당하는 것으로서 주로 합명회사, 합자회사나 조합 등이 조합원 또는 사원으로부터 받은 출자액을 처리하는 계정인 반면 재무상태표 차변항목인 출자금계정은 투자자산에 속하는 계정으로서 주식회사 외의 다른 회사에 대한 출자액을 표시하는 계정이다.

다음에서는 회사형태별 출자금계정의 특성을 살펴본다.

1) 출자금과 출자자별 계정

출자금에 대한 회계처리방법으로는 각 출자자별로 별도의 개인출자금계정을 설정하여 그 증감내용을 처리하는 방법과 총계정원장에는 하나의 통제계정으로 출자금계정만을 설정하여 출자금총액의 증감변동만을 기장하고 각 출자자별 출자액의 변동은 출자자대장 또는 출자금대장의 보조원장을 설정하여 기록하는 방법이 있다. 전자의 방법은 출자자의 수가 소수일 경우에 사용되나 재무제표에는 이를 통합하여 나타낸다.

2) 합명회사의 출자금

합명회사는 회사의 채무에 관하여 직접 연대하여 인적 무한책임을 부담하는 무한책임사원만으로 구성되는 회사이다. 회사는 상호 간의 인적신뢰관계를 기초로 하여 가족적인 소수인이 자본의 공급보다는 노력의 보충을 목적으로 결합되고, 사원의 개성이 강하게 회사사업에 반영되므로 이른바 인적회사의 전형을 이룬다. 그리고 회사의 자본을 구성하는 사원의 출자에 있어서는 금전, 기타의 재산 이외에 신용 및 노무까지도 출자의 대상으로 인정하고 있는데 재산출자의 대상으로서는 동산, 부동산, 지상권, 차지권, 영업권 등과 같은 유형·무형 재산이 포함되며 이에 대한 특별한 법적 규제는 존재하지 않는다. 그러나 상법상 회사의 자본으로 인정되는 신용출자액과 노무출자액은 회사장부상 계상할 출자의 가액이 아니라 사원상호 간의 손익분배계산 등의 기준이 될 평가의 표준으로 보아야 할 것이다. 회계처리방법에 있어서는 기준서 제1102호 '주식기준보상'

에 따른 주식결제형 주식기준보상거래인지를 검토한다.

3) 합자회사의 출자금

합자회사는 무한책임사원과 유한책임사원으로 조직된 회사로서 경제적으로 보면 무한책임사원이 경영하는 사업에 대하여 유한책임사원이 자본을 제공하고 그 사업으로부터 생기는 이익에 참여하는 형태를 이룬다.

합자회사는 회사 채무에 대하여 회사채권자에게 직접 연대하여 인적무한책임을 부담하는 무한책임사원이 존재하는 점, 각 사원의 개인적 결합관계가 강하고 내부관계는 조합성을 보유하는 점 등에서 합명회사와 유사하나 유한책임사원이 존재하는 점에서 차이가 있다. 유한책임사원의 출자는 무한책임사원의 경우와는 달리 재산출자에 한하며 그 책임은 직접책임이기는 하나 출자액을 한도로 한다.

따라서 유한책임사원의 출자금을 회사장부에 계상하는 데에는 별 문제가 없으나 무한책임사원의 신용·노무출자액은 합명회사의 경우와 동일하게 기준서 제1102호 '주식기준보상'에 따른 주식결제형 주식기준보상거래인지를 검토한다.

(2) 기업회계 상 회계처리

1) 출자금의 계상

합명회사 및 합자회사 등의 출자금은 해당 사원의 탈퇴 시 출자금을 반환하여야 하는 규정이 있는 등 한국채택국제회계기준에서 규정하는 자본의 정의를 충족하지 못하는 경우가 많다. 다만, 이러한 금융상품에 대해 일정요건 충족시 자본으로 분류하도록 하고 있다. 관련 내용은 위에서 다룬 '제1장 자본과 부채의 분류' 중 '(2) 풋가능 금융상품'에서 다루고 있다.

합명회사 및 합자회사 등의 설립 시 또는 신규사원의 입사 시 출자액이 증액될 경우에는 기준서 제1032호에 따라 금융부채인지, 자본인지를 검토하고 출자금계정에 대기한다.

보통 신입사원이 입사하는 경우 유보이익 등에 대한 신·구 사원 간의 지분형평을 위하여 신·구 사원의 지분액을 조정하는 것이 일반적이다.

> 사례　갑, 을, 병 3인은 합명회사를 설립하기로 하고 각각 다음과 같이 출자하였다. 해당 출자
> 금은 기준서 제1032호 문단 16A-16D에 따라 자본으로 분류되며 기준서 제1102호에 따라 주
> 식결제형 주식기준보상의 정의를 충족한다.
> 　• 갑 : 현금 ₩50,000,000
> 　• 을 : 상품 ₩60,000,000

- 병 : 토지 ₩100,000,000, 건물 ₩20,000,000

(차) 현	금	50,000,000	(대) 갑 출 자 금	50,000,000
상	품	60,000,000	을 출 자 금	60,000,000
토	지	100,000,000	병 출 자 금	120,000,000
건	물	20,000,000		

2) 출자금의 감소

사원 중 일부가 퇴사하는 경우에는 원칙적으로 퇴사 당시의 회사재산상태에 따라 계산된 지분상당액을 환급하게 된다. 이 경우 지분상당액의 계산은 퇴사 당시의 재무상태표를 작성하여 계산하고 재산평가는 영업의 존속을 전제로 한 영업가격에 의한다. 출자금이 금융부채로 분류되었다면 관련 지분상당액의 환급은 금융부채의 제거로 회계처리한다.

3) 손익의 분배

① 합명회사의 손익분배

합명회사에 있어서 손익의 분배방법은 상법에 별도의 규정이 없으므로 정관 또는 총사원의 동의에 따르나 그러한 규정이 없는 경우에는 조합에 관한 민법 규정을 준용하여 각 사원의 출자액에 따른다. 이 경우의 손익이란 재무상태표상의 순자산액과 사원의 재산출자총액과의 차액을 말한다. 손익의 분배가 계약상 의무로서 금융부채로 분류되었다면 관련하여 발생하는 이자, 배당, 손익은 수익 또는 비용으로 당기손익으로 인식한다.

합명회사의 이익분배는 이익배당방법을 취할 수 있으나 정관에 의하여 사원에게 배당될 이익의 전부 또는 일부를 배당하지 않고 회사에 유보하여 이를 적립함으로써 퇴사 또는 해산의 경우에 사원이 청구할 수 있는 금액을 증가시킬 수도 있다. 이익분배가 계약상 의무로서 금융부채로 분류되었으나 이익의 전부 또는 일부를 배당하지 않고 회사에 유보하였다면 기준서 제1109호에 따라 관련 금융부채의 후속 측정에서 고려될 것이다.

② 합자회사의 손익분배

합자회사에 있어서 이익의 분배는 위의 합명회사와 대체로 동일하나, 다만 유한책임사원이 그 출자액을 초과하여 손실을 분담하는가 하는 문제가 있다.

외부관계에서의 책임과 내부관계인 손실분담은 별개의 문제이지만 정관에 다른 정함이 없으면 유한책임사원은 외부관계에서 출자의 가액을 한도로 책임을 지는 동시에 내부관계에서도 출자가액을 넘어서는 손실을 부담하지 않는 것으로 본다. 그러나 정관으로 출자액 이상의 손실분담의무를 부담하게 하는 것은 무방하다.

4) 신입사원의 가입금

신규사원이 입사하는 경우에는 출자금 외에 가입금을 징수하는 경우가 있으며, 이는 주식회사로 보면 신주의 할증발행과 유사하다.

이 가입금의 회계처리방법으로는 기준서 제1032호에 따라 금융부채인지, 자본인지를 검토하고 ① 구사원의 출자액 비율에 의한 금액을 구사원의 출자금에 가산하는 방법, ② 그 금액을 각 구사원의 개인소득으로 계상하는 방법, ③ 그 금액을 구사원에 대한 회사의 예수금으로 계상하는 방법, ④ 가입금의 전액을 회사의 임의적립금으로 계상하는 방법 등이 있다.

(3) 세무회계 상 유의할 사항

출자금계정은 주식회사의 자본금계정과 동일한 개념으로 별도의 세무조정사항은 없다.

3. 주식발행초과금

(1) 개념 및 범위

자본으로 분류되는 회사의 신주발행 시 그 발행가액은 주식의 액면가액과 일치하거나 액면가액 이상 또는 이하일 수가 있다. 이 중 주식을 액면가액 이상으로 발행하는 경우 신주발행수수료 등 신주발행을 위하여 직접 발생한 기타의 원가를 차감한 후의 주식발행가액 중에서 액면가액을 초과하는 금액을 주식발행초과금이라 하며, 이는 주식프리미엄 또는 주식할증발행차금이라고도 한다.

주식발행초과금은 발행 시마다 한도 없이 계속 적립하며, 여타 자본잉여금과 마찬가지로 회사자본에 전입하거나 이익잉여금 및 기타자본잉여금 등으로 전입하고도 남는 결손금을 보전하는 목적으로 처분할 수도 있다.

주식발행초과금은 초과수익력이 높은 회사나 순자산가치가 주식의 액면가액보다 높은 회사가 자본으로 분류되는 주식을 공모 발행할 때에 주식을 액면가액 이상의 가액으로 발행하는 경우에 발생하는 금액으로서, 주주에 의한 납입자본의 일부이지만 기업회계 상 자본금계정에 포함시킬 수 없는 항목이므로 자본잉여금을 구성한다.

한편, 지분상품을 발행하거나 취득하는 과정에서 등록비 및 기타 규제 관련 수수료, 법률 및 회계자문 수수료, 주권인쇄비 및 인지세와 같은 여러 가지 원가가 발생한다. 지분상품의 발행과 관련한 이러한 원가의 회계처리에 대해서는 위에서 다룬 '제1장 자본과 부채의 분류' 중 '(6) 지분상품의 거래원가'를 참고한다.

(2) 기업회계 상 회계처리

1) 주식의 할증발행

① 일반적인 경우

주식발행초과금은 주주의 주금납입이 수반되는 유상증자의 경우에만 발생하며 주주의 주금납입절차가 없는 주식배당이나 무상증자의 경우에는 발생하지 아니한다.

주식회사가 유상증자의 방법으로 자본을 증가시키는 경우에는 상법상의 증자절차를 거쳐야 하며 신주발행가액 중 액면금액에 상당하는 금액은 자본금계정에 대기하고 신주발행비를 차감한 후의 신주발행금액과 액면금액의 차액은 주식발행초과금계정의 대변에 계상한다.

> 사례 (주)삼일은 자본으로 분류되는 신주(1주당 액면금액 ₩5,000) 10,000주를 1주당 ₩8,000을 발행금액으로 하여 할증발행하고 전액을 납입받았다.
>
> (차) 현금 및 현금성자산　80,000,000　(대) 자　본　금　50,000,000
> 　　　　　　　　　　　　　　　　　　주 식 발 행 초 과 금　30,000,000

② 현물출자의 경우

현물출자와 관련된 내용은 위에서 다룬 '제2장 납입자본' 중 '(1) 자본금'의 '2) 현물출자'를 참고한다.

2) 전환사채의 주식전환

기업회계 상 전환사채의 전환으로 발행되는 신주의 발행가액은 전환권을 행사한 부분에 해당하는 전환사채의 장부가액과 전환권의 합계금액으로 한다. 이때 전환권이 금융부채로 분류되었다면 관련 금융부채의 제거로 회계처리 되지만 자본으로 분류되었다면 자본 내 계정 재분류로 회계처리 될 것이다. 전환사채의 장부가액과 전환권의 합계금액이 주식의 액면금액을 초과하는 경우에는 주식전환시에 주식발행초과금으로 회계처리한다.

(차) 전　환　사　채　　×××　(대) 자　　본　　금　　×××
　　사 채 상 환 할 증 금　　×××　　　주 식 발 행 초 과 금　　×××
　　전　　환　　권　　×××　　　사 채 할 인 발 행 차 금　　×××

3) 주식발행초과금의 자본전입

주식발행초과금 등을 포함한 자본잉여금은 이사회 또는 주주총회의 결의에 따라 그 잉여금의 전부 또는 일부를 자본금에 전입할 수 있다. 이 경우 기존 주주는 각자의 지분비율에 따라 무상으로 신주를 배정받게 되며, 주주총회의 결의일 또는 이사회의 자본전입결의가 있은 후 신주배정기준일 당시의 주주명부상의 주주가 신주의 주주가 된다. 이때 자본잉여금을 자본금에 전입하여 기존의 주주에게 무상으로 신주를 발행하는 경우에는 주식의 액면금액을 주식의 발행금액으로 한다.

사례 (주)삼일은 이사회결의에 따라 20×7년 6월 30일 현재 회사의 주주에게 주식발행초과금을 재원으로 하여 1주당 0.2주의 비율로 액면금액 ₩30,000,000의 자본으로 분류되는 보통주를 무상발행하기로 하고 신주배정기준일이 도래함에 따라 회계처리하였다.

(차) 주 식 발 행 초 과 금   30,000,000   (대) 자   본   금   30,000,000

4) 결손보전

결손금을 자본잉여금으로 보전할 것을 결정할 수 있다. 주식발행초과금을 포함한 결손보전의 회계처리는 다음과 같다.

사례 (주)삼일은 당기에 ₩95,000,000의 결손금이 발생하여 주주총회에서 자본잉여금과 이익잉여금을 이입하여 결손금 전액을 보전하기로 결의하였다. 회사의 재무상태표상 잉여금 항목으로는 주식발행초과금 ₩25,000,000, 이익준비금 ₩45,000,000, 임의적립금 ₩25,000,000이 각각 계상되어 있다.

(차) 임 의 적 립 금   25,000,000   (대) 미 처 리 결 손 금   95,000,000
　　 이 익 준 비 금   45,000,000
　　 주 식 발 행 초 과 금   25,000,000

(3) 세무회계 상 유의할 사항

1) 익금불산입

주식발행초과금(법인세법에서는 주식발행액면초과액이라고 하며, 액면금액 이상으로 주식을 발행한 경우 그 액면금액을 초과한 금액을 의미하되, 무액면주식의 경우에는 발행가액 중 자본금으로 계상한 금액을 초과한 금액을 말함)은 회사의 순자산을 증가시키는 거래이기는 하나 형식상 법정자본금은 아닐지라도 실질상은 주금을 납입하는 과정에서 발생하는 자본거래이기 때문에 법인세법은 이를 익금불산입항목으로 규정하고 있다. 다만, 채무의 출자전환으로 주식 등을 발행하는 경우에는 그 주식 등의 시가를 초과하여 발행된 금액은 채무면제이익의 성격이 있으므로 이를 주식발행초과금에서 제외한다(법법 17조 1항 1호). 따라서 출자전환을 하는 경우를 제외하고, 주식발행초과금을 한국채택국제회계기준에 따라 자본잉여금으로 적정하게 회계처리하였다면 세무회계상 별도의 세무조정은 필요 없다.

2) 환율변동에 의한 외국인출자차액

외국인투자자가 불입하는 외화표시자본이 주금불입 당시의 환율변동으로 인하여 최초에 예정된 원화자본금과 차이가 발생한 경우 그 차액을 주식발행초과액으로 보아 익금불산입항목으로 하며, 이는 한국채택국제회계기준의 입장과 동일하다.

> 법인세법 기본통칙 17-15…1【주식발행액면초과액 등의 범위】「외국인투자촉진법」에 의하여 외국인투자지분을 자본금으로 납입하는 과정에서 환율변동으로 인하여 생긴 납입준비금 잔액은 이를 주식발행액면초과액으로 보아 익금에 산입하지 아니한다.

외국인투자자로부터 현물출자를 위한 자본재를 도입하는 경우 통관일 현재의 환율에 의한 환산금액과 원화자본금과의 차액도 동일하게 처리된다.

3) 이월결손금의 보전

기업회계상 주식발행초과금으로 충당된 이월결손금은 세무상 각 사업연도 소득금액에서 공제된 것으로 보지 아니하여 각 사업연도 개시일 전 15년(2019. 12. 31. 이전에 개시한 사업연도에 발생한 결손금은 10년, 2008. 12. 31. 이전에 개시한 사업연도에 발생한 결손금은 5년) 이내에 발생한 결손금은 법인세 과세표준 계산시 공제가능하다. 다만, 중소기업과 회생계획을 이행 중인 기업 등(법령 10조 1항)을 제외한 내국법인은 각 사업연도 소득의 60% 범위 내에서 공제한다.

> 법인세법 기본통칙 13-10…1【주식발행액면초과액 등으로 충당된 이월결손금의 공제】 법 제13조 제1호의 규정을 적용함에 있어서 주식발행액면초과액, 감자차익·합병차익 및 분할차익으로 충당된 이월결손금은 각 사업연도의 과세표준 계산에 있어서 공제된 것으로 보지 아니한다.

4) 기 타

주식발행초과금을 재원으로 하여 회사가 자본전입을 하고 이에 상당하는 무상주를 발행하더라도 회사측면에서 세무상 익금·손금 문제는 발생하지 아니한다.

한편 당해 무상주를 수령하는 주주의 측면에서 의제배당과세의 문제가 발생할 수 있으나 주식발행초과금의 자본전입은 의제배당의 범위에서 제외된다. 다만, 주식발행초과금에 채무의 출자전환시 주식 등의 시가를 초과하여 발행된 금액이 포함되어 있는 경우에는 의제배당의 과세문제가 발생한다(법법 16조 1항 2호).

4. 주식할인발행차금

(1) 개념 및 범위

주식할인발행차금이란 자본으로 분류되는 주식발행 시 주식발행가액이 액면가액에 미달하는 경우 그 미달하는 금액을 말한다. 이때 주식발행가액이라 함은 신주발행비를 차감한 금액을 말한다. 따라서 신주발생시 주권인쇄비 등의 신주발행비가 발생하면 액면가액으로 주식을 발행한다고 할지라도 신주발행비금액만큼 주식할인발행차금이 계상될 수 있다.

(2) 기업회계 상 회계처리

1) 주식할인발행

회사가 자본으로 분류되는 주식을 할인발행하는 경우 그 발행가액과 액면가액과의 차액은 주식할인발행차금계정으로 다음과 같이 회계처리한다.

> 사례　(주)삼일은 당기 중에 영업자금의 조달을 위하여 ₩500,000,000(1주당 액면가액 ₩5,000)을 자본으로 분류되는 보통주를 증자하여 조달하기로 하였으나 주식가치가 액면금액에 미달하여 1주당 ₩4,000으로 발행하기로 결의하였다. 이에 따라 소정의 절차를 거쳐 주금을 납입받았다.
>
> (차) 현금 및 현금성자산　　400,000,000　　(대) 자　　본　　금　　500,000,000
> 　　주식할인발행차금　　100,000,000

2) 주식할인발행차금의 처리

한국채택국제회계기준에서는 주식할인발행차금의 처리에 대한 규정을 두고 있지 않다. 실무적으로는 종전 기준과 같이 주주로부터 현금을 수령하고 주식을 발행하는 경우에 주식의 발행금액이 액면금액보다 작다면 그 차액을 주식발행초과금의 범위 내에서 상계처리하고, 미상계된 잔액이 있는 경우에는 주식할인발행차금으로 회계처리하면 될 것이다. 또한 이익잉여금(결손금) 처분(처리)으로 상각되지 않은 주식할인발행차금은 향후 발생하는 주식발행초과금과 우선적으로 상계하여 표시할 수 있다.

　주식할인발행차금상각은 이익잉여금의 처분항목으로 결산기일이 아닌 이익처분안 결의가 있는 날에 상각에 따른 회계처리를 하게 된다.

3) 결산 시 유의할 사항

　주식할인발행차금의 계상은 자본으로 분류되는 주식의 할인발행시점에, 그리고 그 상각처리는 이익처분의 결의가 있는 시점에서 각각 회계처리를 하게 되므로 결산시점에서 별도의 회계처리를 할 필요는 없다.

(3) 세무회계 상 유의할 사항

　세법상 주식할인발행차금은 손금불산입항목으로 법인의 손금에 산입되지 않으며 이의 상각액도 당연히 손금항목이 아니다. 따라서 주식할인발행차금에 관하여 한국채택국제회계기준에 의한 회계처리가 적정하다면 별도의 세무조정은 필요하지 않다.

기타자본항목

1. 자기주식

(1) 개 요

1) 개 념

자기주식이란 주식회사가 발행한 자기회사의 주식을 매입 또는 증여에 의하여 취득한 것을 말하며, 이를 금고주(treasury stock) 또는 재취득주식이라고도 한다.

(2) 기업회계 상 회계처리

1) 자기주식의 재무상태표 계상

한국채택국제회계기준에서는 자기주식과 관련하여 다음과 같이 규정하고 있다.

- 기업이 자기지분상품을 재취득하는 경우 이러한 지분상품('자기주식')은 자본에서 차감한다. 이는 자기지분상품은 취득한 이유에 관계없이 금융자산으로 인식할 수 없기 때문이다. 그러나 금융회사가 고객을 대신하여 자기지분상품을 보유하고 있는 것과 같이 타인을 대신하여 자기지분상품을 보유하고 있는 경우에는 기업이 계약당사자가 아닌 대리인으로서의 역할을 수행한 것이므로 자기지분상품을 재무상태표에 포함하지 않는다.
- 자기지분상품을 매입 또는 매도하거나 발행 또는 소각하는 경우의 손익은 당기손익으로 인식하지 아니한다. 그 이유는 자기주식의 취득과 그 이후의 매각은 손익거래가 아니라 기업 소유주와의 거래이기 때문이다.
- 기업이 자기지분상품을 매입과 매도할 때 지급하거나 수취한 대가는 자본에서 직접 인식한다.

(기준서 제1032호 문단 33, AG36)

즉, 한국채택국제회계기준은 경영자의 보유 의도와 관계없이 자기주식을 주주지분의 차감항목으로 회계처리하도록 규정하였다.

2) 자기주식거래에 관한 회계처리

현행 한국채택국제회계기준은 매각목적의 재취득과 소각목적의 재취득을 구분하지 않고 자기주식은 자본에서 차감하는 형식으로 기재하도록 규정하고 있다.

원가법에 의한 회계처리방법을 예를 들어 보면 다음과 같다.

사례 | 자기주식 회계처리

20×7년 초 (주)삼일은 액면 ₩5,000의 보통주식 2,000주를 ₩15,000,000에 발행하여 설립되었다. 20×7년 중 그 밖의 자본거래는 없으며, 20×7년 12월 31일의 이익잉여금은 ₩500,000이었다. 다음은 20×7년 중 자기주식 관련 거래내용이다.
- 3월 2일 자기주식 10주를 주당 ₩7,000에 구입
- 3월 5일 자기주식 5주를 주당 ₩7,000에 구입
- 3월 31일에 3월 5일 취득한 자기주식을 모두 소각
- 4월 10일에 3월 2일 취득한 자기주식 6주를 ₩7,500에 매각
- 4월 20일에 3월 2일 취득한 자기주식 4주를 ₩5,200에 매각

자기주식거래를 원가법에 따라 회계처리하면 다음과 같다.

(3월 2일)

(차) 자 기 주 식	70,000*	(대) 현금 및 현금성자산	70,000

* ₩7,000×10주 = ₩70,000

(3월 5일)

(차) 자 기 주 식	35,000*	(대) 현금 및 현금성자산	35,000

* ₩7,000×5주 = ₩35,000

(3월 31일)

(차) 자 본 금	25,000	(대) 자 기 주 식	35,000
감 자 차 손	10,000		

(4월 10일)

(차) 현금 및 현금성자산	45,000	(대) 자 기 주 식	42,000*
		자 기 주 식 처 분 이 익	3,000

* ₩7,000×6주 = ₩42,000

(4. 20.)

(차) 현금 및 현금성자산	20,800	(대) 자 기 주 식	28,000*
자 기 주 식 처 분 이 익	3,000		
자 기 주 식 처 분 손 실	4,200		

* ₩7,000×4주 = ₩28,000

(3) 세무회계 상 유의할 사항

자기주식은 세무상 자산으로 취급되므로 유상으로 매입한 경우에는 취득원가로 계상하고, 무상으로 증여받은 경우에는 시가로 계상하여야 한다. 따라서, 내국법인이 주주 등으로부터 자기주식을 무상으로 증여받고 별도의 회계처리를 하지 아니한 경우에는 시가상당액을 익금산입(유보)하여야 한다(서면2팀-683, 2007. 4. 19.).

자기주식의 양도와 관련하여는 다음과 같은 통칙에 의하여 취득사유를 불문하고 소각손익은 과세하지 않되 매각손익은 과세하는 것으로 규정하고 있다. 또한 대법원 판례의 태도도 법적 형식을 중시하여 매각하는 경우에는 자본거래에 해당하는 것으로 볼 수 없으므로 과세하는 것으로 해석하고 있다.

> 법인세법 기본통칙 15 - 11···7 【자기주식처분손익의 처리】 ① 자기주식을 취득하여 소각함으로써 생긴 손익은 각 사업연도 소득계산상 익금 또는 손금에 산입하지 아니하는 것이나, 매각함으로써 생긴 매각차손익은 익금 또는 손금으로 한다. 다만, 고가매입 또는 저가양도액은 그러하지 아니한다.
> ② 제1항 본문을 적용할 때에 자기주식의 취득가액은 해당 주식의 취득목적에 따라 매각목적 자기주식과 소각목적 자기주식으로 구분하여 영 제75조를 적용한다.

결국 자기주식 소각은 자본거래로, 자기주식매각은 손익교환거래로 본 것으로서 당연한 결과로 보인다.

2. 자기주식처분이익

(1) 개념 및 범위

자기주식이란 회사가 보유하고 있는 유가증권 중 자본으로 분류되는 자사발행주식을 말한다. 이는 주식을 발행한 회사가 자사발행주식을 매입 또는 증여에 의하여 보유하고 있는 주식을 말하며 재취득주식이라고도 한다. 이 중 자기주식을 소각한 경우에는 자본거래손익을 감자차손익으로 표시(또는 공시)하지만 이를 매각처분한 때에는 자본거래손익을 자기주식처분손익으로 표시(또는 공시)한다. 이때 발생되는 자기주식처분이익은 자본거래로 인한 것이니 자본에 계상하는 것이 타당하다.

한편 자기주식처분이익은 자기주식처분손실이 있는 경우에는 이를 먼저 차감하고 그 잔액을 기타자본잉여금에 계상하는 것이 일반적이다.

(2) 기업회계 상 회계처리

기업이 자기주식을 매입해서 보유하는 경우의 회계처리는 위에서 다룬 '제3장 기타자본항목' 중 '1. 자기주식'을 참고한다.

기업이나 연결실체 내의 다른 기업(즉, 지배기업이나 종속기업)이 이러한 자기주식을 취득하여 보유하는 경우가 있을 수 있다(기준서 제1032호 문단 33). 즉, 연결재무제표에서 자기주식의 회계처리는 지배기업이 보유하는 자기지분상품에 대한 지분과 종속기업이 보유하는 지배기업의 지분상품에 대해 적용된다. 종속기업이 보유하는 지배기업의 지분인 경우에는 증권 거래를 영업으로 하는 종속기업인 경우를 포함하여 모든 지분 보유에 적용된다. 그러나 종속기업의 별도재무제표에서 이러한 지분은 종속기업 '자신의' 지분이 아니기 때문에 자산으로 처리된다.

한국채택국제회계기준에 따른 회계처리방법을 예로 들어 보면 다음과 같다.

1) 취득시 분개

(차) 자 기 주 식 ××× (대) 현금 및 현금성자산 ×××

2) 처분시 분개

• 취득원가 < 처분가액

(차) 현금 및 현금성자산 ××× (대) 자 기 주 식 ×××
자기주식처분이익 ×××

• 취득원가＝처분가액

(차) 현금 및 현금성자산 ××× (대) 자 기 주 식 ×××

• 취득원가 > 처분가액

(차) 현금 및 현금성자산 ××× (대) 자 기 주 식 ×××
자기주식처분손실 ×××

3) 소각시 분개

• 취득가액 < 액면가액

(차) 자 본 금 ××× (대) 자 기 주 식 ×××
감 자 차 익 ×××

• 취득가액 > 액면가액

(차) 자　본　금　　×××　　(대) 자　기　주　식　　×××
　　감　자　차　손　　×××

　일단 취득한 자기주식을 소각할 경우 감자차손익 금액은 액면가액주의와 불입가액주의 중 어느 것을 택하느냐에 따라 달라진다.

　액면가액주의에 따르면 자기주식 소각 시 자기주식 취득가액과 감자되는 자본금 액면가액의 차액이 전부 감자차손익 계정으로 나타나지만, 불입가액주의에 따르면 감소되는 자본계정이 주식발행초과금을 포함한 평균납입자본이 되므로 주식발행초과금의 크기만큼 감자차손익이 가감되는 효과가 있다. 그러나 액면가액주의와 불입가액주의 어느 것에 따르더라도 자기주식을 그대로 매각처분하는 경우에는 원가법 하에서의 회계처리는 동일하다.

사례 1 갑회사는 당해 연도에 자기주식 10,000주를 1주당 ₩6,500에 매입하였다.

(차) 자　기　주　식　650,000,000　　(대) 현금및현금성자산　650,000,000

　상기 자기주식에 상당하는 금액만큼을 감자하기로 결의하고 지체 없이 소각하였다. 갑회사는 소각 당시 자본금 ₩500,000,000(1주당 액면가액 ₩5,000)과 주식발행초과금 ₩7,500,000이 장부상 계상되어 있다.

〈액면가액주의의 경우〉

(차) 자　본　금　50,000,000　　(대) 자　기　주　식　65,000,000
　　감　자　차　손　15,000,000

〈불입가액주의의 경우〉

(차) 자　본　금　50,000,000　　(대) 자　기　주　식　65,000,000
　　주식발행초과금　750,000
　　감　자　차　손　14,250,000

　한국채택국제회계기준에서는 액면가액주의와 불입가액주의 중 어떤 방법을 따르라는 규정은 없다. 실무적으로는 종전 기업회계기준과 같이 액면가액주의를 일반적으로 따를 것이다.

사례 2   [사례 1]에서 갑회사는 자기주식을 1주당 ₩7,000에 매각하였다.

(차) 현금 및 현금성자산   70,000,000   (대) 자 기 주 식   65,000,000

                                                 자기주식처분이익   5,000,000

(3) 세무회계 상 유의할 사항

1) 익금조정

세법은 순자산증가설의 입장에서 자기주식처분이익을 법인의 익금산입항목으로 규정하고 있다.

> 법인세법 기본통칙 15-11…7【자기주식처분손익의 처리】① 자기주식을 취득하여 소각함으로써 생긴 손익은 각 사업연도 소득계산상 익금 또는 손금에 산입하지 아니하는 것이나, 매각함으로써 생긴 매각차손익은 익금 또는 손금으로 한다. 다만, 고가매입 또는 저가양도액은 그러하지 아니한다.
> ② 제1항 본문을 적용할 때에 자기주식의 취득가액은 해당 주식의 취득목적에 따라 매각목적 자기주식과 소각목적 자기주식으로 구분하여 영 제75조를 적용한다.

따라서 한국채택국제회계기준상 자본잉여금으로 계상한 자기주식처분이익을 법인세 신고시 익금산입조정하여 법인의 각 사업연도 소득금액에 합산하여야 한다.

2) 이월결손금의 보전

한국채택국제회계기준상 자기주식처분이익으로 충당된 이월결손금은 세무상 각 사업연도 소득금액에서 공제된 것으로 보지 아니하여 각 사업연도 개시일 전 15년(2019. 12. 31. 이전에 개시한 사업연도에 발생한 결손금은 10년, 2008. 12. 31. 이전에 개시한 사업연도에 발생한 결손금은 5년) 이내에 발생한 결손금은 법인세 과세표준 계산시 공제가능하다. 다만, 중소기업과 회생계획을 이행 중인 기업 등(법령 10조 1항)을 제외한 내국법인은 각 사업연도 소득의 60% 범위 내에서 공제한다.

3. 자기주식처분손실

자기주식처분손실은 실무적으로 자기주식처분이익과 우선 상계하고 미상계된 잔액이 있는 경우에는 자기주식처분손실로 회계처리하는 것이 일반적이다. 이익잉여금(결손금)처분(처리)으로 상각되지 않은 자기주식처분손실은 향후 발생하는 자기주식처분이익과 우선 상계한다.

① 자본잉여금에 자기주식처분이익이 있는 경우 자기주식처분이익과 우선 상계한다.

② 처분가능 이익잉여금이 있는 경우 자기주식처분손실을 결손금처리에 준하여 처리한다.

③ ①과 ②에 불구하고 자기주식처분손실 잔액이 있는 경우에는 자본조정으로 계상하고, 차기 이후에 결손금처리에 준하여 처리한다.

기타 자기주식의 처분과 관련한 자세한 내용은 위에서 다룬 '제3장 기타자본항목' 중 '2. 자기주식처분이익'을 참고한다.

4. 감자차익

(1) 개념 및 범위

1) 감자차익

한국채택국제회계기준에서 감자차익에 대한 규정을 두고 있지는 않지만 일반적으로 감자차익이란 주식회사의 자본을 감소시킨 때 감소된 자본금액이 주금을 환급한 금액 또는 결손을 보전한 금액을 초과하는 금액을 말한다.

이러한 감자차익은 발행주식을 무상으로 취득하여 소각하는 경우나 액면가액 이하로 매입소각하는 경우 등에 발생한다.

주식회사의 감자에는 유상감자와 무상감자가 있다. 유상감자는 회사가 사업을 축소하는 경우 또는 불필요한 자금을 주주에게 반환하기 위한 경우 등에 사용되며, 자본이 감소하는 동시에 회사의 순자산도 감소하여 회사의 규모가 축소되므로 자본의 환급 또는 실질상의 자본감소라고도 한다. 이에 비하여 무상감자는 계산상 자본액이 감소하여도 실질적인 회사의 순자산은 감소하지 않기 때문에 명목상의 자본감소 또는 형식상의 자본감소라고도 한다.

감자차익은 자본의 변경 또는 납입자본의 포기와 같은 형태를 띤 자본거래로부터 발생하는 것으로 자본금액의 감소로 인하여 법정자본의 범위를 벗어나기는 하였으나 계속하여 회사의 자기자본 내에 남아 있는 금액이다. 다시 말하면 주식발행시에 자본금으로 처리한 금액 중에서 자본을 감소시킨 후에도 불입자본의 형태로 회사 내에 남아 있는 부분이 감자차익이며, 이것은 회사의 영업활동으로부터 얻어진 이익이 아니라 주주와의 자본거래에서 발생한 잉여금이므로 자본잉여금으로 분류한다.

한편 자본금의 감소액이 주식의 소각, 주금의 반환 금액에 미달하는 경우에 발생하는 감자차손은, 일반적으로 감자차익이 있는 경우에는 감자차익에서 우선 차감하고 미상계된 잔액이 있는 경우에는 자본조정의 감자차손으로 회계처리한다. 이익잉여금(결손금)

처분(처리)으로 상각되지 않은 감자차손은 향후 발생하는 감자차익과 우선 상계한다.

2) 감자차익의 금액

감자차익 금액의 산정과 관련하여 주식의 액면금액을 기준으로 하여야 한다는 액면주의와 감소되는 평균불입금액을 기준으로 하여야 한다는 불입금액주의가 있다. 불입금액주의에 따르면, 예를 들어 자본금 1주당 액면금액은 ₩5,000이고 주식발행초과금을 포함한 1주당 평균불입금액이 ₩7,000이라면 감자 시 소멸되는 자본계정은 자본금 1주당 액면금액인 ₩5,000이 아니라 평균불입금액인 ₩7,000이 되어야 하므로 이에 따른 회계처리는 다음과 같다.

(차) 자　　　본　　　금　　10,000,000　　(대) 미 처 리 결 손 금　　6,000,000
　　주 식 발 행 초 과 금　　4,000,000　　　　　감　자　차　익　　8,000,000

이 방법에 의할 경우 결국 주식발행초과금 ₩4,000,000이 감자차익으로 대체되는 결과가 된다. 이와 관련한 회계처리를 한국채택국제회계기준에서 규정하고 있지 않으므로 회사에서 정책으로 정하여 회계처리한다. 종전 기업회계기준과 일반기업회계기준에서 액면주의를 따르고 있으므로 액면주의로 회계처리하는 것이 보다 일반적일 것이다. 아래 기업회계 상 회계처리에서 액면주의를 설명하기로 한다.

(2) 기업회계 상 회계처리

1) 주식수의 감소

주식수의 감소를 통한 자본감자 방법에는 특정주식을 소멸시키는 주식소각과 수개의 주식을 합하여 그것보다 소수의 주식으로 하는 주식병합이 있다.

① 주식소각

주식소각에는 주주의 의사와는 관계없이 회사의 일방적 행위에 의하여 특정주식을 소멸시키는 강제소각과 회사와 주주 간의 임의적 법률행위에 의하여 회사가 주식을 취득하여 이것을 소멸시키는 임의소각이 있다. 또한 대가의 지급유무에 따라 주주에게 대가가 지급되므로 실질상의 감자가 되는 유상소각과 주주에게 대가가 지급되지 아니하므로 형식상의 감자가 되는 무상소각으로 나누어진다.

사례　(주)삼일은 자사의 주식 10,000주(1주당 액면가액 ₩5,000)를 1주당 ₩3,500으로 매입소각하였다.

(차) 자　　본　　금	50,000,000	(대) 현금 및 현금성자산	35,000,000
		감　자　차　익	15,000,000

액면주식을 액면 이하의 금액으로 매입소각한 경우에는 매입주식의 총액면금액 합계와 총매입대가와의 차액이 감자차익이 되며 이는 기존 주주의 납입자본 일부가 감자를 실시한 후에도 회사 내에 자본잉여금으로 잔존하게 되는 것이므로, 사실상 주주로부터의 불입된 금액이다.

② 주식병합

주식병합은 1인의 주주에게 속하는 수개의 주식을 합하여 보다 적은 수의 주식으로 병합하는 것으로서 통상 결손금보전에 따른 무상감자에서 행하여진다.

사례　(주)삼일은 당기 중 결손금 ₩70,000,000의 보전을 위하여 자사주식 10주를 8주로 병합하였다. 회사의 자본금은 감자 전 ₩500,000,000(1주당 액면가액 ₩5,000, 발행주식수 100,000주)이다.

(차) 자　　본　　금	100,000,000	(대) 감　자　차　익	100,000,000

(차) 감　자　차　익	70,000,000	(대) 미 처 리 결 손 금	70,000,000

2) 주금액의 감소

자본감자 시 주금액의 감소 방법에는 주주에게 주금액 감소에 대한 대가를 반환하는 방법과 반환하지 않는 방법이 있다. 전자는 실질상의 자본감소에, 후자는 형식상의 자본감소에 해당한다. 각각의 회계처리는 전술한 '주식수의 감소'의 경우와 유사하다.

사례　1　(주)삼일은 1주당 액면가액 ₩10,000인 자사의 주식 20,000주 전부에 대하여 액면가액 ₩5,000으로 감액하기로 하고 주주에게는 1주당 ₩3,000을 감자대가로 지급하였다.

(차) 자　　본　　금	100,000,000	(대) 현금 및 현금성자산	60,000,000
		감　자　차　익	40,000,000

사례　2　[사례 1]에서 (주)삼일은 무상으로 감자하되 회사의 결손금 ₩70,000,000을 보전하기로 하였다.

(차) 자　　본　　금	100,000,000	(대) 감　자　차　익	100,000,000

(차) 감　자　차　익	70,000,000	(대) 미 처 리 결 손 금	70,000,000

3) 감자차익의 처분

감자차익의 처분에 따른 회계처리는 다음과 같다.

• 자본전입의 경우

(차) 감 자 차 익   ×××   (대) 자   본   금   ×××

• 결손보전의 경우

(차) 감 자 차 익   ×××   (대) 미 처 리 결 손 금   ×××

(3) 세무회계 상 유의할 사항

1) 익금불산입

감자차익도 주식발행초과금과 마찬가지로 형식상으로는 법정자본금이 아니나 실질적으로는 주주가 불입한 불입자본의 한 형태이기 때문에 법인세법상 익금불산입항목으로 규정하고 있다(법법 17조 1항 4호). 따라서 한국채택국제회계기준에 의거하여 감자차익을 자본잉여금으로 적정하게 회계처리하였다면 세무회계 상 별도의 세무조정은 필요 없다.

2) 이월결손금의 보전

한국채택국제회계기준상 감자차익으로 충당된 이월결손금도 세무상 각 사업연도 소득금액에서 공제된 것으로 보지 아니하여 각 사업연도 개시일 전 15년(2019. 12. 31. 이전에 개시한 사업연도에 발생한 결손금은 10년, 2008. 12. 31. 이전에 개시한 사업연도에 발생한 결손금은 5년) 이내에 발생한 결손금은 법인세 과세표준 계산시 공제가능하다. 다만, 중소기업과 회생계획을 이행 중인 기업 등(법령 10조 1항)을 제외한 내국법인은 각 사업연도 소득의 60% 범위 내에서 공제한다.

3) 기 타

① 감자차익의 자본전입

감자차익을 자본전입하는 경우 주식발행초과금과 같이 회사측면에서는 어떠한 익금·손금조정 문제도 발생하지 않으며, 주주측면에서도 의제배당과세대상에서 제외된다. 다만, 자기주식소각익으로부터 발생한 감자차익을 자본전입하는 경우(소각 당시 시가가 취득가액을 초과하지 않는 경우로서 소각일로부터 2년이 지난 후에 자본전입하는 경우는 제외)에는 의제배당과세대상이 되므로 회사는 당해 배당금액에 대한 원천징수의무를 부담한다.

② 자산수증익과의 구분

당초 감자를 목적으로 한 주식의 매입소각이 아니라 주주가 증여목적으로 회사에 무상양도한 주식을 소각하는 경우에는 당초 주주가 무상양도한 주식상당액을 회사의 자산수증익으로 익금에 산입하여야 한다.

5. 감자차손

감자차손이란 자본금의 감소액이 주식의 소각, 주금의 반환 금액에 미달하는 경우에 발생한다. 이러한 감자차손은 발행주식을 액면가액 이상으로 매입소각하는 경우에 발생한다. 이에 대한 회계처리를 한국채택국제회계기준에서 명시적으로 규정하고 있지는 않지만, 과거 기업회계기준에서와 같이 감자차손은 감자차익이 있는 경우 당해 감자차익에서 우선 상계하고 미상계된 잔액이 있는 경우에는 감자차손으로 회계처리하는 것이 일반적이다. 이익잉여금(결손금) 처분(처리)으로 상각되지 않은 감자차손은 향후 발생하는 감자차익과 우선 상계할 것이다.

6. 재평가적립금

(1) 의 의

한국채택국제회계기준을 최초 채택하는 기업 중 전환일에 과거회계기준에 따른 재평가금액을 간주원가로 사용하는 경우 과거회계기준에 따른 재평가적립금은 이익잉여금 또는 적절하다면 자본의 다른 분류로 계상할 수 있다(기준서 제1101호 문단 11). 과거 재평가법에 따른 재평가적립금을 여전히 기타자본항목으로 계상하고 있는 기업은 실무상 다음의 사항을 고려할 수 있다.

(2) 재평가적립금의 처분

재평가적립금을 자본에 전입하지 않고 그대로 기타자본항목으로 계상하고 있는 상태에서 결손금이 발생하였으나 임의적립금, 기타법정적립금, 이익준비금으로도 그 전액을 보전하지 못한 경우에는 그 보전하지 못한 금액의 범위 내에서 재평가적립금으로 보전할 수 있다. 그리고 이와 같은 결손금이 있는 경우에는 그 결손금을 보전하지 아니하고는 당해 재평가적립금을 자본에 전입할 수 없다.

재평가적립금 중에서 자본에 전입할 수 있는 금액은 다음의 금액을 공제한 잔액을 한도로 한다(자산재평가법 30조).

• 납부할 재평가세액
• 재평가일 이후 발생한 재무상태표상의 이월결손금

재평가적립금으로 이월미처리결손금을 보전하는 경우 회계처리는 다음과 같다.

(차) 재 평 가 적 립 금 　×××　 (대) 미 처 리 결 손 금 　×××

(3) 세무회계 상 유의할 사항

1) 이월결손금의 보전

한국채택국제회계기준상 재평가적립금으로 충당된 이월결손금은 세무회계 상 각 사업연도 소득금액에서 공제된 것으로 보지 아니하여 각 사업연도 개시일 전 15년(2019. 12. 31. 이전에 개시한 사업연도에 발생한 결손금은 10년, 2008. 12. 31. 이전에 개시한 사업연도에 발생한 결손금은 5년) 이내에 발생한 결손금은 법인세 과세표준 계산시 공제가능하다. 다만, 중소기업과 회생계획을 이행 중인 기업 등(법령 10조 1항)을 제외한 내국법인은 각 사업연도 소득의 60% 범위 내에서 공제한다.

2) 자본전입

재평가적립금의 자본전입과 관련하여 일반적으로 회사측면에서는 익금·손금조정문제가 발생하지 않으며, 주주측면에서도 의제배당에 해당되지 아니한다.

다만, 재평가세율 1%가 적용되는 토지와 관련한 재평가적립금을 자본전입하는 경우에는 주주측면에서 의제배당에 해당된다. 의제배당과 관련해서는 '손익계산서'편의 '영업외수익 중 배당금수익'을 참조하기 바란다.

3) 재평가토지의 양도에 관한 소득계산 특례

법인이 1983년 12월 31일 이전에 취득한 토지로서 1984년 1월 1일 이후 재평가를 실시하지 아니한 토지를 최초로 재평가한 후 당해 토지를 양도함에 따라 발생한 양도차손은 자산재평가시 익금에 산입하지 아니한 당해 토지의 재평가차액을 한도로 당해 토지의 양도일이 속하는 사업연도의 소득금액계산에 있어서 이를 손금에 산입하지 아니한다(서면2팀-1169, 2004. 6. 10.).

7. 전환권대가·신주인수권대가

전환사채와 비분리형 신주인수권부사채는 일반사채와 전환권 또는 신주인수권의 두 가지 요소로 구성되는 복합적 성격을 지닌 증권이다. 따라서 전환사채 또는 비분리형 신주인수권부사채를 발행한 경우에는 발행가액을 일반사채에 해당하는 부분과 전환권 또는 신주인수권에 해당하는 부분으로 분리하여 회계처리를 고려하여야 한다. 전환권 또는 신주인수권은 자기지분상품으로 결제되거나 결제될 수 있는 파생상품이므로 확정 수량의 지분상품과 확정 금액의 교환을 통해서만 결제되는 자본요건의 충족 여부에 따라 자본 또는 파생부채로 계상한다. 자본 분류의 내용은 '1. 자본과 부채의 분류'를 참고한다.

　자본의 요건을 충족하여 자본으로 분류되는 전환권 또는 신주인수권은 당해 전환사채 또는 비분리형 신주인수권부사채의 발행가액에서 부채 부분의 공정가치를 차감하여 계산한다. 이 경우 일반사채의 공정가치는 계약상 정해진 미래현금흐름(상환할증금이 있는 경우에는 이를 포함)을 사채발행일 현재 발행회사의 전환권 또는 신주인수권이 없는 일반사채의 시장이자율로 할인한 금액을 말한다(기준서 제1032호 문단 AG31). 이렇게 자본으로 분류되는 전환권과 신주인수권을 종전의 기업회계기준의 명칭과 같이 '전환권대가'나 '신주인수권대가'로 표시하는 것도 가능하다. 다만, 주석으로 해당 계정명칭에 대한 설명을 공시할 필요가 있다. 한편 최초 인식시점의 자본요소인 전환권 또는 신주인수권은 주식발행초과금 등 자본의 다른 항목으로 대체될 수 있지만 계속해서 자본으로 유지된다(기준서 제1032호 문단 AG32).

　전환권 및 신주인수권과 관련된 회계처리 및 세무상 유의할 사항에 대한 자세한 내용은 '제2편 재무상태표편' 중 '제2장 비유동부채'의 '2. 전환사채' 및 '3. 신주인수권부사채'를 참고한다.

8. 주식선택권

(1) 개념 및 범위

　주식선택권(stock-option)이란 기업이 임·직원 등에게 일정기간 내에 회사의 주식을 사전에 약정된 가격(행사가격)으로 일정 수량만큼 매수하거나 보상기준가격과 행사가격의 차액을 현금 등으로 지급받을 수 있는 권리를 부여하는 제도로서, 이는 임·직원에게 동기부여를, 기업입장에서는 기존의 종업원을 유지·격려하는 것은 물론 새로운 유능한 종업원을 유인할 수 있도록 하는 제도이다.

　기준서 제1102호 '주식기준보상'에서는 위와 같은 주식선택권을 부여하는 거래를 포함하여 주식기준보상거래의 회계처리와 공시에 관한 기준을 정하고 있다.

　이하에서는 기준서 제1102호 '주식기준보상'에 따른 주식선택권을 포함한 주식기준보상거래에 대한 회계처리와 세무상 유의할 사항에 대하여 살펴보기로 한다.

1) 용어의 정의

가득	권리의 획득. 주식기준보상약정에서 거래상대방이 현금, 그 밖의 자산이나 기업의 지분상품을 받을 권리는 가득조건의 충족 여부에 따라 더 이상 거래상대방이 권리를 획득하는지가 좌우되지 않을 때 가득된다.
가득기간	주식기준보상약정에서 지정하는 모든 가득조건이 충족되어야 하는 기간
가득조건	주식기준보상약정에 따라 거래상대방이 현금, 그 밖의 자산, 또는 기업의 지분상품을 받을 권리를 획득하게 하는 용역을 기업이 제공받을지를 결정짓는 조건. 가득조건에는 용역제공조건과 성과조건이 있다.
공정가치	합리적인 판단력과 거래의사가 있는 독립된 당사자 사이의 거래에서 자산을 교환하거나 부채가 결제하거나 부여된 지분상품을 교환할 수 있는 금액
내재가치	거래상대방이 청약할 (조건부나 무조건부) 권리나 제공받을 권리가 있는 주식의 공정가치와 거래상대방이 해당 주식에 대해 지급해야 하는 가격의 차이. 예를 들면, 주식선택권의 행사가격이 15원이고 기초주식의 공정가치가 20원이라면 내재가치는 5원(20원－15원)이다.
부여일	기업과 거래상대방(종업원 포함)이 주식기준보상약정에 합의한 날. 곧 기업과 거래상대방이 거래조건에 대하여 이해를 공유한 날. 부여일에 기업은 현금, 그 밖의 자산이나 기업의 지분상품에 대한 권리를 거래상대방에게 부여하며, 특정 가득조건이 있다면 그 조건을 충족한 경우에 권리를 부여한다. 주식기준보상거래가 유효하기 위해 일정한 승인절차(예 : 주주총회)가 필요한 경우 부여일은 승인을 받은 날로 한다.
부여한(된) 지분상품	기업이 주식기준보상약정에 따라 거래상대방에게 (조건부 또는 무조건부로) 넘겨준 지분상품에 대한 권리
성과조건	다음을 요구하는 가득조건 (1) 거래상대방이 특정 기간에 용역을 제공한다(용역제공조건). 이 용역제공조건은 명시적이거나 암묵적일 수 있다. 그리고 (2) 위 (1)에서 요구하는 용역을 거래상대방이 제공하는 동안 특정 성과목표를 달성한다. 이러한 성과목표를 달성하는 기간은 (1) 용역제공기간이 종료일을 넘길 수 없고, (2) 성과목표의 시작일이 용역제공기간의 시작일보다 상당히 앞서지 않는다면, 용역제공기간 전에 시작할 수 있다. 성과목표는 다음에 기초하여 정의한다. (1) 기업 자신의 영업(또는 활동)이나 같은 연결실체 내의 다른 기업의 영업이나 활동(비시장조건), 또는

성과조건	(2) 기업 지분상품이나 같은 연결실체 내 다른 기업의 지분상품(주식과 주식선택권 포함)의 가격(또는 가치)(시장조건) 성과목표는 기업 전체 또는 기업(또는 연결실체) 일부(예 : 부문이나 개별 종업원)의 성과와 관련될 수 있다.
시장조건	지분상품의 행사가격, 가득 또는 행사가능성을 좌우하는 것으로 기업 지분상품(또는 같은 연결실체 내 다른 기업의 지분상품)의 시장가격(또는 가치)에 관련된 성과조건. 시장조건에는 다음이 포함된다. (1) 특정 주가의 달성, 또는 주식선택권의 특정 내재가치 달성, 또는 (2) 기업의 지분상품(또는 같은 연결실체 내 다른 기업의 지분상품)의 시장가격(또는 가치)을 다른 기업의 지분상품 시장가격의 지수와 비교하여 지정한 목표의 달성 시장조건은 거래상대방이 특정 기간에 용역을 제공할 것(용역제공조건)을 요구한다. 이러한 용역제공조건은 명시적이거나 암묵적일 수 있다.
용역제공조건	거래상대방에게 특정 기간 기업에 용역을 제공하도록 요구하는 가득조건. 거래상대방이 가득기간 중 용역의 제공을 중단한다면 그 이유에 관계없이 용역제공조건을 충족하지 못한다. 용역제공조건은 성과목표달성을 요구하지 않는다.
재부여주식선택권	이미 부여된 주식선택권의 행사가격을 지급하기 위해 사용된 주식에 대하여 새롭게 부여하는 주식선택권
재부여특성	주식선택권 보유자가 이미 부여된 주식선택권을 행사하면서 행사가격 지급수단으로 현금이 아니라 이미 자신이 보유한 기업의 주식을 이용하는 때에, 추가 주식선택권이 자동으로 부여되는 특성
종업원 및 유사용역제공자	기업에 용역을 제공하는 다음 중 하나에 해당하는 개인 (1) 법률상 또는 세무상 종업원으로 분류되는 개인 (2) 법률상 또는 세무상 종업원으로 분류되는 개인과 같은 방식으로 기업의 지휘를 받으며 기업에 용역을 제공하는 개인 (3) 종업원이 제공하는 근무용역과 비슷한 용역을 제공하는 개인 종업원 및 유사용역제공자에는, 예를 들어, 사외이사 등 기업의 활동을 계획, 지휘, 통제할 권한과 책임이 있는 모든 관리자를 포함한다.
주식결제형 주식기준보상거래	다음의 어느 하나에 해당되는 주식기준보상거래 (1) 기업이 재화나 용역을 제공받는 대가로 기업의 지분상품(주식 또는 주식선택권 등)을 부여하는 주식기준보상거래 (2) 기업이 재화나 용역을 제공받지만 이를 제공한 자에게 주식기준보상거래를 결제할 의무가 없는 주식기준보상거래

주식기준보상거래	기업이 (1) 주식기준보상약정에서 재화나 용역의 공급자(종업원 포함)에게서 재화나 용역을 받거나, (2) 다른 연결실체 내 기업이 이러한 재화나 용역을 받을 때 주식기준보상약정에서 기업이 그 공급자에게 결제할 의무가 생기는 거래
주식기준보상약정	특정 가득조건이 있다면, 그 가득조건이 충족되는 때에, 거래상대방에게 다음과 같은 대가를 받을 권리를 획득하게 하는, 기업(또는 연결실체) 내 다른 기업이나 연결실체 내 기업의 주주)과 거래상대방(종업원 포함) 사이의 계약. (1) 기업이나 연결실체 내 다른 기업의 지분상품(주식이나 주식선택권 등)의 가격(또는 가치)에 기초하여 산정하는 금액에 해당하는 기업의 현금이나 그 밖의 자산 (2) 기업이나 연결실체 내 다른 기업의 지분상품(주식이나 주식선택권 등)
주식선택권 (주식옵션)	보유자에게 특정기간 확정되었거나 산정 가능한 기업의 주식을 매수할 수 있는 권리(의무는 아님)를 부여하는 계약
지분상품	기업의 자산에서 모든 부채를 차감한 후의 잔여지분을 나타내는 계약
측정기준일	이 기준서의 목적상 부여된 지분상품의 공정가치를 측정하는 기준일. 종업원 및 유사용역제공자와의 주식기준보상거래에서는 부여일을 측정기준일로 한다. 종업원 및 유사용역제공자가 아닌 자와의 주식기준보상거래에서는 기업이 거래상대방에게서 재화나 용역을 제공받는 날을 측정기준일로 한다.
현금결제형 주식기준보상거래	기업이 재화나 용역을 제공받는 대가로 기업이나 연결실체 내 다른 기업의 지분상품(주식이나 주식선택권) 가격(또는 가치)에 기초한 금액만큼 현금이나 그 밖의 자산을 지급해야 하는 부채를 재화나 용역의 공급자에게 부담하는 주식기준보상거래

2) 적용범위

기준서 제1102호 '주식기준보상'은 모든 주식기준보상거래에 대하여 적용하는 것으로서, 이러한 주식기준보상거래의 예는 다음과 같다.

① 기업이 재화나 용역을 제공받는 대가로 기업의 지분상품(주식 또는 주식선택권 등)을 부여하는 주식결제형 주식기준보상거래

② 기업이 재화나 용역을 제공받는 대가로 기업의 지분상품의 가치에 기초하여 현금이나 기타자산으로 결제하는 현금결제형 주식기준보상거래

③ 기업이 재화나 용역을 제공받는 대가로 기업 또는 재화나 용역의 공급자가 결제방식을 선택할 수 있는 권리를 부여하는 선택형 주식기준보상거래

또한, 지배기업 또는 연결실체 내 다른 기업(또는 연결실체 내 기업의 주주)이 재화나

용역을 제공받거나 취득하는 기업을 대신하여 당해 주식기준보상거래를 결제할 수도 있다. 주식기준보상거래가 그 기업에게 제공된 재화나 용역에 대한 지급 이외의 목적을 위한 것이 명확한 경우가 아니라면, 다음 기업에도 적용된다.

① 같은 연결실체 내 다른 기업(또는 연결실체 내 기업의 주주)이 주식기준보상거래를 결제할 의무가 있을 때 재화나 용역을 제공받는 기업

② 같은 연결실체 내 다른 기업이 재화나 용역을 제공받을 때 주식기준보상거래를 결제할 의무가 있는 기업

그러나, 사업결합에 관한 한국채택국제회계기준이 적용되는 사업결합으로 재화(취득하는 순자산의 일부를 말함)를 취득하는 경우에는 기준서 제1102호를 적용하지 아니한다. 즉, 피취득자에 대한 지배력을 획득하는 대가로 발행하는 주식은 동 기준서 제1102호의 적용범위에 포함되지 아니한다. 그러나 피취득자의 종업원에게 근무용역의 대가로 부여한 지분상품은 주주의 자격이 아니라 종업원의 자격에 관계되므로 동 기준서 제1102호의 적용범위에 포함된다. 또한, 사업결합이나 기타지분구조개편 등의 이유로 주식기준보상약정을 취소하거나, 대체 또는 변경하는 때에도 동 기준서 제1102호를 적용한다(기준서 제1102호 문단 5).

한편, 기준서 제1102호는 다른 기준서에서 별도로 정하고 있거나 그 본래의 성격상 동 기준서 제1102호의 적용이 적절하지 않은 다음의 거래에 대하여는 적용하지 아니한다(기준서 제1102호 문단 4-6).

① 기준서 제1103호 '사업결합'에서 정의되는 동 기준서 문단 B1~B4에서 기술하고 있는 동일 지배 아래하에 있는 기업 또는 사업의 결합에서 재화를 취득하는 거래

② 기준서 제1111호 '공동약정'에서 정의되는 공동기업을 만드는 사업 출자

③ 종업원이 기업의 지분상품 보유자 자격으로 거래에 참여하는 경우. 예를 들어, 기업이 모든 보통주주에게 공정가치보다 낮은 가액으로 주식을 매수할 수 있는 권리를 부여하는 경우에, 이미 보통주를 소유하고 있는 종업원은 보통주주의 자격으로 그러한 권리를 부여받게 되는 것이므로 당해 거래에 대하여는 주식기준보상 기준서를 적용하지 아니한다.

④ 차액결제를 하는 비금융자산 매매계약에 관련된 주식기준보상거래가 기준서 제1032호 '금융상품 : 표시'의 문단 8~10 또는 기준서 제1109호 '금융상품' 문단 2.4~2.7의 적용범위에 있는 계약에 따라 재화나 용역을 제공받거나 취득하는 거래

종업원에게 주식이나 주식선택권을 부여하는 제도에는 여러 유형이 있다. 예를 들어, 기업은 우선배정제도를 통해 우리사주조합원(종업원)에게 할인된 가격으로 기업의 주식을 취득할 수 있는 기회를 제공하거나, 우리사주조합에 자기주식을 출연하거나, 우리사

주매수선택권을 부여할 수 있다. 비상장기업에 적용되는 일반기업회계기준 제19장 주식기준보상에서는 종업원이 근로복지기본법이나 자본시장과 금융투자업에 관한 법률에서 정하고 있는 우선배정제도에 따라 기업의 주식을 취득할 수 있는 권리를 부여받는 경우에는 주식기준보상의 범위에서 제외하고 있다(일반기업회계기준서 제19장 문단 19.4). 그러나, 한국채택국제회계기준 하에서는 상기와 같은 적용범위 예외가 적용되지 아니하므로, 상기 법률에 따라 종업원에게 주식기준보상을 부여하는 경우라 하더라도 주식기준보상에 따라 회계처리하여야 한다.

(2) 기업회계 상 회계처리

1) 주식결제형 주식기준보상거래

① 보상원가의 인식

주식결제형 주식기준보상거래의 경우에는 제공받는 재화나 용역의 공정가치를 측정하여 그 금액을 보상원가와 자본으로 회계처리한다. 그러나, 제공받는 재화나 용역의 공정가치를 신뢰성 있게 추정할 수 없다면 부여한 지분상품의 공정가치에 기초하여 재화나 용역의 공정가치를 간접 측정하고 그 금액을 보상원가와 자본으로 회계처리한다(기준서 제1102호 문단 10).

가. 종업원 및 유사용역제공자로부터 제공받는 용역

종업원 및 유사용역제공자(이하 '종업원 등'이라 한다)로부터 제공받는 용역의 공정가치는 일반적으로 신뢰성 있게 측정할 수 없기 때문에 부여한 지분상품의 공정가치에 기초하여 측정하며, 부여한 지분상품의 공정가치는 부여일을 기준으로 측정한다(기준서 제1102호 문단 11).

나. 종업원 등이 아닌 거래상대방으로부터 제공받는 재화나 용역

종업원 등이 아닌 거래상대방과의 거래에서는 반증이 없는 한 제공받는 재화나 용역의 공정가치는 신뢰성 있게 측정할 수 있다고 보며, 이 경우 제공받는 재화나 용역의 공정가치는 재화나 용역을 제공받는 날을 기준으로 측정한다. 그러나, 예외적으로 제공받는 재화나 용역의 공정가치를 신뢰성 있게 측정할 수 없는 경우에는 지분상품의 공정가치에 기초하여 간접 측정한다. 다만, 이 경우에도 측정기준일은 재화나 용역을 제공받는 날로 한다(기준서 제1102호 문단 13).

② 보상원가의 회계처리

주식결제형 주식기준보상거래로 재화나 용역을 제공받는 경우에는 보상원가만큼 자

본을 인식하며, 보상원가는 당기 비용으로 회계처리하거나 재고자산, 유형자산, 무형자산 등에 관한 기준서에 따라 자산의 취득원가에 포함시킨다.

| 주식결제형 주식선택권의 유형별·시점별 회계처리 요약 |

구분	신주발행교부형	자기주식교부형
보상비용의 인식	(차) 주식보상비용 ××× 　　(대) 주식선택권 ×××	좌동
권리행사	(차) 현금(행사가격) ××× 　　주식선택권 ××× 　　(대) 자 본 금 ××× 　　　　주식발행초과금 ××× ※주식발행초과금=(주식선택권+행사가격)-신주의 액면가액	(차) 현금(행사가격) ××× 　　주식선택권 ××× 　　(대) 자기주식 ××× 　　　　자기주식처분이익 ××× ※자기주식처분이익=(주식선택권+행사가격)-자기주식의 장부가액

가. 용역이 제공되는 거래

(가) 부여한 지분상품이 즉시 가득되는 경우

지분상품이 부여되자마자 가득된다면 거래상대방은 지분상품에 대하여 무조건적인 권리를 얻기 위해 특정기간에 용역을 제공해야 할 의무가 없다. 이러한 경우, 반증이 없는 한 기업은 거래상대방으로부터 지분상품의 대가에 해당하는 용역을 이미 제공받은 것으로 본다. 따라서, 제공받은 용역의 공정가치를 지분상품의 부여일에 전부 보상원가로 인식하고 동일한 금액을 자본으로 회계처리한다(기준서 제1102호 문단 14).

(나) 일정 기간 용역을 제공해야 부여한 지분상품이 가득되는 경우

거래상대방이 명시된 기간에 용역을 제공해야 부여된 지분상품이 가득된다면 지분상품의 대가에 해당하는 용역은 미래 가득기간에 제공받는 것으로 본다. 따라서, 당해 용역은 다음의 예와 같이 가득기간에 배분하여 인식하며, 동일한 금액을 자본으로 회계처리한다(기준서 제1102호 문단 15).

ⓐ 용역제공조건이 있는 경우 : 용역제공조건(예: 종업원이 3년간 근무하는 조건)으로 주식선택권을 부여하는 경우 주식선택권의 대가에 해당하는 근무용역은 미래 용역제공기간(3년)에 걸쳐 제공받는 것으로 본다.

ⓑ 비시장성과조건이 있는 경우 : 종업원 등에게 목표이익, 목표판매량, 목표매출액 등 기업 지분상품의 시장가격과 직접 관련이 없는 성과를 달성하기까지 계속 근무하는 것을 조건으로 주식선택권을 부여하는 경우 가득기간은 비시장성과조건이 충족되는 날에 따라 결정된다. 이러한 경우에는 주식선택권의 대가에 해당하는 근무용역을 미래 기대가득기간에 걸쳐 제공받는 것으로 본다. 그리고, 기대가득기간

은 부여일 현재 가장 실현가능성이 높다고 판단되는 비시장성과조건의 결과에 기초하여 추정한다. 이 경우 후속적인 정보에 비추어 볼 때 기대가득기간이 직전 추정치와 다르다면 기대가득기간의 추정치를 변경한다.

ⓒ 시장성과조건이 있는 경우 : 종업원 등에게 목표주가 등 기업 지분상품의 시장가격과 관련된 일정한 성과를 달성하기까지 계속 근무하는 것을 조건으로 주식선택권을 부여하는 경우 가득기간은 시장성과조건이 충족되는 날에 따라 결정된다. 이러한 경우에는 주식선택권의 대가에 해당하는 근무용역을 미래 기대가득기간에 걸쳐 제공받는 것으로 본다. 그리고, 기대가득기간은 부여일 현재 가장 실현가능성이 높다고 판단되는 시장성과조건의 결과에 기초하여 추정한다. 이 경우 기대가득기간의 추정치는 부여한 주식선택권의 공정가치를 추정할 때 사용되는 가정과 일관되어야 하며 후속적으로 수정하지 아니한다.

나. 부여한 지분상품의 공정가치에 기초하여 측정하는 거래

(가) 부여한 지분상품의 공정가치 결정

부여한 지분상품의 공정가치에 기초하여 보상원가를 측정하는 경우에는 측정기준일 현재 이용할 수 있는 시장가격을 기초로 하되, 지분상품의 부여조건을 고려하여 공정가치를 측정한다(기준서 제1102호 문단 16).

만약 부여한 지분상품의 공정가치를 추정할 때 시장가격이 없다면 가치평가기법을 사용하여 부여한 지분상품의 공정가치를 추정하며, 이 때 가치평가기법은 합리적 판단력과 거래의사가 있는 독립된 당사자 사이의 거래에서 측정기준일 현재 지분상품 가격이 얼마인지를 추정하는 가치평가기법이어야 한다. 이 가치평가기법은 일반적으로 인정된 금융상품 가치평가방법과 일관성이 있어야 하며 합리적 판단력과 거래의사가 있는 시장참여자가 가격을 결정할 때 고려할 모든 요소와 가정을 포함하는 것이어야 한다(기준서 제1102호 문단 17).

가) 주식의 공정가치 측정

주식을 부여하는 경우에는 주식의 공정가치를 기업 주식의 시장가격에 기초하여 측정하되, 주식의 부여조건을 고려하여 조정한다. 다만, 기준서 제1102호 문단 19~21에 따라 지분상품의 공정가치를 측정할 때 제외하는 가득조건은 고려하지 아니한다. 한편, 기업의 주식이 시장성이 없는 경우(기업의 주식이 한국거래소가 개설한 증권시장, 또는 공신력 있는 외국의 증권거래시장에서 거래되지 않는 경우)에는 공정가치를 추정시장가격에 기초하여 측정한다(기준서 제1102호 문단 B2).

예를 들어, 주식을 부여받은 종업원이 가득기간에는 배당금을 받을 권리가 없다면 부여한 주식의 공정가치를 추정할 때 이러한 상황을 고려한다. 또한, 부여한 주식이 가득된 이후에 양도제한이 있는 경우에도 이를 고려한다. 다만, 이 경우에는 가득 이후의 양도제한이 합리적 판단력과 거래의사가 있는 시장참여자가 지급할 용의가 있는 가격에 '가득후 양도제한'이 영향을 미칠 때에만 고려한다. 예를 들어, 주식이 유통물량이 많고 유동성이 높은 시장에서 활발하게 거래된다면, 가득 이후 양도제한이 합리적 판단력과 거래의사가 있는 시장참여자가 지급할 용의가 있는 가격에 미치는 영향은 중요하지 않을 수 있다. 반면, 부여한 주식의 부여일 현재 공정가치를 추정할 때 가득기간에 존재하는 양도제한 및 그 밖의 제한은 고려하지 아니한다. 왜냐하면, 이러한 제한은 기업회계기준 제1102호 문단 19~21에 따라 회계처리하는 가득조건에 바탕을 두기 때문이다(기준서 제1102호 문단 B3).

나) 주식선택권의 공정가치 측정

주식선택권을 부여하는 경우에는 해당 시장가격을 구할 수 없을 때가 많다. 왜냐하면, 주식선택권에는 시장에서 거래되는 옵션(시장성옵션)에 적용되지 않는 조건이 있기 때문이다. 조건이 비슷한 시장성옵션이 없다면, 부여한 주식선택권의 공정가치는 옵션가격결정모형을 적용하여 추정한다. 이와 같은 옵션가격결정모형으로는 이항모형(Binomial Model) 또는 블랙-숄즈모형(Black-Scholes Model) 등을 사용할 수 있다(기준서 제1102호 문단 B4, B5).

한편, 옵션가격결정모형을 정할 때에는 합리적 판단력과 거래의사가 있는 시장참여자들이 가격을 결정할 때 고려할 요소를 반영하여야 하는데, 모든 옵션가격결정모형은 최소한 다음의 요소를 고려하여야 한다(기준서 제1102호 문단 B6).

㉠ 주식선택권의 행사가격
㉡ 주식선택권의 존속기간
㉢ 기초자산인 주식의 현재가격
㉣ 기초자산인 주식의 기대주가변동성
㉤ 주식선택권의 존속기간에 지급이 예상되는 배당금
㉥ 주식선택권의 존속기간에 적용될 무위험이자율

(나) 가득조건의 회계처리

부여한 지분상품의 공정가치에 기초하여 측정하는 주식결제형 주식보상거래의 경우 시장성과조건은 부여한 지분상품의 공정가치를 추정할 때 고려한다. 따라서, 시장성과조건이 부과된 지분상품에 대해서는 그러한 시장성과조건이 달성되는지 여부와 관계없이 다른 모든 가득조건(예 : 용역제공조건)이 충족되면 보상원가를 인식한다. 그러나, 시장성과조건이 아닌 가득조건은 측정기준일 현재 주식이나 주식선택권의 공정가치를 추정할 때 고려하지 아니한다. 대신에, 시장성과조건이 아닌 가득조건은 보상원가 측정의 대상이 되는 지분상품의 수량을 조정할 때 고려하여 보상원가가 궁극적으로 가득되는 지분상품의 수량에 기초하여 결정될 수 있도록 한다. 만약, 시장성과조건이 아닌 가득조건이 충족되지 못하여 부여한 지분상품이 가득되지 못한다면 누적기준으로 볼 때 제공받은 재화나 용역에 대해 어떠한 금액도 인식하지 아니한다(기준서 제1102호 문단 19).

상기와 같은 회계처리방법은 통상 '변형된 부여일 측정방법'으로 명명된다. 왜냐하면, 보상원가 결정의 대상이 되는 지분상품의 수량이 가득조건(시장성과조건 제외)의 달성 결과를 반영하기 위해서 조정되지만, 지분상품의 공정가치는 조정되지 않기 때문이다. 한편, 부여일에 추정한 공정가치는 나중에 수정하지 않는 것이므로 부여일 이후에 지분상품의 공정가치가 등락하더라도 보상원가를 결정할 때 고려하지 않는다. 다만, 부여한 지분상품의 조건을 나중에 변경함에 따라 추가로 부여한 증분공정가치를 측정하는 경우에는 그러하지 않다.

결국, 부여한 지분상품에 가득조건(시장성과조건 제외)이 부과되어 있는 경우에, 가득될 것으로 기대되는 지분상품의 수량에 대한 최선의 추정치에 기초하여 가득기간에 보상원가를 인식하여야 한다. 만약 후속적인 정보에 비추어 볼 때 미래에 가득될 것으로 기대되는 지분상품의 수량이 앞서 추정했던 지분상품의 수량과 다르면, 추정치를 바꾼다. 가득일에는 궁극적으로 가득된 지분상품의 수량과 같아지도록 추정했던 지분상품 수량을 바꾼다. 다만, 시장성과조건에 대해서는 추정을 변경하지 않는다(기준서 제1102호 문단 20).

(다) 비가득조건의 회계처리

기업은 부여한 지분상품의 공정가치를 추정할 때 모든 비가득조건을 고려한다. 따라서, 비가득조건이 있는 지분상품을 부여하면 그러한 비가득조건이 충족되는지에 관계없이 시장조건이 아닌 모든 가득조건(예 : 정해진 기간 동안 계속 근무하는 종업원으로부터 제공받는 근무용역)을 충족하는 거래상대방으로부터 제공받는 재화나 용역을 인식한다(기준서 제1102호 문단 21A).

(라) 가득일 이후의 회계처리

주식결제형 주식기준보상거래에서 제공받는 재화나 용역을 인식하고 동일한 금액을 자본으로 회계처리한 경우 가득일이 지난 뒤에는 자본을 수정하지 아니한다. 예를 들어, 가득된 지분상품이 추후 상실되거나 주식선택권이 행사되지 않은 경우에도 이미 인식한 보상원가를 환입하지 아니하며, 이미 자본으로 인식한 주식선택권은 일반적으로 기타자본잉여금으로 대체한다.

(차) 주 식 선 택 권 　　　×××　　　(대) 기 타 자 본 잉 여 금　　　×××

(마) 지분상품의 공정가치를 신뢰성 있게 추정할 수 없는 경우의 회계처리

전술한 (가)~(라)의 규정은 부여한 지분상품의 공정가치에 기초하여 보상원가를 측정할 때 적용한다. 그러나 드물지만, 부여한 지분상품의 공정가치를 신뢰성 있게 추정할 수 없는 경우가 있다. 이러한 경우에는 다음과 같이 회계처리한다(기준서 제1102호 문단 24).

㉠ 거래상대방으로부터 재화나 용역을 제공받는 날을 기준으로 지분상품을 내재가치로 측정한다. 이후 매 보고기간말과 최종결제일에 내재가치를 재측정하고 내재가치의 변동액은 보상원가로 회계처리한다. 이 경우 지분상품이 주식선택권이라면 당해 주식선택권이 행사되거나 상실 또는 만기소멸되는 날을 최종결제일로 한다.

㉡ 최종적으로 가득되거나 행사되는 지분상품의 수량에 기초하여 보상원가를 인식한다. 예를 들어, 주식선택권을 부여한 경우 기업은 가득기간에 제공받는 재화나 용역을 인식하며, 보상원가의 인식금액은 가득될 것으로 예상하는 주식선택권의 수량에 기초하여 결정한다. 만약 후속적인 정보에 비추어 볼 때 미래에 가득될 것으로 예상하는 지분상품의 수량이 앞서 추정했던 수량과 다르면 추정치를 바꾼다. 가득일에는 최종적으로 가득된 지분상품의 수량과 같도록 추정했던 지분상품의 수량을 바꾼다. 가득일이 지난 뒤, 부여했던 주식선택권이 나중에 상실되거나 만기소멸된다면 제공받은 재화나 용역에 대하여 인식한 보상원가를 환입한다.

한편, 위의 규정을 적용할 때는 후술하는 '다.의 (가) 주식결제형 주식기준보상약정의 조건변경'의 규정은 적용하지 아니한다. 왜냐하면, 부여된 지분상품의 조건변경은 위의 규정에 따라 내재가치로 측정할 때 이미 고려되기 때문이다. 그러나, 위의 규정에 따라 회계처리하는 지분상품을 취소하거나 중도청산할 때에는 후술하는 '다.의 (나) 부여한 지분상품을 가득기간 중에 기업이 취소하거나 중도청산하는 경우와 (다) 가득된 지분상품을 기업이 중도청산하는 경우'의 규정을 준용하여 회계처리한다. 다만, 후술하는 '다.의 (나)와 (다)'의 규정을 준용할 때, 지급액이 취소 또는 중도청산일 현재 지분상품의 내재가치를 초과한다면 그 초과액을 보상원가로 회계처리한다(기준서 제1102호 문단 25).

다. 부여한 지분상품의 조건변경(취소 및 중도청산 포함)

기업이 지분상품을 부여한 당시의 조건을 변경하는지, 부여한 지분상품을 취소하거나 중도청산할지와는 관계 없이 제공받는 근무용역은 최소한 지분상품의 부여일 당시의 공정가치에 따라 인식한다. 다만, 부여일에 정했던 어떤 가득조건(시장조건 제외)이 충족되지 않아 지분상품이 가득되지 못한다면 그러하지 아니한다. 이와 더불어 총공정가치를 높이거나 종업원에게 더 유리하게 조건을 변경하는 때에도 조건변경의 영향을 인식한다(기준서 제1102호 문단 27).

이하의 내용은 종업원 등과의 주식기준보상거래를 전제로 조건변경의 영향에 관한 회계처리를 규정하고 있지만, 종업원 등이 아닌 자와의 주식기준보상거래의 보상원가를 측정할 때에도 동일하게 적용한다. 다만, 이 경우에 부여일은 거래상대방으로부터 재화나 용역을 제공받는 날로 한다(기준서 제1102호 문단 26).

(가) 주식결제형 주식기준보상약정의 조건변경

가) 조건변경으로 부여한 지분상품의 공정가치가 증가하는 경우

조건변경으로 인해 부여한 지분상품의 공정가치가 증가하는 경우에는(예 : 행사가격의 인하) 보상원가를 인식할 때 그 측정치에 증분공정가치를 포함한다. 이 경우 증분공정가치는 조건변경일 현재 다음 ㉠에서 ㉡을 차감한 금액으로 한다(기준서 제1102호 문단 B43).

㉠ 조건변경 직후에 측정한 변경된 지분상품의 공정가치

㉡ 조건변경 직전에 측정한 당초 지분상품의 공정가치

가득기간에 조건변경이 있는 경우에 조건변경일 이후의 회계처리는 다음과 같다.

㉠ 조건변경일부터 변경된 가득일(또는 가득일의 변경이 없는 경우에는 당초 약정상의 가득일)까지 보상원가를 인식할 때 그 측정치에 증분공정가치를 포함한다.

㉡ 당초 지분상품에 대해 부여일에 측정한 공정가치는 당초 잔여기간(조건변경일부터 당초 약정상의 가득일까지)에 걸쳐 인식한다.

그러나, 가득일 이후에 조건변경이 있는 경우에는 증분공정가치를 즉시 인식하되, 조건변경으로 추가적인 용역제공조건을 부과한다면 증분공정가치를 추가된 가득기간에 걸쳐 인식하여야 한다.

상기와 관련한 조건변경의 예제를 살펴보면 다음과 같다.

기업 A는 20×1년 1월 1일에 다음과 같은 조건의 주식기준보상을 부여하였다.

• 20×1년 1월 1일 시점의 보상의 공정가치 100
• 용역 가득기간 4년

기업 A는 20×3년 1월 1일 시점에 최초 부여한 주식기준보상 주가상승으로 행사가격 및 가득기간을 변경하여 다음과 같은 조건으로 주식기준보상을 변경하였다.

• 20×3. 1. 1.에 최초 주식선택권의 공정가치 50
• 20×3. 1. 1.에 부여한 주식선택권의 잔여가득기간 3년으로 연장
• 20×3. 1. 1.에 부여한 주식선택권의 공정가치 80

최초 보상원가 100 : 4년에 걸쳐 인식

변경으로 인한 증분원가 : 80 - 50 = 30의 공정가치가 증가하였으므로, 변경된 가득기간 3년 동안 추가로 비용을 인식한다.

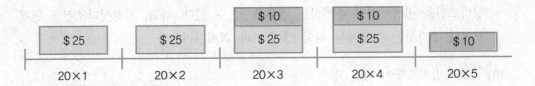

나) 조건변경으로 인해 부여한 지분상품의 수량이 증가하는 경우

조건변경으로 인해 부여한 지분상품의 수량이 증가하는 경우에는 보상원가를 인식할 때 그 측정치에 추가로 부여한 지분상품의 조건변경일 현재 공정가치를 포함한다. 가득기간에 조건변경이 있는 경우에 조건변경일 이후의 회계처리는 다음과 같다.

㉠ 조건변경일부터 추가로 부여한 지분상품이 가득되는 날까지 보상원가를 인식할 때 그 측정치에 추가로 부여한 지분상품의 공정가치를 포함한다.

㉡ 당초 지분상품에 대해 부여일에 측정한 공정가치는 당초 잔여기간(조건변경일부터 당초 약정상의 가득일)에 걸쳐 인식한다.

다) 기타 종업원 등에게 유리하게 가득조건을 변경하는 경우

종업원 등에게 유리하게 가득조건을 변경하는 경우에는 변경된 가득조건을 고려하여 보상원가를 측정하고 회계처리한다. 이러한 예로는 가득기간을 축소하는 경우, 또는 비시장성과조건을 변경하거나 제거하는 경우를 들 수 있다. 다만, 시장성과조건을 변경하거나 제거하는 경우에는 위의 '가) 조건변경으로 부여한 지분상품의 공정가치가 증가하는 경우'에 따라 회계처리한다.

라) 조건변경이 총공정가치를 감소시키거나 종업원 등에게 불리하게 이루어지는 경우

부여한 지분상품에 대한 조건변경이 주식기준보상약정의 총공정가치를 감소시키거나 종업원 등에게 불리하게 이루어지는 경우에는 조건변경이 없는 것으로 본다. 다만, 부여한 지분상품의 일부 또는 전부를 취소한다면 후술하는 '(나) 부여한 지분상품을 가득기간 중에 기업이 취소하거나 중도청산하는 경우'에 따라 회계처리한다. 이와 관련된 예는 다음과 같다(기준서 제1102호 문단 B44).

㉠ 조건변경으로 인해 부여한 지분상품의 공정가치가 감소하는 경우에는 공정가치 감소분에 대해서 회계처리를 하지 않으며, 보상원가를 부여일 현재 측정된 지분상품의 공정가치에 따라 인식한다.

㉡ 조건변경으로 인해 부여한 지분상품의 수량이 감소하는 경우에는 부여한 지분상품의 일부가 취소된 것으로 보아 후술하는 '(나) 부여한 지분상품을 가득기간 중에 기업이 취소하거나 중도청산하는 경우'에 따라 회계처리한다.

㉢ 종업원 등에게 불리하게 가득조건을 변경하는 경우에는 당해 변경된 가득조건을 고려하지 아니한다. 이러한 경우의 예로는 가득기간을 늘리는 경우, 또는 비시장

성과조건을 변경하거나 추가하는 경우를 들 수 있다. 다만, 시장성과조건을 변경하거나 추가하는 경우에는 위의 ㉠에 따라 회계처리한다.

마) 희석화방지조항이 있는 경우

무상증자, 주식분할 및 병합, 감자 등으로 인한 단위당 주가의 변동이 이미 부여한 권리의 총가치에 영향을 미치지 않도록 하기 위해 행사가격이나 부여수량 등을 자동으로 조정하도록 하는 조항(이하 '희석화방지조항'이라 하며, 용어의 편의상 주가의 하락효과뿐만 아니라 상승효과를 상쇄하기 위한 조정도 포함하는 것으로 한다)이 당초 주식기준보상약정에 포함되어 있다면, 희석화방지조항에 따라 이루어지는 조정에 대해서는 다음의 요건을 모두 충족할 경우 조건변경에 관한 회계처리를 하지 아니한다.

㉠ 이미 부여한 권리의 조건이 희석화방지조항에 따라 '즉시' 그리고 '자동적으로' 조정된다.

㉡ 희석화방지조항에 명시된 공식에 따라 조정하더라도 이미 부여한 권리의 가치가 유의적으로 변동하지 않는다. 즉, 희석화를 일으키는 사건이 있기 직전의 권리가치와 희석화를 일으키는 사건이 있은 직후의 권리가치 간에 유의적 차이가 없다.

(나) 부여한 지분상품을 가득기간 중에 기업이 취소하거나 중도청산하는 경우

부여한 지분상품을 가득기간 중에 기업이 취소하거나 중도청산하는 경우에는 다음과 같이 회계처리하며, 다만, 가득조건이 충족되지 못해 부여된 지분상품이 상실되는 경우는 제외한다. 한편, 기업이나 거래상대방이 비가득조건을 충족할지를 선택할 수 있다면, 가득기간에 기업이나 거래상대방이 비가득조건을 충족하지 못할 때 이를 취소로 회계처리한다(기준서 제1102호 문단 28, 28A).

㉠ 부여한 지분상품이 일찍 가득된 것으로 보아 잔여보상원가를 즉시 인식한다.

(차) 주 식 보 상 비 용 ××× (대) 주 식 선 택 권 ×××

㉡ 취소하거나 중도청산할 때 현금이나 기타자산을 지급하는 경우에는 자기지분상품(예 : 자기주식)의 취득으로 보아 지급액만큼 자본에서 차감하고 다음과 같이 회계처리한다. 이 때 자본에서 차감하는 지급액은 취소 또는 중도청산일 현재 지분상품의 공정가치를 초과하지 않는 금액으로 한다. 그러나 주식기준보상약정에 부채요소가 포함되어 있다면 취소일이나 중도청산일에 해당 부채의 공정가치를 재측정한다. 부채요소를 결제하려고 지급한 금액이 있다면 부채의 상환으로 회계처리한다.

ⓐ 지급액이 당해 지분상품에 대하여 인식된 주식선택권에 미달하는 경우에는 자본에서 차감한다.

(차) 주 식 선 택 권	×××	(대) 현　　　금　　등	×××
		기타자본잉여금 등	×××

ⓑ 지급액이 당해 지분상품에 대하여 인식된 주식선택권과 관련된 자본금액을 초과하는 경우에는 그 초과액을 자본의 감소로 회계처리한다.

(차) 주 식 선 택 권	×××	(대) 현　　　금　　등	×××
기타자본잉여금 등	×××		

한편, 지급액이 취소일 또는 중도청산일 현재 지분상품의 공정가치를 초과하는 경우에는 그 초과액을 보상원가로 회계처리한다.

ⓒ 종업원 등에게 새로 부여한 지분상품이 취소한 지분상품을 대체하는 경우에는 대체지분상품의 부여를 조건변경으로 보아 전술한 '(가) 주식결제형 주식기준보상약정의 조건변경'에 따라 회계처리한다. 이 경우에 부여한 증분공정가치는 대체지분상품을 부여한 날 현재 대체지분상품의 공정가치가 취소한 지분상품의 순공정가치를 초과하는 금액으로 한다. 이 경우 취소한 지분상품의 순공정가치는 취소 직전의 공정가치에서 위 ⓑ에 따라 자본(자본조정)의 감소로 회계처리하는 지급액을 차감한 금액으로 한다. 그러나, 새로 부여한 지분상품이 취소한 지분상품을 대체하는 것으로 볼 수 없는 경우에는 새로운 지분상품을 부여한 것으로 회계처리한다.

(다) 가득된 지분상품을 기업이 중도청산하는 경우

가득된 지분상품을 기업이 중도청산하는 경우로서 중도청산할 때 현금이나 기타자산을 지급하는 경우에는 자기지분상품(예 : 자기주식)의 취득으로 보아 지급액만큼 자본에서 차감하고 다음과 같이 회계처리한다. 이 때 자본에서 차감하는 지급액은 중도청산일 현재 지분상품의 공정가치를 초과하지 않는 금액으로 한다. 그러나, 주식기준약정에 부채요소가 포함되어 있다면 중도청산일에 당해 부채의 공정가치를 재측정하고 부채요소를 결제하기 위해 지급한 금액이 있다면 부채의 상환으로 회계처리한다(기준서 제1102호 문단 28(2)).

라. 가득 및 비가득 조건별 회계처리의 요약

아래 표에서는 거래상대방이 부여된 지분상품을 받는지를 결정하는 다양한 조건과 그러한 조건이 있는 주식기준보상의 회계처리에 대한 요약이다.

거래상대방이 부여된 지분상품을 받는지를 결정하는 조건의 요약					
	가득조건			비가득조건	
	용역제공 조건	성과조건		기업이나 거래상대방 어느 누구도 조건의 충족 여부를 선택할 수 없는 경우	거래상대방이 조건의 충족 여부를 선택할 수 있는 경우	기업이 조건의 충족 여부를 선택할 수 있는 경우
		시장조건인 성과조건	그 밖의 성과조건			
조건 예시	3년 동안 계속 근무해야 하는 조건	기업 지분상품의 시장가격에 근거한 목표	성공적인 기업공개에 근거한 목표(특정 용역제공 조건 포함)	일반상품지수에 근거한 목표	주식기준보상의 행사가격 지급을 위한 기여금의 납부	기업이 제도를 지속시키는 것
부여일 공정가치에 포함되는지 여부	아니오	예	아니오	예	예	예
부여일 후 가득기간에 조건이 충족되지 않을 경우의 회계처리	상실. 기업은 가득될 것으로 예상되는 지분상품 수량에 대하여 이용가능한 최선의 추정치를 반영하여 비용을 수정한다. (기준서 제1102호 문단 19)	회계처리에 어떠한 변화도 없음. 기업은 잔여 가득기간에 계속해서 비용을 인식한다. (기준서 제1102호 문단 21)	상실. 기업은 가득될 것으로 예상되는 지분상품 수량에 대하여 이용가능한 최선의 추정치를 반영하여 비용을 수정한다. (기준서 제1102호 문단 19)	회계처리에 어떠한 변화도 없음. 기업은 잔여 가득기간에 계속해서 비용을 인식한다. (기준서 제1102호 문단 21A)	취소 기업은 조건이 충족된다면 잔여 가득기간에 인식될 비용금액을 즉시 인식한다. (기준서 제1102호 문단 28A)	취소 기업은 조건이 충족된다면 잔여 가득기간에 인식될 비용금액을 즉시 인식한다. (기준서 제1102호 문단 28A)

2) 현금결제형 주식기준보상거래

① 보상원가의 인식

현금결제형 주식기준보상거래의 경우에는 제공받는 재화나 용역과 그 대가로 부담하는 부채를 부채의 공정가치로 측정한다. 또 부채가 결제될 때까지 매 보고기간 말과 결제일에 부채의 공정가치를 재측정하고 공정가치의 변동액은 당기손익으로 회계처리한다(기준서 제1102호 문단 30).

② 보상원가의 회계처리

현금결제형 주식기준보상거래로 재화나 용역을 제공받는 경우에는 보상원가만큼 부채를 인식하며, 보상원가는 당기 비용으로 회계처리하거나 재고자산, 유형자산, 무형자산 등에 관한 한국채택국제회계기준에 따라 자산의 취득원가에 포함시킨다.

• 보상비용의 인식

(차) 주 식 보 상 비 용　　×××　　(대) 장 기 미 지 급 비 용　　×××

• 권리행사

(차) 장 기 미 지 급 비 용　　×××　　(대) 현　　　금　　　등　　×××

기업이 일정기간 기업의 주가상승액에 기초하여 미래의 현금지급을 요구할 수 있는 주가차액보상권을 종업원 등에게 총보상의 일부로 부여한 경우에는 종업원 등으로부터 제공받는 근무용역과 그 대가로 부담하는 부채는 근무용역을 제공받는 기간에 인식한다. 예를 들어, 부여된 즉시 가득되는 주가차액보상권을 부여받아 종업원 등이 용역제공조건을 충족할 필요가 없는 경우에는 반증이 없는 한 종업원 등으로부터 이미 근무용역을 제공받은 것으로 보아 보상원가와 부채를 즉시 인식한다. 그러나, 용역제공조건이 충족되어야만 주가차액보상권이 가득된다면 보상원가와 부채는 가득기간에 배분하여 인식한다. 또한, 가득일 이후에 발생하는 부채의 공정가치변동액은 당기 보상원가에 가감하여 인식한다(기준서 제1102호 문단 32).

이와 같이 주가차액보상권을 부여함에 따라 인식하는 부채는 부여일부터 부채의 결제가 이루어질 때까지 매 보고기간 말과 결제일에 주가차액보상권의 공정가치로 측정한다. 공정가치를 측정할 때에는 옵션가격결정모형을 사용하며, 주가차액보상권의 부여조건, 그리고 측정기준일까지 종업원 등으로부터 근무용역을 제공받은 정도를 고려한다(기준서 제1102호 문단 33).

이미 부여한 현금결제형 주식기준보상의 조건을 바꾸는 경우도 있다. 현금결제형 주식기준보상거래의 조건이 변경되어 주식결제형 주식기준보상거래로 변경되는 경우, 그 거래는 조건변경일부터 주식결제형 주식기준보상거래로 회계처리한다. 해당 주식결제형 주식기준보상거래는 조건변경일에 부여된 지분상품의 공정가치에 기초하여 측정하고, 재화나 용역을 기존에 제공받은 정도까지 조건변경일에 자본으로 인식한다. 조건변경일 현재의 현금결제형 주식기준보상거래 관련 부채를 제거하고, 조건변경일에 제거된 부채의 장부금액과 인식된 자본금액의 차이는 즉시 당기손익으로 인식한다(기준서 제1102호 문단 B44A). 가득기간 이후에 조건변경이 일어나더라도 적용하고, 조건변경의 결과로 가득기간이 변경된다면, 변경된 가득기간을 반영한다.

현금결제형 주식기준보상거래는 취소되거나 결제될 수 있는데, 지분상품이 부여되고 부여일에 기업이 그 지분상품을 취소된 현금결제형 주식기준보상을 대체하는 것으로 식별할 때도 동일하게 고려하여 회계처리 한다.

비상장기업 등에 적용되는 일반기업회계기준에서는 현금결제형 주식기준보상거래와 관련된 부채를 내재가치로 측정할 수 있도록 허용하고 있다(일반기준 19장 문단 19, 28). 그러나, 한국채택국제회계기준에서는 현금결제형 주식기준보상거래를 내재가치로 측정하면 한국채택국제회계기준의 다른 분야에서 대부분 적용되고 있는 공정가치 측정기준과 일관되지 않으며, 내재가치측정기준에는 시간가치가 포함되어 있지 않기 때문에 관련부채를 내재가치로 측정하는 것은 적정하지 않다고 판단하여 이를 허용하지 않았다(기준서 제1102호 BC249, 250).

3) 선택형 주식기준보상거래

기업이나 거래상대방이 결제방식으로 현금지급(이하 '현금결제방식'이라 한다)이나 기업의 지분상품발행(자기주식 제공을 포함하며, 이하 '주식결제방식'이라 한다)을 선택할 수 있는 선택형 주식기준보상거래에 대하여는 거래의 실질에 따라 회계처리한다. 즉, 기업이 현금이나 기타자산을 지급해야 하는 부채를 부담하는 부분은 현금결제형 주식기준보상거래로 회계처리하고, 그러한 부채를 부담하지 않는 부분은 주식결제형 주식기준보상거래로 회계처리한다(기준서 제1102호 문단 34).

① 거래상대방이 결제방식을 선택할 수 있는 주식기준보상거래

가. 보상원가의 인식

기업이 거래상대방에게 현금결제방식이나 주식결제방식의 선택권을 부여한 경우에는 부채요소(거래상대방의 현금결제요구권)와 자본요소(거래상대방의 주식결제요구권)가 포함된 복합금융상품을 부여한 것으로 본다.

(가) 재화나 용역의 공정가치를 직접 측정하는 경우

종업원 등이 아닌 자와의 주식기준보상거래에서 제공받는 재화나 용역의 공정가치를 직접 측정하는 경우에는 복합금융상품 중 자본요소는 재화나 용역이 제공되는 날 현재 재화나 용역의 공정가치에서 부채요소의 공정가치를 차감하여 측정한다(기준서 제1102호 문단 35).

(나) 재화나 용역의 공정가치를 직접 측정할 수 없는 경우

종업원 등과의 주식기준보상거래를 포함하여 제공받는 재화나 용역의 공정가치를 직접 측정할 수 없는 거래에서는 당해 거래조건을 고려하여 측정기준일 현재 복합금융상

품의 공정가치를 측정한다. 이와 같이 복합금융상품의 공정가치를 측정할 때에는 우선 부채요소의 공정가치를 측정한 다음 자본요소의 공정가치를 측정한다. 이 경우 거래상 대방이 주식결제방식을 선택하기 위해서는 현금결제방식을 포기해야 한다는 점을 고려하여야 하며, 복합금융상품의 공정가치는 두 요소의 공정가치를 합한 금액으로 결정한다. 그러나, 거래상대방이 결제방식을 선택할 수 있는 주식기준보상거래는 일반적으로 행사시점에 각 결제방식의 공정가치가 같도록 설계될 것이다. 예를 들어, 거래상대방이 주식기준보상거래의 결제방식으로 다른 모든 조건이 동일한 주식선택권이나 현금결제형 주가차액보상권을 선택할 수 있는 경우에 자본요소의 공정가치는 영(0)이며, 따라서 복합금융상품의 공정가치는 부채요소의 공정가치와 같다. 이와 달리 만약 행사시점에 주식결제방식의 공정가치가 현금결제방식의 공정가치보다 높을 가능성이 있다면 자본 요소의 공정가치는 영(0)보다 크고, 따라서 복합금융상품의 공정가치는 부채요소의 공정가치보다 크게 된다(기준서 제1102호 문단 36, 37).

나. 보상원가의 회계처리

부여한 복합금융상품의 대가로 제공받는 재화나 용역은 각각의 구성요소별로 구분하여 회계처리한다. 즉, 부채요소에 대하여는 현금결제형 주식기준보상거래와 같이 거래상대방으로부터 재화나 용역을 제공받을 때 보상원가와 부채를 인식하며, 자본요소가 있는 경우 자본요소에 대하여는 주식결제형 주식기준보상거래와 같이 거래상대방으로부터 재화나 용역을 제공받을 때 보상원가와 자본을 인식한다(기준서 제1102호 문단 38).

또한, 부채는 결제일에 공정가치로 재측정하며, 만약 거래상대방이 현금결제방식 대신 주식결제방식을 선택하는 경우에는 부채의 장부금액을 발행하는 지분상품의 대가로 보아 자본으로 직접 대체한다(기준서 제1102호 문단 39).

(차) 현　금　등	×××	(대) 자　본　금	×××
주 식 선 택 권	×××	주 식 발 행 초 과 금	×××
장 기 미 지 급 비 용	×××		

그러나, 거래상대방이 현금결제방식을 선택하는 경우에는 현금지급액은 모두 부채의 상환액으로 보며, 이미 인식한 자본요소는 계속 자본으로 분류한다. 이는 거래상대방이 현금결제방식을 선택함으로써 주식결제요구권을 상실한다. 그러나 이러한 요구사항은 자본계정 간의 대체 즉, 한 자본계정에서 다른 자본계정으로 대체하는 것을 금지하는 것은 아니며, 이미 인식한 가득된 자본요소를 기타자본잉여금으로 대체하는 것이 가능하다(기준서 제1102호 문단 40).

(차) 장 기 미 지 급 비 용	×××	(대) 현　금　등	×××
주 식 선 택 권	×××	기 타 자 본 잉 여 금	×××

한편, 거래상대방이 결제방식을 선택할 수 있는 주식기준보상거래에서는 복합금융상품의 가치를 부채요소의 내재가치와 자본요소의 공정가치를 합한 금액으로 결정할 수 있다. 이와 같이 부채를 내재가치로 측정하는 경우에는 부채가 결제될 때까지 매 보고기간 말과 결제일에 부채의 내재가치를 재측정하고 내재가치의 변동액은 보상원가로 회계처리한다.

② 기업이 결제방식을 선택할 수 있는 주식기준보상거래

기업이 현금결제방식이나 주식결제방식을 선택할 수 있는 경우에는 우선 현금을 지급해야 하는 현재의무가 있는지 여부를 결정하고 그에 따라 주식기준보상거래를 회계처리한다. 이때 다음과 같은 경우에는 현금을 지급해야 하는 현재의무가 있는 것으로 본다(기준서 제1102호 문단 41).

㉠ 지분상품을 발행하여 결제하는 방식에 상업적 실질이 결여된 경우. 예를 들어, 법률에 의해 주식발행이 금지되는 경우

㉡ 과거의 경험으로 볼 때 대부분 현금으로 결제하는 경우

㉢ 현금결제정책이 확립되어 이미 공표된 경우

㉣ 과거의 경험으로 볼 때 거래상대방이 현금결제를 요구할 때마다 기업이 이를 수용하는 경우

기업이 결제방식을 선택할 수 있는 주식기준보상거래에서 현금을 지급해야 하는 현재의무가 있는 경우에는 현금결제형 주식기준보상거래로 보아 회계처리하며, 현금을 지급해야 하는 현재의무가 없는 경우에는 주식결제형 주식기준보상거래로 보아 회계처리하며 결제를 할 때에는 다음과 같이 회계처리한다(기준서 제1102호 문단 43).

㉠ 기업이 현금결제방식을 선택하는 경우에는 자기지분상품의 취득으로 보아 현금지급액을 자본에서 차감한다. 이 경우 지급액과 당해 지분상품에 대하여 인식된 자본조정의 차이는 다음과 같이 회계처리한다. 다만, 아래 ⓑ의 경우는 추가로 회계처리가 필요하다.

ⓐ 지급액이 당해 지분상품에 대하여 인식된 자본에 미달하는 경우에는 차감 후 금액을 자본의 증가로 회계처리하며, 기타자본잉여금 등의 계정으로 회계처리하면 될 것이다.

(차) 주 식 선 택 권　　×××　　(대) 현　　　금　　　등　　×××
　　　　　　　　　　　　　　　　　　기타자본잉여금등　　　×××

ⓑ 지급액이 당해 지분상품에 대하여 인식된 자본을 초과하는 경우에는 그 초과액을 자본의 감소로 회계처리하며, 일반적으로 기타자본잉여금으로 처리할 것이다.

      (차) 주 식 선 택 권　　×××　　(대) 현　　금　　등　　×××
　　　　　기 타 자 본 잉 여 금　　×××

ⓛ 기업이 주식결제방식을 선택하는 경우에는 아래 ⓒ의 경우를 제외하고는 별도의
　회계처리를 하지 아니한다. 다만, 자본 내에서 세부 계정과목 간 대체가 필요할
　수 있으며, 지분상품 발행으로 현금이 유입되는 경우에는 이에 관한 회계처리도
　필요하다.

      (차) 현 금 등(행사가격)　　×××　　(대) 자　　본　　금　　×××
　　　　　주 식 선 택 권　　×××　　　　주 식 발 행 초 과 금　　×××

ⓒ 기업이 결제일에 더 높은 공정가치를 가진 결제방식을 선택하는 경우에는 초과 결
　제가치를 추가 보상원가로 인식한다. 이 경우 초과 결제가치는 다음 중 하나에 해
　당한다.
　　ⓐ 실제로 지급한 금액이 주식결제방식을 선택할 때 발행하여야 하는 지분상품의
　　　공정가치를 초과하는 금액
　　ⓑ 실제로 발행한 지분상품의 공정가치가 현금결제방식을 선택할 때 지급하여야
　　　하는 금액을 초과하는 금액

4) 지배기업과 종속기업 종업원 간의 주식기준보상거래

　지배기업이 종속기업을 위해 종속기업의 종업원과 주식기준보상거래를 하는 경우에
도 보상원가는 전술한 '1) 주식결제형 주식기준보상거래 및 2) 현금결제형 주식기준보
상거래'에 따라 인식하고 측정한다.

　재화나 용역을 제공받는 기업은 다음 중 하나인 경우에는 제공받는 재화나 용역을 주
식 결제형 주식기준보상거래 측정한다.
① 부여된 권리가 기업 자신의 지분상품이다.
② 기업은 주식기준보상거래를 결제할 의무가 없다.
　상기 이외의 모든 상황에서 재화나 용역을 제공받는 기업은 제공받는 재화나 용역을
현금결제형 주식기준보상거래로 측정한다.

　만약, 지배기업 등이 종속기업 등을 대신하여 종속기업 등의 종업원에게 주식기준보
상을 제공한 후 종속기업 등으로부터 대가를 지급하도록 요구하는 상환약정을 체결할
수 있다. 이러한 상환약정은 상기의 주식기준보상분류에 영향을 미치지 아니한다.

　종속기업이 재화나 용역을 제공받고 있으며, 종속기업의 종업원에게 주식기준보상을

부여한 기업 및 부여한 권리에 따라 종속기업의 별도재무제표, 지배기업의 별도재무제표 및 연결재무제표에서 주식기준보상의 회계처리를 요약하면 다음과 같다.

주식기준보상 제공자	부여한 권리	종속기업 별도재무제표	지배기업 별도재무제표	연결재무제표
지배기업	지배기업의 지분상품	주식결제형	주식결제형	주식결제형
지배기업	종속기업의 지분상품	주식결제형	해당사항 없음	주식결제형
지배기업	지배기업의 지분상품에 기초한 현금	주식결제형	현금결제형	현금결제형
종속기업	지배기업의 지분상품	현금결제형	해당사항 없음	주식결제형
종속기업	종속기업의 지분상품	주식결제형	해당사항 없음	주식결제형
종속기업	지배기업의 지분상품에 기초한 현금	현금결제형	해당사항 없음	현금결제형
종속기업	종속기업의 지분상품	주식결제형	해당사항 없음	주식결제형
종속기업	현금	현금결제형	해당사항 없음	현금결제형
종속기업	지배기업의 지분상품	현금결제형	해당사항 없음	주식결제형
지배기업	종속기업 지분상품	주식결제형	현금결제형	주식결제형
지배기업	지배기업의 지분상품	주식결제형	주식결제형	주식결제형
지배기업	현금	주식결제형	현금결제형	현금결제형

기업회계기준서 제1102호에서는 지배기업 등이 결제의무가 있는 경우, 지배기업과 종속기업의 각각의 재무제표에서 상기 주식보상거래를 어떻게 회계처리할 것인지에 대해서는 상세히 설명하고 있지 않으나, 일반적으로 다음과 같이 회계처리하는 것이 적절할 것이다.

① 결제의무가 있는 지배기업의 별도재무제표

주식기준보상비용으로 측정되는 금액에 대해서는 종속기업에 자본을 불입한 것으로 보아 투자지분과 부채 또는 자본의 증가로 회계처리한다.

② 재화나 용역을 제공받는 종속기업의 재무제표

지배기업의 입장과 동일하게 지배기업으로부터 자본을 불입받은 것으로 보아, 비용과 자본의 증가로 회계처리한다.

상기와 같이 회계처리하는 경우, 지배기업과 종속기업이 각각 다른 방법 즉, 주식 또는 현금결제형으로 회계처리하게 되므로, 지배기업이 인식하는 금액과 종속기업이 인식하는 금액이 다를 수 있는데 이는 각 보고기업 입장에서 권리와 의무를 충실히 표시하기 위한 관점이 반영된 것으로 해석할 수 있다.

5) 주석공시

① 주식기준보상약정의 성격에 대한 주석공시사항

회계기간에 존재한 주식기준보상약정의 각 유형을 기술한다. 이 경우 각 유형별 기술에는 가득조건, 부여된 주식선택권의 최장 만기, 결제방식(현금이나 주식) 등과 같은 조건이 포함된다. 또한 실질적으로 비슷한 주식기준보상약정들을 통합하여 기술할 수 있다(기준서 제1102호 문단 45). 또한, 다음 각각에 대한 주식선택권의 수량과 가중평균 행사가격을 공시한다.

- ㈎ 회계기간초 현재 존속하는 주식선택권
- ㈏ 회계기간에 부여한 주식선택권
- ㈐ 회계기간에 상실된 주식선택권
- ㈑ 회계기간에 행사된 주식선택권
- ㈒ 회계기간에 만기 소멸된 주식선택권
- ㈓ 회계기간 말 현재 존속하는 주식선택권
- ㈔ 회계기간 말 현재 행사 가능한 주식선택권

② 재화나 용역의 공정가치 또는 부여된 지분상품의 공정가치 결정에 대한 정보

회계기간에 부여한 주식선택권의 측정기준일 현재 공정가치의 가중평균 및 공정가치 측정방법에 관한 다음 사항을 포함한 정보

- ㈎ 사용된 옵션가격결정모형과 그 모형의 가격결정요소에 대한 정보. 가격결정요소에는 가중평균 주가, 행사가격, 기대주가변동성, 옵션만기, 기대배당금, 무위험이자율 등이 포함되며, 예상되는 조기행사의 효과를 모형 안에 반영하기 위해 사용된 방법과 가정에 관한 정보도 함께 공시
- ㈏ 기대주가변동성의 결정방법에 관한 정보. 이와 관련하여 기대주가변동성이 과거의

주가변동성에 기초하고 있는 정도에 관한 설명도 포함

(다) 주식선택권의 기타 특성(예 : 시장조건 등)이 공정가치를 측정할 때 모형 안에 반영되었는지 여부와 반영된 경우 그 방법에 관한 정보

③ 기업의 경영성과와 재무상태에 미치는 영향에 대한 주석공시사항

기업의 경영성과와 재무상태에 미치는 주식기준보상거래의 영향을 재무제표이용자가 이해하는 데 도움이 되는 다음과 같은 정보를 공시한다(기준서 제1102호 문단 50, 51).

(가) 제공받는 재화나 용역이 자산의 인식기준을 충족하지 못해 즉시 비용으로 인식되는 주식기준보상거래에서 해당 회계기간에 인식한 총비용. 이 경우 총비용 중 주식결제형 주식기준보상거래와 관련된 부분을 별도로 구분하여 공시한다.

(나) 주식기준보상거래와 관련하여 인식한 부채에 대한 다음의 정보

ⓐ 회계기간말 현재 총장부금액

ⓑ 거래상대방이 회계기간말까지 가득한 현금이나 그 밖의 자산을 받을 수 있는 권리(예 : 가득된 주가차액보상권)에 대해 인식한 부채의 회계기간말 현재 총 내재가치

사례 1 **용역제공조건이 부과된 주식선택권**

〈배경정보〉

• 갑기업은 20×7년 1월 1일에 종업원 500명에게 각각 주식선택권 100개를 부여하고 3년의 용역제공조건을 부과하였다. 부여일 현재 주식선택권의 단위당 공정가치는 150원으로 추정되었다.

• 갑기업은 종업원 중 20%가 부여일로부터 3년 이내에 퇴사하여 주식선택권을 상실할 것으로 추정하였다.

〈회계처리〉

• (상황 1)

실제 결과가 추정과 일치한다면 기업이 가득기간에 인식할 보상원가는 다음과 같다.

회계연도	계산근거	당기 보상원가[*]	누적 보상원가
20×7	50,000개×80%×150원×1/3	2,000,000	2,000,000
20×8	(50,000개×80%×150원×2/3) − 2,000,000원	2,000,000	4,000,000
20×9	(50,000개×80%×150원×3/3) − 4,000,000원	2,000,000	6,000,000

(*) 보상원가는 주식보상비용의 과목으로 하여 그 성격에 따라 제조원가, 판매비와관리비 또는 개발비 등으로 처리하며, 주식보상비용(차변)의 상대계정으로는 자본(주식선택권, 대변)을 인식한다.

만약 종업원이 20Y0년 1월 1일에 주식선택권을 행사한다면 다음과 같이 회계처리한다. 단, 갑기업 주식의 단위당 액면금액과 주식선택권의 행사가격은 각각 500원과 600원이라고 가정한다.

(차) 현	금	24,000,000[*1]	(대) 자	본	금	20,000,000[*2]
자 본 (주 식 선 택 권)		6,000,000	주 식 발 행 초 과 금			10,000,000

(*1) 주식선택권 행사대금 : 40,000개(50,000개×80%)×600원＝24,000,000원

(*2) 40,000주×500원(주당 액면)＝20,000,000원

• (상황 2)

20×7년 중에 20명이 퇴사하였고, 기업은 가득기간(3년)에 퇴사할 것으로 기대되는 종업원의 추정비율을 20%(100명)에서 15%(75명)로 변경하였다. 20×8년에 실제로 22명이 퇴사하였고, 기업은 가득기간(3년) 전체에 걸쳐 퇴사할 것으로 기대되는 종업원의 추정비율을 다시 12%(60명)로 변경하였다. 20×9년에는 실제로 15명이 퇴사하였다. 결국 20×9년 12월 31일 현재 총 57명이 퇴사하여 주식선택권을 상실하였고, 총 44,300개(443명×100개)의 주식선택권이 가득되었다.

회계연도	계산근거	당기 보상원가[*]	누적 보상원가
20×7	50,000개×85%×150원×1/3	2,125,000	2,125,000
20×8	(50,000개×88%×150원×2/3) − 2,125,000원	2,275,000	4,400,000
20×9	(44,300개×150원×3/3) − 4,400,000원	2,245,000	6,645,000

(*) 보상원가는 주식보상비용의 과목으로 하여 그 성격에 따라 제조원가, 판매비와관리비 또는 개발비 등으로 처리하며, 주식보상비용(차변)의 상대계정으로는 자본(주식선택권, 대변)을 인식한다.

만약 종업원이 20Y0년 1월 1일에 주식선택권을 행사한다면 다음과 같이 회계처리한다. 단, 갑기업 주식의 단위당 액면금액과 주식선택권의 행사가격은 각각 500원과 600원이라고 가정한다.

(차) 현	금	26,580,000[*1]	(대) 자	본	금	22,150,000[*2]
자 본 (주 식 선 택 권)		6,645,000	주 식 발 행 초 과 금			11,075,000

(*1) 주식선택권 행사대금 : 44,300개×600원＝26,580,000원

(*2) 44,300주×500원(주당 액면)＝22,150,000원

사례 2 기대가득기간을 좌우하는 비시장성과조건이 부과된 경우

〈배경정보〉

• 갑기업은 20×7년 1월 1일에 종업원 500명에게 각각 주식 100주를 부여하고, 가득기간에 종업원이 계속 근무할 것을 요구하는 조건을 부과하였다. 부여한 주식은 기업의 연평균 이익성장률이 18% 이상 성장하면 20×7년 말에, 13% 이상이 되면 20×8년 말에, 그리고 연평균 이익성장률이 10% 이상이 되면 20×9년 말에 가득된다. 20×7년 1월 1일 현재 부여한 주식의 단위당 공정가치는 300원이며, 이는 주가와 동일하다. 부여일부터 3년간은 배당금이 지급되지 않을 것으로 예상되었다.

• 20×7년에 기업의 이익은 14% 증가하였으며, 30명이 퇴사하였다. 기업은 20×8년에도 비슷한 비율로 이익이 성장하여 20×8년 말에 주식이 가득될 것으로 예상하였다. 또한, 20×8년에 30명이 추가로 퇴사하여 20×8년 말에는 총 440명이 주식을 가득할 것으로 예상하였다.

- 20×8년에 기업의 이익은 10% 증가하는 데 그쳐 주식이 가득되지 못하였으며, 28명이 퇴사하였다. 기업은 20×9년에 25명이 추가로 퇴사할 것으로 예상하였으며, 20×9년에는 이익이 최소한 6% 이상 성장하여 누적 연평균 이익성장률이 10%에 달할 수 있을 것이라고 예상하였다.
- 20×9년에 실제로 23명이 퇴사하였고, 기업의 이익은 8% 증가하여 누적연평균 이익성장률이 10.67%에 달하였다.

〈회계처리〉

회계연도	계산근거	당기 보상원가[*]	누적 보상원가
20×7	440명×100주×300원×1/2	6,600,000	6,600,000
20×8	(417명×100주×300원×2/3) − 6,600,000원	1,740,000	8,340,000
20×9	(419명×100주×300원×3/3) − 8,340,000원	4,230,000	12,570,000

[*] 보상원가는 주식보상비용의 과목으로 하여 그 성격에 따라 제조원가, 판매비와관리비 또는 개발비 등으로 처리하며, 주식보상비용(차변)의 상대계정으로는 자본(미가득주식, 대변)을 인식한다.

갑기업이 20×9년 12월 31일에 가득된 주식을 종업원에게 지급할 경우의 회계처리는 다음과 같다. 단, 갑기업은 이미 보유하고 있는 자기주식을 종업원에게 지급하며 자기주식의 취득원가는 단위당 250원이라고 가정한다.

(차) 자 본 (미 가 득 주 식)　　12,570,000[*1]　　(대) 자　기　주　식　　10,475,000[*2]
　　　　　　　　　　　　　　　　　　　　　　　　기 타 자 본 잉 여 금　　2,095,000[*3]

[*1] 누적보상원가
[*2] 419명×100주×250원(자기주식 취득단가) = 10,475,000원
[*3] 자기주식의 취득원가가 부여한 주식과 관련된 자본(누적보상원가)을 초과하는 경우에는 그 초과액만큼 새로운 자본으로 계상한다.

사례 3　가득되는 지분상품의 수량을 좌우하는 비시장성과조건이 부과된 경우

〈배경정보〉

- 갑기업은 20×7년 1월 1일에 판매부 종업원 100명에게 주식선택권을 부여하고, 3년의 용역제공조건과 함께 특정제품의 판매수량과 관련된 다음의 비시장성과조건을 부과하였다.

연평균 판매증가율		가득되는 주식선택권 수량
이상	미만	
–	5%	–
5%	10%	100개
10%	15%	200개
15%	–	300개

- 갑기업은 부여일 현재 주식선택권의 단위당 공정가치를 200원으로 추정하였다. 또한, 기업은 부여일부터 3년 동안 연평균 판매증가율이 10% 이상 15% 미만에 달하여, 20×9년 말에는 용역제공조건을 충족한 종업원 1인당 200개의 주식선택권을 가득할 것으로 추정하였다.

한편, 기업은 부여일부터 3년 동안 20%의 종업원이 퇴사할 것으로 추정하였다.
- 20×7년에 7명이 퇴사하였고, 기업은 부여일로부터 20×9년 말까지 총 20명이 퇴사할 것으로 추정하였다. 따라서, 20×9년 말까지 계속 근무할 것으로 기대되는 종업원수는 80명이다. 제품판매는 12% 증가하였으며, 기업은 이 증가율이 20×8년에도 계속될 것으로 추정하였다.
- 20×8년에 5명이 추가로 퇴사하여 20×8년 말 현재 누적퇴사자는 12명이 되었다. 기업은 20×9년에 3명이 더 퇴사하여 부여일 이후 3년 동안 총 15명이 퇴사하게 되고 계속 근무자수는 85명이 될 것으로 예상하였다. 제품판매는 18% 증가하여 부여일 이후 2년간 연평균 증가율이 15%에 달하였다. 기업은 부여일 이후 3년 동안 제품판매의 연평균 증가율이 15%를 초과하여 20×9년 말에는 종업원 1인당 300개의 주식선택권을 가득할 것으로 추정하였다.
- 20×9년에 추가로 2명이 퇴사하여 부여일 이후 3년 동안 총 퇴사자수는 14명, 계속근무자는 86명이 되었다. 기업의 제품판매는 부여일 이후 3년 동안 연평균 16% 증가하여 20×9년 말에 86명의 종업원이 1인당 300개의 주식선택권을 가득하였다.

〈회계처리〉

회계연도	계산근거	당기 보상원가	누적 보상원가
20×7	80명×200개×200원×1/3	1,066,667	1,066,667
20×8	(85명×300개×200원×2/3) − 1,066,667원	2,333,333	3,400,000
20×9	(86명×300개×200원×3/3) − 3,400,000원	1,760,000	5,160,000

사례 4 행사가격을 좌우하는 비시장성과조건이 부과된 경우

〈배경정보〉
- 갑기업은 20×7년 1월 1일에 최고경영자에게 주식선택권 10,000개를 부여하고, 3년의 용역제공조건을 부과하였다. 주식선택권의 행사가격은 400원이나, 3년 동안 기업의 연평균 이익성장률이 10% 이상이 되면 행사가격은 300원으로 인하된다.
- 부여일 현재 주식선택권의 공정가치는 행사가격을 300원으로 할 경우 160원, 행사가격을 400원으로 할 경우 120원으로 추정되었다.
- 20×7년에 기업의 이익은 12% 성장하였고, 기업은 이러한 성장률이 다음 2개년에도 계속될 것으로 추정하였다. 따라서, 지정된 목표이익성장률이 달성되어 기대행사가격이 300원이 될 것으로 추정되었다.
- 20×8년에 기업의 이익은 13% 증가하였으며, 기업은 여전히 목표이익성장률이 달성될 것으로 추정하였다.
- 그러나, 20×9년에 기업의 이익성장률은 3%에 그쳐 목표이익(연평균 10% 이상)이 달성되지 못하였다. 다만, 최고경영자가 부여일 이후 3년간 근무함에 따라 용역제공조건은 충족되었다. 20×9년 말에 목표이익성장률이 달성되지 못하여 가득된 주식선택권 10,000개의 행사가격은 400원으로 확정되었다.

〈회계처리〉
비시장성과조건의 달성 여부가 행사가격을 좌우하므로 비시장성과조건의 효과(즉, 행사가격이 400원이 될 가능성과 300원이 될 가능성)는 부여일에 주식선택권의 공정가치를 측정할 때 고려하지 않는다. 대신에 기업은 각 경우(행사가격이 400원이 되는 경우와 300원이 되는 경우)에 주식선택권의 부여일 현재 공정가치를 추정한 다음 추후 비시장성과조건의 달성 여부를 반영하여 보상원가를 수정하여야 한다.

회계연도	계산근거	당기 보상원가	누적 보상원가
20×7	10,000개×160원×1/3	533,333	533,333
20×8	(10,000개×160원×2/3) − 533,333원	533,334	1,066,667
20×9	(10,000개×120원×3/3) − 1,066,667원	133,333	1,200,000

사례 5 시장성과조건이 부과된 주식선택권

〈배경정보〉

• 갑기업은 20×7년 1월 1일에 최고경영자에게 주식선택권 10,000개를 부여하고, 3년의 용역제공조건을 부과하였다. 그러나, 20×9년 말에 기업의 주가가 650원 이상으로 상승하지 않는다면(부여일 현재 주가 500원), 최고경영자는 부여받은 주식선택권을 행사할 수 없다. 20×9년 말에 기업의 주가가 650원 이상이 되면 최고경영자는 주식선택권을 다음 7년 동안(즉, 20Y6년 말까지) 언제든지 행사할 수 있다.

• 기업은 주식선택권의 공정가치를 측정할 때 이항모형을 적용하였으며, 모형 내에서 20×9년 말에 기업의 주가가 650원 이상이 될 가능성(즉, 주식선택권이 행사가능하게 될 가능성)과 그렇지 못할 가능성(즉, 주식선택권이 상실될 가능성)을 고려하였다. 기업은 부여일 현재 주식선택권의 공정가치를 단위당 240원으로 추정하였다.

〈회계처리〉

시장성과조건이 부과된 주식선택권에 대해서는 그러한 시장성과조건(예 : 목표주가)이 달성되는지 여부와 관계 없이 다른 모든 가득조건(예 : 용역제공조건)이 충족되면 보상원가를 인식한다. 목표주가가 달성되지 못할 가능성은 이미 부여일 현재 주식선택권의 공정가치를 추정할 때 고려하였으므로, 기업이 용역제공조건이 충족될 것으로 기대하였고 또한 실제 결과도 동일하다면 매 회계연도마다 인식할 보상원가는 다음과 같다.

회계연도	계산근거	당기 보상원가	누적 보상원가
20×7	10,000개×240원×1/3	800,000	800,000
20×8	(10,000개×240원×2/3) − 800,000원	800,000	1,600,000
20×9	(10,000개×240원) − 1,600,000원	800,000	2,400,000

이미 설명한 바와 같이 위 금액은 시장성과조건의 달성 여부와는 무관하게 인식한다. 그러나, 만약 최고경영자가 20×8년 중에 퇴사하였다면, 20×7년에 인식한 보상원가는 20×8년에 환입하여야 한다. 시장성과조건과는 달리 용역제공조건은 부여일 현재 주식선택권의 공정가치를 추정할 때 고려하지 않기 때문이다. 대신에 용역제공조건은 궁극적으로 가득될 지분상품의 수량에 기초하여 보상원가를 조정함으로써 고려한다.

사례 6 가득기간이 시장성과조건에 따라 변하는 경우

〈배경정보〉

- 갑기업은 20×7년 1월 1일에 임원 10명에게 각각 만기 10년의 주식선택권 10,000개를 부여하였다. 부여한 주식선택권은 당해 임원이 근무하는 동안 기업의 주가가 현재의 500원에서 700원으로 상승할 때 가득되며 즉시 행사가능하다.
- 갑기업은 부여한 주식선택권의 공정가치를 이항모형에 따라 측정하며, 이항모형을 적용할 때 주식선택권의 만기(10년)까지 목표주가(700원)가 달성될 가능성과 그렇지 못할 가능성을 함께 고려하였다. 갑기업은 부여일 현재 주식선택권의 공정가치를 단위당 250원으로 추정하였다. 또한, 기대가득기간은 5년으로 추정하였다. 즉, 목표주가는 부여일부터 5년(기대치) 후(20Y1. 12. 31.)에 달성될 것으로 추정하였다. 갑기업은 주식선택권을 부여받은 10명의 임원 중 2명이 부여일부터 5년 이내에 퇴사할 것으로 추정하였다. 따라서, 부여일로부터 5년 후 시점(20Y1. 12. 31.)에는 총 80,000개(8명×10,000개)의 주식선택권이 가득될 것으로 예상되었다.
- 20×7년부터 20Y0년까지, 20Y1년 12월 31일 이전에 총 2명이 퇴사할 것이라는 추정에는 변함이 없었다. 그러나, 실제로는 20Y1년 12월 31일까지 총 3명(20×9년, 20Y0년 및 20Y1년에 각 1명씩)이 퇴사하였다. 목표주가는 실제로 20Y2년에 달성되었으며, 20Y2년에 목표주가가 달성되기 전에 1명이 추가로 퇴사하였다.

〈회계처리〉

갑기업은 부여일에 추정한 기대가득기간에 걸쳐 보상원가를 인식하여야 하고, 부과된 조건이 시장성과조건이므로 후속적으로 추정치(기대가득기간)를 변경할 수 없다. 따라서, 기업은 보상원가를 20×7년부터 20Y1년까지 인식하여야 한다. 또한, 보상원가는 궁극적으로 70,000개 (20Y1년 12월 31일 현재 근무하고 있는 임원 7명×10,000개)의 주식선택권에 기초하여 결정된다. 20Y2년에는 추가로 1명이 퇴사하였음에도 불구하고 기대가득기간이 20Y1년에 이미 경과하였으므로 어떠한 회계처리도 하지 않는다. 갑기업이 20×7년부터 20Y1년까지 인식할 보상원가는 다음과 같다.

회계연도	계산근거	당기 보상원가	누적 보상원가
20×7	80,000개×250원×1/5	4,000,000	4,000,000
20×8	(80,000개×250원×2/5) − 4,000,000원	4,000,000	8,000,000
20×9	(80,000개×250원×3/5) − 8,000,000원	4,000,000	12,000,000
20Y0	(80,000개×250원×4/5) − 12,000,000원	4,000,000	16,000,000
20Y1	(70,000개×250원) − 16,000,000원	1,500,000	17,500,000

사례 7 주식선택권의 조건변경Ⅰ − 행사가격 조정

〈배경정보〉

- 갑기업은 20×7년 1월 1일에 종업원 500명에게 각각 주식선택권 100개를 부여하고, 3년의 용역제공조건을 부과하였다. 갑기업은 주식선택권의 단위당 공정가치를 150원으로 추정하

였으며, 3년 동안 100명이 퇴사하여 주식선택권을 상실하게 될 것으로 추정하였다.

• 주식선택권 부여 이후 갑기업의 주가가 지속적으로 하락함에 따라 20×7년 12월 31일 갑기업은 주식선택권의 행사가격을 하향 조정하였다. 20×7년 중에는 40명이 퇴사하였고, 갑기업은 추가로 70명이 20×8년과 20×9년에 퇴사할 것으로 추정하였다. 따라서, 20×7년 12월 31일 현재, 가득기간 중 퇴사할 것으로 추정되는 종업원 수는 총 110명이다. 20×8년에 실제로 35명이 퇴사하였으며, 갑기업은 20×9년에 추가로 30명이 퇴사할 것으로 추정하였다. 따라서, 가득기간(3년)에 걸쳐 퇴사하는 종업원 수는 20×8년말 현재 총 105명으로 추정되었다. 20×9년에 실제로 28명이 퇴사하여 총퇴사자수는 103명이 되었다. 근무를 계속한 397명은 20×9년 12월 31일에 주식선택권을 가득하였다.

• 행사가격을 조정한 날에 갑기업은 당초 주식선택권의 공정가치를 50원으로 추정하였고, 조정된 주식선택권의 공정가치를 80원으로 추정하였다.

〈회계처리〉

기업은 주식기준보상거래 전체의 공정가치를 증가시키거나 또는 종업원에게 유리한 조건변경의 효과를 인식하여야 한다. 즉, 조건변경(예 : 행사가격의 하향 조정)을 통해 기부여한 지분상품의 공정가치가 증가한다면 보상원가를 인식할 때 그 측정치에 증분공정가치를 포함하여야 한다.

이 경우 증분공정가치는 조건변경일 현재 다음 ①에서 ②를 차감한 금액으로 한다.
① 조건변경 직후에 측정한 변경된 지분상품의 공정가치
② 조건변경 직전에 측정한 당초 지분상품의 공정가치

또한, 가득기간에 조건변경이 있는 경우 조건변경일 이후의 회계처리는 다음과 같다.
① 조건변경일부터 변경된 가득일(또는 가득일의 변경이 없는 경우에는 당초 약정상의 가득일)까지 보상원가를 인식할 때 그 측정치에 증분공정가치를 포함한다.
② 당초 지분상품에 대해 부여일에 측정한 공정가치는 당초 잔여기간(조건변경일부터 당초 약정상의 가득일)에 걸쳐 인식한다.

본 사례에서 주식선택권의 단위당 증분공정가치는 다음과 같이 계산된다.

조건변경 직후에 측정한 변경된 주식선택권의 공정가치	80원
(-) 조건변경 직전에 측정한 당초 주식선택권의 공정가치	50원
증분공정가치	30원

위의 증분공정가치 30원은 당초 주식선택권의 부여일 공정가치 150원에 기초한 당초 보상원가에 추가하여 잔여가득기간(2년)에 걸쳐 인식한다. 갑기업이 20×7년부터 20×9년까지 인식할 보상원가는 다음과 같다.

회계연도	계산근거	당기 보상원가	누적 보상원가
20×7	(500명－110명)×100개×150원×1/3	1,950,000	1,950,000
20×8	(500명－105명)×100개×(150원×2/3＋30원×1/2)－1,950,000원	2,592,500	4,542,500
20×9	(500명－103명)×100개×(150원＋30원)－4,542,500원	2,603,500	7,146,000

사례 8 주식선택권의 조건변경Ⅱ－가득조건 변경

〈배경정보〉

- 갑기업은 20×7년 1월 1일에 판매부 종업원들에게 각각 주식선택권 1,000개를 부여하고, 3년의 용역제공조건과 함께 3년 동안 특정제품에 대한 판매부의 매출수량이 50,000개 이상이 될 것을 요구하는 비시장성과조건을 부과하였다. 부여일 현재 주식선택권의 단위당 공정가치는 150원이다.
- 갑기업은 20×8년에 비시장성과조건을 변경하였는바, 판매부의 목표매출수량은 100,000개로 조정되었다. 20×9년 12월 31일까지 판매부의 실제 매출실적은 55,000개에 불과하여 부여한 주식선택권은 상실되었다. 당초에 주식선택권을 부여받은 판매부 종업원들 중 20×9년 12월 31일까지 근무한 종업원수는 총 12명이다.

〈회계처리〉

부여한 지분상품에 비시장성과조건이 부과되어 있는 경우에, 기업은 가득될 것으로 기대되는 지분상품의 수량에 대한 최선의 추정치에 근거하여 보상원가를 인식하여야 한다. 만약 후속적인 정보에 비추어 볼 때 미래에 가득될 것으로 기대되는 지분상품의 수량이 직전 추정치와 다를 것으로 예상된다면 당해 추정치를 변경하여야 한다. 가득일에는 궁극적으로 가득된 지분상품의 수량과 일치하도록 당해 추정치를 변경한다. 그러나, 기업은 지분상품을 부여한 당시의 조건을 변경하는지, 부여한 지분상품을 취소하거나 중도청산하는지 여부와 관계 없이 제공받는 근무용역은 최소한 지분상품의 부여일 당시 공정가치에 따라 인식하여야 한다. 다만, 지정된 가득조건(시장성과조건 제외)이 충족되지 않아 지분상품이 가득되지 못하는 경우는 그러하지 않다. 기업회계기준서 부록 B의 문단 B44(3)에 따르면, 기업이 종업원에게 불리하게 가득조건을 변경하는 경우에는 동 기준의 문단 19~21을 적용할 때 변경된 가득조건을 고려하지 않는다.

비시장성과조건의 변경으로 인해 주식선택권이 가득될 가능성이 당초보다 낮아지는 경우에는 제공받는 근무용역을 인식할 때 변경된 비시장성과조건을 고려하지 않는다. 대신 3년에 걸쳐 제공받는 근무용역을 당초의 가득조건에 따라 인식한다. 따라서, 갑기업이 3년에 걸쳐 인식할 누적보상원가는 1,800,000원(12명×1,000개×150원)이 된다.

목표성과를 조정하는 대신 주식선택권이 가득되기 위한 용역제공조건을 3년에서 10년으로 상향 조정한 경우에도 위와 동일한 논리가 적용될 수 있다. 이러한 조건변경으로 인해 주식선택권이 가득될 가능성이 당초보다 낮아지기 때문에, 즉 당해 조건변경은 종업원에게 불리하기 때문에, 기업이 제공받는 근무용역을 인식할 때 변경된 용역제공조건은 고려하지 않는다. 대신 당초 용역제공조건인 3년에 걸쳐 근무한 12명의 종업원으로부터 제공받는 근무용역을 인식한다.

사례 9 부여한 주식에 현금결제선택권이 후속적으로 추가된 경우

〈배경정보〉

갑기업은 20×7년 1월 1일에 고위임원 1명에게 3년간 근무할 것을 조건으로 공정가치가 주당 33원인 주식 10,000주를 부여하였다. 2차년도 말에 기업의 주가는 25원으로 하락하였다. 동일자로 기업은 당초 부여한 주식에 현금결제선택권을 추가하여 이 임원은 가득일에 선택적으로 주식 10,000주를 수취하거나 10,000주에 상당하는 현금을 수취할 수 있게 되었다. 가득일의 주가는 22원이다.

〈회계처리〉

이 기준서의 문단 27에 따르면 기업이 지분상품을 부여한 당시의 조건을 변경하는지, 부여한 지분상품을 취소하거나 중도청산하는지 여부와 관계없이 제공받는 근무용역은 최소한 지분상품의 부여일 당시의 공정가치에 따라 인식하여야 한다. 다만, 지정된 가득조건(시장조건 제외)이 충족되지 않아 지분상품이 가득되지 못하는 경우에는 그러하지 아니하다. 따라서 기업은 3년에 걸쳐 제공받는 근무용역을 부여일 당시 주식의 공정가치에 따라 인식한다.

기업은 2차년도 말에 현금결제선택권이 추가되어 현금으로 결제할 의무를 부담하게 되었다. 현금결제형 주식기준보상거래에 관한 규정(이 기준서의 문단 30~33)에 따르면 기업은 조건변경일 현재 주식의 공정가치와 당초 특정된 근무용역을 제공받은 정도에 기초하여 조건변경일에 현금으로 결제될 부채를 인식한다. 또한 기업은 각 보고일과 결제일에 부채의 공정가치를 재측정하고 그 공정가치 변동을 그 기간의 당기손익으로 인식한다. 따라서, 기업이 인식할 금액은 다음과 같다.

회계연도	계 산	비용	자본	부채
20×7	당기 보상비용 : 10,000주×33원×1/3	110,000	110,000	
20×8	당기 보상비용 : (10,000주×33원×2/3) − 110,000원	110,000	110,000	
	자본에서 부채로 재분류 : 10,000주×25원×2/3		(166,667)	166,667
20×9	당기 보상비용 : (10,000주×33원×3/3) − 220,000원	110,000	26,667	83,333
	부채를 결제일의 공정가치로 조정 :			
	(166,667원 + 83,333원) − (22원×10,000주)	(30,000)		(30,000)
	합 계	300,000	80,000	220,000

사례 10 주식선택권의 공정가치를 신뢰성 있게 측정할 수 없어 내재가치로 측정하여 회계처리하는 경우

※ 본 사례는 내재가치로 측정하는 경우의 회계처리를 예시할 목적으로 편의상 부여조건이 단순한 주식선택권을 가정하고 있다. 그러나, 실제로 내재가치로 평가할 수 있는 경우는 매우 드문 경우로 부여조건이 매우 복잡하여 주식선택권의 공정가치를 신뢰성 있게 측정

할 수 없는 경우라는 점을 유의해야 한다.

〈배경정보〉

- 갑기업은 20×7년1월 1일에 종업원 50명에게 각각 주식선택권 1,000개를 부여하고 3년의 용역제공조건을 부과하였다. 주식선택권의 만기는 10년이다. 주식선택권의 행사가격은 600원이고, 부여일 현재 기업의 주가도 600원이다.
- 부여일 현재 기업은 주식선택권의 공정가치를 신뢰성 있게 측정할 수 없다고 판단하였다.
- 20×7년 12월 31일 현재 이미 3명이 퇴사하였고, 기업은 20×8년과 20×9년에도 추가로 7명이 퇴사할 것으로 추정하였다. 따라서, 부여한 주식선택권의 80%(40명분)가 가득될 것으로 추정되었다.
- 20×8년에 실제로 2명이 퇴사하였고, 기업은 미래에 가득될 것으로 기대되는 주식선택권의 비율을 86%로 추정하였다.
- 20×9년에 실제로 2명이 퇴사하였고, 20×9년 12월 31일에 총 43,000개의 주식선택권이 가득되었다.
- 20×7년부터 20Y6년까지 기업의 주가와 20Y0년부터 20Y6년까지 행사된 주식선택권의 수량은 다음과 같다. 행사된 주식선택권은 모두 회계연도말에 행사되었다.

회계연도	회계연도 말 주가	행사된 주식선택권 수량
20×7	630	–
20×8	650	–
20×9	750	–
20Y0	880	6,000
20Y1	1,000	8,000
20Y2	900	5,000
20Y3	960	9,000
20Y4	1,050	8,000
20Y5	1,080	5,000
20Y6	1,150	2,000

〈회계처리〉

기업회계기준서 제1102호 문단 24에 따라 갑기업이 매 회계연도에 인식하여야 할 보상원가는 다음과 같다.

회계연도	계산근거	당기 보상원가	누적 보상원가
20×7	50,000개×80%×(630원 − 600원)×1/3	400,000	400,000
20×8	50,000개×86%×(650원 − 600원)×2/3 − 400,000원	1,033,333	1,433,333
20×9	43,000개×(750원 − 600원) − 1,433,333원	5,016,667	6,450,000
20Y0	37,000개(미행사분)×(880원 − 750원) + 6,000개 (행사분)×(880원 − 750원)	5,590,000	12,040,000

회계연도	계산근거	당기 보상원가	누적 보상원가
20Y1	29,000개(미행사분)×(1,000원－880원)＋8,000개(행사분)×(1,000원－880원)	4,440,000	16,480,000
20Y2	24,000개(미행사분)×(900원－1,000원)＋5,000개(행사분)×(900원－1,000원)	(2,900,000)	13,580,000
20Y3	15,000개(미행사분)×(960원－900원)＋9,000개(행사분)×(960원－900원)	1,440,000	15,020,000
20Y4	7,000개(미행사분)×(1,050원－960원)＋8,000개(행사분)×(1,050원－960원)	1,350,000	16,370,000
20Y5	2,000개(미행사분)×(1,080원－1,050원)＋5,000개(행사분)×(1,080원－1,050원)	210,000	16,580,000
20Y6	2,000개(행사분)×(1,150원－1,080원)	140,000	16,720,000

사례 11 우리사주제도

〈배경정보〉

• (상황 1)

갑기업은 우리사주조합에 자기주식 1,000,000주를 출연하였다. 자기주식의 취득원가는 1주당 500원이며, 출연일 현재 갑기업 주식의 1주당 공정가치는 1,000원이다. 출연된 자기주식은 즉시 조합원 개인별계정에 배정된다. 그러나, 배정된 주식은 의무적으로 5년간 수탁기관에 예탁하여야 하므로 동 기간에 처분이 제한된다.

• (상황 2)

을기업은 20×7년 7월 1일에 우리사주조합원(종업원)에게 우리사주매수선택권 1,000,000개를 부여하였다. 우리사주매수선택권을 부여받은 종업원은 부여일로부터 6개월 후(20×7. 7. 1~20×7. 12. 31 : 1차 제공기간)에 500,000개를 행사할 수 있고, 1년 후(20×8. 1. 1~20×8. 6. 30 : 2차 제공기간)에 나머지 500,000개를 행사할 수 있다. 우리사주매수선택권의 행사가격은 주식 공정가치보다 20% 할인된 가격으로 책정되는데, 1차 제공기간과 2차 제공기간의 종료일에 행사할 수 있는 각 500,000개는 각 기간의 개시일(1차 : 20×7. 7. 1, 2차 : 20×8. 1. 1)을 기준으로 행사가격을 산정한다. 1차 제공기간과 2차 제공기간의 개시일 현재 우리사주매수선택권의 단위당 공정가치는 각각 500원과 600원이며 주식의 단위당 공정가치는 각각 2,200원과 2,800원이다. 기업 주식의 주당 액면금액은 1,000원이다. 제공기간 중에 퇴직하는 종업원은 우리사주매수선택권을 상실하게 되지만 본 사례에서는 퇴직자가 없다고 가정한다. 또한, 제공기간 말에 우리사주매수선택권이 모두 행사되었다고 가정한다.

〈회계처리〉

출연시점에 주식의 공정가치만큼 보상원가를 인식하여야 하므로 다음과 같이 회계처리한다. 단, 본 사례에서는 편의상 주식의 처분이 제한됨으로써 공정가치에 미치게 될 영향을 고려하고 있지 않지만, 부여된 주식에 처분제한이 있기 때문에 실제로 주식의 공정가치를 산정할 때에는 기업회계기준서 제1102호 문단 B3에 따라 동 처분제한효과를 감안하여야 한다.

(차) 주 식 보 상 비 용　1,000,000,000[*1]　(대) 자본조정(자기주식)　500,000,000[*2]

기 타 자 본 잉 여 금　500,000,000[*3]

(*1) 1,000,000주×1,000원(1주당 공정가치)＝1,000,000,000원

(*2) 1,000,000주×500원(자기주식 1주당 취득원가)＝500,000,000원

(*3) 자기주식의 공정가치와 취득원가의 차이금액으로서 개념상 자기주식처분이익(기타자본잉여금)에 해당한다.

사례 12 현금결제형 주가차액보상권

〈배경정보〉

- 갑기업은 20×7년 1월 1일에 종업원 500명에게 각각 현금결제형 주가차액보상권 100개를 부여하고, 3년의 용역제공조건을 부과하였다.
- 20×7년 중에 35명이 퇴사하였으며, 기업은 20×8년과 20×9년에도 추가로 60명이 퇴사할 것으로 추정하였다. 20×8년에는 실제로 40명이 퇴사하였고, 기업은 20×9년에 추가로 25명이 퇴사할 것으로 추정하였다. 20×9년에 실제로 22명이 퇴사하였다. 20×9년 12월 31일에 150명이 주가차액보상권을 행사하였고, 20Y0년 12월 31일에 140명이 주가차액보상권을 행사하였으며, 나머지 113명은 20Y1년 12월 31일에 주가차액보상권을 행사하였다.
- 기업이 매 회계연도 말에 추정한 주가차액보상권의 공정가치는 아래 표와 같다. 20×9년 12월 31일에 계속근무자는 부여받았던 주가차액보상권을 모두 가득하였다. 20×9년, 20Y0년 및 20Y1년 말에 행사된 주가차액보상권의 내재가치(현금지급액)는 아래 표와 같다.

회계연도	공정가치	내재가치
20×7	144원	–
20×8	155원	–
20×9	182원	150원
20Y0	214원	200원
20Y1	–	250원

〈회계처리〉

회계연도	계산근거	당기 보상원가[*]	부채 장부금액[*]
20×7	(500명 － 95명)×100개×144원×1/3	1,944,000	1,944,000
20×8	(500명 － 100명)×100개×155원×2/3 － 1,944,000원	2,189,333	4,133,333
20×9	(500명 － 97명 － 150명)×100개×182원 － 4,133,333원 ＋ 150명×100개×150원	471,267 ＋ 2,250,000 2,721,267	4,604,600
20Y0	(253명 － 140명)×100개×214원 － 4,604,600원 ＋ 140명×100개×200원	(2,186,400) ＋ 2,800,000 613,600	2,418,200

회계연도	계산근거	당기 보상원가^(*)	부채 장부금액^(*)
20Y1	0원 - 2,418,200원 + 113명×100개×250원	(2,418,200) + 2,825,000 406,800	-
	합 계	7,875,000	

^(*) 보상원가는 주식보상비용의 과목으로 하여 그 성격에 따라 제조원가, 판매비와관리비 또는 개발비 등으로 처리하며, 주식보상비용(차변)의 상대계정으로는 부채(장기미지급비용, 대변)를 인식한다.

사례 13 현금결제선택권이 있는 주식기준보상약정

〈배경정보〉
• 20×7년 1월 1일에 갑기업은 최고경영자에게 가상주식 1,000주(갑기업 주식 1,000주에 상당하는 현금을 지급받을 권리)와 주식선택권 3,000개 중 하나를 선택하여 행사할 수 있는 권리를 부여하였다. 동 권리에는 3년의 용역제공조건이 부과되어 있으며 주식선택권의 행사가격은 300원이다.
• 부여일 현재 갑기업의 주가는 300원이고, 20×7년과 20×8년 12월 31일의 주가는 각각 350원과 400원이다. 갑기업 주식의 단위당 액면금액은 100원이다.
• 20Y0년 1월 1일에 최고경영자가 권리를 행사할 경우 다음 각 상황별 회계처리는?
(상황 1) - 주가가 420원이므로 가상주식 1,000주(현금결제)를 선택
(상황 2) - 주가가 480원이므로 주식선택권 3,000개(주식결제)를 선택

〈회계처리〉
각 결제방식은 부여일 이후 주가가 변동함에 따라 서로 다른 가치를 갖게 된다. 따라서, 최고경영자는 행사시점의 주가에 기초하여 각 결제방식의 상대적인 가치를 평가함으로써 보다 유리한 결제방식을 선택할 것이다. 주가에 따라 행사시점에 선택되는 결제방식과 그 공정가치는 다음과 같다.

주가(S)	S≤450원	S>450원
결제방식	가상주식 1,000주(현금결제)	주식선택권 3,000개(주식결제)
행사시점의 공정가치	1,000×S	3,000×(S-300) = 1,000×S + 2,000×(S-450)

예를 들어, 행사시점의 주가가 400원이라면 가상주식 1,000주의 공정가치(1,000주×400원 = 400,000원)가 주식선택권 3,000개의 공정가치(3,000개×(400원-300원) = 300,000원)를 초과하므로 최고경영자는 현금결제방식을 선택할 것이다. 반면 행사시점의 주가가 500원이라면 가상주식 1,000주의 공정가치(1,000주×500원 = 500,000원)가 주식선택권 3,000개의 공정가치(3,000개×(500원-300원) = 600,000원)에 미달하므로 최고경영자는 주식결제방식을 선택할 것이다.

위 표에서 '가상주식 1,000주와 행사가격이 300원인 주식선택권 3,000개 중 하나를 선택할 수 있는 권리'는 '가상주식 1,000주와 행사가격이 450원인 주식선택권 2,000개를 모두 행사할 수 있는 권리'와 사실상 동일함을 알 수 있다. 따라서, 동 권리는 부채요소(가상주식 1,000주)와

자본요소(행사가격이 450원인 주식선택권 2,000개)로 구성된 복합금융상품이라고 볼 수 있다. 행사가격이 450원인 주식선택권의 부여일 현재 공정가치가 10원이라고 가정한다면, 부여일 현재 복합금융상품의 공정가치는 다음과 같다.

① 부채요소의 공정가치(1,000주×300원)   300,000원
② 자본요소의 공정가치(2,000개× 10원)   20,000원

   복합금융상품의 공정가치(①+②)   320,000원

갑기업이 매 회계연도에 인식할 보상원가, 자본(주식선택권) 및 부채(장기미지급비용)는 다음과 같다.

회계연도	계산근거	보상원가[*]	자본[*]	부채[*]
20×7	부채요소 : (1,000주×350원×1/3)	116,667		116,667
	자본요소 : (20,000원×1/3)	6,667	6,667	
20×8	부채요소 : (1,000주×400원×2/3) − 116,667	150,000		150,000
	자본요소 : (20,000원×1/3)	6,667	6,667	
20×9 (상황 1)	부채요소 : (1,000주×420원) − 266,667	153,333		153,333
	자본요소 : (20,000원×1/3)	6,666	6,666	
20×9 (상황 2)	부채요소 : (1,000주×480원) − 266,667	213,333		213,333
	자본요소 : (20,000원×1/3)	6,666	6,666	

[*] 보상원가는 주식보상비용의 과목으로 하여 그 성격에 따라 제조원가, 판매비와관리비 또는 개발비 등으로 처리하며, 주식보상비용(차변)의 상대계정으로는 자본(주식선택권, 대변)과 부채(장기미지급비용)를 인식한다.

20Y0년 1월 1일에 최고경영자가 권리를 행사할 때 회계처리는 다음과 같다.
(상황 1)

(차) 부채(장기미지급비용)   420,000   (대) 현   금   420,000
     자 본 (주 식 선 택 권)   20,000   기 타 자 본 잉 여 금   20,000[*1]

[*1] 현금결제방식을 선택함에 따라 주식선택권은 더 이상 행사할 수 없으므로 가득일 이후 상실된 경우와 같이 자본을 기타자본잉여금으로 대체한다.

(상황 2)

(차) 부채(장기미지급비용)   480,000   (대) 자   본   금   300,000[*2]
     현   금   900,000[*1]   주 식 발 행 초 과 금   1,100,000
     자 본 (주 식 선 택 권)   20,000

[*1] 주식선택권 행사대금 : 3,000개×300원=900,000원
[*2] 3,000주×100원(주당 액면)=300,000원

사례 14   지배기업과 종속기업 종업원 간의 주식기준보상거래

〈배경정보〉

지배기업은 종속기업 종업원 100명에게 그 종속기업에서 2년간 근무할 것을 조건으로 각각 주식선택권 200개를 부여하였다. 부여일에 주식선택권의 단위당 공정가치는 30원이다. 부여일 현재 종속기업은 주식선택권을 부여받은 종업원 중 80%가 2년의 근무조건을 충족할 것이라고 추정하였으며 이러한 추정은 가득기간 내에 변하지 않았다. 가득기간 말에 실제로 종업원 81명이 2년의 근무조건을 충족하였다. 지배기업은 부여한 주식선택권을 결제하기 위해 필요한 주식에 대해 종속기업이 지급할 것을 요구하지 않는다.

기업회계기준서 제1102호 문단 B53에 따라, 종속기업은 가득기간 2년 동안 종업원에게서 제공받는 근무용역을 주식결제형 주식기준보상거래에 관한 규정을 적용하여 측정한다. 따라서 종속기업은 종업원에게서 제공받는 근무용역을 부여일 현재 주식선택권의 공정가치에 기초하여 측정한다. 또 지배기업으로부터 출자받은 것으로 보아 종속기업의 재무제표에 자본의 증가를 인식한다.

〈회계처리〉

종속기업의 매 회계연도 회계처리는 다음과 같다.

1차 연도

(차) 보상비용 240,000원($200 \times 100 \times 30 \times 0.8 / 2$)

　　(대) 자본(지배기업으로부터의 출자) 240,000원

2차 연도

(차) 보상비용 246,000원($200 \times 100 \times 30 \times 0.81 - 240,000$)

　　(대) 자본(지배기업으로부터의 출자) 246,000원

사례 15   부여한 주식선택권이 분할하여 가득되는 경우

〈배경정보〉

A기업은 20×7년 1월 1일에 종업원 3,000명에게 1인당 300개씩 총 900,000개의 주식선택권을 부여하였다. 주식선택권에는 용역제공조건이 부과되어 있고, 20×8년 말에 전체 부여수량의 50%가 가득되며 20×9년 말에 나머지 50%가 분할하여 가득된다. 부여일 현재 연간 기대권리상실율은 3%로 추정되었으며 실제 결과도 이와 동일하였다. 따라서, 매 회계연도에 실제로 가득된 주식선택권의 수량은 다음과 같다.

회계연도	종업원수	가득 주식선택권 수량
20×7	$3,000 \times (1 - 0.03) = 2,910$	–
20×8	$3,000 \times (1 - 0.03)^2 = 2,823$	$2,823 \times 150(300 \times 50\%) = 423,450$
20×9	$3,000 \times (1 - 0.03)^3 = 2,738$	$2,738 \times 150(300 \times 50\%) = 410,700$
합　계		834,150

〈회계처리〉

매 회계연도에 가득되는 부분에 대해 각각 상이한 기대존속기간이 적용되므로 부여일에 측정
된 총보상원가는 다음과 같다.

회계연도	가득된 주식선택권 수량	단위당 공정가치	총보상원가
20×7	–	–	–
20×8	423,450	141.7원	60,002,865원
20×9	410,700	146.9원	60,331,830원
합계	834,150		120,334,695원

각각의 총보상원가는 해당 가득기간에 걸쳐 안분하여 인식한다. 따라서, 20×8년 가득분
60,002,865원은 2년(20×7년과 20×8년)에 걸쳐 안분하여 인식하며, 20×9년 가득분 60,331,830
원은 3년(20×7년, 20×8년 및 20×9년)에 걸쳐 안분하여 인식한다. 매 회계연도에 인식할 보상
원가는 다음과 같다.

	20×7	20×8	20×9
20×8년 가득분	30,001,433원	30,001,432원	–
20×9년 가득분	20,110,610원	20,110,610원	20,110,610원
당기 보상원가	50,112,043원	50,112,042원	20,110,610원
누적 보상원가	50,112,043원	100,224,085원	120,334,695원

사례 16 부여한 주식선택권을 가득기간에 중도청산하는 경우

〈배경정보〉

A기업은 20×7년 1월 1일에 종업원 500명에게 각각 주식선택권 100개를 부여하고, 3년의 용역
제공조건을 부과하였다. 부여일 현재 주식선택권의 단위당 공정가치는 150원으로 추정되었다.
A기업은 20×9년 12월 31일까지 퇴사자가 없을 것으로 추정하였고 실제 결과도 당초 추정과
동일하였다. 20×8년 12월 31일 A기업은 종업원과의 합의하에 현금을 지급하여 주식선택권을
모두 중도청산하였다. 20×8년 12월 31일 현재 A기업의 재무제표에는 20×7년 1월 1일 이전에
부여한 다른 주식선택권과 관련하여 인식한 기타자본잉여금 500,000원이 계상되어 있다.

(상황 1) 20×8년 12월 31일 현재 주식선택권의 공정가치는 120원이고, 주식선택권 1개당 현금
　　　　지급액도 공정가치와 동일하다.

(상황 2) 20×8년 12월 31일 현재 주식선택권의 공정가치는 170원이고, 주식선택권 1개당 현금
　　　　지급액도 공정가치와 동일하다.

(상황 3) 20×8년 12월 31일 현재 주식선택권의 공정가치는 170원이고, 주식선택권 1개당 현금
　　　　지급액은 200원이다.

〈회계처리〉

중도청산이 없다고 가정할 경우 매 회계연도에 인식할 보상원가는 다음과 같다.

회계연도	계산근거	당기 보상원가	누적 보상원가
20×7	50,000개×150원×1/3	2,500,000	2,500,000
20×8	(50,000개×150원×2/3) − 2,500,000원	2,500,000	5,000,000
20×9	(50,000개×150원×3/3) − 5,000,000원	2,500,000	7,500,000

그러나, 20×8년 말에 중도청산이 이루어졌으므로 잔여보상원가(20×9년 귀속분 2,500,000원)는 중도청산일에 가득된 것으로 보아 즉시 인식한다. 따라서, 20×8년 말 현재 누적보상원가와 대응되는 자본(주식선택권)은 7,500,000원이 된다. 현금지급액에 대해서는 각 상황별로 다음과 같은 회계처리가 필요하다.

(상황 1)

(차) 자 본 (주 식 선 택 권)	7,500,000	(대) 현　　　　　금	6,000,000[*1]
		기 타 자 본 잉 여 금	1,500,000[*2]

(*1) 500명×100개×120원＝6,000,000원
(*2) 7,500,000원(자본) − 6,000,000원(현금지급액)＝1,500,000원

(상황 2)

(차) 자 본 (주 식 선 택 권)	7,500,000	(대) 현　　　　　금	8,500,000[*1]
기 타 자 본 잉 여 금 등	1,000,000[*2]		

(*1) 500명×100개×170원＝8,500,000원
(*2) 주식선택권에 대하여 인식한 자본을 초과하여 지급한 금액(8,500,000원 − 7,500,000원 ＝ 1,000,000원)을 주식기준보상거래와 관련된 기타자본잉여금 등에서 차감한다.

(상황 3)

(차) 자 본 (주 식 선 택 권)	7,500,000	(대) 현　　　　　금	10,000,000[*1]
기 타 자 본 잉 여 금 등	500,000[*2]		
주 식 보 상 비 용	1,500,000[*3]		

(*1) 500명×100개×200원＝10,000,000원
(*2) 현금지급액 중 공정가치상당액(500명×100개×170원＝8,500,000원)이 주식선택권에 대하여 인식한 자본을 초과하는 금액(8,500,000원 − 7,500,000원 ＝ 1,000,000원)을 주식기준보상거래와 관련된 기타자본잉여금 등에서 차감한다.
(*3) 중도청산일 현재 주식선택권의 공정가치를 초과하는 지급액(10,000,000원 − 8,500,000원 ＝ 1,500,000원)은 보상원가로 회계처리한다.

사례 17 주가의 변동성(배당이 없는 경우)

〈배경정보〉

A기업 주식선택권의 기대존속기간에 상응하는 최근 기간의 매 주말 A기업 주식 종가의 변동 내역이 다음과 같고 현금배당금 지급은 없다고 가정할 때 주가의 변동성을 계산하시오.

(1주 5,000, 2주 5,150, 3주 5,200, 4주 5,100, 5주 4,850, 6주 4,650, 7주 4,575, 8주 5,050, 9주 5,350, 10주 5,175, 11주 5,325, 12주 5,450, 13주 5,600, 14주 5,350, 15주 5,200, 16주 5,500,

17주 5,625, 18주 5,800, 19주 5,550, 20주 5,600)

〈계산〉

일 자	주 가	P_n/P_{n-1}	$Ln(P_n/P_{n-1})$
1주	5,000	–	–
2주	5,150	1.030000	0.029559
3주	5,200	1.009709	0.009662
4주	5,100	0.980769	– 0.019418
5주	4,850	0.950980	– 0.050262
6주	4,650	0.958763	– 0.042111
7주	4,575	0.983871	– 0.016261
8주	5,050	1.103825	0.098782
9주	5,350	1.059406	0.057708
10주	5,175	0.967290	– 0.033257
11주	5,325	1.028986	0.028573
12주	5,450	1.023474	0.023203
13주	5,600	1.027523	0.027151
14주	5,350	0.955357	– 0.045670
15주	5,200	0.971963	– 0.028438
16주	5,500	1.057692	0.056089
17주	5,625	1.022727	0.022473
18주	5,800	1.031111	0.030637
19주	5,550	0.956897	– 0.044060
20주	5,600	1.009009	0.008969
주간 주가변동성			0.041516
연환산 주가변동성 (연환산 표준편차)	$0.041516 \times \sqrt{52}$		0.299

P_n/P_{n-1} : 한 주간의 주가변동률

Ln : 자연로그

$\sqrt{52}$: 매 주말 종가의 변동내역인 관측치를 연간기준으로 환산하기 위한 절차임.

(보충설명)

본 사례는 기대존속기간을 20주로 가정한 경우이며, 실제 주가변동성은 주식선택권별 기대존속기간의 관측치를 기준으로 계산하여야 한다.

사례 18 주가의 변동성(배당이 있는 경우)

〈배경정보〉

A기업 주식선택권의 기대존속기간에 상응하는 최근 기간의 주가변동성이 <사례 17>과 같다고 가정하며, 단지 4주와 5주, 16주와 17주의 기간에 주당 100원의 현금배당이 있는 경우의 주가변동성을 계산하시오.

〈계산〉

일 자	주 가	Pn/Pn₋₁	Ln(Pn/Pn₋₁)
1주	5,000	–	–
~			
5주	4,850	–	–
배당조정	4,950	0.970588	– 0.029853
~			
17주	5,625	–	–
배당조정	5,725	1.040909	0.040094
~			
20주	5,600	1.009009	0.008969
주간 주가변동성			0.040799
연환산 주가변동성 (연환산 표준편차)		$0.040799 \times \sqrt{52}$	0.294

사례 19 주석공시 예시

Ⅹ. 주식기준보상

기업은 20×8년 12월 31일 현재 다음과 같이 4건의 주식기준보상약정을 보유하고 있습니다.

약정유형	주식선택권 부여 (최고경영진)	주식선택권 부여 (일반 직원)	주식 부여 (임원)	현금결제형 주가차액보상권 부여(최고경영진)
부여일	20×7. 1. 1	20×8. 1. 1	20×8. 1. 1	20×8. 7. 1
부여수량	50,000	75,000	50,000	25,000
만기	10년	10년	해당사항 없음	10년
가득조건	• 용역제공조건 : 2년 • 시장성과조건 : 목표주가 달성	• 용역제공조건 : 3년	• 용역제공조건 : 3년 • 비시장성과조건 : 주당이익의 목표성장률 달성	• 용역제공조건 : 3년 • 비시장성과조건 : 목표시장 점유율의 달성

일반 직원에게 부여한 주식선택권의 부여일 현재 추정 공정가치는 단위당 236원이며, 동 공정가치는 이항모형에 따라 산정한 것입니다. 이항모형의 결정변수에는 부여일 현재 주가 2,000원, 행사가격 2,000원, 기대주가변동성 30%, 기대배당금 0원, 만기 10년, 그리고 무위험이자율 5% 등이 포함되었습니다. 한편, 주식선택권의 조기행사효과를 고려하기 위해 가득일 이후 주가가 행사가격의 두 배가 되는 시점에 동 주식선택권이 행사된다고 가정하였습니다. 과거의 경험적 자료에 의하면 기업의 주가변동성은 40%이나, 기업은 향후 기업의 사업이 성숙단계에 접어들면서 주가변동성이 하락할 것으로 기대하여 기대주가변동성을 30%로 추정하였습니다.

기업은 임원에 대해 부여한 주식의 부여일 공정가치를 부여일 현재 주가와 동일한 2,000원으로 추정하였습니다.

20×8년과 20×7년 12월 31일 현재 기업이 부여하고 있는 주식선택권에 관한 자세한 내역은 다음과 같습니다. (본 사례에서는 편의상 생략되고 있지만 주가차액보상권에 대해서도 동일한

주석사항이 요구된다)

	20×8년		20×7년	
	주식선택권 수량	가중평균 행사가격	주식선택권 수량	가중평균 행사가격
기초	45,000	1,600	–	–
부여	75,000	2,000	50,000	1,600
상실	(8,000)	1,850	(5,000)	1,600
행사	(4,000)	1,600	–	–
기말	108,000	1,859	45,000	1,600
기말 현재 행사가능	38,000	1,600	–	1,600

당기의 주식선택권 행사일 현재 주가의 가중평균치는 2,080원입니다. 20×8년 12월 31일 현재 존속하는 주식선택권의 행사가격은 1,600원 또는 2,000원이며 잔여기간(20×8년 12월 31일로 부터 만기까지)의 가중평균치는 8.64년입니다. (본 사례에서는 편의상 생략되고 있지만 주가 차액보상권에 대해서도 동일한 주석사항이 요구된다)

	20×8년	20×7년
총보상원가	43,033,334	5,175,000
① 제조원가	19,365,000	–
② 판매비와관리비	23,668,334	5,175,000
주식 및 주식선택권과 관련된 보상원가	41,991,667	5,175,000
기말 현재 현금결제형 주가차액보상권에 대해 인식한 부채(장기미지급비용)금액	1,041,667	–
잔여보상원가(주식 및 주식선택권)	75,013,333	5,175,000

(3) 세무회계 상 유의할 사항

기준서 제1102호에서는 보유자에게 특정기간 확정되었거나 결정가능한 가격으로 기업의 주식을 매수할 수 있는 권리(의무는 아님)를 부여하는 계약을 "주식선택권"이라는 용어를 사용하여 규정하고 있다. 세법에서는 이를 "주식매수선택권"으로 규정하고 있으나 양자 간 그 개념의 차이가 크지 않으므로 이하에서는 "주식매수선택권"으로 사용하는 것으로 한다.

주식매수선택권 등의 부여 및 행사와 관련해서 일정한 요건이 만족하는 경우에는 다음과 같은 세제상 손금산입 등의 혜택이 있다.

① 주식매수선택권 등 행사·지급비용 보전금액의 손금산입
② 주식매수선택권 등 행사·지급비용의 손금산입
③ 부당행위계산 부인 규정의 배제

위와 관련된 내용은 아래에서 상술하기로 한다.

1) 주식매수선택권 등 행사·지급비용 보전금액의 손금산입

임직원이 다음의 어느 하나에 해당하는 주식매수선택권 또는 일정한 요건을 갖춘 주식기준보상(이하 "주식매수선택권 등"이라 함)을 행사하거나 지급받는 경우 해당 주식매수선택권 등을 부여하거나 지급한 법인에 그 행사 또는 지급비용으로서 보전하는 금액은 해당 법인의 손비로 인정된다(법령 19조 19호).

① 금융지주회사법에 따른 금융지주회사로부터 부여받거나 지급받은 주식매수선택권 등(주식매수선택권은 상법 제542조의 3에 따라 부여받은 경우만 해당)

② 일정한 요건을 갖춘 해외모법인으로부터 부여받거나 지급받은 일정한 요건을 갖춘 주식매수선택권 등

주식기준보상의 요건 (위 ①, ② 관련 요건)	주식이나 주식가치에 상당하는 금전으로 임직원이 지급받는 상여금으로서 다음의 요건을 모두 갖춘 것(법칙 10조의 2 1항) ㉠ 주식 또는 주식가치에 상당하는 금전으로 지급하는 것일 것 ㉡ 사전에 작성된 주식기준보상 운영기준 등에 따라 지급하는 것일 것 ㉢ 임원이 지급받는 경우 정관·주주총회·사원총회 또는 이사회의 결의로 결정된 급여지급기준에 따른 금액을 초과하지 아니할 것 ㉣ 법인세법 시행령 제43조 제7항에 따른 지배주주등(이하 "지배주주등"이라 함)인 임직원이 지급받는 경우 정당한 사유 없이 같은 직위에 있는 지배주주 등 외의 임직원에게 지급하는 금액을 초과하지 아니할 것
해외모법인의 요건 (위 ② 관련 요건)	다음의 요건을 모두 갖춘 법인(법칙 10조의 2 2항) ㉠ 외국법인으로서 발행주식이 자본시장과 금융투자업에 관한 법률에 따른 증권시장 또는 이와 유사한 시장으로서 증권의 거래를 위하여 외국에 개설된 시장에 상장된 법인 ㉡ 외국법인으로서 주식매수선택권 등의 행사 또는 지급비용을 보전하는 내국법인(자본시장과 금융투자업에 관한 법률에 따른 상장법인은 제외)의 의결권 있는 주식의 90% 이상을 직접 또는 간접으로 소유한 법인. 이 경우 주식의 간접소유비율은 다음 산식에 따라 계산하되[해당 내국법인의 주주인 법인(이하 "주주법인"이라 함)이 둘 이상인 경우에는 각 주주법인별로 계산한 비율을 합산함], 해당 외국법인과 주주법인 사이에 하나 이상의 법인이 개재되어 있고, 이들 법인이 주식소유관계를 통하여 연결되어 있는 경우에도 또한 같음

	해당 외국법인이 소유하고 있는 주주법인의 의결권 있는 주식 수가 그 주주법인의 의결권 있는 총 주식 수에서 차지하는 비율	×	주주법인이 소유하고 있는 해당 내국법인의 의결권 있는 주식 수가 그 내국법인의 의결권 있는 총 주식 수에서 차지하는 비율
주식매수선택권 등의 요건 (위 ② 관련 요건)	다음의 요건을 모두 갖춘 주식매수선택권 등(법칙 10조의 2 3항) ㉠ 상법에 따른 주식매수선택권과 유사한 것으로서 해외모법인의 주식을 미리 정한 가액(이하 "행사가액"이라 함)으로 인수 또는 매수(행사가액과 주식의 실질가액과의 차액을 현금 또는 해당 해외모법인의 주식으로 보상하는 경우를 포함함)할 수 있는 권리일 것(주식매수선택권만 해당) ㉡ 해외모법인이 발행주식총수의 10%의 범위에서 부여하거나 지급한 것일 것 ㉢ 해외모법인과 해당 법인 간에 해당 주식매수선택권 등의 행사 또는 지급비용의 보전에 관하여 사전에 서면으로 약정하였을 것		

2) 주식매수선택권 등 행사·지급비용의 손금산입

상법 제340조의 2, 벤처기업육성에 관한 특별조치법 제16조의 3 또는 소재·부품·장비산업 경쟁력강화를 위한 특별조치법 제56조에 따른 주식매수선택권 또는 금전을 부여받거나 지급받은 자에 대한 다음의 금액은 손금에 산입한다. 다만, 해당 법인의 발행주식총수의 10% 범위에서 부여하거나 지급한 경우로 한정한다(법령 19조 19호의 2).

① 주식매수선택권을 부여받은 경우로서 다음의 어느 하나에 해당하는 경우 해당 금액
㉠ 약정된 주식매수시기에 약정된 주식의 매수가액과 시가의 차액을 금전 또는 해당 법인의 주식으로 지급하는 경우의 해당 금액
㉡ 약정된 주식매수시기에 주식매수선택권 행사에 따라 주식을 시가보다 낮게 발행하는 경우 그 주식의 실제 매수가액과 시가의 차액
② 주식기준보상으로 금전을 지급하는 경우 해당 금액

3) 주식매수선택권의 행사시 부당행위계산의 적용 배제

상기 2)에 해당하는 주식매수선택권 등의 행사 또는 지급에 따라 금전을 제공하거나 주식을 양도 또는 발행하는 경우에는 부당행위계산 부인규정이 적용되지 아니한다(법령 88조 1항 3호, 6호, 8호의 2).

따라서 상기의 요건을 충족하는 주식매수선택권 등 이외의 주식매수선택권 등의 행사 또는 지급으로 인하여 금전을 제공하거나 주식을 양도 또는 발행하는 경우에는 부당

행위계산 부인규정이 적용될 수 있다.

4) 유형별 세무조정 사례

상기 '2)'에 해당하는 주식매수선택권의 유형별 부여 및 행사에 따른 법인세법상 손금산입 대상, 귀속사업연도 및 세무조정사항을 살펴보면 다음과 같다.

구 분	주식결제형		현금결제형
	신주발행교부형	자기주식교부형	
인식할 손금/익금	주식보상비용	주식보상비용 및 자기주식 처분 관련 손익	주식보상비용
귀속 사업연도	실제 발행한 사업연도	실제 교부한 사업연도	실제 지급한 사업연도
보상비용 안분시 세무조정	손금불산입(기타)	손금불산입(기타)	손금불산입(유보)
실제 행사시 세무조정	손금산입(기타)	손금산입(기타)	손금산입(△유보)

① 신주발행교부형 주식매수선택권 등

신주발행교부형 주식매수선택권 등의 경우, 법인세법 시행령 제19조 제19호의 2에 따른 주식매수선택권 등을 부여한 법인이 매 사업연도에 계상한 주식보상비용은 각 사업연도의 소득금액 계산상 손금불산입(기타)하며, 행사시점에는 주식을 시가보다 낮게 발행하는 경우 그 주식의 실제 매수가액과 시가의 차액을 손금산입한다(법령 19조 19호의 2, 기획재정부 법인세제과-1204, 2020. 9. 4.).

신주발행교부형 주식매수선택권 등에 대한 구체적인 회계처리와 세무조정 내용을 살펴보면 다음과 같다(다만, 부여시 보상원가의 추정가액과 행사 당시 주식의 시가와 행사가액의 차액은 동일한 것으로 가정함).

(단위 : 원)

연도별	회계처리	세무조정
20×7	(차) 주식보상비용 2,125,000 　　(대) 주식선택권　　2,125,000	(손불) 주식보상비용 2,125,000 (기타)
20×8	(차) 주식보상비용 2,275,000 　　(대) 주식선택권　　2,275,000	(손불) 주식보상비용 2,275,000 (기타)
20×9	(차) 주식보상비용 2,245,000 　　(대) 주식선택권　　2,245,000	(손불) 주식보상비용 2,245,000 (기타)

연도별	회계처리	세무조정
20Y0	(차) 현　　　　금　26,580,000 　　주 식 선 택 권　6,645,000 　　　(대) 자　　　본　금　22,150,000 　　　　주식발행초과금　11,075,000	(손산) 주식선택권　6,645,000 (기타)

한편, 위 사례의 주식매수선택권 등이 법인세법 시행령 제19조 제19호의 2에 따른 주식매수선택권 등에 해당하지 않는 경우라면 동 규정이 적용되지 아니하고 자본거래의 관점에서 처리되어야 하므로 20Y0년에 별도의 세무조정이 불필요할 것이다.

② 자기주식교부형 주식매수선택권 등

자식주식교부형 주식매수선택권 등의 경우, 법인세법 시행령 제19조 제19호의 2에 따른 주식매수선택권 등을 부여한 법인이 매 사업연도에 계상한 주식보상비용은 각 사업연도의 소득금액 계산상 손금불산입(기타)하며, 실제 자기주식의 지급시점에 발생한 자기주식처분손익은 손금산입(기타) 또는 익금산입(기타)하고, 자기주식과 상계처리한 주식선택권(자본조정)은 손금산입(기타)한다(서면2팀-157, 2005. 1. 25.).

자기주식교부형 주식매수선택권 등에 대한 구체적인 회계처리와 세무조정 내용을 살펴보면 다음과 같다(다만, 부여시 보상원가의 추정가액과 행사 당시 주식의 시가와 행사가액의 차액은 동일한 것으로 가정함).

(단위 : 원)

연도별	회계처리	세무조정
20×7	(차) 주식보상비용　2,125,000 　　　(대) 주식선택권　　　2,125,000	(손불) 주식보상비용 2,125,000 (기타)
20×8	(차) 주식보상비용　2,275,000 　　　(대) 주식선택권　　　2,275,000	(손불) 주식보상비용 2,275,000 (기타)
20×9	(차) 주식보상비용　2,245,000 　　　(대) 주식선택권　　　2,245,000	(손불) 주식보상비용 2,245,000 (기타)
20Y0	(차) 현　　　　금　26,580,000 　　주 식 선 택 권　6,645,000 　　　(대) 자 기 주 식　32,000,000 　　　　자기주식처분이익　1,225,000	(손산) 주식선택권　6,645,000 (기타) (익산) 자기주식처분이익 1,225,000 (기타)

한편, 위 사례의 주식매수선택권 등이 법인세법 시행령 제19조 제19호의 2에 따른 주식매수선택권 등에 해당하지 않는 경우라면 법인세법 제52조의 부당행위계산 부인규정이 적용되어 20Y0년 세무조정시 자기주식의 시가와 현금수령액과의 차액을 추가적으로 손금불산입(상여)하여야 한다(서일 46011-10193, 2002. 2. 18.).

③ 현금결제형 주식매수선택권 등

현금결제형 주식매수선택권 등의 경우, 법인세법 시행령 제19조 제19호의 2에 따른 주식매수선택권 등을 부여한 법인이 매 사업연도에 계상한 주식보상비용은 각 사업연도의 소득금액 계산상 손금불산입(유보)한 후, 실제 지급시점에 손금산입(△유보)하는 세무조정을 하여야 한다(법인 46012-2365, 2000. 12. 13.).

현금결제형 주식매수선택권 등에 대한 구체적인 회계처리와 세무조정 내용을 살펴보면 다음과 같다(다만, 부여시 보상원가의 추정가액과 행사 당시 주식의 시가와 행사가액의 차액은 동일한 것으로 가정함).

(단위 : 원)

연도별	회계처리	세무조정
20×7	(차) 주식보상비용 1,944,000 　　(대) 장기미지급비용 1,944,000	(손불) 장기미지급비용 1,944,000 (유보)
20×8	(차) 주식보상비용 2,189,333 　　(대) 장기미지급비용 2,189,333	(손불) 장기미지급비용 2,189,333 (유보)
20×9	(차) 장기미지급비용 2,250,000 　　(대) 현　　금 2,250,000 (차) 주식보상비용 2,721,267 　　(대) 장기미지급비용 2,721,267	(손산) 장기미지급비용 2,250,000 (△유보) (손불) 장기미지급비용 2,721,267 (유보)
20Y0	(차) 장기미지급비용 2,800,000 　　(대) 현　　금 2,800,000 (차) 주식보상비용 613,600 　　(대) 장기미지급비용 631,600	(손산) 장기미지급비용 2,800,000 (△유보) (손불) 장기미지급비용 613,600 (유보)
20Y1	(차) 주식보상비용 406,800 　　(대) 장기미지급비용 406,800 (차) 장기미지급비용 2,825,000 　　(대) 현　　금 2,825,000	(손불) 장기미지급비용 406,800 (유보) (손산) 장기미지급비용 2,825,000 (△유보)

한편, 위 사례의 주식매수선택권 등이 법인세법 시행령 제19조 제19호의 2에 따른 주식매수선택권 등에 해당하지 않는 경우라면 법인세법 제52조의 부당행위계산 부인규정이 적용되어 20×9년, 20Y0년, 20Y1년 세무조정시 당해 주식보상비용 지급액을 추가적으로 손금불산입(상여)하여야 한다(서일 46011-10193, 2002. 2. 18.).

Chapter 04 기타포괄손익누계액

1. 기타포괄손익-공정가치 측정 금융자산 평가손익

(1) 개념 및 범위

한국채택국제회계기준에서는 공정가치로 평가하는 금융자산 중 당기손익-공정가치 측정 금융자산의 미실현 보유손익은 당기손익항목으로 처리하도록 하고 있으나, 기타포괄손익-공정가치 측정 금융자산의 공정가치 변동은 당기손익항목이 아닌 기타포괄손익으로 인식하도록 하고 있다.

(2) 기업회계 상 회계처리

기타포괄손익-공정가치 측정 금융자산(유동자산으로 분류된 기타포괄손익-공정가치 측정 금융자산 포함)에 대한 미실현보유손익, 즉 기타포괄손익-공정가치 측정 금융자산의 공정가치 변동금액은 기타포괄손익으로 처리하고, 해당 금융자산을 제거하는 시점에 기타포괄손익에 인식했던 누적 손익을 당기손익에 반영한다. 다만, 해당 금융자산이 지분상품일 경우 기타포괄손익으로 표시하는 금액은 후속적으로 당기손익으로 이전하지 않으며, 자본내에서 누적 손익을 이전할 수 있다.

한편, 한국채택국제회계기준에서는 종목별로 발생하는 기타포괄손익-공정가치 측정 금융자산평가이익과 기타포괄손익-공정가치 측정 금융자산평가손실에 대하여 각각을 총액으로 표시하여야 하는지, 아니면 상계하여 순액을 표시하여야 하는지에 대하여 명시적인 규정이 없다. 다만, 한국채택국제회계기준에서는 유사한 거래의 집합에서 발생하는 차익과 차손은 순액으로 표시한다고 규정하고 있으므로 일반적으로는 순액으로 표시하는 것이 타당할 것으로 판단된다.

사례 1 다음의 (주)삼일이 보유하고 있는 기타포괄손익-공정가치 측정 금융자산에 대해 한국채택국제회계기준에 따라 결산기말의 회계처리를 하시오. (단위 : 백만원)

기타포괄손익 금융자산	취득원가	20×7. 12. 31.	20×8. 12. 31.
A기업주식	₩100,000	₩110,000	₩90,000
B기업주식(*)	150,000	120,000	130,000
	₩250,000	₩230,000	₩220,000

① 20×7. 12. 31.

(차) 기타포괄손익-공정 가치 측정 금융자산(A)	10,000	(대) 기타포괄손익-공정가치 측정 금융자산평가손익	10,000
(차) 기타포괄손익-공정가치 측정 금융자산평가손익	30,000	(대) 기타포괄손익-공정 가치 측정 금융자산(B)	30,000

② 20×8. 12. 31.

(차) 기타포괄손익-공정가치 측정 금융자산평가손익	20,000	(대) 기타포괄손익-공정 가치 측정 금융자산(A)	20,000
(차) 기타포괄손익-공정 가치 측정 금융자산(B)	10,000	(대) 기타포괄손익-공정가치 측정 금융자산평가손익	10,000

사례 2 (주)삼일의 기타포괄손익-공정가치 측정 금융자산 현황은 다음과 같다.

• 20×7. 3. 1. 용산(주) 주식 10,000주를 1주당 ₩8,900에 취득하다.
• 20×7. 12. 31. 용산(주) 주식의 종가 : ₩9,500
• 20×8. 12. 5. 용산(주) 주식 5,000주를 1주당 ₩9,200에 매각하다.
거래단계별로 한국채택국제회계기준에 따라 분개하시오.

해답

① 기타포괄손익-공정가치 측정 금융자산 취득시(20×7. 3. 1.)

(차) 기타포괄손익-공정 가치 측정 금융자산	89,000,000	(대) 현금 및 현금성자산	89,000,000

② 결산시(20×7. 12. 31.)

(차) 기타포괄손익-공정 가치 측정 금융자산	6,000,000	(대) 기타포괄손익-공정가치 측정 금융자산평가손익 (기타포괄손익)	6,000,000*

* (9,500-8,900)×10,000

③ 기타포괄손익－공정가치 측정 금융자산 처분시(20×8. 12. 5.)

| (차) 기타포괄손익－공정가치
측정 금융자산평가손익
(기타포괄손익) | 1,500,000 | (대) 기타포괄손익－공정
가치 측정 금융자산 | 1,500,000 |

* 사례목적상 처분금액이 해당일의 공정가치이고 평가 후 처분을 가정한다.
　(9,200－9,500)×5,000 = －1,500,000

| (차) 현금및현금성자산 | 46,000,000 | (대) 기타포괄손익－공정
가치 측정 금융자산 | 46,000,000 |
| 기타포괄손익－공정가치
측정 금융자산평가손익
(기타포괄손익) | 1,500,000 | 이　익　잉　여　금 | 1,500,000 |

* 처분된 기타포괄손익－공정가치 측정 금융자산(지분상품)의 기타포괄손익누계액에 해당하는 1,500,000(=((9,200－8,900)×5,000)은 후속적으로 당기손익으로 이전하지 않는다. 다만, 처분된 기타포괄손익－공정가치 측정 금융자산이 채무상품이었다면 제거 시점까지 인식한 기타포괄손익누계액을 재분류조정으로 자본에서 당기손익으로 재분류하며 이 경우의 분개는 하기와 같다.

| (차) 기타포괄손익－공정가치
측정 금융자산평가손익
(기타포괄손익) | 1,500,000 | (대) 기타포괄손익－공정가치
측정 금융자산 처분손익 | 1,500,000 |

그 밖의 기타포괄손익－공정가치 측정 금융자산과 관련된 회계처리는 '비유동자산 1. 금융자산 중 1. 기타포괄손익－공정가치 측정 금융자산'편을 참조하기 바란다.

(3) 세무회계 상 유의할 사항

기타포괄손익－공정가치 측정 금융자산에 있어 평가이익이 발생한 경우에는 (차) 기타포괄손익－공정가치 측정 금융자산 ××× (대) 기타포괄손익－공정가치 측정 금융자산 평가이익(기타포괄손익누계액) ×××으로 회계처리하기 때문에 당해 연도 손익에는 영향이 없다. 그러나 이 경우에도 세무상 기타포괄손익－공정가치 측정 금융자산의 장부가액과 기타포괄손익누계액의 장부가액을 조정하기 위한 세무조정이 필요하다. 즉, 기타포괄손익－공정가치 측정 금융자산의 과대계상분을 익금불산입(△유보)하고 기타포괄손익누계액의 과대계상분을 익금산입(기타)한 후, 이후 사업연도에 동 기타포괄손익－공정가치 측정 금융자산의 평가손실이 발생하여 이를 상계시 또는 기타포괄손익－공정가치 측정 금융자산 처분시 동 금액을 반대로 손금불산입(유보), 손금산입(기타)하여 상계처리하여야 한다.

기타포괄손익－공정가치 측정 금융자산에 있어 평가손실이 발생한 경우에는 위와 반대로 세무조정하면 된다.

2. 현금흐름위험회피수단의 손익

현금흐름위험회피회계는 특정위험으로 인한 예상거래의 미래현금흐름 변동위험을 감소시키기 위하여 지정된 위험회피수단의 손익 중 위험회피에 효과적이지 못한 부분은 당기손익으로 인식하고, 위험회피에 효과적인 부분은 자본항목(기타포괄손익)으로 계상한 후, 위험회피대상 미래예상현금흐름이 당기손익에 영향을 미치는 회계기간에 재분류조정으로 현금흐름위험회피적립금에서 당기손익으로 재분류하거나, 위험회피대상 예상거래로 인해 후속적으로 비금융자산이나 비금융부채를 인식할 때 관련 자산·부채 장부가액에서 가감하는 것을 말한다.

여기에서 현금흐름위험회피 대상이 되는 미래현금흐름 변동은 구체적으로 변동이자율수취조건 대출금의 이자수입액 변동, 변동이자율지급조건 차입금의 이자지급액 변동, 재고자산의 미래 예상매입에 따른 취득가액 변동, 재고자산의 미래 예상매출에 따른 매출액 변동 등을 의미한다. 이와 같이 현금흐름 위험회피회계는 예상거래가 아직 발생하지 않은 회계연도에는 해당 위험회피대상이 당기손익에 영향을 미치지 않으며, 이에 대응하여 위험회피수단의 평가손익도 당기손익이 아닌 기타포괄손익으로 계상하므로 파생상품평가손익이 자기자본에 영향을 미치게 된다.

기타 이와 관련한 회계처리 및 세무상 유의할 사항에 대한 자세한 내용은 '제5편 특수회계편' 중 'Ⅰ. 파생상품회계'를 참고한다.

3. 관계기업 기타포괄손익 변동 중 투자자 지분

(1) 개념 및 회계처리

기준서 제1028호 문단 10에 따르면, 유의적인 영향력이 있는 관계기업투자에 대하여 지분법을 적용하여 평가함에 있어 지분변동액은 관계기업투자에 가감하되, 관계기업의 순자산가액 변동의 원천에 따라 각각 다르게 회계처리하도록 하고 있다.

즉, 순자산가액 변동이 관계기업의 당기순이익 또는 당기순손실로 인하여 발생한 경우에는 지분법손익으로 하여 당기순이익의 증가 또는 감소로, 관계기업의 기타포괄손익의 증가 또는 감소로 인한 경우에는 관계기업 기타포괄손익에 대한 지분으로 하여 기타포괄손익누계액의 증가 또는 감소로 처리하여야 한다.

상기의 회계처리는 지분법을 적용하여 회계처리하는 공동기업의 경우에도 동일하게 적용된다.

사례   (주)삼일의 투자주식 현황은 다음과 같다.

- (주)삼일은 20×7. 1. 1. (주)용산의 발행주식총수의 30%를 ₩300,000,000에 현금으로 취득하여 유의적인 영향력을 행사할 수 있게 되었다. 취득시점에 (주)용산의 순자산가액의 장부금액과 공정가치는 일치하였으며, 순자산가액 중 지분상당액도 취득가액과 일치하였다.
- 20×7. 12. 31. (주)용산은 다음과 같이 보고하였다.

당 기 순 이 익	₩50,000,000
기타포괄이익의 증가	20,000,000

거래단계별로 기준서 제1028호에 따라 분개하시오.

① 주식취득시(20×7. 1. 1.)

(차) 관 계 기 업 투 자   300,000,000   (대) 현금 및 현금성자산   300,000,000

② 결산시(20×7. 12. 31.)

(차) 관 계 기 업 투 자   21,000,000   (대) 지 분 법 이 익   15,000,000[1]
                                             관계기업기타포괄이익중투자자지분   6,000,000[2]

1) 50,000,000×30%=15,000,000
2) 20,000,000×30%=6,000,000

그 밖의 관계기업투자와 관련된 회계처리는 '비유동자산 중 5. 관계기업과 공동기업에 대한 투자'편을 참조하기 바란다.

(2) 세무회계 상 유의할 사항

한국채택국제회계기준을 적용하여 연결재무제표를 작성하는 경우 관계기업투자주식에 대한 지분법 적용에 따른 평가손익을 그 성격에 따라 구분하여 재무제표에 반영되므로 연결재무제표상의 이연법인세 인식목적상 이에 대한 세무조정이 필요할 것으로 판단된다. 또한, 종속기업은 없고 관계기업만 있는 경우 관계기업에 대해 지분법 적용을 하도록 규정되어 있으므로 이에 따른 평가손익에 대한 세무조정이 필요할 것이다.

관계기업투자주식의 증가액이 관계기업의 기타포괄손익의 증가로 인한 경우에는 관계기업 기타포괄손익에 대한 지분으로 하여 기타포괄손익누계액의 증가로 처리하여야 한다. 따라서, 이 경우 (차)관계기업투자주식 ××× (대)기타포괄손익누계액 (관계기업 기타포괄손익 중 투자자 지분) ××× 으로 회계처리하기 때문에 당해 연도 손익에 미치는 영향은 없다. 그러나 이 경우에도 세무상 관계기업투자주식의 장부가액과 기타포괄손익누계액의 장부가액을 조정하기 위한 세무조정이 필요하다. 즉, 관계기업투자주식의 과대계상분을 익금불산입(△유보)하고 기타포괄손익의 과대계상분을 익금산입(기타)한 후, 그 이후 사업연도에 부의 관계기업 기타포괄손익 중 투자자 지분이 발생하여 기타포괄손익과 상계시 또는 관계기업투자주식의 처분시 반대로 손금불산입(유보), 손금산입(기타)하여 상계처리한다.

관계기업의 기타포괄손익의 감소에 기인하여 관계회사투자주식의 가액이 감소되는 경우에는 위와 반대로 세무조정하면 된다.

4. 외환차이

(1) 의 의

1) 기능통화회계제도의 개요

형식적으로는 국내 기업이지만 영업활동의 주요 무대가 전세계적이고 영업활동, 투자 활동 및 재무활동의 주요 거래에 사용하는 통화가 외국통화인 기업들이 있다. 이와 같 이 거래의 대부분이 원화가 아닌 외화로 이루어지는 기업에 대해서 원화로만 회계처리 하는 경우에는 기업의 재무상태를 왜곡표시 할 우려가 있다.

예를 들면, 환율이 지속적으로 상승하는 상황에서 해외에서 달러로 차입하여 선박을 구입하고 원화로 회계처리 한 경우, 외화차입금은 기말의 높은 환율로 환산되나 선박은 거래 당시의 낮은 환율로 환산되기 때문에 재무상태표상 부채비율이 높게 표시되고, 손 익계산서에는 환율의 상승에 따른 환산손실이 발생하게 된다. 환율이 하락하는 경우에 는 그 반대가 된다. 그러나, 이러한 거래를 달러로 회계처리하는 경우에는 외화차입금은 물론 선박도 달러로 표시되기 때문에 환율차이로 인하여 재무상태가 왜곡표시되지 아 니한다.

이와 같이, 재무상태의 왜곡현상을 완화하기 위하여, 매출·매입 등 대부분의 거래가 외화로 이루어지는 기업에 대해서 기중에는 주로 거래하는 통화(기능통화)로 회계장부 를 작성·관리하는 회계제도를 기능통화회계제도라 한다. 재무제표를 표시하는 표시통 화는 기능통화와 다를 수 있다.

| 〈예시〉 일반외화환산회계제도와 기능통화회계제도의 비교 |

연초에 US $1를 출자 및 US $1를 차입하여 US $2인 선박을 구입한 경우 원화가 표시통화인 재무 제표에 미치는 영향은 다음과 같다(환율 : 연초 1,000원, 연말 1,500원).

일반외화환산회계제도 (원화로 회계장부 작성 및 유지)				기능통화회계제도 (달러로 회계장부 작성 및 유지)			
재무상태표				재무상태표			
선박	2,000	부　　　채	1,500	선박	3,000	부　　　채	1,500
		(외화차입금)				(외화차입금)	
		자 본 금	1,000			자　　　본	1,500
		당기순손실	△500				

⇒ (재무제표 영향) ▷부채비율 개선(300% → 100%)
　　　　　　　　▷당기순이익 개선(△500원 → 0원)

2) 기능통화의 결정과 변경

① 기능통화의 결정

기능통화라 함은 영업활동이 이루어지는 주된 경제 환경의 통화를 말한다(기준서 제1021호 문단 8). 각 개별 기업은 기능통화를 정하고 운영성과와 재무상태를 기능통화로 측정한다. 연결재무제표에 포함되는 각 개별 기업은 각각의 기능통화를 가지고 있으며, 각각의 기업들에게 동일하게 적용되는 그룹기능통화란 존재하지 않는다. 따라서 각 기업마다 기능통화의 식별을 요구하는 것이 기준서 제1021호의 주요 특징이다. 이러한 기능통화의 식별은 외화거래 여부를 판단하는 데 있어 근거가 되고, 환산과정을 통한 외화환산이익과 환산손실에 직접적인 영향을 주며, 이후 재무제표에 보고된다.

영업활동이 이루어지는 주된 경제 환경이라 함은 현금을 주요하게 창출하고 사용하는 환경을 말하는 것으로 기능통화를 결정할 때는 다음의 사항을 고려하여야 한다.

| 주요지표(기준서 제1021호 문단 9) |

지표	기능통화의 결정에 있어서 고려되는 요소
매출과 현금유입	• 재화와 용역의 공급가격에 주로 영향을 미치는 통화(흔히 재화와 용역의 공급가격을 표시하고 결제하는 통화). 즉, 기업의 상품에 대한 지역 활성시장이 있고, 지역 화폐로 거래 되며, 수익이 이 화폐로 집계되면, 이는 기능통화이다. 그러나 기준은 단순히 거래의 표시된 통화보다 거래의 공급가격을 주로 결정하는 통화에 강조를 둔다. • 재화와 용역의 공급가격을 주로 결정하는 경쟁요인과 법규가 있는 국가의 통화. 상품의 공급가격이 국제가격이나 국제경쟁에 보다 지역 경쟁, 지역 정부의 규제로 결정된다. 예를 들어 비행기 제조업체는 주로 달러나 유로화로 가격을 책정한다. 그러나 제조업체가 위치한 나라의 법적, 규제 환경으로 인해 기업이 교환가능통화(hard currency)로 대금을 청구하는 것을 제한 받을 수 있다. 따라서, 비록 사업이 교환가능통화(hard currency)에 영향을 받지만, 수익창출 능력은 지역 환경에 영향을 받는다면 지역 화폐가 기능통화라 할 수 있다.
비용과 현금유출	통화는 재화와 용역의 공급에 사용되는 노무비, 재료비, 기타 비용에 주로 영향을 미친다. 이는 종종 화폐단위 표시와 결제에 영향을 미친다. 예를 들면, 비록 다른 국가로부터 수입일지라도 지역적으로 발생하는 노무비, 재료비, 기타 영업비용이 발생하는 지역통화는 기능통화일 가능성이 높다.

| 보조지표(기준서 제1021호 문단 10) |

지표	기능통화의 결정에 있어서 고려되는 요소
재무활동	재무활동(예를 들어, 채무상품이나 지분상품의 발행)으로 조달되는 통화가 발생한다. 예를 들어, 기능통화가 다르게 결정될 지표가 없는 경우, 지역 사업장의 운영으로 주된 자금이 조달된다면 지역통화가 기능통화가 될 수 있다.
영업이익의 유보	영업활동에서 유입되는 통화가 통상적으로 유보된다. 이는 기업이 일반적으로 지역통화에서 발생되는 초과운전자본을 유보하는 것이다.

주요지표와 보조지표들이 서로 다른 결과를 제시하여 기능통화가 분명하지 않은 경우에는 경영진이 판단하여 실제 거래, 사건과 상황의 경제적 효과를 가장 충실하게 표현하는 기능통화를 결정한다. 이 때 경영진은 보조지표보다 주요지표를 우선하여 고려한다(기준서 제1021호 문단 12).

한편, 해외사업장의 기능통화를 결정할 때, 그리고 이러한 해외사업장의 기능통화가 보고기업(종속기업, 지점, 관계기업, 조인트벤처 형태로 해외사업장을 갖고 있는 기업)의 기능통화와 같은지를 판단할 때 다음의 사항을 추가적으로 고려하여야 한다(기준서 제1021호 문단 11).

지표	보고기업의 통화와 다른 기능통화의 요건	보고기업의 통화와 동일한 기능통화의 요건
자율성의 정도	해외사업장의 활동이 중대할 정도로 자율성을 가지고 있다. 예를 들어 영업활동이 현금과 기타 통화 항목의 축적, 비용의 발생, 수입의 발생, 차입금의 조정 등 모든 것들이 실질적으로 지역통화로 이루어진다.	해외사업장의 중대한 자율성이 존재하지 않고, 보고기업의 범위로 수행된다. 예를 들어 해외사업장이 보고기업으로부터 재화를 수입하여 팔고, 그 판매대금을 보고기업으로 송금하는 역할만을 수행하는 경우에는 보고기업과 동일한 기능통화를 갖게 된다. 왜냐하면 이러한 경우에는 "보고기업의 영업장의 확장인 것처럼 영업을 하는"보고기업의 일부인 해외사업장이 보고기업과 다른 주된 경제환경에서 영업을 수행한다는 것이 모순이기 때문이다(기준서 제1021호 결론도출근거 6).
보고기업의 거래빈도	보고기업과의 내부거래가 거의 발생하지 않음	잦고 넓은 범위의 보고기업과 내부거래 발생

지표	보고기업의 통화와 다른 기능통화의 요건	보고기업의 통화와 동일한 기능통화의 요건
보고기업에 영향을 미치는 현금흐름	주로 지역통화로 현금흐름이 발생하고 보고기업의 현금흐름에 영향을 미치지 않음.	보고기업의 현금흐름에 직접적인 영향을 미치고 쉽게 보고기업에 송금할 수 있음.
자금의 조달	해외사업장의 활동으로 주된 자금이 조달됨.	중요한 자금은 보고기업으로부터 조달됨.

② 기능통화의 변경

주요지표와 보조지표에 영향을 미치는 거래나 사건과 상황에 변화가 일어난 경우에는 기능통화를 변경할 수 있다(기준서 제1021호 문단 13). 기능통화의 변경에 따른 효과는 전진적용하여 회계처리한다. 기능통화를 변경한 날의 환율을 사용하여 모든 항목을 새로운 기능통화로 환산한다. 비화폐성항목의 경우에는 새로운 기능통화로 환산한 금액이 역사적원가가 된다. 이전에 기타포괄손익으로 인식한 해외사업장의 환산에서 생긴 외환차이는 해외사업장을 처분할 때 자본에서 당기손익으로 재분류한다(기준서 제1021호 문단 35, 37).

(2) 기업회계 상 회계처리

1) 재무보고를 위한 표시통화로의 환산

① 표시통화로의 환산

한국채택국제회계기준에서는 기업이 기능통화가 아닌 다른 통화로 재무제표를 표시하는 것을 허용하고 있으며(기준서 제1021호 문단 38), 재무제표를 표시하는 데 사용하는 통화를 표시통화라고 한다(기준서 제1021호 문단 8). 회계기준에는 기능통화로 재무제표를 표시해야 한다는 필수조건이 없으며, 기업의 거래와 사건을 가장 충실하게 표현하는 통화로 표시하면 된다. 다만, 경영진이 표시통화를 기능통화가 아닌 다른 통화로 사용할 경우에는 다른 통화를 선택한 이유에 대해 공시해야 할 의무가 있으므로 다른 통화를 선택한 것에 대한 독립적이고 타당한 이유가 있어야 한다(기준서 제1021호 문단 53). 예를 들어, 몇몇 국가에서는 법적 규제를 통해 현지통화가 기능통화가 아니더라도 현지통화로 재무제표를 표시해야 할 수도 있다.

기능통화가 아닌 표시통화를 선택하게 되면, 기능통화에서 표시통화로의 환산이 요구된다. 예를 들어, 서로 다른 기능통화를 사용하는 개별기업들을 포함하고 있는 연결기업은 연결재무제표를 작성하기 위하여 각 기업들의 경영성과와 재무상태를 같은 통화로 표시한다.

경영성과와 재무상태를 기능통화와 다른 표시통화로 환산하는 방법은 다음과 같다(기준서 제1021호 문단 39).

  ㉠ 재무상태표(비교표시 재무상태표 포함)의 자산과 부채는 해당 보고기간종료일의 마감환율로 환산한다.

  ㉡ 포괄손익계산서(비교표시 포괄손익계산서포함)의 수익과 비용은 해당 거래일의 환율로 환산한다.

  ㉢ 위 ㉠과 ㉡의 환산에서 생기는 외환차이는 기타포괄손익으로 인식한다.

실무적으로 수익과 비용항목을 환산할 때 해당 기간의 평균환율을 사용할 수 있다. 그러나 환율이 중요하게 변동한 경우에는 일정기간의 평균환율을 사용하는 것은 부적절하다.

위의 ㉢의 외환차이는 다음과 같이 구성된다.

• 외환차이는 손익계산서를 거래일의 환율 또는 평균환율로 환산하면서 나타나는 차이금액과 자산, 부채를 마감일의 환율로 환산하면서 나타나는 차이금액으로 구성된다. 이러한 항목에서 나타나는 외환차이는 손익계산서뿐만 아니라 포괄손익계산서에도 나타난다.

• 기초순자산의 외환차이는 전기마감환율과 당기 마감환율과의 차이로 나타나는 차이금액이다.

기준서에서는 자본항목의 환산에 대한 방법에 대해서는 언급하고 있지 않으므로 경영자가 역사적 환율을 적용할지 마감환율을 적용할지 선택할 수 있으며, 선택된 정책은 계속적으로 적용되어야 한다. 만약 자본에 역사적 환율을 적용하는 경우, 자본은 재환산되지 않으므로 누적된 환산 조정금액은 순자산의 기초환율과 마감환율의 누적 차이금액 및 이익잉여금과 그 외의 기타잉여금의 평균환율과 마감환율의 누적차이금액을 포함한다. 만약 자본에 마감환율을 적용한다면, 모든 외환차이가 누적된 환산 조정금액의 항목으로 자본에 인식되게 된다. 이것은 순자산을 다시 환산하며 발생하는 누적된 환산 조정금액을 감소시킨다. 자본항목의 환산으로 인한 외환차이는 손익계산서에 인식되지 않고, 자본에 직접 인식된다. 정책의 선택에 따라 자본에 미치는 영향이 달라지지 않는다.

회사의 기능통화가 초인플레이션 경제의 통화인 경우 경영성과와 재무상태를 기능통화와 다른 표시통화로 환산하는 방법은 다음과 같다.

  ㉠ 초인플레이션 경제의 통화로 환산하는 경우 : 모든 금액(즉, 자산, 부채, 자본항

목, 수익과 비용. 비교표시되는 금액 포함)을 최근 보고기간말의 마감환율로 환산한다.

ⓒ 초인플레이션이 아닌 경제의 통화로 환산하는 경우 : 비교표시되는 금액은 전기에 보고한 재무제표의 금액(즉, 전기 이후의 물가수준변동효과나 환율변동효과를 반영하지 않은 금액)으로 한다.

기능통화가 초인플레이션 경제의 통화인 경우 위의 환산방법을 적용하기 전에 기준서 제1029호 '초인플레이션 경제에서의 재무보고'에 따라 재무제표를 재작성한다. 다만, 초인플레이션이 아닌 경제의 통화로 환산하여 비교표시된 금액은 재작성하지 아니한다. 초인플레이션 상태에서 벗어나게 되어 기준서 제1029호에 따라 더 이상 재무제표를 재작성하지 않는 경우에는 재무제표의 재작성을 중지한 날의 물가수준으로 재작성한 금액을 표시통화로 환산하기 위한 역사적원가로 사용한다.

② 해외사업장의 환산

해외사업장의 환산이란 해외사업을 연결 또는 지분법을 적용하여 보고기업의 재무제표에 포함되도록 하기 위하여 해외사업장의 경영성과나 재무상태를 표시통화로 환산하는 경우를 말한다. 즉, 해외사업장에서의 활동이 진행되면 해외사업장의 재무제표는 연결 또는 지분법을 통하여 보고하는 회사의 재무제표에 포함되기 위하여 환산된다.

보고기업과 해외사업장의 경영성과와 재무상태를 연결하는 경우 내부거래에서 생긴 화폐성자산 및 부채와 관련된 환율변동효과는 연결재무제표에서 당기손익으로 인식한다. 다만, 해외사업장에 대한 순투자에서 생기는 외환차이는 해외사업장이 처분될 때까지 기타포괄손익으로 인식하고 별도의 자본항목으로 관리한다.

해외사업장과 보고기업의 보고기간말이 다른 경우, 보고기업의 보고기간말 현재로 해외사업장의 재무제표를 추가로 작성하고 보고기업의 보고기간말 마감환율을 적용하여 환산한다. 다만, 보고기간말의 차이가 3개월 이내이고 그 기간 동안 있었던 유의적인 거래나 기타 사건의 영향을 반영한 경우에는 보고기업의 보고기간말이 아닌 해외사업장 보고기간말 현재의 재무제표를 사용할 수 있으며, 이 경우 해외사업장의 자산과 부채는 해외사업장의 보고기간말 현재의 환율로 환산한다. 반면, 보고기업의 보고기간말까지 환율이 유의적으로 변동한 경우에는 그 영향을 반영한다.

해외사업장의 취득으로 생기는 영업권과 자산·부채의 장부금액에 대한 공정가치 조정액은 보고기업이 아닌 해외사업장의 자산·부채로 본다. 따라서 이러한 영업권과 자산·부채의 장부금액에 대한 공정가치 조정액은 해외사업장의 기능통화로 표시하고 보고기간말의 마감환율로 환산한다.

사례 1 (주)삼일은 미국에 100% 종속회사인 (주)자회사를 지배하고 있으며, 2010년 12월 31일에 $500에 취득하였다. (주)자회사의 순자산 공정가치는 $400이며 영업권 가액은 $100이다. 각 일자의 환율은 다음과 같다.

2010년 12월 31일	마감환율	$1 = ₩2,000
2011년 12월 31일	마감환율	$1 = ₩1,500
2011년 12월 31일	가중평균환율	$1 = ₩1,650

2011년 동안 (주)자회사는 $14의 배당금을 지급하였고, 그 시점의 환율은 $1 = ₩1,750 이다.
(주)자회사의 달러($)표시와 원화(₩)표시의 요약 재무상태표 및 손익계산서는 다음과 같다.

| 재무상태표 |

단위	2011년 US$	2010년 US$	2011년 천원	2010년 천원
마감환율 $1 =			₩1,500	₩2,000
유동자산 :				
재고자산	174	126	261	252
대여금	210	145	315	290
현금	240	210	360	420
비유동자산 :				
유형자산	255	225	383	450
감가상각누계액	98	45	147	90
순장부가	157	180	236	360
총자산	781	661	1,172	1,322
유동부채 :				
외상매입금	125	113	188	226
미지급법인세	30	18	45	36
비유동부채 :				
전환사채	150	130	225	260
총부채	305	261	458	522
순자산	476	400	714	800
자본금	200	200	400	400
이익잉여금	276	200	314	400
총자본	476	400	714	800
부채 및 자본	781	661	1,172	1,322

| 손익계산서 |

	$'000	환율	₩'000
영업이익	135	1.65	223
이자비용	(15)	1.65	(25)
세전이익	120		198
법인세비용	(30)	1.65	(50)
당기순이익	90		148

| 이익잉여금 분석 |

	$'000	₩'000
전기이익잉여금	200	400
당기순이익	90	148
배당금	(14)	(25)
외환차이	–	(210)
당기이익잉여금	276	314

| 외환차이의 분석 |

(1) 기초 순자산의 환산		**(200)**
기초환율 $400 @₩2,000	800	
기말환율 $400 @₩1,500	600	
순자산 외환이익	**(200)**	
(2) 당기순이익의 평균환율에서 기말환율로 환산한 효과 $90@₩1,500 –148		**(13)**
(3) 배당금지급액을 실제환율에서 기말환율로 환산한 효과 –$14@1,500 –25		4
㈜자회사에서 발생한 총 외환차이		**(209)**
(4) 영업권에서 발생한 외환차이		**(50)**
기초환율 $100 @₩2,000	200	
기말환율 $100 @₩1,500	150	
(5) 연결재무제표의 자본항목에서 나타난 총 외환차이		**(259)**

지배회사인 ㈜삼일의 기능통화는 원화(₩)이고, 2010년 및 2011년도 보고기간종료일의 요약 재무상태표는 다음과 같다.

(단위 : 천원)	2011년	2010년
종속회사 투자지분($500 @2,000)	1,000	1,000
현금	225	200
순자산	1,225	1,200
자본금	1,200	1,200
이익잉여금(배당금수령 $14 @1,750)	25	–
	1,225	1,200

마감환율/순투자방법으로 작성된 연결재무상태표와 연결손익계산서는 다음과 같다.

| 연결재무상태표 |

(단위 : 천원)	2011년
현금(삼일 : 225 , 자회사 : 360)	585
재고자산	261
대여금	315
유형자산	236
영업권	150
총자산	1,547
매입채무	188
미지급법인세	45
사채	225
총부채	458
자본금	1,200
이익잉여금	148
누적환산조정	(259)
자본과적립금	1,089

| 연결손익계산서 |

(단위 : 천원)	2011년
㈜삼일 영업이익	25
㈜자회사 영업이익	223
	248
관계회사 배당금 제거(내부거래)	(25)
순영업이익	223
이자비용	(25)
법인세차감전이익	198
법인세비용	(50)
당기순이익	148

③ 해외사업장에 대한 순투자

보고기업이 해외사업장에 대해 가지고 있는 순투자는 해외사업장의 순자산에 대한 보고기업의 지분해당 금액이다(기준서 제1021호 문단 8). 장기차입금, 장기미수금 및 미지급금 등 해외의 사업장에 대해서 수취하거나 지불하여야 할 화폐성항목은 보고기업의 해외사업장에 대한 순투자 금액의 일부로 볼 수 있다. 이때 자본항목의 외환차이가 연결재무제표의 기타포괄손익에 포함될 때, 그러한 연결회사의 화폐성항목의 환산시 발생하는 외환차이를 당기손익에 반영하는 것은 적절하지 않을 수 있다.

기준서 제1021호는 자회사인 연결 사업장 및 관계기업, 조인트벤처에 대한 보고실체의 순투자에서 발생하는 화폐성항목의 환산차이에 대해서 다음과 같이 인식하고 있다.

- 연결실체의 별도재무제표나 해외사업장의 개별재무제표의 환산차이는 당기손익으로 적절하게 반영된다.
- 해외사업장이나 연결실체(예를 들면, 해외사업장이 종속회사인 경우의 연결재무제표)의 재무제표상에서 이러한 환산차이는 처음에는 기타포괄손익으로 인식하고 관련 순투자의 처분시점에 자본에서 당기손익으로 재분류한다.

해외사업장의 순투자의 일부로 장기차입금과 미수금이 포함되는 것은 오직 예측할 수 있는 미래에 결제할 계획이 없고 결제될 가능성이 낮은 항목에 대해서만 허용될 수 있다(기준서 제1021호 문단 15). 즉, 모회사는 이를 영구적으로 자본과 같이 간주하여야 한다. 예를 들어, 해외법인에 실행한 대출금은 자본의 일부가 아닌 단기 항목으로 보일 수 있다. 그러나, 만약 명시적으로 상환을 요구하는 경영진의 의도나 기대가 없을 경우(예를 들어, 자회사에 대한 단기차입금이 계속적으로 갱신되는 경우), 차입금은 자본을 공여한 것과 경제적으로 다름이 없다. 반면, 상당히 긴 기간으로 만기가 지정된 장기차입금은 경영진이 만기를 갱신하겠다는 의지가 있지 않는 한, 만기가 길다는 이유만으로 자동적으로 순투자의 한 부분으로 인식될 수 없다. 경영진의 계약갱신 의도 등을 이사회의사록과 같은 감사 증거로 문서화하는 것은 경영진의 몫이다. 갱신하고자 하는 경영진의 의도가 없는 경우, 만기일은 가까운 미래에 결제 계획이 있다는 것을 의미한다.

사례 2 **지배기업 A가 해외 종속기업 C에게 빌려준 통화 대여금**

영국 파운드를 기능통화로 사용하는 지배기업 A 가 20×9년 12월 31일 기준 재무제표를 작성한다. 해외 종속기업 C로부터 한동안 회수하지 못한 대여금 미화 1백만 불이 있으며 지배회사는 종속기업에게 당기 초에 당분간 대여금 상환을 요구하지 않을 것이라고 통보한 상태이다.

상기 거래와 관련한 환율은 다음과 같다.

1 파운드 = US$1.82(2×09년 12월 31일) US$1.45(2×08년 12월 31일)
대여금을 마감환율로 환산을 하면 다음과 같은 차이가 발생한다.

해외 종속기업 C
대출금이 기능통화로 기록되어 있다면 외화환산차이가 존재하지 않는다.

영국 지배회사 A

장기대여금 관련 외화환산차이	파운드
마감환율 − US$1m @ 1.82	549,450
기초환율 − US$1m @ 1.45	689,655
외화환산손실	140,205

지배회사의 별도재무제표에는 대여금이 화폐성자산으로 인식되고, 환산차이는 당기손익으로 인식된다(기준서 제1021호 문단 32).

연결재무제표에서는, 재환산된 장기대여금은 해외사업장에 대한 순투자라고 본다. 이에 따라, 해당 환산손실은 기타포괄손익으로 인식되고, 누계액은 자본(기타포괄손익)으로 인식된다(기준서 제1021호 문단 32). 해당 환산이익도 기타포괄손익으로 인식된다.

④ 해외사업장의 처분

해외사업장을 처분하는 경우에는 기타포괄손익과 별도의 자본항목으로 인식한 해외사업장 관련 외환차이의 누계액은 해외사업장의 처분손익을 인식하는 시점에 자본에서 당기손익으로 재분류한다(기준서 제1021호 문단 48). 해외사업장에 대한 지분의 전체 또는 일부가 처분되어 투자성격이 변동하는 경우에는 처분으로 회계처리하여 그 시점까지

자본항목으로 인식한 해당 해외사업장 관련 외환차이 누계액 전체를 당기손익으로 재분류한다(기준서 제1021호 문단 48A). 다만, 지분의 일부가 처분되었으나, 투자성격의 변동이 없는 경우에는 종속기업에 대하여는 기타포괄손익으로 인식된 외환차이의 누계액 중 비례적 지분을 그 해외사업장의 비지배지분으로 재배치하고, 그 외의 해외사업장(종속기업이 아닌 관계기업 및 공동지배기업)의 경우에는 비례적 지분만을 당기손익으로 재분류한다. 여기서 투자의 성격이 변동하는 경우는 다음의 경우를 말한다(기준서 제1021호 문단 48C).

- 종속기업에 대한 지배력을 상실
- 관계기업에 대한 중대한 영향력을 상실
- 공동지배기업에 대한 공동지배력을 상실

이 때, 해외사업장의 매각, 청산, 자본의 환급 또는 해외사업장 전체나 일부를 포기하는 등의 방법으로 해외사업장에 대한 지분을 처분할 수 있다. 배당금 지급이 투자금액의 회수에 해당하는 경우(예 : 해외사업장을 취득하기 전에 생긴 이익의 배당)에는 이러한 배당금 지급도 처분의 일부로 본다. 해외사업장의 일부를 처분한 경우에는 관련 외환차이의 누계액 중 처분한 부분에 비례하는 금액을 당기손익으로 인식한다. 해외사업장의 장부금액에 대한 손상차손의 인식은 해외사업장의 일부를 처분하는 경우에는 해당하지 않으므로 외환차이의 누계액을 손상차손을 인식한 시점에 손익으로 인식하지 아니한다(기준서 제1021호 문단 49).

⑤ 최초채택

한편, 최초채택기업은 전환일에 존재하는 누적환산차이에 대하여 기준서 제1021호의 다음의 규정에 대하여 면제조항을 적용하여 할 수 있다(기준서 제1101호 D 12). 이 경우, 최초채택기업은 전환일에 모든 해외사업장에 대한 누적환산차이를 영(0)으로 간주하고, 후속적인 처분으로 인한 손익 발생시, 전환일 이후에 발생한 환산차이를 포함한다.

- 일부 환산차이를 기타포괄손익에 인식하고 자본의 별도 항목으로 누적한다.
- 해외사업장을 처분하는 경우, 그 해외사업장에 대한 누적환산차이는 처분손익의 일부로서 자본에서 당기손익으로 재분류한다.

2) 주석공시사항

환산과 관련하여 다음의 사항을 공시한다.
① 당기손익으로 인식한 외환차이 금액. 다만, 당기손익-공정가치 측정 금융상품에서 생기는 외환차이는 제외

② 기타포괄손익으로 인식하고 별도의 자본항목에 누계한 순외환차이, 기초와 기말금액 및 그 변동내역

③ 표시통화와 기능통화가 다른 경우에는 그 사실을 기능통화의 명칭과 기능통화가 아닌 다른 통화로 표시하는 이유와 그 사실 등

④ 보고기업이나 유의적인 해외사업장의 기능통화가 변경된 경우에는 그 사실과 기능통화가 변경되는 이유

기능통화 외의 통화를 표시통화로 하여 재무제표를 보고하는 경우에는 외화환산과 관련된 한국채택국제회계기준서 및 해석서의 요구사항을 모두 따른 경우에 한하여 한국채택국제회계기준에 따라 재무제표를 작성하였다는 사실을 기재하며, 요구사항을 따르지 않은 경우에는 해당 정보가 보충정보임을 명확하게 표시하여 한국채택국제회계기준에 따른 정보와 구별되도록 하고, 기능통화와 보충정보를 표시하는 통화 그리고 보충정보를 결정할 때 사용하는 환산방법을 공시한다.

(3) 세무회계 상 유의할 사항

1) 기능통화 도입기업의 과세표준 계산 특례

① 과세표준 계산방법의 선택 적용

한국채택국제회계기준에 따라 원화 외의 통화를 기능통화로 채택하여 재무제표를 작성하는 내국법인의 과세표준 계산은 다음의 구분에 따른 방법(이하 "과세표준계산방법"이라 함) 중 납세지 관할 세무서장에게 신고한 방법에 따른다. 다만, 최초로 아래 ⓛ 또는 ⓒ의 과세표준계산방법을 신고하여 적용하기 이전 사업연도의 소득에 대한 과세표준을 계산할 때에는 아래 ⓗ의 과세표준계산방법을 적용하여야 하며, 같은 연결집단에 속하는 연결법인은 같은 과세표준계산방법을 신고하여 적용하여야 한다(법법 53조의 2 1항 및 법령 91조의 3).

ⓗ 원화기준 과세표준계산 방법	• 원화 외의 기능통화를 채택하지 아니하였을 경우에 작성하여야 할 재무제표(원화기준 재무제표)를 기준으로 과세표준을 계산하는 방법 • 손비로 계상한 경우에만 각 사업연도의 소득금액을 계산할 때 손금에 산입하는 항목은 원화 외의 통화를 기능통화로 채택하지 아니하였을 경우에 작성하여야 할 재무제표의 금액을 기준으로 손비 계상액을 산정함.
ⓛ 기능통화기준 과세표준 계산방법	• 기능통화로 표시된 재무제표를 기준으로 과세표준을 계산한 후 이를 원화로 환산하는 방법 • 법인세법 및 같은 법 시행령에 따른 익금 및 손금, 법인세법 제13조 제

	1항 제1호에 따른 결손금, 같은 항 제2호에 따른 비과세소득 및 같은 항 제3호에 따른 소득공제액은 기능통화로 표시하여 과세표준을 계산한 후 이를 원화로 환산함.
ⓛ 기능통화기준 과세표준 계산방법	• 다음의 경우 사업연도 종료일 현재의 매매기준율 등 또는 해당 사업연도 평균환율 중 과세표준계산방법의 신고 또는 과세표준계산방법의 변경신고와 함께 납세지 관할세무서장에게 신고한 환율을 적용함. 　－기능통화로 표시된 과세표준을 원화로 환산하는 경우 　－접대비 한도 금액을 기능통화로 환산하는 경우 　－법인세법 제57조 및 제57조의 2, 조세특례제한법 제10조, 제24조, 제25조의 6, 제94조 및 제104조의 5의 적용을 받아 세액공제액을 기능통화로 계산한 후 원화로 환산하는 경우 • 법인세법 시행령 제73조 제3호·제5호 및 제76조 제1항·제2항에 따른 외화는 기능통화 외의 통화로 함.
ⓒ 환산원화기준 과세표준계산 방법	• 재무상태표 항목은 사업연도종료일 현재의 매매기준율 등, 포괄손익계산서(포괄손익계산서가 없는 경우에는 손익계산서를 말하며, 이하 같음) 항목은 해당 거래일 현재의 매매기준율 등(아래 항목의 경우에는 해당 사업연도 평균환율)을 적용하여 원화로 환산한 재무제표를 기준으로 과세표준을 계산하는 방법 　－감가상각비, 퇴직급여충당금, 대손충당금, 구상채권상각충당금 　－법인세법 시행령 제68조 제6항에 따른 현재가치할인차금상당액 　－법인세법 시행령 제69조 제1항 본문에 따른 건설 등의 제공으로 인한 손익 　－법인세법 시행령 제70조 제1항 제1호 단서 및 제2호 단서에 따른 이자 및 할인액 　－법인세법 시행령 제70조 제3항 단서에 따른 보험료상당액 등 　－법인세법 시행령 제70조 제4항에 따른 이자 및 할인액과 배당소득 　－법인세법 시행령 제71조 제1항 각 호 외의 부분 단서에 따른 임대료상당액과 이에 대응하는 비용 　－법인세법 시행령 제71조 제3항에 따른 사채할인발행차금 　－그 밖에 이와 유사한 항목으로서 기획재정부령으로 정하는 항목 • 감가상각비, 퇴직보험료(확정기여형 퇴직연금 등의 부담금을 말함), 퇴직급여충당금, 대손충당금, 구상채권상각충당금, 그 밖에 이와 유사한 항목으로서 기획재정부령으로 정하는 항목에 대해서는 손금계상액 및 손금산입한도를 각각 기능통화로 표시하여 손금산입액을 결정함(가령, 대손충당금 한도계산의 경우 대손충당금은 평균환율, 대손금은 발생시 환율, 채권잔액은 기말환율로 평가하므로 손익계산서상 대손충당금 환입액과 대손금의 합계와 재무상태표상 채권잔액 감소분이 서로 불일치하게 되며, 따라서 이러한 항목들에 대해서는 자산·부채 항목과 손익 항목, 해당 유보금액을 기능통화기준으로 별도로 관리할 필요가 있음).

| | • 법인세법 시행령 제73조 제3호·제5호 및 제76조 제1항·제2항에 따른 외화는 기능통화 외의 통화로 함. |

② 과세표준 계산방법의 신고·변경신고

기능통화 기준 과세표준계산방법 또는 환산원화 기준 과세표준계산방법을 적용하려는 법인은 최초로 해당 과세표준계산방법을 적용하려는 사업연도의 법인세법 제60조에 따른 법인세 과세표준 등의 신고와 함께 납세지 관할세무서장에게 과세표준계산방법신고서를 제출하여야 한다(법령 91조의 2 1항).

한편, 기능통화 기준 과세표준계산방법 또는 환산원화 기준 과세표준계산방법을 신고하여 적용하는 법인은 다음의 어느 하나에 해당하는 사유가 발생한 경우 외에는 과세표준계산방법을 변경할 수 없다(법법 53조의 2 2항 및 법령 91조의 2 2항).

㉠ 기능통화를 변경한 경우
㉡ 과세표준계산방법이 서로 다른 법인이 합병(분할합병 포함)한 경우
㉢ 과세표준계산방법이 서로 다른 사업자의 사업을 인수한 경우
㉣ 연결납세방식을 최초로 적용받는 내국법인의 과세표준계산방법이 해당 연결집단의 과세표준계산방법과 다른 경우(해당 연결집단의 과세표준계산방법으로 변경하는 경우만 해당함)

기능통화 기준 과세표준계산방법 또는 환산원화 기준 과세표준계산방법을 적용하는 법인이 상기의 어느 하나에 해당하는 사유가 발생하여 과세표준계산방법을 변경하려는 경우에는 변경된 과세표준계산방법을 적용하려는 사업연도 종료일까지 납세지 관할세무서장에게 과세표준계산방법변경신청서를 제출하여야 하며, 과세표준계산방법변경신청서를 접수한 관할세무서장은 사업연도 종료일로부터 1개월 이내에 그 승인 여부를 결정하여 통지하여야 한다.

한편, 법인이 승인을 받지 아니하고 과세표준계산방법을 변경한 경우 과세표준은 변경하기 전의 과세표준계산방법에 따라 계산한다(법령 91조의 2 3항 내지 5항).

③ 기능통화·환산원화 기준 과세표준계산방법 적용 법인이 기능통화를 변경한 경우

기능통화 기준 과세표준계산방법 또는 환산원화 기준 과세표준계산방법을 적용하는 법인이 기능통화를 변경하는 경우에는 기능통화를 변경하는 사업연도의 소득금액을 계산할 때 개별 자산·부채별로 아래 ㉠의 금액에서 ㉡의 금액을 뺀 금액을 익금에 산입하며, 익금에 산입한 금액은 법인세법 시행령 제64조 제3항을 준용하여 일시상각충당금 또는 압축기장충당금으로 계상하여 손금에 산입하며, 손금에 산입한 금액은 같은 법 시

행령 제64조 제4항 및 제5항을 준용하여 익금에 산입한다(법법 53조의 2 3항 및 법령 91조의 3 8항).

ⓐ 변경 후 기능통화로 표시된 해당 사업연도의 개시일 현재 해당 자산·부채의 장부가액

ⓑ 변경 전 기능통화로 표시된 직전 사업연도의 종료일 현재 자산·부채의 장부가액에 해당 자산·부채의 취득일 또는 발생일의 환율을 적용하여 변경 후 기능통화로 표시한 금액

④ 기능통화·환산원화 기준 과세표준계산방법을 최초로 적용하는 경우의 세무상 유의할 사항

법인이 기능통화 기준 과세표준계산방법 또는 환산원화 기준 과세표준계산방법을 최초로 적용하는 경우에도 위 ③에서 설명한 규정을 그대로 준용한다. 이 경우 변경 전 기능통화는 원화로 본다(법법 53조의 2 4항).

2) 해외사업장의 과세표준계산 특례

내국법인의 해외사업장의 과세표준계산은 다음의 방법(이하 "과세표준계산방법"이라 함) 중 납세지 관할 세무서장에게 신고한 방법에 따른다. 다만, 최초로 아래 ⓑ 또는 ⓒ의 과세표준계산방법을 신고하여 적용하기 이전 사업연도의 소득에 대한 과세표준을 계산할 때에는 아래 ⓐ의 과세표준계산방법을 적용하여야 한다(법법 53조의 3 1항 및 법령 91조의 5).

ⓐ 원화 기준 과세표준계산 방법	• 해외사업장 재무제표를 원화 외의 기능통화를 채택하지 아니하였을 경우에 작성하여야 할 재무제표로 재작성하여 본점의 재무제표와 합산한 후 합산한 재무제표를 기준으로 과세표준을 계산하는 방법 • 손비로 계상한 경우에만 각 사업연도의 소득금액을 계산할 때 손금에 산입하는 항목은 원화 외의 통화를 기능통화로 채택하지 아니하였을 경우에 작성하여야 할 재무제표의 금액을 기준으로 손비 계상액을 산정함.
ⓑ 기능통화 기준 과세표준계산 방법	• 해외사업장의 기능통화로 표시된 해외사업장 재무제표를 기준으로 과세표준을 계산한 후 이를 원화로 환산하여 본점의 과세표준과 합산하는 방법 • 법인세법 및 다른 법률에 따른 해외사업장의 익금 및 손금을 해외사업장의 기능통화로 표시하여 과세표준을 계산한 후 이를 원화로 환산하여야 하며, 원화로 환산한 해외사업장 과세표준을 본점의 과세표준과 합산한 금액에 대하여 법인세법 제13조를 적용하여 법인의 과세표준을 계산함.

ⓛ 기능통화 기준 과세표준계산 방법	• 기능통화로 표시된 해외사업장 과세표준을 사업연도종료일 현재의 매매기준율 등 또는 해당 사업연도 평균환율 중 과세표준계산방법의 신고 또는 과세표준계산방법의 변경신고와 함께 납세지 관할세무서장에게 신고한 환율을 적용하여 원화로 환산함. • 해외사업장에서 지출한 기부금, 접대비, 고유목적사업준비금, 책임준비금, 비상위험준비금, 퇴직급여, 퇴직보험료(확정기여형 퇴직연금 등의 부담금을 말함), 퇴직급여충당금, 대손충당금, 구상채권상각충당금, 그 밖에 법인세법 및 같은 법 시행령에 따라 손금산입한도가 있는 손금 항목은 이를 손금에 산입하지 아니하며, 이에 따라 손금에 산입하지 아니한 금액은 납세지 관할세무서장에게 신고한 환율을 적용하여 원화로 환산한 후 본점의 해당 항목과 합산하여 본점의 소득금액을 계산할 때 해당 법인(본점과 해외사업장 포함)의 손금산입한도 내에서 손금에 산입함. 이 경우 해당 법인의 손금산입한도를 계산할 때 해외사업장 재무제표는 납세지 관할세무서장에게 신고한 환율을 적용하여 원화로 환산함. • 법인세법 시행령 제73조 제3호·제5호 및 제76조 제1항·제2항에 따른 외화는 해외사업장의 기능통화 외의 통화로 함.
ⓒ 환산원화 기준 과세표준계산 방법	• 해외사업장의 재무제표에 대하여 재무상태표 항목은 사업연도 종료일 현재의 매매기준율 등을, 포괄손익계산서 항목은 다음의 환율을 각각 적용하여 원화로 환산하고 본점 재무제표와 합산한 후 합산한 재무제표를 기준으로 과세표준을 계산하는 방법 - 감가상각비, 퇴직급여충당금, 대손충당금, 구상채권상각충당금, 법인세법 시행령 제68조 제6항에 따른 현재가치할인차금상당액, 제69조 제1항 본문에 따른 건설 등의 제공으로 인한 손익, 제70조 제1항 제1호 단서 및 제2호 단서에 따른 이자 및 할인액, 제70조 제3항 단서에 따른 보험료상당액 등, 제70조 제4항에 따른 이자 및 할인액과 배당소득, 제71조 제1항 각 호 외의 부분 단서에 따른 임대료상당액과 이에 대응하는 비용, 제71조 제3항에 따른 사채할인발행차금, 그 밖에 이와 유사한 항목으로서 기획재정부령으로 정하는 항목의 경우 : 해당 사업연도 평균환율 - 상기 외의 경우 : 해당 항목의 거래일 현재의 매매기준율 등 또는 해당 사업연도 평균환율 중 과세표준계산방법의 신고 또는 과세표준계산방법의 변경신고와 함께 관할세무서장에게 신고한 환율 • 법인세법 시행령 제73조 제3호·제5호 및 제76조 제1항·제2항에 따른 외화는 해외사업장의 기능통화 외의 통화로 함.

한편, 기능통화 기준 과세표준계산방법 또는 환산원화 기준 과세표준계산방법을 신고하여 적용하는 법인은 다음의 어느 하나에 해당하는 사유가 발생한 경우 외에는 과세표준계산방법을 변경할 수 없다(법법 53조의 3 2항 및 법령 91조의 4 1항).

㉠ 과세표준계산방법이 서로 다른 법인이 합병(분할합병 포함)한 경우

㉡ 과세표준계산방법이 서로 다른 사업자의 사업을 인수하는 경우

기타 기능통화 기준 과세표준계산방법 또는 환산원화 기준 과세표준계산방법의 적용신청 및 기능통화 기준 과세표준계산방법 또는 환산원화 기준 과세표준계산방법을 적용하는 법인의 과세표준계산방법의 변경신청에 관하여는 기능통화도입기업의 과세표준계산 특례의 규정을 준용한다(법령 91조의 4 2항).

5. 유형자산재평가잉여금

유형자산의 최초인식 후에는 원가모형과 재평가모형 중 하나를 선택하여 적용할 수 있는데, 유형자산재평가잉여금은 재평가모형을 적용한 경우로서 유형자산의 장부금액이 재평가로 인하여 증가한 경우에 발생한다. 이 경우 유형자산재평가잉여금으로 인식하는 금액은 유형자산의 장부금액이 재평가로 인하여 증가하는 경우에 그 증가액으로 하되, 동일한 유형자산에 대하여 이전에 인식한 당기손익(예 : 유형자산재평가손실)이 있다면 그 금액을 한도로 당기손익으로 인식하고 나머지 잔액은 유형자산재평가잉여금으로 인식한다.

한편, 유형자산재평가잉여금을 인식한 이후에 유형자산의 공정가치가 재평가로 인하여 감소하는 경우에는 기 인식한 유형자산재평가잉여금을 먼저 상계하고 나머지 잔액은 당기손익으로 인식한다.

유형자산재평가잉여금과 관련한 자세한 설명은 '유형자산 중 6. 인식시점 이후의 측정'편을 참조하기 바란다.

6. 위험회피원가 적립금

옵션계약의 내재가치와 시간가치를 구분하고 옵션의 내재가치 변동만을 위험회피수단으로 지정하는 경우 옵션의 시간가치는 거래 관련 위험회피대상항목과 기간 관련 위험회피대상항목으로 구분한다. 위험회피대상항목의 위험을 회피하는 옵션의 공정가치 중 시간가치 변동에서 위험회피대상항목과 관련된 부분을 기타포괄손익으로 인식하고 위험회피원가 적립금으로 누적한다. 위험회피원가 적립금에 누적한 옵션의 시간가치에서 생긴 공정가치 누적변동분이 거래 관련인 경우 회계처리는 하기와 같다.

㈎ 위험회피대상항목으로 인해 후속적으로 비금융자산이나 비금융부채를 인식하게 되거나 공정가치위험회피회계를 적용하는 비금융자산이나 비금융부채에 대한 확정계약을 인식하게 된다면, 위험회피원가 적립금에서 그 금액을 제거하고 관련 자산 또는 부채의 최초 원가나 그 밖의 장부금액에 그 금액을 직접 포함한다. 이것은 재분류조정(기업회계기준서 제1001호 참조)이 아니며, 따라서 기타포괄손익에 영향을 미치지 않는다.

(나) 위 (가)가 적용되지 않는 위험회피관계의 경우에 그 금액은 위험회피대상 미래예상 현금흐름이 당기손익에 영향을 미치는 기간에 재분류조정으로 위험회피원가 적립금에 서 당기손익으로 재분류한다.

(다) 그러나 그 금액의 전부나 일부가 미래 기간에 회복되지 않을 것으로 예상된다면, 회복되지 않을 것으로 예상되는 금액을 재분류조정으로 당기손익으로 즉시 재분류한다.

위험회피원가 적립금에 누적한 옵션의 시간가치에서 생긴 공정가치 누적변동분이 기 간 관련인 경우에는 옵션의 내재가치에 대한 위험회피조정이 당기손익에 영향을 미칠 수 있는 기간에 걸쳐 체계적이고 합리적인 기준에 따라 상각한다. 따라서 보고기간마다 상각금액은 재분류조정으로 위험회피원가 적립금에서 당기손익으로 재분류한다. 그러나 옵션의 내재가치 변동분을 위험회피수단으로 하는 위험회피관계에서 위험회피회계의 적용을 중단하게 되는 경우에 위험회피원가 적립금으로 인식해 온 순금액(누적 상각액 포함)은 즉시 재분류조정으로 당기손익으로 재분류한다.

기타 이와 관련한 회계처리 및 세무상 유의할 사항에 대한 자세한 내용은 '제5편 특 수회계편' 중 'Ⅰ. 파생상품회계'를 참고한다.

7. 당기손익 – 공정가치 측정 지정 금융부채의 자기신용위험변동

당기손익 – 공정가치측정 항목으로 지정한 금융부채의 경우, 공정가치 변동 중 자기신 용위험의 변동으로 인한 효과는 기타포괄손익으로 인식하고, 이 기타포괄손익은 처분 시에도 당기손익으로 인식하지 않는다. 다만, 자본 내에서 누적 손익을 이전할 수는 있 다. 기타 이와 관련한 회계처리 및 세무상 유의할 사항에 대한 자세한 내용은 '제2편 재 무상태표편' 중 '제1장 유동부채'의 '제2절 유동금융부채'를 참고한다.

Chapter 05 이익잉여금

이익잉여금(또는 결손금)이란 포괄손익계산서에 보고된 손익과 다른 자본항목에서 이입된 금액의 합계액에서 주주에 대한 배당, 다른 자본항목으로의 전입 및 처분된 금액을 차감한 잔액을 말한다.

한국채택국제회계기준에서는 이익잉여금의 세부분류나 그와 관련된 회계처리에 대해서는 규정하고 있지 않다. 이익잉여금의 세부항목들은 특정 국가들의 법률에 따라 다르기 때문일 것이다. 아래에서는 우리나라의 상법에서 규정하고 있는 법정적립금등과 관련된 항목을 해당 법에 근거하여 어떻게 회계처리하게 될지 살펴보기로 한다.

제1절 법정적립금

법정적립금이란 상법 등 관련법령에 의하여 강제적으로 적립하는 적립금을 말하며, 결손금의 보전 또는 자본전입 등 관련법령에서 규정하고 있는 용도로만 사용할 수 있다.

1. 이익준비금
(1) 개념 및 범위

이익준비금이란 상법의 규정에 의하여 주식기업이 강제적으로 기업내부에 유보하여야 하는 법정준비금을 말한다. 즉, 주식기업은 그 자본금의 2분의 1에 달할 때까지 매 결산기의 금전에 의한 이익배당(주식배당 제외)의 10분의 1 이상의 금액을 이익준비금으로 적립하여야 하며(상법 458조), 이 때 '자본금'이란 상법상의 자본으로서 법정자본금을 의미한다.

이와 같이 상법이 기업으로 하여금 이익의 일부를 기업내부에 적립하도록 규정한 것은 기업의 재무적 기초를 견실히 하고 채권자를 보호하기 위한 것이다.

따라서 매 결산기마다 이익배당액(주식배당 제외)의 10분의 1 이상을 계속 누적하여 적립하되, 이익준비금의 금액이 자본금의 2분의 1에 달한 때에는 더 이상 적립하지 않아도 된다.

이익준비금의 적립한도액은 자본금의 2분의 1에 해당하는 금액이므로 기업은 자본금의 50%라는 한도액까지만 법적인 적립의무를 부담할 뿐이고 이를 초과한 금액의 계속적인 적립 여부는 전적으로 기업의 자유의사에 의존한다.

만일 기업이 상법상의 한도액 이상으로 이익준비금을 적립한 때에는 그 초과적립금은 법정적립금으로서의 이익준비금이 아니고 손실보전의 목적 등을 가진 임의적립금으로 보는 것이 다수설이다.

또한 이익준비금은 법정준비금이라는 점에서 상법상 자본준비금과 같지만 그 회계상의 성질은 다르다고 볼 수 있다.

즉, 상법상 자본준비금은 자본거래에서 발생한 잉여금으로서 주주에 의한 납입자본성격으로 보아 적립한도액이 없이 무제한으로 적립하여야 하나, 이익준비금은 납입자본의 운용에서 발생한 손익거래상의 잉여금으로서 법령에 의하여 그 적립 및 처분을 제한하고 있을 뿐이라는 점에서 차이가 있다.

(2) 기업회계 상 회계처리

1) 이익준비금의 계상

이익준비금의 적립분개는 정기주주총회에서 이익준비금을 포함한 이익처분안의 의결이 확정되는 시점에서 그 의결내용에 따라 이루어진다.

사례 1   1. (주)삼일은 자본금이 ₩500,000,000이고 전기에 이월되어 온 이익잉여금 ₩35,000,000이 있다. 또한 당기 중 기말결산 결과 ₩60,000,000의 당기순이익을 계상하다.

2. (주)삼일은 정기주주총회에서 이익처분내용으로서 주주에 대한 현금배당 ₩25,000,000, 별도적립금 ₩30,000,000, 이익준비금 ₩3,000,000을 적립하기로 결의하다. (주)삼일의 재무상태표상 이익준비금 금액은 ₩85,000,000이다.

(차) 이월미처분이익잉여금	35,000,000	(대) 미처분이익잉여금	95,000,000
당기순이익	60,000,000		

(차) 미처분이익잉여금	95,000,000	(대) 미지급배당금	25,000,000
		이익준비금	3,000,000
		별도적립금	30,000,000
		이월미처분이익잉여금	37,000,000

위의 [사례]에서 기업이 당기에 적립할 수 있는 이익준비금 최고한도액은 자본금 ₩500,000,000의 1/2인 ₩250,000,000에서 기설정 적립금 ₩85,000,000을 차감한 ₩165,000,000이 되며(회계

처리상으로는 단순히 제한이 없다고 할 수 있지만), 최소한 설정하여야 할 금액은 현금 배당액 ₩25,000,000의 1/10인 ₩2,500,000이 된다.

이익준비금의 적립한도액은 법정자본금 기준에 의하므로 자본금이 유상증자, 합병증자, 주식배당, 준비금의 자본전입, 전환사채의 전환, 감자 등으로 인하여 변동하게 되면 이익준비금의 한도액 또한 자동적으로 증감하게 된다.

2) 이익배당(주식배당 제외)이 없을 경우 이익준비금의 계상

상법상 매 결산기 이익준비금 적립액의 최소한도는 이익배당액(주식배당 제외)의 1/10 이상으로 규정하고 있어 이익배당(주식배당 제외)이 없을 경우에는 이익준비금을 설정할 수 있는지의 문제가 있다. 이에 대하여 현행 규정은 이익배당(주식배당 제외)이 있을 때에만 이익준비금을 적립할 수 있다는 취지로 규정한 것이 아니며, 다만 적립할 이익준비금의 최저한도를 정한 성격이므로 처분가능이익이 있는 한 이익준비금의 적립은 이익배당(주식배당 제외)이 없다 하더라도 가능하다.

3) 이익준비금의 처분

이익준비금은 제도의 취지상 그 처분에 제한을 받게 되며 상법상 그 처분이 인정되는 것은 자본의 결손을 전보하는 경우로서(상법 460조) 결손보전 및 자본전입의 경우를 포함한다.

다만, 상법 제461조의 2에 따르면 회사에 적립된 자본준비금 및 이익준비금의 총액이 자본금의 1.5배를 초과하는 경우 주주총회의 결의에 따라 그 초과한 금액의 범위에서 자본금과 이익준비금을 감액할 수 있도록 하고 있는바, 결손보전이나 자본전입 외의 용도로 사용하는 것을 제한적으로 허용하고 있다.

여기에서 말하는 자본금의 결손이란 기업의 순자산액이 자본금과 법정준비금의 합계액보다 적은 상태를 말한다. 따라서 재무상태표상 결손금이 발생하고 있다 하더라도 법정준비금 이외의 잉여금이 있어 그 금액이 결손금보다 많은 때에는 자본금의 결손에 해당하지 아니한다.

4) 결산시 유의할 사항

이익준비금의 계상이나 처분에 관련한 회계처리는 모두 이사회 또는 주주총회의 결의시점 등 기중에 이루어지게 되므로 보통 결산시에 별도의 결산정리분개 등을 행할 필요는 없다. 다만, 실무상 결산시점에서 이와 관련한 다음 사항을 검토할 필요가 있다.

① 이익준비금의 적립

상법상 적법한 범위 내에서 법정 한도까지 제대로 설정되었는지를 검토한다.

② 결손보전의 적법성

결손보전에 충당할 여타 이익잉여금이 있는가를 살피고, 그 잔액이 없을 경우에만 이익준비금으로써 결손보전에 처분한다.

(3) 세무회계 상 유의할 사항

세무상 이익준비금의 적립이나 처분사항은 모두 법인의 익금·손금에 산입할 항목은 아니므로 기업회계 상 적정히 회계처리된 이익준비금에 대하여 별도의 세무조정을 하여야 할 사항은 없다. 한편, 기업회계 상 이익준비금으로 보전된 이월결손금은 세무상 각 사업연도 소득금액에서 공제된 것으로 보지 않는다.

2. 기업발전적립금

적정유보초과소득에 대한 법인세 과세제도는 이익잉여금의 사내유보를 통한 재무구조개선 유도 및 법인세 과세체계의 간소화를 도모하기 위하여 2001. 12. 31. 법인세법 개정시 삭제되었으며, 동 개정규정은 2002. 1. 1. 이후 최초로 개시하는 사업연도분부터 적용된다. 따라서 기업발전적립금을 추가적으로 적립할 필요는 없게 되었으나 부칙에서 종전 규정에 의하여 적립한 기업발전적립금의 처분과 용도 외의 처분에 따른 법인세의 납부 등에 관하여는 종전 규정을 따르도록 규정하고 있다.

종전 규정에 따르면 기업발전적립금은 이월결손금의 보전 또는 자본에의 전입을 제외하고는 이를 계속하여 적립하여야 하며, 용도 외 처분시에는 당해 처분금액에 100분의 18을 곱하여 산출한 금액을 처분일이 속하는 사업연도의 법인세에 가산하여 납부하도록 하고 있다(구법법 56조 3항, 4항).

임의적립금

1. 임의적립금

(1) 개념 및 범위

임의적립금은 법정적립금과 같이 법령에 의하여 강제적으로 적립되는 것이 아니라 정관이나 주주총회의 결의에 의하여 이익잉여금 중 사내에 유보된 적립금을 의미한다.

예를 들어, 기업이 주주총회에서 감채목적을 위하여 이익잉여금을 배당 등으로 사외 유출을 하지 않고 사내에 적립하기로 결의를 하였다면, 다음과 같이 분개를 하여 회계 처리를 하게 된다.

(차) 미처분이익잉여금　　　×××　　(대) 임 의 적 립 금　　　×××

(2) 임의적립금의 종류

임의적립금의 적립은 기업이 임의대로 할 수 있으므로 그 사용목적에 따라 다양한 계 정과목으로 세분할 수 있다. 그 예로는 사업확장적립금, 감채적립금 및 세법상 적립하여 일정 기간이 경과한 후 환입될 준비금 등이 있다.

임의적립금은 기업이 임의대로 설정하는 것이 일반적이므로 설정목적 이외의 목적으 로 전용도 내부 의사결정에 따라 수시로 변경가능하다. 그러나, 세법상 준비금의 손금인 정을 위하여 적립한 준비금, 사채권자의 요구에 의하여 적립한 감채적립금 등 그 사용 에 제한을 받는 임의적립금도 있다.

(3) 적극적 적립금과 소극적 적립금

임의적립금은 그 성질에 따라 적극적 적립금과 소극적 적립금으로 나눌 수 있다. 사 업확장적립금, 감채적립금 등은 그 목적이 달성되어도 그대로 남아 있으므로 적극적 적립금이라 하고, 그 목적이 달성되면 소멸되어 없어지는 적립금은 소극적 적립금이라 한다.

예를 들어, 사업확장적립금의 경우 그 목적인 지점건물의 신축이 이루어졌을 때에 회 계처리를 보면 (차) 건물 ××× (대) 현금 및 현금성자산 ×××의 분개가 이루어져 사업확 장적립금의 설정목적이 달성되더라도 사업확장적립금계정의 금액은 그대로 남는다.

그러나 사업확장적립금의 목적은 달성되었으므로, 다음과 같은 분개에 의하여 사업확 장적립금을 별도적립금으로 대체하게 된다. 따라서 사업확장적립금은 적극적 적립금에 해당되는 것이다.

(차) 사 업 확 장 적 립 금 　　×××　　(대) 별 도 적 립 금 　　×××

2. 사업확장적립금

(1) 개념 및 범위

사업확장적립금은 기업이 장래에 건물이나 설비의 신설 및 확장, 운전자본의 증가 등 사업확장에 소요될 재원마련을 목표로 하여 이익의 일부를 사내에 유보하는 임의적립금을 말한다.

즉, 기업이 기존사업을 확장하거나 신규사업을 개시함에 있어서 필요한 사업용 운전자본을 조달하거나 유형자산을 취득하는 경우에는 대개 임시 거액의 자금을 필요로 하므로 이러한 자금을 일시에 조달하기가 용이하지 않을 뿐 아니라, 심지어 자금의 압박을 받게 될 가능성이 크다. 따라서 매기의 순이익에서 미리 일정액을 적립하여 사내에 유보함으로써 이러한 자금의 지출에 대비할 필요에 따라 설정하는 사업확장적립금은 그 설정목적에 따라 다시 신축적립금, 공장개축적립금, 설비확장적립금과 같이 더욱 세분될 수도 있다.

사업확장적립금 등 임의적립금은 본래 이에 대한 상대계정으로 특정자산을 사내에 유보하고 있는 것이 아니므로 적립금지출 목적의 담보를 위하여는 적립금을 설정하는 동시에 이에 대응하는 자금을 특정예금 또는 기금 등의 특정자산 형태로서 설정할 필요가 있다.

원래 적립금에 대하여 적립자금을 설정할 것인가의 여부는 기업의 경영정책상의 문제이지만, 사업확장적립금과 같이 특정시기에 거액의 현금지출을 필요로 하는 적립금에 있어서는 그 필요성이 크다고 할 수 있다.

그리고 건물, 설비 등을 실제로 확장한 경우에는 이 적립금에 대응하는 기업자금이 사외로 유출되는 대신 동액의 건물이나 설비 등의 자산이 취득되기 때문에, 사업확장적립금은 그 목적을 달성한 후에도 소멸하는 것이 아니며 그 목적달성 후에는 별도적립금으로 대체하는 것이 보통이다.

(2) 기업회계 상 회계처리

1) 사업확장적립금의 계상

사업확장적립금은 임의적립금이므로 전적으로 기업의 필요에 의하여 설정하는 적립금이다.

주주총회에서 이익처분안의 확정에 의해 사업확장적립금을 적립하기로 결의하면 동 시점에서 결의내용에 따라 회계처리하면 된다.

사례 1 (주)삼일은 주주총회에서 미처분이익잉여금 ₩250,000,000을 다음과 같이 처분하기로 하였다.

- 주주배당금 ₩55,000,000
- 사업확장적립금 ₩25,000,000
- 이익준비금 ₩30,000,000
- 별 도 적 립 금 ₩50,000,000

(차) 미 처 분 이익잉여금	250,000,000	(대) 이 익 준 비 금	30,000,000
		미 지 급 배 당 금	55,000,000
		사 업 확 장 적 립 금	25,000,000
		별 도 적 립 금	50,000,000
		이월미처분이익잉여금	90,000,000

2) 사업확장적립금의 사용

사업확장적립금을 계상하고 있는 기업이 실제로 사업확장 등에 자금을 지출한 때에는 당해 적립금을 별도적립금계정으로 대체하는 것이 보통이다.

사례 2 [사례 1]에서 (주)삼일은 사업확장용 신축건물(총공사비 ₩150,000,000)이 완성되어 공사비잔액 ₩30,000,000을 지급하다.

(차) 건 물	150,000,000	(대) 건 설 중 인 자 산	120,000,000
		현금 및 현금성자산	30,000,000

(주)삼일은 사업확장적립금 ₩100,000,000의 사용목적이 완료되어 이를 별도적립금으로 대체하기로 하였다.

(차) 사 업 확 장 적 립 금	100,000,000	(대) 미 처 분 이익잉여금	100,000,000

(차) 미 처 분 이익잉여금	100,000,000	(대) 별 도 적 립 금	100,000,000

그러나 사업확장적립금을 사업확장 이외의 목적으로 사용하는 것이 법령상 제한되는 것은 아니므로 기업의 결손금이 발생한 경우에는 결손금보전에 우선 충당되어야 하며 주식배당의 재원으로 자본에 전입될 수도 있다. 이 때의 회계처리는 다음과 같다.

(차) 사 업 확 장 적 립 금	×××	(대) 미처분이익잉여금	×××

(차) 미처분이익잉여금	×××	(대) 자본금또는미처리 결손금	×××

3. 감채적립금

(1) 개념 및 범위

감채적립금은 사채상환적립금이라고도 하며, 사채 등 금액이 매우 큰 비유동부채의 상환자금을 마련하기 위하여 기채기간 동안 기업 이익의 일부를 유보하는 임의적립금을 말한다.

감채적립금을 적립하는 재무적 효과는 기업의 이익이 배당 등에 의하여 사외로 유출되는 것을 막음으로써, 이익의 일부를 부채의 상환자금으로 기업 내에 유보시켜 장차 부채의 상환기간에 사채상환으로 인한 자금의 부담 내지 충격을 경감할 수 있다는 데에 있다. 특히 사채의 경우에는 사채발행시에 사채권자와의 계약에 의하여 감채적립금의 적립이 약정되는 경우가 있으며, 이 경우에는 사전에 사채권자의 동의를 얻지 않으면 이미 적립되어 있는 감채적립금을 임의로 처분할 수 없다.

한편 감채적립금은 부채를 상환하여 그 목적을 달성한 후에도 기업의 자기자본(순자산)에는 아무런 영향을 미치지 않고 그대로 이익의 유보로서 기업의 장부상에 남게 되므로, 그 목적을 달성한 다음에는 별도적립금으로 대체하는 것이 보통이다.

또한 감채적립금은 그 적립금에 상당하는 자산을 구체적인 자산형태로 보유하고 있는 것은 아니므로 기업은 이와는 별도로 감채기금을 적립할 수도 있는데, 감채적립금의 적립만으로는 부채의 상환자금을 확보하였다고 볼 수 없으므로 감채적립금을 적립하면서 동시에 감채기금을 설정하는 방법이 부채상환자금을 확보하기 위한 적극적인 방법이라 할 수 있다.

(2) 기업회계 상 회계처리

1) 감채적립금의 설정

부채의 상환자금을 기업내부에 축적시키는 방법으로는 감채기금만 설정하는 방법, 감채적립금만을 설정하는 방법, 감채기금과 감채적립금을 함께 설정하는 방법이 있다.

① 감채적립금만 설정하는 방법

이 방법은 주주총회의 이익처분결의에 의하여 순이익의 일부를 사내에 유보함으로써 적립금을 설정하는 방법으로 다음과 같은 회계처리가 이루어진다.

(차) 미처분이익잉여금 ××× (대) 감 채 적 립 금 ×××

② 감채기금과 감채적립금을 동시에 설정하는 방법

이 방법은 순이익의 일부를 감채적립금으로서 사내에 유보하는 동시에 그와 동액의 자산을 운영자금과 구분하여 특정자금으로 설정하는 방법으로 특정자금으로 설정된 감채기금은 오직 감채목적에만 사용할 수 있도록 사용을 제한한다. 이 때의 회계처리는 다음과 같다.

(차) 미처분이익잉여금	×××	(대) 감 채 적 립 금	×××
감 채 기 금	×××	현금 및 현금성자산	×××

2) 감채적립금의 사용

감채적립금의 사용목적이 되는 사채 등의 상환이 이루어지는 경우에도 감채적립금 자체가 감소하는 것은 아니므로 별도적립금과 같은 소극적 적립금으로 대체되는 것이 보통이다.

감채적립금은 본래의 사용목적을 달성한 때에 처분하는 것이 원칙이지만, 다른 임의적립금과 마찬가지로 자본에의 전입이나 이월미처리결손금의 보전을 위해서도 처분이 가능하다.

그러나 사채권자와의 사전약정에 의하여 감채적립금을 적립한 경우에는 주주총회의 처분결의에 앞서 사채권자의 동의를 얻지 않으면 이를 자본전입이나 결손보전에 충당할 수 없다.

사례 (주)삼일은 주주총회의 결의를 통하여 처분가능이익 중 ₩15,000,000을 감채적립금으로 적립하는 동시에 동액을 감채기금으로 계상하다.

(차) 미처분이익잉여금	15,000,000	(대) 감 채 적 립 금	15,000,000

(차) 감 채 기 금	15,000,000	(대) 현금 및 현금성자산	15,000,000

기업은 만기가 도래된 사채액면가액 ₩10,000,000을 감채기금으로 상환하다.

(차) 사 채	10,000,000	(대) 감 채 기 금	10,000,000

(차) 감 채 적 립 금	10,000,000	(대) 별 도 적 립 금	10,000,000

위 분개 중 감채적립금을 별도적립금으로 대체하는 절차는 사실상 주주총회에서 미처분 이익잉여금으로의 이입이나 처분을 통하여 확정될 것이다.

4. 조세특례제한법상 제준비금

(1) 개념 및 범위

조세특례제한법은 조세정책의 효율적 수행을 통한 국민경제 발전을 위하여 각종 조세지원제도를 규정하고 있는 바, 준비금도 이러한 제도의 일환으로 시행되고 있다. 준비금은 본래 법률상의 용어로써 기업회계에서는 이를 임의적립금으로 분류한다.

① 준비금의 종류

현행 조세특례제한법에서 규정되어 있는 준비금으로는 상호저축은행중앙회의 손실보전준비금, 자본확충목적기업의 손실보전준비금 및 신용회복목적기업의 손실보전준비금이 있다. 조세특례제한법상 다른 준비금은 조세특례제한법 개정시 삭제되었으나, 이미 손금에 산입한 준비금은 종전 조세특례제한법에 따라 사후관리를 하여야 한다.

구체적인 준비금의 종류는 후술하기로 한다.

② 결산조정 및 신고조정

조세특례제한법상 준비금제도는 본래 세무회계의 특유한 제도로서 한국채택국제회계기준에서는 기업의 수익 또는 비용항목으로 전혀 인정되지 않는다. 이러한 양자의 차이점을 조정하기 위한 방안이 이익잉여금처분으로 적립되는 준비금이다.

즉, 결산조정사항 중 조세특례제한법에서 규정하는 제준비금을 법인의 장부에 비용으로 계상하는 것이 한국채택국제회계기준에 위배되어 기업의 재무제표가 경영성과와 재무상태를 왜곡표시하게 되므로, 모든 법인에 대하여 조세특례제한법상의 제준비금의 설정 및 환입을 신고조정에 의하여도 가능하도록 하였다. 그러나 이 때에도 반드시 손금에 산입한 것으로 하는 준비금에 상당하는 금액을 당해 사업연도의 이익처분에 있어서 적립금 등으로 적립하도록 하고 있다. 이는 조세특례제한법상 준비금제도는 과세이연을 위한 조세정책이므로, 정책적 목적 하에 손금산입한 금액만큼이 추후 익금산입될 때까지 배당 등을 통하여 사외에 유출되지 않도록 하기 위하여 해당 준비금의 적립금으로 계상하도록 하고 있는 것이다.

(2) 기업회계 상 회계처리

① 준비금의 설정

조세특례제한법상의 각종 준비금의 설정이나 환입에 관한 회계처리는 조세특례제한법에서 규정하는 결산조정과 법인세법의 규정에 의한 잉여금처분에 의한 신고조정으로 구분된다.

조세특례제한법에 의한 준비금은 결산조정이 원칙이나, 준비금은 결산조정에 의해 손금으로 계상하지 않더라도 신고조정에 의해 손금산입이 가능하다.

한국채택국제회계기준에서는 세법의 목적으로 설정된 준비금은 비용 및 부채의 정의에 부합하지 않으므로 결산조정으로 반영하는 것은 기준서에 위배한다.

법인세법의 규정에 의하여 신고조정하는 경우 결산시점에는 별도의 회계처리가 필요하지 않으나, 회계상 주주총회의 이익처분안 결의시점에 다음과 같이 회계처리하게 된다.

(차) 미처분이익잉여금　　　×××　　(대) ○ ○ 준 비 금　　×××
　　　　　　　　　　　　　　　　　　　(임 의 적 립 금)

사례　(주)삼일이 조세특례제한법에 의한 ○○준비금 ₩15,000,000을 신고조정할 경우 회계처리는 다음과 같다.

(차) 미처분이익잉여금　　15,000,000　　(대) ○ ○ 준 비 금　　15,000,000

- 세무조정시에는 ₩15,000,000을 신고조정으로 손금에 산입하여야 함.

② 준비금의 상계 및 환입

준비금을 그 설정목적에 사용한 때에는 일정 기간 경과 후 분할환입 또는 일시환입하거나 또는 당해 준비금을 직접 상계하는 회계처리가 필요하게 되며, 이는 역시 결산조정에 의하는 방법과 신고조정에 의한 방법으로 나누어진다.

그러나, 한국채택국제회계기준에서는 세법목적으로 설정되는 준비금을 비용으로 인정하지 않기 때문에 환입 역시 결산조정으로 반영할 수 없으며, 신고조정에 의한 방법만 가능하다.

신고조정에 의하여 처리한 경우에는 이러한 준비금의 상계 및 환입을 직접 기업의 비용과 상계하거나 수익으로 계상할 수는 없으며 모두 잉여금처분항목으로 처리하여야 한다.

이 경우 실제적으로 준비금을 손금에 산입할 때에는 반드시 당해 준비금을 임의적립금으로 적립하여야 하지만, 준비금을 익금에 산입할 때에는 반드시 그 적립금을 처분해야 하는 것은 아니다.

세법상 준비금을 익금에 산입할 때 당해 준비금을 처분하도록 규정한 것은 단지 세법상 강제로 적립하도록 한 준비금을 처분하여 처분가능이익잉여금을 증가시켜 이를 자유로이 처분할 수 있도록 한 것에 불과하다.

따라서 법인이 세무조정계산서상에만 익금산입하고 준비금을 환입하지 않은 경우에는 해당 준비금상당액을 임의적립금으로 인정할 뿐 세무상 불이익을 받지 않는다.

조세특례제한법상 준비금을 환입하는 경우에는 임의적립금의 이입에 의한 미처분이익잉여금의 증가를 다음과 같이 회계처리한다.

(차) ○○준비금 　　　　　　　×××　　　(대) 미처분이익잉여금　　　　　×××
　　　(임의적립금이입액)

사례　(주)삼일은 재무상태표상 임의적립금 중 일부로 ○○준비금 ₩18,000,000이 계상되어 있으며 ○○준비금 중 당기에 환입할 금액 ₩9,000,000이 있다.

(차) ○ ○ 준 비 금　　9,000,000　　(대) 미처분이익잉여금　　9,000,000
　　　(임의적립금이입액)

• 세무조정시에는 ₩9,000,000을 신고조정으로 익금에 산입하여야 함.

(3) 세무회계 상 유의할 사항

① 세무조정

기업이 준비금을 손금산입 범위내에서 결산조정에 따라 설정 및 환입하는 경우에는 세무회계 상 별도의 세무조정을 행할 필요는 없다.

그러나, 신고조정의 방법으로 준비금을 이익잉여금처분항목으로 계상한 경우에는 법인세 세무조정시 이를 각각 손금 또는 익금에 산입하는 조정절차를 거쳐야 한다. 즉, 준비금을 한국채택국제회계기준상 잉여금처분항목으로 설정한 경우 동 금액을 세무상 손금산입하고 추후 준비금 환입기간에 따라 다시 익금산입하게 된다.

② 준비금 미달설정 및 초과환입의 경우

법인세법 기본통칙 61-98…1에서는 신고조정에 의하여 손금에 산입한 준비금이 다음 각 경우에 해당하는 때에는 적립하여야 할 금액에 미달하게 적립한 적립금 또는 처분하여야 할 금액을 초과하여 처분한 적립금에 상당하는 준비금을 당해 준비금을 손금계상한 사업연도에 손금불산입하도록 규정하고 있다. 이 경우 적립금에는 한국채택국제회계기준에 따라 당해 사업연도에 세무조정계산서에 손금으로 산입한 준비금으로 인한 법인세 효과를 비유동부채인 이연법인세부채로 계상한 금액을 포함한다.

㉠ 당해 준비금을 손금계상한 사업연도의 이익처분에 있어서 당해 준비금에 상당하는 적립금을 적립하지 아니하거나 일부만을 적립하는 경우. 다만, 당해 사업연도의 처분가능이익이 없거나 부족한 경우에는 처분가능이익을 한도로 적립할 수 있으며, 그 부족액은 다음 사업연도 이후에 추가 적립하여야 한다.

ⓛ 당해 준비금을 익금에 산입하는 사업연도의 이익처분에 있어서 익금산입에 상당 하는 적립금을 초과하여 처분하는 경우

③ 처분가능이익이 없는 경우

법인이 준비금을 신고조정으로 손금에 산입하고자 하였으나 당기에 처분가능이익이 없어 준비금상당액을 잉여금처분에 따른 적립금으로 계상할 수 없는 경우, 차기 이후에 처분가능이익이 발생한 때 우선적으로 동 준비금을 이익잉여금의 처분에 의하여 적립 하는 것을 조건으로 하여 당해 준비금을 세무조정계산서상 신고조정에 의하여 손금에 산입할 수 있다.

따라서, 그 후 사업연도에 있어서 처분가능이익이 발생하는 경우에는 이미 세무조정 계산서상 신고조정에 의하여 손금에 산입한 준비금을 적립하여야 하며, 만일 준비금 미 설정액이 누적되어 있는 경우에는 먼저 신고조정에 의하여 손금에 산입한 준비금부터 순차적으로 적립하여야 한다.

만약 이후 사업연도에 처분가능이익이 발생하였음에도 불구하고, 임의적립금 등 다른 적립금을 적립하거나 배당 등의 사유로 이전 사업연도에 미달 적립된 금액을 적립하지 않을 경우에는 동 미달 적립액을 손금계상한 사업연도에 손금불산입한다.

④ 결산조정에 의하다가 신고조정으로 변경하는 경우

세법상 준비금을 결산조정의 방법으로 회계처리하는 경우에는 한국채택국제회계기 준에 위배된다. 따라서, 한국채택국제회계기준에 따라 적정하게 회계처리하기 위하여 결산조정의 방법으로 회계처리하다가 잉여금처분에 의한 신고조정의 방법으로 변경하 기 위해서는 우선 현재 장부상 부채로 계상하고 있는 준비금을 임의적립금으로 대체하 는 회계처리가 필요하다. 이러한 회계처리는 한국채택국제회계기준상 오류수정에 해당 한다.

한국채택국제회계기준에서는 특정기간에 미치는 오류의 영향이나 오류의 누적효과를 실무적으로 결정할 수 없는 경우를 제외하고는 중요한 오류를 후속기간에 발견하는 경우 해당 후속기간의 재무제표에 비교표시된 재무정보를 재작성하여 수정하며, 중요한 오류 가 비교표시되는 가장 이른 과거기간 이전에 발생한 경우에는 비교표시되는 가장 이른 과거기간의 자산, 부채 및 자본의 기초금액을 재작성한다(기준서 제1008호 문단 41-43).

결국, 결산조정에 의하다가 신고조정으로 변경하는 경우에는 장부상 부채로 계상하고 있던 준비금을 전기이월미처분이익잉여금의 증가로 회계처리하여야 하며, 동일 금액을 준비금으로 적립하여야 한다. 이 경우, 전기이월미처분이익잉여금의 증가로 회계처리한 금액에 대하여는 세무조정시 익금산입 기타처분해야 하고, 준비금으로 적립한 금액에 대하여는 손금산입(△유보) 처분해야 한다.

> 사례 ○○준비금 ₩1,000,000을 계상하고 있던 (주)삼일은 당 연도에 신고조정에 의하여 준비
> 금을 손금산입하고자 한다.
>
> (차) ○ ○ 준 비 금 (부 채)   1,000,000   (대) 전기이월미처분이익잉여금   1,000,000
>
> (차) 전기이월미처분이익잉여금   1,000,000   (대) ○ ○ 준 비 금   1,000,000
>   (임의적립금)
>
> • 세무조정시 전기이월미처분이익잉여금 증가액 ₩1,000,000을 익금산입(기타) 처분한 후 동
>   일 금액을 손금산입(△유보) 처분한다.

⑤ 조세특례제한법상 준비금 요약

준비금·충당금 종류	손금산입대상	손금산입범위
상호저축은행중앙회의 손실보전준비금(조특법 48조)	상호저축은행중앙회	해당 사업연도의 구조개선적립금에서 발생한 이익 금액(2013. 6. 30.이 속하는 사업연도까지 손금산입 가능)
자본확충목적기업의 손실보전준비금(조특법 104조의 3)	자본확충목적기업	다음 중 적은 금액(2021. 12. 31. 이전에 끝나는 사업연도까지 손금산입 가능) ① 손실보전준비금 손금산입 전의 소득금액 × 100% ② 해당 사업연도 종료일 현재 법 소정의 투자금액 − 손실보전준비금 잔액
신용회복목적기업의 손실보전준비금(조특법 104조의 12)	신용회복목적기업	손실보전에 필요한 비용

제3절 **미처분이익잉여금(미처리결손금)**

1. 개념 및 범위

미처분이익잉여금은 전기이월미처분이익잉여금(또는 전기이월미처리결손금)에 회계 정책의 변경으로 인한 누적효과(비교재무제표의 최초회계기간 직전까지의 누적효과), 중요한 전기오류수정손익(비교재무제표의 최초회계기간 직전까지의 누적효과), 중간배 당액 및 당기순이익(또는 당기순손실)을 가감하여 산출하며, 미처리결손금은 전기이월 미처리결손금(또는 전기이월미처분이익잉여금)에 회계정책의 변경으로 인한 누적효과 (비교재무제표의 최초회계기간 직전까지의 누적효과), 중요한 전기오류수정손익(비교재 무제표의 최초회계기간 직전까지의 누적효과), 중간배당액 및 당기순이익(또는 당기순 손실)을 가감하여 산출한다.

미처분이익잉여금계정은 결산시에 이월미처분이익잉여금계정과 손익계정의 기말잔액 을 대체하기 위하여 설정되고, 주주총회의 결의에 의하여 처분이 확정되면 다시 각각의 처분후 이익잉여금계정으로 대체되므로 결산일과 주주총회일까지의 기간 동안에만 존 재하는 계정이다.

미처분이익잉여금은 그 원천에 따라 전기 이전의 경영성과를 반영하는 이월미처분이 익잉여금과 당기의 영업성과로부터 발생한 당기순이익으로 구별되는데 이는 당기의 주 주총회에서 처분의 대상이 되는 것이다.

그리고 당기의 주주총회의 이익처분에도 남은 부분은 다시 이월미처분이익잉여금계 정으로서 차기 이후의 미처분이익잉여금의 구성항목이 되고 이익처분액보다 미처분이 익잉여금이 부족할 경우에는 전기 이전의 임의적립금 등 처분액을 이입하여 처리하게 된다.

2. 기업회계 상 회계처리

미처분이익잉여금계정 또는 미처리결손금계정에 관련한 거래분개는 ① 이월미처분이 익잉여금계정 또는 이월미처리결손금계정으로부터의 대체, ② 집합손익계정으로부터의 대체, ③ 주주총회의 처분결의에 따른 처분필 이익잉여금계정 또는 이월미처리결손금계 정으로의 대체 등에 관한 사항으로 요약된다.

(1) 전기이월미처분이익잉여금(또는 전기이월미처리결손금)의 대체

• 전기이월미처분이익잉여금을 미처분이익잉여금으로 대체하는 분개는 다음과 같다.

| (차) 전기이월미처분이익잉여금 | ××× | (대) 미처분이익잉여금 | ××× |

• 전기이월미처리결손금을 미처리결손금으로 대체하는 분개는 다음과 같다.

| (차) 미 처 리 결 손 금 | ××× | (대) 전기이월미처리결손금 | ××× |

(2) 당기순이익(또는 당기순손실)의 대체

당기결산시에 수익·비용계정 마감하기 위하여 집합손익계정을 설정하여 손익계정의 잔액을 모두 대체하게 되면 당기순손익을 계산하게 된다. 이 때 계산된 당기순이익은 집합손익계정으로부터 미처분이익잉여금계정으로 다음과 같이 대체된다.

| (차) 손　　　　　익 | ××× | (대) 미처분이익잉여금 | ××× |

한편 미처리결손금의 경우에도 미처분이익잉여금의 경우와 마찬가지로 집합손익계정으로부터 당기순손실 또는 당기순이익을 미처리결손금계정으로 대체하기 위한 회계처리를 하여야 한다.

| (차) 미 처 리 결 손 금 | ××× | (대) 손　　　　　익 | ××× |

(3) 임의적립금 등의 이입 및 미처리결손금의 보전

미처분이익잉여금을 계상하는 회계처리는 전적으로 기말정리사항 중 최종 단계에 속하는 항목이다. 그러나 주주총회의 결의에 따라 임의적립금을 미처분이익잉여금계정에 이입하는 경우에는 회계기간 중에도 미처분이익잉여금을 계상하게 되며 그 처분에 따른 회계처리 역시 주주총회의 결의에 따라 회계기간 중에 이루어진다.

따라서 임의적립금 등의 이입분개나 미처분이익잉여금의 처분분개는 사실상 이익처분결의일에 동시에 이루어지게 되며, 회계처리는 다음과 같다.

• 임의적립금 등의 이입

| (차) 별 도 적 립 금 | ××× | (대) 미처분이익잉여금 | ××× |

(차) 미처분이익잉여금	×××	(대) 이 익 준 비 금	×××
		미 지 급 배 당 금	×××
		감 채 적 립 금	×××
		별 도 적 립 금	×××
		이월미처분이익잉여금	×××

• 미처분이익잉여금의 처분

또한, 임의적립금 등의 이입 및 미처리결손금의 보전시에는 다음과 같이 회계처리한다.

(차) 임 의 적 립 금　　　×××　　(대) 미 처 리 결 손 금　　　×××
　　　이 익 준 비 금　　　×××
　　　차기이월미처리결손금　　×××

> **사례**　(주)삼일은 당기 결산 결과 ₩270,000,000의 당기순손실이 발생하였다. 단, 기업은 전기로부터 이월되어 온 이월미처분이익잉여금 ₩85,000,000이 있다.
>
> (차) 미 처 리 결 손 금　270,000,000　　(대) 손　　　　　익　270,000,000
>
> (차) 전기이월미처분이익잉여금　85,000,000　　(대) 미 처 리 결 손 금　85,000,000
>
> • 기업은 주주총회에서 결손금을 다음과 같이 보전하기로 결의하다.
> 이익준비금 ₩65,000,000　별도적립금 ₩35,000,000　자본잉여금 ₩50,000,000
>
> (차) 별 도 적 립 금　　35,000,000　　(대) 미 처 리 결 손 금　185,000,000
>　　　이 익 준 비 금　　65,000,000
>　　　자 본 잉 여 금　　50,000,000
>　　　차기이월미처리결손금　35,000,000

3. 세무회계 상 유의할 사항

미처분이익잉여금은 이미 법인세가 과세된 유보소득이므로 미처분이익잉여금의 계상 및 처분에 관한 별도의 세무조정은 필요하지 않다. 다만, 이익잉여금처분시 세무상으로 그 적립을 강제하는 조세특례제한법상의 각종 준비금(신고조정의 경우)을 적립하지 아니한 경우 조세혜택을 부인당하게 되므로 이를 유의하여야 한다.

또한, 법인이 손금으로 계상할 수 있는 조세공과금 등을 이익잉여금과 상계처리한 경우에는 기업회계에서 이를 비용계상하지 않았다 하더라도 신고조정시에 이를 손금에 산입할 수 있다(법기통 19-19…30).

한편, 법인세법은 사업연도 독립의 원칙에 따라 전기 이전의 사업연도로부터 이월된 손·익금은 당해 연도의 손·익금에 산입할 수 없음을 전제로 하고 있으나, 과거연도에 결손금이 있는 법인의 경우 계속 기업으로서 재정수입의 세원을 확보하는 측면에서 일정 기간 내에 발생한 결손금은 그 후 사업연도의 과세준준에서 공제하여 통산하는 제도를 두고 있다. 즉, 당해 사업연도 개시일 전 15년(2019. 12. 31. 이전에 개시한 사업연도에 발생한 결손금은 10년, 2008. 12. 31. 이전에 개시한 사업연도에 발생한 결손금은 5

년) 이내에 개시한 사업연도에서 발생한 결손금으로서, 그 후 사업연도의 소득금액 또는 과세표준계산상 공제되지 아니한 금액은 각 사업연도의 소득에 대한 법인세 과세표준계산시 공제한다. 다만, 중소기업과 회생계획을 이행 중인 기업(법령 10조 1항)이 아닌 내국법인의 경우에는 각 사업연도 소득의 60% 범위에서 공제한다.

여기에서의 이월결손금이란 재무상태표에 계상된 이월결손금과는 그 의미가 다르다. 즉, 한국채택국제회계기준상의 결손금과 세무상의 결손금은 그 개념이 다를 뿐만 아니라, 한국채택국제회계기준상의 결손금은 주주총회의 결의에 따라 자본잉여금 등으로 보전되어 재무상태표에 계상되어 있지 않을 수도 있으나, 세법상의 결손금은 이와 같은 보전에 불구하고 그 후 사업연도의 과세표준계산상 공제하거나 손금에 산입되지 않으면 계속 존속하게 된다.

① 결손금의 이월공제대상법인

결손금의 이월공제는 특별히 자격이나 요건을 갖추지 아니하더라도 당연히 인정되며, 법인이 법인세 과세표준의 신고를 하지 아니하여 정부가 실지조사·결정하는 경우에도 공제가능하다. 그러나, 조세특례제한법의 규정에 의하여 결산재무제표상의 당기순이익을 과세표준으로 하는 조합법인 등은 이월결손금을 공제할 수 없다.

또한, 소득금액을 추계결정 또는 추계경정하는 경우에는 결손금의 이월공제가 허용되지 않는다. 그러나, 그 후의 사업연도 과세표준을 계산함에 있어 추계의 방법에 의하지 않을 경우에는 이월결손금은 공제가능하다(법법 68조 및 법칙 4조 2항).

② 공제대상 이월결손금

법인세 과세표준계산상 공제할 수 있는 이월결손금이라 함은 각 사업연도 개시일 전 15년(2019. 12. 31. 이전에 개시한 사업연도에 발생한 결손금은 10년, 2008. 12. 31. 이전에 개시한 사업연도에 발생한 결손금은 5년) 이내에 개시한 사업연도에서 발생한 결손금으로서 그 후의 각 사업연도의 소득금액 또는 과세표준계산상 공제되지 아니한 금액을 말한다.

이 경우 결손금은 법인세법 제60조에 따라 신고하거나 같은 법 제66조에 따라 결정·경정되거나 국세기본법 제45조에 따라 수정신고한 과세표준에 포함된 결손금만 해당하며, 결손금이 발생한 사업연도가 2 이상인 경우에는 먼저 발생한 사업연도의 결손금부터 순차로 공제한다.

또한, 결손금을 이익잉여금 중 임의적립금 및 법정적립금, 재평가적립금, 자본잉여금 등으로 보전하여 재무상태표상에 표시되지 않아도 당해 사업연도 개시일 전 15년(2019. 12. 31. 이전에 개시한 사업연도에 발생한 결손금은 10년, 2008. 12. 31. 이전에 개시한 사업연도에 발생한 결손금은 5년) 내에 개시한 사업연도에서 발생하고 그 후 사업연도의 법인세 과세표준에서 공제하지 아니한 경우에는, 이를 당해 사업연도 법인세 과세표준계산시 공제할 수 있다.

법인세법 기본통칙에서는 주식발행액면초과액, 감자차익·합병차익 및 분할차익으로 충당된 이월결손금은 각 사업연도 소득금액에서 공제된 것으로 보지 아니한다고 규정하고 있으나(법기통 13-10…1), 동 기본통칙에 열거되지 아니한 자산재평가법의 규정에 의한 재평가적립금, 기타자본잉여금, 이익잉여금 중 법정적립금, 임의적립금, 당기말 미처분이익잉여금으로 이월결손금을 보전한 경우에도 각 사업연도 소득금액에서 공제된 것으로 보지 않는다.

그러나, 채무면제익이나 자산수증익으로 이월결손금을 보전(채무면제익 등을 한국채택국제회계기준에 따라 영업외수익으로 계상한 법인이 자본금과 적립금조정명세서에 동 금액을 이월결손금의 보전에 충당한다는 뜻을 표시하고 세무조정으로 익금불산입한 것을 말함)한 경우에는 이월결손금이 소멸한 것으로 본다(법기통 18-16…2).

③ 공제의 범위

다음의 어느 하나에 해당하는 법인의 이월결손금은 각 사업연도 소득의 범위에서 공제하며, 그 외 법인의 공제 범위는 각 사업연도 소득의 60%로 한다(법법 13조 및 법령 10조 1항).

ⓐ 조세특례제한법 제6조 제1항에 따른 중소기업

ⓑ 채무자 회생 및 파산에 관한 법률 제245조에 따라 법원이 인가결정한 회생계획을 이행 중인 법인

ⓒ 기업구조조정 촉진법 제14조 제1항에 따라 기업개선계획의 이행을 위한 약정을 체결하고 기업개선계획을 이행 중인 법인

ⓓ 해당 법인의 채권을 보유하고 있는 금융실명거래 및 비밀보장에 관한 법률 제2조 제1호에 따른 금융회사 등이나 그 밖의 법률에 따라 금융업무 또는 기업구조조정 업무를 하는 공공기관의 운영에 관한 법률에 따른 공공기관으로서 기획재정부령으로 정하는 기관(한국해양진흥공사)과 경영정상화계획의 이행을 위한 협약을 체결하고 경영정상화계획을 이행 중인 법인

ⓔ 유동화자산(채권, 부동산 또는 그 밖의 재산권)을 기초로 자본시장과 금융투자업에 관한 법률에 따른 증권을 발행하거나 자금을 차입하는 유동화거래를 할 목적으로 설립된 법인으로서 다음의 요건을 모두 갖춘 법인

  ㉮ 상법 또는 그 밖의 법률에 따른 주식회사 또는 유한회사일 것

  ㉯ 한시적으로 설립된 법인으로서 상근하는 임원 또는 직원을 두지 아니할 것

  ㉰ 정관 등에서 법인의 업무를 유동화거래에 필요한 업무로 한정하고 유동화거래

에서 예정하지 아니한 합병, 청산 또는 해산이 금지될 것

㉣ 유동화거래를 위한 회사의 자산관리 및 운영을 위하여 업무위탁계약 및 자산
관리위탁계약이 체결될 것

㉤ 2015년 12월 31일까지 유동화자산의 취득을 완료하였을 것

㉥ 법인세법 제51조의 2(유동화전문회사 등에 대한 소득공제) 제1항 각 호의 어느 하
나에 해당하는 내국법인이나 조세특례제한법 제104조의 31(프로젝트금융투자회사
에 대한 소득공제) 제1항에 따른 내국법인

㉦ 기업 활력 제고를 위한 특별법 제10조에 따른 사업재편계획 승인을 받은 법인

제4절 **회계변경과 오류수정**

1. 회계변경

(1) 회계변경의 의의와 유형

회계변경이란 새로운 사실의 발생 또는 기업이 처한 경제적·사회적 환경의 변화 등에 따라 기존에 적용해 오던 회계처리방법이 기업의 재무상태나 경영성과를 적정하게 표시하지 못할 경우 새로운 회계처리방법으로 변경하는 것을 말하며, 이에는 회계정책의 변경, 회계추정의 변경 및 보고실체의 변경 등이 있다.

① 회계정책의 변경

회계정책이란, 기업이 재무제표를 작성·표시하기 위하여 적용하는 구체적인 원칙, 근거, 관습, 규칙 및 관행을 의미한다. 거래, 기타 사건 또는 상황에 한국채택국제회계기준을 구체적으로 적용하는 경우, 그 항목에 적용되는 회계정책은 한국채택국제회계기준을 적용하여 결정될 것이다. 일반적으로 회계정책의 변경은 다음의 경우에 발생할 수 있다.

- 한국채택국제회계기준에서 회계정책의 변경을 요구하는 경우
- 회계정책의 변경을 반영한 거래, 기타 사건 또는 상황이 재무상태, 재무성과 또는 현금흐름에 미치는 영향에 대하여 신뢰성 있고 더 목적적합한 정보를 제공하는 경우

예를 들면 유가증권의 취득단가산정방법을 총평균법에서 이동평균법으로 변경하는 경우나, 재고자산 원가흐름의 가정을 선입선출법에서 평균법으로 변경하는 경우 등이 있다.

② 회계추정의 변경

자산과 부채의 현재 상태를 평가하거나 자산과 부채와 관련된 예상되는 미래경제적 효익과 의무를 평가한 결과에 따라 자산이나 부채의 장부금액 또는 기간별 자산의 소비액을 조정하는 것을 말한다. 회계추정의 변경은 새로운 정보의 획득, 새로운 상황의 전개 등에 따라 지금까지 사용해오던 회계적 추정치를 바꾸는 것이며, 따라서 이는 오류수정과는 구분이 된다.

예를 들면, 수취채권의 대손추정 변경, 재고자산의 진부화 추정치의 변경, 감가상각자산의 내용연수·감가상각방법·잔존가액의 추정치의 변경, 금융자산이나 금융부채의 공정가치 변경, 품질보증의무 추정 등이 있다.

하지만, 측정기준의 변경은 회계추정의 변경이 아니라 회계정책의 변경에 해당한다. 회계정책의 변경과 회계추정의 변경을 구분하는 것이 어려운 경우에는 이를 회계추정의 변경으로 본다.

③ 보고실체의 변경

회계보고서 작성시에 보고대상이 되는 기업의 범위가 변경되는 것을 말한다. 연결재무제표를 작성할 때 연결범위에 포함되었던 종속기업이 변경되는 경우가 이에 해당한다.

(2) 회계변경의 처리방법

① 소급법

소급적용은 새로운 회계정책을 처음부터 적용한 것처럼 거래, 기타 사건 및 상황에 적용하는 것을 말한다. 또한 소급재작성이란 전기오류가 처음부터 발생하지 않은 것처럼 재무제표 구성요소의 인식, 측정 및 공시를 수정하는 것을 말한다.

소급법을 적용하게 되면 전기의 재무제표를 수정하기 때문에 기간별 비교가능성이 제고된다. 그러나 재무제표의 신뢰성이 저하된다는 단점이 있다.

② 당기법

당기법은 기초시점에서 새로운 회계처리방법의 적용으로 인한 누적적 효과를 계산하여 이를 당기의 손익에 반영시키는 방법이다. 과거의 재무제표는 수정하지 않으며 누적적 효과를 당기의 손익계산서에 보고한다.

이 방법은 소급법과 반대의 장·단점이 있다. 즉, 전기의 재무제표를 수정하지 않으므로 재무제표에 대한 신뢰성이 높아지는 반면에 각기 다른 회계처리방법이 적용된 재무제표는 비교가능성을 저해한다. 또한 회계변경에 따른 효과를 당기손익에 반영함에 따라 이익조작가능성도 배제할 수 없다.

③ 전진법

전진법에서는 과거에 보고된 재무제표에 대해서는 어떠한 수정도 하지 않는다. 즉, 회계변경으로 인한 누적적 효과를 전혀 반영하지 않고 당기와 미래기간에만 변경된 회계처리방법을 적용한다. 이 때 당기 초의 잔액에서 출발하여 새로운 회계처리방법을 적용하면 된다.

이 방법을 적용하게 되면 전기의 재무제표를 수정하지 않으므로 재무제표의 신뢰성이 제고되나 비교가능성은 저하된다.

구 분	소 급 법	당 기 법	전 진 법
내 용	누적효과를 계산하여 기초 이익잉여금에 반영하고 전기재무제표 재작성	누적효과를 계산하여 당기 손익에 반영하고 소급법을 적용할 경우의 가상적(pro forma) 정보를 공시	기초장부가액을 기준으로 변경 이후의 기간에만 새로운 방법 적용
장 점	재무제표의 기간 간 비교가능성 제고	재무제표의 신뢰성 유지 포괄주의에 충실	재무제표의 신뢰성 유지 당기업적주의에 충실
단 점	재무제표의 신뢰성 상실 재작성비용의 과다	당기손익의 왜곡표시	기간 간 비교가능성의 상실

(3) 한국채택국제회계기준상 회계처리

① 회계정책과 회계추정의 변경의 회계처리 요약

회계변경은 회계정책이나 회계추정의 변경을 말하며, 회계정책의 변경은 재무제표의 작성과 보고에 적용하던 회계정책을 다른 회계정책으로 바꾸는 것을, 회계추정의 변경은 지금까지 사용해오던 회계적 추정치의 근거와 방법 등을 바꾸는 것을 말한다.

구 분	정 의	회계처리
회계정책의 변경	기업이 재무제표를 작성·표시하기 위하여 적용하는 구체적인 원칙, 근거, 관습, 규칙 및 관행인 회계정책을 변경하는 것	한국채택국제회계기준의 변경으로 인한 회계정책 변경 • 소급적용[*1] • 경과규정이 있다면 해당 경과규정에 따라 변경 자발적인 회계정책의 변경 • 소급적용 회계정책 변경의 영향을 실무적으로 결정할 수 없는 경우 • 실무적으로 소급적용할 수 있는 가장 이른 회계기간부터 소급적용
회계추정의 변경	자산과 부채의 현재 상태를 평가하거나 자산과 부채와 관련된 예상되는 미래효익과 의무를 평가한 결과에 따라 자산이나 부채의 장부금액 또는 기간별자산의 소비액을 조정하는 것	변경이 발생한 기간에만 영향을 미치는 경우에는 변경이 발생한 기간의 당기손익에 포함하여 전진적[*2]으로 인식 변경이 발생한 기간과 미래 기간에 모두 영향을 미치는 경우에는 변경이 발생한 기간과 미래 기간에 전진적으로 인식

(*1) 소급적용 : 비교표시되는 가장 이른 과거기간의 영향 받는 자본의 각 구성요소의 기초 금액과 비교 공시되는 각 과거기간의 기타 대응금액을 새로운 회계정책이 처음부터 적용된 것처럼 조정한다.

(*2) 전진적용 : 추정의 변경을 그것이 발생한 시점 이후부터 거래, 기타 사건 및 상황에 적용하는 것이다.

회계정책의 변경은 한국채택국제회계기준에서 회계정책의 변경을 요구한 경우나 회계정책의 변경을 반영한 재무제표가 거래, 기타 사건 또는 상황이 재무상태, 재무성과 또는 현금흐름에 미치는 영향에 대하여 신뢰성 있고 더 목적적합한 정보를 제공하는 경우에 가능하다.

② 회계정책의 변경

가. 회계정책의 선택과 적용

거래, 기타 사건 또는 상황에 한국채택국제회계기준을 구체적으로 적용하는 경우, 그 항목에 적용되는 회계정책은 한국채택국제회계기준을 적용하여 결정될 것이다. 하지만, 동일지배하의 사업결합과 같이 구체적으로 적용할 기준이 없는 거래도 있을 것이다. 특정 거래, 기타 사건 또는 상황에 대하여 구체적으로 적용할 수 있는 한국채택국제회계기준이 없는 경우, 경영진은 판단에 따라 회계정책을 개발 및 적용하여 회계정보를 작성할 수 있을 것이며, 이러한 경우 회계정보는 목적적합성, 신뢰성, 표현의 충실성, 경제적 실질의 반영, 중립적 및 중요성을 빠짐없이 고려하는 등의 정보의 질적 특성을 갖추어야 할 것이다.

상기와 같이, 회계정책을 개발하는 경우 경영진은 다음 사항을 순차적으로 참조하여 적용가능성을 고려한다.

(1) 내용상 유사하고 관련되는 회계논제를 다루는 한국채택국제회계기준의 규정

(2) 자산, 부채, 수익, 비용에 대한 '개념체계'의 정의, 인식기준 및 측정개념

또한, 경영진은 유사한 개념체계를 사용하여 회계기준을 개발하는 국제회계기준위원회 이외의 회계기준제정기구가 가장 최근에 발표한 회계기준, 기타의 회계문헌과 인정된 산업실무를 고려할 수 있을 것이다.

나. 회계정책의 변경

기업은 한국채택국제회계기준에서 회계정책의 변경을 요구하거나, 특정거래에 대하여 더 신뢰성 있고 목적적합한 정보를 제공한다고 판단한 경우 자발적으로 회계정책을 변경할 수 있을 것이다.

하지만, 과거에 발생한 거래와 실질이 다른 거래, 기타 사건 또는 상황에 대하여 다른 회계정책을 적용하는 경우나, 과거에 발생하지 않았거나 발생하였어도 중요하지 않았던

거래, 기타 사건 또는 상황에 대하여 새로운 회계정책을 적용하는 경우는 회계정책의 변경에 해당하지 않을 것이다.

다. 회계정책변경의 회계처리

한국채택국제회계기준에서 회계정책의 변경을 요구함에 따라 회계정책이 변경되는 경우에는 경과규정이 있는 한국채택국제회계기준을 최초 적용하는 경우에 발생하는 회계정책의 변경은 해당 경과규정에 따라 회계처리하며, 경과규정이 없는 한국채택국제회계기준을 최초 적용하는 경우에 발생하는 회계정책의 변경이나 자발적인 회계정책의 변경은 소급적용한다.

소급적용하는 경우, 비교표시되는 가장 이른 과거기간의 영향 받는 자본의 각 구성요소의 기초 금액과 비교 공시되는 각 과거기간의 기타 대응금액을 새로운 회계정책이 처음부터 적용된 것처럼 조정한다.

그러나 경우에 따라서는 비교표시되는 하나 이상의 과거기간의 비교정보에 대해 특정기간에 미치는 회계정책 변경의 영향을 실무적으로 결정할 수 없는 경우가 있을 것이다. 이러한 경우 실무적으로 소급적용할 수 있는 가장 이른 회계기간의 자산 및 부채의 기초장부금액에 새로운 회계정책을 적용하고, 그에 따라 변동하는 자본 구성요소의 기초금액을 조정한다.

실무적으로 적용할 수 있는 가장 이른 회계기간은 당기일 수도 있다.

실무적으로 소급적용하는 것이 불가능한 경우는 기업이 모든 합리적인 노력을 했어도 그 요구사항을 실무적으로 적용할 수 없는 경우로 아래의 경우에 해당한다.
- 소급적용이나 소급재작성의 영향을 결정할 수 없는 경우
- 소급적용이나 소급재작성을 위하여 대상 과거기간의 경영진의 의도에 대한 가정이 필요한 경우
- 소급적용이나 소급재작성을 위하여 유의적인 금액 추정이 필요하지만, 그러한 추정에 필요한 정보를 다른 정보와 객관적으로 식별할 수 없는 경우

소급적용을 위해 추정이 필요한 경우에는 과거 특정 거래, 사건 또는 상황이 발생한 시점에 존재하였던 상황을 반영하여야 하며, 과거 재무제표 발행승인일에 이용가능하였던 정보에 근거하여 추정하여야 한다. 관측가능한 가격이나 관측가능한 입력자료에 기초하지 않는 공정가치를 추정하는 경우와 같이 측정 유형의 추정의 경우에는 과거 시점에 존재하는 정보에 기초한 것인지 그 정보를 객관적으로 구별할 수 없는 경우가 있을 것이다.

새로운 회계정책을 과거기간에 적용하거나 과거기간의 금액을 수정하는 경우 과거기간에 존재했던 경영진의 의도에 대한 가정이나 과거기간에 인식, 측정, 공시된 금액의 추정에 사후에 인지된 사실을 이용할 수 없다. 예를 들어, 기준서 제1119호 '금융상품'에 따라 분류한 상각후원가측정금융자산에 대한 과거기간의 측정오류를 수정하는 경우, 이후에 경영진이 보유목적을 변경하더라도 새로운 보유목적에 따라 측정기준을 변경할 수 없다. 추가적인 예로 기준서 제1019호 '종업원급여'에 따라 종업원의 누적 미사용병가와 관련된 부채에 대한 과거기간의 계산 오류를 수정하는 경우, 그 과거기간의 다음 회계기간에 이례적으로 심각한 독감과 관련된 정보를 그 과거기간의 재무제표 발행승인일 이후에 이용할 수 있게 되었다면, 이러한 정보는 계산오류를 수정할 때 고려하지 않는다. 비교표시된 과거기간의 정보를 수정하기 위해서는 중요한 추정이 빈번하게 필요하더라도, 비교정보를 신뢰성 있게 조정하거나 수정하여야 한다.

라. 회계정책 변경시 주석공시

한국채택국제회계기준을 최초로 적용함으로써 발생하는 회계정책의 변경이 당기 또는 과거기간에 영향을 미치는 경우, 당기 또는 과거기간에 영향을 미칠 수 있는 경우(영향의 조정금액을 실무적으로 결정할 수 없는 경우를 제외), 또는 미래기간에 영향을 미칠 수 있는 경우에는 다음 사항을 공시한다.

(1) 관련 한국채택국제회계기준의 명칭
(2) 경과규정에 따라 회계정책을 변경한 경우 그 사실
(3) 회계정책 변경의 성격
(4) 경과규정이 있는 경우 그 내용
(5) 미래기간에 영향을 미칠 수 있는 경과규정이 있는 경우 그 내용
(6) 실무적으로 적용할 수 있는 범위까지 당기 및 비교표시된 각 과거기간의 다음 항목
　(개) 회계정책 변경의 영향을 받는 재무제표의 각 항목별 조정금액
　(내) 기준서 제1033호 '주당이익'이 적용되는 경우, 기본주당이익과 희석주당이익의 조정금액
(7) 실무적으로 적용할 수 있는 범위까지, 비교표시된 회계기간보다 앞선 기간에 귀속되는 조정금액
(8) 한국채택국제회계기준에 따른 회계정책을 최초 적용시 특정 과거기간이나 비교표시된 회계기간보다 앞선 기간에 대하여 실무적으로 소급적용할 수 없는 경우, 그 사유 및 회계정책변경의 적용방법과 적용한 시기에 관한 내용

한편, 기준서 제1016호 '유형자산' 또는 기준서 제1038호 '무형자산'에 따라 자산을 재평가하는 회계정책을 최초로 적용하는 경우의 회계정책 변경은 이 기준서를 적용하지 아니하고 기준서 제1016호와 기준서 제1038호에 따라 회계처리한다.

③ 회계추정의 변경

회계추정의 변경은 기업환경의 변화, 새로운 정보의 획득 또는 경험의 축적에 따라 지금까지 사용해오던 회계적 추정치의 근거와 방법 등을 바꾸는 것을 말한다. 다시 말하면 일부 재무제표항목은 기업환경의 불확실성으로 인하여 그 인식과 측정을 추정에 의존하므로, 합리적인 추정은 재무제표작성에 필수적인 과정이며 재무제표의 신뢰성을 떨어뜨리지 않는다. 이러한 회계추정에는 대손의 추정, 재고자산의 진부화 여부에 대한 판단과 평가, 충당부채의 추정, 감가상각자산의 내용연수, 감가상각방법 또는 잔존가액의 추정 등이 있다.

그러나 추정의 근거가 되었던 상황의 변화, 새로운 정보의 획득, 추가적인 경험의 축적 등으로 인하여 새로운 추정이 요구되는 경우에는 과거에 합리적이라고 판단했던 추정치라도 이를 변경할 수 있다. 기술혁신에 따라 기계장치가 급속히 진부화되어 추정내용연수를 단축하는 경우가 이에 해당한다. 다만, 감정평가전문가의 확인만으로는 추정내용연수의 변경이 정당화되지 아니한다.

이와 같은 회계추정의 변경은 전진적으로 처리하여 그 효과를 당기와 당기 이후의 기간에 반영한다. 또한 회계정책의 변경과 회계추정의 변경이 동시에 이루어지는 경우에는 앞에서 규정한 회계정책의 변경에 의한 누적효과를 먼저 계산하여 소급적용한 후, 회계추정의 변경효과를 전진적으로 적용하며, 기간별 비교가능성을 제고하기 위하여 회계추정 변경의 효과는 변경 전에 사용하였던 손익계산서 항목과 동일한 항목으로 처리한다.

한편 회계변경의 속성상 그 효과를 회계정책의 변경효과와 회계추정의 변경효과로 구분하기가 불가능한 경우에는 이를 회계추정의 변경으로 본다.

가. 회계추정 변경의 회계처리

회계추정의 변경 효과는 다음의 회계기간의 당기손익에 포함하여 전진적으로 인식한다(기준서 제1008호 문단 36).

(1) 변경이 발생한 기간에만 영향을 미치는 경우에는 변경이 발생한 기간
(2) 변경이 발생한 기간과 미래 기간에 모두 영향을 미치는 경우에는 변경이 발생한 기간과 미래 기간

회계추정의 변경이 자산 및 부채의 장부금액을 변경하거나 자본의 구성요소에 관련되는 경우, 회계추정을 변경한 기간에 관련 자산, 부채 또는 자본 구성요소의 장부금액을

조정하여 회계추정의 변경 효과를 인식한다(기준서 제1008호 문단 37). 만약, 대응되는 자산, 부채 또는 자본 구성요소의 조정이 동일하지 않을 경우 그 차이는 손익에 반영한다.

부채와 자기자본에 영향을 주는 회계추정의 변경 예로는 환율차이에 따른 추정 미지급법인세의 조정을 자기자본에 직접 반영하는 것이다(미지급법인세도 대응해서 조정). 자산과 자기자본에 영향을 주는 회계추정의 변경 예로는 자산의 공정가치에 대한 추정의 조정으로(예 : 유형자산에 해당하는 자산) 관련 기준서에 의하면 자산에 대한 재평가잉여금을 기타포괄손익으로 회계처리한다.

당 회계기간의 손익에 영향을 미치면서 미래 회계기간의 손익에 영향을 미치지 않는 회계추정의 변경의 예로는 손실충당금 변경이 있다. 반대로 유형자산의 내용연수에 대한 추정의 변경은 당 회계기간과 차기 회계기간에 영향을 미치며, 그 이유는 감가상각비는 내용연수가 끝날 때까지 당 회계기간과 차기 회계기간에 영향을 미치기 때문이다(기준서 제1008호 문단 38).

회계추정의 변경에 따른 효과는 손익계산서상 과거에 사용하였던 관련 계정으로 표시한다(다음 예를 참조). 이렇게 표시함으로써 재무제표의 기간별 비교가능성을 유지할 수 있다.

> **사례** ㈜삼일은 20X1년 1월 1일에 3년의 용역제공조건으로 종업원에게 100의 주가차액보상권을 부여하였다. 기준서 제1102호에 따라 기업은 현금결제형으로 분류하였고, 부여일에 블랙숄즈 모형에 따라 부채의 공정가치를 측정하고 인식하였다. 20X1년 12월 31일 전기말 대비 시장여건에 변동이 있었고, 이에 따라 옵션 평가 모델의 투입변수인 주가의 변동성에 대한 추정을 변경하여 전기 대비 150,000의 주식보상비용을 추가적으로 인식하였다. 기업은 이러한 변경이 전기의 오류는 아닌 것으로 판단한다.
>
> (차) 주 식 보 상 비 용   150,000   (대) 부   채   150,000

나. 회계추정 시 공시사항

당기에 영향을 미치거나 미래 기간에 영향을 미칠 것으로 예상되는 회계추정의 변경에 대하여 변경내용과 변경효과의 금액을 공시한다. 다만 미래 기간에 미치는 영향을 실무적으로 추정할 수 없는 경우에는 공시하지 아니할 수 있다.

미래 기간에 미치는 영향을 실무적으로 추정할 수 없기 때문에 공시하지 아니한 경우에는 그 사실을 공시한다(기준서 제1008호 문단 39, 40).

2. 오류수정

(1) 오류의 개념

기업의 회계처리 과정상 회계오류는 발생하기 쉽다. 기준서 제1008호에서 전기오류 수정의 정의는 다음과 같다.

과거기간 동안에 재무제표를 작성할 때 신뢰할 만한 정보를 이용하지 못했거나 잘못 이용하여 발생한 재무제표에의 누락이나 왜곡표시. 신뢰할 만한 정보는 다음의 모두를 충족하는 정보를 말한다.

(가) 해당 기간의 재무제표의 발행승인일에 이용가능한 정보

(나) 당해 재무제표의 작성과 표시를 위하여 획득하여 고려할 것이라고 합리적으로 기대되는 정보

이러한 오류에는 산술적 계산오류, 회계정책의 적용 오류, 사실의 간과 또는 해석의 오류 및 추정 등의 영향을 포함한다(기준서 제1008호 문단 5).

통상적으로 발생할 수 있는 오류로는 다음과 같은 것이 있다.

① 회계기준 적용의 오류

한국채택국제회계기준에 위배되어 회계처리를 한 경우에 발생하는 오류이다. 한국채택국제회계기준에 따라 발생주의로 수익을 인식해야 하나 현금주의로 수익을 인식한 경우가 이에 해당된다.

② 추정의 오류

추정이 합리적이지 못함으로써 발생하는 오류이다. 여기서 회계추정의 변경과 구별해야 하는데, 회계추정의 변경은 추정을 하는 시점에서 주어진 정보를 이용하여 합리적으로 추정을 하였으나 새로운 추가적 정보에 의해서 추정을 변경하는 경우에 발생하는 것이고, 추정의 오류는 추정시점에서 적절한 주의를 기울이지 않음으로써 발생하는 것이다.

③ 계정분류의 오류

고의나 과실로 재무상태표나 손익계산서의 계정과목을 잘못 분류하는 경우에 발생한다.

④ 계산의 오류

덧셈이나 뺄셈 등 계산의 잘못으로 인하여 발생하는 오류이다.

⑤ 사실의 누락 및 오용

비용이나 수익의 발생을 기록하거나 다음기로 이연시키는 등의 사실을 간과한 경우에 발생한다.

회계변경과 오류수정은 구분해야 한다. 회계정책의 변경은 일반적으로 인정된 회계원칙 중에서 다른 정책으로 변경하는 것이나 회계오류는 일반적으로 인정되지 않은 회계정책을 적용한 경우에 발생하는 것이므로 회계정책의 변경에서는 확실히 회계변경과 회계오류가 구별이 된다.

그러나 회계추정의 변경과 회계추정의 오류는 구별하기에 까다롭다. 회계추정의 변경은 추정을 하는 시점에서 주어진 정보를 이용하여 합리적으로 추정을 하였으나 새로운 추가적 정보에 의해서 추정을 변경하는 경우에 발생하는 것이고 회계추정의 오류는 추정시점에서 적절한 주의를 기울이지 않음으로써 발생하는 것이다. 이론적으로는 구별이 가능해 보이나 현실적으로 회계추정 당시에 명백한 부주의 등의 경우가 아니면 구별하기가 어려울 것이다.

(2) 회계오류의 유형

회계처리의 오류를 발견했을 경우에는 적절하게 수정을 해야 하는데 오류 유형에 따라 수정하는 방법이 다르므로 그 유형을 분류할 필요가 있다.

① 재무상태표에만 영향을 미치는 오류

자산·부채 및 자본계정의 분류상의 오류로 인해 발생한다. 예를 들면 장기채무의 상환일이 1년 이내에 도래하는데도 유동성대체를 하지 않은 경우, 비유동매출채권을 유동매출채권으로 분류한 경우 등이 해당된다. 이런 오류가 발견되었을 때에는 계정재분류를 하면 된다.

② 손익계산서에만 영향을 미치는 오류

재무상태표에만 영향을 미치는 오류와 같이 계정분류상의 오류로 인해 발생한다. 매출할인을 영업외비용으로 처리한 경우, 무형자산상각비를 감가상각비로 기장한 경우 등이 해당된다.

오류가 발생했던 기간의 장부를 마감하기 전에 오류를 발견했다면 재분류하는 분개를 하여 수정을 하고 장부가 마감된 후에 발견했고, 중요하지 않다면, 아무런 분개를 할 필요가 없다. 왜냐하면 손익항목은 장부가 마감되면 이익잉여금으로 대체되어 다음기로 잔액이 이월되지 않기 때문이다.

③ 재무상태표와 손익계산서 모두에 영향을 미치는 오류

이 오류는 순이익에 영향을 미치는 오류로 감가상각비를 과대계상하여 순이익이 과소계상되고 유형자산의 장부금액도 과소계상되는 경우가 이에 해당된다. 재무상태표나 손익계산서 한 쪽에만 영향을 미치는 오류는 순이익에 영향을 미치지 않지만 재무상태표와 손익계산서 모두에 영향을 미치는 오류는 순이익에 영향을 미치며, 이는 자동적으로 조정되는 오류와 자동적으로 조정되지 않는 오류로 구분된다.

자동적으로 조정되는 오류는 두 회계기간을 통하여 오류의 영향이 자동적으로 조정되는 오류이다. 예를 들면 전기에 보험료를 과대계상한 경우 선급보험료는 과소계상된다. 한편 전기에 선급보험료가 과소계상된 만큼 당기의 보험료는 과소계상된다. 두 회계연도를 합산하면 보험료와 순이익이 정확히 계상되고, 당기 말 선급보험료의 잔액도 적절하게 나타난다. 즉, 오류가 발생한 다음 회계연도에는 전년도 오류가 자동적으로 수정되는 효과가 생긴다.

자동적으로 조정되지 않는 오류는 두 회계기간의 경과만으로 오류가 조정되지 않고 오류가 재무제표에 미치는 영향이 소멸하는데 세 회계연도 이상이 소요되는 오류이다. 예를 들면 유형자산의 자본적 지출을 수익적 지출로 간주하여 당기비용으로 처리한 경우 감가상각비는 과소계상된다. 만약 유형자산의 내용연수가 5년이라고 하면 상각이 완료되는 5년 동안 감가상각비는 과소계상되는 것이다.

사례 1 **자동적으로 조정되는 오류**

(주)삼일은 20×6년 말 재고자산을 ₩250,000,000 과대계상하였다. 20×7년의 장부가 마감되지 않았을 경우의 회계처리는 다음과 같다.

(차) 이월미처분이익잉여금　250,000,000　　(대) 매　출　원　가　250,000,000

20×7년의 장부가 마감되었다면 20×6년의 재고자산 과대계상으로 인하여 20×6년 당기순이익은 과대계상되고 20×7년의 당기순이익은 과소계상되어 두 회계연도를 통하여 오류가 자동적으로 조정되므로 수정분개를 할 필요가 없다.

사례 2 **자동적으로 조정되지 않는 오류**

(주)삼일은 20×6년 초에 건물을 구입하였다. 취득원가는 ₩95,000,000이며, 내용연수는 10년, 잔존가치는 없고 정액법으로 감가상각을 하였다. 이 기계에 대한 취득세 ₩5,000,000을 세금과공과로 하여 당기비용 처리하였으며, 기업은 이를 중요한 오류로 판단하고 있다. 이 오류사실을 20×7년 결산시에 발견하였을 경우 회계처리는 다음과 같다.

(차) 건	물	5,000,000	(대) 이월미처분이익잉여금	4,500,000[*]
감 가 상 각 비		500,000	감 가 상 각 누 계 액	1,000,000

[*] 5,000,000(20×6년 세금과공과) − 500,000(20×6년 감가상각비) = 4,500,000

만약 20×7년 장부가 마감된 후에 이 오류사실을 발견하였다 하더라도 이 오류는 자동적으로 조정되지 않는 오류이므로 다음과 같은 수정분개를 하여야 한다.

(차) 건	물	5,000,000	(대) 이 월 이 익 잉 여 금	4,000,000[*]
			감 가 상 각 누 계 액	1,000,000

[*] 5,000,000(20×6년 세금과공과) − 1,000,000(20×6년, 20×7년 감가상각비) = 4,000,000

(3) 한국채택국제회계기준상 회계처리

실무적으로 적용할 수 없는 경우를 제외하고는(다음 참조) 중요한 전기오류는 오류 발견 시 최초 재무제표를 소급하여 재작성한다. 소급재작성은 '전기오류가 처음부터 발생하지 않은 것처럼 재무제표 구성요소의 인식, 측정 및 공시를 수정하는 것'으로 정의된다. 소급재작성하는 방법은 다음과 같다.

- 오류가 발생한 과거기간의 재무제표가 비교 표시되는 경우에는 그 재무정보를 재작성
- 오류가 비교 표시되는 가장 이른 과거기간 이전에 발생한 경우에는 비교 표시되는 가장 이른 과거기간의 자산, 부채, 자본의 기초금액을 재작성

(기준서 제1008호 문단 5, 42)

중요한 전기오류로 인한 재무제표의 재작성은 회계정책의 변경과 유사한 방법으로 회계처리하며 오류의 성격에 대해 공시한다. 또한 추가적으로 비교 공시되는 최초 회계 기간의 기초 시점의 재무상태표가 공시되어야 한다.

특정기간에 미치는 오류의 영향이나 오류의 누적효과를 실무적으로 결정하기 어려운 경우에는 소급하여 재작성할 수 없다(기준서 제1008호 문단 43). 이러한 경우는 예를 들면 회계오류를 계량화하기 위해 필요한 회계자료를 보관하지 아니하였거나 이를 다시 만들 수 없는 경우다.

만약 비교 표시되는 단일 또는 복수의 회계기간에 오류의 효과를 실무적으로 판단하기 어려운 경우, 기업은 가장 최초로 재작성가능한 재무제표의 자산, 부채, 자본의 기초 금액을 재작성하여야 한다. 만약 비교 표시되는 과거기간 전체에 대한 오류의 누적효과를 전혀 결정할 수 없는 경우 당 회계연도의 재무제표에 한해 오류 수정을 할 수도 있

다(기준서 제1008호 문단 44). 전기오류의 특정 회계기간에 대한 효과를 판단하기 어려운 경우 회계정책의 변경과 유사하게 회계처리한다.

당기 기초시점에 과거기간 전체에 대한 오류의 누적효과를 실무적으로 결정할 수 없는 경우, 실무적으로 적용할 수 있는 가장 이른 날부터 전진적으로 오류를 수정하여 비교정보를 재작성한다. 따라서 적용시점 이전 기간의 자산, 부채 및 자본에 대한 누적효과의 조정은 고려하지 아니한다(기준서 제1008호 문단 45, 47). 전기오류의 비교 표시되는 모든 회계기간에 대한 효과를 판단하기 어려울 경우 회계정책의 변경과 유사하게 회계처리한다.

전기오류의 수정은 오류가 발견된 기간의 당기손익으로 보고하지 않는다(기준서 제1008호 문단 46). 그러나 이전 회계기간에 귀속되는 오류에 대한 수정이 필요하나 수정금액을 판단하기 어려운 경우에는 당 회계연도의 손익계산서에 포함한다. 예를 들어 전기오류수정은 당 회계연도와 연관되었을 수도 있기 때문이다. 결과적으로 기준서 제1008호 문단 47에서 언급한 바와 같이 전 회계기간의 자산, 부채, 자본은 일부 조정이 될 것이나 당 회계기간 말 시점에는 완전히 오류 수정이 될 것이다.

과거 재무자료의 요약을 포함한 과거기간의 정보는 실무적으로 적용할 수 있는 최대한 앞선 기간까지 소급재작성한다(기준서 제1008호 문단 46).

사례　(주)삼일은 20×7년 말 결산시에 다음과 같은 전기의 오류사실을 발견하였다.

1. 급료와 보험료를 지급할 때 비용으로 계상하고 이자수입과 수입임대료는 수입시에 수익으로 계상하였다. 각 연도 말 미지급급료, 선급보험료, 미수수익, 선수임대료는 다음과 같으며 중요한 오류인 것으로 가정하며, 법인세효과는 고려하지 않는다.

	20×6년	20×7년
미지급급여	₩50,000	₩100,000
선급보험료	20,000	30,500
미 수 수 익	120,000	70,000
선수임대료	95,000	110,000

20×7년의 분개는 다음과 같으며, 20×6년도 비교공시 재무제표는 소급하여 재작성되어야 한다.

① (차) 이 익 잉 여 금　50,000　(대) 미 지 급 급 여　100,000
　　　 급　　　　　여　50,000

② (차) 선 급 보 험 료　30,500　(대) 이 익 잉 여 금　20,000
　　　　　　　　　　　　　　　보　　험　　료　10,500

③ (차) 미 수 수 익　70,000　(대) 이 익 잉 여 금　120,000
　　　 이 자 수 입　50,000

④ (차) 이 익 잉 여 금   95,000   (대) 선 수 임 대 료   110,000

      임 대 료 수 입   15,000

2. 20×6년 초에 액면이자율 10%, 5년 만기, 액면 ₩500,000의 사채를 ₩463,940에 발행하였다. 사채이자는 매년 말에 지급되며, 시장이자율은 12%이다. 기업은 사채할인발행차금을 상각하지 않았으나 중요한 오류는 아니다.

(차) 이 자 비 용   12,027   (대) 사 채 할 인 발 행 차 금   12,027*

* 유효이자율법에 의한 사채할인발행차금 상각액

20×6년 : 463,940×12%−50,000	=5,673	
20×7년 : (463,940+5,673)×12%−50,000	=6,354	
계	12,027	

* 기준서 제1008호에서는 중요한 오류인 경우 소급하여 반영하는 것을 규정하고 있으나, 중요하지 않은 경우의 회계처리에 대해서는 언급하고 있지 않다. 기업의 재무제표에 미치는 영향이 중요하지 않으므로, 해당 계정에 포함하여 회계처리하는 것이 적정한 것으로 판단된다.

① 주석공시

전기 또는 그 이전 기간의 오류수정의 내용은 주석으로 기재하며, 특히 중대한 오류를 수정한 경우에는 다음 사항을 주석으로 기재한다(기준서 제1008호 문단 49).

(1) 전기오류의 성격

(2) 실무적으로 적용할 수 있는 범위까지 비교표시된 각 과거기간의 다음 항목

  (가) 오류수정의 영향을 받는 재무제표의 각 항목별 수정금액

  (나) 기준서 제1033호가 적용되는 경우, 기본주당이익과 희석주당이익의 수정금액

(3) 비교표시되는 가장 이른 과거기간의 기초금액의 수정금액

(4) 특정 과거기간에 대하여 실무적으로 소급재작성할 수 없는 경우, 그 사유 및 오류수정의 적용방법과 적용한 시기에 관한 내용

후속기간의 재무제표에는 위의 공시사항을 반복하여 공시할 필요는 없다.

3. 세무회계 상 유의사항

국세청의 유권해석에서는 법인이 기업회계기준에 의한 전기오류수정손익을 당해 사업연도의 익금(영업외수익) 또는 손금(영업외비용)으로 회계처리한 경우에는 당해 사업연도의 소득금액계산상 익금불산입 또는 손금불산입해야 하고, 당초의 귀속사업연도에 따라 국세기본법상 수정신고 또는 경정청구할 수 있는 것으로 하고 있다(서면−2016−법인−6036, 2017. 3. 29., 법인 46012−663, 1998. 3. 17.). 물론 이 경우 한국채택국제회계기준에 의한 전기오류수정사항의 법인세법상 귀속사업연도가 당기인 경우에는 별도의 세무조정

이 필요가 없다.

그러나 결산을 확정함에 있어서 비용으로 회계처리하는 경우에 한하여 법인세법상 손금으로 인정받을 수 있는 감가상각비와 퇴직급여충당금 등은 전기 과소계상액을 기업회계기준에 따라 당해 사업연도에 영업외비용인 전기오류수정손실로 회계처리한 경우 당해 연도의 감가상각비와 퇴직급여충당금 등의 손금산입액으로 보아 시부인계산해야 한다(법인 46012-1848, 1997. 7. 8.).

한편 한국채택국제회계기준에 의한 경우 최초채택에 따른 변경효과, 회계정책변경의 누적효과 및 중요한 오류수정에 대하여는 전기이월이익잉여금 등에 반영하며, 관련 계정잔액을 수정하고, 전기 또는 그 이전의 재무제표를 비교목적으로 공시할 경우에는 소급적용에 따른 수정사항을 반영하여 재작성하도록 하고 있는 바, 이 경우는 전기이월이익잉여금에 반영한 금액을 익금산입 기타처분 또는 손금산입 기타처분한 후, 앞서 언급한 바와 같이 그 성격에 따라 당기의 익금과 손금으로 하거나 당초의 귀속사업연도에 따라 국세기본법상 수정신고 또는 경정청구를 해야 할 것이다.

아래는 회계변경 및 중요한 오류수정 회계처리와 관련된 세무조정사항을 예시하면 다음과 같다.

구분		회계처리	세무조정
결산조정사항	• 전기 감가상각비 과소계상 오류	(차) 이월이익잉여금 ××× (대) 감가상각누계액 ×××	손금산입(기타)하고, 해당 금액을 당기 감가상각한 것으로 보아 시부인 반영
	• 전기 감가상각비 과대계상 오류	(차) 감가상각누계액 ××× (대) 이월이익잉여금 ×××	익금산입(기타)하고, 동 금액을 손금산입(△유보)함.
신고조정사항	• 전기재고자산 과소계상 (오류수정)		당기 매출원가는 오류수정분개로 정확하게 되었을 것이므로 세무조정은 없으며[*], 전기 과세표준을 과소신고하였으므로 수정신고를 해야 함.
	• 전기재고자산 과소계상 (회계변경)	(차) 매출원가 ××× (대) 이월이익잉여금 ×××	전기 신고한 부분은 법인세법상 적정한 신고로서 변경된 회계기준에 의하여 수정신고가 불가능하며, 당기 변경 전 매출원가가 세무상 적정한 금액이므로 손금불산입(기타) 처분함.

구분		회계처리	세무조정
신 고 조 정 사 항	• 전기재고자산 과대계상 (오류수정)	(차) 이월이익잉여금 ××× 　　(대) 매출원가 ×××	당기 매출원가는 오류수정분 개로 적절하게 수정되었을 것이므로 세무조정이 없으 며, 전기 과세표준을 과대로 신고하였을 것이므로 경정청 구를 신청해야 함.
	• 전기재고자산 과대계상 (회계변경)		전기 신고한 부분은 법인세 법상 적정한 신고로서 변경 된 회계기준에 의하여 경정 청구가 불가능하며, 당기 변 경 전 매출원가가 세무상 적 정한 금액이므로 손금산입 (기타) 처분함.

(*) 이익잉여금과 손익이 조정되었으므로 먼저 익금산입(기타)으로 조정하고, 해당 조정으로 인하여 당기 각 사업연도 소득금액이 증가하나 해당 증가는 당기가 아닌 전기에 반영되어야 하므로 다시 익금불산입(기타)으로 조정하게 됨. 따라서, 해당 부분은 양편조정과 기타처분이 동시에 발생하므로 세무조정이 없는 것으로 함. 해당 사항은 아래 전기재고자산 과대계상(오류수정) 부분과 동일함.

03

포괄손익계산서편

I

포괄손익계산서의
기초이론

포괄손익계산서의 의의

손익계산서는 일정 기간 동안 기업의 경영성과에 대한 정보를 제공하는 재무보고서이다. 손익계산서는 당해 회계기간의 경영성과를 나타낼 뿐만 아니라 기업의 미래현금흐름과 수익창출능력 등의 예측에 유용한 정보를 제공한다.

'경영성과'란 기업 영업활동의 동태적인 측정치로서 한 회계기간의 제반경영활동 결과가 기업자본을 어느 정도 증가 또는 감소시켰는가를 표시해 준다.

또한 모든 수익과 이에 대응하는 비용을 회계기간 단위로 측정·보고함으로써 경영진의 능력평가수단으로 이용할 수도 있고, 기업 자체의 수익력 판단의 기준이 되기도 한다.

이러한 경영성과의 측정은 손익계산서에 의하지 않고 기초재무상태표와 기말재무상태표상의 이익잉여금 증감액을 구함으로써 손쉽게 행할 수도 있다. 그러나 손익계산서는 그러한 순증감을 초래한 모든 원인들을 제시함으로써 보다 질적으로 높은 평가를 가능케 해준다.

즉 손익계산서는 수익과 수익을 획득하기 위해 지출된 비용을 대응시킴으로써 기업의 당기 경영활동에 대한 성과를 측정할 수 있을 뿐만 아니라, 정상적인 생산활동으로부터의 자기자본 총증가·감소액과 영업활동에 부수되는 기타 활동으로부터의 총증가·감소액 및 그 밖의 비경상적인 사유들로부터 발생한 총증가·감소액을 명백히 구분·표시함으로써 진정한 기간손익과 기간경영성과를 나타낼 수 있는 것이다.

이와 같은 손익계산서는 기업의 이익창출능력에 관한 정보 및 미래 순이익흐름을 예측하는 데 유용한 정보를 제공하고, 기업 내부적으로 경영계획이나 배당정책을 수립하는 데 중요한 자료로 이용되며, 과세소득의 기초자료로도 이용된다. 왜냐하면 과세소득은 손익계산서상의 회계이익에서 출발하여 익금산입 및 손금불산입 항목을 가산하고 익금불산입 및 손금산입 항목을 차감하여 결정되기 때문이다. 이상의 유용성 이외에도 손익계산서는 노동조합의 임금협상에 필요한 정보, 정부의 조세 및 경제정책의 기초자료 제공 등의 역할을 한다.

포괄손익계산서의 작성기준

기업이 해당 기간에 인식한 모든 수익과 비용(즉, 모든 소유지분 이외의 자본변동) 항목은 단일 포괄손익계산서와 두 개의 보고서(당기순손익의 구성요소를 표시하는 보고서와 당기순손익에서 시작하여 기타포괄손익의 구성요소를 표시하는 보고서) 중 한 가지 방법으로 표시한다(기준서 제1001호 문단 81). 당기순손익의 구성요소를 단일 포괄손익계산서의 일부로 표시하거나 별개의 손익계산서에 표시할 수 있다. 손익계산서를 표시하는 경우 그 손익계산서는 전체 재무제표의 일부이며 포괄손익계산서의 바로 앞에 표시한다(기준서 제1001호 문단 12). 기준서 제1001호는 기업이 수익과 비용 항목을 손익계산서에서 배제하여 직접 자본에 분류하는 것을 금지한다. 기업이 어느 방법으로 분류하든 기준서에서 요구하는 '기타포괄손익'의 공시에 대한 규정을 준수해야 한다.

1. 포괄손익계산서 본문에 표시되어야 하는 최소한의 항목

한국채택국제회계기준에 따라 포괄손익계산서에는 적어도 당해 기간의 다음 금액을 표시하는 항목을 포함한다.

① 수익. 유효이자율법을 사용하여 계산한 수익은 별도 표시

①-1 상각후원가로 측정한 금융자산의 제거로 발생한 손익

② 금융원가

②-1 기준서 제1109호 제5.5절에 따라 결정된 손상차손(손상차손 환입 포함)

③ 지분법 적용대상인 관계기업과 공동기업의 당기순손익에 대한 지분

③-1 금융자산을 상각후원가에서 당기손익-공정가치 측정 범주로 재분류하는 경우, 재분류일 이전 금융자산의 상각후원가와 공정가치 간 차이로 발생하는 손익

③-2 금융자산을 기타포괄손익-공정가치 측정 범주에서 당기손익-공정가치 측정 범주로 재분류하는 경우 이전에 인식한 기타포괄손익누적액 중 당기손익으로 재분류되는 손익

④ 법인세비용

⑤ 중단영업의 합계를 표시하는 단일금액

⑥ 당기순손익

⑦ 성격별로 분류되는 기타포괄손익의 각 구성요소(⑧의 금액은 제외)

⑧ 지분법 적용대상인 관계기업과 공동기업의 기타포괄손익에 대한 지분

⑨ 총포괄손익

⑩ 다음에 귀속되는 당기순손익

　　㉠ 비지배지분

　　㉡ 지배기업의 소유주

⑪ 다음에 귀속되는 당기의 총포괄손익

　　㉠ 비지배지분

　　㉡ 지배기업의 소유주

　(기준서 제1001호 문단 81A, 81B, 82, 82A)

기업은 전술한 ①~⑥번과 ⑩번의 항목을 별개의 손익계산서에 공시할 수 있다. 한 기간에 인식되는 모든 수익과 비용 항목은 한국채택국제회계기준이 달리 정하지 않는 한 당기손익으로 인식한다(기준서 제1001호 문단 88). 당기에 인식한 모든 수익과 비용은 포괄손익계산서에 포함해야 한다. 당기순손익에 속하지 아니하는 다음과 같은 항목은 기타포괄손익에 공시한다.

- 유·무형자산 재평가잉여금(기준서 제1016호, 제1038호)
- 확정급여제도의 재측정요소(기준서 제1019호)
- 해외사업장에 대한 순투자로 인한 외화환산손익(기준서 제1021호)
- 기타포괄손익 – 공정가치 측정 항목으로 지정한 지분상품에 대한 투자손익(기준서 제1109호)
- 기타포괄손익 – 공정가치로 측정하는 금융자산에서 발생한 손익(기준서 제1109호)
- 기타포괄손익 – 공정가치로 측정하는 지분상품투자에 대한 위험회피에서 위험회피수단의 평가손익 중 효과적인 부분과 현금흐름위험회피에서 위험회피수단의 평가손익 중 효과적인 부분(기준서 제1109호)
- 당기손익 – 공정가치 측정 항목으로 지정한 특정 부채의 신용위험 변동으로 인한 공정가치 변동금액(기준서 제1109호)
- 옵션계약의 내재가치와 시간가치를 분리할 때와 내재가치의 변동만을 위험회피수단으로 지정할 때 옵션 시간가치의 가치변동(기준서 제1109호)
- 선도계약의 선도요소와 현물요소를 분리하고 현물요소의 변동만 위험회피수단으로 지정할 때 선도계약의 선도요소의 가치변동과 금융상품의 외화 베이시스 스프레드 가치 변동을 위험회피수단 지정에서 제외할 때 외화 베이시스 스프레드의 가치변동(기준서 제1109호)

• 기타포괄손익 항목과 관련한 법인세 효과(기준서 제1012호)

2. 영업손익

IASB에서 발행한 국제회계기준서 IAS 1에서는 기업이 영업활동의 결과를 공시하도록 요구하지 않고 있으며 '영업활동(operating activities)'에 대해서 정의하지 않았다. 또한, IASB는 정의하지 않은 항목에 대한 공시를 요구하지 않기로 하였다(IAS 1 BC55). IASB는 영업활동을 정의하지 않고 있지만 기업이 영업활동의 성과나 유사한 항목을 공시하는 것을 선택할 수 있도록 하였다. 이러한 경우에 IASB는 기업이 공시한 금액이 일반적으로 '영업'으로 간주되는 활동을 대표하는 것임을 명확히 하여야 한다고 본다. IASB는 만약 손상, 구조조정비용과 같은 영업성격의 항목을 영업활동의 성과에서 배제한다면 비록 그것이 산업 실무관행이라 하더라도 재무제표이용자의 오해를 유발할 수 있으며 재무제표의 비교가능성을 훼손할 수 있다고 본다(IAS 1 BC56).

한편, IASB에서 발행한 국제회계기준서 IAS 1에서는 요구하고 있지 않으나, K-IFRS에서는 개정을 통하여 영업손익을 보고서 본문에 반드시 표시하도록 개정하였다(기준서 제1001호 문단 한138.2).

IASB가 발행한 국제회계기준에서는 영업손익의 정의가 없기 때문에 영업손익의 표시에 있어서 K-IFRS를 도입한 한국 기업 간 비교가능성에 문제가 있다는 의견을 반영하여 한국회계기준원에서 K-IFRS를 수정한 것이다.

개정된 내용에서 기업은 수익에서 매출원가 및 판매비와관리비(물류원가 등을 포함)를 차감한 영업이익(또는 영업손실)을 포괄손익계산서에 구분하여 표시하여야 한다. 다만, 종속기업 및 관계기업 등 지분투자를 주된 목적으로 하는 투자기업, 매출원가 및 판매비와관리비 분류가 실익이 없는 게임 업종이나 서비스 업종 등은 수익이나 매출원가와 판매비와관리비 구분이 어려울 것이다. 따라서, 영업의 특수성을 고려할 필요가 있는 경우(예 : 매출원가를 구분하기 어려운 경우)나 비용을 성격별로 분류하는 경우 영업수익에서 영업비용을 차감한 영업이익(또는 영업손실)을 포괄손익계산서에 구분하여 표시할 수 있다(기준서 제1001호 문단 138.3).

영업이익(또는 영업손실) 산출에 포함된 주요 항목과 그 금액을 포괄손익계산서 본문에 표시하거나 주석으로 공시한다. 또한, 포괄손익계산서 본문에 표시된 영업이익(또는 영업손실)에 포함되지 않은 항목 중 기업의 영업성과를 반영하는 그 밖의 수익 또는 비용 항목이 있다면 이러한 항목을 추가하여 조정영업이익(또는 조정영업손실) 등의 명칭

을 사용하여 주석으로 공시할 수 있으며, 이 경우 다음의 내용을 포함한다.

(1) 추가한 주요 항목과 그 금액

(2) 이러한 조정영업이익(또는 조정영업손실) 등은 해당 기업이 자체 분류한 영업이익(또는 영업손실)이라는 사실

3. 비용의 분석 : 성격별 또는 기능별 분류

기업은 비용의 성격별 또는 기능별 분류방법 중에서 신뢰성 있고 더욱 목적적합한 정보를 제공할 수 있는 방법을 적용하여 당기손익으로 인식한 비용의 분석내용을 표시한다(기준서 제1001호 문단 99). 비용은 빈도, 손익의 발생가능성 및 예측가능성의 측면에서 서로 다를 수 있는 재무성과의 구성요소를 강조하기 위해 세분류로 표시한다(기준서 제1001호 문단 101). 산업의 관행이나 기업의 성격에 따라 유형을 선택한다. 기준서 제1001호의 최소요구 표시 항목은 포괄손익계산서 본문에 표시되는 것이 권장되며, 그렇지 않은 경우 주석에서라도 공시되어야 한다(기준서 제1001호 문단 100).

성격별 분류 방법에서는 당기손익에 포함된 비용은 그 성격(예를 들어, 감가상각비, 원재료의 구입, 운송비, 종업원급여와 광고비)별로 통합하며, 기능별로 재배분하지 않는다(기준서 제1001호 문단 102). 보통은 서비스를 제공하는 기업의 경우 이 방법으로 비용을 표시한다.

기준서 제1001호 성격별 분류에 따른 분류의 예시는 다음과 같다(기준서 제1001호 문단 102).

수익		××
기타 수익		××
완성품과 재공품의 증감	××	
원재료와 소모품의 사용	××	
복리후생비	××	
감가상각비와 무형자산상각비	××	
기타비용	××	
총비용		(××)
이익		××

기능별 분석 또는 '매출원가법'하에서 비용은 그것들의 기능에 따라 매출원가, 배당 또는 관리비로 분류된다. 이 방법에서는 적어도 매출원가를 다른 비용과 분리하여 공시한다. 이 방법은 성격별 분류보다 재무제표이용자에게 더욱 목적적합한 정보를 제공할

수 있지만 비용을 기능별로 배분하는 데 자의적인 배분과 상당한 정도의 판단이 개입될 수 있다(준서 제1001호 문단 103). 많은 경우에 비용은 내부보고 목적으로 사업의 각 기능별로 배분되며, 재무제표 작성시 동일한 배부 기준이 적용될 수 있다. 매출원가법은 일반적으로 제조업과 소매업에서 사용된다.

비용을 기능별로 분석하는 경우 성격에 대한 추가정보를 공시한다.

기준서 제1001호는 매출원가 분류방법에 대하여 다음과 같이 예를 제시하고 있다(기준서 제1001호 문단 103).

매출	×
매출원가	×
매출총이익	×
기타수익	×
판매비	(×)
관리비	(×)
기타비용	(×)
이익	×

기능별로 비용을 분석하는 경우, 수익창출에 직접적으로 기여하는 원가는 매출원가에 포함된다. 매출원가는 직접재료비와 직접노무비뿐만 아니라 수익창출에 직접적으로 기여하는 간접비도 포함한다. 예를 들면, 이러한 간접비는 생산에 사용되는 자산의 감가상각비 등을 포함한다.

4. 별도 표시 항목의 결정

기준서 제1001호의 문단 97에서는 "수익과 비용 항목이 중요한 경우, 그 성격과 금액을 별도로 공시한다"고 요구하고 있다. 기준서 제1001호 문단 7에서는 일반목적재무제표에 정보를 누락하거나 잘못 기재하거나 불분명하게 하여, 이를 기초로 내리는 주요 이용자의 의사결정에 영향을 줄 것으로 합리적으로 예상할 수 있다면 그 정보는 중요한 것으로 중요성을 정의하고 있으며, 중요성은 정보의 성격이나 크기 또는 둘 다에 따라 결정된다.

기준서 제1001호에 따르면, 항목의 별도 공시가 필요할 수 있는 상황은 다음을 포함한다.
• 재고자산을 순실현가능가치로 감액하거나 유형자산을 회수가능액으로 감액하는 경

우의 그 금액과 그러한 감액의 환입
- 구조조정 충당부채와 구조조정 충당부채의 환입
- 유형자산의 처분
- 투자자산의 처분
- 중단영업
- 소송사건의 해결
- 기타 충당부채의 환입

(기준서 제1001호 문단 98)

기업의 재무성과를 이해하는 데 목적적합한 경우에는 포괄손익계산서와 별개의 손익계산서(표시하는 경우)에 항목, 제목 및 중간합계를 추가하여 표시한다(기준서 제1001호 문단 85). 그렇지 않으면, 이러한 항목들은 재무제표상 주석으로 공시되어야 한다. 중단사업과 관련하여 기준서 제1001호에서는 중단사업과 중단사업에 포함된 자산이나 처분자산집단의 처분에 따른 자산의 재측정으로부터 발생한 순손익이 포괄손익계산서(표시하는 경우, 별개의 손익계산서)에 표시되어야 한다고(기준서 제1001호 문단 82 및 기준서 제1105호 문단 33) 요구한다.

기준서 제1001호는 (i) 세후이익 또는 중단사업손실과 (ii) 중단사업(처분예정)자산의 순실현원가(공정가치 – 처분비용) 적용에 따른 세후손익을 포괄손익계산서상에 공시할 것을 요구한다. 상기 금액에 대한 상세내역도 주석 또는 포괄손익계산서상에 공시하여야 한다. 상기 사항을 포괄손익계산서상에 공시할 경우, 별도 부분에 공시되어야 하며, 계속사업손익과 명확히 구분되어야 한다. 예를 들면, 계속사업과 중단사업에서 발생하는 수익의 합을 공시하는 것은 인정되지 않는다. K – IFRS하에서 '수익'은 계속사업에서 발생하는 수익만을 의미한다. 기준서 제1001호는 포괄손익계산서상의 중단사업포괄손익에 대해 해당 항목의 구성요소를 손익계산서 상위 항목으로 승격시킬 수 없음을 명시하고 있다. 중단사업의 정의에 대해서는 '제4편 Ⅳ. 매각예정 및 중단영업 제2장 중단영업'에서 설명된다.

5. 기타포괄손익

기타포괄손익은 다른 한국채택국제회계기준서에서 요구하거나 허용하여 당기손익으로 인식하지 않은 수익과 비용항목(재분류조정 포함)을 포함한다.

기준서 제1001호는 기업이 포괄손익계산서 또는 다른 포괄이익과 관련된 주석의 재분류조정 내역을 공시할 것을 요구한다. 재분류조정은 다른 회계기준에 따라 기타포괄손익으로 인식되었다가 수익, 비용으로 재분류되는 금액을 의미한다. 예를 들어, 재분류 조정은 해외사업장을 매각할 때(기준서 제1021호 참조), 위험회피예상거래가 당기손익에 영향을 미칠 때(현금흐름위험회피와 관련하여 기준서 제1109호 문단 6.5.11(4) 참조) 발생한다. 이러한 금액은 당기나 과거기간에 미실현이익으로 기타포괄손익에 인식되었을 수도 있다. 이러한 미실현이익은 총포괄손익에 이중으로 포함되지 않도록 미실현이익이 실현되어 당기손익으로 재분류되는 기간의 기타포괄손익에서 차감되어야 한다.

재분류조정은 기업회계기준서 제1016호나 제1038호에 따라 인식한 재평가잉여금의 변동이나 기업회계기준서 제1019호 문단 120에 따라 인식한 확정급여제도의 보험수리적손익에 의해서는 발생하지 않는다. 이러한 구성요소는 기타포괄손익으로 인식하고 후속기간에 당기손익으로 재분류하지 않는다. 재평가잉여금의 변동은 자산이 사용되는 후속기간 또는 자산이 제거될 때 이익잉여금으로 대체될 수 있다(기준서 제1016호와 제1038호 참조). 보험수리적손익은 기타포괄손익으로 인식된 기간에 이익잉여금으로 보고된다(기준서 제1019호 참조). 기준서 제1109호에 따라 현금흐름위험회피나 옵션(또는 선도계약의 선도요소나 금융상품의 외화통화기준스프레드)의 시간가치의 회계처리로 인해 현금흐름위험회피적립금이나 지분의 별도구성요소에서 제거되어, 자산과 부채의 최초 원가나 그 밖의 장부금액에 직접 포함되는 금액이 생길 때에는 재분류조정이 이루어지지 않는다. 그러한 금액은 직접 자산이나 부채로 대체된다(기준서 제1001호 문단 96).

재분류조정은 포괄손익계산서나 주석에 표시할 수 있다. 재분류조정을 주석에 표시하는 경우에는 관련 재분류조정을 반영한 후에 기타포괄손익의 구성요소를 표시한다(기준서 제1001호 문단 94). 기준에 부합하는 실무적용지침에 포함된 재분류조정 공시의 구체적인 예는 아래와 같다. 다음 사례는 현금흐름위험회피손익이 기간손익으로 재분류되는 것을 보여주고 있다.

사례 **기타포괄손익 구성요소의 공시**

		20×7		20×6
해외사업 환산 차이		5,334		10,667
지분상품에 대한 투자 :		(24,000)		26,667
현금흐름위험회피 :				
연간 발생 차익(차손)	(4,667)		(4,000)	
차감 : 당기손익에 포함된 차손익의 재분류 조정	3,333		‒	
차감 : 위험회피대상항목의 최초 장부금액으로 대체된 조정	667	(667)	‒	(4,000)
자산 재평가차익		933		3,367
확정급여제도의 재측정요소		(667)		1,333
자회사 기타포괄손익의 배분		400		(700)

	(18,667)	37,334
기타포괄손익의 구성요소 관련 법인세	4,667	(9,334)
연간 기타포괄손익	(14,000)	28,000

포괄손익계산서의 양식

  기준서 제1001호의 개정으로 기업들이 기타포괄손익에 표시되는 항목을 미래에 당기손익으로 재분류되는지 여부에 따라 두 가지 그룹으로 나누어 표시하는 것을 요구하고 있다. 즉, 기타포괄손익 부분에는 당해 기간의 기타포괄손익의 금액을 표시하는 항목을 성격별로 분류(지분법 적용대상 관계기업과 공동기업의 기타포괄손익에 대한 지분 포함)하고, 다른 한국채택국제회계기준서에 따라 다음의 집단으로 묶어 표시한다.
  (1) 후속적으로 당기손익으로 재분류되지 않는 항목
  (2) 특정 조건을 충족하는 때에 후속적으로 당기손익으로 재분류되는 항목

  따라서, 유형자산재평가잉여금, 퇴직급여채무에서 발생하는 재측정요소와 같이 미래에 당기손익으로 재분류되지 않은 항목들은 현금흐름위험회피손익과 같이 미래에 당기손익으로 재분류될 항목과는 별도로 표시되어야 한다.

  기타포괄손익의 항목(재분류조정 포함)과 관련한 법인세비용 금액은 포괄손익계산서나 주석에 공시하며, 관련 법인세효과의 표시는 다음 중 한 가지 방법으로 표시할 수 있다.
  (1) 관련 법인세 효과를 차감한 순액으로 표시
  (2) 기타포괄손익의 항목과 관련된 법인세 효과 반영 전 금액으로 표시하고, 각 항목들에 관련된 법인세 효과는 단일 금액으로 합산하여 표시
  대안 (2)를 선택하는 경우, 법인세는 후속적으로 당기손익 부분으로 재분류되는 항목과 재분류되지 않는 항목간에 배분한다.

  기준서 제1001호에 첨부된 실무적용지침에서 당기손익과 기타포괄손익계산서를 단일 또는 두 개의 보고서로 작성하는 경우를 다음과 같이 예시한다. 동 사례는 한국회계기준원에서 영업이익을 보고서 본문에 표시하도록 개정한 내용에 맞추어 수정한 사례를 첨부하였다.

| XYZ 그룹 - 20×7년 12월 31로 종료하는 회계연도의 연결포괄손익계산서 |

(당기손익과 기타포괄손익을 단일의 보고서에 표시하고 당기손익 내 비용을 기능별로 분류하는 예시)

(단위 : 천원)

	20×7년	20×6년
매출	390,000	355,000
매출원가	(245,000)	(230,000)
매출총이익	**145,000**	**125,000**
물류원가	(9,000)	(8,700)
관리비	(20,000)	(21,000)
영업이익	**116,000**	**95,300**
기타수익	20,667	11,300
기타비용	(2,100)	(1,200)
금융원가	(8,000)	(7,500)
관계기업의 이익에 대한 지분[1]	35,100	30,100
법인세비용차감전순이익	161,667	128,000
법인세비용	(40,417)	(32,000)
계속영업이익	121,250	96,000
중단영업손실	–	(30,500)
당기순이익	121,250	65,500
기타포괄손익 :		
당기손익으로 재분류되지 않는 항목		
자산재평가차익	933	3,367
지분상품 투자자산	(24,000)	26,667
확정급여제도의 재측정요소	(667)	1,333
관계기업의 기타포괄손익에 대한 지분[3]	400	(700)
당기손익으로 재분류되지 않는 항목과 관련된 법인세[4]	5,840	(7,667)
	(17,500)	23,000
후속적으로 당기손익으로 재분류될 수 있는 항목		
해외사업장 환산외환차이[2]	5,334	10,667
현금흐름위험회피[2]	(667)	(4,000)
당기손익으로 재분류될 수 있는 항목과 관련된 법인세[4]	(1,167)	(1,667)

	(14,500)	25,000
법인세비용차감후기타포괄손익	(14,000)	28,000
총포괄이익	107,250	93,500

당기순이익의 귀속:		
지배기업의 소유주	97,000	52,400
비지배지분	24,250	13,100
	121,250	65,500

총포괄손익의 귀속:		
지배기업의 소유주	85,800	74,800
비지배지분	21,450	18,700
	107,250	93,500

주당이익(단위 : 원)

기본 및 희석	0.46	0.30

대체적인 방법으로, 기타포괄손익의 항목은 포괄손익계산서에 세후금액으로 표시될 수 있다.

법인세비용차감후기타포괄손익 :	20×7년	20×6년
당기손익으로 재분류되지 않는 항목 :		
자산재평가차익	600	2,700
확정급여제도의 재측정요소	(500)	1,000
관계기업의 기타포괄손익에 대한 지분	400	(700)
	500	3,000
후속적으로 당기손익으로 재분류될 수 있는 항목 :		
해외사업장환산외환차이	4,000	8,000
매도가능금융자산	(18,000)	20,000
현금흐름위험회피	(500)	(3,000)
	(14,500)	25,000
법인세비용차감후기타포괄손익[4]	(14,000)	28,000

(1) 관계기업의 소유주에게 귀속되는 관계기업 이익에 대한 지분을 의미한다(즉, 관계기업에 대한 세금과 비지배지분을 차감한 이후의 지분이다).

(2) 당기의 차손익과 재분류조정에 대한 공시를 주석에 표시하는 누적표시를 예시한다. 대체적인 방법으로 총계표시가 사용될 수 있다.

(3) 관계기업의 소유주에게 귀속되는 관계기업의 기타포괄손익에 대한 지분을 의미한다(즉, 관계기업에 대한 세금과 비지배지분을 차감한 이후의 지분이다).

(4) 기타포괄손익의 각 항목과 관련된 법인세는 주석에 공시한다.

|×YZ 그룹 - 20×7년 12월 31일로 종료하는 회계연도의 연결손익계산서 |

(당기손익과 기타포괄손익을 두 개의 보고서에 표시하고 당기손익 내 비용을 성격별로 분류하는 예시)

(단위 : 천원)

	20×7년	20×6년
영업수익	390,000	355,000
제품과 재공품의 변동	(115,100)	(107,900)
기업이 수행한 용역으로서 자본화되어 있는 부분	16,000	15,000
원재료와 소모품의 사용액	(96,000)	(92,000)
종업원급여비용	(45,000)	(43,000)
감가상각비와 기타 상각비	(19,000)	(17,000)
영업이익	**130,900**	**110,100**
기타수익	20,667	11,300
유형자산손상차손	(4,000)	–
기타비용	(6,000)	(5,500)
금융원가	(15,000)	(18,000)
관계기업의 이익에 대한 지분[5]	35,100	30,100
법인세비용차감전순이익	161,667	128,000
법인세비용	(40,417)	(32,000)
계속영업이익	121,250	96,000
중단영업손실	–	(30,500)
당기순이익	121,250	65,500
당기순이익의 귀속 :		
지배기업의 소유주	97,000	52,400
비지배지분	24,250	13,100
	121,250	65,500

주당이익 (단위 : 원) :

기본 및 희석	0.46	0.30

(5) 관계기업의 소유주에게 귀속되는 관계기업 이익에 대한 지분을 의미한다(즉, 관계기업에 대한 세금과 비지배지분을 차감한 이후의 지분이다).

| ×YZ 그룹 – 20×7년 12월 31일로 종료하는 회계연도의 연결포괄손익계산서 |

(당기손익과 기타포괄손익을 두 개의 보고서에 표시하고 당기손익 내 비용을 성격별로 분류하는 예시)

(단위 : 천원)

	20×7년	20×6년
당기순이익	121,250	65,500
기타포괄손익 :		
당기손익으로 재분류되지 않는 항목 :		
자산재평가차익	933	3,367
확정급여제도의 재측정요소	(667)	1,333
관계기업의 기타포괄손익에 대한 지분[6]	400	(700)
재분류되지 않는 항목과 관련된 법인세[7]	(166)	(1,000)
	500	3,000
후속적으로 당기손익으로 재분류될 수 있는 항목 :		
해외사업장환산외환차이	5,334	10,667
매도가능금융자산	(24,000)	26,667
현금흐름위험회피	(667)	(4,000)
당기손익으로 재분류될 수 있는 항목과 관련된 법인세[7]	4,833	(8,334)
	(14,500)	25,000
법인세비용차감후기타포괄손익	(14,000)	28,000
총포괄이익	107,250	93,500
총포괄이익의 귀속 :		
지배기업의 소유주	85,800	74,800
비지배지분	21,450	18,700
	107,250	93,500

대체적인 방법으로, 기타포괄손익의 항목은 세후금액으로 표시될 수 있다. 단일의 보고서상 수익과 비용의 표시를 예시하는 포괄손익계산서를 참조한다.

(6) 관계기업의 소유주에게 귀속되는 관계기업의 기타포괄손익에 대한 지분을 의미한다(즉, 관계기업에 대한 세금과 비지배지분을 차감한 이후의 지분이다).

(7) 기타포괄손익의 각 항목과 관련된 법인세는 주석에 공시한다.

| ×YZ 그룹 |

기타포괄손익 구성요소의 공시[8]
주석
20×7년 12월 31일로 종료하는 회계연도

(단위 : 천원)

	20×7년		20×6년	
기타포괄손익 :				
해외사업장환산외환차이[9]		5,334		10,667
지분상품 투자자산		(24,000)		26,667
현금흐름위험회피 :				
당기 발생 차익(차손)	(4,667)		(4,000)	
차감 : 당기손익에 포함된 차익(차손)의 재분류조정	3,333		–	
차감 : 위험회피대상항목의 최초장부금액으로 대체된 조정	667	(667)	–	(4,000)
자산재평가차익		933		3,367
확정급여제도의 재측정요소		(667)		1,333
관계기업의 기타포괄손익에 대한 지분		400		(700)
기타포괄손익		(18,667)		37,334
기타포괄손익의 구성요소와 관련된 법인세[10]		4,667		(9,334)
기타포괄손익		(14,000)		28,000

(8) 기업이 포괄손익계산서에 누적표시방법을 선택하는 경우, 재분류조정금액과 당기의 차손익은 주석에 표시한다.

(9) 해외사업장의 처분은 없었다. 따라서 표시된 연도들에 재분류조정은 없다.

(10) 기타포괄손익의 각 구성요소와 관련된 법인세는 주석에 표시한다.

|×YZ 그룹 |

기타포괄손익의 구성요소와 관련된 세효과의 공시
주석
20×7년 12월 31일로 종료하는 회계연도

(단위 : 천원)

	20×7년			20×6년		
	세전금액	법인세효익 (비용)	세후금액	세전금액	법인세효익 (비용)	세후금액
해외사업장환산외환 차이	5,334	(1,334)	4,000	10,667	(2,667)	8,000
지분상품 투자자산	(24,000)	6,000	(18,000)	26,667	(6,667)	20,000
현금흐름위험회피	(667)	167	(500)	(4,000)	1,000	(3,000)
자산재평가차익	933	(333)	600	3,367	(667)	2,700
확정급여제도의 재측정요소	(667)	167	(500)	1,333	(333)	1,000
관계기업의 기타포괄손익에 대한 지분	400	–	400	(700)	–	(700)
기타포괄손익	(18,667)	4,667	(14,000)	37,334	(9,334)	28,000

II

포괄손익계산서 계정과목

매출액

수익은 손익계산서 제일 상단에 기재되며, 일반적으로 회사의 규모 및 성장을 측정하는 지표로 사용된다. 수익은 경영진이 재무활동의 중요한 지표로 고려하는 계산 결과와 비율을 보여주는 중요한 변수로 회사의 매출총이익, 영업이익 및 주당손익의 계산과 EBITDA를 포함한 관리회계적 지표에 직접적으로 영향을 미친다. 따라서 수익으로 공시하는 금액은 재무제표 이용자들에게 가장 중요한 금액 중에 하나로 볼 수 있다.

대부분의 수익거래에 대한 사항은 기준서 제1115호 '고객과의 계약에서 생기는 수익'에서 다루고 있다.

제1절   수익인식 기준서

1. 목적 및 적용범위

(1) 목적

기준서 제1115호의 목적은 고객과의 계약에서 생기는 수익 및 현금흐름의 특성, 금액, 시기, 불확실성에 대한 유용한 정보를 재무제표이용자에게 보고하는데 적용할 원칙을 정하는 것이다(기준서 제1115호 문단 1). 이 목적을 이루기 위해, 기준서는 기업이 고객에게 약속한 재화나 용역의 이전의 대가로 받을 권리를 갖게 될 것으로 예상하는 대가를 반영한 금액으로 수익을 인식해야 한다고 핵심 원칙을 제시하고 있다.

(2) 적용범위

기준서 제1115호는 다음을 제외한 고객과의 모든 계약에 적용한다(기준서 제1115호 문단5).
- 기준서 제1116호 '리스'의 적용범위에 포함되는 리스계약
- 기준서 제1104호 '보험계약'의 적용범위에 해당하는 보험계약
- 기준서 1109호 '금융상품', 제1110호 '연결재무제표', 제1111호 '공동약정', 제1027호 '별도재무제표', 제1028호 '관계기업과 공동기업에 대한 투자'의 적용범위에 포함되는 금융상품과 그 밖의 계약상 권리, 또는 의무

- 고객이나 잠재적 고객에게 판매를 쉽게 하기 위해 행하는 같은 사업 영역에 있는 기업 사이의 비화폐성 자산 교환

기준서 제1115호에서는 '고객'을 기업의 통상적인 활동에 따른 산출물인 재화나 용역을 대가와 교환하여 획득하기로 그 기업과 계약한 당사자로 정의한다(기준서 제1115호 문단 6). 예를 들어, 계약상대방이 기업의 통상적인 활동의 산출물을 취득하기 위해서가 아니라 어떤 활동이나 과정에 참여하기 위해 기업과 계약하였고, 그 계약 당사자들이 그 활동이나 과정에서 생기는 위험과 효익을 공유한다면, 그 계약상대방은 고객이 아니다. 이 기준서는 계약 상대방이 고객인 경우에만 고객과의 계약에 적용한다.

> **사례 고객의 정의(협업약정)**
>
> 바이오기술기업은 특정 신약후보물질 개발에서 생기는 성과를 동등하게 배분하는 계약을 제약회사와 체결하였다. 이 약정에 기준서 제1115호를 적용하는가?
>
> 상황에 따라 다를 수 있다.
> 두 기업이 신약 개발에 참여하기 위해 계약을 체결하고 그 과정에서 생기는 위험과 효익을 공유한다면 해당 약정에는 기준서 제1115호를 적용하지 않을 것이다.
> 계약의 실질이 바이오기술기업이 제약회사에 화학식을 팔고 연구개발용역을 제공하는 것이고 해당 부분이 바이오기술기업의 통상적인 활동에 따른 산출물이라면 해당 약정에는 기준서 제1115호를 적용할 것이다. 약정이 고객과의 계약이 아닌 협업약정이라면 다른 적용 가능한 지침(예를 들어, 기준서 제1111호 '공동약정')의 적용을 고려해야 한다.

제2절 수익의 인식

1. 수행의무 식별

(1) 고객과의 계약으로 한 약속

기준서 제1115호는 '고객과의 계약'에 적용되는 기준서이다. 계약은 둘 이상의 당사자들 사이에 집행 가능한 권리와 의무가 생기게 하는 합의로, 계약이 다음의 기준을 모두 충족하는 경우에만 해당 기준서의 적용범위에 포함되는 고객과의 계약으로 회계처리 한다(기준서 제1115호 문단 9).

① 계약 당사자들이 계약을 승인하고 각자의 의무를 수행하기로 확약함.

② 이전할 재화나 용역과 관련된 각 당사자의 권리를 식별할 수 있음.

③ 이전할 재화나 용역의 지급조건을 식별할 수 있음.

④ 계약에 상업적 실질이 있음(즉, 계약의 결과로 기업의 미래 현금흐름의 위험, 시기 및 금액이 변동될 것으로 예상됨).

⑤ 이전할 재화나 용역에 대하여 받을 권리를 갖게 될 대가의 회수 가능성이 높음. 대가의 회수가능성이 높은지를 평가할 때에는 지급기일에 고객이 대금을 지급할 수 있는 능력과 지급할 의도만을 고려함.

고객과의 계약이 식별되었다면, 계약 내에 포함된 수행의무를 식별해야 한다. 수행의무는 수익인식을 위한 회계단위로, 기준서 제1115호는 고객에게 약속한 재화나 용역을 이전하여 수행의무를 이행할 때 (또는 기간에 걸쳐 이행하는 대로) 수익을 인식한다.

기업은 계약 개시시점에서 고객과의 계약에서 약속한 재화나 용역을 검토하여 고객에게 다음 중 어느 하나를 이전하기로 한 각 약속을 하나의 수행의무로 식별한다(기준서 제1115호 문단 22).

① 구별되는(distinct) 재화나 용역(또는 재화나 용역의 묶음)

② 실질적으로 서로 같고 고객에게 이전하는 방식도 같은 '일련의 구별되는 재화나 용역'

(2) 구별되는 재화나 용역

고객에게 약속한 재화나 용역은 다음 기준을 모두 충족한다면 구별되는 것이다(기준서 제1115호 문단 27).

① 고객이 재화나 용역 그 자체에서 효익을 얻거나 고객이 쉽게 구할 수 있는 다른 자원과 함께하여 그 재화나 용역에서 효익을 얻을 수 있다(그 재화나 용역이 구별

될 수 있다).

② 고객에게 재화나 용역을 이전하기로 하는 약속을 계약 내의 다른 약속과 별도로 식별해 낼 수 있다(그 재화나 용역을 이전하기로 하는 약속은 계약상 구별된다).

1) 고객이 재화나 용역에서 효익을 얻을 수 있음

재화나 용역을 사용할 수 있거나, 소비할 수 있거나, 폐물 가치(scrap value)보다 큰 금액으로 매각할 수 있거나, 그 밖에 달리 경제적 효익을 창출하는 방법으로 보유할 수 있다면, 고객은 문단 27(1)에 따라 재화나 용역에서 효익을 얻을 수 있는 것이다. 어떤 재화나 용역은 그 자체에서 고객이 효익을 얻을 수 있다. 또 다른 재화나 용역은 쉽게 구할 수 있는 다른 자원과 함께하는 경우에만 고객이 그 재화나 용역에서 효익을 얻을 수 있다. 쉽게 구할 수 있는 자원이란 그 기업이나 다른 기업이 별도로 판매하는 재화나 용역이거나, 고객이 그 기업에서 이미 획득한 자원이거나 다른 거래나 사건에서 이미 획득한 자원을 말한다.

예를 들어, 기업이 보통 재화나 용역을 별도로 판매한다면 고객이 재화나 용역 그 자체에서 효익을 얻거나 쉽게 구할 수 있는 다른 자원과 함께하여 효익을 얻을 수 있을 것이다.

2) 재화나 용역을 이전하기로 하는 약속이 별도로 식별됨

고객에게 재화나 용역을 이전하기로 하는 약속이 문단 27(2)에 따라 별도로 식별되는지를 파악할 때, 그 목적은 계약상 그 약속의 성격이 각 재화나 용역을 개별적으로 이전하는 것인지, 아니면 약속된 재화나 용역을 투입한 결합 품목(들)을 이전하는 것인지를 판단하는 것이다. 고객에게 재화나 용역을 이전하기로 하는 둘 이상의 약속을 별도로 식별해 낼 수 없음을 나타내는 요소에는 다음이 포함되지만, 이에 한정되지는 않는다(기준서 제1115호 문단 29).

- 기업은 해당 재화나 용역과 그 계약에서 약속한 다른 재화나 용역을 통합하는(이 통합으로 고객이 계약한 결합산출물(들)에 해당하는 재화나 용역의 묶음이 됨) 유의적인 용역을 제공한다. 다시 말해서, 기업은 고객이 특정한 결합산출물(들)을 생산하거나 인도하기 위한 투입물로서 그 재화나 용역을 사용하고 있다. 결합산출물(들)은 둘 이상의 단계, 구성요소, 단위를 포함할 수 있다.
- 하나 이상의 해당 재화나 용역은 그 계약에서 약속한 하나 이상의 다른 재화나 용역을 유의적으로 변형 또는 고객 맞춤화하거나, 계약에서 약속한 하나 이상의 다른 재화나 용역에 의해 변형 또는 고객 맞춤화 된다.
- 해당 재화나 용역은 상호의존도나 상호관련성이 매우 높다. 다시 말해서 각 재화나

용역은 그 계약에서 하나 이상의 다른 재화나 용역에 의해 유의적으로 영향을 받는다. 예를 들면 어떤 경우에는 기업이 각 재화나 용역을 별개로 이전하여 그 약속을 이행할 수 없을 것이기 때문에 둘 이상의 재화나 용역은 서로 유의적으로 영향을 주고받는다.

사례 1 구별되는 재화나 용역(기준서 제1115호 사례 11 – 경우 A)

기업(소프트웨어 개발자)은 2년 동안 소프트웨어 라이선스를 이전하고, 설치용역을 수행하며, 특정되지 않은 소프트웨어 갱신(update)과 기술지원(온라인과 전화)을 제공하는 계약을 고객과 체결하였다. 기업은 라이선스, 설치용역, 기술지원을 별도로 판매한다. 설치용역은 각 이용자 유형(예 : 마케팅, 재고관리, 기술정보)에 맞추어 웹 스크린을 변경하는 것을 포함한다. 설치용역은 일상적으로 다른 기업이 수행하는데 소프트웨어를 유의적으로 변형하지 않는다. 소프트웨어는 갱신과 기술지원이 없어도 가동되는 상태이다.

기업은 기준서 제1115호 문단 27에 따라 어떤 재화와 용역이 구별되는지를 판단하기 위해 고객에게 약속한 재화와 용역을 파악한다. 기업은 소프트웨어가 다른 재화와 용역보다 먼저 인도되고 갱신과 기술지원이 없어도 가동되는 상태임을 안다. 고객은 계약 개시시점에 이전되는 소프트웨어 라이선스와 함께하여 갱신에서 효익을 얻을 수 있다. 그러므로 기업은 고객이 각 재화와 용역 그 자체에서 효익을 얻거나 쉽게 구할 수 있는 다른 재화와 용역과 함께하여 효익을 얻을 수 있으므로 기준서 제1115호 문단 27(1)의 기준을 충족한다고 결론짓는다.

또 기업은 기준서 제1115호 문단 29의 원칙과 요소를 참고하고, 고객에게 각 재화와 용역을 이전하기로 한 약속이 그 밖의 각 약속과 별도로 식별된다고(그러므로 기준서 제1115호 문단 27(2)의 기준을 충족한다고) 판단한다. 이 결론에 이를 때, 기업은 비록 소프트웨어를 고객의 시스템에 통합할지라도 설치용역은 소프트웨어 라이선스를 사용하거나 그 라이선스에서 효익을 얻는 고객의 능력에 유의적으로 영향을 미치지 않는다고 본다. 설치용역은 일상적이고 다른 공급자가 제공할 수 있기 때문이다. 소프트웨어 갱신은 라이선스 기간에 소프트웨어 라이선스를 사용하고 그 라이선스에서 효익을 얻는 고객의 능력에 유의적으로 영향을 미치지 않는다. 기업은 더 나아가 약속한 재화와 용역 중 어떤 것도 서로 유의적으로 변형하거나 고객 맞춤화하지 않고, 기업이 소프트웨어와 용역을 하나의 결합산출물로 통합하는 유의적인 용역을 제공하지 않는다고 본다. 마지막으로 기업은 소프트웨어와 용역이 서로 유의적으로 영향을 미치지 않고, 따라서 상호의존도나 상호관련성이 매우 높지는 않다고 결론 내린다. 기업은 후속적으로 설치용역, 소프트웨어 갱신, 기술지원을 제공하는 약속과는 별개로 처음 소프트웨어 라이선스를 이전하는 약속을 이행할 수 있을 것이기 때문이다.

이 파악에 기초하여, 기업은 계약에서 다음의 재화나 용역에 대해 네 가지의 수행의무를 식별한다.
(1) 소프트웨어 라이선스
(2) 설치용역

(3) 소프트웨어 갱신

(4) 기술지원

사례 2 · 재화와 용역이 구별되지 않음(기준서 제1115호 사례 10)

기업이 고객에게 병원을 건설해주는 계약을 체결하였다. 기업은 그 프로젝트 전체를 책임지고 있으며, 엔지니어링, 부지 정리, 기초공사, 조달, 구조물 건설, 배관·배선, 장비 설치, 마무리 등을 포함한 여러 가지 약속한 재화와 용역을 식별한다.

약속된 재화와 용역은 기준서 제1115호 문단 27(1)에 따라 구별될 수 있다. 즉 고객이 그 재화와 용역 자체에서 효익을 얻거나 쉽게 구할 수 있는 다른 자원과 함께하여 효익을 얻을 수 있다. 이것은 기업이나 경쟁기업이 이 재화와 용역의 상당 부분을 보통 다른 고객에게 별도로 판매한다는 사실로 입증된다. 그리고 고객은 개별적인 재화나 용역의 사용, 소비, 판매, 보유로 경제적 효익을 창출할 수 있다.

그러나 이 재화와 용역을 이전하기로 하는 약속은 기업회계기준서 제1115호 문단 27(2)(기준서 제1115호 문단 29의 요소에 기초함)에 따라 별도로 식별할 수 없다. 이는 고객과 체결한 계약에 따라 재화와 용역(투입물)을 통합하여 병원(결합산출물)을 건설하는 유의적인 용역을 제공하게 된다는 사실로 입증된다.

따라서, 기준서 제1115호 문단 27의 두 가지 기준을 충족하지 못하기 때문에, 그 재화와 용역은 구별되지 않는다. 기업은 이 계약의 모든 재화와 용역을 단일 수행의무로 회계처리 한다.

사례 3 · (2019 기준원 질의회신) 여행패키지의 수익인식

여행사인 A사는 Hard block* 항공권, 숙박권, 가이드, 그 밖의 현지여행상품선택 관광, 식당, 차량 등으로 구성된 여행패키지 상품을 고객에게 판매하고 있다. Hard block 항공권이 포함된 여행패키지의 수행의무를 '항공권의 공급'과 '항공권 외 여행패키지 공급'으로 각각 구분할 수 있는지?

* 회사가 항공사와 항공권을 대량구매하는 계약을 한 뒤, 고객에게 판매되지 않더라도 회사가 항공사에 대금을 지급하는 계약

항공권 외 여행패키지 구성요소들은 서로 구별되는 재화나 용역이 아닌 상황에서 회사가 '항공권'과 '항공권 외 여행패키지'를 통합하는 유의적인 용역을 제공하지 않는다면, 항공권을 별도로 구별되는 수행의무라고 볼 수 있다. 다만, 회사가 항공권과 항공권 외 여행패키지를 통합하는 유의적인 용역을 제공하는지는 모든 사실과 상황을 고려한 판단이 필요함. '항공권'의 공급과 '항공권 외 여행패키지'의 공급을 전체적으로 관리·조정하면서 이 두 과업의 통합과 관련된 유의적인 위험이나 책임을 부담하며 '여행서비스'라는 하나의 결합 품목으로 이전하지 않는다면, 회사는 유의적인 통합용역을 제공한다고 보기 어렵다.

(3) 수행의무 식별시 고려사항

수행의무는 기업의 통상적인 사업관행에 내재된 암묵적인 약속으로부터 발생할 수도 있다. 보증이나 재화나 용역을 구입하는 선택권 등도 별도의 수행의무 일 수 있다.

1) 추가 재화나 용역에 대한 고객의 선택권

기업은 고객에게 판매 인센티브, 고객보상점수(points), 계약갱신 선택권, 미래의 재화나 용역에 대한 할인 등 다양한 형태로 무료나 할인된 가격으로 추가 재화나 용역을 취득할 수 있는 고객의 선택권을 제공한다. 계약에서 추가 재화나 용역을 취득할 수 있는 선택권은 그 계약을 체결하지 않으면 받을 수 없는 중요한 권리를 고객에게 제공하는 경우에만 수행의무가 생기게 한다(예 : 이 재화나 용역에 대해 그 지역이나 시장의 해당 고객층에게 일반적으로 제공하는 할인의 범위를 초과하는 할인). 선택권이 고객에게 중요한 권리를 제공한다면, 고객은 사실상 미래 재화나 용역의 대가를 기업에 미리 지급한 것이므로 기업은 그 미래 재화나 용역이 이전되거나 선택권이 만료될 때 수익을 인식한다(기준서 제1115호 문단 B40).

고객선택권이 별도의 수행의무인 경우, 상대적 개별 판매가격에 기초하여 거래가격을 배분한다. 이 때 고객이 선택권을 행사할 때 받을 할인을 반영하되, 고객이 선택권을 행사하지 않고도 받을 수 있는 할인액과 선택권이 행사될 가능성 모두를 고려하여 추정한다.

고객은 자산의 계약상 권리를 모두 행사하지 않을 수 있다. 그 행사되지 않은 권리를 흔히 미행사 부분(breakage)라고 하는데, 계약부채 중 미행사 금액을 받을 권리를 갖게 될 것으로 예상한다면, 예상되는 미행사금액을 수익으로 인식한다. 기업이 미행사 금액을 받을 권리를 갖게될 것으로 예상하지 않는다면, 고객이 그 남은 권리를 행사할 가능성이 희박해질 때 예상되는 미행사 금액을 수익으로 인식한다.

> **사례** **미래현금할인을 위한 상품권 제공**
>
> 호텔에 숙박하는 고객에게 다른 지점의 호텔을 이용할 경우 10을 할인 받을 수 있는 상품권을 제공 받는다. 호텔의 하룻밤 숙박비용은 100이다. 호텔에서 발생하는 원가는 대부분 고정비로 구성되어 있기 때문에, 한 명의 추가 손님에 대한 호텔의 한계 비용은 무시할 만한 수준이다.
>
> 호텔이 고객에게 제공하는 숙박서비스와 10을 할인받을 수 있는 상품권은 미래에 별도의 수행의무이다. 따라서 호텔은 숙박서비스를 제공시 고객으로부터 수령한 100 중 숙박서비스에 해당하는 대가만큼만 수익으로 인식하고 고객에게 아직 제공하지 않은 재화나 용역에 해당하는 상품권에 대한 부분은 수익으로 인식하지 않는다.

|(차) 현　　　　　금|100|(대) 수　　　　　익|xxx|
| | |계　약　부　채|xxx|

거래대가를 각 수행의무에 어떻게 배분해야 하는지는 '4. 수익의 측정'을 참고한다.

2) 보증

기업은 재화나 용역의 판매와 관련하여 일반적으로 보증을 제공한다. 보증의 특성은 산업과 계약에 따라 다를 수 있다. 어떤 보증은 관련 제품이 합의된 규격에 부합하므로 당사자들이 의도한 대로 작동할 것이라는 확신을 고객에게 준다. 다른 보증은 제품이 합의된 규격에 부합한다는 확신에 더하여 고객에게 용역을 제공한다.

기준서 제1115호에서는 보증을 판매시점에 있던 제품의 결함에 대해서만 고객을 보호하는 보증과 이에 더 하여 고객에게 추가적으로 용역을 제공하는 용역 유형의 보증 두 가지로 구분하고 첫 번째 유형의 보증은 별도의 수행의무가 아닌 기업의 과거 수행과 관련된다고 본다.

따라서, 약속한 보증이 합의된 규격에 제품이 부합한다는 확신에 더하여 고객에게 용역을 제공하는 것이 아니라면, 이 보증은 기업회계기준서 제1037호 '충당부채, 우발부채, 우발자산'에 따라 회계처리 한다. 관련 추정원가(예. 품질보증비)는 고객에게 재화를 이전할 때 부채(예. 품질보증충당부채)로 인식한다.

고객이 보증을 별도로 구매할 수 있는 선택권이 있다면, 그 보증은 구별되는 용역이다. 별도로 판매된다는 사실은 기업이 계약에서 기술한 기능성이 있는 제품에 더하여 고객에게 용역을 제공하기로 약속한 것이기 때문이다. 이 때에는 약속한 보증을 별도의 수행의무로 식별하고, 거래가격의 일부를 배분한다. 보증에 배분된 수익은 보증기간에 걸쳐 인식된다.

보증이 합의된 규격에 제품이 부합한다는 확신에 더하여 고객에게 용역을 제공하는 것인지를 평가할 때, 다음과 같은 요소를 고려한다.

① 법률에서 보증을 요구하는지―법률에 따라 기업이 보증을 제공하여야 한다면 그 법률의 존재는 약속한 보증이 수행의무가 아님을 나타낸다. 그러한 규정은 보통 결함이 있는 제품을 구매할 위험에서 고객을 보호하기 위해 존재하기 때문이다.

② 보증기간―보증기간이 길수록, 약속한 보증이 수행의무일 가능성이 높다. 제품이 합의된 규격에 부합한다는 확신에 더하여 용역을 제공할 가능성이 더 높기 때문이다.

③ 기업이 수행하기로 약속한 업무의 특성―제품이 합의된 규격에 부합한다는 확신을 주기 위해 기업이 정해진 업무를 수행할 필요가 있다면(예 : 결함이 있는 제품

의 반품 운송용역), 그 업무는 수행의무를 생기게 할 가능성이 낮다.

사례 **제조물 책임법에 따른 손해배상**

기업이 제품을 판매하면서 제조물 책임법에 따라 제품으로 인한 피해나 손상에 대한 보증금을 지급하기로 하는 보증은 기준서 제1115호의 별도의 수행의무에 해당하는가?

제조물 책임법에 따른 보상은 기업이 판매시점에 있던 제품의 결함에 대해서 고객의 보호를 보증하는 것으로 별도의 수행의무로 식별하지 않고 기준서 제 1037호 충당부채, 우발부채 및 우발자산에 따라 회계처리 한다.

(차) 판 매 보 증 원 가   ×××   (대) 판매보증충당부채   ×××

2. 수익의 인식

수익은 고객에게 약속한 재화나 용역을 이전하여 수행의무를 이행할 때(또는 기간에 걸쳐 이행하는 대로) 인식한다. 기간에 걸쳐 이행하는 수행의무 조건 중 어느 한 가지도 만족하지 않는 그 밖의 모든 수행의무는 그 수행의무를 이행한 때(한 시점)에 수익을 인식한다.

(1) 기간에 걸쳐 이행하는 수행의무

다음 중 어느 하나를 충족하면 수익을 기간에 걸쳐 인식한다(기준서 제1115호 문단 35).

① 고객은 기업이 수행하는 대로 기업의 수행에서 제공하는 효익을 동시에 얻고 소비한다.

② 기업이 수행하여 만들어지거나 가치가 높아지는 대로 고객이 통제하는 자산(예 : 재공품)을 기업이 만들거나 그 자산 가치를 높인다.

③ 기업이 수행하여 만든 자산이 기업 자체에는 대체 용도가 없고, 지금까지 수행을 완료한 부분에 대해 집행 가능한 지급청구권이 기업에 있다.

1) 기업의 수행에서 효익을 동시에 얻고 소비

일반적으로 용역은 기업이 수행하는 대로 그 효익을 고객이 얻고 동시에 소비한다. 예를 들면 일상적이거나 반복적인 용역들(예 : 청소 용역)은 기업의 수행에서 고객이 효익을 얻고 동시에 소비한다.

기업이 수행하는 대로 고객이 그 수행의 효익을 동시에 얻고 소비하는지를 쉽게 식별하지 못할 수 있다. 그러한 상황에서 다른 기업이 고객을 위해 나머지 수행의무를 이행한다고 가정할 때, 기업이 지금까지 완료한 업무를 다른 기업이 실질적으로 다시 수행할 필요가 없다고 판단한다면 고객이 그 수행에 따른 효익을 동시에 얻고 소비하는 것으로 보아 기간에 걸쳐 수익을 인식한다.

예를 들어 기업이 서울에서 부산으로 재화를 운송하기로 합의한 화물운송계약에서 재화가 부산에 운송될 때까지 고객이 기업의 수행에서 어떠한 효익도 얻지 못한다고 생각할 수도 있다. 그러나 재화가 서울과 부산 사이의 중간 지점까지 운송되었다면 기업이 지금까지 수행한 것을 다른 기업이 실질적으로 다시 수행할 필요는 없을 것이다. 즉 다른 기업이 재화를 부산으로 운송하기 위해 재화를 서울로 다시 가져갈 필요는 없을 것이다. 이 경우 고객이 기업의 수행에 따른 효익을 동시에 얻고 소비한 것으로 보아 기간에 걸쳐 수익을 인식한다.

기업이 지금까지 완료한 업무를 다른 기업이 실질적으로 다시 수행할 필요가 없을지를 판단할 때에는 다른 기업에 나머지 수행의무의 이전을 금지하는 잠재적인 계약상 제약이나 실무상 제한은 고려하지 않는다. 또 수행의무를 다른 기업에 이전한다고 할 때 나머지 수행의무를 이행하는 다른 기업은 기업이 현재 통제하고 있고 수행의무 이전 후에도 여전히 통제할 자산에서 효익을 얻지 못한다고 가정한다.

> **사례** **고객이 효익을 동시에 얻고 소비함(기준서 제1115호 사례 13)**
>
> 기업은 고객에게 1년 동안 매월 급여처리 용역을 제공하기로 계약을 체결하였다.
> 약속한 급여처리 용역은 기업회계기준서 제1115호 문단 22(2)에 따라 단일 수행의무로 회계처리한다. 고객은 각 거래가 처리될 때 각 급여거래 처리의 수행에서 효익을 동시에 얻고 소비하기 때문에, 수행의무는 기업회계기준서 제1115호 문단 35(1)에 따라 기간에 걸쳐 이행된다. 기업이 지금까지 제공한 급여처리 용역을 다른 기업이 다시 수행할 필요가 없다는 사실은 기업이 수행하는 대로 고객이 기업의 수행에서 효익을 동시에 얻고 소비한다는 것을 보여준다.

2) 만들어지거나 가치가 높아지는 대로 고객이 통제하는 자산

기업이 수행하여 만들어지거나 가치가 높아지는 대로 고객이 통제하는 자산을 기업이 만들거나 그 자산 가치를 높이는 경우가 있다. 만들어지거나 가치가 높아지는 자산은 유형 또는 무형의 자산일 수 있다. 기업은 자산이 만들어짐에 따라 고객이 통제를 획득하는지 판단할 때 통제에 관한 요구사항을 적용한다. 예를 들어 고객의 토지에 기업이 건설하는 건설계약의 경우 일반적으로 고객은 기업의 수행에서 생기는 모든 재공품을 통제할 것이다.

3) 대체적인 용도가 없고, 집행 가능한 지급청구권이 존재

자산을 만든 기업에게 대체 용도가 없고, 지금까지 수행한 부분에 대해 지급받을 권리가 있다면, 한 시점이 아니라 기간에 걸쳐 수익을 인식한다.

① 대체적인 용도가 없음

기업이 자산을 만들거나 그 가치를 높이는 동안에 그 자산을 다른 용도로 쉽게 전환하는 데에 계약상 제약이 있거나 완료된 상태의 자산을 쉽게 다른 용도로 전환하는 데에 실무상 제한이 있다면, 기업이 수행하여 만든 그 자산은 그 기업에는 대체 용도가 없는 것이다. 자산이 기업에 대체 용도가 있는지는 계약 개시시점에 판단한다. 계약 당사자들이 수행의무를 실질적으로 변경하는 계약변경을 승인하지 않는 한 자산이 기업에 대체 용도가 있는지를 다시 판단하지 않는다.

기업이 자산을 다른 용도로 쉽게 전환하는 데에 계약상 제약이 실질적이라면 그 자산은 기업에 대체 용도가 없다. 기업이 자산을 다른 용도로 전환하려고 해도 고객이 약속된 그 자산에 대한 권리를 집행할 수 있다면 계약상 제약은 실질적인 것이다. 그러나 기업이 약속한 자산을 다른 고객에게 이전하려는 다른 자산과 대체할 수 있고 여기에 유의적인 추가원가가 들지도 않고 계약을 위반하는 것도 아니라면 계약상 제약은 실질적이지 않다. 기업이 그 자산을 다른 용도로 쉽게 전환할 수 있는지를 판단하는 경우 고객과의 계약이 종료될 가능성은 고려하지 않는다.

자산을 다른 용도로 전환하는 경우 자산의 재작업에 유의적인 원가가 들거나 유의적인 손실을 보아야만 자산을 판매할 수 있어 유의적인 경제적 손실이 생긴다면 자산을 다른 용도로 전환하는 기업의 능력에 실무상 제한이 있는 것이다. 자산이 기업에 대체 용도가 있는지는 계약 개시시점에서 판단하지만 자산의 재작업에 유의적인 원가가 드는지를 판단하는 자산의 상태는 자산의 완료된 상태라는 점에 유의한다. 고객 특유의 규격으로 설계되거나 먼 지역에 위치하는 완료된 자산을 다른 용도로 전환하려는 경우 실무적으로 제한이 있을 수 있다.

② 집행 가능한 지급청구권이 존재

지금까지 수행을 완료한 부분에 대해 집행 가능한 지급청구권이 기업에 있는지를 판단할 때에는 계약에 적용되는 법률, 계약조건 등을 고려해야 한다. 기업이 약속대로 수행하지 못했기 때문이 아니라 그 밖의 사유로 고객이나 다른 당사자가 계약을 종료한다면 적어도 지금까지 수행을 완료한 부분에 대한 보상 금액을 받을 권리가 계약기간에는 언제든지 있어야 한다.

그 권리를 집행할 수 있는지를 판단하는 경우 계약 조건과 그 계약 조건을 보충하거나 무효화할 수 있는 법률이나 판례를 참고한다. 이때 다음에 대한 판단이 포함될 것이다(기준서 제1115호 문단 B12).

- 고객과의 계약에 지급청구권이 규정되지 않은 경우라도 법률, 행정 관행이나 판례에 따라 기업에 지금까지의 수행분에 대한 지급청구권이 부여되는지
- 관련 판례에 따라 비슷한 계약에서 지금까지 수행을 완료한 부분에 대한 비슷한 지급청구권이 법적으로 구속력이 없다고 보아야 하는지
- 기업이 지급청구권을 집행하지 않기로 선택한 사업 관행이 그 법적 환경에서 권리를 집행할 수 없게 되는 결과를 가져왔는지. 그러나 기업이 비슷한 계약에서 자신의 지급청구권 포기를 선택할 수 있는 경우라도 고객과의 계약에서 지금까지 수행분에 대한 지급청구권을 여전히 집행할 수 있다면 지급청구권을 계속 갖는 것이다.

계약에서 정한 대금의 지급일정에 따라 고객이 대가를 지급할 시기와 금액이 정해진 경우에도 이는 기업이 지금까지 수행을 완료한 부분에 대해 집행 가능한 지급청구권을 갖는지를 나타내는 것은 아닐 수 있다. 예를 들어 기업이 계약에서 약속한 대로 수행하지 못했기 때문이 아니라 계약에서 정한 그 밖의 사유로 고객에게서 받는 대가를 환불할 수 있다면 계약상 대금의 지급일정에도 불구하고 기업이 지금까지 수행을 완료한 부분에 대해 집행 가능한 지급청구권을 갖는 것이 아니다.

기업이 약속대로 수행하지 못했기 때문이 아니라 그 밖의 사유로 고객이나 다른 당사자가 계약을 종료한다면 적어도 지금까지 수행을 완료한 부분에 대한 보상 금액을 받을 권리가 계약기간에는 언제든지 있어야 한다. 지급청구권이 계약기간 중 특정 기간이 아니라 계약기간에는 언제든지 있어야 한다는 점에 유의한다. 이때 기업에 보상하는 금액은 지금까지 이전된 재화나 용역의 판매가격에 가까운 금액, 즉 수행의무의 이행에 든 원가에 적정 이윤을 더한 금액이어야 한다. 적정 이윤에 대한 보상은 해당 계약에 따른 예상 이윤과 동일할 필요는 없지만 ㈎ 계약상 예상 이윤 중 계약 종료 전 기업이 수행한 정도를 합리적으로 반영하는 부분에 대한 보상이거나 ㈏ 계약 특유의 이윤이 비슷한 계약보다 더 높은 경우라면 비슷한 계약에서 기업의 자본원가에 대한 적정한 보상(또는 비슷한 계약에서 기업의 일반적인 영업 이윤)이어야 한다.

한편 고객이 계약을 종료할 권리 없이 계약을 종료하려 해도 계약이나 그 밖의 법률에 따라 기업이 계속 계약상 약속한 재화나 용역을 고객에게 이전하고 그 재화나 용역과 교환하여 약속한 대가를 지급하도록 고객에게 요구할 수 있는 권리를 가진다면 기업은 지금까지 수행을 완료한 부분에 대해 지급청구권을 가지는 것이다. 이 경우 기업은 계약에 따라 자신의 의무를 계속 수행하고 고객에게 약속한 대가의 지급을 요구할 권리가 있기 때문이다. 지급청구권과 관련하여 한국회계기준원에서 공개한 질의회신 사례는 다음과 같다.

(2017 기준원 질의회신) 고객의 채무불이행에 따른 계약 종료 시 기업의 지급청구권 보유 여부

회사는 고객과 체결한 선박 건조계약에 따라 회사가 수행하여 만든 자산이 기준서 제1115호 문단 35(3)에서 규정하는 '기업 자체에는 대체 용도가 없다'는 조건을 충족한다고 판단하였다. 회사가 생산하는 선박은 전 건조과정에서 고객이 관리, 감독을 하고, 고객의 설계 사양에 맞추어 제작되므로 건조 중에 혹은 완료 후에 회사가 해당 자산을 재판매하기 위해서는 유의적인 추가 원가가 소요되거나 손실이 발생할 가능성이 높기 때문이다. 고객은 규정한 성능에 일치하지 않거나 납기 지연 사유로만 계약을 취소할 수 있다. 고객이 지급기일까지 대금을 지급하지 않아 회사가 계약을 종료하는 경우, 회사는 선박 건조를 완료하지 않고 해당 자산을 재판매하거나 건조를 완료한 후 재판매할 수 있다. 회사는 이 경우에도 재판매에 드는 비용, 판매시점까지의 원가, 합리적 수준의 이익 등이 보상되도록 재판매금액과의 차액을 고객에게 청구할 수 있다. 이러한 계약에서 회사는 기준서 제1115호 문단 35(3)에 따른 지급청구권을 보유하는가?

기준서 제1115호 문단 B11을 적용하여 고객의 채무불이행 시 회사가 계약상 약속한 재화를 고객에게 계속 이전할 수 있는 권리가 있고, 고객에게 그 대가의 지급을 요구할 수 있다면 문단 35(3)에 따라 회사에 지금까지 수행을 완료한 부분에 대해 지급청구권이 있다. 다만, 문단 B12에 따라 해당 지급청구권의 존재와 그 권리의 집행가능성은 회사가 판단하여야 하며 이때, 계약 조건을 보충하거나 무효화할 수 있는 법률이나 판례도 참고하여야 한다.

기준서 제1115호 문단 32에 따라 수행의무를 한 시점에 이행하는지, 기간에 걸쳐 이행하는지는 계약 개시시점에 판단하여야 하므로 해당 기준서의 문단 37과 B9는 고객에게 계약을 종료할 권리가 있는 경우에 적용할 수 있는 것으로 판단된다.

질의의 경우, 고객의 채무불이행 시에 계약을 종료할 수 있는 권리(종료 여부를 선택할 수 있는 권리)가 고객에게는 없고 회사에게만 있기 때문에 기준서 제1115호 문단 B11을 적용해야 한다.

(2018 기준원 질의회신) 고객의 계약종료권과 제작물의 폐기 요구권이 기업의 지급청구권 보유여부에 영향을 미치는가

회사는 물류시스템 구축 사업을 주된 사업으로 하고 있다. 물류시스템의 구축은 일반적으로 회사 내(외주사 포함)에서 설계 및 부분품 제작이 이루어지며, 제작된 부분품 등은 고객사 사이트로 이동 후 고객사 제조라인에 적합화 하는 기반 공사작업을 거쳐 조립 및 설치된다. 회사는 해당 계약에서 고객에게 이전하기로 약속한 모든 재화나 용역을 하나의 수행의무로 식별하고 있다.

물류시스템의 구축			
회사			고객사

설계 및 부분품 제작 ⇨ 고객사로 부분품 이동 ⇨ 제조라인 적합화 ⇨ 최종 설치

해당 계약에서는 회사의 대체 용도를 제한하는 조항이 존재하고, 제작 중 혹은 완성한 제작물은 비밀유지약정에 따라 회사가 임의로 처분할 수 없다. 또 회사는 철저히 고객사의 지시에 따라 설계하고, 그에 따른 물류시스템 등의 주문 제작 및 설치 공사를 진행하고 있어, 본 고객사 외 타 고객으로 전용이 불가능하다.

해당 계약에 따라 고객에게 일방적으로 계약을 종료할 권리가 있고 계약이 완료되기 전에 고객이 계약을 종료하면 고객의 요구에 따라 제작물을 폐기해야 할 수도 있다. 회사가 제시한 법률검토의견에 따르면, 고객과의 계약이 완료되기 전에 고객이 계약을 종료하는 경우(종료의 원인이 회사의 잘못이 아님) 회사는 종료 시점까지 수행한 부분에 대하여 이윤을 포함한 대가(원가+이윤 상당액)를 청구할 수 있다.

이러한 계약의 경우, 회사는 기준서 제1115호 '고객과의 계약에서 생기는 수익' 문단 35⑶에 따른 집행 가능한 지급청구권을 가지고 있는가? (동 기준서 문단 35⑴과 35⑵ 요건의 충족 여부는 질의 대상에서 제외하며, 동 계약에 따라 기업이 수행하여 만든 자산이 기업 자체에는 대체용도가 없다고 가정한다)

고객이 계약을 종료하는 경우에 회사가 적어도 그 시점까지 수행을 완료한 부분에 대해 보상하는 금액을 고객으로부터 받을 권리가 있다면 기준서 제1115호 문단 35⑶과 B9에 따라 집행 가능한 지급청구권이 있다. 다만, 기준서 제1115호 문단 B12에 따라 해당 지급청구권의 존재와 그 권리의 집행가능성을 판단하기 위해서는 계약 조건을 보충하거나 무효화할 수 있는 법률이나 판례도 참고하여야 한다.

회사가 약속한 대로 수행하지 못했기 때문이 아니라 그 밖의 사유로 고객이 계약을 종료하는 경우에는 기준서 제1115호 문단 B9, B12 등을 적용하여 지급청구권 유무를 판단한다. 즉, 고객이 계약을 일방적으로 종료하는 경우(종료의 원인이 회사의 잘못이 아님)에 적어도 지금까지 수행을 완료한 부분에 대해 보상하는 금액을 받을 권리가 회사에게 있다면 집행 가능한 지급청구권이 있다.

4) 진행률 측정 방법

수행의무가 기간에 걸쳐 이행된다면 그 수행의무 완료까지의 진행률을 측정해야 한다. 진행률을 측정하는 목적은 고객에게 약속한 재화나 용역에 대한 통제를 이전(기업의 수행의무 이행)하는 과정에서 기업의 수행 정도를 나타내기 위한 것이다.

적절한 진행률 측정 방법에는 산출법과 투입법이 포함된다. 기업은 기간에 걸쳐 수행

의무가 수행된 정도를 적절히 나타내는 방법을 사용하여야 한다.

① 산출법

산출법은 계약에서 약속한 재화나 용역의 나머지 부분의 가치와 비교하여 지금까지 이전한 재화나 용역이 고객에 주는 가치의 직접 측정에 기초하여 수익을 인식하는 방법이다. 지금까지 수행을 완료한 정도를 조사, 달성한 결과에 대한 평가, 도달한 단계, 경과한 시간, 생산한 단위나 인도한 단위와 같은 방법이 포함된다. 산출법을 적용하려는 경우 선택한 산출물이 수행의무의 완료 대비 기업의 수행 정도를 충실하게 나타내는지를 고려한다. 예를 들어 고객이 통제하는 재공품을 생산하였으나 산출물의 측정에 포함되지 않는다면 이는 기업의 수행 정도를 충실하게 나타내지 못하는 것이다.

산출법의 한 방법으로 기업의 수행에 따라 고객에게 주는 가치에 직접 상응하는 금액을 고객에게서 받을 권리가 있는 경우(예 : 용역 시간당 고정금액을 청구할 수 있는 용역계약) 기업은 청구권이 있는 금액으로 수익을 인식하는 실무적 간편법을 쓸 수 있다. 한편 진행률 측정에 사용하는 산출물을 직접 관측할 수 없거나 필요한 정보를 구하는데에 과도한 원가가 드는 경우 투입법의 사용을 고려한다.

② 투입법

투입법은 해당 수행의무의 이행에 예상되는 총 투입물 대비 수행의무를 이행하기 위한 기업의 노력이나 투입물(예 : 소비한 자원, 사용한 노동시간, 발생원가, 경과한 시간, 사용한 기계시간)에 기초하여 수익을 인식하는 것이다. 투입법을 적용하려는 경우 기업의 투입물과 고객에게 재화나 용역에 대한 통제를 이전하는 것 사이에 직접적인 관계가 있는지를 고려한다. 고객에게 재화나 용역에 대한 통제를 이전하는 과정에서 기업의 수행 정도를 나타내지 못하는 투입물의 영향은 진행률 측정에서 제외하여야 한다. 예를 들어, 기업의 유의적인 비효율 때문에 든 원가(예 : 수행의무를 이행하기 위해 들었으나 예상 밖으로 낭비된 재료원가, 노무원가, 그 밖의 자원의 원가)에 기초하여 수익을 인식하지 않는다.

기간에 걸쳐 이행하는 각 수행의무에는 하나의 진행률을 적용하며 비슷한 상황에서의 비슷한 수행의무에는 그 방법을 일관되게 적용한다. 기간에 걸쳐 이행하는 수행의무의 진행률은 보고기간 말마다 다시 측정한다. 시간이 흘러 상황이 바뀐다면 수행의무의 결과 변동을 반영하기 위해 진행률을 새로 수정한다. 이러한 진행률의 변동은 기준서 제1008호 '회계정책, 회계추정의 변경 및 오류'에 따라 회계추정의 변경으로 회계처리한다.

수행의무의 진행률을 합리적으로 측정할 수 있는 경우에만 기간에 걸쳐 이행하는 수행의무에 대한 수익을 인식한다. 적절한 진행률 측정방법으로 적용하는 데 필요한 신뢰할 수 있는 정보가 부족하다면 수행의무의 진행률을 합리적으로 측정할 수 없을 것이다. 수행의무의 결과를 합리적으로 측정할 수 없으나, 수행의무를 이행하는 동안에 드는 원가는 회수될 것으로 예상한다면, 수행의무의 결과를 합리적으로 측정할 수 있을 때까지 발생원가의 범위에서만 수익을 인식한다.

기간에 걸쳐 이행하는 수행의무에 대한 회계처리를 아래 건설계약 사례를 통해 알아보도록 한다.

가. 투입법을 사용한 수익 계산

진행기준 하에서 수익은 계약금액에 보고기간말 현재의 계약의 진행률을 적용하여 인식한 누적수익에서 전기 말까지 계상한 누적수익을 차감하여 산출한다.

> 당기수익 = 계약금액 × 진행률 - 전기 말까지 계상된 누적수익

이 경우 수익은 그 공사가 수행된 회계기간별로 인식하여야 하며, 건설사업자가 발주자로부터 지급받을 계약금액에 근거하여 계상함을 원칙으로 한다.

진행률 계산

계약의 진행률을 구할 때 실 공사를 완성하는 데 필요한 총추정원가와 당기까지 발생한 누적원가와의 비율에 의해 진행률을 산정하는 방법을 투입법을 사용할 수 있다. 공사를 완성하는 데 필요한 총원가를 추정한 후에 새로운 정보가 추가되어 총원가추정액이 변경되는 경우에는 가장 최근에 추정된 총원가추정액을 기준으로 다음의 식에 의해 계약의 진행률을 결정한다.

> $$\text{진행률} = \frac{\text{당기 말까지 실제로 발생한 누적계약원가}}{\text{가장 최근의 총원가추정액}}$$
>
> 당기수익 = 총수익의 추정액 × 진행률 - 전기까지 인식된 수익의 누적액

사례 1 (주)삼일은 아파트를 신축분양하기로 하고 토지를 취득하였다. 20×7. 1. 1.에 분양을 실시하여 100% 분양하였으며, 아파트 신축과 관련된 자료는 다음과 같다.

- 아파트분양가액   ₩600,000,000
- 토지를 제외한 총공사예정원가   ₩300,000,000
- 토지의 취득원가   ₩200,000,000
- 토지를 제외한 20×7년도의 원가   ₩120,000,000

① 계약의 진행률 :

$$\frac{120,000,000}{300,000,000} = 40\%$$

② 토지의 취득원가 중 원가에 산입될 금액 :

$$200,000,000 \times 40\% = 80,000,000$$

③ 20×7년도 원가합계액 :

$$120,000,000 + 80,000,000 = 200,000,000$$

② 20×7년도에 계상할 수익 :

$$600,000,000 \times 40\% = 240,000,000$$

사례 2 (주)삼일은 공사 계약금액이 ₩350,000,000인 건설공사에 대해 제1기에 총공사예정원가를 ₩200,000,000으로 추정하였으나 제2기에 추정총공사원가를 ₩300,000,000으로 재추정하였다. 또한 제1기의 실제 발생원가는 ₩50,000,000이었으며 제2기는 ₩150,000,000, 제3기는 ₩100,000,000이었다. 당기수익 및 이익을 계산하면 다음과 같다.

(제1기) 당기수익* $= ₩350,000,000 \times \dfrac{₩50,000,000}{₩200,000,000} = ₩87,500,000$

　　　　당기이익 $= ₩87,500,000 - ₩50,000,000 = ₩37,500,000$

(제2기) 당기수익* $= ₩350,000,000 \times \dfrac{₩200,000,000^{**}}{₩300,000,000} - ₩87,500,000 = ₩145,833,333$

　　　　당기이익 $= ₩145,833,333 - ₩150,000,000 = (₩4,166,667)$

(제3기) 당기수익* $= ₩350,000,000 \times \dfrac{₩300,000,000}{₩300,000,000} - ₩233,333,333^{***} = ₩116,666,667$

　　　　당기이익 $= ₩116,666,667 - ₩100,000,000 = ₩16,666,667$

　* 수익 = 총수익추정액(공사도급금액) × 계약의 진행률 - 전기까지 인식된 수익의 누적액

　　계약의 진행률 $= \dfrac{\text{당기 말까지 실제로 발생한 누적원가}}{\text{가장 최근의 총원가추정액}}$

　** ₩50,000,000(전기계약원가) + ₩150,000,000(당기계약원가) = ₩200,000,000(누적계약원가)

　*** $₩350,000,000 \times \dfrac{₩200,000,000}{₩300,000,000} = ₩233,333,333$(제2기까지의 누적수익인식액)

사례 3 공사진행기준에 의한 회계처리

진행기준에 따른 건설공사의 회계처리를 살펴보면 다음과 같다.

가. 발생원가의 회계처리

(차) 재 료 비	×××	(대) 현금 및 현금성자산	×××
노 무 비	×××		
경 비	×××		
외 주 비	×××		

상기 회계처리에서 비용발생은 모두 현금으로 이루어진 것으로 가정하였다.

나. 발생원가의 계약원가대체 – 기말시점

기말시점에서는 다음과 같이 기발생된 원가를 계약원가로 대체한다.

(차) 계 약 원 가	×××	(대) 재 료 비	×××
		노 무 비	×××
		경 비	×××
		외 주 비	×××

다. 시공주의 기성고 확인부분의 수익인식

일반적으로 도급공사에 있어서는 계약 당시 일정 기간별로, 혹은 일정 기성비율 간격으로 시공주가 기성고를 확인하고 이에 대한 대금을 지불하기로 약정한다. 또한 기성고를 확인하는 시점에서 건설회사는 세금계산서를 교부한다.

기성고가 확인되는 시점에서는 다음과 같이 계약수익(매출액)을 인식하고 실제 대금이 회수될 때까지 공사미수금(매출채권)을 계상한다.

(차) 공 사 미 수 금	×××	(대) 공 사 수 익	×××

라. 계약의 진행률에 의한 수익인식 – 기말시점

기중에 기성고가 확인되어 일부 수익이 인식되었다 하더라도 기말시점에서는 계약의 진행률에 의한 수익인식금액을 확정하여야 한다. 즉, 기말시점에서 1년간의 계약의 진행률에 의하여 수익으로 인식해야 할 총금액에서 연중 기성확인되어 이미 수익으로 인식한 부분(시공주에게 대금을 청구한 금액)을 차감한 금액을 기말에 추가로 수익으로 인식한다.

회계처리는 기성확인이 되어 수익으로 인식하는 경우와 같다.

(차) 계 약 자 산	×××	(대) 공 사 수 익	×××

만일 연간 계약의 진행률에 의한 수익인식금액이 기성확인으로 이미 수익으로 인식한 금액보다 작으면 그 차이금액을 다음과 같이 조정한다.

(차) 공　사　수　익　　　×××　　(대) 계　약　부　채　　　×××

나. 계약수익 추정치의 변경

기간에 걸쳐 수익을 인식하는 수행의무는 매 회계기간마다 누적적으로 수익을 추정하며, 수익에 대한 추정치 변경의 효과는 회계추정의 변경으로 회계처리한다. 즉, 변경된 추정치는 변경이 이루어진 회계기간과 그 이후 회계기간의 손익계산서상 인식되는 수익과 비용의 금액 결정에 사용된다.

> **사례 진행기준에 의한 회계처리 사례**
>
> (주) 한강은 20×6. 1. 5. (주)용산과 공장건설계약을 맺었다. 총공사계약금액은 ₩120,000,000 이며 공사가 완성된 20×8. 12. 31.까지 건설과 관련된 회계자료는 다음과 같다. 단, 해당 건설의무는 기간에 걸쳐 수익을 인식해야 하는 조건을 만족하여 진행기준에 따라 수익을 인식하고 있으며, 계약의 진행률 및 수익·비용의 인식은 투입원가를 기준으로 측정하고 있다.

	20×6	20×7	20×8
당기발생원가			
재　료　비	₩8,000,000	₩17,000,000	₩32,000,000
노　무　비	16,000,000	29,000,000	41,000,000
경　　　비	1,000,000	4,000,000	7,000,000
계	₩25,000,000	₩50,000,000	₩80,000,000
기말까지 실제로 발생한 누적원가	₩25,000,000	₩75,000,000	₩155,000,000
추가로 소요될 원가의 추정액	50,000,000	75,000,000	–
총계약원가추정액	₩75,000,000	₩150,000,000	₩155,000,000
당기기성고확인액 (기말까지 모두 회수됨)	₩35,000,000	₩40,000,000	₩45,000,000

상기 자료를 근거로 매년의 회계처리를 살펴보면 다음과 같다.

1. 기초자료의 계산

	20×6	20×7	20×8
㉠ 계약의 진행률(누적)	33.3%[1]	50%[2]	100%
㉡ 총공사계약금액	₩120,000,000	₩120,000,000	₩120,000,000
㉢ 기말까지 인식할 누적수익(㉠×㉡)	₩40,000,000	₩60,000,000	₩120,000,000
㉣ 당기수익	₩40,000,000	₩20,000,000[3]	₩60,000,000[4]
㉤ 당기공사비용	₩25,000,000	₩50,000,000	₩80,000,000
㉥ 당기공사이익(㉣－㉤)	₩15,000,000	(₩30,000,000)	(₩20,000,000)

주1) ₩25,000,000÷₩75,000,000=33.3%

주2) ₩75,000,000÷₩150,000,000=50%

주3) ₩60,000,000(누적수익액) − ₩40,000,000(전기 수익인식액)=₩20,000,000

주4) ₩120,000,000 − ₩60,000,000(전기이전 누적수익인식액)=₩60,000,000

2. 20×6년

• 원가 발생시(모두 현금지급 가정)

(차)	재 료 비	8,000,000	(대)	현금및현금성자산	25,000,000
	노 무 비	16,000,000			
	경 비	1,000,000			

• 기성고 인식에 따른 공사대금 청구

| (차) | 공 사 미 수 금 | 35,000,000 | (대) | 공 사 수 익 | 35,000,000 |

• 공사대금 회수(모두 현금회수 가정)

| (차) | 현 금 및 현금성자산 | 35,000,000 | (대) | 공 사 미 수 금 | 35,000,000 |

• 원가대체 − 기말시점

(차)	공 사 원 가	25,000,000	(대)	재 료 비	8,000,000
				노 무 비	16,000,000
				경 비	1,000,000

• 공사수익인식 − 기말시점

| (차) | 계 약 자 산 | 5,000,000* | (대) | 공 사 수 익 | 5,000,000 |

* 20×6년 수익인식액 − 기성고수익인식액=₩40,000,000 − ₩35,000,000=₩5,000,000

3. 20×7년

• 진행률에 따른 수익인식액 계정대체* − 20×7. 1. 1. 시점

| (차) | 공 사 수 익 | 5,000,000 | (대) | 계 약 자 산 | 5,000,000 |

* 당기에 기성고 확인에 의해 수익을 인식할 때 전기 말 시점에서 진행률에 따른 수익인식액과의 차이만을 인식해도 좋으나, 회계처리상 전기 말 시점에서 계약의 진행률에 의하여 수익으로 인식한 부분을 기초시점에서 반대 분개하고, 당기 기성고 인식에 따른 수익인식액을 총액으로 표시하는 것이 편리하다.

• 공사원가 발생시

(차)	재 료 비	17,000,000	(대)	현 금 및 현금성자산	50,000,000
	노 무 비	29,000,000			
	경 비	4,000,000			

• 기성고 인식에 따른 공사대금 청구

| (차) | 공 사 미 수 금 | 40,000,000 | (대) | 공 사 수 익 | 40,000,000 |

• 공사대금 회수

(차) 현금 및 현금성자산   40,000,000   (대) 공 사 미 수 금   40,000,000

• 공사원가대체 – 기말시점

(차) 공 사 원 가   50,000,000   (대) 재   료   비   17,000,000
                                             노   무   비   29,000,000
                                             경   비   4,000,000

• 공사수익인식 – 기말시점

(차) 공 사 수 익*   15,000,000   (대) 계 약 부 채   15,000,000

    * 당기 말 현재 누적수익인식액 – 누적대금회수액
      = ₩60,000,000 – ₩75,000,000(₩35,000,000 + ₩40,000,000)
      = (₩15,000,000)
    기말 현재 수익으로 인식해야 할 금액보다 ₩15,000,000만큼 더 수익으로 인식했으므로, 동 금액은 수익에서 차감하고 상대계정은 계약부채로 처리한다.

• 공사손실예상액의 회계처리

(차) 예 상 공 사 손 실*   15,000,000   (대) 충 당 부 채   15,000,000

    * 20×7. 12. 31. 현재 추정치에 의하면 20×8년에 수익으로 인식할 금액이 ₩60,000,000인 데 반하여, 추가소요 공사원가가 ₩75,000,000이므로 ₩15,000,000만큼의 공사손실이 발생될 것이 예상된다. 따라서 동 금액을 기준서 제1037호 충당부채, 우발부채, 우발자산에 따라 예상공사손실(원가)로 회계처리한다.

4. 20×8년

• 계약의 진행률에 따른 수익인식액 계정대체* – 20×8. 1. 1.

(차) 계 약 부 채   15,000,000   (대) 공 사 수 익   15,000,000

    * 전기 말에 수익에서 차감하고 계약부채로 계상한 금액을 회계처리상의 편의를 위해 기초시점에 역분개한다.

• 공사원가 발생시

(차) 재   료   비   32,000,000   (대) 현금 및 현금성자산   80,000,000
     노   무   비   41,000,000
     경   비   7,000,000

• 기성고 인식에 따른 공사대금 청구

(차) 공 사 미 수 금   45,000,000   (대) 공 사 수 익   45,000,000

• 공사대금 회수

(차) 현금및현금성자산   45,000,000   (대) 공 사 미 수 금   45,000,000

- 공사원가대체 – 기말시점

(차) 공 사 원 가	80,000,000	(대) 재 료 비	32,000,000
		노 무 비	41,000,000
		경 비	7,000,000

- 공사수익인식 – 기말시점

기성고 확인에 따라 이미 모두 수익으로 인식하였으므로 추가분개는 필요 없다.

- 공사예상손실의 환입* – 기말시점

(차) 충 당 부 채	15,000,000	(대) 공 사 예 상 손 실 환 입	15,000,000

* 20×8년에는 ₩60,000,000(₩15,000,000＋₩45,000,000)의 수익을 인식했으나 실제 공사비용은 ₩80,000,000
이 발생하였다.
따라서 ₩20,000,000의 당기공사손실을 기록하게 되겠으나, 이 중 ₩15,000,000만큼은 전기 말 시점에서
손실이 예상된 것으로서 이미 비용계상되었으므로 당기의 손익계산서에는 ₩5,000,000만큼의 공사손실만이
기록된다.
즉, 상기 예상공사손실은 당기계약원가에서 차감하게 되므로 손익계산서에는 다음과 같이 표시된다.

(단위 : 원)

Ⅰ. 공 사 수 익		60,000,000
Ⅱ. 공 사 원 가		
1. 공 사 원 가	80,000,000	
2. 예 상 공 사 손 실	(15,000,000)	65,000,000
Ⅲ. 매출총손실(공사손실)		(5,000,000)

다. 계약변경에 따른 계약수익의 인식

계약변경이란 계약 당사자들이 승인한 계약의 범위나 계약가격의 변경을 의미한다.
계약변경으로 구별되는 재화나 용역의 추가되고, 추가되는 용역의 개별판매가격만큼 계
약가격이 조정된다면, 별도의 계약으로 회계처리한다.

다음 두 가지 조건을 모두 충족하는 경우에는 계약변경을 별도의 계약으로 회계처리
한다(기준서 제1115호 문단 20).

- 구별되는 약속한 재화나 용역이 추가되어 계약의 범위가 확장된다.
- 계약가격이 추가로 약속한 재화나 용역의 개별 판매가격에 특정 계약 상황을 반영
하여 적절히 조정한 대가(금액)만큼 상승한다.

위의 두 가지 조건을 만족하지 않고, 이전되지 않은 약속한 재화나 용역이 구별된다
면, 기존 계약은 종료하고 새로운 계약이 체결된 것처럼 회계처리하고, 나머지 수행의무
에 배분되는 금액은 고객이 약속한 대가 중 아직 수익으로 인식하지 않은 금액과 계약
변경의 일부로 약속한 대가의 합계로 한다.

나머지 재화나 용역이 구별되지 않아서 계약변경일에 부분적으로 이행된 단일 수행의무의 일부를 구성한다면 그 계약변경은 기존계약의 일부인 것처럼 회계처리한다. 계약변경이 거래가격과 수행의무의 진행률에 미치는 영향은 계약변경일에 수익을 조정하여 수익을 누적효과 일괄조정기준으로 조정한다.

> **사례** **변경에 따른 수익의 누적효과 일괄조정(기준서 제1115호 사례 8)**
>
> 기업(건설회사)은 1백만원의 약속된 대가로 고객에게 고객 소유의 토지에 상업용 건물을 건설해주고, 그 건물을 24개월 이내에 완성할 경우에는 200,000원의 보너스를 받는 계약을 체결하였다. 고객은 건물을 건설하는 동안 통제하므로, 기업은 기준서 제1115호 문단 35(2)에 따라 약속된 재화와 용역의 묶음을 기간에 걸쳐 이행하는 단일 수행의무로 회계처리한다. 계약 개시시점에 기업은 다음과 같이 예상한다.
>
> | | |
> |---|---|
> | • 거래가격 | ₩1,000,000 |
> | • 예상원가 | ₩700,000 |
> | • 예상이익(30%) | ₩300,000 |
>
> 계약 개시시점에 기업은 거래가격에서 보너스 200,000원을 제외한다. 이미 인식한 누적 수익금액 중 유의적인 부분을 되돌리지 않을 가능성이 매우 높다고 결론지을 수 없기 때문이다. 건물의 완공은 날씨와 규제 승인을 포함하여 기업의 영향력이 미치지 못하는 요인에 매우 민감하다. 그리고 기업은 비슷한 유형의 계약에 대한 경험도 적다.
>
> 기업은 발생원가에 기초한 투입측정법이 수행의무의 적절한 진행률이 된다고 판단한다. 1차 연도 말에 기업은 총 예상원가(700,000원) 대비 지금까지 든 원가(420,000원)를 기초로 수행의무의 60%를 이행하였다. 기업은 변동대가를 다시 평가하고 그 금액이 기업회계기준서 제1115호 문단 56~58에 따라 아직 제약을 받는다고 결론짓는다. 따라서 1차 연도에 인식한 누적 수익과 누적 원가는 다음과 같다.
>
> | | |
> |---|---|
> | • 수익 | ₩600,000 |
> | • 원가 | ₩420,000 |
> | • 총이익 | ₩180,000 |

(2) 한 시점에 이행하는 수행의무

수행의무가 기간에 걸쳐 이행하는 수행의무의 기준 중 어느 하나도 충족하지 못하면, 그 수행의무는 한 시점에 이행되는 것이다. 기업이 수행의무를 이행하는 시점을 판단하기 위해서는 고객이 자산을 언제 통제하는지에 대한 판단이 필요하다. 고객이 통제를 획득했는지에 대한 다섯 가지 지표는 다음과 같다(기준서 제1115호 문단 38).

① 기업은 자산에 대해 현재 지급청구권이 있다.

② 고객에게 자산의 법적 소유권이 있다.

③ 기업이 자산의 물리적 점유를 이전하였다.

④ 자산의 소유에 따른 유의적인 위험과 보상이 고객에게 있다.

⑤ 고객이 자산을 인수하였다.

1) 통제 이전 지표

위에서 언급한 다섯 가지 지표를 살펴보면 아래와 같다.

① 기업은 자산에 대해 현재 지급청구권이 있다.

고객이 자산에 대해 지급할 현재 의무가 있다면, 이는 고객이 교환되는 자산의 사용을 지시하고 자산의 나머지 효익의 대부분을 획득할 능력을 갖게 되었음을 나타낼 수 있다.

② 고객에게 자산의 법적 소유권이 있다.

법적 소유권은 계약 당사자 중 누가 '자산의 사용을 지시하고 자산의 나머지 효익의 대부분을 획득할 능력이 있는지' 또는 '그 효익에 다른 기업이 접근하지 못하게 하는 능력이 있는지'를 나타낼 수 있다. 그러므로 고객에 자산의 법적 소유권을 이전하는 것은 자산을 고객이 통제하게 되었음을 나타낼 수 있다.

어떤 경우에는 법적 소유권을 이전하지 않았지만 통제를 이전했을 수 있다. 고객의 지급불이행에 대비한 안전장치로서만 기업이 법적 소유권을 보유한다면, 그러한 기업의 권리가 고객이 자산을 통제하게 되는 것을 막지는 못할 것이다.

③ 기업이 자산의 물리적 점유를 이전하였다.

자산에 대한 고객의 물리적 점유는 고객이 '자산의 사용을 지시하고 자산의 나머지 효익의 대부분을 획득할 능력'이 있거나 '그 효익에 다른 기업이 접근하지 못하게 하는 능력'이 있음을 나타낼 수 있다. 그러나 물리적 점유는 자산에 대한 통제와 일치하지 않을 수 있다. 예를 들면 일부 재매입약정이나 위탁약정에서는 고객이나 수탁자가 기업이 통제하는 자산을 물리적으로 점유할 수 있다. 이와 반대로, 일부 미인도청구약정에서는 고객이 통제하는 자산을 기업이 물리적으로 점유할 수 있다.

④ 자산의 소유에 따른 유의적인 위험과 보상이 고객에게 있다.

자산의 소유에 따른 유의적인 위험과 보상이 고객에게 이전되었다는 것은 자산의 사용을 지시하고 자산의 나머지 효익의 대부분을 획득할 능력이 고객에게 있음을 나타낼 수 있다. 그러나 약속된 자산의 소유에 따른 위험과 보상을 평가할 때, 별도의 수행의무를 생기게 할 위험은 고려하지 않는다. 예를 들면 기업이 고객에게 자산에 대한 통제를 이전하였으나 이전한 자산과 관련된 유지용역을 제공해야 하는 추가되는 수행의무는 아직 이행하지 못하였을 수 있다.

⑤ 고객이 자산을 인수하였다.

고객이 자산을 인수한 것은 고객이 자산을 통제하게 됨을 나타낼 수 있다. 고객 인수 조건은 재화나 용역이 계약상 요구사항을 충족하지 못한 경우 고객이 계약을 취소하거나 판매자에게 시정조치를 강제할 수 있도록 허용하여 고객을 보호한다.

단지 형식적인 고객의 인수는 통제가 이전되는지 판단하는 데 영향을 미치지 않는다. 계약에서 합의한 규격에 따라 재화나 용역에 대한 통제가 고객에게 이전되었음을 객관적으로 판단할 수 있다면, 고객의 인수가 고객이 재화나 용역을 언제 통제하는 지 판단하는 데에 영향을 미치지 않는 형식적인 것이다(기준서 제1115호 문단 B84).

반대로 인수 조건을 객관적으로 판단할 수 없다면, 고객이 인수할 때까지 고객이 통제하게 되었다고 결론내릴 수 없을 것이다. 시험 평가 목적으로 제품을 고객에게 인도하고 고객이 시험기간이 경과할 때까지 어떠한 대가도 지급하지 않기로 확약한 경우에 고객이 제품을 인수하는 때나 시험기간이 경과할 때까지 제품에 대한 통제는 고객에게 이전되지 않은 것이다(기준서 제1115호 문단 B85, B86).

다음은 수익인식 원칙 적용의 예이다.

사례 1 매입한 상품이 같은 회계기간에 판매되는 경우

원가 ₩5,000의 상품을 매입하여 같은 해에 ₩8,000에 판매(인도)하였고 소유권도 이전하였다.

첫해에 판매 계약이 있었으며 인도시점에 상품에 대한 통제가 이전되었다고 판단하였다. 그러므로 ₩8,000의 수익을 인식하게 된다. 동 회계기간 말에 상품구입대금 ₩5,000은 자산으로 인식할 수 없다. 미래의 경제적효익을 제공하지 않기 때문이다(그러한 효익은 판매 대금의 형태로 이미 수령하였다). 그러므로 ₩5,000만큼 매출원가로 인식된다.

사례 2 매입한 상품이 다음 회계기간에 판매되는 경우

첫해에 원가 ₩5,000의 상품을 매입하였으며 다음 해에 ₩8,000에 동 상품을 판매(인도)하고 소유권도 이전하였다.

첫해말에는 상품에 대한 통제가 고객에게 이전되지 않았기 때문에 수익을 인식하지 않는다. 상품원가 ₩5,000원은 과거 사건의 결과로 기업이 통제할 수 있으며 미래경제적효익을 창출할 수 있는 자원이므로 자산으로 인식한다. 즉 ₩5,000은 재고자산으로 기록된다.

다음 해에 ₩8,000의 수익이 인식된다. 동시에 재고가 상쇄되어 ₩5,000의 매출원가가 기록된다. 재고가 판매되어 향후 기대되는 미래경제적효익이 없기 때문이다.

사례 3 **매입한 상품이 다음 회계기간에 판매, 판매대금은 선수령한 경우**

원가 ₩5,000의 상품을 첫해에 매입하였다. A고객이 상품을 주문하고 두 번째 해에 ₩2,000을 선지급하였다. 세 번째 해에 재고가 인도되었으며 대금 잔액 ₩6,000이 지급되었다.

첫해 말에는 판매 거래가 없으므로 수익을 인식하지 않는다. 상품원가 ₩5,000원은 과거 사건의 결과로 기업이 통제할 수 있으며 미래경제적효익을 창출할 수 있는 자원이므로 자산으로 인식한다. 즉 ₩5,000은 재고자산으로 기록된다.

두 번째 해에 고객이 상품을 주문하였지만 재고자산의 통제가 고객에게 이전되지 아니하였으므로 수익을 인식할 수 없다. 단 고객이 선지급한 ₩2,000은 재고가 인도되는 시점까지 계약부채로 인식한다.

세 번째 해에 상품이 인도되고 ₩8,000의 수익이 인식된다(계약부채로 인식한 ₩2,000이 제거되고 ₩6,000은 이번 해에 수령하였다). 재고자산 ₩5,000원은 더 이상 회사가 통제를 보유하고 있지 않으므로 미래의 매출원가로 계상된다.

2) 재매입약정

고객에게 수행의무에 대한 통제가 이전되어야 수익을 인식한다. 고객에게 자산을 판매하고 다시 그 자산을 사기로 하는 재매입약정이 있는 경우에는 해당 자산의 통제가 이전되었는지 여부를 다시 판단하여야 한다.

재매입약정이란 자산을 다시 사야하는 의무(선도), 자산을 다시 살 수 있는 기업의 권리(콜옵션) 그리고 고객이 요청하면 자산을 다시 사야하는 기업의 의무(풋옵션)가 있다.

① 선도나 콜옵션

기업이 자산을 다시 사야하는 의무(선도)나 다시 살 수 있는 기업의 권리(콜옵션)가 있다면, 고객은 그 자산을 통제하지 못한다. 기업은 고객에게 자산을 이전했지만, 기업이 해당 자산을 다시 살 수 있는 권리가 있기 때문에 고객은 해당 자산을 통제할 수 없기 때문에 기업은 수익을 인식하지 않고, 기업이 고객에게 지급하는 대가와 고객이 기업에 지급하는 대가를 비교한다.

재매입가격과 자산의 원래 판매가격에 따라 아래와 같이 회계처리 한다(기준서 제1115호 문단 B66).

- 재매입가격 < 자산의 원래 판매가격 : 기준서 제1116호에 따른 리스계약
- 재매입가격 ≥ 자산의 원래 판매가격 : 금융약정

재매입 가격을 판매가격과 비교할 때 화폐의 시간가치를 고려한다(기준서 제1115호 문단 B67).

재매입약정이 금융약정이라면, 기업은 자산을 계속 인식하고 고객에게서 받은 대가는 금융부채로 인식한다. 고객에게서 받은 대가(금액)와 고객에게 지급해야 하는 대가(금액)의 차이를 이자로 인식하고, 해당되는 경우에는 처리원가나 보유원가(예 : 보험)로 인식한다(기준서 제1115호 문단 B68).

옵션이 행사되지 않은 채 소멸된다면 부채를 제거하고 수익을 인식한다(기준서 제1115호 문단 B69).

사례 **기업이 콜옵션을 보유한 경우(기준서 제1115호 사례 62 A)**

기업은 20×7년 1월 1일에 유형자산을 1백만원에 판매하기로 고객과 계약을 체결하고 1백만원을 받고 유형자산을 고객에게 인도하였다. 계약에는 20×7년 12월 31일 이전에 그 자산을 1.1백만원에 다시 살 권리를 기업에 부여하는 콜옵션이 포함된다. 자산에 대한 통제는 20×7년 1월 1일에 고객에게 이전되지 않는다. 기업이 자산을 다시 살 권리가 있고 따라서 고객은 그 자산의 사용을 통제하고 나머지 효익의 대부분을 얻을 수 있는 능력이 제한되기 때문이다. 따라서, 기준서 제1115호 문단 B66⑵에 따라 기업은 그 거래를 금융약정으로 회계처리한다. 행사가격이 원래 판매가격보다 높기 때문이다. 기준서 제1115호 문단 B68에 따라 기업은 자산을 제거하지 않는 대신에 받은 현금을 금융부채로 인식한다. 또 기업은 행사가격(1.1백만원)과 받은 현금(1백만원)의 차이를 이자비용으로 인식하고 부채를 증액한다. 20×7년 12월 31일에 옵션이 행사되지 않은 채로 소멸하면 기업은 부채를 제거하고 1.1백만원을 수익으로 인식한다.

- 고객에게 자산 이전 후 현금 수령시

  (차) 현　　　　　금　　1,000,000　　(대) 금 융 부 채　　1,000,000

- 옵션 행사시

  (차) 금 융 부 채　　1,000,000　　(대) 현　　　　　금　　1,100,000
  　　 이 자 비 용　　　 100,000

- 옵션 행사하지 않고 소멸시

  (차) 금 융 부 채　　1,000,000　　(대) 수　　　　　익　　1,000,000

② 풋옵션

고객이 요청하면 기업이 원래 판매가격보다 낮은 가격으로 자산을 다시 사야 하는 의무(풋옵션)가 있는 경우에 계약 개시시점에 고객이 그 권리를 행사할 경제적 유인이 유의적인지를 고려한다.

풋옵션이 있는 약정의 회계처리는 고객이 풋옵션을 행사했을 때 기업이 지급해야 할 금액과 고객이 그 권리를 행사할 경제적 유인이 유의적인지 여부에 따라 아래와 같이 회계처리 한다.

	풋옵션 행사가능성이 유의적인 경우	풋옵션 행사가능성 유의적이지 않은 경우
재매입가격 > 원래 판매가격	금융약정	반품권이 있는 판매
재매입가격 < 원래 판매가격	리스	반품권이 있는 판매

선도 및 콜옵션과 유사하게 재매입 가격을 판매가격과 비교할 때 화폐의 시간가치를 고려하고(기준서 제1115호 문단 B75), 옵션이 행사되지 않은 채 소멸된다면 부채를 제거하고 수익을 인식한다(기준서 제1115호 문단 B76).

사례 **기업이 풋옵션을 보유한 경우(기준서 제1115호 사례 62 B)**

기업은 20×7년 1월 1일에 유형자산을 1백만원에 판매하기로 고객과 계약을 체결하였다. 계약에는 고객의 요구에 따라 20×7년 12월 31일 이전에 기업이 자산을 900,000원에 다시 사야 하는 풋옵션이 포함된다. 20×7년 12월 31일에 시장가치는 750,000원이 될 것으로 예상된다. 계약 개시시점에 기업은 그 자산의 이전에 대한 회계처리를 결정하기 위하여 고객이 풋옵션을 행사할 경제적 유인이 유의적인지를 평가한다(기업회계기준서 제1115호 문단 B70~B76 참조). 기업은 재매입일의 재매입가격이 자산의 기대시장가치를 유의적으로 초과하기 때문에 고객이 풋옵션을 행사할 경제적 유인이 유의적이라고 결론짓는다. 기업은 고객이 풋옵션을 행사할 경제적 유인이 유의적인지를 평가할 때 고려할 그 밖의 관련 요소는 없다고 판단한다. 따라서 기업은 자산에 대한 통제가 고객에게 이전되지 않는다고 결론짓는다. 이는 고객이 그 자산의 사용을 지시하고 나머지 효익의 대부분을 얻을 수 있는 능력에 제한되기 때문이다. 기준서 제1115호 문단 B70~B71에 따라 기업은 그 거래를 기업회계기준서 제1116호에 따라 리스로 회계처리 한다.

이 거래로 인하여 기업이 인식할 리스료수익은 1,000,000-900,000=100,000이다.

3) 미인도청구약정

미인도청구약정은 기업이 고객에게 제품의 대가를 청구하지만 미래 한 시점에 고객에게 이전할 때까지 기업이 제품을 물리적으로 점유하는 계약이다. 예를 들면 고객이 제품을 보관할 수 있는 공간이 부족하거나 생산 일정이 지연되어 기업에 이러한 계약의 체결을 요청할 수 있다. 이러한 경우 고객이 언제 제품을 통제하게 되는지를 파악하여 기업이 수행의무를 언제 이행하였는지를 판단한다.

기업이 제품을 물리적으로 점유하고 있더라도 고객이 제품의 사용을 지시하고 제품의 나머지 효익 대부분을 획득할 능력이 있다면, 고객이 자산을 통제하는 것이다.

고객이 이러한 약정에서 자산을 통제하기 위해서는 앞서 언급한 통제 이전 지표 외에

아래의 기준을 모두 충족하여야 한다(기준서 제1115호 문단 B81).

- 미인도청구약정의 이유가 실질적이어야 한다(예 : 고객이 그 약정을 요구하였다).
- 제품은 고객의 소유물로 구분하여 식별되어야 한다.
- 고객에게 제품을 물리적으로 이전할 준비가 현재 되어 있어야 한다.
- 기업이 제품을 사용할 능력을 가질 수 없거나 다른 고객에게 이를 넘길 능력을 가질 수 없다.

이 경우, 기업은 자산을 보관하는 용역을 제공한다. 기업이 제품의 미인도청구 판매를 수익으로 인식하는 경우, 이 때 나머지 수행의무(예 : 보관 용역)에 거래가격의 일부를 배분할 것을 고려한다.

4) 본인 대 대리인의 고려사항

고객에게 재화나 용역을 제공하는 데에 다른 당사자가 관여하는 경우 기업은 약속의 성격이 정해진 재화나 용역 자체를 제공하는 수행의무인지(기업이 본인) 아니면 다른 당사자가 재화나 용역을 제공하도록 주선하는 수행의무인지(기업이 대리인)를 판단한다. 고객과의 계약이 둘 이상의 정해진 재화나 용역을 포함한다면 기업은 정해진 일부 재화나 용역에 대해서는 본인이지만 그 밖의 재화나 용역에 대해서는 대리인일 수 있다(기준서 제1115호 문단 B34).

재화나 용역에 대한 통제를 고객에게 이전하기 전에 기업이 그 재화나 용역에 대한 통제를 획득한다면 해당 기업은 본인이다. 그러나 재화의 법적 소유권이 고객에게 이전되기 전에 기업이 일시적으로만 법적 소유권을 획득한다면, 기업이 반드시 정해진 재화를 통제하는 것은 아니다. 기업이 본인인 경우에 스스로 그 정해진 재화나 용역을 제공할 수행의무를 이행할 수 있거나, 본인을 대신하여 그 수행의무의 일부나 전부를 다른 당사자(예 : 하도급자)가 이행하도록 고용할 수도 있다.

고객에게 재화나 용역을 제공하는 데에 다른 당사자가 관여하는 경우에, 기업이 본인이라면 기업은 다음 중 어느 하나를 통제하게 된다(기준서 제1115호 문단 B35A).

- 다른 당사자에게서 받은 재화 또는 다른 자산으로서, 이후 그대로 고객에게 이전하는 것
- 다른 당사자가 수행할 용역에 대한 권리로서, 기업이 자신을 대신하여 그 당사자가 고객에게 용역을 제공하도록 지시할 수 있는 능력을 주는 것
- 다른 당사자에게서 받은 재화나 용역으로서, 이후 기업이 고객에게 정해진 재화나 용역을 공급하는 경우에 이를 다른 재화나 용역과 결합하는 것. 예를 들면 기업이 고객과 계약한 정해진 재화나 용역을 제공하기 위해 다른 당사자가 공급하는 재화나 용역을 통합하는 유의적인 용역을 제공하는 경우에(문단 29(1) 참조) 그 재화나

용역이 고객에게 이전되기 전에 기업은 정해진 재화나 용역을 통제한다. 이는 기업이 정해진 재화나 용역(다른 당사자에게서 받은 재화나 용역을 포함함)의 투입물을 처음 통제하게 되고 정해진 재화나 용역인 결합산출물을 창출하는 데 그것을 사용하도록 지시하기 때문이다.

기업이 본인인 경우 기업은 이전되는 정해진 재화나 용역과 교환하여 받을 권리를 갖게 될 것으로 예상하는 대가의 총액을 수익으로 인식한다.

기업의 수행의무가 다른 당사자가 정해진 재화나 용역을 제공하도록 주선하는 것이라면 이 기업은 대리인이다. 기업이 대리인인 경우 다른 당사자가 그 정해진 재화나 용역을 제공하도록 주선하고 그 대가로 받을 권리를 갖게 될 것으로 예상하는 보수나 수수료 금액을 수익으로 인식한다.

기업이 계약에서 본인인지 대리인인지를 결정하기 위해서는 판단이 요구된다. 기업이 고객에게 이전되기 전에 정해진 재화나 용역을 통제한다는(즉, 본인이라는) 지표는 다음을 포함하지만 이에 한정되지는 않는다(기준서 제1115호 문단 B37).

- 재화나 용역을 제공하기로 하는 약속을 이행할 주된 책임이 기업에 있다. 이러한 책임에는 정해진 재화나 용역을 수용할 수 있게 할 책임(예 : 재화나 용역을 고객의 규격에 맞출 주된 책임)이 포함된다.
- 재화나 용역이 고객에게 이전되기 전이나 고객에게 통제가 이전된 후에 재고위험이 기업에 있다(예 : 고객에게 반품권이 있는 경우). 예를 들어 고객과 계약을 체결하기 전에 기업이 정해진 재화나 용역을 획득하거나 획득하기로 약정하여 재고위험을 부담할 수 있다.
- 특정 재화나 용역의 가격을 결정할 재량이 기업에 있다. 그러나 대리인이 다른 당사자가 고객에게 공급하는 재화나 용역을 주선하는 용역에서 추가 수익을 창출하기 위하여 가격 결정에 일부 융통성을 가질 수도 있다.

위 지표는 정해진 재화나 용역의 특성과 계약 조건에 따라 관련 판단에 더 적합하거나 덜 적합할 수 있고 계약에 따라서는 다른 지표들이 더 설득력 있는 증거를 제공할 수도 있다.

사례 **항공권 판매 (기준서 제1115호 사례 47)**

기업은 항공사가 대중에게 직접 판매하는 항공권 가격에 비해 낮은 요금으로 항공권을 구매하기 위해 주요 항공사와 협상한다. 기업은 추석여행 상품으로 추석 전세기 항공권 500매를 구매하기로 합의하고, 그 항공권의 재판매 여부와 관계없이 대금을 지급해야 한다. 기업이 구매한 각 항공권에 대해 지급한 낮은 요금은 미리 협상하여 합의된다.

기업은 고객에게 판매할 항공권의 가격을 정한다. 기업은 고객이 항공권을 구매할 때 항공권을 판매하고 대가를 회수한다. 기업은 항공사가 제공한 용역에 대한 불만을 해결하도록 고객을 돕는다. 그러나 고객의 용역에 대한 불만 해소를 포함한 항공권과 관련된 의무를 이행할 책임은 각 항공사에 있다. 기업의 수행의무가 정해진 재화나 용역 자체를 제공하는 것인지(기업이 본인이다) 아니면 다른 당사자가 그 재화나 용역을 제공하도록 주선하는 것인지(기업이 대리인이다)를 판단하기 위하여, 기업은 고객에게 제공될 정해진 재화나 용역을 식별하고, 그 재화나 용역이 고객에게 이전되기 전에 기업이 그 재화나 용역을 통제하는지를 파악한다. 기업은 항공사에서 구매하기로 약정한 각 항공권으로 이후 고객 중 하나에게 이전할 정해진 비행기 탑승 권리(항공권 형태)를 기업이 통제하게 된다고 결론짓는다(문단 B35A(1) 참조). 따라서 기업은 고객에게 제공될 정해진 재화나 용역이 기업이 통제하는 그 권리(특정 비행기의 좌석에 대한 권리)라고 결론짓는다. 기업이 고객에게 약속한 그 밖의 재화나 용역은 없다고 본다.

기업이 그 정해진 권리를 고객 중 하나에게 이전하기 전에 기업이 각 탑승에 대한 권리를 통제한다. 기업이 고객과의 계약을 이행하기 위하여 그 항공권을 사용할지를 결정하고, 그렇게 했다면 어떤 계약을 이행할지를 결정함으로써 그 권리의 사용을 지시할 능력이 있기 때문이다. 기업은 그 항공권을 재판매하여 그 판매에서 생기는 모든 대금을 얻거나, 아니면 그 대신에 그 항공권을 스스로 사용함으로써 그 권리에서 생기는 나머지 효익을 얻을 능력을 가진다. 기준서 제1115호 문단 B37(2)~(3)의 지표는 각 정해진 권리(항공권)가 고객에게 이전되기 전에 기업이 그 권리를 통제한다는 목적 적합한 증거도 제공한다. 기업은 그 항공권에 대하여 재고위험을 부담한다. 그 항공권을 구매하는 고객과 계약을 체결하기 전에 기업이 항공사에서 그 항공권을 획득하기로 약정하였기 때문이다. 이는 기업이 그 항공권을 재판매할 고객을 확보할 수 있는지 또는 그 항공권을 유리한 가격으로 팔 수 있는지에 상관없이 그 권리에 대하여 항공사에 지급할 의무를 지기 때문이다. 기업은 고객이 그 정해진 항공권에 대하여 지급할 가격도 정한다.

그러므로 기업은 그 고객과의 거래에서 본인이라고 결론짓고, 고객에게 항공권을 이전하고 그 대가로 받을 권리를 갖게 되는 총액으로 수익을 인식한다.

5) 위탁약정

기업이 제품을 다른 당사자(중개인이나 유통업자)에 인도하는 경우에 그 다른 당사자가 미리 정해진 일정기간동안 제품을 보유할 수 있다. 이를 위탁약정이라고 하며, 다른 당사자가 제품을 위탁약정에 따라 보유하고 있다면 다른 당사자는 그 제품을 통제하는 것으로 볼 수 없고, 제품이 다른 당사자에게 인도할 때 수익을 인식할 수 없다(기준서 제1115호 문단 B77).

위탁약정의 회계처리 사례는 다음과 같다.

사례 1 20×7. 5. 3. (주)삼일은 영일상사에 판매를 위탁하기 위하여 상품 ₩20,000,000을 적송하고, 운임 등 제비용으로 ₩250,000을 현금으로 지급하였다.

(차) 적 송 품	20,250,000	(대) 재 고 자 산	20,000,000
		현금및현금성자산	250,000

사례 2 20×7. 6. 1. (주)삼일은 위의 적송품에 대하여 영일상사로부터 ₩15,000,000의 선수금을 받았다.

(차) 현금및현금성자산	15,000,000	(대) 선 수 금	15,000,000

사례 3 20×7. 6. 20. 영일상사는 동 적송품을 매출하였다. 적송품매출에 대한 실수금 ₩14,700,000(총매출액 ₩30,000,000, 수수료 비용 ₩300,000)은 10일 후에 입금하겠다고 갑회사에 통보하였다.

(차) 선 수 금	15,000,000	(대) 적 송 품 매 출	30,000,000
적 송 매 출 채 권	14,700,000		
판 매 수 수 료	300,000		
(차) 매 출 원 가	20,250,000	(대) 적 송 품	20,250,000

사례 4 10일 후에 갑회사는 통장에 잔액이 입금되었음을 확인하였다.

(차) 현금및현금성자산	14,700,000	(대) 적 송 매 출 채 권	14,700,000

사례 5 상기 [사례 1]~[사례 4]의 상황을 근거로 영일상사 입장의 회계처리를 하여라.

• 20×7. 5. 3.

분개없음. (수탁품에 대한 비망기록)

• 20×7. 6. 1.

(차) 선 급 금	15,000,000	(대) 현금및현금성자산	15,000,000

• 20×7. 6. 20.

(차) 현금및현금성자산	30,000,000	(대) 수 탁 매 출	30,000,000

• 20×7. 7. 1.

			(대)	선 급 금	15,000,000
(차) 수 탁 매 출		30,000,000		현금 및 현금성자산	14,700,000
				수 수 료 수 익	300,000

3. 수익의 측정

수행의무를 이행할 때(또는 이행하는 대로), 그 수행의무에 배분된 거래가격을 수익으로 인식한다.

(1) 거래가격의 산정

거래가격은 고객에게 약속한 재화나 용역을 이전하고 그 대가로 기업이 받을 권리를 갖게 될 것으로 예상하는 금액이며, 제삼자를 대신해서 회수한 금액(예 : 일부 판매세)은 제외한다. 고객과의 계약에서 약속한 대가는 고정금액, 변동금액 또는 둘 다를 포함할 수 있다(기준서 제1115호 문단 47).

고객이 약속한 대가의 특성, 시기, 금액은 거래가격의 추정치에 영향을 미친다. 거래가격을 산정할 때에는 다음 사항이 미치는 영향을 모두 고려한다.

- 변동대가 (변동대가 추정치의 제약 포함)
- 계약에 있는 유의적인 금융요소
- 비현금 대가
- 고객에게 지급할 대가

1) 변동대가

계약에서 약속한 대가에 변동금액이 포함된 경우에 고객에게 약속한 재화나 용역을 이전하고 그 대가로 받을 권리를 갖게 될 금액을 추정한다.

변동대가는 할인, 리베이트, 환불, 공제, 가격할인, 장려금, 성과보너스, 위약금 등 다양한 형태로 존재한다. 기업이 대가를 받을 권리가 미래 사건의 발생 여부에 달려있는 경우에도 약속한 대가는 변동될 수 있다. 예를 들면, 반품권을 부여하여 제품을 판매하거나 특정 단계에 도달해야 고정금액의 성과보너스를 주기로 약속한 경우에 대가(금액)는 변동될 것이다.

변동대가 – 가격비교 차액보상제도

유통사인 A사는 소비자에게 다양한 상품을 판매하고 있다. A사는 가격비교 차액보상제도를
실시하여 향후 1개월 동안 경쟁사가 동일 상품을 더 낮은 가격에 판매하는 경우 A사의 판매
가격과 경쟁사의 판매가격과의 차이를 환불해주기로 하였다. 이러한 제도는 A사가 과거에 실
시했던 제도와 유사하고, A사는 그러한 경험에 기초하여 판매가격을 예측할 수 있다. A사는
B상품을 10,000에 판매하고, A사는 상품별로 인하될 가격을 과거 경험을 통하여 측정하였다.
A사는 B상품에 대해서는 가격보장 기간 동안 5%의 가격인하가 있을 것으로 예측하였고, 이
러한 예측이 변동되어 누적수익 금액이 유의적으로 감소되지 않을 가능성이 매우 높다고 판
하였다. A사는 B상품의 거래가격을 어떻게 결정하여야 하는가?

기준서 제1115호 문단 50에 따라 A사는 고객에게 재화를 이전하고 그 대가로 받게 될 권리를
갖는 금액을 추정하여야 한다. 기준서 제1115호 문단 56에 따라 변동대가와 관련된 불확실성
이 나중에 해소될 때 이미 인식한 누적 수익 금액 중 유의적으로 되돌리지 않을 가능성이 매
우 높은 정도까지에 대한 근거가 있다면, B상품의 거래가격은 예상되는 환불금액을 고려한
9,500이다. B상품을 판매하여 받은 대가(10,000)와 거래가격(9,500)의 차이는 B상품에 대해 환
불할 것으로 예상되는 현금을 나타내므로 이를 환불부채로 인식한다. A사는 기준서 제1115호
문단 59에 따라 예상되는 환불금액의 불확실성이 해소될 때까지 매 보고기간 말에 이를 추정
하여 업데이트 한다.

| (차) 현　　　　　　　금 | 10,000 | (대) 매　　　　　　출 | 9,500 |
| | | 환　불　부　채 | 500* |

* 보고기간말마다 환불금액의 불확실성이 해소될 때까지 이를 추정하여 업데이트 한다.

① 변동대가 추정

변동대가(금액)는 기댓값 또는 다음 중에서 기업이 받을 권리를 갖게 될 대가(금액)를
더 잘 예측할 것으로 예상하는 방법을 사용하여 추정한다.

- 기댓값 – 기댓값은 가능한 대가의 범위에 있는 모든 금액에 각 확률을 곱한 금액의
  합이다. 기업에 특성이 비슷한 계약이 많은 경우에 기댓값은 변동대가(금액)의 적
  절한 추정치일 수 있다.
- 가능성이 가장 높은 금액 – 가능성이 가장 높은 금액은 가능한 대가의 범위에서 가
  능성이 가장 높은 단일 금액(계약에서 가능성이 가장 높은 단일 결과치)이다. 계약
  에서 가능한 결과치가 두 가지뿐일 경우(예 : 기업이 성과보너스를 획득하거나 획
  득하지 못하는 경우)에는 가능성이 가장 높은 금액이 변동대가의 적절한 추정치가
  될 수 있다.

사례 **변동대가의 추정(기준서 제1115호 사례 21)**

기업은 주문제작 자산을 건설하기로 고객과 계약을 체결하였다. 자산을 이전하기로 한 약속은 기간에 걸쳐 이행하는 수행의무이다. 약속된 대가는 2.5백만원이지만, 자산의 완성 시기에 따라 증감될 것이다. 특히 20×7년 3월 31일까지 자산이 완성되지 않는다면, 약속된 대가는 그 다음 날부터 매일 10,000원씩 감소한다. 20×7년 3월 31일 전에 자산이 완성되면, 약속된 대가는 그 전날부터 매일 10,000원씩 증가한다.

그리고 자산이 완성되면, 제삼자가 그 자산을 검사하고 계약에 규정된 척도에 기초하여 평점을 매길 것이다. 자산이 특정 평점을 받으면, 기업은 장려금 150,000원에 대한 권리를 갖게 될 것이다.

기업은 거래가격을 산정할 때 기업회계기준서 제1115호 문단 53에서 기술한 추정 방법을 사용하여 권리를 갖게 될 변동대가의 각 요소에 대해 별도로 추정한다.
⑴ 기업은 매일의 위약금이나 장려금(2.5백만원 ± 10,000원/일)과 관련된 변동대가를 추정하기 위하여 기댓값 방법을 사용하기로 결정하였다. 이는 기업이 받을 권리를 갖게 될 대가(금액)를 더 잘 예측하는 방법이라고 예상하기 때문이다.
⑵ 기업은 장려금과 관련된 변동대가를 추정하기 위해 가능성이 가장 높은 금액을 사용하기로 결정하였다. 이는 가능한 결과가 두 가지[150,000원이나 영(0)원]뿐이고 받을 권리를 갖게 될 대가를 더 잘 예측하는 방법이라고 예상하기 때문이다.

② 변동대가 추정치 제약

변동대가와 관련된 불확실성이 나중에 해소될 때, 이미 인식한 누적 수익 금액 중 유의적인 부분을 되돌리지(환원하지) 않을 가능성이 매우 높은 정도까지만 추정된 변동대가(금액)의 일부나 전부를 거래가격에 포함한다(기준서 제1115호 문단 56).

이미 인식한 누적 수익 금액 중 유의적인 부분을 되돌리지 않을 가능성이 매우 높은지를 평가할 때는 수익의 환원 가능성 및 크기를 모두 고려한다. 수익 환원 가능성을 높이거나 그 크기를 크게 할 수 있는 요인에는 다음 항목이 포함되나 이에 한정되지는 않는다(기준서 제1115호 문단 57).

• 대가(금액)가 기업의 영향력이 미치지 못하는 요인에 매우 민감하다. 그 요인에는 시장의 변동성, 제삼자의 판단이나 행동, 날씨 상황, 약속한 재화나 용역의 높은 진부화 위험이 포함될 수 있다.
• 대가(금액)에 대한 불확실성이 장기간 해소되지 않을 것으로 예상된다.
• 비슷한 유형의 계약에 대한 기업의 경험(또는 그 밖의 증거)이 제한적이거나, 그 경험(또는 그 밖의 증거)은 제한된 예측치만 제공한다.
• 폭넓게 가격할인(price concessions)을 제공하거나, 비슷한 상황에 있는 비슷한 계약의 지급조건을 변경하는 관행이 있다.

• 계약에서 생길 수 있는 대가가 다수이고 그 범위도 넓다.

③ 변동대가의 재검토

경영진은 각 보고기간 말의 상황과 상황 변동을 충실하게 표현하기 위하여 보고기간 말마다 변동대가 추정치가 제약되는지를 다시 평가하는 것을 포함하여 거래가격을 새로 추정한다(기준서 제1115호 문단 59).

④ 반품권이 있는 판매

일부 계약에서는 제품에 대한 통제가 이전된 후 다양한 이유(예 : 제품 불만족)로 제품을 반품하고 지급된 대가의 전부나 일부를 환불받거나 공제를 제공받거나 다른 제품으로 교환받을 권리를 고객에게 부여한다(기준서 제1115호 문단 B20).

반품이 있는 판매는 다음과 같이 회계처리 한다.

• 기업이 받을 것으로 예상하는 대가를 이전하는 제품에 대한 수익으로 인식
• 반품이 예상되는 제품에 대해서는 수익을 인식하지 않고 환불할 것으로 예상하는 금액은 환불부채로 인식
• 환불부채를 결제할 때, 고객에게서 제품을 회수할 기업의 권리에 대하여 자산(과 이에 상응하는 매출원가 조정)을 인식

환불부채(그리고 이에 상응하는 거래가격 변동, 즉 계약부채의 변동)는 보고기간 말마다 상황의 변동을 반영하여 새로 수정한다.

사례 1 반품 회계처리 사례(1)

기업은 의약품을 제조하여 제약도매상, 약국, 병원에 판매하는 회사이다. 반품은 아래 세 가지 사유로 발생하며, 각 반품 사유별 발생비율은 각각 80%, 15%, 5%라 한다.
A. 품질에 문제가 있거나 유효기간이 임박하여 폐기하는 재고
B. 단순포장불량으로 반품되어 포장교체로 재판매가 가능한 재고
C. 동일한 제품이나 용량이 다른 품목으로 교환을 요청하여 재판매가 가능한 재고

당기 매출액이 100,000이고, 매출원가율을 80%, 과거경험상 매출액 대비 반품비율이 1%라 할 때, 각 사유에 따른 결산시 반품관련 회계처리는 어떻게 수행되는가?

예상되는 반품금액에 대해서는 수익을 차감하고, 환불부채를 계상한다. 반환될 재화의 금액은 매출원가에 해당하는 금액과 반품재고자산에 대해서 예상되는 손실을 고려하여 추정하여야 한다.

경우 A. 품질에 문제가 있거나 유효기간이 임박하여 폐기하는 재고
판매가 불가능하기 때문에 반품되는 금액 전체에 대한 손실이 예상되는 사항으로, 반품될 재

고자산에 대한 금액 없이 환불부채만 계상하게 된다.

(차) 매 출 8,000* (대) 환 불 부 채 8,000

     * 100,000 × 1% × 80% = 8,000

경우 B. 단순포장불량으로 반품되어 포장교체로 재판매가 가능한 재고

다시 판매할 수 있기 때문에 매출총이익만큼 손실이 예상됨. 따라서, 반품이 예상되는 매출에 대한 매출원가율에 해당하는 금액으로 추정될 것이다. 이 사례에서 제시되지는 않았지만, 포장교체 등의 비용이 추가된다면, 이를 고려해야 한다.

(차) 매 출 1,500* (대) 환 불 부 채 1,500
    반 품 권 자 산 1,200   매 출 원 가 1,200**

     * 100,000 × 1% × 15% = 1,500
     ** 100,000 × 1% × 15% × 80% = 1,200

경우 C. 동일한 제품이나 용량이 다른 품목으로 교환을 요청하여 재판매가 가능한 재고

크기/용량/색상만 다른 단순교환인 경우 기준서 제1115호 문단 B26에 따라 반품에 해당하지 않으므로, 별도의 회계처리를 수행하지 아니한다.

사례 2 반품 회계처리 사례 (2)

다음의 사례가 반품가능판매의 수익인식 조건을 모두 충족하는 경우로 가정하여 각 시점의 회계처리를 하라.

(1) 회사는 20×7. 12. 31. 2개월 내에 반품을 인정하는 조건으로 다음과 같이 제품을 매출하였으며, 이 중 1%가 반품될 것으로 예상되었고, 반품재고의 재작업 과정에 소요되는 비용은 1,000원이 발생할 것으로 추정되었다.
    ‒ 판매수량 : 1,000개
    ‒ 판매단가 : 개당 1,000원
    ‒ 제조원가 : 개당 800원

(2) 20×8. 2. 중 실제 반품된 제품은 12개이고, 실제 반품시 반품재고자산에 대한 재작업 비용은 1,000원 발생하였다.

(3) 20×8년 중 매출은 총 6,000,000원이었으며, 이 중 100,000원이 20×8년 중 반품되었고 반품 관련비용은 5,000원 발생하였다.

(4) 20×8. 12. 31. 반품기한이 경과하지 아니한 매출액은 1,200,000원이며 원가율은 전기와 동일하고 1%가 반품될 것으로 예상되었다. 이와 관련한 반품관련비용은 1,200원이 발생할 것으로 예상하였다.
    ‒ 20×7. 12. 31. (매출시)

    (차) 매 출 채 권 등 1,000,000 (대) 매 출 1,000,000

(차) 매 출 원 가	800,000	(대) 재 고 자 산	800,000

(차) 매 출	10,000*	(대) 환 불 부 채	10,000
반 품 권 자 산	7,000***	매 출 원 가	8,000**
반 품 비 용	1,000		

* 1,000 × 1,000 × 1% = 10,000

** 800 × 1,000 × 1% = 8,000

*** 8,000 - 1,000 = 7,000

－20×8년 매출시

(차) 매 출 채 권 등	6,000,000	(대) 매 출	6,000,000

－20×8년 반품시

(차) 매 출	112,000	(대) 매 출 채 권	112,000*
반 품 비 용	6,000	매 출 원 가	6,000**

* 12,000 + 100,000 = 112,000

** 1,000 + 5,000 = 6,000

－20×8. 12. 31. (결산시)

(차) 매 출 원 가	4,800,000	(대) 재 고 자 산	4,800,000
(차) 반 품 재 고 자 산	89,600*	(대) 매 출 원 가	89,600

* (12,000 + 100,000) × 0.8 = 89,600

(차) 매 출	2,000*	(대) 환 불 부 채	2,000
반 품 권 자 산	1,400***	매 출 원 가	1,600**
반 품 비 용	200****		

* 1,200,000 × 1% - 10,000 = 2,000

** (1,200,000 × 1% - 10,000)×80% = 1,600

*** (1,200,000 × 1% × 80%) - 1,200 - 7,000 = 1,400

**** 1,600 - 1,400 = 200

2) 계약에 있는 유의적인 금융요소

고객에게 재화나 용역을 이전하면서 계약 당사자들 간에 합의한 지급시기 때문에 유의적인 금융 효익이 고객이나 기업에 제공되는 경우에는 화폐의 시간가치가 미치는 영향을 반영하여 약속된 대가를 조정한다. 그 상황에서 계약은 유의적인 금융요소를 포함한다. 금융지원 약속이 계약에 분명하게 기재되어 있든지 아니면 그 약속이 계약 당사자들이 합의한 지급조건에 암시되어 있든지에 관계없이, 유의적인 금융요소가 있을 수 있다(기준서 제1115호 문단 61).

유의적인 금융요소가 존재한다면, 기업은 재화나 용역을 고객에게 이전할 때(또는 이전하는 대로) 그 고객이 그 재화나 용역 대금을 현금으로 결제했다면 지급하였을 가격을 반영하는 금액(현금판매가격)을 수익으로 인식한다. 기업의 수행의무 이행이 고객의 대가 지급보다 앞선다면 기업이 고객에게 금융 효익을 제공한 것이므로 고객의 신용위험 특성을 고려한 할인율로 이자수익을 인식하고, 고객과의 계약에서 생기는 수익 금액은 계약상 약속한 대가보다 작은 금액이 될 것이다. 고객의 대가 지급이 기업의 수행의무 이행보다 앞선다면 고객이 기업에게 금융 효익을 제공한 것이므로 기업의 신용위험 특성을 고려한 할인율로 이자비용을 인식하고, 고객과의 계약에서 생기는 수익 금액은 계약상 약속한 대가보다 큰 금액이 될 것이다.

단, 계약 개시시점에서 기업이 고객에게 약속한 재화나 용역을 이전하는 시점과 고객이 그에 대한 대가를 지급하는 시점 간의 기간이 1년 이내일 것이라고 예상한다면 유의적인 금융요소의 영향을 반영하여 약속한 대가(금액)를 조정하지 않는 실무적 간편법을 사용할 수 있다.

포괄손익계산서에서 이자수익이나 이자비용의 금융효과는 고객과의 계약에서 생기는 수익과 구분하여 표시한다. 이자수익과 이자비용은 고객과의 계약에 대한 회계처리에서 인식하는 계약자산(또는 수취채권)이나 계약부채를 인식하는 정도까지만 인식한다(기준서 제1115호 문단 65).

사례 **선수금과 할인율 평가(기준서 제1115호 사례 29)**

기업은 자산을 판매하기로 고객과 계약을 체결하였다. 자산에 대한 통제는 2년 경과 후에 고객에게 이전될 것이다(수행의무는 한 시점에 이행될 것이다). 계약에 따르면 두 가지 지급 방법(2년 경과 후에 고객이 자산을 통제할 때 5,000원을 지급하거나 계약에 서명할 때 4,000원 지급) 중에서 선택할 수 있다. 고객은 계약에 서명할 때 4,000원을 지급하기로 선택한다. 기업은 시장의 일반적인 이자율뿐만 아니라 고객이 자산에 대해 지급하는 시점과 기업이 고객에게 자산을 이전하는 시점 사이의 기간 때문에, 계약에 유의적인 금융요소가 포함되어 있다고 결론짓는다. 거래의 내재이자율은 11.8%이고, 이는 두 가지 대체 지급 선택권을 경제적으로 동등하게 하기 위해 필요한 이자율이다. 그러나 기업은 기준서 제1115호 문단 64에 따라 약속된 대가를 조정하기 위해 사용해야 할 이자율이 6%이고, 이것은 기업의 증분차입이자율이라고 판단한다.

다음의 분개에서는 기업이 유의적인 금융요소를 어떻게 회계처리하는지를 설명한다.

(1) 계약 개시시점에 받은 4,000원을 계약부채로 인식

(차) 현금 및 현금성자산　　　4,000　　(대) 계　약　부　채　　4,000

(2) 계약 개시시점부터 자산을 이전할 때까지 2년 동안 기업은 약속된 대가(금액)를 조정하고 (기준서 제1115호 문단 65에 따름), 2년 동안 4,000원에 대한 이자를 6%씩 인식하여 계약부채를 증액한다.

(차) 이 자 비 용	494*	(대) 계 약 부 채	494

*계약부채 4,000 × (2년 동안 매년 6%) = 494

(3) 자산 이전에 대해 수익을 인식

(차) 계 약 부 채	4,494*	(대) 수 익	4,494

3) 비현금대가

고객이 현금 외의 형태로 대가를 약속한 경우, 거래가격 산정시 비현금 대가를 공정가치로 측정한다. 비현금 대가의 공정가치를 합리적으로 측정할 수 없다면 약속한 재화나 용역의 개별 판매가격을 참조하여 간접적으로 그 대가를 측정한다(기준서 제1115호 문단 66,67).

비현금 대가의 공정가치는 미래 사건의 발생 여부(예 : 기업의 수행 정도에 따른 주식선택권의 행사가격 변동)에 따라 변동될 수도 있고 대가의 형태(예 : 기업이 고객에게서 받을 권리가 있는 주식의 가격 변동) 때문에 변동될 수도 있다. 고객이 약속한 비현금 대가의 공정가치가 대가의 형태만이 아닌 이유로 변동된다면 변동대가 추정치의 제약 지침을 적용한다. 즉, 받게 될 금액의 형태가 현금인지 비현금대가인지에 관계없이 비슷한 유형의 변동성에는 변동대가 추정치의 제약 지침을 적용한다.

기업이 계약을 쉽게 이행할 수 있도록, 고객이 재화나 용역(예 : 재료, 장비 또는 노동력)을 제공할 수 있다. 이 경우 기업은 그 제공받은 재화나 용역을 통제하게 되는지를 판단한다. 기업이 제공받은 재화나 용역을 통제하는 경우에 이를 고객에게서 받은 비현금 대가로 회계처리 한다.

4) 고객에게 지급할 대가

고객에게 지급할 대가는 기업이 고객(또는 고객에게서 기업의 재화나 용역을 구매하는 다른 당사자)에게 지급하거나 지급할 것으로 예상하는 대가이다. 고객에게 지급할 대가의 형태는 고객에게 지급하거나 지급할 현금 금액뿐만 아니라 고객이 기업에 갚아야 할 금액에 적용될 수 있는 공제나 쿠폰, 상품권 같은 항목도 포함될 수 있다. 예를 들어, 기업이 중간 판매상(고객)으로부터 자사의 제품을 구매하는 최종 소비자(고객의 고객)에게 할인쿠폰을 제공하고 중간 판매상이 최종 소비자로부터 제시된 할인쿠폰 금액만큼 기업에 갚아야 할 구매대금을 공제받을 수 있다면 이는 고객에게 지급할 대가에 해당한다.

기업이 고객에게 지급하거나 지급할 것으로 예상하는 대가가 고객이 기업에게 이전하는 구별되는 재화나 용역에 대한 대가가 아니라면 거래가격, 즉 수익에서 차감하여 회계처리 한다. 고객에게 지급할 대가에 변동금액이 포함된다면 변동대가 추정치의 제약 지침을 적용한다.

고객이 기업에 이전하는 재화나 용역이 구별되는지는 수행의무 식별 지침을 적용하여 결정하며 이러한 결정에는 판단이 요구될 수 있다. 예를 들어 고객이 통상적으로 판매하는 재화나 용역을 기업이 구매하는 경우 기업이 구별되는 재화나 용역에 대한 대가를 지급한 것일 수 있다. 구별되는 재화나 용역에 대한 대가는 기업이 다른 공급자로부터 구매하는 것과 일관되게 회계처리 한다. 만약 구별되는 재화나 용역에 대한 대가가 해당 재화나 용역의 공정가치를 초과하는 경우라면 초과분은 거래가격에서 차감하여 회계처리 한다. 고객에게서 받은 재화나 용역의 공정가치를 합리적으로 추정할 수 없다면 고객에게 지급할 대가 전액을 거래가격에서 차감하여 회계처리 한다(기준서 제1115호 문단 71).

고객에게 지급할 대가를 거래가격에서 차감하여 회계처리 하는 경우에 기업은 다음 중 나중의 사건이 일어날 때(또는 일어나는 대로) 수익의 차감으로 인식한다(기준서 제1115호 문단 72).

- 기업이 고객에게 관련 재화나 용역을 이전하여 그 수익을 인식한다.
- (지급이 미래 사건을 조건으로 할지라도) 기업이 대가를 지급하거나 지급하기로 약속한다. 그 약속은 기업의 사업 관행에서 암시될 수도 있다.

> **사례** **고객에게 지급할 대가**
>
> 기업(소비재 제조업자)은 국제적인 대형 소매체인점인 고객에게 1년 동안 재화를 판매하기로 계약을 체결한다. 고객은 1년 동안 적어도 15백만원어치의 제품을 사기로 약속한다. 계약에서는 기업이 계약 개시시점에 환불되지 않는 1.5백만원을 고객에게 지급하도록 되어 있다. 이 1.5백만원의 지급액은 고객이 기업의 제품을 선반에 올리는 데 필요한 변경에 대해 고객에게 보상하는 것이다. 첫째 달에 기업은 2백만원어치의 제품을 고객에게 이전하였다.
>
> 기업은 기준서 제1115호 문단 70~72의 요구사항을 참고하고 기업에 이전되는 구별되는 재화나 용역의 대가로 그 지급액을 고객에게 지급한 것이 아니라고 결론짓는다. 이는 기업이 고객의 선반에 대한 어떠한 권리도 통제하지 못하기 때문이다. 따라서 기업은 기준서 제1115호 문단 70에 따라 1.5백만원의 지급액을 거래가격의 감액이라고 판단한다. 기업은 기준서 제1115호 문단 72의 요구사항을 적용하여 그 미지급대가를 기업이 재화를 이전하여 수익을 인식할 때 거래가격에서 차감하여 회계처리 한다고 결론짓는다. 따라서 기업이 고객에게 재화를 이전하는 대로, 기업은 각 제품의 거래가격을 10%(1.5백만원 ÷ 15백만원)씩 줄인다. 그러므로 고객에게 재화를 이전하는 첫째 달에 기업은 1.8백만원(송장금액 2백만원에서 고객에게 지급

할 대가 0.2백만원 차감)을 수익으로 인식한다.

첫째 달

| (차) 현 금 | 1.5백만원 | (대) 수 익 | 1.8백만원 |
| 매 출 채 권 | 0.5백만원 | 환 불 부 채 | 0.2백만원 |

4. 기타 수익

(1) 라이선스

라이선스는 기업의 지적재산에 대한 고객의 권리를 정하는 것으로 지적재산에 대한 라이선스에는 소프트웨어, 기술, 영화, 음악, 그 밖의 형태의 미디어와 오락물, 프랜차이즈, 특허권, 상표권, 저작권 등에 대한 라이선스가 포함된다(기준서 제1115호 문단 B52).

기업은 약속한 재화나 용역에 더하여 라이선스를 부여하는 약속이 포함된다면, 라이선스가 별도의 수행의무로 구별되는지 검토해야 한다. 라이선스가 구별되는 라이선스라면 라이선스가 지적재산에 접근할 권리를 제공하는지 아니면 지적재산을 사용할 권리를 제공하는지 판단해야 한다. 이에 따라 수익인식시점이 결정되기 때문이다.

1) 라이선스가 구별되는지 여부

라이선스가 별도의 수행의무로 식별되는지 여부에 대한 판단은 앞의 "수행의무 식별"을 참조한다. 라이선스가 약속한 재화나 용역과 계약에서 구별되지 않는다면, 약속한 재화나 용역과 함께 단일 수행의무로 회계처리 한다. 계약에서 약속한 재화나 용역과 구별되지 않는 라이선스의 예에는 다음 항목이 포함된다.

① 유형 재화의 구성요소이면서 그 재화의 기능성에 반드시 필요한 라이선스

② 관련 용역과 결합되는 경우에만 고객이 효익을 얻을 수 있는 라이선스(예 : 라이선스를 부여하여 고객이 콘텐츠에 접근할 수 있도록 제공하는 온라인 서비스)

라이선스를 부여하는 약속이 그 밖에 약속한 재화나 용역과 구별되고, 따라서 라이선스를 부여하는 약속이 별도의 수행의무라면, 그 라이선스가 고객에게 한 시점에 이전되는지 아니면 기간에 걸쳐 이전되는지를 판단한다. 이를 판단할 때, 고객에게 라이선스를 부여하는 약속의 성격이 고객에게 다음 중 무엇을 제공하는 것인지를 고려한다(기준서 제1115호 문단 B56).

① 라이선스 기간 전체에 걸쳐 존재하는, 기업의 지적재산에 접근할 권리

② 라이선스를 부여하는 시점에 존재하는, 기업의 지적재산을 사용할 권리

2) 라이선스의 성격 - 접근권 vs 사용권

다음 기준을 모두 충족한다면, 라이선스를 부여하는 기업의 약속의 성격은 기업의 지적재산에 접근권을 제공하는 것이다(기준서 제1115호 문단 B58).

① 고객이 권리를 갖는 지적재산에 유의적으로 영향을 미치는 활동을 기업이 할 것을 계약에서 요구하거나 고객이 합리적으로 예상한다.

② 라이선스로 부여한 권리 때문에 고객은 문단 B58(1)에서 식별되는 기업 활동의 긍정적 또는 부정적 영향에 직접 노출된다.

③ 그 활동(들)이 행해짐에 따라 재화나 용역을 고객에게 이전하는 결과를 가져오지 않는다.

기업이 접근권인 라이선스를 부여하는 것이라면 기간에 걸쳐 이행하는 수행의무로 회계처리 한다. 기업의 지적재산에 접근을 제공하는 약속을 수행하는 대로 고객이 수행에서 생기는 효익을 동시에 얻고 소비하기 때문이다.

그렇지 않다면, 기업이 한 약속의 성격은 라이선스를 고객에게 부여하는 시점에 존재하는 대로 지적재산의 사용권을 제공하는 것이고, 이는 라이선스를 이전하는 시점에 고객이 라이선스의 사용을 지시할 수 있고 라이선스에서 생기는 나머지 효익의 대부분을 획득할 수 있음을 뜻한다. 지적재산 사용권을 제공하는 약속은 한 시점에 이행하는 수행의무로 회계처리 한다.

고객에게 라이선스를 이전하는 시점을 판단하기 위해 문단 38의 통제이전 기준을 적용한다. 그러나 지적재산 사용권을 제공하는 라이선스에 대한 수익은 고객이 라이선스를 사용하여 효익을 얻을 수 있는 기간이 시작되기 전에는 인식할 수 없다. 예를 들면, 고객이 즉시 소프트웨어를 사용할 수 있게 하는 접속번호를 고객에게 제공하거나 다른 방법으로 사용할 수 있게 하기 전에, 소프트웨어의 라이선스 기간이 시작될 수 있다. 이 경우에 기업은 그 접속번호를 제공하거나 다른 방법으로 사용할 수 있게 하기 전에는 수익을 인식하지 않는다.

사례 1 캐릭터 라이선스의 제공

연재만화 창작회사인 A사는 연재만화 세 가지 작품 속의 캐릭터의 이미지와 이름을 유람선 운영자인 B사(고객)에게 20×1년부터 4년 동안 사용하도록 라이선스한다. 거기에는 각 연재만화와 관련된 주요 캐릭터들이 있다. 그러나 새롭게 창작된 캐릭터가 자주 등장하고 그 캐릭터의 이미지는 시간에 따라 발전한다. 고객은 합당한 지침 내에서 쇼나 퍼레이드와 같은 다양한 방법으로 기업의 캐릭터를 사용할 수 있다. 계약에 따라 고객은 캐릭터의 가장 최신 이미지를 사용하여야 한다. 라이선스 계약을 체결하면서 고객은 A사가 계속하여 캐릭터를 개발하고, 캐릭터의 인지도를 높이기 위한 마케팅활동을 수행할 것으로 합리적으로 기대한다. 라이선스를 부여하는 대가로 A사는 4년 동안 고정금액 100백만원을 받는다. A사는 라이선스를 부여하는 약속 외에 다른 수행의무는 없다. 이 계약에서 A사가 B사에 제공한 라이선스는 접근권과 사용권 중 어디에 해당하는가?

라이선스가 접근권인지 사용권인지를 판단하기 위해서는 기준서 제1115호 문단 B58의 세가지 기준을 모두 만족하는지를 검토하여야 한다. A사는 지적재산(캐릭터)에 유의적으로 영향을 미칠 활동을 기업이 할 것이라고 고객인 B사가 합리적으로 예상한다(이는 기업의 사업 관행에서 비롯된다). 이는 A사의 활동(캐릭터 개발)이 고객이 권리를 가지는 지적재산의 형식을 바꾸기 때문이다. 또 고객이 권리를 가지는 지적재산에서 효익을 얻는 고객의 능력은 실질적으로 A사의 계속적인 활동(연재만화 발표)에서 생기거나 그 활동에 따라 달라진다. 계약에 따라 고객이 최근 캐릭터를 사용하여야 하기 때문에, 라이선스에서 부여한 권리에 따라 고객은 기업 활동의 긍정적 또는 부정적 영향에 직접 노출된다. 이러한 활동들은 라이선스와 별도로 재화나 용역을 이전하는 것은 아니다. 따라서, 해당 라이선스는 지적재산에 대한 접근권의 요건을 충족한다. 따라서, A사는 기업은 약속된 라이선스를 기간에 걸쳐 이행하는 수행의무로 회계처리한다. 라이선스에서 수행 정도를 가장 잘 표현하는 방법을 식별하기 위하여 기준서 제1115호 문단 39~45를 적용한다. 계약에 따라 고정된 기간에 라이선스 캐릭터를 제한 없이 사용할 수 있기 때문에, 시간기준으로 수행의무의 진행률을 측정하는 것이 가장 적절하다고 판단한다. A사는 고정금액 100백만원을 4년에 걸쳐 매년 25백만원씩 인식한다.

20×1년부터 4년 동안

(차) 매 출 채 권   25백만원   (대) 수   익   25백만원

사례 2 음악판권 라이선스의 제공

음반제작사인 C사는 20×1년 12월 31일 유통사인 D사와 유명 오케스트라의 클래식 교향곡 음반의 판권 유통 계약을 100백만원에 체결하였다. 이 유통계약에 따라 D사는 한국 및 중국을 제외한 전세계 국가에서 해당 음반을 텔레비전, 라디오, 온라인 광고를 포함한 모든 상업적 매체에서 5년간 사용할 권리가 있다. 해당 음반은 제작이 완료되어 20×1년 12월 31일 현재 관련 음반의 음원을 B사에 전달하였다. 음반제작사인 C사가 D사에 추가적으로 제공해야 하는 그 밖의 어떠한 재화나 용역도 없다. 또한, C사가 음반에 유의적인 영향을 미칠 만한 활동을 할 것이 계약상 요구되지도 않고, 합리적으로 기대되지 않는다. C사가 제공한 음악판권 라이선스는 접근권과 사용권 중 어디에 해당하는가?

C사가 D사에 제공하는 수행의무는 라이선스의 부여 뿐이다. 라이선스 기간(5년), 지리적 범위(한국과 중국을 제외한 전세계), 정해진 허용 용도(상업적)는 모두 계약에서 약속된 라이선스의 속성이라고 판단한다. 기준서 제1115호 문단 B58에 따라 기업은 라이선스를 부여하는 약속의 성격을 파악한다. C사는 라이선스된 음반을 변경해야 하는 어떠한 계약상 의무나 암묵적 의무가 없다. 라이선스되는 음반은 유의적인 개별 기능성(음악을 들려줄 능력)이 있으므로 녹음판에서 효익을 얻을 고객의 능력은 실질적으로 기업의 계속적인 활동에서 생기지 않는다. C사는 계약에서 기업이 라이선스된 음반에 유의적으로 영향을 미치는 활동을 하도록 요구하

지 않고 고객도 합리적으로는 기업이 그렇게 할 것이라고 예상하지 않는다고 판단했다. 따라서, C사는 라이선스를 부여한 그 시점에 존재하는 대로 지적재산을 사용할 권리(사용권)를 고객에게 부여한 것이다. 라이선스를 부여하는 약속은 한 시점에 이행되는 수행의무로, C사는 고객이 라이선스된 음반의 사용을 지시할 수 있고 그 지적재산에서 나머지 효익의 대부분을 얻을 수 있는 한 시점에 모든 수익을 인식한다.

20×1년 12월 31일

(차) 매 출 채 권   100백만원   (대) 수   익   100백만원

3) 판매기준 또는 사용기준 로열티

지적재산의 라이선스를 제공하는 대가로 판매기준 또는 사용기준 로열티를 지급하는 경우에는 다음 중 나중의 사건이 일어날 때(또는 일어나는대로) 인식한다(기준서 제1115호 문단 B63).

① 후속 판매나 사용
② 판매기준 또는 사용기준 로열티의 일부나 전부가 배분된 수행의무를 이행함(또는 일부 이행함).

> **사례**   **매출액 기준 판매기준로열티**
>
> 회사는 제조기업(고객)에 기업의 기술에 대한 라이선스를 제공한다. 제조기업은 5년의 라이선스 기간에 걸쳐 해당 지적재산을 재고 생산에 사용할 예정이다. 20×1년 1월 1일 회사는 라이선스 제공 대가로 100백만의 고정 대가를 받았고 매년 고객의 매출액의 3%에 해당하는 기술료를 받을 것이다. 관련 기술이전은 20×1년 3월 31일에 완료되었다. 회사는 이전한 기술에 대한 라이선스를 사용권을 제공하는 것으로 판단하였다. 계약상 다른 약속은 존재하지 않는다.
>
> 회사는 수익을 언제 인식하는가?
>
> 사용권에 대한 대가이므로 고객이 해당 라이선스를 사용가능할 때 수익을 인식하고, 판매기준 로열티에 대해서는 판매가 발생할 때 인식한다.
>
> 20×1년 1월 1일
>
> (차) 현   금   100백만원   (대) 계 약 부 채   100백만원
>
> 20×1년 3월 31일
>
> (차) 계 약 부 채   100백만원   (대) 수   익   100백만원
>   (라이선스 수익)
>
> 20×1년 12월 31일부터 5년 동안 매년
>
> (차) 매 출 채 권   xxx[*]   (대) 로 열 티 수 익   xxx
>
> *제조기업(고객)의 매출액 × 3%

(2) 계약원가

1) 계약체결 증분원가

계약체결 증분원가는 고객과 계약을 체결하기 위해 들인 원가로서 계약을 체결하지 않았다면 들지 않았을 원가이다(예 : 판매수수료). 기업은 고객과의 계약체결 증분원가가 회수될 것으로 예상된다면 이를 자산으로 인식한다. 계약 체결 여부와 부관하게 드는 계약체결원가는 계약 체결 여부와 관계없이 고객에게 그 원가를 명백히 청구할 수 있는 경우가 아니라면 발생시점에 비용으로 인식한다. 계약체결 증분원가를 자산으로 인식하더라도 상각기간이 1년 이하라면 그 계약체결 증분원가는 발생시점에 비용으로 인식하는 실무적 간편법을 쓸 수 있다.

사례　**계약체결 증분원가(기준서 제1115호 사례 36)**

기업(컨설팅 용역 제공자)은 새로운 고객에게 컨설팅 용역을 제공하는 경쟁입찰에서 이겼다. 계약을 체결하기 위하여 다음과 같은 원가가 들었다.

	(단위: 원)
실사를 위한 외부 법률 수수료	15,000
제안서 제출을 위한 교통비	25,000
영업사원 수수료	10,000
	50,000

기준서 제1115호 문단 91에 따라 기업은 영업사원 수수료에서 생긴 계약체결 증분원가 10,000원을 자산으로 인식한다. 이는 컨설팅 용역에 대한 미래 수수료로 그 원가를 회수할 것으로 예상하기 때문이다. 또 기업은 재량에 따라 연간 매출 목표, 기업 전체의 수익성, 개인별 성과평가에 기초하여 영업책임자에게 연간 상여를 지급한다. 기준서 제1115호 문단 91에 따라, 그 상여는 계약 체결에 따른 증분액이 아니기 때문에 자산으로 인식하지 않는다. 그 금액은 재량적이고 기업의 수익성과 개인별 성과를 포함한 다른 요소에 기초한다. 식별 가능한 계약이 그 상여의 직접 원인이 되지 않는다. 기업은 외부 법률 수수료와 교통비가 계약체결 여부와 관계없이 든다고 보았다. 그러므로 기준서 제1115호 문단 93에 따라, 그 원가가 다른 기준서의 적용범위에 포함되고 그 기준서의 관련 요구사항을 적용하는 경우가 아니라면, 그 원가가 들었을 때 비용으로 인식한다.

(차) 법률수수료(비용)	15,000	(대) 현　　　　금	50,000
교　통　비(비용)	25,000		
계약체결증분원가	10,000		
(영업사원수수료)			

2) 계약이행원가

고객과의 계약을 이행할 때 드는 원가가 다른 기준서의 적용범위에 포함되지 않는다면, 그 원가는 다음 기준을 모두 충족해야만 자산으로 인식한다.

① 원가가 계약이나 구체적으로 식별할 수 있는 예상 계약에 직접 관련된다(예 : 기존 계약의 갱신에 따라 제공할 용역에 관련되는 원가, 아직 승인되지 않은 특정 계약에 따라 이전할 자산의 설계원가).

② 원가가 미래의 수행의무를 이행(또는 계속 이행)할 때 사용할 기업의 자원을 창출하거나 가치를 높인다.

③ 원가는 회수될 것으로 예상된다.

계약에 직접 관련된 원가에는 다음이 포함된다.

① 직접노무원가(예 : 고객에게 약속한 용역을 직접 제공하는 종업원의 급여와 임금)

② 직접재료원가(예 : 고객에게 약속한 용역을 제공하기 위해 사용하는 저장품)

③ 계약이나 계약활동에 직접 관련되는 원가 배분액(예 : 계약의 관리·감독 원가, 보험료, 계약의 이행에 사용된 기기·장비·사용권자산의 감가상각비)

④ 계약에 따라 고객에게 명백히 청구할 수 있는 원가

⑤ 기업이 계약을 체결하였기 때문에 드는 그 밖의 원가(예 : 하도급자에게 지급하는 금액)

다음 원가는 발생시점에 비용으로 인식한다.

① 일반관리원가 (계약에 따라 고객에게 명백히 청구할 수 있는 원가가 아닌 경우에는 문단 97에 따라 그러한 원가를 평가한다)

② 계약을 이행하는 과정에서 낭비된 재료원가, 노무원가, 그 밖의 자원의 원가로서 계약가격에 반영되지 않은 원가

③ 이미 이행한 (또는 부분적으로 이미 이행한) 계약상 수행의무와 관련된 원가(과거의 수행 정도와 관련된 원가)

④ 이행하지 않은 수행의무와 관련된 원가인지 이미 이행한(또는 부분적으로 이미 이행한) 수행의무와 관련된 원가인지 구별할 수 없는 원가

3) 상각과 손상

자산으로 인식한 계약체결 증분원가와 계약이행원가는 그 자산과 관련된 재화나 용역을 고객에게 이전하는 방식과 일치하는 체계적 기준으로 상각한다. 그 자산은 구체적으로 식별된 예상 계약에 따라 이전할 재화나 용역에 관련될 수 있다.

자산과 관련된 재화나 용역을 고객에게 이전할 것으로 예상하는 시기에 유의적인 변

동이 있는 경우에 이를 반영하여 상각 방식을 수정한다. 이러한 변경은 기준서 1008호에 따라 회계추정의 변경으로 회계처리 한다.

자산으로 인식한 계약체결 증분원가와 계약이행원가의 손상차손을 인식하기 전에 다른 기준서에 따라 계약과 관련하여 인식한 자산의 손상차손을 먼저 인식한다.

자산의 장부금액이 다음 ①에서 ②를 뺀 금액을 초과하는 정도까지는 손상차손을 당기손익에 인식한다.

① 그 자산과 관련된 재화나 용역의 대가로 기업이 받을 것으로 예상하는 나머지 금액
② 그 재화나 용역의 제공에 직접 관련되는 원가로서 아직 비용으로 인식하지 않은 원가

(3) 표시와 공시

재무상태표 표시 – 계약자산, 계약부채, 수취채권

계약 당사자 중 어느 한 편이 계약을 수행했을 때, 기업의 수행 정도와 고객의 지급과의 관계에 따라 그 계약을 계약자산이나 계약부채로 재무상태표에 표시한다. 대가를 받을 무조건적인 권리는 수취채권으로 구분하여 표시한다.

1) 계약부채

기업이 고객에게 재화나 용역을 이전하기 전에 고객이 대가를 지급하거나 기업이 대가(금액)를 받을 무조건적인 권리를 갖고 있는 경우에 기업은 지급받은 때나 지급받기로 한 때(둘 중 이른 시기)에 그 계약을 계약부채로 표시한다. 계약부채는 기업이 고객에게서 받은 대가에 상응하여 고객에게 재화나 용역을 이전하여야 하는 기업의 의무이다.

2) 계약자산

고객이 대가를 지급하기 전이나 지급기일 전에 기업이 고객에게 재화나 용역의 이전을 수행하는 경우에, 그 계약에 대해 수취채권으로 표시한 금액이 있다면 이를 제외하고 계약자산으로 표시한다.

3) 수취채권

수취채권은 기업이 대가를 받을 무조건적인 권리이다. 시간만 지나면 대가를 지급받기로 한 때가 되는 경우에 그 대가를 받을 권리는 무조건적이다. 예를 들어 기업에 현재 지급청구권이 있다면 그 금액이 미래에 환불될 수 있더라도 수취채권을 인식한다. 수취채권은 기준서 제1109호에 따라 회계처리 한다.

계약부채와 수취채권(기준서 제1115호 사례 38)

경우 A. 취소할 수 있는 계약

기업은 20×9년 3월 31일에 고객에게 제품을 이전하는 취소 가능 계약을 20×9년 1월 1일에 체결한다. 계약에 따라 고객은 20×9년 1월 31일에 대가 1,000원을 미리 지급하여야 한다. 고객은 20×9년 3월 1일에 대가를 지급한다. 기업은 20×9년 3월 31일에 제품을 이전한다.

다음의 분개에서는 기업이 그 계약을 어떻게 회계처리 하는지를 설명한다.

(1) 기업은 20×9년 3월 1일에 현금 1,000원을 받는다(현금은 수행에 앞서 지급된다).

(차) 현　　　　　금　　1,000　　(대) 계　약　부　채　　1,000

(2) 기업은 20×9년 3월 31일에 수행의무를 이행한다.

(차) 계　약　부　채　　1,000　　(대) 수　　　　　익　　1,000

경우 B. 취소할 수 없는 계약

계약을 취소할 수 없다는 점을 제외하고는 <경우 A>와 같은 사실이 <경우 B>에 적용된다.

다음의 분개에서는 기업이 그 계약을 어떻게 회계처리 하는지를 설명한다.

(1) 20×9년 1월 31일이 대가(금액)의 지급기일이다(이는 기업이 대가를 받을 무조건적인 권리를 갖기 때문에 수취채권으로 인식할 때이다).

(차) 수　취　채　권　　1,000　　(대) 계　약　부　채　　1,000

(2) 기업은 20×9년 3월 1일에 현금 1,000원을 받는다.

(차) 현　　　　　금　　1,000　　(대) 수　취　채　권　　1,000

(3) 기업은 20×9년 3월 31일에 수행의무를 이행한다.

(차) 계　약　부　채　　1,000　　(대) 수　　　　　익　　1,000

기업이 20×9년 1월 31일(대가 지급기일) 전에 송장을 발행한다면 재무상태표에 총액 기준으로 수취채권과 계약부채를 표시하지 않을 것이다. 기업은 대가를 받을 무조건적인 권리를 아직 갖지 못하기 때문이다.

(4) 공시

기준서에서는 재무제표이용자가 수익 및 현금흐름의 특성, 금액, 시기, 불확실성을 이해할 수 있도록 충분한 공시를 요구한다. 기업은 고객과의 계약, 수익기준서를 적용하면서 내린 유의적인 판단, 자산으로 인식한 계약체결 증분원가 및 계약이행원가, 실무적 간편법에 대해 질적·양적 정보를 공시하여야 한다.

공시사항을 요약하면 다음과 같다.

공시사항 유형	공시 요구사항
수익의 구분	• 경제적 요소가 수익 및 현금흐름의 특성, 금액, 시기, 불확실성에 어떻게 영향을 주는지를 나타내도록 수익을 범주별로 구분
계약 잔액의 조정	• 기초 및 기말 잔액과 계약 잔액의 변동으로부터 기간 동안 인식한 수익 • 계약 잔액의 유의적인 변동에 대한 질적, 양적 정보
수행의무	• 기업의 수행의무에 대한 서술적 정보 • 나머지 수행의무에 배분된 거래가격과 예상되는 수익인식 시기
유의적인 판단	• 기간에 걸쳐 이행되는 수행의무 수익인식에 사용한 방법과 그 적정성에 대한 이유 • 한 시점에 이행되는 수행의무의 통제의 이전과 관련된 유의적인 판단
계약체결 및 계약이행원가	• 계약체결 및 계약이행원가와 상각방법 산정 시 내린 판단 • 계약자산의 기말잔액과 상각, 손상차손 금액
실무적 간편법	• 유의적인 금융요소와 관련된 실무적 간편법 적용 사실 • 계약체결원가 중 특정 원가의 비용인식과 관련된 실무적 간편법 적용 사실

제3절 정부보조금 수익

1. 정부보조금 수익

(1) 개념 및 범위

일반적으로 정부보조금이란 국가 또는 지방자치단체가 산업정책적 견지에서 기업설비의 근대화, 시험연구의 촉진, 기술개발 및 향상, 재해복구 등의 목적을 위하여 보조금의 예산 및 관리에 관한 법률의 규정에 의하여 시설자금이나 운영자금으로서 국고금에서 교부하는 금액을 말한다.

그러나, 한국채택국제회계기준상 정부보조금이란 보조금의 예산 및 관리에 관한 법률에 의한 보조금으로 한정하는 것이 아니라 기업의 영업활동과 관련하여 과거나 미래에 일정한 조건을 충족하였거나 충족할 경우 기업에게 자원을 이전하는 형식의 정부지원을 말한다.

정부보조금은 정부에서 특정기업에 대하여 산업진흥이나 육성 등의 목적으로 보조금을 교부하는 것으로서 기업에게 무상으로 지급되는 경우에는 증여의 일종이며 증여자가 국가 또는 지방자치단체라는 것이 일반증여와 다르다. 또 증여의 목적이 기업의 설비·건설 등 자본보조이며 수증자는 설비·건설 등 자본보조 목적에 따라 수증재산을 사용해야 할 의무가 부담되어 있다는 점에서 부담부증여라고 할 수 있다. 정부보조금은 건설 등 자본적 지출에 충당될 수도 있고 그 외의 수익적 지출에 충당될 수도 있다.

이런 보조금은 정부나 기타정부기관이 지급할 수 있으며, 관련 회계처리는 기준서 제1020호 '정부보조금의 회계처리와 정부지원의 공시'에 규정되어 있다. 이 기준서는 자산관련보조금과 수익관련보조금을 구분하고 있다.

(2) 기업회계상 회계처리

1) 정부보조금의 인식

다음 요건을 모두 충족하는 경우에 정부보조금을 인식한다.
① 정부보조금의 지급에 부수된 이행 조건의 충족에 대한 합리적인 확신
② 보조금의 수취(또는 채무의 면제)에 대한 합리적인 확신

인식요건에서 알 수 있듯이, 정부보조금에 부수되는 조건의 준수와 보조금 수취에 대한 합리적인 확신이 있을 경우에만 정부보조금을 인식한다. 보조금의 수취 자체가 보조금에 부수되는 조건이 이행되었거나 이행될 것이라는 결정적인 증거를 제공하지는 않

는다. 예를 들어, 토지취득 관련 정부보조금을 수취하였으나, 토지를 취득하기 전의 금액은 부채로 인식하는 것이 적절하다.

한국채택국제회계기준에서는 시장이자율보다 낮은 이자율의 정부대여금에 따른 효익을 정부보조금으로 처리하도록 하고 있다. 이 때 정부대여금으로부터의 효익을 한국채택국제회계기준 제1109호 '금융상품 : 인식과 측정'에 따른 동 대여금의 최초 장부금액, 즉 공정가치와 수취한 대가의 차이로 측정하고 이를 제1020호에서 정하고 있는 회계처리 방법에 따라 인식하도록 하고 있다.

사례 시장이자율보다 낮은 이자율의 정부대여금

20×0년 기업은 정부로부터 향후 5년간 수행되는 특정활동을 지원하기 위한 목적으로 시장이자율보다 낮은 이자율의 대여금 1,000을 수취하였다. 시장이자율은 7%, 정부대여금의 이자율은 4%이고 이자는 연말에 1회 지급하고 만기는 4년이다.

	20×0년	20×1년	20×2년	20×3년	20×4년	20×5년
현금수취(지출)	1,000	(40)	(40)	(40)	(1,040)	–
공정가치[*1]	(900)					
정부보조금의 효익	100					
이자비용[*2]		(63)	(64)	(66)	(67)	–
효익의 인식[*3]		20	20	20	20	20

(*1) 시장이자율인 7%로 할인
(*2) 상각후원가에 따라 인식한 정부대여금 이자비용
(*3) 정액법 적용시 인식할 정부대여금으로 인한 효익

정부대여금의 최초장부가액은 미래현금흐름을 시장이자율로 할인한 900원으로 측정하고 후속적으로 유효이자율법에 따른 상각후원가로 측정한다. 최초장부가액인 900원과 현금수취액 1,000원의 차이인 100원이 시장이자율보다 낮은 이자율의 정부대여금으로 인한 효익으로서 이는 정부보조금이 보전하려고 하는 특정활동에 대한 비용이 발생하는 향후 5년간 정액법 등 체계적인 기준에 따라 당기손익으로 인식한다.

2) 정부보조금의 회계처리

① 정부보조금의 표시

기준서 제1020호에서는 정부보조금을 두 가지 유형으로 나누어 정의하고 있으며, 정부보조금의 재무제표 표시에 선택적인 방법을 허용하고 있다.

가. 자산관련보조금

정부지원의 요건을 충족하는 기업이 장기성 자산을 매입, 건설하거나 다른 방법으로

취득하여야 하는 일차적 조건이 있는 정부보조금. 부수조건으로 해당 자산의 유형이나 위치 또는 자산의 취득기간이나 보유기간을 제한할 수 있다.

　자산관련 정부보조금을 재무제표에 표시할 때에는 다음의 두 가지 방법이 모두 인정된다.

　① 보조금을 이연수익(부채)으로 인식하여 자산의 내용연수에 걸쳐 수익을 인식한다.
　② 자산의 장부금액을 결정할 때 보조금을 차감하여 인식한 후, 감가상각자산의 내용연수에 걸쳐 보조금을 수익으로 인식한다.

나. 수익관련보조금

수익관련보조금이란 자산관련보조금 이외의 정부보조금을 말한다.

　수익관련정부보조금을 재무제표에 표시할 때에는 다음의 두 가지 방법이 모두 인정된다.

　① 포괄손익계산서에 별도의 계정이나 '기타수익'과 같은 일반계정으로 표시한다.
　② 관련비용에서 보조금을 차감하여 표시한다.

② 정부보조금 회계처리

가. 자산관련보조금

① 정부보조금의 수취 시 : 수령한 금액을 정부보조금(예수금)으로 처리한다.
② 정부보조금으로 자산 취득 시 : 취득에 소요된 정부보조금을 취득자산의 장부금액에서 차감하여 표시한다.
③ 취득자산의 상각 시 : 상각자산의 내용연수에 걸쳐 감가상각비와 상계한다.

사례　**자산관련보조금의 회계처리 예시**

- A사는 20×8년 1월 1일에 특수장비를 개발하는 연구용역 활동을 수행하기 위한 장비를 구입하는 조건으로 총 취득원가의 50%에 해당하는 500,000원을 정부로부터 지원받음.
- 회사는 20×8년 2월 1일에 그 장비를 구입하였으며 장비는 5년 동안 정액법을 사용하여 상각함.
- 정부보조금의 회계처리는?

[결론]
- 20×8년 1월 1일 - 정부보조금을 받는 시점

　(차) 현　　　　　　금　　　500,000　　　(대) 정부보조금(예수금)　　　500,000

• 20×8년 2월 1일 - 장비를 구입하는 시점

| (차) 기 계 장 치 | 1,000,000 | (대) 현 금 | 1,000,000 |
| 정부보조금(예수금) | 500,000 | 정부보조금(기계장치) | 500,000[*] |

(*) 기계장치에서 차감하는 형식으로 표시

• 20×8년 12월 31일

| (차) 감 가 상 각 비 | 183,333 | (대) 감 가 상 각 누 계 액 | 183,333 |
| 정부보조금(기계장치) | 91,666 | 감 가 상 각 비 | 91,666 |

감가상각비 : 1,000,000 × 1/5 × 11/12 = 183,333

정부보조금(기계장치) : 500,000 × 1/5 × 11/12 = 91,666

• 20×8년 12월 31일 재무상태표 표시

기계장치	1,000,000
감가상각누계액	(183,333)
정부보조금(기계장치)	(408,334)
기계장치	408,333

나. 수익관련보조금

① 대응되는 비용이 없거나 아무런 조건이나 규정 없이 정부보조금을 받는 경우 : 보조금 수취 시 수익으로 처리한다.

② 특정조건을 충족시킬 경우에 상환하지 않는 조건으로 보조금을 수령하는 경우 : 최초 보조금 수령 시에는 '예수금' 계정(부채)으로 계상한 후, 특정조건을 충족하여 보조금의 반납의무가 소멸되는 경우 다음과 같이 처리한다.

 • 동 보조금이 특정 발생비용과 관련된 경우에는 발생비용에서 차감

 • 동 보조금이 특정 비용과 관련이 없는 경우에는 수익인식

사례 수익관련 정부보조금의 회계처리 사례

(Case 1)

• C사는 국내에서 생산한 제품 '갑'을 수출하는 경우, 1개당 1,000원을 정부보조금으로 수취하기로 함.

• 20×8년 12월 28일에 C사는 100개의 '갑'제품을 수출하였고 정부로부터 100,000원을 수령함.

• 제품 '갑'의 1개의 수출가격은 10,000원임.

• 정부보조금 관련 회계처리는?

[결론]

• 20×8년 12월 28일 - 매출과 관련된 회계처리 수행

(차) 외 상 매 출 금   1,000,000   (대) 매   출   1,000,000

- 정부보조금을 받는 시점

    (차) 현   금   등   100,000   (대) 기 타 수 익   100,000

(Case 2)
- A사는 20×8년 1월 25일에 정부로부터 국책과제비로 5,000,000원을 지원받음.
- 동 금액은 회사의 국책과제 연구비용에 충당되며, 과제 수행 후 일정요건의 지출내역 자료를 제출하면 상환의무가 없음.
- 회사는 국책과제를 20×8년 10월 5일에 결과 보고와 함께 종료함.
- 정부보조금 관련 회계처리는?

[결론]
- 정부보조금 수령 시

    (차) 현   금   등   5,000,000   (대) 정부보조금(예수금)   5,000,000

- 비용 지출 시

    (차) 경 상 개 발 연 구 비   5,000,000   (대) 현   금   등   5,000,000

- 국책과제 종료 후 정산 시

    (차) 정부보조금(예수금)   5,000,000   (대) 경 상 개 발 연 구 비   5,000,000

③ 정부보조금의 상환

    기준서 제1020호에서는 정부보조금의 상환의무가 발생한 경우의 회계처리에 대하여 규정하고 있다. 동 기준서 문단 32에서는 상환의무가 발생하게 된 정부보조금은 한국채택국제회계기준 제1008호 '회계정책, 회계추정의 변경 및 오류수정'에 따라 회계추정의 변경으로 처리하도록 하고 있으므로, 상환으로 인한 효과를 전진적으로 인식하도록 하고 있다. 따라서, 수익관련보조금의 상환시 미상각 이연계정이 남아 있는 경우 이를 먼저 상계하고 초과하는 금액을 즉시 당기손익으로 인식하는 것이며, 자산관련보조금의 상환시에는 상환금액만큼 자산의 장부가액을 증가시키거나 이연수익에서 차감하고, 보조금이 없었더라면 현재까지 인식했어야 하는 누적적인 추가 감가상각누계액은 즉시 당기손익으로 인식하도록 하고 있다.

사례 **특정조건하에서 상환의무가 발생하는 회계처리**
- A사는 친환경생산 명목으로 기계장치 구입시 정부보조금을 수령하기로 함.

- 지원받을 금액은 1,000을 한도로 하여 총 기계장치 매입대금의 10%를 초과할 수 없음.
- 회사는 우선 1,000을 수령하였으며, 기계장치 매입 후 상환할 금액을 정산하기로 함.
- 취득한 기계장치의 가액은 8,000(잔존가치 없음)이고 10년 동안 정액법으로 상각함.
- 정부보조금과 관련된 회계처리는?

[결론]
- 정부보조금 수령 시

(차) 현 금 등	1,000	(대) 예 수 금	1,000

- 기계장치 구입 시

(차) 기 계 장 치	8,000	(대) 현 금 등	8,000
예 수 금	800	정부보조금(기계장치)	800

- 기계장치의 감가상각 시점

(차) 감 가 상 각 비	800	(대) 감 가 상 각 누 계 액	800
정부보조금(기계장치)	80	감 가 상 각 비	80

감가상각비 : 8,000/10 = 800

정부보조금(기계장치) 800 × 800/8,000 = 80

- 정부보조금 상환하는 시점

(차) 정부보조금(예수금)	200	(대) 현 금 등	200

기준서 제1020호 문단 33에서는 자산관련보조금의 상환의무가 발생하게 되는 경우 기업의 영업환경에 불리한 변화가 발생하였다는 증거를 제공할 수 있으므로 증가된 자산의 장부금액에 손상가능성이 있는지를 고려하도록 요구하고 있다.

④ 정부보조금 회계처리 종합사례

사례 **정부보조금 종합사례**
- B사는 연구보조 명목으로 정부보조금 2,000을 수령함.
- 수령한 보조금은 회사의 자산 취득 및 연구비에 충당되며, 회사는 연구활동 종료 및 보고 후 최종적으로 지원받은 금액의 20%(400)를 반납하는 조건임.
- 회사는 동 연구활동 관련하여 총 4,000을 지출하였고, 총 지출액 중 1,800은 기계장치 구입에, 2,200은 연구개발비로 사용됨.
- 기계장치의 내용연수는 10년이며, 잔존가치는 없음. 정액법으로 상각함.
- 수령한 정부보조금 중 900은 자산 취득에, 1,100은 연구개발비용에 지출됨.
- 회사는 연구활동 종료, 보고 후 400을 반납하였음.
- 정부보조금과 관련된 전체 회계처리는? (단, 간단한 회계처리 사례를 위하여 장·단기 구분

하지 아니함)

[결론]

• 정부보조금 수령 시

| (차) 현 금 등 | 2,000 | (대) 예 수 금 - 상 환 의 무 | 400 |
| | | 예 수 금 - 일 반 | 1,600 |

• 연구활동 비용 지출 및 자산구입
  - 비용 발생 시

| (차) 경 상 연 구 개 발 비 | 2,200 | (대) 현 금 등 | 2,200 |

  - 기계장치 구입시

| (차) 기 계 장 치 | 1,800 | (대) 현 금 등 | 1,800 |
| 예 수 금 - 일 반 | 720 | 정부보조금(기계장치) | 720 |

예수금 - 일반 : 900 × 80%(의무상환비율) = 720

  - 결산시 기계장치의 감가상각

| (차) 감 가 상 각 비 | 180 | (대) 감 가 상 각 누 계 액 | 180 |
| 정부보조금(기계장치) | 72 | 감 가 상 각 비 | 72 |

감가상각비 : 1,800/10 = 180
정부보조금(기계장치) : 180 × 720/1,800 = 72

• 결산시 수익관련보조금 정산

| (차) 예 수 금 - 일 반 | 880 | (대) 경 상 연 구 개 발 비 | 880 |

예수금 - 일반 : 1,100 × 80%(의무상환비율) = 880

• 정부보조금 상환하는 시점

| (차) 예 수 금 - 상 환 의 무 | 400 | (대) 현 금 등 | 400 |

⑤ 현금흐름표 표시

자산의 취득과 이와 관련된 보조금의 수취는 기업의 현금흐름에 중요한 변동을 일으킨다. 따라서 재무상태표에 보조금이 관련 자산에서 차감하여 표시되는지와 관계없이 자산의 총투자를 보여주기 위해 이러한 변동을 현금흐름표에 별도 항목으로 표시한다(기준서 제1020호 문단 28). 즉, 자산관련보조금으로 유형자산을 취득하는 경우, 투자활동 현금흐름에 유형자산 취득으로 인한 현금유출액과 정부보조금 수령으로 인한 현금유입액을 총액으로 각각 표시한다.

제4절　결산 시 유의할 사항

1. 수익인식기준의 계속적 적용 검토

회사가 정책적으로 채택하고 있는 수익인식기준이 계속적으로 적용되어 매출액이 계상된 것인지를 검토한다.

2. 미실현이익 계상 여부 검토

위탁판매·할부판매·시용판매·예약판매 등에 있어서 미실현이익이 계상되어 있지 않은지 검토하고, 미실현이익이 계상되어 있는 경우 한국채택국제회계기준에 따른 적절한 조정을 한다.

3. 본·지점 간 거래에 대한 내부이익 제거 검토

본·지점 간의 상품거래 등에 따라 계상된 미실현내부이익이 있는 경우 동 내부거래 및 미실현내부이익이 제거되었는지를 확인한다.

4. 보고기간종료일을 전후한 매출인식의 적정성 검토

회사의 계속적인 수익인식기준을 적용하여 보고기간종료일을 전후한 매출의 기간귀속이 적정한지 검토한다.

또한 반품이 있는 경우, 사업연도 말에 기중매출에 대한 반품정리가 적절히 되었는지 파악한다.

5. 외화표시매출의 원화환산 적정성 검토

외화로 이루어진 매출의 원화환산방법의 타당성 및 관련 환차손익의 회계처리의 적정성을 검토한다.

세무회계상 유의할 사항

1. 세무회계상 매출액의 개념 및 정의

기업회계에서는 '매출액'이라는 개념을 사용하지만 세무회계에서는 '매출액'이라는 개념 대신 수입금액이라는 용어를 사용한다.

세무상으로 수입금액은 일반적으로 손익계산서상 구분되는 영업수익을 일컫는데 이는 한국채택국제회계기준에 의하여 계산한 매출액을 말한다.

세무상 수입금액은 접대비 등의 손금산입한도액 계산의 기준이 되므로 세무조정에 있어서 매우 중요한 의미를 지닌다.

2. 부가가치세법상 과세표준과의 관계

부가가치세법에서는 재화나 용역의 공급가액을 과세표준으로 하고 있는데, 기업회계상의 매출액이 부가가치세법상의 과세표준이 되는 경우가 일반적이기는 하지만, 양자가 일치되는 개념이 아니라는 것에 주의해야 한다.

부가가치세법상 재화의 공급에 해당되나 기업회계상 매출액에는 해당되지 않는 것이 많이 있는데, 예를 들어 법인이 생산한 제품을 자가공급, 개인적 공급, 사업상 증여를 하게 되면 이는 매출원가에서 차감해야 될 금액이고 장부상 매출액으로 계상될 금액은 아니다.

3. 기업회계와 세무회계상 손익인식의 차이점

기업회계에서는 발생주의를 전제로 하여 수익은 실현주의에 의하여 인식하고 비용은 수익·비용대응의 원칙에 의하여 인식하나, 세무회계에서는 권리·의무 확정주의를 원칙으로 하고 있다(법법 40조).

권리·의무 확정주의는 어떠한 시점에서 손금과 익금을 확실히 인식할 수 있을 것인가를 법률적 측면에서 포착하기 위한 것이다. 즉, 세법은 법률로서의 관점으로부터 법적으로 가장 안정된 사실을 가지고 손익의 귀속시기를 판정한다고 하는 법적 기준(Legal Test)을 수립하여, 조세공평의 원칙상 모든 조세법률관계에 동일하게 적용시키기 위한 획일적 기준의 필요에서 권리·의무 확정주의를 채택한 것이라고 볼 수 있다. 여기서 권리가 확정된다 함은 권리의 실현이 가능한 상태를 말하는 것으로서 구체적으로 ㉮ 특정한 채권이 성립하고, ㉯ 구체적 채무이행을 청구할 수 있는 사실이 발생하고, ㉰ 채권의 금액을 합리적으로 계산할 수 있어야 한다. 의무의 확정은 권리의 확정에 대한 주체를 달리하여 보면 된다.

이러한 기본적인 관점의 차이 때문에 세법상의 손익귀속시기와 기업회계상의 손익귀속시기는 차이를 보이고 있다. 한편, 세법상의 손익귀속시기 등과 관련하여 법인세법에서는 손익의 귀속사업연도(법법 40조), 자산의 판매손익 등의 귀속사업연도(법령 68조), 용역제공 등에 의한 손익의 귀속사업연도(법령 69조), 이자소득 등의 귀속사업연도(법령 70조) 및 임대료 등 기타 손익의 귀속사업연도(법령 71조) 등을 규정하고 있다.

(1) 기업회계기준과 관행의 적용

1) 개 요

법인세법 제43조에서는 내국법인의 각 사업연도의 소득금액을 계산할 때 그 법인이 익금과 손금의 귀속사업연도와 자산·부채의 취득 및 평가에 관하여 일반적으로 공정·타당하다고 인정되는 기업회계기준을 적용하거나 관행을 계속 적용하여 온 경우에는 법인세법 및 조세특례제한법에서 달리 규정하고 있는 경우를 제외하고는 그 기업회계기준 또는 관행에 따른다고 규정하고 있다. 즉, 세법의 규정이 없는 경우에만 기업회계기준이 수용되고 세법의 규정이 있는 경우에는 세법이 우선 적용된다는 것이다.

2) 기업회계기준과 관행의 범위

법인세법 제43조에 따른 기업회계의 기준 또는 관행은 다음의 어느 하나에 해당하는 회계기준(해당 회계기준에 배치되지 아니하는 것으로서 일반적으로 공정·타당하다고 인정되는 관행을 포함함)으로 한다(법령 79조).

① 한국채택국제회계기준
② 주식회사 등의 외부감사에 관한 법률 제5조 제1항 제2호 및 같은 조 제4항에 따라 한국회계기준원이 정한 회계처리기준(일반기업회계기준 등)
③ 증권선물위원회가 정한 업종별회계처리준칙
④ 공공기관의 운영에 관한 법률에 따라 제정된 공기업·준정부기관 회계규칙
⑤ 상법 시행령 제15조 제3호에 따른 회계기준(중소기업회계기준)
⑥ 그 밖에 법령에 따라 제정된 회계처리기준으로서 기획재정부장관의 승인을 받은 것

(2) 법인세법상 손익의 귀속시기

1) 자산의 판매손익 등의 귀속사업연도

① 상품 등의 판매손익

법인세법에서는 상품 등의 판매손익 귀속시기를 그 상품 등을 인도한 날이 속하는 사업연도로 규정하고 있다(법령 68조 1항 1호).

이 때 납품계약 또는 수탁가공계약에 의하여 물품을 납품하거나 가공하는 경우에는 당해 물품을 계약상 인도하여야 할 장소에 보관한 날(다만, 계약에 따라 검사를 거쳐 인수 및 인도가 확정되는 물품은 당해 검사가 완료된 날)을 인도일로 하고, 물품을 수출하는 경우에는 수출물품을 계약상 인도하여야 할 장소에 보관한 날(계약상 별단의 명시가 없는 한 선적을 완료한 날을 말하되, 선적완료일이 분명하지 아니한 경우로서 수출할 물품을 관세법 제155조 제1항 단서에 따라 보세구역이 아닌 다른 장소에 장치하고 통관절차를 완료하여 수출면장을 발급받은 경우에는 수출물품을 계약상 인도하여야 할 장소에 보관한 날에 해당하는 것으로 봄)을 인도일로 보고 판매손익을 인식한다(법칙 33조 및 법기통 40-68…2).

한편, 한국채택국제회계기준에서는 건설업 또는 부동산매매업에 있어서 판매를 목적으로 소유하는 토지·건물 기타 이와 유사한 부동산을 상품으로 분류하고 있으므로 완공된 주택 등도 재고자산으로 분류하여 본 장의 제2절에 따라 5단계 과정으로 수익을 인식한다. 그러나 법인세법에서는 건설업 또는 부동산매매업을 영위하고 있는 법인이 매매목적으로 보유하고 있는 부동산은 한국채택국제회계기준상 재고자산으로 분류되더라도 손익의 귀속사업연도 결정에 있어서는 아래 '③'에 따라 상품 등으로 보지 않고, 법인세법 시행령 제68조 제1항 제3호가 적용되는 자산의 양도로 보아 대금청산일, 소유권이전등기일, 인도일 또는 사용수익일 중 먼저 도래한 날이 속하는 사업연도의 수익으로 인식하도록 하고 있다.

② 자산의 위탁매매 및 상품 등의 시용판매

법인세법에서는 자산의 위탁매매의 경우 수탁자가 그 위탁자산을 매매한 날이 속하는 사업연도를, 상품 등의 시용판매의 경우 상대방이 그 상품 등에 대한 구입의 의사를 표시한 날이 속하는 사업연도를 손익귀속시기로 규정하고 있다(법령 68조 1항 2호, 4호).

③ 상품 등 외의 자산의 양도

법인세법에서는 상품 등 외의 자산을 양도하는 경우 그 대금을 청산한 날(한국은행법에 따른 한국은행이 취득하여 보유 중인 외화증권 등 외화표시자산을 양도하고 외화로 받은 대금으로서 원화로 전환하지 아니한 그 취득원금에 상당하는 금액의 환율변동분은 한국은행이 정하는 방식에 따라 해당 외화대금을 매각하여 원화로 전환한 날)이 속하는 사업연도를 손익의 귀속시기로 규정하고 있다. 다만, 대금을 청산하기 전에 소유권 등의 이전등기(등록을 포함함)를 하거나 당해 자산을 인도하거나 상대방이 당해 자산을 사용수익하는 경우에는 그 이전등기일(등록일을 포함함) · 인도일 또는 사용수익일 중 빠른 날이 속하는 사업연도를 손익의 귀속시기로 한다(법령 68조 1항 3호).

④ 증권시장 업무규정상 보통거래방식에 따른 유가증권의 매매

법인세법에서는 자본시장과 금융투자업에 관한 법률 제8조의 2 제4항 제1호에 따른 증권시장에서 같은 법 제393조 제1항에 따른 증권시장업무규정에 따라 보통거래방식으로 한 유가증권의 매매의 경우에는 매매계약을 체결한 날이 속하는 사업연도를 손익귀속시기로 규정하고 있다(법령 68조 1항 5호).

⑤ 장기할부조건의 자산의 판매 · 양도

법인세법에서는 법인이 상품(부동산 제외) · 제품 또는 기타의 생산품(이하 "상품 등"이라 함)을 장기할부조건으로 판매 또는 양도함으로써 얻는 손익은 원칙적으로 당해 상품 등의 인도일(상품 등 외 자산의 경우에는 대금청산일, 소유권이전등기일 · 등록일, 인도일 또는 사용수익일 중 빠른 날, 이하 "인도일"이라 함)을 그 귀속시기로 하며, 판매 또는 양도로 인한 명목가액 전체를 익금으로 인식하여야 한다(법령 68조 1항).

그러나 법인이 장기할부조건으로 상품 등을 판매하거나 양도한 경우로서 판매 또는 양도한 자산의 인도일이 속하는 사업연도의 결산을 확정함에 있어서 해당 사업연도에 회수하였거나 회수할 금액과 이에 대응하는 비용을 각각 수익과 비용으로 계상한 경우에는 그 장기할부조건에 따라 각 사업연도에 회수하였거나 회수할 금액과 이에 대응하는 비용을 각각 해당 사업연도의 익금과 손금에 산입한다. 다만, 중소기업인 법인이 장기할부조건으로 자산을 판매하거나 양도한 경우에는 결산상 인도기준으로 인식한 경우에도 그 장기할부조건에 따라 각 사업연도에 회수하였거나 회수할 금액과 이에 대응하는 비용을 각각 해당 사업연도의 익금과 손금에 산입할 수 있다(법령 68조 2항). 이 경우 인도일 이전에 회수하였거나 회수할 금액은 인도일에 회수한 것으로 보며, 법인이 장기할부기간 중에 폐업한 경우에는 그 폐업일 현재 익금에 산입하지 아니한 금액과 이에 대응하는 비용을 폐업일이 속하는 사업연도의 익금과 손금에 각각 산입한다(법령 68조 3항).

또한, 법인이 장기할부조건으로 상품 등을 판매하거나 양도함으로써 발생한 채권에 대하여 한국채택국제회계기준에 따라 현재가치로 평가하여 현재가치할인차금을 계상한 경우 해당 현재가치할인차금 상당액은 해당 채권이 회수기간 동안 한국채택국제회계기준이 정하는 바에 따라 환입하였거나 환입할 금액을 각 사업연도의 익금에 산입한다(법령 68조 6항).

한편, 장기할부조건이란 자산의 판매 또는 양도(국외거래에 있어서는 소유권이전 조건부 약정에 의한 자산의 임대를 포함한다)로서 판매금액 또는 수입금액을 월부·연부 기타의 지불방법에 따라 2회 이상으로 분할하여 수입하는 것 중 당해 목적물의 인도일의 다음날부터 최종의 할부금의 지급기일까지의 기간이 1년 이상인 것을 말한다(법령 68조 4항).

가. 대금의 분할수입

장기할부조건이 되기 위해서는 대금을 2회 이상 분할하여 지급받는 것이어야 한다. 이 경우 대금을 분할하여 지급받는 요건은 계약시의 대금지급조건상 장기할부판매조건부 거래의 의사가 있어야 충족되는 것이므로, 계약확정 후 단순히 매수자의 자금사정때문에 대금을 장기할부어음 등으로 지급받는 것은 장기할부판매가 아니다. 그러나 자산을 장기할부조건으로 양도하고 단순히 채권의 보증 또는 결제의 편의를 위하여 약정상의 각 상환일을 지급일로 하는 어음을 일괄 수취하는 것은 장기할부판매로 보아야 한다.

나. 최종 할부금의 지급기일까지의 기간

최종의 할부금의 지급기일까지의 기간은 당해 목적물의 인도기일의 다음날부터 기산한다. 여기서 인도라 함은 현실의 인도 이외에 간이인도, 점유개정 및 목적물 반환청구권의 양도를 포함한다.

⑥ 재고반품조건의 백화점·대리점 납품

법인이 사전 약정에 따라 재고반품조건으로 백화점 및 대리점에 재화를 납품하는 경우에는 해당 재화를 백화점에 인도한 날이 손익의 귀속시기가 된다(서면2팀-2154, 2004. 10. 26. ; 조심 2013서 440, 2013. 12. 11.).

그러나, 회사가 제품에 대한 소유권을 가지고 당해 법인의 브랜드만 취급하는 대리점 등에 제품을 반출하고 대리점 등이 소비자에게 실제 판매한 제품에 대하여만 대금청구권을 가지며 당해 법인이 전적으로 반출한 제품과 반입할 제품의 품목과 수량을 결정하고 대리점 등은 주문에 대한 책임과 권한이 없는 경우에는 대리점 등이 제품을 최종소비자에게 판매하는 날을 손익귀속시기로 본다(기획재정부 법인세제과-384, 2016. 5. 2.).

⑦ 반품가능판매

법인이 반품가능판매로서 판매시점에 반품가능성을 합리적으로 예측하기 어려워 재화를 인도하고도 수익으로 인식하지 않는 것은 세법상 인정되지 않는다. 즉, 법인세법상 상품 등을 판매하는 경우 손익의 귀속시기는 상품 등을 인도한 날이 속하는 사업연도이며, 재화의 판매시점에 미래의 반품가능금액을 신뢰성 있게 추정할 수 없다는 이유로 판매시점에 수익을 인식하지 않는 회계처리는 법인세법상 인정되지 아니한다. 따라서 재화의 인도시에 수익을 인식하여야 하며, 판매한 상품 등이 반품된 경우에는 그 반품일이 속하는 사업연도에 매출의 취소로 보아 매출액에서 차감한다(법인세과-1434, 2009. 12. 28.).

한편, 반품금액을 신뢰성 있게 추정할 수 있어 인도기준에 따라 수익은 인식하되, 반품이 예상되는 부분의 매출액과 매출원가를 각각 차감하고 매출총이익에 해당하는 금액은 반품추정부채로 설정한 경우 세법에서는 반품추정부채를 인정하지 않으므로 관련 손익을 부인하는 세무조정을 하여야 한다. 즉, 법인세법은 권리·의무확정주의를 기본으로 하고 있기 때문에, 기업회계상 장래에 발생할 가능성이 있다고 인정하여 비용으로 계상하는 각종 충당부채를 모두 손금으로 인정하지는 않는다. 따라서, 제품을 판매하고 반품이 예상되는 금액에 대하여 환불충당부채와 환불예상자산을 계상하여 해당 사업연도의 매출액 및 매출원가를 차감하는 경우에 동 환불충당부채와 환불예상자산은 해당 법인의 각 사업연도 소득금액 계산 시 각각 익금 또는 손금에 산입하는 것이다(서면-2019-법인-0762, 2020. 8. 24.).

⑧ 정부보조금·공사부담금

법인이 정부보조금 및 공사부담금을 지급받는 경우, 동 보조금 등의 수령은 법인의 순자산을 증가시키므로 법인세법상 익금에 해당된다. 다만, 수령한 보조금 등을 일정한 요건을 갖추어 사업용자산의 취득에 사용하는 경우에는 일정기간 과세를 이연할 수 있다.

정부보조금 및 공사부담금과 관련하여 세무회계상 유의할 사항은 제2편(Ⅱ) 중 자산편 제2장 제2절 '12. 세무회계상 유의할 사항'의 '(17) 국고보조금 등으로 취득한 사업용자산가액의 손금산입' 및 '(18) 공사부담금으로 취득한 고정자산가액의 손금산입'을 참조하기로 한다.

⑨ 추가 재화나 용역에 대한 고객의 선택권

고객의 선택권 제도는 재화나 용역을 구매하는 고객에게 인센티브를 제공하기 위하여 무료나 할인된 가격으로 추가 재화나 용역을 취득할 수 있는 선택권을 고객에게 부여하는 것으로서, 이러한 선택권은 판매 인센티브, 고객보상점수(points), 계약갱신 선택권, 미래의 재화나 용역에 대한 그 밖의 할인 등 그 형태가 다양하다(기준서 1115호 문단 B39).

그리고 한국채택국제회계기준에서는 계약에서 추가 재화나 용역을 취득할 수 있는

선택권을 고객에게 부여하고 그 선택권이 그 계약을 체결하지 않으면 받을 수 없는 중요한 권리를 고객에게 제공하는 경우에만 그 선택권은 계약에서 수행의무가 생기게 한다(예 : 이 재화나 용역에 대해 그 지역이나 시장의 해당 고객층에게 일반적으로 제공하는 할인의 범위를 초과하는 할인). 따라서 선택권이 고객에게 중요한 권리를 제공한다면, 고객은 사실상 미래 재화나 용역의 대가를 기업에 미리 지급한 것이므로 기업은 그 미래 재화나 용역이 이전되거나 선택권이 만료될 때 수익을 인식한다(기준서 1115호 문단 B40).

그러나 법인세법은 한국채택국제회계기준의 고객의 선택권 제도에 따라 포인트 및 마일리지가 부여되는 경우 해당 부여시점에 관련 비용 및 충당부채를 인식하는 것을 인정하지 않는다. 왜냐하면, 충당부채는 의무가 확정되기 이전에 손금으로 계상하는 것이므로 법에서 특별히 인정하고 있는 충당금 이외의 충당금은 인정되지 않는다. 따라서, 포인트 및 마일리지가 실제 사용된 날이 속하는 사업연도의 손금으로 처리하여야 한다(서이 46012-11711, 2002. 9. 13.).

2) 용역제공 등에 의한 손익의 귀속사업연도

법인세법에서는 건설·제조 기타 용역(도급공사 및 예약매출을 포함하며, 이하 "건설 등"이라 함)의 제공으로 인한 익금과 손금은 그 목적물의 건설 등의 착수일이 속하는 사업연도부터 그 목적물의 인도일(용역제공의 경우에는 그 용역의 제공을 완료한 날을 말하며, 이하 같음)이 속하는 사업연도까지 다음과 같이 산정한 작업진행률을 기준으로 하여 계산한 수익과 비용을 각각 해당 사업연도의 익금과 손금에 산입하도록 규정하여 진행기준을 적용하도록 규정하고 있다(법령 69조 1항 본문).

$$작업진행률 = \frac{해당\ 사업연도\ 말까지\ 발생한\ 총공사비\ 누적액}{총공사예정비}$$

(*) 작업진행률은 상기와 같은 원가기준을 원칙으로 하되, 건설 등의 수익실현이 건설 등의 작업시간·작업일수 또는 기성공사의 면적이나 물량 등과 비례관계가 있고, 전체 작업시간 등에서 이미 투입되었거나 완성된 부분이 차지하는 비율을 객관적으로 산정할 수 있는 건설 등의 경우에는 그 비율로 할 수 있음(법칙 34조 1항).

다만, 다음의 어느 하나에 해당하는 경우에는 그 목적물의 인도일이 속하는 사업연도의 익금과 손금에 산입할 수 있도록 규정하고 있으며(법령 69조 1항 단서), 작업진행률을 계산할 수 없다고 인정되는 경우로서 법인이 비치·기장한 장부가 없거나 비치·기장한 장부의 내용이 충분하지 아니하여 당해 사업연도 종료일까지 실제로 소요된 총공사비 누적액 또는 작업시간 등을 확인할 수 없는 경우와 법인세법 제51조의 2 제1항에 해당하는 법인(유동화전문회사 등) 또는 조세특례제한법 제104조의 31 제1항에 따른 법인(프로젝트금융투자회사)으로서 한국채택국제회계기준을 적용하는 법인이 수행하는 예약 매출의 경우에는 그 목적물의 인도일이 속하는 사업연도의 익금과 손금에 산입하도록 하고 있다(법령 69조 2항 및 법칙 34조 4항).

① 중소기업인 법인이 수행하는 계약기간이 1년 미만인 건설 등의 경우
② 기업회계기준에 따라 그 목적물의 인도일이 속하는 사업연도의 수익과 비용으로 계상한 경우

한편, 작업진행률에 의한 익금 또는 손금이 공사계약의 해약으로 인하여 확정된 금액과 차액이 발생된 경우에는 그 차액을 해약일이 속하는 사업연도의 익금 또는 손금에 산입한다(법령 69조 3항).

참고로, 한국채택국제회계기준 의무적용 대상 주권상장 내국법인이 건설 등의 제공에 대하여 작업진행률을 기준으로 계산한 수익과 비용을 각각 해당 사업연도의 익금과 손금에 산입하던 중, 새로운 개정 기준서(K-IFRS 제1115호)의 적용에 따라 건설등의 제공으로 인한 수익과 비용을 그 목적물의 인도일이 속하는 사업연도의 수익과 비용으로 회계 처리를 변경한 경우 인도일이 속하는 사업연도의 익금과 손금에 산입할 수 있는 것이나, 새로운 개정 기준서의 적용일이 속하는 사업연도 이전까지 작업진행률에 따라 기간 손익을 인식한 금액은 종전의 방식대로 작업진행률에 따라 인식하는 것이며, 작업진행률에 따라 인식하지 않고 남아있는 손익에 대하여만 인도기준을 적용할 수 있다. 따라서 작업진행률에 따라 진행기준으로 과거 사업연도에 인식한 수익과 비용을 새로운 개정 기준서를 적용한 사업연도에 이익잉여금의 감소로 회계처리 한 경우 동 이익잉여금 조정금액은 손금산입(기타) 및 손금불산입(유보)으로 세무조정해야 함(기획재정부 법인세제과-102, 2020. 1. 23.).

3) 기타 경우의 손익귀속사업연도

법인세법 시행령 제70조 이자소득 등의 귀속사업연도 및 법인세법 시행령 제71조 임대료 등의 귀속사업연도 규정은 제3편(Ⅱ) 중 제4장 및 제6장의 각 세무해설을 참조하기로 한다.

한편, 법인세법 제43조(기업회계기준과 관행의 적용)에서는 법인세법 및 조세특례제한법에서 손익의 귀속시기에 대하여 별도로 규정하고 있지 않은 사항에 대하여는 기업회계기준 및 관행을 따른다고 규정하고 있다. 그러나 법인세법 시행령 제71조 제7항에서는 법인세법(동법 제43조는 제외)·조세특례제한법 및 법인세법 시행령에서 규정한

것 외의 익금과 손금의 귀속사업연도에 관하여는 기획재정부령이 정한다고 규정하고, 이와 관련하여 법인세법 시행규칙 제36조에서는 법인세법 시행규칙에서 별도로 규정한 것 외의 익금과 손금의 귀속사업연도는 그 익금과 손금이 확정된 날이 속하는 사업연도로 한다고 규정하였다.

상기의 양 규정이 이렇듯 상충됨에 따라 법인세법에서 특별히 규정하고 있지 않은 사항에 대하여 권리·의무 확정주의에 따를지 기업회계의 관행에 따를지 실무상 어려움이 있는 것으로 보인다. 손익의 귀속사업연도에 대하여 법인세법에서는 권리·의무 확정주의에 의한다는 원칙적인 규정을 하고 있고, 구체적인 사항은 동법 시행령에서 규정하고 있으며, 기타 사항은 동법 시행규칙에 위임하고 있다. 그런데 법인세법 시행규칙에서도 별도로 규정하고 있는 사항 이외에는 권리·의무 확정주의에 의한다고 규정함에 따라 법인세법 제43조(기업회계기준과 관행의 적용)의 규정은 선언적 의미만을 지닌 것으로 보여진다. 따라서 손익의 귀속시기에 대한 판단은 원칙적으로 권리·의무 확정주의에 따르고, 그 판단이 모호할 경우에 한하여 기업회계의 관행을 적용하여야 할 것으로 여겨진다.

4) 매출할인 등

법인이 매출할인을 하는 경우 매출할인금액은 상대방과의 약정에 의한 지급기일(그 지급기일이 정하여 있지 아니한 경우에는 지급한 날)이 속하는 사업연도의 매출액에서 차감하여야 한다(법령 68조 5항).

부가가치세법에서도 에누리액, 환입된 재화의 가액, 그리고 재화·용역을 공급한 후의 그 공급가액에 대한 할인액(외상판매에 대한 공급대가의 미수금을 그 약정기일 전에 영수하는 경우에 일정액을 할인하는 금액)을 과세표준에서 차감하는 것으로 규정하고 있다(부가법 29조 5항).

비용의 두 가지 분류법 중(성격별, 기능별분류) '매출원가법'으로 불리는 기능별분류에 따른 표시의 경우, 적어도 매출원가를 다른 비용과 분리하여 공시하는 것이 요구된다. 이 방법은 성격별 분류보다 재무제표이용자에게 더욱 목적적합한 정보를 제공할 수 있지만 비용을 기능별로 배분하는데 자의적인 배분과 상당한 정도의 판단이 개입될 수 있다. 제2장은 기능별로 비용을 분석하여 공시하고 있는 기업을 가정하고 기술하도록 한다.

제1절 의 의

당기에 비용으로 인식하는 재고자산 금액은 일반적으로 매출원가로 불리며, 판매된 재고자산의 원가와 배분되지 않은 제조간접원가 및 제조원가 중 비정상적인 부분의 금액으로 구성된다. 또한 기업의 특수한 상황에 따라 물류원가와 같은 다른 금액들도 포함될 수 있다(기준서 제1002호 문단 38).

매출원가는 기초제품(또는 상품)재고액에 당기제품제조원가(또는 당기상품매입액)를 가산하고 기말제품(또는 상품)재고액을 차감하여 산출되므로 기말재고자산의 평가방법에 따라 매출원가가 영향을 받게 된다. 또한, 제품이나 상품에 대하여 생산, 판매 또는 매입 외의 사유로 증감액이 있는 경우에는 이를 매출원가의 계산에 반영하여야 한다. 한편, 당기상품매입액은 상품의 총매입액에서 매입할인, 매입환출, 매입에누리 등을 차감한 금액으로 한다. 매출원가는 당기의 매출액에 대응하여 파악되어야 하므로 수익·비용대응의 원칙이 매출원가의 인식 및 측정에 있어서 가장 중요한 원칙이 된다.

매출원가는 보통 다음을 포함한다.
- 기초재고자산(기말재고자산을 차감함)
- 직접재료비
- 기타외부비용(생산에 사용되거나 투입되어지는 공장이나 기계장치의 임대 및 인건비)
- 직접노무비

- 감가상각비를 비롯한 기타 제조간접비 등 제조에 직접적으로 연관되는 간접비
- 재고생산과 관련된 유·무형자산의 상각비
- 매입할인
- 재고자산평가손실

제2절 기업회계상 회계처리

1. 상품매매업의 매출원가

(1) 매출원가표시방법

상품판매업에 있어서의 매출원가는 기초상품재고액에 당기상품매입액을 가산하고 기말상품재고액을 차감하여 산출하며, 매출원가법(비용의 기능별 분류)으로 포괄손익계산서에 표시하는 경우 비용의 성격에 따른 분류를 주석으로 공시하여야 한다.

(2) 당기 상품매입액

손익계산에 있어서 당기 상품매입액은 당기에 구입한 상품의 총매입액에 취득과정에서 정상적으로 발생한 부대원가를 가산하고 매입과 관련된 매입할인, 매입환출, 매입에누리 및 기타 유사한 항목을 차감한 금액을 말한다.

1) 당기 상품총매입액

당기 상품총매입액이란 판매업을 영위하는 기업이 당기 중에 외부로부터 구입한 상품의 총매입액을 의미한다. 성격이 상이한 상품을 일괄하여 구입한 경우에는 총상품매입원가를 각 매입상품의 공정가치 비율에 따라 배분하여 개별 상품의 매입원가를 결정하여야 한다.

2) 매입부대원가

매입부대원가란 재고자산의 취득에 직접적으로 관련되어 있으며 정상적으로 발생되는 부대원가를 말하는 것으로, 일반적으로 매입운임, 하역료 및 보험료뿐만 아니라 수입과 관련된 수입관세 및 제세금(기업이 세무 당국으로부터 나중에 환급받을 수 있는 것은 제외) 등이 포함된다.

① 외부부대원가와 내부부대원가

매입과 관련된 부대비용은 크게 그 발생내용에 따라 외부부대원가와 내부부대원가로 구분될 수 있을 것이다. 즉, 외부부대원가는 상품이 입고될 때까지 외부에 지급되는 비용으로 운임, 매입수수료, 관세, 통관비 등이 해당되며, 내부부대원가는 구입품에 관련해서 발생하는 내부용역비용으로서 구매사무비용과 물품이 도착한 때부터 판매 직전까지 발생한 검수, 정리, 선별 등을 하기 위한 비용이 이에 해당한다.

취득과정에서 정상적으로 발생한 외부부대원가는 매입자산의 경제적 가치를 증가시키는 지출이므로 당연히 매입원가에 산입하여야 한다. 하지만 내부부대원가에 대하여는 그 원가성에 대하여 논란의 여지가 있다. 회계실무면에서 재고의 생산에 직접 관련성이 없는 내부부대원가를 판매비와관리비로 처리하는 것이 일반적이다. 이렇게 내부부대원가를 매입원가에 산입하지 아니하는 것은 그 원가성의 시비에 대한 논란에 비하여 그 금액이 법인의 기말재고자산 및 과세소득에 미치는 영향이 크게 중요하지 않기 때문이다.

② 공통부대비용

여러 종류의 상품을 일괄하여 매입하는 경우에 공통으로 발생하는 비용으로서 상품의 종류별로 직접 구분되지 않는 경우에는 매입상품의 공정가치, 중량, 용적 등 합리적인 배분기준에 의하여 안분계상함이 타당할 것이나 그 안분이 극히 곤란하며 금액적으로 중요하지 않는 경우에는 매입액에 부가하여 기재하되 전액을 당기의 매출원가에 가산할 수도 있을 것이다.

③ 비정상적인 지출

경우에 따라서는 상품의 매입시 자원의 낭비나 비효율적인 사용 등 비정상적인 사건에 따른 지출도 발생할 수 있는데, 이 경우 발생한 매입부대원가는 매입원가에 가산하지 않고 당기 비용 처리하여야 한다. 즉, 매입원가에 가산하는 매입부대원가에는 상품의 취득과정에서 정상적으로 발생한 지출만을 의미하는 것이다.

(3) 매입에누리와 매입환출, 매입할인

① 표시방법

재고자산의 구입 이후 물품의 파손이나 결함 등이 있는 경우, 구매자는 상품을 반환하거나 또는 판매자와 협의하여 가격을 할인받을 수 있다. 상품을 반환하는 것을 매입환출, 구입가격을 할인받는 것을 매입에누리라 한다. 매입에누리는 외상매입금을 조기에 상환해 줌으로써 얻게 되는 매입할인과는 구별되며, 매출에누리의 상대적 거래로서 이는 당연히 재고자산의 취득가액에서 차감되어야 하고, 구입한 재고자산의 반품에 따른 매입환출도 역시 매입원가에서 차감되어야 한다.

현금할인(cash discounts)이라고도 하는 매입할인(purchase discounts)은 구매자로 하여금 구입대금을 빨리 지급하도록 하기 위해서 판매자가 제공하는 일종의 혜택으로서 상품을 매입한 측에서는 일정률의 현금지출을 절약할 수 있고, 판매한 측에서는 현금을 빨리 회수하여 영업자금으로 활용할 수 있는 장점이 있다.

매입할인은 매입상품에 하자가 있는 경우 판매자와 협의하여 가격을 할인받는 매입에누리와 구별된다.

한국채택국제회계기준에서 매입할인, 리베이트 및 기타 유사한 항목은 재고자산의 매입원가를 결정할 때 차감하도록 규정한다(기준서 제1002호 문단 11).

② 매입에누리와 매입환출의 회계처리방법

실지재고조사법에 의하여 재고자산 수량을 결정하는 기업에서 매입에누리와 매입환출이 발생하는 경우 내부관리목적으로 매입에누리와 매입환출계정을 설정하여 회계처리하거나 매입계정의 대변에서 회계처리하면 된다. 다만, 매입에누리와 매입환출계정을 사용하는 경우에는 손익계산서 작성시 동 금액을 매입액에서 차감하여 기재하면 된다. 또한 계속기록법을 적용하는 기업에서 매입에누리와 매입환출이 발생한 경우에는 직접 재고자산계정의 대변에서 회계처리하면 된다.

다음의 사례를 통하여 매입에누리와 매입환출의 회계처리를 살펴보기로 한다.

> **사례** (주)삼일은 을회사로부터 A상품을 외상으로 매입한 바, 검수결과 매입상품 중 불량품이 포함된 것을 발견하여 ₩200,000 상당의 상품을 되돌려 보냈다.

〈실지재고조사법에 의하는 경우〉

㉠ 매입상품의 반품시

(차) 매 입 채 무　　　　200,000　　(대) 매 입 환 출　　　　200,000

㉡ 연말결산시

(차) 매 입 환 출　　　　200,000　　(대) 매　　　　입　　　　200,000

〈계속기록법에 의하는 경우〉

(차) 매 입 채 무　　　　200,000　　(대) 상　　　　품　　　　200,000

③ 매입할인의 회계처리방법

매입할인을 매입액의 차감항목으로 보기 때문에 실지재고조사법을 적용하는 기업의 경우에는 재고자산의 매입시에 매입과 외상매입금을 송장가격으로 기록하고, 매입할인이 실제 발생할 때 매입할인계정에 기장하거나 매입계정의 대변에 기장하면 된다. 다만, 매입할인계정을 사용하는 경우에는 손익계산서 작성시 동 금액을 매입액에서 차감하여 기재하면 된다. 또한 계속기록법을 적용하는 기업에서 매입할인이 발생한 경우에는 동 금액을 직접 재고자산계정의 대변에서 회계처리하면 된다.

사례 다음 거래를 분개하라.

20×7. 12. 19. (주)삼일은 을회사로부터 상품 ₩10,000을 "2/10, n/30"의 조건으로 외상매입하였다.
20×7. 12. 28. 을회사의 외상매입금 40%를 현금으로 지급하였다.

〈실지재고조사법에 의하는 경우〉
• 20×7. 12. 19.

(차) 매   입   10,000   (대) 매 입 채 무   10,000

• 20×7. 12. 28.

(차) 매 입 채 무   4,000   (대) 현금및현금성자산   3,920[*]
                                              매 입 할 인   80[**]

  [*]₩10,000×40%×(100% − 2%)=₩3,920
  [**]₩10,000×40%×2% = ₩80

• 20×7. 12. 31.

(차) 매 입 할 인   80   (대) 매   입   80

〈계속기록법에 의하는 경우〉
• 20×7. 12. 19.

(차) 상   품   10,000   (대) 매 입 채 무   10,000

• 20×7. 12. 28.

(차) 매 입 채 무   4,000   (대) 현금및현금성자산   3,920[*]
                                              상 품(매입할인)   80[**]

  [*]₩10,000×40%×(100% − 2%)=₩3,920
  [**]₩10,000×40%×2% = ₩80

2. 제조업의 매출원가

(1) 매출원가의 표시방법

제조업에 있어서의 매출원가는 기초제품재고액에 당기제품제조원가를 가산하고 기말제품재고액을 차감하여 산출하며, 이러한 매출원가를 손익계산서에 표시하는 비용의 기능별분류방법(매출원가법)을 선택한 경우 제품과 재공품의 변동, 원재료와 소모품사용액, 종업원급여, 퇴직급여, 복리후생비, 감가상각비와 기타상각비 등 비용의 성격에 대한 정보를 주석으로 기재하여야 한다.

제조업의 매출원가를 계산함에 있어서 가장 중요한 점은 당기제품제조원가와 기말제품재고액을 평가하는 것이다. 당기제품제조원가와 기말제품재고액은 원가계산이라는 일련의 회계절차를 통해서 확정되는데, 원가계산은 특정의 수익 또는 자산을 획득하기 위하여 투입한 금액을 계산하는 과정으로 정의되며, 발생된 원가를 집계하는 단계와 집계된 원가를 매출원가·제품·재공품 등에 배부하여 자산과 비용으로 구분하는 단계를 거치는 것이 일반적이다. 또한 원가계산방법에는 여러 가지가 있지만 각 기업의 생산형태, 원가계산의 범위 및 원가측정방법에 따라 다음과 같이 분류할 수 있다.

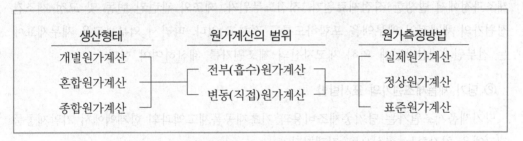

생산형태	원가계산의 범위	원가측정방법
개별원가계산	전부(흡수)원가계산	실제원가계산
혼합원가계산	변동(직접)원가계산	정상원가계산
종합원가계산		표준원가계산

기말제품재고액의 평가방법 등에 관하여는 '재고자산'편을 참조하기로 하고 본 편에서는 당기제품제조원가에 대하여 살펴보기로 한다.

(2) 당기제품제조원가

① 제품제조원가

제조원가는 제품 등의 생산과 직접 또는 간접적으로 관련하여 정상적으로 발생한 재료비, 노무비, 경비의 총액을 말한다. 따라서 제조 및 생산활동과 직접 관련이 없는 판매비와관리비, 영업외비용 등은 제조원가에 산입하지 않는 것이다. 예를 들어, 무형자산인 특허권을 상각하는 경우 특허권의 내용이 제조활동과 관련된 때에는 동 상각액을 제조경비로 처리하여야 하며, 판매·관리·유지 등과 같이 제조활동과 무관한 때에는 동 상각액을 판매비 또는 관리비로 처리해야 한다.

한편, 제품제조와 관련하여 발생하는 직접재료원가와 직접노무원가가 제품제조원가에 포함되어야 한다는 데에는 논란이 없으나 제조간접원가, 특히 고정제조간접원가가 제품제조원가에 포함되어야 할 것인지에 대해서는 상반된 두 가지의 회계처리방법이 있다.

첫째는 전부원가계산(full costing) 또는 흡수원가계산(absorption costing) 방법으로, 여기서는 조업도에 따라 직접적으로 변동하는 변동제조간접원가든, 조업도와 관계 없이 발생하는 고정제조간접원가든 간에 모든 제조간접원가를 제조원가에 포함시킨다.

둘째는 변동원가계산(variable costing) 또는 직접원가계산(direct costing) 방법으로, 여기서는 전부원가계산방법과는 달리 조업도에 따라 직접적으로 변하는 변동제조간접원가만 제조원가에 포함시키고 고정제조간접원가는 기간비용으로 처리한다. 이러한 직접원가계산방법은 원가통제, 예산편성 및 경영의사결정에 있어서 매우 유용하므로 내부보고목적을 위해서 널리 사용하고 있다.

하지만 변동(직접)원가계산방법은 변동비와 고정비의 임의적인 구분에 따라 제조원가가 달라지며 고정원가의 중요성을 간과하여 장기적인 가격결정에 왜곡이 생길 수 있는 등의 단점이 있어 제품, 반제품 및 재공품 등 재고자산의 제조원가는 보고기간말까지 제조과정에서 발생한 직접재료원가, 직접노무원가, 제조와 관련된 변동 및 고정 제조간접원가의 체계적인 배부액을 포함하도록 규정하고 있다. 따라서 외부보고용 재무제표에는 전부원가계산방법에 의해 재고자산의 제조원가를 계산하여야 한다.

② 당기 제품제조원가의 표시방법

당기제품제조원가는 당기총제조비용과 기초재공품재고액과의 합계액에서 기말재공품재고액을 차감하는 형식으로 기재한다.

따라서 당기제품제조원가의 산정방법은 다음과 같다.

> 당기제품제조원가 = 당기총제조비용 + 기초재공품재고액 − 기말재공품재고액

당기제품제조원가의 계산에서 가장 중요한 것은 기말재공품재고액을 평가하는 것이다. 기말재공품의 가액이 과대평가되면 상대적으로 제품제조원가가 과소평가된다. 이 결과 매출원가가 과소계상되어 이익이 과대표시되는 결과가 초래되므로 특히 종합원가계산에서 재공품평가의 정확성 여부는 매우 중요한 의미를 갖는다.

재공품평가방법 등에 관하여는 '재고자산'편에서 이미 설명한 바 있으므로 이를 참조하기로 한다.

③ 당기총제조비용

당기총제조비용의 제조원가 요소는 재료비, 노무비 및 경비로 분류하거나, 회사가 채택하고 있는 원가계산방법에 따라 직접재료원가, 직접노무원가 및 제조간접원가 등으로 분류할 수 있다.

일반적으로 원가 요소는 제조원가 요소와 판매비와관리비 요소로 분류된다. 다만, 그 구분이 명확하지 아니한 경우에는 발생원가를 비목별로 집계한 후, 일정한 기준에 따라 제조원가와 판매비와관리비로 구분하여 배부할 수 있다. 제조원가 요소는 원가발생의 형태에 따라 재료비, 노무비 및 경비로 분류되며 이를 원가의 3요소라고 한다. 또한 제조원가 요소는 제품과의 관련에 따라 직접원가와 간접원가로 분류되거나, 조업도와의 관련에 따라 고정원가와 변동원가로 분류되기도 한다.

④ 타계정대체액의 표시

재공품을 당해 기업의 유형자산으로 사용하기 위하여 계정대체한 경우, 자가제조를 위하여 공정에 재투입하는 경우 또는 연구개발용으로 사용하는 경우에는 그 대체내역을 나타내는 과목으로 기말재공품재고액 다음에 그 대체액을 기재하여 당기 총제조비용에서 차감하는 형식으로 기재한다. 다만, 실무상 대체내역이 다양한 경우에는 "타계정대체액"이라는 과목으로 일괄기재하여도 무방하다.

한편, 타계정에서 제조계정으로의 대체액이 있으면 기말재공품재고액과 "타계정으로 대체액" 사이에 "타계정에서 대체액"이라는 과목으로 표시하는 것이 실무상 많이 사용되는 방법이다.

외부보고용 재무제표에서 당기제품제조원가의 구성을 주석기재하도록 요구하지는 않는다.

3. 기타 매출원가항목의 구분·표시

제품이나 상품에 대하여 생산, 판매 또는 매입 외의 사유로 증감액이 있는 경우에는 이를 매출원가의 계산에 반영하여야 한다.

매출원가의 차감 또는 부가항목의 구체적인 예로서는 자가제조소비액, 접대비 등의 증여에 의한 상품·제품의 감소액, 관세환급금 그리고 타계정대체액 등을 들 수 있다. 이들은 그 증감의 이유를 구체적으로 표시하는 항목으로 구분·표시하여야 하나, 그 금액이 비교적 소액인 경우에는 타계정대체액으로 일괄표시할 수도 있다.

한편, 관세환급금이란 수출용 원재료를 수입하는 경우 수입시에 관세 등을 먼저 부담하고 그 원재료를 사용하여 제품을 생산·수출하게 될 경우에는 수입시 부담한 관세를 다시 환급받는 것을 말한다.

관세환급금을 회계처리하는 방법으로는 여러 가지가 있으나 관세 등 납부액을 원재료가액에 산입하고 사후 환급금을 매출원가에서 차감하는 방법을 사용하는 것이 적절하다.

4. 반제품 등 매출원가의 구분·표시 또는 주석기재

매출액은 업종별이나 부문별로 구분하여 표시할 수 있으며, 반제품매출액, 부산물매출액, 작업폐물매출액, 수출액, 장기할부매출액 등이 중요한 경우에는 이를 주석으로 기재하도록 하고 있다. 마찬가지로, 관련 매출원가의 구분이 중요한 경우 이를 주석으로 기재할 수 있다.

5. 결산시 유의할 사항

(1) 제조원가 적정성 검토

제품판매업을 영위하는 기업의 경우 발생된 원가요소를 어떻게 제조원가 요소와 판매비와관리비 요소로 구분하느냐에 따라 당기순이익이 달라진다. 따라서 제조원가 및 판매비와관리비에 산입해야 할 비용의 결정이 적정한가를 검토한다.

(2) 매입액 계상의 적정성 검토

결산일 직전 또는 직후에 상품을 구입한 경우 당해 상품매입액의 귀속시기의 적정성에 대하여 검토한다. 왜냐하면 당해 사업연도에 귀속되어야 할 매입을 매입계상하지 아니한 경우 당해 사업연도의 매출원가가 과소계상되어 결과적으로 당기순이익을 과대계상하게 되기 때문이다.

(3) 타계정대체 내역 검토

타계정대체액에 계상된 비용을 추출·집계하고 그 회계처리의 타당성을 검토하여야 한다.

제3절 세무회계상 유의할 사항

판매한 상품 또는 제품의 경우 판매금액은 영업수입금액으로서 익금을 구성하고, 판매한 상품의 원가와 판매한 제품에 대한 제조원가는 매출원가로서 손금을 구성한다.

매출원가의 계상 및 제품에 대한 제조원가의 계산방법에 대하여 법인세법에서는 자기가 제조한 제품에 대한 취득원가는 그 제조 또는 생산원가로 한다고만 규정하고 있을 뿐 그 외 특별한 규정을 두고 있지 아니하므로 법인에게 귀속되는 모든 비용은 일반적으로 공정·타당하다고 인정되는 한국채택국제회계기준에 준거하여 판매비와관리비, 제조원가, 자산취득가액(자산매입부대비 포함) 등으로 명확히 구분경리하여 계산하고 이를 계속적으로 적용하면 세무회계에서도 이를 인정한다. 예를 들면, 원료의 매입에 부대하여 부담하는 공과금은 당해 원료의 매입부대비로 계상하고, 종업원을 수익자로 하는 퇴직보험료와 퇴직급여충당금은 당해 종업원의 근무내용에 따라 판매비와관리비 및 제조원가로 안분계상하여야 한다(법기통 4-0…3).

다만, 유의할 점은 제조원가에 속하는 개별적인 비용이 세법상 시부인되는 경우에는 동 시부인 금액 중 기말재고자산에 배부되는 금액을 계산하여 재고자산가액에서 조정하여야 한다는 점이다. 하지만, 실무상 손금산입 또는 손금불산입으로 조정되는 제조원가 중 재고자산에 배부되는 금액이 중요하지 아니한 경우에는 기말재고자산에 미치는 영향을 고려하지 않고 있다.

Chapter 03 판매비와관리비

1. 판매비와관리비의 일반사항

(1) 개념 및 범위

비용을 기능별로 분류하여 공시하는 경우, 물류원가와 관리비 등을 구분하여 공시하는 것이 일반적이며, 실무적으로 물류원가와 관리비를 합쳐서 '판매비와관리비'의 계정으로 포괄손익계산서 본문에 표시하고, '판매비와관리비'의 구성내역을 주석에 표시하는 것이 가장 일반적이다.

물류원가는 일반적으로 다음에 제시되는 항목들보다 넓은 범위로 설명되며 종종 판매촉진비를 포함한다. 보통 다음을 포함한다.

• 판매, 마케팅 및 물류에 대한 인건비
• 광고선전비
• 판매사원의 교통비 및 복리후생비
• 완성된 제품의 창고 보관비
• 완성품의 운반비
• 판매 직매점의 모든 유지비
• 대행사에 대한 지급수수료

관리비용은 보통 다음을 포함한다.

• 일반관리비
• 관리 건물의 유지비
• 전문가비용

그러나, 어떠한 특정한 사례에서는 위의 예시들이 적절하지 않을 수 있다. 예컨대, 우편발송회사의 경우, 대행사에 대한 지급수수료가 물류비 보다는 매출원가에 포함되는 것이 더 적합할 수 있다.

회사가 비용을 분석하는 방법에는 회사가 영위하는 사업의 본질이 가장 큰 영향을 미친다. 회사가 매출원가, 물류비, 일반관리비 중 어느 항목으로도 분류할 수 없는 중요한

영업비용이 있다면, 회사가 이 비용을 위한 추가적인 항목을 포함하여 비용을 기능적이고 자연스럽게 분류 표시하는 것이 가능하다. 가장 중요한 고려사항은 회사가 그 영업비용의 분류를 매년 일관성 있게 적용하여 어느 정도 관련성 있는 정보를 제공하여야 한다는 것이다. 기업이 어떠한 비용의 추정을 포함하는 항목을 인식하고, 차후의 회계기간에 실제 발생금액이 추정액보다 적게 발생하는 경우, '초과비용'의 반제는 일반적으로 처음에 추정했던 비용과 동일한 항목에 인식한다. 이 원리는 기준서 제1002호 '재고자산'에서 다음과 같이 규정하고 있다. "순실현가능가치의 상승으로 인한 재고자산 평가손실의 환입은 환입이 발생한 기간의 비용으로 인식된 재고자산 금액의 차감액으로 인식한다(기준서 제1002호 문단 34)".

2. 종업원급여

한국채택국제회계기준에서는 기업회계기준서 제1102호 '주식기준보상'이 적용되는 경우를 제외한 모든 종류의 종업원급여에 대한 회계처리를 기준서 제1019호에서 규정하고 있다.

기준서 제1019호는 종업원급여의 회계처리를 재무상태표 관점에서 접근한다. 이 기준의 목적은 사용자의 재무상태표가 미래 지급할 종업원급여와 교환하여 종업원이 근무용역을 제공하는 때에 부채를 인식하도록 하는 데 있다. 이러한 재무상태표 접근법은 회계기준이 보다 자산과 부채의 정의에 기초하고, 좀 더 공정가치 측정을 이용하는 추세를 반영하고 있다.

종업원급여는 각각 다른 특성을 지니는 다음의 범주를 포함하며, 각 범주별로 별도의 회계처리를 필요로 한다(기준서 제1019호 문단 5).
- (1) 단기종업원급여 : 임금, 사회보장분담금(예 : 국민연금), 유급연차휴가 · 유급병가, 이익분배금 · 상여금(회계기간말부터 12개월 이내에 지급되는 것에 한함), 현직종업원을 위한 비화폐성급여(예 : 의료, 주택, 자동차, 무상 또는 일부 보조로 제공되는 재화나 용역) 등
- (2) 퇴직급여 : 퇴직연금, 그 밖의 퇴직후급여, 퇴직후생명보험, 퇴직후의료급여 등
- (3) 기타장기종업원급여 : 장기근속휴가, 안식년휴가, 그 밖의 장기근속급여, 장기장애급여, 회계기간말부터 12개월 이내에 전부나 일부가 지급되지 않는 이익분배금, 상여금 및 이연보상 등
- (4) 해고급여

주식선택권 등 종업원의 서비스에 대하여 보상하는 주식기준보상은 기준서 제1019호

에서 다루어지지 않고, 기준서 제1102호 '주식기준보상'에서 다루어진다.

(1) 단기종업원급여

근무기간 중 지급되는 급여는 다음을 포함한다.
- 임금과 상여
- 사회보장분담금
- 유급연차휴가
- 장애급여, 유급병가와 출산휴가
- 민간의료보험, 회사차량과 주거의 제공과 같은 비화폐성급여
- 장기근속상여와 같은 ·장기보너스

(기준서 제1019호 문단 9, 153)

근무기간 중 지급되는 종업원급여의 인식과 측정 시 장·단기 여부에 따라 다른 원칙들이 적용된다. 단기종업원급여는 종업원이 관련 근무용역을 제공하는 연차보고기간 이후 12개월 이전에 전부 결제될 것으로 예상되는 급여이다. 따라서 장기종업원급여는 종업원이 관련 근무용역을 제공하는 연차보고기간말 이후 12개월 이전에 전부 결제될 것으로 예상되지 않는 급여를 말한다. 단기종업원급여에 대한 회계는 보험수리적 가정이 없고, 의무는 현재가치할인 없이 측정되므로 일반적으로 단순하다.

1) 임금 및 상여

① 기업회계상 회계처리

임금에 대한 회계처리는 일반적으로 단순하다. 부채와 비용은(자본화가 허용되지 않는다면) 관련 근무용역이 제공된 때에 인식한다. 자산의 원가로서 종업원급여의 자본화는 기준서 제1002호 '재고자산'과 기준서 제1115호 '고객과의 계약에서 생기는 수익', 기준서 제1016호 '유형자산' 및 기준서 제1038호 '무형자산'에서 다룬다.

이익분배제도 및 상여금제도의 회계처리 또한 단순하다. 부채와 비용은(위에 기술한 대로 자본화가 허용되지 않는다면) 보고실체가 과거의 사건의 결과로서 지급해야 할 현재 법적 또는 의제의무가 있고 지급할 금액을 신뢰성 있게 추정할 수 있을 때 인식한다(기준서 제1019호 문단 19). 이것은 기준서 제1037호 '충당부채, 우발부채 및 우발자산'에서의 부채 및 비용의 인식시기 및 고려사항과 유사하다. 기준서 제1019호에서 설명한 인식시기에 대한 유일한 지침은 기준서 제1019호의 문단 22에서 언급된 지급액에 대한 신뢰성 있는 추정치가 측정될 수 있는지 여부이다. 기준서 제1019호의 문단 22에 따르면 추정치는 다음 중 하나를 충족할 때 신뢰성 있게 측정할 수 있다.

• 이익분배제도 또는 상여금제도의 공식적 규약에 급여계산방식이 명시되어 있다.

• 재무제표의 발행이 승인되기 전에 지급액이 결정된다.

• 과거 관행에 비추어 볼 때 기업이 부담하는 의제의무의 금액을 명백히 결정할 수 있다.

(기준서 제1019호 문단 22)

급여지급 회계처리 예시는 다음과 같다.

사례 1 (주)삼일은 당월분 급료로 ₩150,000,000을 지급함에 있어서 갑근세 등의 원천징수분 ₩20,000,000을 제외한 금액을 지급하였다.

(차) 급   여   150,000,000   (대) 현금 및 현금성자산   130,000,000
                                                소 득 세 예 수 금   20,000,000

사례 2 (주)삼일은 기말결산에 있어서 일용근로자에 대한 급여 미지급(16일부터 월말까지)분에 대한 미지급급여 ₩25,000,000을 계상하였다.

(차) 급   여   25,000,000   (대) 미 지 급 급 여   25,000,000

사례 3 (주)삼일은 다음 회계연도에 상기 미지급급여 ₩25,000,000을 급여로 대체처리하였다.

(차) 미 지 급 급 여   25,000,000   (대) 급   여   25,000,000

사례 4 **판매목표에 따른 성과급**

한 자동차 중개인은 판매직원들에게 성과급을 지급하는 관행이 있다. 과거경험에 의하면 판매목표를 달성한 판매직원들은 연말에 현재 급여의 10% 정도의 상여를 지급 받아왔다. 1년 미만으로 근무한 판매직원들은 근무한 기간에 비례하여 상여를 받는다. 상여는 연도 말 현재 근무중인 판매직원에 대하여 그 다음해 1분기 중에 지급된다.

연말에 판매직원 중 7명이 판매목표를 달성하였다. 그 중 2명은 그 해 중간에 입사하였고, 1명은 연말에 퇴사하였다.

이 자동차 중개인은 기말에 그 다음해에 지급될 것으로 예상되는 상여금을 부채로 인식하여야 한다.

• 중개인은 판매직원들에게 그들이 판매목표를 달성하고, 기말 현재 근무 중이라면 상여를 지급받을 것이라는 정당한 기대를 가지도록 하였다. 즉, 의제의무가 있다.

• 지급될 금액은 신뢰성 있게 추정될 수 있다. 현재 급여의 10%를 상여로 받을 판매직원은 4명이고, 중도에 입사하여 현재 급여의 5%를 수령할 판매직원은 2명이다. 연말에 퇴사한 직원은 연말 이전에 퇴사하여 상여를 받을 수 없기 때문에 충당부채를 인식할 필요가 없다.

② 세무회계상 고려할 사항

가. 단기종업원급여

한국채택국제회계기준에서는 단기종업원급여로서 근무기간 중에 지급한 임금과 상여, 사회보장분담금, 유급연차휴가, 장애급여, 유급병가와 출산휴가, 민간의료보험, 회사 차량과 주거의 제공 같은 비화폐성 급여를 포함하고 있다. 단기종업원급여는 종업원이 관련 근무용역을 제공하는 연차보고기간 이후 12개월 이전에 전부 결제될 것으로 예상되는 급여를 의미하며, 여기서는 급여와 상여금으로 분리하여 설명하고자 한다.

나. 직원의 급여

법인세법상 직원의 급여는 부당행위계산의 부인규정이 적용되는 경우와 이익의 처분에 의하여 지급한 경우를 제외하고는 손금에 산입된다.

여기서 세법상 직원이란 법인과의 근로계약에 의하여 근로를 제공하고 그 대가를 받는 종업원으로서 임원이 아닌 자를 말한다. 임원의 범위에 대하여는 다음 "2) 임원급여"를 참조하기 바란다.

참고로, 소득세법은 다음의 소득을 근로소득으로 열거하고 있다(소법 20조 및 소령 38조).
① 기밀비(판공비 포함)·교제비 기타 이와 유사한 명목으로 지급한 것으로서 업무를 위하여 사용된 것이 분명하지 아니한 급여
② 종업원이 받는 공로금·위로금·개업축하금·학자금·장학금(종업원의 수학 중인 자녀가 사용자로부터 받는 학자금·장학금을 포함함) 기타 이와 유사한 성질의 급여
③ 근로수당·가족수당·전시수당·물가수당·출납수당·직무수당 기타 이와 유사한 성질의 급여
④ 보험회사, 자본시장과 금융투자업에 관한 법률에 따른 투자매매업자 또는 투자중개업자 등의 종업원이 받는 집금수당과 보험가입자의 모집, 증권매매의 권유 또는 저축을 권장하여 받는 대가, 그 밖에 이와 유사한 성질의 급여
⑤ 급식수당·주택수당·피복수당 기타 이와 유사한 성질의 급여
⑥ 주택을 제공받음으로써 얻는 이익
⑦ 종업원이 주택(주택에 부수된 토지를 포함함)의 구입·임차에 소요되는 자금을 저리 또는 무상으로 대여받음으로써 얻는 이익
⑧ 기술수당·보건수당·연구수당 기타 이와 유사한 성질의 급여
⑨ 시간외 근무수당·통근수당·개근수당·특별공로금 기타 이와 유사한 성질의 급여
⑩ 여비의 명목으로 지급되는 연액 또는 월액의 급여
⑪ 벽지수당·해외근무수당 기타 이와 유사한 성질의 급여

⑫ 종업원이 계약자이거나 종업원 또는 그 배우자 및 그 밖의 가족을 수익자로 하는 보험, 신탁 또는 공제와 관련하여 사용자가 부담하는 보험료·신탁부금 또는 공제부금

⑬ 법인세법 시행령 제44조 제4항에 따라 손금에 산입되지 아니하고 지급받는 퇴직급여

⑭ 휴가비 기타 이와 유사한 성질의 급여

⑮ 계약기간 만료 전 또는 만기에 종업원에게 귀속되는 단체환급부보장성보험의 환급금

⑯ 법인의 임원 또는 종업원이 해당 법인 또는 해당 법인과 법인세법 시행령 제2조 제5항에 따른 특수관계에 있는 법인으로부터 부여받은 주식매수선택권을 해당 법인 등에서 근무하는 기간 중 행사함으로써 얻은 이익(주식매수선택권 행사 당시의 시가와 실제 매수가액과의 차액을 말하며, 주식에는 신주인수권을 포함함)

⑰ 공무원 수당 등에 관한 규정, 지방공무원 수당 등에 관한 규정, 검사의 보수에 관한 법률 시행령, 대법원규칙, 헌법재판소규칙 등에 따라 공무원에게 지급되는 직급보조비

⑱ 공무원이 국가 또는 지방자치단체로부터 공무 수행과 관련하여 받는 상금과 부상

한편, 국세청의 유권해석에 의하면 급여지급기준상 월급여의 계산대상 기간이 전월 16일부터 당월 15일까지인 12월 결산법인이 12월 16일부터 1월 15일까지의 급여를 1월 15일에 지급한 경우 근로제공일이 속하는 각각의 연도에 귀속되는 근로소득으로 보아 연말정산하며, 당해 급여의 법인세법상 손금의 귀속시기는 당해 법인이 계속적으로 적용하고 있는 회계관행에 따라 손금으로 계상하도록 하고 있다(법인 46012-236, 1994. 1. 24.).

다. 직원의 상여금

상여금이란 월정급여 이외의 것으로서 부정기적인 급여를 말하며, 직원에게 지급하는 상여금은 이익처분에 의한 것을 제외하고는 전액 손금에 산입된다.

직원에 대하여 지급하는 상여금의 손금산입시기는 상여금에 대한 지급의무가 확정되는 날을 기준으로 한다. 여기서 실무상 논란이 되는 부분은 사업연도 종료일을 기준으로 산정한 상여금을 미지급금으로 계상한 경우 법인세법상 손금산입시기와 근로소득의 귀속시기이다.

법인세법상 손금산입시기와 관련하여서는 법인세법 기본통칙에서, 성과산정지표 등을 기준으로 하여 직원에게 성과배분상여금을 지급하기로 하는 노사협약을 체결하고 그에 따라 지급하는 성과배분상여금에 대하여 법인이 사업연도 종료일을 기준으로 성

과배분상여금을 산정하고 미지급금으로 계상한 경우 해당 성과배분상여금은 그 성과배분의 기준일이 속하는 사업연도의 손금에 산입하고, 법인이 임직원에 대한 성과상여금의 지급 여부 및 지급기준을 사업연도 종료일까지 결정하지 못하고 사업연도 종료일 이후에 결정함에 따라 지급하는 해당 성과상여금은 그 지급기준 및 지급의무가 결정된 날이 속하는 사업연도의 손금에 산입하고 있다(법기통 40-71…26). 반면, 근로소득의 귀속시기와 관련한 유권해석에서는, 자산수익률·매출액 영업이익률 등 계량적 요소에 따라 성과급상여를 지급하기로 한 경우 해당 성과급상여의 귀속시기는 자산수익률 등의 계량적 요소가 확정되는 날이 속하는 연도가 되는 것이며, 계량적·비계량적 요소를 평가하여 그 결과에 따라 차등지급하는 경우 해당 성과급상여의 귀속시기는 개인별 지급액이 확정되는 연도가 된다고 하고 있다(서면1팀-40, 2005. 1. 12).

위와 같이 성과배분 상여금은 회사의 사규 등에 의하여 계량적 요소만을 고려하여 산정될 수도 있고, 계량적·비계량적 요소를 함께 고려하여 산정될 수도 있다. 즉, 성과배분 상여금을 산정하기 위한 다양한 방법들이 존재할 수 있으며, 이에 따라 손금귀속시기가 각각 달리 해석될 수 있을 것으로 보여지는 바 명확하고 일관된 해석기준을 제시하는 세법규정이나 유권해석이 필요할 것으로 판단된다.

라. 파견직원의 인건비 등

① 일반사항

해외현지법인에 파견한 근로자의 급여를 내국법인이 부담하는 경우 손금산입 여부에 대하여는 논란이 되고 있다. 국세청은 유권해석을 통해 해당 직원이 사실상 내국법인의 업무에 종사하는 경우에 한하여 손금에 산입할 수 있다고 하고 있으나(서면2팀-83, 2005. 1. 12.), "사실상 내국법인의 업무에 종사하는 것"이 구체적으로 무엇인지에 대해서는 언급이 없는 바, 이에 대한 명확한 해석이 필요할 것으로 보인다. 다만, 이와 관련하여 국세청 심사결정례에서는 내국법인이 해외현지법인의 생산제품을 전량 구입하여 현지에서 제3국에 수출하는 경우 현지법인 생산제품의 품질(Quality)향상은 결국 내국법인의 매출증대에 기여한다는 점을 전제로 내국법인이 파견한 근로자가 현지법인 근로자들의 기술지도·품질관리·생산관리·자재관리 등의 업무를 수행하는 것은 내국법인의 업무에 종사하는 경우로 볼 수 있으므로 내국법인이 현지법인 파견근로자에게 지급한 급여는 손금에 산입함이 타당하다고 결정한 바 있으므로(심사경인 95-1014, 1995. 11. 17.) 객관적으로 현지법인에 파견된 직원의 업무가 내국법인과의 연관성을 증명할 수 있다면, 이에 대한 비용도 회사의 비용으로 인정받을 수 있을 것으로 보인다.

② 중소·중견기업이 해외법인 주재원에 지급한 소정의 인건비

중소기업(조특령 2조) 및 중견기업(구조특령 4조 1항)이 발행주식총수 또는 출자지분의

100%를 직접 또는 간접 출자한 해외현지법인에 파견된 직원의 인건비로서 해당 내국법인이 지급한 인건비가 해당 내국법인 및 해외출자법인이 지급한 인건비 합계의 50% 미만인 경우에는 인건비로 손금에 산입한다(법령 19조 3호).

2) 임원급여

① 기업회계상 회계처리

임원급여란 임원보수규정에 따라 임원에게 지급되는 급여이다. 따라서 임원급여는 기업의 위임관계에 따라서 그 근무 및 용역의 대가로 지급하는 급여 중 상여금과 퇴직금 이외의 것으로 월급, 월봉, 연봉, 제수당, 현물급여, 경제적 이익의 공여 등이 모두 포함된다.

임원이란 상법에 의하면 주주총회에서 선임된 이사나 감사를 뜻하나 세법에서 말하는 임원이란 그 임원이 등기가 되어 있는지의 여부에 관계없이 다음에서 규정하는 직무에 종사하는 자를 말하는 것으로 상법에 의한 임원보다 좀 더 포괄적으로 규정하였다(법령 40조 1항).

① 법인의 회장·사장·부사장·이사장·대표이사·전무이사·상무이사 등 이사회의 구성원 전원과 청산인
② 합명회사·합자회사 및 유한회사의 업무집행사원 또는 이사
③ 유한책임회사의 업무집행자
④ 감사
⑤ 기타 '① 내지 ④'에 준하는 직무에 종사하는 자

위의 ①, ②, ③, ④에서 규정하는 임원은 상법상 등기사항이며, ⑤의 「기타 '① 내지 ④'에 준하는 직무에 종사하는 자」라 함은 등기나 정관에 기재된 임원은 아니나 사실상 경영에 참여하여 경영전반의 의사결정과 집행에 적극적으로 참여하거나 회계와 업무에 관한 감독권을 행사하는 자를 의미한다. 즉, 주주총회의 결의가 아닌 이사회의 결의로서 선임되고 법인등기부등본상에 이사로서 등기되지 않은 이사대우의 직위를 지닌 자가 이와 같은 업무에 종사하는 경우에는 임원에 해당하며, 이사회의 구성원이 아니더라도 이러한 직무에 종사하면 임원에 해당한다.

합명회사의 경우 임원은 업무집행사원에 한정되므로 이러한 직무권한이 없는 사원은 임원의 범위에 포함되지 않는다.

임원은 출자 여부에 따라 출자임원과 비출자임원으로 구분되며, 근무 여부에 따라 상근임원과 비상근임원으로 구분된다.

위에서 설명한 것과 달리 임원이란 한국채택국제회계기준에 따로 정의한 바는 없으

나 상법, 기타 법인의 설립을 규정한 각 법령에 의하여 임원으로 규정된 자 및 법인의 정관·세법 등에서 임원으로 정하여진 자를 모두 포함하는 것으로 보여진다.

임원에 대한 보수액은 임원 전원에 대한 총액 또는 그 최고 한도액을 결정하면 되는 것이며 각 임원에 대한 배분은 이사회에 일임하여도 상관없다. 또한 주주총회의 결의는 한번 이것을 결정하면 되고, 결의된 지급한도액의 범위 내에서 임원보수가 지급되는 한 매기 이것을 개정할 필요는 없다.

일반적으로 임원보수는 정관 또는 주주총회에서 임원 전체의 연액 또는 월액을 정하고 이사회에서 대표이사, 전무, 상무, 감사 등의 각 개인별 월액을 결정하는 방법을 취하고 있다.

사례 (주)삼일은 임원에 대한 급료 ₩50,000,000을 지급하면서 ₩7,000,000을 원천징수하였다.

(차) 급 여	50,000,000	(대) 현금 및 현금성자산	43,000,000
		소 득 세 예 수 금	7,000,000

② 세무회계상 고려할 사항

가. 임원의 보수

임원과 법인과의 관계는 민법상의 위임관계인 것이며, 고용관계에 있는 것이 아니므로 현행 세법에서는 직원에게 지급하는 급여의 경우와는 본질적으로 달리 취급하고 있다. 따라서 과세소득의 적정계산을 목적으로 하고 있는 세법에서는 무제한으로 임원의 급여를 용인하게 되면 기업이 「임원보수」라는 명목으로 손금을 과대계상함으로써 조세회피를 기도할 우려가 있기 때문에 그 적정금액만을 손금에 산입하도록 규제하고 있다. 이와 같이 세법상 과대한 임원보수는 손금에 산입하지 아니하도록 되어 있으며, 과대한 것인가 아닌가에 대한 판단은 임원 개인별 지급액이 과대하다고 인정되는 부분도 있지만, 정관 또는 주주총회의 결의에 의한 지급한도액을 초과하는 부분의 금액이 있는가 없는가에 따라 결정하는 것이 보통이다.

즉, 상법 제388조에서 임원의 보수지급에 대하여는 정관에 그 한도액을 정하지 아니한 때에는 주주총회의 결의로 정하도록 되어 있으므로 임원에 대한 보수 중 정관이나 주주총회의 결의에 의하여 정하여진 한도액을 초과하는 것은 손금으로 인정되지 아니한다.

이외에 임원의 급여 및 보수와 관련하여 유의할 사항은 다음과 같다.
① 법인이 임원에게 지급한 보수액이 그 임원이 수행하는 직무내용으로 보아 그 대가로서는 부당하게 고액이라고 인정되는 경우에는 그 부당하다고 인정되는 금액은

손금산입되지 아니한다. 임원에 대한 보수가 적정한지를 판단하는 기준은 다음과 같은 경우를 들 수 있다.

　㉠ 임원이 수행하고 있는 직무의 내용에 비추어 타당한 금액인지의 여부

　㉡ 동종의 사업을 영위하는 기업으로 사업의 규모가 유사한 기업의 임원에 대한 지급상황

　㉢ 같은 회사의 직원에 대한 급여의 지급상황

　㉣ 회사의 경영성과, 규모 등에 비추어 현저히 고액에 상당하는 금액인지 여부

② 비상근임원에게 지급하는 보수는 부당행위계산 부인의 규정에 해당하지 않는 한 손금산입된다(법령 43조 4항). 여기서 부당행위계산 부인에 해당한다는 것은 비상근임원에게 급여를 지급하는 것이 법인의 규모ㆍ영업내용ㆍ근로의 제공ㆍ경영참여 사실여부 등에 비추어 법인의 소득에 대한 조세를 부당히 감소시킨 것으로 인정되는 경우를 말한다(법인 46012-1394, 2000. 6. 19.).

③ 출자임원에게 지급한 보수이더라도 이것은 근로의 대가로서 지급하는 것이므로 당연히 손금에 산입되어야 하나, 합명회사나 합자회사의 노무출자사원의 근로제공은 그 자체가 출자이므로 근로의 대가로서 지급되는 보수가 아니며 이익의 처분으로 의제되어 손금불산입된다(법령 43조 1항). 그러나 합명회사나 합자회사의 신용출자사원이 노무의 대가로 지급받은 보수 또는 현금출자사원이 대표직을 수임하여 직무를 수행하고 지급받는 보수는 손금으로 인정된다. 만일 신용과 노무를 각각 출자하고 있는 사원이 있는 경우에는 그 사원의 업무성질에 의한 보수의 내용에 의해 손금산입 여부를 결정하여야 한다(법인 22601-2407, 1987. 9. 7.).

④ 한 임원이 두 회사의 임원직을 겸직하는 경우에는 회사별로 동 임원에 대한 보수의 손금산입에 있어 안분문제가 발생한다. 이 경우 동 임원에 대한 급여ㆍ수당ㆍ주택임차료 등은 회사별로 체결한 고용계약에 의하고, 차량유지비ㆍ비서 및 운전기사비용ㆍ해외출장비ㆍ접대비 등은 업무수행사실에 따라 회사별로 계산하여야 하며, 업무수행사실이 어느 회사를 위한 것인지가 불분명한 경우에는 수입금액 등에 따라 안분하는 방법 등 합리적인 방법으로 계속 적용하여야 한다(법인 1264.21-3747, 1984. 11. 20.).

⑤ 법인이 지배주주등(발행주식총수 또는 출자총액의 1% 이상의 주식 또는 출자지분을 소유한 주주등으로서 그와 특수관계가 있는 자와의 소유주식 또는 출자총액 합계가 해당 법인의 주주등 중 가장 많은 경우의 해당 주주등을 말하며, 이하에서는 특수관계자를 포함함)인 임원 또는 직원에게 정당한 사유 없이 동일 직위에 있는 지배주주등 외의 임원 또는 직원에게 지급하는 금액을 초과하여 보수를 지급한 경우 그 초과금액은 손금불산입된다(법령 43조 3항).

참고로 급여 및 보수에 대한 법인세법상의 취급을 요약하면 다음 표와 같다.

구 분	수 령 자	세법상 규정
급여 및 보수	노무출자사원	손금불산입
	신용출자사원	손금산입
	상근임원	손금산입
	비상근임원	원칙적으로 손금에 산입하나 부당행위계산 부인의 대상이 되는 부분은 손금불산입
	지배주주인 임원·직원	원칙적으로 손금에 산입하나 동일 직위의 다른 자보다 초과 지급된 금액은 손금불산입
	직원	손금산입

나. 임원의 상여금

법인이 임원에게 지급하는 상여금 중 정관·주주총회·사원총회 또는 이사회의 결의에 의하여 결정된 급여지급기준에 의하여 지급하는 금액을 초과하여 지급한 경우 그 초과금액은 이를 손금에 산입하지 않는다(법령 43조 2항). 즉, 법인이 임원에게 상여금을 지급함에 있어서 정관·주주총회·사원총회 또는 이사회의 결의에 의하여 결정된 지급기준이 없이 지급한 금액이나 지급기준을 초과하여 지급한 금액은 법인의 손금으로 인정되지 않는다(서이 46012-10090, 2001. 9. 3.).

3) 복리후생비

① 기업회계상 회계처리

복리후생비란 사용인에게 직접 지급되는 임금 및 상여와는 달리 사용인에게 직접 지급되지 아니하고 근로환경의 개선 및 근로의욕의 향상 등을 위하여 지출하는 노무비적인 성격을 갖는 비용으로서 다음과 같이 형태별로 구분할 수 있다.

① 법정복리비 : 국민건강보험법, 고용보험법 등 법률에 의하여 사업주가 부담하는 건강보험료, 고용보험료 등으로 판매와 관리사무에 종사하는 종업원에 대한 것을 말한다.

② 복리시설비 : 학교나 병원 등의 복리시설을 독자적으로 운영함에 있어서 사업주가 부담하는 시설구입비 및 그 유지, 관리비 등으로 판매부와 관리부의 부담액을 가리킨다.

③ 후생비 : 사용인에 대한 의료, 위생, 보건, 위안, 수양 등에 지출하는 의료보험료, 직장체육비 및 직장연예비 등으로 판매부와 관리부의 부담액을 말한다.

④ 국민연금부담금 : 국민연금법에 의하여 사업주가 부담하는 사용인의 국민연금 갹

출액 등으로 판매부와 관리부의 부담액을 말한다.

⑤ 기타 이에 준하는 성격의 비용으로서 판매부와 관리부의 부담액을 말한다.

위에서 보듯 판매비와관리비에 속하는 복리후생비는 판매부서와 관리부서의 종업원에 대한 복리후생비만을 말하며, 제조활동과 관련된 종업원에 대한 복리후생비는 제조원가계정에서 경비로 분류된다.

복리후생비 회계처리 예시는 다음과 같다.

(차) 복 리 후 생 비   ×××   (대) 현금 및 현금성자산   ×××

사례 1 (주)삼일은 종업원에 대한 피복비 등의 복리후생비로 ₩500,000을 지출하였다.

(차) 복 리 후 생 비   500,000   (대) 현금 및 현금성자산   500,000

사례 2 (주)삼일은 회사부담분 종업원에 대한 의료보험료 ₩30,000,000 및 종업원의 급료에서 의료보험료로 예수한 금액 ₩30,000,000을 납부하였다.

(차) 복 리 후 생 비   30,000,000   (대) 현금 및 현금성자산   60,000,000
　　 예　 수　 금   30,000,000

② 세무회계상 유의할 사항

한국채택국제회계기준서 제1019호에서는 단기종업원급여의 범위 내에 기존의 복리후생비로 처리된 사회보장분담금, 민간의료보험 등에 대한 부담금 등을 포함하고 있다.

법인세법에서는 직원에게 직접 지급하지 않으나, 근로환경의 개선 및 근로의욕의 향상을 위하여 비용을 복리후생비로 보고 있으며, 법인세법에서는 직장체육비, 직장문화비, 우리사주조합의 운영비, 건강보험료와 고용보험료 등을 예시하고 있으나, 이외에도 예시된 항목과 유사한 성격의 비용지출액이라면 복리후생비에 해당될 수 있다(법령 45조 1항). 한국채택국제회계기준에 따라 고용자 부담 사회보장분담금 및 민간의료보험 등을 종업원급여로 회계처리한 경우에도 그 실질이 법인세법상 복리후생비에 해당되고 업무무관지출 등에 해당되지 않는 경우에는 계정과목 분류의 차이이므로 별도의 세무조정은 필요하지 않을 것이다.

복리후생비가 법인의 손금으로 산입되기 위해서는 법인의 임원이나 직원을 위하여 지출한 것이어야 하며, 직원에는 파견근로자도 포함된다. 따라서 법인의 주주만을 위한 비용이거나 법인 외부의 이해관계자를 위한 비용은 업무무관지출이 된다.

또한 복리후생비는 그 성격상 임원이나 직원의 복리후생을 위하여 지출되는 비용이며, 언제나 임원이나 직원에 대한 경제적 이익의 공여가 되는 것이므로 기업이 복리후생비로 처리한 비용이라 할지라도 세법상에서는 급여, 기부금 및 접대비로 취급되거나 혹은 유형자산으로 취급되는 경우가 있다. 따라서 기업이 지출한 복리후생비 중에서 세법상 기부금이나 접대비로 취급될 금액이 있을 때에는 이를 시부인계산하여 기부금이나 접대비의 손금산입한도액을 초과한 금액은 손금에 불산입하도록 하고 있다.

법인세법 시행령 제45조에 규정한 복리후생비를 설명하면 다음과 같다.

가. 직장체육비

직원을 위하여 지출한 체육비로서 직원의 체육대회경비 및 직원으로 구성된 사내운동부를 조직하고 동 운동부의 유지와 관련하여 지출하는 비용 등을 말한다.

나. 직장문화비

직원을 위하여 지출한 문화비로서 직원을 위로하기 위하여 연예회, 오락회 등을 개최하는 데 지출되는 비용 등을 말하며, 직장회식비도 이에 포함된다.

다. 우리사주조합의 운영비

종업원으로 하여금 기업소유자의 일원이라는 자부심을 갖게 하여 근로의욕을 증진시키고 노동생산성의 향상을 기하기 위하여 종업원이 자사주식을 소유하게 하는 제도를 종업원지주제도라 하며, 이에 따라 종업원의 주식을 일괄취득하고 관리하는 종업원단체로서 우리사주조합을 결성하여 운영하게 된다. 법인이 이러한 우리사주조합의 운영경비를 부담하고 이를 손비로 처리하면 복리후생비로서 법인의 손금에 산입된다. 그러나 자사주를 우리사주조합이 매입함에 있어 매입수수료(위탁수수료)를 지급한 것은 우리사주조합의 운영비가 아닌 각 조합원이 부담할 비용이다(법인 22601-463, 1986. 2. 11.).

라. 사용자로서 부담하는 보험료 및 부담금

법인이 임원 또는 직원을 위하여 국민건강보험법 및 노인장기요양보험법에 따라 사용자로서 부담하는 보험료 및 부담금은 복리후생비로서 법인의 손금에 산입한다.

국민건강보험법에 따라 건강보험료는 직장가입자의 경우 가입자 본인이 50%를 납부하고 사업주가 나머지 50%를 부담하게 되며, 노인장기요양보험법에 따라 장기요양보험료는 건강보험료를 납부할 때 건강보험료의 일정액을 납부하게 되는데, 이때 법인이 사용자로서 부담하는 보험료 및 부담금 상당액이 복리후생비로서 법인의 손금에 산입되는 것이다.

한편, 임직원이 부담하여야 할 보험료 50% 상당액을 전액 법인이 부담한 경우에는 손금에는 산입하되, 임직원에 대한 급여의 성질로 보아 근로소득세를 원천징수하여야 한다(법기통 19-19…8).

마. 직장어린이집의 운영비

영유아보육법에 의하여 설치된 직장어린이집의 운영비 목적으로 법인이 지출하는 비용은 복리후생비로 전액 법인의 손금에 산입된다.

직장어린이집에는 영유아보육법에 따라 의무적으로 설치하여야 하는 시설 외에 임의로 설치한 시설도 포함되어야 할 것이며, 이외에도 영유아보육법 시행 당시 남녀고용평등법에 의하여 설치된 사업장육아시설과 시범탁아소는 동법에 의하여 설치된 어린이집으로 보도록 규정하고 있으므로 이 또한 직장어린이집에 해당한다고 할 것이다.

직장어린이집을 설치한 사업주는 시설운영에 필요한 비용을 보조하여야 하며, 이 때 법인이 보조하는 비용 및 보모의 인건비·급식비 등은 전액 법인의 손금에 산입하게 되는 것이다.

또한 법인이 직장어린이집을 취득하여 운영하는 경우 이는 법인경리의 일부로서 취급되어 해당 시설물은 사업용 자산으로서 시설유지비 및 감가상각비 등이 법인의 손금에 산입되며, 이외에 별도로 소비성서비스업(조특령 29조 3항)과 부동산임대 및 공급업 외의 사업을 경영하는 내국인이 직장어린이집에 투자한 금액에 대해서는 투자세액공제혜택을 주고 있다(조특법 24조 1항 1호 나목 및 조특령 21조 1항, 3항 1호 및 조특칙 12조 2항 4호 바목).

바. 사용자가 부담한 고용보험료

고용안정사업·직업능력개발사업 및 실업급여실시에 소요되는 비용을 충당하기 위하여 고용보험법에 의하여 사용자로서 부담하는 보험료는 손금에 산입한다.

고용안정사업의 보험료와 직업능력개발사업의 보험료는 사용자가 부담하게 되며, 실업급여의 보험료는 사업자가 50% 근로자가 50%를 부담하게 된다. 이 때 사용자가 부담하는 보험료 상당액이 복리후생비로서 법인의 손금에 산입되는 것이다.

사. 기타 복리후생비

(가) 경조금

법인의 임원이나 직원에게 지급한 경조금 중 사회통념상 타당하다고 인정되는 범위 내의 금액은 법인의 손금에 산입한다.

이 때 임원은 출자임원 및 비출자임원 모두를 포함하는 것이며, 경조비는 세법상 특정되어 있지는 않지만 사회통념상 타당하게 여겨지는 각종 축의금, 조의금 및 제례비 등을 포함한다고 하겠다(법기통 19-19…32, 19-19…13).

(나) 복리시설비

직원이 조직한 조합 또는 단체에 복리후생의 시설물 구입 등을 위하여 지출한 복리시설비는 해당 조합이나 단체의 형태에 따라 회계처리를 달리 하여야 한다. 즉, 해당 조합이나 단체가 법인인 경우에는 이를 접대비로 보며, 법인이 아닐 경우에는 법인경리의 일부로 보아 시설비는 유형자산으로 하여 감가상각하고 유지·관리비는 복리후생비 등으로 하여 법인의 손금에 산입한다(법령 40조 2항).

(다) 손해·재해보험료

법인이 임직원의 업무상 재해 및 사망을 보험금 지급사유로 하고 해당 법인을 수익자로 하여 만기시에 일정액을 환급받는 보험에 가입하고 보험료를 불입하는 경우, 그 지급한 보험료액 가운데 적립보험료에 상당하는 부분의 금액은 자산으로 하고 기타 부분의 금액은 이를 기간의 경과에 따라 손금에 산입한다(법기통 19-19…9).

이때, 적립보험료에 상당하는 부분의 금액은 보험사고의 발생에 의하여 보험금의 지급을 받은 경우에도 그 지급에 의하여 당해 손해보험계약이 실효되지 아니하는 경우에는 이를 손금에 산입할 수 없다(법기통 19-19…11).

(라) 기 타

이외의 복리후생비와 관련한 법인세법 기본통칙의 내용은 다음과 같다.

- 근로자직업능력개발법의 규정에 의한 직업능력개발훈련을 실시하는 법인이 자체기능공의 확보를 위하여 부담하는 교재, 피복, 필기도구 등 훈련경비와 훈련수당 등은 이를 각 사업연도의 소득금액 계산상 손금에 산입한다. 이 경우 훈련수당 등의 명목으로 지급되는 현금 및 현물급여는 이를 지급받는 자의 근로소득으로 한다(법기통 19-19…26).
- 법인의 직장민방위대를 위하여 지출하는 금품의 가액은 지급하는 경비의 성질(예 : 직장체육비, 교통비, 복리후생비 등)에 따라 해당 법인의 경리의 일부로 본다(법기통 19-19…31).

4) 유급휴가

① 기업회계상 회계처리

유급휴가는 종업원이 사용자에게 용역제공을 하지 않은 기간에 대해서도 급여는 계속 지급되는 것을 말한다. 일반적인 사례는 다음과 같다.

- 연차휴가
- 병가
- 출산휴가
- 배심원참여
- 병역

기준서 제1019호는 차기 이후로 이월 가능한 누적유급휴가와 당기에 사용하지 않으면 소멸되는 비누적유급휴가를 구분한다. 누적유급휴가는 일반적으로 종업원이 용역을 제공함에 따라 가득되나, 비누적유급휴가는 용역제공과 무관하다.

상기 예시에서 병가, 출산휴가, 배심원참여는 대개 비누적유급휴가이나 연차휴가는 누적유급휴가이거나 비누적유급휴가이다. 일정기간 경과에 따라 가득되고 이월될 수 있는 누적유급휴가에 대해 보고기업은 예상 누적급여비용을 부채로 인식하여야 한다. 반면에 비누적유급휴가의 경우 보고기업은 휴가가 발생할 때까지 부채 및 비용을 인식해서는 안 된다.

구체적인 회계처리는 '재무상태표'편 '유동비금융부채' 중 '6. 미지급단기유급휴가'를 참고한다.

② 세무회계상 고려할 사항

한국채택국제회계기준서 제1019호에서는 차기 이후 이월가능한 누적유급휴가(일반적으로 사용인의 용역제공에 의하여 가득됨)에 대하여는 예상 누적급여비용을 부채 및 비용으로 인식하도록 하고 있다.

현행 법인세법에서는 상여금과 연차수당 등은 권리·의무확정주의에 따라 각 개인별로 지급할 금액이 확정된 사업연도에 손금으로 산입하도록 하고 있으나, 누적유급휴가에 대한 비용은 기본적으로 예상에 따른 비용이므로, 이를 세무상 확정비용으로 볼 수 있는지 여부에 있어서는 명확하지 않은 상태이다.

다만, 세법상의 권리·의무확정주의에서 볼 때 유급휴가 등에 대한 비용이 각 개인별로 지급할 금액이 확정된 것으로 볼 수 있는 것이 명백하지 않은 경우에는 미지급비용으로 계상한 유급휴가 관련 비용은 권리·의무가 확정되는 차기 이후의 비용으로 보아 별도의 세무조정이 필요할 것으로 보인다.

(2) 기타장기종업원급여

① 기업회계상 회계처리

장기종업원급여는 종업원이 관련 용역을 제공하는 연차보고기간말 이후 12개월 이전에 전부 결제될 것으로 예상되지 않는 종업원급여(퇴직급여와 해고급여 제외)이다(기준서 제1019호 문단 153). 장기상여금, 장기인센티브제도, 장기근속보상과 같은 장기종업원급여는 위에서 논의한 단기종업원급여와 많은 특징을 공유한다. 따라서 혹자는 화폐시간가치와 불확실성의 증가에 대한 적절한 조정을 반영한 동일한 회계원칙이 적용될 것이라고 예상할 수도 있다. 하지만 하단에서 설명하는 예외사항을 제외하고 장기종업원급여는 퇴직급여의 확정급여제도와 같은 방식으로 회계처리된다. 이것은 발생한 채무를 측정하기 위한 예측단위적립방식의 사용을 포함한다. 이 방법에 대한 설명은 '재무상태표'편 부채 중 퇴직급여부채를 참고하며, 기타장기종업원급여 회계처리방법과 퇴직급여에 대한 회계처리방법의 차이는 다음과 같다.

• 재측정요소를 당기손익으로 즉시 인식한다.

(기준서 제1019호 문단 156)

다음 사례는 기타장기종업원급여로 판단될 때 예측단위적립방식을 사용하여 종업원급여 부채를 측정하는 방법을 설명한다.

사례 | 5년 근속에 대한 상여금

A법인은 종업원이 5년 근속할 경우 상여금을 받는 장기상여금 제도를 운영한다. 상여금은 매년 임금의 1%로 계산된다. 임금은 매년 5%씩 상승할 것으로 예상되고, 할인율은 8%이다. 다음 표는 종업원이 입사한 첫 해부터 5년에 걸쳐 상여에 대한 부채가 어떻게 증가하는지 보여준다. 종업원은 5년까지 근무하며 보험수리적 가정의 변경은 없다고 가정한다. 종업원의 첫 해 임금은 ₩40,000이다.

Year	1	2	3	4	5
당기 급여(당기 임금의 1%)	400	420	441	463	486
누적미지급상여금	400	820	1,261	1,724	2,210
기초 채무	─	325	702	1,137	1,637
이자율(8%)	─	26	56	91	131
당기근무원가	325	351	379	409	442
기말 부채	325	702	1,137	1,637	2,210

위 표에 따르면, 당기근무원가는 당기에 배분되는 급여의 현재가치이다. 매년 당기에 배분되는 급여는 대략 ₩2,210을 5로 나눈 ₩442이다. 그러므로 예를 들어 3년이 되는 해의 당기근무원가는 ₩379이다(즉, $₩442/1.08^2$).

② 세무회계상 고려할 사항

한국채택국제회계기준에서 기타장기종업원급여는 사업연도 종료일로부터 12개월 이전에 전부 결제될 것으로 예상되지 않는 종업원급여로서 장기상여금, 장기인센티브제도, 장기근속보상과 같은 것으로 의미하며, 기본적으로는 단기종업원급여와 유사한 성격을 가진다.

그러나 기타장기종업원급여는 그 산정방식이 퇴직급여의 확정급여제도와 유사하게 회계처리되는 바, 일정한 가정에 의한 예상비용에 해당된다.

따라서 현행 법인세법의 기본 취지인 권리·의무확정주의에서 볼 때, 그 비용이 회계 연도말 개인별로 지급할 금액이 확정된 것이 명백하지 않은 경우에는 미지급비용으로 회계처리된 당기 비용에 대하여 권리·의무가 확정되는 차기 이후의 비용으로 보아 별도의 세무조정이 필요할 것으로 보인다.

(3) 퇴직급여

퇴직금이란 회사가 근로자의 계속적인 고용의 종료, 즉 퇴직을 사유로 하여 퇴직하는 자에게 지급하는 급부를 말하는 것으로, 퇴직시에 일괄하여 지급하는 방식과 퇴직 후의 일정기간 동안 연금으로 지급하는 방법이 있다.

퇴직급여는 기준서 제1019호에서 "퇴직 이후에 지급하는 종업원급여(해고급여 제외)"라고 정의된다(기준서 제1019호 문단 8). 퇴직급여의 가장 흔한 형태는 연금이며, 몇몇 나라에서는 퇴직후의료급여도 포함된다.

제공되는 연금급여의 원가에 대한 회계처리는 그러한 급여의 조달에 관한 사용자의 채무에 대한 계획과 방법에 따라 결정되는 급여의 종류에 특히 영향을 받는다.

퇴직급여는 기준서 제1019호에 따라 확정기여제도와 확정급여제도로 구분되며, 각각 회계처리 및 공시에 대해 다르게 규정된다.

> **사례** **퇴직금제도(연금형태가 아닌 퇴직 시 일시금 지급 형태)는 기준서 제1019호에 따라 어느 종업원급여 분류에 속하는가?**
>
> 한국의 근로자퇴직급여 보장법에서 정하는 바에 따라 사용자는 확정기여형 혹은 확정급여형의 퇴직연금제도뿐만 아니라 보고기간말 현재 1년 이상 근무한 근로자에게 계속근로기간 1년에 대하여 30일분 이상의 평균임금을 퇴직금으로 지급하는 퇴직금제도를 선택하여 운영할 수 있으며, 이 경우 사용자는 주택구입 등 대통령령으로 정하는 사유로 근로자가 요구하는 경우에는 근로자가 퇴직하기 전에 해당 근로자의 계속근로기간에 대한 퇴직금을 미리 정산하여 지급할 수 있다.
>
> 올바른 회계처리를 위해서는 현행 퇴직급여제도가 한국채택국제회계기준 제1019호 하에서 어떠한 형태의 종업원급여로 분류되는지에 대한 판단이 선행되어야 할 것이다.
>
> 퇴직금제도는 법적으로는 종업원의 퇴직 후를 보장하기 위한 종업원급여제도이다. 그러나 중간정산제도의 도입으로 인하여 실질적으로 퇴직 후를 보장하고자 하는 퇴직급여제도의 본 취지가 약화된 측면이 있다. 근로자퇴직급여 보장법에 의하면 기업(사용자)은 근로자의 요청이 있는 경우 퇴직금을 중간정산하여 지급할 수 있으며, 이는 양방 간의 합의에 의하여 이루어진다. 이러한 중간정산제도의 도입은 근로자로 하여금 퇴직 이전이라도 필요한 경우 퇴직금을 요청하여 지급받을 수 있도록 하였으며, 실질적으로는 기타 종업원급여(급여 등)와 유사한 성격을 갖게 된다. 따라서 현재의 퇴직급여제도에 의한 퇴직급여가 한국채택국제회계기준 제

1019호에서 규정하는 퇴직급여로 분류될 것인지 또는 기타장기종업원급여로 분류될 것인지에 대한 이견이 제기될 수 있다.

중간정산은 근로자의 요청을 기업(사용자)이 승낙하는 경우 지급되는 형태이므로, 기업(사용자)이 중간정산의 지급에 제한을 둘 수도 있다. 예를 들면, 중간정산을 요청할 수 있는 대상을 특별한 개인의 재정 현황에 기인하여 한정을 하는 경우 등으로서 이는 근로자와의 협약을 통하여 사규 등으로 문서화 할 수 있다. 이러한 경우는 법적 요건 및 근로자의 필요를 고려하여 최소한의 중간정산을 허용하되, 가급적 퇴직급여의 본 취지 – 근로자의 퇴직 후를 보장 – 를 유지하고자 하는 것으로 해석된다. 따라서 기업(사용자)이 중간정산에 대한 제한을 사규 등으로 문서화 하고 이를 계속적으로 적용하여 온 경우라면 이를 한국채택국제회계기준 제1019호에 의한 퇴직급여 중 확정급여제도(Defined benefit plan)로 분류할 수 있을 것이다.

그러나 위에서 설명한 경우와는 달리 중간정산 제도를 종업원의 특별한 재정 현황을 고려하여 지급하는 것이 아니라 종업원의 동의하에 모든 종업원에게 정기적, 일괄적으로 지급하는 형태이거나, 특별한 제약조건이 없이 종업원이 원하면 수령할 수 있는 등의 경우는 실질적으로 근로자의 퇴직 후를 보장한다는 취지에 입각한 퇴직급여라기보다는 다른 형태의 종업원급여로 보아 '기타장기종업원급여'로 분류하는 것이 타당할 것으로 판단된다.

따라서 퇴직금제도를 그 법적 성격을 고려하여 일률적으로 퇴직급여 중 확정급여제도로 판단하는 것은 한국채택국제회계기준의 원칙에 충실하지 않는 것으로 보이며, 회사의 퇴직급여제도의 실질에 대한 검토를 통하여 적절한 분류 및 그에 따른 회계처리를 적용하는 것이 필요할 것으로 판단된다.

1) 기업회계상 회계처리

퇴직급여의 구체적인 회계처리에 대해서는 '재무상태표'편 '제2장 비유동부채 제2절 비유동비금융부채 1. 퇴직급여부채'를 참고한다.

① 손익계산서상 인식

기준서에서는 근무원가와 순확정급여부채(자산)의 순이자를 포괄손익계산서에 단일 계정과목의 구성요소로 표시해야 하는지에 대해서는 별도로 규정하지 않고 있으므로, 회사가 손익계산서의 표시방법에 있어 회계정책을 선택할 수 있으며, 다만, 주석에는 다음의 사항을 공시하는 것이 요구된다(기준서 제1019호 문단 134, 141). 공시가 요구되는 사항은 다음과 같다(기준서 제1019호 문단 141).

- 당기근무원가
- 이자수익 또는 이자비용
- 순확정급여부채(자산)의 재측정요소에 대하여 다음을 각각 구분하여 공시
  (가) 사외적립자산의 수익(위의 이자에 포함된 금액 제외)

(나) 인구통계적가정의 변동에서 발생하는 보험수리적손익

(다) 재무적가정의 변동에서 발생하는 보험수리적손익

(라) 순확정급여자산을 자산인식상한으로 제한하는 효과의 변동(위의 이자에 포함된 금액 제외)

- 과거근무원가와 정산으로 인한 손익. 단, 과거근무원가와 정산으로 인한 손익이 동시에 발생하는 경우 이를 구분할 필요 없음.
- 환율변동의 영향
- 제도에 납부하는 기여금. 기업이 납부한 기여금과 제도가입자가 납부한 기여금을 별도로 구분
- 제도에서 지급한 금액. 정산하기 위해 지급한 금액을 별도로 구분
- 사업결합과 사업처분의 영향

② 당기근무원가

　당기근무원가는 "당기에 종업원이 근무용역을 제공하여 발생한 확정급여채무 현재가치의 증가"로 정의된다(기준서 제1019호 문단 8). 당기근무원가는 각 기간 중 종업원의 활동으로 인해 발생한 퇴직급여의 보험수리적으로 계산된 현재가치를 나타내며, 현재 시장 현황이 기초가 된 각 기간에 대한 실제 경제적 비용을 반영한다고 볼 수 있다. 이 비용은 제도의 기금과 독립적으로 결정된다. 원칙적으로 종업원에 대한 급여산정식은 정해져 있으므로 당기근무원가는 초과적립액이거나 과소적립액 또는 기금이 별도로 적립되지 않은 경우에도 동일하다.

　확정급여채무의 현재가치와 관련 당기근무원가를 결정할 때에는 제도에서 정하고 있는 급여산정식에 따라 종업원의 근무기간에 걸쳐 급여를 배분하며, 적용가능하다면 과거근무원가를 결정할 때에도 이와 동일한 방식을 사용한다. 그러나 종업원의 근무기간 후반에 귀속되는 급여 수준이 근무기간 초반에 귀속되는 급여 수준보다 중요하게 높은 경우에는 정액법에 따라 급여를 배분한다(기준서 제1019호 문단 70).

　당기근무원가는 회계기간 초에 가장 최신의 보험수리적 평가액을 기초로 해야 한다. 발생한 급여의 현재가치 계산의 기초가 되는 재무적 가정(할인율, 급여수준과 미래의 임금, 의료급여의 경우 보험금청구원가를 포함하는 미래 의료원가, 보고일 이전의 근무용역과 관련된 기여금이나 보고일 이전의 근무용역에서 생기는 급여에 부과되고 제도가 납부할 세금 등)는 회계기간 초에 결정된다. 한해의 당기근무원가가 회계기간 초의 재무적 가정에 의해 결정되긴 하지만 재무적 가정은 회계기간 말에 확정급여부채를 재측정할 목적으로 갱신되어야 한다. 회계기간말 시점에 갱신된 가정은 지난해의 당기근

무원가에 영향을 미치지 않지만, 미래기간의 근무원가 계산에 기초가 되는 추정치이다. 그러므로, 20×4년의 당기근무원가를 결정하는 재무적 가정은 20×3년 말에 확정급여채무의 평가를 위해 갱신되며, 20×3년 재무제표에 공시될 것이다.

③ 순확정급여부채(자산)의 순이자

순확정급여부채(자산)의 순이자는 "보고기간 동안 시간의 경과에 따라 발생하는 순확정급여부채(자산)의 변동"으로 정의된다(기준서 제1019호 문단 8). 순이자는 순확정급여부채(자산)에 연차보고기간 초에 결정된 할인율을 곱하여 결정되며 보고기간 동안의 기여금의 납부와 급여지급으로 인한 순확정급여부채(자산)의 변동을 고려한다. 순이자는 확정급여채무에 대한 이자원가, 사외적립자산에 대한 이자수익과 자산인식상한효과에 대한 이자로 구성된다.

④ 과거근무원가와 정산으로 인한 손익

가. 과거근무원가

과거근무원가는 "제도개정(확정급여제도의 도입, 철회 또는 변경) 또는 축소(기업이 제도의 대상이 되는 종업원 수를 유의적으로 감소시킴)로 인해 종업원의 과거 근무용역에 대한 확정급여채무 현재가치가 변동하는 경우 그 변동액"으로 정의된다(기준서 제1019호 문단 8).

과거근무원가는 다음 중 이른 날에 비용으로 인식한다(기준서 제1019호 문단 103).

i) 제도의 개정이나 축소가 발생할 때

ii) 관련되는 구조조정원가나 해고급여를 인식할 때

과거근무원가는 급여가 새로 생기거나 변동되어 확정급여채무의 현재가치가 증가하는 경우와 같이 정(+)의 금액이 될 수도 있고, 기존 급여가 철회되거나 변동되어 확정급여채무의 현재가치가 감소하는 경우와 같이 부(−)의 금액이 될 수도 있다.

사례 **과거근무원가**

기업은 최소한 5년 이상 근무한 경우, 각 근무기간에 대한 퇴직 전 최종임금의 1%에 해당하는 연금을 제공하는 연금제도를 갖고 있다. 기업은 20×4년 1월 1일자로 제도를 개정하여 과거기간을 포함한 각 근무기간에 대하여 최종임금의 1.25%에 해당하는 연금을 지급한다. 결과적으로, 확정급여부채의 현재가치는 다음과 같이 ₩500,000로 증가하였다.

	₩
20×4년 1월 1일 현재 5년 이상 근무한 종업원에 대한 급여	300,000
20×4년 1월 1일 현재 5년 미만 근무한 종업원에 대한 급여(평균근무연수는 3년으로 가득일까지의 평균잔여근무연수는 2년)	200,000
확정급여부채의 증가액	500,000

과거근무원가는 제도의 개정이나 축소가 발생할 때 또는 관련되는 구조조정원가나 해고급여를 인식할 때 중 이른 날에 비용으로 인식하여야 한다. 상기의 퇴직급여제도의 개정이 구조조정 및 해고급여와는 무관하다고 가정하는 경우 회사는 제도의 개정이 이루어진 20×4년 1월 1일자로 과거근무원가 ₩500,000을 즉시 당기비용으로 인식하여야 한다.

과거근무원가와 보험수리적손실을 구분하는 것은 중요하다. 예를 들어 연금수급권을 주는 급여의 증가가 예상보다 클 경우 과거근무용역과 관련한 확정급여부채를 증가시킬 것이며, 이는 최종 급여를 기초로 퇴직급여를 지급하기로 한 기존 의무의 재측정이므로 과거근무원가가 아닌 보험수리적 손실이다. 이와 동일하게, 예상보다 더 많은 연금을 지급함에 따른 비용은 고용주가 소비자 물가 상승을 보장하기로 한 기초 약정에 대한 재측정인 경우, 일반적으로 보험수리적 손실로 간주된다. 반면에 물가상승률로부터 연금을 보호하기 위해 사전에 존재하지 않았던 신규약정이나 추가약정을 도입하는 경우 이와 같은 연금의 증가는 사전적으로 확정급여부채의 계산에 감안되지 않았기 때문에 과거근무원가를 증가시킨다.

실제로 보험수리적손실과 과거근무원가의 차이는 종종 꽤 모호하다. 급여비용은 변동시키지만 실제로 수령하는 급여를 변동시키지 않는 급여 제공을 위한 정부보조금의 도입과 같은 일부 거래는 각각의 범주에 정확히 구분하기가 쉽지 않다.

나. 정산으로 인한 손익

정산은 "확정급여제도에 따라 발생한 급여의 일부나 전부에 대한 법적의무나 의제의무를 더 이상 부담하지 않기로 하는 거래"로 정의된다(기준서 제1019호 문단 8). 이 때, 제도의 규약에서 정하고 있고 보험수리적 가정에 포함된, 종업원 혹은 종업원의 대리인에 대한 지급은 정산에서 제외된다. 예를 들어, 보험계약의 체결을 통해 제도하에서 기업의 유의적인 확정급여채무를 보험회사에 일시에 이전하는 것은 정산이나, 제도의 규약에 따라 제도가입자에게 일시불현금을 지급하는 것은 제도의 정산이 아니다.

확정급여제도의 정산이 일어나는 때에 정산으로 인한 손익을 인식한다. 정산으로 인한 손익은 정산일에 결정되는 확정급여채무의 현재가치에서 정산가격을 차감하여 산정한다(기준서 제1019호 문단 109).

다. 과거근무원가와 정산으로 인한 손익

과거근무원가 또는 정산으로 인한 손익을 결정할 때, 사외적립자산의 공정가치와 현재의 보험수리적 가정(현행 시장이자율과 그 밖의 현행 시장가격 포함)을 사용하여 제도의 개정, 축소, 정산 전과 후의 제도에서 제공된 급여와 사업적립자산을 반영한 순확정급여부채(자산)를 재측정한다(기준서 제1019호 문단 99).

제도개정, 축소 및 정산이 함께 발생하는 경우에는 제도개정에 따른 과거근무원가,

축소에 따른 과거근무원가와 정산으로 인한 손익을 구분할 필요는 없다. 예를 들어, 확정급여채무가 결제되고 제도가 소멸하는 방식으로 제도가 종료되는 경우에는 제도의 정산이 제도개정 및 축소와 동시에 일어난다. 그러나, 경우에 따라서는 제도를 변경한 이후에 변경된 급여를 나중에 정산하는 경우와 같이 정산 전에 제도개정이 일어날 수 있다. 이러한 경우에는 과거근무원가를 인식한 후 정산으로 인한 손익을 인식한다.

사례 구조조정

그룹의 구조조정계획을 발표하기 전, 국가별 순확정급여채무는 다음과 같다.

	독일 ₩m	스웨덴 ₩m
확정급여채무의 현재가치	(5)	(7.5)
사외적립자산의 공정가치	3.5	5
순확정급여부채	(1.5)	(2.5)

구조조정 이후 독일의 확정급여채무의 현재가치는 ₩4백만으로 감소했으며, 스웨덴은 종업원에 대하여 일시에 ₩3백만을 지급하였다.

정산/축소로 인한 손익은 확정급여채무의 현재가치 변동액과 사외적립자산의 공정가치 변동액의 합계이다. 따라서, 기업은 독일의 축소에 대하여 확정급여채무의 현재가치 변동(₩5백만 – ₩4백만)에 따라 축소로 인한 이익 ₩1백만을 인식한다. 또한, 스웨덴의 사업 중단에 대하여 정산 전의 순확정급여채무(₩2.5백만)와 정산 시 지급한 금액(₩3백만)의 차이인 ₩500,000을 손실로 인식한다.

⑤ 재측정요소

순확정급여부채의 재측정요소는 다음과 같이 구성된다.

i) 보험수리적손익

ii) 순확정급여부채(자산)의 순이자에 포함된 금액을 제외한 사외적립자산의 수익

iii) 순확정급여부채(자산)의 순이자에 포함된 금액을 제외한 자산인식상한효과의 변동

(기준서 제1019호 문단 127)

재측정요소는 발생하는 시점에 기타포괄손익으로 즉시 인식하며, 후속기간에 당기손익으로 재분류되지 않는다. 그러나 기타포괄손익에 인식된 금액을 자본 내에서 대체할 수는 있다(기준서 제1019호 문단 122).

가. 보험수리적 손익

기준서 제1019호는 보험수리적 손익을 다음과 같이 정의하고 있다.

• 이전 보험수리적 가정과 실제로 발생한 결과의 차이에서 생기는 손익(경험조정)

• 보험수리적 가정의 변경으로 인해 발생하는 손익

(기준서 제1019호 문단 8)

보험수리적 손익은 보고기간종료일에 확정급여채무의 공정가치를 재측정함에 따라 발생한다. 즉, 확정급여채무의 현재가치가 다음과 같은 이유로 예상치 못한 증감이 있을 때 발생한다.

- 한 해 동안 실제 사건의 발생으로 인한 경험손익과 당초 평가액에 적용된 보험수리적 추정치의 차이(예를 들어, 종업원의 이직률, 조기퇴직률, 사망률이 예상치 못하게 높거나 낮은 경우 또는 급여, 퇴직급여 또는 의료원가가 증가한 경우)
- 급여지급선택권과 관련된 가정의 변동 효과
- 증가된 수명을 반영하는 것과 같이 보험수리적 추정치가 변경됨에 따른 효과
- 확정급여채무의 순현재가치가 달라질 수 있는 할인율의 변경에 따른 효과

(기준서 제1019호 문단 128)

보험수리적손익의 예시는 다음과 같다.

- 실제 또는 측정 사망률이나 조기퇴직을 신청하는 종업원의 비율은 기업이 퇴직급여를 지급해야 하는 기간을 변경시킬 것이다. 예를 들어 급속한 기술변화는 회사로 하여금 많은 종업원들에게 조기퇴직을 제안하도록 해서 인력을 점진적으로 감소시킬 수 있다.
- 추정 급여 또는 임금은 퇴직급여지급액을 변동시킬 것이다. 예를 들어, 소프트웨어 개발자는 기술인력의 유지를 위해 물가상승률 이상 급여를 인상시킬 수도 있다.
- 추정된 종업원 이직률은 다른 연금제도로 그들의 퇴직급여를 이전할 것으로 예상되는 종업원의 수를 변동시킬 수 있다. 예를 들어 예상치 못했던 세법 제정으로 개인연금제도가 더 유리해진 경우 더 많은 종업원들이 확정급여제도를 떠나 개인연금제도에 가입하게 될 것이다.

나. 사외적립자산과 관련한 재측정요소

사외적립자산과 관련한 재측정요소는 사외적립자산의 수익에서 사외적립자산의 공정가치에 할인율을 곱하여 산정한 이자수익의 차이로 결정된다. 할인율은 확정급여채무에 대한 이자비용을 산정할 때 사용하는 할인율과 동일하다.

사외적립자산의 수익을 결정할 때 사외적립자산 운영원가와 제도자체에 관련된 세금을 차감한다. 다만, 확정급여채무를 측정할 때 사용하는 보험수리적 가정에 포함된 세금은 차감하지 않으며, 그 밖의 관리원가는 사외적립자산의 수익에서 차감하지 않는다(기준서 제1019호 문단 125, 130).

다. 자산인식상한효과와 관련한 재측정요소

자산인식상한이란 "제도로부터의 환급이나 제도에 대한 미래기여금절감의 형태로 이용가능한 경제적효익의 현재가치"로 정의되며, 자산인식상한효과란 이러한 자산인식상한으로 인하여 인식되는 관련 자산 및 부채를 의미한다. 자산인식상한효과에 대한 이자는 연차보고기간 초에 결정된 자산인식상한효과에 할인율을 곱하여 결정되며, 이러한 이자와 자산인식상한의 총변동의 차이는 재측정요소에 포함된다(기준서 제1019호 문단 126).

사례 보험수리적손익의 계산사례

20×6년 12월 31일 시점에 보험수리적손익이 없다는 가정하에, 아래 예시는 20×7년 12월 31일 시점에 K사의 확정급여제도의 보험수리적손익에 대해 설명하고 있다. 순이자는 1년 동안 중요한 변동이 없다는 가정 하에 기초의 순확정급여부채(자산)에 근거하여 계산된다.

사외적립자산	
20×6년 12월 31일의 공정가치(장부가액과 동일) (20×6년 12월 31일 실제 시장가치)	14,000
이자수익(6%)	840
해당기간 동안 납입액(기금으로부터 받은 실제 금액)	1,190
해당기간 동안 지급된 종업원급여(기금으로부터 지급된 실제 급여)	(1,500)
20×7년 12월 31일의 자산의 기대 공정가치	14,530
20×7년 12월 31일의 실제 공정가치(2007년12월31일의 시장가격에 근거)	14,920
20×7년 12월 31일의 누적적 보험수리적이익	390

확정급여채무	
20×6년 12월 31일의 채무(장부가액과 동일)	15,000
이자비용(20×7년 1월 1일의 이자율과 채무 : 6%×15,000)	900
당기근무원가(2007년 1월 1일 보험수리적방법으로 계산)	800
해당기간 동안 지급된 종업원급여(기금으로부터 지급된 실제 급여)	(1,500)
20×7년 12월 31일 예상채무	15,200
20×7년 12월 31일 의무 (2007년 12월 31일 보험수리적으로 계산한 실제 채무)	17,410
20×7년 12월 31일 누적적 보험수리적 손실	2,210

20×7년에 발생한 보험수리적손익의 인식 및 관련 회계처리는 다음과 같다.

• 기금납입액 인식

　(차) 사 외 적 립 자 산　　1,190　　(대) 현　　　　　금　　1,190

• 퇴직금 지급액

　(차) 확 정 급 여 채 무　　1,500　　(대) 사 외 적 립 자 산　　1,500

• 순이자 인식

(차) 퇴 직 급 여   60   (대) 확 정 급 여 부 채   60

• 당기근무원가 인식

(차) 퇴 직 급 여   800   (대) 확 정 급 여 채 무   800

• 재측정요소 인식(순액)

(차) 기 타 포 괄 손 익   1,820   (대) 확 정 급 여 부 채   1,820

〈확정급여채무와 사외적립자산의 기말장부금액〉

확정급여채무		사외적립자산	
기초	15,000	기초	14,000
이자비용	900	이자수익	840
당기근무원가	800	기금납입액	1,190
지급액	(1,500)	지급액	(1,500)
재측정요소(보험수리적손실)	2,210	재측정요소(보험수리적이익)	390
기말 장부가액	17,410	기말 장부가액	14,920

⑥ 결산시 유의할 사항

가. 퇴직급여 계산의 정확성

앞서 살펴 본 바에 따라 퇴직급여가 계산되었는지 유의한다.

나. 퇴직급여 인식·구분의 적정성

당기 퇴직급여가 그 성격에 따라 제조경비·판매비와관리비·무형자산·건설중인자산 등으로 적절히 배분되어 계상되었는지 검토한다.

다. 보험수리적 가정 또는 할인율의 변동 여부

기중 정산, 축소에 따른 영향 및 과거근무원가가 재측정요소와 구분되어 기준서에서 요구하는 대로 적절히 반영되었는지 검토한다.

2) 세무회계상 유의사항

① 퇴직급여의 지급대상과 퇴직연금의 가입대상

퇴직급여의 지급대상과 퇴직연금의 가입대상은 근로자퇴직급여 보장법에서는 근로기준법에 의한 근로자로 보고 있으며, 임원은 의무적인 퇴직연금의 적용대상은 아니나 사업장별로 자율적으로 퇴직연금의 가입자로 할 수 있는 것으로 노동부에서 유권해석하고 있고, 법인세법 시행령 제60조 및 제44조의 2 등에서는 '근로자'가 아닌 '임원 또는 직원'으로 규정하고 있는 바, 임원도 법인세법상 퇴직급여 대상에 포함된다.

② 퇴직급여의 계산

법인소득계산상 손금으로 인정되는 퇴직급여는 해당 법인의 퇴직급여규정 등에 따라 지급한 퇴직급여가 되며, 만일 해당 법인의 퇴직급여규정이 없는 경우에는 근로자퇴직급여 보장법에 따라 계산된 퇴직급여를 말한다.

다만, 법인이 임원에게 지급한 퇴직급여 중 다음의 어느 하나에 해당하는 금액을 초과하는 금액은 손금에 산입하지 아니한다(법령 44조 4항, 5항).

- ㉠ 정관에 퇴직급여(퇴직위로금 등을 포함)로 지급할 금액이 정하여진 경우에는 정관에 정하여진 금액. 이 경우 정관에 임원의 퇴직급여를 계산할 수 있는 기준이 기재된 경우를 포함하며, 정관에서 위임된 퇴직급여지급규정이 따로 있는 경우에는 해당 규정에 의한 금액에 의함.
- ㉡ 상기 외의 경우에는 그 임원이 퇴직하는 날부터 소급하여 1년 동안 해당 임원에게 지급한 총급여액[소득세법 제20조 제1항 제1호 및 제2호에 따른 금액(같은 법 제12조에 따른 비과세소득은 제외)으로 하되, 법인세법 시행령 제43조에 따라 손금에 산입하지 아니하는 금액은 제외]의 10%에 상당하는 금액에 근속연수를 곱한 금액. 이 경우 해당 임원이 직원에서 임원으로 된 때에 퇴직금을 지급하지 아니한 경우에는 직원으로 근무한 기간을 근속연수에 합산할 수 있음.

법인세법 시행령 제44조에서 법인이 퇴직급여제도에 의하여 임원 또는 직원에게 지급하는 퇴직급여는 임원 또는 직원이 현실적으로 퇴직하는 경우에 지급하는 것에 한하여 손금으로 산입된다.

다만, 연봉제를 적용하는 회사의 경우에는 다음의 요건을 모두 갖춘 연봉계약에 의하여 그 계약기간이 만료되는 시점에 퇴직급여를 지급한 경우에도 현실적인 퇴직으로 본다. 다만, 퇴직급여를 연봉액에 포함하여 매월 분할지급하는 경우 매월 지급하는 퇴직급여상당액은 해당 직원에게 업무와 관련 없이 지급한 가지급금으로 본다(법기통 26-44…5).

- ㉠ 불특정다수인에게 적용되는 퇴직급여지급규정에 사회통념상 타당하다고 인정되는 퇴직금이 확정되어 있을 것
- ㉡ 연봉액에 포함된 퇴직금의 액수가 명확히 구분되어 있을 것
- ㉢ 계약기간이 만료되는 시점에 퇴직금을 중간정산받고자 하는 직원의 서면요구가 있을 것

한편, 법인세법 제33조 제1항에 따라 퇴직급여충당금을 손금에 산입한 내국법인이

'근로자퇴직급여 보장법' 제8조 제2항에 따라 퇴직급여 중간정산을 실시하면서 지급하는 퇴직급여 중간정산액과 별도로 퇴직급여지급규정·취업규칙의 개정 등으로 퇴직급여 지급제도 변경에 따른 손실보상을 위하여 지급하는 금액은 퇴직급여충당금에서 상계처리하지 아니하고 직접 해당 사업연도의 손금에 산입할 수 있도록 하고 있다(법기통 33-60…6).

퇴직급여의 손금산입시기는 현실적으로 퇴직하는 때이므로 비록 퇴직급여가 아직 지급되지 않았더라도 지급이 확정된 사업연도의 손금으로 계상하여야 하며(법인 22601-572, 1987. 3. 3.), 퇴직급여의 지급이 확정되었으나, 결산상 미지급 등으로 회계처리하지 못한 경우에도 손금에 산입할 수 있다(국심 84서 680, 1984. 6. 23.).

그러나 현실적으로 퇴직하지 아니한 임원 또는 직원에게 지급한 퇴직금은 해당 임원 또는 직원이 현실적으로 퇴직할 때까지 이를 해당 임원 또는 직원에 대한 업무무관가지급금으로 보며, 해당 가지급금은 익금산입(유보)으로 소득처분하고, 이를 업무무관가지급금으로 보아 인정이자를 계산하여 익금산입(상여)으로 소득처분하고(법령 89조 3항), 이에 대한 소득세 원천징수를 하여야 한다.

또한 가지급금의 증가에 따른 업무무관자산에 대한 지급이자 손금불산입을 계산하여야 한다(법칙 22조 2항).

법인세법 기본통칙 26-44…1에 따른 현실적인 퇴직으로 보지 않는 경우는 다음과 같다.

　㉠ 임원이 연임된 경우
　㉡ 법인의 대주주 변동으로 인하여 계산의 편의, 기타 사유로 전직원에게 퇴직급여를 지급한 경우
　㉢ 외국법인의 국내지점 종업원이 본점(본국)으로 전출하는 경우
　㉣ 정부투자기관 등이 민영화에 따라 전종업원의 사표를 일단 수리한 후 재채용한 경우
　㉤ '근로자퇴직급여 보장법' 제8조 제2항에 따라 퇴직급여를 중간정산하기로 하였으나 이를 실제로 지급하지 아니한 경우(다만, 확정된 중간정산 퇴직급여를 회사의 자금사정 등을 이유로 퇴직급여 전액을 일시에 지급하지 못하고 노사합의에 따라 일정기간 분할하여 지급하기로 한 경우에는 그 최초 지급일이 속하는 사업연도에 손금에 산입함)

퇴직급여의 세무조정과 관련된 세무상 유의할 사항은 제2편(Ⅱ) 중 부채편 제2장 제2절의 '1. 퇴직급여부채'를 참조하기로 한다.

③ 확정기여형 퇴직연금 부담금의 손금산입

확정기여형 퇴직연금등(근로자퇴직급여 보장법 제19조에 따른 확정기여형 퇴직연금, 같은 법 제24조에 따른 개인형퇴직연금제도 및 과학기술인공제회법에 따른 퇴직연금 중 확정기여형 퇴직연금에 해당하는 것을 말함)의 부담금으로 지출하는 금액은 해당 사업연도의 소득금액 계산에 있어 전액 손금에 산입한다. 다만, 임원에 대한 부담금은 법인이 퇴직 시까지 부담한 부담금의 합계액을 퇴직급여로 보아 상기 '② 퇴직급여의 계산'에서 설명한 임원의 퇴직급여 손금한도(법령 44조 4항)를 적용하되, 손금산입 한도 초과금액이 있는 경우에는 퇴직일이 속하는 사업연도의 부담금 중 손금산입 한도 초과금액 상당액을 손금에 산입하지 아니하고, 손금산입 한도 초과금액이 퇴직일이 속하는 사업연도의 부담금을 초과하는 경우 그 초과금액은 퇴직일이 속하는 사업연도의 익금에 산입한다(법령 44조의 2 3항).

(4) 해고급여

해고급여는 다음 중 하나의 결과로서 지급되는 종업원급여이다.
- 통상적인 퇴직시점 이전에 종업원을 해고하고자 하는 기업의 결정
- 해고의 대가로 기업이 제안하는 급여를 수락하는 종업원의 결정

(기준서 제1019호 문단 8)

개괄적으로는 해고급여는 종업원이 해고될 때 지급되는 급여라는 맥락에서 퇴직급여(예를 들어 연금)와 유사하다. 그러나 퇴직급여가 종업원의 근무기간 동안 가득되는 반면, 해고급여는 공장폐쇄 같은 사건으로 인해 발생한다. 해고급여의 채무를 발생시키는 중요한 사건은 종업원의 근무가 아니라 해고인 것이다. 해고급여의 규모가 종업원의 근무기간과 관련하여 결정될 수도 있지만, 해고급여는 종업원의 근무에 대한 대가로 발생하지는 않는다.

일반적으로 해고급여는 일시불급여로 지급되지만 회사차량의 보유 등과 같은 다른 형태의 보상도 가능하다. 또한 해고급여는 다음을 포함한다.
- 연금 증액
- 재취업 유보 휴가 : 해고대상 종업원이 보고기업에 경제적효익을 가져다주는 근무용역을 더 이상 특정예고기간까지 제공하지 않더라도 그 기간의 상당하는 임금을 지급

(기준서 제1019호 문단 161)

대부분은 종업원 복지 혜택이 해고급여에 해당하는지 또는 퇴직급여인지 명확하지만,

항상 그런 것은 아니다. 기준서 제1019호 문단 164는 이 같은 판단의 어려움이 있을 수 있는 것을 인정하고 해고급여와 퇴직급여의 차이점을 설명하였다.

특정 급여를 해고급여 또는 퇴직급여로 분류할 때 어려움이 있을 수 있다. 이 같은 결정을 위한 지침으로서 해고급여는 일반적으로 세 가지 특성을 가진다.

- 급여는 명확히 한정된 기간 동안 제공된다.
- 사용자가 그 마감일을 연장할 법적 의무나 의제의무는 없더라도 사용자의 재량에 따라 그 기간이 연장될 수 있다. 위와 같은 반복된 관행은 의제의무를 발생시킨다.
- 미래 근무기간에 대한 급여와는 관계없다.

해고급여는 기업이 해고급여의 제안을 더 이상 철회할 수 없을 때와 기업이 기준서 제1037호 '충당부채, 우발부채 및 우발자산'의 적용범위에 포함되고 해고급여의 지급을 수반하는 구조조정에 대한 원가를 인식할 때 중 이른 날에 부채와 비용을 인식한다(기준서 제1019호 문단 165).

해고에 대한 대가로 제안되는 급여를 수락하는 종업원의 결정으로 인해 지급하는 해고급여의 경우, 기업이 해고급여의 제안을 더 이상 철회할 수 없는 시점은 다음 중 이른 날이다.

i) 종업원이 해고급여의 제안을 수락하는 때

ii) 해고급여의 제안을 철회하는 기업의 능력에 대한 법적, 규제적, 계약적 제한이 효력을 발생한 때

(기준서 제1019호 문단 166)

기업이 종업원의 해고를 결정함에 따라 지급하는 해고급여의 경우 해고급여의 제안을 더 이상 철회할 수 없는 시점은 다음과 같은 조건을 모두 충족하는 해고계획을 해고대상 종업원에게 전달하는 시점이다.

i) 해고계획을 완성시키는 데 필요한 행동이, 그 계획에 대한 유의적인 변동이 이루어지지 않을 것임을 나타낸다.

ii) 해고대상 종업원의 수, 직무분류 및 근무 장소와 그 계획의 완성예상일이 명시되어 있다.

iii) 해고급여는 해고 시 종업원이 수취하게 되는 급여의 종류와 금액을 종업원이 결정할 수 있을 정도로 충분히 상세하다.

(기준서 제1019호 문단 167)

해고급여에 대한 채무는 기준서 제1019호의 원칙에 근거하여 측정되어야 한다. 따라서 해고급여가 연차보고기간 후 12개월 이전에 모두 결제될 것으로 예상되지 않는 경우

기대지급금액을 할인하여 부채를 측정한다(기준서 제1019호 문단 169). 이때 사용되는 할인율은 지급되는 급여와 동일한 통화와 만기를 갖는 우량회사채 시장수익률이다. 해고의 대가로 기업이 제안하는 급여를 수락하는 경우 최선의 추정치는 제안을 수락할 것으로 기대되는 종업원의 수에 기초하여 해고급여를 측정하는 것이다(기준서 제1019호 문단 169, 159).

> **사례** **기한 내의 자발적 명예퇴직급여**
>
> A법인은 특정지역에서의 영업에 대해 구조조정을 하기로 한다. 회사는 20×3년 12월 노동조합과 20×4년 2월까지 그 특정지역의 종업원수를 100명 감소시키는 계획에 대해 합의했다.
>
> 경영진은 20×4년 1월말까지 자발적 명예퇴직자에게 ₩5,000의 해고급여를 지급할 것을 제안했다. 만약 제안을 수락하는 종업원이 충분치 않을 경우에는 경영진은 100명에 이를 때까지 종업원을 추가로 해고할 것이며, 비자발적으로 해고된 종업원에게는 ₩4,000의 해고급여를 지급한다.
>
> 경영진은 20×3년 12월 31일에 60명의 종업원들이 자발적 명예퇴직을 기한 내에 수락할 것이라 예상하였다.
>
> 부채는 20×3년 12월 31일에 인식되어야 한다. 경영진은 ₩460,000(40명×₩4,000+60명×₩5,000)의 해고급여 충당부채를 인식해야 한다. 최대인원이 자발적 명예퇴직을 받아들일 경우에 추가 발생되는 비용 ₩40,000에 대해서도 우발부채로 공시되어야 한다.
>
> 자발적인 해고급여의 측정은 퇴직제안을 수락할 것으로 예상되는 인원에 근거해야 한다.

3. 임차료

(1) 의 의

임차료란 토지, 건물 등 부동산이나 기계장치, 운반구 등 동산을 타인으로부터 임차하거나 라이선싱 계약에 따라 지적재산에 대한 권리에 대해 특허권사용료, 로열티 등을 지급하는 대가 중 판매비와관리비로 분류된 원가를 말한다.

(2) 기업회계상 회계처리

자산 사용의 대가를 지급하는 임차계약이 기준서 제1116호 '리스'의 적용범위에 해당하는 경우 리스이용자는 리스기간이 12개월을 초과하고 기초자산이 소액이 아닌 모든 리스에 대하여 사용권자산과 리스부채를 인식하여야 한다. 그러나 단기리스나 소액 기초자산 리스에 해당한다면 관련 리스료를 리스기간에 걸쳐 정액 기준이나 다른 체계적인 기준에 따라 비용으로 인식하는 것을 선택할 수 있다(기준서 제1116호 문단 5~8).

임차료는 임차계약에 따라 지급된다. 따라서 단기리스나 소액 기초자산 리스에서 관련 리스료를 사용권자산과 리스부채로 인식하지 않고 리스기간에 걸쳐 비용으로 인식

하기로 선택하였다면 수개월분을 일괄하여 미리 지급하는 경우 기말결산 시에 미경과
분을 선급비용(자산)으로 회계처리한다. 또한, 임차료가 매기 정액으로 지급되지 않더라
도 임차인의 기간적 효익의 형태를 보다 잘 나타내는 다른 체계적인 인식기준이 없다
면, 임차기간에 걸쳐 균등하게 배분된 금액으로 인식한다. 이와 관련한 자세한 설명은
'제5편 특수회계편' 중 'Ⅱ. 리스회계'를 참고한다.

한편 특허권 등의 지적재산에 대한 권리를 부여하는 라이선싱 계약이 기준서 제1038
호 '무형자산'의 적용범위에 해당하는 경우 인식기준을 충족하는 무형자산 원가의 일부
를 구성하는 경우나 사업결합에서 취득하였으나 무형자산으로 인식할 수 없어 영업권
원가의 일부를 구성하는 경우가 아니라면 관련 지출은 발생시점에서 비용으로 인식한
다(기준서 제1038호 문단 68~70).

> **사례**　(주)삼일은 20×7. 10. 1. 영업용 건물의 6개월분 임차료 ₩6,000,000을 지급하였다. ㈜삼
> 일은 해당 임차계약이 기준서 제1116호 '리스'의 적용범위에 해당하는 것으로 검토하였으며
> 해당 단기리스에 대하여 사용권자산과 리스부채를 인식하지 않고 관련 리스료를 리스기간에
> 걸쳐 비용 인식하기로 선택하였다.
>
> 1. 지급 시 자산처리한 후 매월 분을 비용으로 대체하는 방법
>   ① 임차료 지급 시
>
>   (차) 선 급 비 용　　6,000,000　　(대) 현금 및 현금성자산　　6,000,000
>
>   ② 매월 분을 비용대체 시
>
>   (차) 임　　차　　료　　1,000,000　　(대) 선 급 비 용　　1,000,000
>
> 2. 지급 시 비용계상한 후 기말에 미경과분을 선급비용으로 대체하는 방법
>   ① 임차료 지급 시
>
>   (차) 임　　차　　료　　6,000,000　　(대) 현금 및 현금성자산　　6,000,000
>
>   ② 기말결산 시
>
>   (차) 선 급 비 용　　3,000,000　　(대) 임　　차　　료　　3,000,000

(3) 세무회계상 유의할 사항

임차자산에 대한 시설비를 임차인이 부담하거나 보험료 등을 납부하는 조건 하에 임
차하였을 경우 또는 임차자산에 자기의 시설자산(칸막이, 실내장식 등)을 설치하였을
경우에는 다음과 같이 처리한다.

가. 수익적 지출에 해당하는 경우

임차자산의 수리비 등이 임대인의 책임에 속하지 아니하는 이상 임차인의 손금으로 처리하며, 임차건물을 보험에 가입하고 보험료를 납부하였을 경우

ⓐ 임차법인이 보험계약자로 되어 있는 경우로서 보험기간 만료 후에 만기반환금을 지급하겠다는 뜻의 약정이 있는 손해보험에 대한 보험료를 지급한 경우에는 그 지급한 보험료액 가운데 적립보험료에 상당하는 부분의 금액은 자산으로 하고 기타 부분의 금액은 이를 기간의 경과에 따라 손금에 산입한다(법기통 19-19…9).

ⓑ 해당 건물 등의 소유자가 보험계약자 및 피보험자로 되어 있는 경우에 임차법인이 부담한 보험료는 해당 건물 등의 임차료로 한다(법기통 19-19…10).

나. 자본적 지출에 해당하는 경우

ⓐ 임차인이 개량수리(자본적 지출에 한함)하는 조건으로 무상 또는 저렴한 요율로 건물을 임대한 경우 임차인이 임대차계약에 의하여 부담한 건물개량수리비(통상 임차료를 한도로 함)는 임대인의 임대수익에 해당하므로 임대인은 동 자본적 지출 상당액을 해당 임대자산의 원본에 가산하여 감가상각함과 동시에 선수임대료로 계상한 개량수리비 상당액은 임대기간에 안분하여 수익으로 처리한다. 이 때 임차인은 동 개량수리비를 선급비용으로 계상하고 임차기간에 안분하여 손금에 산입한다(법기통 40-71…3).

ⓑ 임차사무실 내의 칸막이 시설 등에 대하여는 유형자산으로 처리하여 감가상각하여야 하며, 이 경우 기구 및 비품 또는 업종별자산의 내용연수를 적용하되 임대차계약 해지시 임차사무실 내의 칸막이 시설 등을 철거하는 경우에는 해당 자산의 장부가액(폐기물 매각대금이 있는 경우에는 그 금액을 차감한 금액)을 폐기일이 속하는 사업연도에 손금산입한다.

4. 접대비

(1) 개 요

접대비란 사업상의 필요로 지출한 접대비용 내지 교제비용을 말한다. 즉 내빈접대비, 식비, 축의금과 조의금, 선물 등을 말한다.

(2) 기업회계상 회계처리

접대비는 주로 판매와 관련하여 발생하므로 판매비와관리비로 분류되는 것이 타당하다.

그러나 원가성이 있는 접대비는 원가에 산입하여야 할 것이다. 예를 들어, 원재료 구매를 위해 지출한 접대비는 제조원가에 산입되어야 하며 제조원가에 산입된 접대비 역시 세무상으로는 시부인대상이 됨은 물론이다.

그리고 접대비는 현금으로 지출되지 아니하고 미지급된 것이라도 접대행위가 있었다면 당해 사업연도의 비용으로 처리되어야 한다.

> 사례 1. 거래처의 고객을 접대하고 그 비용 ₩75,000을 현금으로 지급하다.
>
> (차) 접　　대　　비　　　　75,000　　(대) 현금 및 현금성자산　　　　75,000
>
> 2. 매출처에 대하여 선물을 보내고 그 구입대금 ₩50,000을 아직 지급하지 아니하다.
>
> (차) 접　　대　　비　　　　50,000　　(대) 미　지　급　금　　　　50,000

(3) 세무회계상 유의할 사항

① 접대비의 개념

"접대비"란 접대, 교제, 사례 또는 그 밖에 어떠한 명목이든 상관없이 이와 유사한 목적으로 지출한 비용으로서 내국법인이 직접 또는 간접적으로 업무와 관련이 있는 자와 업무를 원활하게 진행하기 위하여 지출한 금액을 말한다.

접대비는 소비성 경비 내지는 불건전한 지출을 억제하는 한편 비용의 절감으로 자본축적과 조세채권 확보의 목적으로 세법에서는 일정한 금액의 한도까지를 손비로 인정하고 그 범위를 초과하는 금액은 손금으로 인정하지 아니한다.

② 접대비의 내용

업무를 원활하게 진행하기 위하여 접대, 교제, 사례 기타 이와 유사한 목적으로 지출하는 비용은 세무상 접대비로 본다. 다만, 주주·임원 또는 직원이 부담하여야 할 성질의 접대비를 법인이 지출한 것은 이를 접대비로 보지 아니하며, 부당행위계산의 부인 규정이 적용되어 상여 또는 배당이 된다.

법인이 거래처 등 고객에 대하여 감사의 뜻을 표시하기 위하여 금품을 지급하는 경우가 있는데, 이와 같이 지급되는 금품을 사례금이라 한다. 예컨대, 업무와 관련하여 사전약정에 의하지 아니하고 상행위에 해당하지 아니하는 정보의 제공, 거래의 알선, 중개 등 법인의 사업상 효익을 유발시킨 자에게 의례적으로 지출하는 금품의 가액 등이 사례금에 해당한다.

사례금의 지급방법은 단독행위로 이루어지는 경우도 있지만, 접대·위안 등과 같이 복합행위로서 이루어지는 것이 일반적이다.

업무와 관련하여 거래처에 사례금을 지급하는 경우 이를 세법상으로는 접대비로 인정한다.

③ 접대비와 유사비용과의 구분

접대비와 유사한 비용으로서 기부금, 광고선전비, 판매부대비, 복리후생비 및 회의비 등이 있다. 접대비를 이들 비용과 구분하는 기준을 살펴보면 다음과 같다.

가. 접대비의 판별기준

법인이 지출한 접대비 유사비용 중에서 접대비 해당 여부의 판별은 해당 법인의 기장 내용, 거래명칭, 거래형식 등에 불구하고 그 거래의 실질내용을 기준으로 하여 판단하여야 한다.

㉠ 지출의 목적

접대비는 업무와 관련하여 지출하는 것이라야 하며, 업무와의 관련정도는 수익의 획득을 위한 직접적인 영업활동뿐만 아니라 새로운 사업개발이나 현재의 사업상 거래관계를 보다 원활하게 하기 위한 활동을 포함하는 것으로 한다.

㉡ 지출의 상대방

업무와 관련 있는 자로서 법인이 경영하는 사업과 직·간접적 이해관계에 있는 특정인을 상대로 한 접대이어야 한다.

㉢ 통상 필요로 하는 범위 내의 금액

사업상의 대화, 교섭 등 이익을 얻기 위한 교제, 향응, 위안, 사례 등 접대활동과 관련하여 통상 필요로 하는 금액이어야 한다.

나. 기부금과 접대비의 구분

기부금과 접대비의 구분은 그 지출내용 및 목적이 법인의 업무와 관련이 있는 지출인지의 여부에 따라 판단되어야 하며, 업무와 관련하여 기증한 금품의 가액이 다른 비용에 해당하는 경우를 제외하고는 이를 접대비로 구분한다.

국가, 지방자치단체, 정당, 비영리단체 등에 지출한 금품은 당해 법인의 특정업무와 직접 관련이 있는 경우를 제외하고는 이를 기부금으로 인정하는 것이 통례이다.

다. 광고선전비와 접대비의 구분

광고선전비는 자기의 상품, 제품, 용역 등의 판매촉진이나 기업이미지 개선 등 선전효과를 위하여 불특정다수인을 상대로 지출하는 비용을 말하는 것이므로, 특정고객만을 상대로 하여 지출한 광고선전비는 접대비로 구분한다. 다만, 특정인에게 광고선전 목적의 물품(개당 3만원 이하의 물품은 전액 손금)을 기증하기 위하여 지출한 비용이라 하더라도 연간 5만원을 초과하지 아니하는 경우에는 접대비로 보지 아니한다(법령 19조 18호).

라. 판매부대비용과 접대비의 구분

판매부대비용은 해당 법인의 제품, 상품 등의 판매와 직접 관련하여 거래처 또는 불특정 고객을 상대로 지급하는 보금 및 사은품·답례품·경품권 등의 증정에 따른 지출액으로서 건전한 사회통념과 상관행에 비추어 정상적인 거래라고 인정될 수 있는 범위 내의 금액으로 기업회계기준 및 관행에 따라 계상한 것을 말하며, 특정고객에게 지출하는 것은 접대비로 구분한다.

마. 복리후생비와 접대비의 구분

복리후생비는 직원의 복리증진과 원활한 노사관계를 유지하기 위하여 지출하는 비용 중 사회통념상 인정될 수 있는 범위 내의 지출금액으로 하고, 그 범위를 초과하는 경우는 근로소득금액에 합산되는 경우를 제외하고는 이를 법인의 부당행위계산 부인의 대상으로 한다.

바. 기타 접대비 유사비용과의 구분

㉠ 회의비

회의비는 법인이 사업목적으로 회의시에 회의가 개최되는 장소에서 다과, 음식물 제공(회의 직전·직후의 인근 음식점을 이용한 식사제공을 포함함) 등을 포함한 회의개최에 통상적으로 소요되는 비용으로 한다. 다만, 통상회의비를 초과하는 금액과 유흥을 위하여 지출하는 금액은 접대비로 본다(법기통 25-0…4).

㉡ 견본비

견본비는 상품, 제품 등의 판매교섭을 위하여 반환조건 없이 거래처에 제공하는 상품, 제품으로 한다. 다만, 견본품의 가액이 고액인 경우로서 거래의 실태 등을 참작하여 사회통념상 견본품 제공의 범위를 초과하는 것(귀금속, 고가가구류, 고가의류 등)은 이를 접대비로 본다. 따라서, 의약품을 수입판매하는 법인이 견본품으로 제공하는 의약품의 수량이 사회통념상 견본품으로 인정할 만한 수량을 초과하거나 특정거래처에만 제공하는 경우에는 동 의약품의 가액을 접대비로 본다.

④ 접대비의 손금한도액

가. 개요

각 사업연도에 지출한 접대비와 이와 유사한 금액은 다음 금액의 합계액(부동산임대업을 주된 사업으로 하는 등 일정 요건에 해당하는 내국법인의 경우에는 그 금액의 50%를 곱한 금액)만을 법인소득계산상 손금으로 인정하고, 동 한도액을 초과하는 금액은 손금으로 인정하지 아니한다(법법 25조 4항).

㉠ 1,200만원(중소기업의 경우 3,600만원)에 해당 사업연도의 개월수를 곱하고 이를 12로 나누어 산출한 금액

㉡ 해당 사업연도의 수입금액에 다음 표에 규정된 비율을 적용하여 산출한 금액. 다만, 특수관계인(법법 2조 12호)과의 거래에서 발생하는 수입금액에 대해서는 그 수입금액에 다음의 표에 규정된 비율을 적용하여 산출한 금액의 10%에 상당하는 금액으로 한다.

수 입 금 액	적 용 률
100억원 이하	0.3%
100억원 초과 500억원 이하	3천만원 + (수입금액 - 100억원) × 0.2%
500억원 초과	1억1천만원 + (수입금액 - 500억원) × 0.03%

나. 수입금액의 범위

접대비계산에 있어서 적용하여야 할 수입금액은 해당 법인이 상품·제품 등의 재화 또는 용역을 제공함으로써 받는 대가 즉, 기업회계기준에 의하여 계산한 매출액[사업연도 중에 중단된 사업부문의 매출액을 포함하며, 자본시장과 금융투자업에 관한 법률 제4조 제7항에 따른 파생결합증권 및 같은 법 제5조 제1항에 따른 파생상품 거래의 경우 해당 거래의 손익을 통산한 순이익(0보다 작은 경우 0으로 함)을 말함]을 말한다. 다만, 다음의 법인에 대하여는 다음 산식에 따라 계산한 금액으로 한다(법령 42조 1항).

㉠ 자본시장과 금융투자업에 관한 법률에 따른 투자매매업자 또는 투자중개업자 : 매출액 + 자본시장과 금융투자업에 관한 법률 제6조 제1항 제2호의 영업과 관련한 보수 및 수수료의 9배에 상당하는 금액

㉡ 자본시장과 금융투자업에 관한 법률에 따른 집합투자업자 : 매출액 + 자본시장과 금융투자업에 관한 법률 제9조 제20항에 따른 집합투자재산의 운용과 관련한 보수 및 수수료의 9배에 상당하는 금액

㉢ 한국투자공사법에 따른 한국투자공사 : 매출액 + 한국투자공사법 제34조 제2항에

따른 운용수수료의 6배에 상당하는 금액

㉣ 한국수출입은행법에 의한 한국수출입은행 : 매출액 + 수입보증료의 6배에 상당하는 금액

㉤ 금융기관부실자산 등의 효율적 처리 및 한국자산관리공사의 설립에 관한 법률에 따른 한국자산관리공사 : 매출액 + 금융기관부실자산 등의 효율적 처리 및 한국자산관리공사의 설립에 관한 법률 제31조 제1항의 업무수행에 따른 수수료의 6배에 상당하는 금액

㉥ 법인세법 시행령 제63조 제1항 각 호의 규정에 의한 법인 : 매출액 + 수입보증료의 6배에 상당하는 금액

다. 신용카드 등 사용에 따른 접대비 손금규제

내국법인이 1회의 접대에 지출한 접대비 중 다음의 금액을 초과하는 접대비로서 신용카드, 직불카드, 외국신용카드, 기명식선불카드, 직불전자지급수단, 기명식선불전자지급수단, 기명식전자화폐, 현금영수증, 계산서, 세금계산서(매입자발행세금계산서 포함) 또는 원천징수영수증(비사업자로부터 용역을 제공받고 교부한 것을 말함)에 해당하지 아니한 것에 대해서는 각 사업연도의 소득금액계산에 있어서 이를 손금에 산입하지 아니한다(법법 25조 2항).

㉠ 경조금의 경우 : 20만원
㉡ 위 ㉠ 외의 경우 : 3만원

다만, 다음의 경우에는 그러하지 아니하다(법령 41조 2항).

㉠ 접대비가 지출된 국외지역의 장소(해당 장소가 소재한 인근 지역 안의 유사한 장소를 포함함)에서 현금 외에 다른 지출수단이 없어 신용카드 등 증거자료를 구비하기 어려운 경우의 해당 국외지역에서의 지출

㉡ 농·어민(한국표준산업분류에 따른 농업 중 작물재배업·축산업·복합농업, 임업 또는 어업에 종사하는 자를 말하며, 법인은 제외함)으로부터 직접 재화를 공급받는 경우의 지출로서 그 대가를 금융실명거래 및 비밀보장에 관한 법률 제2조 제1호에 따른 금융회사등을 통하여 지급한 지출(해당 법인이 법인세 과세표준 신고를 할 때 과세표준 신고서에 송금사실을 적은 송금명세서를 첨부하여 납세지 관할 세무서장에게 제출한 경우에 한정함)

라. 문화접대비 손금산입 한도액

문화접대비로 지출한 금액에 대해서는 접대비 한도액 계산시 상기 '가. 개요'에서 설명한 일반접대비 한도액에 다음의 산식에 따른 문화접대비 한도액을 가산하여 접대비

시부인을 한다. 이 경우 문화접대비란 내국법인이 2022년 12월 31일 이전에 국내 문화 관련 공연 등에 문화비로 지출한 접대비로서 법 소정 비용을 말한다(조특법 136조 3항 및 조특령 130조 5항 및 조특칙 57조).

> 문화접대비의 손금산입한도액 = Min [①, ②]
> ① 문화접대비 지출액
> ② 해당 사업연도 일반접대비 한도액 × 20%

⑤ 접대비의 손금귀속연도

각 사업연도에 지출한 접대비는 지출한 사실이 있는 것을 말하는 것이므로 현금을 지급한 때 손금으로 인정하는 것은 물론이거니와, 자본사정으로 인하여 접대비를 현금으로 지급하지 못하고 미지급비용으로 경리한 경우도 실제 접대·향응·위안 또는 이와 유사한 행위를 한 때에는 그 사업연도의 접대비에 산입할 수 있다. 예컨대, 법인이 신용카드를 사용하여 거래한 경우의 그 접대비는 실제로 접대한 날이 속하는 사업연도의 미지급비용으로 하여 손금에 산입하여야 한다. 따라서, 접대비는 현금주의에 의해서 처리되는 기부금과 다르다(법인 46012-551, 2001. 3. 14.).

5. 감가상각비

(1) 개념 및 범위

유형자산은 소모·파손·노후 등의 물리적인 원인이나 경제적 여건 변동, 유형자산의 기능변화 등의 기능적 원인에 의하여 그 효용이 점차로 감소하는데, 이러한 효용의 감소현상을 감가라 한다. 감가의 원인을 요약하면 크게 다음과 같이 세 가지로 나눌 수 있다.

첫째, 물리적 요소에 의하여 유형자산의 가치가 감소할 수 있는데, 물리적 요소란 자산의 사용 및 시간의 경과에 따른 자산의 마멸이나 화재와 같은 사고 등으로 인한 파괴 등을 말한다. 일반적으로 토지를 제외한 대부분의 유형자산은 수익획득과정에 이용됨에 따라 용역잠재력이 소멸한다. 그러나 각 회사가 채택하는 수선 및 유지정책(사용에 따라 필연적으로 발생하는 유형자산의 용역잠재력 소멸분을 줄이기 위해 실시하는 정책)이 다양하므로 동일한 자산이라 할지라도 추정내용연수나 물리적 수명은 같지 않을 수도 있다.

둘째, 경제적 요소에 의하여 유형자산의 가치가 감소할 수 있는데, 특히 고도로 산업화된 기술지향적인 경제사회에서는 특정자산의 내용연수를 결정하는 데 경제적 요소가 중요한 변수로 작용한다. 이러한 경제적 요소에는 진부화, 부적합화 및 경제적 여건의

변동 등이 포함된다. 진부화란 보다 효율적으로 개선된 대체품이 나타남에 따라 현존하는 유형자산이 구식화되는 과정을 말한다. 예를 들어, 컴퓨터의 경우 새로운 세대의 컴퓨터가 개발됨에 따라 이전 세대의 컴퓨터는 진부화된다. 이러한 경우에 회사가 경쟁을 이겨나가기 위해서는 보유 중인 자산의 물리적 수명이 많이 남아 있다 할지라도 이용가능한 최신의 자산으로 보유 중인 자산을 대체하여야 할 것이다. 부적합화란 회사가 급격히 성장하여 현재 보유 중인 자산으로서는 업무를 수행할 수 없는 상태에 이르게 되는 것을 말한다. 이 경우 기업이 정상적인 영업활동을 수행하기 위해서는 보유 중인 설비를 더 효율적인 새로운 자산으로 대체해야 한다. 경제적 여건의 변동에 따라 특정자산의 경제적효익이 소멸하는 경우도 있다. 경제적 여건의 변동에는 물가상승, 에너지위기 및 소비자 기호의 변동 등이 포함된다. 예를 들어, 대형차를 제조하는 데 사용되는 설비들이 그 물리적 수명은 아직 남아 있음에도 불구하고, 에너지위기로 인하여 소비자가 대형차보다는 소형차를 더 선호하기 때문에 더 이상 생산활동에 사용되지 않고 폐기되는 경우가 여기에 해당한다.

셋째, 천재나 재해·화재 등 예기치 않은 우발적 원인에 의하여 유형자산의 가치가 감소할 수 있다.

이와 같이 유형자산의 감가원인은 다양하고 또한 복합적이므로 법인이 기간손익계산을 하기 위하여 유형자산의 감가분을 금액적으로 측정하기란 매우 어렵다. 따라서 유형자산의 감가분을 합리적인 방법으로 추정하여 기간손익에 배분하는 절차가 필요한 바, 이러한 원가배분의 절차를 감가상각이라 한다. 결국 감가상각이란 적정한 기간손익계산을 위하여 유형자산의 원가에서 잔존가치(예측처분가치)를 차감한 가액을 일정한 상각방법에 의해서 당해 자산의 내용연수에 걸쳐 동 자산의 이용이나 시간의 경과 등으로 인한 효용의 감소분을 배분하는 회계절차라 할 수 있다.

다시 말하면 감가상각은 자산평가과정이 아니라 원가배분과정이다. 즉, 감가상각은 유형자산의 시장가치가 감소한 것을 인식하는 과정이 아니라, 수익과 비용의 적절한 대응을 위하여 유형자산의 원가를 효익이 발생하는 기간에 체계적이고 합리적인 방법으로 배분하는 과정이다.

따라서 감가상각은 유형자산이 영업활동, 즉 수익획득과정에 이용됨에 따라 용역잠재력이 소멸하는 것을 인식하는 것일 뿐 자산의 대체 여부와는 무관하다. 아울러 특정자산이 대체될 것인가의 여부는 그 자산의 감가상각에 대한 회계처리에 영향을 미치지 않는다는 점에 주의하여야 한다.

이와 같이 감가상각회계의 목적은 특정자산의 감가상각기준액을 자산의 이용에 따라 효익이 발생하는 기간에 체계적이고 합리적인 방법으로 배분하고자 하는 것이다. 다시 말해 감가상각이란 수익·비용대응의 원칙에 따라 특정기간 동안에 사용된 유형자산의 원가를 그 자산의 이용에 의해 창출된 수익에 대응시키는 것을 의미한다.

한편 기준서 제1040호에 따라 투자부동산에 대하여 원가모형을 적용하는 경우 기준서 제1016호에서 규정하는 것과 동일한 방법으로 감가상각 하여야 한다. 투자부동산의 회계처리는 '제2장 비유동자산 제3절 투자부동산'편을 참조하기 바란다.

건설중인자산에 대하여는 감가상각이 필요하지 않으나 건설중인자산 중 그 일부가 완성되어 그 부분이 사업용으로 제공되고 있는 경우에는 감가상각자산에 포함한다.

(2) 기업회계상 회계처리

유형자산의 원가를 여러 기간에 배분하는 감가상각회계와 관련된 주요 회계문제는 다음과 같다.
① 감가상각기준액을 결정하는 문제
② 내용연수를 추정하는 문제
③ 감가상각방법을 결정하는 문제
④ 회계기간 중에 유형자산을 구입 또는 처분할 때의 감가상각
⑤ 감가상각회계의 변경과 오류의 수정

위와 관련하여 보다 자세한 사항은 유형자산 중 '감가상각'편을 참조하기 바란다.

(3) 세무회계상 유의할 사항

감가상각과 관련한 자세한 설명은 '유형자산'편을 참조하기 바란다.

6. 무형자산상각비
(1) 의 의

무형자산의 상각은 유형자산의 감가상각과 마찬가지로 무형자산의 원가와 효익을 체계적으로 대응시키는 과정이다. 따라서 무형자산의 상각대상금액은 그 자산의 추정내용연수 동안 체계적인 방법에 의하여 비용으로 배분해야 한다. 무형자산은 상각기간에 따라 내용연수가 유한한 무형자산과 비한정인 무형자산으로 나눌 수 있다. 내용연수가 유한한 무형자산의 상각은 자산이 사용가능한 때, 즉 자산이 경영자가 의도하는 방식으로 운영될 수 있는 위치와 상태에 이르렀을 때부터 시작한다.

또한 무형자산을 상각할 때는 자산의 경제적효익이 소비되는 형태를 반영한 합리적인 방법을 사용하며, 다만 소비되는 형태를 신뢰성 있게 결정할 수 없는 경우에는 정액

법을 사용한다. 그리고 무형자산상각비가 다른 자산의 제조와 관련된 경우에는 관련 자산의 제조원가로, 그 외의 경우에는 당기비용으로 처리한다.

무형자산과 관련하여 보다 자세한 사항은 '자산편의 무형자산'을 참조하기 바란다.

(2) 세무회계상 유의할 사항

무형자산의 상각과 관련한 세무상 제 문제는 'Ⅱ. 재무상태표편, 비유동비금융자산, 무형자산'에서 자세히 설명하였다.

7. 세금과공과

(1) 의 의

세금과공과란 국가 또는 지방자치단체가 부과하는 국세·지방세 및 공공단체·조합·재단 등의 공과금과 벌금, 과료, 과징금을 처리하는 과목이다. 공과금과 과징금은 그 발생원인에 따라 제조원가 또는 판매비와관리비에 계상되나 세액은 그 처리방법이 다양하다.

즉, 과세소득에 대해 부과되는 법인세·법인지방소득세 등은 판매비와관리비가 아닌 법인세비용 계정에 구분·표시해야 하며, 자산의 구입시 부과되는 관세, 취득세 등은 당해 자산의 취득원가에 산입해야 한다.

일반적으로 판매비와관리비에 속하는 조세와 공과에 해당하는 것들로는 재산세·자동차세·주민세·공제받지 못한 매입부가가치세 등이 있다.

그리고 공과금이란 상공회의소회비, 조합비 또는 협회비와 각종 협회 및 기금에 지출하는 부담금 등으로서 제조원가에 포함하지 않는 것을 말한다.

(2) 기업회계상 회계처리

① 세금과공과의 회계처리

판매 및 관리부분과 관련된 세금과공과를 지급하거나 납부의무가 발생한 경우에는 해당 금액을 차변 기입한다.

사례   1. (주)삼일은 사무용 건물에 대한 재산세 ₩400,000을 현금으로 납부하다.

(차) 세 금 과 공 과   400,000   (대) 현금 및 현금성자산   400,000

2. 을회사는 제22기 법인세의 중간예납신고를 하고 중간예납세액으로 ₩2,800,000을 지급

하다.

(차)	선 급 법 인 세	2,800,000	(대)	현금 및 현금성자산	2,800,000

3. (주)삼일은 공장을 신축하기 위하여 토지를 구입하고 취득세로 ₩27,500,000을 납부하다.

(차)	토　　　　　　지	27,500,000	(대)	현금 및 현금성자산	27,500,000

② 결산시 유의할 사항

㉠ 선급비용과 미지급비용의 계상

㉡ 자산의 취득원가에 산입한 세금과의 구분

세금과공과 계정에 취득세 등이 포함되어 있는지를 파악한 후 구분·경리하여야
한다.

(3) 세무회계상 유의할 사항

1) 세법상 손금불산입되는 세금과공과

자산의 취득과 관련된 세금은 자산의 매입부대비용으로 보아 취득원가에 산입하여야
하며, 다음의 세금과공과금, 벌금 등은 손금불산입한다(법법 21조).

① 법인세 등

각 사업연도에 납부하였거나 납부할 법인세(외국법인세액 포함) 또는 법인지방소득세
는 손금불산입하는 바, 이의 범위는 다음과 같다.

㉠ 각 사업연도에 대한 법인세

원천징수당한 법인세, 중간예납법인세, 수시부과법인세액을 포함한다.

㉡ 외국납부세액공제를 적용하는 경우의 외국법인세액

㉢ 법인지방소득세

② 각 세법에서 규정하는 의무불이행으로 인하여 납부하였거나 납부할 세액(가산세 포함)

각 세법에서 규정하는 의무불이행으로 인하여 납부하였거나 납부할 세액의 손금산입
여부에 대해서는 그 개별적인 성격을 파악하여 판단해야 하며 의무불이행에는 간접국
세의 징수불이행·납부불이행과 기타의 의무불이행의 경우를 포함한다(법령 21조).

③ 부가가치세 매입세액

부가가치세의 매입세액은 원칙적으로 손금불산입되지만 다음의 매입세액은 손금으로
인정된다. 여기서 손금으로 인정된다 함은 관련자산의 취득원가에 가산한 후 감가상각

이나 양도를 통하여 손금에 산입하거나 관련비용의 원본에 포함하여 손금에 산입함을 뜻한다(법령 22조 1항).

- ㉠ 면세사업자의 매입세액
- ㉡ 비영업용 소형승용차의 구입·임차 및 유지에 관한 매입세액
- ㉢ 접대비 등의 지출에 관한 매입세액
- ㉣ 영수증을 교부받은 거래분에 포함된 매입세액으로서 매입세액공제대상이 아닌 금액
- ㉤ 부동산 임차인이 부담한 전세금 및 임차보증금에 대한 매입세액

④ **벌금, 과료(통고처분에 따른 벌금 또는 과료에 상당하는 금액 포함), 과태료(과료와 과태금 포함), 가산금 및 강제징수비**

벌금·과료·과태료는 모두 공법관계에 있어서 법위반자에게 가해지는 금전적인 제재수단으로서 이의 손금산입에 대하여는 그 개별적인 성격을 파악해서 판단해야 한다. 그러나 통상적으로 가산금과 강제징수비, 벌금 등은 법률에 의하여 국가·지방자치단체가 부과하는 것으로 손금불산입되나, 사계약의 위반으로 납부하는 지체상금이나 위약금 등은 손금에 산입된다.

⑤ **반출하였으나 판매하지 아니한 제품에 대한 개별소비세, 주세 또는 교통·에너지·환경세의 미납액(다만, 제품가격에 그 세액상당액을 가산한 경우에는 예외로 함)**

⑥ **법령에 의하여 의무적으로 납부하는 것이 아닌 공과금**

⑦ **법령에 따른 의무의 불이행 또는 금지·제한 등의 위반에 대한 제재로서 부과되는 공과금**

⑧ **연결모법인에 법인세법 제76조의 19 제2항에 따라 지급하였거나 지급할 금액**

2) 세법상 손금산입되는 세금과공과

다음의 세금과공과는 세법상 손금에 산입한다.

① 관세

관세 중 환급받는 부분은 손비로 인정되지 아니하나, 환급받지 못하는 부분은 해당 수입물품의 취득부대비용이므로 처분 또는 소비를 통하여 손비로 인정된다.

② 취득세

취득세는 원칙적으로 자본적 지출 성격의 취득부대비용이므로 관련 자산의 취득원가에 산입한다. 또한, 과점주주에 대한 간주취득세도 역시 마찬가지이다.

③ 재산세

재산세는 손금에 산입한다. 다만, 법인세법 제27조 및 동법 시행령 제49조에서 규정하는 업무와 관련이 없는 자산에 대하여 납부한 재산세는 손비로 인정되지 아니한다. 그러나, 법인세법상 업무무관 자산에 해당되지 않지만 지방세법상 비업무용 부동산에 해당되어 중과되는 재산세는 손금에 산입되며(법인 22601-99, 1986. 3. 3.), 매매를 목적으로 취득한 토지 등에 대하여 납부하는 재산세도 손금에 산입된다(법기통 19-19…19).

④ 기타 세금과공과

인지세, 증권거래세, 교육세, 주민세, 자동차세, 지역자원시설세 등은 법인세법상 손비로 인정된다.

3) 세금의 손익귀속시기

손금으로 인정되는 세금은 국세기본법 제22조 또는 지방세기본법 제35조 제1항 각 호에 따라 납세의무가 확정되는 날이 속하는 사업연도의 손금으로 한다. 다만, 결산을 확정함에 있어 관련수익이 실현되는 사업연도에 손비로 계상한 경우에는 이를 해당 사업연도의 손금으로 한다. 한편, 신고에 따라 납세의무가 확정되는 세금의 경우 그 신고 내용에 오류 또는 탈루가 있어 과세관청이 그 과세표준과 세액을 경정함에 따라 고지되는 세금은 경정되어 고지한 날이 속하는 사업연도의 손금에 산입하며, 신고에 따라 납세의무가 확정되는 세금을 수정신고하는 경우에는 그 수정신고에 따라 납부할 세액을 납부하는 날이 속하는 사업연도의 손금에 산입한다(법기통 40-71…24).

4) 인지세의 손금귀속시기

인지세는 인지세법 제8조 제1항 단서 및 제2항의 경우를 제외하고는 과세문서에 종이문서용 전자수입인지를 첨부하여 납부하게 되는 것이므로 그 손금의 귀속시기는 해당 법인이 인지를 첨부한 날이 속하는 사업연도로 한다(법기통 40-71…18).

8. 광고선전비

(1) 개 요

① 개 념

광고선전비란 상품 또는 제품의 판매촉진을 위하여 불특정다수인을 상대로 하여 상품 또는 제품에 대한 선전효과를 얻고자 지출하는 비용을 말한다.

또한 간접적으로 상품이나 제품의 판매촉진의 효과를 얻기 위한 기업이미지 제고를 위한 광고도 광고선전비로 처리한다. 한편, 불특정다수인을 대상으로 하는 광고선전비와 특정인만을 대상으로 하는 접대비와의 사이에는 세무처리에 있어서, 전자는 그 전액이 손금으로 인정되는 데 대하여, 후자는 손금으로 산입할 수 있는 금액에 일정한 한도가 있기 때문에 그 구분을 명확하게 하여 계정처리하여야 한다.

② 접대비 등과의 구분

첫째, 광고선전비의 지출은 불특정다수인을 상대로 하는 것이지만, 접대비는 특정인을 상대로 한다.

둘째, 광고선전비의 지출은 주로 매개체를 통하여 이루어지지만, 접대비의 지출방법은 매개체를 필요로 하지 않는 것이 일반적이다.

셋째, 세법상 광고선전비는 전액이 손금으로 인정되나, 접대비는 조세수입확보의 목적 등으로 한도가 정해져 있다.

(2) 기업회계상의 처리

① 광고선전비의 계상

회사는 광고선전을 위한 다음과 같은 비용을 광고선전비로 처리하여야 한다.

• 신문광고료, 라디오, TV 방송료 등 광고매체의 이용대가로 지급하는 금액
• 광고활동과 관련하여 지출되는 소모품비 등 제비용

② 광고선전비 중의 감가상각자산

광고탑이나 야외입간판, 광고용 네온사인의 제작 또는 구입비용은 현금지출이 당기에 있다 할지라도 모두 당기비용으로 처리해서는 안 될 것이다. 이들은 내용연수에 따라 감가상각과정을 통해 비용화되어야 할 것이다.

③ 고객에게 지급하는 광고선전비

기업회계기준서 제1115호 '고객과의 계약에서 생기는 수익' 상 고객에게 광고를 명목으로 대가를 지급하는 경우가 있다. 고객이 회사에 제공하는 광고선전 용역이 회사가 고객에게 제공하는 재화나 용역과는 구별되고 그 대가가 광고선전 용역의 공정가치라면 광고선전비로 회계처리하고, 그렇지 않다면 매출에서 차감한다. 고객에게 지급할 대가에 대해서는 '제3편 포괄손익계산서편'의 'Ⅱ. 포괄손익계산서 계정과목'의 '제1장 매출액'에서 자세히 다루고 있다.

(3) 세무회계상 유의할 사항

① 개 요

광고선전비란 상품 또는 제품의 판매촉진을 위하여 불특정다수인을 상대로 하여 상품 또는 제품에 대한 선전효과를 얻고자 지급하는 비용을 말하는데 기업회계와 큰 차이는 없다. 다만, 기업회계상으로 광고선전비로 처리된 것이라 해도 특정인을 대상으로 한 것이면 세무상 접대비로 보게 되나, 특정인에게 기증한 물품(개당 3만원 이하의 물품은 전액 손금)의 경우에는 연간 5만원 이내의 금액에 한하여 광고선전비로 손금산입된다(법령 19조 18호).

② 공동광고선전비의 처리

동일 품목을 제조하는 수개의 법인이 동 제품을 공동으로 판매하기 위하여 공동판매회사를 설립하고, 동 판매회사가 매입한 상품의 판매를 위하여 동 상품의 제조회사의 상호를 밝혀 광고를 한 경우에 동 광고비의 부담문제가 간혹 생기는 경우가 있다. 이경우 광고비의 부담은 일반적으로 광고주가 부담하는 것이 원칙이지만 광고의 효과 등을 감안, 제조회사와 판매회사의 계약에 의하여 광고비의 일부를 제조회사가 부담하기로 약정이 된 경우에는 동 제조회사가 부담할 수 있다.

법인세법 시행령 제48조 제1항 제2호에서는 해당 조직·사업 등에 관련되는 모든 법인 등(비출자공동사업자)이 지출하는 비용에 대하여는 다음의 기준에 따른 분담금액을 손금에 산입하도록 함에 따라 해당 분담금액을 초과하는 금액은 손금에 산입되지 않는다.

㉠ 비출자공동사업자 사이에 특수관계가 있는 경우 : 직전 사업연도 또는 해당 사업연도의 매출액 총액과 총자산가액(한 공동사업자가 다른 공동사업자의 지분을 보유하고 있는 경우 그 주식의 장부가액은 제외함) 총액 중 법인이 선택하는 금액(선택하지 아니한 경우에는 직전 사업연도의 매출액 총액을 선택한 것으로 보며, 선택한 사업연도부터 연속하여 5개 사업연도 동안 적용해야 함)에서 해당 법인의 매출액(총자산가액 총액을 선택한 경우에는 총자산가액을 말함)이 차지하는 비율. 다만, 공동행사비 등 참석인원의 수에 비례하여 지출되는 손비는 참석인원비율, 공동구매비 등 구매금액에 비례하여 지출되는 손비는 구매금액비율, 공동광고선전비는 다음의 기준에 따를 수 있음.
  - 국외 공동광고선전비 : 수출금액(대행수출금액은 제외하며, 특정 제품에 대한 광고선전의 경우에는 해당 제품의 수출금액을 말함)
  - 국내 공동광고선전비 : 기업회계기준에 따른 매출액 중 국내의 매출액(특정 제

품에 대한 광고선전의 경우에는 해당 제품의 매출액을 말하며, 주로 최종 소비자용 재화나 용역을 공급하는 법인의 경우에는 그 매출액의 2배에 상당하는 금액 이하로 할 수 있음)

ⓛ ⓐ 외의 경우 : 비출자공동사업자 사이의 약정에 따른 분담비율. 다만, 해당 비율이 없는 경우에는 ⓐ의 비율에 따름.

그러나, 다음에 해당하는 법인의 경우에는 공동광고선전비를 분담하지 아니하는 것으로 할 수 있다(법칙 25조 4항).

ⓐ 해당 공동광고선전에 관련되는 자의 직전 사업연도의 매출액 총액에서 해당 법인의 매출액이 차지하는 비율이 1%에 미달하는 법인

ⓛ 해당 법인의 직전 사업연도의 매출액에서 해당 법인의 광고선전비(공동광고선전비를 제외함)가 차지하는 비율이 0.1%에 미달하는 법인

ⓒ 직전 사업연도 종료일 현재 청산절차가 개시되었거나 독점규제 및 공정거래에 관한 법률에 의한 기업집단에서의 분리절차가 개시되는 등 공동광고의 효과가 미치지 아니한다고 인정되는 법인

③ 광고선전의 방법과 손금산입시기

광고선전물에 지급하는 비용을 전액 일시에 손금으로 계상하는 것은 수익·비용대응의 관점에서 문제가 있다.

기업회계에서 수익·비용대응의 원칙에 따라 기간손익을 계산하는 것과 마찬가지로 세법에 있어서도 이 원칙에 따라 과세소득을 계산하여야 한다.

광고선전비는 다른 비용과 달리 그 비용의 발생시기 즉, 광고의 효과가 있었던 시기를 정확히 파악할 수 없는 것이 일반적이다. 그러므로, 광고선전비는 그 광고의 효과측정이 합리적이며 객관적으로 타당성이 있는 어떤 상황을 기준으로 하여 손금에 계상하여야 하는데, 이에 해당하는 것으로 광고시행기를 들 수 있다.

따라서, 광고시행기를 광고선전비의 손금계상시기로 삼으면 무난할 것으로 생각한다.

즉, 성냥·수건·부채·수첩 및 화일노트 등의 소품을 광고의 효과를 얻기 위하여 불특정다수인에게 제공할 때에는 해당 물품을 타인에게 인도한 날을 손금귀속시기로 하여야 하고, 신문·잡지·라디오 및 텔레비전 등을 통하여 광고하는 경우에는 그 광고가 독자나 청취자에게 전달되는 날을 손금귀속시기로 삼아야 한다.

그리고, 법인이 제품에 대한 대외신용을 높이기 위하여 일정기간 국제적 공인기구의 공인표시를 제품에 부착·사용하는 대가로 지출한 비용은 그 사용기간에 안분하여 손금으로 계상하여야 한다.

그러나, 네온사인·광고탑·입간판 등의 시설물에 대하여는 그 시설의 내용연수에 따라 광고선전비를 안분계산하여 감가상각비로 계상하여야 한다.

9. 연구비

연구라 함은 새로운 과학적 또는 기술적 지식을 얻기 위해 수행하는 독창적이고 계획적인 탐구활동을 말한다. 그리고 연구비는 연구활동과 직접 관련이 있거나 합리적이고 일관성 있는 기준에 따라 그러한 활동에 배부될 수 있는 모든 지출을 포함한다. 기준서 제1038호 문단 56에서는 연구단계에 속하는 활동의 일반적인 예로서 다음과 같이 규정하고 있다.

㉠ 새로운 지식을 얻고자 하는 활동

㉡ 연구결과 또는 기타 지식을 탐색, 평가, 최종 선택 및 응용하는 활동

㉢ 재료, 장치, 제품, 공정, 시스템, 용역 등에 대한 여러 가지 대체안을 탐색하는 활동

㉣ 새롭거나 개선된 재료, 장치, 제품, 공정, 시스템, 용역 등에 대한 여러 가지 대체안을 제안, 설계, 평가 및 최종 선택하는 활동

한편, 프로젝트의 연구단계에서는 미래경제적효익을 창출할 무형자산이 존재한다는 것을 입증할 수 없기 때문에 연구단계에서 발생한 지출은 무형자산으로 인식할 수 없고 발생한 기간의 비용으로 인식해야 하며, 제품 등의 제조원가와 직접적인 관계가 없기 때문에 판매비와관리비 등의 당기비용으로 분류한다.

기타 연구비에 대한 자세한 내용은 'Ⅱ. 재무상태표'편 '무형자산의 개발비'를 참조하기 바란다.

10. 경상개발비

개발이라 함은 상업적인 생산 또는 사용 전에 연구결과나 관련 지식을 새롭거나 현저히 개량된 재료, 장치, 제품, 공정, 시스템 및 용역의 생산을 위한 계획이나 설계에 적용하는 활동을 말한다. 기준서 제1038호 문단 59에서는 개발단계에 속하는 활동의 일반적인 예로서 다음과 같이 규정하고 있다.

㉠ 생산 전 또는 사용 전의 시작품과 모형을 설계, 제작 및 시험하는 활동

㉡ 새로운 기술과 관련된 공구, 금형, 주형 등을 설계하는 활동

ⓒ 상업적 생산목적이 아닌 소규모의 시험공장을 설계, 건설 및 가동하는 활동

ⓔ 새롭거나 개선된 재료, 장치, 제품, 공정, 시스템 및 용역 등에 대하여 최종적으로 선정된 안을 설계, 제작 및 시험하는 활동

한편, 개발단계에서 발생한 지출은 다음의 조건을 모두 충족하는 경우에만 무형자산으로 인식하고, 그 외의 경우에는 경상개발비의 과목으로 하여 발생한 기간의 비용으로 인식한다. 경상개발비는 개발활동과 직접 관련이 있거나 합리적이고 일관성 있는 기준에 따라 그러한 활동에 배부될 수 있는 모든 지출을 포함하며, 판매비와관리비 등의 당기비용으로 분류한다.

ⓐ 무형자산을 사용하거나 판매하기 위해 그 자산을 완성할 수 있는 기술적 실현가능성

ⓑ 무형자산을 완성하여 사용하거나 판매하려는 기업의 의도

ⓒ 무형자산을 사용하거나 판매할 수 있는 기업의 능력

ⓓ 무형자산이 미래경제적효익을 창출하는 방법. 그 중에서도 특히 무형자산의 산출물이나 무형자산 자체를 거래하는 시장이 존재함을 제시할 수 있거나 또는 무형자산을 내부적으로 사용할 것이라면 그 유용성을 제시할 수 있다.

ⓔ 무형자산의 개발을 완료하고 그것을 판매하거나 사용하는 데 필요한 기술적, 재정적 자원 등의 입수가능성

ⓕ 개발과정에서 발생한 무형자산 관련 지출을 신뢰성 있게 측정할 수 있는 기업의 능력

11. 대손상각비/대손충당금환입

(1) 개 념

회사가 영업활동을 하다보면 외상매출금이나 받을어음 등의 매출채권, 그 밖에 대여성격의 채권에 대해 회수불능 위험에 직면하게 되고 거래상대방의 지불능력 상실로 회수가 불가능하게 되는 경우가 있다.

기준서 제1109호 '금융상품'에 따라 채권 등에 대해 실무적 간편법을 적용하는 경우가 아니라면 신용위험의 변동에 근거한 3단계 기대신용손실모형을 적용하여 기대신용손실을 손상차손으로 인식한다.

(2) 기업회계상 회계처리

대손상각비를 회계처리하기 위해서는 대손충당금의 회계처리에 대한 이해가 필수적이다. 대손충당금의 설정에 관한 자세한 설명은 대손충당금 계정에서 다루었으므로 여

기에서는 주로 대손상각비를 다룬다.

① 대손충당금의 설정

채권 등의 기대신용손실을 대손충당금으로 인식하고, 보고기간 말에 대손충당금을 조정하기 위한 기대신용손실액은 대손상각비로 당기손익에 인식한다(기준서 제1109호 문단 5.5.8).

(차) 대 손 상 각 비   ×××   (대) 대 손 충 당 금   ×××

> 사례 (주)삼일은 20×7년 12월 31일 결산에서 기대신용손실모형에 따른 대손추산액을 ₩30,000,000으로 산출하였다. 20×7년 12월 31일 현재 동일 채권에 대한 대손충당금 잔액은 ₩10,000,000이다.
>
> (차) 대 손 상 각 비   20,000,000[*]   (대) 대 손 충 당 금   20,000,000
>
> [*] ₩30,000,000 − ₩10,000,000 = ₩20,000,000

② 손익계산서에서의 표시

손익계산서에는 기준서 제1109호 제5.5절에 따라 결정된 손상차손(손상차손의 환입을 포함)을 표시하는 항목을 포함하여야 한다(기준서 제1001호 문단 82).

한국채택국제회계기준에서는 수익에서 매출원가 및 판매비와관리비를 차감한 영업이익(손실)을 포괄손익계산서에 구분하여 표시한다[1](기준서 제1001호 문단 한138.2). 실무적으로는 상거래에서 발생한 매출채권(예 : 제조·판매회사의 외상매출금)에 대한 대손상각비는 판매비와관리비로, 기타 채권(예 : 제조·판매회사의 대여금)에 대한 대손상각비는 영업외손익으로 분류한다.

③ 대손충당금의 환입

채권 등의 기대신용손실을 대손충당금으로 인식하고, 보고기간 말에 대손충당금을 조정하기 위한 기대신용손실액환입액은 대손상각비환입으로 당기손익에 인식한다(기준서 제1109호 문단 5.5.8).

대손충당금의 환입은 대손상각비 인식시의 계정과목과 일관성 있는 계정과목을 사용하여 인식한다. 즉, 상거래에서 발생한 매출채권에 대한 대손상각비는 판매비와관리비로, 기타 채권에 대한 대손상각비는 영업외손익으로 분류한 경우, 대손충당금의 환입 또한 각각 관련 계정과목의 차감으로 인식한다. 빈번하게 발생하는 것은 아니지만 영업활

---

1) 영업의 특수성을 고려할 필요가 있는 경우나 비용을 성격별로 분류하는 경우 영업수익에서 영업비용을 차감한 영업이익(손실)을 포괄손익계산서에 구분하여 표시할 수 있다(기준서 제1001호 문단 한138.2).

동과 관련하여 비용이 감소함에 따라 발생하는 대손충당금환입은 판매비와관리비의 부(-)의 금액으로 표시한다(회계기준적용의견서 12-1).

| (차) 대 손 충 당 금 | ××× | (대) 대손충당금환입 | ××× |

(주)삼일은 결산 시 ₩1,400,000을 매출채권 외의 기타 채권에 대한 대손추산액으로 설정하였다. 한편 해당 기타 채권에 대한 당기 말 대손충당금 잔액은 ₩1,500,000이다.

| (차) 대 손 충 당 금 | 100,000 | (대) 대손충당금환입 | 100,000 |

④ 제각(Write-off)

금융자산 전체나 일부의 회수를 합리적으로 예상할 수 없는 경우에는 해당 금융자산의 총 장부금액을 직접 줄인다. 제각은 금융자산을 제거하는 사건으로 본다(기준서 제1109호 문단 5.4.4).

(주)삼일은 20×7년 8월 1일 을회사에 대한 매출채권 ₩16,000,000의 회수를 합리적으로 예상할 수 없게 되어 해당 채권을 제각하기로 하였다.

| (차) 대 손 충 당 금 | 16,000,000 | (대) 매 출 채 권 | 16,000,000 |

한편 재무제표이용자가 기대신용손실에서 생긴 재무제표의 금액, 기대신용손실액의 변동과 그 변동 원인을 파악할 수 있도록 방대한 양적, 질적 정보의 공시가 요구된다(기준서 제1107호 문단 35B). 손실충당금의 기초금액과 기말금액 간의 변동내역 및 변동의 주요 항목, 총 장부금액의 유의적인 변동, 신용위험 등급별 총 장부금액, 상각, 환입 및 조건변경 등의 양적 공시를 고려하여야 한다. 또한 기대신용손실추정에 사용된 투입변수, 가정 및 추정방법론, 신용위험의 유의적 증가 및 채무불이행을 판단하는 데 사용된 투입변수, 가정 및 추정방법론, 신용손상된 자산을 판단하는 데 사용된 투입변수, 가정 및 방법론, 제각 정책, 조건변경 정책 및 담보 등의 질적 공시를 고려하여야 한다(기준서 제1107호 문단 35H~35L).

(3) 세무회계상 유의할 사항

대손상각과 관련한 세무회계의 자세한 설명은 Ⅱ. 재무상태표편 '대손충당금'을 참조하기 바란다.

12. 기타 판매비와관리비

(1) 여비교통비

1) 개념 및 범위

여비교통비란 판매 및 관리부문에 종사하는 종업원 및 임원에 관한 여비나 교통비를 지급할 때 처리하는 계정으로 여비와 교통비로 나눌 수 있다.

여비란 기업의 임원이나 종업원이 업무수행을 위하여 장거리 지방출장을 가는 경우에 여비지급규정에 따라 지급되는 금액으로 통상 여비에는 운임, 일당, 숙박료, 식사대 등이 포함된다. 반면 교통비란 여비와 달리 가까운 거리에 출장가는 경우 소요된 실비로서 교통비(택시, 버스, 지하철요금 등), 고속도로통행료, 주차료 등을 포함한다.

여비나 교통비를 위와 같이 별도로 구분하여 쓸 수 있으나 둘을 구분해야 할 실익이 없으므로 보통 여비교통비로 묶어서 같이 사용하고 있다.

여비교통비는 업무수행상 통상 필요한 금액으로 출장의 사실과 여비지급규정에 따라 비용이 지출되어지기 때문에 동 비용은 실비변상적 성격이어야 하며 출장처, 출장목적, 출장기간 등의 사실관계로부터 여비교통비의 타당성을 입증하여야만 한다.

또한 교통비의 명목으로 월정액으로 지급되는 시내교통비는 급여로 간주되기 때문에 근로소득세를 원천징수하여야 하고 또 그렇게 지급받는 자는 근로소득으로서 종합소득에 합산하여야 한다.

2) 기업회계상 회계처리

여비교통비 중 제조부문 종업원의 여비교통비는 제조원가의 경비에 해당하는 여비교통비로 구분·기재되고 기타 여비교통비는 판매비와관리비에 포함한다. 또한 여비교통비의 지급방법은 통상 사전에 개산액을 가지급하였다가 후일에 확정액으로 정산한 후 동 확정금액을 비용으로 처리하는 방법을 주로 사용하고 있다. 이 때는 특히 기말에 출장이 끝나지 않은 가불여비에 대하여 미정산으로 남지 않도록 유의하여야 한다.

만일 버스, 전철, 회수권 등을 구입한 경우에는 일단 선급비용으로 처리한 후 사용시마다 여비교통비계정에서 처리하거나 구입시 여비교통비로 처리하였다가 기말에 미사용분을 선급비용으로 대체하는 방법을 사용할 수 있다.

사례 1   종업원이 지방에 출장가게 되어 현금 ₩2,800,000을 개산하여 지급하였다.

(차) 가 지 급 금   2,800,000   (대) 현금 및 현금성자산   2,800,000

사례 2 지방으로 출장간 종업원이 회사에 돌아와서 다음의 여비정산서를 제출하였다. 이를 분개하라.

- 교　통　비　　　　₩650,000
- 잡　　　　비　　　　₩40,000
- 숙박비 · 식사대　　₩1,000,000
- 접　대　비　　　　₩1,000,000
- 현 금 반 환 액　　　₩110,000

(차) 여 비 교 통 비	1,650,000	(대) 가 지 급 금	2,800,000
접　　대　　비	1,000,000		
잡　　　　　비	40,000		
현금 및 현금성자산	110,000		

3) 세무회계상 유의할 사항

① 국내 여비교통비

기업이 지출한 여비교통비의 금액이 실비변상적인 경비의 한계를 초과하여 과대하게 지출된 경우에는 세법상 동 초과금액은 그것을 받은 자의 근로소득으로 보게 된다.

또한, 기업이 임원에게 여비교통비의 명목으로 지출한 것이라 할지라도 그 용도가 분명하지 않을 때에는 실질적으로는 그 임원에게 급여를 지급한 것과 똑같은 경제적 효과를 가져오는 것이므로 여비교통비로서의 손금성을 부인하고, 그 임원에 대한 상여로 간주한다. 따라서, 언제나 출장지, 출장용무, 출장기간 등의 사실관계를 분명하게 해 두어야 한다.

그러나, 종업원의 소유차량을 종업원이 직접 운전하여 사용주의 업무수행에 이용하고 시내출장 등에 소요된 실제 여비를 지급받는 대신에 그 소요경비를 당해 사업체의 규정에 의하여 정하여진 지급규정에 따라 지급받는 금액 중 월 20만원 이내의 금액은 비과세하도록 하고 있다(소령 12조 3호). 다만, 종업원이 시내출장 등에 따른 여비를 별도로 지급받으면서 연액 또는 월액의 자가운전보조금을 지급받는 경우 시내출장 등에 따라 소요된 실제 여비는 실비변상적인 급여로 비과세되나, 자가운전보조금은 근로소득에 포함된다는 점에 유의하여야 한다(소기통 12-12…1). 또한, 기업이 자가운전비로 매월 20만원이 넘는 금액을 정액으로 지급한다면 20만원까지는 비과세소득으로 처리하고 20만원을 넘는 금액은 근로소득으로 보아 원천징수해야 할 것이다.

기업이 임원이나 종업원에게 지출한 여비교통비 중에 출장지에서 사실상 거래처를 접대한 비용 등이 포함되어 있을 때에는 세법상 이를 여비교통비로 취급하지 않고 접대비로 보아 접대비의 시부인계산을 해야 한다.

또한, 임원 또는 직원의 국내여행과 관련하여 지급하는 여비는 해당 법인의 업무수행상 통상 필요하다고 인정되는 부분의 금액에 한하여 손금산입하며 초과되는 부분은 해당 임원 또는 직원의 급여로 한다. 따라서, 법인의 업무수행상 필요하다고 인정되는 범위 안에서 지급규정, 사규 등의 합리적인 기준에 의하여 여비교통비를 계산하고 거래증빙과 객관적인 자료에 의하여 지급사실을 입증하여야 한다. 다만, 사회통념상 부득이하다고 인정되는 범위 내의 비용과 해당 법인의 내부통제기능을 감안하여 인정할 수 있는 범위 내의 지급은 그러하지 아니하다(법기통 19-19…36).

한편, 내국법인이 임원 또는 직원이 아닌 지배주주 및 그 특수관계자에게 지급한 여비 또는 교육훈련비는 손금에 산입하지 아니한다(법령 46조).

② 해외 여비교통비

여비교통비는 비교적 그 금액이 적기 때문에 기간손익에 미치는 영향도 미미하여 기업회계상 또는 세법상 특별히 논의의 대상이 되지 못하였으나, 1980년대 중반 이후 무역거래가 활발해지고 우리나라 기업의 해외진출이 두드러짐에 따라 특히 해외여비의 금액이 상대적으로 기업의 손익에 미치는 영향이 커졌고, 이러한 비용은 그 비용의 성질상 업무를 수행하기 위한 비용과 개인적인 여행에 수반하는 비용을 구분하기 어렵기 때문에 법인세법 기본통칙은 이에 대한 자세한 구분기준을 마련하고 있다.

법인의 임원 또는 직원의 해외시찰·훈련에 대하여 지급하는 여비는 그 시찰·훈련이 해당 법인의 업무수행상 꼭 필요한 것이고, 또 시찰·훈련을 위해 통상 필요하다고 인정되는 금액이라면 당연히 손비가 되어야 한다. 여기에서 해외시찰·훈련이라고 함은 업무와 관련 있는 여비교통비, 교육훈련비의 성격을 가진 해외여행을 의미한다. 이와 같이 임원 또는 직원의 해외여행에 관련하여 지급하는 여비는 그 해외여행이 해당 법인의 업무수행상 통상 필요하다고 인정되는 부분의 금액에 한한다. 따라서, 법인의 업무수행상 필요하다고 인정되지 아니하는 해외여행의 여비와 법인의 업무수행상 필요하다고 인정되는 금액을 초과하는 부분의 금액은 원칙적으로 해당 임원 또는 직원에 대한 급여로 한다. 다만, 그 해외여행이 여행기간의 거의 전 기간을 통하여 분명히 법인의 업무수행상 필요하다고 인정되는 경우에는 그 해외여행을 위해 지급하는 여비는 사회통념상 합리적인 기준에 의하여 계산하고 있는 등 부당하게 다액이 아니라고 인정되는 한 해당 법인의 손금으로 한다(법기통 19-19…22).

그러나, 그 해외여행이 법인의 업무수행상 필요하다고 인정되지 않는 경우, 즉 단순히 관광이라든가 또는 법인의 업무수행상 필요한 해외여행이라 하더라도 통상 필요하다고 인정되는 금액을 초과하는 금액은 임원이나 직원의 급여로 보아야 한다.

임원 또는 직원의 해외여행이 법인의 업무수행상 필요한 것인가는 그 여행의 목적, 여행지, 여행경로, 여행기간 등을 참작하여 판정한다. 다만, 관광여행의 허가를 얻어 행하는 여행, 여행알선업자 등이 행하는 단체여행에 응모하여 행하는 여행 및 동업자단체, 기타 이에 준하는 단체가 주최하여 행하는 단체여행으로서 주로 관광목적이라고 인정되는 것은 원칙적으로 법인의 업무수행상 필요한 해외여행으로 보지 아니한다(법기통 19 -19···23).

(2) 통신비

1) 의 의

통신비란 전화, 전신료, 우편료, telex 사용료 등과 전신·전화장치 등의 유지를 위하여 지급한 비용으로서 판매 및 관리활동과 관련하여 발생한 비용을 말한다.

2) 기업회계상 회계처리

전화료 등 통신비 발생한 때에는 통신비계정의 차변에 기입한다.

> **사례** (주)삼일의 당월분 전화요금 ₩500,000을 다음달에 현금으로 납부하다. 통신요금이 발생한 달에 다음과 같이 회계처리한다.
>
> (차) 통   신   비   500,000   (대) 미 지 급 비 용   500,000

기업이 우표나 엽서 등을 사용시에 구입하는 경우에는 그것을 구입할 때마다 통신비계정으로 처리하여도 되지만, 이들을 일시에 다량구입하는 경우에는 선급비용 등으로 자산 계상한 다음, 사용할 때마다 통신비로 대체하는 방법을 채용하여야 한다.

그러나 구입시에 통신비로서 비용계상하고 기말의 미사용분을 현금, 저장품 또는 선급비용으로서 자산으로 계상하는 방법도 인정된다. 이 경우에 금액적으로 중요성이 없을 때에는 계속적으로 구입시에 비용처리하고, 이것을 자산으로 계상하지 않는 방법을 적용하여도 무방하다. 그리고 봉투나 통신용지 등이 다른 사무에도 공용되기 때문에 통신비와의 구분이 곤란한 경우에는 이들에 관한 비용을 소모품비에 포함시켜 처리하여도 된다.

(3) 수도·광열비

1) 의 의

수도료, 전력료, 가스대, 중유, 석탄 기타의 연료대 등에 소요되는 비용을 통틀어 수도광열비라 한다. 한편, 수도광열비는 제조를 위하여 사용된 것과 기타의 용도에 사용된 것과의 구분이 어려운 경우가 있으나, 계량기 등에 의하여 가능한 한 정확하게 제조경비 및 판매비와관리비로 구분할 필요가 있다.

2) 기업회계상 회계처리

① 수도광열비의 계상

원가계산시 수도광열비는 지급이 수반되는 것이므로 수도광열비(특히 수도료, 전기료, 가스료)의 소비액을 결정하기 위해서는 지급을 위한 검침일과 원가계산의 마감일이 상이한 것이 보통이다.

이러한 경우에는 기업 스스로가 원가계산 기말에 당해 원가계산 기간 중의 수도광열비의 소비량을 계량기에 의하여 측정하고, 여기에 소정의 단가를 곱하여 수도광열비의 소비액을 측정하는 방법을 쓴다.

화학비료 등과 같이 전력이 제품제조에 있어서 주된 소재가 되는 경우에는 전력료가 원료비로서 처리된다.

그리고 기업 내에서 용수의 취득 또는 전력·증기 등의 동력을 생산하고 있는 경우에는 용수부문이나 동력부문을 설정하여 부문별 계산을 하기도 하지만, 때로는 용수·동력부문의 운전·유지에 필요한 감가상각비, 소모품비, 용수·동력관계 인원의 급료·임금, 기타 수도광열비의 공급에 관련하는 제경비를 용수비·동력비 등의 항목을 설정하여 처리하기도 한다.

또 부동산임차료에 냉·난방비가 포함되어 있을 때 당해 냉·난방비를 수도광열비로 구분할 수 없는 경우에는 운용리스에 해당하거나 소액 또는 단기 리스에 해당한다면 임차료 또는 관리비용으로 계상한다.

수도광열비가 포함되어 있는 경우에도 이에 준하여 처리하면 된다.

② 수도광열비의 회계처리

수도료, 전력료, 가스료 등은 그 사용량을 계량한 다음에 각각 청구되기 때문에 기말에는 미지급비용을 계상하지 않으면 안된다. 그러나 그 금액이 소액이거나 매월 계속하여 거의 평균적으로 발생하는 경우에는 실무상 현금기준에 따라 처리하여도 무방하다 할 것이다.

사례 ㈜삼일의 당월분 수도료, 전력료, 가스료의 지급액은 다음과 같으며 제조경비 및 판매비와관리비로 배분하는 배부기준은 다음과 같다.

	지 급 액	제조비 배분율	기타 배분율
수도료	₩500,000	70%	30%
전력료	3,400,000	85%	15%
가스료	1,200,000	80%	20%

(차) 수 도 광 열 비	4,200,000*	(대) 현금 및 현금성자산	5,100,000
(제 조 원 가)			
수 도 광 열 비	900,000**		
(판매비와관리비)			

*₩500,000×70%+₩3,400,000×85%+₩1,200,000×80%=₩4,200,000
**₩500,000×30%+₩3,400,000×15%+₩1,200,000×20%=₩900,000

(4) 수선비

1) 의 의

자산을 취득한 후에 정상적으로 계속 가동시키기 위해서는 수선과 유지에 필요한 지출이 끊임없이 발생한다. 예컨대, 소모품의 성질을 갖고 있는 부분품에 대한 지출, 기계의 세척비 및 윤활유비 등을 계속 지출하여야 하는데, 이러한 지출은 단지 자산이 원래 갖고 있던 미래용역잠재력을 유지하는 데 도움이 될 뿐 미래용역잠재력 자체를 현저하게 증가시키거나 자산의 내용연수를 현저하게 연장시키지는 못한다. 이와 같이 당해 유형자산의 원상을 회복시키거나 능률유지를 위한 지출로서 판매 및 관리와 관련 있는 수선유지비를 수선비계정에 처리한다.

2) 기업회계상 회계처리

① 수선비의 회계처리

유형자산의 수선·유지를 위한 지출은 해당 자산으로부터 당초 예상되었던 성능수준을 회복하거나 유지하기 위한 것이므로 일반적으로 발생한 기간의 비용으로 인식한다. 예를 들면, 영업용 건물에 대한 유지·보수나 수리를 위한 지출은 당초 예상되었던 성능수준을 향상시켜주기보다는 유지시켜주기 위한 지출이므로 비용으로 처리한다.

사례 영업용 건물 및 벽의 도장공사비로 ₩500,000을 현금지출하다.

(차) 수 선 비	500,000	(대) 현금 및 현금성자산	500,000

한편, 유형자산의 사용가능기간 중 정기적으로 이루어지는 종합검사, 주요 부품이나 구성요소의 정기적 교체와 관련된 지출로서 유형자산 인식요건을 충족하는지의 기준에 대해서는 'Ⅱ. 재무상태표편 제2장 비유동자산 제2절 유형자산'을 참조한다.

3) 세무회계상 유의할 사항

자본적 지출과 수익적 지출에 관련한 자세한 설명은 '유형자산'편을 참고하기 바란다.

(5) 보험료

1) 의 의

보험료란 판매와 관리사무용 건물, 비품, 차량운반구 등에 대한 화재 내지 손해보험 등의 보험료, 판매와 관련된 해상보험료, 취득 후 보관 중인 재고자산에 대한 화재보험료 및 제조물 배상책임보험에 대한 보험료 등을 말한다. 따라서 산재보험, 건강보험에 대한 보험료 중 판매와 관리활동에 종사하는 종업원에 대한 기업주부담분은 복리후생비에 해당한다.

2) 기업회계상 회계처리

① 보험료의 계상

공장에서 사용하는 건물, 기계장치, 원자재, 재공품 등에 대한 보험료는 제조경비로 회계처리하고 공장 이외의 판매활동 및 관리활동을 위하여 사용되는 건물, 차량운반구, 비품 또는 보관 중인 완성품 등에 대한 보험료는 판매비와관리비로 처리하여야 한다.

자산을 취득한 때에 발생한 보험료는 매입부대비용으로서 당해 자산의 취득원가에 산입한다.

또 건강보험, 산재보험, 국민연금 등에 대한 보험료 중에서 사업주부담분은 복리후생비로서 공장종업원에 대한 것은 제조경비로 처리되며, 판매 및 관리에 종사하는 종업원에 대한 것은 판매비와관리비로 처리되어야 한다.

② 보험료의 회계처리방법

사례 (주)삼일은 20×7. 10. 1.에 보험회사와 보험계약을 맺고 영업용 건물에 대하여 화재보험료 1년분 ₩4,800,000을 현금으로 지급하다.

1. 선급비용으로 계상하고 매월 비용으로 대체하는 방법

가. 보험료를 지급한 때

(차) 선 급 비 용　　4,800,000　　(대) 현금 및 현금성자산　　4,800,000

나. 매월 비용으로 대체한 때

(차) 보 　험 　료　　400,000　　(대) 선 급 비 용　　400,000

2. 비용으로 계상하고 기말에 미경과액을 선급비용으로 대체하는 방법

가. 보험료를 지급한 때

(차) 보 　험 　료　　4,800,000　　(대) 현금 및 현금성자산　　4,800,000

나. 기말에 미경과액(9개월분)을 선급비용으로 대체한 때

　　(차) 선 급 비 용　　　3,600,000　　(대) 보　　　험　　　료　　　3,600,000

③ 손해보험료의 처리

　기업이 가입하는 보험은 손해보험과 생명보험으로 구분할 수 있는데 회계실무에서는 손해보험에 대한 보험료만을 보험료계정에서 처리한다. 왜냐하면 손해보험은 그 특성상 보험사고가 발생하지 않는 한 보험료를 수령할 수 없기 때문에 당해 보험료를 손비성의 비용으로 볼 수 있기 때문이다. 따라서 생명보험과 같이 만기에 보험금을 수령할 수 있는 보험에 대한 보험료는 비용인 보험료가 아닌 자산과목으로 회계처리하여야 한다.

　한편, 원재료, 상품, 유형자산 등의 구입시 부보(附保)되는 운송보험은 매입부대비용으로서 재고자산·유형자산 등의 취득원가에 산입되고, 상품·제품의 판매에 있어서 판매자가 그 상품·제품에 부보한 손해보험의 지급보험료(제조물 배상책임보험에 대한 보험료 포함)는 판매비가 된다.

　또 만기반환금이 지급되는 보험의 경우에는 지급보험료로부터 당해 만기반환금을 차감한 잔액을 비용으로 계상하여야 한다.

3) 세무회계상 유의할 사항

① 장기손해보험금과 적립보험료의 처리

　기업이 보험기간 만료 후에 만기반환금을 지급하겠다는 뜻의 약정이 있는 손해보험에 대한 보험료를 지급한 경우에는 그 지급한 보험료액 가운데서 적립보험료에 상당하는 부분의 금액은 자산으로 계상하고, 기타 부분의 금액은 이를 기간의 경과에 따라 손금에 산입한다(법기통 19-19…9).

　이 경우 지급한 보험료액에서 적립보험료에 상당하는 부분(만기반환금에 충당할 부분)의 금액과 기타의 부분(위험보험료 및 부가보험료에 상당하는 부분)의 금액과의 구분은 보험료안내서, 보험증권첨부서류 등에 의하여 구분하여야 할 것이다.

　일반적으로 화재보험료는 「위험보험료＋부가보험료」로 구성되어 있으며, 장기손해보험료의 구성요소는 「위험보험료＋부가보험료＋적립보험료」로 되어 있다. 여기서 위험보험료란 예정된 보험사고발생의 위험부담액(비용)을 말하며, 부가보험료란 보험회사의 신계약비, 모집비, 유지비 등에 충당하기 위한 사업비(비용)를 말한다.

　또한 적립보험료란 보험기간 만료 후의 만기반환금에 충당되는 부분의 금액을 말한다.

　그리고 법인이 장기손해보험계약에 대하여 자산으로 계상하고 있는 적립보험료에 상당하는 부분의 금액은 보험사고의 발생에 의하여 보험금의 지급을 받은 경우에 있어서도 그 지급에 의하여 해당 손해보험계약이 실효되지 아니하는 경우에는 이를 손금에 산

입하지 아니한다(법기통 19-19…11).

② 생명보험계약과 급여의 처리

종업원이 계약자이거나 종업원 또는 그 배우자 그 밖의 가족을 수익자로 하는 보험료 등은 다음의 금액을 제외하고는 세법상 이를 종업원에 대한 급여로 보게 된다(소령 38조 1항 12호, 17조의 4 3호).

   ㉠ 종업원의 사망·상해 또는 질병을 보험금의 지급사유로 하고 종업원을 피보험자 와 수익자로 하는 보험으로서 만기에 납입보험료를 환급하지 아니하는 단체순수 보장성보험과 만기에 납입보험료를 초과하지 아니하는 범위 안에서 환급하는 단 체환급부보장성보험의 보험료 중 연 70만원 이하의 금액

   ㉡ 임직원의 고의(중과실 포함) 외의 업무상 행위로 인한 손해의 배상청구를 보험금 의 지급사유로 하고 임직원을 피보험자로 하는 보험의 보험료

③ 임차건물 등을 보험에 가입한 경우의 보험료

법인이 임차하고 있는 건물 등에 관한 보험계약에 대하여 보험료를 지급한 경우에는 해당 보험료는 다음에 게기하는 구분에 따라 처리하여야 한다(법기통 19-19…10).

   ㉠ 임차한 법인이 보험계약자로 되고, 해당 건물 등의 소유자가 피보험자로 되어 있 는 경우 그 지급한 보험료액 중에서 적립보험료에 상당하는 부분의 금액은 만기 또는 보험계약 해지시까지 자산으로 계상하고, 기타 부분의 금액은 이를 기간의 경과에 따라 손금에 산입한다.

   ㉡ 해당 건물 등의 소유자가 보험계약자 및 피보험자로 되어 있는 경우 임차법인이 부담한 보험료의 전부를 해당 건물 등의 임차료로 처리한다.

따라서 법인이 보험계약자, 소유자가 피보험자의 경우에는 적립보험료에 상당하는 부 분의 금액은 일정 시점까지 자산계정이 되지만, 그 계약자도 피보험자도 모두 소유자로 되어 있으며 법인은 단지 보험료의 지급의무만을 지고 있을 때에는 보험료의 전액이 임 차료로서 처리된다.

(6) 보관료

1) 개념 및 범위

보관료란 상품·제품·원재료·부산물을 창고에 보관하는 데 소요되는 비용을 처리 하는 계정이다. 보관에 소요되는 비용에는 자가창고료 및 외부에 보관하는 비용이 있을 수 있다.

외부창고에 보관시 단순히 보관료만 지급하고 보관하는 것 외에도 창고를 일정기간 임차하여 자사물건의 보관에 이용할 수 있다. 통상적으로 자기창고는 창고에 대한 감가상각비 등을 계상하고 있으므로 보관료계정을 사용하지 않고 있으며, 창고를 임차하여 사용시에는 운용리스에 해당하거나 소액 또는 단기 리스에 해당한다면 임차료계정을 사용한다. 따라서 보관료계정은 외부창고에 일정 금액을 주고 보관시 처리하는 계정이라 할 수 있다.

2) 기업회계상 회계처리

보관료에 대한 회계처리는 발생시에 다음과 같이 처리한다.

(차) 보   관   료   ×××   (대) 현금 및 현금성자산   ×××

이하에서는 이에 대한 사례를 검토한다.

사례 1 (주)삼일은 이 달분의 보관료 ₩500,000을 현금으로 지급하다.

(차) 보   관   료   500,000   (대) 현금 및 현금성자산   500,000

사례 2 이 달의 사내창고에 관한 비용은 다음과 같다.
- 창고의 감가상각비(월할배부액) ·························· ₩1,000,000
- 창고종사원에 대한 급여 ······························· ₩300,000

(차) 감 가 상 각 비   1,000,000   (대) 감 가 상 각 누 계 액   1,000,000
       급   여   300,000   현금 및 현금성자산   300,000

사례 3 운용리스에 해당하는 외부로부터 임차한 창고에 대한 임차료 ₩500,000을 현금으로 지급하다.

(차) 임   차   료   500,000   (대) 현금 및 현금성자산   500,000

(7) 견본비

1) 개 요

견본비란 상품·제품의 품질, 형상 등을 거래처 또는 사용자 등에게 알리기 위하여 상품·제품 등의 일부를 시용(試用)시킬 목적으로 제공하는 데 따르는 비용을 말한다.
견본비는 판매촉진을 위한 비용의 일종으로 일반적으로 불특정다수인에 배포된다는 점에서 광고선전비와 유사하나, 상품·제품 등을 제공하는 경우는 이를 광고선전비와 구분하여 견본비로 처리하는 것이 보통이다.

2) 기업회계상 회계처리

기업은 신제품의 판매나 그 판매를 촉진시키기 위하여 자기의 거래처 등에게 견본품이나 시용품을 종종 제공하게 된다. 따라서 견본품이나 시용품은 일반적으로 불특정다수인에 대한 선전적 효과를 목적으로 하는 경우가 대부분이기 때문에 견본품이나 시용품의 제공에 의하여 통상적으로 소요되는 비용은 이것을 접대비로 처리하지 않고 광고선전비로서 처리하는 것이 일반적이다. 견본품이나 시용품 등의 제공에 의하여 발생한 비용을 광고선전비로서 처리할 때에는 세무조정과 관련하여 다음과 같은 점에 특히 주의하지 않으면 안된다.

광고선전은 불특정다수인을 대상으로 하는 것이 그 조건으로 되어 있다. 따라서 견본품이나 시용품을 판매가능한 형태에 있어서 특정업자에게만 국한해서 제공한 경우에는 이를 광고선전비로 처리하지 않고 접대비로서 처리하여야 한다.

광고선전비로 취급되는 견본품이나 시용품의 제공은 통상적으로 소요되는 비용이어야 한다는 것이 그 전제조건으로 되어 있다. 따라서 통상적으로 소요되는 비용액을 초과한 경우에는 그것은 광고선전 목적으로 보기 어렵다.

> **사례** 1. (주)삼일은 신제품의 판매를 촉진하기 위하여 견본으로서 1,000개(@ ₩10)의 제품을 각 거래처에 제공하다.
>
> (차) 견　　본　　비　　　10,000　　(대) 제　　　　　품　　　10,000
>
> 2. 견본품을 특별히 제조하여 거래처에 보내기 위하여 1,000개(@ ₩20)를 제조 완료하다.
>
> (차) 견　　본　　품　　　20,000　　(대) 재　　공　　품　　　20,000
>
> 3. 위의 견본품 중 500개를 부산지방의 거래처에 견본품으로서 공급하다.
>
> (차) 견　　본　　비　　　10,000　　(대) 견　　본　　품　　　10,000

3) 세무회계상 유의할 사항

세무상으로는 견본비계정의 성격을 검토하여 접대비로 처리되어야 할 부분은 접대비에 포함시켜 접대비 시부인계산을 하여야 한다. 예를 들어, 자사 판매제품과 관계 없는 제품이라든가, 배포한 수량이 통상 인정될 만한 수량을 넘고 특정인에게 배포한 것은 기업회계상 견본비로 처리했다 하더라도 견본비로 인정하기는 어렵다.

한편, 법인이 해외시장의 개척을 위하여 해외에 견본품을 무상으로 송부하는 경우에 손금산입시기는 송부일이 속하는 사업연도로 한다(법기통 19-19…21).

(8) 포장비

1) 의 의

포장비란 상품 또는 제품의 포장과정에서 발생하는 비용으로, 제품 또는 상품의 종류에 따라 상이하다.

상품의 포장비는 일반적으로 판매비와관리비로 회계처리하지만, 일정한 포장을 하지 않으면 제품으로서 판매할 수 없는 소다·약품·화장품·과자제조업 등과 같은 경우의 포장비는 제조원가에 산입한다.

2) 기업회계상 회계처리

① 포장비의 계상

포장비를 기능별로 파악하는 경우 이에 포함되는 항목으로는 관리자·감독자·사무원의 급여, 포장재료비, 감가상각비 등이 있다.

그리고 외부에 하조작업을 의뢰하고 있는 경우의 지급액도 포장비에 포함하여 처리하는 것이 원칙이지만, 운송회사 등에 하조작업을 포함하여 발송을 의뢰하고 있을 때에는 포장비와 발송운임의 총액을 운송비계정으로 처리함으로써 포장비를 구분하지 않는 경우가 많다.

공장에서 제품을 포장하는 경우, 즉 제조공정이 끝난 제품을 포장하는 데 소요된 비용은 제조경비에 속한다. 따라서 판매비로서의 포장비는 공장에서 포장이 끝난 제품을 거래처에 발송하기 위하여 하조작업을 하여 발송을 위한 준비를 하는 일체의 비용을 말한다.

② 포장비의 회계처리방법

포장재료는 일괄하여 구입하는 것이 일반적이므로 그에 대한 처리방법을 요약하면 다음과 같다.

ⓖ 구입시 저장품계정으로 처리하고, 결산시에는 그 사용량을 포장비계정으로 대체하는 방법

ⓛ 구입시 포장비계정으로 처리하고, 결산시에는 그 미사용량을 포장비계정으로부터 저장품계정으로 대체하는 방법

사례 (주)삼일은 당해 사업연도 중에 일괄하여 포장재료 ₩5,000,000을 구입하였으며 연말결산시 재고실사한 결과 미사용분은 ₩1,000,000이다.

1. 구입시 자산으로 계상하는 방법
   ① 구입시의 분개

   (차) 저　　장　　품　　5,000,000　　(대) 현금 및 현금성자산　　5,000,000

   ② 사용시의 분개

   (차) 포　　장　　비　　4,000,000　　(대) 저　　장　　품　　4,000,000

2. 구입시에 포장비로 계상하는 방법
   ① 구입시의 분개

   (차) 포　　장　　비　　5,000,000　　(대) 현금 및 현금성자산　　5,000,000

   ② 결산시의 정리분개

   (차) 저　　장　　품　　1,000,000　　(대) 포　　장　　비　　1,000,000

3) 세무회계상 유의할 사항

판매를 목적으로 하지 아니하는 법인의 소유자산인 용기는 원칙적으로 유형자산으로 회계처리하는 것이나, 내용물을 포함하여 판매하는 용기(포장재료)는 재고자산으로 처리한다(법기통 42-74…5).

(9) 운반비

1) 의 의

운반비란 판매와 관련하여 회사의 제품이나 상품을 거래처에 운반해 주는 과정에서 발생하는 비용을 말한다. 판매비와관리비로서의 운반비는 원재료, 상품 또는 유형자산의 구입시 매입부대비용으로서 취득원가에 산입되는 운반비와 구분되어야 한다.

2) 기업회계상 회계처리

① 운반비의 회계처리

가. 운송회사에 위탁한 경우

㉠ 상품 또는 제품의 판매에 의한 발송운임

상품의 판매에 수반하는 발송운임은 그 판매에 의하여 실현하는 수익에 부담시켜야 할 비용이다. 따라서 그것은 판매를 위하여 상품을 발송하였을 때에 비용으로 계상하여야 한다.

ⓒ 위탁판매를 위해 상품을 발송한 경우

이러한 경우의 지출은 장래에 있어서 상품을 판매하기 위한 지출이므로 적정한 기간 손익계산을 위하여 상품(적송품)계정에 산입하여야 한다.

나. 자사의 차량운반구에 의한 경우

상품의 발송을 자사의 차량운반구에 의하여 실시한 때에는 영업부문 내의 그에 관한 차량운반구의 가동·유지에 필요한 연료비, 소모품, 차량운반구의 감가상각비 및 상품 발송계의 인건비 기타의 제경비의 처리문제가 발생한다.

이러한 제비용은 기능면에서 볼 때 운반비계정에 포함되는 것이 이론적이나 현행 실무에서는 형태별 구분에 따라 각 항목별로 해당 계정과목으로 처리한다.

다. 거래처가 운송비를 부담하는 경우

상품발송을 위한 지출액이 거래처부담분일 때는 해당 회사의 경비에 산입할 수 없다.

(10) 판매수수료

1) 개 요

판매수수료란 회사가 판매회사 등에 대하여 지급하는 판매에 관한 수수료를 말한다. 즉, 이것은 상품이나 제품의 매출 또는 역무의 제공에 의한 수익의 실현에 따라 중개인, 판매수탁자 등 외부자에게 지급하는 판매에 관한 수수료이다. 이는 상품이나 제품의 판매에 직접 소요된 비용인 판매수수료로서 당기 비용으로 처리되어야 하며 매출원가나 이연비용으로 처리되어서는 안된다.

2) 기업회계상 회계처리

① 지급수수료와의 구분

판매수수료는 판매에 직접 소요된 비용이므로, 수수료나 그 성격이 다른 공인회계사에 대한 감사수수료, 변호사에 대한 수수료 등과는 구분하는 것이 바람직하다.

또한 고용관계에 있는 종업원에게 판매액에 따라 지급하는 판매수당이 있다면 이는 급여의 성격으로 볼 수 있다. 그러나 고용관계에 있지 아니한 자에 대하여 지급한 것은 판매수수료로 계상하여야 할 것이다.

② 판매수수료의 회계처리

가. 수탁판매자에 지급시

위탁판매거래의 경우 수탁판매자에 대하여 판매수수료를 지급한다. 일반적으로 판매수수료는 고객과 계약을 체결하기 위해 들인 원가로 계약을 체결하지 않았다면 들지 않았을 원가이므로 계약체결 증분원가로 회계처리하고(기준서 제1115호 문단 99), 고객과의 계약체결 증분원가가 회수될 것으로 예상된다면 이를 자산으로 인식한다. 그 자산과 관련된 재화나 용역을 고객에게 이전하는 방식과 일치하는 체계적 기준으로 상각하여 비용으로 인식한다(기준서 제1115호 문단 99). 계약체결 증분원가를 자산으로 인식하더라도 상각기간이 1년 이하라면 그 계약체결 증분원가는 발생시점에 비용으로 인식하는 실무적 간편법을 쓸 수 있다(기준서 제1115호 문단 94).

> **사례** (주)삼일은 위탁판매처인 병상점이 다음과 같이 매출하였음을 통보받다.
> * 수탁품 판매단가 : 1개당 ₩200
> * 수탁품 판매수량 : 2,000개
> * 판매수수료 : 매출액의 5%
>
> | (차) 적 송 외 상 매 출 금 | 380,000 | (대) 적 송 품 매 출 | 400,000 |
> |---|---|---|---|
> | 판 매 수 수 료 | 20,000 | | |
> | (계약체결 증분원가) | | | |

이 때 주의할 것은 판매수수료를 매출액에서 직접 차감하여 계상할 수는 없다는 것이다. 즉, 상기의 [사례]에서

(차) 적 송 외 상 매 출 금	380,000	(대) 적 송 품 매 출	380,000

과 같이 처리할 수 없다.

나. 중개인에게 지급시

판매에 대한 수수료의 지급처가 중개인인 경우에도 판매수수료로 회계처리한다. 예를 들어, 회사제품의 판매를 주선한 을회사에 대하여 ₩30,000을 현금지급한 경우의 분개는 다음과 같다.

(차) 판 매 수 수 료	30,000	(대) 현금 및 현금성자산	30,000
(계약체결 증분원가)			

③ 결산시 유의할 사항

보고기간종료일 직전에 위탁판매 등에 의한 매출이 있는 경우 수익 · 비용대응의 원

칙에 따라 판매수수료에 해당되는 부분을 반드시 미지급비용으로 인식하도록 한다.

예를 들어, (주)삼일은 판매회사가 ₩2,000,000의 판매를 대행한 것을 매출로 인식하였으나 동 회사에 대한 판매수수료 ₩200,000을 인식하지 아니한 경우의 분개는 다음과 같다.

(차) 판 매 수 수 료　　　　　 200,000　　 (대) 미 지 급 비 용　　　 200,000

3) 세무회계상 유의할 사항

첫째, 수탁자와의 거래에 있어서 사전약정에 의하여 실제로 지급하는 비용은 판매부대비용에 포함되나, 건전한 사회통념과 상관행에 비추어 정상적인 거래라고 인정될 수 있는 범위를 초과하여 지급한 수수료는 세무상 이를 접대비로 보아 시부인계산을 하게 된다. 즉, 기업회계상은 판매수수료로 지급된 것이라 해도 조세수입 확보를 목적으로 하는 세무회계에서는 일정한 요건을 갖추지 못하면 이를 접대비 등으로 보아 시부인계산을 하게 됨에 주의해야 한다.

둘째, 제품의 판매와 관련하여 회사와 고용관계에 있는 종업원에게 지급한 판매수수료는 이를 근로소득으로 보게 된다.

Chapter 04 금융수익/금융원가

금융비용은 보통 다음을 포함한다.

- 은행 당좌차월과 장·단기부채에 대한 이자비용(기준서 제1107호 문단 20)
- 리스로부터 발생하는 금융비용(기준서 제1116호 문단 38)
- 부채로 분류되는 우선주에 대한 배당금(기준서 제1032호 문단 35, 40)
- 부채로 구분되는 채무상품에 대한 할인/할증액의 상각(기준서 제1109호 부록 A)
- 외화차입금의 환율차이
- 특정 파생금융상품의 공정가치 변동
- 이자요소가 별도로 구분되는 미지급법인세에 대한 이자

금융수익은 금융비용과 상계되어서는 안 된다. 그렇다고 하여 금융비용과 금융수익에 대하여 소계를 표시하는 것을 금지하는 것은 아니다. 그러나 금융수익이 기업의 주 사업목적의 일부인 경우에는 이자수익은 수익에 포함되어야 한다. 예를 들면, 금융사업을 하는 기업은 '수익'에 금융소득을 포함해야 한다.

금융수익의 분류는 유사한 항목에 대한 회사의 회계 정책에 따라 달라진다. 예를 들어, 금융수익을 보는 관점에 따라 주요 수익으로 표시할 수 있다. 또는 다른 금융수익과는 별도로 자금운용활동에서 발생한 금융수익을 영업손익 외의 항목으로 포함시킬 수도 있다(예를 들어, 단기투자로 인한 소득). 비록 기업이 금융수익을 총포괄손익에 표시하는 방법에 있어 어느 정도 재량이 있다 하더라도, 한 번 선택한 표시의 정책은 지속적으로 적용되어야 하며, 중요하다면 공시되어야 한다.

아래 항목을 기업이 공시하는 정책에 따라 기타수익/기타비용으로 포함시킬 수 있다.

- 투자자산에서 발생한 이자수익
- 배당수익
- 당기손익−공정가치 측정 금융상품에서 발생한 공정가치 평가 손익
- 매매목적파생상품 손익

금융수익은 일반적으로 다음과 같은 항목을 포함한다.

- 현금및현금성자산에 대한 이자수익(기준서 제1107호 문단 20)
- 금융자산에 대한 할인

외환손익의 분류는 판단을 요구한다. 일반적으로 차입금, 현금및현금성자산에서 발생한 외환손익은 손익계산서에서 '금융수익/금융원가'로 분류될 것이며, 이외의 자산·부채에서 발생한 외환손익은 '기타영업손익'으로 분류될 것이다. 그러나, 만약 그 기업의 상황에 적절하다면, 기업은 회계정책으로 기업의 모든 외환손익을 '금융수익/금융원가' 혹은 '기타영업손익'으로 분류하는 것을 선택하여 적용할 수 있을 것이다. 외환손익은 수익의 일부로 표시되어서는 안 된다. 또한, 해외사업장이 종속기업인 경우의 연결재무제표에서 해외사업장에 대한 순투자의 일부인 화폐성항목에서 생기는 외환차이는 처음부터 기타포괄손익으로 인식하고 관련 순투자의 처분시점에 자본에서 당기손익으로 재분류한다(기준서 제1021호 문단 32 및 기준서 제1109호 문단 6.5.13, 6.5.14).

적격자산의 취득, 건설 또는 생산과 제조에 직접 관련된 차입원가는 당해 자산 원가의 일부로 자본화하여야 한다(기준서 제1023호 문단 8). 적격자산은 의도된 용도로 사용하거나 판매가능한 상태에 이르게 하는 데 상당한 기간을 필요로 하는 자산으로 정의된다(기준서 제1023호 문단 5).

1. 이자수익

(1) 의의와 범위

이자수익은 금융업 외의 판매업·제조업 등을 영위하는 기업이 주주, 임원, 종업원, 관계회사, 관련회사 또는 외부에 자금을 대여한 경우나 은행에 예치한 경우에 발생하는 이자 및 국채·공채·지방채·사채 등 장·단기 채무상품에서 발생하는 이자를 포함한다. 여기서 발생한 이자란 실제 수령한 금액만을 의미하는 것이 아니고, 기간이 경과함에 따라 발생한 이자(미수수익)를 포함한다.

기존 기업회계기준에서는 원금과 이자의 회수가 불확실한 채권에 대한 이자수익은 실제로 현금을 수취하는 때에 인식하고, 기간 경과분에 대한 발생주의에 따른 미수이자는 수익으로 인식하지 아니하는 것으로 규정하였다. 이는 회수가 불투명한 미수이자를 자산으로 계상하는 것은 자산의 인식기준에 부합하지 않는다고 보았기 때문이다. 그러나 기준서 제1109호에서는 금융자산의 총 장부금액에 유효이자율을 적용하는 유효이자율법으로 이자수익을 계산한다. 다만 최초 발생시점이나 매입할 때 신용이 손상되어 있는 금융자산의 경우에는 최초 인식시점부터 상각후원가에 신용조정 유효이자율을 적용하고, 취득 시 신용이 손상되어 있는 금융자산은 아니지만 후속적으로 신용이 손상된 금융자산의 경우에는 후속 보고기간에 상각후원가에 유효이자율을 적용한다(기준서 제1109호 문단 5.4.1, 부록 A, 문단 B5.4.1~B5.4.7).

한편, '유효이자율'은 금융자산의 기대존속기간에 추정 미래현금지급액이나 수취액의 현재가치를 금융자산의 총 장부금액과 정확히 일치시키는 이자율이고, '신용조정 유효이자율'은 취득 시 신용이 손상되어 있는 금융자산의 기대존속기간에 추정 미래현금지급액이나 수취액의 현재가치를 해당 금융자산의 상각후원가와 정확히 일치시키는 이자율이다(기준서 제1109호 부록 A). 따라서 액면가액 이하로 취득한 국채·공채·사채 기타의 채무상품을 상각후원가로 후속 측정하는 경우(기준서 제1109호 문단 4.1.2) 또는 기타포괄손익 – 공정가치로 측정하는 경우(기준서 제1109호 문단 4.1.2A, 5.7.10) 취득가액과 액면가액과의 차액은 상환기간에 걸쳐 유효이자율법을 적용하여 상각하는 동시에 이자수익으로 회계처리 한다.

당기손익 – 공정가치로 측정하는 채무상품(기준서 제1109호 문단 4.1.4)에는 유효이자율법을 적용하지 않는다. 그러나 당기손익 – 공정가치로 측정하는 금융자산으로부터의 공정가치 변동 중 이자를 구별하여 표시하는 것은 가능하다(기준서 제1107호 문단 B5, BC34).

(2) 기업회계상 회계처리

이자수익은 유효이자율법에 따라 기간에 정확하게 배분되어 수익으로 계상되어야 한다. 한편, 한국채택국제회계기준에서는 선수수익이나 미수수익의 개념을 정의하지 않고 상각후원가를 구성하는 것으로 설명하고 있으므로 별도의 선수수익이나 미수수익을 계상하는 근거는 없다. 그러나 실무상 선수수익과 미수수익을 계상하였고 이러한 관행이 국제적으로도 실무에서 인정되고 있는 것으로 판단되므로 기업이 선수수익과 미수수익을 관련 금융자산의 장부금액과 별도로 구분하여 계상하고자 한다면 그렇게 표시하는 것도 가능한 것으로 판단된다. 미수이자는 상각후원가를 구성하는 원금과 이자 현금흐름의 일부이므로 상각후원가 또는 기타포괄손익 – 공정가치로 측정하는 채무상품의 총 장부금액의 일부로서 예상신용손실에 근거한 손실충당금 측정 대상의 일부를 구성한다.

기업이 은행예금의 이자를 수취하는 경우 원천징수세액 차감 후 잔액을 수취하는 것이 일반적이다. 해당 이자소득이 기업의 과세소득에 포함되고, 관련 원천징수세액은 기납부세액으로 차감되는 경우로서 기준서 제1012호 '법인세'의 적용범위에 해당한다면 원천징수세액을 차감하기 전 이자총액을 이자수익계정에 회계처리하고 관련 원천징수세액은 법인세 회계처리에서 고려한다.

사례　(주)삼일은 정기예금에 대한 이자 ₩9,000,000에 대하여 14% 원천징수세액 ₩1,260,000
을 차감한 ₩7,740,000을 현금으로 받았다.

| (차) 현금 및 현금성자산 | 7,740,000 | (대) 이 자 수 익 | 9,000,000 |
| 선 급 법 인 세 | 1,260,000 | | |

한편, 이자수익과 관련된 세무회계상 유의할 사항은 '자산'편의 '미수수익'을 참고한다.

2. 이자비용

(1) 의 의

기준서 제1001호 '재무제표 표시'에 따라 손익계산서에 당해 기간의 금융원가(비용)
를 표시하는 항목을 포함하는 것이 요구된다(기준서 제1001호 문단 82). 이자비용은 기업이
외부로부터 조달한 타인자본 중 당좌차월, 장·단기차입금, 사채 등에 대하여 지급하는
이자와 할인료를 계상하는 계정과목으로 영업손익을 표시하는 회사의 경우 일반적으로
금융비용으로 표시한다.

(2) 기업회계상 회계처리

1) 이자비용의 회계처리

사례　(주)삼일은 차입금 ₩100,000,000에 대하여 3개월분의 이자(연이자율 15%)를 원천징수세
액 14% 공제 후 금액으로 지급하였다.

| (차) 이 자 비 용 | 3,750,000[*] | (대) 현금 및 현금성자산 | 3,225,000 |
| | | 예 수 금 | 525,000[**] |

[*]₩100,000,000×15%×3/12 = ₩3,750,000
[**]₩3,750,000×14% = ₩525,000

2) 사채의 이자비용

'유효이자율'은 금융부채의 기대존속기간에 추정 미래현금지급액이나 수취액의 현재
가치를 금융부채의 상각후원가와 정확히 일치시키는 이자율이다(기준서 제1109호 부록 A).
따라서 사채할인발행차금은 사채발행기간 동안 현금지급 이자비용(사채의 액면가액×표
시이자율) 외에 추가로 부담해야 할 이자비용이 된다. 즉, 유효이자율법을 사용하여 사
채할인발행차금 상각액은 사채이자에 가산하고 사채할증발행차금 상각액은 사채이자에
서 차감한다.

3) 차입원가의 자본화

기준서 제1023호에 따라 적격자산의 취득, 건설 또는 생산과 직접 관련된 차입원가는 당해 자산 원가의 일부로 자본화하여야 한다(기준서 제1023호 문단 8). 차입원가의 자본화와 관련하여 보다 구체적인 설명은 '제2편 재무상태표편' 중 '제2장 비유동자산'의 '제2절 유형자산'을 참고한다.

(3) 세무회계상 유의할 사항

1) 이자비용의 손익귀속사업연도

이자비용은 소득세법 시행령 제45조에서 규정하는 날이 속하는 사업연도를 손금의 귀속시기로 하되, 결산확정시 이미 경과한 기간에 대응하는 이자(차입일부터 이자지급일이 1년을 초과하는 특수관계인과의 거래에 따른 이자 및 할인액은 제외함)를 손비로 계상한 경우에는 그 계상한 사업연도를 귀속시기로 본다(법령 70조 1항 2호). 즉, 법인이 결산상 발생주의에 따라 미지급이자로 회계처리를 한 경우에는 그 계상한 사업연도의 손금으로 용인하되, 차입일부터 이자지급일이 1년을 초과하는 특수관계인과의 거래에 따른 이자비용은 결산상 발생주의에 따라 미지급이자로 회계처리한 경우에도 조세회피를 방지하기 위해 약정에 의한 이자지급일 등 소득세법 시행령 제45조에서 규정하는 날이 속하는 사업연도를 손금의 귀속시기로 한다.

한편, 전환사채를 소지한 자가 전환사채의 만기일까지 전환하지 아니할 경우 원금과 함께 전환할 때에 지급하기로 약정한 이자율보다 높은 이자율로 계산하여 추가로 이자(상환할증금)를 지급한 경우 해당 지급한 이자의 손금귀속사업연도는 그 만기일이 속하는 사업연도가 된다(법기통 40-71…2 제4호 및 법인 46012-410, 2001. 2. 22.).

2) 이자비용의 손금부인

① 건설자금이자

가. 건설자금이자의 계산대상 차입금

법인세법에서는 내국법인의 각 사업연도의 소득금액을 계산할 때 손금에 산입하지 아니하는 건설자금에 충당한 차입금의 이자를 특정차입금에 대한 이자와 일반차입금에 대한 이자로 구분하여 다음과 같이 규정하고 있다.

특정차입금에 대한 이자 (자본화 강제)	명목여하에 불구하고 사업용 유형자산 및 무형자산(이하 "유형자산 등"이라 함)의 매입·제작 또는 건설(이하 "건설 등"이라 함)에 소요되는 차입금(자산의 건설 등에 소요된 지의 여부가 분명하지 아니한 차입금은 제외하며, 이하 "특정차입금"이라 함)에 대한 지급이자 또는 이와 유사한 성질의 지출금(이하 "지급이자 등"이라 함)은 건설 등이 준공된 날까지 이를 자본적 지출로 하여 그 원본에 가산함. 다만, 특정차입금의 일시예금에서 생기는 수입이자는 원본에 가산하는 자본적 지출금액에서 차감하며, 특정차입금의 일부를 운영자금에 전용한 경우에는 그 부분에 상당하는 지급이자는 이를 손금으로 함(법법 28조 1항 3호 및 법령 52조 1항~3항).
일반차입금에 대한 이자 (자본화 선택)	건설자금에 충당한 차입금의 이자에서 특정차입금에 대한 이자를 뺀 금액으로서 해당 사업연도의 개별 사업용 유형자산 등의 건설등에 대하여 ⓛ의 금액과 ⓒ의 비율을 곱한 금액과 ㉠의 금액 중 적은 금액은 내국법인의 각 사업연도의 소득금액을 계산할 때 이를 손금에 산입하지 아니할 수 있음(법법 28조 2항 및 법령 52조 7항). ㉠ 해당 사업연도 중 건설등에 소요된 기간에 실제로 발생한 일반차입금(해당 사업연도에 상환하거나 상환하지 아니한 차입금 중 특정차입금을 제외한 금액을 말하며, 이하 같음)의 지급이자 등의 합계 ⓛ 다음 산식에 따라 계산한 금액 $$\frac{\text{해당 건설 등에 대하여 해당}}{\text{사업연도에 지출한 금액의 적수}} - \frac{\text{해당 사업연도의}}{\text{특정차입금의 적수}}$$ $$\frac{}{\text{해당 사업연도 일수}} \qquad \frac{}{\text{해당 사업연도 일수}}$$ ⓒ 다음 산식에 따라 계산한 비율 $$\text{일반차입금에서 발생한 지급이자 등의 합계액} \div \frac{\text{해당 사업연도의 일반차입금의 적수}}{\text{해당 사업연도 일수}}$$

나. 자본화대상자산

기준서 제1023호 문단 7에 따르면, 적격자산에 해당하는 재고자산 및 투자부동산의 제조, 매입 또는 건설에 사용된 차입원가도 자본화할 수 있으나, 법인세법에서는 상기 자산들과 관련한 차입원가의 자본화는 인정되지 아니한다. 따라서, 만약 기업이 상기 자산들과 관련한 차입원가를 자산의 취득원가로 계상한 경우, 동 금액을 손금산입(△유보)하고 이후 동 자산이 판매되는 시점 등에 익금산입(유보)하는 세무조정이 필요하다.

다. 건설자금이자의 세무조정

① 과대계상한 경우

건설자금이자를 과대계상한 경우 동 과대계상액은 손금산입(△유보)하고, 해당 자산이 준공되어 사업에 공하게 될 때 감가상각계산의 기초가액은 법인이 계상한 유형자산 등의 취득가액에서 동 과대계상한 건설자금이자 상당액을 차감한 금액으로 한다.

② 과소계상한 경우

㉠ 감가상각대상자산이 아닌 경우

토지와 같이 감가상각대상자산이 아닌 경우에는 과소계상액 전액을 손금불산입하고 유보처분한다.

㉡ 감가상각대상자산인 경우

사업연도 종료일 현재 준공되어 감가상각비를 계상할 수 있는 유형자산 등에 해당하는 건설자금이자인 경우에는 즉시상각의 의제로 보아 건설자금이자를 감가상각비 시부인 계산하여야 하지만, 만일 해당 사업연도 종료일 현재 건설 중에 있는 자산인 경우 해당 자산이 감가상각대상자산에 해당하지 아니하므로 동 건설자금이자는 손금불산입하여야 한다. 건설 중인 고정자산에 대한 건설자금이자를 손금불산입한 후 해당 유형자산 등의 건설이 완료되어 사용하는 때에는 이를 상각부인액으로 보아 준공된 이후의 사업연도의 감가상각시인부족액의 범위 안에서 손금추인한다(법기통 23-32…1).

② 채권자불분명사채이자

"채권자가 불분명한 사채(私債)의 이자"라 함은 아래와 같이 그 출처가 불분명한 차입금의 이자를 말하며 차입금 이자에는 알선수수료, 사례금 등 명목여하에 불구하고 사채를 차입하고 지급하는 금품을 포함하는 것으로 한다. 다만, 거래일 현재 주민등록표에 의하여 그 거주사실 등이 확인된 채권자가 차입금을 변제받은 후 소재불명이 된 경우의 차입금에 대한 이자는 예외로 한다(법법 28조 1항 1호 및 법령 51조 1항).

• 채권자의 주소 및 성명을 확인할 수 없는 차입금
• 채권자의 능력 및 자산상태로 보아 금전을 대여한 것으로 인정할 수 없는 차입금
• 채권자와의 금전거래사실 및 거래내용이 불분명한 차입금

채권자가 불분명한 차입금의 이자에 해당될 경우에는 손금불산입하고 대표자에 대한 상여(동 이자에 대한 원천징수세액 상당 금액은 제외)로 처분하고 동 지급이자에 대한 원천징수세액은 기타사외유출로 처분한다(법기통 67-106…3).

③ 지급받은 자 불분명 이자 또는 할인액

소득세법 제16조 제1항 제1호·제2호·제5호 및 제8호에 따른 채권·증권의 이자·할인액 또는 차익 중 그 지급받은 자가 불분명한 채권·증권의 이자·할인액 또는 차익으로서 해당 채권·증권의 발행법인이 이를 직접 지급하는 경우에 그 지급사실이 객관적으

로 인정되지 아니하는 이자·할인액 또는 차익은 손금불산입하여야 한다(법법 28조 1항 2호 및 법령 51조 2항).

④ 비생산성 자금에 대한 지급이자의 손금부인

법인이 차입한 자금에 대하여 부담한 지급이자는 손금으로 인정된다. 그러나 법인이 동 차입자금의 일부를 해당 목적사업에 운용하지 아니하고 비생산성 자금으로 운용하는 경우에는 일정한 지급이자를 손금부인하도록 하고 있다.

따라서 법인이 다음에 해당하는 자산을 가지고 있는 경우에는 지급이자의 손금불산입 적용대상이 된다(법법 28조 1항 4호 및 법령 53조).

부인대상자산	손금불산입액	
• 업무무관자산 • 특수관계인에 대한 업무무관가지급금 등	지급이자 ×	$\dfrac{\text{업무무관자산 적수} + \text{업무무관}}{\text{가지급금 등 적수}}$ 총차입금 적수

3) 유형자산 매입대금의 지급지연에 따른 지급이자

법인이 유형자산을 매입함에 있어서 매입가격을 결정한 후에 그 대금 중 일부 잔금의 지급지연으로 그 금액이 실질적으로 소비대차로 전환된 경우에 지급하는 이자는 "건설이 준공된 날"까지의 기간 중에는 건설자금이자로 보고 건설이 준공된 날 이후의 이자는 이를 각 사업연도의 소득금액계산상 손금에 산입한다(법기통 28-52…2).

4) 매출채권 등의 양도거래에 따른 할인료

법인세법에서는 매출채권 또는 받을어음을 배서양도하는 경우에는 기업회계기준에 의한 손익인식방법에 따라 관련 손익의 귀속사업연도를 정한다고 규정하고 있는 바(법령 71조 4항), 이는 법인이 매출채권 또는 받을어음을 배서양도하고 일반기업회계기준 또는 한국채택국제회계기준에 따라 회계처리한 경우에는 법인세법에서도 이를 모두 인정하겠다는 취지이다.

3. 외환차이

(1) 개 념

회사가 기능통화 외의 통화로 거래하는 경우, 이러한 외화거래는 재무보고를 위해 기능통화로 환산한다. 즉, 외화거래를 재무제표에 반영하기 위해서 먼저 외화 측정치를 기능통화로 환산하여야 한다. 외화거래를 재무제표에 반영하기 위하여 적용하는 환율은 시점마다 계속해서 변동하므로 외화자산·부채의 발생 시 거래환율, 결산일의 환율, 회수 또는 상환시점의 환율이 동일하지 않다면 환율의 변동에 따라 장부가액과 결제금액의 차이가 발생할 수 있다.

(2) 기업회계상 회계처리

1) 기능통화에 의한 외화거래의 보고

① 최초인식

외화 거래의 최초인식은 거래일의 기능통화와 외화 사이의 현물환율을 외화금액에 적용하여 기능통화로 기록된다(기준서 제1021호 문단 21). 거래일은 한국채택국제회계기준에 따라 거래의 인식요건을 최초로 충족하는 날이다. 수익·비용은 거래일에 인식된다. 그러나 수익·비용을 거래일의 실제 환율로 환산하는 것은 현실적으로 어려울 수 있으며, 따라서 경영진은 실제 환율의 근사치(예를 들면 일주일이나 한 달 동안 발생하는 모든 외화거래에 대하여 해당 기간의 평균환율)를 사용하는 것이 일반적이다(기준서 제1021호 문단 22).

평균환율의 결정 및 실무 사용에서 다음의 요인들을 고려한다.
- 발생한 거래의 빈도 및 가치
- 환율이 적용될 기간
- 계절적 거래 변동의 범위
- 가중절차 적용의 타당성
- 회사 회계시스템의 성격
- 허용가능한 중요성의 수준

평균환율은 여러 가지 방법으로 계산될 수 있다. 이러한 방법은 단순한 월별, 분기별 평균에서부터 환율 및 사업규모의 변화를 반영하는 적절한 가중치를 사용하는 정교한 방법에 이르기까지 다양하다. 평균환율의 계산을 위해 사용되는 기간의 선택은 선택된 기간 동안의 일일 환율변동의 규모에 따라 다를 것이다. 예를 들어 한 달 내내 환율이 비교적 안정적이라면 그 기간 동안의 평균환율은 일일환율의 근사치로 사용될 수 있다. 반면, 환율변동 폭이 크다면 일주일과 같은 더 짧은 기간 동안의 평균환율을 계산하는 것이 적절할 것이다. 어떠한 기간이 선택되든, 중요성기준을 고려해야 할 것이다.

② 화폐성 · 비화폐성법에 의한 외화환산

매 보고기간말의 외화환산방법은 다음과 같다(기준서 제1021호 문단 23).

- 화폐성 외화항목은 마감환율로 환산한다.
- 역사적원가로 측정하는 비화폐성 외화항목은 거래일의 환율로 환산한다. 따라서 환산차이는 발생하지 않는다. 다만, 자산손상의 사유가 생길 경우에는 순실현가능가치나 회수가능액은 그 가치가 결정된 날의 환율(예 : 보고기간말의 마감환율)로 환산한다(기준서 제1021호 문단 25).
- 공정가치로 측정하는 비화폐성 외화항목은 공정가치가 결정된 날의 환율로 환산한다.

여기서 마감환율은 보고기간종료일의 현물환율로써 보고기간말 현재 즉시 인도가 이루어지는 거래에서 사용하는 환율을 말한다.

비화폐성항목의 환산은 비화폐성항목이 역사적원가로 측정되는지 또는 공정가치로 측정되는지에 따라 결정된다. 예를 들어, 유형자산은 기준서 제1016호 '유형자산'에 따라 원가모형이나 재평가모형으로 측정할 수 있다.

역사적원가로 측정하는 비화폐성 외화항목은 거래일의 환율로 환산한다(기준서 제1021호 문단 23(2)). 이것은 역사적원가로 기록된 자산으로서 후속보고기간 말 재환산 되지 않는 자산을 의미한다. 그러나 만약 자산이 손상되었다면, 순실현가능가치나 회수가능액은 그 가치가 결정된 날의 환율을 적용하여 환산된다(예를 들어, 재무제표일의 마감환율). 역사적원가와 순실현가능가치나 회수가능액의 비교에서 기능통화를 기준으로 할 때는 손상차손이 인식되나 외화를 기준으로 할 때는 손상차손을 인식하지 않을 수 있으며 반대의 경우도 나타날 수 있다(기준서 제1021호 문단 25).

공정가치로 측정하는 비화폐성 외화항목은 공정가치가 측정된 날의 환율로 환산한다(기준서 제1021호 문단 23(3)). 예를 들어 기능통화가 원화인 기업이 유로화로 표시된 프랑스에 위치한 투자부동산을 소유하고 있다. 해당 투자부동산은 기준서 제1040호 '투자부동산'에 따라 공정가치모형을 회계정책으로 선택하여 최초 인식 후에 공정가치로 측정하고(기준서 제1040호 문단 33) 공정가치 변동으로 발생하는 손익은 발생한 기간의 당기손익으로 반영한다(기준서 제1040호 문단 35). 유로화로 측정된 공정가치는 관련 측정일의 환율로 환산한다. 기능통화인 원화를 기준으로 할 때의 공정가치 변동에는 유로화로 표시된 기초장부가액의 재환산에서 발생하는 외환차이를 포함하게 된다. 이러한 공정가치 차이의 일부로 외환차이는 회계기간의 손익으로 인식한다.

사례 　원화를 기능통화로 사용하는 해외사업장에서 달러표시 재고자산을 구입하였다. 동 재고자산의 구입 및 평가와 관련된 정보는 다음과 같다.
- 재고자산의 취득원가 : $110
- 재고자산의 보고기간 말 순실현가능가치 : $88
- 거래일의 환율 : ₩1,000/$
- 보고기간 말 마감환율 : ₩1,250/$

이 경우, 장부금액은 다음 중 적은 금액이다.
- 원가가 결정된 날의 환율로 환산된 취득원가 : $110×1,000 = ₩110,000
- 가치가 결정된 날의 환율로 환산한 순실현가능가치 : $88×1,250 = ₩110,000

③ 화폐성항목

화폐성항목은 확정되거나 결정될 수 있는 화폐단위의 수량으로 회수하거나 지급하는 자산·부채이다. 이에 반해, 비화폐성항목은 확정되거나 결정될 수 있는 화폐단위의 수량으로 받을 권리나 지급할 의무가 없다. 화폐성항목과 비화폐성항목의 일반적인 예는 다음과 같다.

	화폐성항목	비화폐성항목
예시	• 현금, 예금 • 매출채권/매입채무 • 미수금/미지급금 • 현금으로 지급하는 연금과 그 밖의 종업원급여 • 대여금/차입금 • 현금으로 상환하는 충당부채 • 부채로 인식하는 현금배당 • 보증금 • 채무증권	• 재화와 용역에 대한 선급금 • 영업권 • 무형자산 • 재고자산 • 유형자산 • 비화폐성 자산을 인도하여 상환하는 충당부채 • 지분증권

경우에 따라 특정 항목이 화폐성항목인지 또는 비화폐성항목인지 분명하지 않을 수 있다. 특정 항목이 화폐로 지급하거나 수취하는 금액을 표시하는 경우 해당 항목은 화폐성항목일 것이다. 비화폐성항목의 일반적인 예에는 재화를 인도하여야 할 의무를 나타내는 선급금이 있다. 일반적인 거래조건에서 선급금은 거래상대방의 채무불이행 상태가 아니라면 거래상대방이 재화를 인도하여 이행하여야 하는 의무이다. 그러나 만약 선

급금이 채무불이행이 아닌 특정 환경에서 거래당사자 일방에 의해 환불이 가능하다면 해당 항목은 화폐단위로 회수가능하므로 화폐성항목으로 분류될 수 있다.

화폐성항목으로 분류되는 항목들이 반드시 현금으로 지급되거나 회수되어야 하는 것은 아니다. 수량이 확정되지 않은 자기지분상품이나 금액이 확정되지 않은 자산을 받거나 주기로 한 계약의 공정가치가 화폐단위로 확정되었거나 결정가능하다면 이러한 계약도 화폐성항목에 속한다. 즉 공정가치가 화폐단위로 확정되었거나 결정가능한 계약에서 자기지분상품은 결제수단으로서 화폐처럼 사용될 수 있다. 자기지분상품뿐만 아니라 금융자산 또는 금융부채도 결제수단으로서 화폐처럼 사용될 수 있다. 한편 모든 금융자산이 화폐성항목으로 간주되는 것은 아니다. 예를 들어 지분상품에의 투자는 확정되었거나 결정가능한 화폐단위의 수량으로 회수할 수 있는 권리가 없으므로 화폐성항목이 아니다(기준서 제1021호 문단 16).

④ 환율

동일시점이라 하더라도 현행 환율 구조상으로는 다음과 같이 여러 가지 환율이 있을 수 있다.

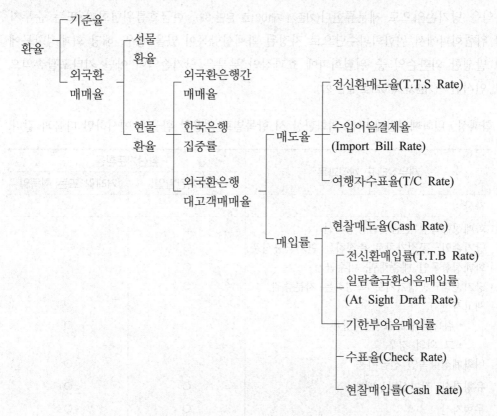

여러 가지 환율을 사용할 수 있는 경우에는 해당 거래나 잔액에 따른 미래현금흐름이 측정일에 발생하였다면 결제하였을 환율을 사용한다. 일시적으로 두 통화의 교환이 불가능한 경우에는 그 이후에 처음으로 교환이 이루어지는 때의 환율을 사용한다(기준서 제1021호 문단 26).

⑤ 외환차이의 인식

화폐성항목에서 발생하는 외환차이는 그 외환차이가 발생하는 회계기간의 당기손익으로 인식한다(기준서 제1021호 문단 28). 비화폐성항목으로부터 발생한 손익을 기타포괄손익으로 인식하는 경우에는 그 손익에 포함된 환율변동효과도 기타포괄손익으로 인식하고, 비화폐성항목으로부터 발생한 손익을 당기손익으로 인식하는 경우에는 그 손익에 포함된 환율변동효과도 당기손익으로 인식한다(기준서 제1021호 문단 30).

보고기업의 해외사업장에 대한 순투자의 일부인 화폐성항목에서 발생하는 외환차이는 보고기업의 별도재무제표나 해외사업장의 개별재무제표에서 당기손익으로 적절하게 인식한다. 그러나 보고기업과 해외사업장을 포함하는 연결재무제표에서는 이러한 외환차이를 처음부터 기타포괄손익으로 인식하고 관련 순투자를 처분하는 시점에 기타포괄손익을 당기손익으로 재분류한다(기준서 제1021호 문단 32). 현금흐름위험회피 또는 순투자의 위험회피에서 위험회피수단으로 지정된 화폐성항목이 있을 경우, 해당 화폐성항목에서 발생한 외환손익 중 위험회피에 효과적인 부분은 당기손익이 아닌 기타포괄손익으로 인식한다(기준서 제1021호 문단 27).

화폐성·비화폐성법에 따른 외화환산 시 항목별로 적용할 환율을 예시하면 다음과 같다.

재무상태표 계정과목	환산기준환율	
	보고기간말일	거래일 또는 취득일
자산		
화폐성항목인 현금및현금성자산	○	
당기손익-공정가치로 측정하는 단기금융상품	○	
화폐성항목인 매출채권, 미수금	○	
당기손익-공정가치로 측정하는 지분증권	○	
재고자산		
• 취득원가로 표시된 경우		○
• 그 외의 경우	○	
비화폐성항목인 선급비용		○
유형자산, 감가상각누계액	○	○
무형자산	○	○

재무상태표 계정과목	환산기준환율	
	보고기간말일	거래일 또는 취득일
화폐성항목인 대여금	○	
부채		
화폐성항목인 매입채무, 미지급금	○	
화폐성항목인 당좌차월, 장·단기차입금	○	
화폐성항목인 선수금, 예수금	○	
화폐성항목인 미지급비용	○	
비화폐성항목인 선수수익		○
화폐성항목인 사채, 확정급여채무	○	

사례 1 　(주)삼일은 20×9년 2월 1일 미국의 A회사에 US$100,000의 상품을 선적하였다. (주)삼일은 20×9년 2월 10일 동 금액을 은행에서 네고(nego)하여 현금을 수취하였다. (주)삼일의 기능통화는 원화(₩)이다.

환 율 : 20×9년 2월 1일　₩750/$

　　　20×9년 2월 10일 ₩760/$

• 20×9년 2월 1일

　(차) 매 출 채 권　　　75,000,000　　(대) 매　　　　출　　　75,000,000

• 20×9년 2월 10일

　(차) 현금 및 현금성자산　　76,000,000　　(대) 매 출 채 권　　75,000,000

　　　　　　　　　　　　　　　　　　외환차이(외환차익)　　1,000,000[*]

* (760 – 750)×US$100,000 = ₩1,000,000

사례 2 　(주)삼일은 20×9년 5월 1일 외국은행으로부터 $1,000,000(만기 3개월)을 차입하였다. 당사는 20×9년 7월 31일 동 금액을 상환하였다. (주)삼일의 기능통화는 원화(₩)이다.

환 율 : 20×9년 5월 1일　₩765/$

　　　20×9년 7월 31일 ₩750/$

• 20×9년 5월 1일

　(차) 현금 및 현금성자산　765,000,000　　(대) 단 기 차 입 금　765,000,000

• 20×9년 7월 31일

　(차) 단 기 차 입 금　765,000,000　　(대) 현금및현금성자산　750,000,000

　　　　　　　　　　　　　　　　　　외환차이(외환차익)　　15,000,000*

* (765 – 750)×US$1,000,000 = 15,000,000

사례 **3**   (주)삼일의 20×7년 12월 31일 현재 단기대여금, 단기차입금 계정 중 외화로 표시된 자산 및 부채의 잔액은 다음과 같다. (주)삼일의 기능통화는 원화(₩)이다.

단기대여금($1,000 × ₩1,000)   ₩1,000,000

단기차입금($6,000 × ₩1,000)   ₩6,000,000

한편 20×7년 12월 31일 현재 환율은 ₩1,100/$1이다.

- 단기대여금 계정의 외화환산

(차) 단 기 대 여 금   100,000   (대) 외환차이(외화환산이익)   100,000[*]

    [*] (₩1,100 − ₩1,000)×$1,000 = ₩100,000

- 단기차입금 계정의 외화환산

(차) 외환차이(외화환산손실)   600,000[*]   (대) 단 기 차 입 금   600,000

    [*] (₩1,100 − ₩1,000)×$6,000 = ₩600,000

2) 결산 시 유의할 사항

외화표시 채권·채무의 최초인식, 후속 보고기간말 및 결제시점의 외화환산에 적용하는 환율의 적정성을 검토한다.

3) 기준서상의 규정

한국채택국제회계기준에서는 외화자산 및 외화부채의 환산에 대하여 다음과 같이 규정하고 있다.

★
한국채택국제회계기준 제1021호【환율변동효과】

최초 인식

21. 기능통화로 외화거래를 최초로 인식하는 경우에 거래일의 외화와 기능통화 사이의 현물환율을 외화금액에 적용하여 기록한다.

후속 보고기간말의 보고

23. 매 보고기간말의 외화환산방법은 다음과 같다.

    (1) 화폐성 외화항목은 마감환율로 환산한다.

    (2) 역사적원가로 측정하는 비화폐성 외화항목은 거래일의 환율로 환산한다.

    (3) 공정가치로 측정하는 비화폐성 외화항목은 공정가치가 측정된 날의 환율로 환산한다.

외환차이의 인식

28. 화폐성항목의 결제시점에 생기는 외환차이 또는 화폐성항목의 환산에 사용한 환율이 회계기간 중 최초로 인식한 시점이나 전기의 재무제표 환산시점의 환율과 다르기 때문에 생기는 외환차이는 그 외환차이가 생기는 회계기간의 손익으로 인식한다. 다만 문단 32에서 설명하는 별도의 자본항목으로 분류하는 외환차이에는 이를 적용하지 아니한다.

30. 비화폐성항목에서 생긴 손익을 기타포괄손익으로 인식하는 경우에 그 손익에 포함된 환율변동효과도 기타포괄손익으로 인식한다. 그러나 비화폐성항목에서 생긴 손익을 당기손익으로 인식하는 경우에는 그 손익에 포함된 환율변동효과도 당기손익으로 인식한다.

32. 보고기업의 해외사업장에 대한 순투자의 일부인 화폐성항목에서 생기는 외환차이는 보고기업의 별도재무제표나 해외사업장의 개별재무제표에서 당기손익으로 적절하게 인식한다. 그러나 보고기업과 해외사업장을 포함하는 재무제표(예 : 해외사업장이 종속기업인 경우의 연결재무제표)에서는 이러한 외환차이를 처음부터 기타포괄손익으로 인식하고 문단 48에 따라 관련 순투자의 처분시점에 자본에서 당기손익으로 재분류한다.

(3) 세무회계상 유의할 사항

한국채택국제회계기준에서는 외환차손익과 외화환산손익에 대하여 별도 구분 없이 재무제표상 외환차이로 순액으로 표시하지만 법인세법상 외환차손익과 외화환산손익은 여전히 그 개념을 달리 하므로 이를 구분하여 검토할 필요가 있다.

외환차손익의 경우에는 이미 현실적으로 실현된 손익이라는 점에서 해당 외화자산·부채의 장·단기 여부에도 불구하고 전액 해당 사업연도의 익금 또는 손금으로 한다. 다만, 해당 외화자산·부채와 관련하여 세법에 의하여 부인된 한국채택국제회계기준에 따라 계상된 외환차이, 즉 외화환산이익(손실)에 대한 세무조정사항이 있는 경우에는 이를 반영하여 익금 또는 손금에 산입할 외환차손익을 계산하여야 한다는 점을 유의하여야 한다.

한국채택국제회계기준과 법인세법상 외화자산·부채의 평가(환산)에 대해 요약하여 비교하면 다음과 같다(법령 76조).

구 분	한국채택국제회계기준	법 인 세 법
평가 대상	• 화폐성 외화자산·부채 • 일부 비화폐성 외화자산·부채 (자산손상의 사유가 생길 경우 또는 공정가치로 측정하는 경우)	• 기업회계기준에 따른 화폐성 외화자산·부채
적용 환율	• 보고기간말(자산이 손상되었다면 회수가능가치가 결정되었던 때, 공정가치로 측정하는 비화폐 항목은 공정가치가 결정된 날) 현재의 현물환율 등	• 금융회사 등(법령 61조 2항 1호~7호)이 보 유하는 화폐성 외화자산·부채 : 사업연도 종 료일 현재의 매매기준율 등 • 일반법인이 보유하는 화폐성 외화자산·부채 : 다음 중 관할 세무서장에게 신고한 환율 −취득일 또는 발생일 현재의 매매기준율 등 −사업연도 종료일 현재의 매매기준율 등

구 분	한국채택국제회계기준	법 인 세 법
평가 손익	• 해당 사업연도의 당기손익으로 인식(다만, 비화폐성 항목으로부터 발생하는 손익을 기타포괄손익으로 인식하는 경우에는 그 손익에 포함된 환율변동효과도 기타포괄손익으로 인식)	• 해당 사업연도의 익금 또는 손금에 산입

한편, 법인세법에서는 '기업회계기준에 따라 원화 외의 통화를 기능통화로 채택하여 재무제표를 작성하는 내국법인'과 '내국법인의 해외사업장'에 대하여는 과세표준 계산특례 규정을 두고 있는 바, 이와 관련한 자세한 내용은 '기타포괄손익누계액 중 4. 기능통화환산손익'편을 참조하기 바란다.

Chapter 05 지분법손익

기준서 제1028호에 따라 유의적인 영향력이 있는 관계기업투자 또는 기준서 제1111호에 따라 공동기업에 대하여 지분법을 적용하여 평가하는 경우, 지분변동액은 관계기업(또는 공동기업)의 순자산금액 변동의 원천에 따라 각각 다르게 회계처리하여야 한다. 그 중 관계기업의 순자산금액 변동이 당기순이익 또는 당기순손실로 인하여 발생한 경우의 지분변동액은 지분법손익으로 하여 당기손익으로 처리하여야 한다(기준서 제1028호 문단 10). 지분법손익은 기준서 제1001호 문단 한138.2에 따라 수익에서 매출원가 및 판매비와관리비(물류원가 등을 포함)를 차감한 영업이익에 해당하지 않아 영업외손익으로 분류되는 것이 일반적일 것이다. 그러나 지분법적용투자주식에의 투자를 주된 영업으로 하는 기업은 지분법 손익을 영업이익에 포함한다(회계기준적용의견서 12-1).

지분법에 의한 투자주식의 평가와 관련한 자세한 설명은 투자자산 중 '관계기업과 공동기업에 대한 투자'편을 참조하기 바란다.

기타수익/기타비용

1. 배당금수익

(1) 개 요

배당은 지분상품의 보유자가 특정 종류의 자본의 보유비율에 비례하여 받는 이익의 분배금으로 정의된다(기준서 제1109호 부록 A). 주식이나 출자금 등의 지분상품에 대하여 이익 또는 잉여금의 분배로 받는 배당금을 배당금수익이라고 한다.

한편, 주식배당은 주식배당금수익을 인식하지 않는다.

(2) 기업회계상 회계처리

1) 배당금수익의 계상

배당은 다음을 모두 충족한 경우에만 당기손익으로 인식한다(기준서 제1109호 문단 5.7.1A).

• 배당을 받을 권리가 확정되었다.
• 배당과 관련된 경제적 효익의 유입가능성이 높다.
• 배당액을 신뢰성 있게 측정할 수 있다.

배당금수익의 인식시점은 원칙적으로 배당을 받을 권리가 확정되는 시점으로 주식발행회사의 주주총회에서 배당결의가 있었던 시점이지만 실무상으로는 당해 배당금을 수령한 시점에서 수익으로 계상하는 경우도 있는데, 이 경우 기간손익에 차이가 없는지 유의한다.

> 사례   (주)삼일은 을회사 발행 보통주 20,000주 중 2,000주(지분율 10%)를 보유하고 있다. (주)삼일이 보유하고 있는 을회사 주식은 지분법적용대상 투자주식이 아니며, 을회사는 당기 주주총회에서 순이익 중 ₩5,000,000을 현금배당 할 것을 결의하였다.
>
> (차) 미 수 금   500,000   (대) 배 당 금 수 익   500,000

2) 배당금수익과 기간손익계산

배당금수익은 주식발행회사의 주주총회에서 배당결의를 함으로써 확정되는 것이므로 이자수익과 같이 기간계산을 필요로 하지 않는다. 그러나 일반적으로 주주인 회사에서는 배당금영수증의 수령 또는 배당금을 지급하는 회사로부터의 납입 등에 의하여 수익을 계상하는 것이 일반적이므로, 만일 당기 중에 지급회사의 배당결의가 있었으나 결산일까지 배당금을 받지 못한 경우에는 이것을 배당금수익과 미수수익계정에 각각 계상한다는 점에 유의한다.

> **사례** (주)삼일은 을회사의 발행주식 총수의 10% 주식을 보유하고 있는 바, 20×7년 1월 15일에 을회사는 주주총회에서 ₩10,000,000의 배당을 결의하고, 20×7년 3월 20일(배당금 수령) 이를 지급하였다.

〈분 개〉
- 20×7년 1월 15일 (배당결의)

  (차) 미　　수　　금　　1,000,000　　(대) 배 당 금 수 익　　1,000,000
- 20×7년 3월 20일 (배당금 수령)

  (차) 현금 및 현금성자산　　1,000,000　　(대) 미　　수　　금　　1,000,000

(3) 세무회계상 유의할 사항

1) 배당금수익

세법은 배당금수익을 익금으로 보되, 상법 제461조의 2에 따라 자본준비금(법인세법 제16조 제1항 제2호 각 목에 해당하지 아니하는 자본준비금은 제외)을 감액하여 받는 배당에 대하여는 익금불산입하도록 하고 있다(법법 18조 8호).

또한, 세법은 현금배당 이외에도 주식배당, 잉여금의 자본전입 등과 같이 경제적 이익이 주주에게 귀속되는 경우에 이를 배당금으로 보아 법인세를 부과하는 제도를 두고 있는데 이를 배당금의 의제라고 한다(법법 16조).

① 유상감자 또는 사원탈퇴의 경우

주식의 소각이나 자본의 감소로 인하여 주주등인 내국법인이 취득하는 금전과 그 밖의 재산가액의 합계액 또는 사원의 퇴사·탈퇴나 출자의 감소로 인하여 사원이나 출자자인 내국법인이 취득하는 금전과 그 밖의 재산가액의 합계액이 해당 주식 또는 출자지분을 취득하기 위하여 사용한 금액을 초과하는 경우 그 초과액을 배당으로 보아 익금에 산입한다.

> 배당금의 의제액 = 주주등인 내국법인이 취득하는 금전과 그 밖의 재산가액 - 취득가액

② 무상주 교부의 경우

무상주란 주주에게 주금의 납입없이 주주의 소유주식 비율에 따라 무상으로 발행하여 교부하는 주식을 말하며, 이러한 무상주의 교부는 주식배당이나 잉여금의 자본전입에 따라 이루어진다.

현행 한국채택국제회계기준에서는 주식배당은 물론 잉여금의 자본전입에 의한 무상주의 교부를 수익으로 보지 아니한다. 그러나 세법에서는 자본준비금과 재평가적립금 중 일부를 자본에 전입하는 경우를 제외한 그 밖의 잉여금을 자본에 전입하는 경우에 교부받은 무상주는 배당으로 보아 과세소득계산상 익금에 산입하도록 규정하고 있으며, 잉여금전입에 의한 의제배당 과세여부를 요약하면 다음과 같다.

| 자본잉여금과 이익잉여금의 자본전입 |

구 분			법인세법	기업회계기준
자본잉여금	주식발행액면초과액*1)		익금불산입	수익에서 제외
	주식의 포괄적 교환차익		익금불산입	〃
	주식의 포괄적 이전차익		익금불산입	〃
	합병차익*2)		익금불산입	〃
	분할차익*2)		익금불산입	〃
	감자차익	자기주식소각익 자본전입(단, 소각 당시 시가가 취득가액을 초과하지 않는 경우로서 2년 경과후 자본전입하는 것은 제외)*3)	익금산입	〃
		기타감자차익	익금불산입	〃
	재평가 적립금	재평가세율 1% 적용 토지	익금산입	〃
		기타 재평가적립금	익금불산입	〃
	기타의 자본잉여금		익금산입	〃
이익잉여금	이익준비금 등 법정적립금		익금산입	〃
	임의적립금 및 미처분이익잉여금		익금산입	〃

*1) 채무의 출자전환으로 주식 등을 발행하는 경우에는 당해 주식 등의 시가를 초과하여 발행된 금액을 제외한다.
*2) 2010. 6. 30. 이전에 합병·분할한 경우, 합병·분할차익 중 자산평가증가분, 의제배당 과세대상 자본잉여금 승계분, 이익잉여금 승계분의 자본 전입시에는 의제배당으로 본다. 2010. 7. 1. 이후 최초로 합병·분할한 경우로서 적격합병·적격분할에 따라 승계한 잉여금을 2012. 2. 2. 이후 최초로 자본전입한 경우, 합병·분할차익 중 장부

가액 초과 승계분(2019. 2. 11. 이전에 자본으로 전입하고 2019. 2. 12. 현재 남은 잉여금은 자산조정계정 상당
액), 의제배당 과세대상 자본잉여금 승계분, 이익잉여금 승계분의 자본전입시에는 의제배당으로 본다.
*3) 2002. 1. 1. 이후 최초로 자기주식을 소각하는 분부터 적용하고, 이전에 소각한 것은 종전 규정에 따라 2년 이내
에 자본전입하는 자기주식소각익을 의제배당으로 본다.

한편, 법인이 자기주식 또는 자기출자지분을 보유한 상태에서 과세 제외되는 자본잉여
금을 자본전입함에 따라 그 법인 외의 주주등인 내국법인의 지분 비율이 증가한 경우 증
가한 지분 비율에 상당하는 주식등의 가액을 배당으로 보아 익금산입한다(법법 16조 1항 3호).

③ 해산의 경우

해산한 법인의 주주등(법인으로 보는 단체의 구성원 포함)인 내국법인이 법인의 해산
으로 인한 잔여재산의 분배로서 취득하는 금전과 그 밖의 재산의 가액이 그 주식등을
취득하기 위하여 사용한 금액을 초과할 경우 그 초과액을 배당으로 보아 익금에 산입한
다(법법 16조 1항 4호).

> 배당금의 의제액＝잔여재산의 분배액－해당 주식의 취득가액

④ 합병의 경우

합병에 따라 소멸하는 법인(이하 "피합병법인"이라 함)의 주주등인 내국법인이 취득
하는 합병대가가 그 피합병법인의 주식등을 취득하기 위하여 사용한 금액을 초과하는
금액을 배당으로 보아 익금에 산입한다(법법 16조 1항 5호).

여기서 합병대가란 합병에 따라 설립되거나 합병 후 존속하는 법인(이하 "합병법인"
이라 함)으로부터 합병으로 인하여 취득하는 합병법인(합병등기일 현재 합병법인의 발
행주식총수 또는 출자총액을 소유하고 있는 내국법인을 포함함)의 주식등의 가액과 금
전 또는 그 밖의 재산가액의 합계액을 말한다(법법 16조 2항 1호).

> 배당금의 의제액 ＝ 합병교부주식등의 가액과 금전 또는 그 밖의 재산가액의 합계액
> －해당 주식의 취득가액

⑤ 분할의 경우

분할(분할합병을 포함함)에 따라 분할되는 법인(이하 "분할법인"이라 함) 또는 소멸
한 분할합병의 상대방 법인의 주주인 내국법인이 취득하는 분할대가가 그 분할법인 또
는 소멸한 분할합병의 상대방법인의 주식(분할법인이 존속하는 경우에는 소각 등에 의
하여 감소된 주식만 해당함)을 취득하기 위하여 사용한 금액을 초과하는 금액을 배당으

로 익금에 산입한다(법법 16조 1항 6호).

여기서 분할대가란 분할에 따라 설립되는 법인(이하 "분할신설법인"이라 함) 또는 분할합병의 상대방 법인으로부터 분할로 인하여 취득하는 분할신설법인 또는 분할합병의 상대방 법인(분할등기일 현재 분할합병의 상대방 법인의 발행주식총수 또는 출자총액을 소유하고 있는 내국법인을 포함함)의 주식의 가액과 금전 또는 그 밖의 재산가액의 합계액을 말한다(법법 16조 2항 2호).

> 배당금의 의제액 = 분할로 취득하는 주식의 가액과 금전 또는 그 밖의 재산가액의 합계액
> − 해당 주식의 취득가액

⑥ 간접외국납부세액이 있는 경우

법인세법 제57조 제4항에서는 외국자회사의 소득에 대하여 부과된 외국법인세액 중 수입배당금액에 대응하는 것으로서 법인세법 시행령 제94조 제8항에 따라 계산한 금액을 세액공제하도록 규정하고 있다. 따라서 모회사는 다음 산식에 의해 세액공제의 대상이 되는 간접외국납부세액 상당액을 외국자회사의 배당확정일이 속하는 사업연도에 익금에 산입해야 한다(법법 15조 2항 2호).

> 배당금의 의제액 =
>
> $$\text{외국자회사의 해당 사업연도 법인세액}^{*)} \times \frac{\text{수입배당금액}}{\text{외국자회사의 해당 사업연도 소득금액} - \text{외국자회사의 해당 사업연도 법인세액}}$$
>
> * 외국자회사의 해당 사업연도 법인세액은 다음의 세액으로서 외국자회사가 외국납부세액으로 공제받았거나 공제받을 금액 또는 해당 수입배당금액이나 제3국(본점이나 주사무소 또는 사업의 실질적 관리장소 등을 둔 각 외의 국가를 말함) 지점 등 귀속소득에 대하여 외국자회사의 소재지국에서 국외소득 비과세·면제를 적용받았거나 적용받을 경우 해당 세액 중 50%에 상당하는 금액을 포함하여 계산하고, 수입배당금액(외국자회사가 외국손회사로부터 지급받은 수입배당금액을 포함함)은 이익이나 잉여금의 발생순서에 따라 먼저 발생된 금액부터 배당되거나 분배된 것으로 봄.
> - 외국자회사가 외국손회사로부터 지급받는 수입배당금액에 대하여 외국손회사의 소재지국 법률에 따라 외국손회사의 소재지국에 납부한 세액
> - 외국자회사가 제3국의 지점 등에 귀속되는 소득에 대하여 그 제3국에 납부한 세액

한편, 배당금 의제에 따른 익금산입액을 계산함에 있어서 취득한 재산 중 금전 외의 재산은 다음과 같이 평가한다(법령 14조).

구 분		재산의 평가
주식·출자지분	무상주의 경우	액면가액·출자금액. 단, 투자회사 등이 취득하는 경우에는 영으로 함. ※ 무액면주식 : 자본금전입액 ÷ 자본금 전입시 신규 발행한 주식 수
	주식배당의 경우	발행금액. 단, 투자회사 등이 받는 경우에는 영으로 함.
	합병·분할시 취득한 주식 등으로서 일정한 요건[*1]을 갖추거나 완전모자법인 간 또는 완전자법인 간의 합병(법법 44조 3항)에 해당하는 경우[*2]	종전의 장부가액(합병·분할대가 중 일부를 금전이나 그 밖의 재산으로 받은 경우로서 합병·분할로 취득한 주식 등을 시가로 평가한 가액이 종전의 장부가액보다 작은 경우에는 시가). 단, 투자회사 등이 취득하는 경우에는 영으로 함.
	외국법인 간 합병시 취득한 주식으로서 일정한 요건[*3]을 갖춘 경우	종전의 장부가액(합병대가 중 일부를 금전이나 그 밖의 재산으로 받는 경우로서 합병으로 취득한 주식 등을 시가로 평가한 가액이 종전의 장부가액보다 작은 경우에는 시가)
상기 외의 경우		시가. 단, 특수관계인으로부터 분여받은 이익이 있는 경우에는 그 금액을 차감한 금액으로 함.
주식·출자지분 외의 자산		시가

*1) 법법 44조 2항 1호 및 2호(주식 등의 보유와 관련된 부분은 제외) 또는 법법 46조 2항 1호 및 2호(주식 등의 보유와 관련된 부분은 제외)의 요건을 모두 갖춘 경우

*2) 2010. 6. 30. 이전에 합병·분할한 경우, 합병·분할시 받은 주식 등은 구법법 44조 1항 1호·2호와 구법법 46조 1항 1호·2호의 요건을 갖춘 경우로서 주식 등의 시가가 액면가액·출자금액보다 큰 경우에는 액면가액·출자금액으로 하며, 기타의 경우에는 시가로 함. 단, 투자회사 등이 취득하는 주식 등의 경우에는 영으로 함.

*3) 다음의 요건을 모두 갖춘 경우(완전모자관계에 있는 외국법인 간 합병의 경우 2016. 2. 12. 이후 합병하는 분부터 적용하고, 완전자법인 관계에 있는 외국법인 간 합병의 경우에는 2017. 2. 3. 이후 합병하는 분부터 적용)

　㉠ 외국법인이 다른 외국법인을 100% 소유하고 있는 경우로서 그 다른 외국법인에 합병되거나 내국법인이 서로 다른 외국법인을 100% 소유하고 있는 경우로서 그 서로 다른 외국법인 간에 합병할 것(내국법인과 그 내국법인이 100% 소유한 외국법인의 다른 외국법인에 대한 지분율 합계가 100%인 경우로서 그 서로 다른 외국법인 간 2018. 2. 13. 이후 합병하는 것을 포함함)

　㉡ 합병법인과 피합병법인이 우리나라와 조세조약이 체결된 동일국가의 법인일 것

　㉢ ㉡에 따른 해당 국가에서 피합병법인의 주주인 내국법인에 합병에 따른 법인세를 과세하지 아니하거나 과세이연할 것

　㉣ 상기 ㉠~㉢의 사항을 확인할 수 있는 서류를 납세지 관할 세무서장에게 제출할 것

2) 지주회사의 수입배당금액에 대한 이중과세조정

법인세법에서는 독점규제 및 공정거래에 관한 법률상의 지주회사 등이 일정 요건을 갖춘 자회사로부터 받은 수입배당금액의 일정률에 상당하는 금액을 익금불산입하여 지주회사의 원활한 설립과 운영을 세제상으로 뒷받침하고 지주회사의 경우 자회사로부터

배당이 주된 수입금액임을 감안하여 배당소득에 대한 이중과세를 조정하고 있다.

① 지주회사 요건

지주회사는 사업연도 종료일 현재 독점규제 및 공정거래에 관한 법률에 의한 지주회사, 금융지주회사법에 따른 금융지주회사, 기술의 이전 및 사업화 촉진에 관한 법률에 따른 공공연구기관첨단기술지주회사, 산업교육진흥 및 산학연협력촉진에 관한 법률에 따른 산학연협력기술지주회사로 신고된 내국법인을 말한다. 다만, 해당 사업연도 종료일 현재 해당 법률에 따른 지주회사의 설립·전환의 신고기한이 도래하지 아니한 자가 해당 각 사업연도의 소득에 대한 과세표준 신고기한까지 해당 법률에 따라 지주회사로 신고한 경우에는 이를 지주회사로 본다(법령 17조의 3 1항).

② 자회사 요건

다음 '가'와 '나'의 요건을 모두 갖춘 내국법인을 의미한다(법령 17조의 3 2항).

가. 지주회사가 직접 그 내국법인의 발행주식총수 또는 출자총액의 40%(주권상장법인 또는 벤처기업의 경우에는 20%) 이상을 그 내국법인의 배당기준일 현재 3개월 이상 계속하여 보유하고 있는 법인일 것

나. 다음의 구분에 따른 내국법인일 것

（ⅰ) 지주회사가 금융지주회사인 경우 : 금융업을 영위하는 법인(금융업의 영위와 밀접한 관련이 있는 법인 포함)

（ⅱ) 지주회사가 금융지주회사 외의 지주회사인 경우 : 금융 및 보험업을 영위하지 아니하는 법인. 다만, 해당 내국법인이 금융지주회사 외의 지주회사인 경우에는 금융 및 보험업을 영위하지 아니하는 법인으로 봄.

③ 익금불산입금액 계산

익금불산입금액은 자회사의 구분 및 지주회사의 자회사에 대한 출자비율에 따라 수입배당금액에 다음의 익금불산입률을 곱한 금액의 합계액으로 한다(법법 18조의 3 1항 1호).

자회사의 구분	자회사에 대한 출자비율	익금불산입률
주권상장법인	40% 이상	100%
	30% 이상 40% 미만	90%
	30% 미만	80%
주권상장법인 외의 법인	80% 이상	100%
	50% 이상 80% 미만	90%
	50% 미만	80%

상기 「자회사에 대한 출자비율」 및 「수입배당금액」은 자회사의 배당기준일 현재 3월 이상 계속하여 보유하고 있는 주식등을 기준으로 계산하며, 동일 종목의 주식등의 일부를 양도한 경우에는 먼저 취득한 주식등을 먼저 양도한 것으로 본다. 다만, 지주회사의 완전자회사가 되기 전에 부여한 신주인수권과 전환권이 지주회사의 완전자회사가 된 후 행사되어 자회사의 발행주식총수가 증가하는 경우 동 발행주식(배당기준일 전 3월 이내에 발행된 것에 한함)에 대하여는 배당기준일 현재 보유하고 있는 주식등을 기준으로 계산한다(법령 17조의 3 3항, 8항).

④ 익금불산입 배제금액 계산

지주회사가 각 사업연도에 지급한 차입금의 이자가 있는 경우 다음 계산식에 따라 계산한 금액의 합계액은 익금불산입을 배제한다(법령 17조의 3 5항).

$$
\text{차입금 이자}^{*1)} \times \frac{\text{해당 자회사의 주식등}^{*2)}\text{의 장부가액}^{*3)} \text{ 적수}}{\substack{\text{지주회사의 사업연도 종료일 현재}\\ \text{재무상태표상 자산총액}^{*4)}\text{의 적수}}} \times \text{익금불산입률}
$$

*1) 금융지주회사법에 따른 금융지주회사가 차입할 때의 이자율보다 높은 이자율로 자회사에 대여한 금액에 상당하는 차입금의 이자와 법인세법 시행령 제55조에 따라 이미 손금불산입된 지급이자 상당액, 장기할부조건으로 취득시 현재가치할인차금상각액 및 연지급수입시 지급이자로 계상한 금액은 제외함(법령 17조의 3 4항, 72조 6항).
*2) 국가 및 지방자치단체로부터 현물출자받은 주식 등은 제외함.
*3) 지주회사(이하 "분할지주회사"라 함)가 적격물적분할(법법 제47조 제1항에 따라 양도차익을 손금에 산입한 경우를 말하며, 이하 같음)하여 다른 지주회사(이하 "신설지주회사"라 함)를 설립하는 경우에는 자회사의 주식 등의 장부가액을 계산할 때 신설지주회사가 적격물적분할에 따라 승계한 자회사의 주식 등의 장부가액은 분할등기일 전일의 분할지주회사의 해당 주식 등의 장부가액으로 함(법령 17조의 3 6항).
*4) 금융지주회사법에 따른 금융지주회사가 차입할 때의 이자율보다 높은 이자율로 자회사에게 대여한 금액이 있는 경우에는 자산총액에서 그 대여금을 뺀 금액으로 함.

⑤ 익금불산입 적용배제

다음의 어느 하나에 해당하는 수입배당금액에 대하여는 지주회사의 수입배당금액 익금불산입 특례규정을 적용하지 아니한다(법법 18조의 3 2항).

(i) 배당기준일 전 3개월 이내에 취득한 주식 등을 보유함으로써 발생하는 수입배당금액
(ii) 법인세법 제51조의 2(유동화전문회사 등에 대한 소득공제) 또는 조세특례제한법 제104조의 31(프로젝트금융투자회사에 대한 소득공제)에 따라 지급한 배당에 대하여 소득공제를 적용받는 법인으로부터 받은 수입배당금액
(iii) 법인세법과 조세특례제한법에 따라 법인세를 비과세·면제·감면받는 다음의 법인으로부터 받은 수입배당금액
  ㉠ 조세특례제한법 제63조의 2(수도권 밖으로 본사를 이전하는 법인에 대한 세

액감면 등)·제121조의 8(제주첨단과학기술단지 입주기업에 대한 법인세 등의 감면) 및 제121조의 9(제주투자진흥지구 또는 제주자유무역지역 입주기업에 대한 법인세 등의 감면)의 규정을 적용받는 법인(감면율이 100분의 100인 사업연도에 한함)

    ⓛ 조세특례제한법 제100조의 15 제1항의 동업기업과세특례를 적용받는 법인

(iv) 법인세법 제75조의 14(법인과세 신탁재산에 대한 소득공제)에 따라 지급한 배당에 대하여 소득공제를 적용받는 법인과세 신탁재산으로부터 받은 수입배당금액

3) 일반법인의 수입배당금액에 대한 이중과세조정

법인세법에서는 기업과세제도의 선진화 및 지주회사와 일반법인 간의 과세형평을 도모하기 위하여 내국법인(비영리내국법인은 제외)이 다른 내국법인에 출자한 경우 출자받은 내국법인의 배당기준일 현재 3월 이상 계속하여 보유하고 있는 주식 등에 대해서 수입배당금액(지주회사의 수입배당금액의 익금불산입 규정을 적용받는 수입배당금액은 제외)에 대한 일정비율만큼을 익금불산입하여 이중과세문제를 일부 해소하고 있다.

① 익금불산입금액 계산

익금불산입금액은 피출자법인의 구분 및 피출자법인에 대한 출자비율에 따라 수입배당금액에 다음의 익금불산입률을 곱한 금액의 합계액으로 한다(법법 18조의 2 1항 1호).

피출자법인의 구분	피출자법인에 대한 출자비율	익금불산입률
주권상장법인	100%	100%
	30% 이상 100% 미만	50%
	30% 미만	30%
주권상장법인 외의 법인	100%	100%
	50% 이상 100% 미만	50%
	50% 미만	30%

상기 「피출자법인에 대한 출자비율」 및 「수입배당금액」은 피출자법인의 배당기준일 현재 3개월 이상 계속해서 보유하고 있는 주식 등을 기준으로 계산하며, 같은 종목의 주식등의 일부를 양도한 경우에는 먼저 취득한 주식등을 먼저 양도한 것으로 본다(법령 17조의 2 1항).

② 익금불산입 배제금액 계산

출자한 일반법인에게 각 사업연도에 지급한 차입금의 이자가 있는 경우 다음 계산식

에 따라 계산한 금액을 익금불산입 금액에서 차감한다(법령 17조의 2 3항).

$$\text{차입금 이자}^{*1)} \times \frac{\text{해당 피출자법인의 주식등}^{*2)}\text{의 장부가액 적수}}{\substack{\text{내국법인의 사업연도 종료일 현재} \\ \text{재무상태표상 자산총액의 적수}}} \times \text{익금불산입률}$$

*1) 업무무관자산 지급이자 등 법인세법 시행령 제55조의 규정에 따라 이미 손금불산입된 지급이자 상당액, 장기할부조건으로 취득시 현재가치할인차금상각액 및 연지급수입시 지급이자로 계상한 금액은 제외함(법령 17조의 2 2항, 72조 6항).
*2) 국가 및 지방자치단체로부터 현물출자받은 주식 등은 제외함.

③ 익금불산입 적용배제

다음의 어느 하나에 해당하는 수입배당금액에 대하여는 일반법인의 수입배당금액 익금불산입 규정을 적용하지 아니한다(법법 18조의 2 2항).

(ⅰ) 배당기준일 전 3개월 이내에 취득한 주식등을 보유함으로써 발생하는 수입배당금액

(ⅱ) 지주회사 수입배당금액의 익금불산입 특례규정을 적용받는 수입배당금액

(ⅲ) 법인세법 제51조의 2(유동화전문회사 등에 대한 소득공제) 또는 조세특례제한법 제104조의 31(프로젝트금융투자회사에 대한 소득공제)에 따라 지급한 배당에 대하여 소득공제를 적용받는 법인으로부터 받은 수입배당금액

(ⅳ) 법인세법과 조세특례제한법에 따라 법인세를 비과세 · 면제 · 감면받는 다음의 법인으로부터 받은 수입배당금액

　　㉠ 조세특례제한법 제63조의 2(수도권 밖으로 본사를 이전하는 법인에 대한 세액감면 등) · 제121조의 8(제주첨단과학기술단지 입주기업에 대한 법인세 등의 감면) 및 제121조의 9(제주투자진흥지구 또는 제주자유무역지역 입주기업에 대한 법인세 등의 감면)의 규정을 적용받는 법인(감면율이 100분의 100인 사업연도에 한함)

　　㉡ 조세특례제한법 제100조의 15 제1항의 동업기업과세특례를 적용받는 법인

(ⅴ) 법인세법 제75조의 14(법인과세 신탁재산에 대한 소득공제)에 따라 지급한 배당에 대하여 소득공제를 적용받는 법인과세 신탁재산으로부터 받은 수입배당금액

4) 배당금수익의 수익실현시기

① 현금배당

배당소득의 귀속사업연도는 소득세법 시행령 제46조의 규정에 의한 수입시기, 즉 배당을 하는 법인의 잉여금 처분결의일 등이 속하는 사업연도로 한다. 다만, 금융회사 등이 금융채무 등 불이행자의 신용회복 지원과 채권의 공동추심을 위하여 공동으로 출자

하여 설립한 유동화전문회사로부터 수입하는 배당금은 실제로 지급받은 날이 속하는 사업연도로 한다(법령 70조 2항).

한편, 자본시장과 금융투자업에 관한 법률에 따른 투자회사, 투자목적회사, 투자유한 회사 및 투자합자회사(사모투자전문회사는 제외)가 결산을 확정할 때 같은 법 제4조에 따른 증권 등의 투자와 관련된 수익 중 이미 경과한 기간에 대응하는 이자 등과 배당소 득을 해당 사업연도의 수익으로 계상한 경우에는 상기의 규정에 불구하고 그 계상한 사 업연도의 익금으로 한다. 또한, 자본시장과 금융투자업에 관한 법률에 따른 신탁업자가 운용하는 신탁재산(같은 법에 따른 투자신탁재산은 제외)에 귀속되는 법인세법상 원천 징수대상 이자소득금액 또는 배당소득금액의 귀속사업연도는 상기의 규정에 불구하고 법인세법 시행령 제111조 제6항에 따른 원천징수일이 속하는 사업연도로 한다(법령 70조 4항, 5항).

② 의제배당

의제배당의 경우 배당소득의 귀속시기는 아래 구분에 따른 날로 한다(법령 13조).

가. 유상감자, 사원탈퇴, 무상주 교부에 의한 의제배당

주주총회·사원총회 또는 이사회에서 주식의 소각, 자본 또는 출자의 감소, 잉여금의 자본 또는 출자에의 전입을 결의한 날(이사회의 결의에 의하는 경우에는 상법 제461조 제3항에 따라 정한 날을 말하되, 주식의 소각, 자본 또는 출자의 감소를 결의한 날의 주 주와 상법 제354조에 따른 기준일의 주주가 다른 경우에는 같은 조에 따른 기준일을 말 함) 또는 사원이 퇴사·탈퇴한 날

나. 법인해산으로 인한 의제배당

해당 법인의 잔여재산가액이 확정된 날

다. 법인합병으로 인한 의제배당

해당 법인의 합병등기일

라. 법인분할로 인한 의제배당

해당 법인의 분할등기일

2. 임대료

(1) 의의와 범위

임대료란 부동산 또는 동산을 타인에게 임대하여 사용하게 하고 일정기간마다 사용

대가로 받는 임대료(지대, 집세) 내지 사용료를 말한다.

(2) 기업회계상 회계처리

1) 임대료의 회계처리

자산 사용의 대가를 수취하는 임대계약이 기준서 제1116호 '리스'의 적용범위에 해당하는 경우 리스제공자는 각 리스를 운용리스 아니면 금융리스로 분류한다(기준서 제1116호 문단 61). 기초자산의 소유에 따른 위험과 보상의 대부분을 이전하지 않는 리스는 운용리스로 분류하며 정액 기준이나 다른 체계적인 기준으로 운용리스의 리스료를 수익으로 인식한다. 다른 체계적인 기준이 기초자산의 사용으로 생기는 효익이 감소되는 형태를 더 잘 나타낸다면 리스제공자는 그 기준을 적용한다(기준서 제1116호 문단 62, 81). 자세한 내용은 '제5편 특수회계편' 중 'Ⅱ. 리스회계'를 참고한다.

자산 사용의 대가를 수취하는 임대계약이 기준서 제1116호의 적용범위에 해당하지 않는다면 기준서 제1115호 '고객과의 계약에서 생기는 수익'에 따른 회계처리를 검토한다(기준서 제1115호 문단 5).

> 사례 (주)삼일은 건물 중 일부를 사무실로 임대하고 월임대료 ₩400,000을 받았다. 해당 임대계약은 기준서 제1116호 '리스'의 적용범위에 해당하는 운용리스의 제공으로 검토하고, 정액기준으로 매월 ₩400,000의 리스료를 수익으로 인식한다.
>
> (차) 현금 및 현금성자산   400,000   (대) 임 대 료 수 익   400,000

2) 결산 시 유의할 사항

기말 결산 시 이미 당기수익으로 발생하였으나 수취하기로 한 날이 도래하지 않은 임대료 상당액을 자산계정인 미수수익계정에 계상하여야 한다. 임대료를 미리 받은 경우 결산일 현재 기간이 경과되지 아니한 임대료 상당액을 선수수익계정에 대체시켜야 한다.

(3) 세무상 유의할 사항

1) 임대료의 손익귀속시기

① 원칙(권리 · 의무확정주의)

자산의 임대로 인한 익금과 손금의 귀속사업연도는 다음의 날이 속하는 사업연도로 한다(법령 71조 1항).

구 분	귀속시기
계약 등에 의하여 임대료의 지급일이 정하여진 경우	그 지급일
계약 등에 의하여 임대료의 지급일이 정하여지지 아니한 경우	그 지급을 받은 날

② 예외(발생주의)

결산을 확정함에 있어 이미 경과한 기간에 대응하는 임대료 상당액과 이에 대응하는 비용을 당해 사업연도의 수익과 손비로 계상한 경우 및 임대료 지급기간이 1년을 초과하는 경우 이미 경과한 기간에 대응하는 임대료 상당액과 비용은 이를 각각 당해 사업연도의 익금과 손금으로 한다(법령 71조 1항).

2) 임차인이 부담한 개량수리비

임차인이 개량수리(자본적 지출에 한함)하는 조건으로 무상 또는 저렴한 요율로 건물을 임대한 경우 임차인이 임대차계약에 의하여 부담한 건물개량수리비(통상임대료를 한도로 함)는 임대인의 임대수익에 해당하므로 임대인은 동 자본적 지출 상당액을 해당 임대자산의 원본에 가산하여 감가상각함과 동시에 선수임대료로 계상한 개량수리비 상당액은 임대기간에 안분하여 수익으로 처리한다. 이 때 임차인은 동 개량수리비를 선급비용으로 계상하고 임차기간에 안분하여 손금에 산입한다. 다만, 개량수리비가 임대기간의 통상임대료 총액을 초과하여 부당행위계산의 부인대상에 해당하는 경우에는 동 초과금액을 손금불산입하고 개량수리완료일에 임대인에게 소득처분한다(법기통 40-71…3).

3) 부당행위계산 부인

특수관계인에게 법인의 자산을 무료 또는 저렴한 임대료로 제공한 경우[출자임원이 아닌 임원(소액주주인 임원 포함) 및 직원에게 사택을 제공한 경우는 제외]에는 적정임대료에 미달하는 차액을 익금 가산(동 차액이 3억 원 이상이거나 적정임대료의 5% 이상인 경우에 한함)하고 특수관계인에 대한 상여 등으로 처분한다(법령 88조 1항 6호 및 3항). 이 경우 적정임대료는 당해 자산의 인근에서 정상적인 거래에 의하여 형성되는 임대료에 상당하는 가액에 의하는 것이나, 그 가격을 적용할 수 없는 경우에는 다음의 산식에 의하여 계산한 금액으로 한다(법령 89조 4항 1호).

$$\text{적정임대료} = (\text{자산의 시가} \times \frac{50}{100} - \text{전세금} \cdot \text{임대보증금}) \times \text{정기예금이자율}$$

3. 금융자산 평가손익 · 손상차손 · 처분손익

금융자산 관련 손익으로는 유효이자율법에 따른 이자수익, 배당수익, 화폐성 금융자산 관련 환산손익, 미실현손익인 평가손익, 손상차손과 환입, 그리고 실현손익인 처분손익 등이 발생할 수 있다. 이 중 손익계산서에서 금융수익이나 금융원가(비용)로 분류될 손익에 대해서는 위에서 다룬 '제4장 금융수익/금융원가'를 참고한다.

외환손익 또는 단기매매 금융상품에서 발생하는 손익과 같이 유사한 거래의 집합에서 발생하는 차익과 차손은 미실현손익과 실현손익의 구분 없이 순액으로 표시하나 그 차익과 차손이 중요한 경우에는 구분하여 표시한다(기준서 제1001호 문단 35). 다만, 실무적으로는 회계 관행이나 세무목적 또는 내부관리목적 등으로 차익과 차손을 실현손익과 미실현손익을 구분하여 표시하거나 공시하고자 하여 내부적으로 별도로 관리할 수 있다.

또한 기준서 제1107호에서는 범주별 순손익을 공시하도록 요구하고 있으므로 기능별로 분류된 단일의 순손익 항목이라도 그 발생 원천에 따라 범주별 순손익을 구분하여 관리하고 공시한다(기준서 제1107호 문단 20). 범주별 순손익 구분에 더하여 당기손익 - 공정가치 측정 항목으로 지정한 금융자산이나 금융부채는 기준서 제1109호에 따라 의무적으로 당기손익 - 공정가치로 측정하는 금융자산이나 금융부채(예 : 기준서 제1109호에서 단기매매의 정의를 충족하는 금융부채)와 구분하여 순손익을 표시하도록 요구하고 있으므로 이와 같은 범주별 손익을 구분하여 관리하고 공시할 필요가 있다(기준서 제1107호 문단 20).

한편, 당기손익 - 공정가치로 측정하는 금융자산이나 금융부채의 공정가치 변동 중 유효이자율법에 따른 이자수익이나 이자비용을 별도로 인식한 후 평가손익을 인식하는 방법과 이자수익이나 이자비용을 구분하지 않고 평가손익에 포함하는 방법 중 회계정책을 선택할 수 있으므로 선택된 회계정책에 따라 회계처리하되 이러한 회계정책에 대해서는 명확히 공시할 필요가 있다(기준서 1107호 문단 B5 (5)).

사례 (주)삼일은 20×7년 1월 1일에 주당 액면가액이 ₩20인 을회사의 주식 500주를 ₩22,500에 구입하였으며, 20×7년 12월 31일에 을회사의 주가는 주당 ₩53이었다. ㈜삼일은 해당 지분투자를 기준서 제1109호에 따라 당기손익 - 공정가치로 측정하는 금융자산으로 분류하였다(기준서 제1109호 문단 4.1.4).

(차) 당기손익 - 공정가치 측정   4,000   (대) 당기손익 - 공정가치 측정   4,000[*]
    금 융 자 산   금 융 자 산 평 가 이 익

*₩53×500주 - ₩22,500 = ₩4,000

상각후원가로 측정하는 금융자산, 기타포괄손익－공정가치로 측정하는 채무상품인 금융자산, 리스채권, 계약자산, 기준서 제1109호에 따라 손상 요구사항을 적용하는 대출약정이나 금융보증계약의 경우 실무적 간편법을 적용하는 경우가 아니라면 신용위험의 변동에 근거한 3단계 기대신용손실모형을 적용하여 기대신용손실을 손실충당금으로 인식하고, 보고기간 말에 손실충당금을 조정하기 위한 기대신용손실액(또는 환입액)은 손상차손(환입)으로 당기손익에 인식한다(기준서 제1109호 문단 5.5.1, 5.5.8). 기타포괄손익－공정가치로 측정하는 채무상품인 금융자산의 손실충당금을 인식하고 측정할 때에는 해당 손실충당금은 기타포괄손익에서 인식하고 재무상태표에서 금융자산의 장부금액을 줄이지 않는다(기준서 제1109호 문단 5.5.2). 그 밖에 대손충당금 및 대손충당금환입의 손익계산서 표시에 대해서는 위에서 다룬 '11. 대손상각비/대손충당금환입'을 참고한다.

금융자산의 평가손익·처분손익·손상차손 및 환입과 관련한 자세한 설명은 '제2편 재무상태표편' 중 '제1장 유동자산'의 '제1절 금융자산'을 참고한다.

4. 사채상환이익

(1) 개 요

사채상환이익은 회사가 발행한 사채를 상환할 때 사채의 상환금액이나 재취득가액이 사채의 순장부가액보다 작은 경우에 발생한다. 반면에 사채의 상환금액이나 재취득가액이 순장부가액보다 큰 경우에는 사채상환손실이 발생한다.

사채의 상환방법에는 계약에 따라 다음과 같은 방법이 있다.
① 일정기간 후에 한꺼번에 전액을 상환하는 일시상환(만기상환)
② 사채발행 후 일정한 거치기간을 설정하고, 그 기간만 지나면 상환기한 이전일지라도 언제든지 회사가 자유로이 상환할 수 있는 분할상환(수시상환). 분할상환의 방법은 그 상환방법에 따라 다시 매입상환과 추첨상환으로 나누어진다.

상환기일에 전액을 상환하는 일시상환(만기상환) 조건으로서 유효이자율 계산에서 만기일에 일시상환을 가정하였고 이러한 가정대로 상환이 이루어지는 경우 사채의 순장부금액과 상환금액이 액면금액으로 일치하므로 사채상환손익이 생기지 않는다.

분할상환(수시상환) 중 추첨상환의 경우 추첨으로 당첨된 번호의 사채를 상환하는 것으로 보통 액면금액으로 상환하게 된다. 따라서 사채의 시가가 액면 이상으로 오른 시점에서 이러한 추첨상환을 하게 되면 사채발행회사에 유리한 결과를 가져온다. 이 경우

사채상환손익은 사채의 시가에 관계없이 사채의 순장부금액과 상환금액인 액면금액의 차이로 산정된다. 그러나 매입상환은 시장가액으로 상환되므로 사채의 순장부금액과 상환금액인 사채의 시가와의 차액이 사채상환손익으로 나타난다.

한편, 매입상환이나 추첨상환을 불문하고 사채를 중도에 분할상환 할 때에는 상환한 사채분에 대한 사채할인발행차금 미상각잔액은 상환일까지의 이자비용 계산에서 고려한 후 사채상환 시에 제거하여야 한다. 사채상환 시점에서의 사채할인발행차금 미상각잔액을 사채상환손익 계산에 반영하여야 한다는 점에 유의한다.

(2) 기업회계상 회계처리

사채는 당기손익-공정가치로 측정하는 경우가 아니라면 상각후원가로 측정한다(기준서 제1109호 문단 4.2.1). 상각후원가 측정에 사용하는 유효이자율은 금융부채의 기대존속기간에 추정 미래현금지급액이나 수취액의 현재가치를 금융부채의 상각후원가와 정확히 일치시키는 이자율이다(기준서 제1109호 부록 A). 유효이자율을 계산할 때에는 해당 금융상품의 모든 계약조건(예 : 중도상환옵션, 연장옵션, 콜옵션, 이와 비슷한 옵션)을 고려하여 기대현금흐름을 추정하여야 하나 금융상품(또는 비슷한 금융상품의 집합)에 대한 현금흐름이나 기대존속기간을 신뢰성 있게 추정할 수 없는 드문 경우에는 전체 계약기간의 계약상 현금흐름을 사용하여 유효이자율을 구한다. 다시 말해 주계약인 사채에서 내재파생상품으로 분리되지 않는 중도상환옵션, 풋옵션이나 콜옵션 등의 계약조건은 유효이자율의 계산에서 고려된다. 이때 유효이자율 계산에서 가정한 사채의 기대존속기간에 대한 미래현금지급액과 실제 현금흐름에 차이가 있는 경우 사채의 순장부금액과 상환금액의 차액만큼 사채상환손익이 생긴다. 사채상환손익이 인식되는 다른 예로는 해당 사채의 계약조건에는 없었으나 사채를 재매입하는 경우로서 재매입시점에서 사채의 순장부금액이 재매입가액과 다른 경우이다.

사채를 상환하거나 콜옵션이나 풋옵션의 행사로 재매입하는 경우 해당 사채를 단기간 내에 재매도할 의도가 있더라도 금융부채의 제거로 회계처리한다. 즉, 자기사채 취득시의 장부금액과 취득가액의 차이인 사채상환손익을 당기손익으로 인식한다(기준서 제1109호 문단 3.3.4).

사채의 조기 상환(또는 재매입) 시에는 우선 상환될 사채와 관련되어 상환일(또는 재매입일)까지 발생된 사채이자, 할인액 또는 할증액의 상각 등의 회계처리를 하여야 한다. 즉, 상환일이 이자지급일과 일치하지 않는 경우 상환일 직전의 이자지급일로부터 상환일까지 인식하여야 할 할인액 또는 할증액의 상각, 미지급이자액 등을 반영하는 분개를 한다.

상환시점의 사채 장부금액을 결정한 후에 조기상환에 따른 손익을 인식하여야 하는데, 이때 조기상환손익은 사채의 조기상환금액(또는 재취득가격)과 순장부가액의 차액이다. 사채의 조기상환금액에는 상환가액, 상환프리미엄 및 재취득비용 등이 포함된다. 사채의 순장부가액은 사채의 만기가액에 상환일 직전의 이자지급일에서 상환일까지 발생한 미지급된 이자액을 가산하고 미상각된 할증액 또는 할인액을 가감한 금액이다.

사채의 조기상환이익은 사채의 순장부가액이 조기상환금액을 초과하는 부분이며, 반대로 사채의 조기상환손실은 조기상환금액이 순장부가액을 초과하는 부분이다. 사채의 조기상환을 기록하기 위한 분개를 할 때에는 미상각된 할인액 또는 할증액을 모두 제거해 주는 분개를 하여야 한다.

위에서 설명한 사채의 조기상환손익 계산과정을 요약하면 다음과 같다.

- 사채의 순장부가액계산 (①) :

  사채의 만기가액(액면가액)

+ 미지급이자

- 미상각 할인액(+미환입 할증액)

─────────────────────

사채의 순장부가액

- 사채의 재취득가액 (②)

─────────────────────

- 사채의 조기상환손익 (③=①-②)

> **사례** 20×5년 1월 1일에 (주)삼일은 3년 만기 사채(액면가액 : ₩200,000, 표시이자율 : 15%)를 발행하였다. 이자는 매년 12월 31일에 지급되며 유효이자율은 18%이다. 단, 사채발행비용은 발생하지 않은 것으로 가정한다.
>
> 1. 사채할인발행차금 상각표는 다음과 같다.

| 사채할인발행차금 상각표(유효이자율법) |

	기초부채	유효이자율	총이자비용	현금지급 이 자	할인액상각 =부채증가	기말부채
20×5년	₩186,954	18%	₩33,652	₩30,000	₩3,652	₩190,606
20×6년	190,606	18%	34,309	30,000	4,309	194,915
20×7년	194,915	18%	35,085	30,000	5,085	200,000
합 계			₩103,046	₩90,000	₩13,046	

2. 20×7년 7월 1일에 현금 ₩203,000을 지급하고 사채를 상환하였을 경우 조기상환 회계처리는 다음과 같다.

  • 20×7년 1월 1일~6월 30일까지 이자비용 인식을 위한 분개

| (차) 사 채 이 자 | 17,543 | (대) 사채할인발행차금 | 2,543 |
| | | 미 지 급 이 자 | 15,000 |

• 사채의 조기상환을 기록하기 위한 분개

(차) 사 채	200,000	(대) 사채할인발행차금	2,542
미 지 급 이 자	15,000	현금 및 현금성자산	203,000
		사 채 상 환 이 익	9,458

* 사채조기상환 손익계산내역
  - 사채의 순장부금액(①)   ₩212,458
    액면가액   ₩200,000
    미지급이자(₩200,000 × 15% × 6/12)   15,000
    미상각할인액(₩5,085 × 6/12)   (2,542)   212,458
  - 사채의 재취득가액(②)   203,000
  - 사채조기상환이익(① - ②)   ₩9,458

5. 자산수증이익

(1) 개념 및 범위

자산수증이익은 무상으로 회사에 자산을 불입하는 경우 이 증여받은 금액을 처리하는 계정이다.

소유주로서의 자격으로 이루어진 소유주와의 거래는 자본변동표에 표시하는 자본의 변동항목이다(기준서 제1001호 문단 106). 따라서 주주로부터 자산을 증여받은 경우에는 해당 거래가 소유주로서의 자격으로 이루어진 거래라면 관련 손익을 당기손익이 아닌 자본으로 인식하는 것이 타당할 것이다. 즉, 주주로부터의 자산수증이익은 법적인 자본납입방법에 의하지 않은 자본의 보전이며 일종의 추가출자로 볼 수 있다.

(2) 기업회계 상 회계처리

주주 외의 자로부터 자산을 증여받는 경우에 자산수증이익계정에 계상하여 당기손익으로 처리한다. 한국채택국제회계기준에는 기준서 제1020호 '정부보조금의 회계처리와 정부지원의 공시'의 적용범위에 해당하지 않는 거래로서 무상으로 수증 받은 자산의 최초인식 시 측정을 다루는 지침이 없다. 따라서 기준서 제1008호 '회계정책, 회계추정의 변경 및 오류' 문단 10~12를 적용하여 회계정책을 개발하여야 한다.

예를 들어, 무형자산을 무상으로 수증 받은 경우 기준서 제1038호 '무형자산' 문단 27을 적용하여 무상 취득의 구입원가인 영("0")으로 측정하는 회계정책을 선택하거나 기준서 제1020호 문단 23을 적용하여 받은 자산의 공정가치 또는 명목금액 중 공정가치로 측정하는 회계정책을 선택하는 것도 가능하다. 선택된 회계정책은 일관되게 적용한다.

> **사례** (주)삼일은 정부가 아닌 주주 외의 자로부터 현금 ₩20,000,000, 토지 ₩100,000,000 상당액의 증여를 받았다. 회사는 기준서 제1020호 문단 23에 근거하여 무상으로 취득하는 비금융자산을 최초인식하는 시점에서 공정가치로 측정하는 회계정책을 적용하였다.

(차) 현금 및 현금성자산	20,000,000	(대) 자 산 수 증 이 익	120,000,000
토 지	100,000,000		

(3) 세무회계상 유의할 사항

1) 익금조정

현행 세법상 자산수증이익은 순자산의 증가로 보아 원칙적으로 모두 법인의 익금산입항목으로 규정하고 있다. 한국채택국제회계기준에서는 주주 외의 자로부터의 자산수증이익은 자산수증이익계정에 계상하여 당기손익으로 처리하므로 세무조정사항이 발생하지 않으나, 주주로부터의 수증이익은 일종의 추가출자로 보아 자본의 증가로 회계처리하므로(기준서 제1001호 문단 106), 이에 대한 세무조정이 필요하다.

2) 이월결손금 보전

① 익금불산입

법인의 계속성 및 세원의 유지확보 측면에서 자산수증이익(2010. 1. 1. 이후 개시한 사업연도에서 발생한 결손금과 관련하여는 법인세법 제36조에 따른 국고보조금등은 제외함)이라 하더라도 법인의 이월결손금을 보전하는 데에 충당한 금액상당액은 익금불산입항목으로 하여 과세소득에서 제외된다. 이 때의 이월결손금이란 기업회계상의 이월결손금이 아니라 세무상의 이월결손금(적격합병 및 적격분할시 승계받은 이월결손금은 제외)으로서, 결손금의 발생연도를 불문하고 각 사업연도 소득금액계산상 손금에 산입되지 아니하거나 과세표준계산상 공제되지 아니한 결손금을 말한다. 또한, 법인세 신고시 각 사업연도의 과세표준에 포함되지 아니하였으나 다음에 해당하는 결손금도 포함된다 (법법 18조 6호 및 법령 16조).

㉠ 채무자 회생 및 파산에 관한 법률에 따른 회생계획인가의 결정을 받은 법인의 결손금으로서 법원이 확인한 것

ⓛ 기업구조조정 촉진법에 의한 기업개선계획의 이행을 위한 약정이 체결된 법인으로서 금융채권자협의회가 의결한 결손금

② 이월결손금 보전에의 충당

이월결손금을 보전하는 데에 충당한다는 것은 적어도 당해 자산수증이익이 배당 등의 형태로 사외유출되지 않고 회사내부에 유보되어 이월결손금과 상호계산상 대체됨을 의미한다. 즉, 이월결손금보전에의 충당이란 이월결손금과 직접 상계하거나 당해 사업연도 결산주주총회 결의에 의하여 이월결손금에 보전하고 이익잉여금처분계산서(결손금처리계산서)에 계상한 경우를 말한다.

한편, 법인이 무상으로 받은 자산의 가액을 한국채택국제회계기준에 따라 손익계산서상의 영업외 수익으로 회계처리한 경우에는 법인세 과세표준 및 세액신고시 자본금과적립금조정명세서(갑)의 하단 "⑭ 보전"란에 이월결손금의 보전을 표시하고 동 금액을 소득금액조정합계표에서 익금불산입으로 세무조정한 경우 이월결손금의 보전에 충당한 것으로 본다(법인 46012-2507, 2000. 12. 29.).

③ 이월결손금의 소멸

자산수증이익으로 충당된 이월결손금은 각 사업연도의 소득금액계산상 손금에 산입된 것으로 보아 소멸된다.

6. 채무면제이익

(1) 개념 및 범위

채무면제이익계정은 관련 금융부채의 제거 요건을 충족하는 시점에서 금융부채의 제거에 따른 손익을 당기손익으로 인식할 때에 사용하는 계정이다(기준서 제1109호 문단 3.3.3). 그러나 주주의 채권 포기에 따른 채무면제이익은 해당 거래가 소유주로서의 자격으로 이루어진 거래라면 관련 손익을 당기손익이 아닌 자본으로 인식하는 것이 타당할 것이다. 금융부채의 제거와 관련된 회계처리는 '제2편 재무상태표편' 중 '제1장 유동부채'의 '제2절 유동금융부채'를 참고한다.

(2) 기업회계 상 회계처리

사례 (주)삼일은 주주가 아닌 채무자로부터 차입금 ₩25,000,000의 상환을 면제받았다.

(차) 차　　　입　　　금　　25,000,000　　(대) 채 무 면 제 이 익　　25,000,000

(3) 세무회계상 유의할 사항

1) 익금조정 · 이월결손금 보전

현행 세법상 채무면제이익도 자산수증이익과 마찬가지로 순자산을 증가시키는 항목으로 보아 익금산입항목으로 취급하고 있다. 따라서 일반적으로는 세무조정사항이 발생하지 않으나 한국채택국제회계기준에서는 자산수증이익과 마찬가지로 주주로부터의 채무면제이익은 자본의 증가로 회계처리하므로 이 경우 세무조정이 필요하다. 또한, 자산수증이익과 동일하게 이월결손금을 보전하는 데에 충당한 금액은 익금불산입항목으로 법인의 익금에 산입하지 않는다(법법 18조 6호 및 법령 16조).

한편, 기업회계기준상 채무면제이익으로 회계처리하는 다음 사례의 경우에는 법인세법상 채무면제이익으로 보지 않기 때문에 이를 익금에 산입하지 않는다.

- 채권 · 채무조정에 따른 약정상 정해진 미래 현금흐름을 채무 발생시점의 유효이자율 또는 채권 · 채무조정시점의 기초이자율에 당해 채무 발생시점과 동일한 신용상태에 대한 채권 · 채무조정시점의 신용가산이자율을 가산하여 산정한 이자율 등으로 할인하여 계산된 현재가치와 채무의 장부가액과의 차이를 채무에 대한 현재가치할인차금과 채무조정이익으로 인식한 경우 당해 채무조정이익은 익금에 산입하지 아니하며(법기통 19의 2-19의 2…9), 추후 현재가치할인차금을 상각하면서 이자비용으로 계상한 경우에도 각 사업연도 소득금액 계산상 손금에 산입하지 아니한다.
- 장기금전대차계약에 의한 차입금을 현재가치로 평가하여 동 평가액과 장부상 채무액과의 차액을 채무면제이익으로 계상한 경우에는 익금불산입 △유보처분한 후 현재가치할인차금 상각시 손금불산입 유보처분한다(법인 46012-1855, 1999. 5. 17.).

2) 출자전환채무면제이익의 결손금 상계

채무의 출자전환으로 주식 등을 발행하는 경우 당해 주식 등의 시가를 초과하여 발행된 금액은 주식발행초과금에서 제외되고, 채무면제이익에 해당한다(법법 17조 1항 1호). 따라서 동 출자전환채무면제이익은 앞에서 설명한 바와 같이 이월결손금의 보전에 충당하지 않는 경우 전액 해당 사업연도의 익금에 산입하여야 한다. 다만, 이월결손금의 보전에 충당되지 아니한 다음에 해당하는 금액은 이를 해당 사업연도의 익금에 산입하지 아니하고 그 이후의 각 사업연도에 발생한 결손금의 보전에 충당할 수 있다(법법 17조 2항 및 법령 15조 1항).

㉠ 채무자 회생 및 파산에 관한 법률에 따라 채무를 출자로 전환하는 내용이 포함된 회생계획인가의 결정을 받은 법인이 채무를 출자전환하는 경우로서 해당 주식 등의 시가(시가가 액면가액에 미달하는 경우 액면가액)를 초과하여 발행된 금액

㉡ 기업구조조정 촉진법에 따라 채무를 출자로 전환하는 내용이 포함된 기업개선계획의 이행을 위한 약정을 체결한 부실징후기업이 채무를 출자전환하는 경우로서 해당 주식 등의 시가(시가가 액면가액에 미달하는 경우 액면가액)를 초과하는 금액

㉢ 해당 법인에 대하여 채권을 보유하고 있는 금융회사등과 채무를 출자로 전환하는 내용이 포함된 경영정상화계획의 이행을 위한 협약을 체결한 법인이 채무를 출자로 전환하는 경우로서 해당 주식 등의 시가(시가가 액면가액에 미달하는 경우 액면가액)를 초과하는 금액

㉣ 기업활력 제고를 위한 특별법에 따라 주무부처의 장으로부터 사업재편계획을 승인받은 법인이 채무를 출자전환하는 경우로서 해당 주식등의 시가(시가가 액면가액에 미달하는 경우 액면가액)를 초과하는 금액

한편, 상기의 규정에 따라 내국법인이 익금에 산입하지 아니한 금액 전액을 결손금의 보전에 충당하기 전에 사업을 폐지하거나 해산하는 경우에는 그 사유가 발생한 날이 속하는 사업연도의 소득금액계산에 있어서 결손금의 보전에 충당하지 아니한 금액 전액을 익금에 산입하여야 한다(법령 15조 2항).

3) 재무구조개선계획 등에 따른 기업의 채무면제익에 대한 과세특례

2021년 12월 31일까지 내국법인이 금융채권자로부터 채무의 일부를 면제받은 경우로서 다음 중 어느 하나에 해당하는 경우에는 소득금액을 계산할 때 면제받은 채무에 상당하는 금액(조세특례제한법 시행령 제41조 제1항의 결손금을 초과하는 금액에 한정하며, 이하 "채무면제익"이라 함)은 해당 사업연도와 해당 사업연도의 종료일 이후 3개 사업연도의 기간 중 익금에 산입하지 아니하고 그 다음 3개 사업연도의 기간 동안 균분한 금액 이상을 익금에 산입한다(조특법 44조 1항 및 조특령 41조 2항, 3항).

① 채무자 회생 및 파산에 관한 법률에 따른 회생계획인가의 결정을 받은 법인이 금융채권자로부터 채무의 일부를 면제받은 경우로서 그 결정에 채무의 면제액이 포함된 경우

② 기업구조조정 촉진법에 따른 경영정상화계획의 이행을 위한 약정을 체결한 부실징후기업이 금융채권자로부터 채무의 일부를 면제받은 경우로서 그 약정에 채무의 면제액이 포함된 경우 및 같은 법 제20조에 따른 반대채권자의 채권매수청구권의 행사와 관련하여 채무의 일부를 면제받은 경우

③ 내국법인이 조세특례제한법 시행령 제34조 제6항 제2호에 따른 기업개선계획 이
   행을 위한 특별약정에 따라 채무를 면제받은 경우

④ 내국법인이 관계법률에 따라 채무를 면제받은 경우로서 조세특례제한법 시행령
   제34조 제6항 제3호에 따른 적기시정조치에 따라 채무를 면제받은 경우

또한, 기업구조조정 투자회사법에 따른 약정체결기업이 기업구조조정투자회사로부터
채무를 출자로 전환받는 과정에서 채무의 일부를 면제받는 경우 그 채무면제익은 상기
의 규정을 준용하여 익금에 산입한다(조특법 44조 2항).

한편, 상기의 규정에 따라 채무를 면제받은 법인이 채무면제익 전액을 익금에 산입하
기 전에 사업을 폐업하거나 해산하는 경우에는 그 사유가 발생한 날이 속하는 사업연도
의 소득금액을 계산할 때 익금에 산입하지 아니한 금액 전액을 익금에 산입한다(조특법
44조 3항).

7. 유형자산처분손익

(1) 개념 및 범위

유형자산처분이익이란 유형자산을 처분함으로써 얻게 되는 자산의 가치가 유형자산
의 장부상의 원가보다 큰 경우 그 차액을 회계처리하는 계정과목이다. 유형자산처분이
익의 발생원인과 성격에 대해 살펴보면 다음과 같다.

1) 처분대상이 유형자산이다

유형자산처분이익계정에는 유형자산의 처분으로부터 발생하는 이익을 기재한다.

2) 유형자산의 처분방법

유형자산을 처분하는 방법으로는 크게 매도, 교환, 폐기법에 의한 강제처분 등이
있다.

3) 유형자산처분손익의 성격 및 금액산정

유형자산처분손익으로 계상되는 금액은 유형자산의 장부금액과 유형자산처분으로 인
해 수취하는 가액(순매각금액)과의 차액이다. 이 경우 유형자산의 재평가와 관련하여
인식한 기타포괄손익의 잔액이 있다면, 그 유형자산을 처분할 때 이익잉여금에 반영한
다(기준서 제1016호 문단 71, 41).

여기서 유형자산의 장부금액이란 일반적으로 원가에서 감가상각누계액(회계연도 개시일부터 처분시점까지의 감가상각비 포함)과 손상차손누계액 공제한 금액이다. 또한, 유형자산의 처분으로 인해 수취하는 가액이란 결국 처분자산의 실제 공정가치를 의미하게 된다.

따라서 유형자산처분손익이 발생하는 이유는 처분된 유형자산의 장부금액이 실제 공정가치를 반영하지 못함으로 인해서 생긴다. 그 원인으로는 첫째, 장부금액이란 앞에서 언급했듯이 원가에서 감가상각누계액과 손상차손누계액을 공제한 금액이므로 이렇게 계산된 금액이 반드시 공정가치와 일치하지는 않기 때문이며, 둘째, 인플레이션 또는 디플레이션으로 인하여 상대적으로 처분자산의 공정가치가 변동될 수 있으며, 셋째, 당해 유형자산의 취득시점에 비해 처분하는 시점의 수요와 공급의 변동이 생길 수 있기 때문이다.

(2) 기업회계상 회계처리

1) 재무제표 표시방법

유형자산처분손익은 기준서 제1001호 '재무제표 표시'의 개정(2012년)에 따라 일반적으로 영업외수익/비용의 항목으로 표시된다(기준서 제1001호 문단 한138.2).

2) 유형자산처분이익의 계상시기

유형자산은 처분하거나 사용이나 처분을 통하여 미래경제적효익이 기대되지 않을 때 재무상태표에서 제거한다. 유형자산의 처분시점을 결정할 때에는 기준서 제1115호 '고객과의 계약에서 생기는 수익'의 재화의 판매에 관한 수익인식기준을 적용하여 다음 조건이 충족될 때 인식한다(기준서 제1016호 문단 69 및 기준서 제1115호 문단 38).

① 기업은 자산에 대해 현재 지급청구권이 있다.
② 고객에게 자산의 법적 소유권이 있다.
③ 기업이 자산의 물리적 점유를 이전하였다.
④ 자산의 소유에 따른 유의적인 위험과 보상이 고객에게 있다.
⑤ 고객이 자산을 인수하였다.

유형자산의 거래과정은 동산의 경우 자산을 인도하면서 그에 대한 반대급부를 수령하는 것이 일반적이나 부동산의 경우에는 계약체결에서부터 중도금, 잔금을 청산하고 소유권이전등기를 하기까지 상당한 기간이 소요된다. 또한 소유권이전등기 전에 부동산의 사용수익권을 매수자에게 부여하는 경우도 있다. 이러한 거래과정 중 어느 시점에서 유형자산처분이익을 인식할 것인지가 문제이다.

유형자산의 처분도 매출수익의 실현시점과 마찬가지로 판매하는 시점 즉, 동산의 경우 일반적으로 인도일을 실현시점으로 보는 것이 타당하다. 부동산의 경우 소유권이전등기를 하면 제3자에 대한 대항력은 있지만 소유권이전등기 전에 잔금을 청산하여 매수자가 동 부동산을 사용수익할 수 있다거나 잔금청산 전이라도 사용수익이 허락되었다면 이 시점에서 유형자산처분이익을 인식하는 것이 타당하다. 따라서 공장용 부속토지를 매도함에 있어서 계약금만 받은 상태에서 매수자에게 사용수익을 허락하여 실제 건물을 착공할 수 있다면 사용수익을 허락한 날을 인식시점으로 보는 것이 합리적일 것이다.

3) 매각한 경우의 회계처리

회사가 일정한 대가를 받고 유형자산을 처분하는 경우 그 매각가격은 일반적으로 공정가치를 반영하게 되므로 그 가격과 당해 유형자산의 장부금액과의 차이를 유형자산처분손익으로 계상한다. 여기서 유의할 점은 기중에 유형자산을 처분한 경우 당해 회계연도기간 경과분에 대한 감가상각비를 계산하여 장부금액을 계산해야 한다는 것이다. 왜냐하면 유형자산이 매각되기 전까지 기업의 영업활동에 사용되었으므로 이에 대한 감가상각비는 제조원가 또는 판매비와관리비로 분류되기 때문에 동 감가상각비를 계산하여 반영하지 않으면 동 감가상각비 상당액만큼 유형자산처분손익이 과대/과소계상되기 때문이다.

사례 (주)삼일은 20×7. 6. 29. 건물(취득가액 ₩150,000,000, 전기 말 감가상각누계액 ₩80,000,000)과 부속토지(장부가액 ₩200,000,000)를 B회사에 건물 ₩60,000,000, 토지 ₩300,000,000에 매각하고 건물에 대한 부가가치세 ₩6,000,000을 포함하여 ₩366,000,000을 받아 은행에 입금하였다. 건물에 대한 20×7. 1. 1.부터 20×7. 6. 29.까지의 감가상각비는 ₩2,000,000이다. 회사는 원가모형을 사용하여 유형자산을 측정한다.

• 매각되기 전까지의 감가상각비 인식

(차) 감 가 상 각 비	2,000,000	(대) 감 가 상 각 누 계 액	2,000,000

• 매각과 관련한 회계처리

(차) 감 가 상 각 누 계 액	82,000,000	(대) 건　　　　　　물	150,000,000
현금 및 현금성자산	366,000,000	토　　　　　　지	200,000,000
		부 가 가 치 세 예 수 금	6,000,000
		유 형 자 산 처 분 이 익	92,000,000

4) 교환한 경우의 회계처리

교환으로 자산을 취득한 경우 구입한 신자산의 취득원가에 따라 제거되는 구자산의 교환손익이 결정되기 때문에 신자산의 취득원가결정은 기간손익에 중요한 영향을 미친다.

기준서 제1016호 문단 24에서는 하나 이상의 비화폐성자산 또는 화폐성자산과 비화폐성자산이 결합된 대가와 교환하여 하나 이상의 유형자산을 취득하는 경우 교환거래에 상업적 실질이 결여된 경우와 취득한 자산과 제공한 자산 모두의 공정가치를 신뢰성 있게 측정할 수 없는 경우를 제외하고는 제공한 자산의 공정가치로 측정하도록 규정하고 있다. 단, 취득한 자산의 공정가치가 더 명백한 경우에는 취득한 자산의 공정가치로 측정할 수 있다. 만약 자산의 교환에 현금수수액이 있는 경우에는 현금수수액을 반영하여 취득원가를 결정해야 한다.

한편, 위에서 언급한 바와 같이 교환거래에 상업적 실질이 결여된 경우와 취득한 자산과 제공한 자산 모두의 공정가치를 신뢰성 있게 측정할 수 없는 경우에는 제공한 자산의 장부금액으로 취득한 자산의 원가를 측정한다. 이러한 경우에도 자산의 교환에 현금수수액이 있는 경우에는 이를 반영하여 취득원가를 결정하여야 한다.

사례 1 (주)삼일은 건설기계 및 현금과 교환으로 기계장치를 취득하였다. 교환거래시 건설기계의 장부금액은 ₩50,000(취득원가 ₩100,000, 감가상각누계액 ₩50,000)이었으며, 공정가치는 ₩65,000이었다. 기계장치와의 교환으로 건설기계 이외에 현금 ₩30,000을 지급하였다. 이 거래에 대하여 분개하라.

- 기계장치의 취득원가 : 건설기계 공정가치 + 현금 지급액　　₩95,000
- 유형자산처분손익 : 건설기계 공정가치 - 건설기계 장부금액　₩15,000

(차) 기 계 장 치	95,000	(대) 건 설 기 계	100,000
감 가 상 각 누 계 액	50,000	현금 및 현금성자산	30,000
		유형자산처분이익	15,000

사례 2 (주)삼일은 다음과 같은 기계장치를 을사에 제공하고 동종의 기계장치를 취득하였다. 본 기계장치의 교환 자체로는 기업의 예상현금흐름의 유의적인 변동이 예상되지 않는다. (주)삼일은 현금 ₩20,000,000을 추가로 지급하였다. 교환과 관련한 회계처리를 예시하라.

	(주)삼일의 기계장치	을사의 기계장치
• 취 득 원 가	₩200,000,000	₩300,000,000
• 감가상각누계액	100,000,000	150,000,000
• 장 부 금 액	100,000,000	150,000,000
• 공 정 가 치	120,000,000	140,000,000

－(주)삼일의 분개

(차) 기 계 장 치	120,000,000	(대) 기 계 장 치	200,000,000
감 가 상 각 누 계 액	100,000,000	현금및현금성자산	20,000,000

－을사의 분개

(차) 기 계 장 치	130,000,000	(대) 기 계 장 치	300,000,000
감 가 상 각 누 계 액	150,000,000		
현금및현금성자산	20,000,000		

5) 폐기한 경우의 회계처리

회사는 특정 유형자산에 대한 사용가치가 없다고 판단될 때에는 당해 유형자산을 폐기처분하고 장부에서 당해 유형자산의 취득원가 및 감가상각누계액을 제거시킨다. 유형자산을 폐기처분함에 있어서 고물상에 팔 수 있는 경우에는 장부금액과 매각대금과의 차이를 유형자산처분이익으로 계상하며, 폐기처분하는 데 비용이 수반되는 경우 매각대금에서 동 비용으로 지출한 금액과 유형자산의 장부가액 합계액을 차감한 금액을 유형자산처분이익으로 계상한다.

사례 **1** (주)삼일은 업무용 승용차를 폐기처분함에 있어 고물상으로부터 ₩1,380,000을 현금으로 받았다. 승용차를 폐기처분할 당시 장부금액은 ₩1,300,000(취득가액 ₩9,000,000, 감가상각누계액 ₩7,700,000)이었다.

(차) 감 가 상 각 누 계 액	7,700,000	(대) 차 량 운 반 구	9,000,000
현금및현금성자산	1,380,000	유형자산처분이익	80,000

사례 **2** (주)삼일은 기계장치 중 사용가치가 없는 부분을 고물상에 매각하고 현금 ₩1,180,000을 수령하였다. 동 기계장치를 폐기처분할 당시의 장부금액은 ₩1,050,000(취득원가 ₩10,500,000, 감가상각누계액 ₩9,450,000)이었으며 폐기처분비용 ₩50,000이 발생하였다.

(차) 현금및현금성자산	1,130,000	(대) 기 계 장 치	10,500,000
감 가 상 각 누 계 액	9,450,000	유형자산처분이익	80,000

6) 매각예정으로 분류하는 경우의 회계처리

기준서 제1105호에 따라 매각예정으로 분류되거나 매각예정 처분자산집단에 포함되는 경우 해당 유형자산은 기준서 제1105호에 따라 순공정가치와 장부금액 중 작은 금액으로 측정하고, 그 차이를 손상차손으로 인식하여야 한다. 매각예정자산으로 분류되는 시점까지 감가상각을 수행하며, 매각예정으로 분류된 시점부터 감가상각은 중지한다.

자산의 순공정가치가 증가하면 기준서 제1105호 및 기준서 제1036호 '자산손상'에 따라 과거에 인식하였던 손상차손누계액을 초과하지 않는 범위 내에서 이익(손상차손 환입)을 인식한다.

매각예정으로 분류되었던 자산이 더 이상 기준서 제1105호의 요건을 충족하지 못하는 경우에는 당해 자산을 매각예정으로 분류하기 전 장부금액에 감가상각 및 재평가 등 매각예정으로 분류하지 않았더라면 인식하였을 조정사항을 반영한 금액과 매각하지 않기로 결정한 날의 회수가능액 중 작은 금액으로 측정한다.

손상차손과 관련한 구체적인 회계처리는 '8. 유형자산 손상'을 참조하기 바란다.

매각예정으로 분류된 자산이 실제 매각되는 시점에 장부금액과 순매각대금과의 차이를 유형자산처분손익으로 인식한다.

(3) 세무회계상 유의할 사항

유형자산의 처분과 관련한 세무회계상의 자세한 설명은 제2편(II) 중 자산편 제2장 제2절의 '12. 세무회계상 유의할 사항'을 참고하기 바란다.

8. 유형자산재평가손실

유형자산의 최초인식 후에는 원가모형과 재평가모형 중 하나를 선택하여 적용할 수 있는데, 유형자산재평가손실은 재평가모형을 적용한 경우로서 유형자산의 장부금액이 재평가로 인하여 감소한 경우에 발생한다. 이 경우 유형자산재평가손실로 인식하는 금액은 유형자산의 장부금액이 재평가로 인하여 감소하는 경우에 그 감소액으로 하되, 그 유형자산의 재평가로 인해 기 인식한 기타포괄손익(예 : 유형자산재평가이익)의 잔액이 있다면 그 금액을 한도로 기타포괄손익에서 차감하고 나머지 잔액은 유형자산재평가손실로 인식한다.

한편, 유형자산재평가손실을 인식한 이후에 유형자산의 공정가치가 재평가로 인하여 증가하는 경우에는 기 인식한 유형자산재평가손실을 한도로 당기손익으로 인식하고 나머지 잔액은 기타포괄손익으로 인식한다.

유형자산재평가손실과 관련한 자세한 설명은 '유형자산 중 6. 인식시점 이후의 측정' 편을 참조하기 바란다.

9. 재고자산감모손실

(1) 의 의

기말재고조사 결과 파손, 부패, 증발, 도난 등의 원인으로 인하여 재고자산의 장부상 수량과 실제 수량과의 차이가 발생하는 경우 그 차액을 재고자산감모손실이라고 한다. 재고자산감모손실은 재고자산의 기말재고 평가시 저가법을 채택함으로써 발생하는 재고자산평가손실과 구별되어야 하며, 또한 재고자산의 품질저하·진부화·손상 등 질적 저하에 의한 가치하락에 따른 재고자산평가손실과도 구별되어야 한다. 이러한 평가손실 및 감모손실의 계정분류에 대해서는 기준서 제1001호 문단 한138.2 및 '회계기준 적용의견서 12-1'을 참고하여 결정하는 것이 필요할 것이다.

(2) 기업회계상 회계처리

1) 재고자산감모손실의 회계처리

전술한 바와 같이 기준서 제1002호에서는 평가손실과 감모손실의 재무제표상 분류에 대하여 별도로 규정하고 있지 않으나, 기준서 제1001호와 '회계기준 적용의견서 12-1'에서 규정한 바와 같이 일반기업회계기준과 동일한 수준의 영업손익을 산출하고자 한 취지를 감안하면 실무상 정상적으로 발생한 감모손실은 매출원가에 가산하고 비정상적으로 발생한 감모손실은 영업외비용으로 회계처리하는 것이 일반적일 것으로 판단된다.

그러나 실무적으로는 감모손실이 비정상적인지 또는 정상적인지를 구분하는 데에 어려움이 따를 것으로 예상된다.

① 정상적으로 발생한 재고자산감모손실

일반적으로 감모손실이 경상적으로 발생하고 금액이 작은 경우에는 정상적으로 발생하였다고 보아 매출원가에 가산시킨다. 이 경우 재무상태표상의 재고금액과 손익계산서상의 상품·제품 기말재고액 또는 제조원가명세서상의 원재료 기말재고액은 항상 일치한다. 이는 재고자산감모손실이 매출 또는 제조원가에 자동적으로 가산되도록 기말재고액 계산시 재고감모손실을 차감하였기 때문이다. 따라서 재고자산감모손실의 존재 여부를 알 수 없기 때문에 감모손실의 내용과 금액을 공시하여 주는 것이 바람직할 것이다.

② 비정상적으로 발생한 재고자산감모손실

비정상적으로 발생한 재고자산감모손실은 영업외비용으로 계상하는 것이 일반적이다. 한편, 비정상적으로 발생한 재고자산감모손실액을 영업외비용으로 회계처리함과 동시에

동 금액만큼 손익계산서상의 기말재고액을 감액시킨다면 매출원가가 증가하여 비용이 이중으로 계상되는 문제가 발생한다. 따라서 동 재고자산감모손실액만큼 타계정대체액으로 처리함으로써 매출원가에서 차감시키는 것이 적절할 수 있다.

2) 결산시 유의할 사항

① 재고자산평가손실과의 구분

재고자산의 가액은 수량과 단가를 통해 산출되는데 일반적으로 단가로 인한 재고자산가액의 감소를 재고자산평가손실이라고 하며 수량으로 인한 재고자산가액의 감소를 재고자산감모손실이라고 한다. 즉, 재고자산평가손실은 실지재고 취득가액과 순실현가능가치와의 차액을 말하며 재고자산감모손실은 장부가액과 실지재고액과의 차액임에 유의한다.

② 재고자산감모손실의 계정분류

전술한 바와 같이 기준서 제1002호에서는 비용으로 인식하는 재고자산 원가의 재무제표상 분류에 대하여 규정하고 있지 않으나, 기준서 제1001호의 "영업손익표시"의 개정취지를 고려할 때 실무상 영업활동에서 정상적으로 발생하는 감모손실은 매출원가에 가산하고, 비정상적으로 발생한 감모손실은 영업외비용에 계상하는 것이 일반적일 것으로 판단된다.

(3) 세무회계상 유의할 사항

1) 재고자산감모손실

매입한 재고자산의 실제 재고액이 파손, 부패, 증발, 도난 등의 사유로 장부상 재고액보다 적을 경우에는 재고자산감모손실이 발생하는 바, 법인세법에서는 재고자산감모손실이 사회통념상 타당하다고 인정되는 경우에는 각 사업연도의 손금으로 계상할 수 있도록 하고 있다.

2) 재고자산의 누락

실제 재고수량이 장부상 재고수량보다 많은 경우에는 그 수량 초과분에 해당되는 평가액을 익금산입하여 유보로 처분하며, 그 이후 동 누락자산을 장부상 수정하여 수익으로 계상한 때에 동 금액을 익금불산입 △유보로 처분하여 당초 유보액과 상계처리한다. 그러나 동 누락자산을 장부에서 수정하지 아니한 경우에는 그 이후 누락자산을 외부판매하여 매출계상하였거나 또는 현재까지 보유하고 있음을 입증하여야 하며, 만약 그러한 사실을 확인할 수 없는 경우에는 당해 재고자산을 처분하고 매출누락한 것으로 간주하여 시가를 익금산입하여 대표자상여로 소득처분하고 누락자산가액을 손금산입하여 △유보로 처분하여야 한다.

3) 재고자산의 가공계상

재고자산의 누락과는 반대로 재고자산이 장부상에만 계상되어 있고 사실상 사외유출된 가공자산은 다음과 같이 처분한다(법기통 67-106…12).

① 재고자산의 부족액은 시가에 의한 매출액 상당액(재고자산이 원재료인 경우 그 원재료 상태로는 유통이 불가능하거나 조업도 또는 생산수율 등으로 미루어 보아 제품화되어 유출된 것으로 판단되는 경우에는 제품으로 환산하여 시가를 계산함)을 익금에 산입하여 대표자에 대한 상여로 처분하고 동 가공자산은 손금에 산입하여 △유보로 처분하며, 이를 손비로 계상하는 때에는 익금에 산입하여 유보로 처분한다.

② 이 때 익금에 가산한 매출액 상당액을 그 후 사업연도에 법인이 수익으로 계상한 경우에는 기 익금에 산입한 금액의 범위 내에서 이를 이월익금으로 보아 익금에 산입하지 아니한다.

10. 기부금

(1) 의 의

기부금이란 상대방으로부터 아무런 대가를 받지 않고 무상으로 증여하는 금전 기타의 자산가액이므로, 법인의 사업과 관계가 있는 거래처에게 지출하는 경우에 발생하는 접대비와는 다르다.

기부금은 본래 사회복지, 문화, 종교, 사회사업을 하는 제단체에 기업이 자유의사로서 반대급부를 기대하지 아니하고 지출한 금액을 의미하는 바, 형식적으로는 기부금이라 하더라도 그 내용이 강제 할당되는 것이라면 공과금 등으로 처리함이 타당할 것이며 무상이 아니라 대가관계가 있는 경우에는 이를 기부금이 아니고 필요경비 내지는 비용으로 보아야 할 것이다.

(2) 기업회계상 회계처리

기부금을 지출하는 경우 기부금계정으로 차변에 기입한다.

기부금의 가액은 금전으로 지급한 경우에는 당해 금전가액이 된다. 그러나 금전 이외의 자산으로 제공한 경우에는 기부금의 가액을 기부 당시의 공정가치로 회계처리한다.

(3) 세무회계상 유의사항

1) 기부금의 범위

기부금이란 내국법인이 사업과 직접적인 관계없이 무상으로 지출하는 금액을 말하며, 특수관계인 외의 자에게 정당한 사유 없이 자산을 정상가액보다 낮은 가액으로 양도하거나 특수관계인 외의 자로부터 정상가액보다 높은 가액으로 매입하는 거래를 통하여 실질적으로 증여한 것으로 인정되는 금액을 포함한다. 이 경우 정상가액은 시가에 시가의 30%를 더하거나 뺀 범위의 가액으로 한다(법법 24조 1항 및 법령 35조).

2) 기부금의 종류

① 기부금의 종류

법인이 지출한 기부금은 법인의 입장에서 볼 때 순자산의 감소를 가져오므로 기업회계상 당연히 비용으로 처리해야 하나, 법인이 기부금명목으로 임의로 지출하거나 업무와 관계 없이 지출하는 경우 법인소득금액을 감소시킬 수 있다.

따라서, 세법에서는 조세채권의 확보를 위하여 과세소득계산에 있어 기부금의 손금산입한도액을 특별히 규정하고 있으며, 손금산입의 내용에 따라 세법상 기부금의 종류를 다음과 같이 분류할 수 있다.

구 분	종 류	기부금한도액의 계산
㉠ 50% 한도 기부금 (법법 24조 2항, 법령 38조)	• 국가・지방자치단체 기부금 • 국방헌금과 국군장병 위문금품 등	(해당 사업연도 소득금액[1] – 이월결손금[2]) × 50%
㉡ 10% 한도 기부금 (법법 24조 3항, 법령 39조)	사회복지・문화・예술・교육・종교・자선・학술 등 공익성이 많은 기부금	(해당 사업연도 소득금액[1] – 이월결손금[2] – 50% 한도 기부금 손금산입액) × 10%[3]
㉢ 비지정기부금	50% 한도 기부금 및 10% 한도 기부금으로 열거되지 않은 기부금	

[1] 해당 사업연도 소득금액 = 결산상 당기순이익 ± 익금・손금조정액(합병・분할에 따른 양도손익은 제외) + 기부금 지출액

[2] 법법 13조 1항 1호에 따른 결손금. 다만, 각 사업연도 소득의 60%를 한도로 이월결손금 공제를 적용받는 법인(법법 13조 1항 각 호 외의 부분 단서)은 해당 사업연도 소득금액의 60%를 한도로 함.

[3] 사업연도 종료일 현재 사회적기업 육성법 제2조 제1호에 따른 사회적기업은 20%

내국법인이 각 사업연도에 지출하는 기부금 중 상기에 따른 손금산입한도액을 초과하여 손금에 산입하지 아니한 금액은 해당 사업연도의 다음 사업연도 개시일부터 10년

이내에 끝나는 각 사업연도로 이월하여 그 이월된 사업연도의 소득금액을 계산할 때 상기에 따른 손금산입한도액의 범위에서 손금에 산입한다. 이 경우 이월된 금액을 해당 사업연도에 지출한 기부금보다 먼저 손금에 산입하며, 이월된 금액은 먼저 발생한 이월금액부터 손금에 산입한다(법법 24조 5항, 6항).

한편, 기부금을 금전 외의 자산으로 제공한 경우 해당 자산의 가액은 다음의 구분에 따라 산정한다(법령 36조 1항).

- ㉠ 50% 한도 기부금의 경우 : 기부했을 때의 장부가액
- ㉡ 특수관계인이 아닌 자에게 기부한 10% 한도 기부금의 경우 : 기부했을 때의 장부가액
- ㉢ ㉠ 및 ㉡ 외의 경우 : 기부했을 때의 장부가액과 시가 중 큰 금액

② 고유목적사업준비금

가. 고유목적사업준비금의 손금산입

법인세법에서는 비영리내국법인이 각 사업연도에 그 법인의 고유목적사업 또는 10% 한도 기부금에 지출하기 위하여 고유목적사업준비금을 손비로 계상한 경우에는 일정 한도 내에서 손금에 산입할 수 있도록 하고 있다.

고유목적사업준비금의 손금산입은 결산조정을 원칙으로 하나 주식회사 등의 외부감사에 관한 법률에 따른 감사인의 회계감사를 받는 비영리내국법인이 고유목적사업준비금을 세무조정계산서에 계상하고 그 금액상당액을 해당 사업연도의 이익처분을 할 때 고유목적사업준비금으로 적립한 경우 그 금액을 결산을 확정할 때 손비로 계상한 것으로 본다(신고조정 인정). 이 경우 고유목적사업준비금의 한도액은 다음의 금액의 합계액(㉣에 따른 수익사업에서 결손금이 발생한 경우에는 ㉠부터 ㉢까지의 소득금액합계액에서 그 결손금을 차감한 금액을 말함)이다(법법 29조 1항, 2항 및 법령 56조 3항).

- ㉠ 소득세법 제16조 제1항 각 호(같은 항 제11호에 따른 비영업대금의 이익은 제외)에 따른 이자소득금액
- ㉡ 소득세법 제17조 제1항 각 호에 따른 배당소득금액. 단, 상속세 및 증여세법 제16조 또는 제48조에 따라 상속세 또는 증여세 과세가액에 산입되거나 증여세가 부과되는 주식 등으로부터 발생한 배당소득금액은 제외함.
- ㉢ 특별법에 따라 설립된 비영리내국법인이 해당 법률에 따른 복지사업으로서 그 회원이나 조합원에게 대출한 융자금에서 발생한 이자수입
- ㉣ (소득금액[*1]) − 상기 '㉠, ㉡, ㉢' 금액 − 이월결손금[*2] − 50% 한도 기부금) × 50%[*3]

*1) 고유목적사업준비금과 50% 한도 기부금을 손금산입하기 전의 소득금액을 말하되, 경정(법법 66조 2항)으로 증가된 소득금액 중 특수관계인에게 상여 및 기타소득으로 처분된 금액은 제외함.

*2) 각 사업연도 소득의 60%를 이월결손금 공제한도로 적용받는 법인은 공제한도 적용으로 인해 공제받지 못하고 이월된 결손금을 차감한 금액을 말함.

*3) 공익법인의 설립·운영에 관한 법률에 따라 설립된 법인으로서 고유목적사업 등에 대한 지출액 중 50% 이상의 금액을 장학금으로 지출하는 법인의 경우 : 80%

나. 고유목적사업준비금의 익금산입

손금에 산입한 고유목적사업준비금의 잔액이 있는 비영리내국법인이 다음의 어느 하나에 해당하게 된 경우 그 잔액은 해당 사유가 발생한 날이 속하는 사업연도의 소득금액을 계산할 때 익금에 산입하여야 한다(법법 29조 5항).

ㄱ 해산한 경우(모든 권리와 의무를 다른 비영리내국법인에 포괄적으로 양도하고 해산한 경우로서 그 다른 비영리내국법인이 고유목적사업준비금을 승계한 경우는 제외)

ㄴ 고유목적사업을 전부 폐지한 경우

ㄷ 법인으로 보는 단체가 국세기본법 제13조 제3항에 따라 승인이 취소되거나 거주자로 변경된 경우

ㄹ 고유목적사업준비금을 손금에 산입한 사업연도의 종료일 이후 5년이 되는 날까지 고유목적사업 등에 사용하지 아니한 경우(5년 내에 사용하지 아니한 잔액으로 한정)

여기서 고유목적사업이란 비영리내국법인의 법령 또는 정관에 따른 설립목적을 직접 수행하는 사업으로서 법인세법 시행령 제3조 제1항에 따른 수익사업 외의 사업을 말하며, 고유목적사업의 수행에 직접 필요한 유형자산 및 무형자산 취득비용(법인세법 시행령 제31조 제2항에 따른 자본적 지출을 포함함) 및 인건비 등 필요경비와 법령의 규정에 의한 기금 또는 준비금으로 적립한 금액 등의 경우에도 고유목적사업에 지출 또는 사용한 금액으로 본다. 다만, 비영리내국법인이 유형자산 등 취득 후 법령 또는 정관에 규정된 고유목적사업이나 보건업(의료법인에 한정함)에 3년 이상 직접 사용하지 아니하고 처분하는 경우에는 고유목적사업에 지출 또는 사용한 금액으로 보지 아니한다(법령 56조 5항, 6항).

고유목적사업준비금의 사용순서는 먼저 계상한 준비금부터 먼저 사용한 것으로 하며, 직전 사업연도 종료일 현재의 잔액을 초과한 경우 초과하는 금액은 해당 사업연도에 준비금을 계상하여 지출한 것으로 한다(법법 29조 3항).

한편, 손금에 산입한 고유목적사업준비금의 잔액이 있는 비영리내국법인은 고유목적사업준비금을 손금에 산입한 사업연도의 종료일 이후 5년 이내에 그 잔액 중 일부를 감

소시켜 익금에 산입할 수 있다. 이 경우 먼저 손금에 산입한 사업연도의 잔액부터 차례로 감소시킨 것으로 본다(법법 29조 6항).

고유목적사업준비금을 손금에 산입한 사업연도의 종료일 이후 5년이 되는 날까지 고유목적사업 등에 사용하지 아니한 경우로서 5년 내 사용하지 아니한 잔액을 익금에 산입하거나 5년 이내에 임의환입하는 경우에는 다음 'ㄱ'의 금액에 'ㄴ'의 율을 곱하여 계산한 이자상당액을 해당 사업연도의 법인세에 더하여 납부하여야 한다(법법 29조 7항 및 법령 56조 7항).

ㄱ 당해 고유목적사업준비금의 잔액을 손금에 산입한 사업연도에 그 잔액을 손금에 산입함에 따라 발생한 법인세액의 차액

ㄴ 손금에 산입한 사업연도의 다음 사업연도의 개시일부터 익금에 산입한 사업연도의 종료일까지의 기간에 대하여 1일 10만분의 25*의 율

* 2019. 2. 11. 이전 기간분은 1만분의 3

다. 중복적용의 배제

해당 비영리내국법인의 수익사업에서 발생한 소득에 대하여 법인세법 또는 조세특례제한법에 따른 비과세·면제, 준비금의 손금산입, 소득공제 또는 세액감면(세액공제는 제외)을 적용받는 경우에는 고유목적사업준비금의 손금산입 규정을 적용받을 수 없다. 다만, 고유목적사업준비금만을 적용받는 것으로 수정신고한 경우에는 제외된다(법법 29조 8항 및 법령 56조 8항).

3) 기부금의 손금귀속사업연도

① 일반적인 경우

기부금은 현금주의에 의하여 처리한다. 즉, 현금으로 지급하거나 현금으로 결제되는 시점에 손금으로 인정한다.

따라서, 현금지급하였으나 가지급금 등으로 이월계산한 경우에는 지출한 사업연도의 기부금으로 보며, 미지급금으로 계상한 경우에는 실제로 이를 지출할 때까지 기부금으로 보지 아니한다. 어음 또는 수표를 발행하여 지급한 때는 어음이 실제로 결제된 날 또는 당해 수표를 교부한 날에 지급된 것으로 한다(법령 36조 2항, 3항 및 법칙 18조).

② 사용·수익기부자산

사용·수익기부자산이란 일반적으로 법인의 소유 또는 법인의 부담으로 취득한 자산을 일정한 기간 동안 사용하거나 또는 수익을 얻을 것을 조건으로 하여 타인에게 무상

으로 기부한 자산을 말하며, 기부상대방에 따라 법인세법상 다음의 두 가지로 구분할 수 있다.

가. 무형자산

금전 외의 자산을 국가·지방자치단체, 법인세법 제24조 제2항 제1호 라목부터 바목까지의 규정에 따른 법인(특정 50% 한도 기부금 대상 공익법인) 또는 법인세법 시행령 제39조 제1항 제1호에 따른 법인(특정 10% 한도 기부금 대상 공익법인)에게 기부한 후 그 자산을 사용하거나 그 자산으로부터 수익을 얻는 경우 해당 자산의 장부가액은 사용수익기부자산가액으로 하여 법인세법상 무형자산으로 분류한다(법령 24조 1항 2호 사목).

또한, 사용수익기부자산가액은 해당 자산의 사용수익기간(그 기간에 관한 특약이 없는 경우 신고내용연수)에 따라 균등하게 안분한 금액(그 기간 중에 해당 기부자산이 멸실되거나 계약이 해지된 경우 그 잔액)을 상각하는 방법으로 손금에 산입한다(법령 26조 1항 7호).

나. 선급임차료

기획재정부의 유권해석에 따르면, 법인이 특수관계 없는 다른 법인이 소유하고 있는 토지 위에 건물을 신축하여 동 건물 및 건물의 부속토지를 일정기간 사용하는 조건으로 건물의 소유권을 무상으로 이전하는 경우 건물의 신축비용은 선급임차료에 해당하며 사용수익기간 동안 균등하게 안분하여 손금에 산입하도록 하고 있다(재법인 46012-86, 2001. 5. 3.).

즉, 국가·지방자치단체, 특정 50% 한도 기부금 대상 공익법인 및 특정 10% 한도 기부금 대상 공익법인 외의 법인 등에게 사용수익을 조건으로 무상으로 자산의 소유권을 이전하는 경우에는 법인세법상 선급임차료에 해당하는 것으로 보고 있다.

4) 기부금의 세무조정

세무조정은 기부금의 지급내용에 따라 다음과 같이 각각 다르다.

① 기부금을 법인이 손금으로 계상한 경우

기부금 한도초과액이나 비지정기부금을 손금불산입하고 기타사외유출로 소득처분을 한다. 다만, 비지정기부금을 받은 자가 해당 법인의 출자자(출자임원 제외)인 경우에는 배당으로 소득처분을 하고 임원 또는 사용인인 경우에는 상여로 소득처분을 한다(법령 106조 1항 3호, 법기통 67-106…6).

② 기부금을 미지급금으로 계상하는 경우

기부금은 현금주의에 의하여 손금에 산입하므로 동 기부금 전액을 손금불산입하고 유보로 소득처분을 한다(법령 36조 3항).

③ 전기 미지급금으로 계상된 기부금을 당해 사업연도에 지급한 경우

법인이 당해 사업연도 이전에 미지급금으로 계상한 기부금 중 당해 사업연도에 실제로 지급한 기부금은 손금에 산입하고 △유보로 처분한다. 그리고 동 금액을 기부금 해당액에 포함하여 시부인계산을 하여 손금한도액을 초과하는 금액에 대하여는 이를 손금불산입하고 기타사외유출로 처분한다. 그러나, 비지정기부금에 대하여는 전액 손금불산입하고, 그 기부받는 자에 따라 기타사외유출, 배당 또는 상여로 처분한다.

④ 기부금을 가지급금으로 계상한 경우

법인이 당해 사업연도에 실제로 지급한 기부금을 가지급금 등 자산으로 처리한 경우에는 이를 손금산입하고 △유보로 소득처분한 다음 동 금액을 기부금 해당액에 포함하여 시부인계산을 하여 손금한도액을 초과하는 경우에는 그 초과하는 금액을 손금불산입하고 기타사외유출로 소득처분을 한다. 그러나, 동 기부금이 비지정기부금에 해당하는 기부금인 경우에는 동 금액을 전액 손금불산입하고, 그 기부받는 자에 따라 기타사외유출, 배당 또는 상여로 소득처분한다(법령 36조 2항).

⑤ 전기 가지급금으로 계상한 기부금을 당해 사업연도에 손금으로 대체한 경우

시부인계산 없이 전액 손금불산입하고 유보로 처분한다.

⑥ 저가양도, 고가매입

가. 저가양도

법인이 특수관계인 외의 자에게 정당한 사유 없이 자산을 정상가격보다 낮은 가격으로 양도하는 경우에는 정상가액과 양도가액과의 차액을 기부금으로 인정하여 해당 기부금이 시부인대상이 되는 기부금에 해당하면 한도계산을 하여 한도초과액을 손금불산입하고 기타사외유출로 소득처분한다(법령 106조 1항 3호 가목). 그러나, 해당 기부금이 비지정기부금에 해당하는 경우에는 바로 손금불산입하고, 그 기부받는 자에 따라 기타사외유출, 배당 또는 상여로 소득처분한다.

나. 고가매입

(가) 자산을 취득한 사업연도의 세무조정

이 경우는 법인이 기부금을 실지로 지급하고 가지급금으로 처리한 경우에 준하여 세

무조정을 하여야 한다.

(나) 해당 자산에 대한 감가상각비를 손금에 산입하는 경우

기부금으로 인정되는 금액에 대하여는 해당 자산을 취득한 사업연도에 손금에 산입하였으므로 이를 감가상각비로 계상한 사업연도에 있어서도 손금에 산입하게 되면 동일한 금액에 대하여 이중으로 손금에 산입하는 결과가 된다. 따라서, 해당 자산의 감가상각비를 계상한 사업연도에 있어서는 동 감가상각비는 손금불산입하고 유보로 소득처분하여야 한다.

(다) 해당 자산을 소비 또는 매각하는 경우

해당 자산을 사용·소비함에 따라 손금처리하거나 외부에 매각한 경우에는 이를 손금불산입하고 유보로 처분함으로써 해당 자산을 취득한 사업연도에 손금에 산입한 금액(△유보)을 추인한다.

11. 재해손실

(1) 의 의

화재, 풍수해, 지진, 침수해 등 천재·지변 또는 돌발적인 사건(도난으로 입은 거액의 손실 등)으로 인하여 재고자산이나 유형자산에 입은 손실액을 재해손실이라고 한다.

이는 기업의 주된 영업활동과는 관계없이 우발적·임시적·돌발적·이상적으로 불시에 발생한 손실을 의미한다.

가령 비정상적인 사태 등으로 인한 조업중단기간 중에 발생한 고정비(감가상각비, 기본급여 등)가 금액적으로 중요한 경우에는 이를 매출원가나 영업비용의 일부로 포함시키는 것이 불합리할 수도 있다. 따라서 이러한 예외적인 경우 이를 별도의 항목으로 표시할 수 있을 것이다. 유형자산 중 '8. 유형자산 손상 (4) 손상의 보상'에서 설명한 바와 같이 재해로 인하여 발생하는 자산의 손상, 보상청구 및 보상금의 수령, 대체 자산의 매입 등은 각각 구분되는 경제적 사건이므로 분리하여 회계처리하여야 한다. 특히 동 사태로 입은 피해손실에 대한 피해보상금의 수익인식시점이 반드시 재해손실의 인식시점과 동일하지 않다는 점에 유의하여야 할 것이다. 피해보상금을 받은 경우 재해손실을 별도의 항목으로 표시한 것과 동일하게 수익도 별도로 표시할 수 있을 것으로 판단된다.

(2) 기업회계상 회계처리

피해자산에 대한 멸실부분의 장부금액에 상당하는 금액이 모두 재해손실계정에 차기

된다. 한편, 피해자산에 대하여 손해보험에 가입되어 있는 경우에는 보험금을 수취할 권리가 발생한 시점에 당기손익에 반영하여야 한다(기준서 제1016호 문단 66).

사례 1 (주)삼일은 화재로 인하여 점포가 소실되었으며, 소실자산의 내역은 다음과 같다.
- 건 물 : 취득원가 ₩20,000,000, 감가상각누계액 ₩8,000,000
- 비 품 : 취득원가 ₩6,000,000, 감가상각누계액 ₩4,000,000
- 상 품 : ₩2,000,000

또한 회사는 화재로 소실된 자산에 대하여 ₩13,000,000의 화재보험에 가입하고 있었으므로 보험회사에 보험금을 청구하다.

(차) 건물감가상각누계액	8,000,000	(대) 건	물	20,000,000
비품감가상각누계액	4,000,000	비	품	6,000,000
재 해 손 실	16,000,000	상	품	2,000,000

사례 2 (주)삼일은 [사례 1]의 화재에 대하여 보험회사로부터 보험금을 지급하기로 결정통지를 받다.

(차) 미 수 금	13,000,000	(대) 보 험 금 수 익	13,000,000

(3) 세무회계상 유의할 사항

1) 재해손실에 대한 세액공제

내국법인이 각 사업연도 중 천재지변 기타 재해로 인하여 토지를 제외한 사업용 자산 및 타인소유의 자산으로서 그 상실로 인한 변상책임이 당해 법인에게 있는 자산가액의 20% 이상을 상실하여 납세가 곤란하다고 인정되는 경우에는 법인세법 제58조의 규정에 의하여 재해손실에 대한 세액공제를 받을 수 있다.

① 적용대상법인

천재지변 기타 재해로 인하여 토지를 제외한 사업용 자산 및 타인소유의 자산으로서 그 상실로 인한 변상책임이 당해 법인에게 있는 자산가액의 20% 이상을 상실한 법인

② 세액공제액

다음의 산식에 따라 계산한 금액을 공제한다(한도 : 상실된 자산의 가액).

$$\text{세액공제대상 법인세} \times \frac{\text{재해로 인하여 상실된 자산가액}}{\text{상실 전 사업용 및 타인소유 총자산가액}}$$

㉠ 자산상실비율은 재해발생일 현재 그 법인의 장부금액에 의하여 계산하되, 장부가 소실 또는 분실되어 장부금액을 알 수 없는 경우에는 납세지 관할세무서장이 조사 하여 확인한 재해발생일 현재의 가액에 의하여 이를 계산한다(법령 95조 2항).

㉡ 재해로 인하여 수탁받은 자산을 상실하고 그 자산가액의 상당액을 보상하여 주는 경우에는 재해로 인하여 상실된 자산의 가액 및 상실 전의 자산총액에 포함하되, 예금·받을어음·외상매출금 등은 해당 채권추심에 관한 증서가 멸실된 경우에도 이를 상실된 자산의 가액에 포함하지 않는다. 한편, 재해자산이 보험에 가입되어 있어 보험금을 수령하는 때에도 그 재해로 인하여 상실된 자산의 가액을 계산함에 있어서 동 보험금을 차감하지 않는다(법칙 49조 2항).

③ 세액공제대상 법인세

㉠ 재해발생일 현재 부과되지 아니한 법인세와 부과된 법인세로서 미납된 법인세

㉡ 재해발생일이 속하는 사업연도의 소득에 대한 법인세

㉢ 위의 법인세에는 법인세법 제75조의 3과 국세기본법 제47조의 2부터 제47조의 5 의 규정에 따른 가산세를 합산하고 다른 법률에 따른 공제·감면세액이 있는 경우 이를 차감한다(법령 95조 3항, 법칙 49조 1항).

④ 신청서의 제출

다음의 기한 내에 재해손실세액공제신청서를 제출하여야 하며, 신청받은 세무서장은 공제세액을 결정하여 당해 법인에 통지하여야 한다(법법 58조 3항, 법령 95조 5항).

㉠ 과세표준 신고기한이 경과되지 아니한 법인세의 경우에는 그 신고기한. 다만, 재 해발생일부터 신고기한까지의 기간이 1월 미만인 경우에는 재해발생일부터 1월로 함.

㉡ ㉠ 외의 재해발생일 현재 미납된 법인세와 납부하여야 할 법인세(과세표준 신고기 한이 경과되지 아니한 것을 제외함)의 경우에는 재해발생일부터 1월

2) 보험차익으로 취득한 유형자산가액의 손금산입

보험차익이란 화재 등의 재해로 인해 멸실된 자산에 대하여 수령한 보험금이 당해 자 산의 장부금액을 초과하는 경우 그 초과금액을 말한다.

한국채택국제회계기준에서는 재해손실(손상차손)과 보험금수익을 별개의 회계사건으

로 보아 각각 총액으로 표시하도록 하고 있는 반면(기준서 제1016호 문단 66), 법인세법에서는 보험차익(보험금수익 - 손상차손)을 유형자산의 매매차익의 성질로 간주하여 원칙적으로 그 보험금의 지급이 확정된 날이 속하는 사업연도에 순액으로 법인의 익금에 산입하도록 하고 있다(법기통 40 - 71…8). 따라서, 재해손실이 계상되는 사업연도와 보험금의 지급이 확정된 사업연도가 서로 다른 경우에는 손익귀속시기의 차이에 따른 법인세 세무조정이 발생하게 된다.

한편, 보험차익의 성격상 세법은 과세상의 특례규정을 두어 유형자산의 멸실이나 손괴로 인해 지급받은 보험금액으로 일정기간 내에 대체자산을 취득한 때에는 일시상각충당금에 상당하는 금액만큼의 과세권행사를 유보하고 있다(법법 38조).

① 일시상각충당금

유형자산의 멸실 등으로 인하여 수령한 보험금으로 그 멸실된 유형자산에 대체하여 같은 종류의 유형자산을 취득하거나 개량한 경우에는 취득 등에 사용된 보험차익 상당액을 일시상각충당금으로 설정하여 법인의 손금에 산입할 수 있다. 이 때 보험차익으로 취득한 유형자산의 감가상각비는 일시상각충당금과 상계하여야 한다.

② 결산조정 및 신고조정

보험차익에 대한 일시상각충당금을 손금에 산입하고자 할 때에는 원칙적으로 결산조정사항으로 법인 스스로 손금기장하여야 한다. 즉, 손금에 산입하고자 하는 보험차익을 다음과 같이 일시상각충당금으로 계상하여야 한다.

(차) 일시상각충당금전입액　　×××　　(대) 일 시 상 각 충 당 금　　×××

위와 같이 계상한 일시상각충당금은 당해 보험차익으로 취득하거나 개량한 고정자산의 감가상각비와 상계하여야 한다. 이 경우에는 다음과 같이 회계처리한다.

(차) 일 시 상 각 충 당 금　　×××　　(대) 감 가 상 각 비　　×××

다만, 이러한 회계처리방법은 한국채택국제회계기준에서는 인정되지 않으므로 법인세법 시행령 제98조에서는 이러한 결산조정절차를 생략하고 신고조정으로 세무조정계산서에만 손금산입하는 특례를 두고 있다.

12. 잡손익

(1) 의의 및 범위

중요한 비용과목에 속하거나 또는 그 발생액이 매기 정상적이며, 또 비교적 다액에 달하는 비용에 대하여는 그 성질을 나타내는 독립된 계정과목을 설정하여 처리하여야 한다.

그러나 그 이외에 발생횟수도 적고 금액적으로 독립하여 처리할 필요가 없는 잡다한 손실은 이것을 잡손실로 처리하고 개개의 독립된 계정과목을 설정할 필요가 없다. 이와 같이 독립된 계정과목을 설정하지 아니한 비용에 대하여 그것을 집계·처리하는 계정이 잡손익계정이다.

금액적으로 중요하지 않거나 그 항목이 구체적으로 밝혀지지 않은 손익은 잡손익으로 처리하며, 잡손익계정에서 처리되는 거래의 예로서는 폐품의 판매수입, 원인불명의 현금과부족액 등을 들 수 있다.

(2) 기업회계상 회계처리

가. 잡이익의 회계처리 예시는 다음과 같다.

> **사례** (주)삼일은 자원절약운동의 일환으로 신문 등 폐지를 수거해 ₩500,000에 매각하였다.

(차) 현금 및 현금성자산	500,000	(대) 잡 이 익	500,000

나. 잡손실의 회계처리 예시는 다음과 같다.

> **사례** (주)삼일에 도둑이 침입하여 저장품 ₩150,000 및 현금 ₩200,000을 도난당했다.

(차) 잡 손 실	350,000	(대) 저 장 품	150,000
		현금및현금성자산	200,000

(3) 세무회계상 유의할 사항

1) 부당한 공동경비의 손금불산입

내국법인이 해당 법인 외의 자와 동일한 조직 또는 사업 등을 공동으로 운영하거나 영위함에 따라 발생되거나 지출된 손비 중 다음의 기준에 따른 분담금액을 초과하는 금액은 해당 법인의 소득금액을 계산할 때 손금에 산입하지 않는다(법령 48조 1항 및 법칙 25조 2항).

㉠ 출자에 의하여 특정 사업을 공동으로 영위하는 경우에는 출자총액 중 당해 법인이 출자한 금액의 비율

㉡ ㉠ 외의 경우로서 해당 조직·사업 등에 관련되는 모든 법인 등(이하 "비출자공동 사업자"라 함)이 지출하는 비용에 대하여는 다음에 따른 기준

 ⓐ 비출자공동사업자 사이에 특수관계가 있는 경우 : 직전 사업연도 또는 해당 사 업연도의 매출액 총액과 총자산가액(한 공동사업자가 다른 공동사업자의 지분 을 직접 보유하고 있는 경우 그 주식의 장부가액은 제외함) 중 법인이 선택하 는 금액(선택하지 아니한 경우에는 직전 사업연도의 매출액 총액을 선택한 것 으로 보며, 선택한 사업연도부터 연속하여 5개 사업연도 동안 적용해야 함)에 서 해당 법인의 매출액(총자산가액 총액을 선택한 경우에는 총자산가액을 말한 다)이 차지하는 비율. 다만, 공동행사비 등 참석인원의 수에 비례하여 지출되는 손비는 참석인원비율, 공동구매비 등 구매금액에 비례하여 지출되는 손비는 구 매금액비율, 무형자산의 공동사용료는 해당 사업연도 개시일의 기업회계기준에 따른 자본의 총합계액, 광고선전비는 다음의 기준에 따를 수 있음(법칙 25조 2항).

 – 국외 공동광고선전비 : 수출금액(대행수출금액은 제외하며, 특정 제품에 대 한 광고선전의 경우에는 해당 제품의 수출금액을 말함)

 – 국내 공동광고선전비 : 기업회계기준에 따른 매출액 중 국내의 매출액(특정 제품에 대한 광고선전의 경우에는 해당 제품의 매출액을 말하며, 주로 최종 소비자용 재화나 용역을 공급하는 법인의 경우에는 그 매출액의 2배에 상 당하는 금액 이하로 할 수 있음)

 ⓑ ⓐ 외의 경우 : 비출자공동사업자 사이의 약정에 따른 분담비율. 다만, 해당 비 율이 없는 경우에는 ⓐ의 비율에 따름.

한편, 다음의 어느 하나에 해당하는 법인의 경우에는 공동광고선전비를 분담하지 아 니하는 것으로 할 수 있다(법칙 25조 4항).

㉠ 당해 공동광고선전에 관련되는 자의 직전 사업연도의 매출액 총액에서 당해 법인 의 매출액이 차지하는 비율이 1%에 미달하는 법인

㉡ 당해 법인의 직전 사업연도의 매출액에서 당해 법인의 광고선전비(공동광고선전비 는 제외)가 차지하는 비율이 0.1%에 미달하는 법인

㉢ 직전 사업연도 종료일 현재 청산절차가 개시되었거나 독점규제 및 공정거래에 관 한 법률에 의한 기업집단에서의 분리절차가 개시되는 등 공동광고의 효과가 미치 지 아니한다고 인정되는 법인

2) 증명서류 수취 불성실 가산세

법인세법에서는 기업경영의 투명성을 높이기 위하여 손비로 인정되는 각종 경비의 요건 및 범위를 국제기준에 따라 명확히 하고, 지출증빙은 원칙적으로 거래의 상대방이 확인되는 신용카드매출전표 및 세금계산서 등으로 제한하고 있다.

이에 따라 법인이 사업과 관련하여 사업자로부터 재화 또는 용역을 공급받고 신용카드매출전표(직불카드, 외국신용카드, 기명식선불카드, 직불전자지급수단, 기명식선불전자지급수단 및 기명식전자화폐를 사용하여 거래하는 경우에는 그 증명서류 포함), 현금영수증, 세금계산서 및 계산서 등의 증명서류를 수취(매입자발행세금계산서를 발행하여 보관하는 때에는 수취의무를 이행한 것으로 봄)하지 아니하거나 사실과 다른 증명서류를 받은 법인은 그 수취하지 아니한 금액 또는 사실과 다르게 받은 금액으로서 손금산입이 인정되는 금액의 2%를 증명서류 수취 불성실 가산세로 납부하여야 한다. 또한, 이와 같은 증명서류 수취 불성실 가산세는 산출세액이 없는 경우에도 적용된다(법법 75조의 5).

다만, ㉠ 공급받은 재화 또는 용역의 부가가치세를 포함한 건당 거래금액이 3만원 이하인 경우, ㉡ 농·어민으로부터 재화 또는 용역을 직접 공급받은 경우, ㉢ 의료보건용역 등을 제공하는 원천징수대상 사업소득자로부터 용역을 공급받은 경우(원천징수된 것에 한함), ㉣ 항만공사가 공급하는 화물료 징수용역을 공급받는 경우 등에는 증명서류 수취 불성실 가산세를 적용하지 아니한다(법령 158조 2항).

한편, 법인이 다음 중 하나에 해당하는 증빙을 보관하고 있는 경우에는 본 규정을 적용함에 있어서 신용카드매출전표를 수취하여 보관하고 있는 것으로 본다(법령 158조 4항).

㉠ 여신전문금융업법에 의한 신용카드업자로부터 교부받은 신용카드 및 직불카드 등의 월별이용대금명세서

㉡ 여신전문금융업법에 의한 신용카드업자로부터 전송받아 전사적 자원관리시스템에 보관하고 있는 신용카드 및 직불카드 등의 거래정보(국기령 65조의 7의 규정에 의한 요건을 충족하는 경우에 한함)

당기순손익 등

손익계산서(income statement)는 수익, 비용, 이익, 손실 등 일정기간 동안 기업의 경영성과에 대한 정보를 제공하는 재무보고서로서, 당해 회계기간의 경영성과를 나타낼 뿐만 아니라 기업의 미래현금흐름과 수익창출능력 등의 예측에 유용한 정보를 제공한다.

이처럼 손익계산서는 일정기간의 영업활동의 결과치인 이익에 관한 정보를 제공하여 주는데, 기업의 다양한 활동, 거래 및 회계사건은 기업의 안정성, 위험도, 예측가능성에 미치는 영향이 다르다. 따라서, 기업이 실제 달성한 경영성과를 이해하고 미래 경영성과를 예측하는 데 도움을 줄 수 있도록 기업의 경영성과에 영향을 미치는 요소를 구분하게 되면 기업의 미래현금흐름과 수익창출능력 등을 예측하는 데 보다 유용한 정보를 제공해 줄 수 있다.

1. 매출총손익

매출총손익은 기업의 판매활동에서 달성된 이익창출의 결과를 나타내주며, 기업의 주된 영업활동의 결과인 매출액에서 이에 대응하는 매출원가를 차감함으로써 산출된다. 기능별로 비용을 분석하여 표시하는 경우, 매출총손익의 소계를 포괄손익계산서 본문에 표시한다.

2. 영업손익

영업손익이란 기업의 영업활동에서 발생한 손익으로서 수익에서 매출원가 및 판매비와관리비(물류원가 등을 포함)를 차감한 영업손익을 포괄손익계산서에 구분하여 표시한다. 영업의 특수성을 고려할 필요가 있는 경우(예 : 매출원가를 구분하기 어려운 경우)나 비용을 성격별로 분류하는 경우 영업수익에서 영업비용을 차감한 영업손익을 포괄손익계산서에 구분하여 표시할 수 있다.

3. 법인세비용차감전계속사업손익

'법인세비용차감전계속사업손익'은 중단사업손익이 있는 경우에 중단사업손익과 구

분하기 위하여 사용되며, 중단사업손익이 없는 경우에는 '법인세비용차감전순손익'으로 표시한다.

법인세비용차감전계속사업손익은 기업의 계속적인 사업활동과 그와 관련된 부수적인 활동에 발생하는 손익으로서, 영업손익에서 영업외손익, 금융수익/금융원가 및 지분법손익 등을 차감한 법인세차감전순손익에서 법인세비용을 차감하여 계산된다.

4. 계속사업손익

계속사업손익은 중단사업손익이 있는 경우에 중단사업손익과 구분하기 위하여 사용되며, 법인세비용차감전계속사업손익에서 계속사업손익법인세비용을 차감하여 산출한다.

5. 중단영업손익

중단영업손익은 중단영업으로부터 발생한 손익으로서, 세후 중단영업손익과 중단영업에 포함된 자산이나 처분자산집단을 순공정가치로 측정하거나 처분함에 따른 세후손익의 합계를 포괄손익계산서 본문에 단일금액으로 표시하고, 중단사업손익의 산출내역 등을 주석으로 기재한다.

6. 당기순손익

당기순손익의 구성요소를 단일 포괄손익계산서의 일부로 표시하거나 별개의 손익계산서에 표시할 수 있다. 손익계산서를 표시하는 경우 그 손익계산서는 전체 재무제표의 일부이며 포괄손익계산서의 바로 앞에 표시한다.

7. 기타포괄손익

기타포괄손익은 한국채택국제회계기준서에서 요구하거나 허용하여 당기손익으로 인식하지 않은 수익과 비용항목(재분류조정 포함)을 의미하여, 기타포괄손익의 구성요소는 관련 법인세 효과를 차감한 순액으로 표시하거나, 기타포괄손익의 구성요소와 관련된 법인세 효과 반영 전 금액으로 표시하고, 각 항목들에 관련된 법인세 효과는 단일금액으로 합산하여 표시할 수 있다.

8. 총포괄손익

당기순손익과 법인세비용차감후기타포괄손익을 합하여 산출된다.

법인세비용

제1절 의 의

법인세비용은 당기법인세비용과 이연법인세비용으로 구성된다.

당기법인세비용은 법인세법 등의 법령에 의하여 각 회계연도에 부담할 법인세 및 법인세에 부과되는 세액의 합계액을 나타내고, 이연법인세는 미래 회계기간에 납부할 또는 회수될 수 있는 법인세 금액을 나타낸다.

법인세비용은 기본적으로 특정 회계기간의 회계이익에 영향을 미친 모든 손익거래의 세금효과로 측정되어야 한다. 즉, 영업활동의 결과에 따른 법인세효과는 그 영업활동이 인식되고 보고되는 기간과 동일한 기간에 인식 및 보고되어야 하는 것이다. 따라서 이익이 많으면 법인세비용도 많고 이익이 적으면 법인세비용도 적어지는 인과관계가 성립될 수 있다.

하지만 회계이익과 과세소득은 여러 가지 이유로 일치하지 않아 회계이익과 법인세비용 간의 인과관계가 일정 비율로 성립하지 못한다. 따라서 회계이익과 과세소득의 차이로 향후에 발생할 세효과를 이연법인세로 인식하도록 하는 것이다.

제2절 | 개념 및 범위

　법인세비용은 법인세부담액에 이연법인세 변동액을 가감하여 산출된 금액을 말한다. 이 경우 법인세부담액은 법인세법 등의 법령에 의하여 각 회계연도에 부담할 법인세를 말하며, 이연법인세는 자산·부채의 장부금액과 세무기준액의 차이 등으로 인하여 미래에 부담하게 될(또는 경감될) 법인세부담액을 말한다. 즉, 법인세비용은 법인세부담액과 이연법인세자산(부채)을 계산한 후에 법인세부담액에 이연법인세자산의 증가(감소)를 차감(가산)하고 이연법인세부채의 증가(감소)를 가산(차감)하여 계산하는 것이다. 이렇게 법인세비용을 계산하는 방법을 '자산부채법'이라 하며 이에 대해 보다 자세한 내용은 '제3절 법인세회계 중 3. 이연법인세인식의 접근방법'을 참조하기로 한다.

　법인세비용에서의 '법인세' 범위는 국내 또는 국외에서 법인의 과세소득에 기초하여 부과되는 모든 세금을 포함하며, 법인세에 부가되는 세액(법인지방소득세, 농어촌특별세 등)을 포함한다. 또한, 법인세는 종속기업, 관계기업 또는 공동약정이 보고기업에게 배당할 때 납부하는 원천징수세금 등도 포함한다(기준서 제1012호 문단 2).

제3절 법인세회계

1. 개 요

　법인세회계는 일정기간에 대한 법인세부담액과 재무상태표에 나타날 법인세 관련 자산과 부채를 결정하여 손익계산서에 나타날 법인세비용을 확정하는 과정을 말한다. 즉, 발생주의 및 공정가치평가 등을 기초로 하는 기업회계기준과 권리·의무확정주의 및 역사적 원가 등을 기초로 하는 세법과의 차이로 인하여 수익·비용과 익금·손금의 인식방법과 인식시기 등의 차이가 발생하는 바, 세법에 따른 법인세부담액을 기업회계에 따른 인식기간에 배분하는 것이 법인세회계이다.

　특정 회계연도의 법인세비용은 동 회계연도의 법인세비용차감전순손익과 대응되도록 하고 있다. 다만, 당기의 손익에 중단사업과 관련된 손익이 포함되어 있는 경우에는 법인세비용차감전계속사업손익과 계속사업법인세비용을 대응되도록 하고, 중단사업과 관련된 법인세비용은 중단사업손익에서 직접 차감하도록 하여 중단사업손익에 대응되도록 하고 있다. 이와 같이 기업의 영업활동(거래)의 결과에 따른 법인세효과를 그 영업활동(거래)이 보고되는 기간과 동일한 기간의 재무제표에 인식하여 기간이익의 왜곡현상을 제거하도록 하는 것이 법인세회계의 목적이다.

2. 용어의 정의

　법인세회계에서 사용하는 용어의 정의는 다음과 같다.

★
기준서 제1012호【법인세】

용어의 정의
- 회계이익 : 법인세비용 차감 전 회계기간의 손익
- 과세소득(세무상 결손금) : 과세당국이 제정한 법규에 따라 납부할(환급받을) 법인세를 산출하는 대상이 되는 회계기간의 이익(손실)
- 법인세비용(수익) : 당기법인세 및 이연법인세와 관련하여 당해 회계기간의 손익을 결정하는 데 포함되는 총액
- 자산·부채의 세무기준액 : 세무상 당해 자산 또는 부채에 귀속되는 금액
- 일시적차이 : 재무상태표상 자산·부채의 장부금액과 세무기준액의 차이. 이러한 일시적 차이는 다음의 두 가지로 구분된다.
  (1) 가산할 일시적차이 : 자산이나 부채의 장부금액이 회수나 결제되는 미래 회계기간의 과세소득(세무상 결손금) 결정시 가산될 금액이 되는 일시적차이
  (2) 차감할 일시적차이 : 자산이나 부채의 장부금액이 회수나 결제되는 미래 회계기간의

과세소득(세무상 결손금) 결정시 차감할 금액이 되는 일시적차이

• 이연법인세부채 : 가산할 일시적차이로 인하여 미래에 부담하게 될 법인세 금액
• 이연법인세자산 : 다음의 항목들로 인하여 미래 회계기간에 회수될 수 있는 법인세 금액
　(1) 차감할 일시적차이
　(2) 미사용 세무상 결손금의 이월액
　(3) 미사용 세액공제 등의 이월액

3. 이연법인세인식의 접근방법

(1) 자산부채법과 이연법

대부분의 회계사건에 의한 결과는 그 회계사건이 재무제표에 인식되는 회계연도의 과세소득에 영향을 미쳐 세금효과가 그 해에 나타난다. 그러나 어떤 회계사건의 결과는 이연되어 미래의 과세소득에 영향을 미치게 되고 그 세금효과도 이연된다.

이러한 법인세의 이연효과를 재무제표에 인식하는 방법은 자산부채법(asset-liability method)에 의해 인식하는 방법과 이연법(deferred method)에 의해 인식하는 방법이 있으며, 이를 요약·정리하면 다음과 같다.

| 자산부채법과 이연법 |

구 분	자산부채법	이연법
목 적	재무상태표 관점에서 재무상태의 적정표시 및 미래현금흐름의 예측	손익계산서 관점에서 세전 이익과 법인세비용의 기간대응
법인세이연효과 인식대상	일시적차이(temporary difference), 세무상 결손금 및 세액공제·소득공제 등	기간적 차이(timing difference)(Vs. 영구적 차이), 세무상 결손금 및 세액공제·소득공제 등
법인세비용의 계산순서	(차) 법인세비용 ③ 　　이연법인세자산 ② 　　　(대) 미지급법인세 ① 　　　　이연법인세부채 ②	(차) 법인세비용 ① 　　이연법인세자산 ③ 　　　(대) 미지급법인세 ② 　　　　이연법인세부채 ③
적용 세율	미래 세율	당기 세율
이연법인세액의 의미	미래 세부담액 또는 경감액	법인세부담액과 법인세비용의 차이

이 때 각 방법에 따라 재무제표에 나타나는 항목의 개념적 본질에 중요한 차이가 존재하는데, 자산부채법에 의한 법인세회계에 의하여 인식되는 계정들이 재무회계개념체계의 정의와 보다 일관성이 있다. 또한 자산부채법은 유용하고 이해가능성이 있으며 이

연법보다 더 나은 정보를 제공한다. 이에 따라 한국채택국제회계기준에서는 자산부채법에 따라 이연법인세자산과 이연법인세부채를 인식하는 방법을 채택하고 있다.

이연법에 의한 법인세회계의 목적은 회계상 세전 이익이 인식되는 기간에 관련 법인세비용을 대응시키는 것이다. 즉, 회계상의 세전 이익에 영구적 차이(permanent difference)를 반영한 금액을 근거로 법인세비용을 산정하고 이 금액과 법인세부담액의 차이인 법인세효과[기간적 차이(timing differences)에 의하여 결정되며, 그 크기는 발생시점에 확정됨]를 재무상태표에 이연하여 두었다가, 향후 기간적 차이가 소멸될 때 마다 해당 액을 상각 또는 환입하여 소멸시점의 법인세비용에 반영하는 방법을 따르고 있다. 이 방법에 의할 경우 이연된 법인세효과에 향후 세율이나 세법의 변동효과가 반영되지 않으며, 재무상태표상 이연법인세자산과 부채는 미래에 경감되거나 부담할 법인세부담액을 표시하지 못한다.

(2) 일시적차이와 기간적 차이

일시적차이(temporary difference)는 자산·부채의 장부금액과 세무기준액의 차이를 말하며, 기간적 차이(timing difference)는 특정 회계사건이 회계이익의 결정에 포함된 시기와 과세소득의 산정에 포함된 시기가 상이함에 따라 발생하는 차이를 말한다. 즉, 일시적차이는 자산부채법에서 관련 자산과 부채항목으로부터 도출되는 반면, 기간적 차이는 이연법에서 손익계산서 항목으로부터 도출되는 차이라는 점에서 구분된다.

(3) 일시적차이와 비일시적차이

일반적으로 영구적 차이란 특정 회계기간의 회계이익과 과세소득의 차이가 나타나면 그 후에 영구적으로 그 차이가 반전되지 않는 것을 의미하는 바, 이는 주로 조세정책적 목적에서 특정 비용을 손금으로 인정하지 않는다거나 비용이 아닌데도 과세표준에서 공제하도록 함에 따라 나타난다.

손익계산서 중심의 이연법에서는 한 기간의 회계이익과 과세소득의 차이를 후속기간에 미치는 효과에 따라 기간적 차이(timing differences)와 영구적 차이(permanent difference)로 구분한다. 그러나 기준서 제1012호 '법인세'에서는 기간적 차이와 대비되는 개념인 영구적 차이에 대해서 별도로 정의하지 않고, 자산과 부채의 일시적차이로 설명하고 있다.

4. 자산·부채의 세무기준액

(1) 자산의 세무기준액

1) 개 요

자산의 세무기준액은 해당 자산이 세무상 자산으로 인정되는 금액으로 자산의 장부금액이 회수될 때 기업에 유입될 과세대상 경제적효익에서 세무상 차감될 금액으로 정의된다(기준서 제1012호 문단 7). 만약 유입되는 경제적효익이 과세대상이 아니라면 자산의 세무기준액은(세무상으로 인정하지 않는 평가금액을 반영하지 않은) 장부금액을 의미한다. 이를 산식으로 나타내면 다음과 같다.

$$
\begin{array}{c}
\text{자산의} \\ \text{장부금액}
\end{array}
-
\begin{array}{c}
\text{회수에 따른} \\ \text{미래과세소득 가산액}^{1)}
\end{array}
+
\begin{array}{c}
\text{사용에 따른} \\ \text{미래과세소득 차감액}
\end{array}
=
\begin{array}{c}
\text{자산의} \\ \text{세무기준액}
\end{array}
$$

1) 기준서 제1012호에서는 보고기간말 현재 장부금액의 범위 내에서 자산의 회수를 통한 미래 세효과에 중점을 두고 있으므로, 자산이 회수에 따른 미래과세소득 가산액은 자산의 장부금액을 한도로 한다.

2) 재고자산 등 일반적인 자산

재고자산, 유가증권, 유형자산 등 기업활동과 관련된 일반적인 자산의 세무기준액은 미래기간에 세무상 손금(비용)으로 인정될 금액이다.

> **사례** 취득원가 100의 기계에 대하여 당 회계연도말까지 누적하여 40의 감가상각비를 인식하였는데, 세무상으로는 누적하여 30을 손금으로 인정받았다면 기계의 장부금액과 세무기준액은 각각 얼마인가?
> - 기계의 장부금액 = 100(취득원가) - 40(회계상 감가상각누계액) = 60
> - 기계의 세무기준액 = 60(자산의 장부금액) - 60[회수에 따른 미래과세소득(익금)]
>   + 70[사용에 따른 소득차감액(손금)] = 70
> 따라서, 10의 차감할 일시적차이가 존재하게 된다.

3) 미수수익

미수수익의 경우 회계상으로는 당기에 발생한 수익을 아직 현금으로 회수하지 못한 것이므로 그만큼 자산으로 인식하는 것이나, 세무상으로는 수입시기에 해당하는 날이 속하는 사업연도에 전액을 익금(수익)으로 인식해야 하므로 당기의 세무상 자산은 존재하지 않는다. 따라서 이 경우 회계상 자산으로 인식하는 미수수익의 세무기준액은 영(0)이 되며, 가산할 일시적차이가 존재하게 된다.

4) 대여금

대여금과 같은 자산은 향후 유입되는 경제적효익이 과세대상이 아니므로 회계상 장부금액이 그대로 세무상 자산으로 인정되므로 세무기준액은 장부금액과 일치한다. 다만, 대여금 등에 대하여 대손을 인식하는 경우에는 취득원가에서 세무상 대손비용으로 인정된 금액(세무상 대손충당금)을 차감한 금액이 세무기준액이 되며 그 금액이 장부금액과 다를 수 있다.

> **사례** 당 회계연도말 대여금 20,000에 대하여 1,000(5%)의 대손충당금을 설정하였지만 세무상으로는 200(1%)만 당기의 대손상각비로 인정되는 경우(즉, 대손상각비로 인식한 1,000 중 800이 손금불산입된 경우) 대여금의 장부금액과 세무기준액은 각각 얼마인가?
> - 대여금의 장부금액 = 20,000(대여가액) − 1,000(회계상 대손충당금) = 19,000
> - 대여금의 세무기준액 = 19,000(자산의 장부금액) − 0[회수에 따른 미래과세소득(익금)] + 800[사용에 따른 소득차감액(손금)] = 19,800
>
> 따라서, 이 경우 대여금의 장부금액과 세무기준액의 차감할 일시적차이 800이 존재한다.

5) 기타

한국채택국제회계기준에서 회계상 자산으로 인식하지 않지만 세무회계상으로는 인식하는 경우가 있다. 예를 들어, 한국채택국제회계기준에서는 발생시점에 비용으로 처리하는 항목에 대하여 세법상 이를 이연하여 상각하도록 한 경우에는 자산의 장부금액은 영(0)이지만 과세당국이 미래 회계기간에 공제하도록 한 금액이 그 자산의 세무기준액이 되므로, 이 금액과 영(0)인 장부금액의 차이인 일시적차이가 발생하게 된다(기준서 제1012호 문단 9). 한편 자산의 세무기준액이 명백하지 않는 경우에는 법인세회계의 기본원칙에 따라 판단하여야 한다. 즉, 자산의 회수시점에 세무상으로 아무런 영향이 없는 경우와 비교하여 미래의 법인세 부담액을 증가(감소)시킨다면 기준서 제1012호에서 규정한 몇 가지 예외를 제외하고는 이연법인세부채(자산)을 인식하여야 한다.

(2) 부채의 세무기준액

1) 개 요

부채의 세무기준액은 해당 부채가 세무상 부채로 인정되는 금액이다. 즉, 부채의 세무기준액은 장부금액에서 미래 회계기간에 당해 부채와 관련하여 세무상 공제될 금액을 차감한 금액이다. 수익을 미리 받은 경우, 이로 인한 부채의 세무기준액은 당해 장부금액에서 미래 회계기간에 과세되지 않을 수익을 차감한 금액이다(기준서 제1012호 문단 8).

$$\begin{array}{ccccc} \text{부채의} & - & \text{상환에 따른} & + & \text{상환에 따른} & = & \text{부채의} \\ \text{장부금액} & & \text{미래과세소득 차감액} & & \text{미래과세소득 가산액} & & \text{세무기준액} \end{array}$$

그러나 수익이 선수되어 발생하는 부채의 세무기준액은 장부금액과 미래기간에 과세되지 않을 수익금액의 차액을 의미한다.

부채의 장부금액－상환액 중 미래 비과세 금액＝부채의 세무기준액

2) 차입금 등 일반적인 부채

차입금과 같은 일반적인 부채의 경우 세무상으로도 전액 부채에 해당하므로 세무기준액은 장부금액과 일치하며 일시적차이가 존재하지 않는다. 즉, 회계상 및 세무상 인정된 차입금을 상환하는 경우 상환에 따른 미래과세소득 차감액 및 가산액이 없으며, 이 경우 부채의 장부금액과 부채의 세무기준액이 일치하게 되는 것이다.

3) 준비금

세법상 인정되어 설정되는 준비금은 회계상으로는 비용으로 인정되지 않지만 세무상으로는 당기의 비용으로 인정하여 손금에 산입된다. 그런데 세무상 비용의 발생을 인정하였지만 그에 대응한 세무상 자산의 감소가 없었으므로 세무상 부채를 인식하게 된다. 따라서 준비금의 설정과 관련하여 회계상 부채는 존재하지 않으나 설정액만큼 세무상 부채는 존재하는데 그 금액이 세무기준액이 되어 가산할 일시적차이가 존재하게 된다.

준비금을 환입하는 경우에 회계상으로는 수익이 아니지만 세무상으로는 부채가 대가 없이 상환되는 것이고 따라서 세무상으로는 수익을 인식하여 익금에 산입하여 주는 것이다. 그러므로 준비금이 환입되면 세무상 부채가 소멸되기 때문에 세무기준액이 영(0)이 된다. 즉, 가산할 일시적차이가 소멸하게 된다.

4) 기 타

부채의 세무기준액이 명백하지 않는 경우에는 법인세회계의 기본원칙에 따라 판단하여야 한다. 즉, 부채의 상환시점에 세무상으로 아무런 영향이 없는 경우와 비교하여 미래의 법인세 부담액을 증가(감소)시킨다면 기준서 제1012호 '법인세'에서 규정한 몇 가지 예외를 제외하고는 이연법인세부채(자산)를 인식하여야 한다.

5. 당기법인세부채와 당기법인세자산의 인식

법인세회계를 적정하게-하기 위해서는 법인세법 등의 법령에 의하여 각 회계연도에 부담할 법인세 및 법인세에 부가되는 세액의 합계액인 법인세부담액을 정확하게 산출하여야 한다. 그 후 회사가 당기 및 과거기간에 대한 당기법인세 중 아직 납부하지 않은 금액은 부채(당기법인세부채)로 인식하여야 하며, 납부하여야 할 금액을 초과해서 납부한 금액은 자산(당기법인세자산)으로 인식하여야 한다(기준서 제1012호 문단 12).

한편 세무상 결손금이 과거에 납부한 법인세액에 소급 적용되어 환급될 수 있다면 결손금이 발생한 기간에 자산(당기법인세자산)으로 인식하여야 한다(기준서 제1012호 문단 13).

과거 회계기간의 당기법인세를 환급받기 위하여 세무상 결손금을 이용하는 경우는 당해 혜택이 기업으로 유입될 가능성이 높고 이를 신뢰성 있게 측정할 수 있기 때문에 세무상 결손금이 발생한 회계기간에 이를 자산으로 인식하게 된다.

법인세관련 자산항목(당기법인세자산)이 인식되는 경우 상대 계정은 법인세비용 계정의 차감으로 처리한다. 즉, 별도의 법인세수익 또는 음(-)의 법인세비용 등의 항목을 신설하여 표시하는 실익이 없으므로 법인세비용의 차감표시 또는 경우에 따라서 법인세비용에 부의 금액이 표시되는 것을 허용하는 것이다.

6. 이연법인세자산·부채의 인식

(1) 일시적차이 발생원인

자산·부채의 세무기준액이 결정되었다면, 자산·부채의 장부금액과 세무기준액의 차이인 일시적차이를 결정할 수 있으며, 동 일시적차이에 대해서는 일반적으로 이연법인세를 인식하여야 한다.

많은 경우 일시적차이는 회계상의 수익과 비용의 인식시점과 세무상의 익금과 손금의 인식시점이 다른 경우에 존재한다. 그러나 일시적차이는 다음과 같은 경우에도 존재한다(기준서 제1012호 문단 18).

① 사업결합원가는 식별가능한 취득 자산과 인수 부채를 공정가치로 인식함으로써 배분하지만 세무상으로는 동일하게 조정되지 않는 경우
② 자산은 재평가되었으나 세무상으로는 동일하게 조정되지 않는 경우
③ 사업결합에서 발생한 영업권의 경우
④ 자산 또는 부채의 최초인식시점에 장부금액과 세무기준액이 다른 경우. 자산과 관련하여 비과세 정부보조금을 받는 경우가 이러한 예이다.
⑤ 종속기업, 지점 및 관계기업에 대한 투자자산 또는 공동약정 투자지분의 장부금액

이 세무기준액과 다른 경우

(2) 가산할 일시적차이에 의한 이연법인세부채의 인식

1) 개 요

회계상 자산을 인식할 때에는 그 장부금액이 미래에 경제적효익의 형태로 기업에 유입된다고 판단하는 것이다. 만일 자산의 장부금액이 세무기준액보다 크다면 미래에 과세될 경제적효익이 세무상 손금으로 차감될 금액을 초과하게 된다. 이때의 차이가 가산할 일시적차이이며 그로 인하여 미래에 법인세를 납부하게 될 의무가 이연법인세부채이다. 회사가 당해 자산을 경제적효익의 형태로 회수하면 가산할 일시적차이가 소멸되고 과세소득이 발생하며, 결과적으로 법인세 납부의 형태로 회사로부터 경제적효익이 유출된다. 따라서 후술하는 '2) 가산할 일시적차이에 의한 이연법인세부채 인식의 예외사항'을 제외하고는 모든 가산할 일시적차이에 대하여 이연법인세부채를 인식하여야 한다(기준서 제1012호 문단 16).

예를 들어, 취득원가가 150이고 장부금액이 100인 자산이 있다고 할 때 이 자산의 세무상 감가상각누계액이 90이라면, 이 자산의 세무기준액은 60(취득원가 150에서 세무상 감가상각누계액 90을 차감한 금액)이다. 해당 자산의 장부금액 100을 회수하면 기업은 100의 과세소득을 획득하지만 세무상 감가상각비는 60만큼만 공제할 수 있을 뿐이다. 결과적으로, 만일 세율이 25%라면 기업은 자산의 장부금액을 회수할 때 10(40의 25%)의 법인세를 납부할 것이다. 이때 장부금액 100과 세무기준액 60의 차이 40이 가산할 일시적차이이다. 그러므로 회사는 자산의 장부금액을 회수할 때 납부할 법인세액인 10(40의 25%)을 이연법인세부채로 인식하여야 한다.

이연법인세부채는 세법의 규정에 따라 미래기간에 과세될 법적인 의무로서, 가산할 일시적차이를 가져온 과거사건에 의하여 발생한 의무이다. 즉, 이연법인세부채는 과거 사건의 결과로 기업이 경제적자원을 이전해야 하는 현재의무'라는 한국채택국제회계기준 개념체계 문단 4.26의 부채의 정의에 부합한다.

2) 가산할 일시적차이에 의한 이연법인세부채 인식의 예외사항

가산할 일시적차이가 발생한 경우에는 원칙적으로 이연법인세부채를 인식하여야 한다. 하지만 다음의 경우에 한해서는 가산할 일시적차이가 발생하여도 이연법인세부채를 인식하지 않는다(기준서 제1012호 문단 15).

① 영업권

영업권을 최초로 인식할 때 생기는 가산할 일시적차이에 대하여 이연법인세부채를 인식하지 아니한다.

왜냐하면 사업결합에 따라 발생하는 영업권은 이전대가에서 취득한 식별가능한 순자산의 공정가치를 차감한 잔여금액으로 결정된다. 영업권의 상각액이 세무상 손금으로 인정받을 수 없다면 영업권의 장부금액과 세무기준액(0)의 차이가 가산할 일시적차이에 해당한다. 그러나 영업권은 잔여금액이기 때문에 만일 영업권과 관련하여 이연법인세부채를 인식하게 되면 순자산이 감소하게 되고 이는 영업권의 증가로 이어져 결국 이연법인세부채를 추가로 인식해야 하며 이런 과정을 순환적으로 반복하게 된다(gross-up문제가 발생함). 따라서 이러한 영업권과 관련된 일시적차이에 대해서는 이연법인세부채를 인식하지 않는다.

② 자산의 최초인식

자산이 최초로 인식되는 거래가 ㉠ 사업결합거래가 아니고, ㉡ 회계이익이나 과세소득에 영향을 주지 않는 거래인 경우 이 때 발생한 가산할 일시적차이에 대해 이연법인세부채를 인식하게 되면 자산이 과대 표시되거나, 최초 인식거래에서 손실(비용)을 인식하게 되는 것이므로 자산의 최초인식시점이나 그 이후 기간에 그에 따른 이연법인세부채를 인식하지 않는다.

만약 자산이 최초로 인식되는 거래가 사업결합거래가 아니고 회계이익이나 과세소득에 영향을 주지 않는 거래에서 발생한 가산할 일시적차이에 대해 이연법인세부채를 인식하게 되는 경우, 최초 인식거래에서 자산 및 손실(비용)에 어떤 영향이 있을지 다음의 사례를 통하여 살펴보기로 한다.

예를 들어, 회계연도 개시일에 취득원가 1,000인 자산을 취득하였다고 가정할 경우 취득시점의 회계처리는 다음과 같다.

(차) 자　　　　　　　　산　　　1,000　　　(대) 현금 및 현금성자산　　　1,000

한편 상기 자산의 취득가액이 세무상 부인되어 당해 자산의 감가상각비가 세무상 손금 처리되지 않으며 자산의 처분시점에 발생할 이익이나 손실도 세무상 상쇄되어 과세소득의 계산에 반영되지 않는 자산이라고 가정한다면 자산의 최초 인식시점에 가산할 일시적차이가 발생하게 되며, 동 일시적차이를 반영하여 취득시점의 회계처리를 하면 다음과 같다(법인세율은 25%라고 가정).

(차) 자　　　　　　산　　　1,000　　　(대) 현금 및 현금성자산　　　1,000
　　자산 또는 법인세비용　　　250[*1]　　　　　이 연 법 인 세 부 채　　　250[*1]

그러나 이 경우에는 이연법인세부채 250[*1]을 취득시점에 인식하지 아니한다. 왜냐하면 취득과 관련하여 이연법인세부채를 인식하면서 이연법인세비용을 당기의 법인세비용에 반영한다면 자산의 취득행위가 손실(비용)을 발생시키는 문제가 있으며, 자산의 취득원가에 반영한다면 자산의 금액이 과대계상되며, 손상검토 대상이 될 수 있다.

또한 동 자산의 내용연수가 5년, 잔존가치는 영(0) 및 감가상각방법을 정액법으로 택한 경우 다음연도에 자산의 장부금액은 800이 되며 앞으로 남은 기간에 200의 법인세를 부담하게 된다. 그러나 이 경우에도 이연법인세부채 200을 인식하지 아니한다. 왜냐하면 자산의 최초인식으로부터 초래되었기 때문이다.

한편, 기준서 제1012호의 개정으로 '단일거래에서 생기는 자산과 부채에 대한 이연법인세'를 발표하였다. 개정되는 기준서에 따르면, 만약 특정 거래에서 동일한 금액의 가산할 일시적차이와 차감할 일시적차이가 생긴다면 최초 인식 예외에 해당하지 않으므로 각각 이연법인세자산(인식 요건 충족시) 및 이연법인세부채를 인식한다. 이 개정은 2023년 1월 1일 이후에 개시되는 회계연도부터 적용되고 조기 적용이 허용된다.

③ 종속기업 등에 대한 투자자산

다음의 두 가지 조건을 만족하는 경우를 제외하면 종속기업, 지점 및 관계기업에 대한 투자자산과 공동약정 투자지분과 관련된 모든 가산할 일시적차이에 대하여 이연법인세부채를 인식한다(기준서 제1012호 문단 39).

- 지배기업, 투자자 또는 참여자가 일시적차이의 소멸시점을 통제할 수 있으며,
- 예측가능한 미래에 일시적차이가 소멸하지 않을 가능성이 있다.

종속기업, 관계기업, 공동약정의 투자지분과 관련한 이연법인세인식이 복잡하므로, 여기에서는 간단히 설명하며, '7. 종속기업 등에 대한 투자자산'에서 별도재무제표 및 연결재무제표상 회계처리에 대하여 상세하게 살펴보기로 한다.

가. 종속기업

지배기업은 종속기업의 배당정책을 통제함으로써 투자자산과 관련된 일시적차이의 소멸시점을 통제할 수 있다. 또한 일시적차이가 소멸되는 시점에 납부하게 될 세액을 결정한다는 것이 실무적으로 매우 어렵다. 따라서 지배기업이 종속기업의 이익을 예측가능한 미래에 배당받지 않는다는 결정을 내린 경우에는 이연법인세부채를 인식하지 아니한다(기준서 제1012호 문단 40).

나. 관계기업

투자자는 관계기업에 대한 유의적인 영향력이 있으며, 유의적인 영향력은 관계기업의

재무정책과 영업정책에 관한 의사결정에 참여할 수 있는 능력이나 지배력은 아니다. 따라서 투자자는 관계기업의 배당과 청산을 통제할 수 없다. 관계기업의 이익이 예측가능한 미래에 배당받지 않고, 투자자가 청산을 통제한다는 내용의 약정이 없다면, 투자자는 관계기업에 대한 투자자산과 관련된 가산한 일시적차이로 인하여 발생하는 이연법인세부채를 인식한다(기준서 제1012호 문단 42). 실무상 그러한 약정이 존재하기는 어렵기 때문에 대부분의 관계기업에 대한 이연법인세부채는 인식하게 될 것이다. 그러나 투자자산을 회수하는 경우에 납부하게 될 세액을 산출할 수는 없지만 최소한의 금액 이상일 것으로 추정된다면, 최소한의 금액은 인식해야 한다고 설명하고 있다(기준서 제1012호 문단 42).

사례   (주)삼일은 제1기 초에 (주)용산의 지분 40%를 10,000에 취득함으로써 유의적인 영향력을 보유하게 되었다. 취득으로 인한 투자차액은 발생하지 않았으며, 법인세율은 30%라고 가정한다. (주)삼일은 동 주식을 향후 상당기간 동안 처분할 계획이 없으며, (주)용산으로부터 이익을 예측가능한 미래에 배당받지 않는다는 약정은 별도로 체결하지 않았다.

(주)삼일의 제1기에서 제3기까지 손익현황은 다음과 같으며, 일시적차이는 관계기업투자에서만 발생된다고 가정할 경우 각 회계연도말 법인세부담액과 일시적차이를 구하여라.

구 분	제1기	제2기	제3기
지분법이익(손실)	5,000	(8,000)	2,000
그외 영업이익	10,000	10,000	10,000
법인세비용차감전 당기순이익	15,000	2,000	12,000

구 분		제1기	제2기	제3기
결산서상 당기순이익		15,000	2,000	12,000
소득조정금액	익금산입		8,000	
	손금산입	5,000		2,000
차가감소득금액(=과세표준)		10,000	10,000	10,000
법인세부담액		3,000	3,000	3,000
지분법적용투자주식 세무기준액		10,000	10,000	10,000
지분법적용투자주식 장부금액		15,000	7,000	9,000
차감할(가산할) 일시적차이		5,000	(3,000)	(1,000)

상기의 사례에서 (주)삼일이 제1기에 관계기업투자에 대한 일시적차이의 소멸시점을 통제할 수 없으므로, 이연법인세부채를 인식해야 한다.

다. 공동약정

공동약정의 당사자 사이의 약정은 통상 이익분배를 다루고 그러한 문제에 대하여 결정할 때 모든 당사자 또는 당사자 집단의 동의가 필요한지를 명시하고 있다. 공동기업 참여자 또는 공동영업자는 공동약정 이익 중 자신의 몫을 분배하는 시점을 통제할 수 있고 예측가능한 미래에 이익이 배당되지 않을 가능성이 높은 경우, 이연법인세부채를 인식하지 아니한다(기준서 제1012호 문단 43).

④ 자산재평가법에 따른 재평가시의 재평가차액

과거 기준서 제16호 및 일반기업회계기준 제22장에서는 사업용 유형자산인 토지를 '자산재평가법'에 따라 재평가하고 세무상으로 압축기장충당금을 설정하여 재평가차액에 대한 법인세부담을 양도시점까지 이연시킨 경우에, 당해 일시적차이에 대하여는 이연법인세부채를 인식하여야 하나 당해 토지를 예측가능한 미래에 처분하지 않을 것이 거의 확실한 경우에는 이연법인세부채를 인식하지 아니할 수 있도록 예외적인 조항을 두고 있다.

그러나, 한국채택국제회계기준에서는 상기와 같은 예외규정을 포함하고 있지 아니하므로, 이연법인세부채의 일반적인 원칙에 따라 토지의 처분가능성이 없다고 경영진이 판단한다고 하더라도, 이에 대한 이연법인세부채를 인식하여야 한다. 따라서, 과거 기업회계기준에서 토지를 예측가능한 미래에 처분하지 않을 것이 거의 확실하여 "자산재평가법"에 따라 재평가한 토지에서 발생한 가산할 일시적차이에 대하여 이연법인세부채를 계상하지 않았던 기업은 한국채택국제회계기준을 최초로 도입하는 연도에 전환조정의 항목으로 이연법인세부채를 인식하여야 할 것이다.

3) 가산할 일시적차이에 의한 이연법인세부채 인식의 사례

① 사업결합

사업결합에서 이전대가는 취득한 식별가능한 자산·부채에 그 공정가치로 배분된다. 만일 이 사업결합의 결과 인식되는 장부금액이 해당 자산·부채의 세무기준액과 다른 경우에는 일시적차이가 존재한다. 예를 들어, 합병 후 재무상태표에 자산이 피취득자의 장부금액보다 높은 공정가치로 인식되고 세무기준액은 피취득자의 장부금액으로 유지된다면, 가산할 일시적차이가 존재하게 된다. 따라서 취득자는 동 차이에 대하여 자산을 보유하고 있는 기업의 세율을 적용하여 이연법인세부채를 인식하여야 하며, 이 이연법인세부채는 영업권 금액에 영향을 미친다(기준서 제1012호 문단 66).

사례 1 (주)삼일은 이전대가 2,300으로 (주)용산과 사업결합을 하였다. (주)용산의 순자산 공정가치는 2,000이며 순자산 세무기준액은 1,500인 경우 사업결합 회계처리를 하라(단, 법인세율은 30%라 가정함).

| (차) 순 자 산 | 2,000 | (대) 이 전 대 가 | 2,300 |
| 영 업 권 | 450 | 이 연 법 인 세 부 채 | 150[*1] |

(*1) 이연법인세부채 = 가산할 일시적차이×30% = (2,000−1,500)×30% = 150

사례 2 (주)삼일은 20×1년 1월 1일 (주)용산을 합병하였으며, 20×1년 1월 1일 현재 합병 전 (주)용산의 재무상태표는 다음과 같다. (주)삼일과 (주)용산의 합병비율은 1 : 2이고, (주)삼일의 시가는 액면가액의 6배이며, (주)삼일은 합병시 (주)용산의 자산 중 토지 3,000을 공정가치인 5,000으로 계상하였으며, 토지의 세무기준액은 3,000이다. (주)삼일의 합병분개를 하라(단, 법인세율은 30%라 가정함).

자 산	10,000	부 채	7,000
		자 본 금	2,000
		이 익 잉 여 금	1,000
	10,000		10,000

(차) 자 산	12,000	(대) 부 채	7,000
영 업 권	1,600	이 연 법 인 세 부 채	600[*1]
		자 본 금	1,000
		주 식 발 행 초 과 금	5,000

(*1) 법인세법상 적격합병 시 토지평가증액 2,000원에 대하여 자산조정계정을 계상함에 따라 다음과 같이 익금산입 및 손금산입하는 경우, 동 자산조정계정 2,000원에 대하여 이연법인세부채를 인식함. (2,000×30% = 600)(익금산입) 주식발행초과금 2,000 (기타)(손금산입) 자산조정계정 2,000 (△유보)

② 공정가치로 측정하는 금융자산

기준서 제1109호 '금융상품'에 따라 특정 금융자산과 금융부채를 공정가치로 측정하고 공정가치 변동액은 손익으로 계상하거나 기타포괄손익으로 인식하도록 규정하고 있다. 그러나 이러한 자산의 세무기준액은 변동되지 않을 수 있다. 이 경우 향후에 회사가 당해 자산을 경제적효익의 형태로 회수하면 이 때 유입되는 경제적효익의 금액과 이에 대응하여 세무상 손금으로 차감하는 가액이 다르므로 일시적차이가 존재한다. 만일 공정가치로 평가된 자산의 장부금액이 세무기준액보다 크다면 그 차이가 가산할 일시적차이이며, 이에 대하여 이연법인세부채를 인식하여야 한다.

이러한 예로서 기타포괄손익-공정가치 측정 지분상품의 경우 회계상으로는 공정가치로 평가하지만 세무상으로는 원가법만을 인정하므로 일시적차이가 발생하게 된다.

사례 해당 시점의 회계처리를 하라.
-기타포괄손익-공정가치 측정 지분상품(주식)을 1,000에 취득함.

(차) 기타포괄손익-공정가치 측 정 지 분 상 품	1,000	(대) 현금 및 현금성자산	1,000

－회계연도말 평가차익 100 발생함(단, 세율은 30%로 가정).

(차) 기타포괄손익-공정가치 측 정 지 분 상 품	100	(대) 기타포괄손익-공정가치 측정 지분상품 평가이익(OCI)	100
기타포괄손익-공정가치(*1) 측정 지분상품 평가이익(OCI)	30	이 연 법 인 세 부 채	30

(*1) 자본계정에 직접 가감되는 항목과 관련된 이연법인세는 자본계정에 직접 가감하여 자본계정을 세효과 반영 후 순액으로 표시하여야 하는 바, 이에 대해 보다 자세한 설명은 '8. 법인세비용의 회계처리 중 (2) 자본계정에 직접 가감되는 항목'을 참조하기로 한다.

－다음연도에 기타포괄손익-공정가치 측정 지분상품을 1,100원에 처분함.

(차) 현금 및 현금성자산	1,100	(대) 기타포괄손익-공정가치 측 정 지 분 상 품	1,100
이 연 법 인 세 부 채	30	미 지 급 법 인 세	30
기타포괄손익-공정가치 측정 지분상품 평가이익(OCI)	70	이 익 잉 여 금	70(*2)

(*2) 결국 기타포괄손익-공정가치 측정 지분상품의 처분연도에 70원의 처분이익(이익잉여금)을 인식하게 됨.

③ 전환사채 등

기준서 제1109호에서 전환사채 등의 발행자는 발행금액을 부채부분과 자본부분으로 분리하여 인식할 것을 요구하고 있다. 그런데 세무상으로는 기업회계상 부채부분과 자본부분의 합계액인 발행금액이 부채로 인식되기 때문에 최초인식시점에 부채의 장부금액과 세무기준액이 차이가 발생하는데, 이로 인한 일시적차이는 부채요소로부터 자본요소를 분리하여 인식함에 따라 발생하게 된 것이므로 이연법인세부채 인식의 예외사항에 해당하지 않는다. 따라서 동 일시적차이에 대하여는 이연법인세부채를 인식하여야 하며 법인세효과는 자본요소의 장부금액에 직접 반영된다. 그리고 기간의 경과에 따른 이연법인세부채의 사후 변동액은 손익계산서의 법인세비용에 반영된다.

사례 해당 시점의 회계처리를 하라.

－액면가액 10,000인 전환사채를 10,000에 발행하였다. 전환권은 자본으로 분류되고, 동 전환사채와 동일한 조건의 일반사채의 가치는 9,000이며, 전환사채의 만기시점의 상환할증금은 없으며, 법인세율은 30%로 가정한다.

(차) 현금 및 현금성자산	10,000	(대) 전 환 사 채	10,000
사 채 할 인 발 행 차 금	1,000	전 환 권 대 가	1,000
(차) 전 환 권 대 가[*1]	300	(대) 이 연 법 인 세 부 채	300[*2]

[*1] 자본계정에 직접 가감되는 항목과 관련된 이연법인세는 자본계정에 직접 가감하여 자본계정을 세효과 반영 후 순액으로 표시하여야 하는 바, 이에 대해 보다 자세한 설명은 '8. 법인세비용의 회계처리 중 (2) 자본계정에 직접 가감되는 항목'을 참조하기로 한다.

[*2] (전환사채의 세무기준액 − 전환사채의 장부금액) × 30% = (10,000 − 9,000) × 30% = 300

– 1차연도말 현금 500과 사채할인발행차금상각액 200을 합한 700을 이자비용으로 인식하였다.

(차) 이 자 비 용	700	(대) 현금 및 현금성자산	500
		사 채 할 인 발 행 차 금	200
(차) 이 연 법 인 세 부 채	60[*3]	(대) 법 인 세 비 용	60

[*3] 이자지급에 따른 분개의 결과 전환사채의 장부금액은 9,200이 되며 세무기준액인 10,000과의 차이가 800이 된다. 즉, 일시적차이가 1,000에서 800으로 200 감소하였다. 이에 따른 이연법인세부채의 감소분 60(=200×30%)은 법인세비용에 반영된다. 따라서 1차연도의 과세소득은 회계이익보다 200만큼 많게 되어 법인세부담액이 60 증액되는데, 이연법인세부채의 감소분이 이를 상계하여 줌으로써 1차연도의 세전 회계이익과 법인세비용이 적절하게 대응되는 것이다.

– 2차연도초 전환사채 전부가 주식(액면금액 5,000)으로 전환되었다.

(차) 전 환 사 채	10,000	(대) 자 본 금	5,000
이 연 법 인 세 부 채	240[*4]	전 환 권 대 가	240
		사 채 할 인 발 행 차 금	800[*5]
		주 식 발 행 초 과 금	4,200
(차) 전 환 권 대 가	940	(대) 주 식 발 행 초 과 금	940[*6]

[*4] 300 − 60 = 240
[*5] 1000 − 200 = 800
[*6] 1000 − 300 + 240 = 940

(3) 차감할 일시적차이에 대한 이연법인세자산의 인식

1) 개 요

회계상 부채를 인식할 때에는 미래에 경제적 자원의 유출에 의해 장부금액이 상환된다고 판단하는 것이다. 이 때 유출되는 자원의 일부 또는 전체금액이 부채가 인식되는 기간 이후의 기간에 과세소득 계산에서 차감공제될 수도 있는데, 이러한 경우에 부채의 장부금액과 세무기준액 간에 일시적차이가 존재하게 되며 동 일시적차이에 대하여 이연법인세자산을 인식하여야 한다. 또한 자산의 장부금액이 세무기준보다 작은 경우에는 미래기간에 절감될 법인세부담액과 관련하여 이연법인세자산의 인식을 검토해야 한

다. 즉, 이연법인세자산은 현재 존재하는 차감할 일시적차이 등으로 인하여 미래에 지급해야 할 법인세부담액이 감소할 경우 당해 차감할 일시적차이 등으로 인한 법인세효과를 말한다.

차감할 일시적차이와 세무상 결손금 등은 미래의 과세소득과 법인세부담액을 감소시킴으로써 간접적으로 미래의 현금흐름 창출이라는 효익을 가져온다. 또한 회사는 이러한 미래효익에 대해 배타적인 권리를 가짐으로써 타인의 접근을 통제할 수 있으므로, 이연법인세자산의 자산성이 인정될 수 있다.

2) 차감할 일시적차이에 의한 이연법인세자산 인식의 예외사항

차감할 일시적차이에 대하여 인식하는 이연법인세자산은 향후 과세소득의 발생이 높아 미래의 법인세 절감효과가 실현될 수 있을 것으로 기대되는 경우에 인식한다. 다만, 다음의 경우에 한해서는 차감할 일시적차이가 발생하여도 이연법인세자산을 인식하지 않는다.

① 자산과 부채의 최초인식

자산과 부채가 최초로 인식되는 거래가 ㉠ 사업결합거래가 아니고, ㉡ 회계이익이나 과세소득에 영향을 주지 않는 거래인 경우 이 때 발생한 차감할일시적차이에 대해 이연법인세자산을 인식하게 되면 부채가 과대 표시되거나, 최초 인식거래에서 이익을 인식하게 되는 것이므로 자산과 부채의 최초인식시점이나 그 이후 기간에는 이연법인세자산을 인식하지 않는다. 이에 대한 자세한 설명은 '(2) 가산할 일시적차이에 의한 이연법인세부채의 인식 중 2) 가산할 일시적차이에 의한 이연법인세부채 인식의 예외사항 ② 자산의 최초인식'을 참조하기로 한다.

② 종속기업 등에 대한 투자자산

종속기업, 관계기업, 공동약정의 지분(이하 '종속기업 등'이라 함) 등에 대한 투자자산과 관련된 모든 차감할 일시적차이에 대하여는 차감할 일시적차이가 예측가능한 미래에 소멸할 가능성이 높은 경우에만 이연법인세자산의 실현가능성에 따라 이연법인세자산을 인식한다. 따라서 차감할 일시적차이가 예측가능한 미래에 소멸할 가능성이 높은 경우가 아니라면 이연법인세자산을 인식할 수 없다.

이 경우 '소멸'이란 자산의 처분에 따른 소멸을 의미하며, 피투자기업의 향후 순손익에 따른 소멸은 의미하지 않는다. 즉, 지분법손실을 인식한 피투자기업이 미래 순이익을 나타낼 것으로 예상된다 하더라도 예측가능한 미래에 처분계획이 없다면 차감할 일시적차이에 대한 이연법인세자산을 인식하지 않는 것이다. 연결재무제표 및 별도재무제표에서 종속기업 등의 투자에서 발생한 일시적차이의 이연법인세고려사항에 대해서는 '7. 종속기업 등에 대한 이연법인세 회계처리'를 참조하기로 한다.

3) 차감할 일시적차이에 의한 이연법인세자산 인식의 사례

① 사업결합

사업결합에서 이전대가는 취득한 식별가능한 자산·부채에 그 공정가치로 배분된다. 만일 취득일에 인식한 부채와 관련된 이전대가가 차기연도 이후에 세무상 손금으로 인정된다면 차감할 일시적차이가 존재하며, 사업결합으로 취득한 자산의 공정가치가 세무기준액보다 작은 경우에도 차감할 일시적차이가 존재한다. 이에 대하여 인식하는 이연법인세자산은 영업권의 크기에 영향을 미친다.

> **사례**   (주)삼일은 이전대가 1,700으로 (주)용산과 사업결합을 하였다. (주)용산의 순자산 공정가치는 1,500이며, 순자산 세무기준액은 1,700인 경우 사업결합 회계처리는(단, 법인세율은 30%라 가정함)?

(차) 순　　　자　　　산	1,500	(대) 이　전　대　가	1,700
이 연 법 인 세 자 산	60[*1]		
영　　　업　　　권	140		

> (*1) 이연법인세자산 =차감할 일시적차이×30%=(1,700－1,500)×30%=60
> 　　　　단, 이연법인세자산은 일시적차이가 사용될 수 있는 과세소득이 발생할 가능성이 높을 경우 인식한다.

② 공정가치로 평가된 자산

자산의 장부금액을 공정가치로 평가하였지만 세무상으로는 변동되지 않는 경우에 일시적차이가 존재하게 되는데, 만일 공정가치 평가 후 장부금액이 세무기준액보다 작아진 경우에는 차감할 일시적차이가 존재한다. 이에 대한 자세한 설명은 '(2) 가산할 일시적차이에 의한 이연법인세부채의 인식 중 3) 가산할 일시적차이에 의한 이연법인세부채 인식사례 ② 공정가치로 평가된 자산'을 참조하기로 한다.

(4) 세무상 결손금과 세액공제에 의한 이연법인세자산의 인식

이월공제가 가능한 세무상 결손금과 세액공제에 따라 인식하는 이연법인세자산은 결손금공제 등이 활용될 수 있는 미래의 과세소득이 예상되는 범위 안에서 인식하여야 한다.

또한 법인세법상 최저한세등이 적용되어 세액공제가 적용 배제되었으나 이월공제가 인정되는 경우에도 이월공제가 활용될 수 있는 미래기간에 발생할 가능성이 높은 과세소득의 범위 안에서 이연법인세자산을 인식하여야 한다.

(5) 이연법인세자산의 실현가능성 검토

1) 개 요

이연법인세자산의 법인세혜택은 특정 미래기간에 충분한 과세소득이 있을 경우에만 실현될 수 있다. 따라서 차감할 일시적차이와 세무상 결손금 등의 법인세 효과는 미래의 과세소득이 충분하여 그 혜택이 실현될 것으로 예상될 때 자산의 정의를 충족한다. 이 경우 과세소득의 발생가능성을 어느 수준으로 요구하느냐에 따라 당기말 차감할 일시적차이와 세무상 결손금 등에 따른 법인세효과의 인식 여부가 결정되므로 미래 과세소득 금액 발생가능성의 수준설정이 중요한 요소가 된다. 기준서 제1012호에서는 이연법인세자산으로부터 기대되는 미래 법인세절감의 실현가능성을 평가하여 그 가능성이 높은 경우에만 자산으로 인식하도록 하였다.

2) 차감할 일시적차이에 대한 이연법인세자산의 실현가능성 검토

차감할 일시적차이는 미래기간의 과세소득을 감소시킨다. 그러나 차감할 일시적차이를 활용할 수 있을 만큼 미래기간의 과세소득이 충분할 경우에만 차감할 일시적차이의 법인세효과는 실현될 수 있다. 따라서 차감할 일시적차이가 활용될 수 있는 가능성이 높은 경우에만 이연법인세자산을 인식하여야 한다.

다음의 회계기간에 소멸될 것으로 예상되는 가산할 일시적차이가 충분한 경우에는 차감할 일시적차이가 활용될 가능성이 높으므로, 이러한 경우에는 차감할 일시적차이에 대하여 이연법인세자산을 인식한다(기준서 제1012호 문단 28).

㉠ 차감할 일시적차이가 소멸될 것으로 예상되는 기간

㉡ 세무상 결손금 등의 이월공제가 적용되는 기간

한편, 상기의 회계기간에 소멸될 것으로 예상되는 가산할 일시적차이가 충분하지 않는 경우라 하더라도 다음의 경우에는 차감할 일시적차이에 대하여 이연법인세자산을 인식한다(기준서 제1012호 문단 29).

㉠ 차감할 일시적차이가 소멸될 기간(또는 세무상 결손금 등의 이월공제가 적용되는 기간)에 과세소득이 충분할 것으로 예상되는 경우

㉡ 미래 적절한 기간에 과세소득이 나타날 수 있도록 세무정책이 가능한 경우

이 경우 세무정책이란 이월공제가 가능한 세무상 결손금이나 세액공제의 공제가능기간이 소멸되기 이전에 과세소득이 발생하도록 하기 위하여 기업이 택할 수 있는 행동이다.

3) 세무상 결손금과 세액공제에 대한 이연법인세자산의 실현가능성 검토

세무상 결손금과 세액공제에 대한 이연법인세자산의 인식기준은 차감할 일시적차이로 인한 이연법인세자산의 인식기준과 원칙적으로 동일하다. 그러나 미사용 세무상 결손금이 존재한다는 것은 미래에 과세소득이 발생하지 않을 수 있는 가능성이 높다는 것을 의미한다. 따라서 기업이 최근에 회계손실을 기록한 경우에는 충분한 가산할 일시적차이가 있는 경우나 미래에 과세소득이 발생할 것이라는 설득력 있는 증거가 있는 경우에만 그 범위 안에서 이연법인세자산을 인식하여야 한다. 그리고 이연법인세자산을 인식한 경우에는 인식한 이연법인세자산의 금액과 그 인식근거를 주석으로 기재하여야 하며, 이연법인세자산으로 인식하지 아니한 부분이 있다면 금액 및 만기일에 대해서는 주석으로 기재하여야 한다(기준서 제1012호 문단 35).

세무상 결손금과 세액공제가 활용될 수 있는 미래과세소득의 발생가능성을 평가함에 있어서 다음을 고려하여야 한다(기준서 제1012호 문단 36).

- ㉠ 동일 과세당국과 동일 과세대상기업에 관련된 가산할 일시적차이가 미사용 세무상 결손금이나 세액공제가 만료되기 전에 충분한 과세대상금액을 발생시키는지의 여부
- ㉡ 세무상 결손금과 세액공제의 이월공제가능기간이 소멸되기 전까지 활용가능한 과세소득이 발생할 가능성이 높은지 여부
- ㉢ 미사용 세무상 결손금이 다시 발생할 가능성이 없는 식별가능한 원인으로부터 발생하였는지의 여부
- ㉣ 미사용 세무상 결손금과 세액공제의 이월공제가능기간 내에 과세소득을 창출할 수 있는 세무정책이 활용가능한지의 여부

이연법인세자산의 인식을 평가할 때 과거의 이익발생 사실이 미래의 수익성을 예측하는 가장 객관적인 증거가 될 것이다. 특정 원인으로부터 발생한 세무상 결손금이 위에서 언급한 바와 같이 반복되는 사항이 아니라면 과거의 이익발생 사실은 더 강력한 증거가 된다. 따라서, 최근에 이익이 발생하지 않은 기업의 경우에는 세무상 결손금을 사용할 수 있는 과세소득의 발생가능성을 보다 엄격하게 평가하여야 한다.

예상 과세소득을 평가하는 기간에 제한은 존재하지 않으며, 평가를 위한 미래과세소득의 추정은 손상을 위하여 사용된 가정과 기준서상 요구되는 차이를 제외하고는 전반적으로 일관성 있게 사용되어야 한다.

(6) 인식되지 않은 이연법인세자산의 재검토

매 보고기간말마다 과거에 실현가능성이 낮아서 인식하지 아니한 이연법인세자산의 인식가능성에 대하여 재검토하여야 한다. 과거에는 인식하지 않았지만 재검토 시점에 활용가능한 미래과세소득이 발생할 가능성이 높은 경우 그 범위 내에서 이연법인세자산을 인식하여야 한다. 예를 들어, 사업환경이 개선되어 이연법인세자산의 인식기준을 충족하는 과세소득이 기대될 수도 있다. 또 다른 예로는 사업결합일 이후에 이연법인세자산에 대한 재검토를 하는 경우이다.

7. 종속기업 등에 대한 이연법인세처리

(1) 별도재무제표상 이연법인세인식

종속기업, 관계기업, 공동기업에 대한 투자자산은 별도재무제표에서는 원가법, 기준서 제1109호 '금융상품'에 따른 공정가치 또는 기준서 제1028호 '관계기업과 공동기업에 대한 투자'에서 규정하는 지분법에 따라 측정한다. 종속기업 등의 투자지분이 원가법으로 계상되는 경우 투자지분에 대한 가치의 증가는 인식되지 않는다. 왜냐하면 지배기업의 별도재무제표에서 투자지분에 대한 취득 후 이익이 인식되지 않으므로 손상이 되는 경우를 제외하면 일시적차이가 발생하지 않는다. 그러나, 종속기업 등의 투자지분이 공정가치 또는 지분법으로 평가되는 경우는 일시적차이가 발생할 수 있다. 이때, 별도재무제표상의 종속기업 투자지분에 대해서는 기준서 제1012호 문단 39, 44에서 언급하는 이연법인세부채와 자산의 인식요건의 예외가 적용된다. 따라서, 별도재무제표에서도 지배기업이 종속기업투자지분에 대한 일시적차이의 소멸시점을 통제할 수 있으며, 예측가능한 미래에 일시적차이가 소멸하지 않을 가능성이 높다면 이연법인세부채를 인식하지 않는다. 또한, 종속기업의 투자지분과 관련된 모든 차감할 일시적차이에 대하여 일시적차이가 예측가능한 미래에 소멸할 가능성이 높고, 일시적차이가 사용될 수 있는 과세소득이 발생할 가능성이 높은 경우 그 범위까지만 이연법인세자산을 인식한다.

(2) 연결재무제표상 이연법인세인식

지배기업의 연결재무제표에서 종속기업에 대한 투자는 종속기업의 순자산으로 계상된다. 연결재무제표에서 종속기업의 투자지분이 관계기업투자와는 달리 "투자주식"인 자산계정으로 표시되지 않는다 하더라도, 종속기업의 순자산으로 계상된 투자지분이 포함되어 있으므로, 종속기업투자주식 자체에 대한 이연법인세가 고려되어야 한다.

따라서, 연결재무제표에서 투자지분의 장부금액과 세무기준액 사이에서 일시적차이가 발생할 수 있다. 피투자자의 자산·부채와 관련된 일시적차이(이는 inside basis 차이라 하기도 함)에 추가하여 이 차이는 outside basis 차이라 하기도 한다. 투자자산에 대한 일시적차이는 여러 가지 이유로 발생한다. 일반적으로는 종속기업의 미배당이익의 증가로 지배회사의 종속기업에 대한 투자지분이 세무기준액을 초과하여 일시적차이가 발생한다. 또는 손상으로 투자주식의 장부금액이 세무기준액 이하로 내려가거나 서로 다른 국가에 지배기업과 종속기업이 소재하여 환율 변동으로 인한 일시적차이가 발생하기도 한다(기준서 제1012호 문단 38). 이러한 투자지분에 대하여 장부금액은 처분이나 배당을 통하여 소멸될 수 있으므로, 관련 이연법인세에 대한 세효과는 이에 대한 경영진의 기대를 반영하여 측정되어야 한다.

다음의 두 가지 조건을 만족하는 범위를 제외하고는 종속기업, 지점 및 관계기업에 대한 투자자산과 공동약정 투자지분과 관련된 모든 가산할 일시적차이에 대하여 이연법인세부채를 인식한다(기준서 제1012호 문단 39).

- 지배기업, 투자자 또는 참여자가 일시적차이의 소멸시점을 통제할 수 있으며,
- 예측가능한 미래에 일시적차이가 소멸하지 않을 가능성이 높다.

지배·종속 관계에서 배당정책을 포함하여 종속기업의 재무 및 영업정책을 지배하는 기업은 지배기업이다. 따라서, 지배기업은 투자자산으로부터 발생하는 일시적차이(미배당 이익뿐만 아니라 외화환산차이로 인한 일시적차이도 포함)의 소멸시점을 통제할 수 있다. 따라서, 지배기업(경제적 실체-연결실체)이 종속기업의 손익과 잉여금을 예측가능한 미래에 배당받지 않을 것이고, 종속기업을 처분하지 않을 것이라고 결정할 때에는 지배기업의 연결재무제표에서 종속기업에 대한 투자자산에 대한 이연법인세부채를 인식하지 않는다(기준서 제1012호 문단 40).

지배기업의 경영진은 미배당이익이 예측가능한 미래에 종속기업에 대한 지속적인 투자의 일부로 재투자될 것이라는 충분한 증거를 제공하여야 한다. 이러한 증거로는 지배기업 경영진의 문서화된 의결사항 또는 비지배주주들과의 공식적인 의사교환이나 재투자에 대한 구체적인 계획 등이 있다. 재투자에 대한 계획은 다음의 요소들을 고려하여야 한다-(a) 지배기업과 종속기업의 재무적인 요구 (b) 장단기의 영업 또는 재정 목표 (c) 정부나 재무협약 등에 의한 송금의 제한 (d) 송금에 대한 세효과

실무상 미배당이익이 예측가능한 미래에 분배되지 않을 것이고 종속기업을 처분하지 않을 것이라면, 종속기업의 미배당이익에 대한 이연법인세부채는 대부분 인식하지 않는

다. 배당에 대하여 부과될 미래의 법인세는 지배기업과 종속기업이 소재하는 국가의 세법이나 세율, 두 국가 사이의 조세 협정과 이익이 발생하는 시기, 과세소득이 발생한 시기, 지배기업의 과세소득 수준에 따라 결정되기 때문에 이를 결정하는 것이 어려울 수 있다. 예를 들면, 중간지배회사를 가지고 있는 보고기업은 투자를 회수하는 여러 방법이 있으며, 각 방법에 따라 다른 세효과가 발생할 수 있다. 그러한 경우 경영진은 투자가 소멸될 것으로 예상되는 방법을 판단하고 이에 근거하여 이연법인세를 계산하여야 한다.

사례 1   20×5년 1월 1일 (주)삼일은 (주)용산의 지분 100%(60주)를 600에 취득하였다. 취득일에 (주)삼일이 취득한 (주)용산 주식의 세무기준액은 600이다. 영업권의 상각은 세무상 공제되지 아니한다. (주)삼일은 30%의 세율을 부담하고 (주)용산은 40%의 세율을 부담한다. 또한, (주)용산의 재무제표에 계산된 자산의 장부금액과 세무기준액은 일치하는 것으로 가정하였다.

(주)삼일은 (주)용산의 영업성과에 따른 당기순이익 중 일부를 배당으로 받지만, 예측가능한 미래에 (주)용산 주식을 처분하지 않을 것이다. 또한, (주)삼일은 충분한 미래 과세소득이 발생할 것으로 예상되어 차감할 일시적차이의 미래 법인세 절감효과가 실현될 수 있을 것으로 기대한다.

(주)삼일이 사업결합으로 취득한 식별가능한 자산과 부채의 공정가치(이연법인세 자산이나 부채를 고려하기 전 금액)는 다음과 같다. 향후 건물은 잔존가치 없이 5년에 걸쳐 정액법으로 감가상각한다.

	공정가치	세무기준액	일시적차이
매출채권	210	210	–
토지	174	154	20
건물	270	155	115
매입채무	-150	-150	–
이연법인세를 고려하기 전 취득한 식별가능한 자산과 부채의 공정가치	504	369	135

영업권이 세무상 공제되지 아니하므로 영업권의 세무기준액은 영(0)이므로, 장부금액과 세무기준액의 차이가 발생하여 가산할 일시적차이가 발생한다. 하지만, 기준서상 예외규정에 의하여 이연법인세부채는 계상하지 않는다.

결과적으로 연결재무제표상 (주)용산에 대한 투자자산과 관련된 장부금액은 다음과 같이 구성된다.

이연법인세를 고려하기 전 취득한 식별가능한 자산과 부채의 공정가치	504
이연법인세부채(135×40%)	-54
취득한 식별가능한 자산과 부채의 공정가치 합계	450
영업권	150
지배기업의 (주)용산에 대한 지분(20×5. 1. 1.)	600

영업권에 대하여 손상은 없으며, 취득일에 (주)용산에 대한 투자자산과 관련된 일시적차이는 없다.

(상황 1) 20×5년 중에 (주)용산은 150의 당기순이익을 기록하였으며, 이 중 80을 배당하였다. (주)용산에 대한 지배회사의 지분의 변동은 다음과 같다.

지배기업의 (주)용산에 대한 지분(20×5. 1. 1.)	600
당기 중 미배당 이익(당기순이익 150에서 배당금 80을 차감)	70
공정가치조정으로 인한 효과(건물 추가 상각 : 115/5)	(23)
공정가치조정으로 인한 이연법인세부채 감소효과 (23×40%)	9.2
지배기업의 (주)용산에 대한 지분(20×5. 12. 31)	656.2

이에 따라 20×5년 12월 31일 (주)삼일의 연결재무제표상 (주)용산에 대한 지배기업 지분은 656.2가 되며, 이에 따른 가산할 일시적차이 56.2(656.2-600)가 발생하였다. 이러한 가산할 일시적차이에 대하여 기준서 제1012호 문단 39에 따라 두 가지 조건을 모두 만족하는 경우를 제외하고 이연법인세부채를 인식한다. 따라서, (주)삼일은 (주)용산으로부터 배당을 받으므로 16.86(56.2×30%)의 이연법인세부채를 인식한다.

(상황 2) 20×5년 중에 (주)용산은 100의 당기순손실을 기록하였다. (주)용산에 대한 장부금액은 다음과 같이 변동하였다.

장부금액(20×5. 1. 1.)	600
당기순손실	-100
공정가치조정으로 인한 효과(건물 추가 상각 : 115/5)	-23
공정가치조정으로 인한 이연법인세부채 감소효과(23×40%)	9.2
지배기업의 (주)용산에 대한 지분(20×5. 12. 31)	486.2

이에 따라 20×5년 12월 31일 (주)삼일의 연결재무제표상 (주)용산에 대한 지배기업 지분은 486.2가 되며, 이에 따른 차감할 일시적차이 113.8(600-486.2)이 발생하였다. (주)삼일은 예측가능한 미래에 (주)용산 주식을 처분하지 않을 것이므로 이러한 차감할 일시적차이는 이연법인세자산 예측가능한 미래에 소멸할 가능성이 높은 경우에 해당되지 아니한다. 따라서, 이연법인세자산을 인식하지 않는다. 만일 지분을 처분할 예정이어서 예측가능한 미래에 소멸할 가능성이 높고 그 기간에 과세소득의 발생가능성이 높다면, 이연법인세자산을 인식하기 위한 실현가능성의 조건을 만족하므로 34.14(113.8×30%)의 이연법인세자산을 인식한다.

(상황 3) 20×5년 중에 (주)용산은 100의 당기순이익을 기록하였으며 당기 중 배당을 하지 아니하였다. 또한, (주)용산은 20×5년 12월 31일 제3자에게 300을 납입 받고 증자를 실시하여 20주를 추가로 발행하였다. 따라서, (주)삼일의 지분율은 75%로 하락하였다. (주)용산에 대한 투자자산과 관련한 장부금액은 다음과 같이 변동하였다.

장부금액(20×5. 1. 1.)	600
당기순이익	100
공정가치조정으로 인한 효과(건물 추가 상각 : 115/5)	−23
공정가치조정으로 인한 이연법인세부채 감소효과(23×40%)	9.2
지배지분 증가[*]	53.45
지배기업의 (주)용산에 대한 지분(20×5. 12. 31)	739.65

[*] 증자 직전 (주)용산의 순자산(공정가치조정분을 포함) 686.2(600+100−23+9.2)이며, 증자 직후 (주)용산의 순자산은 986.2(686.2+300)가 된다. 따라서, 증자 직후 지배지분은 986.2×75% − 686.2×100% = 53.45만큼 지배지분이 증가하게 된다.

이에 따라 20×5년 12월 31일 (주)삼일의 연결재무제표상 (주)용산에 대한 지배기업 지분은 739.65이 되며, 이에 따른 가산할 일시적차이 139.65(739.65−600)이 발생하였다. 일시적차이 중 배당으로 소멸될 것으로 예상되는 부분은 이연법인세부채를 인식하여야 하며, 기타 처분으로 소멸될 것으로 예상하는 부분은 처분가능성이 없는 경우 이연법인세부채를 인식하지 않는다. 처분할 가능성이 없으므로, 자본증가로 발생한 일시적차이에 대해서는 이연법인세부채를 인식하지 아니한다.

만약, 투자자산의 처분가능성이 있는 경우라면, 25.86((100−23 + 9.2) × 30%)은 손익에 반영하고, 16.035(53.45 × 30%)는 자본으로 반영한다.

(상황 4) 20×5년 중에 (주)용산은 200의 당기순손실을 기록하였다. 또한, (주)용산은 20×5년 12월 31일 제3자에게 200을 납입받고 증자를 실시하여 20주를 추가로 발행하였다. 따라서, (주)삼일의 지분율은 75%로 하락하였다. (주)용산에 대한 투자자산과 관련한 장부금액은 다음과 같이 변동하였다.

장부금액(20×5. 1. 1.)	600
당기순손실	−200
공정가치조정으로 인한 효과(건물 추가 상각 : 115/5)	−23
공정가치조정으로 인한 이연법인세부채 감소효과 (23×40%)	9.2
지배지분 증가[*]	53.45
지배기업의 (주)용산에 대한 지분(20×5. 12. 31)	439.65

[*] 지배지분증가 : (386.2+200)×75% − 386.2×100% = 53.45

이에 따라 20×5년 12월 31일 (주)삼일의 연결재무제표상 (주)용산에 대한 지배기업 지분은 439.65가 되며, 이에 따른 차감할 일시적차이 160.35(600−439.65)이 발생하였다. 이러한 차감할 일시적차이는 처분으로 실현되지 아니하므로, 예측가능한 미래에 소멸할 가능성이 높은 경우가 아니므로 이연법인세자산을 인식하지 아니한다.

만일 처분할 예정이어서 예측가능한 미래에 소멸할 가능성이 높다면, 이연법인세자산을 인식하기 위한 실현가능성의 조건을 만족하므로 이연법인세자산을 인식한다. 이 경우, 이연법인세자산으로 48.015(160.35×30%)을 인식하는데 (-)16.035(53.45×30%)은 자본계정에 직접 가감하고 차액은 손익에 반영한다.

8. 이연법인세자산 · 부채의 측정

이연법인세자산 · 부채의 측정이란 이연법인세자산 · 부채에 대해 그 화폐금액을 결정하는 것을 말한다. 즉, '6. 이연법인세자산 · 부채의 인식'에서 재무제표 인식요건의 충족 여부를 살펴보았으며 그 결과 이연법인세자산 · 부채가 재무제표 인식요건을 충족하였다면, 이연법인세자산 · 부채의 측정과정을 통하여 재무제표를 통해 보고될 금액을 결정하는 과정이 필요한 것이다.

이연법인세자산 · 부채의 금액을 결정하기 위해서는 자산 · 부채의 장부금액과 세무기준액의 차이인 일시적차이 및 세무상 결손금(세무상 결손금은 이연법인세자산에 한하며, 이하 '일시적차이'라 함)에 적용할 법인세율의 선택, 자산 · 부채의 회수 · 상환방식의 고려, 현재가치 평가 여부 및 이연법인세자산의 실현가능성 재검토 등이 고려되어야 한다.

(1) 법인세율의 선택

법인세 이연효과를 재무제표에 인식하는 방법에 자산부채법과 이연법이 있음을 '3. 이연법인세인식의 접근방법 (1) 자산부채법과 이연법'에서 살펴보았는데, 법인세 이연효과를 측정함에 있어 법인세율의 선택에 있어서도 일시적차이가 소멸될 시기의 법인세율을 적용할 것인가 또는 일시적차이가 발생한 시기의 법인세율을 적용할 것인가에 따라 자산부채법과 이연법이 구분된다.

1) 자산부채법

자산부채법(asset-liability method)에서는 일시적차이가 소멸될 것으로 예상되는 시기의 법인세율을 적용한다. 이 경우 이연된 법인세가 지급되거나 소멸되는 시기의 법인세율을 적용하기 때문에 자산 및 부채가 적절히 평가되고 일시적차이가 소멸되는 회계연도의 법인세비용차감전순이익과 법인세비용이 적절히 대응된다는 것이다.

2) 이연법

이연법(deferred method)에서는 일시적차이가 발생한 시기의 법인세율을 적용하여 이연법인세를 계산한다. 이 경우 당해 연도의 법인세비용이 적절히 계산되어 수익 · 비용대응의 원칙에 부합되며 계산이 비교적 간편하다. 그러나 법인세율이 변하는 경우 이연

법인세자산·부채를 수정하지 않기 때문에 자산 및 부채가 적절히 평가되지 못한다는 단점이 있다.

3) 한국채택국제회계기준상의 방법

한국채택국제회계기준에서는 일시적차이의 법인세효과는 일시적차이가 소멸될 것으로 예상되는 시기의 세율을 적용하는 자산부채법을 채택하고 있다.

즉, 매기 회사가 납부할 법인세부담액은 각 보고기간말 현재의 세율과 세법을 적용하여 측정하되, 이연법인세자산과 부채는 보고기간말 현재까지 확정된 세율에 기초하여 당해 자산이 회수되거나 부채가 상환될 기간에 적용될 것으로 예상되는 세율을 적용하여 일시적차이의 소멸 등으로 인하여 미래에 경감될 또는 추가적으로 부담할 법인세부담액으로 측정하여야 한다(기준서 제1012호 문단 46-52). 다만, 단순한 미래 예상세율 등은 적용할 수 없으며, 최저한세율을 적용받는 회사가 일시적차이에 대한 법인세효과를 계산하는 경우에는 일반세율을 적용하여 측정하여야 한다.

한국채택국제회계기준에서는 과세대상수익의 수준에 따라 적용되는 세율이 다른 경우에는 일시적차이가 소멸될 것으로 예상되는 기간의 과세소득(세무상 결손금)에 적용될 것으로 기대되는 평균세율을 사용하여 이연법인세자산과 부채를 측정하도록 규정하고 있다(기준서 제1012호 문단 49). 이 때 단일의 세율구조에서는 문제될 것이 없지만 일반적인 모습인 누진세율구조를 가지는 경우 이연법인세의 계산에 적용할 세율의 결정문제가 있다. 현재 우리나라의 2단계 누진세율구조에서 평균세율을 산출하려면 과세표준의 총액을 예상하여야 한다.

평균세율은 일시적차이가 소멸될 것으로 예상되는 기간의 과세소득(또는 세무상 결손금)에 적용될 것으로 기대되는 세율이다. 예를 들어, 처음 2억원의 소득에 대하여 10%로 과세되고 초과금액에 대하여 20%의 세율이 적용되는 경우라면, 보고기간말 이연법인세자산과 부채를 측정하기 위하여 평균세율을 계산하여야 한다. 위 예의 경우 기업이 2억원을 초과하는 연간과세소득을 획득할 것이라고 기대한다면 예상평균세율을 계산하여야 한다. 평균세율은 10%에서 20% 사이의 세율이며, 일시적차이의 소멸을 고려한 미래 연간과세소득을 추정하여야 할 것이다. 이를 위하여 이연법인세자산 및 부채와 관련된 일시적차이의 소멸 금액을 결정하는 수준의 상세한 분석이 필요하지는 않지만, 비경상적인 수준의 과세소득이나 미래 특정연도에 소멸되어 평균세율을 왜곡시킬 수 있는 거액의 일시적차이로 인한 효과는 고려하여야 한다.

(2) 회수·상환방식의 고려

이연법인세자산과 부채를 측정할 때에는 보고기간말 현재 회사가 예상하고 있는 자산의 회수 또는 부채의 상환방식에 따라 나타날 법인세효과를 반영하여야 한다(기준서 제1012호 문단 51).

왜냐하면 회사가 자산(부채)의 장부금액을 회수(상환)하는 방식에 따라 다음 중 하나 또는 모두에 영향을 줄 수도 있기 때문이다(기준서 제1012호 문단 51A).

㉠ 회사가 자산(부채)의 장부금액을 회수(상환)하는 시점에 적용되는 세율

㉡ 자산(부채)의 세무기준액

이러한 경우에는 예상되는 자산의 회수방식 또는 부채의 상환방식에 적용되는 세율과 세무기준액을 사용하여 이연법인세를 측정하여야 한다.

예를 들어, 어느 자산의 장부금액은 100이고 세무기준액은 60인데 이 자산의 처분이익에 대하여는 30%, 계속 사용에 따른 이익에 대하여는 20%의 세율이 적용된다고 가정해 보자. 기업이 당해 자산을 더 이상 사용하지 않고 매각할 계획이면 12(40의 30%)의 이연법인세부채를 인식하고, 계속 보유하면서 사용을 통하여 자산을 회수할 계획이면 8(40의 20%)을 이연법인세부채로 인식하여야 한다.

(3) 현재가치 적용배제

기준서 제1012호에서는 시간가치를 반영하여 이연법인세자산과 부채를 할인하는 것을 금지하고 있다(기준서 제1012호 문단 53). 자산부채법에서는 특별히 대규모의 자본적 지출을 해야 하는 사회기반시설 관련기업과 같이 장기간에 걸쳐 이연법인세자산과 부채의 누적금액이 크게 발생하는 상황이라고 해도 법인세효과를 현재가치로 평가하기 위해서는 미래현금흐름에 영향을 주는 일시적차이 등의 소멸시기(미래 과세소득의 발생시기), 소멸되는 금액(과세소득의 금액) 및 적정할인율을 정확하게 예측해야 하나, 실무적으로 이를 예측하기가 어렵거나 복잡하므로 이연법인세자산과 부채는 현재가치로 평가하지 않는 것이다.

하지만, 일시적차이는 자산 또는 부채의 장부금액에 기초하여 계산된다는 점에 주의해야 한다. 따라서, 장부금액이 퇴직급여채무와 같이(기준서 제1019호 '종업원급여' 참조) 이미 할인된 기준으로 계산되는 경우에 이연법인세자산 또는 부채는 이미 할인효과가 반영되어 있는 것이다. 그러한 경우, 기업은 할인된 자산과 부채의 장부금액을 기준으로 일시적차이를 계산해야 하며, 이미 반영된 할인의 효과를 제거하지 않는다(기준서 제

1012호 문단 55).

9. 법인세비용의 회계처리

특정한 거래나 사건이 가져온 당기 및 이후 기간의 법인세효과에 대한 회계처리는 그 사건이나 거래 자체에 대한 회계처리와 일관성을 가져야 한다(기준서 제1012호 문단 57).

(1) 법인세비용의 인식

당해 기간 또는 다른 기간에 자본에 직접적으로 인식되는 거래나 사건 또는 사업결합 으로부터 발생되는 경우를 제외하고는 당기 법인세부담액(환급액)과 이연법인세는 손익 계산서상 법인세비용의 계산에 반영하여야 한다. 또한, 전기 이전의 기간과 관련된 법인 세부담액(환급액)을 당기에 인식한 금액(법인세 추납액 또는 환급액)의 경우에도 당기 법인세부담액(환급액)으로 하여 법인세비용에 포함하여야 한다. 예를 들면, 회계정책이 변경되거나 과거의 회계처리에 오류가 있어 이를 소급적으로 수정하는 경우 이와 관련 하여 법인세효과가 발생할 수 있다. 이 경우 당해 법인세비용은 자본계정과 직접 관련 되므로 자본에 직접 가감하여야 하나, 전기 이전의 법인세부담액(환급액)에 대한 조정 사항이 있어 당기에 법인세를 부담하거나 환급받는 경우 그에 대한 법인세효과는 당기 법인세비용에 반영하여야 한다.

한편, 전기 이전의 법인세부담액(환급액)과 관련된 가산금, 가산세 및 환급이자가 법 인세비용에 포함되어야 하는지에 대해서는 기준서 제1012호에서 구체적으로 언급하고 있지 않다.

이와 관련하여 국제회계기준 해석위원회는 2017년 9월 이와 관련한 안건결정을 발표 하였다. 이자와 벌과금이 기준서 제1012호의 법인세와 관련되는 경우, 기준서 제1012호 를 적용하고, 그렇지 않은 경우에는 기준서 제1037호를 적용하도록 하였다.

한편, 이연법인세자산과 이연법인세부채를 인식하고 그 효과를 당기손익 등에 반영하 는 순서는 다음과 같다

㉠ 회계처리
㉡ 결산일에 자산·부채의 장부금액과 세무기준액을 비교하여 일시적차이의 존재 여 부 확인
㉢ 가산할 일시적차이에 대하여 예외사항이 인정되는 경우 이외에는 이연법인세부채 를 인식
㉣ 차감할 일시적차이 등에 대하여 실현가능성에 대한 평가를 통하여 이연법인세자

산을 인식

　㉤ 인식한 이연법인세자산과 이연법인세부채의 법인세효과가 자본에 직접 반영된 항목과 관련된 경우 당해 자본항목에 반영하고 기타의 경우에는 당기손익에 반영

대부분의 이연법인세자산과 부채는 수익이나 비용이 기업회계에서 인식되는 회계기간과 세무상 인식되는 회계기간이 다른 경우에 발생한다. 예를 들어, 이자수익이 회계상으로는 기준서 제1109호 '금융상품'에 의거하여 발생주의로 인식되는데 세무상으로는 금융·보험업종이 아니라면 소득세법 시행령 제45조의 규정에 의한 수입시기에 인식되어 이러한 차이가 발생한다. 이처럼 수익이나 비용의 인식시점에 대한 기업회계와 세법의 차이 때문에 나타나는 일시적차이의 법인세효과는 손익계산서에 반영된다.

한편, 이연법인세자산과 부채의 장부금액은 관련된 일시적차이 금액에 변동이 없더라도, 변경될 수 있는데 그러한 예는 다음과 같다(기준서 제1012호 문단 60).

　㉠ 세율이나 세법이 변경된 경우

　㉡ 이연법인세자산의 회수가능성을 재검토하는 경우

　㉢ 자산의 예상되는 회수방법이 변경된 경우

이로 인한 이연법인세의 변동액은 당초에 자본에 직접 귀속시키는 항목과 관련된 부분을 제외하고는 손익계산서에 반영된다.

(2) 자본에 직접 가감되는 항목

1) 자본에 가감하는 이연법인세자산·부채

자본에 직접 가감되는 항목과 관련된 이연법인세는 자본에 직접 가감하여 자본을 세효과 반영 후 순액으로 표시하여야 한다. 즉, 기업회계상 자본에 직접 반영되지만 세무회계에서는 이를 자본으로 보지 않음에 따라 장부금액간의 차이가 발생하고 향후 관련 자산 또는 부채를 처분함에 따라 당해 차이가 소멸하는 거래에서 발생하는 일시적차이의 법인세효과는 직접 관련 자본항목에 가산하거나 차감한다. 따라서 당해 일시적차이에서 발생하는 법인세효과는 법인세비용에 영향을 주지 아니한다.

한국채택국제회계기준에서는 특정항목에 대해 자본 또는 기타포괄손익으로 직접 인식하도록 요구하고 있는데 예를 들어, 다음과 같다

〈자본에 직접 가감〉

• 기준서 제1008호 '회계정책, 회계추정의 변경 및 오류'에 따라 소급 적용되어야 하는 회계정책의 변경이나 중대한 오류의 수정으로 인한 기초이익잉여금의 수정

• 복합금융상품의 자본요소에 대한 최초인식에서 발생되는 금액

〈기타포괄손익으로 인식〉

• 기타포괄손익－공정가치 측정 금융상품을 공정가치로 평가함에 따라 인식하는 평가손익
• 유형자산의 재평가에 따라 발생하는 장부금액의 변동
• 퇴직급여부채 중 보험수리적손익으로 인식한 부분
• 해외사업장 재무제표의 환산에서 발생하는 외환차이

사례 (주)삼일은 전기에 판매보증충당부채 2,000을 과소 인식하였음을 당기 중에 발견하여 수정하고자 하며, 기준서 제1008호에 따라 소급 재작성하였다. 당기 법인세비용차감전순이익이 10,000인 경우 이와 관련된 회계처리 및 세무조정을 하라(단, 법인세율은 30%라고 가정함).

① 법인세비용 인식 전 회계처리

(차) 전기이월미처분이익잉여금[*1]	2,000	(대) 판 매 보 증 충 당 부 채	2,000

(*1) 소급 재작성하여 반영하므로, 판매보증충당부채의 회계오류수정으로 인한 부분인 이익잉여금에 반영된 것으로 분개를 예시하였음.

② 법인세비용 인식 회계처리

(차) 법 인 세 비 용	3,000	(대) 당 기 법 인 세 부 채	3,000
이 연 법 인 세 자 산	600	전기이월미처분이익잉여금	600[*1]

(*1) 소급 재작성으로 판매보증충당부채가 당기비용이 아닌 이익잉여금으로 반영되었으므로 판매보증충당부채 손금부인에 따른 법인세효과(2,000×30%=600)를 자본항목에서 차감처리함.

③ 세무조정

＜손 금 산 입＞	전기이월미처분이익잉여금	1,400(기타)
＜손 금 산 입＞	이 연 법 인 세 자 산	600(△유보)
＜손금불산입＞	판 매 보 증 충 당 부 채	2,000(유보)

2) 자본에 가감하는 법인세부담액

당기손익 이외에 자본에 직접 가감되는 항목과 관련된 당기법인세부담액은 자본에 직접 가감하여 자본을 세효과 반영 후 순액으로 표시하여야 한다.

기업회계상 직접 자본에 계상되지만 세무회계상으로는 과세소득에 포함되어 법인세비용차감전순이익과 법인세부담액 간의 일정한 인과관계가 성립하지 못하는 경우가 있다. 이러한 자본항목에는 자기주식처분이익 및 자기주식처분손실 등이 있다.

기업회계상 자본거래로 보아 당기이익에 포함되지 않지만 세무회계상 과세소득에 포함되어 법인세를 부담해야 하는 경우 재무제표에 계상되는 자본잉여금 등은 법인세부담액을 가감한 잔액으로 한다. 세무회계상 자본거래에 대한 소득처분은 기타로 처리되므로 이에 대한 회계이익과 과세소득 간의 차이는 이연법의 관점에서 보면 영구적 차이에 해당된다. 그러므로 영구적 차이에 해당하는 법인세부담액을 직접 자본잉여금 등에서 가감하는 것이다.

예를 들어, 당기의 법인세납부액에 영향을 미치는 자기주식처분손익은 세차감 후 금액으로 재무상태표에 표시한다. 다만, 자기주식처분손익 때문에 세무상 결손금이 영향을 받는 경우 추후 세율변경이나 결손금이월공제의 실현가능성변화에 따른 이연법인세자산 변경의 세효과는 변경연도의 법인세비용에 반영한다.

> **사례** (주)삼일의 2×07년의 계속사업이익은 1,000이고 자기주식처분이익이 500이며, 법인세율은 20%이다. 일시상각충당금 손금산입액 300을 제외하고 갑회사의 당기 법인세부담액을 계산하기 위한 기타 세무조정사항이 없는 경우 법인세회계 관련 회계처리를 하라.
>
> | (차) 법 인 세 비 용 | 300 | (대) 당 기 법 인 세 부 채 | 240[*1] |
> | | | 이 연 법 인 세 부 채 | 60[*2] |
>
> (*1) 1,200(1,000−300+500)×20%=240
> (*2) 가산할 일시적차이에 대한 이연법인세 : 300×20%=60
>
> | (차) 자 기 주 식 처 분 이 익 | 100 | (대) 법 인 세 비 용 | 100[*1] |
>
> (*1) 자기주식처분이익 때문에 추가된 법인세부담액 100의 세효과를 자기주식처분이익에 반영하고 잔액은 계속사업이익에 반영한다.

3) 추가 고려사항

경우에 따라서는 자본에 직접 귀속되는 항목과 관련된 당기법인세와 이연법인세의 크기를 결정하기 어려운 경우가 있는데, 예를 들어 다음과 같은 경우이다(기준서 제1012호 문단 63).

- 과세되었던 과세소득(세무상 결손금)의 특정 요소에 대한 적용세율을 결정하는 것이 누진세율 때문에 불가능한 경우
- 세율이나 기타 세법상의 변화가 과거에 자본에 직접 가감된 항목(전부 또는 일부)과 관련된 이연법인세 자산이나 부채에 영향을 미치는 경우
- 과거에 자본에 직접 가감된 항목(전부 또는 일부)과 관련된 이연법인세자산에 대하여 이연법인세자산으로 인식할지 또는 더 이상 전액 인식할 수 없는지를 결정하는 경우

이러한 경우에는 자본에 귀속된 항목과 관련된 당기법인세부담액과 이연법인세를 합리적인 비율로 안분하거나 상황에 따라 보다 적정하게 배분할 수 있는 방법을 택해야

할 것이다.

한편, 회계상의 평가와는 무관하게 세법의 변경 등으로 인하여 세무기준액이 변경되는 경우에는 그에 따른 법인세효과는 당기손익에 반영한다. 그러나 전기에 자본에 직접 가감되는 항목에 대한 이연법인세와 관련하여 변동이 있는 경우에는 그 효과를 당기손익에 반영하지 않고 자본항목에 역추적(backward trace)하여 반영하여야 한다.

10. 사업결합시에 발생한 이연법인세

'6. 이연법인세자산·부채의 인식'에서 살펴본 바와 같이 사업결합에서 일시적차이가 발생할 수 있다. 취득자는 취득일에 취득한 자산과 부채의 공정가치 인식으로 인하여 발생한 일시적차이에 대하여 이연법인세자산(인식기준을 만족하는 범위 안에서)이나 이연법인세부채를 인식하게 되며, 결과적으로 이러한 이연법인세자산과 부채는 영업권에 영향을 미친다. 그러나, 사업결합으로 인한 영업권의 가산할 일시적차이에 대하여는 이연법인세부채의 인식예외규정에 의하여 인식하지 아니한다.

사업결합의 결과로서 취득자는 사업결합 이전에는 인식할 수 없었던 자신의 이연법인세자산이 회수될 가능성이 높아져 인식할 수 있는 경우가 있다. 예를 들어, 취득자는 피취득자의 미래 과세소득으로 인하여 자신의 미사용 세무상 결손금의 혜택을 사용할 수 있을 것이다. 이러한 경우에 취득자는 이연법인세자산을 인식하지만, 사업결합에 대한 회계처리의 일부로 포함하지 아니한다. 따라서 이를 영업권 또는 사업결합초과분을 결정하는 데 고려하지 아니한다. 반면, 피취득자가 미래의 과세소득에 대한 불확실성으로 인하여 과거의 세무상 결손금에 대한 이연법인세자산을 인식하지 않았으나, 사업결합으로 취득자는 세법에서 인정하는 바에 따라 연결실체 내의 다른 기업이 피취득자의 세무상 결손금의 이전을 통해 그 세무상 효익을 실현시킬 수 있는 충분한 과세소득이 발생할 것으로 예상된다면, 피취득자의 미사용결손금에 대한 이연법인세자산은 사업결합 시 영업권의 조정으로 인식되어야 한다.

경우에 따라서는 피취득자의 세무상 결손금 이월액 또는 기타 이연법인세자산의 잠재적 효익이 사업결합의 최초 회계처리시 별도로 인식하는 조건을 충족하지 못할 수 있지만, 향후에 실현될 수도 있다. 기업은 사업결합 후에 실현되는 취득 이연법인세효익을 다음과 같이 인식한다(기준서 제1012호 문단 68).

(1) 취득일에 존재하는 사실과 상황에 대한 새로운 정보의 결과 측정기간 동안에 인식된 취득 이연법인세효익은 취득과 관련된 영업권의 장부금액을 감소시키는 데 적용된다. 영업권의 장부금액이 영(0)인 경우에는 남아 있는 이연법인세효익을 당기손익으로 인식한다.

(2) 실현된 모든 그 밖의 취득 이연법인세효익은 당기손익으로(또는 이 기준서에서 요구할 경우 당기손익 이외의 항목으로) 인식한다.

사례 **사업결합 시 자산과 부채의 공정가치 조정에 대한 이연법인세 효과**

20×5년 1월 1일, H기업은 S기업의 지분 100%를 1,500,000에 취득하였다. S기업의 취득일에 식별가능한 자산과 부채의 장부금액 및 공정가치와 세무기준액은 아래와 같다. 취득으로 인해 발생한 영업권은 세무상 공제되지 않는다. H기업과 S기업의 적용세율은 각각 30%와 40%다.

(단위 : 천)

취득한 순자산	장부금액	세무기준액	공정가치
토지와 건물	600	500	700
유형자산	250	200	270
재고자산	100	100	80
수취채권	150	150	150
현금및현금성자산	130	130	130
자산총계	1,230	1,080	1,330
매입채무	(160)	(160)	(160)
퇴직급여채무	(100)	–	(100)
이연법인세부채 차감전 순자산가액	970	920	1,070
장부금액과 세무기준액의 차이로 인한 이연법인세부채(50 @40%)	(20)		
취득시 순자산	950	920	1,070
S기업의 취득으로 인해 발생하는 이연법인세와 영업권			
S기업의 식별가능한 자산·부채의 공정가치(이연법인세 제외)			1,070
차감 : 세무기준액			(920)
취득으로 인해 발생하는 일시적차이			150
S기업의 취득으로 인해 발생하는 순이연법인세부채(150,000@40%)			60
－이연법인세 장부금액을 대체함.			
이전대가			1,500
S기업의 식별가능한 자산·부채의 공정가치(이연법인세 제외)		1,070	
이연법인세		(60)	1,010
영업권			490

* 영업권의 세무기준액이 0이므로, 490,000인 영업권에서 발생하는 가산할 일시적차이는 영업권 금액과 동일하다. 하지만, 설명한 바와 같이 영업권에 대한 이연법인세부채는 인식하지 않는다. 취득으로 인해 발생하는 일시적차이에 대한 이연법인세 계상시 적용되는 세율은 S기업에 적용되는 세율 40%다. 왜냐하면 일시적차이의 소멸로 인해서 S기업의 과세당국에 대한 법인세가 부과되거나 공제되기 때문이다.

사례 (주)삼일은 3,000의 차감할 일시적차이를 보유하고 있는 (주)용산을 취득하였으며 취득당시의 세율은 25%이었다. (주)삼일이 보유한 차감할 일시적차이는 세무상 취득법인에 승계되어 취득법인이 활용가능할 것으로 파악되었으나, 충분한 과세소득이 발생할 것으로 예상되지 아니하였으므로, (주)삼일은 취득거래에서 발생된 5,000의 영업권을 결정할 때 (주)용산의 차

감할 일시적차이에 대한 이연법인세자산 750을 식별가능한 자산으로 인식하지 않았다. 영업권에 대한 손상은 없는 것으로 가정한다. (주)삼일은 2년 후, 모든 차감할 일시적차이의 효과를 회수하기에 충분한 과세소득이 장래에 발생될 것으로 평가한 경우, 2년 후 시점의 분개는 다음과 같다.

(차) 이 연 법 인 세 자 산　　　　750　　(대) 법 인 세 비 용　　　　750

* 사업결합 완료(측정기간 포함) 후 피취득자의 이연법인세자산이 실현성이 있는 것으로 판단한 경우, 사업결합의 일부가 아닌 당기손익(법인세비용)으로 반영한다.

11. 법인세 처리의 불확실성

특정한 거래나 상황에 세법을 어떻게 적용할지가 분명하지 않은 경우가 있다. 관련 과세당국이나 법원이 미래에 수용 여부를 결정한 후에나 세법에 따른 특정한 법인세 처리의 수용 가능성을 알게 되는 경우도 있다. 따라서 특정한 법인세 처리에 대한 과세당국의 조사나 분쟁은 기업의 당기 및 이연 법인세 자산과 부채 회계처리에 영향을 미칠 수 있다.

이러한 법인세 처리에 불확실성이 있을 때 기준서 제1012호의 인식 및 측정 요구사항을 적용하는 방법을 명확히 하기 위해 해석서 제2123호 '법인세 처리의 불확실성'이 발표되었고, 2019년 1월 1일 이후 최초로 시작되는 회계연도부터 적용되었다.

해석서에 따라 기업은 과세당국이 불확실한 법인세 처리를 수용할 가능성이 높은지를 고려한다. 만약 수용할 가능성이 높다고 결론 내리는 경우, 법인세 신고에 사용하였거나 사용하려는 그 법인세 처리와 일관되게 과세소득(세무상결손금), 세무기준액, 미사용 세무상결손금, 미사용 세액공제, 세율을 산정한다. 반면, 수용할 가능성이 높지 않다고 결론 내리는 경우 관련된 과세소득(세무상결손금) 등을 산정할 때 불확실한 법인세 처리에 가능성이 가장 높은 금액과 기댓값 중 불확실성의 해소를 더 잘 예측할 것으로 예상하는 방법을 사용하여 불확실성의 영향을 반영한다.

12. 중간재무제표 작성시 법인세비용

중간기간의 법인세비용은 각 중간기간에 전체 회계연도에 대해서 예상되는 최선의 가중평균 연간법인세율의 추정에 기초하여 인식하도록 규정하고 있다(기준서 제1034호 문단 30).

이러한 회계처리는 중간재무보고서에 연차재무제표에 적용되는 것과 동일한 인식과 측정원칙이 적용되어야 한다는 중간재무제표 작성의 기본개념을 일관성 있게 적용하는 것이다. 법인세는 연간기준으로 부과되므로, 중간기간의 법인세비용은 중간기간의 법인세비용은 중간기간의 세전이익에 기대총연간이익에 적용될 수 있는 법인세율, 즉 추정 평균연간유효법인세율을 적용하여 계산한다. 그 추정평균연간유효법인세율은 제정되었 거나 실질적으로 제정되어 회계연도 중 당해 중간기간 후에 효력이 발생할 것으로 예정 되어 있는 법인세율의 변경을 포함하여, 전체 회계연도의 이익에 적용될 것으로 기대되 는 누진법인세율의 구조를 반영한다. 추정평균연간유효법인세율은 누적기간기준으로 재 측정하여 반영한다.

예를 들면, 분기별로 보고하는 한 기업이 매 분기에 10,000의 세전이익을 기대하고 있으며 최초 연간이익 20,000에 20%, 이후 모든 추가이익에 30%의 법인세율이 적용된 다. 실제 이익은 기대이익과 일치한다고 가정한다면 매 분기 다음과 같은 법인세비용이 계상된다.

	1분기	2분기	3분기	4분기	연간
법인세비용	2,500	2,500	2,500	2,500	10,000

즉, 연간 세전이익 40,000에 대하여 법인세 10,000을 납부해야 할 것으로 기대된다.

다른 예시로, 한 기업이 분기별로 보고하며, 1분기의 세전이익이 15,000이지만 나머 지 3분기에 각각 5,000의 손실이 발생(따라서 연간이익은 영(0))할 것으로 기대되며, 추 정평균연간유효법인세율이 20%로 기대되는 경우, 매 분기에 보고되는 법인세비용은 다 음과 같다.

	1분기	2분기	3분기	4분기	연간
법인세비용	3,000	(1,000)	(1,000)	(1,000)	0

일부 과세당국은 납세자에게 자본적 지출, 수출, 연구 및 개발을 위한 지출액 등에 기 초하여 납부세액을 공제해준다. 전체 회계연도에 대한 이러한 유형의 추정 세금혜택은 대부분의 세법 규정에서 연차기준으로 부여되고 계산되므로 일반적으로 추정평균연간 유효법인세율의 산정에 반영한다. 반면에, 특정 범주의 수익에만 적용할 수 있는 특별한 법인세율이 단일의 연간유효법인세율에 혼합되지 않는 것과 마찬가지로, 일회성 사건과 관련된 세금혜택은 해당 중간기간의 법인세비용을 계산할 때 인식한다. 더구나 일부 국 가에서는 자본적 지출과 수출액에 관련된 것을 포함하여 세금혜택이나 세액공제가 법 인세 신고로 보고되기는 하지만 정부보조금과 더 유사하며 그것이 발생한 중간기간에 인식되고 있다.

세무상 결손금의 소급공제 혜택은 관련 세무상 결손금이 발생한 중간기간에 반영한 다. 기준서 제1012호에서 '과거 회계기간의 당기법인세에 대하여 소급공제가 가능한 세무상 결손금과 관련된 혜택은 자산으로 인식한다'라고 하고 있다. 이에 상응하는 법인세비용의 감소나 법인세수익의 증가도 인식한다(기준서 제1034호 문단 B20).

기준서 제1012호에서 '미사용 세무상 결손금과 세액공제가 사용될 수 있는 미래 과세소득의 발생가능성이 높은 경우 그 범위 안에서 이월된 미사용 세무상 결손금과 세액공제에 대하여 이연법인세자산을 인식한다'라고 하고 있다. 기준서 제1012호는 미사용 세무상 결손금과 세액공제가 사용될 수 있는 미래 과세소득의 발생가능성을 평가하는 기준을 제공한다. 이러한 기준은 매 중간보고기간말에 적용하고, 이러한 기준을 충족할 경우에 세무상 결손금의 이월공제효과는 추정평균연간유효법인세율의 계산에 반영한다(기준서 제1034호 문단 B21).

예를 들면 다음과 같다. 분기별로 보고하는 한 기업이 당해 회계연도의 개시 시점에 이연법인세자산을 인식하지 않은 10,000의 영업상 세무상 결손금이 있다. 이 기업은 당해 회계연도의 1분기에 10,000의 이익을 인식하고, 나머지 3개 분기 각각에 10,000의 이익이 기대된다. 이월공제를 고려하지 않은 경우 추정평균연간유효법인세율은 40%로 기대된다. 세무상 결손금의 이월공제효과를 반영한 법인세비용은 다음과 같다.

	1분기	2분기	3분기	4분기	연간
법인세비용	3,000	3,000	3,000	3,000	12,000

13. 표시 및 공시

(1) 개 요

법인세효과는 일반적으로 관련되는 거래나 항목과 별도로 재무제표에 표시되어야 한다. 따라서 법인세와 관련된 많은 주석 요구사항이 기준서에 포함되어 있다. 공시요구사항의 대부분은 연결재무제표뿐만 아니라 각 기업의 재무제표에도 적용된다. 공시사항에는 이연법인세뿐만 아니라 당기법인세에 대한 요구사항도 포함된다.

(2) 회계정책

당기 및 이연법인세에 대한 회계정책의 공시에 대해 기준서 제1012호에서 구체적으로 규정한 사항은 없다. 이는 기준서 제1001호에서 재무제표를 이해하는 데 목적적합한 유의적인 회계정책은 공시할 것을 요구하고 있기 때문이다(기준서 제1001호 문단 117). 이연법인세와 관련된 주석에는 이연법인세를 인식한 측정기준도 기술되어야 한다.

기준서 제1001호에서는 추정과 관련된 공시와는 별도로 재무제표에 인식되는 금액에 유의적인 영향을 미친 경영진이 내린 판단에 대하여도 공시하도록 요구하고 있다(기준서 제1001호 문단 122).

(3) 계정과목 구분·표시

법인세관련 자산과 부채는 재무상태표의 다른 자산이나 부채와 구분하여 표시되어야 한다. 또한 이연법인세자산과 이연법인세부채는 당기법인세자산과 당기법인세부채로부터 구분되어야 한다.

(4) 이연법인세의 유동성·비유동성 분류

기준서 제1001호 '재무제표 표시'에서는 기업이 재무상태표에 유동자산과 비유동자산, 그리고 유동부채와 비유동부채로 구분하여 표시하는 경우, 이연법인세자산(부채)은 유동자산(부채)로 분류하지 않도록 규정하고 있다. 즉, 이연법인세자산 및 부채가 12개월 이내에 실현될 것으로 예상된다 하더라도 항상 비유동항목으로 분류한다. 또한, 기준서 제1001호 문단 61에서는 자산과 부채의 각 개별 항목이 보고기간 후 12개월 후에 회수되거나 결제될 것으로 기대되는 금액이 합산하여 표시되는 경우, 12개월 후에 회수되거나 결제될 것으로 기대되는 금액을 공시하도록 요구하고 있다. 따라서, 상기 요구사항에 따라 이연법인세자산과 부채가 모두 비유동으로 표시되었으므로, 보고기간후 12개월 후에 회수 또는 결제될 것으로 기대되는 금액에 대해서는 별도의 주석 공시가 필요하다.

(5) 상계표시

당기법인세자산과 당기법인세부채는 다음의 조건을 모두 충족하는 경우에만 상계하여 표시한다(기준서 제1012호 문단 71).

• 인식된 금액에 대하여 법적으로 집행가능한 상계권리를 가지고 있고,
• 순액으로 결제하거나, 자산을 실현하는 동시에 부채를 결제할 의도가 있다.

위에서 법적으로 집행가능한 권리란 동일 과세당국에 의해 부과되고, 과세당국이 순액으로 납부하거나 환급받도록 허용하는 경우를 의미한다(기준서 제1012호 문단 72).
또한, 순액으로 결제하거나 자산을 실현하는 동시에 결제한다는 의미는 당기법인세자산의 실현과 당기법인세부채의 결제가 동시에 발생하기 때문에 현금흐름이 순액으로

발생함을 의미한다.

유사한 조건이 이연법인세자산과 부채를 상계하는 데에도 적용된다. 즉, 다음의 조건을 모두 충족하는 경우에만 이연법인세자산과 이연법인세부채를 상계한다(기준서 제1012호 문단 74).

- 기업이 당기법인세자산과 당기법인세부채를 상계할 수 있는 법적으로 집행가능한 권리를 가지고 있다.
- 이연법인세자산과 이연법인세부채가 다음의 각 경우에 동일한 과세당국에 의해서 부과되는 법인세와 관련되어 있다.
  과세대상 기업이 동일한 경우 또는 과세대상기업이 다르지만 당기법인세부채와 자산을 순액으로 결제할 의도가 있거나, 유의적인 금액의 이연법인세부채가 결제되거나 이연법인세자산이 회수될 때 미래의 각 회계기간마다 자산을 실현하는 동시에 부채를 결제할 의도가 있는 경우

(6) 법인세비용의 표시

손익계산서를 작성함에 있어서 계속사업손익법인세비용은 법인세비용차감전계속사업손익에서 차감하는 형식으로 기재하고, 중단사업손익과 관련된 법인세비용은 해당 중단사업손익에 직접 반영(중단사업손익에 대한 법인세효과는 손익계산서의 중단사업손익 다음에 괄호를 이용하여 표시함)하여 손익계산서에 기재하고 그 산출내역은 주석으로 기재한다. 그러나, 중단사업손익이 없을 경우에는 '법인세비용차감전계속사업손익'을 '법인세비용차감전순손익'으로 표시하고, '계속사업손익법인세비용'은 '법인세비용'으로 표시하며, '계속사업이익'은 별도로 표시하지 않는다.

(7) 기타포괄손익으로 인식된 법인세비용

기준서 제1001호 문단 90에서는 기타포괄손익의 구성요소(재분류조정 포함)와 관련된 법인세비용 금액은 포괄손익계산서나 주석에 공시하도록 규정하고 있다.

따라서 기타포괄손익을 표시할 때, 관련 세효과를 차감한 순액을 표시하거나, 기타포괄손익의 구성요소와 관련된 법인세효과 반영 전 금액으로 표시하고, 각 항목들에 대한 관련 법인세효과는 단일 금액으로 합산하여 표시할 수 있다. 두 가지 방법으로 표시하더라도, 관련 세효과는 포괄손익계산서 또는 주석으로 공시하여야 한다.

(8) 주석사항

당기법인세와 이연법인세와 관련된 많은 정보가 주석에 공시된다. 관련된 공시요구사항임을 표시하고 재무제표와의 참조를 쉽게 하기 위해서 공시사항은 적절한 제목 아래 표시한다.

1) 법인세비용(수익)의 분석

법인세비용(수익)의 주요 구성요소는 구분하여 공시한다(기준서 제1012호 문단 79). 법인세 구성요소는 다음을 포함한다(기준서 제1012호 문단 80).

- 당기법인세 관련
  - 당기법인세비용(수익)
  - 과거기간의 당기법인세에 대하여 당기에 인식한 조정사항
  - 당기법인세비용을 감소시키는 데 사용된 이전에 인식하지 못한 세무상 결손금, 세액공제 또는 전기 이전의 일시적차이로 발생한 효익의 금액
  - 기준서 제1008호에 따라 소급적으로 회계처리할 수 없으므로 당기손익에 포함된 회계정책의 변경 및 오류와 관련된 법인세비용(수익)의 금액
- 이연법인세와 관련
  - 일시적차이의 발생과 소멸로 인한 이연법인세비용(수익)의 금액
  - 새로운 세금의 부과나 세율의 변동으로 인한 이연법인세비용(수익) 금액
  - 이연법인세비용을 감소시키는 데 사용된 과거에 인식하지 못한 세무상 결손금, 세액공제 또는 과거기간의 일시적차이로 인한 효익의 금액
  - 보고기간말에 검토한 이연법인세에 대한 이연법인세자산의 감액 또는 전기 이전 감액의 환입에서 발생한 이연법인세비용
  - 기준서 제1008호에 따라 소급적으로 회계처리할 수 없으므로 당기손익에 포함된 회계정책의 변경 및 오류와 관련된 법인세비용(수익)의 금액

자본에 직접 가감되는 항목과 관련된 당기법인세와 이연법인세 총액은 공시되어야 한다(기준서 제1012호 문단 81 (1)).

기타포괄손익의 각 구성요소와 관련된 법인세액(재분류조정 포함)은 기타포괄손익에 포함되거나 또는 주석으로 공시되어야 한다(기준서 제1001호 문단 90). 기타포괄손익의 구성요소는 관련 법인세 효과를 차감한 순액으로 기타포괄손익계산서에 포함되든지 또는 기타포괄손익의 구성요소와 관련된 법인세 효과 반영 전 금액으로 표시하고, 각 항목들에 관련된 법인세 효과는 단일의 금액으로 합산하여 표시한다(기준서 제1001호 문단 91).

기준서는 손익계산서에 보고된 당기법인세부담액(환급액)을 국내와 외국법인세로 나누어 상세하게 분석해야 한다고 규정하고 있지 않다. 외국에서 발생한 법인세가 중요한 기업의 경우에는 아래의 사례와 같이 법인세 주석에 추가적인 사항을 공시함으로 유용한 정보를 제공할 수도 있다.

	금액	금액
내국에서의 법인세		
당기법인세 전기에 대한 조정	××	
	×	
이중 과세 조정	×	
		×
외국에서의 법인세	××	
당기법인세 전기에 대한 조정	××	
		××
당기법인세비용		×
이연법인세비용		×

포괄손익계산서에 이연법인세비용으로 공시된 일시적차이를 발생시키거나 소멸시키는 단일의 금액은 이연법인세수익 또는 비용이 재무상태표에 인식된 금액의 변동으로부터 명확하게 나타나지 않는 경우 일시적차이, 미사용 세무상 결손금 및 미사용 세액공제의 각 유형별로 분석되어야 한다(기준서 제1012호 문단 81(7)(나)). 그러한 일시적차이는 가속상각공제나 공정가치 평가이익, 중요한 충당부채, 미사용 세무상 결손금의 사용과 같은 세무 효과를 포함할 수 있다. 실무적으로 위의 사항은 재무상태표에 인식된 이연법인세자산이나 부채의 변동의 일부를 구성한다. 따라서 이러한 사항이 재무상태표의 변동으로 명확하게 표시된다면 당기손익에 포함된 법인세비용(수익)에 대한 별도의 주석으로 공시되지 않을 것이다.

2) 중단영업

중단영업이 있는 경우 다음 사항으로 인한 법인세비용에 대하여 공시되어야 한다(기준서 제1012호 문단 81(8)).
- 중단으로 인한 이익이나 손실
- 중단된 영업의 정상 활동에서 당기 중 발생한 손익과 이에 상응하는 비교 표시되는 각 과거기간의 금액

3) 법인세비용과 회계이익의 관계에 대한 설명

기준서는 법인세비용과 회계이익의 관계에 대한 설명을 요구한다. 법인세비용과 회계

이익간의 관계는 과세되지 않은 중요한 수익이나 공제되지 않는 중요한 항목, 사용된 세무상 결손금의 효과, 국외 영업장의 다른 세율의 효과, 전기 이전과 관련된 조정항목, 인식되지 않은 이연법인세, 세율의 변동 등과 같은 요인에 의해서 영향을 받을 수 있다. 이러한 항목에 대한 설명은 재무정보 이용자가 법인세비용과 회계이익의 관계가 일반적이지 않은지 여부를 이해하고 미래에 이 두 관계에 영향을 줄 수 있는 중요한 요소를 이해하도록 한다. 이는 다음 중 하나의 형식을 사용하거나 두 가지 형식을 모두 사용하여 설명할 수 있다(기준서 제1012호 문단 81(3), 84).

- 회계이익에 적용세율을 곱하여 산출한 금액과 법인세비용(수익) 간의 수치 조정 및 적용세율의 산출 근거
- 평균유효세율(=법인세비용/회계이익)과 적용세율 간의 수치 조정 및 적용세율의 산출근거

기준서 제1012호에서는 회계이익에 대한 이론적인 법인세와 조정되어야 하는 항목은 당기법인세부담액이 아닌 총법인세부담액(당기 및 이연법인세)이라는 사항에 주의하여야 한다.

수치조정(금액 또는 세율)은 적용세율의 결정에서 시작한다. 단일의 경제적 실체 – 연결실체에서는 재무제표이용자에게 가장 의미 있는 정보를 제공하는 적용세율을 사용하는 것이 중요하다. 가장 의미 있는 세율은 종종 보고기업 국가의 세율일 것이다. 연결실체의 일부 영업이 다른 국가에서 이루어지는 경우에도 보고기업 국가의 세율이 사용되어야 한다. 이 경우 다른 국가에서 발생한 수익에 적용되는 세율의 효과는 조정항목으로 나타나야 한다. 직전 회계기간 대비 적용세율의 변동에 대한 설명뿐만 아니라 적용세율의 산출근거도 공시되어야 한다. 이는 특히 여러 국가에서 영업을 하는 기업의 경우 가장 의미 있는 단일의 세율을 결정하는 것이 가능하지 않는 상황이 있을 수 있기 때문이다.

4) 이연법인세자산과 이연법인세부채의 분석(재무상태표)

당기 및 이전기간에 대한 이연법인세자산과 이연법인세부채는 일시적차이, 미사용 세무상 결손금 및 미사용 세액공제의 각 유형별로 분석되어야 한다(기준서 제1012호 문단 81(7)(가)). 의미 있는 정보를 제공하기 위하여 별도로 공시될 일시적차이의 중요한 유형으로는 가속 상각공제, 자산 재평가, 회계이익이나 과세소득에 영향을 미치는 가산할 일시적차이나 충당부채, 이월될 세무상 결손금 등이 있다.

기준서는 일시적차이의 각 유형별 공시를 요구한다. 일시적차이가 이연법인세자산과 부채의 상계에 대한 기준을 만족한다면 일시적차이의 순액에 공시요구사항이 적용된다.

5) 미인식된 일시적차이

기준서 제1012호에서는 인식되지 않은 일시적차이에 대한 공시를 요구하고 있다.

- 이연법인세자산으로 인식되지 않은 차감할 일시적차이, 미사용 세무상 결손금, 미사용 세액공제 등의 금액(만료시기가 있는 경우, 당해 만료시기)
- 이연법인세부채로 인식되지 않은 종속기업, 지점 및 관계기업에 대한 투자자산, 그리고 공동약정 투자지분과 관련된 일시적차이 총액

종속기업, 지점 및 관계기업에 대한 투자자산과 공동약정 투자지분과 관련하여 관련되는 일시적차이에 대한 이연법인세자산과 이연법인세부채가 아닌 기초가 되는 일시적차이의 총액을 공시하도록 요구하고 있다. 이연법인세금액의 공시는 요구하고 있지 않다. 이는 특정상황, 특히 외국투자자산에 대해서는 세법이나 세율, 미래의 송금시기, 두 국가 간의 조세협정과 같은 많은 요소에 근거하기 때문에 미래의 세금을 추정하는 것이 어려울 수 있기 때문이다.

6) 배당의 세효과

배당이 재무제표에 부채로 인식되었을 때, 배당의 지급으로부터 발생하는 세효과도 인식한다. 그러나 재무제표의 공표가 승인되기 전에 주주에게 배당을 제안하거나 선언하였으나 재무제표에 부채로 인식되지 않은 배당금의 법인세효과는 공시하여야 한다(기준서 제1012호 문단 81(9)).

7) 사업결합 관련 이연법인세

사업결합의 결과로 취득자의 취득 전 이연법인세자산의 실현가능성이 변동하여 사업결합 전에는 인식할 수 없었던 자신의 이연법인세자산이 회수될 가능성이 높아지는 경우도 있고 반대로 사업결합으로 기존 인식했던 이연법인세자산이 회수될 가능성이 더 이상 높지 않은 경우도 있다. 이러한 경우에 취득자는 사업결합이 이루어진 기간에 이연법인세자산의 변동을 인식하지만 사업결합에 대한 회계처리의 일부로 포함하지 않으며, 이러한 이연법인세자산의 변동은 공시되어야 한다(기준서 제1012호 문단 67, 81(10)). 또한, 사업결합으로 획득한 이연법인세효익을 취득일에 인식하지 않았지만 취득일 후에 인식한 경우, 이연법인세효익을 인식하는 원인이 된 사건이나 상황의 변동에 대한 설명도 공시되어야 한다(기준서 제1012호 문단 81(11)).

8) 손실 발생하는 기업의 이연법인세자산

기업이 당기에 손실이 발생하였거나 차감할 일시적차이의 금액이 기존 가산할 일시적차이의 소멸로 인한 이익을 초과하기 때문에 이연법인세자산의 사용이 미래 과세소득의 발생 여부에 따라 결정되는 경우에는 이연법인세자산의 금액과 이를 인식하는 근거를 공시하여야 한다(기준서 제1012호 문단 82). 이연법인세자산이 실현될 상황을 설명하는 내용은 재무제표에 대한 다른 공시사항 특히 경영자가 설명하는 내용과 일관되어야 하며 실현가능하여야 한다. 이익추정 등을 근거로 이연법인세자산을 계상하는 상황은 최대한 회피하여야 한다.

9) 불확실성 추정

기준서 제1001호는 미래에 대한 가정과 보고기간말의 추정 불확실성에 대한 기타 주요원천에 대한 정보를 공시하도록 요구하고 있다. 이러한 가정과 추정 불확실성에 대한 기타 주요 원천은 다음 회계연도에 자산과 부채의 장부금액에 대한 중요한 조정을 유발할 수 있는 유의적인 위험을 내포하고 있다. 따라서 이로부터 영향을 받을 자산과 부채에 대하여 다음 사항 등을 주석으로 기재한다.

(a) 성격 및 (b) 보고기간말의 장부금액

추정의 불확실성과 관련하여 공시할 수 있는 항목은 다음과 같다.

- 과세당국과의 협상의 상황
- 차감할 일시적차이와 세무상 결손금으로부터 발생한 이연법인세자산을 인식하도록 하는 미래 충분한 과세소득이 발생할 확률 추정
- 이연법인세자산의 실현가능성에 대한 다른 가정

10) 법인세와 관련된 우발자산 · 우발부채

세무신고에 대한 결과는 미확정적이며 과세당국과 분쟁이 발생할 수 있다. 이에 따라 우발자산과 우발부채가 발생할 수 있다. 법인세와 관련된 우발자산과 우발부채는 기준서 제1037호 '충당부채, 우발부채 및 우발자산'에서 요구하는 사항과 일관되도록 그 성격, 향후 세금 납부하게 될 가능성에 영향을 미치는 불확실성의 정도, 재무적 효과에 대한 추정을 공시하도록 하였다(기준서 제1012호 문단 88).

11) 보고기간 후 세율의 변경

재무제표를 발행하기 위하여 승인한 날이 아닌 보고기간말까지 제정된 세율 세법을

사용해야 한다는 기준서 제1012호의 요구사항은 회계연도 이후에 세율이나 세법의 변동에 대하여 추가적인 정보를 입수한다고 하여도 이는 수정을 요하지 않는 보고기간후사건에 해당된다는 의미이다. 그러나 기준서 제1010호 '보고기간후사건'에 따라 당기 및 이연법인세자산과 부채에 유의적인 영향을 미치는 세법이나 세율에 대한 보고기간후의 변경 또는 변경예고는 공시하여야 한다(기준서 제1012호 문단 22(8) 및 기준서 제1012호 문단 88).

사례   "법인세비용차감전순손익과 법인세비용 간의 관계 설명" 사례

[회계이익에 적용세율을 곱하여 산출한 금액과 법인세비용(수익) 간의 수치 조정과 적용세율의 산출근거]

	X5	X6
회계상 이익	8,775	8,740
적용세율 35%(X5 : 40%)하에서의 법인세	3,510	3,059
과세소득 결정시 공제되지 않는 비용의 세효과 :		
자선기부금	200	122
환경오염벌과금	280	–
세율 인하에 따른 기초 이연법인세의 감소	–	(1,127)
법인세비용	3,990	2,054

적용세율은 법인세율 30%(X5 : 35%)와 지방세율 5%의 합계이다.

[평균유효세율과 적용세율 간의 수치 조정과 적용세율의 산출근거(문단 81(3)(나)]

	X5	X6
적용세율	40%	35%
세무상 공제되지 않는 비용의 세효과 :		
기부금	2.3	1.4
환경오염벌과금	3.2	–
법인세율 인하에 따른 기초 이연법인세의 효과	–	(12.9)
평균유효세율(법인세비용을 세전이익으로 나누어 산출)	45.5%	23.5%

적용세율은 법인세율 30%(X5 : 35%)와 지방세율 5%의 합계이다.

14. 사 례

사례   갑회사의 20×4년의 법인세비용차감전순이익은 1,000,000이며 법인세율은 30%이다. 그러나 법인세법의 개정으로 20×6년 회계연도 이후 적용되는 법인세율은 26%이다. 갑회사의 당기 법인세부담액을 계산하기 위한 세무조정사항 및 이연법인세계산 관련 자료는 다음과 같다.

1. 20×4년의 세무조정사항은 다음과 같다.
   ① 퇴직급여충당금 한도초과액은 200,000이 발생하였으며, 동 한도초과액은 20×5년 및 20×6년에 각각 100,000씩 손금추인된다.
   ② 회사는 보유 재고자산 중 장부금액이 300,000인 상품의 순실현가능가액이 200,000으로 하락하여 저가법으로 평가하였다. 세법상 갑회사는 재고자산 평가방법을 원가법 중 총평균법으로 신고하였으며 위의 재고자산평가손실은 법인세법상 손상이 인정되는 평가손실에 해당하지 않는다. 그리고 당해 상품은 20×5년에 모두 판매되었다.
   ③ 세법상 손금한도를 초과하여 지출한 기부금은 70,000이다.
   ④ 회사는 만기일이 20×5년 6월 30일인 정기예금에 대한 20×4년도분 미수수익 80,000을 재무상태표에 계상하였다.
   ⑤ 회사는 다음과 같이 20×4년부터 준비금을 설정하고 환입하였다.

연 도	준비금 설정액	준비금 환입액
20×4년	120,000	–
20×5년	150,000(예상)	–
20×6년	90,000(예상)	–
20×7년	100,000(예상)	40,000(예상)
20×8년	100,000(예상)	90,000(예상)

   20×7년의 준비금 환입액은 20×4년 설정분에 대한 환입액이며, 20×8년의 준비금 환입액은 20×4년 설정분 및 20×5년 설정분에 대한 환입액으로 구성되어 있다.
   ⑥ 회사가 매출채권의 기대신용손실을 계상하여 당기 중 대손상각비로 200,000 인식하였고, 기존 인식한 대손충당금은 0으로 가정한다.
   ⑦ 비과세이자소득 50,000을 수취하여 영업외수익에 계상하였다.
   ⑧ 위의 사항 이외에 직전 사업연도로부터 이월되어온 일시적차이는 없다.

2. 회사는 당기 이전 수년 전부터 과세소득을 실현해오고 있으며 20×5년 이후 세무조정사항 반영 전 예상 과세소득은 500,000이다.

(20×4 회계연도의 법인세 부담액 계산)

Ⅰ. 법인세비용차감전순이익		1,000,000
Ⅱ. 차이조정		320,000
Ⅱ-1. 가산조정		
1. 재고자산평가손실(매출원가)	100,000	
2. 대손상각비	200,000	
3. 퇴직급여충당금한도초과액	200,000	
4. 기부금한도초과액(*)	70,000	
	570,000	
Ⅱ-2. 차감조정		
1. 미수이자	(80,000)	
2. 준비금전입액	(120,000)	
3. 비과세이자수익(*)	(50,000)	
	(250,000)	
Ⅲ. 과세소득(법인세 과세표준)		1,320,000
법인세율		30%
Ⅳ. 법인세부담액		396,000

(*) 일시적차이를 유발하지 않는 조정항목임.

(20×4 회계연도의 인식할 이연법인세)

1. 20×4년 말 현재 자산과 부채의 장부금액, 세무기준액, 일시적차이, 법인세효과(일시적차이가 존재하는 항목만 제시함)

계정과목	장부금액		세무기준액	일시적차이		법인세 효과
	자산항목	부채항목		가산할	차감할	
퇴직급여충당금		A(*)	A − 200,000		200,000	56,000
재고자산 (평가충당금)	300,000 (100,000)		300,000 (0)		100,000	30,000
미수이자수익	80,000		0	80,000		(24,000)
준 비 금		0	120,000	120,000		(31,200)
매출채권 (대손충당금)	B(*) (200,000)		B (0)		200,000	60,000
합계				200,000	500,000	90,800

(*) 장부금액이 사례에서 제시되지 않았으므로 임의의 금액 A와 B로 표시함.

2. 이연법인세의 계산

계정과목	20×4말 현재 일시적차이	일시적차이의 소멸				20×4말 현재 이연법인세 자산(부채)
		20×5	20×6	20×7	20×8이후	
재고자산	(100,000)	(100,000)	–	–	–	30,000
매출채권	(200,000)	(200,000)	–	–	–	60,000
퇴직급여충당금	(200,000)	(100,000)	(100,000)	–	–	56,000
차감할 일시적차이 소계	(500,000)	(400,000)	(100,000)			146,000
미수이자	80,000	80,000	–	–	–	(24,000)
준 비 금	120,000	–	–	40,000	80,000	(31,200)
가산할 일시적차이 소계	200,000	80,000	–	40,000	80,000	(55,200)
일시적차이 합계	(300,000)	(320,000)	(100,000)	40,000	80,000	
적용될 법인세율		30%	26%	26%	26%	
법인세액절감(부담)		96,000	26,000	(10,400)	(20,800)	

3. 이연법인세자산의 실현가능성 검토

	20×5	20×6	20×7	20×8
가산할 일시적차이 소멸액 소계	80,000	–	40,000	80,000
세무조정사항 반영 전 예상 과세소득	500,000	500,000	500,000	500,000
합 계	580,000	500,000	540,000	580,000
차감할 일시적차이 소멸액 소계	(400,000)	(100,000)	–	–

-세무조정사항 반영 전 예상 과세소득과 가산할 일시적차이의 합계액이 차감할 일시적차이를 초과하므로 이연법인세자산을 전액 인식한다.

(20×4 회계연도 법인세비용의 회계처리와 주석공시 예시)

1. 이연법인세자산과 부채의 당기 변동액
   - 이연법인세자산 : 146,000(기말) - 0(기초) = 146,000(증가)
   - 이연법인세부채 : 55,200(기말) - 0(기초) = 55,200(증가)
   - (이연법인세자산과 부채가 동일한 과세당국과 관련된 것이기 때문에) 재무상태표에는 이연법인세자산과 이연법인세부채를 각각 상계한 순액으로 계상한다.

2. 법인세비용 : 396,000 - 146,000 + 55,200 = 305,200

(차) 법 인 세 비 용	396,000	(대) 당 기 법 인 세 부 채	396,000
이 연 법 인 세 자 산	146,000	법 인 세 비 용	146,000
법 인 세 비 용	55,200	이 연 법 인 세 부 채	55,200

   - 법인세비용은 당기 법인세부담액에서 이연법인세자산(부채)의 당기 변동액을 가감하여 계산한다. 다만 일시적차이가 발생한 당해 사업연도의 과세소득에 대한 법인세율과 이후 사업연도의 법인세율이 동일하다면 법인세비용은 법인세비용차감전순이익에 일시적차이

를 유발하지 않는 소득조정항목을 가감한 금액에 당해 사업연도의 법인세율을 곱하여 계산한 금액과 일반적으로 일치한다.

당해 사례의 경우 법인세비용차감전순이익에 일시적차이를 유발하지 않는 소득조정항목을 가감한 금액에 당해 사업연도의 법인세율을 곱하여 계산한 금액 306,000[=(1,000,000 + 70,000 − 50,000)×30%]과 당기 법인세비용 305,200의 차액 800은 20×6년도 이후에 소멸하는 일시적차이 부분(순자산 20,000)에 대한 세율차이(4%)에 해당한다.

※ 즉, 세율의 변동에 의하여 20×6년도 이후에 소멸할 순 가산할 일시적차이의 미래법인세효과가 800 감소하고 이로 인하여 동 금액만큼 20×4년도의 법인세비용이 감소된 것이다.

3. 20×4 회계연도의 주석공시 예시

  (가) 법인세비용의 구성요소

당기 법인세비용	396,000
일시적차이로 인한 이연법인세 변동액	(90,800)
법인세비용	305,200

  (나) 법인세비용차감전순손익과 법인세비용 간의 관계 설명

법인세비용차감전순이익		1,000,000
적용세율에 따른 법인세		300,000
조정사항		
• 비과세수익 (50,000)	−15,000	
• 비공제비용 (70,000)	+21,000	
• 20×6년 이후 세율변동 효과[*]	−800	
법인세비용		305,200
유효세율(법인세비용/법인세비용차감전순이익) : 30.52%		

    [*] 세율이 26%로 변경되는 20×6년도 이후에 소멸하는 순 일시적차이 부분(순가산 20,000)에 대한 세율차이(4%)에 해당한다.

  (다) 중단영업 관련 법인세비용

    − 해당사항 없음.

  (라) 일시적차이 및 이연법인세자산(부채)의 증감내역

관련 계정과목	가산할(차감할) 일시적차이				인식한 이연법인세자산(부채)			
	기초잔액	증 가	감 소	기말잔액	기초잔액	증 가	감 소	기말잔액
퇴직급여충당금	−	(200,000)	−	(200,000)	−	56,000	−	56,000
재고자산	−	(100,000)	−	(100,000)	−	30,000	−	30,000
매출채권	−	(200,000)	−	(200,000)	−	60,000	−	60,000
준 비 금	−	120,000	−	120,000	−	(31,200)	−	(31,200)
미수이자수익	−	80,000	−	80,000	−	(24,000)	−	(24,000)
기타[*]	−	−	−	−	−	−	−	−
소 계	−	(300,000)	−	(300,000)	−	90,800	−	90,800

[*] 유의적인 항목들은 개별적으로 증감내역을 보이고, 기타 항목들은 합계금액의 증감내역을 보임.

(마) 모든 차감할 일시적차이 및 세무상 결손금 등에 대한 이연법인세자산 및 이연법인세자산
의 실현가능성이 미래 과세소득의 발생 여부에 따라 결정되는 경우, 실현가능성에 대한
판단에 따라서 인식한 이연법인세자산과 그의 판단 근거
－당기말 현재 가산할 일시적차이 금액(200,000)이 차감할 일시적차이 금액(500,000)보다
작지만, 예상 과세소득이 충분할 것으로 예상되므로 모든 차감할 일시적차이에 대하여
이연법인세자산을 인식하였음.
(바) 재무상태표에 이연법인세자산으로 인식되지 아니한 차감할 일시적차이, 미사용 세무상
결손금 및 세액공제 등의 금액 및 만기일
－해당사항 없음.
(사) 이연법인세부채로 인식되지 않은 종속기업, 지점 및 관계기업에 대한 투자자산, 공동약정
투자지분과 관련된 일시적차이 총액
－해당사항 없음.
(아) 자본에 직접 부가되거나 차감된 당기 법인세부담액과 이연법인세의 내역
－해당사항 없음.
(자) 세법의 변경 또는 실현가능성의 변경에 따른 이연법인세자산 및 부채의 변동액
－해당사항 없음 : 20×6년부터 세율이 변경되지만 20×4년 이전부터 존재하던 이연법인세
가 없으므로 세율 변경에 따른 이연법인세의 변동은 없음.
(차) 이연법인세자산과 부채의 내역

	금액
이연법인세자산	146,000
12개월 후에 회수될 이연법인세자산	26,000
12개월 이내에 회수될 이연법인세자산	120,000
이연법인세부채	55,200
12개월 후에 결제될 이연법인세부채	31,200
12개월 이내에 결제될 이연법인세부채	24,000

* 기준서 제1001호 문단 61에 따라 12개월 이내와 12개월 후에 회수되거나 결제될 것으로 기대되는 금액을 공시함.

(카) 세무상 결손금과 관련된 사항
－해당사항 없음.

(20×5 회계연도의 법인세 부담액 계산)
20×5년의 법인세비용차감전순이익은 1,000,000이며 20×5년의 세무조정사항은 20×4년에 발생
한 세무조정사항 및 신고조정으로 손금산입한 준비금 150,000과 관련된 사항 이외는 없다고
가정한다.

Ⅰ. 법인세비용차감전순이익		1,000,000
Ⅱ. 차이조정		(470,000)
Ⅱ-1. 가산조정		
1. 전기미수이자수익	80,000	
	80,000	
Ⅱ-2. 차감조정		
1. 전기재고자산평가손실(매출원가)	(100,000)	
2. 전기대손부인액추인	(200,000)	
3. 퇴충한도초과액손금추인	(100,000)	
4. 준비금전입액	(150,000)	
	(550,000)	
Ⅲ. 과세소득(법인세 과세표준)		530,000
법인세율		30%
Ⅳ. 법인세부담액		159,000

(20×5 회계연도의 인식할 이연법인세)

1. 20×5년 말 현재 자산과 부채의 장부금액, 세무기준액, 일시적차이, 법인세효과(일시적차이가 존재하는 항목만 제시함)

계정과목	장부금액		세무기준액	일시적차이		법인세효과
	자산항목	부채항목		가산할	차감할	
퇴직급여충당금		C[(*)]	C - 100,000		100,000	26,000
준　비　금		0	270,000	270,000		(70,200)
합계				270,000	100,000	(44,200)

(*) 사례에서 장부금액이 제시되지 않아 임의의 금액인 C로 표시함.

2. 이연법인세의 계산

계정과목	20×5말 현재	일시적차이의 소멸				20×5말 현재
	일시적차이	20×6	20×7	20×8	20×9 이후	이연법인세 자산(부채)
퇴직급여충당금	(100,000)	(100,000)	–	–	–	26,000
차감할 일시적차이 소계	(100,000)	(100,000)	–	–	–	26,000
준　비　금	270,000	–	40,000	90,000	140,000	(70,200)
가산할 일시적차이 소계	270,000	–	40,000	90,000	140,000	(70,200)
일시적차이 합계	170,000	(100,000)	40,000	90,000	140,000	
적용될 법인세율		26%	26%	26%	26%	
법인세액절감(부담)		26,000	(10,400)	(23,400)	(36,400)	

3. 이연법인세자산의 실현가능성 검토

	20×6	20×7	20×8	20×9
가산할 일시적차이 소멸액 소계	–	40,000	90,000	140,000
세무조정사항 반영 전 예상 과세소득	500,000	500,000	500,000	500,000
합　계	500,000	540,000	590,000	640,000
차감할 일시적차이 소멸액 소계	(100,000)	–	–	–

－가산할 일시적차이의 합계액이 차감할 일시적차이를 초과하므로 이연법인세자산을 전액 인식한다.

(20×5 회계연도 법인세비용의 회계처리와 주석공시 예시)

1. 이연법인세자산과 부채의 당기 변동액
   －이연법인세자산 : 26,000(기말) － 146,000(기초) ＝ －120,000(감소)
   －이연법인세부채 : 70,200(기말) － 55,200(기초) ＝ 15,000(증가)
   －(이연법인세자산과 부채가 동일한 과세당국과 관련된 것이기 때문에) 재무상태표에는 이연법인세자산과 이연법인세부채를 각각 상계한 순액으로 계상한다.

2. 법인세비용 : 159,000 ＋ 120,000 ＋ 15,000 ＝ 294,000

(차) 법 인 세 비 용	159,000	(대) 당 기 법 인 세 부 채	159,000
법 인 세 비 용	120,000	이 연 법 인 세 자 산	120,000
법 인 세 비 용	15,000	이 연 법 인 세 부 채	15,000

－법인세비용은 당기 법인세부담액에서 이연법인세자산(부채)의 당기 변동액을 가감하여 계산한다.

3. 20×5 회계연도의 주석공시 예시
   (가) 법인세비용의 구성요소
당기 법인세비용	159,000
일시적차이로 인한 이연법인세 변동액	135,000
법인세비용	294,000

   (나) 법인세비용차감전순손익과 법인세비용 간의 관계 설명
법인세비용차감전순이익	1,000,000
적용세율에 따른 법인세	300,000
조정사항	
*20×6년 이후 세율변동 효과[*]	－6,000
법인세비용	294,000
유효세율(법인세비용/법인세비용차감전순이익)	： 29.4%

   (*) 당기에 발생한 가산할 일시적차이 150,000에 대하여 법인세부담액 계산에서는 30%의 당기 세율이 반영되었으나 이연법인세부채의 측정에서는 26%의 미래세율이 반영됨에 따른 세율차이(4%)에 해당한다.

(다) 중단영업 관련 법인세비용
- 해당사항 없음.

(라) 일시적차이 및 이연법인세자산(부채)의 증감내역

관련 계정과목	가산할(차감할) 일시적차이				이연법인세자산(부채)			
	기초잔액	증 가	감 소	기말잔액	기초잔액	증 가	감 소	기말잔액
퇴직급여충당금	(200,000)	-	(100,000)	(100,000)	56,000	-	30,000	26,000
재고자산	(100,000)	-	(100,000)	-	30,000	-	30,000	-
매출채권	(200,000)	-	(200,000)	-	60,000	-	60,000	-
준 비 금	120,000	150,000	-	270,000	(31,200)	(39,000)	-	(70,200)
미수이자수익	80,000	-	80,000	-	(24,000)	-	(24,000)	-
기타(*)	-	-	-	-	-	-	-	-
소 계	(300,000)	150,000	(320,000)	170,000	90,800	(39,000)	96,000	(44,200)

(*) 유의적인 항목들은 개별적으로 증감내역을 보이고, 기타 항목들은 합계금액의 증감내역을 보임.

(마) 모든 차감할 일시적차이 및 세무상 결손금 등에 대한 이연법인세자산 및 이연법인세자산의 실현가능성이 미래 과세소득의 발생 여부에 따라 결정되는 경우, 실현가능성에 대한 판단에 따라서 인식한 이연법인세자산과 그의 판단 근거
당기말 현재 가산할 일시적차이 금액(270,000)이 차감할 일시적차이 금액(100,000)보다 크므로 모든 차감할 일시적차이에 대하여 이연법인세자산을 인식하였음.

(바) 재무상태표에 이연법인세자산으로 인식되지 아니한 차감할 일시적차이, 미사용 세무상 결손금 및 세액공제 등의 금액 및 만기일
- 해당사항 없음.

(사) 이연법인세부채로 인식되지 않은 종속기업, 지점 및 관계기업에 대한 투자자산, 공동약정 투자지분과 관련된 일시적차이 총액
- 해당사항 없음.

(아) 자본에 직접 가감되는 항목과 관련된 당기 법인세와 이연법인세 총액
- 해당사항 없음.

(자) 세법의 변경 또는 실현가능성의 변경에 따른 이연법인세자산 및 부채의 변동액
- 해당사항 없음. : 20×6년부터 세율이 변경되지만 20×4년에 존재하던 이연법인세 중 20×6년 이후에 소멸할 이연법인세는 이미 변경되는 세율로 측정하였음.

(차) 이연법인세자산과 부채의 내역

	금액
이연법인세자산	26,000
12개월 후에 회수될 이연법인세자산	–
12개월 이내에 회수될 이연법인세자산	26,000
이연법인세부채	70,200
12개월 후에 결제될 이연법인세부채	70,200
12개월 이내에 결제될 이연법인세부채	–

* 기준서 제1001호 문단 61에 따라 12개월 이내와 12개월 후에 회수되거나 결제될 것으로 기대되는 금액을 공시함.

(카) 세무상 결손금과 관련된 사항
　　－해당사항 없음.

사례　한국채택국제회계기준을 적용하는 을회사의 20×4년의 법인세비용차감전순손실은 500,000, 당해 회계연도의 법인세율은 30%이며 법인세율의 변동은 없다. 20×4년 초 현재 가산할 일시적차이(준비금)는 300,000이며 재무상태표에는 관련 이연법인세부채 90,000이 계상되어 있고 동 누적일시적차이는 20×6년에 전액 소멸한다. 20×4년 초 현재 세무상 결손금은 없다.

을회사의 당기 법인세부담액을 계산하기 위한 세무조정사항 및 이연법인세계산 관련 자료는 다음과 같다.

1. 20×4년 세무조정사항은 다음과 같다.
　① 취득원가 1,000,000, 내용연수 4년, 잔존가치가 영(0)인 기계장치를 당해 사업연도 초에 취득하여 생산량비례법[*1]으로 상각하나 세법상으로는 정액법으로 상각한다.
　② 세법상 손금한도를 초과하여 지출한 기부금은 50,000이다.
　　[*1] 사례목적을 위해 생산량비례법이 기계장치에 대한 소비행태를 잘 반영한 감가상각방법인 것으로 가정하였다.

2. 을회사의 20×5년부터 20×7년까지 세무조정사항 반영 전 예상 과세소득은 80,000이다. 그 후 기간의 예상 과세소득은 없다.

(20×4년 당기 법인세 부담액의 계산)

Ⅰ. 법인세비용차감전순이익   (500,000)

Ⅱ. 차이조정   200,000

  Ⅱ-1. 가산조정

    1. 감가상각액한도초과액   150,000

    2. 기부금한도초과액$^{(*)}$ 50,000

                200,000

  Ⅱ-2. 차감조정

     -        -

Ⅲ. 과세소득(법인세 과세표준)   (300,000)

  법인세율   30%

Ⅳ. 법인세부담액   0

(*) 일시적차이를 유발하지 않는 조정항목임.

(20×4년 이연법인세 계산)

1. 20×4년 말 현재 자산과 부채의 장부금액, 세무기준액, 일시적차이, 법인세효과(일시적차이가 존재하는 항목만 제시함)

계정과목	장부금액		세무기준액	일시적차이 및 세무상 결손금		법인세 효과
	자산항목	부채항목		가산할	차감할	
기계장치 (상각누계액)	1,000,000 (400,000)		1,000,000 (250,000)		150,000	45,000
준 비 금		0	300,000	300,000		(90,000)
세무상 결손금					300,000	90,000
합계				300,000	450,000	45,000

2. 이연법인세의 계산(이연법인세자산의 실현가능성이 충분한 경우)

계정과목	20×4 현재 일시적차이 및 세무상 결손금	일시적차이의 소멸			20×4 현재 이연법인세 자산(부채)
		20×5	20×6	20×7 이후	
기계장치	(150,000)	-	(50,000)	(100,000)	45,000
세무상 결손금	(300,000)	(80,000)	(220,000)	-	90,000
차감할 일시적차이 및 세무상 결손금 소계	(450,000)	(80,000)	(270,000)	(100,000)	135,000
준 비 금	300,000	-	300,000	-	(90,000)
가산할 일시적차이 소계	300,000	-	300,000	-	(90,000)
일시적차이 등 합계	(150,000)	(80,000)	30,000	(100,000)	
적용될 법인세율		30%	30%	30%	
법인세액절감(부담)		24,000	(9,000)	30,000	

3. 이연법인세자산의 실현가능성 검토

	20×5	20×6	20×7 이후
가산할 일시적차이 소멸액 소계	–	300,000	–
세무조정사항 반영 전 예상 과세소득	80,000	80,000	80,000
합 계	80,000	380,000	80,000
차감할 일시적차이 소멸액 소계	–	(50,000)	(100,000)
세무상 결손금의 소득차감액	(80,000)	(220,000)	–

－20×7년 이후의 예상 과세소득 80,000이 차감할 일시적차이 100,000보다 작으므로 예상 과세소득을 초과하는 차감할 일시적차이 20,000에서 발생하는 법인세절감효과(6,000)를 이연법인세자산으로 인식할 수 없다. 따라서 20×4년에 인식할 수 있는 이연법인세자산 총액은 129,000(= 135,000 － 6,000)이다.

(20×4 회계연도 법인세비용의 회계처리와 주석공시 예시)

1. 이연법인세자산과 부채의 당기 변동액
   －이연법인세자산 : 129,000(기말) － 0(기초) = 129,000(증가)
   －이연법인세부채 : 90,000(기말) － 90,000(기초) = 0(변동 없음)
   －(이연법인세자산과 부채가 동일한 과세당국과 관련된 것이기 때문에) 재무상태표에는 이연법인세자산과 이연법인세부채를 각각 상계한 순액으로 계상한다.

2. 법인세비용 : 0 － 129,000 + 0 = －129,000

(차) 법 인 세 비 용	0	(대) 당 기 법 인 세 부 채	0
이 연 법 인 세 자 산	129,000	법 인 세 비 용	129,000
법 인 세 비 용	0	이 연 법 인 세 부 채	0

－법인세비용은 당기 법인세부담액에서 이연법인세자산(부채)의 당기 변동액을 가감하여 계산한다.

3. 20×4회계연도의 주석공시 예시
   (가) 법인세비용의 구성요소

당기 법인세비용	0
일시적차이로 인한 이연법인세 변동액	(39,000)
세무상 결손금 등으로 인한 이연법인세 변동액	(90,000)
법인세비용	(129,000)

   (나) 법인세비용차감전순손익과 법인세비용 간의 관계 설명

법인세비용차감전순이익	－500,000
적용세율에 따른 법인세	－150,000
조정사항	
• 비공제비용 (50,000)	+15,000

- 당기발생 일시적차이 중 이연법인세자산 미인식 효과

+6,000

법인세비용   −129,000

유효세율(법인세비용/법인세비용차감전순이익)   : 25.8%

(다) 중단영업 관련 법인세비용

　－해당사항 없음.

(라) 일시적차이 및 이연법인세자산(부채)의 증감내역

관련 계정과목	가산할(차감할) 일시적차이 및 세무상 결손금				이연법인세자산(부채)			
	기초잔액	증 가	감 소	기말잔액	기초잔액	증 가	감 소	기말잔액
기계장치	−	(150,000)	−	(150,000)	−	39,000[*]	−	39,000[*]
기타[**]	−	−	−	−	−	−	−	−
세무상 결손금	−	(300,000)	−	(300,000)	−	90,000	−	90,000
준 비 금	300,000	−	−	300,000	(90,000)	−	−	(90,000)
소 계	300,000	(450,000)	−	(150,000)	(90,000)	129,000	−	39,000

[*] 실현가능성 때문에 일시적차이 중 20,000에 상당하는 6,000의 이연법인세자산을 인식하지 못함.

[**] 유의적인 항목들은 개별적으로 증감내역을 보이고, 기타 항목들은 합계금액의 증감내역을 보임.

(마) 모든 차감할 일시적차이 및 세무상 결손금 등에 대한 이연법인세자산 및 이연법인세자산의 실현가능성이 미래 과세소득의 발생 여부에 따라 결정되는 경우, 실현가능성에 대한 판단에 따라서 인식한 이연법인세자산과 그의 판단 근거

　－20×4회계연도 말 현재 차감할 일시적차이 총액은 150,000이고 미사용 세무상 결손금은 300,000이다. 따라서 실현가능성이 있다면 135,000의 이연법인세자산을 인식하게 된다.

　－그런데, 20×7년 이후의 예상 과세소득이 충분하지 않아서 20×4년에 인식한 이연법인세자산 총액은 129,000이다.

(바) 재무상태표에 이연법인세자산으로 인식되지 아니한 차감할 일시적차이, 미사용 세무상 결손금 및 세액공제 등의 금액 및 만기일

　－기계장치의 감가상각액에 따른 일시적차이 중 이연법인세자산으로 인식되지 아니한 차감할 일시적차이 20,000이 있으며, 20×7년에 소멸할 예정이다.

(사) 이연법인세부채로 인식되지 않은 종속기업, 지점 및 관계기업에 대한 투자자산, 공동약정 투자지분과 관련된 일시적차이 총액

　－해당사항 없음.

(아) 자본에 직접 가감되는 항목과 관련된 당기 법인세와 이연법인세총액

　－해당사항 없음.

(자) 세법의 변경 또는 실현가능성의 변경에 따른 이연법인세자산 및 부채의 변동액

　－해당사항 없음.

(차) 이연법인세자산과 이연법인세부채의 내역

	금액
이연법인세자산	129,000
12개월 후에 회수될 이연법인세자산	105,000
12개월 이내에 회수될 이연법인세자산	24,000
이연법인세부채	90,000
12개월 후에 결제될 이연법인세부채	90,000
12개월 이내에 결제될 이연법인세부채	–

* 기준서 제1001호 문단 61에 따라 12개월 이내와 12개월 후에 회수되거나 결제될 것으로 기대되는 금액을 공시함.

(카) 세무상 결손금과 관련된 사항
- 당기에 발생한 세무상 결손금 300,000에 대하여 법인세효과 90,000을 이연법인세자산으로 인식하고 90,000을 전액 20×4년의 당기순이익에 반영하였다.

(20×5년 당기 법인세부담액의 계산)
20×5년의 법인세비용차감전순이익은 80,000이며 20×5년의 세무조정사항은 20×4년에 발생한 세무조정사항과 관련된 사항 이외는 없다고 가정한다.

Ⅰ. 법인세비용차감전순이익	80,000
Ⅱ. 차이조정	50,000
Ⅱ-1. 가산조정	
1. 감가상각액한도초과액	50,000
Ⅱ-2. 차감조정	–
Ⅲ. 이월결손금	(130,000)
Ⅳ. 과세소득(법인세 과세표준)	0
법인세율	30%
Ⅴ. 법인세부담액	0

(20×5년 이연법인세 계산)
1. 20×5년 말 현재 자산과 부채의 장부금액, 세무기준액, 일시적차이, 법인세효과(일시적차이가 존재하는 항목만 제시함)

계정과목	장부금액		세무기준액	일시적차이 및 이월결손금		법인세 효과
	자산항목	부채항목		가산할	차감할	
기계장치 (상각누계액)	1,000,000 (700,000)		1,000,000 (500,000)		200,000	60,000
준 비 금		0	300,000	300,000		(90,000)
세무상 결손금					170,000	51,000
합계				300,000	370,000	21,000

2. 이연법인세의 계산(이연법인세자산의 실현가능성이 충분한 경우)

계정과목	20×5 현재 일시적차이 및 결손금	일시적차이의 소멸 20×6	일시적차이의 소멸 20×7 이후	20×5 현재 이연법인세 자산(부채)
기계장치	(200,000)	(50,000)	(150,000)	60,000
세무상 결손금	(170,000)	(170,000)	–	51,000
차감할 일시적차이 및 세무상 결손금 소계	(370,000)	(220,000)	(150,000)	111,000
준 비 금	300,000	300,000	–	(90,000)
가산할 일시적차이 소계	300,000	300,000	–	(90,000)
일시적차이 등 합계	(70,000)	80,000	(150,000)	
적용될 법인세율		30%	30%	
법인세액절감(부담)		(24,000)	45,000	

3. 이연법인세자산의 실현가능성 검토

	20×6	20×7 이후
가산할 일시적차이 소멸액 소계	300,000	–
세무조정사항 반영 전 예상 과세소득	80,000	80,000
합 계	380,000	80,000
차감할 일시적차이 소멸액 소계	(50,000)	(150,000)
세무상 결손금의 소득차감액	(170,000)	–

−20×7년 이후의 예상 과세소득 80,000이 차감할 일시적차이 150,000보다 작으므로 예상 과세소득을 초과하는 차감할 일시적차이 70,000에서 발생하는 법인세절감효과(21,000)를 이연법인세자산으로 인식할 수 없다(중소기업이 아니기 때문에 결손금소급공제가 불가능함). 따라서 20×5년에 인식할 수 있는 이연법인세자산 총액은 90,000(= 111,000 − 21,000)이다.

(20×5 회계연도 법인세비용의 회계처리와 주석공시 예시)

1. 이연법인세자산과 부채의 당기 변동액
   - 이연법인세자산 : 90,000(기말) − 129,000(기초) = −39,000(감소)
   - 이연법인세부채 : 90,000(기말) − 90,000(기초) = 0(변동 없음)
   - (이연법인세자산과 부채가 동일한 과세당국과 관련된 것이기 때문에) 재무상태표에는 이연법인세자산과 이연법인세부채를 각각 상계한 순액으로 계상한다.

2. 법인세비용 : 0 − (−39,000) + 0 = 39,000

(차) 법 인 세 비 용	0	(대) 당 기 법 인 세 부 채	0
법 인 세 비 용	39,000	이 연 법 인 세 자 산	39,000
법 인 세 비 용	0	이 연 법 인 세 부 채	0

－법인세비용은 당기법인세부담액에서 이연법인세자산(부채)의 당기 변동액을 가감하여 계산한다.

3. 20×5 회계연도의 주석공시 예시

　(가) 법인세비용의 구성요소

당기 법인세비용	0
일시적차이로 인한 이연법인세 변동액	0(*)
세무상 결손금 등으로 인한 이연법인세 변동액	39,000
법인세비용	39,000

(*) 감가상각액과 관련된 차감할 일시적차이는 50,000이 증가하였지만, 실현가능성 때문에 감가상각액과 관련하여 인식한 이연법인세자산은 20×4회계연도와 변동 없음.

　(나) 법인세비용차감전순손익과 법인세비용 간의 관계 설명

법인세비용차감전순이익	80,000
적용세율에 따른 법인세	24,000
*당기 발생 일시적차이 중 이연법인세자산 미인식 효과	
+15,000	
법인세비용	39,000

유효세율(법인세비용/법인세비용차감전순이익) : 48.75%

　(다) 중단영업 관련 법인세비용

　　－해당사항 없음.

　(라) 일시적차이 및 이연법인세자산(부채)의 증감내역

관련 계정과목	가산할(차감할) 일시적차이 및 세무상 결손금				이연법인세자산(부채)			
	기초잔액	증 가	감 소	기말잔액	기초잔액	증 가	감 소	기말잔액
기계장치	(150,000)	(50,000)	－	(200,000)	39,000(*)	－	－	39,000(**)
세무상 결손금	(300,000)		(130,000)	(170,000)	90,000	－	39,000	51,000
준 비 금	300,000	－	－	300,000	(90,000)	－	－	(90,000)
소 계	(150,000)	(50,000)	(130,000)	(70,000)	39,000	－	39,000	－

(*) 실현가능성 때문에 일시적차이 중 20,000에 상당하는 6,000의 이연법인세자산을 인식하지 못함.
(**) 실현가능성 때문에 일시적차이 중 70,000에 상당하는 21,000의 이연법인세자산을 인식하지 못함.

　(마) 모든 차감할 일시적차이 및 세무상 결손금 등에 대한 이연법인세자산 및 이연법인세자산의 실현가능성이 미래 과세소득의 발생 여부에 따라 결정되는 경우, 실현가능성에 대한 판단에 따라서 인식한 이연법인세자산과 그의 판단 근거

　　－20×5회계연도 말 현재 차감할 일시적차이 총액은 200,000이고 미사용 세무상 결손금은 170,000이다. 따라서 실현가능성이 있다면 111,000의 이연법인세자산을 인식하게 된다.

　　－그런데, 20×7년 이후의 예상 과세소득이 충분하지 않아서 20×5년에 인식한 이연법인세자산총액은 90,000이다.

　(바) 재무상태표에 이연법인세자산으로 인식되지 아니한 차감할 일시적차이, 미사용 세무상

결손금 및 세액공제 등의 금액 및 만기일

　- 기계장치의 감가상각액에 따른 일시적차이 중 이연법인세자산으로 인식되지 아니한 차감할 일시적차이가 70,000 있으며, 20×7년 이후에 소멸할 예정이다.

(사) 이연법인세부채로 인식되지 않은 종속기업, 지점 및 관계기업에 대한 투자자산, 공동약정 투자지분과 관련된 일시적차이 총액

　- 해당사항 없음.

(아) 자본에 가감되는 항목과 관련된 당기 법인세부담액과 이연법인세의 내역

　- 해당사항 없음.

(자) 세법의 변경 또는 실현가능성의 변경에 따른 이연법인세자산 및 부채의 변동액

　- 해당사항 없음.

(차) 이연법인세자산과 이연법인세부채의 내역

	금액
이연법인세자산	90,000
12개월 후에 회수될 이연법인세자산	24,000
12개월 이내에 회수될 이연법인세자산	66,000
이연법인세부채	90,000
12개월 후에 결제될 이연법인세부채	-
12개월 이내에 결제될 이연법인세부채	90,000

* 기준서 제1001호 문단 61에 따라 12개월 이내와 12개월 후에 회수되거나 결제될 것으로 기대되는 금액을 공시함.

(카) 세무상 결손금과 관련된 사항

　- 전기에 발생한 세무상 결손금 300,000 중 당기에 130,000이 감소하였고 그에 따른 법인세효과 39,000을 당기순이익에 반영하였다.

Chapter 09 주당이익

제1절 개 념

주당이익(earnings per share : EPS)이란 주식 1주당 이익(또는 손실)이 얼마인가를 나타내는 수치로서 주식 1주에 귀속되는 이익(또는 손실)을 말한다.

이러한 주당이익은 재무정보이용자가 기업의 경영성과와 배당정책을 평가하고, 기업의 잠재력을 예측하며, 증권분석 및 투자에 관한 의사결정을 할 수 있도록 하는 유용한 정보이다.

주당이익의 유용성을 살펴보면 다음과 같다.

첫째, 특정기업의 경영성과를 기간별로 비교하는 데 유용하다. 즉, 연속적인 두 회계기간의 주당이익을 비교함으로써 두 기간의 경영성과에 대하여 의미 있는 비교를 할 수 있다.

둘째, 특정기업의 주당이익을 주당배당금 지급액과 비교해봄으로써 당기순이익 중 사외에 유출되는 부분과 사내에 유보되는 부분의 상대적 비중에 관한 유용한 정보를 용이하게 얻을 수 있다.

셋째, 주가를 주당순이익으로 나눈 수치인 주가수익비율(price-earning ratio : PER)은 사외유통주식을 평가하는 투자지표의 하나인데, 주당순이익은 주가수익비율의 계산에 기초자료가 된다.

- PER = 주가 ÷ EPS
- 주가 = PER × EPS

주가수익비율이 낮다는 것은 주당순이익에 비해 시가가 낮게 형성되어 있다는 것을 의미하므로 주가가 향후 큰 폭으로 상승할 가능성이 있다는 것을 암시해 준다.

주당이익 정보는 이익을 결정하는 데 적용하는 회계정책이 다를 수 있다는 한계가 있지만 주당이익 계산상의 분모를 일관성 있게 결정한다면 재무보고의 유용성은 높아진다.

★
용어의 정의 (기준서 제1033호 문단 5)

- 반희석효과 : 전환금융상품이 전환되거나 옵션 또는 주식매입권이 행사되거나 또는 특정 조건이 충족되어 보통주가 발행된다고 가정하는 경우 주당이익이 증가하거나 주당손실이 감소하는 효과
- 보통주 : 다른 모든 종류의 지분상품보다 후순위인 지분상품
- 보통주풋옵션 : 일정기간 정해진 가격으로 보통주를 팔 수 있는 권리를 보유자에게 부여하는 계약
- 옵션과 주식매입권 등 : 보유자가 보통주를 매입할 수 있는 권리를 가지는 금융상품
- 잠재적보통주 : 보통주를 받을 수 있는 권리가 보유자에게 부여된 금융상품이나 계약 등
- 조건부발행보통주 : 조건부주식약정에 명시된 특정 조건이 충족된 경우에 현금 등의 대가가 없거나 거의 없이 발행하게 되는 보통주
- 조건부주식약정 : 특정 조건이 충족되면 주식을 발행하기로 하는 약정
- 희석효과 : 전환금융상품이 전환되거나 옵션 또는 주식매입권이 행사되거나 또는 특정 조건이 충족되어 보통주가 발행된다고 가정하는 경우 주당이익이 감소하거나 주당손실이 증가하는 효과

제2절 적용범위

'주식회사 등의 외부감사에 관한 법률'의 적용대상기업 중 '자본시장과 금융투자업에 관한 법률'에 따른 주권상장법인과 재무제표의 작성과 표시를 위해 한국채택국제회계기준의 적용을 선택한 기업의 경우에는 기준서 제1033호에 따라 주당이익을 계산하고 공시하여야 한다(기준서 제1033호 한 2.1).

한국채택국제회계기준에서는 보통주나 잠재적보통주가 공개된 시장에서 거래되고 있거나, 공개된 시장에서 보통주를 발행하기 위해 재무제표를 증권감독기구 등에 제출하거나 제출하는 과정에 있는 기업의 연결재무제표, 별도재무제표 또는 개별재무제표에 주당이익을 공시하도록 요구하고 있다(기준서 제1033호 문단 2). 단, 연결재무제표와 별도재무제표를 모두 제시하는 경우에는 기준서 제1033호 '주당이익'에서 요구하는 공시사항은 연결정보에만 적용한다. 별도재무제표에 기초한 주당이익을 공시하기로 한 기업은 별도재무제표의 포괄손익계산서에만 그러한 주당이익 정보를 표시하며 연결재무제표에 그러한 주당이익 정보를 표시해서는 아니 된다(기준서 제1033호 문단 4). 한편, 기준서 제1001호 '재무제표 표시' 문단 81에 따라 별개의 손익계산서에 당기순손익의 구성요소를 표시하는 경우에는 주당이익은 그 별개의 손익계산서에만 표시한다(기준서 제1033호 문단 4A).

기본주당이익의 계산

1. 개 요

기본주당이익 정보의 목적은 회계기간의 경영성과에 대한 지배기업의 보통주 1주당 지분의 측정치를 제공하는 것이다(기준서 제1033호 문단 11).

기본주당이익은 지배기업의 보통주에 귀속되는 특정 회계기간의 당기순손익과 계속 영업손익을 표시하는 경우 동 계속영업손익을 그 기간에 유통된 보통주식수를 가중평 균한 주식수로 나누어 계산한다(기준서 제1033호 문단 9, 10).

이를 산식으로 나타내면 다음과 같다.

- 기본주당계속영업이익 $= \dfrac{\text{보통주 계속영업손익}}{\text{가중평균유통보통주식수}}$

- 기본주당순이익 $= \dfrac{\text{보통주 당기순손익}}{\text{가중평균유통보통주식수}}$

2. 보통주 계속영업손익 및 당기순손익의 계산

기본주당이익을 계산하기 위한 보통주 계속영업손익 또는 당기순손익은 손익계산서 상의 계속영업손익 또는 당기순손익에서 자본으로 분류된 우선주에 대한 세후 우선주 배당금, 우선주 상환 시 발생한 차액 및 유사한 효과를 조정하여 산출한다(기준서 제1033호 문단 12). 즉, 법인세비용과 부채로 분류되는 우선주에 대한 배당금은 지배기업의 보통주 에 귀속되는 특정 회계기간의 당기순손익 결정 단계에서 반영되는 것이다(기준서 제1033호 문단 13).

기본주당이익을 계산하기 위하여 손익계산서의 당기순손익(또는 계속영업손익)에 조정 하여야 하는 자본으로 분류된 우선주에 대한 세후 배당금 등의 세부사항은 다음과 같다.

가감항목	내 용
① 세후 우선주 배당금	• 차감 : 당해 회계기간과 관련하여 배당결의된 비누적적 우선주에 대한 세후 배당금 • 차감 : 배당결의 여부와 관계없이 당해 회계기간과 관련한 누적적 우선주에 대한 세후배당금(전기 이전의 기간과 관련하여 당기에 결의된 누적적 우선주 배당금은 차감항목에서 제외)

② 우선주 상환시 발생한 차액	• 차감 : 기업이 공개매수 방식으로 우선주를 재매입할 때 우선주 주주에게 지급한 대가의 공정가치가 우선주의 장부금액을 초과하는 부분 • 가산 : 우선주의 장부금액이 우선주의 매입을 위하여 지급한 대가의 공정가치를 초과하는 경우 그 차액
③ 전환우선주 조기전환 유도 대가	• 전환우선주 발행기업이 처음의 전환조건보다 유리한 조건을 제시하거나 추가적인 대가를 지불하여 조기 전환을 유도하는 경우 처음의 전환조건에 따라 발행될 보통주의 공정가치를 초과하여 지급하는 보통주나 그 밖에 대가의 공정가치는 전환우선주에 대한 이익배분으로 보아 차감
④ 기타 상기 항목과 유사한 효과	• 할증배당우선주의 당초 할인발행차금이나 할증발행차금은 유효이자율법을 사용하여 상각하여 이익잉여금에 가감하고 주당이익을 계산할 때 우선주 배당금으로 처리

① 기준서 제1033호 문단 14
② 기준서 제1033호 문단 16, 18
③ 기준서 제1033호 문단 17
④ 기준서 제1033호 문단 15

그러므로, 기본주당이익을 계산하기 위한 지배기업의 보통주에 귀속되는 금액은 다음과 같이 도출된다.

★
[요약] 보통주 당기순손익 측정

보통주 당기순손익 =   지배기업에 귀속되는 당기순손익
              (-) 세후우선주 배당금①
              (+-) 우선주 상환시 발생한 차액②
              (-) 전환우선주 조기전환 유도 대가③
              (+-) 기타 상기 항목과 유사한 효과④

사례   **할증배당우선주(기준서 제1033호 적용사례 1)**

20×1년 1월 1일에 기업 D는 액면금액이 100원이고 전환이 되지 않고 상환도 되지 않는 A 종류 누적적우선주를 발행했다. A 종류 우선주는 20×4년부터 누적적으로 연간 주당 7원의 배당금을 받게 된다.

발행일의 A 종류 우선주에 대한 시장배당수익률은 연 7%이다. 따라서 발행일에 주당 7원의 배당률이 유효하다면, 기업 D는 A 종류 우선주당 약 100원의 발행금액을 기대할 수 있다.

그러나 배당지급기간을 고려하여 A 종류 우선주는 주당 81.63원에, 즉 주당 18.37원이 할인되

어 발행되었다. 발행가격은 3년 동안 7%로 할인한 100원의 현재가치로 계산될 수 있다.

주식은 자본으로 분류되므로 할인발행차금은 유효이자율법으로 이익잉여금처분에 의하여 상각하고 주당이익을 계산할 때 우선주 배당금으로 간주한다. 기본주당이익을 계산하기 위해 A종류 우선주당 다음과 같이 내재된 배당금을 지배기업의 보통주에 귀속되는 당기순손익을 결정할 때 차감한다.

(단위 : 원)

연도	1월 1일 A종류 우선주의 장부금액	내재된 배당금[1]	12월 31일 A종류 우선주의 장부금액[2]	지급된 배당금
20×1년	81.63	5.71	87.34	–
20×2년	87.34	6.12	93.46	–
20×3년	93.46	6.54	100.00	–
후속년도 :	100.00	7.00	107.00	(7.00)

(1) 배당률 7%
(2) 배당금을 지급하기 전의 금액이다.

3. 가중평균유통보통주식수의 계산

기본주당이익을 계산하기 위한 보통주식수는 그 기간의 가중평균유통보통주식수로 한다(기준서 제1033호 문단 19).

특정회계기간의 가중평균유통보통주식수는 그 기간 중 각 시점의 유통주식수의 변동에 따라 자본금액이 변동할 가능성을 반영한다. 가중평균유통보통주식수는 기초의 유통보통주식수에 회계기간 중 취득된 자기주식수 또는 신규 발행된 보통주식수를 각각의 유통기간에 따른 가중치를 고려하여 조정한 보통주식수이다. 이 경우 유통기간에 따른 가중치는 그 회계기간의 총일수에 대한 특정 보통주의 유통일수의 비율로 산정하며, 가중평균에 대한 합리적 근사치도 사용될 수 있다(기준서 제1033호 문단 20).

(1) 보통주유통일수 계산의 기산일

가중평균유통보통주식수를 산정하기 위한 보통주유통일수 계산의 기산일은 통상 주식발행의 대가를 받을 권리가 발생하는 시점(일반적으로 주식발행일)이다. 보통주유통일수를 계산하는 기산일의 예를 들면 다음과 같다(기준서 제1033호 문단 21).

① 현금납입의 경우 현금을 받을 권리가 발생하는 날
② 보통주나 우선주 배당금을 자발적으로 재투자하여 보통주가 발행되는 경우 배당금의 재투자일

③ 채무상품의 전환으로 인하여 보통주를 발행하는 경우 최종이자발생일의 다음날

④ 그 밖의 금융상품에 대하여 이자를 지급하거나 원금을 상환하는 대신 보통주를 발행하는 경우 최종이자발생일의 다음날

⑤ 채무를 변제하기 위하여 보통주를 발행하는 경우 채무변제일

⑥ 현금 이외의 자산을 취득하기 위하여 보통주를 발행하는 경우 그 자산의 취득을 인식한 날

⑦ 용역의 대가로 보통주를 발행하는 경우 용역제공일

보통주유통일수를 계산하는 기산일은 주식발행과 관련된 특정 조건에 따라 결정하며, 이때 주식발행에 관한 계약의 실질을 적절하게 고려한다.

사례 **가중평균유통보통주식수**

회사의 2×07년 보통주식수의 변동에 따른 가중평균유통보통주식수의 계산은 다음과 같다.

가. 유통보통주식수의 변동

일 자	변 동 내 용	발행주식수	자기주식수	유통주식수
2×07. 1. 1.	기 초	2,000	300	1,700
2×07. 5. 1.	유상증자	800		2,500
2×07. 6. 1.	자기주식 매각		(100)	2,600
2×07. 8. 1.	유상증자	300		2,900
2×07.12. 1.	자기주식 취득		250	2,650
2×07.12.31.	기 말	3,100	450	2,650

나. 가중평균유통보통주식수의 계산

유통기간	항 목	주식수	유통주식수	유통월수	적 수
1. 1. ～ 4. 30.	기초의 유통주식	1,700	1,700	4	6,800
5. 1. ～ 5. 31.	유상증자	800	2,500	1	2,500
6. 1. ～ 7. 31.	자기주식 매각	100	2,600	2	5,200
8. 1. ～ 11. 30.	유상증자	300	2,900	4	11,600
12. 1. ～ 12. 31.	자기주식 취득	(250)	2,650	1	2,650
합 계				12	28,750

가중평균유통보통주식수 : 28,750 ÷ 12 = 2,396주

(2) 추가적으로 고려할 사항

가중평균유통보통주식수를 계산함에 있어 다음과 같은 특수한 사항을 추가적으로 고려하여야 한다.

① 사업결합

사업결합 이전대가의 일부로 발행된 보통주의 경우 취득일을 가중평균유통보통주식수를 산정하는 기산일로 한다. 왜냐하면 사업 취득일부터 피취득자 손익을 취득자의 포괄손익계산서에 반영하기 때문이다(기준서 제1033호 문단 22).

② 보통주로 전환의무가 있는 전환금융상품

보통주로 반드시 전환하여야 하는 전환금융상품은 계약체결시점부터 기본주당이익을 계산하기 위한 보통주식수에 포함한다(기준서 제1033호 문단 23).

③ 조건부발행보통주

조건부발행보통주는 조건부주식약정에 명시된 특정 조건이 충족된 경우에 현금 등의 대가가 없거나 거의 없이 발행하게 되는 보통주를 의미한다(기준서 제1033호 문단 5). 조건부발행보통주는 모든 필요조건이 충족(즉, 사건의 발생)된 날에 발행된 것으로 보아 기본주당이익을 계산하기 위한 보통주식수에 포함한다. 단순히 일정기간이 경과한 후 보통주를 발행하기로 하는 계약 등의 경우 기간의 경과에는 불확실성이 없으므로 조건부발행보통주로 보지 아니한다. 조건부로 재매입할 수 있는 보통주를 발행한 경우 이에 대한 재매입가능성이 없어질 때까지는 보통주로 간주하지 아니하고, 기본주당이익을 계산하기 위한 보통주식수에 포함하지 아니한다(기준서 제1033로 문단 24). 예를들어, 일정기간 동안 특정한 목표이익을 달성하거나 유지한다면 보통주를 발행하기로 하는 경우, 보고기간말에 그 목표이익이 달성되었지만 그 보고기간말 이후의 추가적인 기간 동안 그 목표이익이 유지되어야 한다면, 이익수준이 미래의 기간에 변동할 수 있기 때문에 모든 필요조건이 아직 충족된 것은 아니므로 이러한 조건부발행보통주를 조건기간말까지 기본주당이익의 계산에 포함하지 아니한다(기준서 제1033호 문단 53).

> **사례** **조건부발행보통주(기준서 제1033호 적용사례 7)**
> • 20×1년의 유통보통주식수 : 1,000,000(이 기간 동안 유통되고 있는 옵션, 주식매입권 또는 전환상품은 없음)
> • 최근의 사업결합과 관련하여 다음의 조건에 따라 보통주를 추가로 발행하기로 합의하였다 :
>   －20×1년에 새로 개점하는 영업점 1개당 보통주 5,000주 발행
>   －20×1년 12월 31일에 종료하는 연도에 연결이익이 2,000,000원을 초과하는 경우 매초과액 1,000원에 대하여 보통주 1,000주 발행
> • 이 기간 동안 개점한 영업점 : 20×1년 5월 1일에 1개, 20×1년 9월 1일에 1개
> • 지배기업의 보통주에 귀속되는 연결 누적중간기간 이익
>   －20×1년 3월 31일 현재 1,100,000원
>   －20×1년 6월 30일 현재 2,300,000원

-20×1년 9월 30일 현재 1,900,000원(중단영업손실 450,000원 포함)

-20×1년 12월 31일 현재 2,900,000원

기본주당이익

	1분기	2분기	3분기	4분기	전체
분자(원)	1,100,000	1,200,000	(400,000)	1,000,000	2,900,000
분모 :					
유통보통주식수	1,000,000	1,000,000	1,000,000	1,000,000	1,000,000
영업점 조건	-	3,333[1]	6,667[2]	10,000	5,000[3]
이익 조건[4]	-	-	-	-	-
총주식수	1,000,000	1,003,333	1,006,667	1,010,000	1,005,000
기본주당이익(원)	1.10	1.20	(0.40)	0.99	2.89

(1) 5,000주 × 2/3
(2) 5,000주 + (5,000주 × 1/3)
(3) (5,000주 × 8/12) + (5,000주 × 4/12)
(4) 조건기간이 종료될 때까지 조건의 충족 여부가 불확실하므로 이익조건은 기본주당이익에 영향을 미치지 않는다. 조건기간의 마지막 날까지 조건의 충족 여부가 불확실하므로 4분기와 전체기간을 대상으로 계산하면 그 효과는 미미하다.

④ 무상증자, 주식배당, 주식분할, 주식병합

당해 기간 및 비교 표시되는 모든 기간의 가중평균유통보통주식수는 상응하는 자원의 변동 없이 유통보통주식수를 변동시키는 사건을 반영하여 조정한다. 다만, 잠재적보통주의 전환은 제외한다(기준서 제1033호 문단 26).

자원의 실질적인 변동을 유발하지 않으면서 보통주가 새로 발행될 수도 있고 유통보통주식수가 감소할 수도 있다. 다음과 같은 예가 이에 해당한다(기준서 제1033호 문단 27).

- 자본금 전입이나 무상증자, 주식배당
- 그 밖의 증자에서의 무상증자 요소(예 : 기존 주주에 대한 주주 우선배정 신주발행의 무상증자 요소)
- 주식분할
- 주식병합

자본금전입, 무상증자, 주식분할의 경우에는 추가로 대가를 받지 않고 기존 주주에게 보통주를 발행하므로 자원은 증가하지 않고 유통보통주식수만 증가한다. 이 경우 당해 사건이 있기 전의 유통보통주식수를 비교 표시되는 최초기간의 개시일에 그 사건이 일어난 것처럼 비례적으로 조정한다. 예를 들어, 1주당 2주의 신주를 발행하는 무상증자

의 경우 무상증자 전의 유통보통주식수에 3을 곱하여 새로운 총보통주식수를 구하거나 2를 곱하여 추가로 발행한 보통주식수를 구한다(기준서 제1033호 문단 28).

한편, 주식병합은 일반적으로 자원의 실질적인 유출 없이 유통보통주식수를 감소시킨다. 그러나 전반적으로 주식을 공정가치로 매입한 효과가 있는 경우에는 실질적으로 자원이 유출되면서 유통보통주식수가 감소한다. 특별배당과 결합된 주식병합이 그 예가 된다. 이러한 결합거래가 발생한 기간의 가중평균유통보통주식수는 특별배당이 인식된 날부터 보통주식수의 감소를 반영하여 조정한다(기준서 제1033호 문단 29).

사례 무상증자(기준서 제1033호 적용사례 3)

- 20×0년 지배기업의 보통주에 귀속되는 이익 : 180원
- 20×1년 지배기업의 보통주에 귀속되는 이익 : 600원
- 20×1년 9월 30일 까지의 유통보통주식수 : 200
- 20×1년 10월 1일 무상증자 실시 : 20×1년 9월 30일 현재 유통보통주식 1주에 대하여 2주의 보통주를 무상으로 지급함.

  200 × 2 = 400

- 20×1년 기본주당이익 : $\dfrac{600원}{(200 + 400)}$ = 1.00원

- 20×0년 기본주당이익 : $\dfrac{180원}{(200 + 400)}$ = 0.30원

무상증자는 대가 없이 이루어지므로 20×0년(표시되는 가장 이른 기간)이 시작되기 전에 발생한 것처럼 처리한다.

사례 기존 주주 등에게 공정가치 미만의 신주 발행(기준서 제1033호 적용사례 4 수정)

가. 손익상황 및 자본의 변동사항

	2×06년	2×07년	2×08년
당기순이익	110,000원	150,000원	180,000원

기존 주주 등에게 공정가치 미만의 신주발행 전 유통보통주식수 500주 (단, 회사가 발행한 우선주는 없다)

기존 주주 등에게 공정가치 미만의 신주발행의 내용
- 유통보통주식 5주당 신주 1주(신주는 총 100주)
- 발행금액 : 500원
- 유상증자일(납입기일의 익일) : 2×07. 4. 1.
- 권리행사일 전(권리락 전일)의 공정가치 : 1,100원

나. 권리행사 후의 이론적 주당공정가치의 계산

$$\frac{권리행사\ 직전\ 총유통보통주식의\ 공정가치\ +\ 권리행사로\ 수취하는\ 총금액}{권리행사\ 직전\ 유통보통주식수\ +\ 권리행사로\ 발행된\ 주식수}$$

$$=\frac{(1,100원\ \times\ 500주)\ +\ (500원\ \times\ 100주)}{500주\ +\ 100주}\ =\ 1,000원$$

다. 조정비율의 계산

$$\frac{권리행사\ 직전의\ 주당공정가치}{권리행사\ 후의\ 이론적\ 주당공정가치}\ =\ \frac{1,100}{1,000}\ =\ 1.1$$

라. 기본주당순이익의 계산

구 분	계 산 식	2×06	2×07	2×08
2×06년 기본주당순이익	110,000원 ÷ 500주	220원		
재계산된 2×06년 기본주당순이익	$\dfrac{110,000원}{500주\ \times\ 1.1}$	200원		
2×07년 기본주당순이익	$\dfrac{150,000원}{(500주×1.1×3/12)+(600주×9/12)}$		255원	
2×08년 기본주당순이익	180,000원 ÷ 600주			300원

즉, 회사가 신주를 발행하는 경우 주주는 지분비율의 유지와 신주발행에 의한 주가하락에 대응하기 위하여 신주를 인수할 필요성이 있다. 이 경우 만약 기존의 주주에게 공정가치 미만으로 유상증자를 실시하는 경우는 발행금액이 주식의 공정가치보다 낮기 때문에 부분적인 무상증자의 성격, 즉 공정가치에 의한 유상증자와 무상증자가 혼합된 성격을 가지므로 기존 주주 등에게 공정가치 미만의 신주발행 전의 모든 기간에 대한 기본주당이익을 구하는데 사용되는 유통보통주식수는 기존 주주 등에게 공정가치 미만의 신주발행 전의 유통보통주식수에 다음의 조정비율을 적용하여 계산한다.

$$조정비율\ =\ \frac{권리행사\ 직전의\ 주당공정가치}{권리행사\ 후의\ 이론적\ 주당공정가치}$$

위 산식에서, 권리행사 후의 이론적 주당공정가치는 권리행사일 전(통상 권리락 전일로 함)의 주식 전체의 공정가치를 권리행사로 인하여 유입되는 금액에 더하고 이를 권리행사 후의 유통보통주식수로 나누어 계산한다.

한편, 상기의 산식에 따라 기존 주주 등에게 공정가치 미만의 신주발행 전의 유통보통주식수를 조정한 결과는 다음의 순서에 따라 무상증자 비율을 구한 후 기존 주주 등에게 공정가치 미만의 신주발행 전의 유통보통주식수에 (1+무상증자 비율)을 곱하여 조정한 결과와 같다.

㉠ 유상증자로 유입된 현금을 권리행사일 전의 공정가치로 나누어 공정가치로 유상증자하는 경우 발행할 수 있는 주식수를 계산한다.

㉡ 실제 유상증자주식수에서 공정가치로 유상증자하는 경우 발행할 수 있는 주식수를 차감하여 무상증자에 해당하는 주식수를 계산한다.

ⓒ 무상증자에 해당하는 주식수(ⓛ)를 기존 주주 등에게 공정가치 미만의 신주발행 전의 유통 보통주식수와 공정가치로 유상증자하는 경우 발행할 수 있는 주식수(ⓖ)의 합으로 나누어 무상증자 비율을 계산한다.

제4절 희석주당이익의 계산

1. 개 요

지배기업의 보통주에 귀속되는 당기순손익에 대하여 희석주당이익을 계산하고, 지배기업의 보통주에 귀속되는 계속영업손익을 표시할 경우 이에 대하여 희석주당이익을 계산한다(기준서 제1033호 문단 30). 희석주당이익을 계산하기 위해서는 모든 희석효과가 있는 잠재적보통주(이하 '희석성 잠재적보통주' 라 한다)의 영향을 고려하여 지배기업의 보통주에 귀속되는 당기순손익 및 가중평균유통보통주식수를 조정한다(기준서 제1033호 문단 31).

희석주당이익의 목적은 기본주당이익의 목적(경영성과에 대한 보통주 1주당 지분의 측정치를 제공하는 것)과 같다. 희석주당이익은 특정 회계기간에 유통된 모든 희석성 잠재적보통주의 영향을 고려하여 다음과 같이 계산한다(기준서 제1033호 문단 32).

(1) 지배기업의 보통주에 귀속되는 당기순손익에 희석성 잠재적보통주와 관련하여 그 회계기간에 인식된 배당과 이자비용에서 법인세효과를 차감한 금액을 가산하고, 그 밖의 희석성 잠재적보통주가 보통주로 전환되었다면 변동되었을 수익 또는 비용을 조정한다.
(2) 가중평균유통보통주식수에 모든 희석성 잠재적보통주가 보통주로 전환되었다고 가정할 경우 추가적으로 유통되었을 가중평균유통보통주식수를 가산한다.

이를 산식으로 나타내면 다음과 같다.

- 희석주당계속영업이익 $= \dfrac{\text{희석 보통주 계속영업손익}}{\text{가중평균유통보통주식수 + 희석성 잠재적보통주식수}}$

- 희석주당순이익 $= \dfrac{\text{희석 보통주 당기순손익}}{\text{가중평균유통보통주식수 + 희석성 잠재적보통주식수}}$

단, 희석주당이익 계산 단계에서, 희석화 여부를 검토하여 희석효과가 가장 큰 것부터 하나씩 포함시킨다.

구 분	절 차	내 용
1 단계	희석성 여부 판단	여러 종류의 잠재적보통주가 발행된 경우에는 잠재적보통주의 희석화 여부를 개별적으로 판단한다.
2 단계	반희석성 잠재적보통주 제외	반희석성 잠재적보통주는 전환, 행사, 또는 기타의 발행이 이루어지지 않는다고 가정하므로 희석주당이익을 계산할 때 고려하지 않는다.
3 단계	희석성 잠재적 보통주 반영(*)	희석효과가 가장 큰 잠재적보통주부터 순차적으로 고려한다. 즉, '증분주식 1주당 이익'이 가장 작은 희석성 잠재적보통주를 증분주식 1주당 이익이 상대적으로 큰 희석성 잠재적보통주보다 먼저 희석주당이익의 계산에 포함시킨다.

(*) 잠재적보통주의 주당이익이 기본주당이익과 비교하여 작다고 해서 희석효과가 있다고 판단해서는 안된다. 잠재적보통주의 주당이익이 기본주당이익보다 작다고 하더라도 여러 종류의 잠재적보통주를 희석효과가 큰 순서대로 단계적으로 희석효과를 검토하다 보면 반희석효과가 발생하는 경우도 있기 때문이다.

2. 희석 보통주 계속영업손익 및 당기순손익의 계산

희석주당이익을 계산하기 위해서는 지배기업의 보통주에 귀속되는 당기순손익을 다음의 사항에서 법인세효과를 차감한 금액만큼 조정한다(기준서 제1033호 문단 33).

(1) 지배기업의 보통주에 귀속되는 당기순손익을 계산할 때 차감한 희석성 잠재적보통주에 대한 배당금이나 기타 항목

(2) 희석성 잠재적보통주와 관련하여 그 회계기간에 인식한 이자비용

(3) 희석성 잠재적보통주를 보통주로 전환하였다면 발생하였을 그 밖의 수익 또는 비용의 변동사항

이를 산식으로 나타내면 다음과 같다.

```
희석 보통주당기순이익 = 보통주당기순이익
               (+) 희석성 잠재적보통주의 배당금
               (+) 희석성 잠재적보통주와 관련하여 인식한 이자비용 × (1 - 법인
                   세율)
               (+) 희석성 잠재적보통주를 보통주로 전환하였다면 발생하였을 그
                   밖의 비용 × (1 - 법인세율)
               (-) 희석성 잠재적보통주를 보통주로 전환하였다면 발생하였을 그
                   밖의 수익 × (1 - 법인세율)
```

희석 보통주당기순이익의 계산 사례

- A사의 보통주당기순이익은 100,000원이며 한계세율은 20%임.
- A사가 전환우선주배당금으로 지급할 금액은 10,000원이며, 손익계산서에 계상되어 있는 전환사채 이자비용은 30,000원, 주식선택권과 관련된 주식보상비용은 40,000원임.
- 모든 잠재적보통주의 희석효과가 있다고 할 경우 A사의 희석당기순손익은?

[결론]
희석 보통주당기순손익

=	보통주당기순이익	100,000
(+)	전환우선주배당금	10,000
(+)	전환사채이자비용(법인세효과 반영후) 30,000 × (1−20%) =	24,000
(+)	주식보상비용(법인세효과 반영후) 40,000 × (1−20%) =	32,000
		166,000

　잠재적보통주의 전환이 결과적으로 다른 수익 또는 비용의 변동을 가져오는 경우가 있다. 예를 들어, 잠재적보통주와 관련된 이자비용의 감소와 그에 따른 순이익의 증가나 순손실의 감소는 비재량적 종업원 이익분배제도와 관련된 비용의 증가를 가져올 수 있다. 이 경우 희석주당이익을 계산하기 위해서는 지배기업의 보통주에 귀속되는 당기순손익을 이와 같은 수익 또는 비용의 변동에 따른 효과만큼 추가적으로 조정한다(기준서 제1033호 문단 35).

3. 희석 가중평균유통보통주식수의 계산

　희석주당이익을 계산하기 위한 보통주식수는 기본주당이익을 계산하기 위한 가중평균유통보통주식수에 희석성 잠재적보통주가 모두 전환될 경우에 발행되는 보통주의 가중평균유통보통주식수를 가산하여 산출한다. 희석성 잠재적보통주는 회계기간의 기초에 전환된 것으로 보되 당기에 발행된 것은 그 발행일에 전환된 것으로 본다(기준서 제1033호 문단 36).

　희석성 잠재적보통주식수는 표시되는 각 회계기간마다 독립적으로 결정한다. 누적중간기간의 희석주당이익 계산에 포함된 희석성 잠재적보통주식수는 각 중간기간의 희석주당이익 계산에 포함된 희석성 잠재적보통주식수를 가중평균하여 산출되는 것이 아니다(기준서 제1033호 문단 37).

　잠재적보통주는 유통기간을 가중치로 하여 가중평균한다. 해당 기간에 효력을 잃었거나 유효기간이 지난 잠재적보통주는 해당 기간 중 유통된 기간에 대해서만 희석주당이익의 계산에 포함하며, 당기에 보통주로 전환된 잠재적보통주는 기초부터 전환일의 전일까지 희석주당이익의 계산에 포함한다. 전환으로 발행되는 보통주는 전환일부터 기본

및 희석주당이익의 계산에 포함한다(기준서 제1033호 문단 38).

| 가중평균유통보통주식수와 잠재적보통주식수 |

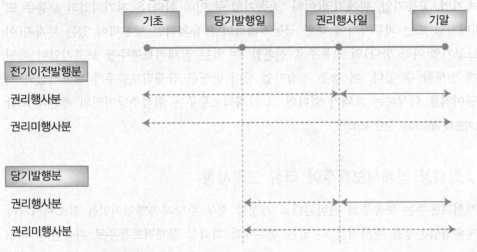

→ 가중평균유통보통주식수에 포함하는 기간

←----→ 잠재적보통주식수에 포함되는 기간

사례　**잠재적 보통주의 계산 사례**

• 회사가 전기에 발행한 전환사채에 관한 사항은 다음과 같음.

(1) 금액 : 500,000,000

(2) 발행일 : 20×6년 10월 1일(3년 만기)

(3) 전환가격 : 20,000/1주

(4) 20×7년 7월 1일 전환사채 액면 100,000,000이 처음으로 전환청구되었음.

• 위의 잠재적 보통주가 희석성이 있다고 가정할 경우, 가중평균유통보통주식수에 가산할 잠재적 보통주식수는?

[결론]

(1) 적수계산

구 분	기 간	주식수	월수	적수
전환분	1/1 ~ 7/1	5,000	6	30,000
미전환분	1/1 ~ 12/31	20,000	12	240,000
				270,000

(2) 잠재적 보통주식수 : 270,000/12 = 22,500주

희석성 잠재적보통주의 전환으로 인하여 발행되는 보통주식수는 잠재적보통주의 계약조건에 따라 결정된다. 이때 두 가지 이상의 전환기준이 존재하는 경우에는 잠재적보

통주의 보유자에게 가장 유리한 전환비율이나 행사가격을 적용하여 계산한다(기준서 제1033호 문단 39).

종속기업, 공동기업, 관계기업(이하 '종속기업 등'이라 한다)은 자기기업의 보통주 또는 지배기업 또는 피투자자에 대한 공동지배력이나 유의적인 영향력이 있는 투자자(이하 '보고기업'이라 한다)의 보통주로 전환할 수 있는 잠재적보통주를 보고기업이 아닌 자에게 발행할 수 있다. 이 경우 종속기업 등이 발행한 잠재적보통주가 보고기업의 기본주당이익을 희석하는 효과가 있다면 그 잠재적보통주는 희석주당이익의 계산에 포함한다(기준서 제1033호 문단 40).

4. 희석성 잠재적보통주에 대한 고려사항

잠재적보통주는 보통주로 전환된다고 가정할 경우 주당계속영업이익을 감소시키거나 주당계속영업손실을 증가시킬 수 있는 경우에만 희석성 잠재적보통주로 취급한다(기준서 제1033호 문단 41).

잠재적보통주가 희석효과를 가지는지 반희석효과를 가지는지는 기준이익인 지배기업에 귀속되는 계속영업손익에 대한 희석효과 유무로 판단한다(기준서 제1033호 문단 42).

잠재적보통주가 보통주로 전환된다고 가정할 경우 주당계속영업이익을 증가시키거나 주당계속영업손실을 감소시킬 수 있는 경우에는 반희석성 잠재적보통주가 된다. 희석주당이익을 계산할 때 반희석성 잠재적보통주는 전환, 행사 또는 기타의 발행이 이루어지지 않는다고 가정한다(기준서 제1033호 문단 43).

여러 종류의 잠재적보통주를 발행한 경우에는 잠재적보통주가 희석효과를 가지는지 반희석효과를 가지는지에 대하여 판단할 때 여러 종류의 잠재적보통주를 모두 통합해서 고려하는 것이 아니라 개별적으로 고려한다. 이때 잠재적보통주를 고려하는 순서가 각각의 잠재적보통주가 희석효과를 가지는지 반희석효과를 가지는지에 대하여 판단하는 데 영향을 미칠 수 있다. 따라서 기본주당이익을 최대한 희석할 수 있도록 희석효과가 가장 큰 잠재적보통주부터 순차적으로 고려한다. 즉, '증분주식 1주당 이익'이 가장 작은 희석성 잠재적보통주를 증분주식 1주당 이익이 상대적으로 큰 희석성 잠재적보통주보다 먼저 희석주당이익의 계산에 포함시킨다. 옵션과 주식매입권은 계산식에서 분자에 영향을 미치지 않으므로 일반적으로 가장 먼저 고려될 것이다(기준서 제1033호 문단 44).

> **사례** **희석성 잠재적보통주와 기준이익 개념(기준서 제1033호 문단A3)**
>
> 지배기업에 귀속되는 계속영업이익이 4,800원, 지배기업에 귀속되는 중단영업손실이 7,200원, 지배기업에 귀속되는 당기순손실이 2,400원이고, 보통주 2,000주와 잠재적보통주 400주가 유통된다고 가정한다. 이 경우 기본주당계속영업이익은 2.40원, 기본주당중단영업손실은 3.60원,

기본주당순손실은 1.20원이 된다. 잠재적보통주 400주가 손익에 미치는 영향은 없다고 가정할 때, 잠재적보통주를 반영하면 주당계속영업이익이 2.00원으로 희석되므로 이 잠재적보통주 400주는 희석주당이익의 계산에 반영한다. 지배기업에 귀속되는 계속영업이익이 기준이익이므로 비록 결과적으로 계산되는 주당이익이 대응되는 기본주당이익에 대하여 반희석효과(즉, 주당손실이 작아지는 경우)가 있다고 하더라도 잠재적보통주 400주는 다른 주당이익의 계산에도 반영한다(희석주당중단영업손실 3.00원, 희석주당순손실 1.00원).

(1) 옵션과 주식매입권 등

희석주당이익을 계산할 때 희석효과가 있는 옵션이나 주식매입권은 행사된 것으로 가정한다. 이 경우 권리행사에서 예상되는 현금유입액은 보통주를 회계기간의 평균시장가격으로 발행하여 유입된 것으로 가정한다. 그 결과 권리를 행사할 때 발행하여야 할 보통주식수와 회계기간의 평균시장가격으로 발행한 것으로 가정하여 환산한 보통주식수의 차이는 무상으로 발행한 것으로 본다(기준서 제1033호 문단 45).

★
옵션 등의 잠재적보통주식수

희석성 잠재적보통주식수
= 권리행사시 발행되는 주식수 - 유입되는 현금을 통해 평균시장가격으로 취득가능한 자기주식수

옵션과 주식매입권은 그 회계기간의 보통주 평균시장가격보다 낮은 금액으로 보통주를 발행하는 결과를 가져올 수 있는 경우에 희석효과가 있으며, 이때 그 회계기간의 보통주 평균시장가격에서 발행금액을 차감한 금액이 희석효과 금액이 된다. 그러므로 희석주당이익을 계산할 때 잠재적보통주를 다음 두 가지로 구성되어 있는 것으로 처리한다(기준서 제1033호 문단 46).

① 일정한 수의 보통주에 대해서는 그 회계기간의 평균시장가격으로 발행하기로 하는 계약. 이러한 보통주는 공정한 가치로 평가된 것으로 보며, 희석효과도 반희석효과도 없다고 가정하므로 이는 희석주당이익을 계산할 때 고려하지 아니한다.

② 잔여 보통주에 대해서는 무상으로 발행하기로 하는 계약. 이러한 보통주는 자금의 유입을 수반하지 않으며, 유통보통주에 귀속되는 당기순손익에도 아무런 영향을 미치지 아니한다. 따라서 이와 같은 보통주는 희석효과가 있으며, 희석주당이익을 계산할 때 유통보통주식수에 가산한다.

옵션과 주식매입권은 그 회계기간의 보통주의 평균시장가격이 옵션과 주식매입권의

행사가격을 초과하는 경우에만 희석효과가 있다(즉, '내가격'에 있다). 과거에 이미 보고된 주당이익은 보통주의 가격 변동을 반영하기 위한 소급수정을 하지 않는다(기준서 제1033호 문단 47).

기준서 제1102호 '주식기준보상'이 적용되는 주식선택권이나 그 밖의 주식기준보상 약정의 경우, 주식발행금액 및 주식행사가격에는 주식선택권이나 그 밖의 주식기준보상 약정에 따라 미래에 유입될 재화나 용역의 공정가치가 포함된다(기준서 제1033호 문단 47A).

조건은 확정되었거나 결정할 수 있지만 아직 가득되지 않은 종업원 주식선택권은 미래 가득 여부에 대한 불확실성에도 불구하고 희석주당이익을 계산할 때 옵션으로 보며 부여일부터 유통되는 것으로 취급한다. 성과조건이 부과된 종업원 주식선택권은 시간의 경과 외에 특정 조건이 충족되는 경우에 발행되므로 조건부발행보통주로 취급한다(기준서 제1033호 문단 48).

사례　옵션 등의 잠재적보통주

- A사가 임직원들에게 부여한 주식매입권 1,000개 중 600개가 10월 1일에 권리행사되었다. 주식매입권은 전기 이전에 부여된 것으로 행사가격은 100원이다.
- 당기 중 A사가 발행한 주식의 평균시장가격은 400원임.
- 잠재적보통주식수는 얼마인가?

[결론]

(1) 권리행사로 증가할 주식수

　① 권리행사분

• 권리행사로 발행될 주식수	600
• 취득가능한 주식수　　600 × 100 / 400 =	(150)
• 증가할 주식수	450

　② 권리미행사분

• 권리행사로 발행될 주식수	400
• 취득가능한 주식수　　400 × 100 / 400 =	(100)
• 증가할 주식수	300

(2) 적수계산

구 분	기 간	주식수	월수	적수
권리행사분	1/1 ~ 9/30	450	9	4,050
권리미행사분	1/1 ~ 12/31	300	12	3,600
				7,650

(3) 잠재적보통주식수 : 7,650/12 = 638주

(2) 전환금융상품

전환사채와 전환우선주와 같은 전환상품으로서 희석효과가 있는 경우 그 희석성 잠재적보통주는 회계기간의 기초에 전환된 것으로 보며, 당기에 발행된 것은 그 발행일에 전환된 것으로 간주한다.

전환금융상품의 전환시 반희석효과가 있는 경우도 있다. 예를들어, 전환우선주의 전환으로 발행하게 되는 보통주 1주당 그 회계기간과 관련하여 결의되거나 누적된 전환우선주 배당금이 기본주당이익을 초과하면 전환우선주는 반희석효과가 있는 것이다. 그리고 전환사채의 전환으로 발행하게 되는 보통주 1주당 전환사채의 이자비용(법인세효과 및 관련 수익 또는 비용의 변동분 차감 후)가 기본주당이익을 초과하면 전환사채는 반희석효과가 있는 것이다(기준서 제1033호 문단 50). 이 경우 전환금융상품은 희석성 잠재적보통주로 취급하지 않는다.

한편, 전환우선주 가운데 일부만 전환되거나 상환될 수 있다. 이 경우에는 처음의 전환조건에 따라 발행될 보통주의 공정가치를 초과하여 지급하는 부분은 전환되거나 상환된 전환우선주와 관련된 것으로서 나머지 유통 전환우선주가 희석효과가 있는지를 결정하는 데 영향을 미치므로 전환되거나 상환된 전환우선주는 그렇지 않은 나머지 전환우선주와는 구분하여 고려한다(기준서 제1033호 문단 51).

(3) 조건부발행보통주

기본주당이익을 계산할 때와 마찬가지로 희석주당이익을 계산할 때에도 조건부발행보통주는 그 조건이 충족된 상태(즉, 사건의 발생)라면 이미 발행되어 유통되고 있는 것으로 보아 희석주당이익을 계산하기 위한 보통주식수에 포함한다. 조건부발행보통주는 그 회계기간 초부터(그 회계기간에 조건부발행보통주에 대한 약정이 이루어졌다면 약정일부터) 포함한다. 만약 조건이 충족되지 않은 상태일 경우 조건부발행보통주는 그 회계기간 말이 조건기간의 만료일이라면 발행할 보통주식수만큼 희석주당이익을 계산하기 위한 보통주식수의 계산에 포함한다. 그러나 실제로 조건기간이 만료될 때까지 조건이 충족되지 않은 경우에도 그 계산결과를 수정하지 아니한다(기준서 제1033호 문단 52).

일정기간 동안 특정한 목표이익을 달성하거나 유지한다면 보통주를 발행하기로 하는 경우, 보고기간말에 그 목표이익이 달성되었지만 그 보고기간말 이후의 추가적인 기간 동안 그 목표이익이 유지되어야 한다면 추가로 발행해야 하는 보통주가 희석효과를 가지고 있는 경우 희석주당이익을 계산할 때 추가로 발행해야 하는 그 보통주가 유통되고 있는 것으로 본다. 이 때 희석주당이익은 보고기간말의 이익수준이 조건기간말의 이익수준과 같다면 발행될 보통주식수에 기초하여 계산한다. 이익수준이 미래의 기간에 변동할 수 있기 때문에 모든 필요조건이 아직 충족된 것은 아니므로 이러한 조건부발행보통주를 조건기간말까지 기본주당이익의 계산에는 포함하지 아니한다(기준서 제1033호 문단 53).

조건부발행보통주식수는 보통주의 미래 시장가격에 따라 결정될 수도 있다. 이러한 경우에는 보고기간말의 시장가격이 조건기간말의 시장가격과 같다면 발행될 보통주식수가 희석효과를 가진다면 희석주당이익의 계산에 반영한다. 만약 조건이 보고기간말 후의 일정 기간의 평균시장가격에 기초하고 있는 때에는 이미 경과된 기간의 평균시장가격을 사용한다. 시장가격은 미래 기간에 변동할 수 있기 때문에 모든 필요조건이 아직 충족된 것은 아니므로 이러한 조건부발행보통주를 조건기간 말까지 기본주당이익의 계산에는 포함하지 아니한다(기준서 제1033호 문단 54).

조건부발행보통주식수는 미래의 이익과 보통주의 미래 시장가격 모두에 의해 결정될 수도 있다. 이 경우 희석주당이익의 계산에 포함되는 보통주식수는 두 가지 조건(즉, 회계기간의 이익과 보고기간 말 현재의 시장가격) 모두에 기초하게 된다. 따라서 두 가지 조건이 충족되지 않은 경우라면, 희석주당이익의 계산에 조건부발행보통주를 포함하지 아니한다(기준서 제1033호 문단 55).

또 조건부발행보통주식수는 이익이나 보통주의 시장가격 외에 다른 조건(예 : 특정한 수의 영업점 개설)에 따라 결정될 수도 있다. 이 경우에는 현재의 조건 상태가 조건기간이 만료할 때까지 변동하지 않을 것으로 가정하고 조건부발행보통주를 보고기간말의 상태에 기초하여 희석주당이익의 계산에 고려한다(기준서 제1033호 문단 56).

(4) 보통주나 현금으로 결제할 수 있는 계약

기업의 선택에 따라 보통주나 현금으로 결제할 수 있는 계약을 한 경우에 기업은 그 계약이 보통주로 결제될 것으로 가정하고 그로 인한 잠재적보통주가 희석효과를 가진다면 희석주당이익의 계산에 포함한다(기준서 제1033호 문단 58).

한편, 보유자의 선택에 따라 보통주나 현금으로 결제하게 되는 계약의 경우에는 주식결제와 현금결제 중 희석효과가 더 큰 방법으로 결제된다고 가정하여 희석주당이익을 계산한다(기준서 제1033호 문단 60).

(5) 매입옵션

기업이 자신의 보통주에 기초한 옵션(풋옵션이나 콜옵션)을 매입하여 보유하는 경우에는 반희석효과가 있으므로 희석주당이익의 계산에 포함하지 아니한다. 일반적으로 풋옵션은 행사가격이 시장가격보다 높을 경우에만 행사되고, 콜옵션은 행사가격이 시장가격보다 낮을 경우에만 행사된다(기준서 제1033호 문단 62).

(6) 매도풋옵션

매도풋옵션과 선도매입계약과 같이 기업이 자기주식을 매입하도록 하는 계약이 희석효과가 있다면 희석주당이익의 계산에 반영한다. 이러한 계약이 그 회계기간 동안에 '내가격'에 있다면(즉, 행사가격이나 결제가격이 그 회계기간의 평균시장가격보다 높으면), 주당이익에 대한 잠재적 희석효과는 다음과 같이 계산한다(기준서 제1033호 문단 63).

① 계약 이행에 필요한 자금 조달을 위해 충분한 수의 보통주를 그 회계기간의 평균시장가격으로 기초에 발행한다고 가정한다.

② 주식발행으로 유입된 현금은 그 계약을 이행하는 용도(즉, 자기주식의 매입)로 사용한다고 가정한다.

③ 증가될 보통주식수(즉, 발행할 것으로 가정하는 보통주식수와 계약을 이행할 경우 받게 되는 보통주식수의 차이)는 희석주당이익의 계산에 포함한다.

사례   매도풋옵션(기준서 제1033호 문단A10)

기업이 보통주에 대한 120단위의 풋옵션을 35원의 행사가격으로 발행하였다고 가정한다. 그 기간의 보통주의 평균시장가격은 28원이다. 희석주당이익의 계산에서 기업은 기초에 4,200원의 풋의무를 이행하기 위하여 보통주 150주를 주당 28원에 발행하였다고 가정한다. 발행한 것으로 가정한 150주의 보통주와 120단위의 풋옵션의 행사로 받게 되는 보통주 120주의 차이 30주는 희석주당이익을 계산할 때 분모의 가산항목이 된다.

(7) 종속기업 등이 발행한 잠재적보통주

종속기업, 공동기업 또는 관계기업(이하 '종속기업 등'이라 한다)이 자기기업의 보통주나 지배기업 또는 피투자자에 대한 공동지배력이나 유의적인 영향력이 있는 투자자(이하 '보고기업'이라 한다)의 보통주로 전환할 수 있는 잠재적보통주를 발행한 경우에는 다음과 같은 방법으로 희석주당이익을 계산하는 데 포함한다(기준서 제1033호 문단A11).

① 종속기업 등이 발행한 금융상품이 발행기업의 보통주를 획득할 수 있는 금융상품인 경우에는 해당 발행기업의 희석주당이익을 계산하는 데에 포함한다. 그리고 그러한 주당이익을 종속기업 등이 발행한 그 금융상품에 대한 보고기업의 보유지분에 기초하여 보고기업의 주당이익을 계산하는 데 포함한다.

② 종속기업 등이 발행한 금융상품으로서 보고기업의 보통주로 전환할 수 있는 금융상품은 보고기업의 잠재적보통주에 해당하므로 보고기업의 희석주당이익을 계산할 때 고려한다. 마찬가지로 종속기업 등이 발행한 옵션이나 주식매입권으로서 보

고기업의 보통주를 매입할 수 있는 옵션이나 주식매입권도 보고기업의 잠재적보통주에 해당하므로 보고기업의 희석주당이익을 계산할 때 고려한다.

보고기업이 발행한 금융상품으로서 종속기업 등의 보통주로 전환할 수 있는 금융상품이 보고기업의 주당이익에 미치는 효과를 계산하기 위해서는, 그러한 금융상품이 보통주로 전환된다고 가정하며 분자(보고기업의 보통주에 귀속되는 당기순손익)는 필요하다면 기준서 제1033호 문단 33('희석 보통주 계속영업손익 및 당기순손익의 계산' 참조)에 따라 조정한다. 그러한 조정 외에도, 전환가정으로 인한 종속기업 등의 유통보통주식수의 증가에 기인하여 보고기업이 기록하고 있는 손익(배당금수익이나 지분법손익 등)이 변동하는 경우에는 그 영향을 반영하여 분자를 조정한다. 이 경우 보고기업의 희석주당이익을 계산할 때에 분모는 영향을 받지 아니한다. 왜냐하면 보고기업의 유통보통주식수는 위와 같은 전환가정에 의하여 변동하지 않기 때문이다(기준서 제1033호 문단 A12).

사례 ┃ 종속기업 등이 발행한 잠재적보통주

- A회사는 B회사를 지배하고 있으며, B회사는 잠재적보통주를 발행하였다.
- 지배회사(A)와 종속회사(B)에 대한 내용은 다음과 같음.

<A 지배회사>
(1) 순이익은 22,000원(종속회사 이익과 종속회사가 지급한 배당금 제외)임.
(2) 가중유통보통주식수는 20,000주임.
(3) 종속회사에 대한 지분율은 70%(1,400주)임.
(4) 종속회사가 발행한 신주인수권 50개를 소유하고 있음.

<B 종속회사>
(1) 순이익은 4,000원임.
(2) 가중평균주식수는 2,000주임.
(3) 주당 행사가격이 5원인 신주인수권 500개가 당기 이전에 발행되었으며, 당기말 현재 모두 유통 중에 있다. 당기 중 B사가 발행한 주식의 평균시장가격은 10원임.

- 당기 중 배당금 이외에 내부거래는 없었으며, 세율은 고려하지 않음.

[결론]
- B 종속회사 주당이익 계산
  (1) 기본주당이익 = 4,000/2,000주 = 2.00
  (2) 희석주당이익
    ① 희석주식수 = {(10−5) / 10 × 500} = 250
    ② 희석주당이익 = 4,000 / (2,000 + 250) = 1.78

- 연결기준 기본주당이익
  (1) 종속회사 보통주순이익 중 지배회사분 = $2.00 \times 2,000 \times 70\%$
  (2) 연결기준 기본주당이익 = $(22,000 + 2,800) / 20,000 = 1.24$
- 연결기준 희석주당이익
  (1) 희석보통주 당기순이익의 계산
    ① 종속회사 희석보통주순이익 중 지배회사분 = $1.78 \times 2,000 \times 70\% = 2,492$
    ② 신주인수권 고려분 = $1.78 \times 250 \times (50 / 500) = 45$
    ③ 희석보통주 당기순이익 = $22,000 + 2,492 + 45 = 24,537$
  (2) 희석주당이익 = $24,537 / 20,000 = 1.23$

제5절 소급수정

유통되는 보통주식수나 잠재적보통주식수가 자본금전입, 무상증자, 주식분할로 증가하였거나 주식병합으로 감소하였다면, 비교 표시하는 모든 기본주당이익과 희석주당이익을 소급하여 수정한다. 만약 이러한 변동이 보고기간 후와 재무제표의 발행이 승인된 날 사이에 발생하였다면 당기와 표시되는 과거기간의 주당이익을 새로운 유통보통주식수에 근거하여 재계산한다. 주당이익을 계산할 때 이와 같은 유통보통주식수의 변동을 반영하였다면 그러한 사실을 공시한다. 또 오류의 수정과 회계정책의 변경을 소급적용하는 경우에는 그 효과를 반영하여 비교 표시하는 모든 기본주당이익과 희석주당이익을 수정한다(기준서 제1033호 문단 64).

한편, 주당이익의 계산과정에 사용한 가정이 달라지거나 잠재적보통주가 보통주로 전환되더라도 표시되는 과거기간의 희석주당이익은 재작성하지 아니한다(기준서 제1033호 문단 65).

제6절 **재무제표의 표시**

이익의 분배에 대해 서로 다른 권리를 가지는 보통주 종류별로 이에 대한 기본주당이익과 희석주당이익을 지배기업의 보통주에 귀속되는 계속영업손익과 당기순손익에 대하여 계산하고 포괄손익계산서에 표시한다. 기본주당이익과 희석주당이익은 제시되는 모든 기간에 대하여 동등한 비중으로 제시한다(기준서 제1033호 문단 66).

주당이익은 포괄손익계산서가 제시되는 모든 기간에 대하여 제시된다. 희석주당이익이 최소한 한 회계기간에 대하여 보고된다면 그것이 기본주당이익과 같다고 하더라도 제시되는 모든 기간에 대하여 보고한다. 기본주당이익과 희석주당이익이 같은 경우에는 포괄손익계산서에 한 줄로 표시할 수 있다(기준서 제1033호 문단 67).

기준서 제1001호 문단 10A에 따라 별개의 손익계산서에 당기순손익항목을 표시하는 경우, 그 별개의 보고서에 기본 및 희석주당이익을 표시한다(기준서 제1033호 문단 67A).

중단영업에 대해 보고하는 기업은 중단영업에 대한 기본주당이익과 희석주당이익을 포괄손익계산서에 표시하거나 주석으로 공시한다(기준서 제1033호 문단 68).

기준서 제1001호 문단 10A에 따라 별개의 손익계산서에 당기순손익항목을 표시하는 경우로서 중단영업에 대해 보고하는 기업은, 그 별개의 손익계산서 또는 주석에 중단영업에 대한 기본 및 희석주당이익을 표시한다(기준서 제1033호 문단 68A).

기본주당이익과 희석주당이익이 부의 금액(즉, 주당손실)인 경우에도 표시한다(기준서 제1033호 문단 69).

제7절 주석공시

1. 일반적인 경우

다음의 사항을 주석으로 기재한다(기준서 제1033호 문단 70).

① 기본 및 희석주당이익의 계산에서 분자로 사용된 금액과 그 금액으로부터 당기에 지배기업에 귀속되는 당기순손익으로의 조정내역. 이러한 조정사항에는 각 종류별 금융상품이 주당이익에 미치는 개별적 영향을 포함하여야 한다.

② 기본 및 희석주당이익의 계산에서 분모로 사용된 가중평균유통보통주식수와 이들 간의 조정내역. 이러한 조정사항에는 각 종류별 금융상품이 주당이익에 미치는 개별적 영향을 포함하여야 한다.

③ 표시되는 기간에는 반희석효과 때문에 희석주당이익을 계산할 때 고려하지 않았지만 잠재적으로 미래에 기본주당이익을 희석할 수 있는 금융상품(조건부발행보통주를 포함)의 내용

④ 소급수정사항 외에 보고기간 후에 발생한 거래로서, 보고기간말 이전에 발생했다면 기말에 유통되는 보통주식수나 잠재적 보통주식수를 유의적으로 변동시켰을 보통주나 잠재적보통주 거래에 대한 설명. 이러한 거래의 예는 다음과 같다(기준서 제1033호 문단 71).

  ㉠ 현금납입에 의한 유상증자

  ㉡ 납입액으로 보고기간말의 부채나 우선주를 상환하기 위한 주식발행

  ㉢ 유통중인 보통주의 매입소각

  ㉣ 보고기간말의 잠재적보통주의 보통주로의 전환이나 행사

  ㉤ 옵션, 주식매입권 또는 전환금융상품의 발행

  ㉥ 조건부발행보통주의 발행조건 충족

보고기간 후에 위와 같은 거래가 발생한 경우에도 당기의 주당이익의 계산에 영향을 미치지 아니한다. 그 이유는 그러한 거래가 주당이익 산정 대상이 되는 회계기간의 당기순손익의 창출에 사용된 자본에 영향을 미치지 않기 때문이다.

2. 잠재적보통주가 되는 금융상품과 계약 등에 조건이 수반되어 있는 경우

잠재적보통주를 발생시키는 금융상품과 계약 등이 기본주당이익과 희석주당이익의 계산에 영향을 미치는 조건을 포함하는 경우가 있다. 이러한 조건에 따라 잠재적보통

주의 희석효과 유무가 결정될 수도 있는데, 희석효과가 있는 경우에는 가중평균유통보통주식수와 보통주에 귀속되는 당기순손익의 조정에 영향을 미치게 된다. 따라서 그러한 금융상품과 계약 등에 관련된 조건은 의무적으로 공시가 요구되지 않더라도 공시하도록 권장한다(기준서 제1033호 문단 72).

3. 손익계산서의 다른 순이익의 구성요소에 대해 주당이익을 공시하는 경우

기본 및 희석주당이익 외에 기준서에서 요구하지 않지만 포괄손익계산서의 다른 구성요소에 대하여 계산한 주당금액을 주석으로 공시하는 경우에도 기준서 제1033호에 따라 계산한 가중평균유통보통주식수를 사용한다. 그러한 포괄손익계산서의 구성요소에 대한 기본주당금액과 희석주당금액은 동등한 비중으로 공시하며 재무제표의 주석에 기재한다. 또 이 경우 분자가 세전금액 또는 세후금액을 기준으로 산출되었는지 등의 산출근거를 주석에 나타낸다. 만약 그러한 포괄손익계산서의 구성요소가 포괄손익계산서의 별도 구분항목이 아닌 경우에는 이 구성요소와 포괄손익계산서에 보고된 별도 구분항목 사이의 조정내용을 공시한다(기준서 제1033호 문단 73).

> **사례** 기본 및 희석주당이익의 계산과 표시(종합사례) (기준서 제1033호 적용사례 12)
>
> 이 사례는 복잡한 자본구조를 가진 기업 A의 20×1년도 분기 및 연간 기본주당이익과 희석주당이익의 계산을 보여주고 있다. 기준이익은 지배기업에 귀속되는 계속영업손익이다. 다른 요소에 대한 가정은 다음과 같다.
>
> 보통주의 평균시장가격 : 20×1년 보통주의 분기별 평균시장가격은 다음과 같다.
> - 1분기 : 49원
> - 2분기 : 60원
> - 3분기 : 67원
> - 4분기 : 67원
>
> 20×1년 7월 1일부터 9월 1일까지 보통주의 평균시장가격은 65원이다.
> - 보통주 : 20×1년 기초의 유통보통주식수는 5,000,000주였다. 20×1년 3월 1일에 보통주 200,000주를 발행하여 현금이 납입되었다.
> - 전환사채 : 20×0년 4분기에 원금 12,000,000원의 전환사채(만기 20년, 단위당 액면금액 1,000원, 연 이자율 5%)를 액면으로 발행하였다. 이자는 매년 11월 1일과 5월 1일에 지급하고 전환사채 액면금액 1,000원당 보통주 40주로 전환할 수 있다. 20×0년에는 전환청구가 없었으며 20×1년 4월 1일에 전환이 청구되어 모두 보통주로 전환되었다.
> - 전환우선주 : 20×0년 2분기에 자산 매입거래 대가로 전환우선주 800,000주를 발행하였다. 전환우선주 1주에 대한 분기별 배당금은 0.05원으로 분기말 현재 유통되고 있는 전환우선

주에 대해서 지급한다. 각 우선주는 1개의 보통주로 전환할 수 있다. 20×1년 6월 1일에 600,000주의 전환우선주가 보통주로 전환되었다.

- 주식매입권 : 20×1년 1월 1일에 5년 안에 보통주 600,000주를 주당 55원에 취득할 수 있는 주식매입권을 발행하였다. 이 주식매입권은 20×1년 9월 1일에 모두 행사되었다.
- 옵션 : 20×1년 7월 1일에 10년 안에 보통주 1,500,000주를 주당 75원에 취득할 수 있는 옵션을 발행하였다. 옵션의 행사가격이 보통주의 시장가격을 초과하므로 20×1년에 행사된 옵션은 없다.
- 세율 : 20×1년의 세율은 40%이다.

20×1년	지배기업에 귀속되는 계속영업이익(손실)[1]	지배기업에 귀속되는 이익(손실)
	원	원
1분기	5,000,000	5,000,000
2분기	6,500,000	6,500,000
3분기	1,000,000	(1,000,000)[2]
4분기	(700,000)	(700,000)
전체	11,800,000	9,800,000

(1) 이것이 기준이익(우선주배당금 조정 전)이다.
(2) 기업 A는 3분기에 중단영업손실 2,000,000원(법인세효과 차감 후)이 발생하였다.

20×1년 1분기

기본주당이익 계산	원
지배기업에 귀속되는 계속영업이익	5,000,000
차감 : 우선주배당금	(40,000)[1]
지배기업의 보통주에 귀속되는 이익	4,960,000

(1) 800,000주 × 0.05원

날짜	유통주식수	기간 구분	가중평균주식수
1월 1일 - 2월 28일	5,000,000	2/3	3,333,333
3월 1일 보통주 발행	200,000		
3월 1일 - 3월 31일	5,200,000	1/3	1,733,333
가중평균주식수			5,066,666
기본주당이익			0.98원

희석주당이익계산		
지배기업의 보통주에 귀속되는 이익		4,960,000원
가산 : 전환가정이 이익에 미치는 영향		
우선주 배당금	40,000원[2]	
연이자율 5% 전환사채 이자	90,000원[3]	
전환가정효과		130,000원
전환가정시 지배기업의 보통주에 귀속되는 이익		5,090,000원
가중평균주식수		5,066,666
가산 : 전환가정시의 증분 주식		
주식매입권	0[4]	
전환우선주	800,000	
연이자율 5% 전환사채	480,000	
희석성 잠재적보통주식수		1,280,000
조정된 가중평균주식수		6,346,666
희석주당이익		0.80원

(2) 800,000주 × 0.05원
(3) (12,000,000원 × 5%) ÷ 4; 40%의 세금 차감
(4) 이 기간 중에 반희석성(55원[행사가격] 〉 49원[평균시장가격])이므로 행사된다고 가정하지 않는다.

기본주당이익 계산	원
지배기업에 귀속되는 계속영업이익	6,500,000
차감 : 우선주배당금	(10,000)[1]
지배기업의 보통주에 귀속되는 이익	6,490,000

20×1년 2분기

날짜	유통주식수	기간 구분	가중평균주식수
4월 1일	5,200,000		
4월 1일 연이자율 5% 전환사채 전환	480,000		
4월 1일 – 5월 31일	5,680,000	2/3	3,786,666
6월 1일 우선주 전환	600,000		
6월 1일 – 6월 30일	6,280,000	1/3	2,093,333
가중평균주식수			5,880,000
기본주당이익			1.10원

희석주당이익 계산		
지배기업의 보통주에 귀속되는 이익		6,490,000원
가산 : 전환가정이 이익에 미치는 영향		
우선주 배당금	10,000원[(2)]	
전환가정효과		10,000원
전환가정시 지배기업의 보통주에 귀속되는 이익		6,500,000원
가중평균주식수		5,880,000
가산 : 전환가정시의 증분 주식		
주식매입권	50,000[(3)]	
전환우선주	600,000[(4)]	
희석성 잠재적보통주식수		650,000
조정된 가중평균주식수		6,530,000
희석주당이익		1.00원

(1) 200,000주 × 0.05원

(2) 200,000주 × 0.05원

(3) 55원 × 600,000 = 33,000,000원; 33,000,000원 ÷ 60원 = 550,000; 600,000 − 550,000 = 50,000주 또는
[(60원−55원) ÷ 60원] × 600,000주 = 50,000주

(4) (800,000주 × 2/3) + (200,000주 × 1/3)

20×1년 3분기

기본주당이익 계산	원
지배기업에 귀속되는 계속영업이익	1,000,000
차감 : 우선주 배당금	(10,000)
지배기업의 보통주에 귀속되는 계속영업이익	990,000
지배기업에 귀속되는 중단영업손실	(2,000,000)
지배기업의 보통주에 귀속되는 손실	(1,010,000)

날짜	유통주식수	기간 구분	가중평균주식수
7월 1일 − 8월 31일	6,280,000	2/3	4,186,666
9월 1일 주식매입권의 행사	600,000		
9월 1일 − 9월 30일	6,880,000	1/3	2,293,333
가중평균주식수			6,480,000
기본주당이익			
계속영업이익			0.15원
중단영업손실			(0.31원)
손실			(0.16원)

희석주당이익 계산		
지배기업의 보통주에 귀속되는 계속영업이익		990,000원
가산 : 전환가정이 이익에 미치는 영향		
우선주 배당금	10,000원	
전환가정효과		10,000원
전환가정시 지배기업의 보통주에 귀속되는 계속영업이익		1,000,000원
지배기업에 귀속되는 중단영업손실		(2,000,000원)
전환가정시 지배기업의 보통주에 귀속되는 손실		(1,000,000원)
가중평균주식수		6,480,000
가산 : 전환가정시의 증분 주식		
주식매입권	61,538[1]	
전환우선주	200,000	
희석성 잠재적보통주식수		261,538
조정된 가중평균주식수		6,741,538
희석주당이익		
계속영업이익		0.15원
중단영업손실		(0.30원)
손실		(0.15원)

(1) [(65원 − 55원) ÷ 65원] × 600,000 = 92,308주; 92,308 × 2/3 = 61,538주

주석 : 기준이익(지배기업의 보통주에 귀속되는 계속영업이익으로 우선주 배당금만큼 조정된 것)이 양의 금액(즉, 손실이 아닌 이익)이므로 전환가정시의 증분 주식은 반희석효과가 있더라도 중단영업손실에 대한 희석주당금액을 계산할 때 포함한다.

20×1년 4분기

기본주당이익 계산	원
지배기업에 귀속되는 계속영업손실	(700,000)
가산 : 우선주 배당금	(10,000)
지배기업의 보통주에 귀속되는 손실	(710,000)

날짜	유통보통주식수	기간 구분	가중평균주식수
10월 1일 − 12월 31일	6,880,000	3/3	6,880,000
가중평균주식수			6,880,000
기본 및 희석주당이익			
지배기업의 보통주에 귀속되는 손실			(0.10원)

주석 : 기준이익(지배기업의 보통주에 귀속되는 계속영업손실로서 우선주 배당금만큼 조정된 것)이 부의 금액(즉, 이익이 아닌 손실)이므로 전환가정시의 증분 주식은 희석주당금액을 계산할 때 포함하지 않는다.

20×1년 전체

기본주당이익 계산	원
지배기업에 귀속되는 계속영업이익	11,800,000
차감 : 우선주배당금	(70,000)
지배기업의 보통주에 귀속되는 계속영업이익	11,730,000
지배기업에 귀속되는 중단영업손실	(2,000,000)
지배기업의 보통주에 귀속되는 이익	9,730,000

날짜	유통보통주식수	기간구분	가중평균주식수
1월 1일 - 2월 28일	5,000,000	2/12	833,333
3월 1일 보통주식발행	200,000		
3월 1일 - 3월 31일	5,200,000	1/12	433,333
4월 1일 연이자율 5% 전환사채 전환	480,000		
4월 1일 - 5월 31일	5,680,000	2/12	946,667
6월 1일 우선주 전환	600,000		
6월 1일 - 8월 31일	6,280,000	3/12	1,570,000
9월 1일 주식매입권 행사	600,000		
9월 1일 - 12월 31일	6,880,000	4/12	2,293,333
가중평균주식수			6,076,667

기본주당이익	
계속영업이익	1.93원
중단영업손실	(0.33원)
이익	1.60원

희석주당이익 계산	
지배기업의 보통주에 귀속되는 계속영업이익	11,730,000원
가산 : 전환가정이 이익에 미치는 영향	
우선주 배당금	70,000원
연이자율 5% 전환사채의 이자	90,000원[1]
전환가정효과	160,000원

전환가정시 지배기업의 보통주에 귀속되는 계속영업이익	11,890,000원
지배기업에 귀속되는 중단영업손실	(2,000,000원)
전환가정시 지배기업의 보통주에 귀속되는 이익	9,890,000원
가중평균주식수	6,076,667

가산 : 전환가정시의 증분 주식		
주식매입권	$14,880^{(2)}$	
전환우선주	$450,000^{(3)}$	
연이자율 5% 전환사채	$120,000^{(4)}$	
희석성 잠재적보통주		584,880
조정된 가중평균주식수		6,661,547
희석주당이익		
계속영업이익		1.78원
중단영업손실		(0.30원)
이익		1.48원

(1) (12,000,000원 × 5%) ÷ 4; 40%의 세금 차감
(2) [(57.125원* − 55원) ÷ 57.125원] × 600,000 = 22,320주; 22,320 × 8/12 = 14,880주
　　*20×1년 1월 1일부터 9월 1일까지의 평균시장가격
(3) (800,000주 × 5/12) + (200,000주 × 7/12)
(4) 480,000주 × 3/12

다음은 기업 A가 손익계산서에 주당이익을 어떻게 표시하는지를 예시한다. 중단영업손실에 대한 주당금액은 손익계산서에 표시하도록 요구되지는 않는다.

	20×1년 말
	원
보통주당이익	
계속영업이익	1.93
중단영업손실	(0.33)
이익	1.60
희석보통주당이익	
계속영업이익	1.78
중단영업손실	(0.30)
이익	1.48

다음의 표는 기업 A의 분기별 주당이익과 연간 주당이익을 나타낸 것으로서 각 분기의 주당이익의 합이 연간 주당이익과 반드시 같지는 않다는 것을 예시한다. 한국채택국제회계기준에서 이 정보의 공시를 요구하지는 않는다.

	1분기	2분기	3분기	4분기	전체
	원	원	원	원	원
기본주당이익					
계속영업이익(손실)	0.98	1.10	0.15	(0.10)	1.93
중단영업손실	–	–	(0.31)	–	(0.33)
이익(손실)	0.98	1.10	(0.16)	(0.10)	1.60
희석주당이익					
계속영업이익(손실)	0.80	1.00	0.15	(0.10)	1.78
중단영업손실	–	–	(0.30)	–	(0.30)
이익(손실)	0.80	1.00	(0.15)	(0.10)	1.48

04

현금흐름표
/자본변동표/기타편

I

현금흐름표

Chapter
01
현금흐름표의 의의

제1절 **현금흐름표의 의의**

　기업은 이해관계자에게 경제적 의사결정에 유용한 정보를 제공하기 위하여 재무제표를 작성하여 공표하게 된다. 이 때 작성되는 필수적인 재무제표는 재무상태표, 포괄손익계산서, 자본변동표 및 현금흐름표로 구성되며 주석과 회계정책을 소급하여 적용하거나, 재무제표의 항목을 소급하여 재작성 또는 재분류하는 경우로서 그러한 소급적용, 소급재작성 또는 소급재분류가 전기 기초 재무상태표의 정보에 중요한 영향을 미치는 경우 전기 기초 재무상태표를 포함한다(기준서 제1001호 문단 10). 이 중 재무상태표는 일정 시점에서의 기업의 재무상태를 표시하는 정태적 보고서(static statement)로서 기업의 유동성 상태, 자본구조의 건실성 등에 관한 정보를 제공하나 어떠한 과정을 통하여 일정 시점 현재의 유동성(특히 현금및현금성자산의 유동성)이 확보되었는지에 대한 정보를 제공해 주지는 못한다. 포괄손익계산서는 일정 기간 동안 기업의 경영성과를 요약하여 나타내는 동태적 보고서(dynamic statement)이나 발생주의 기준에 의하여 인식되고 측정된 보고서인 바, 기업의 경영성과를 설명해 주기는 하지만 당기순이익이 기업의 자금동원능력을 평가하는 기준이 되지 못한다. 반면에 현금흐름표(Statement of cash flows 또는 Cash flow statement)는 기업의 현금흐름을 나타내는 표로서 현금및현금성자산의 변동내용을 명확하게 보고하기 위하여 당해 회계기간에 속하는 현금및현금성자산의 유입과 유출내용을 적정하게 표시하는 보고서로서, 회계기간 말 현재 현금및현금성자산의 유동성 확보를 위한 기중의 거래별 내역을 알 수 있게 해 주며, 회계기간 말 현재의 기업의 자금동원능력을 평가할 수 있는 자료를 제공해 준다.

　일반적으로 기업의 수익성은 당기순이익에 의해 측정되지만, 당기순이익이 항상 현금흐름의 순유입과 일치하는 것은 아니다. 즉, 당기순이익은 발생주의 회계에 따라 측정되는 금액이기 때문에, 기업이 매년 작성하는 재무제표와 같은 단기보고서에서는 순이익(손실)과 현금의 순유입(유출)이 일치하는 경우가 거의 없다. 따라서 장기적으로 볼 때는 비록 수익성이 없는 기업이라 할지라도 일정 기간 동안은 현금의 유입이 현금의 유출보다 커서 활발한 영업활동을 수행할 수도 있으며, 장기적으로는 수익성이 높은 기업이라 할지라도 일시적으로 심각한 자금난을 겪는 경우도 많다.

현금흐름표는 기업의 영업·투자 및 재무활동에 의하여 발생되는 현금흐름에 관한 전반적인 정보를 상세하게 제공해 줌으로써 포괄손익계산서의 보조기능을 수행함과 동시에 기업의 자산·부채 및 자본의 변동을 가져오는 현금흐름거래(cash flow transaction)에 관한 정보를 제공해 줌으로써 재무상태표의 보조기능도 아울러 수행한다.

현금흐름표의 유용성 및 한계

1. 현금흐름표의 유용성

현금흐름표는 영업활동에 관한 정보뿐만 아니라 투자활동 및 재무활동에 관한 정보도 제공한다. 또한 현금흐름표는 이익의 질, 기업의 지급능력, 재무적 신축성을 평가하는 데 있어서도 유용한 정보를 제공하며 재무제표이용자의 의사결정에 영향을 미치는 중요한 정보를 제공한다.

(1) 영업활동에 관한 정보

포괄손익계산서에 보고된 당기순이익은 기업의 경영성과를 측정하는 데 가장 중요한 정보를 제공하지만, 당기순이익을 산출하는 데 사용되는 수익 및 비용에는 실제 자금흐름에 영향을 미치지 않는 수익 및 비용의 발생분과 가정이나 추정에 의한 원가배분액이 포함되어 있다.

예를 들어 유형자산에 대한 감가상각비는 비록 포괄손익계산서에 비용으로 보고되기는 하나 실제 현금지출을 수반하지 않는다. 따라서 현금흐름표는 영업활동으로 인한 총현금유입과 총현금유출을 주요 항목별로 구분하여 표시하거나, 당기순손익에 현금을 수반하지 않는 거래 및 과거 또는 미래의 영업활동 현금유입이나 현금유출의 이연 또는 발생, 투자활동 현금흐름이나 재무활동 현금흐름과 관련된 손익항목의 영향을 조정하여 영업활동 현금흐름을 표시함으로써 기업의 가장 중요한 활동인 수익창출활동으로부터 조달된 현금에 대한 유용한 정보를 제공한다.

(2) 투자활동에 관한 정보

현금흐름표는 조달된 현금을 어떠한 투자활동에 사용하였는가, 즉, 유형자산, 무형자산, 다른 기업의 지분상품이나 채무상품(현금성자산으로 간주되는 상품이나 단기매매목적으로 보유하는 상품은 제외), 기타 장기성 자산 등을 취득하는 데 얼마만큼의 현금을 사용하였는가에 대한 구체적인 정보를 제공해 주며, 투자활동과 관련된 자산의 감소를 통하여 유입된 현금의 내역에 관한 정보를 제공한다.

(3) 재무활동에 관한 정보

현금흐름표는 기업의 고유한 영업활동(수익창출활동) 이외에 어떠한 지분상품의 발행과 차입 등의 재무활동에 의해 현금이 조달되었고, 장기부채의 상환 등에 얼마만큼의 현금을 사용하였는가에 관한 중요한 정보를 제공한다.

(4) 이익의 질

이익의 질(quality of earnings)이란 기업이 획득한 이익이 현금흐름과의 상관관계가 얼마나 높은가를 나타내는 척도인데, 그 상관관계가 높을수록 이익의 질은 우수하다고 볼 수 있다.

발생주의에 따른 포괄손익계산서상 순이익의 계산시에는 가정과 추정 및 평가를 수반하기 때문에 신뢰성에 문제가 있을 수 있다. 그러나 현금흐름표에서는 이러한 문제가 제거되어 신뢰성 높은 정보를 제공하며 당기순이익과 현금흐름표에 의한 현금흐름을 비교해 봄으로써 이와 같은 이익의 질을 보다 명확하게 평가할 수 있다.

(5) 지급능력에 대한 평가

지급능력(solvency)이란 부채(장기 및 단기)의 만기일이 도래했을 때 상환할 수 있는 기업의 재무적 능력을 말하며, 유동성(liquidity)이란 자산을 현금으로 전환할 수 있는 능력을 말한다. 또한 재무적 신축성(financial flexibility)이란 기업이 예측하지 못한 경제적 난국을 극복할 수 있는 능력 즉, 필요한 자금을 짧은 시간 내에 조달할 수 있는 능력과 비유동자산을 현금화할 수 있는 능력 등을 말한다.

자금의 개념을 순운전자본(유동자산 - 유동부채)으로 보는 경우, 기말 현재 순운전자본이 기초 순운전자본보다 증가한 기업은 운전자금상태가 호전된 것으로 평가되나 사실상 유동성 확보에 곤란을 겪고 있는 경우도 있을 수 있다.

예를 들어 유동자산인 매출채권과 재고자산이 많아지면 기업의 유동성이 커진 것처럼 보이나 진부화된 재고(slow moving inventory)와 부실채권이 상당부분 포함되어 있다고 가정할 때 순운전자본의 증가가 오히려 자금압박의 원인이 될 수 있다. 반면 현금흐름표는 영업활동에서 조달된 현금을 포함한 기업의 현금흐름정보를 통하여 기업의 지급능력, 유동성 및 재무적 신축성을 평가할 수 있고, 보다 정확한 정보를 제공한다.

(6) 미래현금흐름에 관한 정보

현금흐름표는 포괄손익계산서와 함께 이용함으로써 미래의 현금흐름액, 시기 및 불확실성을 예측하는 데 도움을 준다. 즉, 발생주의에 의하여 인식·측정된 당기순이익과 현금흐름과의 상관관계에서 나타나는 차이의 원인을 설명해 줌으로써 기업의 미래현금창

출능력과 실현시기에 대한 예측을 가능하게 한다.

(7) 기타 재무제표이용자의 의사결정에 대한 중요한 정보제공

현금흐름표는 의사결정자의 다음과 같은 질문에 대한 답을 제공할 수 있다.

① 당기순이익을 초과하여 배당을 어떻게 지불할 수 있었는가, 또는 당기에 손실이 발생되었는데도 어떻게 배당을 할 수 있었는가?

② 당기에 손실이 발생하였음에도 불구하고 기업의 현금이 전기에 비하여 증가한 이유는?

③ 당기 중 차입은 왜 하였는가?

④ 설비자산의 확장을 위한 자금은 어떻게 조달되었는가?

⑤ 설비자산 매각으로부터 수취한 현금은 어떠한 용도로 사용되어졌는가?

⑥ 부채의 상환은 어떻게 이루어졌는가?

⑦ 유상증자로부터 얻은 자금은 어디에 사용되었는가?

⑧ 사채발행으로부터 얻은 현금은 어디에 사용되었는가?

⑨ 현금의 증가(또는 감소)는 어떻게 이루어진 것인가?

2. 현금흐름표의 한계

현금흐름표는 기간 간의 관계를 보여주지 않음으로써 장기현금흐름에 대한 전망을 평가하는 데 불완전한 정보를 제공한다. 따라서 미래현금흐름에 대한 전망을 평가하는 데 있어서는 현금흐름표 단독보다는 포괄손익계산서 또는 재무상태표와 연관하여 파악하는 것이 필요하다.

현금흐름표의 작성원칙

제1절 작성방법

실무상으로 기업의 회계담당자들이 현금흐름표를 작성하는 데 어려움을 종종 느끼기도 하지만 기업의 회계장부가 올바로 기장되어 있고, 이를 기초로 재무상태표와 포괄손익계산서, 자본변동표 및 이익잉여금처분계산서가 제대로 만들어져 있다면 현금흐름표를 작성하는 것이 크게 어려운 일은 아니다.

즉, 현금흐름표는 기본적으로 기초와 기말의 재무상태표와 포괄손익계산서, 자본변동표 및 이익잉여금처분계산서를 기초로 하여 작성되며 추가로 필요한 정보는 기업의 회계장부로부터 쉽게 구해 낼 수 있는 것이다.

이하에서는 현금흐름표를 작성하기 위한 개괄적인 절차를 살펴보기로 한다. 이에 대한 좀 더 구체적인 설명은 다음 장에서 하기로 한다.

1. 현금및현금성자산의 증감액 계산

현금흐름표는 현금및현금성자산의 움직임을 보여주는 재무제표이므로, 용어의 정의는 현금흐름표를 정확하게 작성하는 데 있어 중요하다. 기준서에서 정의하는 현금및현금성자산은 다음과 같다.

★
기업회계기준서 제1007호 '현금흐름표'
6. 이 기준서에서 사용하는 용어의 정의는 다음과 같다.
  • 현금 : 보유 현금과 요구불예금
  • 현금성자산 : 유동성이 매우 높은 단기 투자자산으로서 확정된 금액의 현금으로 전환이 용이하고 가치변동의 위험이 경미한 자산
  • 현금흐름 : 현금및현금성자산의 유입과 유출

현금및현금성자산은 외화로 표시된 것도 포함한다. 투자자산이 현금성자산으로 분류

되기 위해서는 확정된 금액의 현금으로 전환이 용이하고 가치변동의 위험이 경미해야 한다. 따라서 투자자산은 일반적으로 만기일이 단기에 도래하는 경우(예를 들어, 취득일로부터 만기일이 3개월 이내인 경우)에만 현금성자산으로 분류된다. 지분상품은 현금성자산에서 제외되지만, 상환일이 정해져 있고 취득일로부터 상환일까지의 기간이 단기인 우선주와 같이 실질적인 현금성자산인 경우에는 예외적으로 현금성자산에 포함된다(기준서 제1007호 문단 7). 또한 금융회사의 요구에 따라 즉시 상환하여야 하는 당좌차월은 기업의 현금관리의 일부를 구성하므로, 이러한 당좌차월은 현금및현금성자산의 구성요소에 포함된다(기준서 제1007호 문단 8).

현금및현금성자산을 구성하는 항목 간 이동은 영업활동, 투자활동 및 재무활동의 일부가 아닌 현금관리의 일부이므로 이러한 항목 간의 변동은 현금흐름에서 제외한다(기준서 제1007호 문단 9).

비교재무상태표를 이용하여 현금의 증감액은 다음과 같이 계산한다.

> 현금의 증감액＝기말 현금및현금성자산－기초 현금및현금성자산(이하 '현금')

위 계산방법에 의하여 계산된 현금의 증감액은 사후적으로 영업·투자·재무활동으로 인한 현금유입·유출액의 합계액과 일치하여야 한다.

2. 현금 이외의 항목에 대한 분석

현금 이외의 항목의 기중변동에 대한 분석이 현금흐름표를 작성하는 데 가장 중요한 작업이다. 분석은 두 가지 과정을 거쳐 이루어진다.

첫째, 기초와 기말의 차이인 기중거래가 현금의 유입과 유출에 영향을 미치는 거래인가에 대한 분석

둘째, 현금의 유입과 유출에 영향이 있는 경우에 동 거래가 영업·투자·재무활동 중에서 어떠한 영역에 속하는가에 대한 분석

이러한 분석을 통하여 현금의 유출·입 영향이 없을 경우에는 현금흐름표상의 표시에서 제외되며(주석에만 기재), 현금의 유출·입 영향을 미치는 거래인 경우 현금흐름표상에서 영업·투자·재무활동 거래활동별로 구분·기재된다.

이렇게 해서 모든 계정의 분석이 종료되었을 때 현금의 유출·입에 영향을 미치는 거래가 현금흐름표상에 구분·기재됨으로써 전술한 '1. 현금및현금성자산의 증감액 계산'에 의하여 계산된 현금의 증감액과 사후적으로 일치하게 된다(구체적인 분석방법은 제3

장, 제4장, 제5장, 제6장에서 서술).

3. 현금흐름표의 작성

상기의 절차가 모두 완료되면 앞에서 제시한 현금흐름표의 서식에 맞추어 보고서를
작성한다.

작성원칙

투자자, 채권자 및 기타 정보이용자의 기업의 유동성, 실현가능성, 재무 적응능력에 대한 의사결정을 돕기 위한 정보 제공 목적을 달성하기 위해, 한국채택국제회계기준은 현금흐름을 발생시키는 각각의 활동에 따라 분류, 보고할 것을 요구하고 있다.

★
> **기업회계기준서 제1007호 '현금흐름표'**
> 10. 현금흐름표는 회계기간 동안 발생한 현금흐름을 영업활동, 투자활동 및 재무활동으로 분류하여 보고한다.
> 11. 기업은 사업 특성을 고려하여 가장 적절한 방법으로 영업활동, 투자활동 및 재무활동에서 발생하는 현금흐름을 표시한다. 활동에 따른 분류는 이러한 활동이 기업의 재무상태와 현금및현금성자산의 금액에 미치는 영향을 재무제표이용자가 평가할 수 있도록 정보를 제공한다. 또한 이 정보는 각 활동 간의 관계를 평가하는 데 사용될 수 있다.
> 12. 하나의 거래에는 서로 다른 활동으로 분류되는 현금흐름이 포함될 수 있다. 예를 들어 이자와 차입금을 함께 상환하는 경우, 이자지급은 영업활동으로 분류될 수 있고 원금상환은 재무활동으로 분류된다.

현금의 유입과 유출은 해당기간에 대한 현금및현금성자산의 변동을 구성하는 위의 세 가지 활동아래에 각각 나열되어야 한다. 전기말 현금및현금성자산 잔액에 당기의 현금및현금성자산의 순증감을 반영하면 당기말의 현금및현금성자산이 도출된다.

한편, 한국채택국제회계기준은 기업이 영위하는 사업의 특성을 따라 현금흐름을 분류하도록 요구한다. 예를 들어, 벤처캐피탈회사가 수취한 배당금은 회사의 사업이 투자에 대한 회수이므로 영업활동으로 인한 현금흐름으로 분류할 수 있고, 제조업을 영위하는 회사가 수취한 동 배당금은 투자활동으로 인한 현금유입으로 분류할 수 있다.

또한, 기업이 체결한 하나의 거래는 여러 개의 다른 현금흐름으로 분류할 수 있다. 이 현금흐름들은 그 성격에 따라 예상되는 현금흐름분류로 나누어 표시하여야 한다. 예를 들어 리스이용자의 리스거래와 관련된 현금유출은 원금상환 부분(재무활동으로 인한 현금흐름으로 분류) 및 지급이자 부분(일반적으로, 영업활동으로 인한 현금흐름으로 분류)으로 나누어야 한다.

영업활동 현금흐름

제1절 영업활동의 정의

> ★
> 기업회계기준서 제1007호 '현금흐름표'
>
> 용어의 정의
> 6. 영업활동 : 기업의 주요 수익창출활동, 그리고 투자활동이나 재무활동이 아닌 기타의
> 활동

한국채택국제회계기준에서는 영업활동을 정의함에 있어서 기업의 이익에 직접적인 영향을 미치는 생산·구매·판매활동뿐만 아니라 주된 수익활동에 간접적으로 영향을 미치며, 경우에 따라서 부수적으로 수반되기 마련인 제반활동 중에서 투자활동, 재무활동 이외의 거래를 모두 영업활동의 범주에 포함시키고 있다.

예를 들어 퇴직금의 지급 등 기업의 인사활동은 투자활동이나 재무활동이 아닐 뿐 아니라 직접적인 영업활동도 아니다. 그러나 기업의 목적이 영리추구에 있고 이를 위한 주된 수익활동을 영업활동이라고 정의할 때 퇴직금의 지급은 주된 수익활동에 부수적으로 수반되기 마련인 간접적인 영업활동이라고 할 수 있다.

이러한 의미에서 영업활동으로 인한 현금의 유입·유출내역을 한국채택국제회계기준에서 예시 열거하고 있는 바, 그 내역은 다음과 같다.

> ★
> 기업회계기준서 제1007호 '현금흐름표'
>
> 14. 영업활동 현금흐름은 주로 기업의 주요 수익창출활동에서 발생한다. 따라서 영업활동
> 현금흐름은 일반적으로 당기순손익의 결정에 영향을 미치는 거래나 그 밖의 사건의 결
> 과로 발생한다. 영업활동 현금흐름의 예는 다음과 같다.
> (1) 재화의 판매와 용역 제공에 따른 현금유입
> (2) 로열티, 수수료, 중개료 및 기타 수익에 따른 현금유입
> (3) 재화와 용역의 구입에 따른 현금유출

(4) 종업원과 관련하여 직·간접으로 발생하는 현금유출
    (5) 보험회사의 경우 수입보험료, 보험금, 연금 및 기타 급부금과 관련된 현금유입과 현금유출
    (6) 법인세의 납부 또는 환급. 다만 재무활동과 투자활동에 명백히 관련되는 것은 제외한다.
    (7) 단기매매목적으로 보유하는 계약에서 발생하는 현금유입과 현금유출

설비 매각과 같은 일부 거래에서도 인식된 당기순손익의 결정에 포함되는 처분손익이 발생할 수 있다. 그러한 거래와 관련된 현금흐름은 투자활동 현금흐름이다. 반면 타인에게 임대할 목적으로 보유하다가 후속적으로 판매목적으로 보유하는 자산을 제조하거나 취득하기 위한 현금 지급액은 영업활동 현금흐름이다. 이러한 자산의 임대 및 후속적인 판매로 수취하는 현금도 영업활동 현금흐름이다.

기업은 단기매매목적으로 유가증권이나 대출채권을 보유할 수 있으며, 이 때 유가증권이나 대출채권은 판매를 목적으로 취득한 재고자산과 유사하다. 따라서 단기매매목적으로 보유하는 유가증권의 취득과 판매에 따른 현금흐름은 영업활동으로 분류한다. 마찬가지로 금융회사의 현금 선지급이나 대출채권은 주요 수익창출활동과 관련되어 있으므로 일반적으로 영업활동으로 분류한다(기준서 제1007호 문단 15).

당기순손익은 영업활동으로 인한 현금흐름으로 매우 중요한 항목이다. 그러나 당기순손익에는 현금에 영향을 미치지 않는 비용이나 수익이 포함되어 있기 때문에, 영업활동으로 인한 현금흐름을 계산하기 위해서는 이들을 당기순손익에 조정해 주어야 한다. 이러한 조정방법에는 직접법과 간접법 두 가지가 있다.

직접법이란 매출액 등 영업활동 거래의 원천별로 유입된 현금의 흐름에서 재화와 용역의 구입에 따른 현금유출액, 종업원과 관련하여 직·간접으로 발생하는 현금유출액, 이자지급(이자지급액을 영업활동으로 분류하는 경우), 법인세비용(재무활동과 투자활동에 명백히 관련되는 것은 제외) 등 영업활동으로 인한 현금의 유출액을 차감하여 현금주의에 의한 영업이익을 구하는 방식이다. 이는 당기순손익에서 조정을 거쳐 현금의 흐름을 사후적으로 확인하는 간접법에 비하여 영업거래의 다양한 원천별 현금의 흐름내역을 일목요연하게 제시해 줌으로써 진정한 의미에서의 현금흐름을 파악할 수 있는 방법이다.

간접법이란 당기순손익에서 출발하여 현금의 유출이 없는 비용 등을 가산하고 현금의 유입이 없는 수익 등을 차감하고 영업활동으로 인한 자산·부채 변동을 가감하여 영업활동으로 인한 현금의 흐름을 계산하는 방식으로서 발생주의에 의한 당기순손익에서

어떠한 조정을 거쳐 현금의 흐름이 산출되는지에 주안점을 두므로 재무상태표, 포괄손익계산서와의 유용한 연관성을 제시해 준다.

다음은 두 가지 방법의 장·단점을 비교한 내역이다.

	직 접 법	간 접 법
장 점	i) 영업활동에 관련한 현금유출·입액의 표시에 충실 ii) 과거의 현금흐름을 이해하고 미래의 현금흐름을 예측하는 데 유용 iii) 영업활동으로부터의 현금창출능력을 평가하는 것이 간접법보다 유용	i) 당기순이익과 영업활동으로 인한 순현금흐름의 차이를 밝혀줌으로써 재무상태표와 손익계산서 사이의 연결고리 역할을 함. ii) 당기순이익과 현금흐름 간의 시간적 차이를 이용한 미래현금흐름의 예측이 가능 iii) 기업 간 측정의 차이와 비현금 항목이 이익에 미치는 영향을 파악할 수 있음.
단 점	i) 발생주의 손익계산서에 익숙한 재무제표이용자를 혼동시킬 수 있음. ii) 기업의 재무기록이 현금기준이 아닌 발생주의 기준으로 유지되고 있기 때문에 직접법으로 작성하는 때에는 추가적인 비용이 소요됨.	i) 감가상각비와 같은 일부비용이 현금의 유입원천으로 나타나기 때문에 이용자를 혼동시킬 수 있음. ii) 현금유입의 원천 및 현금유출의 용도별 파악이 불가능함.

직접법과 간접법의 차이는 영업활동으로 인한 현금흐름을 작성하는 과정에서 발생하는 방법상의 차이이며, 투자활동으로 인한 현금흐름과 재무활동으로 인한 현금흐름은 거래의 원천별로 현금흐름의 내역을 표시하고 있으므로 모두 직접법으로 일관하고 있다.

현금흐름표의 양식비교

직 접 법		간 접 법	
영업활동으로 인한 현금흐름		**영업활동으로 인한 현금흐름**	
고객으로부터 유입된 현금	×××	법인세비용차감전순이익[*]	×××
공급자와 종업원에 대한		가감 :	
현금유출	(×××)	감가상각비	×××
영업으로부터 창출된 현금	×××	외화환산손실	×××
이자지급	(×××)	투자수익	(×××)
법인세의 납부	(×××)	이자비용	×××
영업활동순현금흐름	×××		×××
		매출채권 및 기타채권의 증가	(×××)
		재고자산의 감소	×××
		매입채무의 감소	(×××)
		영업으로부터 창출된 현금	×××
		이자지급	(×××)
		법인세의 납부	(×××)
		영업활동순현금흐름	×××

[*] 단, 간접법으로 현금흐름표를 작성할 때, 당기순이익으로부터 출발하여 영업활동 현금흐름을 도출하는 경우, 가감조정내역에 법인세비용이 포함되어야 함.

　한국채택국제회계기준에서는 영업활동현금흐름을 보고하는 경우 직접법 또는 간접법으로 작성할 수 있도록 모두 인정하고 있다.

　다음에서는 절을 달리하여 직접법과 간접법에 의한 작성방법을 각각 살펴보도록 하겠다.

제2절 직접법에 의한 작성방법

★
기업회계기준서 제1007호 '현금흐름표'

19. 영업활동 현금흐름을 보고하는 경우에는 직접법을 사용할 것을 권장한다. 직접법을 적용하여 표시한 현금흐름은 간접법에 의한 현금흐름에서는 파악할 수 없는 정보를 제공하며, 미래현금흐름을 추정하는 데 보다 유용한 정보를 제공한다. 직접법을 적용하는 경우 총현금유입과 총현금유출의 주요 항목별 정보는 다음의 (1) 또는 (2)를 통하여 얻을 수 있다.

(1) 회계기록
(2) 매출, 매출원가(금융회사의 경우에는 이자수익과 기타 유사한 수익 및 이자비용과 기타 유사한 비용) 및 그 밖의 포괄손익계산서 항목에 다음 항목을 조정
　　(가) 회계기간 동안 발생한 재고자산과 영업활동에 관련된 채권·채무의 변동
　　(나) 기타 비현금항목
　　(다) 투자활동 현금흐름이나 재무활동 현금흐름으로 분류되는 기타 항목

　　전술한 바와 같이 직접법이란 현금을 수반하여 발생한 수익과 비용항목을 현금의 유입액은 원천별로, 현금의 유출액은 용도별로 분류하여 기재하는 방법이다. 직접법에 의하여 현금흐름표를 작성하는 경우, 회계기록을 통하여 현금유출입 정보를 얻는 방법(현금주의 방법) 또는 포괄손익계산서 항목에 영업활동에 관련된 채권·채무의 변동 등을 가감하여 계산하는 방법(발생주의 조정방법)을 적용할 수 있다. 다음은 현금주의 방법과 발생주의 조정방법별로 현금유입의 원천과 유출의 용도를 작성하는 내역의 예시이다.

현금유입의 원천 및 유출의 용도	현금주의 방법	발생주의 조정방법
• 고객으로부터의 유입된 현금	• 현금매출 • 매출채권 중 회수액 • 선수금 수령액 • 장기성 매출채권 중 회수액	매출액(P/L) －매출채권의 증가(＋감소) ＋선수금의 증가(－감소) －장기성 매출채권의 증가(＋감소)
• 공급자와 종업원 에 대한 현금유출	• 현금매입 • 매입채무 중 현금지급액 • 급여 등 • 기타 현금지출비용	(1) 매출원가(P/L) 　＋재고자산의 증가(－감소) 　－매입채무의 증가(＋감소) 　－비현금비용(제조원가) 　－미지급비용의 증가(＋감소) 　－선급비용의 감소(＋증가)

현금유입의 원천 및 유출의 용도	현금주의 방법	발생주의 조정방법
		(2) 판매비와관리비(P/L) 　－미지급비용의 증가(＋감소) 　－선급비용의 감소(＋증가) 　－비현금비용(감가상각비, 대손상각비 등)
• 이자수취[*1]	이자수익 중 현금수령액	이자수익(P/L) ＋미수이자의 감소(－증가) ＋선수이자의 증가(－감소) －장기성 매출채권의 현재가치할인차금상각분
• 배당금수취[*1]	배당금수익 중 현금수령액	배당금수익(P/L) ＋미수배당금 감소(－증가)
• 이자지급[*1]	이자비용 중 현금지급액	이자비용(P/L) －미지급이자의 증가(＋감소) ＋선급이자의 증가(－감소) －사채할인발행차금 상각분 －장기성 매입채무의 현재가치할인차금 상각분
• 법인세의 납부	법인세의 현금지급액	법인세비용(P/L) －당기법인세부채 증가(＋감소) －이연법인세부채 증가(＋감소) ＋이연법인세자산 증가(－감소)

(*1) 본 예시에서는 이자수취, 이자지급, 배당금수취를 영업활동현금흐름 항목으로 분류하였으나, 이자와 배당금의 수취에 따른 현금흐름은 영업활동 또는 투자활동 현금흐름으로, 이자와 배당금 지급에 따른 현금흐름은 영업활동 또는 는 재무활동 현금흐름으로 매 기간 일관성 있게 분류할 수 있음(기준서 제1007호 문단 31,33,34).

다음에서는 현금유입의 원천 및 유출용도별로 작성사례를 살펴보기로 한다.

사례 1　고객으로부터 유입된 현금

재무상태표(B/S)

매 출 채 권				매출채권대손충당금			
기　　초	100⑧	회　　수	50⑤	기　　말	28⑬	기　　초	27⑫
당 기 매 출	200①	기　　말	250⑨			당 기 설 정	1④
	300		300		28		28

선 수 금

당 기 매 출	40②	기 초	20⑩
기 말	10⑪	당 기 수 령	30⑥
	50		50

손익계산서(P/L)			현금매출 계산내역	
매 출	400(⑦)		매 출 (P/L)	400(⑦)
대 손 상 각 비	1(④)		신 용 매 출	−200(①)
			선 수 금 매 출	−40(②)
			현 금 매 출	160(③)

현금주의 방법			발생주의 조정방법	
현 금 매 출	160(③)		매 출 (P/L)	400
매출채권회수액	50(⑤)		매출채권증가액	−150(⑨−⑧)
선수금수령액	30(⑥)		선수금감소액	−10(⑩−⑪)
계	240		대손상각비(P/L)	−1(④)
			대손충당금증가액	+1(⑬−⑫)
			계	240

사례 2 공급자와 종업원에 대한 현금유출

B/S

매 입 채 무				재 고 자 산			
지 급	200⑧	기 초	150⑬	기 초	800⑪	매 출 원 가	1,200①
기 말	50⑭	당 기 매 입	100⑦	당 기 매 입	1,100⑥	기 말	700⑫
	250		250		1,900		1,900

미 지 급 비 용				선 급 비 용			
지 급	800⑨	기 초	50⑯	기 초	30⑱	비 용 인 식	70④
기 말	150⑮	당 기 발 생	900③	당 기 지 급	100⑩	기 말	60⑰
	950		950		130		130

P/L		현금지출비용 계산내역	
매 출 원 가	1,200(①)	현금매입 : 당기매입	1,100(⑥)
판매비와 관리비	1,000(②)	당기외상매입	−100(⑦)
		당기현금매입	1,000(⑲)
		현금비용 : 판매비와관리비	1,000(②)
		미지급비용에 의한 비용인식	−900(③)
		선급비용에 의한 비용인식	−70(④)
		현금지출비용	30(⑤)

현금주의 방법		발생주의 조정방법	
현금매입	1,000(⑲)	매출원가(P/L)	1,200(①)
매입채무 중 현금지급액	200(⑧)	재고자산의 감소	−100(⑪−⑫)
미지급비용의 지급액	800(⑨)	매입채무의 감소	+100(⑬−⑭)
선급비용의 지급액	100(⑩)	판매비와관리비(P/L)	+1,000(②)
현금지출비용액	30(⑤)	미지급비용의 증가	−100(⑮−⑯)
계	2,130	선급비용의 증가	+30(⑰−⑱)
		계	2,130

사례 3 이자수취와 이자지급

B/S

미수이자

기 초	100⑥	회 수	450①
당기발생	400④	기 말	50⑦
	500		500

선수이자

수익인식	70⑤	기 초	50⑨
기 말	80⑧	당기선수	100②
	150		150

미지급이자

지 급	200⑬	기 초	150⑱
기 말	50⑲	당기발생	100⑮
	250		250

선급이자

기 초	100⑳	비용인식	150⑯
선 지 급	50⑭	기 말	0㉑
	150		150

사채할인발행차금

기 초	100㉒	상 각	50⑩
		기 말	50㉓
	100		100

현재가치할인차금

기 초	50㉔	상 각	10⑪
		기 말	40㉕
	50		50

P/L

이자수익	470(③=④+⑤)
이자비용	250(⑰=⑮+⑯)

이자비용현금지급 계산내역

이자비용(P/L)	250(⑰)
사채할인발행차금 상각	−50(⑩)
현재가치할인차금 상각	−10(⑪)
이자비용현금지급액	190(⑫)

현금주의 방법		발생주의 조정방법	
ⅰ) 이자수취		ⅰ) 이자수취	
이자수익 현금수령액	550(①＋②)	이자수익(P/L)	470(③)
		미수이자 감소액	＋50(⑥－⑦)
		선수이자 증가액	＋30(⑧－⑨)
		계	550
ⅱ) 이자지급		ⅱ) 이자지급	
이자비용 현금지급액	190(⑫)	이자비용(P/L)	250(⑰)
		미지급이자 감소액	＋100(⑱－⑲)
		선급이자 감소액	－100(⑳－㉑)
		사채할인발행차금 감소액	－50(㉒－㉓)
		현재가치할인차금 감소액	－10(㉔－㉕)
		계	190

사례 4 배당금수취와 법인세의 납부

B/S

당기법인세부채				선급법인세			
지급액	300⑥	기초	300⑩	기초	0⑪	비용인식	50③
기말	450⑨	당기발생	450④	당기지급	50⑦	기말	0⑧
	750		750		50		50

이연법인세자산			
기초	50⑬	상계	0⑭
당기발생	30⑤	기말	80⑫
	80		80

P/L		발생주의 조정방법	
배당금수익	100(①)*	ⅰ) 배당금수취	
		배당금수익(P/L)	100(①)
법인세비용	470(②＝③＋④－⑤)	ⅱ) 법인세의 납부	
		법인세비용(P/L)	470(②)
		선급법인세 증가액	0(⑧－⑪)
현금주의 방법		이연법인세자산 증가액	30(⑫－⑬)
ⅰ) 배당금수취	100(①)	당기법인세부채 증가액	－150(⑨－⑩)
ⅱ) 법인세의 납부	350(⑥＋⑦)	소 계	350

*미수배당금 계정의 설정을 생략함

제3절 간접법에 의한 작성방법

기업회계기준서 제1007호 '현금흐름표'

20. 간접법을 적용하는 경우, 영업활동 순현금흐름은 당기순손익에 다음 항목들의 영향을 조정하여 결정한다.

(1) 회계기간 동안 발생한 재고자산과 영업활동에 관련된 채권·채무의 변동

(2) 감가상각비, 충당부채, 이연법인세, 외화환산손익, 미배분 관계기업 이익 및 미배분 비지배지분과 같은 비현금항목

(3) 투자활동 현금흐름이나 재무활동 현금흐름으로 분류되는 기타 모든 항목

대체적인 방법으로, 영업활동 순현금흐름은 포괄손익계산서에 공시된 수익과 비용, 그리고 회계기간 동안 발생한 재고자산과 영업활동에 관련된 채권·채무의 변동을 보여줌으로써 간접법으로 표시할 수 있다.

가산항목 ─┬─ 재고자산, 영업활동과 관련된 채권의 감소 및 채무의 증가
          ├─ 현금의 유출이 없는 비용
          └─ 투자활동과 재무활동으로 인한 비용

차감항목 ─┬─ 재고자산, 영업활동과 관련된 채권의 증가 및 채무의 감소
          ├─ 현금의 유입이 없는 수익
          └─ 투자활동과 재무활동으로 인한 수익

1. 당기순손익에 가산할 항목

(1) 재고자산 및 영업활동과 관련된 채권의 감소

유동자산의 감소는 현금자금의 유입을 의미하므로 영업활동과 관련된 유동자산계정의 감소액을 당기순손익에 가산해 주어야 한다.

① 매출채권의 감소

(차) 현 금 의 유 입   ×××   (대) 매 출 채 권   ×××

② 재고자산의 감소

(차) 현 금 의 유 입 　　　××× 　　　(대) 재 고 자 산 　　　×××

③ 선급비용의 감소

(차) 현 금 의 유 입 　　　××× 　　　(대) 선 급 비 용 　　　×××

④ 미수수익의 감소

(차) 현 금 의 유 입 　　　××× 　　　(대) 미 수 수 익 　　　×××

⑤ 기타 영업활동과 관련된 자산계정의 감소
선급금의 감소액, 이연법인세자산의 감소액

(2) 재고자산 및 영업활동과 관련된 채무의 증가

발생주의에 의한 비용에 대응하는 상대계정을 단순화하여 생각할 경우 부채와 현금 및현금성자산계정이 이에 해당할 것이다.

(차) 비 　　　　　용 　　　××× 　　　(대) 부 　　　　　채 　　　×××
　　　　　　　　　　　　　　　　　　　현금및현금성자산 　　　×××

그러므로 포괄손익계산서상 비용의 금액이 일정할 경우 부채의 증가는 현금유출의 감소를 의미한다. 이러한 관점에서 영업활동과 관련한 부채계정 중 기초대비 기말 잔액 이 증가한 부분을 당기순손익에 가산하여 줌으로써 영업활동으로 인한 현금의 흐름을 계산할 수 있다.

① 매입채무의 증가

(차) 현 금 의 유 입 　　　××× 　　　(대) 매 입 채 무 　　　×××

② 선수금의 증가

(차) 현 금 의 유 입 　　　××× 　　　(대) 선 　 수 　 금 　　　×××

③ 선수수익의 증가

(차) 현 금 의 유 입 　　　××× 　　　(대) 선 수 수 익 　　　×××

④ 미지급비용의 증가

(차) 현 금 의 유 입   ×××   (대) 미 지 급 비 용   ×××

⑤ 당기법인세부채의 증가

(차) 현 금 의 유 입   ×××   (대) 당 기 법 인 세 부 채   ×××

한국채택국제회계기준에서는 법인세로 인한 현금흐름은 별도로 공시하며, 재무활동과 투자활동에 명백히 관련되지 않는 한 영업활동 현금으로 분류된다(기준서 제1007호 문단 35).

(3) 현금의 유출이 없는 비용

당기순손익은 발생주의에 입각하여 계산된 것이므로 현금의 유출이 일어나지 않은 비용만큼 감액되어 있고, 따라서 영업활동으로 인한 현금흐름을 구하기 위하여 현금의 유출이 없는 비용을 당기순손익에 가산조정하여야 한다.

당기순손익에 가산조정하는 현금의 유출이 없는 비용 항목으로는 다음을 예로 들 수 있다.

- 유형자산 감가상각비
- 무형자산상각비
- 대손상각비
- 사채할인발행차금/현재가치할인차금 상각으로 인한 이자비용
- 금융자산평가손실
- 외화자산·부채의 환산손실

(4) 투자활동과 재무활동으로 인한 비용

당기순손익에는 투자·재무활동에 관련된 자산과 부채의 처분이나 상환에 의하여 발생된 비용이 반영되어 있으므로 순수한 영업활동으로 인한 현금흐름을 구하기 위하여 투자·재무활동에 관련된 비용을 당기순손익에 가산·조정하여야 한다.

만약 당기순손익에 그 처분 및 상환 손실액을 가산하지 않는다면 투자활동 및 재무활동으로 인한 현금의 유입이나 유출을 자산의 실제 처분금액, 부채의 실제 상환액으로 나타낼 수 없게 된다.

당기순손익에 조정하는 투자활동 및 재무활동과 관련하여 발생된 비용 항목으로는

다음을 예로 들 수 있다.

- 유형자산 처분손실
- 무형자산 처분손실
- 금융자산 처분손실

타인에게 임대할 목적으로 보유하다가 후속적으로 판매목적으로 보유하는 자산을 제조하거나 취득하기 위한 현금 지급액은 영업활동 현금흐름이다. 이러한 자산의 임대 및 후속적인 판매로 수취하는 현금도 영업활동 현금흐름이다(기준서 제1007호 문단 14).

2. 당기순손익에 차감할 항목

(1) 재고자산 및 영업활동과 관련된 채권의 증가

영업활동과 관련된 자산계정의 증가는 현금자금의 유출을 의미하므로 이를 당기순손익에서 차감조정해 주어야 한다.

① 매출채권의 증가

(차) 매 출 채 권 ×××   (대) 현 금 의 유 출 ×××

② 재고자산의 증가

(차) 재 고 자 산 ×××   (대) 현 금 의 유 출 ×××

③ 선급비용의 증가

(차) 선 급 비 용 ×××   (대) 현 금 의 유 출 ×××

④ 미수수익의 증가

(차) 미 수 수 익 ×××   (대) 현 금 의 유 출 ×××

⑤ 기타 영업활동과 관련된 자산계정의 증가

선급금의 증가, 이연법인세자산의 증가

(2) 재고자산 및 영업활동과 관련된 채무의 감소

① 매입채무의 감소

(차) 매 입 채 무   ×××   (대) 현 금 의 유 출   ×××

② 선수금의 감소

(차) 선   수   금   ×××   (대) 현 금 의 유 출   ×××

③ 선수수익의 감소

(차) 선 수 수 익   ×××   (대) 현 금 의 유 출   ×××

④ 미지급비용의 감소

(차) 미 지 급 비 용   ×××   (대) 현 금 의 유 출   ×××

⑤ 당기법인세부채의 감소

(차) 당 기 법 인 세 부 채   ×××   (대) 현 금 의 유 출   ×××

(3) 현금의 유입이 없는 수익

발생주의에 의하여 산출된 당기순손익에는 현금흐름과 관계없는 수익이 포함되어 있는 바, 이를 당기순손익에서 차감조정하여야 한다.

당기순손익에 차감조정하는 현금의 유입이 없는 수익 항목으로는 다음을 예로 들 수 있다.

- 금융자산평가이익
- 외화자산·부채의 환산이익

(4) 투자활동과 재무활동으로 인한 수익

당기순손익에는 투자·재무활동과 관련된 자산과 부채의 처분이나 상환에 의하여 발생된 수익이 포함되어 있으므로, 이를 당기순손익에서 차감조정함으로써 순수한 영업활동으로 인한 현금흐름을 구할 수 있고 투자·재무활동으로 인한 현금의 유입·유출이 장부가액이 아닌, 실제 처분금액 또는 실제 상환액으로 표시할 수 있다.

당기순손익에 조정하는 투자활동 및 재무활동과 관련하여 발생된 수익 항목으로는 다음을 예로 들 수 있다.
- 유형자산 처분이익
- 무형자산 처분이익
- 금융자산 처분이익

투자활동 현금흐름

제1절 투자활동의 정의

★

기업회계기준서 제1007호 '현금흐름표'

용어의 정의

6. 투자활동 : 장기성 자산 및 현금성자산에 속하지 않는 기타 투자자산의 취득과 처분

상기와 같은 정의에 의하여, 한국채택국제회계기준상 투자활동으로 인한 현금흐름은 장기성 자산 또는 현금성자산을 제외한 단기투자자산의 취득 및 처분과 관련된 거래의 현금효과를 포함한다.

일반적으로 투자란 미래의 경제적 이익을 위한 현재의 소유권 획득과정을 의미하지만 현금흐름표 작성과 관련하여 기업의 제반활동을 영업·투자·재무활동으로 구분할 때 투자활동의 의미는 미래수익과 미래현금흐름을 창출한 자원의 확보를 위하여 지출된 정도를 나타내는 활동을 말한다. 그러므로 장·단기대여금의 대여나 회수, 유형자산의 취득·처분, 관계기업에 대한 투자 등은 명확하게 투자활동으로 분류될 수 있다. 이자 및 배당금 수취는 이러한 활동과 관련하여 부수적으로 발생하는 거래로써 투자활동으로 분류하는 것이 논리적이나 한국채택국제회계기준에서는 이를 당기순이익 및 영업활동 현금흐름과 직접적으로 관련이 있다는 관점에서 매 기간 일관성 있게 영업활동 현금흐름 또는 투자활동 현금흐름으로 분류하도록 요구하고 있다(기준서 제1007호 문단 31, 33).

일부 거래에 대해서는 그 성격상 영업활동·투자활동·재무활동의 구분이 쉽지 않은 부분이 있는 바, 투자활동 현금흐름의 구체적인 예를 제2절에서 제시한다.

제2절 투자활동에 대한 예시

★
기업회계기준서 제1007호 '현금흐름표'

투자활동

16. 투자활동 현금흐름은 미래수익과 미래현금흐름을 창출할 자원의 확보를 위하여 지출된
정도를 나타내기 때문에 현금흐름을 별도로 구분 공시하는 것이 중요하다. 재무상태표
에 자산으로 인식되는 지출만이 투자활동으로 분류하기에 적합하다. 투자활동 현금흐름
의 예는 다음과 같다.

(1) 유형자산, 무형자산 및 기타 장기성 자산의 취득에 따른 현금유출. 이 경우 현금유출
에는 자본화된 개발원가와 자가건설 유형자산에 관련된 지출이 포함된다.

(2) 유형자산, 무형자산 및 기타 장기성 자산의 처분에 따른 현금유입

(3) 다른 기업의 지분상품이나 채무상품 및 공동기업 투자지분의 취득에 따른 현금유출
(현금성자산으로 간주되는 상품이나 단기매매목적으로 보유하는 상품의 취득에 따
른 유출액은 제외)

(4) 다른 기업의 지분상품이나 채무상품 및 조인트벤처 투자지분의 처분에 따른 현금유
입(현금성자산으로 간주되는 상품이나 단기매매목적으로 보유하는 상품의 처분에
따른 유입액은 제외)

(5) 제3자에 대한 선급금 및 대여금(금융회사의 현금 선지급과 대출채권은 제외)

(6) 제3자에 대한 선급금 및 대여금의 회수에 따른 현금유입(금융회사의 현금 선지급과
대출채권은 제외)

(7) 선물계약, 선도계약, 옵션계약 및 스왑계약에 따른 현금유출. 단기매매목적으로 계약
을 보유하거나 현금유출이 재무활동으로 분류되는 경우는 제외한다.

(8) 선물계약, 선도계약, 옵션계약 및 스왑계약에 따른 현금유입. 단기매매목적으로 계약
을 보유하거나 현금유입이 재무활동으로 분류되는 경우는 제외한다.

파생상품계약에서 식별가능한 거래에 대하여 위험회피회계를 적용하는 경우, 그 계약과
관련된 현금흐름은 위험회피대상 거래의 현금흐름과 동일하게 분류한다.

즉 투자활동이란 유형자산, 무형자산 및 기타 장기성 자산, 다른 기업의 지분상품이
나 채무상품 및 공동기업 투자지분, 유·무형자산 및 기타 장기성 자산 취득을 위한 제3
자에 대한 선급금 및 대여금, 선물계약, 선도계약, 옵션계약 및 스왑계약 취득과 처분활
동 등을 말하는 것으로, 투자활동으로 인한 현금흐름은 이러한 투자활동에서 조달되거
나 사용된 현금의 유·출입을 말한다.

1. 투자활동으로 인한 현금유입액

(1) 유동자산의 감소

① 단기대여금의 회수

(차) 현 금 의 유 입 　　×××　　(대) 단 기 대 여 금 　　×××

② 미수금의 회수

미수금은 일반적인 상거래(주된 영업활동) 이외의 거래에서 발생한 채권이다. 즉, 유형자산, 무형자산, 지분법 적용 투자지분 및 기타 금융자산 등의 처분과 관련하여 발생하는 채권이므로 이에 대한 회수활동 또한 투자활동으로 분류된다. 다만, 미수금 중에서 재고자산 매입 등과 관련된 부가가치세 미수금은 영업활동으로 분류함이 타당할 것이다.

(차) 현 금 의 유 입 　　×××　　(대) 미 　 수 　 금 　　×××

(2) 금융자산의 감소

금융자산의 처분과 관련한 현금유입액은 실제 처분액으로 표시하며 장부가액과의 차이인 금융자산처분손익은 영업활동으로 인한 현금의 유입·유출로 조정하게 된다.

(3) 유형·무형자산의 감소

유형 또는 무형자산의 처분과 관련하여 현금유입액은 실제 처분액으로 표시하며 장부가액과의 차이는 유형 또는 무형자산처분손익에 해당하므로 영업활동으로 인한 현금의 유입·유출로 조정하게 된다.

2. 투자활동으로 인한 현금유출액

(1) 유동자산의 증가

① 현금의 단기대여

(차) 단 기 대 여 금 　　×××　　(대) 현 금 의 유 출 　　×××

② 미수금의 증가

미수금의 감소는 현금의 회수로 볼 수 있는 반면 미수금의 증가 자체가 직접적인 현금의 유출을 의미하지는 않는다. 즉, 미수금의 증가원인이 유형자산, 무형자산, 관계기업 투자지분 및 기타 금융자산 등의 처분활동에 있기 때문에 발생시점에서는 현금의 유입과 유출이 없는 거래형태를 나타내고 회수시점에 현금의 유입이 이루어진다. 그러나 미수금의 발생원인이 비경상적이며 거래금액이 큰 경우에는 별도 구분하여 현금의 유입과 유출이 없는 거래내역으로 주석에 표시하는 것이 보다 유용한 정보를 제공할 수 있을 것이다. 한국채택국제회계기준은 현금및현금성자산의 사용을 수반하지 않는 투자활동과 재무활동거래에 대한 모든 목적적합한 정보를 주석공시하도록 요구하고 있다(기준서 제1007호 문단 43).

(예) 미   수   금   ×××   토   지   ×××

주석사항 1. 현금의 유입과 유출이 없는 투자활동과 재무활동 거래
① 토지처분 미수금의 증가(처분가액 ×××) ×××

(2) 금융상품의 증가

금융자산의 취득과 관련한 당기증가분은 현금의 유출로 표시한다.

(3) 유형·무형자산의 취득

유형·무형자산의 취득과 관련하여 당기증가분은 현금의 유출로 표시한다. 다만, 현물출자로 인한 유형자산의 취득, 유형자산의 연불구입, 재평가에 의한 유형자산 증가 등 현금의 유출이 없는 거래 중 중요한 거래에 대해서는 주석에 별도 기재한다.

(차) 유 형·무 형 자 산   ×××   (대) 현 금 의   유 출   ×××

Chapter 05 재무활동 현금흐름

제1절 재무활동에 대한 정의

★
기업회계기준서 제1007호 '현금흐름표'

용어의 정의

6. 재무활동 : 기업의 납입자본과 차입금의 크기 및 구성내용에 변동을 가져오는 활동

 기업이 제반활동 중에서 영업활동과 투자활동은 기업의 수익획득 또는 자금의 운용을 위한 활동이므로 거래의 대부분이 재무상태표 중에서 자산계정과 밀접하게 관련된 거래로 구성되어 있다.

 반면, 재무활동은 직접적으로 수익획득을 목적으로 하지 않고 자산의 운용을 위해 필요한 자금의 조달과 상환을 위한 활동으로서 대부분 부채 및 자본계정의 변동을 수반하는 거래로 구성되어 있다.

 이상의 정의에 의하여 장·단기차입금의 차입이나 유상증자 등의 거래내역은 명확하게 재무활동으로 분류될 수 있다. 그러나 이자 및 배당금 지급은 현금의 차입 또는 자본금 조달과 관련하여 부수적으로 발생하는 거래로써 재무활동으로 분류하는 것이 논리적이나 한국채택국제회계기준에서는 이를 당기순이익 및 영업활동 현금흐름과 직접적으로 관련이 있다는 관점에서 매 기간 일관성 있게 영업활동 현금흐름 또는 재무활동 현금흐름으로 분류하도록 요구하고 있다(기준서 제1007호 문단 31, 33, 34).

제2절 재무활동에 대한 예시

★
기업회계기준서 제1007호 '현금흐름표'

재무활동

17. 재무활동 현금흐름은 미래현금흐름에 대한 자본 제공자의 청구권을 예측하는 데 유용하기 때문에 현금흐름을 별도로 구분 공시하는 것이 중요하다. 재무활동 현금흐름의 예는 다음과 같다.

    (1) 주식이나 기타 지분상품의 발행에 따른 현금유입

    (2) 주식의 취득이나 상환에 따른 소유주에 대한 현금유출

    (3) 담보·무담보부사채 및 어음의 발행과 기타 장·단기차입에 따른 현금유입

    (4) 차입금의 상환에 따른 현금유출

    (5) 리스이용자의 리스부채 상환에 따른 현금유출

재무활동이란 현금의 차입 및 상환활동, 신주발행, 영업활동과 관련이 없는 부채의 증가와 감소 등과 같이 부채 및 자본계정에 영향을 미치는 거래를 말한다.

1. 재무활동으로 인한 현금유입액

(1) 유동부채의 증가

유동부채 중에서 매입채무나 미지급비용 등 영업활동과 관련된 계정 이외의 단기차입금계정 등은 재무활동과 관련된 계정으로서 해당 부채의 증가는 현금의 유입으로 표시한다.

(차) 현 금 의 유 입   ×××   (대) 단 기 차 입 금   ×××

(2) 비유동부채의 증가

① 사채의 발행

(차) 현 금 의 유 입   ×××   (대) 사   채   ×××
   (발 행 가 액)

금융자산이나 금융부채는 최초인식시 공정가치로 측정한다. 다만, 당기손익-공정가치측정 금융자산 또는 당기손익-공정가치측정 부채가 아닌 경우 당해 금융자산(금융부채)의 취득(발행)과 직접 관련되는 거래원가는 최초인식하는 공정가치에 가산(차감)하여 측정한다(기준서 제1109호 문단 5.1.1). 따라서 이상의 분개에서 현금유입액은 거래원가를 차

감한 금액이다.

② 장기차입금의 차입

(차) 현 금 의 유 입   ×××   (대) 장 기 차 입 금   ×××

(3) 자본의 증가

① 유상증자에 의한 주식발행

(차) 현 금 의 유 입   ×××   (대) 자 본 금   ×××
　　　　　　　　　　　　　　　　　　주 식 발 행 초 과 금   ×××

② 기타자본구성요소의 증가

(차) 현 금 의 유 입   ×××   (대) 자 기 주 식   ×××
　　　　　　　　　　　　　　　　　　자 기 주 식 처 분 이 익   ×××

2. 재무활동으로 인한 현금유출액

(1) 유동부채의 감소

유동부채 중에서 재무활동과 관련된 계정인 단기차입금 계정의 감소는 현금의 유출로 표시한다.

(차) 단 기 차 입 금   ×××   (대) 현 금 의 유 출   ×××

(2) 비유동부채의 상환

① 사채의 상환

사채의 상환과 관련하여 현금유출액은 실제 상환액으로 표시하여 재무활동으로 분류한다. 단, 이자비용 부분과 조기상환손실은 금융비용으로 표시하여야 한다(이하 예제 1, 2 참고).

(차) 사 채   ×××   (대) 현 금 의 유 출   ×××
　　　　　　　　　　　　　　　　　(재무활동현금흐름)

예제 **1** 사채할인발행차금

기업이 액면가액 ₩100,000의 사채(10년만기, 액면이자율 0%)를 유효이자율 10%를 적용하여 ₩61,446만큼 할인된 ₩38,554로 발행하였다. 이 경우, 사채 발행시와 만기시 현금흐름표에 어떻게 표시할 것인가?

사채 발행시, ₩38,554의 현금유입액은 재무활동으로 표시될 것이다.

₩61,446의 할인금액은 사채의 예상만기 동안 유효이자율법으로 상각되어 손익계산서에 금융원가로 인식될 것이며, 그 기간 동안 현금흐름표에는 표시되지 않는다.

사채 만기시, ₩100,000을 상환하는 현금유출은 현금흐름표에 이자의 지급 ₩61,446과 장기차입금의 상환 ₩38,554로 나누어서 표시하여야 하는지, ₩100,000의 장기차입금을 상환하는 것으로 표시하여야 하는지 의문이 있을 수 있다.

할인액은 손익계산서 금융원가의 '이자비용'의 성격이다. 따라서, 만기에 ₩61,446의 할인액은 이자비용으로 분류되어 이자의 지급에 따른 현금흐름으로 별도 표시하고,, ₩38,554만을 재무활동에 사채의 상환으로 표시하여야 한다.

유사하게 사채 투자자도 만기에, ₩100,000의 현금유입액을 ₩61,446은 이자수익과 같이 표시하고, ₩38,554는 투자활동의 현금유입액으로 구분하여 표시하여야 한다.

예제 **2** 조기상환손익

위의 예제에서, 기업은 ×4년 초에 ₩55,000에 사채를 조기상환하기로 결정하였다. ×3년 말 재무상태표에 사채의 장부가액은 다음과 같다.

×1년 발생금액			38,554
×2년 발생 이자비용	10% on ₩38,554	3,855	
×3년 발생 이자비용	10% on ₩42,408	4,241	
×4년 발생 이자비용	10% on ₩46,649	4,665	
			12,761
장부금액	100,000 − (61,446 − 12,761)		51,315
조기상환액			55,000
조기상환손실			3,685

조기상환시에, 조기상환손실은 금융원가에 가산되어(즉, 금융원가 : ₩16,446 = ₩12,761 + ₩3,685) 표시되고, ₩38,554만이 재무활동에 사채상환금액으로 표시되는 것이 타당하다.

② **장기차입금의 상환**

(차) 장 기 차 입 금   ×××   (대) 현 금 의 유 출   ×××

(3) 자본의 감소

① 유상감자

(차) 자 본 금	×××	(대) 현 금 의 유 출	×××
		감 자 차 익	×××

② 자기주식의 취득

(차) 자 기 주 식	×××	(대) 현 금 의 유 출	×××

(4) 배당금의 지급(배당금의 지급이 재무활동 현금흐름으로 분류되는 경우)

(차) 미 지 급 배 당 금	×××	(대) 현 금 의 유 출	×××

Chapter
06

현금흐름표 작성 시 고려사항

1. 순증감액에 의한 현금흐름의 보고

　한국채택국제회계기준은 일반적으로 현금의 유입 및 유출의 주요 부분이 현금흐름표에 보고하도록 요구한다. 총액현금흐름은 사용자에게 현금흐름에 대한 사업활동의 효과에 더 자세한 정보를 제공하고 순액현금흐름보다 더 많은 정보를 제공한다. 그러나 일부 특정상황에서 순액현금흐름 보고가 허용된다.

> ★
> 기업회계기준서 제1007호 '현금흐름표'
>
> 22. 다음의 영업활동, 투자활동 또는 재무활동에서 발생하는 현금흐름은 순증감액으로 보고할 수 있다.
>   (1) 현금흐름이 기업의 활동이 아닌 고객의 활동을 반영하는 경우로서 고객을 대리함에 따라 발생하는 현금유입과 현금유출
>   (2) 회전율이 높고 금액이 크며 만기가 짧은 항목과 관련된 현금유입과 현금유출

　현금흐름이 기업의 활동이 아닌 고객을 대리하여 활동하는 경우로서 고객을 대리함에 따라 발생하는 현금유입과 현금유출은 서로 상계할 수 있다. 예를 들어, 기업이 대리인으로 활동하는 경우, 기업은 현금흐름표의 같은 활동아래 순액현금흐름을 표시(즉, 수령한 수수료만 반영)할지 또는 총액현금흐름을 사용할지에 대한 회계정책을 선택할 수 있다. 기준서 제1007호 문단 22(1)과 관련된 예는 다음과 같다(기준서 제1007호 문단 23).

- 은행의 요구불 예금의 수취와 상환
- 투자기업이 보유하고 있는 고객예탁금
- 부동산 소유주를 대신하여 회수한 임대료와 소유주에게 지급한 임대료

　또한 현금의 유입과 현금의 유출은 회전율이 높고 금액이 크며 만기가 짧은 항목과 관련된 영업활동, 투자활동 및 재무활동으로부터 발생한 항목들의 순증감액으로 보고될 수 있다(기준서 제1007호 문단 23A).

- 신용카드 고객에 대한 대출과 회수
- 투자자산의 구입과 처분
- 기타 단기차입금(예를 들어, 차입 당시 만기일이 3개월 이내인 경우)

한편, 금융회사의 경우 다음 활동에서 발생하는 현금흐름은 순증감액으로 표시할 수 있다(기준서 제1007호 문단 24).

- 확정만기조건 예수금의 수신과 인출에 따른 현금유입과 현금유출
- 금융회사 간의 예금이체 및 예금인출
- 고객에 대한 현금 선지급과 대출 및 이의 회수

2. 외화현금흐름

★
기업회계기준서 제1007호 '현금흐름표'
25. 외화거래에서 발생하는 현금흐름은 현금흐름 발생일의 기능통화와 외화 사이의 환율을 외화 금액에 적용하여 환산한 기능통화 금액으로 기록한다.
26. 해외 종속기업의 현금흐름은 현금흐름 발생일의 기능통화와 외화 사이의 환율로 환산한다.

외화로 표시된 현금흐름은 기준서 제1021호 '환율변동효과'와 일관된 방법으로 보고한다. 이 기준서에서는 실제 환율에 근접한 환율의 적용을 허용하고 있다. 예를 들어 외화거래를 기록하거나 해외 종속기업의 현금흐름을 환산할 때 일정기간 동안의 가중평균환율을 적용할 수 있다. 그러나 기준서 제1021호는 해외 종속기업의 현금흐름을 환산할 때 보고기간말의 환율을 적용하는 것은 허용하지 않는다(기준서 제1007호 문단 27).

한편, 환율변동으로 인한 미실현손익은 현금흐름이 아니다. 그러나 외화로 표시된 현금및현금성자산의 환율변동효과는 기초와 기말의 현금및현금성자산을 조정하기 위해 현금흐름표에 보고한다. 이 금액은 영업활동, 투자활동 및 재무활동 현금흐름과 구분하여 별도로 표시하며, 그러한 현금흐름을 기말 환율로 보고하였다면 발생하게 될 차이를 포함한다(기준서 제1007호 문단 28).

| 환율변동효과의 표시 |

현금흐름표

영업활동으로 인한 현금흐름	××
⋮	
투자활동으로 인한 현금흐름	××
⋮	
재무활동으로 인한 현금흐름	××
⋮	
환율변동효과 반영전 현금및현금성자산의 순증(감)	××
현금및현금성자산에 대한 환율변동효과	××
현금및현금성자산의 순증(감)	××
기초 현금및현금성자산	××
기말 현금및현금성자산	××

3. 이자와 배당금의 수취 및 지급

★
기업회계기준서 제1007호 '현금흐름표'

31. 이자와 배당금의 수취 및 지급에 따른 현금흐름은 각각 별도로 공시한다. 각 현금흐름은 매 기간 일관성 있게 영업활동, 투자활동 또는 재무활동으로 분류한다.

32. 기업회계기준서 제1023호 '차입원가'에 따라 회계기간 동안 지급한 이자금액은 당기손익의 비용항목으로 인식하는지 또는 자본화하는지에 관계없이 현금흐름표에 총지급액을 공시한다.

한국채택국제회계기준에서는 배당 및 이자관련 현금 유·출입의 활동에 대하여 기업영업활동에 따라 적절하게 분류할 수 있도록 허용하고 있다. 일반적으로 금융기관에 있어서 배당금 및 이자 수취 및 지급과 관련하여는 영업활동으로 분류하는 것이 인정되고 있으나, 그 외의 업종에서는 분류가 명확히 지정되어 있지는 않다. 그러므로 배당금 및 이자 수취 및 지급에 대하여 매 기 일관성 있게 적용한다는 조건하에서 다음과 같이 분류하는 것을 허용하고 있다(기준서 제1007호 문단 33, 34).

• 배당금 및 이자의 수취는 영업활동 또는 투자활동으로 분류
• 배당금 및 이자의 지급은 영업활동 또는 재무활동으로 분류

4. 법인세로 인한 현금흐름

★
기업회계기준서 제1007호 '현금흐름표'

35. 법인세로 인한 현금흐름은 별도로 공시하며, 재무활동과 투자활동에 명백히 관련되지 않는 한 영업활동 현금흐름으로 분류한다.

법인세는 현금흐름표에서 영업활동, 투자활동 또는 재무활동으로 분류되는 현금흐름을 유발하는 거래에서 발생한다. 법인세비용이 투자활동이나 재무활동으로 쉽게 식별가능한 경우에도 관련된 법인세 현금흐름은 실무적으로 식별할 수 없는 경우가 많으며, 당해 거래의 현금흐름과 다른 기간에 발생하기도 한다. 따라서 법인세의 지급은 일반적으로 영업활동 현금흐름으로 분류한다. 그러나 투자활동이나 재무활동으로 분류한 현금흐름을 유발하는 개별 거래와 관련된 법인세 현금흐름을 실무적으로 식별할 수 있다면, 그 법인세 현금흐름은 투자활동이나 재무활동으로 적절히 분류한다. 법인세 현금흐름이 둘 이상의 활동에 배분되는 경우에는 법인세의 총지급액을 공시한다(기준서 제1007호 문단 36).

5. 종속기업, 관계기업 및 공동기업에 대한 투자

★
기업회계기준서 제1007호 '현금흐름표'

37. 관계기업, 공동기업 또는 종속기업에 대한 투자를 지분법 또는 원가법을 적용하여 회계처리하는 경우, 투자자는 배당금이나 선급금과 같이 투자자와 피투자자 사이에 발생한 현금흐름만을 현금흐름표에 보고한다.

지분법을 적용하여 관계기업 또는 공동기업 투자지분을 보고하는 기업은 관계기업 또는 공동기업에 대한 투자, 분배 및 그 밖의 당해 기업과 관계기업 또는 공동기업 사이의 지급액이나 수취액과 관련된 현금흐름을 현금흐름표에 포함한다(기준서 제1007호 문단 38).

6. 종속기업과 기타 사업의 취득과 처분

★

기업회계기준서 제1007호 '현금흐름표'

39. 종속기업과 기타 사업에 대한 지배력의 획득 또는 상실에 따른 총현금흐름은 별도로 표시하고 투자활동으로 분류한다.

40. 회계기간 중 종속기업이나 기타 사업에 대한 지배력을 획득 또는 상실한 경우에는 다음 사항을 총액으로 공시한다.

(1) 총취득대가 또는 총처분대가

(2) 매수대가 또는 처분대가 중 현금및현금성자산으로 지급하거나 수취한 부분

(3) 지배력을 획득하거나 상실한 종속기업 또는 기타 사업이 보유한 현금및현금성자산의 금액

(4) 지배력을 획득하거나 상실한 종속기업 또는 기타 사업이 보유한 현금및현금성자산 이외의 자산·부채 금액에 대한 주요 항목별 요약정보

종속기업 또는 기타 사업에 대한 지배력 획득 또는 상실에 따른 현금흐름 효과를 한 항목으로 구분·표시하고 취득하거나 처분한 자산·부채 금액을 주석에 별도로 공시하면, 다른 영업활동, 투자활동 및 재무활동으로 인한 현금흐름과 쉽게 구별할 수 있다. 지배력 상실의 현금흐름 효과는 지배력 획득의 현금흐름 효과에서 차감하지 않는다(기준서 제1007호 문단 41).

종속기업 또는 기타 사업에 대한 지배력 획득 또는 상실의 대가로 현금을 지급하거나 수취한 경우에는 그러한 거래, 사건 또는 상황변화의 일부로서 취득이나 처분 당시 종속기업 또는 기타 사업이 보유한 현금및현금성자산을 가감한 순액으로 현금흐름표에 보고한다(기준서 제1007호 문단 42).

지배력을 상실하지 않는 종속기업에 대한 소유지분의 변동으로 발생한 현금흐름은 재무활동 현금흐름으로 분류한다(기준서 제1007호 문단 42A).

지배력을 상실하지 않는 종속기업에 대한 소유지분의 변동(예 : 지배기업이 종속기업의 지분상품을 후속적으로 매입하거나 처분하는 경우)은 자본거래로 회계처리한다(기준서 제1110호 '연결재무제표' 참조). 따라서 그러한 현금흐름은 소유주와의 그 밖의 거래와 동일한 방법으로 분류한다(기준서 제1007호 문단 42B).

7. 공시사항

한국채택국제회계기준에서는 현금흐름표와 관련하여 부가적인 주석을 공시할 것을 요구하고 있다. 현금흐름표에 대한 공시항목 중 일부는 이상에서 언급되었으나, 이하에서는 공시대상 항목을 종합하여 기술하였다.

- 영업활동 현금흐름을 간접법으로 작성하는 경우, 당기순이익에 손익조정항목을 반영하여 산출하여야 한다(기준서 제1007호 문단 18, 20). 당기순이익에 손익조정항목을 반영하여 영업활동 현금흐름을 도출하는 과정(차이조정내역, reconciliation)은 현금흐름표상에 나타나거나, 또는 주석에 기재된다.

- 현금흐름표상 현금에 포함되는 현금및현금성자산의 구성요소, 현금흐름표상의 금액과 재무상태표에 보고된 해당 항목의 조정내용을 공시하여야 한다. 기준서 제1007호 '현금흐름표'에서는, 기준서 제1001호 '재무제표 표시'를 준수하기 위해서는 반드시 현금및현금성자산의 분류 기준 및 정책을 주석에 공시하여야 한다고 규정하고 있다(기준서 제1007호 문단 45, 46). 한편, 현금및현금성자산의 구성요소를 결정하는 정책의 변경(예를 들어, 투자자산의 일부로 간주되었던 금융상품의 분류 변경)에 따른 효과는 기준서 제1008호 '회계정책, 회계추정의 변경 및 오류'에 따라 보고한다.

- 회계기간 중 종속기업이나 기타 사업에 대한 지배력을 획득 또는 상실한 경우에는 다음 사항을 총액으로 공시한다(기준서 제1007호 문단 40).
  ① 총취득대가 또는 총처분대가
  ② 매수대가 또는 처분대가 중 현금및현금성자산으로 지급하거나 수취한 부분
  ③ 지배력을 획득하거나 상실한 종속기업 또는 기타 사업이 보유한 현금및현금성자산의 금액
  ④ 지배력을 획득하거나 상실한 종속기업 또는 기타 사업이 보유한 현금및현금성자산 이외의 자산·부채 금액에 대한 주요 항목별 요약정보

- 정보이용자에게 목적적합한 정보를 제공할 수 있도록, 비현금 투자활동과 재무활동 거래를 주석으로 공시한다(기준서 제1007호 문단 43). 이와 같은 거래는 당기에 현금흐름을 수반하지는 않으나 다수의 현금거래가 한 번에 이루어진 것과 같은 효과를 가져온다. 예를 들면, 대출채권의 출자전환의 경우 해당 대출채권을 현금으로 갚은 후 신주발행 대신 현금을 받는 것과 같다. 그러나 실제 현금흐름은 발생하지 않으므로 현금흐름표에 해당 거래가 나타나지 않는다. 즉, 명목적 현금유출은 동일한 반대 명목적 현금유입에 의해 반제되므로 현금흐름표 제시만으로는 중요한 정보가 공개되지 않는 상황이 발생한다. 그러므로 기업의 모든 활동에 대해 보고하기 위해

서 중요한 비현금 거래를 현금흐름표의 주석으로 공시하여 해당 거래에 대한 모든 관련 정보를 제공해야 한다. 기준서 제1007호 '현금흐름표'에서 제시하는 또 다른 비현금 거래의 유형은 자산 취득시 직접 관련된 부채를 인수하거나 금융리스를 통하여 자산을 취득하는 경우 및 주식발행을 통해 기업을 인수하는 경우 등이다(기준서 제1007호 문단 44). 또한 기준서 제1108호 '영업부문'에 따르면 감가상각비와 무형자산상각비 외의 중요한 비현금항목에 대해 해당 항목이 최고영업의사결정자가 검토하는 부문당기손익에 포함되어 있거나 부문당기손익에 포함되어 있지 않더라도 최고영업의사결정자에게 정기적으로 제공되는 경우, 그 항목도 각 보고부문별로 공시하여야 한다(기준서 제1108호 문단 23(9)).

- 기업이 보유한 현금및현금성자산 중 유의적인 금액을 연결실체가 사용할 수 없는 경우, 경영진의 설명과 함께 그 금액을 공시하여야 한다(기준서 제1007호 문단 48). 예를 들어, 에스크로 계정(escrow account)에 특정목적으로만 사용할 수 있도록 예탁되어 있는 예금 및 외화거래가 제한되어 있는 나라에서 영업활동을 영위하는 종속기업이 보유하는 현금의 경우, 연결실체 안에서 동 현금및현금성자산을 자유롭게 송금·사용할 수 없다. 이러한 경우, 우선 해당 현금, 예금 등이 기준서 제1007호 '현금흐름표'에서 정의하는 현금및현금성자산에 포함되는지 여부를 테스트하여야 한다. 만일 현금및현금성자산의 정의를 만족한다면 동 현금, 예금 등을 현금흐름표상의 현금및현금성자산의 기말 잔액에 포함하여 표시하고, 연결실체가 사용할 수 없는 금액과 그에 대한 설명을 추가 공시한다.

- 중단영업(단, 취득 당시 매각예정으로 분류한 신규 취득 종속기업인 경우를 제외)의 영업활동, 투자활동 및 재무활동으로부터 발생한 순현금흐름을 주석 또는 재무제표 본문에 공시하여야 한다(기준서 제1105호 문단 33(3)).

- 재무제표이용자들이 재무활동에서 생기는 부채의 변동(현금흐름에서 생기는 변동과 비현금 변동을 모두 포함)을 평가할 수 있도록 관련 내용을 공시한다. 재무활동에서 생기는 부채란 현금흐름표에 재무활동으로 분류되었거나 미래에 재무활동으로 분류될 현금흐름과 관련된 부채를 말한다. 이를 충족하기 위해 필요하다면, 재무활동에서 생기는 다음의 부채 변동을 공시한다.
  ① 재무현금흐름에서 생기는 변동
  ② 종속기업이나 그 밖의 사업에 대한 지배력 획득 또는 상실에서 생기는 변동
  ③ 환율변동효과
  ④ 공정가치변동
  ⑤ 그 밖의 변동

현금흐름표의 작성사례

1. 현금흐름표 작성을 위한 자료제시 및 분석

A사 재무상태표	20×2년		20×1년	
자산				
현금및현금성자산		230		160
수취채권		1,900		1,200
재고자산		1,000		1,950
포트폴리오투자자산		2,500		2,500
유형자산	3,730		1,910	
감가상각누계액	(1,450)		(1,060)	
유형자산순액		**2,280**		850
자산총계		**7,910**		**6,660**
부채				
매입채무		250		1,890
미지급이자		230		100
미지급법인세		400		1,000
장기차입금		2,300		1,040
부채총계		**3,180**		**4,030**
자본				
납입자본		1,500		1,250
이익잉여금		3,230		1,380
자본총계		**4,730**		**2,630**
부채 및 자본 총계		**7,910**		**6,660**

A사 20×2년 연결포괄손익계산서

매출액	30,650
매출원가	(26,000)
매출총이익	4,650
감가상각비	(450)
판매비와 관리비	(910)
이자비용	(400)
이자수익	300
배당금수익	200
외화환산손실	(40)
법인세비용차감전순이익	3,350
법인세비용	(300)
당기순이익	3,050

A사의 재무제표는 이상과 같으며, 추가정보는 다음과 같다.

• 종속기업의 모든 주식을 590에 취득하였다.

  취득 자산과 인수 부채의 공정가치 –

  재고자산 : 100, 수취채권 : 100, 현금 : 40, 유형자산 : 650, 매입채무 : 100, 장기
  차입금 : 200

• 유상증자로 250, 장기차입금으로 250을 조달하였다.

• 이자비용은 400이었고 이 가운데 170을 당기에 지급하였다. 또한 과거기간의 이자
  비용과 관련하여 100을 당기에 지급하였다. 회사는 이자 지급을 재무활동으로 분류
  하는 회계정책을 채택하고 있다.

• 배당금으로 1,200을 지급하였다. 회사는 배당금 지급을 재무활동으로 분류하는 회
  계정책을 채택하고 있다.

• 기초와 기말의 법인세부채는 각각 1,000과 400이었다. 당기에 추가로 200의 세금
  이 발생하였다. 배당금 수취에 대한 원천납부세액은 100이었다. 회사는 배당금 수
  취를 투자활동으로 분류하는 회계정책을 채택하고 있다.

• 그룹은 당기에 유형자산을 총 원가 1,250에 취득하였으며 이 중에서 900은 금융리
  스로 취득하였다. 나머지 350은 현금으로 지급하였다.

• 취득원가가 80이고 감가상각누계액이 60인 공장 설비를 20에 매각하였다.

• 20×9년말의 수취채권에는 미수이자 100이 포함되어 있다.

2. 현금흐름표의 작성

연결 현금흐름표
20×2년

영업활동 현금흐름		
법인세비용차감전순이익	3,350	
가감 :		
감가상각비	450	
외화환산손실	40	
이자수익	(300)	
배당금수익	(200)	
이자비용	400	
자산, 부채의 증감		
매출채권 및 기타채권의 증가	(500)	
재고자산의 감소	1,050	
매입채무의 감소	(1,740)	
영업에서 창출된 현금	2,550	
법인세의 납부	(900)	
영업활동 순현금흐름		**1,650**
투자활동 현금흐름		
종속기업의 취득에 따른 순현금흐름	(550)	
유형자산의 취득	(350)	
설비의 처분	20	
이자수취	200	
배당금수취	200	
투자활동 순현금흐름		**(480)**
재무활동 현금흐름		
유상증자	250	
장기차입금	250	
금융리스부채의 상환	(90)	
이자지급	(270)	
배당금지급	(1,200)	
재무활동 순현금흐름		**(1,060)**
외화표시 현금및현금성자산의 환율변동효과		**(40)**
현금및현금성자산의 순증감		**70**
기초 현금및현금성자산		**160**
기말 현금및현금성자산		**230**

II

자본변동표

Chapter 01 자본변동표의 의의

제1절 자본변동표의 의의

　자본변동표는 자본의 크기와 그 변동에 관한 정보를 제공하는 재무보고서로서, 자본을 구성하고 있는 구성요소의 변동에 대한 포괄적인 정보를 제공한다.

　보고기간 시작일과 종료일 사이의 자본의 변동은 당해 기간의 순자산 증가 또는 감소를 반영한다. 소유주로서의 자격을 행사하는 소유주와의 거래 및 그러한 거래와 직접 관련이 있는 거래원가에서 발생하는 변동을 제외하고는, 한 기간 동안의 자본의 총 변동은 그 기간 동안 기업활동에 의해 발생된 차익과 차손을 포함한 수익과 비용의 총 금액을 나타낸다(기준서 제1001호 문단 109).

　자본변동표에는 소유주의 출자와 소유주에 대한 배분, 그리고 포괄이익 등에 대한 정보가 포함된다. 소유주의 출자는 현금, 재화 및 용역의 투자, 또는 부채의 전환 등에 의해 이루어지며, 그에 따라 기업실체의 자본이 증가하게 된다. 소유주에 대한 분배는 현금배당 또는 자기주식 취득의 방법으로 이루어질 수 있으며, 그에 따라 기업실체의 자본이 감소하게 된다. 이러한 거래들에 대한 정보는 다른 재무제표 정보와 더불어 당해 기업실체의 재무적 탄력성, 수익성 및 위험 등을 평가하는 데 유용하다.

제2절 자본변동표의 유용성

1. 자본의 변동내용에 대한 포괄적인 정보 제공

자본변동표는 자본의 변동내용에 대한 포괄적인 정보를 제공한다. 자본변동표는 재무상태표에 표시되어 있는 자본의 변동내용을 설명하는 재무보고서로서, 자본을 구성하고 있는 항목들의 변동내용에 대한 정보를 제공하게 된다.

2. 재무제표 간 연계성 제고 및 재무제표의 이해가능성 증진

자본변동표는 재무제표 간의 연계성을 제고시키며 재무제표의 이해가능성을 높인다. 재무상태표에 표시되어 있는 자본의 기초잔액과 기말잔액을 제시함으로써 재무상태표와 연결할 수 있고, 자본의 변동내용은 포괄손익계산서와 현금흐름표에 나타난 정보와 연결할 수 있어 정보이용자들이 더욱 명확히 재무제표 간의 관계를 파악할 수 있게 된다.

자본변동표는 자산, 부채, 자본 변동의 주요 원천에 대한 정보를 제공한다. 그러나, 이러한 정보는 다른 재무제표 정보와 함께 사용되어야 그 유용성이 증대된다. 예를 들어, 소유주에 대한 배당은 포괄손익계산서상의 이익과 비교될 필요가 있으며, 유상증자 및 자기주식 취득과 배당은 신규 차입 및 기존 채무의 상환 등과 비교될 때 그 정보유용성이 증대될 수 있다.

3. 포괄적인 경영성과에 대한 정보 제공

자본변동표는 당기순이익에 포함되지 않고, 재무상태표의 자본에 직접 가감되는 항목에 대한 정보를 제공한다. 이러한 항목에는 기타포괄손익 - 공정가치 측정 금융자산 평가손익이나 해외사업장외화환산차이 등과 같은 미실현손익이 포함되는데, 자본변동표는 이러한 미실현손익의 변동내용을 나타냄으로써 포괄적인 경영성과에 대한 정보를 직접적 또는 간접적으로 제공하게 된다. 또한 자본변동표는 포괄손익계산서에서 총계로 표시되는 항목(당기순손익, 기타포괄손익의 항목들)을 지배기업의 소유주와 비지배지분에게 각각 귀속되는 금액으로 세분화해 표시하므로, 포괄손익계산서의 내용을 확인하고 보완하는 기능을 한다.

Chapter 02 자본변동표의 체계

제1절 │ **자본변동표의 기본구조**

★

기업회계기준서 제1001호 '재무제표 표시'

자본변동표에 표시되어야 하는 정보

106. 문단 10에서 요구하는 바에 따라 자본변동표를 작성한다. 자본변동표에는 다음의 정보를 포함한다.

   (1) 지배기업의 소유주와 비지배지분에게 각각 귀속되는 금액으로 구분하여 표시한 해당 기간의 총포괄손익

   (2) 자본의 각 구성요소별로, 기업회계기준서 제1008호에 따라 인식된 소급 적용이나 소급 재작성의 영향

   (3) [국제회계기준위원회에 의하여 삭제됨]

   (4) 자본의 각 구성요소별로 다음의 각 항목에 따른 변동액을 구분하여 표시한, 기초시점과 기말시점의 장부금액 조정내역

      (가) 당기순손익

      (나) 기타포괄손익

      (다) 소유주로서의 자격을 행사하는 소유주와의 거래(소유주에 의한 출자와 소유주에 대한 배분, 그리고 지배력을 상실하지 않는 종속기업에 대한 소유지분의 변동을 구분하여 표시)

다음은 한국채택국제회계기준에서 요구하는 사항들을 표시한 자본변동표 예시이다.

자본변동표
제 9 기 20×7년 1월 1일부터 20×7년 12월 31일까지
제 8 기 20×6년 1월 1일부터 20×6년 12월 31일까지

(단위 : 원)

| | 지배기업의 소유주에게 귀속되는 자본① | | | | | 비지배 지분② | 합계 |
	납입 자본③	이익 잉여금④	기타포괄손익 누계액⑤	기타자본 구성요소⑥	소계		
기초자본(20×6년 1월 1일)	×××	×××	×××	×××	×××	×××	×××
회계정책변경에 따른 증가(감소)⑦	×××	×××	×××	×××	×××	×××	×××
재작성된 금액⑧	×××	×××	×××	×××	×××	×××	×××
수정후 기초자본	×××	×××	×××	×××	×××	×××	×××
20×6년의 자본 변동내역							
총포괄손익⑨							
당기순손익⑩		×××			×××	×××	×××
기타포괄손익⑪							
토지와 건물의 재평가			×××		×××	×××	×××
지분상품 투자자산			×××		×××	×××	×××
현금흐름위험회피			×××		×××	×××	×××
해외사업장환산 외환차이			×××				
확정급여채무의 재측정요소		×××					
총포괄손익 합계	×××	×××	×××	×××	×××	×××	×××
소유주로서의 자격을 행사하는 소유주와의 거래⑫							
소유주에 의한 출자⑬	×××				×××	×××	×××	×××
소유주에 대한 배분⑭	(×××)			(×××)	(×××)	(×××)	(×××)
종속기업에 대한 소유지분의 변동⑮	×××				×××	×××	×××	×××
기타 소유주와의 거래⑯	×××				×××	×××	×××	×××
소유주와의 거래 합계	×××				×××	×××	×××	×××
대체와 기타 변동에 따른 증감	×××	×××	×××	×××	×××	×××	×××
기말자본(20×6년 12월 31일)	×××	×××	×××	×××	×××	×××	×××
20×7년의 자본 변동내역							
총포괄손익							
당기순손익		×××				×××	×××
기타포괄손익							
토지와 건물의 재평가			×××		×××	×××	×××
지분상품 투자자산			×××		×××	×××	×××

현금흐름위험회피			×××		×××	×××	×××
해외사업장환산 외환차이			×××		×××	×××	×××
확정급여채무의 재측정 요소		×××					
총포괄손익 합계	×××	×××	×××	×××	×××	×××	×××
소유주로서의 자격을 행사 하는 소유주와의 거래							
소유주에 의한 출자	×××			×××	×××	×××	×××
소유주에 대한 배분	(×××)			(×××)	(×××)	(×××)	(×××)
종속기업에 대한 소유 지분의 변동	×××			×××	×××	×××	×××
기타 소유주와의 거래	×××			×××	×××	×××	×××
대체와 기타 변동에 따른 증감	×××	×××	×××	×××	×××	×××	×××
기말자본(20×7년12월31일)	×××	×××	×××	×××	×××	×××	×××

① 지배기업의 소유주에 귀속되는 자본

기준서 제1001호 문단 106(1)에 따르면, 지배기업의 소유주와 비지배지분에게 각각 귀속되는 금액으로 구분하여 표시한 해당 기간의 총포괄손익이 자본변동표에 포함되어야 한다. 이러한 요구사항을 반영하기 위하여, 자본변동표에 표시되는 자본의 구성요소는 지배기업의 소유주에 귀속되는 자본과 비지배지분으로 양분된다.

② 비지배지분

비지배지분은 종속기업에 대한 지분 중 지배기업에 직접 또는 간접으로 귀속되지 않는 지분을 의미한다(기준서 제1103호 부록 A 용어의 정의).

③ 납입자본

기준서 제1001호 문단 108에 따르면, 자본변동표에 표시되는 자본의 구성요소는 각 분류별 납입자본, 각 분류별 기타포괄손익의 누계액과 이익잉여금의 누계액 등을 포함한다.

납입자본은 유상증자, 주식배당, 배당금의 재투자(voluntary reinvestment of dividends on ordinary or preference shares), 기타 자본구성요소의 자본전입 등에 의하여 발생한다. 우리나라의 경우, 납입자본을 액면자본금과 주식발행초과금으로 세분하여 표시하기도 한다.

④ 이익잉여금

③에서 전술한 바와 같이, 자본변동표에 표시되는 자본의 구성요소는 이익잉여금 누계액을 포함한다. 우리나라의 경우 이익잉여금은 이익준비금 등의 상법상 법정적립금, 임의적립금, 미처분이익잉여금 등으로 구성된다.

⑤ 기타포괄손익누계액

③에서 전술한 바와 같이, 자본변동표에 표시되는 자본의 구성요소는 기타포괄손익누계액을 포함한다.

⑥ 기타자본구성요소

납입자본, 이익잉여금, 기타포괄손익누계액에 포함되지 않는 기타의 자본구성요소(자기주식, 전환사채의 전환권대가, 자기주식처분손익, 연결실체 내 자본거래, 자본금을 액면미달발행시 액면가와 발행가의 차이 등)를 의미한다.

⑦ 회계정책변경에 따른 증가(감소)

기준서 제1008호에 따르면, 다른 한국채택국제회계기준의 경과규정에서 달리 규정하는 경우를 제외하고, 회계정책의 변경효과와 오류수정에 대해 실무적으로 적용할 수 있는 범위까지 소급하여 재무제표를 재작성하여야 한다. 한국채택국제회계기준이 자본의 다른 구성요소의 소급 수정을 요구하는 경우를 제외하고는 소급법을 적용한 수정과 재작성은 자본의 변동은 아니지만 이익잉여금 기초잔액의 수정을 초래한다(기준서 제1001호 문단 110). 따라서 자본의 각 구성요소별로, 기준서 제1008호에 따라 인식된 소급 적용이나 소급 재작성의 영향을 자본변동표에 표시하여야 한다(기준서 제1001호 문단 106(2)).

⑧ 재작성된 금액

⑦에서 전술한 바와 같이, 기준서 제1008호에 따라 인식된 오류수정의 소급 효과를 자본변동표에 표시하여야 한다.

⑨ 총포괄손익

①에서 전술한 바와 같이, 지배기업의 소유주와 비지배지분에게 각각 귀속되는 금액으로 구분하여 표시한 해당 기간의 총포괄손익이 자본변동표에 포함되어야 한다.

⑩ 당기순이익

기준서 제1001호 문단 106(4)에 따르면, 자본의 각 구성요소별로 당기순손익, 기타포괄손익, 소유주로서 자격을 행사하는 소유주와의 거래와 관련된 변동액을 자본변동표에 표시하여야 한다.

⑪ 기타포괄손익

⑩에서 전술한 바와 같이, 자본의 각 구성요소별로 기타포괄손익 변동액을 자본변동표에 표시하여야 한다. 기타포괄손익 항목으로는 지분상품 투자자산의 평가금액, 해외사업장외화환산차이, 현금흐름 위험회피, 순투자에 대한 위험회피, 유형자산과 무형자산의 재평가잉여금의 변동, 확정급여제도의 재측정요소 등이 있다. 한국채택국제회계기준은 과거기간에 기타포괄손익으로 인식한 금액을 당기손익으로 재분류할지 여부와 그 시기에 대하여 규정하고 있다. 단, 해외사업장외화환산차이, 현금흐름 위험회피, 순투자에 대한 위험회피는 관련 자산 또는 부채를 재무제표에서 제거할 때 기타포괄손익으로 인식되어 있던 금액을 당기손익으로 재분류하나('재분류조정'), 유형자산과 무형자산의 재평가잉여금 및 확정급여제도의 재측정요소는 재분류조정되지 아니함에 유의하여야 한다(기준서 제1001호 문단 93, 96). 유형자산과 무형자산의 재평가잉여금은 자산이 사용되는 후속기간 또는 자산이 제거될 때 이익잉여금으로 대체될 수 있으며, 확정급여제도의 재측정요소는 자본 내에서 대체할 수 있다. 기타포괄손익의 항목별 분석내용은 자본변동표에 표시하거나 주석으로 공시할 수 있다(기준서 제1001호 문단 106A).

⑫ 소유주로서의 자격을 행사하는 소유주와의 거래

⑩에서 전술한 바와 같이, 자본의 각 구성요소별로 소유주로서의 자격을 행사하는 소유주와의 거래와 관련된 변동액을 자본변동표에 표시하여야 한다. '소유주'는 기업의 지분투자자를 의미하며, '소유주로서의 자격을 행사하는 소유주와의 거래'는 포괄손익의 증감(해당 회계기간 동안 기업활동에 의해 발생된 차익과 차손을 포함한 수익과 비용의 총 금액(기준서 제1001호 문단 109))으로 반영되는 거래와는 대별되는 거래, 즉 주주와의 자본거래를 의미한다. 따라서 기준서 제1001호 문단 106(4)는 '소유주로서의 자격을 행사하는 소유주와의 거래'로서 소유주에 의한 출자, 소유주에 대한 배분, 지배력을 상실하지 않는 종속기업에 대한 소유지분의 변동을 열거하고 있다. 또한 기준서 제1001호 문단 109는 기업자신의 지분상품의 재취득 역시 '소유주로서의 자격을 행사하는 소유주와의 거래'로 기술하고 있다.

⑬ 소유주에 의한 출자

기준서 제1001호 문단 106(4)에 따르면, 자본의 각 구성요소별로 소유주로서의 자격을 행사하는 소유주와의 거래인 소유주에 의한 출자, 소유주에 대한 배분, 지배력을 상실하지 않는 종속기업에 대한 소유지분의 변동을 구분하여 자본변동표에 표시하여야 한다.

⑭ 소유주에 대한 배분

⑫에서 전술한 바와 같이, 자본의 각 구성요소별로 소유주에 대한 배분을 자본변동표에 표시하여야 한다.

⑮ 종속기업에 대한 소유지분의 변동

⑫에서 전술한 바와 같이, 자본의 각 구성요소별로 지배력을 상실하지 않는 종속기업에 대한 소유지분의 변동을 자본변동표에 표시하여야 한다.

⑯ 기타 소유주와의 거래

기타 소유주와의 거래는 자기주식의 취득, 처분 등의 활동이 포함된다.

자본변동표나 주석에 표시되어야 하는 정보

★
기업회계기준서 제1001호 '재무제표 표시'

재무상태표 또는 주석에 표시되는 정보

79. 재무상태표, 자본변동표 또는 주석에 다음 항목을 공시한다.

  (1) 주식의 종류별로 다음의 사항

    (가) 수권주식수

    (나) 발행되어 납입 완료된 주식수와 발행되었으나 부분 납입된 주식수

    (다) 주당 액면가액 또는 무액면주식이라는 사실

    (라) 유통주식수의 기초 수량으로부터 기말 수량으로의 조정내역

    (마) 배당의 지급 및 자본의 환급에 대한 제한을 포함하여 각 종류별 주식에 부여된 권리, 우선권 및 제한사항

    (바) 발행주식 중 당해 기업, 종속기업 또는 관계기업이 소유하고 있는 주식

    (사) 옵션과 주식 매도 계약에 따라 발행 예정된 주식(조건과 금액 포함)

  (2) 자본을 구성하는 각 적립금의 성격과 목적에 대한 설명

자본변동표나 주석에 표시되어야 하는 정보

106A. 자본의 각 구성요소에 대하여 자본변동표나 주석에 기타포괄손익의 항목별 분석 내용을 표시한다(문단 106(4)(나) 참조).

107. 자본변동표나 주석에 당해 기간 동안에 소유주에 대한 배분으로 인식된 배당금액과 주당배당금을 표시한다.

    자본변동표나 주석에는 자본의 각 구성요소에 대하여 기타포괄손익의 항목별 분석 내용, 배당금액과 주당배당금을 표시하여야 한다. 또한 재무상태표, 자본변동표 또는 주석에 주식의 종류별로 수권주식 수, 발행주식 수 등의 정보와 자본을 구성하는 각 적립금의 성격 및 목적에 대한 설명을 표시하여야 한다.

중간재무보고

중간재무보고의 의의

1. 의 의

　전통적으로 기업은 통상 1년을 주기로 하여 1회계연도에 한 번씩 재무제표를 공표하고 있으며 이를 연차재무제표라고 한다. 또한 복잡한 재무제표를 빈번히 작성하여 공표하는 것이 정보의 산출 및 작성 비용을 증가시켜 기업에게 상당한 부담을 주는 것은 분명함에도 불구하고 기업들은 보다 적시성 있는 회계정보를 요구하는 외부 정보이용자들의 정보수요에 대응하기 위하여 연차재무제표 외에도 분기별 혹은 반기별로 재무제표를 작성·공표하고 있다.

　중간재무보고서는 한 회계연도보다 짧은 회계기간(중간기간)을 대상으로 작성하는 재무보고서로서 회계정보의 질적특성 중 적시성을 제고하기 위하여 필수적인 수단이지만, 적시성을 갖춘 목적적합한 재무제표는 거래의 인식 및 측정과정에서 배분과 추정에 의존해야 하는 경우가 많으므로 신뢰성이 저하될 가능성이 있다.

　기준서 제1034호의 목적은 중간재무보고서에 포함되어야 할 최소한의 내용 및 중간기간의 전체 재무제표 또는 요약재무제표에 적용할 인식과 측정원칙을 정하는 데 있다. 적시성과 신뢰성이 있는 중간재무보고는 투자자, 채권자 및 기타 정보이용자가 기업의 이익 및 현금흐름 창출능력과 재무상태 및 유동성을 판단하는 데 유용한 정보를 제공한다.

2. 용어의 정의

　기준서 제1034호 문단 4에서는 중간기간 및 중간재무보고서에 대하여 다음과 같이 정의한다.

① 중간기간 : 한 회계연도보다 짧은 회계기간. "누적중간기간"은 회계연도 개시일부터 당해 중간기간의 종료일까지의 기간을 말한다.

② 중간재무보고서 : 중간기간에 대한 재무보고서로서 기준서 제1001호 '재무제표 표시'에 따른 전체 재무제표 또는 이 기준서에 따른 요약재무제표를 포함한 보고서

3. 중간재무보고서 작성대상기업

자본시장과 금융투자업에 관한 법률에 의하여 반기보고서와 분기보고서를 의무적으로 작성해야 하는 기업뿐만 아니라 기업 목적에 의해 자발적으로 중간기간의 재무제표를 작성하는 기업의 경우에도 해당 중간재무보고서를 기업회계기준에 따라 적정하게 작성하기 위해서는 기준서 제1034호를 적용한다.

중간재무보고의 작성

1. 중간재무보고서의 내용

기준서 제1034호에서는 중간재무보고서의 최소한의 구성요소를 나열하여, 이 최소한의 구성요소를 충실히 작성한 경우, 중간재무보고서는 기준서 제1034호에 따라 작성되었다고 볼 수 있다.

중간재무보고서는 최소한 다음의 구성요소를 포함하여야 한다.

(1) 요약재무상태표

(2) 요약된 하나 또는 그 이상의 포괄손익계산서

(3) 요약자본변동표

(4) 요약현금흐름표

(5) 선별적 주석

적시성과 재무제표 작성 비용의 관점에서 또한 이미 보고된 정보와의 중복을 방지하기 위하여 중간재무보고서에는 연차재무제표에 비하여 적은 정보를 공시할 수 있다. 이 기준서에서 중간재무보고서의 최소 내용은 요약재무제표와 선별적 주석을 포함하는 것으로 본다. 중간재무보고서는 직전의 전체 연차재무제표를 갱신하는 정보를 제공하기 위하여 작성한 것으로 본다. 따라서 중간재무보고서는 새로운 활동, 사건과 환경에 중점을 두며 이미 보고된 정보를 반복하지 않는다.

> 기준서 제1001호에 따르면 전체 재무제표는 '회계정책을 소급하여 적용하거나, 재무제표의 항목을 소급하여 재작성 또는 재분류하는 경우 전기 기초 재무상태표'를 전체 재무제표의 구성요소로 요구하고 있으나, 기준서 제1034호의 중간재무보고서의 최소한의 구성요소에서는 이를 요구하지 않는다. 따라서 한국채택국제회계기준 최초채택기업의 경우 중간재무보고서를 기준서 제1034호에 따라 작성하는 경우 전환일의 재무상태표를 비교표시할 필요는 없다. 다만, 중간재무보고를 전체 한국채택국제회계기준에 따라 작성하는 경우에는 중간재무보고라 하더라도 전환일의 재무상태표를 포함한 3개의 재무상태표를 비교표시하는 것이 요구된다.

중간재무보고서에 요약재무제표와 선별적 주석이 아닌 기준서 제1001호에 따른 전체 재무제표를 포함할 수 있다. 또한 요약재무제표에 이 기준서에서 규정하는 최소한의 항목 및 선별적 주석보다 더 자세한 내용을 포함할 수 있다. 이 기준서의 인식과 측정지침은 중간기간에 대한 전체 재무제표에도 적용되며, 이러한 재무제표는 다른 한국채택국제회계기준에서 정하는 공시사항뿐 아니라 이 기준서에서 정하는 공시사항도 모두 포함하여야 한다.

기본주당이익과 희석주당이익은 기업이 기준서 제1033호 '주당이익'의 적용범위에 해당하는 경우에 중간기간의 당기순손익의 구성요소를 표시하는 재무제표에 표시한다.

직전 연차재무보고서를 연결기준으로 작성하였다면 중간재무보고서도 연결기준으로 작성해야 한다.

2. 중간재무제표가 제시되어야 하는 기간

재무상태표는 중간기간말과 직전 회계연도말을 비교하는 형식으로 작성하고, 손익계산서는 중간기간과 누적중간기간을 직전 회계연도의 동일기간과 비교하는 형식으로 작성하며, 현금흐름표 및 자본변동표는 누적중간기간을 직전 회계연도의 동일기간과 비교하는 형식으로 작성하여야 한다(기준서 제1034호 문단 20).

재무제표	작성기간	비교표시
재무상태표	당해 중간보고기간말	직전 연차보고기간말
손익계산서	당해 중간기간 및 누적기간	직전 회계연도 동일기간
현금흐름표	당해 누적기간	직전 회계연도 동일기간
자본변동표	당해 누적기간	직전 회계연도 동일기간

예를 들면 12월말 결산법인인 (주)삼일의 20×2년(제3기) 2분기 중간재무보고서는 다음과 같이 작성한다.

① 재무상태표는 20×2년 6월 30일 현재를 기준으로 작성하고 20×1년 12월 31일 현재의 재무상태표와 비교 표시한다.

반기재무상태표
제3기 반기 20×2년 6월 30일 현재
제2기 20×1년 12월 31일 현재

주식회사 삼일 (단위 : 원)

과 목	제 3(당)반기		제 2(전)기	
	금 액		금 액	

② 포괄손익계산서는 20×2년 4월 1일부터 6월 30일까지의 중간기간과 20×2년 1월 1
일부터 6월 30일까지의 누적중간기간을 대상으로 작성하고 직전 회계연도의 동일
기간을 대상으로 작성한 손익계산서와 비교 표시한다.

반기손익계산서
제3기 2분기 20×2년 4월 1일부터 20×2년 6월 30일까지
제3기 반 기 20×2년 1월 1일부터 20×2년 6월 30일까지
제2기 2분기 20×1년 4월 1일부터 20×1년 6월 30일까지
제2기 반 기 20×1년 1월 1일부터 20×1년 6월 30일까지

주식회사 삼일 (단위 : 원)

과 목	제 3(당)기		제 2(전)기	
	2분기	반 기	2분기	반 기

③ 현금흐름표 및 자본변동표는 20×2년 1월 1일부터 20×2년 6월 30일까지의 누적중
간기간을 대상으로 작성하고 직전 회계연도의 동일 기간을 대상으로 작성한 현금
흐름표 및 자본변동표와 비교 표시한다.

반기현금흐름표(반기자본변동표)

제3기 반기 20×2년 1월 1일부터 20×2년 6월 30일까지

제2기 반기 20×1년 1월 1일부터 20×1년 6월 30일까지

주식회사 삼일 (단위 : 원)

과 목	제 3(당)반기		제 2(전)반기	
	금 액		금 액	

만약, 회사가 분기(3개월)를 기준으로 중간보고를 하지 아니하고, 반기(6개월)를 기준으로 중간보고를 한다면, 회사의 중간기간 및 누적중간기간은 6개월이므로, 최종 3개월(예를 들어, 6월말 반기 기준의 4, 5, 6월의 중간기간) 기간에 대해서 포괄손익계산서를 작성하지 않는다.

또한, 연차재무제표 작성 시, 특정 중간기간에 보고된 추정금액이 최종 중간기간에 중요하게 변동하였지만 최종 중간기간에 대하여 별도의 재무보고를 하지 않는 경우, 추정의 변동 내용과 금액을 해당 회계연도의 연차재무제표에 주석으로 공시하여야 한다.

3. 주석사항

(1) 유의적인 사건과 거래

중간재무보고서에는 직전 연차보고기간말 후 발생한 재무상태와 경영성과의 변동을 이해하는 데 유의적인 거래나 사건에 대한 설명을 포함한다. 이러한 사건과 거래에 관하여 공시된 정보는 직전 연차재무보고서에 표시된 관련 정보를 갱신한다. 중간재무보고서의 이용자는 해당 기업의 직전 연차재무보고서도 이용할 수 있을 것이다. 따라서 직전 연차재무보고서에 이미 보고된 정보에 대한 갱신사항이 상대적으로 경미하다면 중간재무보고서에 주석으로 보고할 필요는 없다.

다음은 사건과 거래가 유의적인 경우 공시하여야 할 사항의 목록이다. 이 목록은 모든 예를 망라한 것은 아니다(기준서 제1034호 문단 15B).

① 재고자산을 순실현가능가치로 감액한 평가손실 또는 평가손실환입

② 금융자산, 유형자산, 무형자산, 고객과의 계약에서 생기는 자산 및 그 밖의 자산에 대한 손상차손의 인식 또는 손상차손환입

③ 구조조정충당부채의 환입
④ 유형자산의 취득과 처분
⑤ 유형자산 매입 약정
⑥ 소송사건의 해결
⑦ 전기오류의 수정
⑧ 금융자산이나 금융부채가 공정가치와 상각후원가 중 어느 것으로 인식되든지에 관계없이, 기업의 금융자산과 금융부채의 공정가치에 영향을 미치는 사업환경 또는 경제적인 환경의 변화
⑨ 직전 연차보고기간말 전에 해소되지 못한 채무불이행 또는 차입약정의 위반사항
⑩ 특수관계자거래
⑪ 금융상품의 공정가치 측정에 사용된 공정가치 서열체계의 수준 사이의 이동
⑫ 금융자산의 목적이나 사용의 변경으로 인한 금융자산의 분류 변경
⑬ 우발자산이나 우발부채의 변동

(2) 기타공시

유의적인 사건과 거래를 공시하는 것에 추가하여, 다음과 같은 정보가 중간재무보고 서의 다른 곳에 공시되지 않았다면, 이러한 정보는 중간재무제표에 대한 주석에 포함하여야 한다. 이러한 정보는 일반적으로 당해 회계연도 누적기준으로 보고한다.
① 직전 연차재무제표와 동일한 회계정책과 계산방법을 사용하였다는 사실 또는 회계정책이나 계산방법에 변경이 있는 경우 그 성격과 영향
② 중간기간 영업활동의 계절적 또는 주기적 특성에 대한 설명
③ 성격, 크기 또는 발생빈도 때문에 비경상적으로 자산, 부채, 자본, 순이익, 현금흐름에 영향을 미치는 항목의 성격과 금액
④ 당해 회계연도의 이전 중간기간에 보고된 추정금액에 대한 변경 또는 과거 회계연도에 보고된 추정금액에 대한 변경으로서 그 성격과 금액
⑤ 채무증권과 지분증권의 발행, 재매입 및 상환
⑥ 보통주식과 기타 주식으로 구분하여 지급된 배당금(배당금 총액 또는 주당배당금)
⑦ 다음의 부문정보(기준서 제1108호 '영업부문'에서 연차재무제표에 공시를 요구하는 경우에만 중간재무보고서에도 부문정보에 대해 공시한다)
　(가) 최고영업의사결정자가 검토하는 부문당기손익에 포함되는 외부고객으로부터의 수익 또는 부문당기손익에 포함되어 있지 않더라도 최고영업의사결정자에게 정기적으로 제공되는 외부고객으로부터의 수익

(나) 최고영업의사결정자가 검토하는 부문당기손익에 포함되는 부문간수익 또는 부문당기손익에 포함되어 있지 않더라도 최고영업의사결정자에게 정기적으로 제공되는 부문간수익

(다) 부문당기손익

(라) 최고영업의사결정자에게 정기적으로 제공되고 직전 연차재무제표에 공시된 금액에서 중요한 변동이 있는 특정 보고부문의 자산 총액과 부채 총액의 측정치

(마) 부문을 구분하는 기준이나 부문당기손익의 측정기준에 있어서 직전 연차재무제표와의 차이점에 대한 설명

(바) 보고부문들의 당기손익 측정치 합계에서 기업전체 법인세비용(법인세수익)과 중단영업손익 가감전 당기손익으로의 조정. 단 보고부문에 법인세비용(법인세수익)과 같은 항목을 배분한 경우에는, 보고부문들의 당기손익 측정치 합계에서 그러한 항목을 가감한 기업전체 당기손익으로 조정할 수 있다. 중요한 조정사항은 별도로 식별하고 설명하여야 한다.

⑧ 중간보고기간 후에 발생하였으나 중간재무제표에 반영되지 않은 사건

⑨ 사업결합, 종속기업 및 장기투자에 대한 지배력의 획득이나 상실, 구조조정, 중단영업 등으로 중간기간 중 기업 구성에 변화가 있는 경우 그 효과. 사업결합에 대해서는 기준서 제1103호 '사업결합'에서 요구하는 정보를 공시한다.

⑩ 금융상품에 대한 공정가치에 관한 공시. 이러한 공시는 기준서 제1113호 '공정가치측정' 문단 91~93(8), 94~96, 98 및 99와 기준서 제1107호 '금융상품공시' 문단 25, 26 및 28~30의 요구사항에 따른다.

⑪ 기준서 제1110호 정의에 따른 투자기업으로 분류되거나 분류가 중단된 기업의 경우 기준서 제1112호 '타 기업에 대한 지분의 공시'의 문단 9B의 공시

⑫ 기준서 제1115호 '고객과의 계약에서 생기는 수익'의 문단 114~115에서 요구하는 고객과의 계약에서 생기는 수익의 구분

중간재무보고의 인식과 측정

1. 인식과 측정기준

(1) 연차기준과 동일한 회계정책

중간재무제표는 연차재무제표에 적용하는 회계정책과 동일한 회계정책을 적용하여 작성한다. 다만 직전 연차보고기간말 후에 회계정책을 변경하여 그 후의 연차재무제표에 반영하는 경우에는 변경된 회계정책을 적용한다. 그러나 연차재무제표의 결과가 보고빈도(연차보고, 반기보고, 분기보고)에 따라 달라지지 않아야 한다. 이러한 목적을 달성하기 위하여 중간재무보고를 위한 측정은 당해 회계연도 누적기간을 기준으로 하여야 한다(기준서 제1034호 문단 28).

예를 들면 다음과 같다.

① 중간기간에 재고자산의 감액, 구조조정 및 자산손상을 인식하고 측정하는 원칙은 연차재무제표만을 작성할 때 따르는 원칙과 동일하다. 그러나 이러한 항목들이 특정 중간기간에 인식되고 측정되었으나 그 추정치가 당해 회계연도의 후속 중간기간에 변경되는 경우에는 당해 후속 중간기간에 추가로 손실금액을 인식하거나 이전에 인식한 손실을 환입함으로써 당초 추정치가 변경된다.

② 중간보고기간말 현재 자산의 정의를 충족하지 못하는 원가는 그 후에 이러한 정의를 충족할 가능성이 있다는 이유로 또는 중간기간의 이익을 유연화하기 위하여 자산으로 계상할 수 없다.

③ 법인세비용은 각 중간기간에 전체 회계연도에 대해서 예상되는 최선의 가중평균 연간법인세율의 추정에 기초하여 인식한다. 연간법인세율에 대한 추정을 변경하는 경우에는 이미 한 중간기간에 인식한 법인세비용을 이후 중간기간에 조정하여야 할 수도 있다.

기준서 제1036호에 따라, 영업권의 손상 여부는 매 보고기간말에 검토하고 필요한 경우 손상차손을 인식한다. 그러나 중간기간에 인식한 손상차손이 후속 보고기간말에 상황이 변동되어, 후속 보고기간말에만 손상검토를 하였다면 이전에 인식한 손상차손이 감소되었거나 인식되지 않았어야 할 경우가 있다. 해석서 제2110호는 영업권에 대하여 이전 중간기간에 인식한 손상차손을 환입하지 아니한다고 규정하고 있다.

(2) 계절적, 주기적 또는 일시적인 수익

계절적, 주기적 또는 일시적으로 발생하는 수익은 연차보고기간말에 미리 예측하여 인식하거나 이연하는 것이 적절하지 않은 경우 중간보고기간말에도 미리 예측하여 인식하거나 이연하여서는 아니된다(기준서 제1034호 문단 37).

(3) 연중 고르지 않게 발생하는 원가

연중 고르지 않게 발생하는 원가는 연차보고기간말에 미리 비용으로 예측하여 인식하거나 이연하는 것이 타당한 방법으로 인정되는 경우에 한하여 중간재무보고서에서도 동일하게 처리한다(기준서 제1034호 문단 39).

(4) 추정치의 사용

중간재무보고서 작성을 위한 측정절차는 측정결과가 신뢰성이 있으며 기업의 재무상태와 경영성과를 이해하는 데 적합한 모든 중요한 재무정보가 적절히 공시되었다는 것을 보장할 수 있도록 설계한다. 연차기준과 중간기준의 측정 모두 합리적인 추정에 근거하지만, 일반적으로 중간기준의 측정은 연차기준의 측정보다 추정을 더 많이 사용한다(기준서 제1034호 문단 41).

2. 중요성의 판단

중간재무보고서를 작성할 때 인식, 측정, 분류 및 공시와 관련된 중요성의 판단은 해당 중간기간의 재무자료에 근거하여 이루어져야 한다. 중요성을 평가하는 과정에서 중간기간의 측정은 연차재무자료의 측정에 비하여 추정에 의존하는 정도가 크다는 점을 고려하여야 한다(기준서 제1034호 문단 23).

3. 인식과 측정의 사례

기준서 제1034호 부록B에서는 중간재무보고의 인식과 측정원칙에 대한 적용사례를 제시하고 있다. 아래에는 이 중 일부를 설명한다. 또한 기준서 제1034호 부록 C에서는 중간재무보고의 추정치 사용의 사례를 제시하고 있으므로, 참고할 수 있다.

① 계획된 주요한 정기 유지보수나 분해수리

회계연도 중 당해 중간기간 후에 발생할 것으로 기대되는 계획된 주요한 정기 유지보수나 분해수리 또는 그 밖의 계절적 지출에 대한 원가는 어떤 사건이 기업에 법적의무나 의제의무를 발생시키지 않았다면 중간재무보고 목적으로 고려하지 않는다. 미래의 비용지출에 대한 단순한 의도나 필요성만으로 의무가 발생하는 것은 아니다.

② 휴가, 휴일 및 그 밖의 단기유급휴가

당기에 사용되지 않은 유급휴가가 이월되어 차기 이후에 사용될 수 있다면 누적유급휴가에 해당한다. 기준서 제1019호에서 누적유급휴가의 예상원가와 채무를 보고기간말에 미사용유급휴가가 누적된 결과 기업이 지급할 것으로 예상되는 금액으로 측정하도록 하고 있다. 이 원칙은 중간보고기간말에도 적용된다. 반대로, 비누적유급휴가에 대해서는 연차보고기간말에 아무것도 인식하지 않는 것과 같이 중간보고기간말에도 비용과 부채를 인식하지 않는다.

③ 중간기간 법인세비용의 측정

중간기간의 법인세비용은 기대총연간이익에 적용될 수 있는 법인세율, 즉 추정평균연간유효법인세율을 중간기간의 세전이익에 적용하여 계산한다. 추정평균연간유효법인세율은 제정되었거나 실질적으로 제정되어 회계연도 중 당해 중간기간 후에 효력이 발생할 것으로 예정되어 있는 법인세율의 변경을 포함하여, 전체 회계연도의 이익에 적용될 것으로 기대되는 누진법인세율의 구조를 반영한다.

> **사례**　**중간기간 법인세비용**
>
> 분기별로 보고하는 한 기업이 매 분기에 10,000원의 세전이익을 기대하고 있으며 최초 연간이익 20,000원에 20%, 이후 모든 추가이익에 30%의 법인세율을 적용하는 국가에서 영업하고 있다. 실제 이익은 기대 이익과 일치한다. 다음의 표는 매 분기에 보고되는 법인세비용 금액을 보여준다.
>
> (단위 : 원)
>
> | | 1분기 | 2분기 | 3분기 | 4분기 | 연간 |
> |---|---|---|---|---|---|
> | 법인세비용 | 2,500 | 2,500 | 2,500 | 2,500 | 10,000 |
>
> 연간 세전이익 40,000원에 대하여 법인세 10,000원을 납부해야 할 것으로 기대된다.
>
> 다른 예시로, 한 기업이 분기별로 보고하며, 1분기의 세전이익이 15,000원이지만 나머지 3분기에 각각 5,000원의 손실이 발생(따라서 연간이익은 영(0)원)할 것으로 기대되며, 추정평균연간유효법인세율이 20%로 기대되는 국가에서 영업하고 있다. 다음의 표는 매 분기에 보고되는 법인세비용 금액을 보여준다.

(단위 : 원)

	1분기	2분기	3분기	4분기	연간
법인세비용	3,000	(1,000)	(1,000)	(1,000)	-

회계연도와 과세연도가 다르면 그 회계연도 중간기간의 법인세비용은 각 과세연도의 세전이익에 적용된 각 과세연도에 대한 별도의 가중평균추정유효법인세율을 사용하여 측정한다.

사례 회계연도와 과세연도의 차이

한 기업의 회계연도가 6월 30일에 종료하며 분기별로 보고한다. 이 기업의 과세연도는 12월 31일에 종료한다. 20×1년 7월 1일에 시작하여 20×2년 6월 30일에 종료하는 회계연도의 매 분기 세전이익은 10,000원이었다. 추정평균연간유효법인세율은 20×1년에는 30%, 20×2년에는 40%이다.

(단위 : 원)

	20×1년 9월 30일에 종료하는 분기	20×1년 12월 31일에 종료하는 분기	20×2년 3월 31일에 종료하는 분기	20×2년 6월 30일에 종료하는 분기	20×2년 6월 30일에 종료하는 회계연도
법인세비용	3,000	3,000	4,000	4,000	14,000

세무상결손금의 소급공제 혜택은 관련 세무상결손금이 발생한 중간기간에 반영한다. 기준서 제1012호는 미사용 세무상결손금과 세액공제가 사용될 수 있는 미래 과세소득의 발생가능성을 평가하는 기준을 제공한다. 이러한 기준은 매 중간보고기간말에 적용하고, 이러한 기준을 충족할 경우에 세무상결손금의 이월공제효과는 추정평균연간유효법인세율의 계산에 반영한다.

사례 세무상결손금 소급공제

분기별로 보고하는 한 기업이 당해 회계연도의 개시 시점에 이연법인세자산을 인식하지 않은 10,000원의 영업상 세무상결손금이 있다. 이 기업은 당해 회계연도의 1분기에 10,000원의 이익을 인식하고, 나머지 3개 분기 각각에 10,000원의 이익이 기대된다. 이월공제를 고려하지 않은 경우 추정평균연간유효법인세율은 40%로 기대된다. 법인세비용은 다음과 같다.

(단위 : 원)

	1분기	2분기	3분기	4분기	연간
법인세비용	3,000	3,000	3,000	3,000	12,000

④ 재고자산의 순실현가능가치

재고자산의 순실현가능가치는 중간보고기간말의 판매가격 및 완성하여 처분하는 데 드는 관련원가에 따라 결정된다. 순실현가능가치로 감액한 부분은 연차보고기간말에 환입하는 것이 적절할 경우에만 후속 중간기간에 환입한다.

⑤ 자산손상

연차보고기간말과 같이 중간보고기간말에 동일한 손상검사, 인식 및 환입기준을 적용하도록 하고 있다. 그러나 이것은 반드시 매 중간보고기간말에 자세하게 손상을 계산해야 하는 것을 의미하는 것은 아니며, 그러한 계산이 필요한지를 결정하기 위하여 최근 연차보고기간말 후의 유의적인 손상징후를 검토하게 될 것이다.

IV

매각예정 비유동자산 및 중단영업

VI

매각예정 또는 소유주분배예정 비유동자산과 처분자산집단

1. 분 류

(1) 일반원칙

기준서 제1105호는 비유동자산 또는 처분자산집단의 장부금액이 계속사용이 아닌 매각거래(또는 분배거래)를 통하여 주로 회수될 경우에 적용된다(기준서 제1105호 문단 6). 이에는 일부 지분이 남아있더라도 지배력을 상실하게 되는 종속기업 지분의 매각계획도 포함된다. 비유동자산 또는 처분자산집단이 매각 또는 분배 직전까지 사업에 계속 사용될 수도 있으나 이러한 사항이 분류에 영향을 미치는 것은 아니다. 일단 비유동자산이나 처분자산집단이 매각예정으로 분류되기 위한 조건을 충족하는 경우 기준서 제1105호에 따라 분류 및 인식되고 측정되어야 한다.

기준서 제1105호는 매각거래를 통하여 주로 회수되는 매각예정으로 분류하기 위해서 다음의 두 가지 기준을 제시하고 있다.

- 현재 상태에서 통상적이고 관습적인 거래조건만으로 즉시 매각가능하고
- 매각될 가능성이 매우 높아야 한다.

(기준서 제1105호 문단 7)

기준서 제2117호는 비유동자산(또는 처분자산집단)을 소유주에게 분배하기로 확약한 때에 그러한 자산을 소유주에 대한 분배예정으로 분류한다고 명시하고 있다. 이러한 경우에 해당되려면,

- 그러한 자산이 현재의 상태에서 즉시 분배가능해야 하고,
- 분배가능성이 매우 높아야 한다.

(기준서 제1105호 문단 12A)

매각예정 또는 분배예정의 첫 번째 기준을 충족시키기 위해서는 기업이 그 자산이나 처분자산집단을 현재 상태로 매각하려는 의도와 능력이 있어야 한다. 예를 들어 유형자산을 검사하고 조사하는 것과 같이 통상적이고 관습적인 거래조건은 포함될 수 있다. 그러나, 자산이나 처분자산집단의 양도시기가 판매자에 의해 지연되는 경우는 이에 포

함되지 않는다.

매수자의 검사행위가 매각예정으로 분류되는 것을 금지하지 않음

한 기업이 보유하고 있는 부동산을 시장에 내놓고 있으며, 기준서 제1105호 문단 7과 8의 모든 조건을 충족하는 것으로 기대하고 있다. 매수자는 거래를 제안하고 계약을 체결하기 전에 그 자산의 조사와 가치평가를 착수할 것이다.

이러한 상황은 부동산 거래에 있어서 일반적인 과정이고, 이러한 법적 절차가 지연된다 하더라도 이 자산이 매각예정으로 분류되는 것을 배제하지 않는다.

본사 건물의 매각 계획

기업이 본사 건물의 매각 계획을 수립하였고 매수자 유치를 위한 계획을 실행하였다.

(a) 기업은 그 건물을 비운 후에 매수자에게 이전하고자 한다. 그 건물을 비우는 데 필요한 시간은 그러한 자산의 매각에 적용되는 통상적이고 관습적인 기간이다. 따라서, 이러한 매각을 확약한 날에 기준서 제1105호 문단 7의 현재의 상태에서 매각가능 조건은 충족된 것이다.

(b) 기업은 새로운 본사 건물의 신축이 완료될 때까지 그 현재의 본사 건물을 계속 사용할 것이다. 새로운 건물이 완공되고 현재의 건물을 비우기 전에는 현재의 건물을 이전할 의도가 없다. 기업(판매자)에 의해서 현재 건물 이전 시기가 지연되었고 이는 즉시 매각가능하지 않다는 것을 보여준다. 기준서 제1105호 문단 7의 조건은 신축 건물이 완공될 때까지 충족되지 않을 것이며, 이는 그 이전에 확실한 매수 확약이 생겨서 현재 건물을 나중에 이전하기로 하는 경우이더라도 동일하다.

자산이나 처분자산집단을 매각예정으로 분류하기 위한 두 번째 기준은 매각될 가능성이 매우 높아야 한다는 것이다(기준서 제1105호 문단 7). 이는 기준서 제1105호 부록 A에서 '발생하지 않을 가능성보다 발생할 가능성이 유의적으로 더 높은'으로 정의되고 있다(기준서 제1105호 부록 A). 기준서 제1105호는 재무제표 작성자들이 그 의미를 해석하도록 하지 않고 매각될 가능성이 매우 높기 위한 기준을 다음과 같이 제시하고 있다(기준서 제1105호 문단 8).

• 적절한 지위의 경영진이 매각계획을 확약하여야 한다. 적절한 지위의 경영진은 자산 또는 처분자산집단을 매각할 수 있는 권한을 가지고 있어야 한다.
• 매수자를 물색하고 매각계획을 이행하기 위한 적극적인 업무진행을 이미 시작하였어야 한다. 이것은 자산 또는 처분자산집단을 판매하기 위해 관심이 있는 상대방에게 알리는 것을 포함한다. 일반 대중에 대한 광고가 요구되는 것은 아니다. 만약 기업이 사업을 매각하려 한다면, 전체 시장에 신호를 보내는 대신 관심을 가진 구매

자가 알도록 할 수도 있을 것이다. 이러한 행위가 매수자를 물색하기 위한 적극적인 업무진행을 시작했어야 한다는 조건을 충족시킨다고 볼 수 있을 것이다.

- 당해 자산 또는 처분자산집단의 현행 공정가치와 비교하여 합리적인 가격으로 적극적으로 매각을 추진하여야 한다. 이에는 지역시장의 상황이 고려되어야 한다. 예를 들어 지역시장에서 공정가치보다 높게 가격이 정해지고 낮은 호가가 기대되는 것이, 혹은 반대의 경우가, 관습적이라면 이는 허용된다.
- 분류시점에서 1년 이내에 매각이 완료될 것으로 예상되어야 한다. 이것은 명확한 기준이며, '거의' 1년 이내 또는 '다음 회계기간 말까지'가 아니다.
- 마지막으로 계획을 이행하기 위하여 필요한 조치가 그 계획이 유의적으로 중요하게 변경되거나 철회될 가능성이 낮음을 나타내어야 한다. 실무상 이를 증명하기가 어려울 수도 있다. 대부분의 경우 판단이 필요할 것이다.

기준서는 자산 간의 교환거래가 기준서 제1016호에 따라 상업적 실질이 있는 경우에는 매각거래에 포함된다는 것을 명시하고 있다.

주주들의 승인을 요구하는 거래와 관련하여는 실무상의 문제가 발생할 수 있다. 만일 이사회가 매각을 승인하면 적절한 지위의 경영진이 매각을 위한 계약을 확약하였으므로 첫 번째 기준이 충족된 것으로 볼 수 있을 것으로 판단된다. 주주 승인을 얻기 위한 요구사항은 계획을 이행하기 위하여 필요한 조치가 그 계획이 중요하게 변경되거나 철회될 가능성이 낮음을 나타내야 한다는 최종 기준을 판단할 때 고려될 수 있을 것이다. 주주 승인이 거래의 완료 이전에 요구되기 때문에, 이사들은 주요 주주와의 협의를 고려하여 승인이 될 가능성이 높은 지를 고려하여야 한다.

기준서는 또한 기업이 사용 중인 자산의 매각 계획을 확약할 때에 만약 자산의 거래가 판매후리스거래의 일부로 기준서 제1116호의 문단 99에 따라 판매로 회계처리 할 수 없는 경우에는 해당 자산을 매각예정으로 분류하지 않는다고 명시하고 있다(기준서 제1105호 실무적용지침. 사례4).

(2) 신규로 취득한 자산 또는 처분자산집단

자산이나 처분자산집단(예를 들어 사업결합의 일부로 종속기업을 취득하였으나 보유할 의사가 없는 경우)이 재판매 목적으로 취득되었다면 위에 설명된 규정에 따라 기업이 취득일에 매각예정으로 분류하는 조건을 충족할 수 있는 가능성은 높지 않을 것이다. 즉, 취득 시점에 적극적으로 자산을 매각하려는 것은 어려울 것이다. 이러한 이유로 기준서 제1105호는 만약 이러한 상황에서 기업이 1년 요건(위의 네 번째 항목)을 충족하고, 취득 후 빠른 기간 내에 다른 모든 요건들을 충족할 가능성이 매우 높은 경우 매각예정으로 분류하도록 하고 있다. 기준서는 '빠른 기간'을 통상 3개월 이내로 규정한다(기준서 제1105호 문단 11).

특정한 상황에서 기업은 1년 요건을 초과할 수 있다. 매각예정 분류는 일반적으로 매각이 1년 이내 완료될 것으로 예상되는 때에 이루어진다. 그러나 기간 연장이 기업의 통제할 수 없는 사건 때문에 이루어졌고 비유동자산 또는 매각예정자산의 매각계획을 여전히 확약할 수 있다는 증거가 있다면 매각 일자는 1년을 초과해서 연장될 수 있다(기준서 제1105호 문단 9).

| 매각예정의 분류(기준서 제1105호 문단 5, 6) |

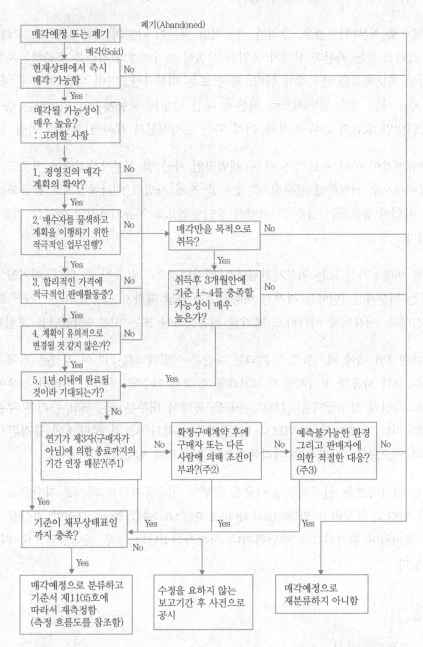

주1 : 확정구매계약이 체결될 때까지 이 조건들에 대응하는 필요한 행동을 취할 수 없으며, 확정구매계약이 1년 이내에
　　　체결될 가능성이 매우 높은 경우에만 'Yes'로 판단한다.

주2 : 기업이 조건에 대응하기 위한 필요한 행동을 적시에 취해왔으며, 예상되는 연장요소에 긍정적인 해결이 가능한
　　　경우에만 'Yes'로 판단한다.

주3 : 기업이 상황 변화에 대한 조치를 최초 1년 이내에 취하고, 그것이 즉시 판매가능하여야 하고, 판매가능성이 매우
　　　높은 경우에만 'Yes'로 판단한다.

(3) 점진적 처분 및 폐기 등

점진적으로 처분하는 경우, 그러한 점진적인 처분이 단일의 처분계획으로 고려되어야 하는지 그리고 모든 자산과 부채가 동일한 시점에 매각예정의 기준을 충족하는지를 결정하기 위해 처분계획을 분석해야 한다. 자산 또는 처분자산집단이 다른 시점에 매각예정 기준을 충족하는 것은 일반적으로 처분에 대한 단일의 공동계획이 없다라는 증거이다. 이는 중단영업 요건의 충족 여부와 이에 따른 손익계산서 표시에 영향을 미칠 수 있다.

사업이 매각이 아닌 종료되는 경우, 개별적인 자산 및 처분자산집단이 기준을 충족하여 매각예정으로 적절하게 분류될 수 있지만 전체 사업이 매각예정으로 분류되는 것은 아니다. 사업이 종료되는 경우 그 사업이 중단영업으로 분류되는지의 여부는 검토되어야할 것이다.

폐기될 비유동자산 또는 처분자산집단은 매각예정으로 분류할 수 없다. 폐기될 비유동자산 또는 처분자산집단에는 경제적 내용연수가 끝날 때까지 사용될 비유동자산 또는 처분자산집단과, 매각되지 아니하고 폐기될 비유동자산 또는 처분자산집단을 포함한다.

그렇다면 1년 내에 폐기물로 처분되는 자산은 어떻게 되는가? 이 자산은 전체 경제적 내용연수 동안 사용될 것이지만 매각거래를 통해서 회수될 것이다. 이러한 경우에는 일반적으로 자산의 장부금액은 실제로 사용을 통해서 대부분 회수되고 매각은 부수적(금액적으로 미미)할 것이다. 그러므로 이는 기준서 제1105호의 문단 6에 규정된 원칙에 부합하지 않으므로 그 자산은 매각예정으로 분류되지 않을 것이다.

기준서 제1105호는 일시적으로 사용을 중단한 비유동자산은 폐기될 자산으로 회계처리할 수 없다고 규정하고 있다(기준서 제1105호 문단 14). 예를 들어, 그러한 자산을 사용중단으로 처리하여 감가상각을 중단하거나 처분자산집단의 경우 중단영업으로 회계처리할 수 없다.

2. 측 정

(1) 측정의 원칙

기준서 제1105호는 주로 표시 및 공시를 다루고 있다. 또한, 기준서 제1105호는 매각될 자산 또는 처분자산집단의 장부금액이 과대평가되지 않도록 측정에 관한 규정을 포함하고 있다. 다음의 표는 비유동자산 또는 처분자산집단의 측정기준을 요약해서 보여준다.

| 기준서 제1105호 최초 매각예정 분류 시의 측정 |

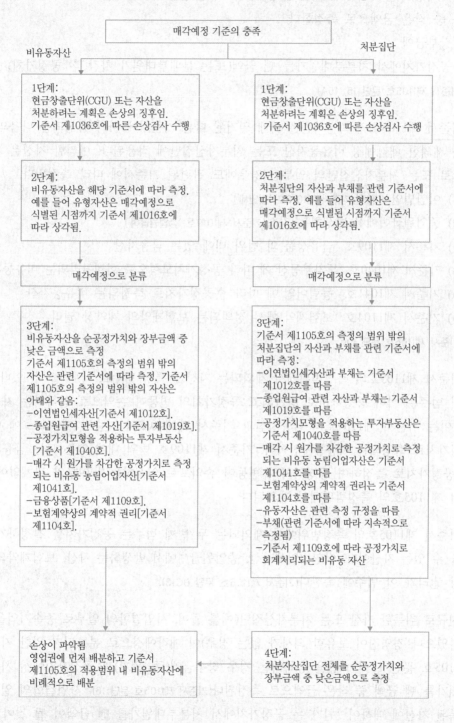

매각예정 기준의 충족

비유동자산 | 처분집단

1단계:
현금창출단위(CGU) 또는 자산을 처분하려는 계획은 손상의 징후임. 기준서 제1036호에 따른 손상검사 수행

1단계:
현금창출단위(CGU) 또는 자산을 처분하려는 계획은 손상의 징후임. 기준서 제1036호에 따른 손상검사 수행

2단계:
비유동자산을 해당 기준서에 따라 측정. 예를 들어 유형자산은 매각예정으로 식별된 시점까지 기준서 제1016호에 따라 상각됨.

2단계:
처분집단의 자산과 부채를 관련 기준서에 따라 측정. 예를 들어 유형자산은 매각예정으로 식별된 시점까지 기준서 제1016호에 따라 상각됨.

매각예정으로 분류

매각예정으로 분류

3단계:
비유동자산을 순공정가치와 장부금액 중 낮은 금액으로 측정
기준서 제1105호의 측정의 범위 밖의 자산은 관련 기준서에 따라 측정. 기준서 제1105호의 측정의 범위 밖의 자산은 아래와 같음:
- 이연법인세자산[기준서 제1012호].
- 종업원급여 관련 자산[기준서 제1019호].
- 공정가치모형을 적용하는 투자부동산 [기준서 제1040호].
- 매각 시 원가를 차감한 공정가치로 측정 되는 비유동 농림어업자산[기준서 제1041호].
- 금융상품[기준서 제1109호].
- 보험계약상의 계약적 권리[기준서 제1104호].

3단계:
기준서 제1105호의 측정의 범위 밖의 처분집단의 자산과 부채를 관련 기준서에 따라 측정:
- 이연법인세자산과 부채는 기준서 제1012호를 따름
- 종업원급여 관련 자산과 부채는 기준서 제1019호를 따름
- 공정가치모형을 적용하는 투자부동산은 기준서 제1040호를 따름
- 매각 시 원가를 차감한 공정가치로 측정 되는 비유동 농림어업자산은 기준서 제1041호를 따름
- 보험계약상의 계약적 권리는 기준서 제1104호를 따름
- 유동자산은 관련 측정 규정을 따름
- 부채(관련 기준서에 따라 지속적으로 측정됨)
- 기준서 제1109호에 따라 공정가치로 회계처리되는 비유동 자산

손상이 파악됨
영업권에 먼저 배분하고 기준서 제1105호의 적용범위 내 비유동자산에 비례적으로 배분

4단계:
처분자산집단 전체를 순공정가치와 장부금액 중 낮은금액으로 측정

매각예정(또는 소유주에 대한 분배예정)으로 분류된 비유동자산 또는 처분자산집단은 다음 중 작은 금액으로 측정한다.

- 장부금액
- 공정가치에서 처분부대원가를 뺀 금액(또는 분배부대원가 차감 후 공정가치)

(기준서 제1105호 문단 15, 15A)

기준서 제1105호의 측정기준은 아래 열거된 다른 기준서에 따라 측정되는 다음의 항목을 제외한 매각예정 비유동자산 또는 처분자산집단에 적용된다. 이러한 자산은 개별적으로 또는 처분자산집단의 일부인 경우에도 관련된 기준서에 따라 측정된다.

(1) 이연법인세자산(기준서 제1012호 '법인세')
(2) 종업원급여에서 발생하는 자산(기준서 제1019호 '종업원급여')
(3) 기준서 제1109호 '금융상품'의 범위 내에 있는 금융자산
(4) 기준서 제1040호 '투자부동산'에 따라 공정가치모형으로 회계처리되는 비유동자산
(5) 기준서 제1041호 '농림어업'에 따라 순공정가치로 측정되는 비유동자산
(6) 기준서 제1104호 '보험계약'에서 정의되는 보험계약의 계약상 권리

(기준서 제1105호 문단 5)

기준서 제1105호의 측정범위에서 제외되는 자산을 특정 범주로 나눠 볼 수 있다. 첫 번째 범주는 이미 공정가치로 평가되고 공정가치의 변동이 손익으로 인식되는 자산이다. 이는 기준서 제1109호의 금융자산과 기준서 제1040호와 기준서 제1041호에 따라 공정가치로 측정되는 비유동자산이다. 기준서 제1109호 범위 내에 있는 모든 금융자산은 공정가치로 측정하여 공정가치의 변동이 손익으로 인식하는지 여부와 관계없이 기준서 제1105호의 측정범위에서 제외된다.

기준서 제1105호의 측정범위에서 제외되는 두 번째 범주는 공정가치를 결정하기 어려울 수 있는 자산이다. 이연법인세자산, 종업원급여에서 발생하는 자산, 보험계약의 계약상 권리가 이 범주에 속한다(기준서 제1105호 문단 BC13).

신규로 취득한 자산 또는 처분자산집단(예를 들어, 사업결합의 일부로 종속기업을 취득하였으나 경영진이 보유할 의사가 없는 경우)이 매각예정으로 분류되기 위한 기준서 제1105호 문단 11의 요건을 충족하는 경우 장부금액(즉, 원가)과 공정가치에서 처분부대원가를 뺀 금액 중 작은 금액으로 측정된다(기준서 제1105호 문단 16). 사업결합의 일부로 취득된 자산에 대하여 "원가"는 공정가치에서 처분부대원가를 뺀 금액이 될 것이므로, 사업결합 시 해당 자산에서 손실이 인식되지 않을 것이다(기준서 제1103호 문단 36). 이 조항

은 일반적으로 사업결합의 일부로 취득한 자산에만 적용될 것이다.

사업결합의 일부로 취득한 자산 또는 처분자산집단은 기준서 제1103호를 적용하여 공정가치로 인식된다. 그러나, 재판매를 위해서 취득한 자산이 매각예정으로 분류되기 위한 기준서 제1105호의 요건을 충족하는 경우 그 자산은(공정가치보다 낮은) 공정가치에서 처분부대원가를 뺀 금액으로 인식될 것이다(기준서 제1105호 문단 16). 매각부대원가는 손익계산서로 인식되는 것이 아니라 결과적으로 그 사업에 대한 영업권을 증가시키게 된다.

(2) 매각예정으로 최초 분류하는 측정 단계

비유동자산인지 또는 처분자산집단인지에 따라 매각예정으로 최초 분류된 이후 몇 가지의 측정 단계가 있다. 손상검토의 수행은 측정의 첫 번째 단계이다. 자산 또는 현금창출단위의 처분계획은 기준서 제1036호에서 명시적으로 규정하고 있는 손상에 대한 내부지표에 해당된다.

매각예정으로 분류하기 직전에 비유동자산 또는 처분자산집단 내에 포함한 개별자산과 부채는 적용가능한 기준서에 따라 측정한다. 이것이 측정의 두 번째 단계이다.

다음 단계는 매각예정자산으로 분류하는 시점이다. 기업은 매각예정비유동자산을 공정가치에서 처분부대원가를 뺀 금액과 장부금액 중 작은 금액으로 측정해야 한다. 처분자산집단의 경우 기준서 제1105호의 측정 범위에서 제외되는 자산 또는 부채는 적용가능한 기준서에 따라 측정되어야 한다. 처분자산집단 전체는 공정가치에서 처분부대원가를 뺀 금액과 장부금액 중 작은 금액으로 측정되어야 한다.

이러한 단계의 목적은 다른 기준서에 따라 인식되어야 하는 이익, 손실, 손상이 기준서 제1105호의 적용에 따라 감추어지지 않도록 하기 위한 것이다.

처분자산집단의 최초 측정시점에 인식되는 손상 또는 후속적인 측정으로 인한 손상 및 환입은 일반적으로 기준서 제1105호의 측정 기준의 범위 내에 있는 비유동자산의 장부금액에 배분되어야 한다. 기준서 제1105호 문단 23에서는 손상차손(또는 손상차손환입)은 기준서 제1036호의 문단 104의 ⑴, ⑵ 및 문단 122에서 규정한 배분순서에 따라 집단에 속한 자산 중 이 기준서의 측정 규정이 적용되는 비유동자산의 장부금액을 감소(또는 증가)시키는 것으로 규정하고 있다. 그러나, 기준서 제1105호 문단 15에서 요구하는 매각예정으로 분류된 비유동자산(또는 처분자산집단)은 공정가치에서 처분부대원가를 뺀 금액과 장부금액 중 작은 금액으로 측정되어야 한다는 일반 원칙에 근거하여, 손상차손이 기준서 제1105호의 측정 규정이 적용되는 비유동자산의 장부금액을 초과하는 경우에는 손상차손이 비유동자산에만 국한되지 않고 처분자산집단 내 모든 자산에 배분되어야 한다는 견해도 존재한다. 따라서 기업은 적절한 회계정책을 개발하고 이를 일관성있게 적용해야 할 것이다.

★
기준서 제1036호

104. 손상차손은 다음과 같은 순서로 배분하여 현금창출단위(또는 현금창출단위집단)에 속하는 자산의 장부금액을 감소시켜야 한다.

　(1) 우선, 현금창출단위(또는 현금창출단위집단)에 배분된 영업권의 장부금액을 감소시킨다.

　(2) 그 다음 현금창출단위(또는 현금창출단위집단)에 속하는 다른 자산에 각각 장부금액에 비례하여 배분한다. 이러한 장부금액의 감소는 개별 자산의 손상차손으로 회계처리하고, 문단 60에 따라 인식한다.

122. 현금창출단위의 손상차손환입은 현금창출단위를 구성하는 자산들(영업권 제외)의 장부금액에 비례하여 배분한다. 이러한 장부금액의 증가는 개별 자산의 손상차손환입으로 회계처리하고, 문단 119에 따라 인식한다.

처분자산집단의 순공정가치의 후속적인 증가분은 손상차손환입으로 이익을 인식하며, 이 금액은 기준서 제1105호의 측정의 규정을 적용받지 않고 다른 기준서에 따라 인식한 금액을 제외한 순공정가치의 증가금액으로 아래의 금액을 초과할 수 없다 :

• 기준서 제1105호의 측정의 규정을 적용받는 비유동자산에 대하여 이 기준서 또는 기준서 제1036호에 따라 과거에 인식한 손상차손누계액(기준서 제1105호 문단 22)

다만, 영업권에 대한 손상차손의 환입은 일반적으로 허용되지 않는다.

기준서 제1036호 문단 105는 자산의 장부금액이 순공정가치, 사용가치와 "0" 중 가장 큰 금액 이하로 감소될 수 없고 규정하고 있다. 기준서 제1105호는 기준서 제1036호의 이 문단을 참조하지 않으며, 따라서 개별 자산의 감액 평가에 대한 한계가 없다.

비유동자산이 매각예정으로 분류되거나 매각예정으로 분류된 처분자산집단의 일부이면 그 자산은 (감가)상각되지 않는다(기준서 제1105호 문단 25). 자산이 주로 매각을 통해 회수되어야 한다는 원칙과 연관지어 중요한 것은 자산의 가치평가이지 원가의 배분이 아니기 때문이다.

비록 감가상각은 매각예정자산으로 분류된 자산(또는 처분자산집단의 일부인 자산)에 대해 중단되지만, 매각예정으로 분류된 처분자산집단에 속하는 부채에 대한 이자와 기타 비용은 계속해서 인식하여야 한다(기준서 제1105호 문단 25). 예를 들어, 처분자산집단이 할인된 충당부채를 포함한다면 처분자산집단이 매각예정자산으로 분류되는 동안 이자는 계속 인식되어야 한다.

사례   **매각예정 처분자산집단의 측정**

(주)삼일은 수년간 사업을 영위하고 있으며, 전 회계기간 말 연결재무상태표에 기재된 금액은 다음과 같다.

자산(부채)	20×3년말 장부금액 (단위 : 백만원)
귀속되는 영업권	200
무형자산	950
당기손익 – 공정가치 측정 금융자산	300
유형자산	1,100
이연법인세자산	250
유동자산 – 재고, 채권, 현금 잔액	600
유동부채	(850)
비유동부채 – 충당부채	(300)
	2,250

(주)삼일은 사업을 매각하기로 결정하였고, 20×4년 6월 15일자로 시장에 내놓았다. 기준서 제1105호에 따라 요구되는 과정의 단계는 다음과 같다.

1. 사업이 매각예정자산의 기준을 충족하는가?

   (주)삼일은 처분자산집단이 현재의 조건에서 즉시 판매가능하고, 판매가능성이 높고, 적절한 지위의 경영진의 매각확약을 포함한 위에서 언급한 다른 모든 조건을 충족해야 한다는 것을 확신해야 한다. 이러한 조건이 충족되지 않는다면, 처분자산집단은 매각예정자산이 될 수 없다.

   이 사례의 목적상 다음과 같이 가정한다.
   • 이 처분자산집단은 20×4년 6월 15일자로 매각예정자산으로서의 모든 요건을 충족한다.
   • 이 처분자산집단은 중단영업으로 분류되어야 되는 기준서 제1105호 문단 32의 요건은 충족하지 못한다.(예를 들어 처분자산집단의 매각이 기업의 해당 사업을 포기하는 것이 아닌 일부의 구조조정인 경우를 들 수 있을 것이다)

2. 이 처분자산집단은 적용가능한 기준서에 따라 측정되어야 한다. 이 처분자산집단은 재분류 직전에 다음의 금액으로 기재되어 있다.

자산/(부채)	20×4년 6월 15일 장부금액
	(단위 : 백만원)
귀속되는 영업권	200
무형자산	930
당기손익-공정가치 측정 금융자산	360
유형자산	1,020
이연법인세자산	250
유동자산-재고, 채권, 현금 잔액	520
유동부채	(870)
비유동부채-충당부채	(250)
	2,160

이 금액은 전기말 이후 20×4년 6월 15일까지의 상각/감가상각을 포함한 가치의 변동이 고려된 것이며, 예를 들어 기준서 제1016호, 제1109호과 같이 적용가능한 기준서에 따라 측정되었다. 당기손익-공정가치 측정 금융자산은 가치가 증가하였다.

3. 처분자산집단은 순공정가치와 장부금액 중 작은 금액으로 측정해야 한다.

  기업 A는 이 처분자산집단을 1,900백만원에 매각을 추진 중이다. 처분관련 비용은 70백만원으로 추정된다. 이것은 외부 변호사와 회계사에게 지급될 전문가비용이다.

  처분자산집단은 1,830백만원으로 측정되어야 한다. 감액손실 330백만원(2,160백만원-1,830백만원)은 계속영업손익으로 계상되어야 한다.

4. 손상 330백만원은 적절한 비유동자산의 장부금액에 배분되어야 한다.

자산/(부채)	20×4년 6월 15일의 장부금액	손상	제1105호 기준상 20×4년 6월 15일의 장부금액
	백만원	백만원	백만원
귀속되는 영업권	200	(200)	–
무형자산*	930	(62)	868
당기손익-공정가치 측정 금융자산	360		360
유형자산*	1,020	(68)	952
이연법인세자산	250		250
유동자산-재고, 채권, 현금 잔액	520		520
유동부채	(870)		(870)
비유동부채-충당부채	(250)		(250)
	2,160	(330)	1,830

손상차손은 우선적으로 영업권에 배분되며, 기준서 제1105호의 적용범위에 해당하는 처분자산집단의 다른 자산에 비례하여 배분해야 한다. 이러한 자산들은 별표[*]로 표시되어 있다. 이 자산에는 당기손익-공정가치 측정 금융자산, 이연법인세자산 또는 유동자산은 포함되지 않는다는 것을 주목해야 한다. 손상은 자산에만 배분되고 부채에는 배분되지 않는다.

5. 회계기간말에 측정의 갱신

처분자산집단을 매각하려는 계획에는 변동이 없고 ㈜삼일은 최초 분류로부터 1년 내에 매각할 것을 기대하고 있다. 그러나 20×4년 종료 시까지 처분자산집단은 매각되지 않고 있다.

기준서 제1105호의 측정 범위에서 제외되는 모든 자산과 부채는 적절한 기준서에 따라 재측정된다. 적절한 기준서에 따라 재측정되는 자산은 당기손익－공정가치 측정 금융자산(기준서 제1109호), 이연법인세자산(기준서 제1012호), 유동자산과 부채(다양한 기준서)와 비유동부채(기준서 제1037호)이다. 해당자산은 아래의 표에서 #로 표시되어 있다. 적절한 기준서에 따라 재측정된 처분자산집단은 ㈜삼일은의 회계기록에 1,710백만원으로 기재되어 있다.

처분자산집단의 매매가 어려워 순공정가치는 1,650백만원으로 하락하였다. 적정한 자산과 부채의 재측정 후에 60백만원의 손상은 단계 3의 기준서 제1105호의 측정 기준을 따른 자산(별표가 표시된 무형자산이나 유형자산)으로 배분되어야 한다.

처분자산집단은 손익계산서에서 계속적으로 연결된다. 일반적인 측정 기준에 따라 순자산이 1,830백만원에서 1,710백만원으로 감소한 것은 손익계산서의 개별 계정과목들을 통해 120백만원의 순손실로 기재될 것이다. 그 후 손상 60백만원이 기재될 것이다.

자산/(부채)	20×4-6-15 장부금액 백만원	20×4-12-31 변동 백만원	기준서 제1105호 손상 백만원	기준서 제1105호 하에서 20×4-12-31 장부금액 백만원
귀속되는 영업권	-	-	-	-
무형자산*	868	-	(29)	839
당기손익－공정가치 측정 금융자산#	360	50		410
유형자산*	952	-	(31)	921
이연법인세자산#	250	(20)	-	230
유동자산－재고, 채권, 현금잔액#	520	(120)	-	400
유동부채#	(870)	(30)		(900)
비유동부채－충당금#	(250)			(250)
	1,830	(120)	(60)	1,650

중단영업으로 분류되지 않은 처분자산집단은 정상적인 경우와 동일한 연결절차를 적용한다(즉, 거래는 개별적인 계정과목으로 보고된다). 실무적으로는 기준서 제1105호의 범위 내에 있는 자산을 재측정(또는 감가상각)하지 않도록 유의하면서 처분자산집단의 거래(매출, 매입, 영업비용)가 발생했을 때 이를 그룹의 회계시스템을 통해 기재하는 것

이 더 쉬울 수 있다. 이로 인해 손익계산서 계정과목 분류가 정확해지고 기준서 제1105호의 범위에 포함되지 않은 자산들은 정확하게 측정(손상검사 포함)될 것이다.

동일한 관점이 중단영업인 처분자산집단에도 적용된다. 총세후손실과 재측정 변동액을 나타내는 하나의 계정과목으로 표시되지만 이는 주석에서 개별 항목으로 구분하여 공시된다.

3. 공 시

비유동자산 또는 처분자산집단을 매각예정으로 분류한 기간이나 매각한 기간에는 다음을 공시해야 한다.

- 비유동자산 또는 처분자산집단의 상세내역
- 매각관련 사실과 상황, 처분을 기대하게 하는 사실과 상황 및 기대되는 처분의 방법과 시기
- 기준서 제1105호의 문단 20-22에 따른 인식된 손익. 이것은 기준서 제1105호의 범위에 포함되지 않는 자산과 부채를 적절한 기준서에 따라 측정한 후에 매각예정 분류 시 기준서 제1105호에 따라 인식되는 손상차손을 포함한다. 또한 후속적인 순 공정가치의 증가 또는 감소로 인한 손익을 포함한다.
- 위 항목에 따라 인식된 손익이 손익계산서 본문에 별도로 표시하지 않을 경우 그 손익을 포함하는 포괄손익계산서 항목의 명칭
- 적용가능한 경우, 기준서 제1108호에 따라 당해 비유동자산 또는 처분자산집단을 표시한 보고부문

(기준서 제1105호 문단 41)

재무상태표에 표시된 자산과 부채에서 매각예정자산, 처분자산집단과 중단영업의 금액을 나눠서 표시할 필요는 없다. 그러나 비유동자산이나 처분자산집단을 요구사항에 따라 적절히 나타내기 위해서 주석에 구분하여 보여줄 필요는 있다.

매각예정으로 분류되었던 자산이나 처분자산집단이 더 이상 그렇게 분류되지 않게 되거나 특정 자산이나 부채가 처분자산집단에서 제외되는 경우 기업은 매각계획이 변경된 이유를 공시하여야 한다. 변경된 사실과 상황은 변경이 당기와 전기에 미치는 효과와 함께 공시되어야 한다(기준서 제1105호 문단 42). '효과'란 기준서 제1105호 문단 27에 따른 모든 재측정을 포함한다.

중단영업

1. 분 류

중단영업이 기준서 제1105호 하에서 정의된 처분자산집단에도 해당하는 경우에는 재무상태표의 측정과 표시 목적상으로 다른 매각예정 처분자산집단과 동일한 방법으로 처리된다. 중단영업이 매각예정이면 그 자산과 부채는 유동자산과 유동부채에 인접하여 별도로 표시된다. 비교재무상태표는 재작성되지 않는다. 중단영업이 처분된 부문 또는 매각예정으로의 분류 없이 사용이 중지된 부문에 해당되는 경우 표시될 재무상태표 항목은 없을 것이다. 하지만 중단영업은 손익계산서 목적으로는 다르게 처리된다.

중단영업으로 분류되기 위해서는 아래의 요건을 충족하여야 한다.

① 이미 처분되었거나 매각예정으로 분류되는 기업의 구분단위여야 함.
② 아래의 요건 중 하나에 해당하여야 한다.
　(1) 별도의 주요 사업계열이나 영업지역이다.
　(2) 별도의 주요 사업계열이나 영업지역을 처분하려는 단일 계획의 일부이다.
　(3) 매각만을 목적으로 취득한 종속기업이다.

매각예정으로 분류되었다는 것은 앞장의 분류의 요건을 모두 충족하였음을 의미한다.

기업의 구분단위에 대해서는 기준서 제1105호가 세부적으로 규정하고 있지 않으며, 문단 31에서 아래와 같이 설명하고 있다.

'기업의 구분단위는 재무보고 목적뿐만 아니라 영업상으로도 기업의 나머지 부분과 영업 및 현금흐름이 명확히 구별된다. 즉 기업의 구분단위는 계속사용을 목적으로 보유 중인 경우 하나의 현금창출단위 또는 현금창출단위집단이 될 것이다.'

그러나 동 기준서 전의 중단영업에 대한 기준서인 IAS 35 '중단영업'(한국채택국제회계기준 제정 전의 기준서)은 아래와 같은 지침을 포함하고 있었으며, 이는 현재의 기준서에는 포함되어 있지 않지만, 동일하게 적용할 수 있을 것으로 생각된다.

- 영업자산과 영업부채가 그 단위에 직접 귀속될 수 있다.
- 이익(총수익)이 그 단위에 직접 귀속될 수 있다.
- 최소한 대부분의 영업비용이 그 단위에 직접 귀속될 수 있다.

구분단위가 매각, 폐기 또는 다르게 처분되는 경우 그 구분단위의 자산, 부채, 수익 및 비용이 제거될 경우 이는 직접 귀속된다고 할 수 있다. 관련 채무가 구분단위에 귀속되는 경우에만 이자비용 및 다른 금융비용이 그 구분단위에 귀속된다.

기준서 제1105호에 따르면 매각되지 않고 폐쇄되거나 폐기되는 영업은 기업이 그러한 결정을 하는 시점에 중단으로 분류되지 않을 것이다(앞장의 1. (3) 참조). 또한, 영업이 주로 매각거래를 통해 회수되지 않을 것이므로 매각예정요건을 충족하지도 않을 것이다. 그러나, 실제 영업이 중단되는 경우 상기 중단영업으로의 분류요건을 충족한다면, 중단영업으로 표시되어야 한다.

기준서 제1105호 문단 13에 의하면 폐기될(영업의 중지를 포함) 처분자산집단이 중단영업 요건을 충족하는 경우 처분자산집단의 성과와 현금흐름을 사용이 중단된 날에 중단영업으로 표시하도록 하고 있다. 보통의 경우 모든 수익과 비용의 원천이 중지되며 모든 자산이 처분되므로 언제 영업이 '중단'되었는지를 분명히 결정할 수 있지만 사실과 상황에 따라 판단이 필요할 수도 있다. 예를 들어 모든 수익활동은 중단되었지만 여전히 일부 운영비용이 발생하고 매각되거나 폐기될 자산이 남아 있을 수도 있다. 이러한 경우 그러한 비용의 성격을 고려하여 영업활동으로 볼 수 있는지를 판단해야 할 것이다. 아래의 사례는 이러한 경우를 보여주고 있다.

사례 1 제약 도매업의 중단

리스한 부지 내에서 제약 도매업을 영위하던 한 기업이 있다. 해당 사업은 중단되었으며 다음 회계연도의 3개월 안에 모든 재고는 처분되었으며 종업원들은 해고되었다. 회수해야 하는 채권 금액이 남아 있으며 철수한 리스부지의 리스가 종료될 때까지 지속적으로 비용이 발생하는 상황이다.

이 사례에서 기업이 영위하던 제약 도매업은 중단된 상태다. 남아 있는 후속적 거래로 영업활동이 지속되는 것은 아니다. 따라서 영업은 중단된 것이다.

기준서 제1108호에서 정의된 영업부문은 중단영업이 주요 사업계열이거나 주요 영업지역이어야 한다는 요건을 일반적으로 충족할 것이다. 영업부문의 일부도 주요 사업계열이나 주요 영업지역이어야 한다는 조건을 충족할 수 있을 것이다. 또한, 기업이 하나의 사업부문 또는 주요 지역부문으로 사업을 영위하여 부문정보를 보고하지 않는 경우,

주요 상품이나 서비스 계열도 해당 조건을 충족할 수 있을 것이다.

점진적으로 처분하는 경우, 그러한 점진적인 처분이 단일의 처분계획으로 고려되어야 하는지를 결정하기 위해 처분계획을 분석해야 한다. 만일 단일 처분계획을 구성하는 부분들이 각기 다른 시점에 매각예정으로의 분류를 만족한다면, 이러한 전반적인 영업의 부분들은 각기 다른 시점에 중단영업의 요건을 충족할 수 있다. 기준서 제1105호에 의하면 해당 항목이 별도의 주요 사업계열이나 영업지역이 아닌 경우 별도의 주요 사업계열이나 영업지역을 처분하려는 단일 계획의 일부라면 중단영업의 요건을 충족한다고 규정하고 있다(기준서 제1105호 문단 32). 따라서, 정의상 가장 중요한 점은 단일 계획이 있어야 한다는 것이다.

기업들은 종종 공장을 매각하거나 폐쇄하고 제품이나 제품생산라인을 포기함에 따라 인력을 줄이기도 한다. 일반적으로 이런 형태의 재조정이 중단영업과 관련하여 발생하더라도 기준서 제1105호의 중단영업을 충족하지 않는다. 예를 들면, 기업이 기준서에 따라 중단영업을 충족하는 영업을 매각할 공식적이고 세부적인 계획을 발표하였다. 동시에 경영진은 향후 중앙 조직을 축소할 것이므로 본사 인력을 감축할 계획을 세울 수 있고, 본사는 유지되는 다른 영업과 가까운 곳으로 재배치될 수 있다. 본사 인력감축이나 본사 재배치는 중단영업과 관련이 있지만 그 자체가 중단영업이 되는 것은 아니다. 이런 것들은 중단영업이 아닌 계속영업에 포함되어야 하는 내용들이다. 또한, 영업을 축소하는 것 자체만으로도 중단영업의 조건을 충족하지는 않을 것이다. 아래 사례는 이러한 경우를 보여주고 있다.

사례 2 스위스 영업 대부분의 매각

기업이 재고를 장기간 저장하기를 원하는 기업들에게 창고를 임대하고 있으며, 프랑스, 독일, 스위스에서 수년 동안 영업을 하고 있다. 각각의 영업은 각 기업의 구성요소이자 주요 영업지역이다. 올 해 스위스에 있는 대부분의 시설이 매각되었으며 매각에 따라 그 영업지역은 중요하게 축소될 것이다. 그러나 스위스 영업부문이 일부 축소된 것이지 전부 중단된 것은 아니므로 중단영업으로 공시되는 것은 아니다.

2. 표시 및 공시

일단 기업이 영업을 매각 또는 포기에 따라 처분되었거나, 영업이 매각예정의 정의를 충족하고 중단영업으로 분류될 만큼 충분히 중요하여, 중단영업의 정의를 충족한다고 판단하는 경우, 해당 영업은 기준서 제1105호에 따라 표시되어야 한다. 중단영업은 손익계산서상 별도의 항목으로 표시되어야 한다.

기업은 포괄손익계산서에 다음의 합계를 단일금액으로 표시해야 한다.

- 세후 중단영업손익
- 중단영업에 포함된 자산이나 처분자산집단을 순공정가치로 측정하거나 처분함에 따른 세후 손익

(기준서 제1105호 문단 33(1))

위의 금액은 영업이 중단된 시점부터가 아닌 전체기간을 대상으로 한다. 공시되는 금액은 해당 기간의 세후 손익에 자산 또는 처분자산집단의 재측정 및 처분으로 인한 손익을 더한 것이므로, 사실상 단일금액은 처분 전까지는 기초와 기말의 중단영업 순자산 변동액 중 자본에 직접 인식되는 금액을 제외한 금액이 될 것이다. 그러므로 손익계산서의 매출부터 세후 손익까지의 각 계정에서는 중단영업이 제외되어 있다. 중단영업을 제외한 손익계산서 금액은 미래 성과 예측을 위한 기초로 더욱 유용하다.

또한 동 기준서에 따르면 포괄손익계산서에 공시된 단일금액은 포괄손익계산서 또는 주석에서 다음과 같이 구분하여 공시되어야 한다.

(가) 중단영업의 수익, 비용 및 세전 중단영업손익
(나) 기준서 제1012호의 문단 81(8)에 의한 (가)와 관련된 법인세비용
(다) 중단영업에 포함된 자산이나 처분자산집단을 순공정가치로 측정하거나 처분함에 따라 인식된 손익
(라) 기준서 제1012호의 문단 81(8)에 의한 (다)와 관련된 법인세비용

중단영업의 영업활동, 투자활동 및 재무활동으로부터 발생한 순현금흐름은 주석이나 현금흐름표에 공시해야 한다(동일하게 비교기간의 재작성이 요구된다). 그러나 처분자산집단이 취득 당시 매각예정분류기준을 충족한 신규로 취득한 종속기업인 경우 이를 반드시 공시할 필요는 없다(기준서 제1105호 문단 33(3)).

또한, 기준서 제1105호 문단 33(4)에 따라 지배기업의 소유주에게 귀속될 계속영업손익과 중단영업손익의 금액은 주석이나 포괄손익계산서에 표시되어야 한다.

세무회계상 유의할 사항

1. 매각예정비유동자산

법인세법상 사업에 사용하지 않는 자산은 감가상각자산에 포함되지 않는 것으로 규정하고 있다. 다만, 경제환경의 변동 등으로 일시적으로 가동중단상태에 있으나 상시 재가동이 가능한 상태에 있는 설비(서면2팀-350, 2004. 3. 3.)로서 유휴설비의 경우에는 감가상각자산에 포함하도록 하되(법령 24조 3항 1호 괄호), 사용 중 철거하여 사업에 사용하지 않는 기계 및 장치 등과 취득 후 사용하지 않고 보관중인 기계 및 장치 등은 감가상각자산에서 제외한다(법칙 12조 3항). 따라서 한국채택국제회계기준에 따라 매각예정비유동자산으로 분류된 자산의 경우에도 해당 자산이 계속 사업에 사용되고 있거나 유휴설비에 해당한다면, 법인세법상 감가상각대상자산에 해당된다.

이 경우 법인세법 시행령 제31조 제8항에서는 감가상각자산이 진부화, 물리적 손상 등에 따라 시장가치가 급격히 하락하여 법인이 기업회계기준에 따라 손상차손을 계상한 경우(법법 제42조 제3항 제2호에 해당하는 경우는 제외)에는 해당 금액을 감가상각비로서 손비로 계상한 것으로 보아 법인세법 제23조 제1항을 적용한다고 규정하고 있는 바, 회계상 매각예정비유동자산과 관련하여 인식한 손상차손계상액은 이를 감가상각한 것으로 보아 시부인계산하여야 할 것으로 판단된다.

2. 중단영업의 성과

중단영업의 분류조건을 충족하는 경우, 기업은 당해 중단영업의 성과를 계속영업과는 구분되도록 다음 항목의 합계를 포괄손익계산서에 단일 금액으로 표시한다(기준서 제1105호 문단 33(1)).

- 세후 중단영업손익
- 중단영업에 포함된 자산이나 처분자산집단을 순공정가치로 측정함에 따른 세후손익("중단영업자산손상차손")
- 중단영업에 포함된 자산이나 처분자산집단을 처분함에 따른 세후 손익

(1) 세후 중단영업손익

중단영업의 성과는 계속사업손익과는 구분되도록 다음과 같이 회계처리한다.

(차) 매 출 액	×××	(대) 매 출 원 가	×××
영 업 외 수 익	×××	판 매 비 와 관 리 비	×××
중 단 영 업 손 실	×××	영 업 외 비 용	×××
		법 인 세 비 용	×××

위의 회계처리와 관련하여 법인세법상 명문규정이나 유권해석은 없으나, 향후에 중단할 영업이라 하여 관련 수익과 비용을 상계처리하는 것은 법인세법상 인정되지 않을 것으로 판단된다. 따라서, 법인세 신고시 다음과 같은 세무조정이 필요할 것이다.

(익산) 매 출 액	×××	(기타)
(익산) 영 업 외 수 익	×××	(기타)
(손불) 중 단 영 업 손 실	×××	(기타)
(손산) 매 출 원 가	×××	(기타)
(손산) 판 매 비 와 관 리 비	×××	(기타)
(손산) 영 업 외 비 용	×××	(기타)
(손산) 법 인 세 비 용	×××	(기타)

또한, 위와 같은 세무조정과 더불어 감가상각비, 대손상각비, 접대비, 퇴직급여, 기부금 등 세법상 일정한 한도 내에서만 손금으로 인정되는 비용은 손익계산서에 계상된 금액이 아닌 중단영업손익으로 대체되기 전의 금액을 법인세법상 시부인 대상으로 하여야 할 것이다.

한편, 법인세법 제25조의 접대비 손금불산입 및 같은 법 시행령 제48조의 공동경비의 손금불산입 등의 규정을 적용함에 있어 "기업회계기준에 의하여 계산한 매출액"이란 중단영업부문의 매출액을 포함한 매출액을 말한다(법령 42조 1항).

(2) 중단영업자산손상차손

중단영업자산손상차손과 관련한 세무회계상 유의할 사항은 '1. 매각예정비유동자산' 편을 참조하기로 한다.

05

특수회계편

I

파생상품회계

Chapter 01 파생상품

제1절 파생상품의 의의

(1) 의 의

파생상품(derivatives)은 이자율, 주가, 상품가격, 환율, 지수 등과 같은 특정대상(underlying asset)과 당해 특정대상을 적용하여 계약상의 현금흐름액(또는 교환가액)을 정하기 위한 화폐금액, 주식수, kg과 같은 특정단위(notional amount)를 가지는 금융상품 또는 이와 유사한 계약이다.

파생상품은 특정대상과 미래의 현금흐름액, 특정단위의 세 가지 요소로 구성된다. 예를 들어, 현재 환율이 ₩1,200이고, 환율의 상승이 예상되어 6개월 후 $1,000를 ₩1,400/$에 매입하기로 통화선도계약을 체결한 경우 특정대상은 환율이 되며, 특정단위는 $1,000가 된다.

파생상품은 특정대상('기초자산'이라고도 함)에 근거하여 파생된 상품으로 그 기초자산의 형태에 따라 다양하게 나타나게 되어 파생상품이 정확히 어떤 것을 지칭하는지는 정립되지 않은 것 같다. 파생상품은 기초자산 즉, 대상을 무엇으로 하느냐에 따라 달라지는데 일반적으로는 위험을 회피하기 위하여 이용되는 선도계약, 선물거래, 스왑, 옵션 등을 일컫는다.

투자은행들은 고객들의 요구에 부응하기 위해 새로운 파생금융상품을 개발하는 데 몰두하고 있으며 이들은 선물 및 옵션계약과 유사한 성격을 갖기도 하나, 일부는 더 복잡한 성격을 갖기도 한다.

세계 금융시장 및 외환시장의 자유화 경향은 금리와 환율변동폭을 더욱 확대시킴으로써 거래당사자의 가격변동위험을 더욱 크게 만들었으며, 은행 등 금융기관들의 국경을 초월한 치열한 경쟁과 금리 및 환율변동위험의 증가는 새로운 수익창출 기회와 효율적인 자금조달 및 운용을 위한 다각적인 노력을 요구하고 있다.

(2) 파생상품의 경제적 기능

파생상품은 기본적으로 위험회피와 투기의 기회를 제공하는 기능을 가진다. 여기서는 파생금융상품의 기본적 기능 및 금융시장에 미치는 경제적 기능에 대해 살펴본다.

첫째, 가격변동위험의 전가기능이다. 파생상품의 전통적인 기능으로서, 위험회피자 (hedger)에게 금융자산의 가격변동위험을 회피할 수 있는 기회를 제공한다. 한편, 투기자(speculator)는 이러한 위험을 부담하여 이익을 얻을 수 있는 기회를 갖게 된다. 따라서 가격의 불확실성을 감소시켜 경제활동을 촉진시키는데, 위험회피자와 투기자는 서로 다른 미래 예측능력과 위험회피수준을 갖고 위험구조를 재조정함으로써 그 금융시장의 원활한 운용과 효율성 제고에 기여한다.

둘째, 미래 시장가격에 대한 예측치 제공기능이다. 대부분의 파생상품은 기초자산의 미래 가격을 예측하여 거래가 이루어진다. 파생상품시장은 별도로 형성되는 것이 아니라 현물시장의 상품의 수요와 공급에 대한 정보와 수많은 거래자들 나름대로의 예측도 반영되고 있으며, 이렇게 결정된 가격은 고정된 것이 아니라 매초마다 시장에서 변동되고 통신매체, 전산기술의 발달로 전세계적으로 전달됨으로써 시장참여자의 의사결정을 용이하게 한다. 이렇게 형성된 가격은 실물자산(기초자산)의 미래 가격을 예시하는 기능을 가지게 된다.

셋째, 자금흐름의 탄력성 증대기능이다. 투자자는 파생상품을 활용하여 자신들의 목적에 맞도록 보유자산 또는 보유예정자산을 구성함으로써 금리, 만기, 현금흐름 등을 조정할 수 있어 자금이 탄력적으로 관리된다.

넷째, 금융비용의 절감기능이다. 기존의 전통적 금융상품에 비해 훨씬 적은 계약금으로도 거래계약을 체결할 수 있으므로 신용위험(credit risk)을 감소시킬 수 있고, 대부분 반대매매로 청산이 가능하여 현물의 구입과 운송에 드는 비용이 절감된다. 또한, 이자지급이나 통화거래상에서도 불리한 계약을 자신의 판단상 유리하다고 생각되는 현금흐름을 갖는 거래와 스왑계약을 체결함으로써 금융비용을 줄일 수 있다.

다섯째, 금융시장의 효율성 제고기능이다. 위에서 본 이점으로 인해 시장은 전문적으로 시장정보를 수집하고 평가하는 다수의 참가자들을 시장에 참여시킴으로써 시장정보의 질을 높이고 정보비용을 감소시키며 이용가능한 정보가 시장가격에 보다 효율적으로 반영된다. 예측능력의 발달로 거래시장에서 신속한 정보와 가격조정이 일어남으로써 기초상품시장을 망라한 전 금융시장의 효율성을 제고시키고 이에 따라 경제전체의 자원배분의 효율성을 증대시킨다.

선도거래

(1) 선도거래의 의의

선도거래(forward)는 미래 일정 시점에 약정된 가격에 의하여 계약상의 특정대상을 사거나 팔기로 계약당사자 간의 합의한 거래이다. 미래 일정 시점을 선도거래 계약기간이라 하며, 약정된 가격을 행사가격이라 한다.

대표적인 선도거래로는 특정대상(underlying asset)에 따라 통화선도거래와 선도금리계약이 있다.

통화선도거래란 미래의 일정 시점에 통화를 미리 약정된 환율로 서로 매매하기로 현시점에서 약속하고 약정한 기일이 도래하면 약정된 환율로 통화를 매매하는 거래방식을 말한다. 약정한 기간 동안 실제 환율이 어떻게 변동하든 상관없이 미리 약정한 환율을 적용하여 통화를 매매하는 것으로 선물(선도)환거래라고도 불리운다. 여기서 미리 약정한 환율을 선도환율(forward rate), 실제의 환율을 현물환율(spot rate)이라 한다. 그리고 환율의 상승을 예상하여 매입계약을 체결하는 것을 선매입(long Position)이라 하고, 환율의 하락을 예상하여 매도계약을 체결하는 것을 선매도(short position)라 한다.

한편, 선도금리계약(forward rate agreement)은 그 대상이 환율이 아니고 이자율일 뿐다른 사항은 선물환계약과 같다. 즉, 미래에 미리 약정한 이자율로 자금을 차입 또는 대여하기로 하는 계약을 선도금리계약이라 한다.

(2) 선도거래의 동기

선도거래의 동기는 통화선도거래를 예로 들어 설명하면 다음의 세 가지 유형으로 대별할 수 있다.

첫째, 환리스크의 회피수단

선도거래는 환거래 당사자 간에 장래의 외환결제에 적용할 환율을 거래시점에서 미리 약정함으로써 환거래일로부터 결제일 사이의 환율변동에서 초래되는 환리스크를 회피할 수 있다.

둘째, 환차익의 극대화를 위한 환투기 수단

환율예측이 투기자의 예상대로 실현될 경우에는 자기자금의 부담 없이 일정 기간 후에 환차익을 얻을 수 있으나, 환율예측이 반대 방향으로 나타날 경우에는 손실을 보게된다.

셋째, 환포지션의 조정

즉각적인 자금의 결제 없이 외환포지션을 조정할 수 있다. 이 때 외환포지션은 일정 시점에 있어서 은행 및 기업 등이 보유하는 외화표시자산과 외화표시부채의 차액을 말하는 것으로 외환거래에 따른 일정 외환의 매도액과 매입액의 차액으로 환리스크에 노출된 부분을 의미한다.

(3) 선도거래의 유형

선도거래의 유형은 통화선도거래를 예로 들어 설명하면 다음의 세 가지 분류로 구분할 수 있다.

① 거래의 목적에 따른 분류

- 투기 목적의 선물환거래(Outright Forward Contract)
- 위험제거 목적의 선물환거래
  - 특정한 외환거래약정을 헷지하기 위한 거래
  - 보유 중인 외화자산·부채를 헷지하기 위한 거래

② 대상통화에 따른 분류

- 자국통화와 외국통화 간의 선물환거래
- 외국통화와 외국통화 간의 선물환거래

③ 위험제거의 목적물에 따른 분류

- 이자율 스왑거래(Interest Rate SWAP)
- 원금스왑거래(통상의 SWAP)
- 통화이자율 스왑(Currency-Interest Rate SWAP)

선물거래

(1) 선물거래의 의의

선물거래란 수량·규격·품질 등이 표준화되어 있는 특정대상에 대하여 현재시점에서 결정된 가격으로 미래 일정 시점에 인도·인수할 것을 약정한 계약으로 조직화된 시장에서 정해진 방법으로 거래되는 것을 말한다.

선물거래는 선도거래와 마찬가지로 계약시점에 미래의 약정일에 일정한 자산을 수도·결제할 것으로 한다는 면에서 선도거래(forward trading)와 유사하나 거래형식과 내용면에서 다음과 같은 차이가 있다.

구 분	선물거래(Futures)	선도거래(Forward)
거래방법	거래소에서 공개방식에 의한 경쟁적 거래(open cry)	점두시장거래로 당사자 간의 개별적 거래
유통형태	결제일 이전에 거래소에서 청산됨.	대부분 만기일에 결제됨.
거래조건지정	거래대상품목, 결제기간, 거래단위 등이 정형화	당사자 간의 합의에 따라 거래조건이 조정
현금수지형태	청산소(Clearing House)를 통한 매일매일 시장가격의 변동에 따라 손익이 증거금의 증감을 통해 반영	당초 합의된 날짜에만 자금결제가 이루어짐.
증거금	계약이행을 위한 거래개시증거금 및 유지증거금이 필요	원칙적으로는 없지만 거래시 필요에 따라 징수하기도 함.
거래대상자	선물거래소	한정된 실수요자 중심
거래가격의 형성	거래소에서 제시	당사자 간의 합의에 따라 결정
거래상대방의 인지	알지 못함.	상대방의 신용상태 파악 후 거래

위의 특징비교를 통해서 볼 때 선물거래는 거래내용과 거래조건을 표준화하여 공식적인 시장에서 거래되므로 다수의 수요자와 공급자를 가지게 되어 대량의 거래가 이루어질 수 있고, 증거금이 일일정산제도를 통하여 선도거래보다 가격변동의 위험을 회피하는 데 보다 효율적인 방법이라고 할 수 있다.

(2) 일일정산과 증거금제도

증거금제도(margin requirement)는 선물거래시 모든 거래자가 일정 금액의 증거금을 청산소에 납부하고 선물계약을 보유하고 있는 동안 일정 수준 이상의 증거금 잔고를 유지하도록 하는 제도이며, 증거금의 형태는 선물포지션을 개설할 때(계약체결시) 계약액에 비례하여 납부하는 개시증거금과 선물가격의 변동으로 증거금이 일정 수준 이하로 떨어질 때 추가적으로 납부하는 추가증거금 그리고 계좌를 유지하기 위한 최소요구 잔액인 유지증거금이 있다.

선물가격의 변화로 선물보유포지션에서 발생한 평가손실이 증거금보다 클 경우 증거금의 계약이행 담보능력이 상실되므로 이를 사전에 예방하기 위하여 선물거래에서는 선물가격변동에 따른 각 계좌별 손익을 매일매일 평가하여 이를 실현시키는 일일정산제도(market to market)를 두고 있으며, 이는 증거금제도와 함께 계약이행에 따른 위험을 감소시키는 제도이다.

(3) 선물거래의 유형

선물거래는 상품선물과 금융선물거래가 있고, 금융선물거래에는 거래대상에 따라 주요국 통화를 대상으로 하는 통화선물거래(currency futures transaction)와 금융자산을 대상으로 하는 이자율선물거래(interest rates futures transaction), 회사채지수선물거래(corporate bond index futures transaction), 주가지수선물거래(stock index futures transaction) 그리고 선물에 대한 옵션거래인 금융선물옵션거래(financial futures options transaction)가 있다.

스 왑

(1) 스왑의 의의

본래 물물교환한다는 뜻을 가지고 있는 스왑(swap)은 특정기간 동안에 발생하는 일 정한 현금흐름을 다른 현금흐름과 교환하는 것을 말하는 것으로 연속된 선도거래를 의 미한다.

스왑거래는 외환시장에서 외환거래를 통하지 않고 금융시장에서 장기외화차입에 따 르는 환위험 및 금리변동위험을 헷지하여 차입비용을 줄일 수 있는 금융기법으로 활용 되고 있다. 또한, 외환규제나 세제의 차등적용 등에도 효율적으로 대처할 수 있는 기법 으로도 활용되고 있다.

스왑금융은 거래자의 성격이나 거래목적에 따라 아래와 같은 다양한 기능을 수행 한다.

① 차입비용의 절감 및 리스크 헷징

신용도가 낮은 차입자가 접근하기 어려운 자본시장에서 신용도가 높은 차입자와 스 왑금융을 체결함으로써 시장접근이 용이함은 물론 차입비용을 절감하고 차입기간도 다 양하게 선택할 수 있다.

또한, 필요한 통화의 자본시장 사정이 차입에 불리한 경우 차입자가 차입조건이 상대 적으로 유리한 여타 통화시장에서 일단 차입한 후 이를 스왑금융을 통하여 필요한 통화 표시자금으로 전환, 이용할 수 있다.

② 기존부채, 신규부채의 차입조건개선

기존의 변동금리부 부채를 고정금리부로 또는 고정금리부 부채를 변동금리부 부채로 전환하여 이자지급조건을 변경함으로써 이자율리스크나 이자부담을 경감할 수 있고, 특 히 차환(refinancing)의 경우 채무발행에 소요되는 시간과 비용 등을 절약할 수 있다.

③ 장래의 자금수지관리 및 중장기 외화자산의 헷징

장래 발생할 자금의 유출입이 기간별·통화별로 일치하지 않거나 또는 중·장기 외 화표시자금의 거래증가로 인하여 헷징하기가 어려울 경우에 스왑금융을 이용한다.

④ 조직전체입장에서의 효율적인 유동성관리

다국적기업의 경우 수개국에서 사업 결과 교환가능통화자산과 교환불가능 통화자산 간에 유동성 불균형문제가 발생할 수 있는 바, 스왑금융은 이러한 문제들을 용이하게 해결할 수 있다.

한편, 스왑금융은 이자율 변동위험의 경감, 자금수지상의 제약완화 등 여러 장점을 갖고 있는 것에 반하여 스왑거래를 하지 않을 경우 실현될 수도 있는 기회이익을 포기해야 함은 물론 스왑금융 자체의 거래불이행에 따른 신용위험이나 시장위험이 내포되어 있다는 점에 유의해야 한다.

(2) 스왑의 유형

일반적인 스왑의 대상으로는 통화와 이자율이 있다.

통화스왑은 두 개의 서로 다른 통화를 미래의 일정 시점에 동일한 환율로 재교환하기로 약정하고 행하는 통화 간의 교환거래라고 말할 수 있다. 즉, 조건부 통화매각(입)이라고 할 수 있다. 이자율스왑은 이자율을 변동금리에서 고정금리로 바꾸거나 변동금리 간의 교환을 하는 거래를 말한다.

1) 이자율스왑

이자율스왑은 금융시장에서 차입자의 기존부채 또는 신규부채에 대한 이자율리스크의 헷징이나 차입비용의 절감을 위해서 두 차입자가 각자의 채무에 대한 이자지급의무를 상호 간에 교환하는 계약으로서 일반적으로 변동(고정)금리부채를 고정(변동)금리부채로 전환하는 형식을 취하게 된다.

한편, 이자율스왑거래는 주로 동종통화, 동액의 원금, 동일만기의 부채구조를 가지고 있는 두 당사자 간의 거래가 대부분인데 통화스왑과는 달리 계약당사자 간에 이자지급의무만 있고 원금에 대해서는 상환의무가 없다.

따라서 자금의 흐름도 원금의 교환 없이 이자차액만 상호 수수되며 당초의 자금조달과는 관계가 없는 별도의 계약에 의해 거래가 성립된다.

이자율스왑거래는 두 차입자가 각각 상대 차입자보다 유리한 변동금리 또는 고정금리 조건으로 자금을 조달할 수 있는 상대적인 비교우위에 있을 경우 두 차입자가 각자 유리한 시장에서 차입하여 각자의 차입금리지급의무를 상호 간에 교환함으로써 이루어지는 거래로 신용도가 높은 차입자는 고정금리시장에서 차입하고 신용도가 낮은 차입자는 변동금리시장에서 차입하게 된다.

다음은 이자율스왑거래에 대한 효과를 살펴보자.

S기업은 거액의 자금을 차입하려 하는데 미래 이자비용의 정확한 예측을 위하여 고정금리로 차입하기를 희망한다. K은행은 주로 변동금리로 대출하고 있기 때문에 이익마진확보를 위해 변동금리로 차입하기를 희망한다.

구 분	S기업	K은행	이자율차이
고정금리	14%	12%	2%
변동금리	LIBOR + 1.0	LIBOR	1.0%

이러한 상황하에서 고정금리로 자금을 차입하기를 원하는 S기업은 자신과 K은행 간의 고정금리가 변동금리격차보다 큰 이자율스왑계약을 체결함으로써 이자비용을 절감할 수 있다.

다음 그림은 이와 같은 이자비용절감효과를 예시한 것이다.

| 이자율스왑거래와 비용절감효과 |

```
                        변동금리이자지급
          ┌─────────┐   ←──── LIBOR ────   ┌─────────┐
          │  S기업  │   고정금리이자지급    │  K은행  │
          └─────────┘   ──── 12.5% ────→   └─────────┘
            ↑    │                          │    │
   변동금리  │    │ 변동금리        고정금리 │    │ 고정금리
   자금차입 │    │ 이자지급        자금차입 │    │ 이자지급
            │    │ (LIBOR+1%)              │    │ (12%)
            │    ↓                         │    ↓
          ┌─────────┐                  ┌─────────┐
          │ 변동금리 │                  │ 고정금리 │
          │ 대출자  │                  │ 대출자  │
          └─────────┘                  └─────────┘
```

먼저 S기업과 K은행이 각자의 필요에 의하여 자금을 조달한다면 S기업은 14%, K은행은 LIBOR 코스트로 자금을 차입하게 된다. 그러나 양차입자 간의 고정금리격차는 2%인 반면 변동금리격차는 1%에 불과하기 때문에 S기업은 LIBOR + 1.0의 변동금리로, K은행은 12%의 고정금리로 일단 자금을 차입하고 상호 간에 이자지급 및 만기가 동일한 이자율스왑계약을 체결하게 된다. 이 때 금리경감효과는 고정금리에서의 이자율차이 2%와 변동금리에서의 이자율차이 1%의 격차인 1%이며, 이는 S, K 두 회사 간에 배분되는데 배분내용은 A, B 두 회사 간의 신용도나 스왑거래에 대한 수요·공급의 사정에 따라 결정된다. 앞의 예에서 금리경감효과가 S, K 두 회사에 균등하게 배분되었다면 S기업은 K은행에 12%의 고정금리에 0.5%의 프리미엄을 지급하고 K은행은 S기업에 LIBOR금리를 지급함으로써 양자 간에 서로 상대방의 이자비용을 부담하는 것이다. 이와 같은 이자율 스왑거래의 결과를 요약하면 다음과 같다.

	S기업	K은행
각각 자금을 조달한 경우(A)	14%	LIBOR
이자율스왑계약체결		
고정금리 지급	12.5	12.0
고정금리 수령	−	(12.5)
변동금리 지급	LIBOR+1.0	LIBOR
변동금리 수령	(LIBOR)	−
스왑에 의한 차입이자율(B)	13.5	LIBOR−0.5
차　　　이(A−B)	0.5	0.5

결국, S기업은 0.5%의 이자비용이 절감되었고 K은행도 0.5%만큼의 이자비용이 절감되어 금리경감효과를 반분하게 된다.

2) 통화스왑

통화스왑거래는 두 개 또는 그 이상의 거래기관이 사전에 정해진 만기와 환율에 의하여 상이한 통화로 차입한 자금의 원리금 상환을 상호교환하여 이를 이행하기로 한 외환거래이다. 즉, 통화스왑은 일정통화로 차입한 자금을 타 통화차입으로 대체하는 스왑거래로서 스왑기간 중 금리도 상호교환 지급되는 거래이다.

이와 같은 통화스왑거래는 주로 환리스크의 헷징과 자금관리를 위하여 널리 이용되고 있을 뿐만 아니라 이자율변동에 대한 헷징기능도 수행하면서 특정시장의 외환규제나 조세차별 등에 효과적으로 대처할 수 있는 거래기법으로도 이용되고 있다.

최근 통화스왑거래규모가 계속 증대되고 있는 것은 환율변동의 불안정성 증대에 따라 종래의 단기적인 헷징기법으로는 장기적인 환리스크를 회피하는 데 한계가 드러나면서 다국적기업이나 금융기관들이 장기적인 환리스크 관리수단으로서 통화스왑거래를 적극 이용하고 있기 때문이다.

통화스왑거래는 처음에는 통화담보대출, 상호대출 등의 형태로 출발하였으나 그 후 장기선물환계약, 직접통화스왑, 채무의 교환 등으로 다양하게 발전하였다.

다음은 통화스왑계약의 효과를 살펴본다.

갑은 US$화로 차입하기를 희망하고 있으나 US$채 시장보다 SFr채시장에서 비교우위가 있고, 을은 SFr화로 차입을 원하나 유로달러 또는 양키본드시장에서 비교우위가 있다.

갑과 을은 동시에 동일만기채를 기채한다. (1)·(2)에서 갑은 SFr채, 을은 US$채를 발행한 후 통화스왑계약을 체결하여 (3)에서처럼 서로의 순조달액(Net proceed)을 교환한다. 동시에 기채 후 계속되는 이자지급 및 만기도래시 원금상환도 (4)에서처럼 계속

상호교환하여 부담할 것을 약정하게 된다.

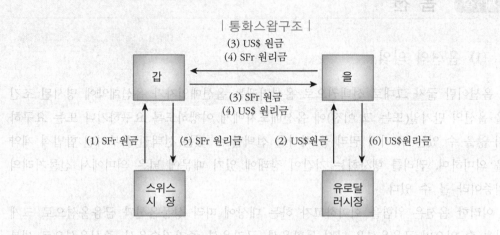

제5절 옵 션

(1) 옵션의 의의

옵션이란 글자 그대로 선택권으로 옵션거래는 옵션매입자가 옵션계약에 명시된 조건을 옵션의 만기일(또는 그 이전)에 옵션매도자에게 이행하도록 요구하거나 또는 요구하지 않을 수 있는 두 가지 권리 중 하나를 선택할 수 있는 선택권이 부여된 합법적 계약을 의미하며, 권리를 행사하는 기간이 장래에 있기 때문에 넓은 의미에서 선물거래의 일종이라 볼 수 있다.

이러한 옵션은 위험을 회피하고자 하는 대상에 따라 상품옵션과 금융옵션으로 크게 나눌 수 있으며 금융옵션은 다시 통화옵션, 금리옵션, 주가지수옵션, 주식옵션으로 세분할 수 있다.

역사적으로 옵션거래는 16세기 초 네덜란드에서 튤립을 대상으로 처음 거래가 시작된 것으로 전해지고 있다. 그 이후 미국이나 유럽에서 여러 가지 종류의 상품을 대상으로 장외옵션이 거래되어 왔다. 그러나 1973년 4월에 시카고 옵션거래소가 창설되면서 처음으로 16개의 주식을 대상(기준물)으로 콜옵션이 거래됨으로써 뉴욕을 중심으로 거래되던 장외옵션은 자취를 감추게 되었다.

시카고 옵션거래소에서 처음 도입된 콜옵션은 16개의 상장 우량주식을 대상으로 하였고 1982년 12월에 필라델피아 증권거래소에서 파운드화에 대한 통화옵션거래가 최초로 시작되었다.

한편, 우리나라는 주가지수옵션시장이 1997년 7월 7일에 개설되었다.

(2) 옵션의 유형

① 옵션의 행사권에 따른 분류

콜옵션은 옵션매도자로부터 일정액의 외국통화를 특정가격으로 약정기일(또는 약정기일 이전)에 매입할 수 있는 권리를 옵션매입자에게 부여하는 계약이다.

풋옵션은 옵션매입자가 일정액의 외국통화를 특정가격으로 약정기일 또는 그 약정기일 이전에 매도할 수 있는 권리를 보유하게 되는 계약을 말한다.

② 옵션의 만기 전 옵션행사 가능 여부에 따른 분류

옵션이 계약기간이 종료되는 만기일이나 또는 만기일 이전에 언제라도 행사할 수 있는 옵션을 미국식 옵션(American option)이라고 하며, 만기일에 한하여 행사할 수 있는 옵션을 유럽식 옵션(European option)이라고 한다.

　이는 옵션거래지역과 관련된 개념은 아니기 때문에 현재 미국옵션시장에서는 미국식 옵션이 주종을 이루면서 유럽식 옵션도 아울러 거래되고 있다.

Chapter 02 파생상품 등의 의의

파생상품은 계속적으로 다양하게 개발되고 있고 기업의 재무상태에 미치는 위험도 매우 큰 바, 이러한 파생상품이 재무상태에 미치는 영향을 적절하게 표시하기 위해 한국채택국제회계기준에서는 금융상품 기준서인 제1109호에서 파생상품의 정의 및 회계처리에 대해 규정하고 있다. 이하의 내용은 동 규정을 중심으로 한 것이다.

1. 적용범위

기준서 제1109호에서는 파생상품을 선물, 선도, 스왑, 옵션 등 그 명칭 여하에 불구하고 일정 요건을 충족하는 금융상품 또는 유사계약으로 정의하였다. 이는 예시주의로 파생상품을 정의하는 것은 새로운 파생상품이 계속적으로 개발되고 있는 상황에 적합하지 않으며, 재무상태에 유사한 영향을 미치는 회계사상에 대하여 회계처리상의 불일치를 초래할 수 있기 때문이다. 따라서 금융상품뿐만 아니라 비금융상품에 근거한 계약도 요건을 충족한다면 파생상품이 될 수 있다. 즉, 동 기준은 금융상품 기준서의 적용범위에 포함되는 모든 유형의 금융상품에 적용하며 파생상품의 정의를 충족하는 기타 계약에 대해서도 적용한다. 금융상품 기준서의 적용범위에 대해서는 '유동자산' 중 '금융상품'편을 참조하도록 한다.

2. 용어의 정의

기준서 제1109호에서는 파생상품 관련 용어들을 다음과 같이 정의하고 있다.

1) 내재파생상품

내재파생상품은 파생상품이 아닌 주계약을 포함하는 복합상품의 구성요소이며, 복합상품의 현금흐름 중 일부를 독립적인 파생상품의 경우와 비슷하게 변동시키는 효과를 가져온다. 내재파생상품은 내재파생상품이 포함되지 않았을 경우의 계약에 따른 현금흐름의 전부나 일부를 이자율, 금융상품가격, 일반상품가격, 환율, 가격 또는 비율의 지수, 신용등급이나 신용지수 및 기타 변수에 따라 변경시킨다. 이 때 당해 변수가 비금융변수인 경우는 계약의 당사자에게 특정되지 아니하여야 한다. 특정 금융상품에 부가되어 있더라도, 계약상 당해 금융상품과는 독립적으로 양도할 수 있거나 당해 금융상품과는 다른 거래상대방이 있는 파생상품은 내재파생상품이 아니며, 별도의 금융상품이다(기준서 제1109호 문단 4.3.1). 다만, 주계약이 금융자산인 경우에는 내재파생상품 규정을 적용하지 않고 해당 복합계약 전체에 금융자산의 요구사항을 적용한다(기준서 제1109호 문단 4.3.2).

2) 위험회피와 관련된 정의

① **확정계약** : 미래의 특정시기에 거래대상의 특정 수량을 특정 가격으로 교환하기로 하는 구속력 있는 약정

② **예상거래** : 이행해야 하는 구속력은 없으나, 향후 발생할 것으로 예상되는 거래

③ **위험회피수단** : 공정가치나 현금흐름의 변동이 지정된 위험회피대상항목의 공정가치나 현금흐름의 변동을 상쇄할 것으로 기대하여 지정한 당기손익-공정가치 측정 파생상품 또는 당기손익-공정가치 측정 비파생금융자산(또는 비파생금융부채). 다만, 당기손익-공정가치로 측정하도록 지정한 금융부채로서 신용위험의 변동으로 생기는 공정가치의 변동 금액을 기타포괄손익으로 표시하는 금융부채는 제외한다. 외화위험회피의 경우 비파생금융자산 및 비파생금융부채의 외화위험 부분을 위험회피수단으로 지정할 수 있으나, 공정가치의 변동을 기타포괄손익으로 표시하기로 선택한 지분상품의 투자는 제외한다.

④ **위험회피대상항목** : 신뢰성 있게 측정할 수 있는 인식된 자산, 부채, 확정계약, 발생가능성이 매우 높은 예상거래 또는 해외사업장에 대한 순투자는 위험회피대상항목이 될 수 있다.

⑤ **위험회피효과** : 위험회피수단의 공정가치나 현금흐름의 변동이 위험회피대상항목의 공정가치나 현금흐름의 변동을 상쇄하는 정도

3) 기타 용어

구분	용어의 정의
매매목적	위험회피목적이 아닌 모든 파생상품의 거래목적
선도거래	미래 일정 시점에 약정된 가격에 의해 계약상의 특정 대상을 사거나 팔기로 계약 당사자 간에 합의한 거래
선물	수량·규격·품질 등이 표준화되어 있는 특정 대상에 대하여 현재 시점에서 결정된 가격에 의해 미래 일정 시점에 인도·인수할 것을 약정한 계약으로서 조직화된 시장에서 정해진 방법으로 거래되는 것
스왑	특정 기간 동안에 발생하는 일정한 현금흐름을 다른 현금흐름과 교환하는 연속된 선도거래

구분	용어의 정의
옵션	계약 당사자 간에 정하는 바에 따라 일정한 기간 내에 미리 정해진 가격으로 외화나 유가증권 등을 사거나 팔 수 있는 권리에 대한 계약
유효이자율법	금융자산이나 금융부채(또는 금융자산이나 금융부채의 집합)의 상각후원가를 계산하고 관련 기간에 걸쳐 이자수익이나 이자비용을 배분하는 방법. 유효이자율은 금융상품의 기대존속기간에 추정 미래현금지급액이나 수취액의 현재가치를 금융자산의 총 장부금액 또는 금융부채의 상각후원가와 정확히 일치시키는 이자율임.

3. 파생상품의 요건

파생상품은 기준서 제1109호의 적용범위에 해당하면서 다음 세 가지 특성을 모두 가진 금융상품이나 그 밖의 계약을 말한다(기준서 제1109호 부록 A. 용어의 정의).

① 기초변수의 변동에 따라 가치가 변동한다. 기초변수는 이자율, 금융상품가격, 일반상품가격, 환율, 가격 또는 비율의 지수, 신용등급이나 신용지수 또는 그 밖의 변수를 말한다. 다만, 비금융변수의 경우에는 계약의 당사자에게 특정되지 아니하여야 한다.

② 최초 계약시 순투자금액이 필요하지 않거나 시장요소의 변동에 유사한 영향을 받을 것으로 기대되는 다른 유형의 계약보다 적은 순투자금액이 필요하다.

③ 미래에 결제된다.

(1) 기초변수

파생상품은 기초변수에 따라 가치가 변동한다. 여기서 '기초변수'는 해당 파생상품의 결제금액을 결정하기 위한 변수로서 이자율, 주가, 상품가격, 환율, 각종 지수 등을 예로 들 수 있다. 일반적으로는 파생상품에는 기초변수와 함께 계약단위의 수량이 정해져 있고 이때 계약단위의 수량이란 해당 파생상품의 결제금액을 결정하기 위하여 기초변수에 적용될 특정단위의 수량을 말하는 것으로 금액이 될 수도 있고 수량이 될 수도 있다. 다만, 한국채택국제회계기준에서는 파생상품의 정의에서 계약단위의 수량을 규정하고 있지 않으므로 파생상품의 정의 충족 여부를 판단시 계약단위의 수량의 존재 여부는 영향을 미치지 않는다.

기초변수를 예로 들면 다음과 같다(일반기준 6장 부록 실6.78).

파 생 상 품	기초변수
US$10,000를1,000원/$에 매입하기로 한 통화선도계약	환율 (₩/1US$)
1,000,000원에 대하여 변동이자율을 지급하고 고정이자율을 수취하기로 한 이자율스왑계약	변동이자율
금 1,000OZ를 300,000,000원에 구입하기로 한 금선도계약	금의 가격
CD금리선물 2계약	100－유통수익률(연율)
주가지수선물 3계약	KOSPI200 주가지수

일반적으로 파생상품의 결제금액은 계약단위의 수량에 기초변수 변동분을 적용하는 방식으로 결정되나 지급규정이 있는 파생상품은 해당 지급규정에 따라 결제금액이 결정된다. 여기서 지급규정(해당 계약이나 거래소운영규정상의 규정)은 기초변수가 일정 조건을 충족하는 경우 일정 금액을 결제하도록 하는 규정으로서 동 규정에는 결제 여부를 판단하기 위한 기초변수의 조건, 결제금액계산방법 등이 포함된다. 이러한 예로는 디지털매입옵션(digital call option)을 들 수 있다. 디지털매입옵션은 이색옵션(exotic option)의 일종으로서 옵션행사시 기초변수와 행사가격의 차액을 지급하는 것이 아니라 그 차액이 아무리 클지라도 사전에 정한 금액만을 지급하는 옵션이다. 이러한 옵션에서 「기초변수가 ××가 되면 ○○원을 지급한다」라는 계약조건이 지급규정이다.

(2) 최초 계약시 순투자금액의 불필요 또는 적은 순투자금액

파생상품은 최초 계약시 순투자금액을 필요로 하지 않거나 시장가격변동에 유사한 영향을 받는 다른 유형의 거래보다 적은 순투자금액을 필요로 해야 한다. 즉, 파생상품은 자산을 직접 보유하지 않고도 기초변수의 가격변동에 참여할 수 있어야 한다는 것이다. 예를 들어, 상품을 직접 구입하는 경우와 해당 상품에 대한 선물계약을 체결하는 경우 시장가격변동에 따른 손익은 양자가 거의 유사하나 전자는 최초 계약시 상품의 취득원가 상당액만큼의 순투자금액이 필요한 데 반하여 후자는 최초의 순투자금액이 필요 없다. 이와 같이 대부분의 파생상품은 최초 계약시에 순투자금액을 필요로 하지 않는다. 다만, 직접통화스왑의 경우 최초 계약시와 만기시점에 해당 통화를 직접 교환해야 하므로 최초 계약시에 투자가 필요하지만 이 경우에도 교환대상통화의 공정가치의 차액인 순투자금액은 영(0)이다. 또한, 옵션의 매입시에 소요되는 순투자금액(옵션프리미엄)은 옵션대상자산(예 : KOSPI200)을 보유하기 위한 투자금액보다 적은 금액으로, 이는 옵션의 내재가치 및 시간가치에 대한 보상의 성질을 갖는 투자금액인 것이다.

(3) 미래에 결제

파생상품은 미래에 결제되며 기준서 제1109호의 적용범위에 해당하는 금융상품의 경우에는 차액결제가 가능할 것을 조건으로 하지 않는다. 다만, 비금융항목을 매입하거나 매도하는 계약의 경우에는 현금 등의 금융상품으로 차액결제될 수 있거나 금융상품의 교환으로 결제될 수 있는 경우 기준서 제1109호를 적용하되 기업이 예상하는 매입, 매도, 사용의 필요에 따라 비금융항목을 수취하거나 인도할 목적으로 체결하여 계속 유지하고 있는 계약은 기준서 제1109호의 적용범위에서 제외되어 파생상품에도 해당하지 않게 된다(기준서 제1109호 문단 2.4). 다만, 비금융항목을 매입하거나 매도하는 계약을 현금이나 다른 금융상품으로 차액결제할 수 있거나 금융상품의 교환으로 결제할 수 있어 금융상품으로 보는 경우에, 기업이 예상하는 매입, 매도, 사용의 필요에 따라 비금융항목을 수취하거나 인도할 목적으로 그 계약을 체결하더라도, 그 계약을 당기손익－공정가치 측정 항목으로 지정할 수 있다. 이러한 지정은 계약의 최초 인식시점에만 가능하며, 이렇게 지정하지 않는다면 이 기준서의 적용범위에서 제외되어 해당 계약을 인식하지 않기 때문에 생기는 인식의 불일치를 제거하거나 유의적으로 줄이는 경우에만 가능하다(기준서 제1109호 문단 2.5).

기준서 제1109호의 적용범위에 포함되는 비금융항목을 매입하거나 매도하는 계약에 대해서는 '유동자산' 중 '금융상품'을 참조하기로 한다.

4. 내재파생상품

(1) 내재파생상품의 분리요건

내재파생상품은 파생상품이 아닌 주계약을 포함하는 복합상품의 구성요소이며, 복합상품의 현금흐름 중 일부를 독립적인 파생상품의 경우와 유사하게 변동시킨다.

복합계약이 금융자산이 아닌 주계약을 포함하는 경우 다음을 모두 충족하는 경우에만 내재파생상품을 주계약과 분리하여 파생상품으로 회계처리한다.

① 내재파생상품의 경제적 특성 및 위험이 주계약의 경제적 특성 및 위험과 밀접하게 관련되어 있지 않다.

② 내재파생상품과 동일한 조건을 가진 별도의 금융상품 등이 파생상품의 정의를 충족한다.

③ 복합계약의 공정가치 변동을 당기손익으로 인식하지 아니한다(즉, 당기손익－공정가치 측정 금융부채에 내재된 파생상품은 분리하지 아니한다).

내재파생상품을 분리한 이후, 주계약은 적절한 기준서에 따라 회계처리한다.

이러한 내재파생상품의 분리 여부를 판단함에 있어 실질적인 기준이 되는 요건은 「경제적 특성 및 위험에 있어서 주계약과 내재파생상품 간에 '밀접한 관련성' 여부」이다. 예를 들어 주계약이 사채면서 수익률 또는 원금상환금액 등이 주가 또는 주가지수에 연동된 경우에는 주계약은 채무형, 내재파생상품은 주식형으로 주계약과 내재파생상품 간에 경제적 특성 및 위험도의 차이가 명백하므로 주계약과 내재파생상품을 분리하여 회계처리한다. 그러나 CD금리 연동예금, 이자율스왑계약예금, 확정금리 만기연장예금 등과 같이 주계약과 내재파생상품이 모두 채무형인 경우에는 경제적 특성 및 위험의 차이가 명백하지 않고, 내재파생상품으로 인한 공정가치 변동도 크지 않아 회계적으로 구분실익이 없으므로 내재파생상품을 분리하지 않고 주계약에 따라 회계처리할 수 있다. 하지만 주계약과 내재파생상품이 모두 채무형인 경우에도 전체 금융상품이 채무형 상품으로서의 기본특성(만기시 원금 회수, 수익률이 시장이자율에 근접)을 갖추지 못하고 있어 채무형 계약이라고 보기 어려운 상품으로서 다음 중 하나에 해당하는 경우에는 경제적 특성 및 위험도 사이에 '밀접한 관련성'이 없는 것으로 본다(기준서 제1109호 문단 B4.3.8(1)).

① 복합상품이 보유자가 인식한 투자금액의 대부분을 회수하지 못할 방법으로 결제될 수 있는 경우

② 내재파생상품으로 인하여 복합상품의 수익률이 주계약의 최초 수익률의 최소 두 배가 될 수 있고 동시에 주계약과 동일한 조건을 가진 계약의 시장수익률의 최소한 두 배가 될 수 있는 경우

예금과 파생상품이 결합된 금융상품의 경우에도 위의 요건을 감안하여 내재파생상품과 주계약인 예금 사이에 밀접한 관련성이 없는 경우 예금과 내재파생상품을 분리하여 회계처리하여야 한다.

(2) 분리요건의 검토시점

기업은 최초로 계약당사자가 되는 시점에 내재파생상품을 주계약과 분리하여 파생상품으로 회계처리하여야 하는지를 검토한다. 계약조건이 변경되어 계약상 요구되었던 현금흐름이 유의적으로 수정되어 재검토해야 하는 경우가 아니라면 후속적인 재검토는 금지된다. 현금흐름이 유의적으로 수정되었는지에 대하여 다음 모두를 고려하여 결정한다.

① 내재파생상품, 주계약 또는 양자 모두의 미래예상현금흐름이 변동된 정도

② 이전에 기대되던 계약상 현금흐름에 비추어볼 때 현금흐름의 변화가 유의적인지

의 여부

(3) 내재파생상품의 회계처리

내재파생상품을 분리한 이후, 주계약은 관련 적절한 한국채택국제회계기준서에 따라 회계처리한다.

예를 들어 사채와 부채인 전환권이 결합된 금융상품의 경우, 전환권은 사채인 주계약과 경제적 특성 및 위험도에 있어 관련성이 없고, 사채가 공정가치 평가대상도 아니며, 전환권은 파생상품의 요건에 부합하는 등 내재파생상품의 분리요건을 충족한다. 이 경우 사채는 사채의 회계처리방법에 따라 처리하고 전환권은 일반적인 파생상품과 동일한 방법에 따라 정산시 발생하는 손익을 파생상품거래손익으로 처리한다.

일반적으로 주계약의 최초 장부금액은 내재파생상품을 공정가치로 평가하여 분리한 후의 잔여금액이다(기준서 제1109호 문단 B4.3.3). 다만, 계약조건에 기초하여 내재파생상품의 공정가치를 신뢰성 있게 결정할 수 없는 경우(예 : 공시가격이 없는 지분상품에 기초하는 내재파생상품)에는 복합상품의 공정가치와 주계약의 공정가치의 차이를 내재파생상품의 공정가치로 산정한다. 이러한 방법으로도 내재파생상품의 공정가치를 신뢰성 있게 산정할 수 없는 경우에는 복합계약 전체를 당기손익－공정가치 측정 항목으로 지정한다(기준서 제1109호 문단 4.3.7).

(4) 당기손익－공정가치 측정 항목으로의 지정

복합계약이 하나 이상의 내재파생상품을 포함하고 주계약이 기준서 제1109호의 적용범위에 포함되는 자산이 아닌 경우에는 복합계약 전체를 당기손익－공정가치 측정 항목으로 지정할 수 있다. 다만, 다음의 경우를 제외한다.

① 내재파생상품으로 인해 변경되는 복합계약의 현금흐름의 변동이 유의적이지 아니한 경우

② 유사한 복합계약을 고려할 때, 별도로 상세하게 분석하지 않아도 내재파생상품의 분리가 금지된 것을 명백하게 알 수 있는 경우. 이러한 내재파생상품의 예로는 (옵션의)보유자가 상각후원가에 근사한 금액으로 중도상환할 수 있는 대출채권에 내재된 중도 상환 옵션이 있다.

또한, 주계약과 분리되어야 하는 내재파생상품이 취득시점이나 후속 재무보고기간말에 주계약과 분리하여 측정될 수 없는 경우에는 복합계약 전체를 당기손익－공정가치 측정 항목으로 지정한다.

파생상품 등의 회계처리

1. 파생상품 회계처리의 일반원칙

(1) 파생상품의 인식

파생상품의 대표적인 예는 선물, 선도, 스왑계약 및 옵션계약이다. 파생상품은 보통 화폐금액, 주식 수, 무게나 부피의 단위 또는 계약에서 정해진 그 밖의 단위를 계약단위의 수량으로 한다. 그러나 파생상품의 투자자나 발행자가 최초 계약시에 계약단위의 수량을 투자하거나 수취하여야 하는 것은 아니다. 이와는 달리 계약단위의 수량과 관계없는 미래사건의 결과에 따라 변동하는 금액(기초변수의 변동에 비례적이지 않음)이나 확정된 금액을 지급해야 하는 파생상품이 있을 수 있다. 예를 들면, 6개월 LIBOR가 100 베이시스 포인트 증가하면 1,000원을 정액으로 지급하는 계약은 비록 정해진 계약단위의 수량이 없더라도 파생상품이다.

기준서 제1109호에서 정의하는 파생상품은 기초항목을 인도함으로써 총액으로 결제되는 계약(예 : 고정금리부 채무상품을 매입하는 선도계약)을 포함한다. 기업은 현금 등 금융상품으로 차액결제할 수 있거나 금융상품의 교환으로 결제할 수 있는, 비금융항목을 매입하거나 매도하는 계약(예 : 미래에 고정가격으로 일반상품을 매입하거나 매도하는 계약)을 체결할 수 있다. 이러한 계약이, 예상되는 매입, 매도 또는 사용 필요에 따라 비금융항목을 수취하거나 인도할 목적으로 체결되어 계속 유지되고 있는 계약이 아니라면, 당해 계약에 기준서 제1109호를 적용한다.

파생상품을 정의하는 특성 중의 하나는 시장요인의 변동에 유사하게 반응할 것으로 기대되는 다른 유형의 계약에 필요한 최초 순투자금액보다 적은 금액이 필요하다는 점이다. 옵션이 연계된 기초금융상품을 취득하는 데 필요한 투자금액보다 옵션프리미엄이 작으므로, 옵션계약은 파생상품의 정의를 충족한다. 최초 계약시에 동일한 공정가치를 가지는 다른 통화를 교환하는 통화스왑은 최초 순투자금액이 영(0)이므로, 파생상품의 정의를 충족한다.

정형화된 금융자산의 매매거래는 매매일과 결제일 사이에 거래가격을 고정시키는 거래이며 파생상품의 정의를 충족한다. 그러나 계약기간이 짧기 때문에 파생금융상품으로 인식하지 아니한다. 정형화된 금융자산의 매매거래의 회계처리는 '유동자산' 중 '금융자산'편을 참조하기로 한다.

파생상품의 정의에서 계약의 당사자에게 특정되지 아니한 비금융변수를 언급하고 있다. 이러한 비금융변수에는 특정 지역의 지진손실지수와 특정 도시의 온도지수 등이 포함된다. 계약의 당사자에게 특정된 비금융변수에는 계약 당사자의 자산을 소멸시키거나 손상시키는 화재의 발생이나 미발생이 포함된다. 공정가치가 해당 자산의 시장가격(금융변수)의 변동뿐만 아니라 보유하고 있는 특정 비금융자산의 상태(비금융변수)를 반영한다면, 당해 비금융자산의 공정가치 변동은 소유자에게 특정되는 것이다. 예를 들면, 특정 자동차의 잔존가치를 보증함으로써 보증자가 당해 자동차의 물리적 상태의 변동위험에 노출된다면, 당해 잔존가치의 변동은 자동차 소유자에게 특정되는 것이다.

(2) 파생상품의 평가

공정가치는 해당 파생상품의 현행 현금흐름 등가액을 반영하므로 기업실체의 유동성이나 지급능력을 평가하는 데 있어서 과거의 거래정보인 취득원가보다 재무제표이용자들에게 유용한 정보를 제공하므로 모든 파생상품은 공정가치로 평가한다. 예를 들어, 계약상 현금흐름을 수취하기 위해 보유하는 것이 목적인 원화표시채권은 채무불이행의 위험이 없다면 만기시점에 액면금액이 실현될 것이 확실하므로 보유기간 중의 처분을 가정한 미실현손익의 계상은 의미가 없다. 그러나 파생상품은 만기결제시까지 공정가치가 계속 변동되며, 최초 계약체결시에는 공정가치가 영(0)이어서 재무제표에 인식되지 않는 경우가 많으므로 공정가치에 따라 평가해야 한다. 따라서 파생상품은 결산시뿐만 아니라 최초 계약시에도 공정가치로 평가하여 인식해야 하는 것이다. 예를 들어, 계약체결시점의 공정가치인 통화선도가격(forward rate)으로 통화선도거래계약을 체결한 경우, 계약체결시점에서는 해당 통화선도거래로 인하여 지급 및 수취할 원화환산금액이 동액이므로 통화선도거래의 공정가치는 영(0)이 되어 계약시점에서 자산·부채로 인식할 금액은 없게 된다. 그러나 옵션의 경우는 일반적으로 시간가치 및 내재가치에 대한 프리미엄을 계약체결시점에 수수하게 되고 그 가액이 해당 옵션의 계약체결시점 공정가치이므로 이를 자산·부채로 인식한다.

공정가치 평가는 '금융자산'의 '4. 공정가치' 부분을 참고한다.

(3) 파생상품의 회계처리

① 최초 측정

파생상품은 다른 금융상품과 마찬가지로 최초인식시점에 공정가치로 인식한다. 최초인식시 파생상품의 공정가치는 일반적으로 거래가격이다. 그러나 제공하거나 수취한 대가 중 일부가 파생상품이 아닌 다른 것에 대한 대가라면, 평가기법을 사용하여 파생상품의 공정가치를 추정한다. 추가로 지급한 금액이 어떤 형태로든 자산의 인식기준을 충족하지 못하면, 당해 금액은 비용으로 인식하거나 수익에서 차감한다.

이와 같이, 최초인식시 파생상품의 공정가치의 최선의 추정치는 거래가격(제공하거나 수취한 대가의 공정가치)이지만, 동일한(수정하거나 재구성하지 아니한) 파생상품의 관측가능한 현행 시장거래와의 비교에 의해 입증되거나 관측가능한 시장의 자료만을 변수로 포함한 평가기법에 기초하는 파생상품의 공정가치가 있다면, 최초인식시 그 파생상품의 공정가치의 최선의 추정치는 거래가격이 아니므로 최초인식시점에 거래가격과 공정가치의 차이를 당기손익으로 인식한다. 한편, 그 공정가치가 시장의 자료만을 변수로 포함한 평가기법에 기초하지 않는다면 파생상품의 최초인식시 손익을 인식하지 않을 수 있다. 이 경우 인식하지 않은 차액은 최초인식 후에는 파생상품의 속성에 따라 적절할 방법으로 상각하거나 해당 공정가치가 관측가능한 시장의 자료만을 변수로 포함하게 되는 시점에 인식하는 것이 타당하다.

② 후속 측정

최초인식 후 파생상품자산은 공정가치로 측정한다. 여기서 공정가치는 매도 등에서 발생할 수 있는 거래원가를 차감하지 않은 금액이다. 파생상품은 위험회피수단으로 지정되고 효과적인 파생상품 이외에는 모두 당기손익－공정가치 측정 항목으로 분류되며 파생상품의 취득과 직접 관련되는 거래원가(금융기관이나 거래소에 지급한 거래수수료 등)는 당기손익으로 즉시 인식된다.

위험회피수단으로 지정된 파생상품의 평가손익은 위험회피유형별로 기준서 제1109호에서 정하는 바에 따라 처리한다. 위험회피와 관련한 내용은 「2. 위험회피회계」를 참조하기 바란다.

(4) 재무제표상의 표시

파생상품은 위험회피수단으로 지정되지 않는 한 당기손익－공정가치 측정 항목으로 분류되지만 유동성 분류에 있어서는 만기가 12개월 이상이고 보고기간 후 12개월 이상 보유할 것으로 기대되는 파생상품은 비유동자산 또는 비유동부채로 표시해야 한다(기준서 제1001호 문단 BC38J).

파생상품자산과 파생상품부채는 계약별로 공정가치를 측정하고 계약별 공정가치는 금융자산과 금융부채의 상계요건을 충족하지 않는 이상 상계하지 않는다. 특히, 파생상품 계약과 관련하여서는 동일한 상대방과 복수의 금융상품거래를 수행한 기업이 상대방과 '일괄상계계약'(master netting agreement)을 체결하는 경우가 있다. 이러한 일괄상계계약에 포함된 계약 중 하나의 채무가 불이행되거나 중단되는 경우에 일괄상계계약에 포함된 모든 금융상품이 단일의 금액으로 차액결제될 수 있다. 거래상대방이 채무를 이행하지 못하는 파산이나 이와 유사한 상황에서 발생가능한 손실에 대비하기 위하여 금융기관들은 통상적으로 이러한 일괄상계계약을 사용한다. 법적 구속력이 있으며, 개별적인 금융자산의 실현과 개별적인 금융부채의 결제에 영향을 주는 상계의 권리가 일괄상계계약에 따라 발생할 수 있다. 그러나 이러한 경우는 채무불이행의 특정사건이 발생되는 경우 또는 정상적인 영업활동과정에서는 일반적으로 발생되지 않을 것으로 예상되는 그 밖의 상황이 발생하는 경우에 국한되는 것이 일반적이다. 따라서, 일괄상계계약이 금융자산과 금융부채의 상계요건을 모두 충족하는 경우가 아니라면 상계할 수 없다(기준서 제1032호 문단 50).

기준서 제1001호에서는 동일 거래에서 발생하는 수익과 관련비용의 상계표시가 거래나 그 밖의 사건의 실질을 반영한다면 그러한 거래의 결과는 상계하여 표시한다고 규정하면서 한 예로 단기매매 금융상품에서 발생하는 손익과 같이 유사한 거래의 집합에서 발생하는 차익과 차손은 순액으로 표시한다고 규정하고 있다. 따라서, 파생상품에서 발생하는 평가손익과 처분손익은 평가손익과 처분손익을 구분하지 않고 차익과 차손을 상계하여 순액으로 표시한다. 단, 그러한 차익과 차손이 중요한 경우에는 구분하여 표시한다(기준서 제1001호 문단 35).

파생상품자산과 파생상품부채의 종류별 구분은 재무상태표상에서 요구되지는 않으나 기준서 제1107호에 따른 금융상품 공시사항 작성시 금융상품 종류별로 구분이 필요하며 금융상품의 종류는 금융상품의 특성을 고려하고 공시 정보의 성격에 적합하도록 금융상품을 분류하는 것으로 규정하고 있다(기준서 제1107호 문단 6).

2. 위험회피회계

(1) 의의 및 유형

위험회피회계는 위험회피대상항목과 위험회피수단 사이에 위험회피관계가 설정된 이후 이러한 위험회피활동이 재무제표에 적절히 반영될 수 있도록 해당 위험회피대상항목 및 위험회피수단에 대하여 기존의 회계처리기준과는 다른 별도의 회계처리방법을 적용하도록 하는 것을 말한다. 즉, 위험회피회계는 위험회피활동으로 인하여 공정가치 또는 현금흐름의 변동위험이 상계되었음에도 불구하고 일반적인 회계기준을 적용하는 경우 이러한 위험회피활동이 재무제표에 적절히 반영되지 못하는 문제점을 해결하기 위하여 기업회계기준에 따른 기존의 회계처리방법과는 다른 회계처리방법을 적용하도록 한 것이다. 이러한 의미에서 위험회피회계를 특별회계라고도 한다.

위험회피관계는 다음과 같은 유형으로 구분한다

① **공정가치위험회피** : 특정위험에 기인하고 당기손익에 영향을 줄 수 있는 것으로서, 인식된 자산이나 부채 또는 미인식된 확정계약의 전체 또는 일부의 공정가치 변동에 대한 위험회피

② **현금흐름위험회피** : 특정위험에 기인하고 당기손익에 영향을 줄 수 있는 것으로서, 인식된 자산이나 부채 또는 발생가능성이 매우 높은 예상거래의 현금흐름 변동에 대한 위험회피. 인식된 부채에서 발생한 미래현금흐름의 변동의 예로는 변동금리부 채무상품에서 발생한 미래이자지급액을 들 수 있다.

③ 기업회계기준서 제1021호에서 정의하는 해외사업장순투자의 위험회피

1) 위험회피대상항목

① 조건을 충족하는 위험회피대상항목

위험회피대상항목은 신뢰성 있게 측정할 수 있는 인식된 자산이나 부채, 미인식 확정계약, 발생가능성이 매우 높은 예상거래 또는 해외사업장순투자가 될 수 있다. 위험회피대상항목은 단일 항목이나 항목의 집합 일 수 있다. 또 단일 항목의 구성요소나 항목 집합의 구성요소는 위험회피대상항목이 될 수 있다.

위험회피회계의 목적상 기업의 외부당사자와 관련된 자산, 부채, 확정계약 또는 발생가능성이 매우 높은 예상거래만을 위험회피대상항목으로 지정할 수 있다. 연결실체 내의 개별기업 사이의 거래는 연결실체 내의 개별기업의 개별재무제표나 별도재무제표에서 위험회피대상항목으로 지정할 수 있으나, 연결재무제표에서는 위험회피대상항목으로 지정할 수 없다(투자기업과 당기손익-공정가치로 측정하는 그 종속기업간의 거래가 연결재무제표상 제거되지 않는 기업회계기준서 제1110호에서 정의하는 투자기업의 연결재무제표에서는 지정 가능함). 다만, 기준서 제1021호 '환율변동효과'에 따라 연결재무제표에서 전부 제거되지 않는 외환손익에 노출되어 있다면, 연결실체 내의 화폐성항목(예 : 종속기업 사이의 채무와 채권)의 외화위험은 연결재무제표에서 위험회피대상항목으로 지정할 수 있다. 기준서 제1021호에 의하면, 연결실체 내의 화폐성항목이 서로 다른 기능통화를 갖는 연결실체 내의 개별기업 사이에서 거래되는 경우, 연결실체 내의 화폐성항목의 외환손익이 연결재무제표에서 전부 제거되는 것은 아니다. 또 예상거래가 당해 거래를 체결한 기업의 기능통화가 아닌 통화로 표시되며 외화위험이 연결당기손익에 영향을 미친다면, 발생가능성이 매우 높은 연결실체 내 예상거래의 외화위험은 연결재무제표에서 위험회피대상항목으로 지정할 수 있다.

② 위험회피대상항목의 지정

위험회피관계에서 항목 전체나 항목의 구성요소를 위험회피대상항목으로 지정할 수 있다. 전체 항목은 항목의 모든 현금흐름 변동이나 모든 공정가치 변동을 말한다. 항목의 구성요소는 항목의 전체 공정가치 변동이나 현금흐름의 변동보다 적은 부분을 말한다. 이 경우에는 다음 항목의 구성요소(항목의 구성요소의 결합 포함)만을 위험회피대상항목으로 지정할 수 있다.

(1) 특정 시장 구조에 대한 평가에 근거했을 때, 위험요소를 별도로 식별할 수 있고 신뢰성 있게 측정할 수 있는 경우에 한하여 특정 위험이나 복수의 위험(위험요소)으로 생긴 항목의 현금흐름 변동분 또는 공정가치 변동분. 위험요소는 위험회피대상항목의 현금흐름이나 공정가치의 변동 중 특정된 가격이나 그 밖의 변수를 초과하거나 미달하는 변동(일방의 위험)만을 지정하는 것을 포함한다.

(2) 하나 이상의 선택된 계약상 현금흐름

(3) 명목금액의 구성요소. 즉, 항목 금액의 특정 부분

2) 위험회피수단

① 조건을 충족하는 위험회피 수단

일부 발행한 옵션을 제외한 당기손익 – 공정가치 측정 파생상품 및 당기손익 – 공정가치 측정 비파생금융자산이나 비파생금융부채는 위험회피수단으로 지정할 수 있다.

다만, 당기손익 – 공정가치로 측정하도록 지정한 금융부채로서 신용위험의 변동으로 생기는 공정가치의 변동 금액을 기타포괄손익으로 표시하는 금융부채는 제외한다. 외화위험회피의 경우 비파생금융자산이나 비파생금융부채의 외화위험 부분은 위험회피수단으로 지정할 수 있다. 다만, 공정가치의 변동을 기타포괄손익으로 표시하기로 선택한 지분상품의 투자는 제외한다.

위험회피회계의 목적상, 보고실체의 외부 당사자(보고하는 연결실체 또는 개별기업의 외부 당사자)와 체결한 계약만을 위험회피수단으로 지정할 수 있다.

② 위험회피수단의 지정

조건을 충족하는 금융상품은 전체를 위험회피수단으로 지정해야 한다. 다음의 경우에만 예외가 허용된다.

(1) 옵션의 내재가치와 시간가치를 구분하여 내재가치의 변동만을 위험회피수단으로 지정하고 시간가치의 변동을 제외하는 경우

(2) 선도계약에서 선도요소와 현물요소를 구분하고 선도계약의 현물요소의 공정가치 변동만을 위험회피수단으로 지정하는 경우. 이와 비슷하게 외화 베이시스 스프레

드는 분리하여 위험회피수단으로 지정하지 않을 수 있다.

③ 전체 위험회피수단의 비례적 부분(예 : 명목금액의 50%)을 위험회피관계에서 위험회피수단으로 지정하는 경우. 그러나 위험회피수단의 잔여 만기 중 일부 기간에서만 생긴 공정가치의 일부 변동을 위험회피수단으로 지정할 수 없다.

다음 항목의 결합(일부 위험회피수단에서 생기는 위험이 다른 위험회피수단에서 생기는 위험을 상쇄하는 상황을 포함)을 위험회피수단으로 지정할 수 있다.

⑴ 복수의 파생상품이나 복수의 파생상품의 비례적 부분

⑵ 복수의 비파생상품이나 복수의 비파생상품의 비례적 부분

그러나 발행한 옵션과 매입한 옵션이 결합된 파생상품(예 : 이자율 칼라)이 지정일에 실질적으로 발행한 옵션인 경우에는 위험회피수단으로 지정할 수 없다. 이와 비슷하게 결합된 둘 이상의 금융상품(또는 이들 금융상품의 비례적 부분)은 지정일에 실질적으로 발행한 옵션이 아닌 경우에만 위험회피수단으로 결합하여 지정할 수 있다. 다만, 발행한 옵션을 매입한 옵션(다른 금융상품에 내재된 매입한 옵션을 포함)을 상쇄하기 위해 위험회피수단으로 지정하는 것은(예 : 중도상환할 수 있는 부채의 위험회피에 사용된 매도콜옵션) 가능하다.

(2) 적용조건

다음의 조건을 모두 충족하는 위험회피관계에 대해서만 위험회피회계를 적용할 수 있다.

① 위험회피관계는 적격한 위험회피수단과 적격한 위험회피대상항목으로만 구성된다.

② 위험회피의 개시시점에 위험회피관계와 위험회피를 수행하는 위험관리의 목적과 전략을 공식적으로 지정하고 문서화한다. 이 문서에는 위험회피수단, 위험회피대상항목, 회피대상위험의 특성과 위험회피관계가 위험회피효과에 대한 요구사항을 충족하는지를 평가하는 방법(위험회피의 비효과적인 부분의 원인 분석과 위험회피비율의 결정 방법 포함)이 포함되어야 한다.

③ 위험회피관계는 다음의 위험회피효과에 관한 요구사항을 모두 충족한다.

㉠ 위험회피대상항목과 위험회피수단 사이에 경제적 관계가 있다.

㉡ 신용위험의 효과가 위험회피대상항목과 위험회피수단의 경제적 관계로 인한 가치 변동보다 지배적이지 않다.

㉢ 위험회피관계의 위험회피비율은 기업이 실제로 위험을 회피하는 위험회피대상항목의 수량과 위험회피대상항목의 수량의 위험을 회피하기 위해 기업이 실제 사용하는 위험회피수단의 수량의 비율과 같다. 그러나 위험회피대상항목과 위

험회피수단의 가중치의 불균형은 위험회피의 비효과적인 부분(인식 여부와 관계없이)을 만들어 내고 위험회피회계의 목적과 일치하지 않는 회계처리 결과를 가져올 수 있으므로 지정할 때 가중치의 불균형을 반영해서는 안 된다.

(3) 위험회피관계의 중단

위험회피관계가 위험회피비율과 관련된 위험회피 효과성의 요구사항을 더는 충족하지 못하지만 지정된 위험회피관계에 대한 위험관리의 목적이 동일하게 유지되고 있다면, 위험회피관계가 다시 적용조건을 충족할 수 있도록 위험회피관계의 위험회피비율을 조정해야 한다. 이 기준서 제1109호에서는 이를 '재조정'이라고 한다.

위험회피관계(또는 위험회피관계의 일부)가 (해당사항이 있다면, 위험회피관계의 재조정을 고려한 후에도)적용조건을 충족하지 않는 경우에만 전진적으로 위험회피회계를 중단한다. 위험회피수단이 소멸·매각·종료·행사된 경우도 이에 해당한다. 이러한 목적상 위험회피수단을 다른 위험회피수단으로 대체하거나 만기 연장하는 것이 위험관리 목적에 관한 문서에 포함되어 있고 그러한 목적과 일치한다면, 그러한 위험회피수단의 대체나 만기 연장은 소멸이나 종료가 아니다. 또 이러한 목적상, 다음 조건을 충족하는 경우는 위험회피수단의 소멸이나 종료가 아니다.

① 법령이나 규정의 결과로 또는 법령이나 규정의 도입으로, 원래의 계약상대방을 교체하여 하나 이상의 청산 계약상대방이 각 당사자들의 새로운 계약상대방이 되도록 위험회피수단의 당사자들이 합의한다. 이러한 목적상, 청산 계약상대방은 중앙청산소(종종 '청산기구'나 '청산기관'이라고 부름)이거나 중앙청산소와의 청산 효과를 내기 위하여 거래상대방의 역할을 하는 하나의 기업이나 기업들(예 : 청산기구의 청산회원이나 청산기구의 청산회원의 고객)이다. 그러나 위험회피수단의 당사자들이 원래의 계약상대방을 각자 다른 계약상대방으로 교체하는 경우라면 각 당사자들이 같은 중앙청산소와 청산하는 효과가 있는 경우에만 이 문단을 적용한다.

② 위험회피수단에 대한 그 밖의 변경은 계약상대방의 교체효과를 내기 위해 필요한 경우로 제한된다. 그러한 변경은 원래부터 위험회피수단이 교체된 청산 계약상대방과 청산되었을 경우에 예상되는 계약조건과 일치하는 것으로 제한된다. 이러한 변경은 담보요건, 수취채권과 지급채무 잔액의 상계권리, 부과된 부담금의 변경을 포함한다.

위험회피회계의 중단은 위험회피관계 전체나 일부(이 경우 위험회피회계는 나머지 위험회피관계에 계속 적용된다)에만 영향을 미칠 수 있다.

(4) 공정가치 위험회피회계

공정가치 위험회피회계는 특정위험으로 인한 위험회피대상항목의 공정가치변동이 위험회피수단인 파생상품 등의 공정가치변동과 상계되도록 특정위험으로 인한 위험회피대상항목의 평가손익을 위험회피수단의 평가손익과 동일한 회계기간에 대칭적으로 인식하도록 하는 것을 말한다. 여기서 위험회피대상항목의 공정가치변동은 구체적으로 고정이자율수취조건 대출금, 고정이자율지급조건 차입금, 재고자산매입 확정계약, 재고자산매출 확정계약 등의 공정가치변동을 의미한다. 이러한 공정가치 위험회피회계는 위험회피대상항목과 위험회피수단의 인식 및 평가에 대한 기존의 회계처리가 서로 달라 위험회피활동이 적절히 나타나지 못하기 때문에 필요한 것이므로, 위험회피대상항목과 위험회피수단의 평가기준이 동일하거나 모든 금융자산·부채를 공정가치로 평가하는 경우에는 그 자체로서 위험회피활동이 재무제표에 적정히 반영되므로 별도의 위험회피회계가 필요 없다.

1) 공정가치위험회피의 회계처리

공정가치위험회피가 위험회피회계의 적용조건을 충족하면, 다음과 같이 회계처리한다.
① 위험회피수단의 재측정에 따른 공정가치의 변동을 당기손익(또는 공정가치 변동을 기타포괄손익에 표시하기로 선택한 지분상품의 위험회피수단 손익은 기타포괄손익)으로 인식한다.
② 회피대상위험으로 인한 위험회피대상항목의 손익은 위험회피대상항목의 장부금액을 조정하여 당기손익으로 인식한다. 이는 이러한 조정이 없다면 원가로 측정하는 위험회피대상항목에도 적용한다. 위험회피대상항목이 기타포괄손익-공정가치 측정 금융자산인 경우에도 회피대상위험으로 인한 손익은 당기손익으로 인식한다. 다만, 기타포괄손익-공정가치 측정 금융자산이 지분상품인 경우 그 금액을 기타포괄손익에 남겨둔다. 위험회피대상항목이 인식되지 않은 확정계약(또는 그 구성요소)인 경우에는 지정 후 위험회피대상항목의 공정가치 누적 변동분을 자산이나 부채로 인식하고, 이에 상응하는 손익은 당기손익으로 인식한다. 위험회피수단의 공정가치 변동도 당기손익으로 인식한다.

자산을 취득하거나 부채를 인수하는 확정계약이 공정가치위험회피회계의 위험회피대상항목인 경우, 확정계약을 이행한 결과 인식하는 자산이나 부채의 최초 장부금액은 재무상태표에 인식된 회피대상위험으로 인한 확정계약의 공정가치 누적변동분을 포함하도록 조정한다.

확정계약의 외화위험회피에 공정가치위험회피회계 또는 현금흐름위험회피회계를 적용할 수 있다.

위험회피대상항목이 상각후원가로 측정하는 금융상품인 경우에 장부금액의 조정액은 상각하여 당기손익으로 인식한다. 상각은 조정액이 생긴 직후에 시작할 수 있으며, 늦어도 위험회피 손익에 대한 위험회피대상항목의 조정을 중단하기 전에는 시작하여야 한다. 상각을 시작하는 시점에 다시 계산한 유효이자율에 기초하여 상각한다. 기타포괄손익-공정가치 측정 채무상품이 위험회피대상항목인 경우에 상각은 장부금액을 조정하는 대신에 이미 인식한 누적손익을 나타내는 금액에 같은 방식으로 적용한다.

위험회피대상항목의 특정위험만을 위험회피대상으로 지정한 경우, 회피대상위험과 관련이 없는 위험회피대상항목의 공정가치 변동은 해당 위험회피대상항목의 일반적인 회계처리 기준을 적용하여 회계처리한다.

사례 **공정가치위험회피회계 / 이자율스왑 거래**

고정금리 차입금을 전체기간에 대해 변동금리로 위험회피하는 위험회피

배경 및 가정

F사는 USD를 기능통화로 사용하는 미국 기업이다. F사의 보고일자는 6월 30일과 12월 31일이다.

사업계획에 따르면 F사는 향후 5년간 USD100백만의 유동성이 요구된다. F사는 자금 조달을 위해 USD 표시 채권을 발행하기로 결정했다. 20×5년 12월 31일 F사는 6월 30일과 12월 31일 반기마다 2.90%의 이자를 지급하는 USD 100m 5년 만기 채권을 액면금액으로 발행했다. 부채발행과 관련된 거래원가는 없다.

F사의 미래 수익은 금리 변동과 상관관계가 있다. F사의 위험관리정책은 장기 조달자금의 50-70%를 변동금리로 위험회피하는 것이다.

F사는 위험관리 정책에 따라 고정금리부 채무가 발행된 날짜(20×5년 12월 31일)에 1.97%를 받고 6개월 LIBOR를 지급하는 5년 만기 금리스왑을 체결한다. 정산일은 매년 6월 30일과 12월 31일이다.

이자율스왑의 공정가치는 시장금리로 발행되기 때문에 최초시점에 영(0)이다.

이자율위험의 요약

관리정책
이자율 위험

F사는 이자부채무와 투자에서 발생하는 이자율 위험에 노출되어 있다. F사는 총 순부채 포트폴리오에서 고정금리 순부채와 변동금리 순부채의 비율을 조정하여 장기 자금조달시 이자율 위험에 대한 노출을 관리한다. 변동금리부채의 비중은 장기자금조달 총액의 50%에서 70%로 유지된다.

위험회피정책 요약
위험회피수단

F사는 이자율위험을 회피하기 위해 금리스왑만을 사용한다. 모든 파생상품은 신용등급이 A 이상인 거래상대방과 체결해야 한다.

위험회피관계

F사는 모든 중요한 이자율위험회피에 대해 위험회피회계의 적용조건을 충족시키는 것을 목표로 한다. F사는 이자율위험회피 모두에 대해 이자율스왑의 전체 공정가치 변동을 위험회피수단으로 지정한다.

위험회피 문서화

위험회피관계를 시작할 때 경영진은 다음을 포함하여 위험회피관계를 공식적으로 문서화해야 한다.

- 위험 관리 목적 및 전략
- 위험회피수단, 위험회피대상항목, 위험회피대상 위험의 특성(LIBOR exposure) 및 위험회피에 비효과적인 부분의 잠재적인 원인 식별
- 경영진이 위험회피관계가 위험회피효과에 대한 요구사항을 충족하는지를 평가하는 방법에 대한 다음을 포함하는 설명 : (가) 위험회피대상항목과 위험회피수단 사이에 경제적 관계가 존재함. (나) 신용위험의 효과가 위험회피대상항목과 위험회피수단의 경제적 관계로 인한 가치 변동보다 지배적이지 않음. (다) 위험회피관계의 위험회피비율은 기업이 실제로 위험을 회피하는 위험회피대상항목의 수량과 위험회피수단 수량의 비율과 동일함.

위험회피효과

경영진은 위험회피관계가 위험회피효과에 관한 요구사항을 충족하는지 지속적으로 평가해야 한다. F사는 적어도 매 보고일이나 위험회피효과에 관한 요구사항에 영향을 미치는 상황의 유의적 변동이 있는 시점 중 이른 날에 평가를 수행한다. 이러한 평가는 위험회피효과에 대한 예상과 관련되므로 전진적적으로만 수행한다.

F사의 위험관리정책 및 위험 익스포저의 특성과 일관되게, 위험회피효과는 중요한 조건(금액, 통화, 기준금리, 재설정일, 지급일, 이자일수 계산방법, 만기일)에 기초하여 입증된다. 경영진은 위험회피수단의 특성을 위험회피대상항목의 특성과 일치시켜야 한다.

이 문서에서 경영진은 동일한 위험, 즉 위험회피대상위험으로 인해 위험회피수단과 위험회피대상항목의 가치가 일반적으로 반대 방향으로 변동할 것이므로 주요 조건의 정성적 평가에 기초하여 위험회피효과를 입증할 것이다.

회계처리

공정가치위험회피

공정가치위험회피회계의 적용기준을 충족하는 경우 위험회피기간 중 회계처리는 다음과 같다.

- 위험회피수단의 공정가치 변동은 당기손익으로 인식한다.
- 위험회피대상항목의 위험회피대상위험 변동에 따른 공정가치 변동은 당기손익으로 인식하고 위험회피대상항목의 장부금액을 조정한다.

위험회피 문서 요약

20×5년 12월 31일 F사의 위험회피 문서는 하기와 같다.

위험관리 목적과 전략

F사가 5년 자금조달 기간 동안 위험관리 정책에 따라 승인한 전략은 변동 : 고정금리 순부채 비율을 70 : 50으로 유지하는 것이다. 기존 자금과 결합하여 이 비율을 달성하기 위해 경영진은 이 부채의 고정금리를 변동금리로 스왑하기로 했다.

위험회피 유형

공정가치위험회피 : 고정금리를 수취하고 변동금리를 지급하는 스왑으로 위험회피되는 고정금리채무

회피되는 위험요소의 성격

이자율위험 : 6개월 USD LIBOR 금리 변동으로 인한 USD 부채의 공정가치 변동(20×5년 발행) 부채에 대한 신용위험은 위험회피관계의 일부로 지정되지 않는다.

위험회피대상항목의 식별

위험회피대상항목은 하기 조건으로 발행되는 부채임.

USD 채권 발행	
TMS 참조번호	DS001 – 발행 부채
유형	고정금리의 채권
명목 금액	USD 100,000,000
발행일	20×5년 12월 31일
만기일	20y0년 12월 31일
이자율	2.90%
결제일	매년 6월 30일 및 12월 31일

위험회피수단의 식별

위험회피수단은 이자율스왑이며 조건은 다음과 같다.

USD 이자율 스왑	
TMS 참조번호	IRS001
유형	고정금리 수취 변동금리 지급 USD 금리 스왑
명목 금액	USD 100,000,000
거래일	20×5년 12월 31일
시작일	20×5년 12월 31일
만기일	20y0년 12월 31일
기초자산	USD 1.97% 고정금리 수령, 6개월 USD LIBOR 지급
결제일	매년 6월 30일 및 12월 31일

위험회피지정 : IRS001스왑의 전체 명목금액 USD 100백만에 대한 공정가치 변동은 USD LIBOR 무이표채 커브의 변동에 기인하는 부채 DS001의 공정가치 변동에 대한 위험회피로 지정된다.

위험회피효과
위험회피회계를 적용하기 위해 다음의 위험회피효과 요구사항을 충족해야 한다.
경제적 관계
위험회피대상항목은 고정금리 지급에 대한 익스포저를 발생시키고 이자율스왑은 고정금리 이자를 수취하고 6개월 USD LIBOR 금리를 지급한다. 따라서 위험회피수단의 가치와 위험회피대상항목의 가치는 USD LIBOR 무이표채 커브의 이동으로 인해 반대 방향으로 움직일 것으로 예상한다.

신용위험의 영향
신용위험은 위험회피대상위험의 일부가 아니므로, F사의 신용위험은 위험회피수단의 가치변동에만 영향을 미친다.
신용위험은 F사와 이자율스왑 거래상대방의 신용등급 변동에서 발생한다. 그룹의 재무부서는 회사와 은행의 부정적인 신용위험 변화를 모니터링한다. F사 및 이자율스왑의 거래상대방과 관련된 위험은 위험회피 시작 시점에 미미한 것으로 간주되며 어느 한쪽 당사자의 상황에 중대한 변화가 있는 경우에 재평가될 것이다.

위험회피비율
위험관리정책을 준수하기 위해 20y0년 12월 31일이 만기인 은행차입금 USD 100백만을 상쇄하는 액면금액 USD 100백만, 만기일 20y0년 12월 31일인 이자율스왑을 이용한다. 따라서 위험회피비율이 1:1 또는 100%가 된다.

비효과적인 부분의 원인
비효과적인 부분의 잠재적인 원인은 다음과 같다.
• 위험회피대상항목의 축소 또는 변경(부채 상환 등)
• F사 또는 이자율스왑 거래상대방의 신용위험 변동

위험회피효과 평가 빈도
위험회피효과는 위험회피의 개시일과 보고일(6월 30일과 12월 31일) 및 위험회피효과 요구사항에 영향을 미치는 상황의 유의적인 변동이 발생하였을 때 평가한다.

위험회피효과 평가에서 제외된 항목
채무의 신용위험은 위험회피효과 평가에서 제외된다.

효과성 평가와 회계처리
20×5년 12월 31일
위험회피 효과 평가
위험회피문서에 설명된 것처럼 위험회피수단과 위험회피대상 거래는 USD LIBOR 무이표채 커브의 변동에 따라 가치가 반대 방향으로 움직이면서 서로 상쇄된다. 따라서 명확한 경제적 관계가 있다.

위험회피비율은 위험회피문서에 기술된 바와 같이 설정된다.

파생상품 거래상대방의 신용등급은 높고 F사의 신용위험이 양호하다고 판단되므로 신용위험의 영향은 경제관계에서 중요하지도 지배적이지도 않은 것으로 간주된다.

결론 : 위험회피효과에 관한 요구사항을 충족한다.

이자율스왑의 최초 가치평가

F사가 체결한 스왑은 대차대조표에서 공정가치로 인식한다. 스왑의 공정가치는 현재 시장금리로 발행되기 때문에 최초시점에 영(0)이다.

부채 발행

부채는 F사가 발행일에 수취한 금액과 동일한 금액인 공정가치로 최초에 인식한다. 부채는 금융부채로 분류되며 이후 상각후원가로 측정한다.

	DR	CR	
현금	100,000,000		USD
부채		100,000,000	USD

USD 100백만 2.9% 고정금리의 5년 만기 부채 액면에 발행

파생상품 인식

F사가 체결한 스왑은 대차대조표에서 공정가치로 인식한다. 스왑은 현재 시장금리로 거래하므로 최초시점의 공정가치는 영(0)이다. 첫 번째 기간의 변동금리는 1.0405%로 설정되며, 이는 6개월 USD LIBOR 이자율이다.

	DR	CR	
파생상품 – 이자율스왑	0		USD
현금		0	USD

이자율스왑 공정가치(0)로 인식

20×6년 6월 30일

위험회피효과 평가

위험회피는 위험회피관계나 위험회피비율에 (지급일, 액면금액, 거래상대방의 신용위험, 비효과적인 부분의 원인 등의 변동)변동이 발생하지 않았으므로 위험회피효과 요구사항을 계속 충족하고 있다.

결론 : 위험회피효과에 관한 요구사항을 충족한다.

스왑의 현금 정산

	DR	CR	
금융비용 – 이자비용		464,750	USD
현금	464,750		USD

스왑의 정산 : 6개월 기간에 대하여 1.97% 수취 및 1.0405% 지급

이자율스왑의 공정가치 평가

이자율스왑의 공정가치는 USD-629,359다. 스왑 공정가치의 변동 금액은 전체를 20×6 6월 30일로 종료하는 6개월 기간의 당기손익으로 인식한다.

	DR	CR	
금융비용 – 이자비용(위험회피 결과)	629,359		USD
파생상품 – 이자율스왑		629,359	USD

공정가치위험회피 – 스왑의 공정가치 변동

> **유의사항**
> 파생상품손익의 '손익계산서 표시'에 대하여 기준서의 지침은 제한적이다. 위험회피수단으로 지정되고 위험회피효과가 있는 파생상품의 손익은 일반적으로 관련 위험회피대상항목의 영향을 받는 계정과 동일한 항목에 포함된다. 비효과적인 부분과 관련된 손익의 표시는 매매목적의 파생상품 손익을 표시하는 기업의 정책과 일관되어야 한다.

부채의 이자 인식

	DR	CR	
금융비용 – 이자비용	1,450,000		USD
현금		1,450,000	USD

위험회피대상항목의 공정가치 조정

20×6년 6월 30일에 종료된 기간에 위험회피회계의 모든 요구사항은 충족되어 공정가치위험회피회계를 적용할 수 있다. 부채의 장부금액은 위험회피대상위험의 전체 공정가치변동 금액만큼 조정한다. 분개는 다음과 같다.

	DR	CR	
부채	629,359		USD
금융비용 – 위험회피 결과		629,359	USD

공정가치위험회피 – 위험회피된 리스크로 인한 부채의 공정가치 변동

위험회피가 완전히 효과적이기 때문에 파생상품의 공정가치 변동과 부채의 장부금액 조정으로 인한 당기손익 효과는 완전히 상쇄된다.

이러한 거래로 인한 금융비용은 USD 985,250이며, 이는 해당 기간 동안 1.9705%의 이자율(즉, 스왑의 변동 레그에 대한 시장금리 1.0405% + 신용 스프레드 0.93%)로 인식한 비용에 해당한다. 향후 6개월에 해당하는 이 스왑의 변동금리는 6m USD LIBOR 금리인 1.1705%로 설정된다.

> **유의사항**
>
> 이 예시에서는 파생상품의 신용위험에 대한 CVA - DVA 조정은 중요하지 않다고 가정하였다. 실무적으로 이러한 경우가 아니라면 부채에 대한 위험회피조정은 파생상품의 공정가치 변동과 정확히 일치하지 않을 것이다.

20×6년 12월 31일

위험회피효과 평가

위험회피는 위험회피관계나 위험회피비율에 (지급일, 액면금액, 거래상대방의 신용위험, 비효과적인 부분의 원인 등의 변동)변동이 발생하지 않았으므로 위험회피효과 요구사항을 계속 충족하고 있다.

결론 : 위험회피효과에 관한 요구사항을 충족한다.

스왑의 현금 정산

	DR	CR
금융비용 – 이자비용		399,750
현금	399,750	
스왑정산 : 6개월 기간에 대해 1.97% 수취, 1.1705% 지급		

이자율스왑의 공정가치 평가

20×6년 12월 31일 이자율스왑의 공정가치는 USD - 1,209,024(현금결제 후)다. 스왑의 공정가치 변동은 20×6년 12월 31일에 종료된 6개월 기간 동안 평가손실 USD 579,665에 해당한다. 6개월 동안 주요 조건은 변동이 없으므로 위험회피관계가 완전히 효과적하다고 평가되며 파생상품과 부채에 대한 공정가치 변동은 전액 당기손익으로 공시된다.

	DR	CR
금융비용 – 이자비용(위험회피 결과)	579,665	
파생상품 – 이자율스왑		579,665
공정가치위험회피 – 스왑의 공정가치 변동		

부채의 이자 인식

	DR	CR	
금융비용 – 이자비용	1,450,000		USD
현금		1,450,000	USD
6개월 기간에 대한 부채의 2.9% 이자해당액			

위험회피대상항목의 공정가치 조정

20×6년 12월 31일에 종료된 기간에 위험회피회계의 모든 요구사항은 충족되어 공정가치위험회피회계를 적용할 수 있다. 부채의 장부금액은 위험회피대상위험의 전체 공정가치변동 금액

만큼 조정한다. 분개는 다음과 같다.

	DR	CR	
부채	579,665		USD
금융비용 – 위험회피 결과		579,665	USD
공정가치위험회피 – 위험회피된 리스크에 대한 부채의 공정가치 변동			

위험회피가 완전히 효과적이기 때문에 파생상품의 공정가치 변동과 부채의 장부금액 조정은 당기손익에서 완벽하게 상쇄되어 당기손익으로 인식할 비효과적인 부분은 없다.

이러한 거래로 인한 금융비용은 USD 1,050,250이며, 이는 해당 기간 동안 2.105%의 이자율(즉, 스왑의 변동 레그에 대한 금리 1.1705% + 신용 스프레드 0.93%)로 인식한 비용에 해당한다. 이후 6개월에 대한 이 스왑의 변동금리는 6개월 USD LIBOR 금리인 1.2905%로 설정된다.

효과성 평가와 회계처리는 위험회피관계의 남은 기간 동안 동일한 방식으로 수행된다.

	재무상태표						손익계산서			
	파생상품		부채		USD 현금		이자비용		금융 비용	
	DR	CR	DR	CR	DR	CR	DR	CR	DR	CR
20×5/12/31										
부채의 인식					100,000,000	100,000,000				
20×6/06/30										
부채 재평가			629,359							629,359
IRS 재평가 (공정가치위험회피회계)		629,359							629,359	
부채의 이자						1,450,000	1,450,000			
IRS 이자					464,750			464,750		
20×6/12/31										
부채 재평가			579,665							579,665
IRS 재평가 (공정가치위험회피회계)		579,665							579,665	
부채의 이자						1,450,000	1,450,000			
IRS 이자					399,750			399,750		
합계		1,209,024		98,790,976	97,964,500		2,035,500		0	

자본변동표	이익잉여금 및 기타준비금
당기순이익	985,250
20×6/06/30 기준 자본	985,250
당기순이익	1,050,250
20×6/12/31 기준 자본	2,035,000

(5) 현금흐름위험회피회계

현금흐름위험회피회계는 특정위험에 기인하고 당기손익에 영향을 줄 수 있는 것으로서, 인식된 자산이나 부채 또는 발생가능성이 매우 높은 예상거래의 현금흐름 변동에 대한 위험회피로 위험회피수단의 손익 중 위험회피에 효과적이지 못한 부분은 당기손익으로 인식하고 위험회피에 효과적인 부분은 기타포괄손익으로 인식한 후 위험회피대상 미래예상현금흐름이 당기손익에 영향을 미치는 회계연도에 재분류조정으로 현금흐름위험회피적립금에서 당기손익으로 재분류한다. 다만, 위험회피대상 예상거래로 인해 후속적으로 비금융자산이나 비금융부채를 인식하게 되거나, 비금융자산이나 비금융부채에 대한 위험회피대상 예상거래가 공정가치위험회피회계를 적용하는 확정계약이 된다면, 현금흐름위험회피적립금에서 그 금액을 제거하고 관련 자산 또는 부채의 최초 원가나 그 밖의 장부금액에 그 금액을 직접 포함한다.

여기서 현금흐름위험회피의 대상이 되는 현금흐름 변동은 구체적으로 변동이자율수취조건 대출금의 이자수입액변동, 변동이자율지급조건 차입금의 이자지급액변동, 재고자산의 미래 예상매입에 따른 취득금액변동, 재고자산의 미래 예상매출에 따른 매출액변동 등을 의미한다. 이와 같이 현금흐름 위험회피회계는 위험회피대상이 당기손익에 영향을 미치는 기간까지는 위험회피수단의 손익도 당기손익이 아닌 기타포괄손익으로 인식하므로 공정가치 위험회피회계와 달리 위험회피수단의 손익이 자기자본에 영향을 미치게 된다.

1) 현금흐름위험회피의 회계처리

현금흐름위험회피가 회계기간에 위험회피회계의 모든 조건을 충족하면, 다음과 같이 회계처리한다.

① 위험회피수단의 손익 중 위험회피에 효과적인 부분(문단 6.5.11 참조)은 기타포괄손익으로 인식한다.

② 위험회피수단의 손익 중 비효과적인 부분은 당기손익으로 인식한다.

현금흐름위험회피의 구체적인 회계처리는 다음과 같다.

① 위험회피대상항목과 관련된 별도의 자본 요소는 다음 중 작은 금액으로 조정한다.

　㉠ 위험회피 개시 이후 위험회피수단의 손익누계액

　㉡ 위험회피 개시 이후 위험회피대상항목의 미래예상현금흐름의 공정가치(현재가치) 변동누계액

　　예를 들어 20×2회계연도에 파생상품평가이익이 75백만원, 위험회피대상거래의 예상현금흐름 유출액 현가가 70백만원이어서 해당 회계연도에 기타포괄손익으

로 70백만원을, 기타영업외손익 – 비효과적인 부분으로 5백만원을 인식한 경우 20×3회계연도에 파생상품평가이익이 70백만원, 위험회피대상거래의 예상현금흐름 유출액현가가 75백만원이면 누적기준에 따라 누적파생상품평가이익과 누적현금흐름 유출액현가가 145백만원으로 동일하게 되어 위험회피에 효과적이지 못한 부분이 없게 된다. 따라서 20×3회계연도에는 파생상품평가이익 70백만원을 기타포괄손익으로 인식함과 동시에 추가로 5백만원을 기타포괄손익과 당기의 기타영업외손익 – 비효과적인 부분으로 인식한다.

② 위험회피수단이나 위험회피수단 중 위험회피가 지정된 부분의 잔여 손익(위험회피에 비효과적인 부분)은 당기손익으로 인식한다.

③ ①에 따른 현금흐름위험회피적립금 누계액은 다음과 같이 회계처리한다.

　㉠ 위험회피대상 예상거래로 인해 후속적으로 비금융자산이나 비금융부채를 인식하게 되거나, 비금융자산이나 비금융부채에 대한 위험회피대상 예상거래가 공정가치위험회피회계를 적용하는 확정계약이 된다면, 현금흐름위험회피적립금에서 그 금액을 제거하고 관련 자산 또는 부채의 최초 원가나 그 밖의 장부금액에 그 금액을 직접 포함한다. 이것은 재분류조정이 아니며, 따라서 기타포괄손익에 영향을 미치지 않는다.

　㉡ ㉠이 적용되지 않는 현금흐름위험회피의 경우에 해당 금액은 위험회피대상 미래예상현금흐름이 당기손익에 영향을 미치는 기간(예 : 이자수익이나 이자비용을 인식하는 기간이나 예상매출이 생긴 때)에 재분류조정으로 현금흐름위험회피적립금에서 당기손익에 재분류한다.

　㉢ 그러나 현금흐름위험회피적립금이 차손이며 그 차손의 전부나 일부가 미래 기간에 회복되지 않을 것으로 예상된다면, 회복되지 않을 것으로 예상되는 그 금액을 재분류조정으로 즉시 당기손익으로 재분류한다.

현금흐름위험회피회계를 중단하는 경우 현금흐름위험회피적립금 누계액은 다음과 같이 회계처리한다.

① 위험회피대상의 미래 현금흐름이 여전히 발생할 것으로 예상되는 경우에 현금흐름위험회피적립금 누계액은 미래 현금흐름이 생길 때까지 또는 현금흐름위험회피적립금이 차손이며 그 차손의 전부나 일부가 미래 기간에 회복되지 않을 것으로 예상될 때까지 현금흐름위험회피적립금에 남겨둔다. 미래현금흐름이 생길 때 상기 현금흐름위험회피적립금 누계액의 회계처리를 적용한다.

② 위험회피대상의 미래현금흐름이 더 이상 발생할 것으로 예상되지 않는 경우에 현금흐름위험회피적립금 누계액은 재분류조정으로 당기손익으로 즉시 재분류한다.

더 이상 발생할 가능성이 매우 크지 않은 위험회피대상 미래현금흐름도 여전히 발생할 것으로 예상될 수 있다.

사례 1 현금흐름위험회피회계 / 통화선도 거래

예상 외화 구매에 대한 위험회피

배경 및 기본가정

A사는 EUR를 기능통화로 사용하는 프랑스 기업이다. 보고일자는 6월 30일과 12월 31일이다. A사는 식품 산업용 포장을 생산하고 판매한다. A사는 신제품을 출시할 예정이며 제품 생산을 위해 원재료를 구매해야 한다.

제품생산은 20×6년 9월에 시작될 예정이며, A사 경영진은 생산 개시를 위해 20×6년 7월 상당량의 원재료를 구매할 예정이다. 미국에 본사를 둔 특수관계가 없는 회사가 원재료를 공급할 것이다. A사의 생산계획과 공급업체의 현행 청구가격을 고려해 A사의 경영진은 20×6년 7월 31일 단위당 2달러에 500만 단위의 원재료를 수령하고 청구서를 받을 것이다. 대금지급예정일은 20×6년 9월 30일이다.

20×5년 7월 1일, A사의 경영진은 발생가능성이 매우 높은 예상 매입거래의 외화위험을 회피하기로 결정한다. A사는 USD를 매입하고 EUR을 매도하는 선도계약을 체결한다. 이사회가 신제품 출시를 승인하고 경영진이 새 생산 라인을 설치하고 있으며, 미국 공급업체와의 협상도 상당히 진전되어 예상 매입거래의 발생가능성이 매우 높은 것으로 평가된다.

외화선도계약은 가능성이 매우 높은 예상외화매입거래의 위험회피 목적으로 다음과 같이 체결되었다.

유형	선도 계약
매입 금액	USD 10,000,000
매도 금액	EUR 7,887,057
선도 환율	EUR 1 = USD 1.2679
최초 현물 환율	EUR 1 = USD 1.2693
시작일	20×5/7/1
만기일	20×6/9/30

위험회피 기간 중 주요 일자의 시장환율은 다음과 같다.

	20×5/7/1	20×5/12/31	20×6/6/30	20×6/7/31	20×6/9/30
EUR / USD 현물 환율	1.2693	1.2530	1.2732	1.2823	1.3178
EUR / USD 선도 환율 (20×6년 9월 30일 만기)	1.2679	1.2526	1.2726	1.2819	1.3178
EUR 할인율	0.9935	0.9961	0.9987	0.9991	1.0000
USD 할인율	0.9946	0.9964	0.9992	0.9994	1.0000

외화위험관리전략의 요약

A사의 기능통화는 EUR다. A사는 EUR 이외의 통화로 표시된 매입 및 매출에 대한 외환 위험에 노출되어 있다. 따라서 환율의 변동이 EUR로 표시되는 순이익과 재무상태 모두에 영향을 미칠 위험에 노출된다.

A사의 외화 익스포저는 다음에서 발생한다.

- 발생가능성이 매우 높은 외화표시 예상 거래(매출/매입)
- 외화표시 확정계약
- 외화표시 화폐성 항목(주로 매입채무 및 매출채권)

A사는 주로 EUR/USD 위험에 노출되어 있다. USD 이외의 외화 거래는 현재 중요하지 않으며 위험회피되지 않는다.

A사의 정책은 매우 가능성이 높은 예상 거래, 확정계약 및 외화로 표시된 화폐성 항목과 관련된 모든 중요한 외환 위험을 회피하며, 현물환율 변동 위험을 회피하는 것이다.

유의사항

회사는 선도계약을 이용하여 세 가지 외화위험회피 회계처리방법을 선택할 수 있다.
1. 선도 환율 지정
2. 현물 환율을 지정하고 선도요소의 가치 변동을 당기손익으로 인식
3. 현물 환율을 지정하고 선도요소의 가치 변동을 OCI로 인식

위험회피하고자 하는 요소에 따라 위험회피 방법을 선택할 수 있다. 어떤 지정을 사용하든 예상거래의 시기가 선도계약의 만기와 일치하지 않으면 비효과적인 부분이 발생할 수 있다. 이는 기준서 제1109호에서 위험회피의 비효과적인 부분을 측정할 때 화폐의 시간가치를 고려하도록 요구하기 때문이다.

또한 기업이 현물 환율을 지정하고 선도요소의 가치 변동을 당기손익으로 인식하는 경우 이러한 선도 시점의 가치변동은 당기손익의 변동성을 야기할 것이다.

위험회피 정책의 요약

위험회피수단

외환 위험을 회피하기 위해 단순한 구조의 선도 계약만 사용한다.

모든 파생상품은 신용등급이 A 이상인 거래상대방과 거래해야 한다.

위험회피관계

선도계약의 현물요소만 위험회피수단으로 지정되므로 현물요소만 위험회피관계에 포함된다.

위험회피관계에서 제외된 선도요소의 변동은 기타포괄손익으로 인식한다.

위험회피 문서화

위험회피관계를 시작할 때 경영진은 다음을 포함하여 위험회피관계를 공식적으로 문서화해야 한다.

- 위험 관리 목적 및 전략
- 위험회피수단, 위험회피대상항목, 위험회피대상 위험의 특성(GBP / EUR 현물 exposure) 및

위험회피에 비효과적인 부분의 잠재적인 원인 식별

- 경영진이 위험회피관계가 위험회피효과에 대한 요구사항을 충족하는지를 평가하는 방법에 대한 다음을 포함하는 설명 : (가) 위험회피대상항목과 위험회피수단 사이에 경제적 관계가 존재함. (나) 신용위험의 효과가 위험회피대상항목과 위험회피수단의 경제적 관계로 인한 가치 변동보다 지배적이지 않음. (다) 위험회피관계의 위험회피비율은 기업이 실제로 위험을 회피하는 위험회피대상항목과 위험회피수단의 수량 비율과 동일함.

위험회피효과

A사는 위험회피관계가 위험회피효과에 관한 요구사항을 충족하는지 지속적으로 평가해야 한다. 기업은 적어도 매 보고일이나 위험회피효과에 관한 요구사항에 영향을 미치는 상황의 유의적 변동이 있는 시점 중 이른 날에 평가를 수행한다. 이러한 평가는 위험회피효과에 대한 예상과 관련되므로 전진적으로만 수행한다.

위험관리정책 및 위험 익스포저의 특성과 일관되게, 위험회피효과는 중요한 조건(금액, 통화, 만기일)에 기초하여 입증된다. A사의 정책에 따라, 경영진은 위험회피수단의 특성을 위험회피대상항목(액면금액, 통화, 만기일)의 특성과 일치시켜야 한다. 예상거래에 대한 위험회피의 경우 미래전망평가에서 거래가 발생할 가능성이 여전히 매우 높다는 것을 확인해야 한다.

이 문서에서 경영진은 동일한 위험, 즉 위험회피대상위험으로 인해 위험회피수단과 위험회피대상항목의 가치가 일반적으로 반대 방향으로 변동할 것이므로 주요 조건의 정성적 평가에 기초하여 위험회피효과를 입증할 것이다.

회계처리

현금흐름위험회피회계의 적용조건을 충족하는 경우 위험회피기간 중 회계처리는 다음과 같다.

- 위험회피수단의 현물환율 변동과 관련된 공정가치 변동('현물에 기인한 공정가치 변동')은 기타포괄손익(자본의 현금흐름위험회피적립금)에 인식한다. 이것은 회피대상위험과 관련된 공정가치 변동이다. 기준서는 이것을 어떻게 산출해야 하는지 규정하지 않으며, 화폐의 시간가치를 고려하도록 한다. 이와 같이 A사는 위험회피 개시 시점에 기능통화로 표시되는 현물환율('현물요소')과 관련된 기대현금흐름을 식별하여 이러한 공정가치 변동을 계산한다. 각 평가일에 이 현물 요소는 해당 시점의 시장 현물환율을 사용하여 다시 계산된다. 현물요소의 변동은 현물환율 변동으로 인한 예상 현금흐름의 변동과 동일하다. 이러한 변동은 공정가치 변동 중 화폐의 시간가치를 고려한 현물위험의 변동을 식별하기 위해 현재가치로 할인된다.
- 위험회피대상항목과 관련된 범위 내에서 선도요소의 공정가치 변동은 A사의 위험회피회계 정책에 따라 기타포괄손익으로 인식하며 자본 중 위험회피원가 적립금에 누적된다.
- 위험회피관계에 비효과적인 부분은 당기손익으로 인식한다.
- 위험회피대상 예상거래가 후속적으로 비금융자산(원재료 재고)의 인식으로 귀결되는 경우, A사는 그 날짜에 누적된 위험회피손익은 현금흐름위험회피/위험회피원가 적립금에서 제거하고 자산의 최초 취득원가나 그 밖의 장부금액에 직접 포함한다(이를 장부금액 조정(basis adjustment)이라고 한다).

> **유의사항**
>
> 장부조정으로 포함되는 금액은 미래 기간에 당기손익으로 회복될 것으로 예상하는 금액으로 한정된다. 위험회피수단의 공정가치 변동이 손실이고 그 손실의 전부나 일부가 미래 기간에 회복되지 않을 것으로 예상된다면, 그 금액은 즉시 당기손익으로 재분류되어야 한다(현금흐름 위험회피준비금에서 재분류하거나 재고를 인식한 경우 해당 재고의 장부금액을 감소시킴).
>
> 파생상품의 만기가 도래하기 전에 위험회피가 중단된다면(예를 들면 위험회피의 목적이 재고를 인도받는 날까지 위험회피하는 것이었지만 파생상품의 만기가 관련 매입채무의 결제일까지일 때) 현물요소와 선도요소에 관련된 후속 공정가치 변동은 당기손익으로 직접 인식될 것이다.

위험회피문서의 요약

위험관리 목적과 전략

위에서 기술한 A사의 외환위험관리전략을 준수하기 위하여 20×6년 9월 30일에 지급할 예정인 발생가능성이 매우 높은 예상거래에서 발생하는 외환위험을 위험회피한다.

위험회피 유형

현금흐름위험회피 : 발생가능성이 매우 높은 예상 거래에서 발생하는 외화위험에 대한 위험회피

회피되는 위험요소의 성격

20×6년 7월 31일에 발생하며 20×6년 9월 30일에 결제될 것으로 예상되는 발생가능성이 매우 높은 USD 예상 거래로 인한 EUR/USD 현물 환율 위험

위험회피대상항목의 식별

위험회피 금액	USD 10,000,000
거래의 성격	5,000,000 단위 원자재 예상 구매
예상 거래가 발생할 것으로 기대되는 기간 :	
원재료 인도	20×6년 7월 31일
현금 결제	20×6년 9월 30일
예상 가격	단위당 USD 2

예상거래가 발생할 가능성이 매우 높다는 근거 :

• 이사회의 신제품 출시 승인
• 20×6년 9월에 가동할 예정인 새로운 생산 라인 구축
• 미국 공급업체와의 협상이 상당히 진전됨.
• 관련 절차는 예정대로 진행 중이며 경영진은 계획대로 20×6년 7월 31일에 원재료를 인도받을 것으로 예상함.
• 구매량이 생산 예상치에 부합함.

위험회피수단의 식별

거래번호 : 재무관리시스템상 참조번호 K1121.

위험회피수단은 USD 10,000,000을 매입하는 선도계약이며 내역은 다음과 같다.

유형	선도 계약
매입 금액	USD 10,000,000
행사 가격	EUR 7,887,057
개시시점 선도환율	EUR 1 = USD 1.2679
개시시점 현물환율	EUR 1 = USD 1.2693
개시시점 현물 요소	EUR 7,878,358
시작일	20×5/7/1
만기일	20×6/9/30

선도계약 K1121의 현물요소의 변동만이 위험회피대상항목으로 식별된 예상거래의 위험회피수단으로 지정된다.

개시 시점에 존재하는 선도 요소는 다음과 같다.

- (USD 10,000,000/선도환율) - (USD 10,000,000/현물환율) = (USD 10,000,000/1.2679) - (USD 10,000,000/1.2693) = 8,699 EUR.
- 선도계약의 조건은 위험회피대상항목의 주요 조건과 완전히 일치한다.

위험회피효과

위험회피회계를 적용하기 위해 다음의 위험회피효과 요구사항을 충족해야 한다.

경제적 관계

'외환위험회피를 위한 현금흐름위험회피 정책'에 따라 위험회피수단과 위험회피대상항목 간의 경제적 관계를 정성적으로 평가하기 위해 주요 조건을 비교한다.

위험회피대상항목은 USD 10백만 매도 및 EUR 매수에 해당하는 익스포저를 발생시킨다. 선도계약은 USD 10백만을 매입하고 EUR을 매도한다. 위험회피대상 익스포저는 선도계약의 USD leg(즉, 둘 다 지급일이 같은 동일한 USD 금액)와 정확히 일치하기 때문에 위험회피수단과 위험회피대상항목 사이에는 명확한 경제적 관계가 있다.

신용위험의 영향

신용위험은 위험회피대상위험의 일부가 아니므로, A사의 신용위험은 위험회피수단의 가치변동에만 영향을 미친다.

신용위험은 A사와 선도계약 거래상대방의 신용등급에서 발생한다. 그룹의 재무부서는 회사와 은행의 부정적인 신용위험 변화를 모니터링한다. A사 및 은행과 관련된 위험은 미미한 것으로 간주되며 위험회피 개시시점에 경제적 관계에서 비롯되는 가치변동(즉, USD/EUR의 변동효과)보다 지배적이지 않다. 이는 어느 한쪽 당사자의 상황에 중대한 변화가 있는 경우에 재평가될 것이다.

위험회피비율

위험관리정책을 준수하기 위해 위험회피비율은 예상 구매가격이 USD 1,000만인 원재료 500만 단위 구매계약과 액면금액이 USD 1,000만인 선도계약을 비교하여 산출한다. 따라서 위험회피비율이 1:1 또는 100%가 된다.

> **유의사항**
>
> 이 예에서 위험회피비율은 1:1이지만 경우에 따라서는 완벽하게 효과적인 위험회피수단을 매입할 수 없을 수 있다. 예를 들어 선도계약의 액면이나 만기일이 약간 다른 경우가 있다. 이때의 위험회피비율은 위험회피회계의 목적(기준서 제1109호 문단 6.4.1(3)(다))에 부합하지 않는 불균형을 가져오는 위험회피의 비효과적인 부분을 발생시키지 않으며, 위험회피수단과 위험회피대상항목 사이에는 명확한 경제적 관계가 있기 때문에 위험회피회계의 요구사항을 충족할 것이다.

비효과적인 부분의 원인

다음과 같은 잠재적 원인이 식별된다.

- 위험회피대상항목의 지급시기 변경
- 발생가능성이 매우 높은 것으로 예상되는 위험회피대상의 구매액 또는 그 가격의 감소
- A사 또는 선도계약 거래상대방인 은행의 신용위험 변경

> **유의사항**
>
> 외화 베이시스 스프레드의 영향은 사례의 단순화를 위해 무시되었으나 실제로는 지정된 위험회피수단에서 제외되지 않는다면 위험회피관계(기준서 제1109호 문단 B6.5.5)에서 비효과적인 부분의 원천일 수 있다.

위험회피효과 평가 빈도

위험회피효과는 위험회피의 개시일과 보고일(6월 30일과 12월 31일) 및 위험회피효과 요구사항에 영향을 미치는 상황에 유의적인 변동이 발생하였을 때 평가한다.

> **유의사항**
>
> 소급적 효과 평가가 요구되지는 않지만, A사는 보고기간마다 여전히 충족될 것으로 예상되는 위험회피효과의 요구사항을 문서화하고 당기손익에 비효과적인 부분을 인식해야 한다.

위험회피효과 평가에서 제외된 항목

위험회피대상위험이 현물환율의 변동으로 지정되었기 때문에 USD와 EUR사이의 선도이자율의 변동에 기인하는 파생상품의 공정가치 변동은 위험회피효과 평가에서 제외된다. 그러한 금액은 A사의 위험회피회계 정책에 따라 OCI의 구성요소로 이연될 것이다.

<table>
<tr><td>

유의사항

1. A사가 위험회피원가 모형을 적용하여 옵션으로 예상 거래를 위험회피한다면, 시간가치는 당기손익에 영향을 미치는 예상거래의 구성요소가 아니기 때문에 위험회피대상항목이 옵션이 아닌 이상 지정된 일방 위험에 포함되지 않을 것이다. 시간가치의 모든 변동은 최초에 위험회피원가 적립금에 인식되고 후속적으로 재고자산이 인식될 때 자산의 최초 원가에 포함될 것이다.

2. 기업이 선도요소, 즉, OCI에 이연된 선도요소의 변동을 회계처리하기 위해 위험회피원가 모형을 적용하지 않기로 선택한 경우, 선도요소의 구성요소가 당기손익에 직접 인식된다는 것을 명시하도록 위험회피 문서를 조정해야 할 것이다.

</td></tr>
</table>

효과성 평가와 회계처리

20×5년 7월 1일

위험회피효과 평가

위험회피문서에 설명된 것처럼 위험회피수단과 위험회피대상항목의 주요 조건은 완전히 일치한다. 따라서 경영진은 위험회피수단과 위험회피대상항목 사이에 경제적 관계가 있으며 일반적으로 반대 방향으로 움직일 것이라고 정성적으로 평가할 수 있다. 또한, 예상 거래가 발생할 가능성이 매우 높다.

위험회피비율은 위험회피문서에 기술된 바와 같이 설정된다.

파생상품 거래상대방의 신용등급이 AA이고 A사의 신용위험은 양호한 것으로 여겨지므로 신용 위험의 영향은 경제적 관계에서 중요하거나 지배적이지 않은 것으로 간주된다.

결론 : 위험회피효과에 관한 요구사항을 충족한다.

선도 인식시점

하기와 같이 선도계약의 공정가치가 영(0)이므로 회계처리는 존재하지 않는다.

20×5/07/01 파생상품	
명목 금액 (USD)	10,000,000 USD
선도환율	1.2679
평가일의 EUR 등가액 (A)	7,887,057 EUR
EUR 계약 금액 (B)	(7,887,057) EUR
합계 (A + B)	0 EUR
할인 요소	0.9935 EUR
EUR 파생 상품의 공정가치	0 EUR

20×5년 12월 31일

위험회피효과 평가

위험회피는 위험회피관계나 위험회피비율 (예상거래일, 액면금액, 거래상대방의 신용위험, 비효과적인 부분의 원인)변동이 발생하지 않았기 때문에 위험회피효과 요구사항을 계속 충족하고 있다. 또한, 예상 거래가 발생할 가능성이 매우 높다.

결론 : 위험회피효과에 관한 요구사항을 충족한다.

선도의 공정가치

위험회피회계의 모든 조건은 20×5년 12월 31일에 종료되는 기간에 충족된다. 따라서 현금흐름위험회피회계를 적용할 수 있다.

20×5/12/31 파생		20×5/12/31 파생	
전체 공정가치		현물요소로 인한 공정가치변동	
명목금액 USD	10,000,000 USD	명목금액 USD	10,000,000 USD
평가일의 선도 환율	1.2526	평가일 현물환율	1.253
EUR 등가액 (A)	7,983,395 EUR	평가일의 현물 요소 (A)	7,980,846 EUR
EUR 계약금액 (B)	(7,887,057) EUR	개시시점 현물 요소 (B)	7,878,358 EUR
합계 (A + B)	96,337 EUR	차이 (A - B)	102,488 EUR
할인 계수 EUR	0.9961	할인 계수 EUR	0.9961
파생상품의 공정가치	95,962 EUR	현물요소 변동의 현재가치	102,088 EUR

사례의 단순화를 위해 신용위험을 포함하여 외환위험 이외의 위험은 무시되었다. 따라서 현물요소의 현재가치는 효과성 평가 목적상 가상의 파생상품의 공정가치와 동일하며, 당기손익으로 인식할 비효과적인 부분은 없다고 가정한다. 그러나 실제로 기준서에서는 가상의 파생상품은 신용위험과 같이 위험회피대상항목이 아닌 것은 포함할 수 없다는 점에 주목하였다.

20×5/12/31 파생상품	
선도 요소	
전체 공정 가치(FV)의 변동	95,962 EUR
현물로 인한 공정가치 변동	102,088 EUR
선도요소 값의 변동	(6,126)

> ### 유의사항
> 기업이 계약의 선도요소를 분리하는 경우 선도요소의 공정가치 변동을 기타포괄손익으로 인식하고 자본의 별도 구성요소로 누적(위험회피원가 모형)하거나 선도요소와 관련된 손익을 당기손익으로(기준서 제1109호 문단 6.5.15) 직접 인식할 수 있다.
> 위험회피원가 모형을 적용하는 경우, 선도요소는 위험회피 기간 동안 '합리적이고 일관성 있는 기준으로' 상각되어야 하며, 위험회피대상항목이 거래관련 위험회피로 인해 손익에 영향을 미칠 때 당기손익으로 인식한다.
> 이 예시에서 예상 구매는 거래와 관련이 있으므로 선도요소는 재고 매입시 재고자산에 대한 장부금액 조정으로만 제거되며, 후속적으로는 재고가 팔릴 때(또는 손상시) 당기손익으로 인식된다.

분개	DR	CR
파생상품	95,962	EUR
기타포괄손익 – 위험회피적립금		102,088 EUR
기타포괄손익 – 선도 요소	6,126	EUR

현금흐름위험회피 – 선도계약의 공정 가치 변동

유의사항

기업이 위험회피관계에서 선도요소를 배제하고 위험회피의 원가 접근법을 적용하지 않는 경우 회계처리는 다음과 같다.

분개	DR	CR
파생상품	95,962	EUR
기타포괄이익 – 위험회피적립금		102,088 EUR
손익계산서 – 선도 요소	6,126	EUR

20×6년 6월 30일

위험회피효과 평가

위험회피는 위험회피관계나 위험회피비율 변동(예상거래일, 액면금액, 거래상대방의 신용위험, 비효과성을 발생시키는 원인 등의 변동)이 발생하지 않았기 때문에 위험회피효과 요구사항을 계속 충족하고 있다. 또한, 예상 거래가 발생할 가능성이 매우 높다.

결론 : 위험회피효과에 관한 요구사항을 충족한다.

선도의 공정가치

위험회피회계의 모든 조건은 20×6년 6월 30일에 종료되는 기간 동안에 충족된다. 따라서 현금흐름위험회피회계를 적용할 수 있다.

20×6/6/30 파생상품		20×6/6/30 파생상품	
전체 공정가치		현물요소로 인한 공정가치 변동	
명목금액 USD	10,000,000 USD	명목금액 USD	10,000,000 USD
평가일의 선도 환율	1.2726	평가일 현물환율	1.2732
EUR 등가액 (A)	7,857,929 EUR	평가일의 현물 요소 (A)	7,854,226 EUR
EUR 계약금액 (B)	(7,887,057) EUR	개시시점 현물 요소 (B)	7,878,358 EUR
합계 (A + B)	(29,128) EUR	차이 (A – B)	(24,133) EUR
할인 계수 EUR	0.9987	할인 계수 EUR	0.9987
파생상품의 공정가치	(29,090) EUR	현물요소 변동의 현재가치	(24,101) EUR

20×6/6/30 파생상품	
선도 요소	
전체 공정 가치(FV)의 변동	(125,052) EUR
현물로 인한 공정가치 변동	(126,189) EUR
선도 가치의 변동	1,137 EUR
선도 가치의 누적 변동	(4,989)

분개	DR	CR
파생상품		125,052 EUR
기타포괄손익 – 위험회피적립금	126,189	EUR
기타포괄손익 – 선도요소		1,137 EUR
현금흐름위험회피 – 선도계약의 공정 가치 변동		

유의사항

기업이 위험회피관계에서 선도요소를 배제하면서 위험회피원가 모형을 적용하지 않는 경우 회계처리는 다음과 같다.

분개	DR	CR
파생상품		125,052 EUR
기타포괄이익 – 위험회피적립금	126,189	EUR
손익계산서 – 선도 요소		1,137 EUR

20×6 7월 31일

위험회피효과 평가

위험회피는 위험회피관계나 위험회피비율 변동(예상거래일, 액면금액, 거래상대방의 신용위험, 비효과성을 발생시키는 원인 등의 변동)이 발생하지 않았기 때문에 위험회피효과 요구사항을 계속 충족하고 있다. 또한, 예상 거래가 발생할 가능성이 매우 높다.

결론 : 위험회피효과에 관한 요구사항을 충족한다.

재고자산 인식

분개	DR	CR
재고자산(원재료)	7,798,487	EUR
매입채무		7,798,487 EUR
USD 10백만 매입(1.2823의 현물환율 적용)		

A사는 매입채무가 단기 거래이기 때문에 할인 효과가 중요하지 않다고 판단했다. 따라서 매입채무는 액면금액으로 인식된다.

선도의 공정가치

위험회피회계의 모든 조건은 20×6년 6월 30일에 종료되는 기간 동안에 충족된다. 따라서 현금흐름위험회피회계를 적용할 수 있다.

20×6/7/31 파생상품		20×6/7/31 파생상품	
전체 공정가치		현물요소로 인한 공정가치변동	
명목금액 USD	10,000,000 USD	명목금액 USD	10,000,000 USD
평가일의 선도 환율	1.2819	평가일 현물환율	1.2823
EUR 등가액 (A)	7,800,921 EUR	평가일의 현물 요소 (A)	7,798,487 EUR
EUR 계약금액 (B)	(7,887,057) EUR	개시시점 현물 요소 (B)	7,878,358 EUR
합계 (A + B)	(86,136) EUR	차이 (A - B)	(79,871) EUR
할인 계수 EUR	0.9991	할인 계수 EUR	0.9991
파생상품의 공정가치	(86,059) EUR	현물요소 변동의 현재가치	(79,799) EUR

20×6/7/31 파생상품	
선도 요소	
전체 공정가치(FV)의 변동	(56,969) EUR
현물로 인한 공정가치 변동	(55,698) EUR
선도 가치의 변동	(1,271) EUR
선도 가치의 누적 변동	(6,260) EUR

분개	DR	CR
파생상품		56,969 EUR
기타포괄손익 – 위험회피적립금	55,698	EUR
기타포괄손익 – 선도요소	1,271	EUR

현금흐름위험회피 – 선도계약의 공정 가치 변동

> **유의사항**
>
> 기업이 위험회피관계에서 선도요소를 배제하면서 위험회피원가 모형을 적용하지 않는 경우 회계처리는 다음과 같다.
>
> | 분개 | DR | CR |
> | --- | --- | --- |
> | 파생상품 | | 125,052 EUR |
> | 기타포괄이익 – 위험회피적립금 | 126,189 | EUR |
> | 손익계산서 – 선도 요소 | | 1,137 EUR |

장부금액 조정

현물환율 변동과 관련된 위험회피파생상품의 누적손실과 위험회피원가 적립금의 잔액은 취득한 재고자산의 장부금액에 포함된다. 장부금액 조정은 위험회피대상항목(원재료)을 포함하는 상품의 판매 또는 재고자산 손상 시 당기손익에 영향을 미친다.

분개	DR	CR
자본 – 위험회피적립금		79,799 EUR
재고자산(원재료)	79,799	EUR
자본 – 선도 요소		6,260 EUR
재고자산 (원재료)	6,260	EUR

A사가 취득한 재고자산에 대한 장부금액 조정
선도요소는 자본에서 제거되고 거래 관련 위험회피로 재고자산 원가에 포함

유의사항

기준서 제1109호에서는 상기 원재료 재고자산의 인식과 마찬가지로 비금융자산이나 비금융부채를 인식하게 되는 예상거래에 대한 위험회피에 대해서는 장부금액 조정을 적용하도록 요구한다.

또한, 재고자산(또는 그 밖의 비금융항목)에 대한 장부금액 조정이 이루어질 때 이는 기준서 제1001호에 따른 재분류조정이 아니므로 OCI를 거치지 않는다. 그 영향은 위험회피파생상품에 대한 전반적인 손익을 포괄손익계산서에 (잠재적으로 서로 다른 회계기간에) 두 번 인식한다는 것이다. – 한 번은 위험회피 기간 동안 OCI를 거쳐 한 번은 재고자산을 매도할 때 매출원가로 기록한다.

이전에 OCI를 통해 자본에 이연된 선도요소의 공정가치 변동과 관련된 위험회피적립금 원가 금액도 재고자산에 직접 가감한다.

동 사례에서는 선도계약이 재고자산의 인식 후에 발생하는 매입채무의 결제를 위해 발생하는 현금흐름을 위험회피하기 때문에 기타포괄손익으로 인식한 선도요소의 가치변동 중 재고자산 인식일과 매입채무 결제일 사이와 관련된 금액이 중요한 경우, 재고자산 인식일에 일부 위험회피원가 적립금은 제거되지 않을 것이다. 이 사례에서는 해당 금액이 중요하지 않다고 가정하여 재고자산의 인식일에 위험회피원가 적립금으로 인식되어 있는 선도요소 전체의 누적변동액을 장부금액 조정으로 재고자산의 최초 취득원가에 포함시켰다.

20×6년 9월 30일

매입채무 환산

매입채무는 외화표시 화폐성항목으로 기준서 제1021호에 따라 현물환율로 환산되어야 하며 그 결과 발생하는 환산손익은 당기손익으로 인식한다.

손익계산은 하기를 참조한다.

7월 31일 1.2823을 적용하여 환산된 매입채무	7,798,487 EUR
9월 30일 1.3178을 적용하여 환산된 매입채무	7,588,405 EUR
손익으로 인식되는 외환손익	210,082 EUR

분개	DR	CR
외환 차이(손익계산서)		210,082 EUR
매입채무	210,082	EUR

매입채무 재평가

파생상품의 공정가치
파생상품의 공정가치 변동 인식

20×6/9/30 파생상품		20×6/9/30 파생상품	
전체 공정가치		현물요소로 인한 공정가치 변동	
명목금액 USD	10,000,000 USD	명목금액 USD	10,000,000 USD
평가일의 선도 환율	1.3178	평가일 현물환율	1.3178
EUR 상당액 (A)	7,588,405 EUR	평가일의 현물 요소 (A)	7,588,405 EUR
EUR 계약금액 (B)	(7,887,057) EUR	개시시점 현물 요소 (B)	7,878,358 EUR
합계 (A + B)	(298,652) EUR	차이 (A - B)	(289,953) EUR
할인 계수 EUR	1	할인 계수 EUR	1
파생상품의 공정가치	(298,652) EUR	현물요소 변동의 현재가치	(289,953) EUR

20×6/9/30 파생상품	
선도 요소	
전체 공정 가치(FV)의 변동	(212,593) EUR
현물로 인한 공정가치 변동	(210,154) EUR
선도 가치의 변동	(2,439) EUR
선도 가치의 누적 변동	(8,699) EUR

분개	DR	CR
파생상품		212,593 EUR
기타포괄손익 – 위험회피적립금	210,154	EUR
기타포괄손익 – 선도요소	2,439	EUR
현금흐름위험회피 - 선도계약의 공정 가치 변동		

위험회피적립금 재순환
매입채무에 인식된 외환위험회피에 대한 위험회피적립금의 금액을 제거하기 위한 회계처리는
다음과 같다.

분개	DR	CR
기타포괄손익 – 위험회피적립금		210,154 EUR
외환차이(손익계산서)	210,154	EUR
기타포괄손익 – 선도요소		2,439 EUR
손익계산서 – 선도요소	2,439	EUR
위험회피적립금 재순환 및 선도요소의 당기손익 인식		

파생상품 결제
A사는 선도계약 조건에 따라 1.2679 기준으로 USD 10백만을(EUR 7,588,405) 받고 EUR

7,887,057를 지급한다. 지급하고 받는 금액의 차이는 파생상품의 공정가치(EUR 298,652)다.

	DR	CR
USD 현금	7,588,405	EUR
EUR 현금		7,887,057 EUR
파생상품	298,652	EUR
파생상품 정산		

매입채무 지급

	DR	CR
USD 현금		7,588,405 EUR
매입채무	7,588,405	EUR
매입채무 지급		

유의사항

기업이 외화채무나 외화채권과 같은 단기 화폐성항목에서 발생하는 외화위험을 위험회피할 때 위험회피회계가 항상 필요한 것은 아니다.

기준서 제1109호에서는 위험회피목적이 변하지 않았다면 위험회피관계의 지정을 해제할 수 없으며 파생상품의 존속기간 중 일부만 지정할 수도 없다. 따라서 외화채무나 외환채권과 관련된 구매나 매출 시점에 위험회피의 지정을 해제하는 것은 이 위험회피관계에 대한 기업의 위험관리전략과 목적의 일부를 구성하는 경우에만 기준서 제1109호와 일관될 것이다. 기준서 제1109호 문단 B6.5.24(3)은 그러한 시나리오를 구상하고 있으며 예상매출과 그에 따른 채권(또는 매입과 채무)의 외환위험을 관리하는 전략 내에서 기업은 (i) 채권/채무를 인식할 때까지 또는 (ii) 그러한 채권/채무의 결제일까지 위험회피관계로 외환위험을 '관리' 할 수 있다는 점에 주목하였다. 전자의 경우에는 결제일까지 경제적 위험회피가 있더라도 그 시점에 위험회피회계를 중단해야 할 것이다.

만약 위험회피가 기준서 제1109호 문단 B6.5.24(3)에 따라 조기 중단되거나 예상거래(이 예시의 매입)가 더 이상 위험회피목적을 충족하지 않지만 여전히 발생할 것으로 예상된다면, 거래관련 위험회피의 자본 잔액(위험회피적립금 및 선도요소)은 위험회피대상 비금융항목을 인식하거나 위험회피대상항목이 당기손익에 영향을 미칠 때까지 자본에 남아 있게 된다.

분개 요약

위험회피회계를 적용한 결과는 다음과 같다.

- 재고자산은 20×6년 7월 31일 현물가격(EUR 7,798,487)과 위험회피개시 이후 현물요소 할인액의 변동액(EUR 79,799), 재고자산의 인식시점까지의 선도요소의 공정가치 변동(EUR 6,260)의 합계인 EUR 7,884,546로 인식되었다.
- 지급된 순현금은 EUR 7,887,057로, 이는 USD 10백만에 위험회피 시점의 환율인 1.2679를 적용한 금액이다.
- 당기손익에는 다음의 금액이 포함된다.
  - 이자 비용으로 인식된 EUR 2,439는 20×6년 7월 31일부터 20×6년 9월 30일까지의 기간

동안 잔여 선도요소의 변동을 나타낸다.

- EUR 72는 외환손실로 인식된다. 이는 지난 2개월 동안 매입채무에서 발생한 EUR 210,082 이익, 파생상품에서 발생한 EUR 210,154 손실(파생상품 현물요소의 할인으로 인해 이익보다 더 큰 금액임)의 순손익이다.
- 당기손익으로 인식된 총 금액과 파생상품의 결제시의 손익금액 사이의 나머지 차이는 자본에서 재고자산계정으로 직접 대체된 EUR 86,059의 장부금액 조정 금액이다. 해당금액은 재고자산 매각시점에 당기손익에 영향을 미친다.
- 상세 항목은 다음 표를 참조한다.

	대차대조표												손익계산서			
	OCI-위험회피적립금		OCI-선도요소		파생상품		매입채무		재고자산		현금(USD and EUR)		선도요소		외환차이	
	DR	CR	DR	CR	DR	CR	DR	CR	DR	CR	DR	CR	DR	CR	DR	CR
20×5/7/1																
FX 선도 최초인식																
20×5/12/31																
현금흐름위험회피 회계처리		102,088	6,126		95,962											
20×6/6/30																
현금흐름위험회피 회계처리	126,189			1,137	125,052											
20×6/7/31																
재고자산 인식								7,798,487	7,798,487							
현금흐름위험회피 회계처리	55,698			1,271	56,969											
장부금액 조정		79,799		6,260					86,059							
20×6/9/30																
외화 재평가							210,082									210,082
현금흐름위험회피 회계처리	210,154	210,154	2,439	2,439	212,593								2,439		210,154	
파생상품 결제						298,652					7,588,405	7,887,057				
매입채무 결제							7,588,405					7,588,405				
합계	-	-	-	-	-	-	-	-	7,884,546	-	-	7,887,057	2,439		72	

자본변동표	OCI-위험회피적립금 Dr/(Cr)	OCI-시간가치 Dr/(Cr)	이익잉여금 및 기타 적립금 Dr / (Cr)
당기순이익	–		–
현금흐름위험회피의 공정가치	102,088	(6,126)	–
현금흐름위험회피적립금 재순환	–	–	–
20×5/12/31 자본	102,088	(6,126)	
당기순이익			(2,511)
현금흐름위험회피의 공정가치	(392,041)	(2,573)	
재고자산으로 재분류(OCI를 거치지 않음)	79,799	6,260	
현금흐름위험회피적립금 재순환	210,154	2,439	
20×5/12/31 자본	0	0	(2,511)

사례 2 **현금흐름위험회피회계 / 이자율스왑 거래**

이자율스왑을 이용한 변동금리부 차입 위험회피

배경 및 가정

D사는 GBP를 기능통화로 사용하는 영국에 본사를 둔 기업이다. 보고일자는 6월 30일과 12월 31일이다.

20×2년 7월 1일, 대규모 취득에 대한 자금을 조달하기 위해 D사는 은행 B로부터 LIBOR + 300 bp('신용 스프레드')의 조건으로 £500m를 차입한다.

이자는 12월 31일과 6월 30일에 반기별로 지급될 것이다. 부채는 20×5년 6월 30일이 만기이고 자금 조달 과정에서 거래 비용은 없다.

D사 경영진은 단기적으로 6개월 만기 LIBOR 금리가 인상될 것으로 예상하고 변동금리 차입의 이율을 현재 수준으로 '고정'하길 바라고 있다. 20×2년 7월 1일, D사는 £500M의 이자율스왑을 체결하여 6개월 LIBOR를 수령하고 2%의 고정 이자를 지급하기로 한다.

스왑의 변동금리는 매년 12월 31일과 6월 30일에 선 고정/후 지불(즉, 6개월 기간의 시작 시점에 지급액이 결정되고 기간의 종료시점에 지급됨)된다. 스왑의 공정가치는 위험회피 개시시점에 0이다. 스왑의 만기는 20×5년 6월 30일이다.

이자율위험관리전략의 요약

D사는 이자부채무와 투자의 이자율 위험에 노출되어 있다. D사는 총 순부채 포트폴리오에서 고정금리 순부채와 변동금리 순부채의 비율을 통해 이자율 위험에 대한 익스포저를 관리한다. 이러한 비율은 매년 2번씩 D사의 이사회가 재무위험위원회의 권고에 따라 결정한다.

D사는 고정금리와 변동금리 순부채의 비율을 관리하기 위해 이자율스왑, 선도금리스왑, 매입 금리상한 상품 중 어느 하나에 해당하는 파생금융상품을 체결할 수 있다.

모든 파생상품은 신용등급이 AA이상인 거래상대방과 체결해야 한다.

위험회피 정책의 요약

위험회피수단

이자율스왑은 공정가치로 측정하는 파생상품으로 전체가 위험회피관계로 지정되며 위험회피수단으로 위험회피회계를 적용할 수 있다.

위험회피관계

위험회피대상항목은 적격 위험회피대상항목인 6개월 LIBOR 금리의 미래 변동에서 발생하는 특정 채무상품의 현금흐름의 변동성으로 지정된다.

위험회피 문서화

위험회피관계를 시작할 때 경영진은 다음을 포함하여 위험회피관계를 공식적으로 문서화해야 한다.

• 위험 관리 목적 및 전략

• 위험회피수단, 위험회피대상항목, 위험회피대상 위험의 특성(LIBOR exposure) 및 위험회피에 비효과적인 부분의 잠재적인 원인 식별

• 경영진이 위험회피관계가 위험회피효과에 대한 요구사항을 충족하는지를 평가하는 방법에

대한 다음을 포함하는 설명 : (가) 위험회피대상항목과 위험회피수단 사이에 경제적 관계가 존재함. (나) 신용위험의 효과가 위험회피대상항목과 위험회피수단의 경제적 관계로 인한 가치 변동보다 지배적이지 않음. (다) 위험회피관계의 위험회피비율은 기업이 실제로 위험을 회피하는 위험회피대상항목의 수량과 위험회피수단 수량의 비율과 동일함.

위험회피효과

D사는 위험회피관계가 위험회피효과에 관한 요구사항을 충족하는지 지속적으로 평가해야 한다. 기업은 적어도 매 보고일이나 위험회피효과에 관한 요구사항에 영향을 미치는 상황의 유의적 변동이 있는 시점 중 이른 날에 평가를 수행한다. 이러한 평가는 위험회피효과에 대한 예상과 관련되므로 전진적적으로만 수행한다.

D사의 위험관리정책 및 위험 익스포저의 특성과 일관되게, 위험회피효과는 중요한 조건(금액, 이자율, 이자지급시기, 통화, 만기일)에 기초하여 입증된다. 경영진은 위험회피수단의 특성을 위험회피대상항목의 특성과 일치시켜야 한다.

이 문서에서 경영진은 동일한 위험, 즉 위험회피대상위험으로 인해 위험회피수단과 위험회피대상항목의 가치가 일반적으로 반대 방향으로 변동할 것이므로 주요 조건의 정성적 평가에 기초하여 위험회피효과를 입증할 것이다.

회계처리

현금흐름위험회피회계의 적용조건을 충족하는 경우 위험회피기간 중 회계처리는 다음과 같다.
- 위험회피관계가 효과적인 범위에서 위험회피수단의 공정가치 변동은 기타포괄손익으로 인식하고 별도의 자본적립금(위험회피적립금)에 누적한다.
- 위험회피대상항목이 당기손익에 영향을 미치는 경우(즉, £500m 대출과 관련된 LIBOR 기준 이자가 손익계산서에 인식될 때) 손익에 미치는 영향을 상쇄하기 위해 위험회피준비금에서 재순환된다.
- 모든 비효과적인 부분은 손익계산서에 즉시 인식한다.

위험회피 문서 요약

위험관리 목적과 전략

D사 이사회는 20×2부터 20×5까지 재무위험위원회의 권고에 따라 고정 : 변동금리 순부채 비율을 70 : 30~60 : 40으로 유지하기로 결정했다.

이 비율을 맞추기 위해 경영진은 20×2년 7월 1일에 발행된 부채의 이자율을 '고정'하기로 했다.

위험회피 유형

현금흐름위험회피 : 은행차입금에 대한 변동금리 지급으로 발생하는 이자율위험회피, 변동금리를 수취하고 고정금리를 지급하는 스왑을 통해 위험회피한다.

회피되는 위험요소의 성격

이자율위험 : 20×2년 7월 1일에 발행된 부채(또는 유사한 특성을 가진 다른 대체 부채)와 관련하여 6개월 LIBOR의 변동에 기인한 지급될 이자(coupon)의 변동

부채에 대한 신용위험은 위험회피관계의 일부로 지정되지 않는다.

위험회피대상항목의 식별

거래 번호 : D009 – 발행된 GBP 부채(그리고 만기 전에 차환되는 것과 유사한 특성을 가진 모든 대체 부채)

위험회피대상항목은 6개월 LIBOR + 신용스프레드의 이자부 GBP 500백만 부채의 이자현금흐름으로 12월 31일과 6월 30일에 반기별로 지급된다.

유형	은행 차입금
액면금액	GBP 500백만
발행일	20×2년 7월 1일
만기일	20×5년 6월 30일
이자율	6개월 LIBOR + 300bp

결제일은 20×2년 12월 31일, 20×3년 6월 30일, 20×3년 12월 31일, 20×4년 6월 30일, 20×4년 12월 31일, 20×5년 6월 30일이다.

위험회피수단의 식별

거래번호 : 재무관리시스템상 참조번호 IRS123

위험회피수단은 이자율스왑이며 조건은 다음과 같다.

유형	이자율스왑
액면금액	GBP 500백만
거래일	20×2/7/1
시작일	20×2/7/1
만기일	20×5/6/30
현금흐름	6개월 LIBOR 수령, 2% 지급
결제일	12/31, 6/30

위험회피효과

위험회피회계를 적용하기 위해 다음의 위험회피효과 요구사항을 충족해야 한다.

경제적 관계

위험회피대상항목은 20×2년 12월 31일부터 20×5년 6월 30일까지 6개월마다 결제되는 £500백만의 액면에 대해 6개월 LIBOR 이자를 지급하는 익스포저를 발생시킨다. 동일한 액면의 이자율스왑 거래로 동일한 금액의 이자를 수령하고 고정이율을 지급하므로, 변동금리 이자는 상쇄되고 고정금리부 이자를 지급하는 거래가 된다.

신용위험의 영향

신용위험은 위험회피대상위험의 일부가 아니므로, D사의 신용위험은 위험회피수단의 가치변동에만 영향을 미친다.

신용위험은 D사와 이자율스왑 거래상대방의 신용등급에서 발생한다. 그룹의 재무부서는 회사와 은행의 부정적인 신용위험 변화를 모니터링한다. D사 및 은행과 관련된 위험은 미미한 것으로 간주되며 어느 한쪽 당사자의 상황에 중대한 변화가 있는 경우에 재평가될 것이다.

위험회피비율

위험관리정책을 준수하기 위해 위험회피비율은 6개월마다 이자가 지급되고 20×5년 6월 30일이 만기인 액면금액 £500백만의 부채와 동일한 주요 조건을 가진 이자율스왑으로 상쇄되는 정도를 기준으로 산출된다. 따라서 위험회피비율이 1:1 또는 100%가 된다.

비효과적인 부분의 원인

비효과적인 부분의 잠재적인 원인은 다음과 같다.
• D사 또는 이자율스왑 거래상대방의 신용위험 변동

당기손익으로 인식될 실제 발생한 비효과적인 부분을 측정하기 위해, 위험회피대상항목의 공정가치 변동을 모형화하는 가상의 파생상품을 활용한다. 이것은 신용위험을 포함하지 않아야 한다. 따라서 '가상의 파생상품'은 'GBP 고정금리 지급, GBP LIBOR 변동금리 수취' 조건의 이자율 스왑으로 구성된다. 이 사례의 목적상, 기준서 제1109호의 효과성 요구사항을 충족하는 경우 파생상품의 전체 공정가치 변동을 기타포괄손익으로 인식하는 것이 위험회피수단과 대상의 변동금액 중 '적은 금액'의 결과라고 가정하였다.

위험회피효과 평가 빈도

위험회피효과는 위험회피의 개시일과 보고일(6월 30일과 12월 31일) 및 위험회피효과 요구사항에 영향을 미치는 상황에 유의적인 변동이 발생하였을 때 평가한다.

위험회피효과 평가에서 제외된 항목

위험회피효과성 평가에서 제외되는 사항은 없다.

관련 정보

위험회피관계 기간 동안 시장금리 및 공정가치 정보는 하기와 같다.

이자율			미래 현금 흐름 날짜					
			x2/12/31	x3/6/30	x3/12/31	x4/6/30	x4/12/31	x5/6/30
평가일	×2/7/1	선도금리 (pa)	1.852	1.873	1.91	1.998	2.116	2.265
		무이표채금리 (pa)	1.852	1.863	1.878	1.908	1.95	2.002
	×2/12/31	선도금리 (pa)		1.730	1.739	1.741	1.792	1.816
		무이표채금리 (pa)		1.730	1.735	1.737	1.751	1.764
	×3/6/30	선도금리 (pa)			2.743	2.767	2.802	2.866
		무이표채금리 (pa)			2.743	2.755	2.771	2.795
	×3/12/31	선도금리 (pa)				2.234	2.402	2.499
		무이표채금리 (pa)				2.234	2.318	2.378
	×4/6/30	선도금리 (pa)					3.012	3.211
		무이표채금리 (pa)					3.012	3.112
	×4/12/31	선도금리 (pa)						2.541
		무이표채금리 (pa)						2.541

제시된 선도금리는 각 평가일 별로 해당 기간의 기간이자율을 나타내며 예상 미래현금흐름을

결정하는 데 사용된다. 제시된 무이표채금리는 각 평가일에 적용할 수 있는 각 미래 날짜의 할인율을 나타내며 미래현금흐름의 현재가치를 결정하는 데 사용된다.

파생상품 공정가치	x2/7/1	x2/12/31	x3/6/30	x3/12/31	x4/6/30	x4/12/31	x5/6/30
기초 FV(이자 결제 후)	–	–	(2,884,193)	7,671,981	2,765,088	5,347,527	1,302,540
총 FV 변동	–	(3,254,193)	9,881,174	(3,049,393)	3,167,439	(1,514,987)	49,960
기말 FV(이자 결제 전)	–	(3,254,193)	6,996,981	4,622,588	5,932,527	3,832,540	1,352,500
이자 결제 조정	–	(370,000)	(675,000)	1,857,500	585,000	2,530,000	1,352,500
기말 FV(이자 결제 후)	–	(2,884,193)	7,671,981	2,765,088	5,347,527	1,302,540	–

부채와 파생상품의 기간별 현금흐름은 하기와 같다.

이자 지급	x2/12/31	x3/6/30	x3/12/31	x4/6/30	x4/12/31	x5/6/30
부채(6개월 LIBOR)	(4,630,000)	(4,325,000)	(6,857,500)	(5,585,000)	(7,530,000)	(6,352,500)
부채 (3% 마진)	(7,500,000)	(7,500,000)	(7,500,000)	(7,500,000)	(7,500,000)	(7,500,000)
순액(부채)	(12,130,000)	(11,825,000)	(14,357,500)	(13,085,000)	(15,030,000)	(13,852,500)
스왑-고정금리 지급 (2%)	(5,000,000)	(5,000,000)	(5,000,000)	(5,000,000)	(5,000,000)	(5,000,000)
스왑-변동금리 수취 (6개월 LIBOR)	4,630,000	4,325,000	6,857,500	5,585,000	7,530,000	6,352,500
순액(스왑)	(370,000)	(675,000)	1,857,500	585,000	2,530,000	1,352,500
현금흐름 순액(고정금리 5%에 해당)	(12,500,000)	(12,500,000)	(12,500,000)	(12,500,000)	(12,500,000)	(12,500,000)

효과성 평가와 회계처리

20×2년 7월 1일

위험회피효과 평가

위험회피문서에 설명된 것처럼 위험회피수단과 위험회피대상항목의 주요 조건은 완전히 일치한다. 따라서 경영진은 위험회피수단과 위험회피대상항목 사이에 경제적 관계가 있으며 일반적으로 반대 방향으로 움직일 것이라고 정성적으로 평가할 수 있다.

파생상품 거래상대방의 신용등급은 높고 D사의 신용위험은 양호한 것으로 여겨지므로 신용위험의 영향은 경제적 관계에서 중요하거나 지배적이지 않은 것으로 간주된다.

결론 : 위험회피효과에 관한 요구사항을 충족한다.

부채와 스왑 최초 인식

설명	DR	CR
현금	500,000,000	
부채		500,000,000

최초 시점의 이자율스왑 공정가치는 0이므로 별도의 회계처리는 없다.

20×2년 12월 31일
위험회피효과 평가
위험회피는 위험회피관계나 위험회피비율 (예상거래일, 액면금액, 거래상대방의 신용위험, 비효과적인 부분의 원인)변동이 발생하지 않았기 때문에 위험회피효과 요구사항을 계속 충족하고 있다.
결론 : 위험회피효과에 관한 요구사항을 충족한다.

파생상품의 공정가치
위험회피회계의 모든 조건은 20×2년 12월 31일에 종료되는 기간 동안 충족된다. 따라서 현금흐름위험회피회계를 적용할 수 있다. 스왑의 공정가치의 전체 변동은 자본으로 인식한다. 이 사례의 목적상 '적은 금액' 테스트의 결과는 파생상품의 전체 공정가치 변동으로 가정하여 기타포괄손익으로 인식한다.

설명	DR	CR
OCI – 현금흐름위험회피적립금	3,254,193	
파생상품		3,254,193

파생상품 이자의 교환
단순화 목적을 위해 미수/미지급 이자는 표시하지 않는다.

설명	DR	CR
파생상품	370,000	
현금		370,000

손익계산서 내에서 재순환

설명	DR	CR
손익계산서 – 이자비용	370,000	
OCI – 현금흐름위험회피적립금		370,000

> **유의사항**
> 상기 분개는 기준서 제1109호에 따른 위험회피회계를 적용하였지만, 이 외에도 정확한 최종 포지션을 달성할 수 있는 몇 가지 방법이 있다. 특히 위에 표시된 방법의 대안으로, 기업은 파생상품에 대한 결제액을 이자비용으로 인식하고 아래에 예시된 바와 같이 현금흐름위험회피적립금에서 당기손익으로 이 금액을 재순환하기 위해 별도의 분개를 작성할 수 있다. 기준서는 분개 등록일을 규정하지 않으며 실제 분개는 기업의 시스템 설정에 따라 등록일이 달라진다.
> 이 대안은 하기와 같이 회계처리되며 파생상품잔액, 현금, OCI 및 금융비용에 대해 순액으로 동일한 결과를 가져온다.

파생상품 이자의 결제

분개	DR	CR
손익계산서 – 이자비용	370,000	
현금		370,000

손익계산서 내에서 재순환

설명	DR	CR
OCI – 현금흐름위험회피적립금(FV손익)	370,000	
OCI – 현금흐름위험회피적립금(제거)		370,000

파생상품 평가

설명	DR	CR
OCI – 현금흐름위험회피적립금	2,884,193	
파생상품		2,884,193

기준서 제1107호에서는 기업이 위험회피회계를 적용할 때 상세한 공시(특히 OCI에서 인식한 손익과 현금흐름위험회피적립금에서 재분류된 금액)를 요구한다. 이 대체방법의 분개는 IFRS 7 공시의 목적과 부합하는 금액을 나타낸다.

부채의 이자인식
사례의 단순화 목적으로 미수/미지급이자는 표시하지 않으며 이자의 현금흐름이 손익계산서에 바로 표시된다.

설명	DR	CR
손익계산서 – 금융비용	12,130,000	
현금		12,130,000

20×3년 6월 30일
위험회피효과 평가
위험회피는 위험회피관계나 위험회피비율 (예상거래일, 액면금액, 거래상대방의 신용위험, 비효과적인 부분의 원인 등의 변동)변동이 발생하지 않았기 때문에 위험회피효과 요구사항을 계속 충족하고 있다.
결론 : 위험회피는 매우 효과적일 것으로 예상된다.

파생상품의 공정가치
이 사례에서 '적은 금액' 테스트의 결과는 파생상품의 전체 공정가치 변동으로 가정하여 기타포괄손익으로 인식한다.

설명	DR	CR
파생상품	9,881,174	
OCI – 현금흐름위험회피적립금		9,881,174

파생상품 이자의 교환

설명	DR	CR
파생상품	675,000	
현금		675,000

손익계산서 내에서 재순환

설명	DR	CR
손익계산서 – 금융비용	675,000	
OCI – 현금흐름위험회피적립금(제거)		675,000

부채의 이자인식

사례의 단순화 목적으로 미수/미지급이자는 표시하지 않으며 이자의 현금흐름이 손익계산서에 바로 표시된다.

설명	DR	CR
손익계산서 – 금융비용	11,825,000	
현금		11,825,000

20×3년 12월 31일

위험회피효과 평가

위험회피는 위험회피관계나 위험회피비율 (예상거래일, 액면금액, 거래상대방의 신용위험, 비효과적인 부분의 원인 등의 변동)변동이 발생하지 않았기 때문에 위험회피효과 요구사항을 계속 충족하고 있다.

결론 : 위험회피는 매우 효과적일 것으로 예상된다.

파생상품의 공정가치

이 사례에서 '적은 금액' 테스트의 결과는 파생상품의 전체 공정가치 변동으로 가정하여 기타포괄손익으로 인식한다.

설명	DR	CR
OCI – 현금흐름위험회피적립금	3,049,393	
파생상품		3,049,393

파생상품 이자의 교환

설명	DR	CR
현금	1,857,500	
파생상품		1,857,500

손익계산서 내에서 재순환

설명	DR	CR
OCI – 현금흐름위험회피적립금(제거)	1,857,500	
손익계산서 – 금융비용		1,857,500

부채의 이자인식

사례의 단순화 목적으로 미수/미지급이자는 표시하지 않으며 이자의 현금흐름이 손익계산서에 바로 표시된다.

설명	DR	CR
손익계산서 – 금융비용	14,357,000	
현금		14,357,000

20×4년 6월 30일
위험회피효과 평가

위험회피는 위험회피관계나 위험회피비율 (예상거래일, 액면금액, 거래상대방의 신용위험, 비효과적인 부분의 원인 등의 변동)변동이 발생하지 않았기 때문에 위험회피효과 요구사항을 계속 충족하고 있다.

결론 : 위험회피는 매우 효과적일 것으로 예상한다.

파생상품의 공정가치

이 사례에서 '적은 금액' 테스트의 결과는 파생상품의 전체 공정가치 변동으로 가정하여 기타포괄손익으로 인식한다.

설명	DR	CR
파생상품	3,167,439	
OCI – 현금흐름위험회피적립금		3,167,439

파생상품 이자의 교환

설명	DR	CR
현금	585,000	
파생상품		585,000

손익계산서 내에서 재순환

설명	DR	CR
OCI-현금흐름위험회피적립금(제거)	585,000	
손익계산서-금융비용		585,000

부채의 이자인식

사례의 단순화 목적으로 미수/미지급이자는 표시하지 않으며 이자의 현금흐름이 손익계산서에 바로 표시된다.

설명	DR	CR
손익계산서-금융비용	13,085,000	
현금		13,085,000

20×4년 12월 31일

위험회피효과 평가

위험회피는 위험회피관계나 위험회피비율(예상거래일, 액면금액, 거래상대방의 신용위험, 비효과적인 부분의 원인 등의 변동)변동이 발생하지 않았기 때문에 위험회피효과 요구사항을 계속 충족하고 있다.

결론 : 위험회피는 매우 효과적일 것으로 예상한다.

파생상품의 공정가치

이 사례에서 '적은 금액' 테스트의 결과는 파생상품의 전체 공정가치 변동으로 가정하여 기타포괄손익으로 인식한다.

설명	DR	CR
파생상품	1,514,987	
OCI - 현금흐름위험회피적립금		1,514,987

파생상품 이자의 교환

설명	DR	CR
현금	2,530,000	
파생상품		2,530,000

손익계산서 내에서 재순환

설명	DR	CR
OCI-현금흐름위험회피적립금(제거)	2,530,000	
손익계산서-금융비용		2,530,000

부채의 이자인식

사례의 단순화 목적으로 미수/미지급이자는 표시하지 않으며 이자의 현금흐름이 손익계산서
에 바로 표시된다.

설명	DR	CR
손익계산서 – 금융비용	15,030,000	
현금		15,030,000

20×5년 6월 30일

위험회피효과 평가

위험회피는 위험회피관계나 위험회피비율 (예상거래일, 액면금액, 거래상대방의 신용위험, 비
효과적인 부분의 원인 등의 변동)변동이 발생하지 않았기 때문에 위험회피효과 요구사항을
계속 충족하고 있다.

결론 : 위험회피는 매우 효과적이다.

파생상품의 공정가치

이 사례의 목적상 미수/미지급 이자는 고려하지 않는다.

설명	DR	CR
파생상품	49,960	
OCI – 현금흐름위험회피적립금		49,960

파생상품 이자의 교환

설명	DR	CR
현금	1,325,000	
파생상품		1,325,000

손익계산서 내에서 재순환

설명	DR	CR
OCI – 현금흐름위험회피적립금(제거)	1,325,000	
손익계산서 – 금융비용		1,325,000

부채의 이자인식

사례의 단순화 목적으로 미수/미지급이자는 표시하지 않으며 이자의 현금흐름이 손익계산서
에 바로 표시된다.

설명	DR	CR
손익계산서 – 금융비용	13,852,500	
현금		13,852,500

부채의 상환

설명	DR	CR
부채	500,000,000	
현금		500,000,000

위험회피회계의 결과

위험회피회계를 적용한 결과는 다음과 같이 요약된다.

- 이자는 위험회피대상금리(2%+300bp=5% : 부채에 대한 신용 스프레드 포함)로 손익계산서에 표시된다.
- 스왑의 공정가치 변동 손익은 OCI로 인식되므로 당기손익의 변동성에 영향을 미치지 않는다.
- 위험회피관계 전반에 걸쳐 중요한 조건이 일치하므로 비효과적인 부분은 인식되지 않는다. 부채와 스왑의 결제일이 다르거나 파생상품 거래당사자 중 어느 한쪽의 신용위험 변동이 있다면 이는 비효과적인 결과를 초래할 수 있다.
- 이 예에서는 기능통화로 표시된 부채의 이자율위험회피를 다루고 있다. 회사가 외화로 차입하고 통화 또는 통화와 이자율을 함께 위험회피하고자 한다면 외화 베이시스 위험의 처리로 인해 보다 복잡한 상황이 발생할 것이다.

상세 항목은 다음 표를 참조한다.

| | 대차대조표 | | | | | | | | 손익계산서 | |
	현금		부채		파생상품		OCI-현금흐름위험 회피적립금		이자비용	
	DR	CR	DR	CR	DR	CR	DR	CR	DR	CR
20×2/7/1										
부채 최초인식	500,000,000			500,000,000						
20×2/12/31										
현금흐름위험회피회계처리		370,000			370,000	3,254,193	3,254,193	370,000	370,000	
부채의 이자지급		12,130,000							12,130,000	
20×3/6/30										
현금흐름위험회피회계처리		675,000			10,556,174			10,556,174	675,000	
부채의 이자지급		11,825,000							11,825,000	
20×3/12/31										
현금흐름위험회피회계처리	1,857,500					4,906,893	4,906,893			1,857,500
부채의 이자지급		14,357,500							14,357,500	
20×4/6/30										
현금흐름위험회피회계처리	585,000				3,167,439	585,000	585,000	3,167,439		585,000
부채의 이자지급		13,085,000							13,085,000	
20×4/12/31										
현금흐름위험회피회계처리	2,530,000					4,044,987	4,044,987			2,530,000

	대차대조표								손익계산서	
	현금		부채		파생상품		OCI-현금흐름위험 회피적립금		이자비용	
	DR	CR	DR	CR	DR	CR	DR	CR	DR	CR
부채의 이자지급		15,030,000							15,030,000	
20×5/6/30										
현금흐름위험회피회계처리	1,352,500				49,960	1,352,500	1,352,500	49,960		1,352,500
부채의 이자지급 및 상환		513,852,500	500,000,000						13,852,500	
합계		75,000,000							75,000,000	

자본변동표	OCI – 위험회피적립금 Dr/(Cr)	이익잉여금 및 기타 적립금 Dr/(Cr)
당기순이익		(12,500,000)
현금흐름위험회피의 공정가치	3,254,193	
현금흐름위험회피적립금 재순환	(370,000)	
20×2/12/31 자본	2,884,193	(12,500,000)
당기순이익		(25,000,000)
현금흐름위험회피의 공정가치	(6,831,781)	
현금흐름위험회피적립금 재순환	1,182,500	
20×3/12/31 자본	(2,765,088)	(37,500,000)
당기순이익		(25,000,000)
현금흐름위험회피의 공정가치	(1,652,452)	
현금흐름위험회피적립금 재순환	3,115,000	
20×4/12/31 자본	(1,302,540)	(62,500,000)
당기순이익		(12,500,000)
현금흐름위험회피의 공정가치	(49,960)	
현금흐름위험회피적립금 재순환	1,352,500	
20×5/12/31 자본	0	(75,000,000)

사례 3 현금흐름위험회피회계 / 선도거래

제트 연료의 예상 구매에 대한 위험회피 – 원유 가격 위험을 위험요소로 지정함

배경 및 가정

G사는 미국 국내 물류기업으로 기능통화는 USD다. 보고 날짜는 6월 30일과 12월 31일이다. G사는 항공기 운항을 위해 제트연료를 구입한다. G사의 위험관리 목표와 전략은 발생가능성이 매우 높은 항공기 연료의 예상 구매로 인한 상품 가격 위험을 최대 24개월 전에 미리 회피하는 것이다.

G사는 제트연료를 구매하는 국내 시장에서 제트연료 가격이 ICE 브렌트유 지표의 요소를 포함하고 있음을 입증하기 위해 분석을 시작했다. G사가 지급한 실제 구매가격에는 상품지수

가격에 부가되는 세금, 운송비 및 기타 변동연료비(예 : 부식억제제 첨가물과 관련된 비용)도 포함된다.

G사는 매월 단위로 제트 연료의 예상 구매 일정을 작성한다. 각 월별 타임 버킷은 동일한 만기의 순현금결제 원유선도계약을 체결함으로써 위험회피된다. 매입과 파생상품은 모두 USD로 표시되므로 외화 익스포저는 없다.

유의사항

기준서 제1109호 문단 6.3.7에서는 구성요소가 위험회피대상항목의 전체 현금흐름보다 작고 위험회피대상위험요소가 별도로 식별할 수 있고 신뢰성 있게 측정할 수 있는 경우 구성요소를 위험회피대상항목으로 지정할 수 있다. 이 예에서 원유 가격요소는 최종 가격의 증분 구성요소이므로 전체 현금 흐름보다 적을 것이다. 원유가격도 별도로 식별할 수 있고 신뢰성 있게 측정할 수 있다는 것이 입증된다면 위험회피대상항목으로 지정할 수 있다. 이 사례에서는 제트연료를 구입하는 특정 시장에서 원유 가격이 모두 이러한 요건을 충족하여 IFRS 9에 따라 위험회피 가능한 위험요소로 적합하다는 분석을 G사가 수행했다고 가정한다.

위험관리 목표와 전략에 따라 20×7년 1월 1일 G사는 제3자인 상품 중개업자와 5,500배럴에 대하여 20×8년 9월 30일이 만기인 순액으로 결제되는 원유 선도계약을 체결한다. 파생상품은 만기일에 대한 선도가격으로 가격이 책정된다.

20×7년 1월 1일, G사의 경영진은 위험회피관계를 지정한다.

20×8년 9월 30일 G사는 다음 달까지 균등하게 사용되는 제트 연료(750톤−5,850배럴 상당)를 구입한다. 제트 연료의 가격은 20×9년 10월 6일에 지불될 예정이다.

관련 거래는 다음과 같다.

제트 연료의 물리적 구매	
위험회피 수량 (배럴)	5,500
구매 가격	변동되는 제트 연료 가격
기타 비용	운송비 + 관련 세금 + 운송비 + 가변 연료비
배송일	20×8년 9월(월간 균등)
결산일	20×8/10/6

원유 선도 구매 계약	
수량 (배럴)	5,500
USD/배럴의 선도 가격	53.93
만기일에 ICE Brent 원유 현물 가격 순액 결제	
시작일	20×7/1/1
만기일	20×8/9/30
결산일	20×8/10/2

20×8년 9월 30일 기준 현금흐름을 할인하는 데 적용할 수 있는 위험회피기간의 주요일자별 연간 이자율은 다음과 같다.

	20×7/1/1	20×7/6/30	20×7/12/31	20×8/6/30
USD 이자율 pa (%)	0.65%	0.38%	0.64%	0.75%
USD 할인 요소	0.9886	0.9952	0.9952	0.9981

위험회피 기간 동안 주요일자의 상품선도가격은 하기와 같다.

USD / 배럴	20×7/1/1	20×7/6/30	20×7/12/31	20×8/6/30	20×8/9/30
Crude	53.93	70.88	73.59	90.33	92.13

상품가격위험관리정책의 요약
위험관리전략
G사는 기능통화가 USD인 항공사로 제트 연료 구입이 요구되는 사업을 영위하고 있다. 이는 USD로 표시되며, 지불된 가격에는 운송비, 세금 및 기타 변동되는 연료비가 포함된다.
G사의 위험관리 전략은 인도 24개월 전까지 예상되는 소비량에 기초하여 제트연료 가격위험의 일부를 위험회피를 하는 것이다. G사는 인도가 가까워질수록 커버리지 수량을 증가시킨다. G사는 파생상품 시장의 유동성과 예상 매입까지 남은 시간을 고려하여 원유 선도를 위험회피 수단으로 사용하여 제트연료 구매와 관련된 기초상품가격 위험을 위험회피하기로 결정하였다.

위험회피정책의 요약
위험회피수단
G사는 상품위험을 회피하기 위해 장외상품선도계약만 이용한다. 모든 파생상품은 신용등급이 A나 A 이상인 거래상대방과 체결한다.

위험회피 관계
G사는 모든 중요한 상품위험회피에 대하여 위험회피회계의 적용조건을 충족시키는 것을 목표로 한다. 상품선도계약의 변동은 전액 위험회피수단으로 지정된다.

위험회피 문서화
위험회피관계를 시작할 때 경영진은 다음을 포함하여 위험회피관계를 공식적으로 문서화해야 한다.
• 위험 관리 목적 및 전략
• 위험회피수단, 위험회피대상항목, 위험회피대상 위험의 특성 및 잠재적인 위험회피의 비효과적인 부분의 원인 식별
• 경영진이 위험회피관계가 위험회피효과에 대한 요구사항을 충족하는지를 평가하는 방법에 대한 다음을 포함하는 설명 : (가) 위험회피대상항목과 위험회피수단 사이에 경제적 관계가 존재함. (나) 신용위험의 효과가 위험회피대상항목과 위험회피수단의 경제적 관계로 인한 가치 변동보다 지배적이지 않음. (다) 위험회피관계의 위험회피비율은 기업이 실제로 위험을 회피하는 위험회피대상항목의 수량과 위험회피수단 수량의 비율과 동일함.

위험회피효과

위험회피관계가 위험회피효과에 관한 요구사항을 충족하는지 지속적으로 평가해야 한다. G사는 적어도 매 보고일이나 위험회피효과에 관한 요구사항에 영향을 미치는 상황의 유의적 변동이 있는 시점 중 이른 날에 평가를 수행한다. 이러한 평가는 위험회피효과에 대한 예상과 관련되므로 전진적적으로만 수행한다.

G사의 위험관리정책 및 위험 익스포저의 특성과 일관되게, 위험회피효과는 중요한 조건(금액, 통화, 만기일)에 기초하여 입증된다. 경영진은 위험회피수단의 특성을 위험회피대상항목의 특성(액면금액, 상품지수, 만기일)과 일치시켜야 한다.

이 문서에서 경영진은 위험회피수단과 위험회피대상항목의 가치가 일반적으로 반대 방향으로 변동하는 주요 조건의 정성적 평가에 기초하여 위험회피효과를 입증할 것이다.

회계처리

현금흐름위험회피회계의 적용조건을 충족하는 경우 위험회피기간 중 회계처리는 다음과 같다.
- 위험회피수단의 공정가치 변동은 기타포괄손익으로 인식(현금흐름위험회피적립금)한다.
- 현금흐름위험회피적립금에서 제거나 조정되는 금액은 최초 제트원료 재고자산에 포함된다(장부금액 조정법).

위험회피 문서 요약

20×7년 1월 1일 G사의 위험회피문서는 하기와 같다.

위험관리 목적과 전략

G사의 위험관리 목표는 최초 USD 표시 원유 파생상품을 활용해 제트연료 예상구매의 기초자산인 원유 가격 위험요소를 관리하는 것이다.

제트 연료 시장 참여, 시장 조성자와의 논의, 중기 과거 가격 데이터에 대한 정량적 상관 관계 관찰 및 시장 가격 메커니즘에 대한 이해를 통해 G사는 다음을 입증한다.
- ICE 브렌트유는 원유의 가장 적절한 벤치마크로서 제트 연료 가격에서 별도로 식별 가능하고 신뢰성 있게 측정할 수 있는 위험 요소이다.
- 기준서 제1109호 문단 6.3.7에 따라 위험회피수단과 위험회피대상항목 간의 경제적 관계를 입증하기 위해 G사는 위험회피대상항목(브렌트유의 위험요소)이 별도로 식별 가능하고 측정가능하다는 것을 이러한 리스크와 관련된 시장 구조를 통해 입증할 수 있었다.

위험회피관계

현금흐름위험회피 : 발생가능성이 높은 예상 USD 제트연료 구매로 인한 상품가격위험을 위험회피한다.

G사는 원유선도를 제트연료가격 익스포저에 내재된 원유 상품가격 위험의 현금흐름위험회피로 지정한다.

회피되는 위험요소의 성격

위험회피대상위험은 원유 구성요소 변동에 기인한 USD 현금흐름의 변동성이다. 구매가격의 변동성에 영향을 미치는 다른 위험요소(운송원가, 세금 및 변동되는 연료원가, 마진 등)는 위험회피되지 않는다.

위험회피대상항목의 식별
위험회피대상 위험요소 :
1. 20×7년 1월 1일~ : 20×8년 9월 30일 발생가능성이 매우 높은 USD 표시 제트 연료 구매(9월 말 시장 가격 기준)의 최초 5,500배럴의 브렌트 원유 위험 요소.
   예상 거래가 발생할 것으로 예상되는 기간 :

제트 연료 인도	20×8/9/30
결제	20×8/10/6

예상 거래가 발생할 가능성이 매우 높은 근거 :
- 과거 경험상 예상과 실제 연료 사용 간에 밀접한 관계가 있었다. 예상되는 사용량의 실현 가능성이 매우 높지 않은 경우가 발생하기 전에 다양한 부문을 운용하는 데 사용되는 항공기 유형을 포함하여 비행 경로와 항공기 운용 성능의 중요한 변경이 필요할 수 있다.

위험회피수단의 식별
1. 원유 선도 : 거래번호 JF_CO_5192
위험회피수단의 조건은 다음과 같다.

원유 선도 매입계약	
수량(배럴)	5,500
USD/배럴 선도가격	53.93
만기일에 ICE브렌트 원유 현물가격 순액결제	
시작일	20×7/1/1
만기일	20×8/9/30
결제일	20×8/10/2

선도계약의 변동 전체가 선도요소를 포함한 예상 제트연료 구매의 위험회피로 지정됨.

위험회피효과
위험회피회계를 적용하기 위해 다음의 위험회피효과 요구사항을 충족해야 한다.

경제적 관계
제트 연료 시장 참여, 시장 조성자와의 논의, 중기 과거 가격 데이터에 대한 정량적 상관 관계 관찰 및 시장 가격 메커니즘에 대한 이해를 통해 다음을 입증한다.
- ICE 브렌트 원유는 가장 적절한 원유의 벤치마크로서 제트 연료 가격에서 별도로 식별 가능하고 신뢰성 있게 측정할 수 있는 위험 요소이다.
20×8년 9월 30일 (20×8년 9월 30일 관련 상품가격으로)인도되는 5,500배럴의 제트연료를 USD로 매입하는 예상 거래는 원유 가격 위험에 대한 상품익스포저를 발생시킨다. 5,500배럴에 대한 순액결제형 원유 선도계약은 이러한 익스포저를 정확히 상쇄하는 효과를 낳는다.

신용위험의 영향

신용위험은 위험회피대상위험의 일부가 아니므로, G사의 신용위험은 위험회피수단의 가치변동에만 영향을 미친다.

신용위험은 G사와 선도계약 거래상대방의 신용등급 변동에서 발생한다. 그룹의 재무부서는 회사와 은행의 부정적인 신용위험 변화를 모니터링한다. G사 및 은행과 관련된 위험은 미미한 것으로 간주되며 어느 한쪽 당사자의 상황에 중대한 변화가 있는 경우에 재평가될 것이다.

위험회피비율

위험관리정책을 준수하기 위해, 위험회피비율은 20×8년 9월 30일이 만기인 5,500배럴에 대한 원유 선도계약과 20×8년 9월 30일의 상품지수를 기준으로 20×8년 9월 30일 인도되는 제트연료 5,500배럴 구매가 상쇄되는 정도를 기준으로 산출한다.

따라서 위험회피비율이 1 : 1 또는 100%가 된다.

비효과적인 부분의 원인

비효과적인 부분의 잠재적인 원인은 다음과 같다.
• 위험회피대상항목의 인도일 변경
• 위험회피대상항목의 수량이 5,500배럴 이하로 떨어지는 위험회피대상항목의 수량 변동
• G사 또는 선도계약 거래상대방의 신용위험의 변경

위험회피효과 평가 빈도

위험회피효과는 위험회피의 개시일과 보고일(6월 30일과 12월 31일) 및 위험회피효과 요구사항에 영향을 미치는 상황의 유의적인 변동이 발생하였을 때 평가한다.

위험회피효과 평가에서 제외된 항목

위험회피효과 평가에서 제외되는 사항은 없다.

효과성 평가와 회계처리

위험회피관계 기간 동안 파생상품의 공정가치

	20×7/1/1	20×7/6/30	20×7/12/31	20×8/4/1	20×8/6/30	20×8/9/30
원유선도	-	92,754	107,628	196,304	199,811	210,100USD

20×7년 1월 1일 위험회피회계 개시

위험회피효과 평가

위험회피수단과 위험회피대상거래의 가격조건과 금액이 서로 상쇄되어 위험회피수단과 위험회피대상항목 사이에 기준서 제1109호에서 요구하는 명확한 경제적 관계가 있다. 따라서 경영진은 위험회피수단과 위험회피대상항목이 반대 방향으로 움직일 것이라고 정성적으로 평가한다. 위험회피비율은 위험회피문서에 기술된 바와 같이 설정된다.

브렌트유 선도 거래상대방의 신용등급이 높고 G사의 신용위험은 양호한 것으로 보아 신용위험의 영향은 경제적 관계에서 중요하거나 지배적이지 않은 것으로 간주된다.

결론 : 위험회피효과에 관한 요구사항을 충족한다.

회계처리

선도의 공정가치가 0이므로 별도의 분개는 발생하지 않는다.

20×7년 6월 30일 위험회피회계

위험회피효과

경제적 관계가 더 이상 존재하지 않음을 나타내는 위험회피대상항목이나 수단 또는 환경의 변화는 없었다.

위험회피비율은 설정된 이후 변경되지 않았다.

브렌트유 선도 거래상대방과 G사의 신용이 지속적으로 양호하기 때문에 신용위험의 영향은 경제관계에서 중요하지도 지배적이지도 않은 것으로 간주된다.

결론 : 위험회피효과에 관한 요구사항을 충족한다.

회계처리

파생상품의 공정가치 변동을 기타포괄손익으로 처리한다.

	DR	CR
기타포괄손익 – 현금흐름위험회피적립금		92,754 USD
파생상품	92,754	USD
공정가치 변동 인식		

공정가치 변동(USD) : 92,754 − 0 = 92,754

20×7년 12월 31일 위험회피회계

위험회피효과

경제적 관계가 더 이상 존재하지 않음을 나타내는 위험회피대상항목이나 수단 또는 환경의 변화는 없었다.

위험회피비율은 설정된 이후 변경되지 않았다.

브렌트유 선도 거래상대방과 G사의 신용이 지속적으로 높기 때문에 신용위험의 영향은 경제관계에서 중요하지도 지배적이지도 않은 것으로 간주된다.

결론 : 위험회피효과에 관한 요구사항을 충족한다.

회계처리

파생상품의 공정가치 변동을 기타포괄손익으로 처리한다.

	DR	CR
기타포괄손익 – 현금흐름위험회피적립금		14,874 USD
파생상품	14,874	USD
공정가치 변동 인식		

공정가치 변동(USD) : 107,628 − 92,754 = 14,874

20×8년 6월 30일 위험회피회계

위험회피효과

경제적 관계가 더 이상 존재하지 않음을 나타내는 위험회피대상항목이나 수단 또는 환경의 변화는 없었다.

위험회피비율은 설정된 이후 변경되지 않았다.

브렌트유 선도 거래상대방과 G사의 신용이 지속적으로 양호하기 때문에 신용위험의 영향은 경제관계에서 중요하지도 지배적이지도 않은 것으로 간주된다.

결론 : 위험회피효과에 관한 요구사항을 충족한다.

회계처리

파생상품의 공정가치 변동을 기타포괄손익으로 처리한다.

	DR	CR
기타포괄손익 – 현금흐름위험회피적립금		92,183 USD
파생상품(원유)	92,183	USD
공정가치 변동 인식		

공정가치 변동(USD) : 199,811 – 107,628 = 92,183

20×8년 9월 30일 위험회피회계

파생상품은 만기가 도래하였다.

위험회피효과

경제적 관계가 더 이상 존재하지 않음을 나타내는 위험회피대상항목이나 수단 또는 환경의 변화는 없었다.

위험회피비율은 설정된 이후 변경되지 않았다.

브렌트유 선도 거래상대방과 G사의 신용이 지속적으로 양호하기 때문에 신용위험의 영향은 경제적 관계에서 중요하지도 지배적이지도 않은 것으로 간주된다.

결론 : 위험회피효과에 관한 요구사항을 충족한다.

회계처리

파생상품의 공정가치 변동을 기타포괄손익으로 처리한다.

	DR	CR
기타포괄손익 – 현금흐름위험회피적립금		10,289 USD
파생상품(원유)	10,289	USD
공정가치 변동 인식		

공정가치 변동(USD) : 210,100 – 199,811 = 10,289

20×8년 10월 2일 위험회피회계
원유선도의 정산 회계처리

	DR	CR
현금(USD)	210,100	USD
파생상품		210,100 USD
원유선도의 정산		

재고자산의 인식

매입채무는 사례의 단순화를 위해 고려하지 않는다. 따라서 매입액은 바로 지급된다고 가정한다. 실무적으로는 매입채무가 인식될 것이다. 재고자산은 지급한 시장가격으로 인식하고 장부금액 조정을 적용한다.

	DR	CR
재고자산	575,000*	USD
현금		575,000 USD
기타포괄손익 – 현금흐름위험회피적립금	210,100	USD
재고자산 – 장부금액 조정		210,100 USD
구입한 원료의 인식, 연료는 실제 현물가격으로 구입함.		

* 원유 현물가격에 기타비용을 더한 금액임. 92.13×5,500+68,285

위험회피회계 요약

위험회피회계를 적용한 결과는 다음과 같다.
• 제트 연료 매입은 20×8년 9월 30일 제트 연료의 시장 가격이 아닌 브렌트 원유 선도 구매 계약의 계약금액으로 인식되었다.
상세 분개는 다음 표를 참조한다.

	대차대조표						기타포괄손익	
	파생 상품(원유 선도)		재고		현금			
	DR	CR	DR	CR	DR	CR	DR	CR
20×7/1/1								
원유선도 인식 – 분개 없음								
20×7/6/30								
파생 상품의 공정 가치	92,754							92,754
20×7/12/31								
파생 상품의 공정 가치	14,874							14,874
20×8/6/30								
파생 상품의 공정 가치	92,183							92,183
20×8/9/30								
파생 상품의 공정 가치	10,289							10,289
20×8/10/2								
파생 상품 정산		210,100			210,100			

대차대조표							
	파생 상품(원유 선도)		재고		현금		기타포괄손익	
	DR	CR	DR	CR	DR	CR	DR	CR
재고 인식			575,000			575,000		
현금흐름위험회피 적립금 조정				210,100			210,100	
총/순액효과	-	-	364,900	-	364,900	-	-	-

자본변동표	OCI - 위험회피적립금	이익잉여금 및 기타준비금
당기순이익		0
현금흐름위험회피의 공정 가치	(107,628)	
20×7/12/31 자본	107,628	0
당기순이익		0
현금흐름위험회피의 공정 가치	(102,472)	
현금흐름위험회피적립금 재분류(재고자산 인식)	210,100	
20×8/12/31 자본	0	0

(6) 해외사업장순투자의 위험회피회계

해외사업장순투자의 위험회피(순투자의 일부로 회계처리하는 화폐성항목의 위험회피 포함)는 다음과 같이 현금흐름위험회피와 유사하게 회계처리한다.

① 위험회피수단의 손익 중 위험회피에 효과적인 부분은 기타포괄손익으로 인식한다.

② 위험회피수단의 손익 중 비효과적인 부분은 당기손익으로 인식하고, 위험회피에 효과적이어서 기타포괄손익으로 인식한 부분은 향후 해외사업장의 처분시점에 재분류조정으로 자본에서 당기손익으로 재분류한다.

사례 해외사업장순투자 위험회피회계 / 외화 채무 거래

배경 및 기본가정

영국 파운드(GBP)를 기능통화로 사용하는 영국 회사인 I는 EUR를 기능통화로 사용하는 이탈리아 회사인 D를 자회사로 보유하고 있다. I의 연결재무제표 보고일자는 6월 30일과 12월 31일이다. I그룹의 표시통화는 영국 파운드(GBP)이다.

20×6년 6월 30일, I사는 2년 만기 변동이자부 채무를 발행하였다.

채무발행과 관련하여 거래비용은 발생하지 않는다. I사는 당 부채를 순투자에 대한 위험회피로 지정함으로써 GBP/EUR의 환율변동으로 인한 연결대차대조표의 변동성을 감소시키기고자 한다. 20×6년 6월 30일 D사에 대한 순투자금액은 EUR 100백만이다. 지난 수년간 D사가 지속적으로 이익을 실현해왔으며 I사의 이사회에서 승인된 향후 2년간 사업의 전망치도 예상 배당액을 초과해 계속해서 중요한 이익을 실현할 것으로 예상됨에 따라, D사에 대한 순투자금액은 EUR 100백만 이하로 떨어지지 않을 것으로 판단된다.

> **유의사항**
> 해외영업에 대한 순투자금액은 영업권을 포함하는 해외영업 순자산 중 보고실체의 지분상
> 당액이다. 만약 해외 사업장이 향후 예측 가능한 미래기간 동안 반환하지 않을 관계사 대여
> 금(quasi - equity)이 있다면, 그 대여금은 순투자금액에 포함된다.

위험회피관계기간 중 주요일자의 환율은 다음과 같다.

	30/6/20×6	31/12/20×6	30/6/20×7	31/12/20×7
GBP/EUR 현물환율	1.2693	1.2530	1.2732	1.2750

외화위험관리 전략의 요약
외환위험은 모회사의 기능통화(GBP)와 다른 기능통화를 사용하는 그룹 내 회사에 대한 순투
자로 인해 발생한다. 이때, 회피대상위험은 해외사업장의 기능통화와 모회사의 기능통화 간의
현물환율 변동에 의한 위험이며 순투자금액의 변동을 가져온다. 그러한 위험은 그룹의 재무
제표에 중요한 영향을 끼친다.

그룹은 전세계적으로 영업하는, 특히 서유럽(네덜란드, 이탈리아, 영국)과 미국을 중심으로 영
업하는 국제적인 소매업자이다. 가장 큰 자회사는 이탈리아에 위치해 있다.

I사의 정책은 해외 영업과 관련된 순투자에 대한 모든 중요한 외환 위험을 헷지하고 관련 현
물환율의 변동 위험을 비파생 금융상품을 이용하여 위험회피하는 것이다.

외화위험관리 정책의 요약
위험회피수단
그룹은 해외사업 순투자에 대한 외환위험을 회피하기 위해 외화 차입금과 같은 비파생금융상
품을 이용하고 있다.

> **유의사항**
> 공정가치의 변동을 기타포괄손익으로 표시하기로 선택한 지분상품에 대한 투자나 신용위험
> 의 변동으로 생기는 공정가치의 변동 금액을 기타포괄손익으로 표시하는 당기손익 - 공정가
> 치 측정 금융부채가 아닌 비파생금융상품은 외화위험의 위험회피수단으로 지정할 수 있다.

위험회피관계
외화위험의 변동만 위험회피수단으로 지정된다. 이 비파생상품의 외화 위험 요소는 기준서
제1021호에 따라 결정된다.

위험회피 문서화
위험회피관계를 시작할 때 경영진은 다음을 포함하여 위험회피관계를 공식적으로 문서화해야
한다.
- 위험 관리 목적 및 전략

- 위험회피수단, 위험회피대상항목, 위험회피대상 위험의 특성(GBP/EUR 현물 exposure) 및 위험회피에 비효과적인 부분의 잠재적인 원인 식별
- 경영진이 위험회피관계가 위험회피효과에 대한 요구사항을 충족하는지를 평가하는 방법에 대한 다음을 포함하는 설명 : (가) 위험회피대상항목과 위험회피수단 사이에 경제적 관계가 존재함. (나) 신용위험의 효과가 위험회피대상항목과 위험회피수단의 경제적 관계로 인한 가치 변동보다 지배적이지 않음. (다) 위험회피관계에서 위험회피비율은 기업이 실제로 위험회피 목적으로 이용하는 위험회피수단과 위험회피대상항목의 수량 비율과 동일함.

위험회피효과

I사는 위험회피관계가 위험회피효과에 관한 요구사항을 충족하는지 지속적으로 평가해야 한다. 기업은 적어도 매 보고일이나 위험회피효과에 관한 요구사항에 영향을 미치는 상황의 유의적 변동이 있는 시점 중 이른 날에 평가를 수행한다. 이러한 평가는 위험회피효과에 대한 예상과 관련되므로 전진적으로만 수행한다.

위험관리정책 및 위험 익스포저의 특성과 일관되게, 위험회피효과는 중요한 조건(금액, 통화)에 기초하여 입증된다. 따라서 경영진은 위험회피수단의 특성을 위험회피대상항목(장부금액, 통화)의 특성과 일치시켜야 한다.

이 문서에서 경영진은 동일한 위험, 즉 위험회피대상위험으로 인해 위험회피수단과 위험회피대상항목의 가치가 일반적으로 반대 방향으로 변동할 것이므로 주요 조건의 정성적 평가에 기초하여 위험회피효과를 입증할 것이다.

회계처리

순투자위험회피회계의 적용조건을 충족하는 경우 위험회피기간 중 회계처리는 다음과 같다.
- 순투자에 대하여 기준서 제1021호에 따라 결정된 외화 환산 금액은 기타포괄손익에서 조정하고 외화환산적립금으로 인식한다.
- 차입금에 대한 외화 환산액은 현물환율 변동에 따른 순투자의 장부금액 변동을 상쇄하는데 효과적인 부분은 기타포괄손익으로 인식하고 외화환산적립금으로 이연한다. 비효과적인 부분은 발생 기간에 당기손익으로 인식한다.

차입금의 만기 도래 등 순투자위험회피회계의 적용기준이 충족되지 않는 경우 다음과 같이 회계처리 한다.
- 위험회피수단의 존속기간 동안 인식한 위험회피수단의 조정 금액은 위험회피대상 해외사업장을 처분하거나 일부를 처분할 때까지 자본에 유보한다.
- 위험회피대상이었던 해외사업장을 처분할 때, 위험회피조정과 관련된 금액을 외화환산적립금에서 당기손익으로 재분류 또는 '재순환'한다. 당기손익으로 재분류된 금액은 해당 해외사업장과 관련하여 외화환산적립금으로 인식된 금액이다.
- 지배기업이 순투자에 대한 지배력을 상실하게 되는 일부 처분을 제외한 해외사업장인 종속기업의 일부 처분에 대해서는 기타포괄손익에 인식된 외환차이의 누계액 중 비례적 지분을 해당 해외사업장의 비지배지분으로 재귀속시킨다.

위험회피 문서화 내용

위험관리 목적과 전략

I사의 외환위험관리전략에 따라, D사에 대한 순투자에서 야기되는 외화환산위험은 회피된다.

위험회피 유형

순투자 위험회피

회피되는 위험요소의 성격

그룹의 위험관리정책에 따라 위험회피대상위험은 D사에 투자된 그룹의 순투자금액을 GBP로 환산할 때 가치변동을 야기하는 EUR/GBP 현물환율의 변동 위험이다.

위험회피대상항목의 식별

20×6년 6월 30일 D사에 대한 그룹의 순투자금액인 EUR 100백만을 위험회피대상항목으로 지정한다.

위험회피수단의 식별

거래번호 : 재무관리시스템상 참조번호 G0901Z.
위험회피수단은 2년 만기 변동금리부 채무이며 내역은 다음과 같다.

유형	채무발행
명목가액	EUR 100백만
발행일	20×6년 6월 30일
만기일	20×8년 6월 30일
이자율	6개월－EURIBOR금리
이자지급일	20×6/12/31, 20×7/6/30, 20×7/12/31, 20×8/6/30

위험회피지정 : 채무 G0901Z의 외화노출부분을 GBP/EUR 현물환율 변동성에 따른 순투자가치의 변동에 대한 위험회피로 지정한다.

위험회피효과

경제적 관계

순투자로 인해 GBP/EUR 현물환율 환산 위험이 발생한다.

외화 익스포저는 기능통화가 지배기업의 기능통화와 다른 연결실체 기업에 대한 순투자에서 발생한다. 위험은 순투자의 기능통화와 지배기업의 기능통화 사이의 현물환율 변동위험으로 정의된다. 이로 인해 순투자 금액이 달라질 수 있으며 그러한 위험은 그룹의 재무제표에 유의적인 영향을 미칠 수 있다.

신용위험의 영향
위험회피회계 적용으로 조정될 금액이 기준서 제1021호에 기초하여 계산되기 때문에 신용위험은 위험회피관계에 영향을 미치지 않으며 위험회피관계에 지배적이지 않다.

위험회피비율
위험관리정책을 준수하기 위해 차입금은 이탈리아 종속기업 순투자의 최초 EUR 100백만에 대한 위험회피로 지정된다. 따라서 위험회피비율은 1 : 1 또는 100%가 된다.

비효과적인 부분의 원인
다음과 같은 잠재적 원인이 식별된다.
- EUR 순투자의 장부금액이 EUR 100백만 미만으로 감소

위험회피효과 평가 빈도
위험회피효과는 위험회피의 개시일과 보고일(6월 30일과 12월 31일) 및 위험회피효과 요구사항에 영향을 미치는 상황의 유의적인 변동이 발생하였을 때 평가한다.

위험회피효과 평가에서 제외된 항목
IAS 21의 재평가만이 위험회피효과 평가에 포함된다.

경제적 관계 평가와 회계처리
20×6.6.30
경제적 관계 평가
위험회피문서에 설명된 것처럼 위험회피수단과 위험회피대상항목의 주요 조건은 완전히 일치한다.
따라서 경영진은 위험회피수단과 위험회피대상항목 사이에 경제적 관계가 있으며 일반적으로 반대 방향으로 움직일 것이라고 정성적으로 평가할 수 있다.
결론 : 위험회피효과에 관한 요구사항을 충족한다.

부채인식
부채는 발행일 시점 공정가치인 I사가 수취한 금액으로 인식되고, 기타금융부채로 분류된 후 상각후원가로 측정된다.

	차변	대변	
현금	78,783,582		GBP
기타금융부채		78,783,582	GBP
부채 신규 인식			

20×6.12.31

경제적 관계 평가

D사에 대한 순투자는 이 기간 이익잉여금으로 인해 증가하였다. 따라서 위험회피대상항목으로 지정된 EUR 100백만은 계속 전액 존재한다.

위험회피문서에 설명된 것처럼 위험회피수단과 위험회피대상항목의 주요 조건은 완전히 일치한다. 따라서 경영진은 위험회피수단과 위험회피대상항목 사이에 경제적 관계가 있으며 일반적으로 반대 방향으로 움직일 것이라고 정성적으로 평가할 수 있다.

결론 : 위험회피효과에 관한 요구사항은 현재 충족된다.

부채 재평가

위험회피가 해당 기간 동안 완전히 효과적이었기 때문에 부채에 대한 외화손실 전체를 기타포괄손익으로 인식하고 당기손익으로 인식할 비효과적인 부분은 없다.

	차변	대변	
OCI – 외화환산적립금	1,024,878		GBP
기타금융부채		1,024,878	GBP
부채 재평가			

부채	
최초 EUR 부채	(100,000,000)
EUR/GBP현물환율 (20×6.06.30)	1.2693
부채의 최초 GBP 금액	(78,783,582)
EUR 기말 잔액	(100,000,000)
EUR/GBP현물환율 (20×6.12.31)	1.2530
GBP 기말 잔액	(79,808,460)
변동	(1,024,878)

순투자 재평가

사례의 단순화를 위해 이익잉여금의 증가로 순투자 금액이 EUR 100만을 초과하는 부분은 고려하지 않고 위험회피대상으로 지정된 순투자 금액에 대한 회계처리만 표시한다. 이탈리아 종속기업에 대한 위험회피대상 순투자의 환산으로 인한 환산적립금에서도 GBP 1,024,878의 이익이 인식될 것이다. 따라서, 20×6/12/31에 종료된 6개월 동안의 환산적립금의 순 변동은 0이다.

	차변	대변	
순투자	1,024,878		GBP
OCI – 외화환산적립금		1,024,878	GBP
순투자 재평가			

순투자		
최초 EUR 순투자	100,000,000	
EUR/GBP현물환율 (20×6.06.30)	1.2693	
순투자의 최초 GBP 금액		78,783,582
EUR 기말 잔액	100,000,000	
EUR/GBP현물환율 (20×6.12.31)	1.2530	
GBP 기말 잔액		79,808,460
변동		1,024,878

20×7.06.30

경제적 관계 평가

이 기간 동안 D사가 예상치 못한 손실을 입었기 때문에 I사의 순투자는 EUR 98.5백만으로 감소했다.

비록 D사가 해당 기간에 손실을 인식하였지만, 위험회피되는 위험은 현물환율의 변동이다. 위험회피수단인 부채는 EUR로 표시되어, 위험회피대상항목인 순투자와 통화가 일치하므로 부채의 환산손익은 순투자와 반대 방향으로 계속 변동한다고 I사는 평가하였다. D사도 오랜 기간 지속된 실적에 따라 다음 기간에는 수익으로 전환될 것으로 기대돼 순투자 규모가 더 감소하지 않을 것으로 예상된다.

결론 : 경제적 관계가 여전히 존재하고 위험회피효과에 관한 요구사항은 충족된다.

순투자 재평가

사례의 단순화를 위해 여기서는 순투자의 환산으로 인한 변동만 표시한다.

이탈리아 종속기업에 대한 위험회피대상 순투자의 환산으로 환산적립금에 GBP 1,256,783의 손실이 인식될 것이다.

	차변	대변
OCI – 외화환산적립금	1,256,783	
순투자		1,256,783
순투자 재평가		

순투자		
기초 EUR 순투자	100,000,000	
EUR/GBP현물환율 (20×6.12.31)	1.2530	
순투자의 기초 GBP 금액 (A)		79,808,460
EUR 기간 손실	(1,500,000)	
기간의 평균환율	1.2630	
GBP 기간 손실 (B)		(1,187,554)
EUR 기말 잔액	98,500,000	
EUR/GBP현물환율 (20×7.6.30)	1.2732	
GBP 기말 잔액 (C)		77,364,122
FX로 인한 변동 (C-B-A)		(1,256,783)

부채 재평가

위험회피가 해당 기간 동안 완전히 효과적이지 않았기 때문에 비효과적인 부분이 당기손익으로 인식되어야 한다.

	차변	대변
기타금융부채	1,266,204	
OCI - 외화환산적립금		1,256,783
손익계산서 - 외환차이		9,421
부채 재평가		

부채		
기초 EUR 부채	(100,000,000)	
EUR/GBP현물환율 (20×6.12.31)	1.2530	
부채의 기초 GBP 금액		(79,808,460)
EUR 기말 잔액	(100,000,000)	
EUR/GBP현물환율 (20×7.6.30)	1.2732	
GBP 기말 잔액		(78,542,256)
변동		(1,266,204)

위험회피수단(부채)의 변동이 위험회피대상항목(순투자)의 회피대상 위험으로 인한 변동보다 크므로 위험회피대상항목으로 변동이 완전히 상쇄되지 않는다. 그 차이는 비효과적인 부분이므로 당기손익으로 인식한다.

> **유의사항**
>
> 순투자 잔액이 과거 위험회피대상 금액보다 작더라도 외화환산적립금에서 이전에 인식한 금액의 조정은 없다. 순투자의 감소가 처분이나 일부 처분에 기인한 것이 아니기 때문이다. 따라서 위험회피대상항목과 관련된 외화환산적립금의 재순환은 없으며 따라서 관련 위험회피수단의 조정도 재순환되지 않는다.

20×7.12.31

경제적 관계 평가

D사는 20×7년 12월 31일에 종료되는 6개월 기간 동안 충분한 이익이 발생하여, 이 기간 동안 I사의 순투자는 EUR 100백만보다 다시 증가하였다.

위험회피수단인 부채는 EUR로 표시되어, 위험회피대상항목인 순투자와 통화가 일치하므로 부채의 환산손익은 순투자와 반대 방향으로 계속 변동한다고 I사는 평가하였다. D사는 또한 예측 가능한 미래에 지속적으로 이익을 낼 것으로 예상된다.

위험회피수단과 위험회피대상항목의 주요 조건은 완전히 일치한다. 따라서 경영진은 위험회피수단과 위험회피대상항목 사이에 경제적 관계가 있으며 일반적으로 반대 방향으로 움직일 것이라고 정성적으로 평가할 수 있다.

결론 : 위험회피효과에 관한 요구사항은 충족된다.

순투자 재평가

이탈리아 종속기업에 대한 위험회피대상 순투자의 환산으로 환산적립금에 GBP 110,051의 손실이 인식될 것이다.

	차변	대변
OCI – 외화환산적립금	110,051	
순투자		110,051
순투자 재평가		

순투자		
기초 EUR 순투자	98,500,000	
EUR/GBP현물환율 (20×7.6.30)	1.2732	
순투자의 기초 GBP 금액 (A)		77,364,122
EUR 기간 이익	1,500,000	
기간의 평균환율	1.2741	
GBP 기간 이익 (B)		1,177,302
EUR 기말 잔액	100,000,000	
EUR/GBP현물환율 (20×7.12.31)	1.2750	
GBP 기말 잔액 (C)		78,431,373
FX로 인한 변동 (C-B-A)		(110,051)

부채 재평가

위험회피가 해당 기간 동안 완전히 효과적이지 않았기 때문에 비효과적인 부분이 당기손익으로 인식되어야 한다.

	차변	대변
기타금융부채	110,883	
OCI – 외화환산적립금		110,051
손익계산서 – 외환차이		832
부채 재평가		

부채		
기초 EUR 부채	(100,000,000)	
EUR/GBP현물환율 (20×7.6.30)	1.2732	
부채의 기초 GBP 금액		(78,542,256)
EUR 기말 잔액	(100,000,000)	
EUR/GBP현물환율 (20×7.12.31)	1.2732	
GBP 기말 잔액		(78,431,373)
변동		110,883

위험회피수단(부채)의 변동이 위험회피대상항목(순투자)의 변동보다 크므로 위험회피대상항목으로 변동이 완전히 상쇄되지 않는다. 그 차이는 비효과적인 부분이므로 당기손익으로 인식한다.

부채 상환

	차변	대변
기타금융부채	78,431,373	
현금		78.431,373
부채 상환		

위험회피회계의 결과

위험회피회계를 적용한 결과는 다음과 같다.

- 위험회피가 완전히 효과적인 기간 동안 누적환산적립금에서 100% 상쇄되어 자본에서 회피대상 금액과 관련된 외화환산적립금 순인식액이 0이다.
- 비효과적인 부분은 발생한 기간에 당기손익으로 인식한다.

상세 항목은 다음 표를 참조한다.

	대차대조표						손익계산서			
	OCI - 외화환산적립금 (*)		기타금융부채		순투자		현금(GBP)		외환 차이	
	DR	CR	DR	CR	DR	CR	DR	CR	DR	CR
20×6/06/30 부채인식				78,783,582			78,783,582			
20×6/12/31 부채 재평가	1,024,878			1,024,878						
재평가 손익		1,024,878			1,024,878					
20×7/06/30 부채 재평가		1,256,783	1,266,204							9,421
재평가 손익	1,256,783					1,256,783				
20×7/12/31 부채 재평가		110,051	110,883							832
재평가 손익	110,051					110,051				
부채 상환			78,431,373					78,431,373		
순합계	–	–				341,956	352,209			10,253

(*) 사례목적상 회피대상 외환위험 관련 부분만 표시됨.

자본변동표	OCI 외화재평가적립금	이익잉여금과 기타 적립금
당기순이익	–	–
순투자 위험회피 FX손익	1,024,878	
순투자 FX손익	(1,024,878)	
20×6/12/31 자본	–	
당기순이익	–	10,253
순투자 위험회피 FX손익	(1,366,834)	
순투자 FX손익	1,366,834	
20×7/12/31 자본		10,253

3. 기타 거래의 회계처리

(1) 통화선도거래의 평가

① 통화선도거래의 공정가치는 일반적으로 잔여만기가 동일한 통화선도환율(forward rate)을 기준으로 하여 산정한다. 통화선도환율은 주요 금융기관이 제시하는 통화 선도환율을 참고로 하여 금융결제원 자금중개실이 보고기간종료일에 고시하는 원화 대 미달러화 간 통화선도환율 및 이러한 원화 대 미달러화 간 통화선도환율과 미달러화 대 기타 통화 간 통화선도환율을 재정한 원화 대 기타 통화 간 통화선도환율이다.

② 위 '①'에 따른 공정가치는 해당 통화선도환율 변동액을 잔여만기에 대하여 적절한 이자율로 할인하여 산정한다. 통화선도환율 변동액은 만기시점의 현금흐름이므로 현재시점의 공정가치를 구하기 위해서는 이를 적절한 할인율로 할인해야 한다. 이 경우 적절한 할인율은 통화선도계약 당사자의 신용위험이 반영된 이자율이어야 한다.

사례 **매매목적 / 통화선도거래 / 원화 대 외화거래**

- 12월 결산법인인 A회사는 원화의 평가절하를 예상하고 다음과 같은 통화선도거래계약을 체결하였다.
  - 통화선도거래계약 체결일 : 20×1. 10. 1.
  - 계약기간 : 5개월(20×1. 10. 1.～20×2. 2. 29.)
  - 계약조건 : US$100를 약정통화선도환율 @₩1,200/US$1로 매입하기로 함.
- 환율에 대한 자료는 다음과 같다.

일 자	현물환율(₩/$)	통화선도환율(₩/$)
20×1. 10. 1.	1,180	1,200(만기 6개월)
20×1. 12. 31.	1,190	1,210(만기 3개월)
20×2. 2. 29.	1,150	

－20×1. 12. 31. 적절한 할인율은 6%이며 현재가치계산시 불연속연복리를 가정한다.

〈회계처리〉(단위 : 원)

－20×1. 10. 1. 계약체결일에 통화선도거래의 공정가치는 영(0)이므로 별도의 회계처리 없음.

　* US$ 미수액 US$100 × 1,200 = 120,000

　 ₩ 미지급액 120,000

－20×1. 12. 31.

(차) 통 화 선 도(B/S)	990*	(대) 통화선도평가이익(I/S)	990

　* US$ 미수액 변동액 US$100 × (1,210－1,200) = 1,000(A)

　 통화선도평가이익 1,000(A)/(1 + 0.06)^n = 990(n = 60/366)

－20×2. 2. 28.

(차) 현 금 (U S $)	115,000*	(대) 현 금	120,000
통화선도거래손실(I/S)	5,990	통 화 선 도(B/S)	990

　* US$100 × 1,150 = 115,000(A)

(2) 매매목적의 거래소 선물거래

매매목적의 일일정산 조건부 거래소 선물거래는 일반적으로 다음과 같이 회계처리한다.

① 위탁증거금 등 선물거래를 위한 예치금은 유동자산으로 인식한다.

② 일일정산에 따른 회계연도 중의 정산차금(당일차금과 갱신차금의 합계) 발생분에 대해서는 이를 기중에 거래손익으로 인식하지 않고 별도계정으로 관리하며 동 금액은 다음의 '③ 내지 ⑤'에 따라 주가지수선물거래손익 등으로 대체한다.

③ 결산일 현재 보유하고 있는 미결제약정분에 대한 종목별 누적정산차금잔액은 주가지수선물거래손익 등으로 하여 당기손익으로 인식한다.

④ 전·환매수량에 대한 당초 약정금액(전기 이월분은 전기말 정산가격)과 전·환매시 약정가액과의 차액은 주가지수선물거래손익 등으로 하여 당기손익으로 인식한다. 이 경우 당초 약정금액은 종목별로 총평균법·이동평균법을 적용하여 산정한다. 이와 관련하여 영업장별로 독립적으로 거래가 이루어지고 있고 내부 편출입이 제한되어 있다면 종목별 총평균법·이동평균법을 영업장별로도 적용할 수 있다.

⑤ 최종 결제시 누적정산차금잔액과 최종 결제차금은 주가지수선물거래손익 등으로

하여 당기손익으로 인식한다.

⑥ 결산일 현재 발생한 미수(미지급)일일정산차액은 미수금(미지급금)으로 인식한다.

미결제약정분에 대한 일일정산손익은 비록 실현손익이기는 하지만 이는 선물거래 결제의 안정성을 위해서 이루어지는 것으로서 일반적인 매매손익과는 성격이 다르다. 따라서 이와 같은 일일정산손익을 모두 거래손익으로 회계처리하여 이익과 손실을 총액으로 표시한다면 주가지수선물거래가 과도하게 일어나게 되는 결과를 초래하고 정보이용자를 오도할 수 있게 된다. 이러한 이유로 일일정산손익은 기중에는 별도계정으로 관리하고 전매도, 결산 및 최종 결제시에만 거래손익으로 인식한다. 한국채택국제회계기준에서는 평가손익과 거래손익을 구분하지 않고 매매목적 파생상품 관련 손익을 순액으로 표시하므로 평가손익과 거래손익의 구분이 필요하지 않으나 내부관리목적 또는 세무상의 목적 등에 따라 별도 관리할 수 있다. 이런 경우에도 포괄손익계산서에는 평가손익과 거래손익을 구분하지 않고 순액으로 표시한다.

한편, 주가지수선물거래손익 등을 미결제약정분에 대한 일일정산 실현손익과 전환매 및 최종 결제에 따른 실현손익으로 구분하여 관리하고자 하는 경우에는 이를 각각 선물거래정산손익과 선물거래매매손익으로 하여 인식하면 된다.

사례 1 매매목적 / KOSPI200 주가지수선물거래

- 12월 결산법인인 A회사는 KOSPI200 주가지수선물거래를 위탁하기 위하여 H증권회사에 20×1. 12. 20. 위탁증거금 50,000,000원을 납부하였다.
- A회사의 20×2년 3월물에 대한 거래내역은 다음과 같다.

일 자	거래내역	거래수량	잔고수량	약정가격	정산가격
20×1. 12. 22.	신규매입	5계약	5계약	85.0	87.0
″	전 매	2계약	3계약	86.0	″
20×1. 12. 23.	전 매	1계약	2계약	84.0	86.0
20×1. 12. 24.	신규매입	2계약	4계약	88.0	89.0
20×1. 12. 27.	전 매	1계약	3계약	90.0	91.0
20×1. 12. 28.	-	-	3계약	-	92.0
20×2. 1. 3.	전 매	3계약	-	90.0	92.5

- 주가지수선물거래손익을 산정하기 위한 당초 약정금액은 종목별 이동평균법에 의하여 산정한다.
- 관련 한국거래소 파생상품시장 업무규정(2020. 7. 22. 개정)은 다음과 같음.

제141조(당일차금의 수수) 회원과 위탁자는 당일차금을 결제금액으로 수수하여야 한다.

제142조(갱신차금의 수수) 회원과 위탁자는 갱신차금을 결제금액으로 수수하여야 한다.

제97조(당일차금의 수수) ① 결제회원은 당일의 약정가격(직전 거래일의 글로벌거래의 약정가격을 포함한다)과 당일의 정산가격과의 차이에 약정수량 및 거래승수를 곱하여 산출되는 금액(이하 "당일차금"이라 한다)을 거래소와 수수하여야 한다.

② 매매전문회원은 당일차금을 지정결제회원과 수수하여야 한다.

제98조(갱신차금의 수수) ① 결제회원은 직전 거래일의 정산가격과 당일의 정산가격과의 차이에 직전 거래일의 장종료 시점의 미결제약정수량 및 거래승수를 곱하여 산출되는 금액(이하 "갱신차금"이라 한다)을 거래소와 수수하여야 한다. 다만, 주식선물거래 기초주권의 배당락등이 있는 경우, 그 밖에 시장관리상 필요하다고 인정하는 경우에는 세칙으로 정하는 바에 따라 갱신차금을 산출한다.

② 매매전문회원은 갱신차금을 지정결제회원과 수수하여야 한다.

※ 정산차금을 실무상 직접 산정해야 할 필요는 없으나 이 사례에서는 일일정산의 이해를 돕기 위해 그 산정내역을 제시함.

－한국거래소의 납회일은 20×1. 12. 28.이고 개장일은 20×2. 1. 3. 것으로 가정한다.

〈회계처리〉 (단위 : 원, 거래수수료에 대한 회계처리 생략)

－20×1. 12. 20.

(차) 선 물 거 래 예 치 금　　50,000,000*　　　(대) 현　　　　　금　　50,000,000

* 유동자산 항목임.

－20×1. 12. 22.(계약체결시) 계약체결일에 수수된 주가지수선물매입계약의 프리미엄은 없으며 따라서 공정가치는 영(0)이므로 별도의 회계처리는 필요 없음.(일일정산)

(차) 미　　수　　금　　4,000,000*　　　(대) 정 산 손 익**　　4,000,000

* 한국거래소 파생상품시장업무규정(제97조 및 제98조)에 따라 산정된 금액이며 구체적으로는 다음과 같음. 당일차금 (87 － 85) × 5계약 ×500,000원 ＋(86 － 87) × 2계약 × 500,000원 ＝ 4,000,000원

** 일일정산에 따른 발생손익을 모두 거래손익(I/S)으로 회계처리하는 것은 주가지수선물거래가 과도하게 일어나는 것으로 정보이용자를 오도할 수 있으므로 기중에는 별도계정으로 관리하고 전매도, 결산 및 최종 결제시에만 거래손익으로 인식함.

(차) 정　산　손　익　　1,000,000　　　(대) 주가지수선물거래이익　　1,000,000*

* (86 － 85) × 2계약 × 500,000원＝1,000,000원

－20×1. 12. 23.

(일일정산 결제)

(차) 선 물 거 래 예 치 금　　4,000,000　　　(대) 미　　수　　금　　4,000,000

* 일일정산차금은 익일(T＋1일)에 결제되므로 이를 반영하기 위한 회계처리임(다만, 실무적으로 기중에는 결제일 기준으로 회계처리하거나 비망기록할 수도 있을 것임).

(일일정산)

(차) 정　산　손　익　　2,500,000　　　(대) 미　지　급　금　　2,500,000*

* 당일차금　(84 － 86) × 1계약 × 500,000원　＝　(－)1,000,000원
　갱신차금　(86 － 87) × 3계약 × 500,000원　＝　(－)1,500,000
　정산차금　　　　　　　　　　　　　　　　　(－)2,500,000원

(거래손익인식)

(차) 주가지수선물거래손실　　　500,000*　　(대) 정 산 손 익　　　500,000

* (84－85) × 1계약 × 500,000원＝(－)500,000원

－20×1. 12. 24.(일일정산 결제)

(차) 미 지 급 금　　　2,500,000　　(대) 선물거래예치금　　　2,500,000

(일일정산)

(차) 미 　 수 　 금　　　4,000,000　　(대) 정 산 손 익　　　4,000,000*

* 당일차금　(89－88) × 2계약 × 500,000원 ＝　1,000,000원
　갱신차금　(89－86) × 2계약 × 500,000원 ＝　3,000,000
　정산차금　　　　　　　　　　　　　　　4,000,000원

－20×1. 12. 27.(일일정산 결제)

(차) 선물거래예치금　　　4,000,000　　(대) 미 　 수 　 금　　　4,000,000

* 12. 25.～12. 26.은 휴일이므로 결제가 이루어지지 않는다.

(일일정산)

(차) 미 　 수 　 금　　　3,500,000　　(대) 정 산 손 익　　　3,500,000*

* 당일차금　(90－91) × 1계약 × 500,000원 ＝　(－)500,000원
　갱신차금　(91－89) × 3계약 × 500,000원 ＝　(－)4,000,000
　정산차금　　　　　　　　　　　　　　　(－)3,500,000원

(거래손익인식)

(차) 정 산 손 익　　　1,750,000　　(대) 주가지수선물거래이익　　　1,750,000*

* (90－86.5) × 1계약 × 500,000원＝1,750,000원 이동평균법에 의한 당초약정금액 (2×85＋2×88)/4＝86.5

－20×1. 12. 28.(일일정산 결제)

(차) 선물거래예치금　　　3,500,000　　(대) 미 　 수 　 금　　　3,500,000

(일일정산)

(차) 미 　 수 　 금　　　1,500,000*　　(대) 정 산 손 익　　　1,500,000

* 당일차금　　　　　　　　　　　　　　원
　갱신차금　(92－91) × 3계약 × 500,000원 ＝　1,500,000
　정산차금　　　　　　　　　　　　　　　1,500,000원

－20×1. 12. 31.(결산일에 미정산손익 인식)

(차) 정 산 손 익　　　8,250,000**　　(대) 주가지수선물거래이익　　　8,250,000*

* (92－86.5) × 3계약 × 500,000원＝8,250,000원
** 4,000,000＋(－)1,000,000＋(－)2,500,000＋500,000＋4,000,000＋3,500,000＋(－)1,750,000

+1,500,000 = 8,250,000원

-20×2. 1. 3.(일일정산 결제)

(차) 선물거래예치금   1,500,000   (대) 미   수   금   1,500,000

(일일정산)

(차) 정 산 손 익   3,000,000   (대) 미 지 급 금   3,000,000[*]

  * 당일차금 (90 − 92.5) × 3계약 × 500,000원 =   (−)3,750,000원
    갱신차금 (92.5 − 92) × 3계약 × 500,000원 =   750,000
    정산차금   (−)3,000,000원

(거래손익인식)

(차) 주가지수선물거래손실   3,000,000[*]   (대) 정 산 손 익   3,000,000

  * (92 − 90) × 3계약 × 500,000원 = (−)3,000,000원

-20×2. 1. 4.(일일정산 결제)

(차) 미 지 급 금   3,000,000   (대) 선물거래예치금   3,000,000

사례 2   매매목적 / 미국달러선물거래

-3월 결산법인인 A회사는 한국거래소의 미국달러선물거래를 위탁하기 위하여 D선물회사에 20×1. 3. 15.에 위탁증거금 500,000,000원을 납부하였다.

-A회사의 20×1년 4월물에 대한 거래내역은 다음과 같다.
  (정산가격이 제시되지 않은 기간은 변동이 없다고 가정함)

일 자	거래내역	거래수량	잔고수량	약정가격	정산가격
20×1. 3. 19.	신규매입	10계약	10계약	1230.0	1225.0
20×1. 3. 25.	전매	5계약	5계약	1235.0	1230.0
20×1. 3. 31.	결 산 일	−	5계약	N/A	1220.0
20×1. 4. 19.	최종거래	−	5계약	N/A	1240.0

※ 정산차금을 실무상 직접 산정해야 할 필요는 없으나, 이 사례에서는 일일정산의 이해를 돕기 위해 그 산정내역을 제시함.

〈회계처리〉 (단위 : 원, 거래수수료에 대한 회계처리 생략)

-20×1. 3. 15.

(차) 선물거래예치금   500,000,000[*]   (대) 현   금   500,000,000

  * 유동자산 항목임.

-20×1. 3. 19.(계약체결시) 계약체결일에 수수된 미국달러선물매입계약의 프리미엄은 없으며 따라서 공정가치는 영(0)이므로 별도의 회계처리는 필요 없음.

(일일정산)

(차) 정 산 손 익　　2,500,000[**]　(대) 미 지 급 금　　2,500,000[*]

[*] 당일차금 10계약 × (1,225 - 1,230) × 10,000원 × 5 = (-)2,500,000원
　※ 한국거래소 파생시장업무규정
　　ⅰ) 가격표시 : 1원/1US$
　　ⅱ) 최소 가격변동폭(tick) : 0.2원/1US$
　　ⅲ) 최소 가격변동금액(tick value) : 계약당 10,000원(= US$50,000 ×0.2원/1US$)
　　ⅳ) 환산승수 : 최소 가격변동폭이 가격표시의 1/5이므로 환산승수는 5임.
[**] 일일정산에 따른 발생손익을 모두 거래손익(I/S)으로 회계처리하는 것은 달러선물거래가 과도하게 일어나는 것으로 정보이용자를 오도할 수 있으므로 기중에는 별도계정으로 관리하고 전매도, 결산 및 최종 결제시에만 거래손익으로 인식함.

-20×1. 3. 20.(일일정산 결제)

(차) 미 지 급 금　　2,500,000　　(대) 선물거래예치금　　2,500,000

[*] 일일정산차금은 익일(T+1일)에 결제되므로 이를 반영하기 위한 회계처리임(다만, 실무적으로 기중에는 결제일 기준으로 회계처리하거나 비망기록할 수도 있을 것임).

-20×1. 3. 25.(일일정산)

(차) 미 　 수 　 금　　3,750,000[*]　(대) 정 산 손 익　　3,750,000[*]

[*] 당일차금　5계약 × (1,235 - 1,230) × 10,000원 × 5 = 　1,250,000원
　갱신차금 10계약 × (1,230 - 1,225) × 10,000원 × 5 = 　2,500,000
　정산차금　　　　　　　　　　　　　　　　　　　　　3,750,000원

(거래손익인식)

(차) 정 산 손 익　　1,250,000[*]　(대) 달러선물거래이익　　1,250,000

[*] 5계약 ×(1,235-1,230) × 100,000원 × 5 = 1,250,000원

-20×1. 3. 26.(일일정산 결제)

(차) 선물거래예치금　　3,750,000　　(대) 미 　 수 　 금　　3,750,000

-20×1. 3. 31.(일일정산)

(차) 정 산 손 익　　2,500,000　　(대) 미 지 급 금　　2,500,000[*]

[*] 갱신차금 5계약 × (1,220-1,230) × 10,000원 × 5 = (-)2,500,000원

(결산일에 미정산손익 인식)

(차) 달러선물거래손실　　2,500,000[*]　(대) 정 산 손 익　　2,500,000[**]

[*]5계약 ×(1,220-1,230) × 10,000원 × 5 = (-)2,500,000원
[**] (-)2,500,000+3,750,000+(-)1,250,000+(-)2,500,000 = (-)2,500,000원

-20×1. 4. 1.(일일정산 결제)

(차) 미 지 급 금　　2,500,000　　(대) 선물거래예치금　　2,500,000

－20×1. 4. 19.(일일정산)

(차) 미　　수　　금　　5,000,000　　(대) 정　산　손　익　5,000,000[*]

* 갱신차금 5계약 × (1,240 − 1,220) × 10,000원 × 5 ＝ 5,000,000원

(최종 결제에 따른 거래손익 인식)

(차) 정　산　손　익　　5,000,000　　(대) 달러선물거래이익　5,000,000[*]

(최종 실물인수도결제)

(차) 외화미수금(US$)　310,000,000[*]　(대) 미　지　급　금(₩)　310,000,000

* 5계약 ×$50,000 × 1,240원 ＝ 310,000,000원

* 일일정산제도에 따라 최종 결제가격은 최초 약정과는 관계가 없으며 최종 거래일의 정산가격이 된다.

* 미수외화는 미결제현물환으로서 결제시점 이전에 결산기가 도래한다면 미결제현물환에 대한 외화환산손익을 인식하여야 함.

－20×1. 4. 20.(일일정산 결제 T＋1)

(차) 선물거래예치금　5,000,000　　(대) 미　　수　　금　5,000,000

－20×1. 4. 21.(최종 결제 T＋2)

(차) 미　지　급　금(₩)　310,000,000　(대) 선물거래예치금　310,000,000

(차) 외　화　예　금(US$)　310,000,000　(대) 외화미수금(US$)　310,000,000

* 미국달러선물의 경우 최종 결제는 최종 거래일 이후 2일차(T＋2일)에 결제됨.

(3) 매매목적의 거래소 옵션거래

매매목적의 거래소 옵션거래는 일반적으로 다음과 같이 회계처리한다.

① 위탁증거금 등 옵션거래를 위한 예치금은 유동자산으로 인식한다.

② 옵션 매입시 지급하는 옵션프리미엄은 유동자산(매수주가지수옵션/매수미국달러옵션 등)으로, 매도시 수취하는 옵션프리미엄은 유동부채(매도주가지수옵션/매도미국달러옵션 등)로 처리한다.

③ 전・환매시 수수된 옵션대금(또는 권리행사시 수수된 권리행사차금)과 이미 유동자산 또는 유동부채에 계상되어 있는 옵션프리미엄 장부금액과의 차액은 주가지수옵션거래손익/미국달러옵션거래손익 등으로 하여 당기손익으로 처리한다. 이 경우 옵션프리미엄의 장부금액은 종목별로 총평균법・이동평균법을 적용하여 산정한다.

④ 옵션이 미행사되어 소멸하는 경우 유동자산 인식분은 옵션거래손실로 하여 당기손실로 처리하고 유동부채 인식분은 옵션거래이익으로 하여 당기이익으로 처리한다.

⑤ 유동자산(또는 유동부채)에 인식되어 있는 미결제약정분에 대한 옵션프리미엄의

장부금액과 결산일 현재 옵션프리미엄가격과의 차액은 주가지수옵션평가손익/미국달러옵션평가손익 등으로 하여 당기손익으로 처리한다.

> **사례** **매매목적 / KOSPI200 주가지수옵션거래**

- 12월 결산법인인 B회사는 KOSPI200 주가지수옵션거래를 위탁하기 위하여 H증권회사에 20×1. 12. 20. 위탁증거금 50,000,000원을 납부하였다.
- B회사의 20×2년 3월물 Call option에 대한 거래내역은 다음과 같다.

일 자	거래내역	거래수량	잔고수량	약정가격	비 고
20×1. 12. 24	신규매도	10계약	10계약	0.31	권리행사가격 75
"	환 매	3계약	7계약	0.40	
20×1. 12. 27.	"	7계약	–	0.25	
20×1. 12. 28.	신규매입	15계약	15계약	0.15	권리행사가격 75
"	전 매	5계약	10계약	0.40	최종약정가격 0.25
20×2. 3. 9.	권리행사	10계약	–	N/A	KOSPI200 80

- 옵션평가손익을 산정함에 있어 보고기간종료일의 종가는 최종 약정가격(기세 포함)으로 하고 보고기간종료일의 종가가 없는 경우에는 직전 거래일의 종가로 한다.
- 한국거래소의 납회일은 20×1. 12. 28.이고 개장일은 20×2. 1. 3. 것으로 가정한다.

<회계처리> (단위 : 원, 거래수수료에 대한 회계처리 생략)

- 20×1. 12. 20.

    (차) 선물거래예치금　50,000,000[*]　(대) 현　　　금　50,000,000

    * 유동자산 항목임.

- 20×1. 12. 24.(신규매도계약)

    (차) 미　수　금　310,000　(대) 매도주가지수옵션　310,000[*]

    * 10계약 × 0.31 × 100,000원＝310,000원

    (환매수)

    (차) 매도주가지수옵션　93,000[*]　(대) 미 지 급 금　120,000^{**}
    　　주가지수옵션거래손실　27,000

    * 3계약 × 0.31 × 100,000원＝93,000원
    ** 3계약 × 0.40 ×100,000원＝120,000원

- 20×1. 12. 27.(매매결제)

    (차) 미 지 급 금　120,000　(대) 미　수　금　310,000
    　　선물거래예치금　190,000

    * 일일정산차금은 익일(T＋1일)에 결제되므로 이를 반영하기 위한 회계처리임(다만, 실무적으로 기중에는 결제일 기준으로 회계처리하거나 비망기록할 수도 있을 것임).

－20×1. 12. 27.(환매수)

(차) 매도주가지수옵션 217,000* (대) 미 지 급 금 175,000**
주가지수옵션거래이익 42,000

* 7계약 × 0.31 × 100,000원＝217,000원
** 7계약 × 0.25 ×100,000원＝175,000원

－20×1. 12. 28.(매매결제)

(차) 미 지 급 금 175,000 (대) 선물거래예치금 175,000

－20×1. 12. 28.(신규매입계약)

(차) 매입주가지수옵션 225,000 (대) 미 지 급 금 225,000*

* 15계약 × 0.15 × 100,000원＝225,000원

(전매도)

(차) 미 수 금 200,000** (대) 매입주가지수옵션 75,000*
주가지수옵션거래이익 125,000

* 5계약 × 0.15 × 100,000원＝75,000원
** 5계약 × 0.40 ×100,000원＝200,000원

－20×1. 12. 31.(결산시 평가)

(차) 매입주가지수옵션 100,000 (대) 주가지수옵션평가이익 100,000*

* 10계약 × (0.25－0.15) × 100,000원＝100,000원

－20×2. 1. 3.(매매결제)

(차) 미 지 급 금 225,000 (대) 미 수 금 200,000
선물거래예치금 25,000

－20×2. 3. 9.(권리행사)

(차) 미 수 금 5,000,000** (대) 매입주가지수옵션 250,000*
주가지수옵션거래이익 4,750,000

* 10계약 × 0.25 × 100,000원＝250,000원
** 10계약 × (80－75) × 100,000원＝5,000,000원

－20×2. 3. 10.(매매결제)

(차) 선물거래예치금 5,000,000 (대) 미 수 금 5,000,000

4. 파생상품 표시

기준서 제1109호에서는 모든 파생상품을 공정가치로 측정하고 공정가치의 변동은 현금흐름위험회피 또는 순투자위험회피를 적용하는 경우를 제외하고는 당기손익으로 인식하도록 규정하고 있다. 기준서상에서는 포괄손익계산서상의 계정과목 표시 등에 대해 구체적으로 기술하고 있지 않으므로 파생상품 관련 손익의 표시에 있어서는 어느 정도의 재량이 있다고 할 수 있다. 파생상품 손익이 표시되는 계정과목은 해당 파생상품의 성격 및 목적과 기업의 표시 관련 회계정책에 따라 결정된다. 이러한 회계정책은 명확하게 공시되어야 하고 기업의 위험관리전략에 근거하여 일관성 있게 적용되어야 한다.

위험회피회계의 수단으로 지정되고 효과적인 파생상품 관련 손익은 위험회피대상의 손익계정과 같은 계정으로 인식한다. 한편, 위험회피에 효과적인 파생상품이라도 비효과적인 부분이 발생할 수 있는데, 이러한 부분은 기업의 매매목적 파생상품의 표시에 관한 회계정책과 일관성 있게 표시되는 것이 타당하다.

위험회피회계의 수단으로 지정되지 않았거나 효과적이지 않은 파생상품 관련 손익은 각 파생상품별로 적용될 계정과목을 별도로 정하는 것이 보다 적절할 수도 있다. 예를 들어, 모든 이자율 파생상품은 위험회피회계와 무관하게 금융비용으로 회계처리하는 회계정책을 수립할 수 있다. 즉, 기업의 회계정책 수립에 따라 위험회피회계의 요건을 충족하지 않는 파생상품과 요건을 충족하는 파생상품 관련 손익이 동일한 계정과목으로 표시될 수 있다. 단, 상품 관련 파생상품의 경우에는 재무활동과 무관하므로 금융비용의 일부로 인식할 수 없고 파생상품 관련 손익은 매출의 정의를 충족하지 않으므로 매출에 대한 위험회피가 아닌 경우에는 매출로 인식할 수 없다.

위험회피회계의 요건을 충족하지 않는 파생상품 거래 중 경영진의 위험관리목적상 위험회피목적으로 간주되는 '경제적인 위험회피'목적인 경우가 있다. 한국채택국제회계기준에서는 이러한 경제적인 위험회피를 인정하고 있지 않기 때문에 유사한 집단의 위험회피수단으로 지정되지 않은 파생상품을 경제적인 위험회피 목적과 그 외의 매매목적으로 구분하여 포괄손익계산서에 계정과목을 별도로 인식하는 것은 적절하지 않다.

또한 한국채택국제회계기준에서는 파생상품 관련 평가손익(미실현손익)과 거래손익(실현손익)을 구분하지 않으며 단기매매 범주에 해당하는 파생상품에 대해서는 차익과 차손을 구분하지 않는다(기준서 제1001호 문단 35). 따라서, 내부 관리 목적 또는 세무 목적 등으로 평가손익과 거래손익, 차익과 차손을 구분하여 관리하더라도 포괄손익계산서에서는 파생상품손익 등으로 표시한다.

파생상품의 손익과 관련하여 계정과목 인식방법 등에 대해서는 위와 같이 다양한 회계정책이 가능하므로 기업의 회계정책을 수립하고 이를 명확히 공시하는 것이 필수적이다.

5. 주석사항

1) 당기손익 – 공정가치 측정항목으로 지정한 금융자산 관련 공시사항

① 관련 신용파생상품이나 이와 유사한 금융상품이 신용위험에 대한 최대 노출정도를 경감시키는 금액
② 금융자산이 지정된 이후의 회계기간에 관련 신용파생상품이나 이와 유사한 금융상품에서 발생한 공정가치 변동금액과 변동누계액

2) 복수의 내재파생상품을 포함한 복합금융상품 관련 공시사항

부채요소와 자본요소를 모두 포함하는 금융상품을 발행하였고 그 금융상품에 내재된 복수의 파생상품의 가치가 상호의존적인 경우(예 : 상환가능한 전환채무상품), 이러한 특성이 존재한다는 사실을 공시한다.

3) 공정가치 관련 공시사항

금융자산의 '4. 공정가치 부분'을 참고한다.

4) 위험회피회계 관련 공시사항

위험회피회계를 적용하기로 선택한 경우 다음 사항을 공시한다.
① 위험관리전략과 위험관리를 위한 적용방법
② 위험회피활동이 미래현금흐름의 금액, 시기, 불확실성에 어떤 영향을 미치는지
③ 위험회피회계가 재무상태표, 포괄손익계산서, 자본변동표에 미치는 영향
위험회피수단으로 지정된 항목과 관련하여 위험회피유형(즉 공정가치위험회피, 현금흐름위험회피 및 해외사업장순투자의 위험회피)을 위험범주별로 구분하여 다음 사항을 공시한다.
① 위험회피수단의 장부금액(금융자산과 금융부채를 별도로 표시)
② 위험회피수단을 포함한 재무상태표의 항목
③ 해당기간에 위험회피의 비효과적인 부분을 인식하기 위해 기초로 사용한 위험회피수단의 공정가치변동
④ 위험회피수단의 명목금액(톤이나 세제곱미터와 같은 양적 정보를 포함)

위험회피대상항목과 관련하여 위험회피의 각 유형을 위험범주별로 구분하여 다음 사항을 공시한다.

① 공정가치위험회피
　㉠ 재무상태표에 인식한 위험회피대상항목의 장부금액(자산과 부채를 별도로 표시)
　㉡ 재무상태표에 인식한 위험회피대상항목의 장부금액에 포함된 위험회피대상항
　　목의 공정가치위험회피조정누적액(자산과 부채를 별도로 표시)
　㉢ 위험회피대상항목을 포함하고 있는 재무상태표의 항목
　㉣ 해당기간에 위험회피의 비효과적인 부분을 인식하기 위한 기초로 사용된 위험
　　회피대상항목의 가치변동
　㉤ 위험회피 손익 조정을 위해 중단한 위험회피대상항목에 대해 재무상태표에 남
　　아있는 공정가치위험회피조정누적액
② 현금흐름위험회피 및 해외사업장순투자의 위험회피
　㉠ 해당기간에 위험회피의 비효과적인 부분을 인식하기 위하여 기초로 사용된 위
　　험회피대상항목의 가치변동
　㉡ 계속해서 위험회피회계를 적용하는 위험회피에 대한 현금흐름위험회피적립금
　　과 외화환산적립금의 잔액
　㉢ 더 이상 위험회피회계를 적용하지 않는 위험회피관계에서 현금흐름위험회피적
　　립금과 외화환산적립금의 잔액

위험회피유형을 각 위험범주별로 별도로 구분하여 다음 사항을 공시한다.
① 공정가치위험회피
　㉠ 위험회피의 비효과적인 부분으로 당기손익으로 인식한 금액(또는 공정가치변동
　　을 기타포괄손익으로 표시하는 것을 선택한 기업은 지분상품의 위험회피에 대
　　해 기타포괄손익으로 인식한 손익)
　㉡ 위험회피의 비효과적인 부분으로 인식한 항목을 포함하는 포괄손익계산서의 항목
② 현금흐름위험회피 및 해외사업장순투자의 위험회피
　㉠ 기타포괄손익으로 인식한 보고기간의 위험회피손익
　㉡ 당기손익으로 인식한 위험회피의 비효과적인 부분
　㉢ 인식한 위험회피의 비효과적인 부분을 포함한 포괄손익계산서의 항목
　㉣ 현금흐름위험회피적립금이나 외화환산적립금에서 재분류 조정으로 당기손익으
　　로 재분류되는 금액(위험회피회계를 적용하였으나 더 이상 발생할 것으로 예상
　　되지 않는 위험회피대상 미래현금흐름의 금액과 위험회피대상항목이 당기손익
　　에 영향을 미치기 때문에 위험회피대상항목으로 대체되는 금액과의 차이)
　㉤ 재분류조정에 포함되는 포괄손익계산서의 항목
　㉥ 순포지션 위험회피의 경우에 포괄손익계산서의 별도 항목으로 인식한 위험회피손익

5) 기타 신용위험/유동성위험/가격위험 관련 양적 공시사항

기타 신용위험/유동성위험/가격위험 관련 양적 공시사항에 대해서는 '금융상품'편을 참조하기로 한다.

6. 세무회계상 유의할 사항

(1) 파생상품의 취득원가

파생상품은 취득부대비용을 가산하지 아니한 매입가액을 취득원가로 한다(법령 72조 1 항 및 2항 5호의 2).

또한, 한국채택국제회계기준(K-IFRS)을 적용하는 내국법인이 금융상품 중 주계약과 내재파생상품이 복합된 상품("복합상품")에 대해 주계약과 내재파생상품을 분리하여 회 계처리하는 경우에도 세무상으로는 복합상품을 하나의 금융상품으로 본다(법인세과-556, 2012. 9. 13.).

(2) 파생상품의 평가

법인세법상 내국법인의 각 사업연도의 익금과 손금의 귀속사업연도는 권리·의무확 정주의에 따라 결정하는 것이 원칙인 바(법법 40조), 파생상품의 거래로 인한 익금 및 손 금의 귀속사업연도는 그 계약이 만료되어 대금을 결제한 날 등 당해 익금과 손금이 확 정된 날이 속하는 사업연도로 하며, 그 손익이 확정된 때 이전에 파생상품에 대하여 계 상한 평가손익은 각 사업연도의 소득금액계산에 있어서 이를 익금 또는 손금에 산입하 지 아니한다(구 법기통 40-71…22). 예로, 법인이 장내 선물거래소를 통하여 미래 특정 시 점에 미리 결정된 가격으로 선물(금융상품) 매입자 또는 매도자가 약정된 가격에 인도 할 의무가 있는 주가지수 선물거래를 하는 경우, 결산일 현재 보유하고 있는 미결제 약 정분에 대한 선물거래정산손익은 그 선물(금융상품) 거래의 매도, 만기 등 청산시점이 속하는 사업연도를 법인세법상 손익의 귀속사업연도로 한다(서면2팀-428, 2005. 3. 21.).

또한, 계약의 목적물을 인도하지 아니하고 목적물의 가액변동에 따른 차액을 금전으 로 정산하는 차액결제 파생상품의 거래로 인한 손익의 경우 그 거래에서 정하는 대금결 제일이 속하는 사업연도를 그 손익의 귀속시기로 하도록 법인세법 시행령에서 명확히 규정하고 있다(법령 71조 6항).

한편, 상기 규정에도 불구하고 다음의 통화선도, 통화스왑 및 환변동보험(이하 "통화 선도 등"이라 함)에 대한 평가손익은 각 사업연도의 익금과 손금에 산입할 수 있다(법령

73조 4호, 5호).

① 법인세법 시행령 제61조 제2항 제1호부터 제7호까지의 금융회사 등이 보유하는 통화 관련 파생상품 중 기획재정부령으로 정하는 통화선도 등

② 법인세법 시행령 제61조 제2항 제1호부터 제7호까지의 금융회사 등 외의 법인이 화폐성외화자산·부채의 환위험을 회피하기 위하여 보유하는 통화선도 등

여기서 '금융회사 등'이란 다음을 말한다.

① 「은행법」에 의한 인가를 받아 설립된 은행

② 「한국산업은행법」에 의한 한국산업은행

③ 「중소기업은행법」에 의한 중소기업은행

④ 「한국수출입은행법」에 의한 한국수출입은행

⑤ 「농업협동조합법」에 따른 농업협동조합중앙회(같은 법 제134조 제1항 제4호의 사업에 한정) 및 농협은행

⑥ 「수산업협동조합법」에 따른 수산업협동조합중앙회(같은 법 제138조 제1항 제4호 및 제5호의 사업에 한정) 및 수협은행

1) 금융회사 등이 보유하는 통화선도 등

금융회사 등이 보유하는 통화선도 등은 다음의 규정에 따라 평가한다.

평가대상 (법칙 37조의 2)	금융회사 등이 보유하는 통화 관련 파생상품 중 기획재정부령으로 정하는 통화선도 등이란 다음의 거래를 말한다. ① 통화선도 : 원화와 외국통화 또는 서로 다른 외국통화의 매매계약을 체결함에 있어 장래의 약정기일에 약정환율에 따라 인수·도하기로 하는 거래 ② 통화스왑 : 약정된 시기에 약정된 환율로 서로 다른 표시통화 간의 채권·채무를 상호 교환하기로 하는 거래 ③ 환변동보험 : 무역보험법 제3조에 따라 한국무역보험공사가 운영하는 환변동위험을 회피하기 위한 선물환 방식의 보험계약(당사자 어느 한쪽의 의사표시에 의하여 기초자산이나 기초자산의 가격·이자율·지표·단위 또는 이를 기초로 하는 지수 등에 의하여 산출된 금전, 그 밖의 재산적 가치가 있는 것을 수수하는 거래를 성립시킬 수 있는 권리를 부여하는 것을 약정하는 계약과 결합된 보험계약은 제외함)

평가방법 (법령 76조 1항, 3항)	다음의 방법 중 관할 세무서장에게 신고한 방법에 따라 평가하고, 당해 신고한 평가방법은 그 후의 사업연도에도 계속하여 적용하여야 한다. 다만, 최초로 '②'의 방법을 신고하여 적용하기 이전 사업연도에는 '①'의 방법을 적용하여야 한다.[주1] ① 계약의 내용 중 외화자산 및 부채를 계약체결일의 외국환거래규정에 따른 매매기준율 또는 재정(裁定)된 매매기준율(이하 '매매기준율 등'이라 함)로 평가하는 방법 ② 계약의 내용 중 외화자산 및 부채를 사업연도 종료일 현재의 매매기준율 등으로 평가하는 방법
신고 및 제출의무 (법령 76조 6항, 7항)	• 평가방법 중 '②'의 방법을 적용하려는 법인은 최초로 동 평가방법을 적용하려는 사업연도의 과세표준 등의 신고(법법 60조)와 함께 화폐성외화자산등평가방법신고서를 관할 세무서장에게 제출하여야 한다. • 통화선도 등을 평가한 법인은 과세표준 등의 신고(법법 60조)와 함께 외화자산등평가차손익조정명세서를 관할 세무서장에게 제출하여야 한다.
평가차손익의 계산 (법령 76조 4항)	통화선도 등을 평가함에 따라 발생하는 평가한 원화금액과 원화기장액의 차익 또는 차손은 해당 사업연도의 익금 또는 손금에 이를 산입한다. 이 경우 통화선도 등의 계약 당시 원화기장액은 계약의 내용 중 외화자산 및 부채의 가액에 계약체결일의 매매기준율 등을 곱한 금액을 말한다.[주2]

주1) 2010. 12. 30. 개정전 법인세법 시행령 제76조 제2항 제1호의 평가방법(계약의 내용 중 외화자산 및 부채를 사업연도 종료일 현재의 매매기준율 등으로 평가하는 방법)을 신고한 경우에는, 2010. 12. 30. 개정규정에도 불구하고 최초로 제76조 제1항 제2호 가목의 개정규정에 따른 평가방법(상기 평가방법 '①')을 신고하여 적용하기 이전 사업연도까지는 제76조 제1항 제2호 나목의 개정규정에 따른 평가방법(상기 평가방법 '②')을 적용하여야 하며, 제76조 제1항 제2호 가목의 개정규정에 따른 평가방법(상기 평가방법 '①')을 적용하려는 경우에는 상기 법인세법 시행령 제76조 제6항의 개정규정에 따라 신고하여야 한다(법령 부칙(2010. 12. 30.) 16조 1항).

주2) 법인세법 시행령의 개정(2010년 12월 30일)에 따라 '②'의 평가방법을 최초로 신고하는 날이 속하는 사업연도의 직전 사업연도 개시일 이전에 체결한 통화선도·통화스왑에 대하여 이러한 동 평가방법을 최초로 적용할 때의 원화기장액은 직전 사업연도 개시일 전일의 매매기준율 등으로 평가한 금액으로 한다(법령 부칙(2010. 12. 30.) 16조 2항).

2) 금융회사 등 외의 법인이 환위험회피 목적으로 보유하는 통화선도 등

금융회사 등 외의 법인이 화폐성 외화자산·부채의 환위험을 회피하기 위하여 보유하는 통화선도 등은 다음의 규정에 따라 평가한다.

평가대상	금융회사 등 외의 법인이 화폐성 외화자산·부채의 환위험을 회피하기 위하여 보유하는 통화선도, 통화스왑 및 환변동보험(이하 "환위험회피용 통화선도 등"이라 함)

평가방법 (법령 76조 2항, 3항)	다음의 방법 중 관할 세무서장에게 신고한 방법에 따라 평가하여야 한다. 다만, 최초로 '②'의 방법을 신고하여 적용하기 이전 사업연도에는 '①'의 방법을 적용하여야 한다. 한편, 신고한 평가방법은 그 후의 사업연도에도 계속하여 적용하되, 신고한 평가방법을 적용한 사업연도를 포함하여 5개 사업연도가 지난 후에는 다른 방법으로 신고를 하여 변경된 평가방법을 적용할 수 있다.[주1] ① 환위험회피용 통화선도 등의 계약 내용 중 외화자산 및 부채를 계약체결일 현재의 매매기준율 등으로 평가하는 방법 ② 환위험회피용 통화선도 등의 계약 내용 중 외화자산 및 부채를 사업연도 종료일 현재의 매매기준율 등으로 평가하는 방법
신고 및 제출의무 (법령 76조 6항, 7항)	• 평가방법 중 '②'의 방법을 적용하려는 법인 또는 평가방법을 변경하려는 법인은 최초로 동 평가방법을 적용하려는 사업연도 또는 변경된 평가방법을 적용하려는 사업연도의 과세표준 등의 신고(법법 60조)와 함께 화폐성외화자산등평가방법신고서를 관할 세무서장에게 제출하여야 한다. • 환위험회피용 통화선도 등을 평가한 법인은 과세표준 등의 신고(법법 60조)와 함께 외화자산등평가차손익조정명세서를 관할 세무서장에게 제출하여야 한다.
평가차손익의 계산 (법령 76조 4항)	환위험회피용 통화선도 등을 평가함에 따라 발생하는 평가한 원화금액과 원화기장액의 차익 또는 차손은 해당 사업연도의 익금 또는 손금에 이를 산입한다. 이 경우 환위험회피용 통화선도 등의 계약 당시 원화기장액은 계약의 내용 중 외화자산 및 부채의 가액에 계약체결일의 매매기준율 등을 곱한 금액을 말한다.[주2]

주1) 금융회사 등 외의 법인이 보유하는 환위험회피용 통화선도 등의 평가방법은 같은 법령에서 규정하고 있는 화폐성 외화자산·부채의 평가방법과 동일한 방법으로 선택해야 한다. 이는 금융회사 등 외의 법인에 대해서 화폐성 외화자산·부채의 평가손익을 법인세법상 인정하게 됨에 따라 동 거래가 사실상 헷지거래로 실질소득변동이 없는 경우에도 세부담이 발생하는 문제점을 보완하고자 이와 관련된 환위험회피용 통화선도 등의 평가도 인정하는 것이기 때문이다.

주2) 법인세법 시행령의 개정(2010년 12월 30일)에 따라, '②'의 평가방법을 최초로 신고하는 날이 속하는 사업연도의 직전 사업연도 개시일 이전에 체결한 통화선도·통화스왑에 대하여 이러한 동 평가방법을 최초로 적용할 때의 원화기장액은 직전 사업연도 개시일 전일의 매매기준율 등으로 평가한 금액으로 한다(법령 부칙(2010. 12. 30.) 16조 2항). 더불어, ①의 평가방법을 적용한 사업연도를 포함하여 5개 사업연도가 지난 후에 ②의 평가방법으로 변경하거나 ②의 평가방법을 적용한 사업연도를 포함하여 5개 사업연도가 지난 후에 ①의 평가방법으로 변경하는 경우에도 변경된 평가방법을 최초 적용하는 사업연도의 직전 사업연도 종료일 현재의 매매기준율 등을 적용하여 평가한 금액을 원화기장액 또는 원화금액으로 본다(서면-2017-법인-0292, 2017. 6. 22., 서면-2018-법령해석법인-0780, 2018. 6. 20.).

Ⅱ

리스회계

리스회계의 일반사항

1. 의 의

리스(Lease)는 타인의 물건을 유상으로 임대차하는 것이다. 기준서에 따르면 계약상의 대가를 지불하고 식별된 자산의 사용 통제권을 일정기간 이전하는 계약을 리스로 정의하고 있다. 그런데 같은 유상임차라도 자동차를 잠시 임차(Rent)하는 것과 전문리스회사에서 장기간 리스로 빌리는 것은 다르다. 전자는 단순 임차이고, 후자는 실질적인 자동차의 취득수단이 될 수 있다. 그래서 리스회계에서는 잠시 임차하는 것을 운용리스라 부르고, 실질적 취득수단으로 장기리스가 이용되는 경우는 금융리스로 부르며 회계처리를 달리했다. 운용리스는 임차료가 발생할 때마다 비용처리하고 금융리스는 후불방식의 자산 취득으로 회계처리한다. 이것이 리스이용자 회계처리의 핵심이었다. 기존의 리스기준서는 이러한 리스의 분류를 리스제공자와 리스이용자에게 동일하게 적용하도록 규정하고 있었다.

개인의 자동차 리스만이 아니다. 회사가 대규모 기계장치나 본사건물 등 사업용 자산을 구입하는데 필요한 거액의 자금을 조달하기 위한 금융수단으로 리스를 활용한다. 전통적인 방식은 은행이 자금을 직접 대여하고 회사가 그 돈으로 기계장치를 구입하고 사용하여 벌어들인 돈으로 차입금을 상환한다. 그러나 리스는 전통적인 금융방식과는 거래 구조를 달리하여 임대차의 형식을 취한다. 전문리스회사가 기계장치를 구입해서 회사에 빌려주고 임대료를 받는 방식이다. 그러나 실질을 따져 보면 회사가 기계장치를 구입해서 사용하고 리스회사는 자금을 대여해주는 것과 다를 바 없다. 리스자산에 대한 법적인 소유권이 다를 뿐이다. 그러면 왜 회사들은 이러한 리스거래를 선호하게 되는가에 대한 궁금증이 생긴다. 그 이유는 회사는 일시적으로 거액의 자금 없이도 사업용 자산을 실질적으로 취득하여 사용할 수 있고 한편으로 운용리스 요건을 충족하는 계약을 체결할 수 있다면 관련 자산과 부채를 재무제표에 표시하지 않음으로써(Off balancing 효과) 부채비율을 개선할 수 있는 일석이조의 효과를 볼 수 있었기 때문이다.

과거 리스이용자들은 기존 리스기준서상의 운용리스 처리요건을 충족하기 위해 다양하고 복잡한 조건을 포함한 리스계약을 체결하곤 했다. 심지어 리스계약서에 '본 계약은 운용리스로 처리한다'라고 명기하기도 하였다. 그러나 새로운 기준서는 소액자산리스와 단기리스를 제외한 모든 리스계약을 금융리스로 회계처리하도록 규정하고 있다. 운용리스계약 체결에 따른 자산과 부채 미인식 효과(Off balancing 효과)를 더 이상 누릴 수 없게 된 것이다. 이러한 새로운 접근법은 운용리스와 금융리스 공히 리스이용자가 대가를 지불하고 관련 자산의 사용권리를 획득하는 거래로서 그 경제적 실질이 동일하다는 시각에 근거하고 있다. 또한 이러한 회계처리가 리스이용자의 자산과 부채를 더욱 충실하게 표현하고, 강화된 공시요구사항과 함께 리스이용자의 재무 레버리지와 자본사용액을 보다 투명하게 보여줄 것으로 국제회계기준위원회는 기대하고 있다.

반면 리스제공자 회계처리는 큰 변화가 없으며 여전히 운용리스와 금융리스의 분류기준에 따라 리스계약을 분류하고 그에 맞추어 회계처리를 하도록 요구하고 있다.

리스거래는 계약당사자들의 이해관계를 반영하기 위하여 매우 다양한 법률적 형식 및 약정사항들을 포함하게 되는데, 이러한 사항들을 경제적 실질에 맞게 회계처리하기 위하여 리스기준서는 다양한 회계적 판단을 포함한 구체적인 회계처리에 대한 지침을 제시하고 있다.

2. 적용범위

리스는 대가와 교환하여 자산(기초자산)의 사용권을 일정기간 이전하는 계약이나 계약의 일부이다(기준서 제1116호 부록 A. 용어의 정의). 이 기준서는 다음을 제외한 모든 리스(전대리스에서 사용권자산의 리스를 포함함)에 적용한다(기준서 제1116호 문단 3).

① 광물, 석유, 천연가스, 이와 비슷한 비재생 천연자원을 탐사하거나 사용하기 위한 리스
② 리스이용자가 보유하는, 기업회계기준서 제1041호 '농림어업'의 적용범위에 포함되는 생물자산 리스
③ 기업회계기준해석서 제2112호 '민간투자사업'의 적용범위에 포함되는 민간투자사업
④ 리스제공자가 부여하는, 기업회계기준서 제1115호 '고객과의 계약에서 생기는 수익'의 적용범위에 포함되는 지적재산 라이선스
⑤ 기업회계기준서 제1038호 '무형자산'의 적용범위에 포함되는, 라이선싱 계약에 따라 영화필름, 비디오 녹화물, 희곡, 원고, 특허권, 저작권과 같은 항목에 대하여 리스이용자가 보유하는 권리

리스이용자는 문단 3(5)에서 기술하는 항목이 아닌 다른 무형자산 리스에 이 기준서를

적용할 수 있으나 반드시 적용해야 하는 것은 아니다(기준서 제1116호 문단 4).

3. 리스용어의 정의(기준서 제1116호 부록 A. 용어의 정의)

(1) 리스(금융리스, 운용리스)

'리스'는 대가와 교환하여 자산(기초자산)의 사용권을 일정기간 이전하는 계약이나 계약의 일부를 말하는 것이다.

'금융리스'는 기초자산의 소유에 따른 위험과 보상의 대부분을 이전하는 리스를 말하는 것이며, '운용리스'는 기초자산의 소유에 따른 위험과 보상의 대부분을 이전하지 않는 리스를 말한다.

(2) 단기리스

'단기리스'는 리스개시일에, 리스기간이 12개월 이하인 리스. 매수선택권이 있는 리스는 단기리스에 해당하지 않는다.

(3) 리스약정일

'리스약정일'은 리스계약일과 리스의 주요 조건에 대하여 계약당사자들이 합의한 날 중 이른 날로서, 리스제공자는 리스약정일에 각 리스를 운용리스 아니면 금융리스로 분류하며 리스변경이 있는 경우에만 분류를 다시 판단한다.

(4) 리스개시일

'리스개시일'은 리스제공자가 리스이용자에게 기초자산을 사용할 수 있게 하는 날로서, 리스개시일은 리스의 최초인식일, 즉, 리스에 따른 자산, 부채, 수익 및 비용을 적절하게 인식하는 날이 된다.

(5) 리스기간

'리스기간'은 리스이용자가 기초자산 사용권을 갖는 해지불능기간과 다음 기간을 포함하는 기간이다.

① 리스이용자가 리스 연장선택권을 행사할 것이 상당히 확실한 경우에 그 선택권의 대상 기간

② 리스이용자가 리스 종료선택권을 행사하지 않을 것이 상당히 확실한 경우에 그 선

택권의 대상 기간

(6) 리스료

'리스료'는 기초자산 사용권과 관련하여 리스기간에 리스이용자가 리스제공자에게 지급하는 금액으로 다음 항목으로 구성된다.

① 고정리스료(실질적인 고정리스료를 포함하고, 리스 인센티브는 차감)

② 지수나 요율(이율)에 따라 달라지는 변동리스료

③ 리스이용자가 매수선택권을 행사할 것이 상당히 확실한 경우에 그 매수선택권의 행사가격

④ 리스기간이 리스이용자의 종료선택권 행사를 반영하는 경우에, 그 리스를 종료하기 위하여 부담하는 금액

리스이용자의 경우에 리스료는 잔존가치보증에 따라 리스이용자가 지급할 것으로 예상되는 금액도 포함한다. 리스이용자가 비리스요소와 리스요소를 통합하여 단일 리스요소로 회계처리하기로 선택하지 않는다면 리스료는 비리스요소에 배분되는 금액을 포함하지 않는다.

리스제공자의 경우에 리스료는 잔존가치보증에 따라 리스이용자, 리스이용자의 특수관계자, 리스제공자와 특수 관계에 있지 않고 보증의무를 이행할 재무적 능력이 있는 제삼자가 리스제공자에게 제공하는 잔존가치보증을 포함한다. 리스료는 비리스요소에 배분되는 금액은 포함하지 않는다.

(7) 고정리스료와 변동리스료

'고정리스료'는 리스기간의 기초자산 사용권에 대하여 리스이용자가 리스제공자에게 지급하는 금액에서 변동리스료를 뺀 금액을 말하며, '변동리스료'는 리스기간에 기초자산의 사용권에 대하여 리스이용자가 리스제공자에게 지급하는 리스료의 일부로서 시간의 경과가 아닌 리스개시일 후 사실이나 상황의 변화(예 : 매출액의 일정비율, 사용량, 물가지수, 시장이자율) 때문에 달라지는 부분을 말한다.

(8) 경제적내용연수 및 내용연수

'경제적내용연수'는 다음의 경우 중 하나에 해당하는 것이다.

① 하나 이상의 사용자가 자산을 경제적으로 사용할 수 있을 것으로 예상하는 기간

② 하나 이상의 사용자가 자산에서 얻을 것으로 예상하는 생산량이나 또는 이와 비슷

한 단위 수량

'내용연수'는 기업이 자산을 사용할 수 있을 것으로 예상하는 기간이나 자산에서 얻을 것으로 예상하는 생산량 또는 이와 비슷한 단위 수량을 말한다.

(9) 잔존가치보증

'잔존가치보증'은 리스제공자와 특수 관계에 있지 않은 당사자가 리스제공자에게 제공한, 리스종료일의 기초자산 가치(또는 가치의 일부)가 적어도 특정 금액이 될 것이라는 보증을 말한다.

잔존가치보증은 리스제공자가 리스자산의 투자에 따른 회수위험을 리스이용자에게 이전하는 것으로써, 리스이용자가 보증하는 부분이 클수록 리스제공자는 안정적인 수익을 획득하게 된다.

(10) 무보증잔존가치

'무보증잔존가치'는 리스제공자가 실현할 수 있을지 확실하지 않거나 리스제공자의 특수관계자만이 보증한 리스자산의 잔존가치 부분을 말한다.

즉, 예상되는 잔존가치 중 리스이용자 등이 지급을 보증하지 아니한 부분이 무보증잔존가치가 된다. 중고시장이 형성되어 있지 않음으로써 잔존가치를 객관적으로 입증하기 어렵거나, 범용성이 없다고 판단되는 리스자산의 경우에는 무보증잔존가치를 영(0)으로 보는 것이 일반적이다. 한편, 무보증잔존가치는 리스이용자 입장에서 지급할 의무가 없으므로 리스료에 포함되지 않는다.

(11) 리스개설직접원가

'리스개설직접원가'는 리스를 체결하지 않았더라면 부담하지 않았을 리스체결의 증분원가를 말하는 것으로서 수수료, 중개수수료, 법적수수료 등이 이에 해당하며, 리스제공자는 물론 리스이용자에게도 발생할 수 있다.

다만, 금융리스와 관련하여 제조자 또는 판매자인 리스제공자가 부담하는 원가는 일반적으로 판매비에 해당하므로 리스개설직접원가에서 제외한다.

(12) 리스총투자와 리스순투자

'리스총투자'는 금융리스에서 리스제공자가 받게 될 리스료와 무보증잔존가치의 합계액을 말하고 '리스순투자'는 리스총투자를 리스의 내재이자율로 할인한 금액을 말한다.

(13) 리스의 내재이자율

'리스의 내재이자율'은 리스료 및 무보증잔존가치의 현재가치의 합계액(리스총투자의 현재가치)을 기초자산의 공정가치와 리스제공자의 리스개설직접원가의 합계액(리스순투자)과 동일하게 하는 할인율을 말한다.

즉, 내재이자율은 리스 개시일 현재 리스자산에 대한 투자액을 미래 현금수취액과 일치시키는 할인율이 되며 이는 리스제공자 입장에서 리스투자에 대한 수익률과 동일한 개념이다.

사례

(주)삼일리스는 (주)일삼과 리스계약을 체결하였다. 리스계약조건은 다음과 같다.
- 리스기간은 20×1. 1. 1. ~ 20×3. 12. 31.
- 리스 개시일 현재 리스자산의 공정가치는 ₩3,313이다.
- 리스료는 매년 ₩1,000씩 연도 말에 지급하기로 한다.
- 소유권이전약정과 염가매수약정은 없다.
- 리스 개시일 현재 추정한 리스기간 종료시의 잔존가치는 ₩1,100이고, 이 중에서 (주)일삼이 보증한 잔존가치는 ₩500이다.

이 리스계약의 내재이자율을 구하시오.

풀이

내재이자율(r)을 구하는 식은 다음과 같다.

공정가치 = 리스료의 현재가치 + 무보증잔존가치의 현재가치

$$\text{₩}3,313 = \frac{1,000}{1+r} + \frac{1,000}{(1+r)^2} + \frac{1,000+500}{(1+r)^3} + \frac{600^*}{(1+r)^3}$$

$$\therefore r = 10\%$$

*잔존가치보증은 리스료에 포함되어 있으므로 무보증잔존가치만 반영하면 되는 것이다.

(14) 리스이용자의 증분차입이자율

'리스이용자의 증분차입이자율'은 리스이용자가 비슷한 경제적 환경에서 비슷한 기간에 걸쳐 비슷한 담보로 사용권자산과 가치가 비슷한 자산 획득에 필요한 자금을 차입한다면 지급해야 하는 이자율을 말한다.

리스이용자는 리스개시일에 그날 현재 지급되지 않은 리스료의 현재가치로 리스부채를 측정하며, 리스료의 현재가치를 계산할 때 리스의 내재이자율을 쉽게 산정할 수 있는 경우에는 그 이자율로 리스료를 할인한다. 그 이자율을 쉽게 산정할 수 없는 경우에는 리스이용자의 증분차입이자율을 사용한다(기준서 제1116호 문단 26).

(15) 사용권자산

'사용권자산'은 리스기간에 리스이용자가 기초자산을 사용할 권리(기초자산 사용권)를 나타내는 자산을 말한다.

사용권자산은 리스개시일의 취득원가로 측정되며 리스부채의 최초 측정 금액에 리스개시일과 그 이전에 지급한 리스료를 가산하고 리스제공자로부터 수령한 모든 리스 인센티브를 차감하여 산정한다. 여기에 리스이용자가 부담하는 리스개설직접원가와 복구비용 관련 최초 추정액을 가산하여 사용권자산의 취득원가가 결정된다.

4. 리스의 식별

(1) 리스의 정의

리스는 대가와 교환하여 자산(기초자산)의 사용권을 일정기간 이전하는 계약(또는 계약의 일부)을 말한다. 리스료를 받고 특정 자산을 대여하는 자(리스제공자)와 그 자산을 사용하는 자(리스이용자) 간에 체결한 약정사항들의 실질이 리스에 해당한다면 리스기준서를 적용하여 회계처리한다. 이 기준서에서는 개별 리스의 회계처리를 규정하고 있다. 그러나 이 기준서를 포트폴리오에 적용하는 경우와 포트폴리오 안에 있는 개별 리스에 적용하는 경우에 재무제표에 미치는 영향이 중요하게 다르지 않을 것이라고 합리적으로 예상한다면, 실무적 간편법으로 특성이 비슷한 리스 포트폴리오에 이 기준서를 적용할 수 있다. 포트폴리오를 회계처리하는 경우에, 포트폴리오의 크기와 구성을 반영하는 추정치와 가정을 사용한다(기준서 제1116호 문단 B1).

계약의 약정시점에, 계약 자체가 리스인지, 계약이 리스를 포함하는지를 판단한다. 계약에서 대가와 교환하여, 식별되는 자산의 사용 통제권을 일정기간 이전하게 한다면 그 계약은 리스이거나 리스를 포함한다(기준서 제1116호 문단 9). 계약 조건이 변경된 경우에만 계약이 리스인지, 리스를 포함하는지를 다시 판단한다(기준서 제1116호 문단 11).

일정기간은 식별되는 자산의 사용량(예 : 기계장치를 사용하여 생산할 생산 단위의 수량)의 관점에서 기술될 수도 있다(기준서 제1116호 문단 10).

리스기준서는 아래의 조건을 모두 충족할 경우 계약에 리스가 포함된 것으로 본다.
① 계약에 식별된 자산이 존재한다.
② 대가를 지불함으로써 일정기간 동안 식별된 자산의 사용을 통제할 수 있는 권리가 리스이용자에게 이전된다.

가. 식별되는 자산

자산은 일반적으로 계약에서 분명히 특정되어 식별된다. 그러나 어떤 자산은 고객이 사용할 수 있는 시점에 암묵적으로 특정되어 식별될 수도 있다(기준서 제1116호 문단 B13). 명시적인 경우는 자산이 계약서상에 특정된다. 예를 들어, 일련 번호나 고유의 식별번호의 부여를 통하여 자산을 특정할 수 있다. 암묵적인 경우는 특정자산이 계약서에 언급되어 있지 않으나 서비스공급자가 실질적으로 특정 자산의 사용을 통해서만 계약을 이행할 수 있는 경우가 있다. 두 경우 모두 식별된 자산이 존재하는 경우이다.

자산의 용량 일부가 물리적으로 구별된다면(예 : 건물의 한 층) 자산의 해당 부분은 식별되는 자산이다. 물리적으로 구별되지 않는 자산의 용량 일부나 그 밖의 일부(예 : 광케이블의 용량 일부)는 식별되는 자산이 아니다. 다만 자산의 용량 일부나 그 밖의 일부가 그 자산 용량의 대부분을 나타내고 따라서 고객에게 그 자산의 사용으로 생기는 경제적 효익의 대부분을 얻을 권리를 제공한다면 그 용량 일부나 그 밖의 일부는 식별되는 자산이다(기준서 제1116호 문단 B20).

자산이 특정되더라도, 공급자가 그 자산을 대체할 실질적 권리(대체권)를 사용기간 내내 가지면 고객은 식별되는 자산의 사용권을 가지지 못한다. 다음 조건을 모두 충족하는 경우에만 공급자의 자산 대체권이 실질적이다(기준서 제1116호 문단 B14).

① 공급자가 대체 자산으로 대체할 실질적인 능력을 사용기간 내내 가진다(예 : 고객은 공급자가 그 자산을 대체하는 것을 막을 수 없고 공급자가 대체 자산을 쉽게 구할 수 있거나 적정한 기간 내에 공급받을 수 있음).

② 공급자는 자산 대체권의 행사에서 경제적으로 효익을 얻을 것이다(자산 대체에 관련되는 경제적 효익이 자산 대체에 관련되는 원가를 초과할 것으로 예상된다).

특정일이 되거나 특정한 사건이 일어난 이후에만 공급자가 자산을 대체할 권리 또는 의무를 가지는 경우에 공급자의 대체권은 실질적이지 않다. 공급자가 대체 자산으로 대체할 실질적인 능력을 사용기간 내내 가지지는 못하기 때문이다(기준서 제1116호 문단 B15). "효익"이라는 용어는 광범위하게 해석된다. 예를 들어, 공급 업체가 수시로 리스자산을 대체하여 보다 효율적으로 자산의 집합을 재배치할 수 있고, 이에 유의한 비용이 소요되지 않는다면 충분한 효익을 창출할 수 있다. 이 "유의성"은 관련 효익을 고려하여 평가되어야 한다는 것이 중요하다. 즉, 비용은 효익보다 낮아야 한다. 비용이 단지 낮거나 전체적으로 회사에 중요하지 않다는 것으로는 충분하지 않다. 특히, 기초자산이 특정 고객의 사용목적에 맞추어 조정되어야 하는 경우에는 해당 자산을 대체하기 위하여 상당한 비용이 발생할 수 있다. 예를 들어, 임대 항공기는 특정고객이 요구한 인테리어와 외관디자인(로고 등)을 갖추어야 한다. 이러한 경우에는 임대기간 도중에 최초에 임대했던 항공기를 다른 항공기로 대체하기 위해서 상당한 비용이 발생함으로써 공급자의 대체권리를 실질적이지 않게 만들 수 있다. 또한, 자산이 고객의 부지나 그 밖의 장소에 위치하는 경우에, 대체 관련 원가는 일반적으로 공급자의 부지에 위치할 때보다 더 많을 것이다. 따라서 그 원가는 자산 대체에 관련되는 효익을 초과할 가능성이 더 높다(기준서 제1116호 문단 B17).

공급자의 대체권이 실질적인지는 계약 약정시점의 사실과 상황에 기초하여 판단하고, 계약 약정시점에 볼 때 일어날 것 같지 않은 미래 사건은 고려하지 않는다. 계약 약정시점에 볼 때 일어날 것 같지 않아서 그 판단에 고려하지 않는 미래 사건의 예에는 다음이 포함된다(기준서 제1116호 문단 B16).
① 미래 고객이 자산 사용에 대하여 시장요율보다 높게 지급하는 약정
② 계약 약정시점에 실질적으로 개발되지 않은 새로운 기술의 도입
③ '고객의 자산 사용이나 자산의 성과'와 '계약 약정시점에 볼 때 이룰 것 같은 사용이나 성과'의 실질적인 차이
④ '사용기간의 자산 시장가격'과 '계약 약정시점에 볼 때 형성될 것 같은 시장가격'의 실질적인 차이
자산이 제대로 작동되지 않는 경우나 기술적인 개선이 가능해지는 경우에, 수선·유지를 위하여 자산을 대체하는 공급자의 권리 또는 의무가 있다고 해서 고객이 식별되는 자산의 사용권을 가지지 못하는 것은 아니다(기준서 제1116호 문단 B18).

실무적으로 공급자가 실질적인 대체권리를 보유하고 있는지를 판단하는 것은 많은 판단을 요구하는 문제이며, 경우에 따라서는 리스이용자인 고객이 공급자가 실질적인 대체권리를 보유하고 있는지를 판단하기 위한 정보들을 확보하기가 어려운 경우가 있다. 공급자가 실질적인 대체권을 가지는지를 쉽게 판단할 수 없는 경우에, 고객은 그 대체권이 실질적이지 않다고 본다(기준서 제1116호 문단 B19).

나. 사용통제권
계약이 식별되는 자산의 사용 통제권을 일정기간 이전하는지를 판단하기 위하여 고객이 사용기간 내내 다음 권리를 모두 갖는지를 판단한다(기준서 제1116호 문단 B9). 고객이 계약기간 중 일부 기간에만 식별되는 자산의 사용 통제권을 가지는 경우에 그 계약은 그 일부 기간에 대한 리스를 포함한다(기준서 제1116호 문단 B10).
① 식별되는 자산의 사용으로 생기는 경제적 효익의 대부분을 얻을 권리
② 식별되는 자산의 사용을 지시할 권리

식별되는 자산의 사용을 통제하려면, 고객은 사용기간 내내 자산의 사용으로 생기는 경제적 효익의 대부분을 얻을 권리를 가질 필요가 있다(예 : 사용기간 내내 그 자산을 배타적으로 사용함). 고객은 그 자산의 사용, 보유, 전대리스와 같이 여러 가지 방법으로 직접적으로나 간접적으로 자산을 사용하여 경제적 효익을 얻을 수 있다. 자산의 사용으로 생기는 경제적 효익은 주요 산출물과 부산물(이 주요 산출물과 부산물에서 얻는 잠재적 현금흐름을 포함함), '자산의 사용으로 생기는 그 밖의 경제적 효익'으로 제삼자와의 상업적 거래에서 실현될 수 있는 것을 포함한다(기준서 제1116호 문단 B21). 다만, 자산의 소유권 자체에서 발생하는 경제적 효익(예를 들어, 기초자산의 소유자에 대한 세액공제)은 이 요건을 검토할 때 고려하지 않는다. 왜냐하면, 기초자산의 소유권 자체에서 발생하는 경제적 효익은 법률적 소유권을 보유한 거래당사자가 보유할 것이기 때문이다.

사례 **제3자로부터의 지급액**

고객(리스이용자)은 태양열발전사업자(리스제공자)로부터 태양열 발전설비를 임대한다. 고객은 발전설비의 사용으로 신재생 에너지 세액공제를 받는 반면, 리스제공자는 태양열 발전설비의 소유권 보유에 대한 세액 공제를 받는다.

이 경우에서는 자산의 소유에서 오는 세액공제는 태양열 발전설비의 사용과 관련된 경제적 효익에 해당하지 않기 때문에 신재생 에너지 세액공제만 경제적 효익 분석에 고려된다.

자산의 사용으로 생기는 경제적 효익의 대부분을 얻을 권리가 있는지를 판단할 때, 고객의 자산 사용권으로 정해진 범위에서 자산을 사용하는 결과로 생기는 경제적 효익을 고려한다. 그 예는 다음과 같다(기준서 제1116호 문단 B22).

① 계약에서 사용기간에 특정한 한 지역에서만 자동차를 사용하도록 제한하는 경우에, 그 지역 안에서 자동차의 사용으로 생기는 경제적 효익만을 고려하고 그 밖의 효익은 고려하지 않는다.

② 계약에서 사용기간에 특정한 거리까지만 고객이 자동차를 운전할 수 있도록 규정하는 경우에, 허용된 거리까지 자동차의 사용으로 생기는 경제적 효익만을 고려하고 그 밖의 효익은 고려하지 않는다.

계약에 따라 자산의 사용으로 생기는 현금흐름의 일부를 고객이 공급자나 그 밖의 상대방에게 대가로 지급해야 하는 경우에, 대가로 지급하는 그 현금흐름은 고객이 자산의 사용으로 얻는 경제적 효익의 일부로 본다. 예를 들면 소매점포를 사용하는 대가로 소매점포의 사용으로 생기는 매출의 일정 비율을 고객이 공급자에게 지급해야 하는 경우라도 고객이 소매점포 사용으로 생기는 경제적 효익의 대부분을 얻을 권리를 가지지 못하는 것은 아니다. 이는 그 판매로 생기는 현금흐름을 소매점포 사용으로 고객이 얻는

경제적 효익으로 보고, 그 일부를 소매점포 사용권에 대한 대가로 공급자에게 지급한다고 보기 때문이다(기준서 제1116호 문단 B23).

다음 중 어느 하나에 해당하는 경우에만 고객은 사용기간 내내 식별되는 자산의 사용을 지시할 권리를 가진다(기준서 제1116호 문단 B24).

① 고객이 사용기간 내내 자산을 사용하는 방법 및 목적을 지시할 권리를 가진다.

② 자산을 사용하는 방법 및 목적에 관련되는 결정이 미리 내려지고 다음 중 어느 하나에 해당한다.

  ㉠ 고객이 사용기간 내내 자산을 운용할(또는 고객이 결정한 방식으로 자산을 운용하도록 다른 자에게 지시할) 권리를 가지며, 공급자는 그 운용 지시를 바꿀 권리가 없다.

  ㉡ 고객이 사용기간 내내 자산을 사용할 방법 및 목적을 미리 결정하는 방식으로 자산(또는 자산의 특정 측면)을 설계하였다.

계약에서 정해진 사용권의 범위에서 사용기간 내내 자산을 사용하는 방법 및 목적을 바꿀 수 있다면, 고객은 자산을 사용하는 방법 및 목적을 지시할 권리를 가진다. 이 판단을 내릴 때에는 사용기간 내내 자산을 사용하는 방법 및 목적을 바꾸는 데에 가장 관련성이 있는 의사결정권을 고려한다. 이 의사결정권은 사용으로 생기는 경제적 효익에 영향을 줄 수 있을 때 관련성이 있다. 자산의 특성과 계약 조건에 따라 계약마다 가장 관련성이 있는 의사결정권은 다를 것이다(기준서 제1116호 문단 B25). 고객 사용권의 정해진 범위에서, 상황에 따라 자산을 사용하는 방법 및 목적을 바꾸는 권리를 부여하는 의사결정권의 예에는 다음 권리가 포함된다(기준서 제1116호 문단 B26).

① 자산이 생산하는 산출물의 유형을 변경할 권리(예 : 운송 컨테이너를 재화의 수송에 사용할지, 저장에 사용할지를 결정하거나, 소매점포에서 판매되는 상품의 구성을 결정할 권리)

② 산출물이 생산되는 시기를 변경할 권리(예 : 기계나 발전소를 사용할 시기를 결정할 권리)

③ 산출물이 생산되는 장소를 변경할 권리(예 : 트럭이나 선박의 목적지를 결정하거나, 설비를 사용하는 장소를 결정할 권리)

④ 산출물 생산 여부와 그 생산량을 변경할 권리(예 : 발전소에서 에너지를 생산할지를 결정하고 그 발전소에서 생산하는 에너지 양을 결정할 권리)

한편, 방어권이나 자산의 유지, 보수 및 운영에 대한 권리들은 실질적인 리스자산의 사용을 지시하는 권리에 해당하지 않기 때문에 의사결정권이 누구에게 있는지를 판단할 때 고려하지 않는다.

계약에는 (1) 해당 자산이나 그 밖의 자산에 대한 공급자의 지분을 보호하고, (2) 공급자의 인력을 보호하며, (3) 공급자가 법규를 지키도록 보장하기 위한 의도로 조건을 포함할 수 있다. 방어권의 예로 계약에서 다음과 같이 정하거나 요구할 수 있다.

① 자산의 최대 사용량을 규정하거나 고객이 자산을 사용할 수 있는 장소 또는 시간을 제한한다.

② 고객에게 특정한 운용 관행을 따르도록 요구한다.

③ 고객이 자산을 사용하는 방법을 바꾸는 경우에 공급자에게 알리도록 요구한다.

방어권은 일반적으로 고객의 사용권 범위를 정하지만 방어권만으로는 고객이 자산의 사용을 지시할 권리를 가지는 것을 막지 못한다(기준서 제1116호 문단 B30).

자산을 운용하거나 유지하는 데에만 한정되는 권리는 자산을 사용하는 방법 및 목적을 바꾸는 권리를 부여하지 못하는 의사결정권의 예에 포함된다. 그러한 권리는 고객에게 있을 수도 있고 공급자에게 있을 수도 있다. 자산을 운용하거나 유지할 그 권리는 흔히 자산의 효율적 사용에 반드시 필요할지라도 자산을 사용하는 방법 및 목적을 지시할 권리가 아니며, 흔히 자산을 사용하는 방법 및 목적에 대한 의사결정에 따라 달라진다(기준서 제1116호 문단 B27).

자산을 사용하는 방법 및 목적에 관련되는 결정은 다양한 방식으로 미리 내려질 수 있다. 예를 들면 자산의 설계나 자산 사용에 대한 계약상 제약에 따라 관련되는 결정이 미리 내려질 수 있다(기준서 제1116호 문단 B28). 고객이 사용기간 내내 자산을 사용할 방법 및 목적을 미리 결정하는 방식으로 자산(또는 자산의 특정 측면)을 설계하지 않았다면, 고객에게 자산의 사용을 지시할 권리가 있는지를 판단할 때에는 사용기간 중에 자산의 사용에 대한 의사결정을 내릴 수 있는 권리만을 고려한다. 따라서 고객이 사용기간 내내 자산을 사용할 방법 및 목적을 미리 결정하는 방식으로 자산(또는 자산의 특정 측면)을 설계하였다는 조건이 존재하지 않는다면, 사용기간 전에 미리 내려지는 결정을 고려하지 않는다. 예를 들면 고객이 사용기간 전에만 자산의 산출물을 특정할 수 있다면, 고객에게는 자산의 사용을 지시할 권리가 없다. 고객이 사용기간 전에 계약의 산출물을 특정할 수 있지만, 자산의 사용에 관련되는 다른 의사결정권이 없다면 그 고객의 권리는 재화나 용역을 구매하는 고객에게 제공되는 권리와 같은 것이다(기준서 제1116호 문단 B29).

자산을 사용하는 방법 및 목적에 관련되는 결정이 미리 내려지는 경우에는 자산을 운용할 권리가 고객에게 자산의 사용을 지시할 권리를 부여할 수 있다(기준서 제1116호 문단 B27).

다음 순서도는 계약이 리스인지, 리스를 포함하고 있는지를 판단할 때 도움을 줄 수 있다(기준서 제1116호 문단 B31).

| 계약에 리스가 포함되어 있는지 여부를 결정 |

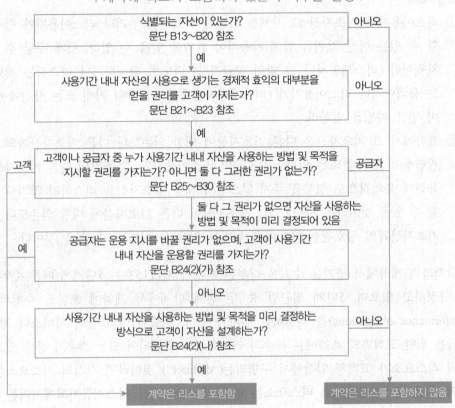

(2) 계약 구성요소의 분리

　　납품계약, 서비스제공, 임대차 계약 등은 두 가지 이상의 리스요소의 조합 또는 리스요소와 비리스요소의 조합으로 이루어진 경우가 많다. 예를 들어, 산업단지의 리스는 토지, 건물 및 장비에 대한 임대차와 이에 대한 유지관리 서비스가 결합되어 있을 수 있다. 또한, 자동차 리스계약에는 자동차의 임대차와 차량 유지보수서비스를 포함할 수 있다. 리스계약이나 리스를 포함하는 계약에서 계약의 각 리스요소를 리스가 아닌 요소(이하 '비리스요소'라고 한다)와 분리하여 리스로 회계처리한다(기준서 제1116호 문단 12). 다만, 실무적 간편법으로 리스이용자는 비리스요소를 리스요소와 분리하지 않고 각 리스요소와 이에 관련되는 비리스요소를 하나의 리스요소로 회계처리하는 방법을 기초자산의 유형별로 선택할 수 있다. 리스이용자는 기업회계기준서 제1109호 '금융상품'에 따라 복합계약에서 주계약과 분리하여 회계처리하는 기준을 충족하는 내재파생상품에는 이 실무적 간편법을 적용하지 않는다(기준서 제1116호 문단 15).

다음 조건을 모두 충족하는 경우에 기초자산 사용권은 별도 리스요소이다(기준서 제1116호 문단 B32).

① 리스이용자가 기초자산 그 자체를 사용하여 효익을 얻거나 리스이용자가 쉽게 구할 수 있는 다른 자원을 함께 사용하여 효익을 얻을 수 있다. 쉽게 구할 수 있는 자원이란 (리스제공자나 그 밖의 공급자가) 별도로 판매하거나 리스하는 재화 또는 용역이거나 리스이용자가 (리스제공자에게서, 그 밖의 거래 또는 사건에서) 이미 얻은 자원을 말한다.

② 계약에서 그 기초자산은 다른 기초자산에 대한 의존도나 다른 기초자산과의 상호관련성이 매우 높지는 않다. 예를 들면 리스이용자가 그 계약의 다른 기초자산 사용권에 유의적으로 영향을 주지 않으면서 해당 기초자산을 리스하지 않기로 결정할 수 있을 것이라는 사실은 '그 기초자산이 다른 기초자산에 대한 의존도나 다른 기초자산과의 상호관련성이 매우 높지는 않음'을 나타낼 수 있을 것이다.

고객과의 계약에서 생기는 수익을 다루는 기준서 제1115호는 5단계에 따른 수익인식을 규정하고 있으며, 5단계 접근법 중 두 번째 단계에서 계약에 포함된 수행의무들(performance obligations)을 식별하는 절차가 있다. 전술한 바와 같이 서비스나 제품의 공급을 위한 고객과의 계약에는 복수의 리스요소가 포함되어 있는 경우가 종종 있고 각각의 리스요소가 고객의 입장에서 구별되는("distinct") 것이라면 각각의 리스요소를 별개의 수행의무로 식별하고 리스요소는 리스기준서에 따라 리스제공자회계처리를 하고 다른 요소(즉, 비리스요소인 서비스나 재화의 공급)는 수익인식기준서에 따라서 회계처리하게 된다. 수익인식기준서와 리스기준서 간에 접점이 존재하는 것이며 리스기준서는 고객에게 제공되는 재화와 서비스가 리스제공자에게 구별되는("distinct") 것인지를 평가하기 위한 지침을 제시하고 있다. 특정 계약에 리스요소와 비리스요소(기타 수익인식요소)가 동시에 존재할 경우 수익인식기준서와 리스기준서가 다음과 같은 역할을 하게 된다.

- 특정계약에 하나 이상의 리스요소가 포함되어 있는지 여부의 판단은 리스기준서의 지침을 적용한다.
- 복수의 리스요소가 식별된 경우 각각의 리스요소를 별도로 회계처리하여야 하는지 아니면 하나의 리스요소로 합쳐서 회계처리하여야 하는지 여부의 판단도 리스기준서의 지침을 적용한다.
- 리스기준서에서 리스요소를 식별하고 분리한 후 남은 비리스요소(재화 또는 서비스의 수행의무)에 대해서는 수익인식기준서인 기준서 제1115호를 적용하여 회계처리

한다.

　하나의 리스요소와, 하나 이상의 추가 리스요소나 비리스요소를 포함하는 계약에서 리스이용자는 리스요소의 상대적 개별 가격과 비리스요소의 총 개별 가격에 기초하여 계약 대가를 각 리스요소에 배분한다(기준서 제1116호 문단 13). 리스요소와 비리스요소의 상대적 개별 가격은 리스제공자나 이와 비슷한 공급자가 그 요소나 그와 비슷한 요소에 개별적으로 부과할 가격을 기초로 산정한다. 관측 가능한 개별 가격을 쉽게 구할 수 없다면, 리스이용자는 관측 가능한 정보를 최대한 활용하여 그 개별 가격을 추정한다(기준서 제1116호 문단 14).

　계약은 리스이용자에게 재화나 용역을 이전하지는 않는 활동 및 원가에 대하여 리스이용자가 부담할 지급액을 포함할 수 있다. 예를 들면 리스제공자는 리스이용자에게 재화 또는 용역을 이전하지는 않는 관리업무에 대한 요금(또는 리스와 관련하여 드는 다른 원가)을 총 지급액에 포함할 수 있다. 그러한 지급액 때문에 계약의 별도 구성요소가 생기지는 않으나 이를 계약에서 별도로 식별되는 구성요소에 배분하는 총 대가의 일부로 본다(기준서 제1116호 문단 B33).

　하나의 리스요소와, 하나 이상의 추가 리스요소나 비리스요소를 포함하는 계약에서 리스제공자는 기업회계기준서 제1115호 '고객과의 계약에서 생기는 수익'을 적용하여 계약 대가를 배분한다(기준서 제1116호 문단 17).

(3) 계약의 결합

　종종 동일한 거래 상대방(또는 거래 상대방의 특수관계자)과 여러 계약을 동시에 또는 비슷한 시점에 체결되기도 하고 체결이 예상되는 다른 계약을 고려하여 계약조건을 결정하기도 한다. 이 기준서를 적용할 때 다음 기준 중 하나 이상을 충족하면, 같은 상대방(또는 그 상대방의 특수관계자)과 동시에 또는 가까운 시기에 체결한 둘 이상의 계약을 결합하여 단일 계약으로 회계처리한다(기준서 제1116호 문단 B2).
　① 복수의 계약을 하나의 전체적인 상업적 목적으로 일괄 협상하며 그 목적은 복수의 계약을 함께 고려하지 않으면 이해할 수 없다.
　② 한 계약에서 지급하는 대가(금액)는 다른 계약의 가격이나 수행에 따라 달라진다.
　③ 복수의 계약에서 이전하는 기초자산 사용권(또는 각 계약에서 이전하는 기초자산 사용권의 일부)은 계약 구성요소의 분리에서 기술하는 단일 리스요소를 구성한다.
　예를 들면, 리스이용자가 특정한 특성이 있는 자산을 1년간 리스하는 계약을 체결한다고 가정하자. 또 그 리스이용자는 특성이 같은 자산에 대하여 1년 후에 시작하는 1년간의 리스계약을 체결하고 2년 후, 3년 후에 시작하는 비슷한 계약을 미리 체결한다. 네 가지 계약 모두의 조건은 일련의 거래를 전체적으로 고려하지 않고는 전체적인 경제적 영향을 이해할 수 없도록 서로를 고려하여 협상되었다. 사실상 리스이용자는 4년의 리스계약을 체결한 것이다. 그러한 상황에서 각 계약을 별개로 회계처리하면 결합된 거래를 충실히 표현하지 못하는 결과를 가져올 수 있다(기준서 제1116호 BC130).

(4) 리스기간

리스이용자에게 미리 약정된 조건으로 리스기간을 단축하거나 연장할 수 있는 선택권을 부여하는 경우가 있다. 리스기간은 리스의 해지불능기간과 다음 기간을 포함하여 산정한다(기준서 제1116호 문단 18).

① 리스이용자가 리스 연장선택권을 행사할 것이 상당히 확실한(reasonably certain) 경우에 그 선택권의 대상 기간

② 리스이용자가 리스 종료선택권을 행사하지 않을 것이 상당히 확실한 경우에 그 선택권의 대상 기간

리스기간을 산정하고 리스의 해지불능기간의 길이를 평가할 때, 계약의 정의를 적용하여 계약이 집행 가능한(enforceable) 기간을 산정한다. 약간의 불이익만 감수하면 리스이용자와 리스제공자가 각각 다른 당사자의 동의 없이 리스를 종료할 권리를 가지는 경우에 그 리스를 더는 집행할 수 없다(기준서 제1116호 문단 B34).

리스이용자만 리스를 종료할 권리를 가지는 경우에, 그 권리는 리스기간을 산정할 때 기업이 고려하는, 리스이용자만 사용할 수 있는 리스 종료선택권으로 본다. 리스제공자만 리스를 종료할 권리를 가지는 경우에, 리스의 해지불능기간은 리스 종료선택권의 대상 기간을 포함한다(기준서 제1116호 문단 B35). 리스기간은 리스개시일에 시작되고 리스제공자가 리스이용자에게 리스료를 면제해 주는 기간이 있다면 그 기간도 포함한다(기준서 제1116호 문단 B36).

리스개시일에 리스이용자가 연장선택권을 행사하거나 기초자산을 매수할 것이 상당히 확실한지, 리스 종료선택권을 행사하지 않을 것이 상당히 확실한지를 평가한다. 그 선택권을 행사하거나 행사하지 않도록 하는 경제적 유인을 제공하는 관련 사실과 상황(리스개시일부터 선택권 행사일까지 관련 사실과 상황의 예상 변화를 포함함)을 모두 고려한다. 고려해야 할 요소의 예에는 다음이 포함되지만 이에 한정되지는 않는다(기준서 제1116호 문단 B37).

① 선택권에 따라 가감될 수 있는 기간(이하 "선택권 기간"이라 한다)에 대한 다음과 같은 계약 조건을 시장요율과 비교

㉠ 선택권 기간 중 해당 리스에 대한 지급액

　　㉡ 해당 리스의 변동리스료 금액이나 그 밖의 조건부 지급액(예 : 종료하기 위하여 부담하는 금액이나 잔존가치보증에 따른 지급액)

　　㉢ 최초 선택권 기간 후에 행사할 수 있는 선택권이 있다면 그 선택권의 조건(예 : 현재 시장요율보다 낮은 요율로 연장기간 말에 행사할 수 있는 매수선택권)

　② 리스 연장 또는 종료 선택권이나 기초자산 매수선택권을 행사할 수 있게 될 때 리스이용자에게 유의적인 경제적 효익을 줄 것으로 예상되는, 계약기간에 걸쳐 수행되는(또는 수행될 것으로 예상되는) 유의적인 리스개량

　③ 리스 종료에 관련되는 원가(예 : 협상원가, 재배치원가, 리스이용자의 요구에 적합한 다른 기초자산을 식별하는 원가, 새로운 자산을 리스이용자의 영업에 통합하는 원가, 종료하기 위하여 부담하는 금액과 이와 비슷한 원가. 기초자산을 계약에서 특정한 상태로 반납하거나 계약에서 특정한 장소에 반납하는 것에 관련되는 원가를 포함함)

　④ 리스이용자의 영업에서 기초자산이 차지하는 중요성. 중요성을 판단할 때, 예를 들면 기초자산의 특수성, 기초자산의 입지, 적절한 대체 자산의 사용 가능성 등을 고려한다.

　⑤ 선택권의 행사에 관련되는 조건(하나 이상의 조건이 충족되는 경우에만 선택권을 행사할 수 있는 경우)과 그 조건이 존재할 가능성

　리스를 연장하거나 종료하는 선택권은 하나 이상의 다른 계약적 속성(예 : 잔존가치보증)과 결합되어 그 선택권의 행사 여부에 관계없이 리스이용자가 리스제공자에게 실질적으로 같은 금액의 최소 현금 수익이나 고정 현금 수익을 보장하는 경우가 있다. 그러한 경우에 실질적인 고정리스료에 대한 지침에도 불구하고, 리스이용자가 리스 연장 선택권을 행사할 것이 상당히 확실하거나 종료선택권을 행사하지 않을 것이 상당히 확실하다고 본다(기준서 제1116호 문단 B38). 리스의 해지불능기간이 짧을수록 리스이용자가 리스 연장선택권을 행사할 가능성이나 리스 종료선택권을 행사하지 않을 가능성이 더 높다. 이는 해지불능기간이 짧을수록 대체 자산을 획득하는 원가가 아마도 비례적으로 많을 것이기 때문이다(기준서 제1116호 문단 B39). 리스이용자가 특정한 유형의 자산(리스한 자산이나 직접 보유한 자산 불문)을 일반적으로 사용한 기간에 대한 과거 관행과 그렇게 한 경제적 이유는, 리스이용자의 선택권 행사·미행사 가능성이 상당히 확실한지를 평가할 때 도움이 되는 정보를 제공할 수 있다. 예를 들면 리스이용자가 특정한 기간에 특정한 유형의 자산을 일반적으로 사용해 왔거나 리스이용자가 특정한 유형의 기초자산 리스에 부여된 선택권을 자주 행사하는 관행이 있다면, 그 자산의 리스 선택권을 행사할 것이 상당히 확실한지를 평가할 때 과거 관행의 경제적 이유를 고려한다(기준서 제

1116호 문단 B40).

　선택권의 행사가 상당히 확실한지 여부를 포함하여 리스기간에 대한 판단은 리스개시일(즉, 리스이용자가 기초자산을 사용할 수 있는 상태로 만든 날짜) 현재의 상황과 사실관계에 근거하여 이루어진다. 다만, 다음과 같은 제한적인 상황이 발생하면 리스기간에 대한 재검토가 요구된다.

　리스이용자는 다음 모두에 해당하는 유의적인 사건이 일어나거나 상황에 유의적인 변화가 있을 때 연장선택권을 행사하거나 종료선택권을 행사하지 않을 것이 상당히 확실한지를 다시 평가한다(기준서 제1116호 문단 20).

① 리스이용자가 통제할 수 있는 범위에 있다.

② 전에 리스기간을 산정할 때 포함되지 않았던 선택권을 행사하거나 전에 리스기간을 산정할 때 포함되었던 선택권을 행사하지 않는 것이 상당히 확실한지에 영향을 미친다.

유의적인 사건이나 유의적인 상황 변화의 예에는 다음이 포함된다(기준서 제1116호 문단 B41).

① 리스 연장 또는 종료 선택권이나 기초자산의 매수선택권을 행사할 수 있을 때, 리스이용자에게 유의적인 경제적 효익을 줄 것으로 예상되지만 리스개시일에는 예상되지 않았던 유의적인 리스개량

② 리스개시일에는 예상되지 않았던, 기초자산에 대한 유의적인 변형이나 고객 맞춤화

③ 전에 산정된 리스기간을 초과하는 기간으로 기초자산 전대리스를 약정

④ 선택권 행사 여부에 직접 관련되는 리스이용자의 사업 의사결정(예 : 보완 자산의 리스를 연장하는 결정, 대체 자산을 처분하는 결정, 사용권자산을 사용하는 사업단위를 처분하는 결정)

　리스의 해지불능기간이 달라진다면 리스기간을 변경한다. 예를 들면 다음과 같은 경우에 리스의 해지불능기간이 달라질 것이다(기준서 제1116호 문단 21).

① 전에 리스기간을 산정할 때 포함되지 않았던 선택권을 리스이용자가 행사한다.

② 전에 리스기간을 산정할 때 포함되었던 선택권을 리스이용자가 행사하지 않는다.

③ 전에 리스기간을 산정할 때 포함되지 않았던 선택권을 리스이용자가 계약상 의무적으로 행사하게 하는 사건이 일어난다.

④ 전에 리스기간을 산정할 때 포함되었던 선택권을 리스이용자가 행사하는 것을 계약상 금지하는 사건이 일어난다.

풀이 **연장선택권**

기업(리스이용자)은 10년 동안 건물을 리스하는 약정을 체결하였고, 계약조건에 따르면 리스기간을 5년 추가 연장할 수 있는 선택권을 보유하고 있다. 리스개시일에 기업은 연장선택권 행사가 상당히 확실한 것은 아니라고 결론 내렸다. 따라서, 기업은 리스기간을 10년으로 결정하고 회계처리를 수행하였다. 리스기간 개시로부터 5년 동안 건물을 사용한 후 기업은 다른 기업에 건물을 전대하기로 결정하고 10년 기간의 전대 계약을 체결하였다.

전대리스 계약을 체결하는 것은 리스이용자의 통제하에 있는 중요한 사건이다. 또한 이 사건은 기업이 연장선택권을 행사할지 여부를 평가하는데 중요한 영향을 미친다. 따라서, 리스이용자는 중요한 사건의 발생에 근거하여 상위리스의 리스기간을 재평가하여야 한다. 결국, 5년의 연장선택권을 행사할 것이 상당히 확실한 경우로 보고 상위리스의 리스기간은 10년이 아닌 15년으로 재측정된다.

(5) 인식과 측정의 면제

리스이용자는 단기리스나 소액 기초자산 리스에는 인식과 측정의 요구사항을 적용하지 않기로 선택할 수 있다(기준서 제1116호 문단 5). 단기리스나 소액 기초자산 리스에 인식과 측정의 요구사항을 적용하지 않기로 선택한 경우에 리스이용자는 해당 리스에 관련되는 리스료를 리스기간에 걸쳐 정액 기준이나 다른 체계적인 기준에 따라 비용으로 인식한다. 다른 체계적인 기준이 리스이용자의 효익의 형태를 더 잘 나타내는 경우에는 그 기준을 적용한다(기준서 제1116호 문단 6). 단기리스에 대한 선택은 사용권이 관련되어 있는 기초자산의 유형별로 한다. 기초자산의 유형은 기업의 영업에서 특성과 용도가 비슷한 기초자산의 집합이다. 소액 기초자산 리스에 대한 선택은 리스별로 할 수 있다(기준서 제1116호 문단 8).

가. 단기리스

단기리스는 개시일 현재 리스기간이 12개월 이하인 리스로 정의된다. 이때 리스기간의 산정과 일치하도록 연장선택권의 행사 가능성과 종료선택권의 미행사 가능성을 고려하여 단기리스의 만기를 산정한다(기준서 제1116호 BC93). 매수선택권이 있는 리스는 단기리스에 해당하지 않는다(기준서 제1116호 부록 A. 용어의 정의).

리스이용자가 인식과 측정의 면제를 적용하여 단기리스를 회계처리하는 경우에, 다음 중 어느 하나에 해당하면 이 기준서의 목적상 리스이용자는 그 리스를 새로운 리스로 본다(기준서 제1116호 문단 7).

① 리스변경이 있는 경우
② 리스기간에 변경이 있는 경우(예 : 리스이용자가 전에 리스기간을 산정할 때에 포함되지 않았던 선택권을 행사한다)

나. 소액 기초자산 리스

기초자산이 소액인지는 절대적 기준에 따라 평가한다. 소액자산 리스는 그 리스가 리스이용자에게 중요한지와 관계없이 인식과 측정의 요구사항을 적용하지 않고 회계처리를 할 수 있다. 그 평가는 리스이용자의 규모, 특성, 상황에 영향을 받지 않는다. 따라서 서로 다른 리스이용자라도 특정한 기초자산이 소액인지에 대해서는 같은 결론에 이를 것으로 예상된다(기준서 제1116호 문단 B4). 다만, 국제회계기준위원회는 2015년에 그 면제 규정에 대한 결론에 이를 때에, 기초자산이 새것일 때 대략 US$5,000 이하인 리스를 염두에 두었다(기준서 제1116호 BC100). 리스이용자는 리스대상 자산이 사용된 기간에 관계없이 기초자산이 새것일 때의 가치에 기초하여 기초자산의 가치를 평가한다(기준서 제1116호 문단 B3). 새것일 때 일반적으로 소액이 아닌 특성이 있는 자산이라면, 해당 기초자산 리스는 소액자산 리스에 해당하지 않는다. 예를 들면 자동차는 새것일 때 일반적으로 소액이 아닐 것이므로, 자동차 리스는 소액자산 리스에 해당하지 않을 것이다(기준서 제1116호 문단 B6). 소액 기초자산의 예로는 태블릿·개인 컴퓨터, 소형 사무용 가구, 전화기를 들 수 있다(기준서 제1116호 문단 B8).

또한, 다음 조건을 모두 충족하는 경우에만 소액 기초자산이 될 수 있다(기준서 제1116호 문단 B5).

① 리스이용자가 기초자산 그 자체를 사용하여 효익을 얻거나 리스이용자가 쉽게 구할 수 있는 다른 자원과 함께 그 자산을 사용하여 효익을 얻을 수 있다.

② 기초자산은 다른 자산에 대한 의존도나 다른 자산과의 상호관련성이 매우 높지는 않다.

예를 들어, 자동차의 많은 부품(엔진, 바퀴, 휠 등)에 대해서 각각 리스계약을 체결한 경우에도 각 부품들은 독립적으로는 사용목적을 달성할 수 없으므로 전술한 계약의 결합 조항을 적용하여 복수의 계약을 모두 합쳐서 평가하여야 한다.

리스이용자가 자산을 전대리스(sublease)하거나 전대리스할 것으로 예상하는 경우에 상위리스(head lease)는 소액자산 리스에 해당하지 않는다(기준서 제1116호 문단 B7).

5. 세무회계상 유의사항

(1) 리스의 분류

법인세법에서는 한국채택국제회계기준에 따른 금융리스는 금융리스로, 금융리스 외의 리스는 운용리스로 분류한다(법령 24조 5항). 즉 한국채택국제회계기준에 따른 리스의 분류기준을 법인세법에서 그대로 인정하고 있으므로 자산을 시설대여하는 자(리스회사)가 대여하는 자산(리스자산) 중 한국채택국제회계기준에 따른 금융리스의 자산은 리스이용자의 감가상각자산으로, 금융리스 외의 리스자산은 리스회사의 감가상각자산으로 한다.

따라서, 법인세법은 한국채택국제회계기준에 따른 운용리스의 경우 리스회사의 감가상각자산으로 하고 있는데 반해, 한국채택국제회계기준서 제1116호에서는 리스이용자는 리스의 분류와 관계없이 리스사용권자산을 인식하도록 하고 있는 바, 한국채택국제회계기준에 따라 운용리스로 분류된 경우로서 리스이용자가 리스사용권자산을 인식한 경우, 해당 리스사용권자산에 대해서는 기업회계와 세무간 차이로 인해 세무조정이 필요할 것으로 사료된다(서면-2019-법인-2477, 2020. 6. 10.).

(2) 금융리스를 운용리스로 처리한 경우

리스회사 또는 리스이용자가 금융리스를 운용리스로 처리한 경우에는 다음과 같이 처리한다(법기통 23-24…1 8항 1호).

㉠ 리스회사는 리스물건의 취득가액 상당액을 금전으로 대여한 것으로 보아 수익으로 계상한 리스료 중 이자율법에 의하여 계산한 이자상당액과 조정리스료에 상당하는 금액만 익금에 산입하고 원금회수액은 이를 익금불산입하며, 손비로 계상한 감가상각비는 이를 손금불산입한다.

㉡ 리스이용자는 리스물건의 취득가액 상당액을 자산으로 계상하고 손금에 산입한 리스료 중 이자율법에 의하여 계산한 이자상당액과 조정리스료에 상당하는 금액을 손금에 산입하되, 동 금액을 초과하여 손금에 산입한 금액은 이를 감가상각한 것으로 보아 시부인한다.

(3) 운용리스를 금융리스로 처리한 경우

리스회사 또는 리스이용자가 운용리스를 금융리스로 처리한 경우에는 다음과 같이 처리한다(법기통 23-24…1 8항 2호).

㉠ 리스회사는 리스물건의 취득가액을 자산으로 계상하고 리스료 중 대여금의 회수로 처리한 금액은 이를 리스료 수입으로 보아 익금에 산입한다. 이 경우 손금으로 계상하지 아니한 당해 자산에 대한 감가상각비는 세무조정으로 이를 손금에 산입할 수 없다.

한편, 법인이 BTL 방식으로 취득하는 사용수익기부자산을 한국채택국제회계기준에 따라 금융리스로 처리한 경우, 받기로 한 리스료 수입 중 이자상당액을 초과한 금융리스채권 상각액을 법인세법 시행령 제25조 제1항에 따른 장부가액을 직접 감액한 감가상각비로 보아 같은 법 시행령 제26조 제1항 제7호에 따른 감가상각 범위액과 비교하여 시부인하여야 하며, 감가상각범위액과 비교하여 손금부인(유보처분)된 금융리스채권상각 한도초과액은 금융리스 계약만료일이 속하는 사업연도에 손금산입(△유보 처분)하도록 하는 국세청 유권해석(법인-798, 2012. 12. 24.)은 상기의 법인세법 기본통칙과 그 해석을 달리하고 있다.

ⓛ 리스이용자는 리스료지급액 전액을 손금에 산입하고 당해 자산에 대하여 손금에 산입한 감가상각비는 이를 손금에 산입하지 아니한다.

리스의 회계처리

제1절 리스이용자의 회계처리

　기준서 제1116호 '리스'에서 요구하는 리스이용자의 회계처리는 과거 리스기준서와 비교하여 중요한 변화를 포함하고 있다. 즉, 리스이용자는 재무상태표에 관련 자산과 부채가 인식되지 않는 운용리스 모델을 더 이상 적용할 수 없으며, 단기리스와 소액자산리스를 제외한 모든 리스계약에 대해 사용권자산과 관련 리스부채를 인식해야 한다. 동 개정사항은 경제적인 관점에서 볼 때 리스계약은 대가를 분할지급하면서 기초자산을 사용할 수 있는 권리를 획득한다는 동일한 본질을 가지고 있다는 생각에 기초하고 있다.

　리스부채는 리스개시일에 인식되며 향후 지급할 리스료의 현재가치로 측정된다. 사용권자산은 리스개시일의 취득원가로 측정되며 리스부채의 최초 측정 금액에 리스개시일과 그 이전에 지급한 리스료를 가산하고 리스제공자로부터 수령한 모든 리스 인센티브를 차감하여 산정한다. 여기에 리스이용자에 의해 지출된 리스개설직접원가와 복구비용 관련 최초 추정액을 가산하여 사용권자산의 취득원가가 결정된다. 복구비용과 관련한 충당금은 리스부채에 가산하지 않고 별도의 충당부채로 인식한다.

1. 최초 인식과 측정

　리스이용자는 리스개시일에 사용권자산과 리스부채를 인식한다(기준서 제1116호 문단 22).

| 사용권자산 및 리스부채의 최초 측정 |

사용권 자산	리스부채
리스부채	리스료 / 할인율
리스개시일이나 그 전에 지급된 리스료(-) 리스인센티브	
복구원가	충당부채
리스개설 직접원가	

(1) 리스부채의 최초 측정

리스이용자는 리스개시일에 그날 현재 지급되지 않은 리스료의 현재가치로 리스부채를 측정한다. 리스의 내재이자율을 쉽게 산정할 수 있는 경우에는 그 이자율로 리스료를 할인한다. 그 이자율을 쉽게 산정할 수 없는 경우에는 리스이용자의 증분차입이자율을 사용한다(기준서 제1116호 문단 26).

리스개시일에 리스부채의 측정치에 포함되는 리스료는, 리스기간에 걸쳐 기초자산을 사용하는 권리에 대한 지급액 중 그날 현재 지급되지 않은 다음 금액으로 구성된다(기준서 제1116호 문단 27).

① 고정리스료(실질적인 고정리스료를 포함하고, 받을 리스 인센티브는 차감)

② 지수나 요율(이율)에 따라 달라지는 변동리스료. 처음에는 리스개시일의 지수나 요율(이율)을 사용하여 측정한다.

③ 잔존가치보증에 따라 리스이용자가 지급할 것으로 예상되는 금액

④ 리스이용자가 매수선택권을 행사할 것이 상당히 확실한 경우에 그 매수선택권의 행사가격

⑤ 리스기간이 리스이용자의 종료선택권 행사를 반영하는 경우에 그 리스를 종료하기 위하여 부담하는 금액

고정리스료와 변동리스료를 구분하는 이유는 고정리스료는 리스부채(리스지급액의 현재가치)에 포함하지만, 변동리스료는 그 성격에 따라 리스부채에 포함하지 않고 발생시점에 비용으로 인식하기 때문이다. 기준서는 변동리스료를 아래와 같은 세가지 종류로 구분하고 있다.

① 실질적인 고정리스료 : 실질적인 고정리스료는 형식적으로는 변동성을 포함하나 실질적으로 회피할 수 없는 지급액이다(기준서 제1116호 문단 B42). 실질적인 고정리스료는 리스부채에 포함된다. 실질적인 고정리스료는 예를 들면 다음과 같은 경우에

존재한다.

   ㉠ 리스기간에 자산을 운용할 수 있음이 입증되는 경우에만 지급해야 하거나, 일어나지 않을 가능성이 사실상 없는 사건이 일어나는 경우에만 지급해야 하는 지급액 또는 리스료가 처음에는 기초자산의 사용에 연계되어 변동리스료의 구조를 갖게 되었으나 리스개시일 후 일정 시점에 그 변동성이 사라져 남은 리스기간에는 고정되는 지급액과 같이 지급액이 변동리스료의 구조를 가지고 있지만 그 지급액에 실제 변동성은 없는 경우

   ㉡ 리스이용자가 지급할 수 있는 둘 이상의 지급액 집합들이 있으나, 그 중 하나의 집합만이 현실적인 경우. 이 경우에 현실적인 지급액 집합을 리스료로 본다.

   ㉢ 리스이용자가 지급할 수 있는 둘 이상의 현실적인 지급액 집합들이 있으나, 적어도 그 중 하나의 집합을 반드시 지급해야 하는 경우. 이 경우에는 통산되는 금액(할인 기준)이 가장 낮은 지급액 집합을 리스료로 본다.

  ② 지수나 요율(이율)에 따라 달라지는 변동리스료 : 지수나 요율(이율)에 따라 달라지는 변동리스료의 예에는 소비자물가지수에 연동되는 지급액, 기준금리(예 : LIBOR)에 연동되는 지급액, 시장 대여요율(market rental rates)의 변동을 반영하기 위하여 변동되는 지급액이 포함된다(기준서 제1116호 문단 28). 지수나 요율(이율)에 따라 달라지는 변동리스료는 리스부채에 포함된다. 리스이용자에게 부채의 존재에는 불확실성이 없고 부채 금액의 측정에만 불확실성이 있기 때문에 변동리스료의 지급은 회피할 수 없는 부채에 해당한다. 지수나 요율에 따라 달라지는 변동리스료는 리스개시일의 지수 또는 요율(선도 지수나 요율을 적용하지 않는다)을 사용하여 측정한다.

  ③ 지수나 요율(이율)이 아닌 다른 변수에 기초한 변동리스료 : 다른 변수에 기초한 변동리스료의 예에는 소매점에서 발생한 매출액에 일정비율을 적용한 지급액과 태양광이나 풍력 발전의 전력생산량에 기초한 지급액과 같이 기초자산의 활용을 통한 리스이용자의 성과와 연동되는 지급액을 포함한다. 다른 변수에 기초한 변동리스료는 리스부채에 포함하지 않으며, 이러한 지급액은 그 지급을 유발하는 사건 또는 조건이 발생하는 기간에 당기손익으로 인식한다.

(2) 사용권자산의 최초 측정

  리스이용자는 리스개시일에 사용권자산을 원가로 측정한다(기준서 제1116호 문단 23). 사용권자산의 원가는 다음 항목으로 구성된다(기준서 제1116호 문단 24).

  ① 리스부채의 최초 측정금액

② 리스개시일이나 그 전에 지급한 리스료(받은 리스 인센티브는 차감)

③ 리스이용자가 부담하는 리스개설직접원가

④ 리스 조건에서 요구하는 대로 기초자산을 해체하고 제거하거나, 기초자산이 위치한 부지를 복구하거나, 기초자산 자체를 복구할 때 리스이용자가 부담하는 원가의 추정치(다만 그 원가가 재고자산을 생산하기 위해 부담하는 것이 아니어야 한다). 리스이용자는 리스개시일에 그 원가에 대한 의무를 부담하게 되거나 특정한 기간에 기초자산을 사용한 결과로 그 원가에 대한 의무를 부담한다.

2. 후속 측정

(1) 리스부채의 후속 측정

리스이용자는 리스개시일 후에 리스부채에 대한 이자를 반영하여 장부금액을 증액하고 지급한 리스료를 반영하여 장부금액을 감액하여 리스부채를 측정한다. 또한, 리스부채의 재평가 또는 리스변경을 반영하거나 실질적인 고정리스료의 변경을 반영하여 장부금액을 다시 측정한다(기준서 제1116호 문단 36). 리스기간 중 각 기간의 리스부채에 대한 이자는 리스부채 잔액에 대하여 일정한 기간이자율이 산출되도록 하는 금액이다. 기간이자율은 리스개시일에 리스부채의 측정에 사용한 할인율이며, 리스기간의 변경이나 매수선택권 행사가격의 변동, 변동이자율의 변경으로 인해 달라지는 변동리스료에 따른 리스부채의 재평가와 리스변경의 경우에는 해당 시점에 사용한 수정 할인율이다(기준서 제1116호 문단 37).

리스이용자는 리스개시일 후에 리스부채에 대한 이자와 변동리스료를 유발하는 사건 또는 조건이 생기는 기간의 리스부채 측정치에 포함되지 않는 변동리스료를 모두 당기손익으로 인식한다. 다만, 적용 가능한 다른 기준서를 적용하는, 다른 자산의 장부금액에 포함되는 원가인 경우는 제외한다(기준서 제1116호 문단 38).

가. 리스부채의 재평가

리스이용자는 다음 중 어느 하나에 해당하는 경우에 수정 할인율로 수정 리스료를 할인하여 리스부채를 다시 측정한다(기준서 제1116호 문단 40).

① 리스기간에 변경이 있는 경우. 리스이용자는 변경된 리스기간에 기초하여 수정 리스료를 산정한다.

② 매수선택권의 맥락에서 유의적인 사건이나 유의적인 상황 변화를 고려하여 평가한 결과, 기초자산을 매수하는 선택권 평가에 변동이 있는 경우. 리스이용자는 매

수선택권에 따라 지급할 금액의 변동을 반영하여 수정 리스료를 산정한다.

리스기간에 변경이 있거나 매수선택권 평가에 변동이 있는 경우, 리스이용자는 내재이자율을 쉽게 산정할 수 있는 경우에는 남은 리스기간의 내재이자율로 수정 할인율을 산정하나, 리스의 내재이자율을 쉽게 산정할 수 없는 경우에는 재평가시점의 증분차입이자율로 수정 할인율을 산정한다(기준서 제1116호 문단 41).

리스이용자는 다음 중 어느 하나에 해당하는 경우에 변경되지 않은 할인율로 수정 리스료를 할인하여 리스부채를 다시 측정한다(기준서 제1116호 문단 42).

① 잔존가치보증에 따라 지급할 것으로 예상되는 금액에 변동이 있는 경우. 리스이용자는 잔존가치보증에 따라 지급할 것으로 예상되는 금액의 변동을 반영하여 수정 리스료를 산정한다.

② 리스료를 산정할 때 사용한 지수나 요율(이율)의 변동으로 생기는 미래 리스료에 변동이 있는 경우. 예를 들면 시장 대여료를 검토한 후 시장 대여요율 변동을 반영하는 변동을 포함한다. 리스이용자는 현금흐름에 변동이 있을 경우(리스료 조정액이 유효할 때)에만 수정 리스료를 반영하여 리스부채를 다시 측정한다. 리스이용자는 변경된 계약상 지급액에 기초하여 남은 리스기간의 수정 리스료를 산정한다.

다만, 리스료의 변동이 변동이자율의 변동으로 생긴 경우에 리스이용자는 그 이자율 변동을 반영하는 수정 할인율을 사용한다(기준서 제1116호 문단 43).

리스이용자는 사용권자산을 조정하여 리스부채의 재측정 금액을 인식한다. 그러나 사용권자산의 장부금액이 영(0)으로 줄어들고 리스부채 측정치가 그보다 많이 줄어드는 경우에 리스이용자는 나머지 재측정 금액을 당기손익으로 인식한다(기준서 제1116호 문단 39).

리스부채의 재평가에 대한 요구 사항은 다음과 같이 요약된다.

리스부채의 구성요소	재평가
리스기간의 연장 또는 종료와 관련한 지급액	언제? - 리스기간에 변화가 있는 경우 방법? - 수정된 지급금액에 수정할인율(잔여리스기간에 대한 내재이자율 또는 내재이자율을 알기 어려운 경우에는 재평가일의 증분차입이자율)을 적용하여 리스부채를 재측정

리스부채의 구성요소	재평가
매수선택권의 행사가격	언제? – 리스이용자의 통제하에 있는 중요한 사건이나 환경의 변화가 발생하고 동 사건이나 환경변화가 리스이용자의 선택권 행사 가능성에 중요한 영향을 미치는 경우 방법? – 매수선택권 행사가격에 수정된 할인율(잔여리스기간에 대한 리스의 내재이자율 또는 내재이자율을 알기 어려운 경우에는 재평가일의 증분차입이자율)을 적용하여 리스부채를 재측정
잔존가치 보증약정에 따라 지급할 것으로 예상되는 금액	언제? – 지급할 것으로 예상했던 잔존가치 보증금액에 변동이 있을 경우 방법? – 변경된 잔존가치 보증지급액에 리스개시일에 적용했던 최초 할인율(수정된 할인율이 아닌)을 적용하여 리스부채를 재측정
지수나 요율에 따라 달라지는 변동리스료	언제? – 지수 또는 요율의 변동으로 현금흐름에 변동이 발생한 경우 방법? – 갱신일 현재의 지수 또는 요율을 적용하여 수정된 지급액에 리스개시일에 적용했던 최초 할인율을 적용하여 재측정(다만, 변동금리의 변경으로 인한 현금흐름 변경은 수정된 할인율을 적용)

풀이 **지수나 요율(이율)에 따라 달라지는 변동리스료**

회사는 인플레이션이 있는 경제환경에서 영업활동을 하고 있으며, 매년 초에 연간 리스료 KRW 50,000을 지급하는 10년 기간의 리스계약을 체결하였다. 연간 리스료는 매 2년마다 직전 24개월간 소비자물가지수의 변동을 반영하여 조정한다.

리스개시일의 소비자물가지수는 125이고 3차연도 초의 소비자물가지수는 135이다.

언제 리스부채를 재검토하는가?

최초 인식에서 리스부채는 연간 KRW 50,000의 계약상 리스료와 개시시점 내재이자율을 적용하여 측정된다. 소비자물가지수가 변화하더라도 3차연도 이전에는 소비자물가지수의 변동이 현금흐름의 변화를 초래하지 않기 때문에 리스부채를 재측정하지 않는다. 그러나 3차연도 시작시점에는 약정에 따라 계약상 현금흐름이 변경되었기 때문에 리스부채를 재측정하여야 한다.

리스부채는 어떻게 재측정되는가?

리스부채는 개시시점 최초 할인율(변경되지 않은 할인율)을 적용하여 현금흐름 변동이 발생한 시점의 소비자물가지수에 따라서 수정된 현금흐름의 현재가치로 재측정된다(즉, KRW 50,000 × 125 / 135 = KRW 54,000).

(2) 사용권자산의 후속 측정

리스이용자는 리스개시일 후에 원가모형을 적용하여 사용권자산을 측정한다(기준서 제1116호 문단 29). 원가모형을 적용하기 위하여, 리스이용자는 원가에서 감가상각누계액과 손상차손누계액을 차감하고 리스부채의 재측정에 따른 금액을 조정하여 사용권자산을 측정한다(기준서 제1116호 문단 30).

리스가 리스기간 종료시점 이전에 리스이용자에게 기초자산의 소유권을 이전하는 경우나 사용권자산의 원가에 리스이용자가 매수선택권을 행사할 것임이 반영되는 경우에, 리스이용자는 리스개시일부터 기초자산의 내용연수 종료시점까지 사용권자산을 감가상각한다. 그 밖의 경우에는 리스이용자는 리스개시일부터 사용권자산의 내용연수 종료일과 리스기간 종료일 중 이른 날까지 사용권자산을 감가상각한다(기준서 제1116호 문단 32). 이때, 리스이용자는 기준서 제1016호 '유형자산'의 감가상각에 대한 요구사항을 적용한다(기준서 제1116호 문단 31).

한편, 예상 복구비용 추정의 변경 등으로 인한 충당부채의 후속적인 변동은 해석서 제2101호 '사후처리 및 복구관련 충당부채의 변경'을 적용한다(해석서 제2101호 문단 2). 예상 복구비용의 변동으로 인해 복구충당부채의 장부금액이 변경하는 경우, 사용권자산 또한 재측정하여야 한다. 이 경우에 사용권자산의 장부금액의 변동은 충당금의 장부금액의 변동과 동일한 금액이 될 것이다. 복구충당부채의 증가로 인하여 사용권자산의 장부가액이 증가한 경우에는 리스이용자는 사용권자산의 손상검토를 요구하는 상황이 아닌지 검토해야 한다.

리스이용자는 사용권자산이 손상되었는지를 판단하고 식별되는 손상차손을 회계처리하기 위하여 기준서 제1036호 '자산손상'을 적용한다(기준서 제1116호 문단 33).

가. 다른 측정모형

기준서는 특정 조건의 사용권자산에 대해서는 원가모형 이외에 두 가지의 다른 측정모형(공정가치모형과 재평가모형)을 적용하거나 적용하기로 선택할 수 있도록 하고 있다. 이는 리스이용자가 리스에서 발생하는 사용권자산에 대하여 기존의 다른 자산들에 적용하고 있는 측정모형(공정가치모형 또는 재평가모형)을 일관성 있게 적용하게 하기 위한 것이다.

리스이용자가 투자부동산에 기준서 제1040호 '투자부동산'의 공정가치모형을 적용하는 경우에는, 기준서 제1040호의 투자부동산 정의를 충족하는 사용권자산에도 공정가치모형을 적용한다(기준서 제1116호 문단 34).

사용권자산이 기준서 제1016호의 재평가모형을 적용하는 유형자산의 유형에 관련되는 경우에, 리스이용자는 그 유형자산의 유형에 관련되는 모든 사용권자산에 재평가모형을 적용하기로 선택할 수 있다(기준서 제1116호 문단 35).

(3) 리스 변경

리스기간 동안 계약당사자들이 기존 계약조건들을 재협상하고 수정하기로 합의하는 것에는 여러 가지 이유가 있을 수 있다. 계약기간을 연장하거나 단축하기 위한 것일 수도 있고 리스계약의 대상이 되는 기초자산의 변경일 수도 있다. 예를 들어, 리스이용자가 이미 건물의 두 개 층을 리스하고 있는데 한 개 층을 추가로 임차하기 위해서 계약의 변경을 요청하고 합의할 수 있다.

기준서는 변경 전 리스 조건의 일부가 아니었던 리스의 범위 또는 리스대가의 변경을 리스변경으로 정의하고 있다. 원래의 리스계약에 포함되어 있던 조건을 근거로 한 모든 변경사항은 리스의 변경으로 간주하지 않는다.

기준서는 리스변경이 어떤 형태로 이루어졌는지에 따라 아래와 같은 세 가지 상황에 따라 회계처리를 요구하고 있다.

| 리스의 변경 |

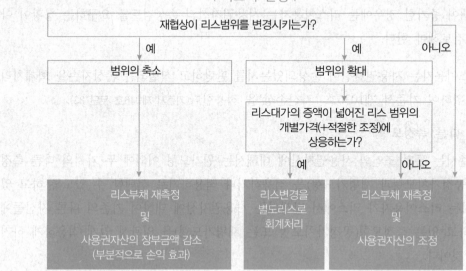

리스이용자는 다음 조건을 모두 충족하는 리스변경을 별도 리스로 회계처리한다(기준서 제1116호 문단 44).

① 하나 이상의 기초자산 사용권이 추가되어 리스의 범위가 넓어진다.

② 넓어진 리스 범위의 개별 가격에 상응하는 금액과 특정한 계약의 상황을 반영하여 그 개별 가격에 적절히 조정하는 금액만큼 리스대가가 증액된다.

별도 리스로 회계처리하지 않는 리스변경에 대하여 리스이용자는 리스변경 유효일에 다음과 같이 처리한다(기준서 제1116호 문단 45).

① 계약 구성요소의 분리 요구사항을 적용하여 변경된 계약의 대가를 배분한다.

② 리스기간 산정의 요구사항을 적용하여 변경된 리스의 리스기간을 산정한다.

③ 수정 할인율로 수정 리스료를 할인하여 리스부채를 다시 측정한다. 내재이자율을 쉽게 산정할 수 있는 경우에는 남은 리스기간의 내재이자율로 수정 할인율을 산정하나, 리스의 내재이자율을 쉽게 산정할 수 없는 경우에는 리스변경 유효일 현재 리스이용자의 증분차입이자율로 수정 할인율을 산정한다.

별도 리스로 회계처리하지 않는 리스변경에 대하여 리스이용자는 다음과 같이 리스부채의 재측정을 회계처리한다(기준서 제1116호 문단 46).

① 리스의 범위를 좁히는 리스변경에 대하여 리스의 일부나 전부의 종료를 반영하기 위하여 사용권자산의 장부금액을 줄인다. 리스이용자는 리스의 일부나 전부의 종료에 관련되는 차손익을 당기손익으로 인식한다.

② 그 밖의 모든 리스변경에 대하여 사용권자산에 상응하는 조정을 한다.

풀이 **좁아진 리스범위**

리스이용자는 10년 동안 5,000m²의 사무실 공간을 리스하였다. 리스료는 연 50,000 후불 지급 조건으로 고정되어 있고 5년이 경과한 시점에서 거래 당사자들은 2,500m²만큼의 사무실 공간을 줄이는 것으로 계약을 수정하였다. 한편, 6차연도부터 연간 리스료는 30,000으로 합의하였다. 6차연도의 개시시점에 리스이용자의 증분차입이자율은 5%이고 해당 날짜의 리스에 잔여기간 내재이자율은 신뢰성 있게 측정할 수 없는 것으로 가정한다.

계약 변경 이전의 리스부채와 사용권자산의 장부금액은 다음과 같다.

변경 전 리스부채의 장부금액   210,618
변경 전 사용권자산의 장부금액   184,002
변경 후 리스부채의 가치는 129,884이다($= 30,000 \,/\, 1.05 + 30,000 \,/\, 1.05^2 + 30,000 \,/\, 1.05^3 + 30,000 \,/\, 1.05^4 + 30,000 \,/\, 1.05^5$).

제1단계에서 원래 사무실 공간이 50%까지 감소되기 때문에 사용권자산과 리스부채도 50%로 감소된다. 사용권자산의 감소금액과 리스부채의 감소금액 간의 차이는 당기손익으로 인식한다.

① 사용권자산의 장부금액의 감소

차) 리스부채	105,309	대) 사용권자산	92,001
(변경 전 장부금액의 50%)		(변경 전 장부금액의 50%)	
		이익	13,308

제2단계에서 사용권자산은 수정 할인율 및 지급할 대가의 변동을 반영하도록 조정되어야 한다. 따라서 나머지 리스부채(105,309)와 수정된 리스부채(129,884)의 차이(24,575)는 사용권자산에 대한 조정으로 인식한다.

② 사용권자산의 수정

차) 사용권자산	24,575	대) 리스부채	24,575

(4) 표시와 공시

가. 표시

리스이용자는 다음과 같이 재무상태표에 표시하거나 주석으로 공시한다(기준서 제1116호 문단 47).

① 사용권자산을 다른 자산과 구분하여 표시하거나 공시한다. 리스이용자가 재무상태표에서 사용권자산을 구분하여 표시하지 않으면, 리스이용자가 대응하는 기초자산을 보유하였을 경우에 표시하였을 항목과 같은 항목에 사용권자산을 포함하고 재무상태표의 어떤 항목에 그 사용권자산이 포함되어 있는지를 공시한다.

② 리스부채를 다른 부채와 구분하여 표시하거나 공시한다. 리스이용자가 재무상태표에서 리스부채를 구분하여 표시하지 않으면 재무상태표의 어떤 항목에 그 부채가 포함되어 있는지를 공시한다.

투자부동산의 정의를 충족하는 사용권자산은 다른 자산과 구분하여 표시하거나 공시하는 요구사항을 적용하지 않고 재무상태표에 투자부동산으로 표시한다(기준서 제1116호 문단 48).

포괄손익계산서에서 리스이용자는 리스부채에 대한 이자비용을 사용권자산의 감가상각비와 구분하여 표시한다. 리스부채에 대한 이자비용은 기준서 제1001호 '재무제표 표시'에서 포괄손익계산서에 구분하여 표시하도록 요구하는 금융원가의 구성 항목이다(기준서 제1116호 문단 49).

리스이용자는 현금흐름표에서 다음과 같이 분류한다(기준서 제1116호 문단 50).

① 리스부채의 원금에 해당하는 현금 지급액은 재무활동으로 분류

② 리스부채의 이자에 해당하는 현금 지급액은 기준서 제1007호 '현금흐름표'의 이자 지급에 관한 요구사항을 적용하여 분류

③ 리스부채 측정치에 포함되지 않은 단기리스료, 소액자산 리스료, 변동리스료는 영업활동으로 분류

나. 공시

리스이용자는 재무제표에서 하나의 주석이나 별도로 구분되는 난(section)으로 리스이용자의 리스에 대한 정보를 공시한다. 그러나 리스이용자는 리스에 대한 정보가 하나의 주석이나 별도로 구분되는 난에 상호 참조되어 있다면 재무제표의 다른 부분에 이미 표시된 정보를 중복할 필요가 없다(기준서 제1116호 문단 52).

리스이용자는 보고기간의 다음 금액을 공시한다(기준서 제1116호 문단 53). 공시하는 금액에는 리스이용자가 보고기간 중에 다른 자산의 장부금액에 포함한 원가를 포함한다(기준서 제1116호 문단 54).

① 기초자산 유형별 사용권자산의 감가상각비

② 리스부채에 대한 이자비용

③ 인식과 측정의 면제 규정을 적용하여 회계처리하는 단기리스에 관련되는 비용. 1개월 이하인 리스기간에 관련되는 비용은 이 비용에 포함할 필요가 없다.

④ 인식과 측정의 면제 규정을 적용하여 회계처리하는 소액자산 리스에 관련되는 비용. 인식과 측정의 면제 규정을 적용하여 회계처리하는 단기리스에 관련되는 비용에 포함되는, 소액자산의 단기리스에 관련되는 비용은 이 비용에 포함하지 않는다.

⑤ 리스부채 측정치에 포함되지 않은 변동리스료에 관련되는 비용

⑥ 사용권자산의 전대리스에서 생기는 수익

⑦ 리스의 총 현금유출

⑧ 사용권자산의 추가

⑨ 판매후리스 거래에서 생기는 모든 차손익

⑩ 보고기간 말 현재 기초자산 유형별 사용권자산의 장부금액

사용권자산이 투자부동산의 정의를 충족한다면, 리스이용자는 기준서 제1040호의 공시 요구사항을 적용한다. 이 경우에 리스이용자는 해당 사용권자산에 대하여 다음 내용을 공시할 필요는 없다(기준서 제1116호 문단 56).

① 기초자산 유형별 사용권자산의 감가상각비

② 사용권자산의 전대리스에서 생기는 수익

③ 사용권자산의 추가

④ 보고기간 말 현재 기초자산 유형별 사용권자산의 장부금액

리스이용자가 기준서 제1016호를 적용하여 사용권자산을 재평가금액으로 측정하는 경우에, 해당 사용권자산에 대하여 기준서 제1016호에서 요구하는 다음 정보를 공시한다(기준서 제1116호 문단 57).

① 재평가기준일

② 독립적인 평가인이 평가에 참여했는지 여부

③ 재평가된 유형자산의 유형별로 원가모형으로 평가되었을 경우 장부금액

④ 재평가잉여금의 변동과 재평가잉여금에 대한 주주배당제한

리스이용자는 다른 금융부채의 만기분석과는 별도로 기업회계기준서 제1107호 '금융상품 : 공시'의 유동성위험 공시 요구사항을 적용하여 리스부채의 만기분석 내용을 공시한다(기준서 제1116호 문단 58).

리스이용자는 공시 목적을 이루기 위하여 필요한, 리스 활동에 대한 추가 질적·양적 정보를 공시한다. 이 추가 정보는 재무제표이용자가 다음을 파악할 때 필요한 정보를 포함할 수 있으나 이에 한정되지는 않는다(기준서 제1116호 문단 59).

① 리스이용자의 리스 활동의 특성

② 리스이용자가 잠재적으로 노출되어 있으나 리스부채의 측정치에는 반영되지 않은 미래 현금유출. 이는 다음 항목에서 생기는 익스포저를 포함한다.

　㉠ 변동리스료

　㉡ 연장선택권과 종료선택권

　㉢ 잔존가치보증

　㉣ 리스이용자가 약정하였으나 아직 개시되지 않은 리스

③ 리스에서 부과하는 제약 또는 규약

④ 판매후 리스거래

단기리스나 소액자산 리스에 인식과 측정의 면제 규정을 적용하는 리스이용자는 그 사실을 공시한다.

리스제공자의 회계처리

　기준서 제1116호 '리스'의 리스 식별과 관련된 요구사항들(리스의 정의, 계약 구성요소의 분리, 계약의 결합, 리스기간 등)은 리스제공자 회계처리에도 전반적인 영향을 미치게 된다. 이러한 전반적인 영향을 제외하고는 기준서 제1116호 '리스'는 과거 리스기준서와 비교하여 리스제공자의 회계처리에는 중요한 변화가 없다. 리스제공자 회계처리의 가장 큰 틀인 금융리스와 운용리스의 분류는 여전히 유효하다. 기초자산의 소유에 따른 위험과 보상이 대부분 이전되었는지 여부에 따라 금융리스 또는 운용리스 분류하고 회계처리가 이루어진다.

　금융리스의 경우 리스제공자는 리스이용자로부터 수령할 리스료와 무보증잔존가치의 현재가치의 합계액인 리스 순투자금액과 동일한 금액을 리스채권으로 인식한다. 리스계약이 운용리스로 분류되는 경우에는 리스제공자는 계속해서 기초자산을 자신의 재무상태표에 인식하게 된다.

1. 리스의 분류

　리스제공자는 각 리스를 운용리스 아니면 금융리스로 분류한다(기준서 제1116호 문단 61). 기초자산의 소유에 따른 위험과 보상의 대부분(substantially all)을 이전하는 리스는 금융리스로 분류한다. 기초자산의 소유에 따른 위험과 보상의 대부분을 이전하지 않는 리스는 운용리스로 분류한다(기준서 제1116호 문단 62).

　리스는 리스약정일에 분류하며 리스변경이 있는 경우에만 분류를 다시 판단한다. 추정의 변경(예 : 기초자산의 내용연수 또는 잔존가치 추정치의 변경)이나 상황의 변화(예 : 리스이용자의 채무불이행)는 회계 목적상 리스를 새로 분류하는 원인이 되지 않는다(기준서 제1116호 문단 66).

　리스가 금융리스인지 운용리스인지는 계약의 형식보다는 거래의 실질에 달려있다. 리스가 일반적으로 금융리스로 분류되는 상황(개별적으로나 결합되어)의 예는 다음과 같다(기준서 제1116호 문단 63).
　① 리스기간 종료시점 이전에 기초자산의 소유권이 리스이용자에게 이전되는 리스
　② 리스이용자가 선택권을 행사할 수 있는 날의 공정가치보다 충분히 낮을 것으로 예상되는 가격으로 기초자산을 매수할 수 있는 선택권을 가지고 있고, 그 선택권을 행사할 것이 리스약정일 현재 상당히 확실한 경우

③ 기초자산의 소유권이 이전되지는 않더라도 리스기간이 기초자산의 경제적 내용연수의 상당 부분(major part)을 차지하는 경우

④ 리스약정일 현재, 리스료의 현재가치가 적어도 기초자산 공정가치의 대부분에 해당하는 경우

⑤ 기초자산이 특수하여 해당 리스이용자만이 주요한 변경 없이 사용할 수 있는 경우

또한, 상기의 금융리스로 분류되는 상황의 예에 해당되지 않을지라도 리스가 금융리스로 분류될 수 있는 상황의 지표(개별적으로나 결합되어)는 다음과 같다(기준서 제1116호 문단 64).

① 리스이용자가 리스를 해지할 수 있는 경우에 리스이용자가 해지에 관련되는 리스제공자의 손실을 부담하는 경우

② 잔존자산의 공정가치 변동에서 생기는 손익이 리스이용자에게 귀속되는 경우(예 : 리스 종료시점에 매각대가의 대부분에 해당하는 금액이 리스료 환급의 형태로 리스이용자에게 귀속되는 경우)

③ 리스이용자가 시장리스료보다 현저하게 낮은 리스료로 다음 리스기간에 리스를 계속할 능력이 있는 경우

금융리스로 분류되는 상황의 예시나 지표가 항상 결정적인 것은 아니다. 계약의 다른 속성들을 고려할 때 기초자산의 소유에 따른 위험과 보상의 대부분을 이전하지 않는다는 점이 분명하다면 그 리스는 운용리스로 분류한다. 예를 들면 다음과 같은 경우가 이에 해당할 수 있다(기준서 제1116호 문단 65).

① 리스기간 종료시점에 기초자산의 소유권을 그 시점의 공정가치에 해당하는 변동지급액으로 이전하는 경우

② 변동리스료가 있고 그 결과로 리스제공자가 기초자산의 소유에 따른 위험과 보상의 대부분을 이전하지 않는 경우

2. 금융리스

(1) 최초 인식과 측정

리스제공자는 리스개시일에 금융리스에 따라 보유하는 자산을 재무상태표에 인식하고 그 자산을 리스순투자와 동일한 금액의 수취채권으로 표시한다(기준서 제1116호 문단 67).

리스개시일에 리스순투자의 측정치에 포함되는 리스료는, 리스기간에 걸쳐 기초자산을 사용하는 권리에 대한 지급액 중 리스개시일 현재 지급받지 않은 다음 금액으로 구

성된다(기준서 제1116호 문단 70). 리스제공자는 리스순투자를 측정할 때 리스의 내재이자율을 사용한다(기준서 제1116호 문단 68).

① 고정리스료(실질적인 고정리스료를 포함하고, 지급할 리스 인센티브는 차감)

② 지수나 요율(이율)에 따라 달라지는 변동리스료. 처음에는 리스개시일의 지수나 요율(이율)을 사용하여 측정한다.

③ 잔존가치보증에 따라 리스이용자, 리스이용자의 특수관계자, 리스제공자와 특수관계에 있지 않고 보증의무를 이행할 재무적 능력이 있는 제삼자가 리스제공자에게 제공하는 잔존가치보증

④ 리스이용자가 매수선택권을 행사할 것이 상당히 확실한 경우에 그 매수선택권의 행사가격

⑤ 리스기간이 리스이용자의 종료선택권 행사를 반영하는 경우에 그 리스를 종료하기 위하여 부담하는 금액

제조자 또는 판매자인 리스제공자가 부담하는 것이 아니라면 리스개설직접원가는 리스순투자의 최초 측정치에 포함되어 리스기간에 걸쳐 인식되는 수익 금액을 줄인다. 리스개설직접원가가 자동적으로 리스순투자에 포함되도록 리스의 내재이자율이 정의되었으므로 리스개설직접원가를 별도로 더할 필요가 없다(기준서 제1116호 문단 69).

(2) 후속 측정

리스제공자는 자신의 리스순투자 금액에 일정한 기간수익률을 반영하는 방식으로 리스기간에 걸쳐 금융수익을 인식한다(기준서 제1116호 문단 75). 리스제공자는 체계적이고 합리적인 기준으로 리스기간에 걸쳐 금융수익이 배분되도록 한다. 리스제공자는 해당 기간의 리스료를 리스총투자에 대응시켜 원금과 미실현 금융수익을 줄인다(기준서 제1116호 문단 76).

> 사례
>
> • 리스기간 : 20×1년 6월 30일로부터 7년
> • 리스료 : 매년 1,787백만원(선취조건)
> • 자산원가 : 10,000백만원
> • 기대잔존가치 : 없음.
> • 리스제공자의 회계기간 : 12월 31일
> ① 리스제공자의 내재수익률을 계산한다 : 8.1928%

(단위: 백만원)

일자	현금흐름	상각액	장부금액
20×1년 6월 30일	10,000	–	10,000
20×1년 6월 30일	(1,787)	–	8,213
20×2년 6월 30일	(1,787)	673	7,099
20×3년 6월 30일	(1,787)	582	5,894
20×4년 6월 30일	(1,787)	483	4,590
20×5년 6월 30일	(1,787)	376	3,179
20×6년 6월 30일	(1,787)	260	1,652
20×7년 6월 30일	(1,787)	135	–
	(2,509)	2,509	

② 6개월 기준의 이자율은 4.0158%이다($(1.081928)^{1/2} = 1.040158$).

③ 이자수익의 배분

(단위: 백만원)

일자	개시일의 리스순투자	이자수익	리스료	종료일의 리스순투자	연간 이자수익
20×1년 12월 31일	8,213	330	–	8,543	330
20×2년 6월 30일	8,543	343	(1,787)	7,099	–
20×2년 12월 31일	7,099	285	–	7,384	628
20×3년 6월 30일	7,384	297	(1,787)	5,894	–
20×3년 12월 31일	5,894	237	–	6,131	534
20×4년 6월 30일	6,131	246	(1,787)	4,590	–
20×4년 12월 31일	4,590	184	–	4,774	430
20×5년 6월 30일	4,774	192	(1,787)	3,179	–
20×5년 12월 31일	3,179	128	–	3,307	320
20×6년 6월 30일	3,307	133	(1,787)	1,653	–
20×6년 12월 31일	1,653	66	–	1,719	199
20×7년 6월 30일	1,719	68	(1,787)	–	–
20×7년 12월 31일	–	–	–	–	68
					2,509

리스제공자는 리스총투자를 계산할 때 사용한 추정 무보증잔존가치를 정기적으로 검토한다. 추정 무보증잔존가치가 줄어든 경우에 리스제공자는 리스기간에 걸쳐 수익 배분액을 조정하고 발생된 감소액을 즉시 인식한다. 리스제공자는 리스순투자에 기업회계기준서 제1109호의 제거 및 손상에 대한 요구사항을 적용한다(기준서 제1116호 문단 77).

추정무보증잔존가치가 감소한 경우

20×1년 1월 1일(약정일 겸 리스개시일)에 A사(리스제공자)는 고객인 B사(리스이용자)와 해지불능리스계약을 체결하였다. A사는 해당 리스계약을 금융리스로 분류한다.

이 리스계약과 관련된 자료는 다음과 같다.

(1) 자산의 취득원가(=리스개시일의 공정가치) : 53,000,000원

(2) 자산의 내용연수 : 4년

(3) 3년 후 추정잔존가치 : 5,000,000원(20×1. 12. 31. 현재 3,000,000원으로 추정변경)

(4) 리스기간 : 3년, 만기일은 20×3년 12월 31일

(5) 리스제공자의 리스개설직접원가 : 494,000원

(6) 연간 리스료 : 매년 말에 20,000,000원씩 3차례 지급

(7) 잔존가치보증 : 3,000,000원(소유권이전약정과 염가매수선택권은 없음)

이 리스계약과 관련하여 리스개시일(20×1. 1. 1.)과 1차 연도 말(20×1. 12. 31.)에 행할 A사(리스제공자)의 회계처리는 다음과 같다.

〈회계처리〉

• 리스료 : 연간 리스료 60,000,000원(=20,000,000원×3년)과 잔존가치보증 3,000,000원

• 내재이자율 : 리스료와 무보증잔존가치(2,000,000원)의 현재가치를 자산의 공정가치와 리스개설직접원가의 합계액과 일치시키는 할인율=연간 10%

$$53,494,000 = \frac{20,000,000}{1+r} + \frac{20,000,000}{(1+r)^2} + \frac{20,000,000}{(1+r)^3} + \frac{5,000,000}{(1+r)^3}$$

〈리스제공자의 상각표〉 추정잔존가치가 5,000,000원인 경우

(단위 : 천원)

연도	기초채권	발생이자(10%)	리스료수령액	원금회수액	기말채권
20×1	53,494	5,349	20,000	14,651	38,843
20×2	38,843	3,884	20,000	16,116	22,727
20×3	22,727	2,273	20,000	17,727	5,000[*]

* 리스자산의 추정잔존가치임.
** 천원 이하 반올림함.

〈리스제공자의 상각표〉 추정잔존가치가 3,000,000원인 경우

(단위 : 천원)

연도	기초채권	발생이자 (10%)	리스료 수령액	원금 회수액	기말채권	채권 감소액	감소 후 잔액
20×1	53,494	5,349	20,000	14,651	38,843	1,653	37,190
20×2	37,190	3,719	20,000	16,281	20,909		
20×3	20,909	2,091	20,000	17,909	3,000[*]		

* 리스자산의 추정잔존가치임.
** 천원 이하 반올림함.

〈회계처리〉

• 20×1. 1. 1.

(차) 금 융 리 스 채 권　　53,494,000[1]　(대) 선 급 리 스 자 산　　53,000,000

현금(리스개설직접원가)　　494,000

　　주1) 선급리스자산 53,000,000 + 현금 등(리스개설직접원가) 494,000 = 53,494,000원

• 20×1. 12. 31.

(차) 현　　　　　　　금　　20,000,000[2]　(대) 이　자　수　익　　5,349,000

금 융 리 스 채 권　　14,651,000

(차) 당　기　손　익　　1,653,000[3]　(대) 금 융 리 스 채 권　　1,653,000

　　주2) 금융리스채권 기초잔액 53,494,000 × 10% = 5,349,000원(천원 이하 반올림함)

　　주3) 추정무보증잔존가치 감소액 2,000,000원을 내재이자율 10%로 할인한 현재가치(천원 이하 반올림)임.

(3) 제조자나 판매자인 리스제공자

제조자 또는 판매자인 리스제공자는 리스개시일에 각 금융리스에 대하여 다음을 인식한다(기준서 제1116호 문단 71).

① 기초자산의 공정가치와, 리스제공자에게 귀속되는 리스료를 시장이자율로 할인한 현재가치 중 적은 금액으로 수익을 인식한다.

② 기초자산의 원가(원가와 장부금액이 다를 경우에는 장부금액)에서 무보증잔존가치의 현재가치를 뺀 금액을 매출원가로 인식한다.

③ 기준서 제1115호를 적용하는 일반 판매에 대한 리스제공자의 회계정책에 따라 매출손익(수익과 매출원가의 차이)을 인식한다. 제조자 또는 판매자인 리스제공자는 기준서 제1115호에서 기술하는 바와 같이 리스제공자가 기초자산을 이전하는지에 관계없이 리스개시일에 금융리스에 대한 매출손익을 인식한다.

제조자나 판매자는 흔히 고객이 자산의 구매나 리스 중 하나를 선택할 수 있게 하기도 한다. 제조자 또는 판매자인 리스제공자가 제공하는 자산을 금융리스하는 경우에, 적용할 수 있는 수량할인 또는 거래할인을 반영한 정상 판매가격으로 기초자산을 일반 판매하여 생기는 손익과 동일한 손익이 생기게 된다(기준서 제1116호 문단 72).

제조자 또는 판매자인 리스제공자는 고객을 끌기 위하여 의도적으로 낮은 이자율을 제시하기도 한다. 이러한 낮은 이자율의 사용은 리스제공자가 거래에서 생기는 전체 이익 중 과도한 부분을 리스개시일에 인식하는 결과를 가져온다. 의도적으로 낮은 이자율을 제시하는 경우라면 제조자 또는 판매자인 리스제공자는 시장이자율을 부과하였을 경우의 금액으로 매출이익을 제한한다(기준서 제1116호 문단 73).

제조자 또는 판매자인 리스제공자는 금융리스 체결과 관련하여 부담하는 원가를 리스개시일에 비용으로 인식한다. 그 원가는 주로 제조자 또는 판매자인 리스제공자가 매출이익을 벌어들이는 일과 관련되기 때문이다. 제조자 또는 판매자인 리스제공자가 금융리스 체결과 관련하여 부담하는 원가는 리스개설직접원가의 정의에서 제외되고, 따라서 리스순투자에서도 제외된다(기준서 제1116호 문단 74).

사례 의도적으로 낮은 이자율을 제시한 경우

A회사는 기계장치를 제조하는 회사이다. B사는 A사가 만든 기계장치를 이용하여 X라는 제품을 만들어 도·소매업자에게 판매한다. A사는 금융리스 형식으로 B사에게 기계장치 1대를 판매하였다.

- 리스자산 : 장부금액 9,000,000원, 공정가치 10,000,000원, 내용연수 4년, 잔존가치 없음.
- 리스기간 : 20×1. 1. 1.부터 4년간
- 리스료 : 매년 말 3,293,000원
- 리스의 종류 : 금융리스
- 리스제공자의 이자율 : 당해 리스시 제시한 이자율 12%, 시장이자율 16%
- 연금현가계수 : n=4, 12%인 경우 3.03735, n=4, 16%인 경우 2.79818

당해 리스와 관련하여 리스제공자가 20×1년도에 해야 할 회계처리는 다음과 같다. 다만, 리스제공자의 보고기간종료일은 매년 12월 31일이다.

〈회계처리〉

- 20×1. 1. 1. 회계처리

(차) 금 융 리 스 채 권	9,214,000	(대) 매 출	9,214,000[1]
매 출 원 가	9,000,000	기 계 장 치	9,000,000

주1) 3,293,000×2.79818(n=4, 16% 연금현가계수)=9,214,000

- 20×1. 12. 31. 회계처리

(차) 현 금	3,293,000	(대) 금융리스이자수익	1,474,240[2]
		금 융 리 스 채 권	1,818,760[3]

주2) 9,214,000×0.16=1,474,240
주3) 3,293,000−1,474,240=1,818,760

(4) 리스 변경

리스제공자는 다음 조건을 모두 충족하는 금융리스의 변경을 별도 리스로 회계처리한다(기준서 제1116호 문단 79).

① 하나 이상의 기초자산 사용권이 추가되어 리스의 범위가 넓어진다.

② 넓어진 리스 범위의 개별 가격에 상응하는 금액과 특정한 계약의 상황을 반영하여

그 개별 가격에 적절히 조정하는 금액만큼 리스대가가 증액된다.

별도 리스로 회계처리하지 않는 금융리스의 변경에 대하여 리스제공자는 다음과 같이 그 변경을 회계처리한다(기준서 제1116호 문단 80).

① 변경이 리스약정일에 유효하였다면 그 리스를 운용리스로 분류하였을 경우에, 리스제공자는 다음과 같이 처리한다.

㉠ 리스변경을 변경 유효일부터 새로운 리스로 회계처리한다.

㉡ 기초자산의 장부금액을 리스변경 유효일 직전의 리스순투자로 측정한다.

② 그 밖에는 기준서 제1109호 '금융상품'의 요구사항을 적용한다.

(5) 공 시

리스제공자는 금융리스와 관련하여 보고기간의 다음 금액을 공시한다(기준서 제1116호 문단 90).

① 매출손익

② 리스순투자의 금융수익

③ 리스순투자 측정치에 포함되지 않은 변동리스료에 관련되는 수익

리스제공자는 금융리스 순투자 장부금액의 유의적인 변동에 대한 질적·양적 설명을 제공한다(기준서 제1116호 문단 93).

리스제공자는 금융리스채권의 만기분석 내용을 공시한다. 이 만기분석에서는 적어도 처음 5년간 매년 연간 기준으로 받게 될 할인되지 않은 리스료와 나머지 기간에 받게 될 총 리스료를 보여준다. 리스제공자는 할인되지 않은 리스료를 리스순투자로 조정하는 내용을 공시한다. 이 조정 내용에서는 리스채권에 관련되는 미실현 금융수익과 할인된 무보증잔존가치를 식별한다(기준서 제1116호 문단 94).

3. 운용리스

(1) 운용리스자산

운용리스의 경우 리스물건의 사용권이 리스이용자에게 부여된다 하더라도 소유에 따른 효익과 보상이 리스제공자에게 있기 때문에 리스제공자가 리스물건을 자산으로 계상하고 감가상각도 하여 수익과 그에 대응하는 비용을 인식하여야 한다.

리스제공자는 기초자산의 특성에 따라 재무상태표에 운용리스 대상 기초자산을 표시한다(기준서 제1116호 문단 88). 이에 따라 대부분의 경우 자산은 유형자산 또는 투자부동산

으로 기록될 것이다.

리스제공자의 운용리스자산 관련 분개를 예시하면 다음과 같다.

<리스자산취득일>

(차) 선 급 리 스 자 산　　　×××　　(대) 현　　　　　금　　　×××

<리스개시일>

(차) 운 용 리 스 자 산　　　×××　　(대) 선 급 리 스 자 산　　　×××

(2) 운용리스 회계처리

리스제공자는 정액 기준이나 다른 체계적인 기준으로 운용리스의 리스료를 수익으로 인식한다. 다른 체계적인 기준이 기초자산의 사용으로 생기는 효익이 감소되는 형태를 더 잘 나타낸다면 리스제공자는 그 기준을 적용한다(기준서 제1116호 문단 81). 그러나 실무적으로는 정액법 이외의 다른 체계적 기준을 사용하는 일은 거의 없다.

리스제공자는 운용리스 체결 과정에서 부담하는 리스개설직접원가를 기초자산의 장부금액에 더하고 리스료 수익과 같은 기준으로 리스기간에 걸쳐 비용으로 인식한다(기준서 제1116호 문단 83).

리스제공자는 리스료 수익 획득 과정에서 부담하는 원가(감가상각비를 포함함)를 비용으로 인식한다(기준서 제1116호 문단 82). 운용리스자산은 리스제공자가 소유에 따른 위험과 보상을 수반하면서 자산의 내용연수에 걸쳐 사용할 목적으로 보유하는 것이므로, 운용리스에 해당하는 감가상각 대상 기초자산의 감가상각 정책은 리스제공자가 소유한 비슷한 자산의 보통 감가상각 정책과 일치해야 하며 리스제공자는 감가상각비를 기준서 제1016호 '유형자산'과 기준서 제1038호 '무형자산'에 따라 계산한다(기준서 제1116호 문단 84).

리스제공자는 운용리스의 대상이 되는 기초자산이 손상되었는지를 판단하고, 식별되는 손상차손을 회계처리하기 위하여 기준서 제1036호 '자산손상'을 적용한다(기준서 제1116호 문단 85).

제조자 또는 판매자인 리스제공자의 운용리스 체결은 판매와 동등하지 않으므로 운용리스 체결 시점에 매출이익을 인식하지 않는다(기준서 제1116호 문단 86).

(3) 리스 변경

리스제공자는 운용리스의 변경을 변경 유효일부터 새로운 리스로 회계처리한다. 이 경우에 변경 전 리스에 관련하여 선수하였거나 발생한(미수) 리스료를 새로운 리스의 리스료의 일부로 본다(기준서 제1116호 문단 87).

(4) 공시

리스제공자는 운용리스와 관련하여 보고기간의 리스수익을 공시한다. 지수나 요율(이율)에 따라 달라지지 않는 변동리스료 관련 수익은 별도로 공시한다(기준서 제1116호 문단 90).

리스제공자는 리스료의 만기분석 내용을 공시한다. 이 만기분석에서는 적어도 처음 5년간 매년 연간 기준으로 받게 될 할인되지 않은 리스료와 나머지 기간에 받게 될 총리스료를 보여준다(기준서 제1116호 문단 97).

리스제공자는 운용리스 대상 유형자산 항목에 기준서 제1016호의 공시 요구사항을 적용한다. 기준서 제1016호의 공시 요구사항을 적용할 때, 리스제공자는 유형자산의 각 유형을 운용리스 대상 자산과 그 밖의 자산으로 구분한다. 따라서 리스제공자는 보유하고 사용하는 소유 자산과는 별도로 운용리스 대상 자산에 대하여 (기초자산 유형별로) 기준서 제1016호에서 요구하는 내용을 공시한다(기준서 제1116호 문단 95).

리스제공자는 운용리스 대상 자산에 기준서 제1036호 '자산손상', 제1038호 '무형자산', 제1040호 '투자부동산', 제1041호 '농림어업'의 공시 요구사항을 적용한다(기준서 제1116호 문단 96).

4. 금융리스와 운용리스의 비교

일반적인 상황에서의 리스제공자의 회계처리 내용을 금융리스와 운용리스로 비교하여 보면 다음과 같다.

구 분	금융리스	운용리스
리스자산 취득일	(차) 선급리스자산　××× 　　(대) 현금및현금성자산 ×××	(차) 선급리스자산　××× 　　(대) 현금및현금성자산 ×××
리스 실행일	(차) 금융리스채권　××× 　처 분 손 익　××× 　　(대) 선급리스자산　×××	(차) 운용리스자산　××× 　　(대) 선급리스자산　×××
결산일	(차) 금융리스채권　××× 　　(대) 이 자 수 익　×××	(차) 미 수 수 익　××× 　　(대) 운용리스료수익　××× (차) 감가상각비 　　(대) 감가상각누계액　×××
리스료 수취일	(차) 현금및현금성자산 ××× 　　(대) 이 자 수 익　××× 　　　금융리스채권　×××	(차) 현금및현금성자산 ××× 　　(대) 운용리스료수익　×××

세무회계상 유의사항

1. 금융리스

법인세법은 리스이용자가 리스로 인하여 수입하거나 지급하는 리스료(리스개설직접 원가는 제외)의 익금과 손금의 귀속사업연도는 한국채택국제회계기준에서 정하는 바에 따르되, 금융리스 외의 리스자산(법령 24조 5항)에 대한 리스료의 경우에는 리스기간에 걸쳐 정액기준으로 손금에 산입한다고 규정하고 있으며(법칙 35조 1항), 그 구체적인 내용은 아래와 같다.

(1) 리스회사의 익금산입

리스회사는 당해 리스물건의 리스실행일 현재의 취득가액 상당액을 리스이용자에게 금전으로 대여한 것으로 보아 대금결제조건에 따라 영수하기로 한 리스료 수입 중 이자 상당액을 각 사업연도 소득금액 계산상 익금에 산입하여야 하며, 익금의 귀속사업연도 는 한국채택국제회계기준에서 정하는 바에 의한다(법칙 35조 1항 및 법기통 23-24…1 1항 1호, 4항).

여기서 이자상당액이라 함은 리스실행일 현재의 계약과 관련하여 최소리스료 중 이 자율법에 의하여 계산한 이자상당액과 조정리스료를 말한다(법기통 23-24…1 1항 3호).

(2) 리스이용자의 손금산입

리스이용자는 당해 리스물건의 리스실행일 현재의 취득가액 상당액을 리스회사로부 터 차입하여 동 리스물건을 구입(설치비 등 취득부대비용 포함)한 것으로 보아 소유자 산과 동일한 방법으로 감가상각한 당해 리스자산의 감가상각비와 대금결제조건에 따라 지급하기로 한 리스료 중 차입금에 대한 이자상당액을 각 사업연도 소득금액 계산상 손 금에 산입하여야 하며, 손금의 귀속사업연도는 한국채택국제회계기준에서 정하는 바에 의한다(법칙 35조 1항 및 법기통 23-24…1 1항 2호, 4항).

여기서 이자상당액이라 함은 리스실행일 현재의 계약과 관련하여 최소리스료 중 이 자율법에 의하여 계산한 이자상당액과 조정리스료를 말하며, 동 이자상당액은 금융보험 업자에게 지급하는 이자로 보아 이자소득에 대한 법인세를 원천징수하지 아니한다(법기 통 23-24…1 1항 2호·3호).

(3) 리스개설직접원가

한국채택국제회계기준에 따르면, 리스개설직접원가는 리스를 체결하지 않았더라면 부담하지 않았을 리스체결의 증분원가로(금융리스와 관련하여 제조자 또는 판매자인 리스제공자가 부담하는 원가는 제외), 제조자 또는 판매자인 리스제공자가 부담하는 것이 아니라면 리스개설직접원가는 금융리스채권의 최초 측정치에 포함하고 리스이용자가 부담하는 리스개설직접원가는 사용권자산의 원가에 가산하도록 규정하고 있다.

이와 관련하여, 법인세법 시행규칙 제35조 제1항에서는 리스로 인하여 수입하거나 지급하는 리스료의 익금과 손금의 귀속사업연도는 기업회계기준으로 정하는 바에 따르되 리스개설직접원가는 제외하도록 하고 있으며, 기획재정부 유권해석 및 법인세법 기본통칙에서는 여신전문금융업법에 따른 여신전문금융회사가 판매사원과 체결한 업무위임약정에 따라 리스계약과 관련된 알선용역을 제공받고 판매사원에게 지급하는 리스알선수수료(한국채택국제회계기준상 리스개설직접원가)는 법인세법 시행령 제69조에 따른 귀속사업연도에 손금으로 산입하도록 하고 있다(재법인-258, 2012. 4. 3. ; 법기통 40-69…9). 결국, 한국채택국제회계기준에 따라 리스개설직접원가를 금융리스채권의 최초인식액에 포함하거나 사용권자산의 원가에 가산하는 경우에는 법인세법상 손금의 귀속사업연도에 손금산입(△유보 처분)한 후 후속적으로 이자수익을 인식하거나 감가상각하는 시점에 손금불산입(유보 처분)하는 세무조정이 필요할 것이다.

(4) 판매형리스의 손익인식

한국채택국제회계기준에 의한 판매형리스가 금융리스에 해당되는 경우 리스자산은 리스이용자의 감가상각자산으로 보는 것이며, 이 경우 제조자 또는 판매자인 리스제공자는 리스자산 판매에 따른 매출손익과 리스기간 동안의 이자수익을 인식하여야 한다(법인-1233, 2009. 11. 5.).

(5) 금융리스자산의 감가상각

금융리스의 자산은 리스이용자의 감가상각자산으로 하며, 소유자산과 동일한 방법으로 감가상각한 당해 리스자산의 감가상각비를 손금에 산입한다. 한편, 자산유동화에 관한 법률에 의한 유동화전문회사가 동법에 의한 자산유동화계획에 따라 금융리스의 자산을 양수한 경우에도 당해 자산에 대하여는 리스이용자의 감가상각자산으로 한다(법령 24조 5항, 6항 및 법기통 23-24…1 1항 2호).

(6) 중도해지시

리스계약이 중도해지된 경우 리스계약의 해지로 회수한 당해 리스자산의 가액은 해지일 이후에 회수기일이 도래하는 금융리스채권액으로 하며, 해당 리스계약의 해지와 관련하여 임차인 및 보증인 등으로부터 회수가능한 금액은 익금에 산입한다. 다만, 회수된 리스자산의 시가가 그 금융리스채권액에 미달하는 경우에는 그 차액을 손금에 산입한다. 이 경우 익금 및 손금의 귀속사업연도는 한국채택국제회계기준에서 정하는 바에 의한다(법기통 23-24…1 3항 1호, 4항).

(7) 외화자산·부채의 평가차손익

리스에 관련한 리스회사와 리스이용자의 외화자산·부채의 평가차손익은 법인세법 시행령 제76조의 규정에 의하여 처리한다(법기통 23-24…1 5항).

(8) 대손충당금 설정대상금액

금융리스의 경우 법인세법 제34조 및 동법 시행령 제61조의 대손충당금 설정대상금액은 금융리스채권의 미회수잔액과 약정에 의한 지급일이 경과한 이자상당액의 미수금 합계액으로 한다(법기통 23-24…1 6항 1호).

2. 운용리스

(1) 리스회사의 익금인식

리스회사는 대금결제조건에 따라 영수할 최소리스료와 조정리스료(금액이 확정되지는 않았지만 기간경과 외의 요소의 미래발생분을 기초로 결정되는 리스료 부분)를 각 사업연도의 소득금액 계산상 익금에 산입하며, 익금의 귀속사업연도는 한국채택국제회계기준에서 정하는 바에 의한다. 한편, 외화로 표시된 리스계약의 경우 최소리스료는 외화금액을 기준으로 한다(법칙 35조 1항 및 법기통 23-24…1 1항 3호, 2항 1호·4호, 4항).

(2) 리스개설직접원가

이와 관련하여 세무상 유의할 사항은 금융리스 부분에서 설명한 바 있으므로 이를 참조하기로 한다.

(3) 리스이용자의 손금인식

리스이용자는 대금결제조건에 따라 지급할 최소리스료와 조정리스료를 각 사업연도의 소득금액 계산상 손금에 산입하며, 손금의 귀속사업연도는 한국채택국제회계기준에서 정하는 바에 따르되, 운용리스(법령 24조 5항)에 대한 리스료의 경우에는 리스기간에 걸쳐 정액기준으로 손금에 산입한다. 한편, 외화로 표시된 리스계약의 경우 최소리스료는 외화금액을 기준으로 한다(법칙 35조 1항 및 법기통 23-24…1 2항 2호·4호, 4항).

한국채택국제회계기준서(K-IFRS) 제1116호에서는 리스이용자는 리스의 분류와 관계없이 리스사용권자산을 인식하도록 하고 있으나, 현행 법인세법에서는 "리스회사가 대여하는 리스자산 중 기업회계기준에 따른 금융리스의 자산은 리스이용자의 감가상각자산으로, 금융리스 외의 리스자산은 리스회사의 감가상각자산으로 하고, 한국채택국제회계기준을 적용하는 법인의 금융리스 외의 리스자산(법령 24조 5항)에 대한 리스료의 경우에는 리스기간에 걸쳐 정액기준으로 손금에 산입"하는 것으로 규정하고 있는 바(법령 24조 5항 및 법칙 35조 1항), 한국채택국제회계기준(기준서 제1116호)에 따른 운용리스의 이용자가 인식한 리스사용권자산의 감가상각비는 법인세법상 손금에 산입할 수 없다 사료되고, 운용리스의 이용자가 리스회사에 지급한 리스료는 리스기간에 걸쳐 정액기준으로 손금에 산입하는 것이 타당할 것으로 보인다.

(4) 운용리스자산의 감가상각

운용리스자산은 리스회사의 감가상각자산으로 하며, 리스자산에 대한 감가상각비는 법인세법 시행령 제26조의 규정에 따라 계산한 금액을 한도로 손금산입한다. 이 경우 리스자산에 대한 내용연수는 법인세법 시행규칙 별표 5의 건축물 등 및 별표 6의 업종별 자산의 기준내용연수 및 내용연수범위를 적용한다(법기통 23-24…1 2항 3호).

(5) 금융비용의 자본화

리스회사가 리스자산을 취득함에 따라 소요된 건설자금의 이자에 대하여는 법인세법 시행령 제52조의 규정에 따라 자본적 지출로 계상한다(법기통 23-24…1 2항 5호).

(6) 리스이용자의 일부 부담분

리스이용자가 리스물건 취득가액의 일부를 부담할 경우 리스이용자는 동 금액을 선급비용으로 계상하고, 리스기간에 안분하여 손금에 산입한다(법기통 23-24…1 2항 6호).

(7) 중도해지

리스계약이 중도해지된 경우 리스회사는 당해 리스계약과 관련하여 리스이용자 또는 보증인으로부터 회수가능한 금액을 익금에 산입하며, 익금의 귀속사업연도는 한국채택 국제회계기준에서 정하는 바에 의한다(법칙 35조 1항 및 법기통 23-24…1 3항 2호, 4항).

(8) 외화자산ㆍ부채의 평가차손익

리스에 관련한 리스회사와 리스이용자의 외화자산ㆍ부채의 평가차손익은 법인세법 시행령 제76조의 규정에 의하여 처리한다(법기통 23-24…1 5항).

(9) 대손충당금 설정대상금액

운용리스의 경우 법인세법 제34조 및 동법 시행령 제61조의 대손충당금 설정대상금 액은 약정에 의한 지급일이 경과한 리스료 미회수액으로 한다(법기통 23-24…1 6항 2호).

Chapter 03 리스의 기타 사항

1. 전대리스

과거 리스기준서에서 전대리스가 금융리스인지 운용리스인지는 기초자산을 기준으로 분류하였다. 반면, 기준서 제1116호는 리스제공자가 사용권자산을 기준으로 전대리스를 분류할 것을 요구하고 있다. 일반적으로 사용권자산의 공정가치나 내용연수는 기초자산의 공정가치보다 낮거나 기초자산의 내용연수보다 짧기 때문에 전대리스가 금융리스로 분류될 가능성이 더 높아진 것이다.

전대리스를 분류할 때, 중간리스제공자는 다음과 같은 방법으로 전대리스를 금융리스 아니면 운용리스로 분류한다(기준서 제1116호 문단 B58).

① 상위리스가 리스이용자인 기업이 인식과 측정의 면제규정을 적용하여 회계처리하는 단기리스인 경우에, 그 전대리스는 운용리스로 분류한다.

② 그 밖의 경우에는 기초자산(예 : 리스 대상인 유형자산)이 아니라 상위리스에서 생기는 사용권자산에 따라 전대리스를 분류한다.

전대리스(sublease)의 경우에 전대리스의 내재이자율을 쉽게 산정할 수 없다면, 중간리스제공자는 전대리스의 순투자를 측정하기 위하여 상위리스(head lease)에 사용된 할인율(전대리스에 관련되는 리스개설직접원가를 조정함)을 사용할 수 있다(기준서 제1116호 문단 68).

전대리스의 리스제공자는 동시에 상위리스의 리스이용자이기 때문에 상위리스에서 발생한 사용권자산과 리스부채를 재무상태표에 인식해야 한다. 전대리스가 운용리스로 분류되면 리스제공자는 사용권자산과 리스부채를 계속 재무상태표에 인식하고, 전대리스가 금융리스로 분류되면 사용권자산을 제거하고 리스채권을 인식한다.

이때 상위리스에서 발생하는 리스부채와 전대리스에서 발생하는 리스채권은 상계 표시할 수 없으며 손익계산서에 상위리스에서 발생하는 리스비용과 전대리스에서 발생하는 리스수익 역시 상계 표시할 수 없으며 총액으로 표시하여야 한다.

리스이용자가 자산을 전대리스(sublease)하거나 전대리스할 것으로 예상하는 경우에 상위리스(head lease)는 소액자산 리스에 해당하지 않는다(기준서 제1116호 문단 B7).

2. 판매 후 리스거래

(1) 기업회계상 회계처리

① 개 요

기업(판매자-리스이용자)이 다른 기업(구매자-리스제공자)에 자산을 이전하고 그 구매자-리스제공자에게서 그 자산을 다시 리스하는 경우에, 기업은 자산 이전을 자산의 판매로 회계처리할지를 판단하기 위하여 수행의무의 이행시기 판단에 대한 기준서 제1115호 '고객과의 계약에서 생기는 수익'의 요구사항을 적용한다(기준서 제1116호 문단 99).

② 자산 이전이 판매인 경우

판매자-리스이용자가 행한 자산 이전이 자산의 판매로 회계처리하게 하는 기준서 제1115호의 요구사항을 충족한다면 다음과 같이 회계처리한다(기준서 제1116호 문단 100).

　㉠ 판매자-리스이용자는 계속 보유하는 사용권에 관련되는 자산의 종전 장부금액에 비례하여 판매 후 리스에서 생기는 사용권자산을 측정한다. 따라서 판매자-리스이용자는 구매자-리스제공자에게 이전한 권리에 관련되는 차손익 금액만을 인식한다.

　㉡ 구매자-리스제공자는 자산의 매입에 적용할 수 있는 기준서를 적용하고 리스에는 이 기준서의 리스제공자 회계처리 요구사항을 적용한다.

자산 판매대가(consideration for the sale)의 공정가치가 그 자산의 공정가치와 같지 않거나 리스에 대한 지급액이 시장요율이 아니라면 판매금액(sale proceeds)을 공정가치로 측정하기 위하여 다음과 같이 조정한다(기준서 제1116호 문단 101).

　㉠ 시장조건을 밑도는 부분은 리스료의 선급으로 회계처리한다.

　㉡ 시장조건을 웃도는 부분은 구매자-리스제공자가 판매자-리스이용자에 제공한 추가 금융으로 회계처리한다.

조정액은 다음 중 더 쉽게 산정할 수 있는 기준에 따라 측정한다(기준서 제1116호 문단 102).

　㉠ 판매대가의 공정가치와 그 자산의 공정가치의 차이

　㉡ 리스에 대한 계약상 지급액의 현재가치와 시장 리스 요율에 따른 지급액의 현재가치의 차이

사례 **판매 후 리스(판매자-리스이용자의 관점에서)**

판매자(리스이용자)는 2,000,000에 특수관계자가 아닌 구매자(리스제공자)에게 건물을 매각하였다. 매각시점 건물의 공정가치는 1,800,000이었고 장부가액은 1,000,000이었다. 동시에 연간 120,000의 리스료를 후불로 지급하는 조건으로 18년 동안 빌딩을 임차하는 계약을 구매자(리스제공자)와 체결하였다. 동 리스계약의 내재이자율은 4.5%이며, 리스지급액의 현재가치는 1,459,200이다. 구매자(리스제공자)에게로의 자산의 양도는 기준서 제1115호에 따른 수익인식 요건을 충족한다.

<금융거래>

거래의 대가(2,000,000)가 건물의 공정가치(1,800,000)를 초과하기 때문에 계약은 금융요소가 포함되어 있다.

(1) 금융거래

차) 현금	200,000	대) 리스부채	200,000

<판매 후 리스>

판매자(리스이용자)는 기초자산의 기존 장부금액(1,000,000)에 본인이 사용권을 확보하는 비율을 반영한 금액으로 사용권자산을 인식한다. 즉, 그 장부가액에 적용하는 비율은 리스료의 현재가치(1,459,200)에서 판매자(리스이용자)에게 제공된 금융요소의 상환에 해당되는 리스료(200,000)를 차감한 금액(순수리스요소의 현재가치인 1,259,200. 즉, 리스부채 금액)을 자산의 공정가치(1,800,000)로 나누어 계산한다. 따라서, 699,555의 사용권자산을 인식하게 된다.

$$\frac{1,259,200}{1,800,000} \times 1,000,000 = 699,555$$

유효하게 구매자에게 이전된 사용권리에 해당하는 금액(건물의 공정가치에서 판매자-리스이용자에 의해 취득된 사용권자산의 금액을 차감한 금액. 즉, 구매자-리스제공자가 판매 후 리스거래를 통해 사용권을 확보한 금액)을 건물의 전체공정가치로 나눈 비율을 구하고, 그 비율을 총이익인 800,000(매매가액에서 금융요소를 빼고 건물의 장부금액을 뺀 금액)에 곱하여 매각이익을 측정한다.

$$\frac{1,800,000 - 1,259,200}{1,800,000} \times 800,000 = 240,355$$

따라서, 회계처리는 다음과 같다.

(2) 판매 후 리스

차) 현금	1,800,000	대) 건물	1,000,000
사용권자산	699,555	리스부채	1,259,200
		매각이익	240,355

(*) 결국, 상기 (1) 금융거래에 대한 회계처리까지 고려하여 향후 지급될 리스료의 현재가치인 1,459,200의 리스부채가 재무상태표에 인식된다.

③ 자산 이전이 판매가 아닌 경우

판매자－리스이용자가 행한 자산 이전이 자산의 판매로 회계처리하게 하는 기준서 제1115호의 요구사항을 충족하지 못한다면 다음과 같이 회계처리한다(기준서 제1116호 문단 103).

ㄱ 판매자－리스이용자는 이전한 자산을 계속 인식하고, 이전금액(transfer proceeds) 과 같은 금액으로 금융부채를 인식한다. 그 금융부채는 기준서 제1109호 '금융상 품'을 적용하여 회계처리한다.

ㄴ 구매자－리스제공자는 이전된 자산을 인식하지 않고, 이전금액과 같은 금액으로 금융자산을 인식한다. 그 금융자산은 기준서 제1109호를 적용하여 회계처리한다.

(2) 세무회계상 유의사항

취득 또는 사용하던 자산을 리스회사에 매각하고 리스거래를 통하여 재사용하는 "판 매 후 리스거래"의 경우 법인세법상 처리는 다음과 같다(법기통 23－24…1 7항).

ㄱ 금융리스에 해당하는 판매 후 리스거래의 경우 매매에 따른 손익을 리스실행일에 인식하지 아니하고 해당 리스자산의 감가상각기간 동안 이연하여 균등하게 상각 또는 환입한다.

ㄴ 판매 후 리스거래가 운용리스에 해당하고 리스료 및 판매가격이 시가에 근거하여 결정된 경우 상기 'ㄱ'의 규정에 불구하고 당해 매매와 관련된 손익을 인식할 수 있다.

공동약정

1. 의 의

공동약정은 둘 또는 그 이상의 당사자 간에 계약상 약정에 의해 지배력을 공유하도록
체결된 경제적 협력을 의미한다. 기업은 다양한 이유로 공동약정을 체결할 수 있을 것
이다. 예를 들어, 투자자가 보완적인 기술을 보유하는 경우, 또는 프로젝트의 위험을 분
산할 필요가 있는 경우, 또는 둘 이상의 투자자가 참여할 때 규모의 경제 효과를 누릴
수가 있는 경우, 프로젝트의 규모가 기업의 능력을 초과하는 경우를 생각해 볼 수 있다.
공동약정의 목적은 비용을 분담하는 것일 수도 있으며, 또는 이익을 도모하기 위함일
수도 있을 것이다.

다음은 공동약정의 예이다 :
- 이동통신 네트워크의 분배나 사용을 공유
- 자산의 사용을 공유(예를 들어, 유전이나 송유관을 공유하는 경우)
- 제품을 함께 생산하기 위한 컨소시움(예를 들어, 배나 비행기 제조)
- 부동산 개발이나 관리, 투자
- 제약회사들이 연구를 공유하는 경우

IASB는 2011년 5월에 IFRS 11 'Joint arrangement(공동약정)"을 공표하였고 동 기준서
는 IAS 31 'Interests in joint ventures(조인트벤처 투자지분)'과 SIC 13 'Jointly controlled
entities-non-monetary contributions by venturers(공동지배기업 – 참여자의 비화폐성 출자)'
를 대체하였다. IFRS 11은 한국채택국제회계기준서로는 기준서 제1111호로 제정되었다.
기준서 제1111호는 공동약정의 유형과 공동약정의 형태 중 공동영업에 대한 회계처리만을
포함하고 있다. 공동기업의 경우에는 지분법만 허용되도록 개정되었으므로, 종전 관계기업
의 회계처리를 다루던 기준서 제1028호 '관계기업 투자'는 기준서 제1028호 '관계기업과
공동기업에 대한 투자'로 개정되어 공동기업과 관계기업 모두에 적용되는 회계처리인 지
분법 회계처리를 다루는 기준으로 남게 되었다. 또한 동 개정작업에서 공동약정에 대한 공
시는 기준서 제1112호 '타기업에 대한 지분의 공시'에 포함되는 것으로 개정되었다.

기준서 제1111호의 기본 원칙은 당사자는 공동약정에서 발생하는 권리와 의무를 인
식해야 한다는 것이다. 권리와 의무가 무엇인가에 따라서 공동약정을 두 가지 유형으로
구분하는데, 바로 공동영업과 공동기업이다. 공동영업의 당사자는 자산에 대한 권리와
부채에 대한 의무를 부담하므로, 관련 자산과 부채, 수익과 비용의 해당 지분을 회계처
리하게 된다. 투자자가 순자산에 대한 권리를 보유한 경우에는 동 약정은 공동기업이며
지분법으로 회계처리된다. 따라서 약정의 법적인 구조가 공동약정을 분류하는 데 더 이
상 가장 중요한 요소가 되지 않으며, 경영진은 권리와 의무를 결정하기 위하여 계약상

동의의 내용을 면밀히 조사할 필요가 있다.

2. 적용범위

공동약정은 공동지배력을 공유하는 투자자가 관련활동에 대한 의사결정을 하는 경우에 둘 또는 그 이상의 당사자 사이에 맺어진 경제적인 약정이다. 당사자들은 의사결정과정에 참여하는 것 없이 공동약정에 투자할 수도 있는데, 기준서 제1111호는 약정에 대해 공동지배력을 행사하는지의 여부와 무관하게 공동약정의 모든 당사자에 적용된다.

벤처캐피탈 투자기구, 뮤추얼펀드, 단위신탁 또는 유사한 기업이 공동기업의 지분을 보유하는 경우 기준서 제1111호의 적용대상에서 제외되지는 않으나 기준서 제1028호에 따라 벤처캐피탈 투자기구, 뮤추얼펀드, 단위신탁 또는 유사한 기업은 공동기업에 대한 투자지분을 기준서 제1109호에 따라 당기손익-공정가치 측정 항목으로 선택할 수 있다(기준서 제1028호 문단 18, 19). 따라서, 벤처캐피탈 투자기구등에 해당하는 기업은 관계기업 지분을 최초 인식 시 당기손익-공정가치 측정 금융자산으로 지정하면 지분법의 적용이 면제될 수 있다. 그러나, 이러한 선택은 벤처캐피탈 투자기구가 공동영업에 투자하는 경우에는 적용 가능하지 않으므로, 공동영업에 대한 투자지분은 반드시 기준서 제1111호에 따라서 회계처리 되어야 한다. 벤처캐피탈 투자기구나 이와 유사한 기업이 공동영업에 투자하는 것이 일반적이지 않을 것이므로 실무적으로 큰 차이가 있지는 않을 것으로 예상된다.

또한, 기준서 제1105호 '매각예정비유동자산과 중단영업'에 따라 매각예정으로 분류되는 공동약정은 기준서 제1111호 또는 기준서 제1028호의 적용범위에 포함되지 않으며, 기준서 제1105호에 따라 회계처리된다(기준서 제1028호 문단 20).

3. 용어의 정의

기준서 제1111호에서 사용되는 주요 용어의 정의는 다음과 같다.
① 공동약정 : 둘 이상의 당사자들이 공동지배력을 보유하는 약정
② 공동지배력 : 약정의 지배력에 대한 계약상 합의된 공유로서, 관련활동에 대한 결정에 지배력을 공유하는 당사자들 전체의 동의가 요구될 때에만 존재한다.
③ 공동기업 : 약정의 공동지배력을 보유하는 당사자들이 그 약정의 순자산에 대한 권리를 보유하는 공동약정
④ 공동기업 참여자 : 공동기업의 공동지배력을 보유하고 있는 그 공동기업의 당사자

상기 정의에 따르면 공동지배력이 존재하는 약정은 반드시 공동약정이다. 따라서, 공동지배력과 공동약정은 계약상의 합의가 없다면 성립될 수 없다. 합의는 지배력을 공유하는 것에 대한 핵심 증거가 되며, 일방의 당사자가 약정을 통제할 수 없다는 것을 나타낸다. 또한, '관련활동'에 대한 의사결정에 공동지배력을 보유해야만 공동지배력이 존재한다. 관련활동의 정의는 기준서 제1110호 '연결재무제표'에 포함되어 있으며 이는 "피투자자의 이익에 유의적으로 영향을 미치는 활동"으로 정의된다(자세한 내용은 연결에 대한 장을 참조). 관련활동은 기업마다 다양할 수 있으나 주된 영업활동과 재무활동에 관련된다. 예를 들어, 자금을 조달, 자본관련 의사결정, 재화의 판매와 구매 및 전략적 방향을 결정하는 것이다.

약정의 둘 또는 그 이상의 당사자 사이에 공동지배력이 성립하려면 계약상의 합의가 있어야 한다. 이러한 합의가 없이는 공동약정은 관계기업이나 종속기업과 구별될 수 없다. 공동지배력의 형성은 어떤 개별 당사자도 약정을 혼자서는 지배할 수 없다는 것을 의미한다.

(1) 공동약정

공동약정의 정의를 충족하기 위해서는 당사자 간에 강제할 수 있는 계약상의 합의가 존재해야만 한다. 회의록과 문서화된 논의자료 또한 강제할 수 있는 계약상의 합의의 증거가 될 수 있다. 그러나 합의는 문서화되어야만 하는 것은 아니다. 그러나 공동약정이 별도의 기구를 통해 설계되는 경우에는 통상 법적으로 구속력 있는 문서가 어떤 문서화된 형식으로 작성되었을 것이다. 이는 정관이나 법규, 규제의 형식을 포함한다.

> **[사례] 정관을 통해 성립된 공동약정**
>
> 주주 A와 B는 새로운 공동약정(기업J)을 설립하였다. 기업J의 정관은 모든 주주가 관련활동에 만장일치로 동의해야 한다는 조항을 담고 있다. 기업J의 활동을 관리하기 위해 주주 간 체결한 다른 약정은 존재하지 않는다. 비록 별개의 조인트벤처계약이 없다고 하더라도 기업J는 공동약정의 정의를 충족한다. 기업J의 정관에 포함된 조항은 동 정관이 법적으로 구속력이 있는 것이라면, 공동약정의 정의를 충족하기에 충분하다.

합의의 목적은 약정에 대한 공동지배력을 형성하기 위해서만 있는 것은 아니며 공동약정하에서 운영되는 조건이나 요구사항을 기재하기 위한 것이기도 하다. 아래의 목록은 합의에 포함될 수 있는 항목들이다:
- 공동약정의 목적, 활동 및 존속기간[기준서 제1111호 부록B 문단 B4(1)]
- 공동약정에 대한 이사회나 이에 준하는 집행기구의 구성원 선임방법[기준서 제1111호

부록B 문단 B4(2)]. 합의는 당사자들이 이사회 구성원을 추천하는 방법과 그들의 책임이 무엇인지, 그리고 이사회 구성원들의 해임방식을 설정할 것이다. 이는 또한 각 이사회 구성원의 투표권에 대해서도 정하게 될 것이다.

- 의사결정 방식[기준서 제1111호 부록B 문단 B4(3)]. 이는 합의의 매우 중요한 항목이며 의사결정과정을 통해 공동지배력의 존재 여부를 결정하게 해준다. 여기에는 어떤 활동이 '관련활동'이 되는지가 세부적으로 포함될 수도 있다. 이러한 활동은 공동지배력을 행사하는 당사자의 만장일치의 동의를 요구한다.
- 당사자들에게 요구되는 자본 또는 그 밖의 출자[기준서 제1111호 부록B 문단 B4(4)]
- 공동약정의 자산, 부채, 수익, 비용이나 손익의 당사자들 간의 분배방법[기준서 제1111호 부록B 문단 B4(5)]. 동 조항에 포함된 당사자들이 자산과 부채를 공유하는 방식은 약정이 공동영업으로 분류되는지 또는 공동기업으로 분류되는지를 결정하는 핵심 요소가 될 것이다.

또한 위에 추가하여 아래의 내용이 포함될 수도 있다.
- 기업의 매일매일의 운영을 공동약정의 당사자들 중 하나에 위임하는 내용
- 현재의 당사자들 사이의 또는 새로운 당사자들에 대한 지분의 이전
- 당사자들이 만장일치의 동의를 얻지 못할 경우에 특히 중요해질 수 있는 중재 절차에 관한 내용

(2) 관련활동

공동지배력이 존재하기 위해서는 관련활동에 대해 지배력이 공유되어야 하는데 기준서 제1110호는 관련활동을 "피투자자의 이익에 유의적으로 영향을 미치는 활동"으로 정의한다. 이에 대한 몇몇 활동의 예는 아래와 같다:
- 약정의 사업계획과 전반적인 전략의 승인
- 현 수준의 자본금의 감소나 신규발행
- 주된 자본적 지출이나 유의적 자산의 처분
- 재원조달 의사결정
- 이사회 구성원의 추천과 해임

약정상의 합의는 종종 경영위원회나 이사회가 투자자를 위해서 결정해야 할 의사결정의 유형들을 종종 나열한다. 만장일치가 적용되는 의사결정의 성격 및 의사결정이 이루어지는 수준에 대한 평가도 공동지배력을 검토할 때에 고려되어야만 한다. 합의는 관련 당사자 중 하나가 매일매일의 경영활동을 수행하도록 지정할 수도 있을 것이다. 그렇다고 해서 동 당사자가 약정을 지배하는 것은 아니다. 이러한 활동이 매일매일의 운

영을 관리하는 활동이고 공동지배력을 행사하는 당사자 간에 결정된 범위 안에서 이루어지는 것이라면, 이러한 사실이 공동지배력의 존재에 영향을 미치지는 않을 것이다.

> **사례** **약정의 관리가 미치는 영향**
>
> ㈜삼일은 100% 보유한 종속기업 A사를 보유하고 있으며 A사는 건물의 포트폴리오를 보유하고 있다. ㈜삼일은 동 시장에 대한 노출을 줄이기를 희망하여, A사의 지분의 50%를 투자은행에 매각한다. ㈜삼일과 투자은행은 계약상 합의에 따라 A사의 관련활동에 대한 의사결정을 함께 결정하기로 한다. ㈜삼일은 특정 수수료를 받고 A사의 자산운영사로의 활동을 계속하고, 의사결정은 A사의 사전에 승인된 예산과 사업계획 안에서 이루어지도록 한다.
>
> ㈜삼일과 투자은행이 관련활동에 대해서 만장일치의 동의를 하도록 요구되고 ㈜삼일은 기업 A사를 동 의사결정에 따라 운영해야 하므로, A사는 공동지배를 받고 있다.

(3) 공동지배력

공동지배력은 약정의 지배력에 대한 계약상 합의된 공유로서, 관련활동에 대한 결정에 지배력을 공유하는 당사자들 전체의 동의가 요구될 때에만 존재하므로 단독으로 의사결정을 할 수 있는 지배력과는 구분된다.

아래의 몇 가지 사례를 통하여 이를 살펴보기로 한다.

> **사례 1** **casting vote를 가진 의장의 지명권이 있는 경우**
>
> 기업 A와 B는 공동운영합의서에 서명하고 조인트벤처회사 J사를 세웠다. 두 투자자는 J사 이사회 구성원으로 각 3명의 이사를 지명하였다. 의사결정은 과반에 의하여 이루어진다. 교착상태인 경우에는 의장(B사가 지명한 이사)이 casting vote를 가진다. 따라서, 이 경우 B사를 위해 결정된 사항을 A사가 저지할 수 없으므로, B사가 J사에 대한 지배력을 보유하는 것으로 판단해야 할 것이다.

> **사례 2** **내포된 공동지배력**
>
> A사와 B사는 이동통신업을 영위하고 있으며, 3G 접근 네트워크를 통합하기 위해서 공동약정을 체결하였다. 동 약정의 목적은 양사의 운영비용을 줄이고, 자본투자비용을 절약하며, 공동으로 통합된 네트워크를 관리하고 유지하는 데에서 규모의 경제효과를 획득하는 것이었다. 전략적 투자와 재무활동에 대한 모든 중요한 의사결정은 과반의 의결권으로 결정된다. A사와 B사는 의사결정 과정에서 각각 한 표씩을 가지고 있다.
>
> 관련활동에 대한 모든 의사결정은 양사의 동의를 요구하므로, 동 약정은 공동약정이다. 계약상 약정이 명시적으로 만장일치를 요구하지 않는다고 하더라도 모든 의사결정이 과반에 의해서 이루어져야 한다는 사실 자체는 공동지배력이 존재함을 내포하는 것이다.

사례 3   내포된 공동지배력

다수의 주주는 다음의 지분율로 ㈜삼일을 보유하고 있다:
- 주주 A는 51%를 보유
- 주주 B는 30%를 보유
- 나머지 지분 19%는 다른 투자자에 의해 광범위하게 분산되어 있음.

㈜삼일의 정관에 따르면 모든 관련활동의 의사결정을 승인하기 위해서는 75%의 동의가 필요하다.

또한, 각각의 주주는 지분율에 비례하여 의결권을 보유하고 있다. ㈜삼일은 주주 A와 B가 공동으로 지배하고 있다. 이 둘의 지분은 81%로 ㈜삼일의 관련활동에 대한 의사결정을 위해서는 이 둘이 함께 행동하는 것이 필요하다. 의사결정에 75%의 동의가 요구되기 때문에 주주 A는 단독으로 의사결정을 할 수 없고, 따라서 A는 ㈜삼일에 대한 지배력을 보유하고 있지 않다.

사례 4   동수의 이사회 구성원

두 기업 A사와 B사는 기업을 세우고 공동운영약정에 서명하였다. 이사회는 각 사로부터의 3명의 이사로 구성된다. 이사회는 기업의 주된 의사결정기구이다. 의사결정은 과반의 동의로 이루어진다. 각각의 당사자는 창출되는 순이익의 50%에 대한 지분을 보유하고 있다. 각 당사자가 50%의 순이익에 대한 지분을 보유하며 양사가 3명의 이사를 선임할 수 있는 권한이 있으므로, A사와 B사는 공동지배력을 보유할 가능성이 높다. 이는 각 사를 대표하는 3명의 이사는 일반적으로 각 사의 이익을 위해서 의결할 것이라는 전제가 성립하기 때문이다. 그러므로 만장일치가 의사결정에 요구되며, 이는 공동지배력이 될 것이다.

사례 5   잠재적 의결권이 공동지배력에 미치는 영향

A사와 B사는 새로운 지역에 제품을 제조하기로 결정하였다. C사는 이 지역에서 A사와 B사가 공급하는 부품을 이용하여 제조과정을 담당하게 될 것이다. A사와 B사는 각각 C사의 50%의 의결권을 보유하고 배당의 50%, 청산 시 자산의 50%에 대한 권리를 가지고 있다.

C사의 정관에 따르면 영업은 반드시 주주가 만장일치로 승인한 연간 사업계획에 따라 수행되어야 한다. 주주는 C사의 활동을 관리하기 위해 각각의 지분율에 비례하여 6명의 이사를 임명한다. 따라서, A사와 B사는 각각 3명의 이사를 선임한다. 이사회의 의장은 A사와 B사 사이에서 돌아가면서 결정된다. 정관은 약정의 사업계획의 승인을 포함하는 이사의 만장일치 동의를 요구하는 관련활동의 유형을 나열하고 있다. 동 정관에서는 의장에게 casting vote을 부여하고 있지 않다.

A사는 C사에 대한 B사의 지분을 매수할 수 있는 옵션을 보유하고 있다. 동 옵션은 A사가 A사와 B사가 전략적 의사결정사항에 대해서 동의하지 못하는 경우 언제든지 행사할 수 있도록 설계되어 있다. 옵션은 실질적인 것으로 판단되었다.

이 경우 A사는 C사에 대한 B사의 지분을 매수할 수 있고, 이에 따라 조인트벤처약정을 취소할 수 있으므로, 공동지배력은 존재하지 않는다. A사는 C사에 대한 지배력을 보유하고 있다.

또한, 각각의 투자자는 공동지배력이 존재하는 경우에 관련 의사결정에 대한 거부권을 보유하고 있는 것이다. 거부권은 단순한 방어권과 다르다. 거부권은 공동지배력을 보유한 당사자를 방어권을 보유한 기업의 비지배지분과 구별되게 한다. 방어권의 경우에는 전략적 의사결정에 대해 거부권을 보유하지 않는 것이며, 결과적으로 지배력이나 공동지배력의 판단에 영향을 주지 못한다.

공동약정이 존재하기 위해서는 지배력을 공유하는 당사자가 있어야만 한다. 그러나 공동약정의 모든 당사자가 공동지배력을 보유하는 것이 요구되지는 않는다. 참여하기만 하고 공동지배력을 공유하지 않는 공동약정의 당사자는 그들의 투자지분을 그들의 권리와 참여의 정도에 따라 분류해야 한다. 그러한 당사자가 유의적인 영향력을 보유하는 경우 지분을 관계기업으로 회계처리하게 될 것이며, 만일 유의적 영향력의 행사를 입증할 수 없을 때에 지분은 금융자산으로 기준서 제1109호에 따라 회계처리될 것이다.

4. 공동약정의 유형

회계적으로 공동약정은 공동영업과 공동기업으로 구분된다. 공동약정의 유형은 계약상 약정에서 발생하는 권리와 의무에 따라 결정된다. 공동지배력을 공유하는 기업은 계약상의 약정의 실질을 살펴보고 공동영업의 당사자인지 공동기업의 당사자인지를 결정하기 위해 판단을 할 필요가 있다.

계약상 합의가 공동지배력을 공유하는 당사자에 대해 부채에 대한 의무와 자산에 대한 권리를 제공하는 경우에는 공동영업이 성립된다. 기준서는 공동영업에 대해서 공동지배력을 공유하는 당사자들을 공동영업자라고 부르고 있다.

계약상 합의가 약정의 순자산에 대한 권리를 부여하는 경우에는 공동기업으로 분류된다. 공동기업에 대한 공동지배력을 공유하는 당사자들은 기준서에서 공동기업참여자로 부르고 있다. 공동약정은 파트너쉽이나 연합과 같은 다른 구조와 형태를 사용하여 설립될 수 있다. 그러나 회계상으로는 약정의 실질은 법적인 형식이 아닌 공동약정 당사자의 계약상의 권리와 의무에 따라 결정된다.

공동약정의 유형을 분석할 때에는 '사업의 정상적인 과정'에서 약정으로 인한 당사자의 권리와 의무를 평가해야 한다. 청산이나 파산과 같은 '사업의 정상적인 과정' 외의 상황에서 발생하는 법적 권리나 의무는 관련성이 떨어진다. 별도의 기구는 벤처 파트너에게 합의의 조건에 따라 자산에 대한 권리와 부채에 대한 의무를 부여할 수도 있을 것이다. 그러나 만일 이러한 기구가 청산한다면 담보를 제공받은 채권자들은 자산에 대한 우선적인 권리를 가지고 있다. 벤처파트너는 모든 제삼자 채무가 정산된 이후에 잔여 순재산에 대한 권리만을 보유하게 된다. 이러한 상황에서도 사업의 정상적인 과정에서 벤처파트너들은 자산과 부채에 대해 직접 지분을 보유하므로, 동 기구는 여전히 공동영업으로 분류될 수 있을 것이다.

다음의 표는 공동약정의 유형을 결정하는 방식을 요약한 것이다.

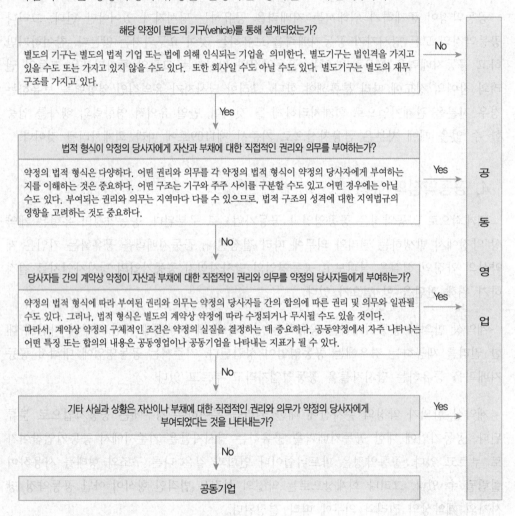

위의 표를 요약하면, 약정이 다음의 성격을 지닐 때 당사자는 공동기업에 대한 지분을 보유하는 것이다:

- 약정이 별도의 기구로 설계되어 있다.
- 법적 형식이 그 기구 자체의 권리를 제공하고 있다. 즉, 투자자가 아닌 기업이 그 기업이 보유한 자산과 부채에 대해서 권리와 의무를 보유하고 있다.
- 공동지배력을 공유하는 당사자 간의 계약상 합의의 조건은 자산과 부채에 대한 권

리와 의무를 투자하는 당사자에게 직접적으로 제공하고 있지 않다.

• 별도의 기구는 그 자체로 존재하도록 설계되었으며, 그것의 활동에서 발생하는 상 업적 그리고 사업상의 위험에 직면한다.

(1) 공동영업

별도의 기구를 통해 설계되지 않은 약정은 기준서에 따라서는 항상 공동영업으로 분류된다(기준서 제1111호 부록B 문단 B16). 공동영업의 예는 아래와 같다.

• 공동마케팅
• 공동분배
• 공동생산설비

공동영업의 각 당사자는 통상 다른 당사자나 당사자들의 활동과는 별개로 자신의 자원을 사용하고 공동영업에서의 자신의 부분을 수행한다. 각 당사자는 자신의 비용을 발생시키고 자신의 재무활동을 수행한다. 영업을 통제하는 계약상 약정은 공유되는 자산과 부채에 대해서 뿐만이 아니라 공동영업의 재화와 용역, 그리고 그것의 판매로부터의 수익과 공동비용이 어떻게 공동영업자 사이에서 공유되는지를 규정할 가능성이 높다.

사례 공동영업

각각의 세 항공회사는 비행기를 공동으로 제조하기로 하는 협정을 체결하였다. 이들은 다음과 같은 각기 다른 분야의 전문분야에 대한 책임이 있다:
- 엔진의 제조, 동체 및 날개의 제조, 항공역학

이들은 제조과정의 각기 다른 분야를 수행하며, 각각 항공기를 공동으로 제조, 마케팅, 분배하기 위해서 자체의 자원과 기술을 활용한다. 세 기업은 비행기의 판매에서 발생하는 수익을 공유하고 비용을 공동으로 부담한다. 컨소시엄 계약에서 합의된 대로 수익과 공동비용은 분담한다. 당사자는 또한 노무비, 제조원가, 소모품, 미사용 부품의 재고 및 재공품과 같은 각자의 별개의 원가를 부담한다. 각 당사자는 별개로 발생한 비용을 전액 인식한다.

이러한 약정은 아래와 같은 이유로 공동영업으로 분류된다 :
- 약정이 별도기구를 통해 설계되지 않았다.
- 각 당사자는 개별적으로 발생하는 원가에 대한 의무를 부담한다.
- 약정상 합의는 각 당사자들이 사전에 결정된 합의의 내용에 따라 비행기의 판매에서부터 발생하는 수익에 대한 몫과 관련 원가를 부여받는 것으로 기술하고 있다.

또한, 기준서는 영업을 야기시키지는 않지만, 당사자들이 "자산을 함께 운영하고 공유"하도록 하는 몇몇 공동약정들이 존재함을 논의하고 있다(기준서 제1111호 부록B 문단 B18). 이러한 유형의 공동영업은 별도의 기업이 아닌 자산의 공동소유권과 관련된다. 이러한 경우 약정에 관련된 당사자들은 자산에 대한 권리와 부채에 대한 의무, 그리고 당사자들의 해당 수익에 대한 권리와 해당 비용에 대한 의무를 정한다. 흔한 예로 인접한 유전을 가진 두 석유회사가 정제소로 석유를 운송하기 위해 송유관을 함께 짓고 운영하는 것을 들 수 있다. 공유되는 항목은 송유관이며, 건설비, 유지비, 미래의 복구비와 제삼자의 사용으로부터 발생할지도 모르는 수익으로 구성된다. 당사자들이 발생시키는 별개의 원가는 송유관을 지나는 석유재고의 원가와 송유관의 각자의 몫을 조달하기 위해 발생하는 부채를 포함한다. 송유관은 당사자가 직접 소유하며, 별도의 기구를 통해서 소유하는 것은 아니며, 이러한 약정은 공동영업으로 분류될 것이다.

또 다른 예는 두 기업이 공동으로 자산을 소유하는 경우이다. 각각은 임대료의 해당 몫을 수취하고, 비용을 분담한다. 공유되는 항목은 자산 그 자체와 수취하는 임대료와 자산의 수리비, 감가상각비, 그리고 다른 참여자와 공동으로 발생하는 부채에 대한 몫이다. 참여자가 발생시키는 별개의 원가는 자산에 대한 각자의 몫을 조달하기 위한 차입원가일 것이다.

(2) 공동기업

공동기업으로 분류되기 위한 첫 번째 조건은 약정이 별도의 기구를 통해 설계되어 있어야 한다는 것이다. 별도의 기구는 기준서 제1111호 부록A에서 "별도의 법적 기업 또는 법에 의해 인식되는 기업을 포함하여, 그러한 기업이 법인격이 있는지 상관없이, 별도로 식별가능한 재무구조"라고 정의하고 있다. 별도의 기구는 일반적으로 조직이나 기관과 같이 실재의 또는 구별되는 구조를 갖춘 어떤 것을 의미한다. 예로는 회사, 파트너쉽, 신탁, 통치기구나 대행기구, 대학 또는 어떤 다른 형태의 조직이나 사람들의 구성체를 포함한다.

별도의 법적 기업이 세무나 다른 이유상으로 공동영업을 감추기 위해 사용되는 경우에 공동기업과 공동영업을 구분하는 것은 어려울 수도 있다. 별도의 기구의 존재는 약정의 회계상 분류가 반드시 공동기업이라는 것을 의미하지는 않는다. 따라서, 공동약정에 대한 당사자는 약정이 자산에 대한 권리와 부채에 대한 의무를 부여하는지 또는 순자산에 대한 권리를 부여하는지를 결정하기 위하여 해당 약정상의 합의를 분석해야만 한다.

당사자의 관련 권리와 의무는 다음의 맥락에서 검토될 필요가 있다(기준서 제1111호 문단 17, 부록B 문단 B15).
① 별도기구의 법적 형식

② 공동지배력을 공유하는 당사자를 강제하는 약정상 합의의 조건;

③ 다른 관련 사실(이는 당사자에게 부여된 제약, 약정상의 고객기반과 당사자의 재무조달 의무를 포함한다)

① 별도기구의 법적 형식

별도기구의 법적 형식은 경영진이 공동영업의 당사자인지 또는 공동기업의 당사자인지를 결정하는 데 고려해야만 하는 첫 번째 요소이다. 당사자들은 공동약정의 법적 형식이 공동약정의 자산과 부채를 투자자의 자산과 부채로부터 분리하는지를 평가해야 한다. 법적 형식이 투자자와 기구를 분리하지 않는다면 약정은 공동영업으로 분류될 것이며, 추가적인 분석은 요구되지 않는다(기준서 제1111호 부록B 문단 B24).

공동기업에서 공동약정의 활동은 투자하는 당사자들에 의해서가 아니라, 공동기업에 의해서 운영되고 수행된다. 공동기업은 자신의 명의로 계약을 체결하고 공동기업활동을 위한 재무조달을 한다. 공동기업은 자산을 통제하고 부채와 비용을 발생시키며 수익을 창출한다. 공동기업의 성과는 공동기업약정에 정해진 권리에 따라 당사자들 사이에서 공유된다.

사례 **법적형식이 분리를 제공하는 경우**

대형 이동통신 업체인 ㈜텔코는 비교적 개발이 덜된 통신 환경에서 영업을 수행할 기회를 찾고 있다. 해당 국가의 법규는 이동통신 면허를 보유하고 있는 해당국의 기업이 해외기업에 의해 지배받는 것을 허용하지 않는다. ㈜텔코는 지역시장에의 진입을 위해서 해당국의 투자자와 함께 별도의 회사를 설립하였다. 동 회사의 법적 형식은 회사의 자산에 대한 권리와 부채에 대한 의무를 부여하는 것이었다. ㈜텔코와 지역 투자자는 주주 간 약정을 통해서 함께 의사결정이 이루어지도록 하였다. 동 합의의 내용은 다음을 확약한다:

- 약정의 자산은 회사가 소유한다. 어떤 당사자도 자산을 매각하거나 담보제공 또는 이전할 수 없다.
- 당사자의 의무는 아직 지불되지 않은 자본금으로 제한되어 있다.
- 회사의 이익은 ㈜텔코와 지역 투자자에 60:40으로 분배될 것이다.

동 약정은 별개의 법적 기업의 형태로 설계되었다. 약정의 법적 형식은 해당 국가의 법규하에서 소유주(약정의 당사자들)와 회사 자체를 서로 구분한다. 약정의 자산과 부채는 회사 내에서 존재한다. 당사자들은 오직 지불되지 않는 자본금의 범위 내에서의 회사의 채무나 클레임에만 책임이 있다. 주주 간 약정은 약정의 법적 형식을 수정하지 않았으며, 약정의 순자산에 대한 권리를 당사자가 보유함을 확인해주는 것이었으므로, 이러한 약정은 공동기업으로 분류될 것이다.

공동약정의 법적 형식은 중요한 고려 요소이나 공동약정을 공동기업으로 분류하기에는 충분한 증거를 제공하지 않을 수도 있다. 참여자들 사이에 합의된 조건과 다른 사실들이 법적 형식에 의해 제공된 구분을 없앨 수도 있으므로, 별도의 약정이나 사실이 존재하는 경우 이를 고려해야 한다.

② 계약상 약정의 조건

약정에 대한 공동지배력을 공유하는 당사자들은 약정의 법적 형식에서 기대되는 그들의 권리나 의무를 수정하거나 제거할 수도 있다. 계약상 합의의 조건에 대한 평가는 각 당사자의 권리와 의무에 대한 분석에 초점을 맞추어야 한다. 이러한 수정은 제한된 상황에서만 발생할 것으로 예상된다. 당사자들이 공동약정을 수행하기로 결정하는 경우, 그들은 계약상 합의에서 공유하기를 원하는 권리와 의무에 대해서 합의할 것이고, 동 당사자들은 그러한 권리와 의무를 보조하고 이에 반하지 않는 법적 형식을 채택할 가능성이 높을 것이기 때문이다.

그러나, 지역의 법규가 특정 법적 구조로 약정이 설립되기를 요구하나 당사자들이 이와는 상이한 권리와 의무를 갖기를 희망하는 제한된 경우에서는, 계약상의 조건으로 법적 형식에서 발생하는 권리와 의무를 수정하려고 할 수도 있을 것이다. 그러한 계약상의 조건이 법적 형식에서 발생하는 권리와 의무를 수정하기에 사실상 충분함을 입증하기 위해서 매우 주의 깊은 검토가 필요할 것이다.

> **사례** **법적 형식의 영향을 수정하는 계약상의 합의**
>
> 상기 ①의 사례에 대해서 투자자들은 다음과 같이 합의를 변경하였다:
> - 약정의 자산과 부채는 각각의 참여자가 보유한다. 모든 법적인 명의는 투자자들이 보유한다.
> - 참여자는 회사의 의무에 대해 책임이 있다.
> - 회사의 이익은 ㈜텔코와 투자자에게 60:40으로 분배된다.
> 약정은 별도의 기구를 통해 설계되었으나, 동 기구가 자체의 자산을 보유하지 않는다. 또한, 당사자들은 회사의 의무와 클레임에 대해서 직접적인 책임이 있다. 따라서 이러한 약정은 공동영업으로 분류된다.

많은 경우에는, 공동약정이 별도의 기구를 통해 설립된 경우 공동기업의 참여자들은 그들이 공동약정에 출자하는 자산의 법적 명의를 종종 별도의 기구에 이전할 것이다. 뿐만 아니라, 공동기업 자체적으로 후속적으로 취득하는 자산은 공동기업의 자산이 되며 투자자의 것은 아니다. 공동약정에서 발생하는 부채도 공동기업 자체의 부채가 된다. 공동기업의 참여자는 자신의 투자지분을 초과해서는 책임을 부담하지 않는다. 만일 공동기업이 채권자들에 대한 채무를 충족시키지 못하는 경우에는 채권자는 공동기업의 참여자에게 이를 부담시킬 권한이 없을 것이다. 따라서 다른 약정이나 사실이 없는 경우 이러한 별도의 기구는 공동기업으로 분류될 것이다.

만일 공동약정의 당사자들이 공동약정에 자금을 제공하는 제3자에게 보증을 하도록 요구받은 경우라고 하더라도 당사자들이 제3자에게 그러한 보증이나 확약을 제공하는 그 자체로 공동약정이 공동영업으로 결정되지는 않는다. 공동약정이 공동영업인지 공동기업인지를 결정짓는 특성은 약정의 부채(일부 부채에 대하여 당사자들이 보증을 제공하였을 수도 있고 그렇지 않았을 수도 있다)에 대한 의무를 당사자들이 보유하는지에 달려 있다(기준서 제1111호 부록B 문단 B27).

위의 상황은 별도의 기구를 통한 공동영업과는 대조적이다. 별도의 기구를 통한 공동영업에서 공동약정은 별도의 법적 기업이 되나, 출자받은 자산을 소유하지 않는다. 약정상 합의에서는 당사자가 공동영업자산의 산출물을 분배받는 비율을 규정하고 있을 것이다. 공동영업의 당사자는 공동영업의 부채와 채무에 대해서 책임이 있을 것이다. 제삼자가 제기한 클레임이 공동약정에 의해 해결될 수 없을 때에는 공동약정의 당사자에 의해서 해결될 필요가 있다면, 이러한 약정은 공동영업으로 분류될 것이다. 계약상의 합의는 공동약정의 채무에 대해서 각 당사자들이 책임을 부담하는 비율을 규정하는 조항을 포함하고 있을 것이다(기준서 제1111호 부록B 문단 B27).

또한 공동약정의 당사자들은 그들이 자산과 부채뿐만 아니라 수익과 비용, 이익과 손실을 공유하는 방식을 평가할 필요가 있다. 공동기업은 계약상의 합의로 순자산에 대한 권리를 투자하는 당사자들에게 부여하며, 따라서 당사자들은 기업의 순손익에 대한 자격이 생긴다. 공동영업에서의 약정은 약정으로부터의 수익과 비용이 공유되는 방식을 설명한다. 예를 들어, 각자의 몫은 각 당사자가 제공하는 생산능력에 근거하거나, 각 운영자가 지불하는 현금에 비례해서 결정될 수도 있을 것이다. 그러한 몫은 반드시 별도 기구에 대한 소유지분과 동일할 필요는 없다. 그러나 소유지분이 수익과 비용이 배분되는 비율과 동일하다 하더라도 그것이 반드시 해당 기업이 공동기업임을 나타내지는 않는다. 그러한 결론은 자산에 대한 권리와 부채에 대한 의무에 따라 결정되어야 할 것이다(기준서 제1111호 부록B 문단 B27).

결론적으로, 당사자들이 계약상 약정의 조건이 약정과 관련된 자산에 대한 권리를 부여하고 부채에 대한 의무를 창출한다고 결론내리는 경우에 동 약정은 공동영업이 된다. 이 경우 기준서는 당사자들이 다른 사실들을 분석할 것을 요구하지 않는다.

③ 다른 사실과 상황

계약상 합의의 조건이 당사자들이 체결하는 공동약정의 유형을 결정하기에 충분한 증거를 항상 제공해 주는 것은 아니다. 계약상 약정의 조건에서 당사자들이 약정의 자산에 대한 권리와 부채에 대한 의무를 보유하는 것을 명시하지 않은 경우, 당사자들은 약정이 공동영업인지 공동기업인지를 평가하기 위하여 그 밖의 사실과 상황을 고려한다(기준서 제1111호 부록B 문단 B29).

공동약정의 설계와 목적은 약정의 성격에 대해 추가적인 증거를 제공해 줄 수 있다. 다음의 사례를 통해 살펴본다.

사례 1 　대리인 vs 본인

원가와 위험을 공유하기로 하는 공동약정 또는 단일의 프로젝트를 수행하기 위한 약정은 만일 그러한 약정이 법적인 기업으로 포함된다면 일단은 공동기업으로 분류되기 위한 첫 번째 조건을 충족한 것이다. 그러나, 동 기업이 참여자들을 위해서 그들에게 관련 수익과 원가를 이전하기 위해서 자산과 부채를 관리하면서 단순히 본인을 위한 대리인의 역할을 하기 위해서 설립되었다면, 그러한 기업은 공동영업이 될 것이다. 공동으로 설립된 기업이 약정의 참여자를 위한 대리인으로 행동한다는 사실은 기업 자체 내의 거래의 분류에도 영향을 줄 가능성이 높다. 예를 들어, 기업의 수익은 기준서 제1115호 문단 B34에 따라 총액이 아닌 순액으로 계상될 것이다.

경영진은 또한 공동약정이 산출물을 다른 시장 참여자에게 판매하는 것을 금지하는 약정을 고려할 수도 있을 것이다. 이 경우 동 약정은 공동영업이라는 결론이 도출될 수도 있다.

사례 2 　가스관의 공동건설과 사용

두 약정의 참여자 A와 B는 가스를 수송하기 위한 가스관을 건설하여 사용하고자 유한책임회사를 설립하였다. 각각은 50%의 지분을 보유한다. 약정상 조건에 따르면 A와 B는 각각 가스관의 사용량의 50%를 사용해야만 한다. 미사용량에 대해서도 사용된 용량과 동일 가격으로 청구된다. A와 B는 용량에 대한 각각의 몫을 상대방 투자자의 동의 없이 제 삼자에게 판매할 수 있다. A와 B가 가스 이송을 위해 지불하는 가격은 회사가 발생시킨 모든 원가를 보상하는 것을 보장하는 방식으로 결정된다.

이 공동약정은 별도의 기구를 통해서 설계되었다. 각 당사자는 회사의 50% 지분을 보유한다. 그러나, 계약상의 조건이 각 당사자에게 구체적인 수준의 사용을 강제하고 가격결정 구조로 인해 실질적으로 각 당사자는 회사의 부채에 대한 의무를 부담하게 된다. 따라서, 이러한 회사는 법적 형식에도 불구하고 공동영업이 될 것이다.

그러나 이러한 평가는 실무적으로는 매우 복잡할 수 있다. 공동영업이 되기 위해서는 당사자들이 산출물 전부를 수취해야 하는 강제적인 의무를 가질 필요가 있을 것으로 예상된다. 강제하는 합의를 가짐에 따라 약정의 목적과 설계는 공동영업의 성격을 띠게 될 수 있다. 반대로 만일 당사자들이 산출물을 수취할 수 있는 권리를 보유하기만 하는 경우에는, 한해에는 산출물을 수취하고, 다른 해에는 외부에 처분하기로 결정할 수도 있을 것이다. 이는 약정의 설계와 목적이 산출물이 당사자들에 의해 항상 수취되도록 보장하기 위한 것은 아니라는 것을 의미할 것이다. 따라서 이 경우 그러한 약정은 공동영업이 아닌 공동기업일 가능성이 높다.

5. 공동약정의 회계처리

공동약정의 회계처리는 공동영업 또는 공동기업인지의 분류에 따라 달라진다. 공동영업자는 공동영업을 자신의 영업과 같은 방식으로 회계처리한다. 즉, 공동영업자는 약정의 자산과 부채, 수익과 비용 중 자신의 몫에 대해서 회계처리를 한다. 공동기업에 대해서는 지분법만이 적용 가능한 회계처리이며, 지분법에 대해서는 '관계기업과 공동기업에 대한 투자'에 대한 장을 참고한다.

또한, 공동지배력을 행사하지 않는 당사자는 약정에 대해 그들이 보유한 경제적 지분에 따라 그들의 지분을 회계처리한다.

다음의 표는 투자자의 유형별로 공동약정을 어떻게 회계처리해야 하는지를 요약한다.

	연결재무제표	별도재무제표
공동지배력을 공유하는 당사자		
공동영업	공동영업자는 공동영업에 대한 지분과 관련하여 다음을 인식해야 한다: • 공동으로 보유한 자산에 대한 몫을 포함하는 자산 • 공동으로 부담하는 부채에 대한 몫을 포함하는 부채 • 공동영업에서 발생하는 산출물에 대한 몫의 판매에서 발생하는 수익 • 공동영업에 의한 산출물의 판매로부터의 수익에 대한 몫 • 공동으로 부담하는 비용에 대한 몫을 포함하는 비용 (기준서 제1111호 문단 20, 26(1))	
공동기업	적용범위 제외가 적용되지 않는 한 지분법으로 회계처리됨. (기준서 제1111호 문단 24)	투자지분은 원가, 지분법 또는 기준서 제1109호에 따라 측정됨. (기준서 제1111호 문단 26(2))
공동지배력을 공유하지 않는 당사자		
공동영업	(자산에 대한 직접적인 권리와 의무를 보유하는 경우에는) 공동지배력을 공유하는 당사자의 회계처리와 동일. 당사자가 직접적인 권리와 의무를 보유하지 않는 경우에는 다른 적용 가능한 한국채택국제회계기준의 기준서에 따라 회계처리 (기준서 제1111호 문단 23, 27(1))	
공동기업	당사자가 약정에 대해 유의적 영향력을 보유한 경우 : 적용범위 제외가 적용되지 않는 한 지분법으로 회계처리됨. (기준서 제1111호 문단 25)	투자지분은 원가, 지분법 또는 기준서 제1109호에 따라 측정됨. (기준서 제1111호 문단 27(2))
	당사자가 약정에 대해 유의적 영향력을 보유하지 않은 경우 :	
	기준서 제1109호에 따라 회계처리됨. (기준서 제1111호 문단 25, 27(2))	

공동영업에 대해서 영업을 영업자가 독립적으로 수행하는 것처럼 회계처리한다. 즉 공동영업자는 지배하는 자산 및 부채와 독립적으로 발생시키는 부채와 비용을 회계처리한다. 회계처리 분개는 공동영업자 자신의 재무제표에 계상되며 따라서, 연결재무제표가 작성되는 경우 함께 연결재무제표에 포함되게 된다. 추가적인 연결절차는 요구되지 않을 것이다.

공동약정에는 다양한 투자자가 존재하고 이들 중 일부는 약정에 대한 공동지배력을 보유하지 않고 있을 수도 있다. 공동지배력을 보유하지 않는 투자자들은 약정에 대해 영향력만을 행사할 수도 있다. 따라서, 이들의 회계처리는 공동지배력을 행사하는 이들의 회계처리와는 상이할 수 있을 것이다.

공동영업에 대한 공동지배력을 공유하지 않는 당사자들은 그들 자신이 자산에 대한 권리와 부채에 대한 의무를 부담하는지를 평가해야 한다. 만일 이러한 개별 자산과 부채가 식별된다면, 동 당사자들은 이러한 자산과 부채를 재무제표에 반영해야 한다. 이러한 회계처리는 공동지배력을 공유하는 당사자(즉, 공동영업자)들의 회계처리와 매우 다르지는 않을 것이다(기준서 제1111호 문단 23). 공동지배력을 공유하지 않는 당사자는 자산에 대한 권리와 부채에 대한 의무를 보유하지 않을 수도 있을 것이다. 예를 들면, 당사자가 공동영업에 자금을 출자하고 대가로 자산과 부채에 대한 직접적인 권리와 의무를 부여 받는 대신에 공동영업의 생산물 중 일정 몫을 받을 권리를 보유하는 경우를 들 수 있다. 개별 자산에 대한 권리를 보유하지 않은 당사자는 그들의 지분을 관련 기준서에 따라 회계처리해야 한다.

공동지배력을 공유하지 않는 투자자를 포함하는 공동영업의 투자자는 그들의 권리와 의무가 별도재무제표와 연결재무제표에서 같아지도록 회계처리한다. 즉, 투자자는 별도재무제표와 연결재무제표 모두에서 공동약정으로 발생하는 자산과 부채를 회계처리한다.

공동영업자가 공동영업에 대한 지분 취득 시 '사업결합' 기준서에서 정의하는 사업의 정의를 충족하는 경우, '사업결합' 기준서에 따른 사업결합 회계에 대한 원칙을 적용한다.
① 별도로 구분하여 인식이 가능한 자산과 부채를 공정가치로 측정한다.
② 취득관련 원가는 원가가 발생하고 용역을 제공받은 기간의 비용으로 인식한다. 다만, 채무증권과 지분증권의 발행원가는 예외적으로 기준서 제1032호 '금융상품 : 표시'기준서와 기준서 제1109호에 따라 인식한다.
③ 자산과 부채의 최초 인식으로 발생하는 이연법인세자산과 이연법인세부채를 인식한다. 다만, 영업권의 최초 인식에서 발생하는 이연법인세부채는 제외한다.

④ 이전대가가 취득일의 식별가능한 취득 자산과 인수 부채의 순액을 초과하는 금액을 영업권으로 인식한다.

⑤ 사업결합으로 취득한 영업권에 대한 '자산손상'기준서의 요구사항에 따라, 영업권이 배분된 현금창출단위에 대해서는 적어도 매년, 그리고 손상을 시사하는 징후가 있을 때마다 손상검사한다.

사업결합 회계에 대한 원칙은 공동영업에 참가하는 참여자 중의 하나가 기존 사업을 공동영업에 출자하는 공동영업의 성립에도 적용한다. 그러나 사업결합의 회계처리는 공동영업이 사업을 구성하는 경우에만 적용범위에 포함되므로, 사업을 구성하지 않는 공동영업의 성립에는 적용하지 않는다. 예를 들어, 공동영업에 참가하는 모든 참여자가 사업에 해당하지 않는 자산이나 자산집단을 공동영업에 출자한다면 그러한 공동영업의 성립에는 적용하지 않는다.

한편, 공동영업자가 공동지배력을 취득한 이후 사업의 정의를 충족하는 공동영업에 대한 지분을 추가 취득하여 자신의 지분이 증가될 수 있다. 이 경우 공동영업자가 계속해서 공동지배력을 유지한다면 그 공동영업에 대해 이전에 보유한 지분은 재측정되지 않는다.

공동영업에 참여는 하지만 공동지배력을 보유하지 않는 공동영업 당사자가 그 공동영업(활동이 '사업결합'기준서에서 정의된 사업에 해당)에 대한 공동지배력을 획득할 수 있다. 이러한 경우에도, 그 공동영업에 대해 이전에 보유하고 있던 지분은 재측정하지 않는다.

또한, 사업결합 회계처리 원칙은 공동지배력을 공유하는 참여자들이 취득 전후에 걸쳐 동일 최상위 지배참여자(들)이 동일지배하에 있고 그 지배력이 일시적이지 않다면 그 공동영업에 대한 지분 취득에 적용하지 않는다.

6. 공 시

공동약정의 공시는 기준서 제1112호에서 규정하고 있다.

상기 기준서에 따라서 공동약정에 대한 공동영업자 및 공동기업 참여자는 다음의 세 가지를 설명할 수 있도록 공시할 것이 요구된다.

• 유의적인 판단과 가정
• 지분의 성격, 범위 및 재무적 영향

기준서 제1112호에 나열된 공시요구사항은 당사자가 약정에 유의적인 영향력을 행사하는 경우를 제외하고는 공동지배력을 공유하지 않는 공동약정의 당사자에게는 적용되지 않는다.

다음에서는 공동영업에 대해서 요구되는 공시항목을 설명한다. 공동기업과 관계기업에 적용되는 공시사항은 관계기업과 공동기업에 대한 투자의 장을 참고한다.

① 유의적 판단 및 가정

기준서는 경영진이 다음과 관련하여 적용한 유의적 판단과 가정을 공시하도록 요구하고 있다.

- 기업이 지분에 대해 공동지배력을 행사하는지의 여부
- 약정이 별도 기구를 통하여 구조화된 경우, 투자자가 공동약정을 공동영업 또는 공동기업으로 결정하였는지의 여부

② 공동영업에 대한 투자의 성격, 범위 및 재무영향

공동영업의 모든 지분에 대해서 기준서는 공동지배력을 보유하고 있는 다른 투자자와의 계약상의 관계를 포함하여, 투자자의 공동영업에 대한 지분의 성격, 범위, 재무영향을 공시할 것으로 요구한다. 경영진은 각각의 중요 공동영업에 대해서 다음을 공시해야 한다 :

- 공동영업의 명칭
- 공동영업과의 관계의 성격(예 : 활동의 성격에 대한 서술과 그 활동들이 기업의 활동에 전략적인지에 대한 서술)
- 공동영업의 주된 사업장(그리고 이와 다른 경우 설립지의 국가명)
- 기업이 보유한 소유지분율이나 참여지분율. 그리고 이와 다른 경우 보유한 의결권 지분율(적용되는 경우에 한함)

IV

사업결합

기업인수·합병회계

제1절 사업결합의 일반사항

1. 사업결합의 의의 및 동기

기업의 주요 목적 중 하나는 지속적인 성장을 달성하는 것이다. 기업의 성장에는 발생이익을 내부에 유보시켜 이 재무자원으로 영업을 확장해가는 내적 성장과 다른 기업과 결합하여 영업규모를 확대해가는 외적 성장이 있다. 이 중에서 사업결합을 통한 외적 성장은 비교적 단기간 내에 상당한 효과를 나타내기 때문에 널리 이용되고 있다. 이러한 외적 성장 수단으로서의 사업결합(Business combination)이란 취득자가 하나 이상의 사업에 대한 지배력을 획득하는 거래나 그 밖의 사건을 말한다(기준서 제1103호 부록 A "용어의 정의"). 이 때 취득자는 사업결합에 있어 '현금·현금성자산이나 그 밖의 자산(사업을 구성하는 순자산 포함)의 이전', '부채의 부담', '지분의 발행', '두 가지 형태 이상의 대가의 제공'과 '계약만으로 이루어지는 경우 및 피취득자가 충분한 수의 자기주식을 재매수하여 취득자가 지배력을 획득할 수 있는 유효지분율을 확보하게 되는 경우' 등을 포함하여 '대가의 이전이 없는 방식' 등과 같이 다양한 방법으로 피취득자에 대한 지배력을 획득할 수 있다(기준서 제1103호 문단 37, 43). 결국 거래의 법적 형태나 대금지급의 방식 등에 관계없이 거래의 본질이 실질적 사업결합에 해당되면 회계상으로는 이를 사업결합이라고 정의한다.

일반적으로 사업결합을 추진하는 동기에는 다음과 같은 사항들이 있다고 알려져 있다.

① 경영전략적 동기 : 기존의 기업과 결합함으로써 내적성장보다 저렴한 비용과 적은 위험으로 단시일 내에 기업규모를 확장할 수 있다. 특히 경영전략적 관점에서 사업결합은 제품다양화, 시장다변화, 사업영역확대 등을 통해 기업으로 하여금 환경변화에 대비할 수 있도록 해준다. 또한 조직의 지속적 성장과 R&D 투자비용의 효율성 제고 등이 가능해진다.

② 경영합리화 동기 : 사업결합이 이루어지면 각 분야에서 시너지효과(synergy effect)가 기대된다. 특히 사업결합은 규모의 경제(economy of scale)를 통한 원가절감과 관리능력 향상에 기여할 수 있다.

③ 경영다각화와 시장지배력 증대 동기 : 사업결합으로 영업이 다양해지면 주기적 또는 계절적인 수익의 불안전성을 줄일 수 있어 영업위험이 분산된다. 즉 사업결합으로 수익안정화효과(income stabilization effect)를 달성할 수 있다. 또한 동종 기업 간에 사업결합이 이루어질 경우 시장점유율의 확대를 통해 시장에서 지배적인 위치를 확보할 수 있게 된다.

④ 재무구조 개선과 부실기업 구제 : 사업결합으로 기업 간에 위험을 공동으로 부담하는 효과(co-insurance effect)가 발생하여 기업의 파산위험이 감소한다. 특히 비교적 여유 있는 기업과 결합할 때 파산위험은 현격히 감소할 수 있다. 또한 사업결합으로 기업규모가 확대되면 기업의 대외공신력이 증가하여 기업의 부채차입능력이 증대되고 자본조달비용이 저렴해져 재무적인 규모의 경제(financial economy of scale)를 누릴 수 있고, 이로써 기업의 가치는 실질적으로 증가할 수 있다.

2. 사업결합의 유형

사업결합은 법률상, 세무상 또는 그 밖의 이유에서 다양한 방법으로 이루어질 수 있는 바, 다음과 같은 경우를 포함한다(기준서 제1103호 문단 B6).

① 하나 이상의 사업이 취득자의 종속기업이 되거나, 하나 이상의 사업의 순자산이 취득자에게 법적으로 합병된다.

② 하나의 결합참여기업이 자신의 순자산을, 또는 결합참여기업의 소유주가 자신의 지분을 다른 결합참여기업 또는 다른 결합참여기업의 소유주에게 이전한다.

③ 결합참여기업 모두가 자신의 순자산을 또는 모든 결합참여기업의 소유주가 자신의 지분을 신설된 기업에게 이전한다.

④ 결합참여기업 중 한 기업의 이전 소유주 집단이 결합기업에 대한 지배력을 획득한다.

한편, 사업결합을 법적 형태에 따라 분류하는 경우 대표적으로 합병, 주식인수, 영업양수도로 나눌 수 있다.

(1) 합병

합병이란 둘 이상의 기업실체가 법적으로 단일의 기업실체가 되는 것을 말한다. 이에

는 흡수합병과 신설합병이 있는데 흡수합병(merger)이란 합병대상회사들 중 한 기업실체가 다른 기업실체의 모든 권리와 의무를 포괄적으로 승계하여 합병 후에도 존속하는 형태의 합병을 말하며 신설합병(consolidation)이란 새로 설립되는 기업실체가 합병대상회사들의 모든 권리와 의무를 포괄승계하여 합병 후에는 합병대상회사들이 모두 소멸하는 형태의 합병을 말한다. 즉 흡수합병은 합병회사가 피합병회사를 흡수하여 합병 후에도 합병회사는 그대로 존속하는 형태의 합병이고(A+B=A), 신설합병은 기존의 회사들이 모두 소멸하고 새로운 하나의 실체로 존속하는 형태의 합병을 말한다(A+B=C).

(2) 주식인수

주식인수(stock acquisition)란 기업인수라고도 하는데, 특정 기업실체가 다른 기업실체의 의결권 있는 발행주식 중 과반수 또는 다른 기업실체를 실질적으로 지배할 수 있는 수량을 취득함으로써 당해 기업실체를 현실적으로 통제할 수 있게 되는 형태의 사업결합을 말한다. 이러한 기업인수는 경제적 실질이란 측면에서는 두 기업을 하나의 경제실체라고 볼 수 있지만 합병과는 다르게 매수당한 기업의 법률적 실체가 소멸하지 않으며 각 기업은 개별적인 회계시스템을 유지하게 된다. 따라서 사업결합 시 한 번만 관련된 회계처리를 하는 합병의 경우와는 달리 주식인수의 경우에는 결산시점마다 사업결합과 관련된 회계처리 조정이 필요할 수 있다. 이 경우 주식취득으로 인하여 투자회사가 피투자회사에 일정한 지배력을 행사할 수 있는 관계를 지배·종속관계(parent-subsidiary relationship)라 하며, 이들을 하나의 기업실체로 보아 작성하는 재무제표를 연결재무제표(consolidated financial statements)라고 한다.

(3) 영업양수도

영업양수도란 양도인이 사업주의 지위를 양수인에게 인계하고 또한 사업재산을 일괄하여 양도하는 것을 목적으로 하는 채권계약을 뜻한다. 이러한 영업양수도는 다음과 같은 특징이 있다. 첫째, 영업양수도는 사업상의 지위를 인계하여야 할 것을 요건으로 한다. 즉 사업상의 거래처, 사업상의 기밀 등 재산적 가치가 있는 사실관계의 이전을 목적으로 한다. 둘째, 사업재산을 일괄하여 양도하는 것을 요건으로 한다. 반드시 전 재산을 이전할 필요는 없으나 사업의 동일성이 인정되어야 하기 때문에 그 일부의 양도, 예를 들면 지점만 양도할 수도 있다. 셋째, 영업양수도는 이상 2가지의 효력의 발생을 목적으로 하는 채권계약이다. 따라서 이전되는 개개의 권리에 대하여는 그 이전행위 및 대항요건이 필요한 경우에 대항요건을 갖추지 아니하면 안된다. 요약하면 영업양수도는 사업재산 및 사업상의 지위를 포괄하여 양도하는 것을 목적으로 한 일종의 채권계약이라 할 수 있다.

3. 사업의 정의

사업결합의 법적인 유형과 무관하게 사업결합의 회계처리는 상기 1.에서 설명하는 사업결합의 정의를 충족하는 경우에만 요구된다. 사업결합을 사업에 대한 지배력을 획득하는 거래로 정의하고 있으므로, 우선적으로 판단할 사항은 인수대상이 "사업"의 요건을 충족하는지의 여부가 될 것이다. 사업이란 고객에게 재화나 용역을 제공하거나, 투자수익(예 : 배당금 또는 이자)을 창출하거나 통상적인 활동에서 기타 수익을 창출할 목적으로 수행되고 관리될 수 있는 활동과 자산의 통합된 집합을 말하며(기준서 제1103호 부록A "용어의 정의"), 기준서는 사업은 투입물, 그리고 그러한 투입물에 적용되어 산출물을 창출할 수 있는 과정으로 구성된다고 하고 있다. 이러한 세 가지 요소는 아래와 같이 정의된다(기준서 제1103호 문단 B7).

구 분	내 용
① 투입물	하나 이상의 과정이 적용될 때 산출물을 창출하거나 산출물의 창출에 기여할 수 있는 능력을 가진 모든 경제적 자원. 예를 들어, 비유동자산(무형자산이나 비유동자산에 대한 사용권 포함), 지적재산, 필요한 재료나 권리에의 접근을 획득할 수 있는 능력 및 종업원을 포함함.
② 과 정	투입물에 적용될 때 산출물을 창출하거나 산출물의 창출에 기여할 수 있는 모든 시스템, 표준, 프로토콜, 관례 또는 규칙. 예를 들어, 전략적 경영과정, 운영과정 및 자원관리과정을 포함함. 이러한 과정은 통상 문서화되어 있지만, 규칙과 관례에 따른 필요한 기술과 경험을 갖춘 조직화된 노동력의 지적능력이 이러한 필요한 과정, 즉 투입물에 적용되어 산출물을 창출할 수 있는 과정을 제공할 수 있음(회계, 청구, 급여 등의 관리시스템은 대체로 산출물을 창출하는 데 사용되는 과정이 아님).
③ 산출물	투입물과 그 투입물에 적용되는 과정의 결과물로 고객에게 재화나 용역을 제공하거나 투자수익(예 : 배당금 또는 이자)을 창출하거나 통상적인 활동에서 기타 수익을 창출하는 것

특정사업은 보통 산출물이 있지만, 활동과 자산의 통합된 집합이 사업의 정의를 충족하기 위해 산출물이 요구되는 것은 아니다. 사업의 정의에서 식별된 목적을 위하여 실행되고 운영되려면 활동과 자산의 통합된 집합체에는 투입물과 그 투입물에 적용되는 과정이 필수적으로 요구되며, 이 두 가지 요소는 산출물의 산출에 기여하기 위하여 함께 사용되거나 사용될 것이다. 사업에는 매도자가 해당 사업을 운영하면서 사용한 모든 투입물과 과정을 포함할 필요는 없다. 그러나, 사업으로 보기 위해서는, 활동과 자산의 통합된 집합은 최소한 산출물을 창출하는 능력에 유의적으로 함께 기여하는 투입물과 실질적인 과정을 포함해야만 한다(기준서 제1103호 문단 B8). 또한 취득한 활동과 자산의 집

합에 산출물이 있는 경우, 수익의 지속 그 자체만으로는 투입물과 실질적인 과정 모두가 취득되었다는 것을 나타내는 것은 아니다(기준서 제1103호 문단 B8A).

사업 요소들의 성격은 기업의 개발단계를 포함하여 산업과 기업의 영업(활동) 구조에 따라 다양하다. 확립된 사업에서는 흔히 수많은 투입물, 과정, 산출물의 형태를 갖지만, 새로운 사업에서는 흔히 투입물과 과정이 거의 없고 때로는 하나의 산출물(제품)만 있다. 거의 대부분의 사업은 부채도 보유하고 있으나 부채가 반드시 필요한 것은 아니다. 또 취득된 활동과 자산의 집합이 사업이 아니어도 부채가 있을 수 있다(기준서 제1103호 문단 B9).

활동과 자산의 특정 집합이 사업인지 여부는 시장참여자가 그 통합된 집합체를 사업으로 수행하고 운영할 수 있는지에 기초하여 결정한다. 그러므로 특정 집합이 사업인지의 여부를 평가할 때, 매도자가 그 집합을 사업으로 운영하였는지 또는 취득자가 그 집합을 사업으로 운영할 의도가 있는지와는 관련이 없다(기준서 제1103호 문단 B11).

(1) 취득한 과정이 실질적인지에 대한 평가

기준서 제1103호는 실질적인 과정이 취득되었는지를 판단하기 위해 적용할 기준을 취득한 활동과 자산의 집합이 산출물을 가지지 않는 경우와 가지는 경우로 구분하여 설명하고 있다(기준서 제1103호 문단 B12).

취득일에 산출물이 없는 취득한 활동과 자산의 집합의 예로 수익 창출을 시작하지 않은 초기 단계의 기업이 있다. 또, 만약 취득한 활동과 자산의 집합이 취득일에 수익을 창출하고 있었던 경우, 예를 들어 그러한 활동과 자산의 집합이 취득자에 의해 통합될 것이기 때문에 그 후에 외부 고객으로부터 창출하는 수익이 더 이상 없더라도 취득일에 산출물이 있는 것으로 간주된다(기준서 제1103호 문단 B12A).

활동과 자산의 집합이 취득일에 산출물이 없는 경우, 취득한 과정(또는 과정들의 집합)은 다음을 모두 충족하는 경우에만 실질적인 것으로 간주된다.
① 취득한 과정(또는 과정들의 집합)이 취득한 투입물을 산출물로 개발하거나 변환하는 능력에 매우 중요하다.
② 취득한 투입물은 해당 과정(또는 과정들의 집합)을 수행하는 데 필요한 기술, 지식 또는 경험을 갖춘 조직화된 노동력과 그 조직화된 노동력이 산출물로 개발하거나 변환할 수 있는 그 밖의 투입물을 모두 포함한다. 그러한 그 밖의 투입물은 다음을 포함할 수 있다.

㉠ 재화나 용역을 개발하는 데 사용될 수 있는 지적 재산

㉡ 산출물을 창출하기 위해 개발될 수 있는 그 밖의 경제적 자원

㉢ 미래 산출물을 창출하는 데 필요한 재료나 권리에 대한 접근권

위 ②의 ㉠~㉢에 언급된 투입물의 예로는 기술, 진행 중인 연구개발 프로젝트, 부동산 및 광물지분을 포함한다.

(기준서 제1103호 문단 B12B)

활동과 자산의 집합이 취득일에 산출물을 가지고 있는 경우, 과정이 취득된 투입물에 적용될 때 다음 중 하나를 충족한다면, 취득한 과정(또는 과정들의 집합)은 실질적인 것으로 간주된다.

① 취득한 과정(또는 과정들의 집합)이 산출물을 계속 창출할 수 있는 능력에 매우 중요하며, 취득한 투입물에는 해당 과정(또는 과정들의 집합)을 수행하는 데 필요한 기술, 지식 또는 경험을 갖춘 조직화된 노동력이 포함된다.

② 취득한 과정(또는 과정들의 집합)이 산출물을 계속 창출할 능력에 유의적으로 기여하고 다음 중 하나를 충족한다.

㉠ 고유하거나 희소한 것으로 간주된다.

㉡ 대체하려면, 유의적인 원가나 노력이 들거나 산출물을 계속 창출하는 능력이 지체된다.

(기준서 제1103호 문단 B12C)

취득한 활동과 자산의 집합에 실질적인 과정이 포함되어 있는지 판단하기 위해 추가적으로 고려할 수 있는 사항은 다음과 같다.

① 취득한 계약은 실질적인 과정이 아니라 투입물이다. 그럼에도 불구하고, 취득한 계약(예 : 부동산관리를 아웃소싱하는 계약, 자산관리를 아웃소싱하는 계약)에 따라 조직화된 노동력에 접근할 수도 있다. 기업은 그러한 계약에 따라 접근할 수 있는 조직화된 노동력이, 기업이 통제하고 취득한 실질적인 과정을 수행하는지를 평가한다. 그러한 평가에 고려할 요소에는 계약의 존속기간과 갱신 조건이 포함된다.

② 취득한 조직화된 노동력을 대체하는 것이 어렵다면, 취득한 조직화된 노동력이 산출물을 창출하는 능력에 매우 중요한 과정을 수행함을 나타낼 수 있다.

③ 예를 들어, 산출물을 창출하는 데 필요한 모든 과정을 고려할 때 어떤 과정(또는 과정들의 집합)이 부수적이거나 사소하다면 그 과정(또는 과정들의 집합)은 매우 중요하지는 않다.

(기준서 제1103호 문단 B12D)

(2) 집중테스트 적용

기준서 제1103호는 취득한 활동과 자산의 집합이 사업의 정의를 충족하는지 비교적 간단히 평가할 수 있는 집중테스트를 포함하고 있다. 집중테스트의 적용은 의무가 아닌 선택 사항이며, 테스트의 적용 여부를 각각의 거래나 그 밖의 사건별로 결정할 수 있다. 이러한 집중테스트에 따른 결과는 다음과 같다.

① 만약 집중테스트를 통과하면, 취득한 활동과 자산의 집합은 사업이 아니라고 결정할 수 있고, 사업의 정의를 충족하는지 추가적인 검토를 수행하지 않아도 된다.

② 만약 집중테스트를 통과하지 못하거나 기업이 테스트의 적용을 선택하지 않는다면, 취득한 활동과 자산의 집합이 사업의 정의를 충족하는지 검토해야 한다.

(기준서 제1103호 문단 B7A)

만약 취득한 총자산의 공정가치의 대부분이 식별가능한 단일 자산 또는 비슷한 자산의 집합에 집중되어 있다면, 집중테스트를 통과한다. 이 집중테스트는 다음과 같이 이루어진다.

① 취득한 총자산에서 현금및현금성자산, 이연법인세자산, 그리고 이연법인세부채의 영향에 따른 영업권을 제외한다.

② 취득한 총자산의 공정가치는 취득한 식별가능 순자산의 공정가치를 초과하여 이전된 대가(비지배지분의 공정가치와 이전에 보유하고 있던 지분의 공정가치를 가산)를 포함한다. 취득한 총자산의 공정가치는 일반적으로 인수한 부채(이연법인세부채 제외)의 공정가치에 이전대가의 공정가치(비지배지분의 공정가치와 이전에 보유하고 있던 지분의 공정가치를 가산)를 가산하고, 그 후에 위 ①에서 명시된 항목을 제외하여 얻어지는 총액으로 산정할 수 있다. 그러나 취득한 총자산의 공정가치가 그 총액보다 크다면 때에 따라 보다 정확한 계산이 필요할 수 있다.

③ 단일의 식별가능한 자산은 사업결합에서 단일의 식별가능한 자산으로서 인식되고 측정되는 자산 또는 자산 집합을 포함한다.

④ 만약 유형(형태가 있는)의 자산이 다른 유형의 자산(또는 기업회계기준서 제1116호에 정의된 기초자산)에 부착되어 있고, 유의적인 원가를 들이거나 각 자산(예 : 토지와 건물)의 효용이나 공정가치를 유의적으로 줄이지 않고서는 다른 유형의 자산에서 물리적으로 제거하여 별도로 사용할 수 없다면, 그러한 자산들은 단일의 식별가능한 자산으로 간주된다.

⑤ 복수의 자산이 비슷한지를 평가할 때, 기업은 단일의 식별가능한 개별 자산의 성격과 그 자산들의 산출물을 관리하고 창출하는 것과 관련되는 위험(즉, 위험 특성)을 고려한다.

⑥ 다음은 비슷한 자산으로 간주되지 않는다.

　㉠ 유형의 자산과 무형자산

　㉡ 다른 종류인 유형의 자산(예 : 재고자산, 제조 설비, 자동차)(이러한 자산들이 위 ④에 따라 단일의 식별가능한 자산으로 간주되는 경우 제외)

　㉢ 서로 다른 유형인 식별가능한 무형자산(예 : 브랜드명, 라이선스, 개발중인 무형자산)

　㉣ 금융자산과 비금융자산

　㉤ 서로 다른 유형인 금융자산(예 : 매출채권 및 지분상품 투자)

　㉥ 자산의 유형은 동일하지만 위험특성이 유의적으로 다른 식별가능한 자산

(기준서 제1103호 문단 B7B)

사례 1　(주)삼일은 (주)용산의 지분 20%를 보유하고 있다. 취득일에 (주)삼일은 (주)용산에 대한 지분 50%를 추가로 취득하여 지배력을 획득한다. 취득일에 (주)용산의 자산과 부채는 다음과 같다.

① 건물(공정가치 500원)

② 식별가능한 무형자산(공정가치 400원)

③ 현금및현금성자산(공정가치 100원)

④ 금융부채(공정가치 700원)

⑤ 이연법인세부채(건물과 무형자산과 관련된 일시적 차이에서 발생한 160원)

(주)삼일은 (주)용산의 추가 지분 50%에 대해 200원을 지급한다. (주)삼일은 취득일에 (주)용산의 공정가치는 400원, (주)용산의 비지배지분의 공정가치는 120원(30% × 400원), 이전에 보유하고 있던 지분의 공정가치는 80원(20% × 400원)이라고 산정한다. (주)삼일은 취득한 활동과 자산의 집합이 사업의 정의를 충족하는지 판단하기 위해 집중테스트를 적용하고자 한다 (기준서 제1103호 IE120 – IE123 사례 인용).

(주)삼일이 집중테스트를 수행하기 위하여, (주)삼일은 취득한 총자산의 공정가치를 결정할 필요가 있다. 취득한 총자산의 공정가치는 다음과 같이 1,000원으로 산출된다.

① 건물의 공정가치(500원)

② 식별가능한 무형자산의 공정가치(400원)

③ 다음 ㉠이 ㉡을 초과하는 금액(100원)

　㉠ 이전대가(200원)+비지배지분의 공정가치(120원)+이전에 보유하고 있던 지분의 공정가치(80원)=400원

　㉡ 취득한 식별가능한 순 자산의 공정가치 300원 = 500원 + 400원 + 100원 – 700원

취득한 총자산의 공정가치는 실질적인 과정을 취득하였는지의 여부와 무관한 항목을 제외한 후 결정된다.

① 취득한 총자산의 공정가치는 취득한 현금및현금성자산의 공정가치(100원)와 이연법인세자산[이 사례에서는 영(0)]을 포함하지 않는다.

② 이연법인세부채는 취득한 순자산의 공정가치(300원)를 산출할 때 차감하지 않으며, 이연법인세부채 금액을 결정할 필요가 없다. 따라서 문단 IE120(3)을 적용하여 계산한 초과분(100원)은 이연법인세부채 효과에 따른 영업권을 포함하지 않는다.

취득한 총자산의 공정가치(1,000원)는 다음과 같이 ①에서 ②와 ③을 차감하여 결정할 수도 있다.

① 다음 ㉠과 ㉡을 합산한 총액(1,100원)

㉠ 이전대가(200원)+비지배지분의 공정가치(120원)+이전에 보유하고 있던 지분의 공정가치(80원)=400원

㉡ 인수 부채의 공정가치(이연법인세부채 제외)=700원

② 취득한 현금및현금성자산=100원

③ 취득한 이연법인세자산[이 사례에서는 영(0)]. 실무적으로는, 이연법인세자산을 포함하게 되면 집중테스트를 통과하지 못하게 될 수 있는 경우에만, 제외되는 이연법인세자산의 금액을 결정할 필요가 있을 것이다.

특정 거래에서 인수한 대상이 사업인지를 판단하기 위한 흐름을 요약하면 다음과 같다.

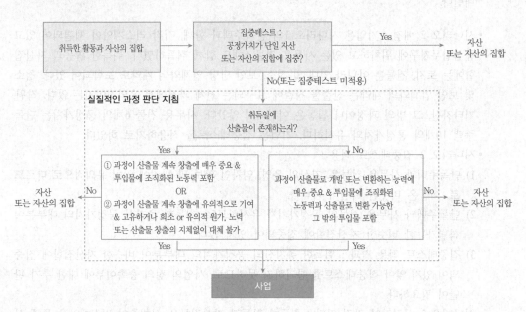

다음의 사례에서는 이러한 체계를 적용하여 취득한 활동과 자산의 집합이 사업인지를 판단하는 과정을 설명한다.

사례 2 **부동산의 취득**(기준서 제1103호 IE74-IE86)

시나리오 1 배경 : 기업은 각각 리스계약이 실행되고 있는 10채의 단독주택을 일괄 매입하였다. 각 주택은 토지, 건물, 구축물을 포함하고 있다. 지급한 대가의 공정가치는 단독주택 10채의 공정가치와 같으며, 각 주택의 연면적과 실내 디자인은 모두 상이하다. 10채의 단독주택은 같은 지역에 위치하고 있으며 고객층도 유사하다. 주택을 취득한 부동산 시장에서의 운영 위험은 유의적으로 다르지 않다. 직원, 기타자산, 과정이나 그 밖의 활동은 이전되지 않았다. 기업은 취득한 활동과 자산집합이 사업인지 여부를 판단하기 위해 집중테스트를 적용하기로 하였다.

• **시나리오 1 집중테스트 적용** :
  1) 단일의 식별가능한 자산 : 건물과 구축물은 토지에 부착되어 있고, 실행중인 리스와 건물은 사업결합에서 식별가능한 단일 자산으로 인식, 측정될 것이므로 단일 자산에 해당한다.
  2) 비슷한 식별가능한 자산집합 : 자산의 성격이 유사하고, 산출물의 관리 및 창출과 관련된 위험이 유의적으로 다르지 않으므로 비슷한 자산집단에 해당한다.
• **결론** : 집중테스트 적용 결과, 취득한 총자산의 공정가치의 대부분이 비슷한 자산집합에 집중되어 있어 집중테스트를 통과하므로, 취득한 활동과 자산집합은 사업이 아니라고 결론 내린다.

• **시나리오 2 배경** : 기업은 시나리오 1의 단독주택과 함께, 각각 리스계약이 체결되어 있고 중심업무지구에 위치하고 있는 사무용 건물 6채도 함께 취득하였다. 취득한 활동과 자산집합에는 토지, 건물뿐 아니라 임대 및 청소, 보안 담당 업체와의 계약도 포함되어 있다. 청소 및 보안 업체와의 계약은 산출물 창출에 요구되는 전체 과정에서 유의적이지는 않다. 직원, 기타자산, 그 밖의 과정이나 활동은 이전되지 않았다. 사무용 건물 6채의 공정가치는 단독주택 10채의 공정가치와 유사하다. 기업은 집중테스트를 적용하기로 하였다.
• **시나리오 2 집중테스트 적용** :
  1) 단독주택과 사무용 건물은, 자산의 운영, 임차인 확보 및 관리에 있어 유의적으로 다르므로, 이들은 비슷한 자산이 아니다.
  2) 단독주택과 사무용 건물의 공정가치가 유사하므로, 취득한 총자산 공정가치의 대부분이 식별가능한 비슷한 자산집합에 집중되어 있지 않다.
  3) 집중테스트 적용 결과 : 취득한 총자산의 공정가치의 대부분이 비슷한 자산집합에 집중되어 있지 않아 집중테스트를 통과하지 못하므로, 사업의 정의 충족여부에 대한 추가 판단이 필요하다.
• **시나리오 2 실질적인 과정 판단** : 취득한 활동과 자산집합은 실행중인 리스계약을 통해 산출물을 창출하고 있다. 따라서 기준서 제1103호 문단 B12C에 따라 취득한 과정(청소, 보안 업체와의 계약)이 실질적인지에 대한 판단이 필요하다. 취득한 과정이 산출물을 계속 생산하는 능력에 매우 중요하지는 않고, 해당 과정을 수행하는데 필요한 기술, 지식 또는 경험을 갖춘 조직화된 노동력이 포함되어 있지 않다. 또한 취득한 과정이 산출물을 계속 생산하는 능력에 유의적으로 기여하지 않으며, 유의적인 원가, 노력 또는 산출물을 계속 생산하는

능력의 지체 없이 대체할 수 있다.
- 결론 : 취득한 활동과 자산집합은 기준서 제1103호 문단 B12C의 기준 중 어느 것도 충족하지 못하므로, 기업은 취득한 활동과 자산집합을 사업이 아니라고 결론 내린다.

- 시나리오 3 배경 : 시나리오 2와 동일한 상황에서, 취득한 활동과 자산집합에 임대, 임차인 관리 및 제반 운영 과정의 관리, 감독을 책임지는 종업원이 포함되어 있다. 기업은 집중테스트를 적용하지 않기로 했다.
- 시나리오 3 실질적인 과정 판단 : 취득한 활동과 자산집합은 실행중인 리스계약을 통해 산출물을 창출하고 있다. 따라서 기준서 제1103호 문단 B12C에 따라 취득한 과정이 실질적인지에 대한 판단이 필요하다. 취득한 활동과 자산집합에는 임대, 임차인 관리 등을 수행하는 데 필요한 기술, 지식 또는 경험을 갖춘 조직화된 노동력이 포함되어 있고, 이 과정은 투입물(토지, 건물과 리스계약)에 적용하여 계속 산출물을 생산하는 능력에 매우 중요하므로 실질적이며, 실질적인 과정과 투입물이 산출물을 창출하는 능력에 유의적으로 기여한다.
- 결론 : 취득한 활동과 자산집합은 기준서 제1103호 문단 B12C의 기준을 충족하므로, 기업은 취득한 활동과 자산집합을 사업이라고 결론 내린다.

사례 3 예비신약물질의 취득(기준서 제1103호 IE87-IE92)

- 시나리오 1 배경 : 기업은 당뇨병을 치료하기 위한 화합물을 개발하여 최종 시험 단계를 진행 중인 연구개발 프로젝트(프로젝트1)에 대한 권리를 취득하였다. 프로젝트1은 최종 시험 단계를 완료하는데 필요한 과거 노하우, 제조법, 설계 및 절차를 포함하고 있다. 또한 임상시험을 아웃소싱하는 계약도 함께 취득하였다. 해당 계약은 현재 시장가격으로 가격이 책정되어 있고, 시장의 많은 공급자들이 동일한 서비스를 제공할 수 있다. 따라서 해당 계약의 공정가치는 "0"으로 평가된다. 기업은 계약을 갱신할 수 있는 옵션을 갖고 있지는 않다. 직원, 기타자산, 그 밖의 절차 또는 활동은 이전되지 않았다. 기업은 집중테스트를 적용하기로 하였다.
- 시나리오 1 집중테스트 적용 :
1) 프로젝트1은 사업결합에서 식별가능한 단일 무형자산으로 인식되고 측정될 것이므로, 식별가능한 단일 자산이다.
2) 취득한 계약의 공정가치는 "0"이므로, 취득한 총자산의 공정가치의 대부분은 프로젝트1에 집중되어 있다.
- 결론 : 집중테스트 적용 결과, 취득한 총자산의 공정가치의 대부분이 단일 자산에 집중되어 있어 집중테스트를 통과하므로, 취득한 활동과 자산집합은 사업이 아니라고 결론 내린다.

- 시나리오 2 배경 : 기업이 취득한 활동과 자산집합에는 시나리오 1의 프로젝트1과 함께, 알츠하이머 치료제를 개발하며 최종 시험 단계에 있는 또 다른 진행 중인 연구개발 프로젝트(프로젝트2)가 포함되어 있다. 프로젝트2에는 최종 시험 단계를 완료하는데 필요할 것으로 예상되는 과거 노하우, 제조법, 설계 및 절차를 포함하고 있다. 프로젝트2와 관련된 공정가치는 프로젝트1과 유사하다. 직원, 기타자산, 그 밖의 절차 또는 활동은 이전되지 않았다. 기업은 집중테스트를 적용하기로 하였다.

- 시나리오 2 집중테스트 적용 :
1) 프로젝트1과 프로젝트2는 사업결합에서 식별가능한 별도 자산으로 각각 인식되고 측정될 식별가능한 무형자산이다.
2) 프로젝트1과 프로젝트2는 각 자산에서 산출물을 창출하고 관리하는 것과 관련된 위험이 유의적으로 다르기 때문에 식별가능한 비슷한 자산이 아니다. 각 프로젝트는 고객에게 화합물을 개발, 완성 및 마케팅하는 것과 관련하여 유의적으로 다른 위험을 갖고 있다.
3) 집중테스트 적용 결과 : 취득한 총자산의 공정가치의 대부분이 단일 자산 또는 비슷한 자산집합에 집중되어 있지 않아 집중테스트를 통과하지 못하므로, 사업의 정의 충족여부에 대한 추가 판단이 필요하다.
- 시나리오 2 실질적인 과정 판단 : 취득한 활동과 자산집합은 수익 창출이 시작되지 않았기 때문에 산출물이 없다. 따라서 기업은 기준서 제1103호 문단 B12B에 따라 취득한 과정이 실질적인지에 대한 판단이 필요하다. 취득한 활동과 자산집합은 조직화된 노동력을 포함하지 않는다. 또한 임상시험을 아웃소싱하는 계약이 임상시험 수행에 요구되는 과정을 실행하는데 필요한 기술, 지식 또는 경험을 가진 조직화된 노동력에 접근하도록 할 수 있지만, 그 조직화된 노동력은 기업이 취득한 투입물을 산출물로 개발하거나 변환할 수 없다. 성공적인 임상시험은 산출물을 생산하기 위한 전제조건이지만, 그러한 시험의 수행이 취득한 투입물을 산출물로 개발하거나 변환할 수는 없을 것이다.
- 결론 : 취득한 활동과 자산집합은 기준서 제1103호 문단 B12B의 기준을 충족하지 못하므로, 기업은 취득한 활동과 자산집합을 사업이 아니라고 결론 내린다.

사례 4 | 생명공학 기업의 취득(기준서 제1103호 IE93-IE97)

- 배경 : 기업(취득자)은 법인(바이오테크)을 취득한다. 바이오테크의 영업은 개발 중인 여러 가지 약제에 대한 연구개발 활동(진행 중인 연구개발 프로젝트), 연구개발 활동을 수행하는데 필요한 기술, 지식 또는 경험을 보유한 고위 경영진 및 과학자, 유형의 자산(본사, 연구실 및 연구 장비 포함)을 포함한다. 바이오테크는 아직 시장성 있는 제품을 가지고 있지 않으며 수익을 창출하지 못한다. 취득한 각 자산의 공정가치는 비슷하다.
- 집중테스트 적용 여부 결정 : 취득한 총자산의 공정가치의 대부분이 식별가능한 단일 자산 또는 비슷한 자산집합에 집중되어 있지 않다는 것은 명백하다. 따라서, 집중테스트는 통과하지 못할 것이므로, 추가 판단을 수행한다.
- 실질적인 과정 판단 :
1) 취득자는 먼저 어떤 과정을 취득하였는지를 평가한다. 어떤 과정도 문서화되지 않았다. 그럼에도 불구하고, 취득한 조직화된 노동력은 바이오테크의 진행 중인 프로젝트에 대한 독점적인 지식과 경험을 보유하고 있다. 취득자는 규칙과 관례에 따르는 필요한 기술과 경험을 갖춘 조직화된 노동력을 취득하였고 그 노동력의 지적 능력이 산출물을 창출하기 위해 투입물에 적용될 수 있는 과정을 제공한다고 결론을 내린다.
2) 다음으로 취득자는 취득한 과정이 실질적인지를 평가한다. 활동과 자산의 집합에는 산출물이 없다. 따라서 취득자는 기준서 제1103호 문단 B12B의 기준을 적용한다. 취득한 과정은 취득한 투입물을 산출물로 개발하거나 변환할 수 있는 능력에 매우 중요하며, 취득한 투입물에는 취득한 과정을 수행하는 데 필요한 기술, 지식 또는 경험을 갖춘 조직화

된 노동력이 포함되어 있으며, 조직화된 노동력이 산출물로 개발하거나 변환할 수 있는 기타 투입물이 취득되었다. 그러한 투입물은 진행 중인 연구개발 프로젝트를 포함한다.

- 결론 : 기업은 취득한 실질적인 과정과 취득한 투입물이 함께 산출물을 창출하는 능력에 유의적으로 기여하므로, 취득한 활동과 자산의 집합이 사업이라고 결론 내린다.

사례 5 유통 사업권 라이선스(기준서 제1103호 IE104-IE106)

- 배경 : 기업이 다른 기업(판매자)으로부터 특정 지역에서 제품 X를 독점 유통할 수 있는 2차 라이선스를 구입한다. 판매자는 제품 X를 전 세계에 유통할 수 있는 라이선스를 가지고 있다. 이 거래의 일부로 취득자는 해당 지역의 고객과의 기존 계약도 구입하고, 시장 가격으로 생산자로부터 제품 X를 구매하는 공급계약도 인수한다. 식별가능한 취득자산 중 어느 것도 취득한 총자산의 공정가치의 대부분을 차지하는 것은 없다. 직원, 기타자산, 유통능력, 그 밖의 활동은 이전되지 않았다. 기업은 집중테스트를 적용하기로 하였다.
- 집중테스트 적용 :
  1) 사업결합에서 식별가능한 자산에는 제품 X를 유통할 수 있는 2차 라이선스, 고객 계약 및 공급계약이 포함된다. 2차 라이선스와 고객 계약은 다른 종류의 무형자산이므로 이들 식별가능한 자산은 서로 비슷하지 않다.
  2) 집중테스트 적용 결과 : 취득한 총자산의 공정가치의 대부분은 단일 자산 또는 비슷한 자산집합에 집중되어 있지 않아 집중테스트를 통과하지 못하므로, 사업의 정의 충족여부에 대한 추가 판단이 필요하다.
- 실질적인 과정 판단 : 2차 라이선스는 취득일에 특정 지역의 고객으로부터 수익을 창출하고 있기 때문에 활동과 자산의 집합은 산출물을 가지고 있다. 따라서 기업은 기준서 제1103호 문단 B12C에 따라 취득한 과정이 실질적인지에 대한 판단이 필요하다. 취득한 계약은 투입물일 뿐이고 실질적인 과정은 아니므로, 취득자는 취득한 공급계약이 실질적인 과정을 수행하는 조직화된 노동력에 대한 접근을 제공하는지 고려하여야 한다. 취득한 또 다른 투입물에 과정을 적용하는 용역을 공급계약이 제공하지 않기 때문에, 취득자는 공급계약의 실질이 제품 X를 생산하는데 필요한 조직화된 노동력, 과정 및 기타 투입물을 취득하지 않고 제품 X를 취득하는 것이라고 결론 내린다. 또한 취득한 2차 라이선스도 과정이 아니라 투입물일 뿐이다.
- 결론 : 취득한 활동과 자산집합은 조직화된 노동력과 기준서 제1103호 문단 B12C를 충족하는 실질적인 과정을 포함하지 않으므로, 기업은 취득한 활동과 자산집합을 사업이 아니라고 결론 내린다.

사례 6 브랜드 취득(기준서 제1103호 IE107-IE109)

- 배경 : 취득자가 관련된 모든 지적재산을 포함하여 제품 X에 대한 전 세계 유통 사업권을 취득하는 것을 제외하고는 앞선 사례 5와 동일하다. 취득한 활동과 자산집합에는 모든 고객 계약 및 고객 관계, 완제품 재고, 마케팅 자료, 고객 인센티브 프로그램, 원재료 공급계약, 제품 X 제조와 관련된 특수 장비 및 제품 X 생산과 관련된 문서화된 제조 과정과 프로토콜이 포함된다. 직원, 기타자산, 그 밖의 과정 또는 활동은 이전되지 않는다. 식별가능한 취득

한 자산 중 취득한 총자산의 공정가치의 대부분을 차지하는 것은 없다.

- 집중테스트 적용 여부 결정 : 취득한 총자산의 공정가치의 대부분이 식별가능한 단일 자산 또는 비슷한 자산집합에 집중되어 있지 않다는 것은 명백하다. 따라서 집중테스트를 통과하지 못할 것이므로, 기업은 사업의 정의 충족 여부에 대한 추가 판단을 수행하기로 하였다.
- 실질적인 과정 판단 : 활동과 자산집합에 산출물이 있으므로 기업은 기준서 제1103호 문단 B12C에 따라 취득한 과정이 실질적인지에 대한 판단이 필요하다. 취득한 활동과 자산집합에는 조직화된 노동력이 포함되어 있지 않다. 그러나 취득자는 취득한 제조 과정이 실질적이라고 결론 내린다. 이는 제조 과정이 지적 재산, 원재료 공급계약 및 전문 장비와 같은 취득한 투입물에 적용하였을 때, 산출물을 계속 생산할 수 있는 능력에 유의적으로 기여하고, 이 과정은 제품 X에 대해서만 고유하게 사용되기 때문이다. 또한 취득자는 실질적인 과정과 투입물이 함께 산출물을 생산하는 능력에 유의적으로 기여하는 것으로 판단한다.
- 결론 : 취득한 활동과 자산집합은 기준서 제1103호 문단 B12C를 충족하는 실질적인 과정을 포함하므로, 기업은 취득한 활동과 자산집합을 사업이라고 결론 내린다.

4. 사업결합 회계이론

회계이론상 사업결합의 회계처리방법으로는 취득법과 지분통합법이 있는데, 이러한 사업결합 회계이론은 사업결합의 본질을 지분의 단순한 결합으로 보는가 아니면 순자산의 매수로 보는가에 따라 구분된다. 한편, 현행 한국채택국제회계기준에서는 기준서 제1103호의 적용 범위에 포함되는 모든 사업결합을 취득법으로 회계처리하도록 규정하고 있다(기준서 제1103호 문단 4).

(1) 취득법

취득법(Acquisition method)이란 사업결합 시 취득자의 재무제표에 피취득자의 자산과 부채가 대부분(예외적 항목을 제외하고) 공정가치로 인식되는 것으로써, 매수주체인 취득자와 피매수주체인 피취득자가 명확하게 구분되어야 하는 회계처리이다. 즉, 사업결합 시 취득하는 자산·부채를 공정가치로 측정하고, 사업결합으로 인한 이전대가 역시 공정가치로 기록하며, 대부분의 경우 영업권 또는 염가매수차익이 발생할 것이다.

(2) 지분통합법

지분통합법(Pooling of interests method)에서는 사업결합을 단순한 지분의 통합으로 보기 때문에 사업결합으로 승계하는 자산·부채를 장부금액으로 평가·기록하게 되며, 영업권이나 염가매수차익은 발생하지 않는다.

그러나 이러한 회계처리는 기준서 제1103호의 적용대상이 되는 사업결합에서는 허용

되는 회계처리가 아님에 주의하여야 한다(기준서 제1103호의 적용에서 제외되는 동일지배하의 사업결합에 대해서는 제2절 참조).

5. 사업결합회계의 적용배제

다음의 거래나 사건에 대하여는 기준서 제1103호를 적용하지 아니한다(기준서 제1103호 문단 2).

① 공동약정 자체의 재무제표에서 공동약정의 구성에 대한 회계처리

② 사업을 구성하지 않는 자산이나 자산집단의 취득. 이 경우에 취득자는 각각의 식별가능한 취득자산(기준서 제1038호의 무형자산의 정의와 인식기준을 충족하는 자산 포함)과 인수부채를 식별하고 인식한다. 자산집단의 원가는 매수일의 상대적 공정가치에 기초하여 각각의 식별가능한 자산과 부채에 배분한다. 이러한 거래나 사건에서는 영업권이 발생하지 않는다.

③ 동일지배하에 있는 기업이나 사업 간의 결합(동일지배하의 사업결합에 대해서는 제2절 참조)

제2절 **사업결합 회계**

1. 취득법

기준서 제1103호에서는 사업결합을 취득법(Acquisition Method)으로 회계처리하도록 요구하고 있다. 이는 사업결합이 주식의 인수인지, 흡수합병인지 또는 사업양수도의 형식으로 이루어졌는지의 법률적인 형태와는 무관하다. 한국채택국제회계기준은 사업결합을 현금이나 주식 등의 이전대가를 지불하고 피취득자의 자산·부채를 매입하는 취득거래로 보고, 취득자는 다른 일반 취득거래와 동일하게 거래로 인한 취득대상과 지급대상을 취득일의 공정가치로 인식하도록 하였다.

기준서 제1103호에서는 사업결합에 대해 취득법을 적용하기 위해서는 일정한 절차를 따르도록 하고 있는 바, 아래의 절차가 필요하다.

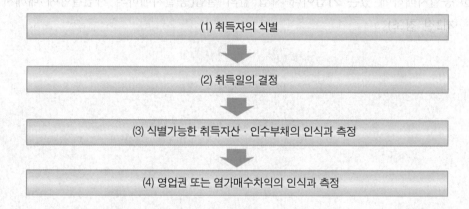

(1) 취득자의 식별

1) 일반적인 경우

사업결합에서 취득법을 적용하기 위해서는 취득자를 식별하여야 한다. 취득자는 피취득자에 대한 지배력을 획득하는 기업을 말하는 것으로 사업결합에서 취득자의 식별은 기준서 제1110호의 지배력의 정의('제5편 특수회계편 V. 기타 제1장 연결재무제표와 별도재무제표 참조' 참고)를 적용하여 판단한다. 다만, 이 지침을 적용하여도 결합참여기업 중 취득자를 명확히 파악하지 못한다면, 다음에서 설명하는 요소를 고려하여 취득자를 식별한다(기준서 제1103호 문단 B14-B18). 사업결합에서 취득자는 반드시 식별되어야 한다.

① 주로 현금이나 그 밖의 자산을 이전하거나 부채를 부담하여 이루어지는 사업결합의 경우 : 취득자는 보통 현금이나 그 밖의 자산을 이전한 기업 또는 부채를 부담하는 기업이다.

② 지분교환으로 이루어지는 사업결합의 경우 : 통상 취득자는 지분을 발행하는 기업이다. 그러나 역취득의 경우 지분을 발행하는 기업이 피취득자가 되는데, 지분을 교환하는 사업결합에서 고려하여야 할 그 밖의 관련 사실 또는 상황의 예는 아래와 같다.

   ㉠ 사업결합 후 결합기업에 대한 상대적 의결권 : 취득자는 보통 결합참여기업의 소유주 중 결합기업에 대한 의결권의 가장 큰 부분을 보유하거나 수취하는 소유주가 속한 결합참여기업이다. 의결권의 가장 큰 부분을 보유하거나 수취한 소유주 집단이 속한 기업을 결정하기 위하여, 비정상적이거나 특별한 의결약정과 옵션, 주식매입권이나 전환증권의 존재 여부를 고려한다.

   ㉡ 특정 소유주 또는 조직화된 소유주 집단이 중요한 의결지분을 갖지 않은 경우, 결합기업에 대하여 상대적으로 큰 소수의결지분의 존재 : 취득자는 보통 결합기업에 대하여 가장 큰 소수의결지분을 보유하고 있는 단일 소유주 또는 소유주의 조직화된 집단이 속한 결합참여기업이다.

   ㉢ 결합기업 의사결정기구의 구성 : 취득자는 보통 결합기업 의사결정기구의 구성원 과반수 이상을 지명 또는 임명하거나 해임할 수 있는 능력을 보유하고 있는 소유주가 속한 결합참여기업이다.

   ㉣ 결합기업 경영진의 구성 : 결합기업 경영진 대부분이 결합참여기업의 이전 경영진으로 구성되는 경우, 취득자는 보통 그 경영진이 속한 결합참여기업이다.

   ㉤ 지분교환의 조건 : 취득자는 보통 다른 결합참여기업이나 기업들의 지분에 대하여 결합 전 공정가치를 초과하는 할증금을 지급해야 하는 결합참여기업이다.

③ 취득자는 보통 다른 결합참여기업이나 결합참여기업들보다 상대적 크기(예 : 자산, 수익 또는 이익으로 측정)가 중요하게 큰 결합참여기업이다. 기업이 셋 이상 포함된 사업결합에서, 취득자는 결합참여기업의 상대적 크기뿐만 아니라 특히 결합참여기업 중 어느 기업이 결합을 제안하였는지도 고려하여 결정한다.

④ 결합을 추진하기 위하여 설립된 새로운 기업이 반드시 취득자는 아니다. 만약 결합을 추진하기 위하여 새로운 기업이 지분을 발행하여 설립된 경우, 결합 전에 존재하였던 결합참여기업 중 한 기업을 상기 '①'부터 '③'의 지침을 적용하여 취득자로 식별한다. 이와 반대로, 대가로 현금이나 그 밖의 자산을 이전하거나 부채를 부담하는 새로운 기업은 취득자가 될 수 있다.

2) 역취득의 경우

역취득은 증권을 발행한 기업(법적 취득자)이 회계목적상 피취득자로 식별되는 사업결합을 말하는 것으로, 지분을 취득당한 기업(법적 피취득자)은 역취득 거래에서 회계목적상 취득자가 된다. 이 경우 거래가 역취득으로 회계처리되기 위하여 회계상 피취득자는 사업의 정의를 충족해야 하며, 역취득에 따른 회계처리에서 영업권을 인식하기 위한 요구사항을 포함한 기준서 제1103호의 모든 인식원칙과 측정원칙을 적용한다. 세부적인 역취득의 회계처리는 이 장의 '(7) 역취득의 회계처리'를 참조한다.

(2) 취득일의 결정

취득일이란 취득자가 피취득자에 대한 지배력을 획득한 날을 말하는 것으로 취득법을 적용하기 위해 취득자는 관련된 모든 사실과 상황을 고려하여 취득일을 식별해야 한다. 일반적으로 취득자가 피취득자에 대한 지배력을 획득한 날은 취득자가 법적으로 대가를 이전하여, 피취득자의 자산을 취득하고 부채를 인수한 날인 종료일이다. 그러나, 취득자가 종료일보다 이른 날 또는 늦은 날에 지배력을 획득하는 경우도 있으므로 취득자는 모든 관련된 사실과 상황을 고려하여 취득일을 식별한다(기준서 제1103호 문단 8-9).

(3) 식별가능한 취득자산·인수부채의 인식과 측정

1) 인식의 원칙

취득일 현재, 취득자는 사업결합의 결과로서 피취득자의 식별가능한 자산·부채를 인식해야 한다. 이 경우 취득법 적용을 위해 식별가능한 취득자산과 인수부채를 인식하기 위해서는 다음의 요건을 충족하여야 한다(기준서 제1103호 문단 11-12).

ㄱ 자산과 부채의 정의 충족 : 식별가능한 취득자산과 인수부채는 취득일에 '재무보고를 위한 개념체계'의 자산과 부채의 정의를 충족하여야 한다. 예를 들어, 피취득자의 영업활동을 종료하거나 피취득자의 고용관계를 종료하거나 재배치하는 것과 같은 계획의 실행에 의해 미래에 발생할 것으로 예상되지만 의무가 아닌 원가는 취득일의 부채가 아니다. 그러므로 취득자는 취득법을 적용하면서 그러한 원가는 인식하지 않는다. 그러한 원가는 다른 기준서에 따라 사업결합 후의 재무제표에 인식한다.

ㄴ 사업결합에서의 교환 : 식별가능한 취득자산과 인수부채는 별도 거래의 결과가 아니라 사업결합에서 취득자와 피취득자(또는 피취득자의 이전 소유주) 사이에 교환된 것의 일부이어야 한다.

한편, 취득자가 인식의 원칙과 조건을 적용할 경우에 피취득자의 이전 재무제표에 자산과 부채로 인식되지 않았던 자산과 부채가 일부 인식될 수도 있다. 예를 들면, 취득자는 피취득자가 내부에서 개발하고 관련 원가를 비용으로 처리하였기 때문에 피취득자 자신의 재무제표에 자산으로 인식하지 않았던 브랜드명, 특허권, 고객관계와 같은 식별할 수 있는 취득한 무형자산을 인식한다(기준서 제1103호 문단 13).

① 무형자산의 인식

가. 식별가능한 무형자산

취득자는 사업결합 거래에서 취득한 식별가능한 무형자산을 영업권과 분리하여 인식하여야 하는데, 무형자산은 분리가능성 기준이나 계약적·법적 기준을 충족하는 경우에 식별가능하다(기준서 제1103호 문단 B31).

여기서 분리가능성 기준이란 취득한 무형자산이 피취득자에게서 분리되거나 분할될 수 있고, 개별적으로 또는 관련된 계약, 식별가능한 자산이나 부채와 함께 매각, 이전, 라이선스, 임대, 교환할 수 있음을 의미한다. 이때 취득자가 매각, 라이선스 또는 교환할 의도가 없더라도, 취득자가 매각, 라이선스 또는 기타 가치 있는 것과 교환할 수 있는 무형자산은 분리가능성 기준을 충족한다. 또한, 취득한 무형자산은 바로 그 형태의 자산 또는 유사한 형태의 자산에 대한 교환거래에 대한 증거가 있는 경우, 그러한 교환거래가 드물고 취득자가 그 거래와 관련이 있는지와 무관하게 분리가능성 기준을 충족한다(기준서 제1103호 문단 B33).

한편, 피취득자에서 개별적으로 분리할 수 없는 무형자산이라도 관련 계약, 식별가능한 자산이나 부채와 결합하여 분리할 수 있다면 분리가능성 기준을 충족한다. 예를 들면, 다음과 같다(기준서 제1103호 문단 B34).

ㄱ 시장참여자가 예금부채 및 관련 예금자관계 무형자산을 관찰할 수 있는 교환거래에서 교환한다. 그러므로 취득자는 예금자관계 무형자산을 영업권과 분리하여 인식한다.

ㄴ 피취득자는 등록 상표와 그 상표를 붙인 제품의 제조에 사용되고 문서화되어 있지만 특허를 얻지 않은 기술적 전문지식을 보유한다. 상표 소유권을 이전하기 위하여 과거 소유주는 자신이 생산한 제품이나 용역과 구별할 수 없을 정도의 제품이나 용역을 새로운 소유주가 생산할 수 있도록 필요한 그 밖의 모든 것도 이전해야 한다. 특허를 얻지 않은 기술적 전문지식은 피취득자와 분리되어 있음이 분명하고 관련 상표가 매각될 경우 매각되기 때문에 분리가능성 기준을 충족한다.

사업결합으로 취득하는 자산이 분리가능하거나 계약상 또는 기타 법적 권리에서 발생한다면, 그 자산의 공정가치를 신뢰성 있게 측정하기에 충분한 정보가 존재한다. 즉, 공정가치는 항상 신뢰성 있게 측정가능한 것으로 간주되므로, 취득일에 영업권에서 분리하여 무형자산으로 인식하여야 한다(기준서 제1038호 문단 33).

나. 식별가능하지 않은 무형자산

취득일 현재 식별가능하지 않은 취득한 무형자산의 가치는 영업권에 포함된다. 예를 들어, 취득자는 취득한 사업의 운영을 취득일로부터 계속하는 것을 가능하게 해주는 현존하는 집합적 노동력인 종업원 집단의 존재에 가치를 귀속시킬 수 있다. 집합적 노동력은 숙련된 종업원의 지적 자본, 즉 피취득자의 종업원이 자신의 업무에서 보유하고 있는(흔히 전문화된) 지식과 경험을 나타내지는 않는다. 집합적 노동력은 영업권과 분리하여 인식되는 식별가능한 자산이 아니기 때문에 그에 귀속될 만한 가치가 있다면 그 가치는 영업권에 포함된다(기준서 제1103호 문단 B37).

또한, 취득일에 자산의 요건을 충족하지 못한 항목에 귀속될 만한 가치가 있다면 그 가치를 영업권에 포함한다. 예를 들어, 취득자는 취득일에 피취득자가 미래의 새로운 고객과 협상 중인 잠재적 계약에 가치를 귀속시킬 수 있다. 취득일에 그러한 잠재적 계약은 그 자체로 자산이 아니기 때문에 영업권과 분리하여 인식하지 않는다. 또한, 그러한 계약의 가치는 취득일 후에 발생하는 사건에 따라 후속적으로도 영업권에서 재분류하지 않는다(기준서 제1103호 문단 B38).

다. 운용리스 관련 무형자산

피취득자가 운용리스의 리스제공자인 경우에는 별도의 무형자산을 인식하지 않으며, 계약의 조건이 시장조건에 비하여 유리·불리한 부분은 해당 자산의 공정가치 측정에 포함되어 인식된다(기준서 제1103호 문단 B42).

2) 취득자산·인수부채의 분류 및 지정

취득일에 취득자는 후속적으로 다른 기준서를 적용하기 위하여 식별가능한 취득자산과 인수부채를 분류하거나 지정한다. 그러한 분류나 지정은 취득일에 존재하는 계약 조건, 경제상황, 취득자의 영업정책이나 회계정책 그리고 그 밖의 관련 조건에 기초하여 이루어진다. 다음은 취득일에 존재하는 관련 조건에 기초하여 이루어지는 분류나 지정의 예이다(기준서 제1103호 문단 15-16).

　㉠ 특정 금융자산과 금융부채를 기준서 제1109호에 따라 당기손익-공정가치, 상각후원가, 기타포괄손익-공정가치로 분류

　　ⓒ 파생상품을 기준서 제1109호에 따라 위험회피수단으로 지정

　　ⓒ 내재파생상품을 기준서 제1109호에 따라 주계약에서 분리하여야 하는지에 대한
　　　검토

　그러나, 리스계약 및 보험계약은 상기 규정에 대한 예외이다. 이에 대하여는 기준서
제1116호 및 기준서 제1104호에 따라 계약 개시 시점(또는 계약 조건이 분류가 변경되
는 방식으로 수정되어 왔다면 그러한 수정일. 이는 취득일이 될 수도 있음)의 조건에 따
라 분류한다(기준서 제1103호 문단 17).

3) 인식원칙의 예외

　'재무보고를 위한 개념체계'에서는 부채를 과거사건의 결과로 기업이 경제적자원을
이전해야 하는 현재의무로 정의한다. 그러나, 사업결합에서 취득한 부채의 경우, 기준서
제1037호의 적용범위에 포함되는 충당부채나 우발부채라면, 취득자는 취득일에 과거사
건의 결과로 현재의무가 존재하는지를 판단하기 위해 기준서 제1037호의 문단 15~22
를 적용한다. 해석서 제2121호의 적용범위에 해당하는 부담금의 경우, 취득자는 부담금
을 납부할 부채를 생기게 하는 의무발생사건이 취득일까지 일어났는지를 판단하기 위
해 해석서 제2121호를 적용한다. 또한 기준서는 인식의 원칙에 대한 예외항목으로 우발
부채를 설명하고 있다. 과거사건에서 발생한 현재의무이고 그 공정가치를 신뢰성 있게
측정할 수 있다면, 취득자는 취득일 현재 사업결합에서 인수한 우발부채를 인식한다. 그
러므로 기준서 제1037호와는 달리 당해 의무를 이행하기 위하여 경제적효익을 갖는 자
원이 유출될 가능성이 높지 않더라도 공정가치를 신뢰성 있게 측정할 수 있다면 취득자
는 취득일에 사업결합으로 인수한 우발부채를 인식한다. 그러나 사업결합에서 취득한
우발자산은 여전히 인식되지 않는다.

　사업결합에서 인식한 우발부채는 최초인식 이후 정산, 취소 또는 소멸되기 전까지 다
음 중 큰 금액으로 측정한다(기준서 제1103호 문단 56).

　　㉠ 기준서 제1037호에 따라 인식되어야 할 금액

　　㉡ 최초인식 금액에서, 적절하다면 기준서 제1115호에 따라 인식한 누적수익금액을
　　　차감한 금액. 한편, 이러한 후속적인 측정의 요구사항은 기준서 제1109호에 따라
　　　회계처리하는 계약에는 적용하지 않는다.

4) 측정의 원칙

　취득자는 식별가능한 취득자산과 인수부채를 이 기준서에서 정한 예외사항에 해당하
지 않는 한 취득일의 공정가치로 측정한다(기준서 제1103호 문단 18). 예외사항에 대해서는

아래에서 별도로 살펴보기로 한다.

① 불확실한 현금흐름을 가지는 자산(평가충당금)

취득일 현재 사업결합 거래에서 취득일의 공정가치로 측정된 취득자산에 대하여 별도의 평가충당금은 인식하지 않는데, 이는 미래현금흐름의 불확실성의 효과를 공정가치 측정에 포함하였기 때문이다. 예를 들어, 취득한 수취채권(대여금 포함)은 취득일의 공정가치로 측정하므로, 취득일에 회수불가능으로 간주되는 계약상 현금흐름에 대하여 별도의 평가충당금은 인식하지 않는다(기준서 제1103호 문단 B41).

② 피취득자가 리스제공자인 경우 운용리스 대상 자산

피취득자가 리스제공자인 경우에 취득자는 그 운용리스의 대상인 건물이나 특허권과 같은 자산을 취득일의 공정가치로 측정할 때 해당 리스조건을 고려한다. 그러므로, 취득자는 시장조건과 비교할 때 그 운용리스의 조건이 유리하든 불리하든, 별도의 자산이나 부채를 인식하지 않는다(기준서 제1103호 문단 B42).

③ 취득자의 사용의도가 없거나 시장참여자들의 사용방법과 다른 방법으로 사용될 자산

경쟁이나 그 밖의 이유로 취득자가 연구·개발 무형자산과 같은 취득자산을 사용하지 않을 수도 있고, 그 밖의 시장참여자가 사용하는 방법과 다른 방법으로 취득자가 그 자산을 사용할 수도 있다. 예를 들어, 취득자는 피취득자의 잘 알려진 브랜드를 사업결합으로 취득하지만, 결합 후 해당 브랜드를 취득자의 사업상 목적에 따라 소멸시킬 의도를 가지고 취득하였을 수도 있다. 그렇지만 취득자는 이러한 자산을 시장참여자의 사용에 따라 결정된 공정가치로 취득일에 그리고 후속적으로 손상검사를 위한 공정가치에서 처분부대원가를 뺀 금액을 결정할 목적으로 측정한다(기준서 제1103호 문단 B43).

5) 측정원칙의 예외

앞서 기술한 '측정의 원칙'에 대한 예외사항을 살펴보면 다음과 같다.

가. 재취득한 권리

취득자가 사업결합 이전에 자신이 인식했거나 인식하지 않은 하나 이상의 자산을 사용하도록 피취득자에게 부여했던 권리를 사업결합거래의 일부로서 재취득할 수 있다. 이러한 권리의 예로는 프랜차이즈 약정이나 기술라이선스 약정이 있으며, 재취득한 권리는 취득자가 영업권과 분리하여 식별가능한 무형자산으로 인식한다(기준서 제1103호 문단 B35). 이 경우 취득자는 무형자산으로 인식한 재취득한 권리의 가치를 관련 계약의 잔여계약기간에 기초하여 측정하며, 잔여 계약기간에 걸쳐 상각한다(기준서 제1103호 문단 29, 55).

한편, 재취득한 권리에서 발생하는 계약상의 조건이 현행 시장거래의 조건과 비교하여 유리하거나 불리할 경우, 취득자는 정산차손익을 인식한다(기준서 제1103호 문단 B36). 정산차손 인식과 관련된 세부 내용은 이 장의 '(6) 사업결합과 관련된 기타 사항의 4) 가. 취득자와 피취득자 사이의 기존 관계를 사실상 정산하는 경우'를 참조한다.

나. 주식기준 보상

취득자가 피취득자의 주식기준보상을 자신의 주식기준보상으로 대체하는 경우, 취득자는 관련된 부채 또는 지분상품을 기준서 제1102호의 방법에 따라 취득일에 측정하며, 그 방법의 결과를 보상의 '시장기준측정치'라고 한다(기준서 제1103호 문단 30). 사업결합에서의 주식기준보상의 회계처리의 세부내용은 이 장의 '(6) 사업결합과 관련된 기타 사항의 4) 다. 피취득자의 종업원이 보유하고 있는 보상과 교환하여 취득자가 보상한 주식기준 보상'을 참조한다.

다. 매각예정자산

취득일에 기준서 제1105호의 매각예정으로 분류되는 비유동자산(또는 처분자산집단)의 정의를 충족하는 경우에는 공정가치가 아닌 공정가치에서 처분부대원가를 뺀 금액으로 측정한다.

6) 인식과 측정원칙 모두의 예외

앞서 언급한 '1) 인식의 원칙'과 '4) 측정의 원칙' 모두에 예외가 적용되는 경우를 살펴보면 다음과 같다.

① 이연법인세

취득자는 합병으로 인한 취득자산과 인수부채에서 발생하는 이연법인세자산이나 부채를 기준서 제1012호에 따라 인식하고 측정한다. 또한, 취득자는 취득일에 존재하거나 취득의 결과로 발생하는 일시적차이와 피취득자의 이월액의 잠재적 세효과를 기준서 제1012호에 따라 회계처리한다(기준서 제1103호 문단 24-25).

② 종업원급여

취득자는 피취득자의 종업원급여약정과 관련된 부채(자산인 경우에는 그 자산)를 취득일에 기준서 제1019호에 따라 인식하고 측정한다(기준서 제1103호 문단 26).

③ 보상자산

가. 인식 및 측정

사업결합에서 매도자는 취득자에게 특정 자산이나 부채의 전부 또는 일부와 관련된 우발상황이나 불확실성의 결과에 대하여 계약상 보상을 할 수도 있다. 이 때 취득자는 보상대상항목을 인식하면서 동시에 보상대상항목과 동일한 근거로 측정된 보상자산을 인식한다. 즉, 보상대상항목이 공정가치로 측정된다면 보상자산 또한 공정가치로 측정되며, 그 밖의 방법으로 측정되는 경우 보상자산도 동일한 방식으로 측정되어야 한다. 또한 이러한 보상자산은 계약상의 제한(예를 들어, 보상대상항목과 동일한 금액의 보상이 아닌 특정금액을 초과하는 금액에 대하여만 또는 특정금액 한도까지만 보상을 받는 등의 계약상의 제약이 존재하는 경우)을 반영한 후 인식하여야 한다.

보상자산이 공정가치로 측정되는 경우가 아니라면 보상자산의 회수가능성에 대한 경영진의 검토도 반영하여야 한다. 보상자산이 공정가치로 측정되는 경우에는 공정가치의 측정에 회수가능성에 대한 평가가 반영되게 되므로 별도의 평가충당금을 설정하지 않는다.

보상자산은 보상대상항목이 인식되는 동일한 시점에 인식하여야 한다. 즉, 보상대상항목을 취득일에 인식하지 않다가 후속적으로 인식하게 되는 경우 보상자산도 동일한 시점에 인식한다. 예를 들어, 보상대상항목이 우발부채인 경우 공정가치의 신뢰성 있는 측정이 불가능하여 기준서 제1103호 문단 23에 따라 인식되지 않았다면, 관련 보상자산 또한 인식하지 않으며, 후속적으로 보상대상항목이 충당부채 등의 기준을 충족하여 인식하는 경우 관련 보상자산도 함께 인식하게 될 것이다(기준서 제1103호 문단 27-28).

나. 후속측정

각 보고기간 말에, 취득자는 보상대상부채 또는 보상대상자산과 동일한 근거로 취득일에 인식하였던 보상자산을 측정하는데, 보상금액에 계약상 제한이 있을 경우 이를 반영하여 측정하며, 그 자산을 후속적으로 공정가치로 측정하지 않는 경우 회수가능성에 대한 경영진의 검토를 반영하여 측정한다. 한편, 취득자는 보상자산을 회수하거나 매각하거나 그 밖에 보상자산에 대한 권리를 상실하는 경우에만 보상자산을 제거한다(기준서 제1103호 문단 57).

④ 피취득자가 리스이용자인 경우의 리스

피취득자가 리스이용자인 경우에 기업회계기준서 제1116호에 따라 식별되는 리스에 대하여 취득자는 사용권자산과 리스부채를 인식한다. 취득자는 다음과 같은 경우에는 사용권자산과 리스부채를 인식하지 않아도 된다. 다음의 인식 기준의 판단은 취득일을 기준으로 이루어짐에도 유의한다.
　㉠ 리스기간이 취득일부터 12개월 이내에 종료되는 리스
　㉡ 소액 기초자산 리스

위 외의 경우에 취득자는 취득한 리스가 취득일에 새로운 리스인 것처럼 나머지 리스료의 현재가치로 리스부채를 측정한다. 취득자는 리스부채와 같은 금액으로 사용권자산을 측정하되, 시장조건과 비교하여 유리하거나 불리한 리스 조건이 있다면 이를 반영하기 위하여 조정한다.

(4) 이전대가의 측정

이전대가는 사업결합에서 피취득자의 사업과 교환하여 취득자가 이전한 대가를 말하는 것으로 공정가치로 측정한다. 이 때 그 공정가치는 취득자가 이전하는 자산, 취득자가 피취득자의 이전 소유주에 대하여 부담하는 부채 및 취득자가 발행한 지분의 취득일의 공정가치 합계로 산정한다. 그러나 피취득자의 종업원이 보유하고 있는 보상과 교환하여 취득자가 부여한 주식기준보상으로 사업결합의 이전대가에 포함하는 것으로 식별된 부분은 공정가치로 측정하지 않고 기준서 제1102호에서 정한 방법(시장기준측정치라고 칭함)에 따라 측정한다.

취득자가 대체 발행해준 주식기준보상에 대하여 이전대가로 식별해야 하는 부분에 대한 세부적인 지침은 이 장의 '(6) 사업결합과 관련된 기타 사항 4) 다.'를 참조한다.

이전대가의 예로는 현금, 그 밖의 자산, 취득자의 사업 또는 종속기업, 조건부 대가, 보통주 또는 우선주와 같은 지분상품, 옵션, 주식매입권 및 상호실체의 조합원 지분을 포함한다(기준서 제1103호 문단 37). 또한, 사업결합과 직접 귀속되는 취득원가는 이전대가에 포함되지 않는다. 취득관련 원가의 회계처리는 이 장의 '(6) 사업결합과 관련된 기타 사항 3) 취득관련원가'의 설명을 참조한다.

1) 공정가치와 장부금액이 다른 이전대가

취득일에 공정가치와 장부금액이 다른 취득자의 자산과 부채(예 : 취득자의 비화폐성 자산 또는 사업)가 이전대가에 포함될 수 있다. 이 경우에는 다음과 같이 측정된다(기준서 제1103호 문단 38).

ㄱ 취득자는 이전된 자산이나 부채를 취득일 현재 공정가치로 재측정하고, 그 결과 차손익이 있다면 당기손익으로 인식한다.

ㄴ 이전된 자산이나 부채가 사업결합 후 결합된 회사에 여전히 남아 있고(예 : 자산이나 부채가 피취득자의 이전 소유주가 아니라 피취득자에게 이전됨), 따라서 취득자가 그에 대한 통제를 계속 보유하는 경우가 있는데, 이 경우 취득자는 그 자산과 부채를 취득일 직전의 장부금액으로 측정하고, 사업결합 전과 후에 여전히

통제하고 있는 자산과 부채에 대한 차손익을 당기손익으로 인식하지 않는다.

2) 조건부 대가

① 취득일의 측정

조건부 대가란 보통 특정 미래 사건이 발생하거나 특정 조건이 충족되는 경우에, 피취득자에 대한 지배력과의 교환의 일부로 피취득자의 이전 소유주에게 추가로 자산이나 지분을 이전하여야 하는 취득자의 의무를 말하며, 특정 조건이 충족될 경우 이전대가를 반환받는 권리를 취득자에게 부여할 수도 있다. 취득자가 피취득자에 대한 교환으로 이전한 대가에는 이러한 조건부 대가 약정으로 인한 자산이나 부채를 모두 포함한다. 이 경우 취득자는 조건부 대가를 피취득자에 대한 교환으로 이전한 대가의 일부로서 취득일의 공정가치로 인식한다. 또한, 취득자는 조건부 대가의 지급의무를 기준서 제1032호 및 다른 한국채택국제회계기준서에 따라 부채 또는 자본으로 분류하며, 특정조건을 충족하는 경우 과거의 이전대가를 회수할 수 있는 권리는 자산으로 분류한다(기준서 제1103호 문단 40).

② 후속 측정

취득자가 취득일 후에 인식하는 조건부 대가의 공정가치 변동 중 일부는 취득일에 존재한 사실과 상황에 대하여 취득일 후에 추가로 입수한 정보에 의한 것일 수 있다. 그러한 변동은 측정기간 동안의 조정이다(측정기간의 조정에 대해서는 이후의 내용 참조). 그러나 목표수익을 달성하거나, 특정 주가에 도달하거나, 연구개발 프로젝트의 주요 과제를 완료하는 등 취득일 이후에 발생한 사건에서 발생한 변동은 측정기간 동안의 조정이 아니다. 취득자는 측정기간 동안의 조정이 아닌 조건부 대가의 공정가치 변동을 다음과 같이 회계처리한다(기준서 제1103호 문단 58).

구 분	내 용
㉠ 자본으로 분류된 조건부 대가	재측정하지 않으며, 그 후속 정산은 자본 내에서 회계처리함.
㉡ 자산·부채로 분류된 조건부 대가	• 조건부 대가가 금융상품이며 기준서 제1109호의 적용범위에 해당하는 경우, 공정가치로 측정하고 그 결과로 생긴 공정가치 변동은 동 기준에 따라 당기손익으로 인식함. • 조건부 대가가 기준서 제1109호의 적용범위에 해당되지 않는 경우, 각 보고기간말에 공정가치로 측정하고 공정가치 변동은 당기손익으로 인식함.

(5) 영업권 또는 염가매수차익, 비지배지분의 인식과 측정

1) 영업권의 인식과 측정

영업권이란 사업결합에서 취득자가 피취득자에게 제공하는 이전대가가 피취득자의 취득일 현재 식별가능한 취득자산·인수부채의 순액을 초과하는 금액을 말한다. 즉, 다음 ①의 금액이 ②의 금액보다 클 경우 그 초과금액을 영업권으로 인식한다(기준서 제1103호 문단 32).

① 다음의 합계 금액
  ㉠ 일반적으로 취득일에 공정가치로 측정된 이전대가
  ㉡ 단계적으로 이루어지는 사업결합의 경우 취득자가 이전에 보유하고 있던 피취득자에 대한 지분의 취득일의 공정가치
  ㉢ 피취득자에 대한 비지배지분의 가액(아래 '2) 비지배지분의 측정' 참조)
② 취득일에 식별가능한 취득자산과 인수부채의 순액

2) 비지배지분의 측정

상기 1) ㉢의 '피취득자에 대한 비지배지분의 가액'은 아래와 같이 측정된다(기준서 제1103호 문단 19).

① 피취득자에 대한 비지배지분의 요소가 현재의 지분이며 청산 시 보유자에게 기업 순자산의 비례적 몫에 대하여 권리를 부여하고 있는 경우 : 다음 중 하나의 방법으로 측정한다. 이러한 선택은 개별 사업결합 별로 가능하다.
  ㉠ 공정가치
  ㉡ 피취득자의 식별가능한 순자산에 대해 인식한 금액 중 현재의 지분상품의 비례적 몫
② 그 밖의 모든 비지배지분 요소 : 한국채택국제회계기준에서 측정기준을 달리 요구하는 경우가 아니라면 취득일의 공정가치로 측정한다. 이러한 예에는 피취득자가 발행한 주식기준보상 또는 자본의 정의를 충족하는 전환사채의 전환권 등이 포함된다.

따라서, ①의 선택에 따라 동일한 상황이라고 하더라도 취득자의 재무제표에 계상될 영업권의 가액이 상이할 수 있다. 즉 ①의 비지배지분 요소의 측정에 대하여 공정가치(㉠)를 선택하는 경우에는 취득자의 재무제표에 비지배지분에 해당하는 영업권이 계상되게 될 것이며, 피취득자의 식별가능한 순자산에 대한 비지배지분의 비례적 몫(㉡)으로 측정하는 경우는 취득자의 재무제표에 비지배지분에 대한 영업권은 계상되지 않을 것이다.

사례 1 (주)삼일은 (주)회계의 지분 80%를 20,000을 지불하고 취득하였다. 취득일의 (주)회계의 기준서 제1103호에 따라 측정된 식별가능 순자산의 가액은 18,000이었다. 한편, 나머지 20%의 비지배지분의 취득일 시점의 공정가치는 4,000인 것으로 측정되었다.

• 영업권의 계산 :

　㉠ 비지배지분을 공정가치로 측정하는 경우 :

　　이전대가 20,000 + 비지배지분금액 4,000 － 순자산가액 18,000 = 6,000$^{(*)}$

　　　(*) 영업권 6,000은 지배지분에 해당하는 영업권(20,000－18,000×80%) 5,600과 지배지분에 해당하는 영업권(4,000－18,000×20%) 400으로 구성된다.

　㉡ 비지배지분을 피취득자의 식별가능한 순자산에 대한 비지배지분의 비례적 몫으로 측정하는 경우 :

　　이전대가 20,000 + 비지배지분금액 3,600(18,000×20%) － 순자산가액 18,000 = 5,600

　　즉, ㉡의 방법을 선택할 경우 영업권은 지배지분에 대한 영업권만 계상되게 된다.

사례 2 (주)삼일은 (주)회계의 보통주 전체를 취득하고 지배력을 획득하였다. 한편 (주)회계는 취득일 현재 발행한 우선주가 있었으며, 동 우선주는 제삼자가 보유하고 있다. 동 우선주는 배당금의 지급 시 보유자에게 보통주 보유자보다 우선적으로 배당을 받을 수 있는 권리가 부여되어 있으며, (주)회계가 청산 시 우선주 보유자는 배분가능한 자산에서 주당 1원을 보통주 보유자보다 우선적으로 받을 수 있는 권리를 가진다. 우선주 보유자는 청산 시 그 외의 다른 권리는 가지지 않는다(기준서 제1103호 IE44A 사례 인용).

• 비지배지분의 측정 : 우선주는 자본의 요소로 비지배지분에 해당하나 청산 시 보유자에게 (주)회계의 순자산의 비례적 몫에 대한 권리를 부여하지 않으므로, 상기 ②에 따라서 한국채택국제회계기준에서 측정을 달리 요구하고 있는 경우를 제외하고는 공정가치로 측정한다. 따라서 상기 사례에서 우선주의 취득일의 공정가치를 비지배지분으로 계상하여야 한다.

사례 3 (주)삼일은 (주)회계의 지분을 인수하며 사업결합을 완료하였다. 취득일 당시 (주)회계는 종업원에게 발행한 주식옵션을 보유하고 있었다. 동 주식옵션은 자본으로 분류되는 것이었으며 취득일에 가득되었다. 동 주식옵션은 취득일 현재의 지분은 아니므로 청산 시 보유자에게 (주)회계의 순자산의 비례적 지분에 대한 권리를 부여하지는 않는다. 또한, 취득일 시점의 동 주식옵션의 시장기준측정치(기준서 제1102호에 따름)는 200이라고 가정한다(기준서 제1103호 IE44H사례 인용).

• 비지배지분의 측정 : (주)회계가 발행한 주식옵션은 취득일 시점 현재의 지분이 아니며 청산 시 보유자에게 순자산의 비례적인 몫을 부여하지 않으므로, 상기 ②에 따라서 한국채택국제회계기준에서 측정을 달리 요구하고 있는 경우를 제외하고는 공정가치로 측정한다. 주식옵션에 대한 측정은 기준서 제1102호에서 시장기준측정치로 측정하도록 요구하고 있으므로 공정가치가 아닌 동 방법으로 측정한다. 따라서 (주)삼일은 취득일에 200을 비지배지분으로 계상하여야 한다.

3) 영업권의 후속측정

영업권은 상각하지 않으며, 매년 일정 시기 그리고 손상의 징후가 발생할 때마다 기준서 제1036호에 따른 손상검사를 실시한다. 영업권의 감액은 후속적으로 환입이 불가능하다.

4) 염가매수차익의 인식과 측정

염가매수차익이란 사업결합에서 피취득자의 취득일 현재 식별가능한 취득자산·인수부채의 순액이 취득자가 피취득자에게 제공하는 이전대가(기존 지분을 포함) 및 비지배지분금액의 합계를 초과하는 금액을 말한다. 즉, 앞서 '(1) 영업권의 인식과 측정'에서 설명한 ②의 금액이 ①의 금액보다 클 경우 그 초과금액을 염가매수차익으로 당기이익으로 인식한다.

한편, 염가매수차익을 인식하기 전에, 취득자는 모든 취득자산과 인수부채를 정확하게 식별하고 측정하였는지에 대해 재검토하고, 이러한 재검토에서 식별된 추가 자산이나 부채가 있다면 이를 인식한다. 이러한 재검토의 목적은 취득일 현재 이용가능한 모든 정보를 고려하여 관련 측정치에 적절히 반영하였는지 확인하기 위해서이다. 만일 그 초과금액이 재검토 후에도 남는다면, 취득자는 취득일에 그 차익을 당기손익으로 인식한다.

> **사례** (주)삼일은 (주)용산을 흡수합병하는 계약을 체결하였다. (주)삼일은 (주)용산의 기존 주주들에게 (주)삼일의 보통주식을 발행하여 이전대가(합병대가)로 교부하기로 하였으며, 취득일(합병일) 현재 (주)삼일의 보통주 시가는 주당 ₩15,000(액면가액 주당 ₩5,000)이며, 합병에 따라 법률자문수수료 등 부대비용 ₩10,000과 신주발행비 ₩5,000이 발생하였다. 매입채무의 공정가치는 장부금액과 일치한다고 가정한다. 또한, 아래의 (주)용산이 장부에 기재한 자산, 부채 외에 (주)삼일은 (주)용산을 취득 시 획득한 고객관계와 브랜드가 영업권과 별도로 인식해야 할 식별가능 무형자산으로 판단하고 각각의 공정가치를 ₩10,000과 ₩20,000으로 추정하였다.

	(주)삼일		(주)용산	
	장부금액	공정가치	장부금액	공정가치
현금및현금성자산	₩100,000	₩100,000	₩50,000	₩50,000
매 출 채 권	200,000	180,000	100,000	90,000
재 고 자 산	300,000	350,000	150,000	200,000
유 형 자 산	400,000	500,000	200,000	250,000
자 산 총 계	₩1,000,000		₩500,000	
매 입 채 무	₩150,000		₩250,000	
자 본 금	500,000	150,000	100,000	
자 본 잉 여 금	50,000		20,000	
이 익 잉 여 금	300,000		130,000	
부채와 자본총계	₩1,000,000		₩500,000	

1. 이전대가(합병대가)로 (주)삼일의 보통주 20주를 교부한 경우 회계처리를 하시오.
2. 이전대가(합병대가)로 (주)삼일의 보통주 30주를 교부한 경우 회계처리를 하시오.

해답

1. 이전대가(합병대가)로 보통주 20주를 교부한 경우 :

(차) 현금및현금성자산	50,000	(대) 매 입 채 무	250,000
매 출 채 권	90,000	자 본 금	100,000
재 고 자 산	200,000	주 식 발 행 초 과 금	195,000[*2]
유 형 자 산	250,000	염 가 매 수 차 익	70,000
무형자산(브랜드 및 고객관계)	30,000	현금및현금성자산	15,000
취 득 관 련 비 용	10,000[*1]		

[*1] 취득관련 비용 ₩10,000은 원가가 발생하고 용역을 제공받은 기간에 비용으로 회계처리함.
[*2] 주식발행초과금 = (공정가치 − 액면가액)×교부주식수 − 신주발행비 = (15,000 − 5,000)×20주 − 5,000
= 195,000

2. 이전대가(합병대가)로 보통주 30주를 교부한 경우

(차) 현금및현금성자산	50,000	(대) 매 입 채 무	250,000
매 출 채 권	90,000	자 본 금	150,000
재 고 자 산	200,000	주 식 발 행 초 과 금	295,000[*2]
유 형 자 산	250,000	현금및현금성자산	15,000
무형자산(브랜드및고객관계)	30,000		
영 업 권	80,000		
취 득 관 련 비 용	10,000[*1]		

[*1] 취득관련 비용 ₩10,000은 원가가 발생하고 용역을 제공받은 기간에 비용으로 회계처리함.
[*2] 주식발행초과금 = (공정가치 − 액면가액)×교부주식수 − 신주발행비 = (15,000 − 5,000)×30주 − 5,000
= 295,000

(6) 사업결합과 관련된 기타 사항

1) 단계적으로 이루어지는 사업결합

취득자는 때때로 취득일 전에 지분을 보유하고 있던 피취득자를 합병할 수 있는데, 이러한 거래를 단계적으로 이루어지는 사업결합이라 한다. 예를 들어 20×1년 12월 31일에 기업 A는 기업 B에 대한 지분 35%를 보유하고 있는 상황에서 동일자에 기업 B의 지분 65%를 추가로 매수하여 기업 B를 합병할 수 있다.

단계적으로 이루어지는 사업결합에서, 취득자는 이전에 보유하고 있던 피취득자에 대한 지분을 취득일의 공정가치로 재측정하고 그 결과 차손익이 있다면 당기손익 또는 기타포괄손익(적절한 경우)으로 인식한다. 만약 이전의 보고기간에, 취득자가 피취득자에 대한 지분의 가치변동을 기타포괄손익(예 : 투자자산이 기타포괄손익 – 공정가치 측정 금융자산으로 분류된 경우)으로 인식하였다면 기타포괄손익으로 인식한 금액을 취득자가 이전에 보유하던 지분을 직접 처분한다면 적용하였을 경우와 동일하게 인식한다(기준서 제1103호 문단 42). 공동약정의 한 당사자가 공동영업인 사업에 대한 지배력을 획득하고, 그 취득일 직전에 해당 공동영업과 관련된 자산에 대한 권리와 부채에 대한 의무를 보유하고 있었다면, 이 거래는 단계적으로 이루어지는 사업결합이다. 따라서 취득자는 단계적으로 이루어지는 사업결합에 대한 요구사항 – 공동영업에 대하여 이전에 보유하고 있던 지분을 재측정하는 것을 포함 – 을 적용한다. 이때, 취득자는 공동영업에 대하여 이전에 보유하고 있던 지분 전부를 재측정한다(기준서 제1103호 문단 42A).

> [사례] 20×1년 중 (주)삼일은 (주)용산의 지분 40%를 취득하여 지분법으로 처리하여 왔다. 20×3년 12월 31일 (주)삼일은 (주)용산의 지분 60%를 추가로 취득하여 합병하면서 ₩300,000을 현금으로 지급하였다. 한편, 20×3년 12월 31일 현재 지분법적용투자주식의 장부가액은 ₩20,000이고, 공정가치는 ₩200,000으로 평가되었다. 또한, (주)용산의 식별가능한 순자산의 공정가치는 ₩440,000이다. 이 때 합병으로 인한 회계처리를 하시오(단, 합병으로 인한 법인세효과는 무시한다고 가정).

(차) 순　　자　　산	440,000	(대) 현 금 및 현 금 성 자 산	300,000
영　　업　　권	60,000	지 분 법 적 용 투 자 주 식	20,000
		지분법적용투자주식처분이익	180,000

2) 측정기간

측정기간이란 사업결합에서 인식한 잠정금액을 사업결합 후 조정할 수 있는 기간을 말하는 것으로 만약 사업결합에 대한 최초 회계처리가 사업결합이 발생한 보고기간 말까지 완료되지 못한다면, 취득자는 회계처리가 완료되지 못한 항목의 잠정 금액을 재무제표에 보고한 후 측정기간 동안에, 취득일 현재 존재하던 사실과 상황에 대하여 새로 입수한 정보가 있는 경우 취득자는 취득일에 이미 알았더라면 취득일에 인식한 금액의 측정에 영향을 주었을 그 정보를 반영하기 위하여 취득일에 인식한 잠정금액을 소급하여 조정한다. 측정기간 동안에, 취득일 현재 존재하던 사실과 상황에 대해 새로 입수한 정보가 있는 경우 취득자는 취득일에 이미 알았더라면 인식하였을 추가적인 자산과 부채를 인식한다. 취득자가 취득일 현재 존재하던 사실과 상황에 대하여 찾고자 하는 정보를 얻거나 더 이상의 정보를 얻을 수 없다는 것을 알게 된 시점에 측정기간은 종료한다. 그러나 측정기간은 취득일로부터 1년을 초과할 수 없다(기준서 제1103호 문단 45).

취득자는 식별가능한 자산(부채)으로 인식한 잠정 금액의 증가(감소)를 취득일 현재의 영업권(또는 염가매수차익)의 감소(증가)로 인식한다. 그러나 측정기간에 획득한 새로운 정보로 인해 때로 둘 이상의 자산이나 부채의 잠정 금액이 조정될 수 있다. 취득자는 재무제표에 표시된 과거기간의 비교정보를 필요한 경우 수정하며, 이러한 수정에는 최초 회계처리를 완료하면서 기인식된 감가상각, 상각 또는 그 밖의 수익 효과의 변경을 포함한다(기준서 제1103호 문단 47~49).

3) 취득관련원가

취득관련원가는 취득자가 사업결합을 하기 위해 발생시킨 원가이다. 이러한 원가에는 중개수수료 즉 자문, 법률, 회계, 가치평가 및 그 밖의 전문가 또는 컨설팅 수수료, 내부 취득 부서의 유지 원가를 포함한 일반관리원가, 채무증권과 지분증권의 등록·발행 원가를 포함한다. 취득자는 취득관련원가에 대하여 원가가 발생하고 용역을 제공받은 기간에 비용으로 회계처리한다. 다만, 채무증권과 지분증권의 발행원가는 기준서 제1109호 및 기준서 제1032호에 따라 인식한다(기준서 제1103호 문단 53). 동 기준서에 따르면, 당기손익-공정가치 측정 금융부채가 아닌 경우에 금융부채와 관련된 거래원가는 최초인식 시 공정가치에 차감하여 측정한다(기준서 제1109호 문단 5.1.1). 또한, 자본의 발행과 직접 관련된 거래원가 또한 자본에서 차감하여 회계처리한다(기준서 제1032호 문단 37).

4) 사업결합 거래의 일부인지에 대한 판단

취득자와 피취득자 사이에 사업결합 협상을 개시하기 전에 기존 관계나 그 밖의 약정이 존재하였을 수 있으며, 협상하는 동안 사업결합과 별도의 약정을 맺을 수도 있을 것이다. 취득자는 취득법을 적용하기 위해 피취득자에 대한 이전대가와 피취득자에 대한 교환으로 취득한 자산과 인수한 부채만을 사업결합 회계처리의 일부로 인식해야 한다.

그 밖의 거래는 다른 기준서의 요구사항에 따라 별도의 거래로 인식한다(기준서 제1103호 문단 51). 따라서, 하나의 거래가 피취득자에 대한 사업결합에 따른 교환의 일부인지 아니면 사업결합거래와 별도의 거래인지를 결정하는 작업이 필요하며, 기준서는 다음의 요소를 검토하도록 하고 있다(기준서 제1103호 문단 B50).

① 거래의 이유 : 사업결합거래가 주로 피취득자나 사업결합 전의 피취득자의 이전 소유주의 효익이 아닌, 취득자나 결합기업의 효익을 위주로 약정되었다면 지급된 거래 가격(그리고 관련 자산이나 부채)은 피취득자에 대한 교환의 일부일 가능성이 낮다. 따라서 취득자는 그 부분을 사업결합과 별도로 회계처리한다.

② 거래 제안자 : 취득자가 제안한 거래나 그 밖의 사건은 피취득자 또는 피취득자의 사업결합 전 소유주에게 주는 효익은 거의 없으면서 취득자나 결합기업에 미래경제적효익을 제공하기 위하여 체결한 것일 수 있다. 이와 반대로 피취득자나 이전 소유주가 제안한 거래나 약정은 취득자 또는 결합기업의 효익이 될 가능성이 낮고 사업결합거래의 일부일 가능성이 매우 높다.

③ 거래의 시기 : 사업결합의 조건에 대한 협상이 진행되는 동안에 있었던 취득자와 피취득자 사이의 거래는 취득자나 결합기업에 미래경제적효익을 제공하기 위하여 사업을 결합할 계획으로 체결된 것일 수 있다. 이 경우, 피취득자나 그의 합병 전 소유자는 결합기업의 일부로 받는 효익 이외에 그 거래에서 받는 효익이 거의 없거나 아예 없을 가능성이 높다.

아래는 취득법을 적용하지 않는 별도의 거래를 포함하는 몇 가지 거래에 대한 판단 기준을 제공한다.

가. 취득자와 피취득자 사이의 기존 관계를 사실상 정산하는 경우

사업결합을 고려하기 전에 취득자와 피취득자 사이에 어떤 관계("기존 관계"라 함)가 존재하였을 수 있는데, 취득자와 피취득자 사이의 기존 관계는 계약적(예 : 판매자와 고객 또는 라이선스 제공자와 라이선스 이용자) 또는 비계약적(예 : 원고와 피고)일 수 있다(기준서 제1103호 문단 B51-B53).

따라서, 사업결합으로 기존 관계가 사실상 정산되는 경우, 취득자는 다음과 같이 측정된 차손익을 인식하여야 한다.

① 기존의 비계약관계(예 : 소송)는 공정가치

② 기존의 계약관계는 다음 ⊙과 ⓒ 중 작은 금액

　⊙ 계약이 동일하거나 유사한 항목의 현행 시장거래조건과 비교하여 취득자의 관점에서 유리하거나 불리한 경우 그 금액(불리한 계약은 현행 시장 조건에서 불리한 계약으로서, 계약상의 의무이행에서 발생하는 회피불가능한 원가가 그 계

약에 의하여 받을 것으로 기대되는 경제적효익을 초과하는 계약인 손실부담계약일 필요는 없음)

ⓛ 거래상대방에게 불리한 조건으로 이용가능한 계약에서 거래상대방에게 정산규정이 명시되어 있는 경우 그 금액

만약 ⓛ이 ㉠보다 작을 경우, 그 차이는 사업결합 회계처리의 일부로 포함된다.

취득자가 이전에 관련 자산이나 부채를 인식하였는지에 따라 인식되는 차손익 금액이 달라지며, 따라서 보고된 차손익은 상기 요구사항을 적용하여 산정된 금액과 다를 수 있다.

기존 관계는 취득자가 재취득한 권리로 인식하는 계약일 수 있다. 그 계약이 동일하거나 유사한 항목에 대한 현행 시장거래가격과 비교하여 유리하거나 불리한 조건을 포함하고 있는 경우, 취득자는 사업결합과 별도로 그 계약을 사실상 정산하는 경우에 대한 차손익을 위에서 설명한 바에 따라 측정하고, 재취득한 권리는 사업결합의 일부로 무형자산으로 인식하게 될 것이다(기준서 제1103호 문단 B53).

> **사례** (주)삼일은 (주)회계를 인수하였다. (주)회계는 인수일 전부터 (주)삼일의 상표를 매년 50을 지불하고 사용할 수 있는 계약을 체결하고 있었으며 (주)삼일의 (주)회계 인수시점 동 계약의 잔여 만기는 3년이었다. 인수시점에 시장에서의 (주)삼일의 상표이용권의 연간 사용액은 80으로 형성되어 있다(사용기간에 무관). 한편, 상표사용권 계약서에는 사용 도중 계약을 해지하였을 경우 해지자에 대한 별도의 정산조항은 부여되어 있지 않았다. (공정가치 측정을 위한 현재가치 고려 및 법인세효과 등은 모두 고려하지 않기로 한다)

동 사례에서 (주)삼일은 (주)회계를 인수하면서 기존에 부여하였던 상표사용권을 무형자산인 재취득한 권리로 영업권과 구분하여 인식한다. 재취득한 권리는 기준서 제1103호의 식별가능자산의 측정 기준인 공정가치에 대한 예외항목으로 기존 계약의 약정상 만기의 현금흐름만을 고려하여 인식하여야 한다. 현재가치의 고려 및 기타 공정가치 측정에 고려할 사항을 제외한 단순화한 가정에서 재취득한 권리는 240(시장가치 80×잔존만기 3년)으로 측정될 것이다. 또한, 사업결합으로 취득자와 피취득자 사이의 기존계약관계가 사실상 정산되었으므로 동 계약조건이 시장조건에 비해 유·불리한 부분을 당기손익으로 인식해야 한다. 상기 사례에서 계약은 취득자인 (주)삼일에 연간 30만큼 불리하므로, (주)삼일은 90([80 – 50]×3년)을 정산손실을 인식하게 될 것이다.

나. 종업원 또는 매도주주에 대한 조건부 지급 약정

사업결합거래에 있어 종업원이나 매도주주에 대한 조건부 지급 약정은 약정의 성격에 따라 사업결합거래의 조건부 대가 또는 별도의 거래로 구분될 수 있는데, 그 구분이

명확하지 않은 경우에는 다음의 지표를 검토하여야 한다(기준서 제1103호 문단 B54-B55).

① 고용의 지속 : 매도주주가 결합기업의 주요 종업원이 되는 고용의 지속 조건은 조건부 대가 약정의 실질 지표가 될 수 있다. 고용이 끝나면 지급이 자동으로 중단되는 조건부 대가 약정은 결합 후 근무용역에 대한 보수이다. 그에 반해 고용의 종료에 영향을 받지 않는 조건부 지급약정은 사업결합거래의 일부라는 것을 의미할 수 있다.

② 고용의 지속 기간 : 요구되는 고용기간이 조건부 지급 기간과 같거나 조건부 지급 기간보다 길 경우, 그 사실은 조건부 지급이 사실상 보수라는 것을 의미할 수 있다.

③ 보수의 수준 : 조건부 지급 외의 종업원 보수가 결합회사의 다른 주요 종업원의 보수와 비교하여 합리적수준인 경우, 이 때 조건부 지급은 보수라기보다는 사업결합거래의 일부라는 것을 의미할 수 있다.

④ 종업원에 대한 증분 지급 : 결합회사의 종업원이 되지 않는 매도주주가 결합회사의 종업원이 되는 매도주주보다 주당기준으로 더 낮은 조건부 지급을 받는 경우 이러한 조건부 지급의 증분 금액은 보수라는 것을 의미할 수 있다.

⑤ 소유주식의 수 : 주요 종업원으로 남는 매도주주가 소유한 주식의 상대적 수는 조건부 대가 약정의 실질 지표가 될 수 있다. 예를 들어 피취득자의 주식 대부분을 소유하고 있는 매도주주들이 주요 종업원으로 계속 남는다면, 그 사실은 결합 후 용역에 대한 보수를 제공하기 위한 이익배분약정이라는 것을 의미할 수 있는 것이나, 주요 종업원이 되는 매도주주가 피취득자의 주식을 조금만 소유하고 있고 모든 매도주주가 주당 기준에 따라 동일한 조건부 대가 금액을 수령할 경우, 그 사실은 조건부 지급이 추가 대가라는 것을 의미할 수 있다.

⑥ 가치평가와의 연계 : 취득일의 최초 이전대가가 피취득자에 대한 가치평가에서 설정된 범위의 낮은 쪽에 근거를 두고 있고, 조건부 지급 산식이 그 가치평가 접근법과 관련된 경우라면, 그 사실은 조건부 지급이 추가 대가를 의미할 수 있지만, 조건부 지급 산식이 과거의 이익분배 약정과 일관된다면, 그 사실은 약정의 실질이 보수를 제공하기 위한 것이라는 것을 의미할 수 있다.

⑦ 대가 결정을 위한 산식 : 조건부 지급을 결정하기 위하여 사용된 산식은 약정의 실질을 평가하는 데에 도움이 될 수 있다. 예를 들어 조건부 지급액을 당기순이익의 배수에 기초하여 결정된다면, 이는 그 의무가 사업결합거래의 조건부 대가이다. 그러나 만약 당기순이익의 특정 비율로 정해지는 경우, 그 의무가 종업원의 근무용역 제공을 보상하는 이익배분 약정이라는 것을 의미할 수 있다.

⑧ 그 밖의 약정 등 : 매도주주와 맺는 그 밖의 약정의 조건(예 : 경쟁금지 약정, 미이행 계약, 컨설팅 계약, 부동산 리스 약정)과 조건부 지급에 대한 법인세 처리는 조

건부 지급이 피취득자에 대한 대가 이외의 다른 것에 관련된다는 것을 의미할 수 있다.

다. 피취득자의 종업원이 보유하고 있는 보상과 교환하여 취득자가 보상한 주식기준보상

취득자는 피취득자의 종업원이 보유하고 있는 보상을 취득자의 주식기준보상(대체보상)으로 교환할 수 있다. 사업결합과 관련한 주식선택권이나 그 밖의 주식기준보상의 교환은 기준서 제1102호에 따라 주식기준보상의 조건변경으로 회계처리한다. 취득자가 피취득자의 보상을 대체할 의무가 있는 경우, 취득자의 대체보상에 대한 시장기준측정치의 전부 또는 일부는 사업결합의 이전대가 측정에 포함될 것이다. 그러나, 취득자가 대체할 의무가 없더라도 그러한 보상을 대체할 경우, 대체보상의 시장기준측정치의 전부를 사업결합 후 재무제표에 보수원가(당기비용)로 인식한다(기준서 제1103호 문단 B56).

피취득자에 대한 이전대가의 일부인 대체보상 부분과 사업결합 후 근무용역에 대한 보수 부분을 결정하기 위하여, 취득자는 취득일 현재 자신이 부여한 대체보상과 피취득자의 보상을 기준서 제1102호에 따라 측정한다. 피취득자에 대한 이전대가의 일부인 대체보상의 시장기준측정치 부분은 사업결합 전 근무용역에 귀속되는 피취득자 보상 부분과 일치한다(기준서 제1103호 문단 B57). 사업결합 전 근무용역에 귀속되는 대체보상은 피취득자 보상의 시장기준측정치에 피취득자 보상의 총 가득기간 또는 원래 가득기간 중 긴 기간에 대한 가득기간 완료부분의 비율을 곱한 금액이다. 가득기간은 모든 특정 가득조건이 충족되는 기간이다(기준서 제1103호 문단 B58).

사업결합 후의 근무용역에 귀속되는 가득되지 않은 대체보상 부분으로서 사업결합 후 재무제표에 보수원가로 인식되는 부분은 대체보상의 총 시장기준측정치에서 사업결합 전의 근무용역에 귀속되는 금액을 차감한 금액과 일치한다. 그러므로 취득자는 대체보상의 시장기준측정치가 피취득자 보상의 시장기준측정치를 초과하는 금액을 사업결합 후 근무용역에 귀속시키고, 그 초과분을 사업결합 후 재무제표에 보수원가로 인식한다. 취득일 전에 종업원이 피취득자 보상을 가득하기 위한 근무용역의 전부를 제공하였는지와 무관하게, 대체보상에 사업결합 후 근무용역이 필요한 경우에는 대체보상의 일부를 사업결합 후 근무용역에 귀속시킨다(기준서 제1103호 문단 B59).

사업결합 후 근무용역에 귀속될 수 있는 부분과 마찬가지로 사업결합 전 근무용역에 귀속될 수 있는 가득되지 않은 대체보상 부분은 가득될 것으로 기대되는, 대체보상의 수의 최선의 이용가능한 추정치를 반영한다. 예를 들어, 사업결합 전 근무용역에 귀속되

는 대체보상 부분의 시장기준측정치가 100원이고 취득자가 보상의 95%만 가득될 것이라고 기대할 경우, 사업결합의 이전대가에 포함될 금액은 95원이다. 가득될 것으로 기대하는 대체보상의 추정수치 변동은 사업결합의 이전대가에서 조정하지 않고 그러한 변동이나 상실이 발생한 기간의 보수원가에 반영한다. 또한, 취득일 후에 발생하는 변경조건 또는 이행조건이 있는 보상의 최종 결과와 같은 그 밖의 사건의 효과는 당해 사건이 발생한 기간의 보수원가를 결정할 때 기준서 제1102호에 따라 회계처리한다(기준서 제1103호 문단 B60).

사업결합 전과 사업결합 후의 근무용역에 귀속되는 대체보상부분을 결정하기 위한 동일 규정은 대체보상을 기준서 제1102호의 규정에 따라 부채로 분류하는지 지분으로 분류하는지와 무관하게 적용한다. 취득일 후 부채로 분류된 보상의 시장기준측정치의 모든 변동과 관련 이연법인세효과는 변동이 발생한 기간에 취득자의 사업결합 후 재무제표에 인식한다(기준서 제1103호 문단 B61).

만일 취득자가 피취득자의 주식기준보상에 대하여 취득자의 주식기준보상으로 대체하지 않고 피취득자의 지분으로 결제된다면, 아래와 같이 회계처리한다(기준서 제1103호 문단 B62A－B62B).

  i) 취득일 현재 피취득자의 주식기준보상거래가 가득된 경우 : 피취득자에 대한 비지배지분의 일부이므로 시장기준측정치로 측정한다.

  ii) 취득일 현재 피취득자의 주식기준보상거래가 가득되지 않은 경우 : 취득일이 마치 부여일인 것처럼 시장기준측정치로 측정하며, 동 금액을 주식기준보상거래의 총가득기간과 원가득기간 중 더 긴 기간에 대한 완료된 가득기간의 비율에 근거하여 비지배지분에 배분하며, 잔액은 사업결합 후 근무용역에 배분한다(기준서 제1103호 문단 19와 문단 30에 근거함).

(7) 역취득의 회계처리

1) 취득자의 식별

역취득은 증권을 발행한 기업(법적 취득자)이 이 장의 (1) 취득자의 식별에 나열된 지침에 기초하여 회계목적상 피취득자로 식별될 때 발생한다. 지분을 취득당한 기업(법적 피취득자)은 역취득으로 고려되는 거래에서 회계목적상 취득자이다. 예를 들어 역취득은 때로 비상장기업이 상장되기를 원하지만 자신의 지분이 등록되는 것은 원하지 않을 때 발생한다. 이를 위하여 비상장기업은 상장기업이 자신의 지분과 교환하여 비상장기업의 지분을 취득하도록 상장기업과 약정을 할 것이다. 이 예에서 상장기업은 지분을 발행하기 때문에 법적 취득자이고, 비상장기업은 지분을 취득당하기 때문에 법적 피취득자이다. 그러나 (1) 취득자의 식별에서 규정한 지침을 적용한 결과 다음과 같이 식별하게 된다.

① 회계목적상 피취득자(회계상 피취득자)로서 상장기업
② 회계목적상 취득자(회계상 취득자)로서 비상장기업

거래가 역취득으로 이 장의 사업결합의 회계처리(즉, 취득법)를 적용받기 위해서는 회계상 피취득자는 여전히 사업의 정의를 충족해야 한다. 따라서, 사업결합을 위하여 새로운 기업(NewCo)이 설립되는 경우 이 절의 (1) 1)의 ④에 따라 이미 존재하던 결합참여기업 중 하나를 취득자로 정하여 새로운 기업이 피취득자가 되는 역취득이 될 것이나, 이때 인수되는 새로운 기업은 사업의 정의를 충족하지 못하므로, 이 장의 사업결합의 회계처리가 적용되는 역취득이 될 수 없다. 즉, 영업권 등을 인식하는 취득법의 회계처리가 적용되지 않는다는 것이다. 대신, 새로운 기업(법률상 취득자)의 재무제표에는 영업기업(법률상 피취득자)의 성과와 재무상태가 마치 사업결합의 취득자인 것처럼 그대로 계상될 것이나, 새로운 기업과의 결합을 통해 인수하게 되는 자산, 부채 등의 인식과 측정은 취득법이 아닌 다른 기준서의 해당 규정을 적용하게 회계처리되게 될 것이다.

2) 이전대가의 측정

역취득에서는 회계상 취득자는 보통 피취득자에게 이전대가로 지분을 발행하지 않는다. 그 대신에 회계상 피취득자가 보통 회계상 취득자의 소유주에게 자신의 지분을 발행한다. 따라서 회계상 피취득자의 지분에 대하여 회계상 취득자가 이전한 대가의 취득일의 공정가치는 법적 취득자의 소유주가 역취득의 결과로 결합회사에 대하여 보유하는 지분과 동일한 비율의 소유지분이 유지되도록, 법적 피취득자가 법적 취득자의 소유주에게 교부하였어야 할 법적 피취득자 지분의 수량에 기초한다. 이러한 방식으로 산정된 지분 수량에 대한 공정가치를 피취득자에 대한 교환으로 이전된 대가의 공정가치로 사용한다(기준서 제1103호 문단 B20).

> 사례   20×1년 9월 30일 법적 피취득자인 (주)용산(회계상 취득자)이 지분상품을 발행하는 법적 취득자인 (주)삼일(회계상 피취득자)을 역취득하는 경우 다음에서 주어지는 정보에 따라 그 회계처리를 나타내시오(단, 법인세 효과에 대한 회계처리는 무시한다)(기준서 제1103호 적용사례 IE1-IE8 인용)

1. 합병 직전 (주)삼일과 (주)용산의 재무상태표는 다음과 같다.

(주)삼 일 (단위 : 원)

유 동 자 산	500	유 동 부 채	300
유 동 부 채	1,300	비 유 동 부 채	400
		자 본 금 (1 0 0 주)	300
		이 익 잉 여 금	800
	1,800		1,800

(주)용 산 (단위 : 원)

유 동 자 산	700	유 동 부 채	600
유 동 부 채	3,000	비 유 동 부 채	1,100
		자 본 금 (6 0 주)	600
		이 익 잉 여 금	1,400
	3,700		3,700

2. 20×1년 9월 30일에 (주)삼일은 (주)용산의 보통주 각 1주와 교환하여 2.5주를 발행한다. (주)용산의 주주 모두 자신들이 보유하고 있는 (주)용산의 주식을 교환한다. 따라서 (주)삼일은 (주)용산의 보통주 60주 모두에 대해 150주를 발행한다.

3. 20×1년 9월 30일에 (주)용산의 보통주 1주의 공정가치는 40원이고, (주)삼일 보통주의 공시되는 시장가격은 16원이다.

4. 20×1년 9월 30일에 (주)삼일의 비유동자산의 공정가치는 1,500원이며 이를 제외하고 (주)삼일의 식별가능한 자산과 부채의 공정가치는 장부금액과 동일하며, 기타 추가로 인식될 무형자산 등은 없다고 가정한다.

해답

(주)삼일(법적 취득자, 회계상 피취득자)이 보통주 150주를 발행한 결과, (주)용산의 주주는 결합기업의 발행 주식의 60%(즉, 발행주식 250주 중 150주)를 소유한다. 그 나머지 40%는 (주)삼일의 주주가 소유한다.

만일 상기의 합병에서 (주)용산이 (주)삼일의 보통주와 교환하여 (주)삼일의 주주에게 추가 주식을 발행하는 형식을 취했다면, (주)용산이 결합기업에 대한 소유지분비율을 동일하게 유지하기 위해 발행하여야 할 주식수는 40주(=60주/60%×40%)이고, 이전대가는 1,600원(=40주×40원)으로 측정된다.

한편, 합병거래의 결과 인식할 영업권은 다음과 같이 계산된다.

• 사실상의 이전대가		1,600
• (주)삼일의 식별가능한 자산과 부채의 인식된 순가치		
유동자산	500	
비유동자산	1,500	
유동부채	(300)	
비유동부채	(400)	1,300
• 영업권		300

3) 연결재무제표의 작성과 표시

역취득에 따라 작성된 연결재무제표는 법적 지배기업(회계상 피취득자)의 이름으로 발행하지만 법적 종속기업(회계상 취득자)의 재무제표가 지속되는 것으로 주석에 기재하되, 회계상 피취득자의 법적 자본을 반영하기 위하여 회계상 취득자의 법적 자본을 소급하여 수정한다. 이러한 수정은 법적 지배기업(회계상 피취득자)의 자본을 반영하기 위해 필요하다. 또한 연결재무제표에 표시된 비교정보도 법적 지배기업(회계상 피취득자)의 자본을 반영하기 위하여 소급하여 수정한다(기준서 제1103호 문단 B21).

연결재무제표는 자본구조를 제외하고 법적 종속기업의 재무제표가 지속되는 것을 나타내기 때문에 연결재무제표는 다음 사항을 반영한다(기준서 제1103호 문단 B22).

① 법적 종속기업(회계상 취득자)의 자산과 부채는 사업결합 전의 장부금액으로 인식하고 측정
② 법적 지배기업(회계상 피취득자)의 자산과 부채는 이 기준서에 따라 인식하고 측정
③ 사업결합 직전 법적 종속기업(회계상 취득자)의 이익잉여금과 기타 자본의 잔액을 인식
④ 이 기준서에 따라 결정된 법적 지배기업(회계상 피취득자)의 공정가치에 사업결합 직전에 유통되던 법적 종속기업(회계상 취득자)의 발행 지분을 더하여 결정한 연결재무제표상 발행 지분의 인식금액. 그러나 자본구조(즉, 발행된 지분의 수량과 종류)는 사업결합으로 법적 지배기업이 발행한 지분을 포함한 법적 지배기업(회계상 피취득자)의 자본구조를 반영한다. 따라서 법적 종속기업(회계상 취득자)의 자본구조는 역취득에서 법적 지배기업(회계상 피취득자)이 발행한 지분 수량을 반영하기 위하여 취득 약정에서 정한 교환비율을 이용하여 조정한다.
⑤ 법적 종속기업(회계상 취득자)의 사업결합 전 이익잉여금과 기타 자본의 장부금액에 대한 비지배지분의 비례적 몫. 다음 4) 참조

4) 비지배지분

역취득에서, 법적 피취득자(회계상 취득자)의 소유주 중 일부는 자신이 보유하고 있는 지분을 법적 취득자(회계상 피취득자)의 지분과 교환하지 않을 수 있다. 그러한 소유주는 역취득 후 연결재무제표에서 비지배지분으로 처리된다. 이는 법적 피취득자의 소유주가 자신의 지분을 법적 취득자의 지분으로 교환하지 않는 경우, 결과적으로 결합기업의 영업성과나 순자산이 아닌 법적 피취득자의 영업성과나 순자산에 대한 지분만을 갖게 되기 때문이다. 반대로 법적 취득자는 회계목적상 피취득자이더라도 법적 취득자의 소유주는 결합기업의 영업성과와 순자산에 대한 지분을 갖는다(기준서 제1103호 문단 B23).

법적 피취득자의 자산과 부채는 연결재무제표에서 사업결합 전 장부금액으로 측정하고 인식한다. 따라서, 일반적인 취득에서 비지배지분을 취득일의 공정가치로 측정하더라도, 역취득에서 비지배지분은 법적 피취득자 순자산의 사업결합 전 장부금액에 대한 비지배주주의 비례적 지분으로 반영하게 된다(기준서 제1103호 문단 B24).

(8) 공 시

1) 보고기간 동안 발생한 사업결합

재무이용자가 보고기간 동안 발생한 사업결합의 내용과 재무효과를 평가할 수 있는 정보를 제공하기 위하여, 취득자는 보고기간에 발생한 모든 사업결합에 대해 다음 정보를 공시한다(기준서 제1103호 문단 B64).

① 피취득자의 명칭과 설명
② 취득일
③ 취득한 의결권 있는 지분율
④ 사업결합의 주된 이유와 피취득자에 대한 취득자의 지배력 획득 방법에 대한 설명
⑤ 피취득자와 취득자의 여러 영업활동이 결합하여 기대되는 시너지효과, 분리 인식 조건을 충족하지 못하는 무형자산 또는 그 밖의 요소와 같이 인식된 영업권의 구성요소에 대한 질적 설명
⑥ 총 이전대가의 취득일의 공정가치와 다음과 같은 대가의 주요 종류별 취득일의 공정가치
　㉠ 현금
　㉡ 그 밖의 유형자산이나 무형자산(취득자의 사업이나 종속기업 포함)
　㉢ 발생한 부채(예 : 조건부 대가에 대한 부채)

ⓔ 취득자의 지분(발행되었거나 발행될 금융상품 또는 지분의 수량과 그러한 금융상품이나 지분의 공정가치 측정 방법 포함)

⑦ 조건부 대가 약정과 보상자산

ㄱ 취득일 현재 인식한 금액

ㄴ 지급액을 결정하기 위한 약정과 기준에 대한 설명

ㄷ 결과(할인되지 않은)범위에 대한 추정치 또는 범위를 추정할 수 없다면 그 사실과 범위를 추정할 수 없는 이유. 최대 지급액을 한정할 수 없는 경우 그러한 사실을 공시한다.

⑧ 취득한 수취채권에 대한 다음 금액

ㄱ 수취채권의 공정가치

ㄴ 수취채권의 계약상 총액

ㄷ 회수될 것으로 기대되지 않는 계약상 현금흐름에 대한 취득일의 최선의 추정치 공시는 대여금, 직접 금융리스, 그 밖의 수취채권의 종류와 같은 수취채권의 주요 종류별로 제공한다.

⑨ 취득 자산과 인수 부채의 주요 종류별로 취득일 현재 인식한 금액

⑩ 각 우발부채에 대하여 기준서 제1037호 문단 85에서 요구하고 있는 정보. 우발부채의 공정가치를 신뢰성 있게 측정할 수 없어 인식하지 못한 경우, 다음 사항을 공시한다.

ㄱ 기준서 제1037호 문단 86에서 요구하고 있는 정보

ㄴ 그러한 부채를 신뢰성 있게 측정할 수 없는 이유

참고

기준서 제1037호 문단 85에서 요구하는 정보 :

충당부채의 유형별로 다음의 내용을 공시한다.
(1) 충당부채의 성격과 경제적효익의 유출이 예상되는 시기
(2) 유출될 경제적효익의 금액과 시기에 대한 불확실성 정도(충분한 정보제공이 필요한 경우에는 관련된 미래사건에 대한 중요한 가정의 공시 포함)
(3) 제3자에 의한 변제예상금액 및 그와 관련하여 인식한 자산 금액

기준서 제1037호 문단 86에서 요구하는 정보 :

의무를 이행하기 위한 자원의 유출가능성이 희박하지 않는 한, 보고기간 말에 우발부채의 분류별로 당해 성격을 공시하고 실무적으로 적용할 수 있는 경우에는 다음의 내용을 공시한다.
(1) 동 기준서 문단 36~52에 따라 측정된 재무적 영향의 추정금액
(2) 자원의 유출 금액 및 시기와 관련된 불확실성 정도
(3) 변제의 가능성

⑪ 세무상 차감될 것으로 예상되는 영업권 총액
⑫ 사업결합에서 비롯된 자산의 취득과 부채의 인수와는 별도로 인식된 거래
　　㉠ 각 거래에 대한 설명
　　㉡ 각 거래에 대한 취득자의 회계처리방법
　　㉢ 각 거래에서 인식된 금액과 그 금액이 인식된 재무제표상의 항목
　　㉣ 기존 관계를 사실상 정산하는 거래의 경우, 정산금액을 결정하는 데 사용된 방법
⑬ 별도로 인식한 거래에 대해 ⑫에서 요구한 공시는 취득관련원가의 금액 그리고 그 금액 중 별도로 비용으로 인식한 금액과 그 비용이 인식된 포괄손익계산서의 각 항목이나 항목들을 포함한다. 또한 발행 원가 중 비용으로 인식되지 않은 금액과 그 금액을 인식한 방법을 공시한다.
⑭ 염가매수의 경우 다음 사항
　　㉠ 인식한 차익 금액과 그 차익을 인식한 포괄손익계산서의 항목
　　㉡ 거래에서 차익이 발생한 이유에 대한 설명
⑮ 취득일에 피취득자에 대한 취득자의 지분율로 100% 미만을 보유하고 있는 각 사업결합의 경우 다음 사항
　　㉠ 취득일에 인식한 피취득자에 대한 비지배지분의 금액과 그 금액의 측정기준
　　㉡ 공정가치로 측정된 각 피취득자에 대한 비지배지분의 평가기법 그리고 그 가치를 결정하기 위하여 사용된 주요 모형 투입물
⑯ 단계적으로 이루어지는 사업결합의 경우 다음 사항
　　㉠ 취득일 직전에 취득자가 보유하고 있는 피취득자에 대한 지분의 취득일의 공정가치
　　㉡ 사업결합 전에 취득자가 보유하고 있던 피취득자 지분에 대한 포괄손익계산서에 인식된 차손익이 당해 지분에 대하여 공정가치로 재측정한 결과 차손익으

로 인식된 금액

⑰ 다음의 정보

    ㉠ 당해 보고기간의 연결포괄손익계산서에 포함된 취득일 이후 피취득자의 수익 과 당기손익 금액

    ㉡ 당해 연도에 발생한 모든 사업결합에 대하여 그 취득일이 연차보고기간의 개 시일 현재라고 가정할 경우, 당해 보고기간 중 결합기업의 수익과 당기손익 만약 이 정보 중 실무적으로 공시할 수 없는 경우에는 취득자는 그 사실과 실 무적으로 공시할 수 없는 이유를 기술한다.

    한편, 보고기간에 발생한 여러 사업결합 거래가 개별적으로 중요하지 않지만 집합하여 중요해지면 상기 '(5)' 내지 '(17)'에서 기술하는 정보를 합산하여 공 시한다.

2) 보고기간 후 재무제표 승인일 전에 발생한 사업결합

취득일이 보고기간 말 이후 재무제표 발행승인일 전인 경우, 재무제표 발행승인일에 사업결합거래에 대한 최초 회계처리가 완료되지 못한 경우가 아니라면 상기 '1)'에서 요구하는 정보를 공시한다(기준서 제1103호 문단 B66).

2. 동일지배하에 있는 기업간 사업결합

(1) 개념 및 회계처리

동일지배하에 있는 기업 또는 사업에 관련된 사업결합은 동일 당사자가 모든 결합참 여기업 또는 사업을, 사업결합 전후에 걸쳐, 궁극적으로 지배하고 그 지배력이 일시적이 지 않은 사업결합이다. 동일지배 하에 있는 기업 또는 사업 간의 사업결합은 동 장에서 설명하는 취득법의 회계처리가 요구되지 않는다(기준서 제1103호 문단 B1).

이때 지배는 취득자의 식별 시와 동일하게 기준서 제1110호 '연결재무제표'의 지배력 의 개념을 적용한다. 또한, 개인들의 집단(이하 '개인집단'이라 한다)이 계약상 합의의 결과, 기업의 활동에서 효익을 얻기 위하여 재무정책과 영업정책을 집합적으로 결정할 수 있는 능력이 있는 경우, 그 개인집단이 당해 기업을 지배하고 있다고 본다. 따라서, 계약상 약정의 결과로 동일한 개인집단이 결합참여기업의 활동에서 효익을 얻기 위하 여 각 결합참여기업의 재무정책과 영업정책을 결정할 수 있는 궁극적인 집단적 능력을 결합 전·후에 보유하고, 그 능력이 일시적이지 않은 경우, 그러한 사업결합 또한 동 장 의 취득법 회계처리의 적용대상에서 배제된다(기준서 제1103호 문단 B2).

개인 또는 상기의 계약상 합의의 결과 개인집단이 결합참여기업 또는 사업을 지배하는 것으로 보는 경우, 지배하는 개인 또는 개인집단에 의한 연결재무제표가 존재하지 않을 것이다. 따라서, 동일지배하의 기업 간 또는 사업 간 사업결합이 되기 위하여 결합참여기업이 동일 연결재무제표의 일부로 포함되어야만 하는 것은 아니다(기준서 제1103호 문단 B3).

기준서 제1103호는 이러한 동일지배하의 기업 간 또는 사업 간의 결합에 대한 회계처리를 규정하지 않고 있다. 또한, 한국채택국제회계기준의 다른 기준서에서 유사한 거래에 대한 회계논제를 다루고 있지 않다. 따라서, 경영진은 기준서 제1008호 '회계정책, 회계추정의 변경 및 오류' 문단 10－12에 따라 한국채택국제회계기준의 규정과 개념체계와 상충되지 않는 범위에서 유사한 개념체계를 사용하여 회계기준을 개발하는 회계제정기구가 가장 최근에 발표한 회계기준이나 산업관행 및 기타 회계문헌 등을 참조하여 적절한 회계정책을 개발하여야 할 것이다.

상기의 요구사항을 고려할 경우 동일지배하의 기업·사업 간의 결합에 일반적으로 적용가능한 회계정책으로 아래를 고려할 수 있다. 또한 이러한 회계정책의 선택은 모든 동일 유형의 거래에 일관성 있게 적용되어야 할 것이다.

① 장부가액법 (Predecessor value accounting) : 이는 최상위 지배 당사자(또는 적절한 경우 중간 지배기업이나 피취득자)의 연결재무제표에 계상된 자산과 부채의 가액으로 취득한 자산과 부채의 가액을 결정하는 방법이다. 동 방법에서 영업권은 계상되지 않을 것이다.

② 취득법의 적용 : 이는 이 장의 취득법의 회계처리를 동일지배하의 기업 또는 사업 간의 결합에도 동일하게 적용하는 것이다. 동 방식에 따를 경우 이 장의 모든 내용을 준수한다.

제3절 세무회계상 유의할 사항

1. 합병시 피합병법인에 대한 과세

(1) 비적격합병시 양도손익에 대한 과세

1) 개요

피합병법인이 합병으로 해산하는 경우에는 그 법인의 자산을 합병법인에 양도한 것으로 보아, 그 양도에 따라 발생하는 다음의 양도손익은 피합병법인이 합병등기일이 속하는 사업연도의 소득금액을 계산할 때 익금 또는 손금에 산입한다(법법 44조 1항).

$$
\text{양도손익} \quad = \quad \begin{array}{c} \text{피합병법인이 합병법인으로부터} \\ \text{받은 양도가액} \end{array} \quad - \quad \begin{array}{c} \text{피합병법인의 합병등기일} \\ \text{현재 순자산 장부가액} \end{array}
$$

2) 양도손익의 계산

① 양도가액의 계산

합병에 따른 양도손익을 계산함에 있어 피합병법인이 합병법인으로부터 받은 양도가액은 다음의 합계액(㉠+㉡)으로 한다(법법 44조 1항 1호 및 법령 80조 1항 2호).

㉠ 합병교부주식등의 가액 및 금전 기타 재산가액

합병으로 인하여 피합병법인의 주주등이 지급받는 합병법인 또는 합병법인의 모회사(합병등기일 현재 합병법인의 발행주식총수 또는 출자총액을 소유하고 있는 내국법인을 말함)의 주식등(이하 "합병교부주식등"이라 함)의 가액 및 금전이나 그 밖의 재산가액의 합계액. 다만, 합병법인이 합병등기일 전 취득한 피합병법인의 주식등(신설합병 또는 3 이상의 법인이 합병하는 경우 피합병법인이 취득한 다른 피합병법인의 주식등을 포함하며, 이하 "합병포합주식등"이라 함)이 있는 경우에는 그 합병포합주식등에 대하여 합병교부주식등을 교부하지 아니하더라도 그 지분비율에 따라 합병교부주식등을 교부한 것으로 보아 합병교부주식등의 가액을 계산함.

㉡ 합병법인이 대납하는 피합병법인의 법인세 등

합병법인이 납부하는 피합병법인의 법인세 및 그 법인세(감면세액을 포함함)에 부과되는 국세와 법인지방소득세(지법 88조 2항)의 합계액

② 순자산 장부가액의 계산

피합병법인의 순자산 장부가액이란, 피합병법인의 합병등기일 현재의 자산의 장부가액 총액에서 부채의 장부가액 총액을 뺀 가액으로 한다. 이 경우 순자산 장부가액을 계산할 때 국세기본법에 따라 환급되는 법인세액이 있는 경우에는 이에 상당하는 금액을 피합병법인의 합병등기일 현재의 순자산 장부가액에 더한다(법법 44조 1항 2호 및 법령 80조 2항).

(2) 적격합병시 양도손익에 대한 과세특례

1) 개 요

내국법인의 합병이 다음의 어느 하나에 해당하는 경우에는 피합병법인이 합병법인으로부터 받은 양도가액을 피합병법인의 합병등기일 현재의 순자산 장부가액으로 보아 양도손익이 없는 것으로 할 수 있다(법법 44조 2항, 3항 및 법령 80조 1항 1호).

① 적격합병의 요건(법법 44조 2항)을 갖춘 경우

② 내국법인이 발행주식총수 또는 출자총액을 소유하고 있는 다른 법인을 합병하거나 그 다른 법인에 합병되는 경우

③ 동일한 내국법인이 발행주식총수 또는 출자총액을 소유하고 있는 서로 다른 법인 간에 합병하는 경우

2) 적격합병의 요건

① 개 요

적격합병이란 다음의 요건을 모두 갖춘 합병을 말한다. 다만, 법령에서 정하는 부득이한 사유가 있는 경우에는 아래 ⓛ, ⓒ 또는 ⓔ의 요건을 갖추지 못한 경우에도 적격합병으로 보아 양도손익이 없는 것으로 할 수 있다(법법 44조 2항 단서).

ⓙ 합병등기일 현재 1년 이상 사업을 계속하던 내국법인 간의 합병일 것. 다만, 다른 법인과 합병하는 것을 유일한 목적으로 하는 자본시장과 금융투자업에 관한 법률 시행령 제6조 제4항 제14호에 따른 기업인수목적회사로서 같은 호 각목의 요건을 모두 갖춘 법인의 경우는 제외함(사업영위기간 요건).

ⓒ 피합병법인의 주주등이 합병으로 인하여 받은 합병대가의 총합계액 중 합병법인의 주식등의 가액이 80% 이상이거나 합병법인의 모회사(합병등기일 현재 합병법인의 발행주식총수 또는 출자총액을 소유하고 있는 내국법인을 말함)의 주식등의 가액이 80% 이상인 경우로서 그 주식등이 피합병법인의 일정 지배주주등(법령 80조의 2 제5항에 따른 주주등으로, 이하 같음)에 일정가액 이상 배정(법령 80조의 2 4항)

되고, 그 일정 지배주주등이 합병등기일이 속하는 사업연도의 종료일까지 그 주식 등을 보유할 것(지분의 연속성 요건)

ⓒ 합병법인이 합병등기일이 속하는 사업연도의 종료일까지 피합병법인으로부터 승계받은 사업을 계속할 것(사업의 계속성 요건)

ⓔ 합병등기일 1개월 전 당시 피합병법인에 종사하는 법 소정 근로자(법령 80조의 2 6항) 중 합병법인이 승계한 근로자의 비율이 80% 이상이고, 합병등기일이 속하는 사업 연도의 종료일까지 그 비율을 유지할 것(고용승계 요건)

② 지분의 연속성 요건

상기 '① 개요'의 'ⓒ 지분의 연속성 요건'과 관련하여, 피합병법인의 주주등이 받은 합병대가의 총합계액은 상기 '(1) 비적격합병시 양도손익에 대한 과세'의 '2) ① ⓒ 합병교부주식등의 가액'으로 하고, 합병대가의 총합계액 중 주식등의 가액이 80% 이상인 지를 판정할 때 합병법인이 합병등기일 전 2년 내에 취득한 합병포합주식등이 있는 경우에는 다음의 금액을 금전으로 교부한 것으로 본다. 이 경우 신설합병 또는 3 이상의 법인이 합병하는 경우로서 피합병법인이 취득한 다른 피합병법인의 주식등이 있는 경우에는 그 다른 피합병법인의 주식등을 취득한 피합병법인을 합병법인으로 보아 다음을 적용하여 계산한 금액을 금전으로 교부한 것으로 한다(법령 80조의 2 3항).

ⓒ 합병법인이 합병등기일 현재 피합병법인의 지배주주등(법령 43조 7항)이 아닌 경우 : 합병법인이 합병등기일 전 2년 이내에 취득한 합병포합주식등이 피합병법인의 발행주식총수 또는 출자총액의 20%를 초과하는 경우 그 초과하는 합병포합주식등에 대하여 교부한 합병교부주식등(법인세법 시행령 제80조 제1항 제2호 가목 단서에 따라 합병교부주식등을 교부한 것으로 보는 경우 그 주식등을 포함함)의 가액

ⓒ 합병법인이 합병등기일 현재 피합병법인의 지배주주등(법령 43조 7항)인 경우 : 합병 등기일 전 2년 이내에 취득한 합병포합주식등에 대하여 교부한 합병교부주식등(법인세법 시행령 제80조 제1항 제2호 가목 단서에 따라 합병교부주식등을 교부한 것으로 보는 경우 그 주식등을 포함함)의 가액

또한, 피합병법인의 주주등에 합병으로 인하여 받은 주식등을 배정할 때에는 피합병법인의 일정 지배주주등(법령 80조의 2 5항)에 다음 계산식에 따른 가액 이상의 주식등을 각각 배정하여야 한다(법령 80조의 2 4항).

$$\text{피합병법인의 주주등이 지급받은 합병교부주식} \atop \text{등의 가액의 총합계액(법령 80조 1항 2호 가목)} \times {\text{피합병법인의 일정 지배주주등의} \atop \text{피합병법인에 대한 지분비율}}$$

③ 사업의 계속성 요건

상기 '① 개요'의 '㉢ 사업의 계속성 요건'과 관련하여 합병법인이 합병등기일이 속하는 사업연도의 종료일 이전에 피합병법인으로부터 승계한 자산가액(유형자산, 무형자산 및 투자자산의 가액을 말하며, 이하 이 절에서 같음)의 50% 이상을 처분하거나 사업에 사용하지 아니하는 경우에는 피합병법인으로부터 승계받은 사업을 폐지한 것으로 본다. 다만, 피합병법인이 보유하던 합병법인의 주식을 승계받아 자기주식을 소각하는 경우에는 해당 합병법인의 주식을 제외하고 피합병법인으로부터 승계받은 자산을 기준으로 사업을 계속하는지 여부를 판정하되, 승계받은 자산이 합병법인의 주식만 있는 경우에는 사업을 계속하는 것으로 본다(법령 80조의 2 7항).

④ 고용승계 요건

상기 '① 개요'의 '㉣ 고용승계 요건'에서 '법 소정 근로자'란, 근로기준법에 따라 근로계약을 체결한 내국인 근로자를 말한다. 다만, 다음의 어느 하나에 해당하는 근로자는 제외한다(법령 80조의 2 6항, 법칙 40조의 2).

㉠ 법인세법 시행령 제40조 제1항 각 호의 어느 하나에 해당하는 임원

㉡ 합병등기일이 속하는 사업연도의 종료일 이전에 고용상 연령차별금지 및 고령자 고용촉진에 관한 법률 제19조에 따른 정년이 도래하여 퇴직이 예정된 근로자

㉢ 합병등기일이 속하는 사업연도의 종료일 이전에 사망한 근로자 또는 질병·부상 등 고용보험법 시행규칙 별표 2 제9호에 해당하는 사유로 퇴직한 근로자

㉣ 소득세법 제14조 제3항 제2호에 따른 일용근로자

㉤ 근로계약기간이 6개월 미만인 근로자. 다만, 근로계약의 연속된 갱신으로 인하여 합병등기일 1개월 전 당시 그 근로계약의 총 기간이 1년 이상인 근로자는 제외함.

㉥ 금고 이상의 형을 선고받는 등 근로자의 중대한 귀책사유로 퇴직한 근로자(고용보험법 58조 1호)

⑤ 적격합병 요건에 대한 부득이한 사유

상기 '① 개요'에서 언급한 '법령에서 정하는 부득이한 사유가 있는 경우'란 다음 중 어느 하나에 해당하는 경우를 말한다(법령 80조의 2 1항).

구 분	내 용
지분의 연속성 요건에 대한 부득이한 사유	㉠ 피합병법인의 일정 지배주주등이 합병으로 교부받은 전체 주식 등의 50% 미만을 처분한 경우(*1) ㉡ 피합병법인의 일정 지배주주등이 사망하거나 파산하여 주식등을 처분한 경우 ㉢ 피합병법인의 일정 지배주주등이 적격합병(*2), 적격분할(*3), 적격물적분할(*4) 또는 적격현물출자(*5)에 따라 주식등을 처분한 경우 ㉣ 피합병법인의 일정 지배주주등이 현물출자 또는 교환·이전(조특법 38조·38조의 2 또는 121조의 30)하고 과세를 이연받으면서 주식등을 처분한 경우 ㉤ 피합병법인의 일정 지배주주등이 채무자 회생 및 파산에 관한 법률에 따른 회생절차에 따라 법원의 허가를 받아 주식등을 처분하는 경우 ㉥ 피합병법인의 일정 지배주주등이 기업개선계획의 이행을 위한 약정(조특령 34조 6항 1호) 또는 기업개선계획의 이행을 위한 특별약정(조특령 34조 6항 2호)에 따라 주식등을 처분하는 경우 ㉦ 피합병법인의 일정 지배주주등이 법령상 의무를 이행하기 위하여 주식등을 처분하는 경우
사업의 계속성 요건에 대한 부득이한 사유	㉠ 합병법인이 파산함에 따라 승계받은 자산을 처분한 경우 ㉡ 합병법인이 적격합병, 적격분할, 적격물적분할 또는 적격현물출자에 따라 사업을 폐지한 경우 ㉢ 합병법인이 기업개선계획의 이행을 위한 약정(조특령 34조 6항 1호) 또는 기업개선계획의 이행을 위한 특별약정(조특령 34조 6항 2호)에 따라 승계받은 자산을 처분한 경우 ㉣ 합병법인이 채무자 회생 및 파산에 관한 법률에 따른 회생절차에 따라 법원의 허가를 받아 승계받은 자산을 처분한 경우
고용승계 요건에 대한 부득이한 사유	㉠ 합병법인이 채무자 회생 및 파산에 관한 법률 제193조에 따른 회생계획을 이행 중인 경우 ㉡ 합병법인이 파산함에 따라 근로자의 비율을 유지하지 못한 경우 ㉢ 합병법인이 적격합병, 적격분할, 적격물적분할 또는 적격현물출자에 따라 근로자의 비율을 유지하지 못한 경우 ㉣ 합병등기일 1개월 전 당시 피합병법인에 종사하는 근로기준법에 따라 근로계약을 체결한 내국인 근로자가 5명 미만인 경우

(*1) 피합병법인의 일정 지배주주등이 합병으로 교부받은 주식등을 서로 간에 처분하는 것은 일정 지배주주등이 그 주식 등을 처분한 것으로 보지 않고, 해당 주주등이 합병법인 주식등을 처분하는 경우에는 합병법인이 선택한 주식등을 처분하는 것으로 봄.

(*2) 법인세법 제44조 제2항 및 제3항에 따른 합병을 말하며, 이하 같음.

(*3) 법인세법 제46조 제2항에 따른 분할을 말하며, 이하 같음.

(*4) 법인세법 제47조 제1항에 따라 양도차익을 손금에 산입한 물적분할을 말하며, 이하 같음.

(*5) 법인세법 제47조의 2 제1항 각 호의 요건을 모두 갖추어 양도차익에 해당하는 금액을 손금에 산입하는 현물출자를 말하며, 이하 같음.

2. 합병시 합병법인에 대한 과세

(1) 비적격합병시 합병법인에 대한 과세

1) 개 요

합병법인이 합병으로 피합병법인의 자산을 승계하는 경우에는 그 자산을 피합병법인으로부터 합병등기일 현재의 시가(법법 52조 2항)로 양도받은 것으로 보며, 이에 따라 발생하는 합병매수차익·합병매수차손은 5년간 균등하게 나누어 익금 또는 손금에 산입한다(법법 44조의 2).

2) 합병매수차익·차손의 계상 및 처리

① 합병매수차익

합병매수차익이란, 합병시 합병법인이 피합병법인의 자산을 시가로 양도받은 것으로 보는 경우로서 피합병법인에게 지급한 양도가액이 피합병법인의 합병등기일 현재의 자산총액에서 부채총액을 뺀 금액(이하 "순자산시가"라 함)보다 적은 경우 그 차액을 말하는 것으로 이를 산식으로 표현하면 다음과 같다(법법 44조의 2 2항).

$$합병매수차익 = 순자산의 시가^{(*)} - 양도가액$$

(*) 순자산의 시가 = 합병등기일 현재 자산총액 시가 - 합병등기일 현재 부채총액 시가

한편, 합병매수차익은 세무조정계산서에 계상하고 합병등기일이 속하는 사업연도부터 합병등기일부터 5년이 되는 날이 속하는 사업연도까지 5년간 매월 균등하게 나누어 익금에 산입한다(법령 80조의 3 1항).

② 합병매수차손

합병매수차손이란, 합병시 합병법인이 피합병법인의 자산을 시가로 양도받은 것으로 보는 경우로서 피합병법인에 지급한 양도가액이 합병등기일 현재의 순자산시가를 초과하는 경우 그 차액을 말하며 이를 산식으로 표현하면 다음과 같다(법법 44조의 2 3항).

이 경우 합병매수차손은 합병매수차익과는 달리 합병법인이 피합병법인의 상호·거래관계, 그 밖의 영업상의 비밀 등에 대하여 사업상 가치가 있다고 보아 대가를 지급한 경우를 말한다(법령 80조의 3 2항).

$$\text{합병매수차손} = \text{양도가액} - \text{순자산의 시가}^{(*)}$$

$^{(*)}$ 순자산의 시가 = 합병등기일 현재 자산총액 시가 - 합병등기일 현재 부채총액 시가

한편, 사업상 가치가 있어 대가를 지급한 합병매수차손 상당액은 세무조정계산서에 계상하고 합병등기일이 속하는 사업연도부터 합병등기일부터 5년이 되는 날이 속하는 사업연도까지 5년간 매월 균등하게 나누어 손금에 산입한다(법령 80조의 3 3항).

3) 합병법인의 이월결손금 공제

합병법인의 합병등기일 현재 법인세법 제13조 제1항 제1호에 따른 결손금은 합병법인의 각 사업연도의 과세표준을 계산할 때 피합병법인으로부터 승계받은 사업에서 발생한 소득금액의 범위에서는 공제하지 아니한다. 이에 따라 합병등기일 현재 결손금이 있는 합병법인은 그 결손금을 공제받는 기간 동안 자산·부채 및 손익을 피합병법인으로부터 승계받은 사업에 속하는 것과 그 밖의 사업에 속하는 것을 각각 다른 회계로 구분하여 기록하여야 한다(법법 45조 1항, 113조 3항).

다만, "중소기업(조특법 6조 1항) 간 또는 동일사업을 하는 법인 간에 합병하는 경우"에는 회계를 구분하여 기록하지 아니하고, 합병등기일 현재 합병법인과 피합병법인의 사업용 자산가액 비율로 안분계산할 수 있다. 이 경우 합병법인이 승계한 피합병법인의 사업용 자산가액은 결손금을 공제하는 각 사업연도의 종료일 현재 계속 보유(처분 후 대체하는 경우를 포함함)·사용하는 자산에 한정하여 그 자산의 합병등기일 현재 가액에 따른다(법법 45조 1항, 113조 3항 단서 및 법령 81조 1항).

한편, 합병법인의 합병등기일 현재 결손금에 대한 공제는 법인세법 제13조 제1항 각 호 외의 부분 단서에도 불구하고 합병법인의 소득금액에서 피합병법인으로부터 승계받은 사업에서 발생한 소득금액을 차감한 금액의 60%(중소기업과 법인세법 시행령 제10조 제1항에서 정하는 법인의 경우는 100%)를 한도로 한다(법법 45조 5항 1호).

4) 합병법인의 기부금한도초과액 손금산입

합병법인의 합병등기일 현재 50% 한도 기부금(법법 24조 2항 1호) 및 10% 한도 기부금(법법 24조 3항 1호) 중 기부금 손금한도 초과로 손금불산입되어 이월된 금액(법법 24조 5항)으로서 그 후의 각 사업연도의 소득금액을 계산할 때 손금에 산입하지 아니한 금액(이하 "기부금한도초과액"이라 함)은 합병법인의 각 사업연도의 소득금액을 계산할 때 합병 전 합병법인의 사업에서 발생한 소득금액을 기준으로 기부금 각각의 손금산입한도액의

범위(법법 24조 2항 2호 및 3항 2호)에서 손금에 산입한다(법법 45조 6항).

5) 세무조정사항의 승계

내국법인의 합병이 비적격합병에 해당하는 경우 법인세법 또는 다른 법률에 다른 규정이 있는 경우 외에는 법인세법 제33조 제3항·제4항 및 제34조 제4항에 따라 퇴직급여충당금 또는 대손충당금을 합병법인이 승계한 경우 그와 관련된 세무조정사항(피합병법인의 각 사업연도의 소득금액 및 과세표준을 계산할 때 익금 또는 손금에 산입하거나 산입하지 아니한 금액을 말함. 이하 같음)은 승계하고 그 밖의 세무조정사항은 합병법인이 승계하지 아니한다(법법 44조의 2 1항 및 법령 85조 2호).

6) 자산·부채의 승계가액

내국법인의 합병이 비적격합병에 해당하는 경우에 합병법인이 취득한 자산의 취득가액은 해당 자산의 시가로 한다(법령 72조 2항 3호).

(2) 적격합병시 합병법인에 대한 과세특례

1) 자산조정계정의 계상 및 처리

내국법인의 합병이 적격합병에 해당함에 따라 합병법인이 피합병법인의 자산을 장부가액으로 양도받은 경우 합병법인은 양도받은 자산 및 부채의 가액을 합병등기일 현재의 시가로 계상하되, 시가에서 피합병법인의 장부가액(피합병법인으로부터 승계받은 세무조정사항이 있는 경우에는 그 세무조정사항 중 익금불산입액은 더하고 손금불산입액은 뺀 가액으로 함)을 뺀 금액이 0보다 큰 경우에는 그 차액을 익금에 산입하고 이에 상당하는 금액을 자산조정계정으로 손금에 산입하며, 0보다 작은 경우에는 시가와 장부가액의 차액을 손금에 산입하고 이에 상당하는 금액을 자산조정계정으로 익금에 산입한다. 이 경우 계상한 자산조정계정은 다음의 구분에 따라 처리한다(법령 80조의 4 1항).

구 분	자산조정계정의 처리
① 감가상각자산에 설정된 자산조정계정	자산조정계정으로 손금에 산입한 경우에는 해당 자산의 감가상각비(해당 자산조정계정에 상당하는 부분에 대한 것만 해당함)와 상계하고, 자산조정계정으로 익금에 산입한 경우에는 감가상각비에 가산. 이 경우 해당 자산을 처분하는 경우에는 상계 또는 더하고 남은 금액을 그 처분하는 사업연도에 전액 익금 또는 손금에 산입함.
② 상기 '①' 외의 자산에 설정된 자산조정계정	해당 자산을 처분하는 사업연도에 전액 익금 또는 손금에 산입. 다만, 자기주식을 소각하는 경우에는 익금 또는 손금에 산입하지 아니하고 소멸하는 것으로 함.

2) 합병법인의 이월결손금 공제

합병법인의 합병등기일 현재 법인세법 제13조 제1항 제1호에 따른 결손금 중 법인세법 제44조의 3 제2항에 따라 합병법인이 승계한 결손금을 제외한 금액은 합병법인의 각 사업연도의 과세표준을 계산할 때 피합병법인으로부터 승계받은 사업에서 발생한 소득금액의 범위에서는 공제하지 아니한다. 이에 따라 합병등기일 현재 결손금이 있는 합병법인은 그 결손금을 공제받는 기간 동안 자산·부채 및 손익을 피합병법인으로부터 승계받은 사업에 속하는 것과 그 밖의 사업에 속하는 것을 각각 다른 회계로 구분하여 기록하여야 한다(법법 45조 1항, 113조 3항).

다만, "중소기업(조특법 6조 1항) 간 또는 동일사업을 하는 법인 간에 합병하는 경우"에는 회계를 구분하여 기록하지 아니하고, 합병등기일 현재 합병법인과 피합병법인의 사업용 자산가액 비율로 안분계산할 수 있다. 이 경우 합병법인이 승계한 피합병법인의 사업용 자산가액은 결손금을 공제하는 각 사업연도의 종료일 현재 계속 보유(처분 후 대체하는 경우를 포함함)·사용하는 자산에 한정하여 그 자산의 합병등기일 현재 가액에 따른다(법법 45조 1항, 113조 3항 단서 및 법령 81조 1항).

한편, 합병법인의 합병등기일 현재 결손금에 대한 공제는 법인세법 제13조 제1항 각 호 외의 부분 단서에도 불구하고 합병법인의 소득금액에서 피합병법인으로부터 승계받은 사업에서 발생한 소득금액을 차감한 금액의 60%(중소기업과 법인세법 시행령 제10조 제1항에서 정하는 법인의 경우는 100%)를 한도로 한다(법법 45조 5항 1호).

3) 피합병법인의 이월결손금 승계

적격합병을 한 합병법인은 피합병법인의 합병등기일 현재의 법인세법 제13조 제1항 제1호의 결손금을 승계한다(법법 44조의 3 2항). 이 경우 피합병법인으로부터 승계한 이월결손금이 있는 합병법인은 해당 이월결손금을 공제받는 기간 동안 자산·부채 및 손익을 피합병법인으로부터 승계받은 사업에 속하는 것과 그 밖의 사업에 속하는 것으로 각각 다른 회계로 구분하여 기록하여, 피합병법인으로부터 승계한 사업에서 발생한 소득금액의 범위 내에서 해당 이월결손금을 공제하여야 한다(법법 45조 1항 및 2항, 113조 3항).

다만, "중소기업(조특법 6조 1항) 간 또는 동일사업을 하는 법인 간에 합병하는 경우"에는 회계를 구분하여 기록하지 아니하고, 합병등기일 현재 합병법인과 피합병법인의 사업용 자산가액 비율로 안분계산할 수 있다. 이 경우 합병법인이 승계한 피합병법인의 사업용 자산가액은 승계결손금을 공제하는 각 사업연도의 종료일 현재 계속 보유(처분 후 대체하는 경우를 포함함)·사용하는 자산에 한정하여 그 자산의 합병등기일 현재 가

액에 따른다(법법 45조 1항, 113조 3항 단서 및 법령 81조 1항).

한편, 합병법인이 승계한 피합병법인의 결손금에 대한 공제는 법인세법 제13조 제1항 각 호 외의 부분 단서에도 불구하고 피합병법인으로부터 승계받은 사업에서 발생한 소득금액의 60%(중소기업과 법인세법 시행령 제10조 제1항에서 정하는 법인의 경우는 100%)를 한도로 한다(법법 45조 5항 2호).

4) 합병법인의 기부금한도초과액 손금산입

합병법인의 합병등기일 현재 50% 한도 기부금(법법 24조 2항 1호) 및 10% 한도 기부금(법법 24조 3항 1호) 중 기부금 손금한도 초과로 손금불산입되어 이월된 금액(법법 24조 5항)으로서 그 후의 각 사업연도의 소득금액을 계산할 때 손금에 산입하지 아니한 금액(이하 "기부금한도초과액"이라 함) 중 법인세법 제44조의 3 제2항에 따라 합병법인이 승계한 기부금한도초과액을 제외한 금액은 합병법인의 각 사업연도의 소득금액을 계산할 때 합병 전 합병법인의 사업에서 발생한 소득금액을 기준으로 기부금 각각의 손금산입한도액의 범위(법법 24조 2항 2호 및 3항 2호)에서 손금에 산입한다(법법 45조 6항).

5) 피합병법인의 기부금한도초과액 승계 및 손금산입

피합병법인의 합병등기일 현재 기부금한도초과액으로서 법인세법 제44조의 3 제2항에 따라 합병법인이 승계한 금액은 합병법인의 각 사업연도의 소득금액을 계산할 때 피합병법인으로부터 승계받은 사업에서 발생한 소득금액을 기준으로 기부금 각각의 손금산입한도액의 범위(법법 24조 2항 2호 및 3항 2호)에서 손금에 산입한다(법법 45조 7항).

6) 세무조정사항의 승계

적격합병을 한 합병법인은 법인세법 또는 다른 법률에 다른 규정이 있는 경우 외에는 피합병법인의 세무조정사항은 모두 합병법인이 승계한다(법법 44조의 3 2항 및 법령 85조 1호).

7) 자산·부채의 승계가액

적격합병을 한 합병법인이 합병에 따라 취득한 자산의 취득가액은 피합병법인의 장부가액(법령 80조의 4 1항)으로 한다(법령 72조 2항 3호).

8) 세액감면·세액공제의 승계
① 개 요
적격합병을 한 합병법인은 피합병법인이 합병 전에 적용받던 법인세법 제59조에 따른 세액감면 또는 세액공제를 승계하여 적용을 받을 수 있다. 이 경우 법인세법 또는 다른 법률에 해당 감면 또는 세액공제의 요건 등에 관한 규정이 있는 경우에는 합병법인이 그 요건 등을 모두 갖춘 경우에만 이를 적용한다(법법 44조의 3 2항 및 법령 80조의 4 2항).

② 세액감면의 승계

피합병법인으로부터 승계받은 세액감면(일정기간에 걸쳐 감면되는 것으로 한정함)의 경우에는 합병법인이 승계받은 사업에서 발생한 소득에 대하여 합병 당시의 잔존감면기간 내에 종료하는 각 사업연도분까지 그 감면을 적용받을 수 있다(법령 81조 3항 1호).

③ 이월된 미공제세액의 승계

피합병법인으로부터 승계받은 세액공제(외국납부세액공제를 포함함)로서 이월된 미공제액의 경우에는 합병법인이 다음의 구분에 따라 이월공제잔여기간 내에 종료하는 각 사업연도분까지 공제받을 수 있다(법령 81조 3항 1호).

㉠ 이월된 외국납부세액공제 미공제액

승계받은 사업에서 발생한 국외원천소득을 해당 사업연도의 과세표준으로 나눈 금액에 해당 사업연도의 세액을 곱한 금액의 범위에서 공제

㉡ 최저한세액에 미달하여 공제받지 못한 금액으로서 이월된 미공제액

승계받은 사업부문에 대하여 조세특례제한법 제132조를 적용하여 계산한 법인세 최저한세액의 범위에서 공제. 이 경우 공제금액은 합병법인의 법인세 최저한세액을 초과할 수 없음.

㉢ 상기 ㉠ 또는 ㉡ 외에 납부할 세액이 없어 이월된 미공제세액

승계받은 사업부문에 대하여 계산한 법인세 산출세액의 범위에서 공제

9) 합병 전 보유자산의 처분손실 공제제한

적격합병을 한 합병법인은 합병법인과 피합병법인이 합병 전 보유하던 자산의 처분손실(합병등기일 현재 해당 자산의 법인세법 제52조 제2항에 따른 시가가 장부가액보다 낮은 경우로서 그 차액을 한도로 하며, 합병등기일 이후 5년 이내에 끝나는 사업연도에 발생한 것만 해당함)을 각각 합병 전 해당 법인의 사업에서 발생한 소득금액(해당 처분손실을 공제하기 전 소득금액을 말함)의 범위에서 해당 사업연도의 소득금액을 계산할 때 손금에 산입한다. 이 경우 손금에 산입하지 아니한 처분손실은 자산 처분시 각각 합병 전 해당 법인의 사업에서 발생한 결손금으로 보아 과세표준에서 공제한다(법법 45조 3항).

10) 적격합병 과세특례의 사후관리

① 개 요

적격합병(법인세법 제44조 제3항에 따라 적격합병으로 보는 경우는 제외함)을 한 합병법인은 합병등기일이 속하는 사업연도의 다음 사업연도의 개시일부터 2년(아래의 ⓒ 경우에는 3년) 이내에 다음의 어느 하나에 해당하는 사유가 발생하는 경우에는 그 사유가 발생한 날이 속하는 사업연도의 소득금액을 계산할 때 자산조정계정 잔액의 총합계액(총합계액이 0보다 큰 경우에 한정하며, 총합계액이 0보다 작은 경우에는 없는 것으로 봄)과 피합병법인으로부터 승계받아 공제한 이월결손금을 익금에 산입하여야 하고, 합병매수차익·차손을 손금·익금에 산입하여야 한다. 또한, 합병법인의 소득금액 및 과세표준을 계산할 때 승계한 세무조정사항 중 익금불산입액은 더하고 손금불산입액은 빼며, 피합병법인으로부터 승계받아 공제한 감면·세액공제액 상당액은 해당 사유가 발생한 사업연도의 법인세에 더하여 납부한 후 해당 사업연도부터 감면 또는 세액공제를 적용하지 아니한다. 다만, 법령에서 정하는 부득이한 사유가 있는 경우[*1]에는 그러하지 아니한다(법법 44조의 3 3항·4항, 법령 80조의 4 3항 내지 10항).

ⓐ 합병법인이 피합병법인으로부터 승계받은 사업을 폐지하는 경우(사업의 계속성 위반)

ⓑ 피합병법인의 일정 지배주주등(법령 80조의 2 5항)이 합병법인으로부터 받은 주식등을 처분하는 경우(지분의 연속성 위반)

ⓒ 각 사업연도 종료일 현재 합병법인에 종사하는 근로자[*2] 수가 합병등기일 1개월 전 당시 피합병법인과 합병법인에 각각 종사하는 근로자[*2] 수의 합의 80% 미만으로 하락하는 경우(고용승계 위반)

[*1] 각 사후관리 사유에 대한 부득이한 사유는 '1. 합병시 피합병법인에 대한 과세'의 '(2) 적격합병시 양도손익에 대한 과세특례' 중 '2) 적격합병의 요건'에서 언급한 '⑤ 적격합병 요건에 대한 부득이한 사유'의 내용을 다음과 같이 참조하기로 함.

구 분	내 용
사업의 계속성 위반에 대한 부득이한 사유 (법령 80조의 4 7항 1호, 80조의 2 1항 2호)	'사업의 계속성 요건에 대한 부득이한 사유' 참조
지분의 연속성 위반에 대한 부득이한 사유 (법령 80조의 4 7항 2호, 80조의 2 1항 1호)	'지분의 연속성 요건에 대한 부득이한 사유' 참조
고용승계 위반에 대한 부득이한 사유 (법령 80조의 4 7항 3호, 80조의 2 1항 3호 가목~다목)	'고용승계 요건에 대한 부득이한 사유' 중 ⓐ~ⓒ 사유 참조

[*2] 근로기준법에 따라 근로계약을 체결한 내국인 근로자를 말함(법령 80조의 4 10항).

② 사후관리 위반사유 해당시 세무상 처리

가. 자산조정계정 잔액 총합계액의 익금산입

적격합병에 따라 과세특례를 적용받던 합병법인이 사후관리 위반사유에 해당하는 경우에는 계상된 자산조정계정 잔액의 총합계액(총합계액이 0보다 큰 경우에 한정하며, 총합계액이 0보다 작은 경우에는 없는 것으로 봄)은 익금에 산입한다. 이 경우 자산조정계정은 소멸하는 것으로 한다(법령 80조의 4 4항).

나. 합병매수차익·차손의 처리

㉠ 합병매수차익

합병매수차익(순자산의 시가>양도가액)에 상당하는 금액은 사후관리 위반사유가 발생하는 날이 속하는 사업연도에 손금에 산입하고, 그 금액에 상당하는 금액을 합병등기일부터 5년이 되는 날까지 일정한 방법(법령 80조의 4 5항 1호)에 따라 분할하여 익금에 산입한다.

㉡ 합병매수차손

합병매수차손(순자산의 시가<양도가액)에 상당하는 금액은 사후관리 위반사유가 발생하는 날이 속하는 사업연도에 익금에 산입하되, 합병법인이 피합병법인의 상호·거래관계, 그 밖의 영업상의 비밀 등에 대하여 사업상 가치가 있다고 보아 대가를 지급한 경우(법령 80조의 3 2항)에 한정하여 그 금액에 상당하는 금액을 합병등기일부터 5년이 되는 날까지 일정한 방법(법령 80조의 4 5항 2호)에 따라 손금에 산입한다.

다. 기공제받은 이월결손금 승계액의 익금산입

적격합병의 과세특례에 따라 피합병법인의 이월결손금을 승계받은 합병법인이 각 사업연도 소득금액계산시 승계받은 결손금을 공제받은 이후 사후관리 위반사유에 해당하는 경우에는 승계받은 결손금 중 공제한 금액 전액을 익금에 산입한다(법법 44조의 3 3항 및 법령 80조의 4 4항).

라. 승계받은 세무조정사항의 처리

적격합병의 과세특례에 따라 피합병법인의 세무조정사항을 승계받은 합병법인이 사후관리 위반사유에 해당하는 경우에는 합병법인의 소득금액 및 과세표준을 계산할 때 피합병법인으로부터 승계한 세무조정사항 중 익금불산입액은 더하고 손금불산입액은 뺀다(법령 80조의 4 6항).

마. 기 감면·공제세액의 추징 등

적격합병의 과세특례에 따라 피합병법인이 합병 전에 적용받던 세액감면·세액공제를 합병법인이 승계하여 적용받은 이후 사후관리 위반사유에 해당하는 경우에는 승계하여 공제한 감면 또는 세액공제액 상당액을 해당 사유가 발생한 사업연도의 법인세에 더하여 납부하고, 해당 사유가 발생한 사업연도부터 적용하지 아니한다(법법 44조의 3 3항 및 법령 80조의 4 6항).

1. 인적분할 및 물적분할

인적분할·물적분할은 분할회사의 주주가 분할된 회사의 주주가 되는지 여부에 따른 분류이다. 인적분할이란 분할부분에 해당하는 회사의 지분을 분할회사의 주주에게 배정하는 형태의 회사분할을 말한다. 물적분할이란 분할부분에 해당하는 회사의 지분을 분할회사의 주주에게 배정하지 않고 분할회사 자신이 취득하는 형태(자회사의 설립)의 회사분할로서 신설회사의 주식을 기존회사에게 부여하는 형태의 분할이다. 이는 모회사의 자회사 설립 또는 기존회사의 지배관계를 유지하기 위한 경우에 이용된다. 이러한 물적분할은 지주회사로 전환하거나 기업집단을 형성하는 수단으로 활용가능하다.

| 인적분할과 물적분할의 구분 |

구　분	분할 또는 분할합병으로 인하여 발행되는 주식의 소유자
물적분할	분할존속회사가 직접 소유
인적분할	분할존속회사의 주주에게 배분

한국채택국제회계기준에서는 분할에 대한 명시적인 회계처리를 정하고 있지 않다. 다만 각 기준서의 내용이 해당 거래에 적용되는지를 판단하고 적용되는 경우 해당 기준서의 규정에 따른 회계처리를 적용하는 것이 요구된다. 만일 적절한 기준서상의 규정이 존재하지 않는다면 상기 동일지배하의 기업 간 또는 사업 간의 결합의 경우와 유사하게 기준서의 개념체계 및 다른 기준서의 내용과 상충되지 않는 범위 내에서 가장 적절한 회계정책을 적용하는 것이 필요하다.

다음에서는 이러한 기준에 따라 예상되는 분할의 유형별 회계처리를 살펴보기로 한다.

1. 비례적 인적분할

기업이 분할과 동시에 분할대가로 수령한 주식을 자신의 주주에게 지분율에 비례하여 배분하는 경우, 분할회사의 주주는 분할회사에 존재하던 위험과 효익을 분할 후에도 계속적으로 동일하게 부담하는 것으로 볼 수 있다. 이 경우의 회계처리는 아래와 같이 분할신설법인과 분할존속법인의 입장 각각에서 살펴보기로 한다.

(1) 분할존속법인(분할법인)의 회계처리

1) 해석서 제2117호의 적용

해석서 제2117호 '소유주에 대한 비현금자산의 분배'는 기업이 소유주로서의 자격을 행사하는 소유주에게 비현금자산을 무상분배하는 경우의 회계처리를 규정한다. 동 해석서의 적용 대상이 되는 거래는 구체적으로 아래와 같다(해석서 제2117호 문단 3-4).

- 아래의 거래로써 동일한 종류의 지분상품을 갖고 있는 모든 소유주가 동등하게 취급되는 분배에만 적용
  - 비현금자산(예 : 유형자산 항목, 기준서 제1103호에서 정의된 사업, 다른 기업에 대한 소유지분 또는 기준서 제1105호에서 정의된 처분자산집단)의 분배
  - 비현금자산을 받거나 현금을 받을 수 있는 선택권을 소유주에게 부여하는 분배

따라서, 동일한 종류의 지분상품을 갖고 있는 주주가 비례적으로 자산을 분배받지 않는 경우는 무상분배가 아닌 대가성이 있는 것으로 간주하게 되며 동 해석서가 적용되지 않는다. 또한, 분배대상 비현금자산에는 사업이나 종속기업 지분도 포함된다.

그러나, 동 해석서의 규정은 비현금자산의 분배 전·후에 그 자산이 궁극적으로 동일한 당사자 또는 당사자들(계약상의 약정의 결과로서 궁극적인 집합적 능력을 가지는 경우에 한함. 기준서 제1103호 문단 B2 참조)에 의해 통제받는 경우의 분배에는 적용이 요구되지 않으며, 종속기업에 대한 소유지분의 일부를 분배하더라도, 그 종속기업의 지배력을 여전히 보유하는 경우에도 적용하지 않는다. 즉, 기업이 종속기업 지분을 분배하여 종속기업에 대한 비지배지분을 인식하게 되는 경우, 그 분배는 기준서 제1110호 문단 23에 따라 회계처리한다.

인적분할은 기업이 사업을 기업으로부터 분할하여 신설법인에게 이전하고 그 대가로 신설법인의 주식을 받아 기업의 기존 주주에게 비례적으로 배분하는 거래이다. 따라서, 상기 해석서에 따른 비현금자산(이는 이전되는 사업 또는 신설법인의 지배지분이라고 간주할 수 있을 것임)의 주주에 대한 무상분배에 해당하며, 동 해석서의 적용대상이 된다. 다만, 기업에 지배하는 주주(동일지배하의 사업결합에서처럼 약정에 의해 행동하는 개인집단 포함)가 존재하는 경우에는 분배 전·후에 동일 당사자에 따라 통제받는 경우에 해당하므로, 동 해석서의 적용이 요구되지 않는다.

이 경우의 회계처리는 이 장의 (3)에서 별도로 살펴보기로 한다.

2) 회계처리

1)에서 설명한 바와 같이 인적분할은 동일 지배 당사자가 존재하지 않는 한 해석서 제2117호에 따른 회계처리가 요구된다. 해석서 제2117호에 따라 요구되는 분배에 대한 시점별 회계처리를 요약하면 아래와 같다.

미지급배당의 인식	• 인식시점 : 배당을 지급해야 하는 부채를 그 배당이 적절하게 승인되고 더 이상 기업에게 재량이 없는 시점에 인식함 (해석서 제2117호 문단 10) : (1) 승인이 요구되는 국가의 경우, (예를 들어 경영진이나 이사회에 의한)배당의 선언이 (예를 들어 주주)관련기관에 의해 승인된 때 (2) 추가적으로 승인이 요구되지 않는 국가의 경우, (예를 들어, 경영진이나 이사회에 의한)배당이 선언된 때 • 측정 : 미지급배당은 분배 대상 비현금자산의 공정가치로 측정 • 회계처리 : 미지급배당을 인식하면서 상대계정은 자본에서 조정
매 결산시점	• 매 결산기에 미지급배당은 공정가치로 재측정하고 조정금액은 자본에서 조정(해석서 제2117호 문단 13)

분배시점	• 분배시점에 미지급배당을 공정가치로 조정하고 자본에 반영 후, • 공정가치로 측정된 미지급배당을 제거하면서 분배되는 대상 자산·부채와의 차액은 정산손익으로 당기익으로 인식(해석서 제2117호 문단 14)

상기 요구사항을 인적분할에 적용할 경우 아래의 회계처리가 필요하다.

미지급배당의 인식	• 인적분할을 승인하고 더 이상 기업에 재량이 없는 시점, 일반적으로는 주주총회의 승인일에 미지급배당을 인식함. • 인식할 미지급배당은 분할 이전될 사업의 공정가치로 이에는 내부창출영업권이나 인식되지 않은 무형자산의 가치 등이 포함될 것임. • 공정가치로 인식된 미지급배당 인식액은 자본에서 조정함.
매 결산시점	• 분할 이전될 사업의 공정가치를 매 결산기 재측정하고 미지급배당금액을 조정하며 조정액은 자본에 반영
인적분할 시점	• 미지급배당을 분할 이전될 사업의 공정가치로 조정하고 자본에 반영 • 분할 이전될 사업의 자산, 부채를 제거하고 미지급배당을 제거. 두 금액의 차이는 당기손익으로 인식함.

한편, 분할 이전될 사업의 자산과 부채에는 기준서 제1105호의 회계처리가 요구된다. 동 기준서에 따르면 소유주에 대한 분배예정자산(처분자산집단 포함)에도 동 기준서의 매각예정비유동자산(처분자산집단 포함)의 회계처리가 동일하게 요구된다(기준서 제1105호 문단 5A).

기준서 제1105호에 따라 분할 이전될 자산집단 및 관련 부채는 동 기준서에 따른 분배예정으로의 분류요건을 충족한 시점에 분배예정 자산집단으로 분류하고 동 기준서에 따른 측정과 표시를 한다 :

• 분배예정으로의 분류 시점 : 비유동자산(또는 처분자산집단)을 소유주에게 분배하기로 확약한 때 그러한 자산을 소유주에 대한 분배예정으로 분류한다. 이러한 경우에 해당되려면, 그러한 자산이 현재의 상태에서 즉시 분배가능해야 하고 그 분배가능성이 매우 높아야 한다. 그 분배가능성이 매우 높으려면, 분배를 완료하기 위한 조치가 이미 시작되었어야 하고 분배예정으로 분류한 시점에서 1년 이내에 완료될 것으로 예상되어야 한다. 분배를 완료하기 위하여 요구되는 조치들은 그 분배가 유의적으로 변경되거나 철회될 가능성이 낮음을 보여야 한다. 분배될 가능성이 매우 높은지에 대한 평가의 일환으로 주주의 승인(그러한 승인이 요구되는 경우) 가능성

이 고려되어야 한다(기준서 제1105호 문단 12A).

• 측정 : 소유주에 대한 분배예정으로 분류된 비유동자산(또는 처분자산집단)은 분배부대원가 차감 후 공정가치와 장부금액 중 작은 금액으로 측정한다(기준서 제1105호 문단 15A).

• 표시 : 매각예정 처분자산집단과 동일하게 분할 이전될 자산과 부채를 각각 총액으로 분배예정자산집단 및 분배예정자산집단 관련 부채로 표시한다. 자산과 부채는 상계하여 표시할 수 없으며, 비교되는 재무상태표의 표시는 수정하지 않는다.

• 중단영업의 분류 및 표시 : 인적분할 대상 사업이 기준서 제1105호 문단 31-32의 요건을 충족할 경우 중단영업에 해당된다. 이 경우 위의 분배예정으로의 분류를 충족한 시점에 분할 이전될 사업의 손익은 중단영업으로 표시한다. 또한 비교 표시되는 재무정보의 손익도 중단영업으로 재작성하는 것이 요구된다. 중단영업으로 분류될 조건은 아래와 같다.

이미 분배되었거나(즉, 분할이 완료되었거나) 분배예정으로 분류되고 다음 중 하나에 해당하는 기업의 구분단위 :

(1) 별도의 주요 사업계열이나 영업지역이다.

(2) 별도의 주요 사업계열이나 영업지역을 처분하려는 단일 계획의 일부이다.

(3) 매각만을 목적으로 취득한 종속기업이다.

한편, 분할기업의 자본을 감소시키는 형태로 분할신설기업을 설립하고 분할신설기업의 주식을 분할기업의 주주에게 배분하는 경우에 분할기업은 감자의 회계처리를 준용할 수 있을 것이다. 이를 위의 회계처리에 적용할 경우 미지급배당을 인식하면서 감소되는 자본의 계정을 후속적으로 분할이 완료되고 자본이 감소되는 시점에 자본 내 대체하는 회계처리가 가능할 것으로 본다. 즉, 감자가 완료되는 시점에 자본금(및 관련 주식발행초과금)을 제거하고 감자차손을 인식하는 것으로 미지급배당의 상대계정으로 인식하였던 자본의 금액을 재분류하는 것이다.

(2) 분할신설법인의 회계처리

분할신설법인은 인적분할로 분할되는 사업을 인수한다. 그러나 동 거래는 분할신설법인의 입장에서 사업결합에 해당하지 않는다. 신설법인이 설립되고 지분을 발행하면서 사업결합을 완료하는 경우 사업결합 전에 존재하는 결합참여기업을 사업결합의 취득자로 식별해야 하며(기준서 제1103호 문단 B18), 이 경우 분할로 이전되는 사업이 동 거래의 취득자가 되어야 한다. 이러한 상황에서는 신설법인이 회계상의 피취득자가 되어야 하나 신설법인은 사업의 정의를 충족하지 않으므로 동 거래는 기준서 제1103호의 사업결합

의 정의를 충족하지 않는다. 또한, 동 거래에 적용될 한국채택국제회계기준의 다른 기준서도 존재하지 않는다.

따라서, 기업은 기준서 제1008호에 따라 인적분할로 이전받는 사업의 회계처리에 적용할 가장 적절한 회계처리를 결정하여야 한다. 분할신설법인에 이전된 사업은 분할 전·후에 동일한 사업으로 존재하고, 자본을 발행한 별도의 기업이 된 것에 불과하므로, 이전된 사업이 지속된다고 보는 것이 일반적으로 인정되는 회계관행이다. 따라서, 분할신설법인은 분할로 이전되는 자산과 부채를 분할존속법인이 계상하였을 장부금액으로 인식한다.

(3) 인적분할 전·후에 지배하는 당사자가 존재하는 경우의 분할존속 법인의 회계처리

상기 (1)에서 설명한 것처럼 분할 전·후에 동일지배가 성립하는 경우의 인적분할에서는 해석서 제2117호의 회계처리가 요구되지 않는다. 이 경우 분할 존속법인은 기준서 제1008호에 따라 적절한 회계정책을 결정하는 것이 요구된다. 이 경우 아래와 같은 회계정책의 선택이 가능할 것으로 판단되며, 한번 선택된 정책은 일관성 있게 적용되어야 할 것이다.

- 방법 1 : 해석서 제2117호의 규정이 적용되지 않으나 인적분할에 동 해석서를 적용하여 회계처리함.
- 방법 2 : 분할을 결의한 시점에 미지급배당이라는 부채가 존재하지만 주주에게 기업의 경제적효익이 그대로 이전되는 것이므로 해당 부채는 분할 대상의 공정가치가 아닌 장부금액으로 인식. 분할 완료시점에 이전되는 대상의 자산과 부채를 장부금액으로 제거하고 동일한 금액으로 인식되었을 미지급배당(부채)를 차감함. 감자에 관한 회계처리는 위 방법 1과 동일하게 회계처리함.

2. 물적분할

기업이 분할대가로 신설법인이 발행한 주식을 주주에게 분배하지 않고 모두 소유하는 물적분할의 회계처리를 아래에서 살펴보기로 한다.

(1) 분할존속법인(분할기업)의 회계처리

분할기업의 입장에서 물적분할은 법적인 형식에만 변화를 줄 뿐 경제적 실질에는 아무런 영향을 주지 않는다. 이는 분할로 이전되는 사업이 분할신설법인의 주식을 통하여 다시 분할기업에 계상되기 때문이다.

따라서 분할기업의 연결회계처리 입장에서 볼 때 아무런 회계처리가 발생하지 않는다. 또한, 분할기업의 별도재무제표에서도 분할신설법인 주식의 취득원가는 분할로 인한 분할 전·후의 상업적 실질의 변동이 없으므로, 처분손익을 인식하지 않으며, 분할대상 사업의 순자산의 장부금액을 분할로 수령하는 신설법인의 주식의 취득원가로 간주하게 될 것이다.

(2) 분할신설법인의 회계처리

분할신설법인의 입장에서도 상기 인적분할의 경우와 마찬가지로 이전받는 사업을 사업결합으로 회계처리할 수 없다. 물적분할은 분할로 인한 경제적 실질의 변동이 없고 분할로 인하여 별도의 법적 실체를 설립하는 것에 불과하므로, 인적분할에서와 마찬가지로 분할신설법인은 분할로 이전받는 사업의 자산과 부채를 분할존속법인이 계상하였을 장부금액으로 동일하게 인식한다.

제3절 **세무회계상 유의할 사항**

1. 인적분할시 분할법인에 대한 과세

(1) 비적격분할시 양도손익에 대한 과세

1) 소멸분할(완전분할)법인의 양도손익에 대한 과세

① 개요

내국법인이 분할(분할합병을 포함하며, 이하 같음)로 해산하는 경우(물적분할은 제외)
에는 그 법인의 자산을 분할신설법인 또는 분할합병의 상대방법인(이하 "분할신설법인
등"이라 함)에 양도한 것으로 보아, 그 양도에 따라 발생하는 다음의 양도손익은 분할법
인 또는 소멸한 분할합병의 상대방법인(이하 "분할법인등"이라 함)이 분할등기일이 속
하는 사업연도의 소득금액을 계산할 때 익금 또는 손금에 산입한다(법법 46조 1항).

$$
양도손익 = \begin{array}{c} 분할법인등이 \ 분할신설법인등 \\ 으로부터 \ 받은 \ 양도가액 \end{array} - \begin{array}{c} 분할법인등의 \ 분할등기일 \\ 현재 \ 순자산 \ 장부가액 \end{array}
$$

② 양도손익의 계산

가. 양도가액의 계산

소멸분할(완전분할)에 따른 양도손익을 계산함에 있어 분할법인등이 분할신설법인등으로
부터 받은 양도가액은 다음의 합계액(㉠+㉡)으로 한다(법법 46조 1항 1호 및 법령 82조 1항 2호).

　㉠ 분할교부주식 등의 가액

분할신설법인등이 분할로 인하여 분할법인의 주주에 지급한 분할신설법인등의 주식
(분할합병의 경우에는 분할등기일 현재 분할합병의 상대방 법인의 발행주식총수 또는
출자총액을 소유하고 있는 내국법인의 주식을 포함하며, 이하 같음)의 가액 및 금전이
나 그 밖의 재산가액의 합계액. 다만, 분할합병의 경우 분할합병의 상대방법인이 분할등
기일 전 취득한 분할법인의 주식[신설분할합병 또는 3 이상의 법인이 분할합병하는 경
우에는 분할등기일 전 분할법인이 취득한 다른 분할법인의 주식(분할합병으로 분할합병
의 상대방법인이 승계하는 것에 한정함), 분할등기일 전 분할합병의 상대방법인이 취득
한 소멸한 분할합병의 상대방법인의 주식 또는 분할등기일 전 소멸한 분할합병의 상대
방법인이 취득한 분할법인의 주식과 다른 소멸한 분할합병의 상대방법인의 주식을 포
함함. 이하 '분할합병포합주식'이라 함]이 있는 경우에는 그 주식에 대하여 분할신설법

인등의 주식(이하 '분할합병교부주식'이라 함)을 교부하지 아니하더라도 그 지분비율에 따라 분할합병교부주식을 교부한 것으로 보아 분할합병의 상대방법인의 주식의 가액을 계산함.

ⓒ 분할신설법인등이 대납하는 분할법인등의 법인세 등

분할신설법인등이 납부하는 분할법인의 법인세 및 그 법인세(감면세액 포함)에 부과되는 국세와 법인지방소득세(지법 88조 2항)의 합계액

나. 순자산 장부가액의 계산

분할법인등의 순자산 장부가액이란, 분할법인등의 분할등기일 현재의 자산의 장부가액 총액에서 부채의 장부가액 총액을 뺀 가액으로 한다. 이 경우 순자산 장부가액을 계산할 때 국세기본법에 따라 환급되는 법인세액이 있는 경우에는 이에 상당하는 금액을 분할법인 등의 분할등기일 현재의 순자산 장부가액에 더한다(법법 46조 1항 2호 및 법령 82조 2항).

2) 존속분할(불완전분할)법인의 양도손익에 대한 법인세

내국법인이 분할(물적분할은 제외)한 후 존속하는 경우 분할한 사업부문의 자산을 분할신설법인등에 양도한 것으로 보며, 양도에 따라 발생하는 다음의 양도손익은 분할법인이 분할등기일이 속하는 사업연도의 소득금액을 계산할 때 익금 또는 손금에 산입한다(법법 46조의 5 1항 및 법령 83조의 2).

$$\begin{matrix} \text{자산의} \\ \text{양도손익} \end{matrix} = \begin{matrix} \text{분할법인이 분할신설법인등} \\ \text{으로부터 받은 양도가액} \end{matrix} - \begin{matrix} \text{분할법인의 분할한 사업부문의} \\ \text{분할등기일 현재 순자산 장부가액} \end{matrix}$$

상기에서 살펴본 바와 같이 존속분할의 경우 분할법인의 일부 사업부문의 순자산이 양도되고 분할법인이 존속한다는 사실 외에는 완전분할과 유사하게 양도손익이 계산되는 바, 존속분할법인의 양도손익 계산에 대한 보다 자세한 내용은 상기 '1) 소멸분할(완전분할)법인의 양도손익에 대한 과세' 내용을 참조하기로 한다.

(2) 적격분할시 양도손익에 대한 과세특례

1) 개 요

일정한 적격분할의 요건(법법 46조 2항)을 갖춘 경우, 분할법인등이 분할신설법인등으로부터 받은 양도가액을 분할법인등의 분할등기일 현재의 순자산 장부가액으로 보아 양

도손익이 없는 것으로 할 수 있다(법법 46조 2항 전단 및 법령 82조 1항 1호).

2) 적격분할의 요건

가. 개요

적격분할이란 다음의 요건을 모두 갖춘 분할을 말한다. 다만, 법령에서 정하는 부득이한 사유에 해당하는 경우에는 아래 ②, ③ 또는 ④의 요건을 갖추지 못한 경우에도 적격분할로 보아 양도손익이 없는 것으로 할 수 있다(법법 46조 2항).

① 분할등기일 현재 5년 이상 사업을 계속하던 내국법인이 다음의 요건을 갖추어 분할하는 것일 것. 이 경우, 분할합병의 경우에는 소멸한 분할합병의 상대방법인 및 분할합병의 상대방법인이 분할등기일 현재 1년 이상 사업을 계속하던 내국법인일 것(사업영위기간 요건)

　㉠ 분리하여 사업이 가능한 독립된 사업부문을 분할하는 것일 것(독립된 사업부문의 분할 요건)

　㉡ 분할하는 사업부문의 자산 및 부채가 포괄적으로 승계될 것. 다만, 공동으로 사용하던 자산, 채무자의 변경이 불가능한 부채 등 분할하기 어려운 자산과 부채 등(법령 82조의 2 4항)은 제외함(자산 · 부채의 포괄적 승계 요건).

　㉢ 분할법인등만의 출자에 의하여 분할하는 것일 것(단독출자 요건)

② 분할법인등의 주주가 분할신설법인등으로부터 받은 분할대가의 전액이 주식인 경우(분할합병의 경우에는 분할대가의 80% 이상이 분할신설법인등의 주식인 경우 또는 분할대가의 80% 이상이 분할합병의 상대방 법인의 발행주식총수 또는 출자총액을 소유하고 있는 내국법인의 주식인 경우를 말함)로서 그 주식이 분할법인등의 주주가 소유하던 주식의 비율에 따라 배정[분할합병의 경우에는 분할법인 등의 일정 지배주주등(법령 82조의 2 8항)에 대하여 일정 배정기준(법령 82조의 2 7항)에 따라 배정]되고 일정 지배주주등(법령 82조의 2 5항)이 분할등기일이 속하는 사업연도의 종료일까지 그 주식을 보유할 것(지분의 연속성 요건)

③ 분할신설법인등이 분할등기일이 속하는 사업연도의 종료일까지 분할법인등으로부터 승계받은 사업을 계속할 것(사업의 계속성 요건)

④ 분할등기일 1개월 전 당시 분할하는 사업부문에 종사하는 법 소정 근로자(법령 82조의 2 10항) 중 분할신설법인등이 승계한 근로자의 비율이 80% 이상이고, 분할등기일이 속하는 사업연도의 종료일까지 그 비율을 유지할 것(고용승계 요건)

다만, 상기에도 불구하고 다음의 어느 하나에 분할하는 사업부문(분할법인으로부터 승계하는 부분을 말하며, 이하 같음)이 다음의 어느 하나에 해당하는 사업부문인 경우에는 분리하여 사업이 가능한 독립된 사업부문을 분할하는 것으로 보지 아니한다(법법 46조 3항 및 법령 82조의 2 2항 및 법칙 41조 1항, 2항).

① 부동산 임대업을 주업으로 하는 사업부문(분할하는 사업부문이 승계하는 자산총액 중 부동산 임대업에 사용된 자산가액이 50% 이상인 사업부문을 말하며, 이 경우 하나의 분할신설법인 등이 여러 사업부문을 승계하였을 때에는 분할신설법인 등 이 승계한 모든 사업부문의 자산가액을 더하여 계산함)

② 분할하는 사업부문이 승계한 사업용 자산가액 중 토지, 건물 및 전세권 등(소법 94 조 1항 1호, 2호)이 80% 이상인 사업부문. 다만, 사업용 자산가액에서 분할일 현재 3 년 이상 계속하여 사업을 경영한 사업부문이 직접 사용한 자산(부동산 임대업에 사용되는 자산은 제외함)으로서 토지, 건물 및 전세권 등(소법 94조 1항 1호, 2호)은 제 외함.

나. 독립된 사업부문의 분할 요건

상기 '가. 개요'의 '①의 ㉠ 독립된 사업부문의 분할 요건'과 관련하여, 주식등과 그와 관련된 자산·부채만으로 구성된 사업부문의 분할은 분할하는 사업부문이 다음의 어느 하나에 해당하는 사업부문인 경우로 한정하여 분리하여 사업이 가능한 독립된 사업부 문을 분할하는 것으로 본다(법령 82조의 2 3항 및 법칙 41조 3항 내지 5항).

① 분할법인이 분할등기일 전일 현재 보유한 모든 지배목적 보유 주식등(지배목적으 로 보유하는 주식등으로서 법인세법 시행규칙 제41조 제3항에서 정하는 주식등을 말하며, 이하 같음)과 그와 관련된 자산·부채만으로 구성된 사업부문

② 독점규제 및 공정거래에 관한 법률 및 금융지주회사법에 따른 지주회사(이하 "지 주회사"라 함)를 설립하는 사업부문(분할합병하는 경우로서 다음의 어느 하나에 해당하는 경우에는 지주회사를 설립할 수 있는 사업부문을 포함함). 다만, 분할하 는 사업부문이 지배주주등으로서 보유하는 주식등과 그와 관련된 자산·부채만을 승계하는 경우로 한정함.

㉠ 분할합병의 상대방법인이 분할합병을 통하여 지주회사로 전환되는 경우

㉡ 분할합병의 상대방법인이 분할등기일 현재 지주회사인 경우

③ 상기 '②'와 유사한 경우로서 법인세법 시행규칙 제41조 제4항에서 정하는 경우

다. 자산·부채의 포괄적 승계 요건

상기 '가. 개요'의 '①의 ㉡ 자산·부채의 포괄적 승계 요건'을 판단할 때, 분할하는 사업부문이 주식등을 승계하는 경우에는 분할하는 사업부문의 자산·부채가 포괄적으 로 승계된 것으로 보지 아니한다. 다만, '나. 독립된 사업부문의 분할 요건'의 ①~③에

따라 주식등을 승계하는 경우 또는 이와 유사한 경우로서 법인세법 시행규칙 제41조 제 8항에서 정하는 경우에는 자산·부채가 포괄적으로 승계된 것으로 본다(법령 82조의 2 5항, 법칙 41조 8항).

한편, 상기 '가. 개요'의 '①의 ㉡ 자산·부채의 포괄적 승계 요건'에서 "공동으로 사용하던 자산, 채무자의 변경이 불가능한 부채 등(법령 82조의 2 4항)"이란 다음의 자산과 부채를 말한다(법령 82조의 2 4항 및 법칙 41조의 6항).

① 자산
  ㉠ 변전시설·폐수처리시설·전력시설·용수시설·증기시설
  ㉡ 사무실·창고·식당·연수원·사택·사내교육시설
  ㉢ 물리적으로 분할이 불가능한 공동의 생산시설, 사업지원시설과 그 부속토지 및 자산
  ㉣ ㉠부터 ㉢까지의 자산과 유사한 자산으로서 공동으로 사용하는 상표권
② 부채
  ㉠ 지급어음
  ㉡ 차입조건상 차입자의 명의변경이 제한된 차입금
  ㉢ 분할로 인하여 약정상 차입자의 차입조건이 불리하게 변경되는 차입금
  ㉣ 분할하는 사업부문에 직접 사용되지 아니한 공동의 차입금
  ㉤ ㉠부터 ㉣까지의 부채와 유사한 부채로서 기획재정부령으로 정하는 부채
③ 분할하는 사업부문이 승계하여야 하는 자산·부채로서 분할 당시 시가로 평가한 총자산가액 및 총부채가액의 각각 20% 이하인 자산·부채. 이 경우 '분할하는 사업부문이 승계하여야 하는 자산·부채', '총자산가액' 및 '총부채가액'은 기획재정부령으로 정하는 바에 따라 계산하되, 주식등과 상기 '① 자산' 및 '② 부채'는 제외함(법칙 41조 7항).

라. 지분의 연속성 요건

상기 '가. 개요'의 '② 지분의 연속성 요건'과 관련하여, 분할대가의 총합계액은 상기 '(1) 비적격분할시 양도손익에 대한 과세'의 '1) ② 가. ㉠ 분할교부주식 등의 가액'으로 하고, 분할합병의 경우에는 분할대가의 총합계액 중 주식등의 가액이 80% 비율 이상인 지를 판정할 때 분할합병의 상대방법인이 분할등기일 전 2년 내에 취득한 분할법인의 분할합병포합주식이 있는 경우에는 다음의 금액을 금전으로 교부한 것으로 본다. 이 경우 신설분할합병 또는 3 이상의 법인이 분할합병하는 경우로서 분할법인이 취득한 다른 분할법인의 주식이 있는 경우에는 그 다른 분할법인의 주식을 취득한 분할법인을 분할

합병의 상대방법인으로 보아 다음을 적용하고, 소멸한 분할합병의 상대방법인이 취득한 분할법인의 주식이 있는 경우에는 소멸한 분할합병의 상대방법인을 분할합병의 상대방 법인으로 보아 다음을 적용하여 계산한 금액을 금전으로 교부한 것으로 본다(법령 82조의 2 6항).

① 분할합병의 상대방법인이 분할등기일 현재 분할법인의 지배주주등(법령 43조 7항)이 아닌 경우 : 분할합병의 상대방법인이 분할등기일 전 2년 이내에 취득한 분할합병 포합주식이 분할법인등의 발행주식총수의 20%를 초과하는 경우 그 초과하는 분 할합병포합주식에 대하여 교부한 분할합병교부주식(법인세법 시행령 제82조 제1 항 제2호 가목 단서에 따라 분할합병교부주식을 교부한 것으로 보는 경우 그 주식 을 포함함)의 가액

② 분할합병의 상대방법인이 분할등기일 현재 분할법인의 지배주주등(법령 43조 7항)인 경우 : 분할등기일 전 2년 이내에 취득한 분할합병포합주식에 대하여 교부한 분할 합병교부주식(법인세법 시행령 제82조 제1항 제2호 가목 단서에 따라 분할합병교 부주식을 교부한 것으로 보는 경우 그 주식을 포함함)의 가액

또한, 분할법인등의 주주에 분할합병으로 인하여 받은 주식을 배정할 때에는 일정 지 배주주(법령 82조의 2 8항)에 다음 산식에 따른 가액 이상의 주식을 각각 배정하여야 한다 (법령 82조의 2 7항).

> 분할법인등의 주주등이 지급받은 분할신설법인등의 주식 가액의 총합계액(법령 82조 1항 2호 가목) × 분할법인등의 일정 지배주주등의 분할법인등에 대한 지분비율

마. 사업의 계속성 요건

상기 '가. 개요'의 '③ 사업의 계속성 요건'과 관련하여, 분할신설법인등이 분할등기 일이 속하는 사업연도의 종료일 이전에 분할법인등으로부터 승계한 자산가액(유형자산, 무형자산 및 투자자산의 가액을 말함)의 50% 이상을 처분하거나 사업에 사용하지 아니 하는 경우에는 분할법인등으로부터 승계받은 사업을 폐지한 것으로 본다. 다만, 분할법 인등이 보유하던 분할신설법인등의 주식을 승계받아 자기주식을 소각하는 경우에는 해 당 분할신설법인등의 주식을 제외하고 분할법인등으로부터 승계받은 자산을 기준으로 사업을 계속하는지 여부를 판정하되, 승계받은 자산이 분할신설법인등의 주식만 있는 경우에는 사업을 계속하는 것으로 본다(법령 82조의 2 9항 및 80조의 2 7항).

바. 고용승계 요건

상기 '가. 개요'의 '④ 고용승계 요건'에서 '법 소정 근로자(법령 82조의 2 10항)'란 근로기준법에 따라 근로계약을 체결한 내국인 근로자를 말한다. 다만, 다음 각 호의 어느 하나에 해당하는 근로자는 제외한다(법령 82조의 2 10항, 80조의 2 6항 및 법칙 40조의 2).

① 법인세법 제40조 제1항 각 호의 어느 하나에 해당하는 임원
② 분할등기일이 속하는 사업연도의 종료일 이전에 고용상 연령차별금지 및 고령자 고용촉진에 관한 법률 제19조에 따른 정년이 도래하여 퇴직이 예정된 근로자
③ 분할등기일이 속하는 사업연도의 종료일 이전에 사망한 근로자 또는 질병·부상 등 고용보험법 시행규칙 별표 2 제9호에 해당하는 사유로 퇴직한 근로자
④ 소득세법 제14조 제3항 제2호에 따른 일용근로자
⑤ 근로계약기간이 6개월 미만인 근로자. 다만, 근로계약의 연속된 갱신으로 인하여 합병등기일 1개월 전 당시 그 근로계약의 총 기간이 1년 이상인 근로자는 제외함.
⑥ 금고 이상의 형을 선고받는 등 근로자의 중대한 귀책사유로 퇴직한 근로자(고용보험법 58조 1호)

한편, 다음의 어느 하나에 해당하는 근로자는 상기 법 소정 근로자의 범위에서 제외할 수 있다(법령 82조의 2 10항 및 법칙 41조 10항).

① 분할 후 존속하는 사업부문과 분할하는 사업부문에 모두 종사하는 근로자
② 분할하는 사업부문에 종사하는 것으로 볼 수 없는 인사, 재무, 회계, 경영관리 업무 또는 이와 유사한 업무를 수행하는 근로자

사. 적격분할 요건에 대한 부득이한 사유

상기 '가. 개요'에서 언급한 '법령에서 정하는 부득이한 사유'란 다음을 말한다(법령 82조의 2 1항 및 80조의 2 1항).

구 분	내 용
지분의 연속성 요건에 대한 부득이한 사유	① 해당 주주가 분할로 교부받은 전체 주식의 50% 미만을 처분한 경우[*] ② 해당 주주가 사망하거나 파산하여 주식을 처분한 경우 ③ 해당 주주가 적격합병, 적격분할, 적격물적분할 또는 적격현물출자에 따라 주식을 처분한 경우 ④ 해당 주주가 주식을 현물출자 또는 교환·이전(조특법 제38조·제38조의 2 또는 제121조의 30)하고 과세를 이연받으면서 주식을 처분한 경우

구 분	내 용
지분의 연속성 요건에 대한 부득이한 사유	⑤ 해당 주주가 채무자 회생 및 파산에 관한 법률에 따른 회생절차에 따라 법원의 허가를 받아 주식을 처분하는 경우 ⑥ 해당 주주가 기업개선계획의 이행을 위한 약정(조특령 34조 6항 1호) 또는 기업개선계획의 이행을 위한 특별약정(조특령 34조 6항 2호)에 따라 주식을 처분하는 경우 ⑦ 해당 주주가 법령상 의무를 이행하기 위하여 주식을 처분하는 경우 (*) 해당 주주가 분할로 교부받은 주식을 서로 간에 처분하는 것은 해당 주주가 그 주식을 처분한 것으로 보지 않고, 해당 주주가 분할신설법인등의 주식을 처분하는 경우에는 분할신설법인등이 선택한 주식을 처분하는 것으로 봄.
사업의 계속성 요건에 대한 부득이한 사유	① 분할신설법인등이 파산함에 따라 승계받은 자산을 처분한 경우 ② 분할신설법인등이 적격합병, 적격분할, 적격물적분할 또는 적격현물출자에 따라 사업을 폐지한 경우 ③ 분할신설법인등이 기업개선계획의 이행을 위한 약정(조특령 34조 6항 1호) 또는 기업개선계획의 이행을 위한 특별약정(조특령 34조 6항 2호)에 따라 승계받은 자산을 처분한 경우 ④ 분할신설법인등이 채무자 회생 및 파산에 관한 법률에 따른 회생절차에 따라 법원의 허가를 받아 승계받은 자산을 처분한 경우
고용승계 요건에 대한 부득이한 사유	① 분할신설법인등이 채무자 회생 및 파산에 관한 법률 제193조에 따른 회생계획을 이행 중인 경우 ② 분할신설법인등이 파산함에 따라 근로자의 비율을 유지하지 못한 경우 ③ 분할신설법인등이 적격합병, 적격분할, 적격물적분할 또는 적격현물출자에 따라 근로자의 비율을 유지하지 못한 경우 ④ 분할등기일 1개월 전 당시 분할하는 사업부문(분할법인으로부터 승계하는 부분을 말하며, 이하 같음)에 종사하는 근로자(*)가 5명 미만인 경우 (*) 근로기준법에 따라 근로계약을 체결한 내국인 근로자를 말함. 단, 다음의 어느 하나에 해당하는 근로자를 제외할 수 있음(법령 82조의 4 9항, 92조의 2 10항 및 법칙 41조 10항). ㉠ 분할 후 존속하는 사업부문과 분할하는 사업부문에 모두 종사하는 근로자 ㉡ 분할하는 사업부문에 종사하는 것으로 볼 수 없는 인사, 재무, 회계, 경영관리 업무 또는 이와 유사한 업무를 수행하는 근로자

2. 인적분할시 분할신설법인등에 대한 과세

(1) 비적격분할시 분할신설법인등에 대한 과세

1) 개 요

분할신설법인등이 분할로 분할법인등의 자산을 승계하는 경우에는 그 자산을 분할법인등으로부터 분할등기일 현재의 시가(법법 52조)로 양도받은 것으로 보며, 이에 따라 발생하는 분할매수차익·분할매수차손은 분할등기일부터 5년간 균등하게 나누어 익금 또는 손금에 산입한다(법법 46조의 2 1항).

2) 분할매수차익·차손의 계상 및 처리

① 분할매수차익

분할매수차익이란, 분할시 분할신설법인등이 분할법인등의 자산을 시가로 양도받은 것으로 보는 경우로서 분할법인등에게 지급한 양도가액이 분할법인등의 분할등기일 현재의 자산총액에서 부채총액을 뺀 금액(이하 "순자산시가"라 함)보다 적은 경우 그 차액을 말하는 것으로 이를 산식으로 표현하면 다음과 같다(법법 46조의 2 2항).

> 분할매수차익 = 순자산의 시가[*] − 양도가액

(*) 순자산의 시가 = 분할등기일 현재 자산총액 시가 − 분할등기일 현재 부채총액 시가

한편, 분할매수차익은 세무조정계산서에 계상하고 분할등기일이 속하는 사업연도부터 분할등기일부터 5년이 되는 날이 속하는 사업연도까지 5년간 매월 균등하게 나누어 익금에 산입한다(법령 82조의 3 1항, 80조의 3 1항).

② 분할매수차손

분할매수차손이란, 분할시 분할신설법인등이 분할법인등의 자산을 시가로 양도받은 것으로 보는 경우로서 분할법인등에 지급한 양도가액이 분할등기일 현재의 순자산시가를 초과하는 경우 그 차액을 말하며 이를 산식으로 표현하면 다음과 같다(법법 46조의 2 3항). 이 경우 분할매수차손은 분할매수차익과는 달리 분할신설법인등이 분할법인등의 상호·거래관계, 그 밖의 영업상의 비밀 등에 대하여 사업상 가치가 있다고 보아 대가를 지급한 경우를 말한다(법령 82조의 3 2항).

> 분할매수차손 = 양도가액 − 순자산의 시가[*]

(*) 순자산의 시가 = 분할등기일 현재 자산총액 시가 − 분할등기일 현재 부채총액 시가

한편, 사업상 가치가 있어 대가를 지급한 분할매수차손 상당액은 세무조정계산서에 계상하고 분할등기일이 속하는 사업연도부터 분할등기일부터 5년이 되는 날이 속하는 사업연도까지 5년간 매월 균등하게 나누어 손금에 산입한다(법령 82조의 3 3항, 80조의 3 3항).

3) 분할합병의 상대방법인의 이월결손금 공제

분할합병의 상대방법인의 분할등기일 현재 법인세법 제13조 제1항 제1호의 결손금은 분할합병의 상대방법인의 각 사업연도의 과세표준을 계산할 때 분할법인으로부터 승계받은 사업에서 발생한 소득금액의 범위에서는 공제하지 아니한다. 이에 따라 분할등기일 현재 결손금이 있는 분할합병의 상대방법인은 해당 결손금을 공제받는 기간 동안 자산·부채 및 손익을 분할법인등으로부터 승계받은 사업에 속하는 것과 그 밖의 사업에 속하는 것을 각각 별개의 회계로 구분하여 기록하여야 한다(법법 46조의 4 1항, 113조 4항).

다만, "중소기업(조특법 6조 1항) 간 또는 동일사업을 하는 법인 간에 분할합병하는 경우"에는 회계를 구분하여 기록하지 아니하고, 분할합병등기일 현재 분할법인(승계된 사업분만 해당함)과 분할합병의 상대방법인(소멸하는 경우를 포함함)의 사업용 자산가액 비율로 안분계산할 수 있다. 이 경우 분할신설법인등이 승계한 분할법인등의 사업용 자산가액은 결손금을 공제하는 각 사업연도의 종료일 현재 계속 보유(처분 후 대체 취득하는 경우를 포함함)·사용하는 자산에 한정하여 그 자산의 분할합병등기일 현재 가액에 따른다(법법 46조의 4 1항, 113조 4항 단서 및 법령 83조 1항).

한편, 분할합병의 상대방법인의 분할등기일 현재 결손금에 대한 공제는 법인세법 제13조 제1항 각 호 외의 부분 단서에도 불구하고 분할합병의 상대방법인의 소득금액에서 분할법인으로부터 승계받은 사업에서 발생한 소득금액을 차감한 금액의 60%(중소기업과 법인세법 시행령 제10조 제1항에서 정하는 법인의 경우는 100%)를 한도로 한다(법법 46조의 4 5항 1호).

4) 분할합병의 상대방법인의 기부금한도초과액 손금산입

분할합병의 상대방법인의 분할등기일 현재 50% 한도 기부금(법법 24조 2항 1호) 및 10% 한도 기부금(법법 24조 3항 1호) 중 기부금 손금한도 초과로 손금불산입되어 이월된 금액(법법 24조 5항)으로서 그 후의 각 사업연도의 소득금액을 계산할 때 손금에 산입하지 아니한 금액(이하 "기부금한도초과액"이라 함)은 분할신설법인등의 각 사업연도의 소득금액을 계산할 때 분할합병 전 분할합병의 상대방법인의 사업에서 발생한 소득금액을 기준으로 기부금 각각의 손금산입한도액의 범위(법법 24조 2항 2호 및 3항 2호)에서 손금에 산입한다(법법 46조의 4 6항).

5) 세무조정사항의 승계

내국법인의 분할이 비적격분할에 해당하는 경우 법인세법 또는 다른 법률에 다른 규정이 있는 경우 외에는 법인세법 제33조 제3항·제4항 및 제34조 제4항에 따라 퇴직급여충당금 또는 대손충당금을 분할신설법인등이 승계한 경우에는 그와 관련된 세무조정사항을 승계하고 그 밖의 세무조정사항은 분할신설법인등이 승계하지 아니한다 (법령 85조 2호).

6) 자산·부채의 승계가액

내국법인의 분할이 비적격분할에 해당하는 경우에 취득한 자산의 취득가액은 해당 자산의 시가로 한다(법령 72조 2항 3호).

(2) 적격분할시 분할신설법인 등에 대한 과세특례

1) 자산조정계정의 계상 및 처리

적격분할을 한 분할신설법인등이 분할법인등의 자산을 장부가액으로 양도받은 경우 분할신설법인 등은 양도받은 자산 및 부채의 가액을 분할등기일 현재의 시가로 계상하되, 시가에서 분할법인등의 장부가액(분할하는 사업부문의 세무조정사항이 있는 경우에는 그 세무조정사항 중 익금불산입액은 더하고 손금불산입액은 뺀 가액으로 함)을 뺀 금액이 0보다 큰 경우에는 그 차액을 익금에 산입하고 이에 상당하는 금액을 자산조정계정으로 손금에 산입하며, 0보다 작은 경우에는 시가와 장부가액의 차액을 손금에 산입하고 이에 상당하는 금액을 자산조정계정으로 익금에 산입한다. 이 경우 계상한 자산조정계정은 다음의 구분에 따라 처리한다(법령 82조의 4 1항, 80조의 4 1항).

구 분	자산조정계정의 처리
① 감가상각자산에 설정된 자산조정계정	자산조정계정으로 손금에 산입한 경우에는 해당 자산의 감가상각비(해당 자산조정계정에 상당하는 부분에 대한 것만 해당함)와 상계하고, 자산조정계정으로 익금에 산입한 경우에는 감가상각비에 가산. 이 경우 해당 자산을 처분하는 경우에는 상계 또는 더하고 남은 금액을 그 처분하는 사업연도에 전액 익금 또는 손금에 산입함.
② 상기 '①' 외의 자산에 설정된 자산조정계정	해당 자산을 처분하는 사업연도에 전액 익금 또는 손금에 산입. 다만, 자기주식을 소각하는 경우에는 익금 또는 손금에 산입하지 아니하고 소멸하는 것으로 함.

2) 분할합병의 상대방법인의 이월결손금 공제

분할합병의 상대방법인의 분할등기일 현재 법인세법 제13조 제1항 제1호의 결손금 중 법인세법 제46조의 3 제2항에 따라 분할신설법인등이 승계한 결손금을 제외한 금액은 분할합병의 상대방법인의 각 사업연도의 과세표준을 계산할 때 분할법인으로부터 승계받은 사업에서 발생한 소득금액의 범위에서는 공제하지 아니한다. 이에 따라 분할등기일 현재 결손금이 있는 분할합병의 상대방법인은 해당 결손금을 공제받는 기간 동안 자산·부채 및 손익을 분할법인등으로부터 승계받은 사업에 속하는 것과 그 밖의 사업에 속하는 것을 각각 별개의 회계로 구분하여 기록하여야 한다(법법 46조의 4 1항, 113조 4항).

다만, "중소기업(조특법 6조 1항) 간 또는 동일사업을 하는 법인 간에 분할합병하는 경우"에는 회계를 구분하여 기록하지 아니하고, 분할합병등기일 현재 분할법인(승계된 사업분만 해당함)과 분할합병의 상대방법인(소멸하는 경우를 포함함)의 사업용 자산가액 비율로 안분계산할 수 있다. 이 경우 분할신설법인등이 승계한 분할법인등의 사업용 자산가액은 결손금을 공제하는 각 사업연도의 종료일 현재 계속 보유(처분 후 대체 취득하는 경우를 포함함)·사용하는 자산에 한정하여 그 자산의 분할합병등기일 현재 가액에 따른다(법법 46조의 4 1항, 113조 4항 단서 및 법령 83조 1항).

한편, 분할합병의 상대방법인의 분할등기일 현재 결손금에 대한 공제는 법인세법 제13조 제1항 각 호 외의 부분 단서에도 불구하고 분할합병의 상대방법인의 소득금액에서 분할법인으로부터 승계받은 사업에서 발생한 소득금액을 차감한 금액의 60%(중소기업과 법인세법 시행령 제10조 제1항에서 정하는 법인의 경우는 100%)를 한도로 한다(법법 46조의 4 5항 1호).

3) 분할법인등의 이월결손금의 승계

분할 후 분할합병이 존속하는 경우에는 분할신설법인등이 분할법인의 결손금을 승계할 수 없으나(법법 46조의 5 3항), 분할법인등이 분할 또는 분할합병 후 소멸하는 경우로서 적격분할을 한 분할신설법인등은 분할등기일 현재 법인세법 제13조 제1항 제1호의 결손금을 승계할 수 있다(법법 46조의 3 2항). 이 경우 분할법인등으로부터 승계한 이월결손금이 있는 분할신설법인등은 해당 이월결손금을 공제받는 기간 동안 자산·부채 및 손익을 분할법인등으로부터 승계받은 사업에 속하는 것과 그 밖의 사업에 속하는 것을 각각 별개의 회계로 구분하여 기록하여야 한다(법법 46조의 4 2항, 46조의 5 3항 및 113조 4항).

다만, "중소기업(조특법 6조 1항) 간 또는 동일사업을 하는 법인 간에 분할합병하는 경우"에는 회계를 구분하여 기록하지 아니하고, 분할합병등기일 현재 분할법인(승계된 사

업분만 해당함)과 분할합병의 상대방법인(소멸하는 경우를 포함함)의 사업용 자산가액 비율로 안분계산할 수 있다. 이 경우 분할신설법인등이 승계한 분할법인등의 사업용 자산가액은 결손금을 공제하는 각 사업연도의 종료일 현재 계속 보유(처분 후 대체 취득하는 경우를 포함함)·사용하는 자산에 한정하여 그 자산의 분할합병등기일 현재 가액에 따른다(법법 46조의 4 2항, 113조 4항 단서 및 법령 83조 1항).

한편, 분할신설법인등이 승계한 분할법인등의 결손금에 대한 공제는 법인세법 제13조 제1항 각 호 외의 부분 단서에도 불구하고 분할법인등으로부터 승계받은 사업에서 발생한 소득금액의 60%(중소기업과 법인세법 시행령 제10조 제1항에서 정하는 법인의 경우는 100%)를 한도로 한다(법법 46조의 4 5항 2호).

4) 분할합병의 상대방법인 기부금한도초과액 손금산입

분할합병의 상대방법인의 분할등기일 현재 50% 한도 기부금(법법 24조 2항 1호) 및 10% 한도 기부금(법법 24조 3항 1호) 중 기부금 손금한도 초과로 손금불산입되어 이월된 금액(법법 24조 5항)으로서 그 후의 각 사업연도의 소득금액을 계산할 때 손금에 산입하지 아니한 금액(이하 "기부금한도초과액"이라 함) 중 법인세법 제46조의 3 제2항에 따라 분할신설법인등이 승계한 기부금한도초과액을 제외한 금액은 분할신설법인등의 각 사업연도의 소득금액을 계산할 때 분할합병 전 분할합병의 상대방법인의 사업에서 발생한 소득금액을 기준으로 기부금 각각의 손금산입한도액의 범위(법법 24조 2항 2호 및 3항 2호)에서 손금에 산입한다(법법 46조의 4 6항).

5) 분할법인등의 기부금한도초과액 승계 및 손금산입

분할합병시 분할법인등의 분할등기일 기부금한도초과액으로서 법인세법 제46조의 3 제2항에 따라 분할신설법인등이 승계한 금액은 분할신설법인등의 각 사업연도의 소득금액을 계산할 때 분할법인등으로부터 승계받은 사업에서 발생한 소득금액을 기준으로 기부금 각각의 손금산입한도액의 범위(법법 24조 2항 2호 및 3항 2호)에서 손금에 산입한다(법법 46조의 4 7항). 이 때, 분할법인등으로부터 승계받은 사업의 기부금한도초과액은 분할등기일 현재 분할법인등의 기부금한도초과액을 분할법인등의 사업용 자산가액 중 분할신설법인등이 각각 승계한 사업용 자산가액 비율로 안분계산한 금액으로 한다(법령 83조 5항).

6) 세무조정사항의 승계

적격분할을 한 분할신설법인 등은 법인세법 또는 다른 법률에 다른 규정이 있는 경우 외에는 분할하는 사업부문의 세무조정사항에 한하여 모두 승계한다(법법 46조의 3 2항, 46

조의 5 3항 및 법령 85조 1호).

7) 자산·부채의 승계가액

적격분할을 한 분할신설법인등이 분할에 따라 취득하는 자산의 취득가액은 분할법인등의 장부가액(법령 82조의 4 1항)으로 한다(법령 72조 2항 3호).

8) 세액감면·세액공제의 승계

① 개 요

적격분할을 한 분할신설법인등은 분할법인등이 분할 전에 적용받던 감면 또는 세액공제를 다음의 구분에 따라 승계받은 사업에 속하는 감면 또는 세액공제에 한정하여 적용받을 수 있다. 다만, 법인세법 또는 다른 법률에 해당 감면 또는 세액공제의 요건 등에 관한 규정이 있는 경우에는 분할신설법인등이 그 요건 등을 갖춘 경우에만 적용한다(법법 46조의 3 2항 및 법령 82조의 4 2항).

㉠ 이월된 감면·세액공제가 특정 사업·자산과 관련된 경우 : 특정 사업·자산을 승계한 분할신설법인등이 공제

㉡ 상기 ㉠ 외의 이월된 감면·세액공제의 경우 : 분할법인등의 사업용 자산가액 중 분할신설법인등이 각각 승계한 사업용 자산가액 비율로 안분하여 분할신설법인등이 각각 공제

② 세액감면의 승계 방법

분할법인등이 분할 전에 적용받던 세액감면(일정기간에 걸쳐 감면되는 것에 한정함)을 분할신설법인등이 승계하는 경우, 분할신설법인등은 승계받은 사업에서 발생한 소득에 대하여 분할 당시의 잔존감면기간 내에 종료하는 각 사업연도분까지 그 감면을 적용받을 수 있다(법령 83조 4항, 81조 3항 1호).

③ 이월된 미공제세액의 승계 방법

분할법인등이 분할 전에 적용받던 세액공제(외국납부세액공제 포함)를 분할신설법인등이 승계하는 경우, 분할신설법인등은 다음의 구분에 따라 이월공제잔여기간 내에 종료하는 각 사업연도분까지 공제할 수 있다(법령 83조 4항, 81조 3항 2호).

㉠ 이월된 외국납부세액공제 미공제액

승계받은 사업에서 발생한 국외원천소득을 해당 사업연도의 과세표준으로 나눈 금액에 해당 사업연도의 세액을 곱한 금액의 범위에서 공제

ⓛ 최저한세액에 미달하여 공제받지 못한 금액으로서 이월된 미공제액

승계받은 사업부문에 대하여 조세특례제한법 제132조를 적용하여 계산한 법인세 최저한세액의 범위에서 공제. 이 경우 공제금액은 분할신설법인등의 법인세 최저한세액을 초과할 수 없다.

ⓒ 상기 ⓐ 또는 ⓛ 외에 납부할 세액이 없어 이월된 미공제세액

승계받은 사업부문에 대하여 계산한 법인세 산출세액의 범위에서 공제

9) 분할합병 전 보유자산의 처분손실 공제제한

법인세법 제46조 제2항에 따라 양도손익이 없는 것으로 한 분할합병(이하 "적격분할합병"이라 함)을 한 분할신설법인등은 분할법인과 분할합병의 상대방법인이 분할합병 전 보유하던 자산의 처분손실(분할등기일 현재 해당 자산의 법인세법 제52조 제2항에 따른 시가가 장부가액보다 낮은 경우로서 그 차액을 한도로 하며, 분할등기일 이후 5년 이내에 끝나는 사업연도에 발생한 것만 해당함)을 각각 분할합병 전 해당 법인의 사업에서 발생한 소득금액(해당 처분손실을 공제하기 전 소득금액을 말함)의 범위에서 해당 사업연도의 소득금액을 계산할 때 손금에 산입한다. 이 경우 손금에 산입하지 아니한 처분손실은 자산 처분시 각각 분할합병 전 해당 법인의 사업에서 발생한 결손금으로 보아 과세표준에서 공제한다(법법 46조의 4 3항).

10) 적격분할 과세특례의 사후관리

① 개 요

적격분할을 한 분할신설법인 등이 분할등기일이 속하는 사업연도의 다음 사업연도개시일부터 2년(ⓒ의 경우에는 3년) 이내에 다음의 어느 하나에 해당하는 경우에는 자산조정계정 잔액의 총합계액(합계액이 0보다 큰 경우에 한정하며, 총합계액이 0보다 작은 경우에는 없는 것으로 봄)과 분할법인등으로부터 승계받아 공제한 이월결손금을 익금에 산입하여야 하고, 분할매수차익·차손을 손금·익금에 산입하여야 한다. 또한, 분할신설법인등의 소득금액 및 과세표준을 계산할 때 승계한 세무조정사항 중 익금불산입액은 더하고 손금불산입액은 빼며, 분할법인등으로부터 승계하여 공제한 감면 또는 세액공제액 상당액을 해당 사유가 발생한 사업연도의 법인세에 더하여 납부하고, 해당사유가 발생한 사업연도부터 적용하지 아니한다. 다만, 법령에서 정하는 부득이한 사유가 있는 경우[*1]에는 그러하지 아니한다(법법 46조의 3 3항 및 법령 82조의 4 3항, 5항).

ⓐ 분할신설법인등이 분할법인등으로부터 승계받은 사업을 폐지하는 경우(사업의 계속성 위반)

ⓛ 분할법인등의 일정 지배주주(법령 82조의 2 8항)가 분할신설법인등으로부터 받은 주식을 처분하는 경우(지분의 연속성 위반)

ⓒ 각 사업연도 종료일 현재 분할신설법인에 종사하는 근로자[*2] 수가 분할등기일 1개월 전 당시 분할하는 사업부문에 종사하는 근로자[*2] 수의 80% 미만으로 하락하는 경우. 다만, 분할합병의 경우에는 다음의 어느 하나에 해당하는 경우를 말함 (고용승계 위반).

　　ⓐ 각 사업연도 종료일 현재 분할합병의 상대방법인에 종사하는 근로자[*2] 수가 분할등기일 1개월 전 당시 분할하는 사업부문과 분할합병의 상대방법인에 각각 종사하는 근로자[*2] 수의 합의 80% 미만으로 하락하는 경우

　　ⓑ 각 사업연도 종료일 현재 분할신설법인에 종사하는 근로자[*2] 수가 분할등기일 1개월 전 당시 분할하는 사업부문과 소멸한 분할합병의 상대방법인에 각각 종사하는 근로자[*2] 수의 합의 80% 미만으로 하락하는 경우

(*1) 각 사후관리사유에 대한 부득이한 사유는 '1. 인적분할시 분할법인에 대한 과세'의 '(2) 적격분할시 양도손익에 대한 과세특례' 중 '2) 적격분할의 요건'에서 언급한 '사. 적격분할 요건에 대한 부득이한 사유'의 내용을 다음과 같이 참조하기로 함.

구 분	내 용
사업의 계속성 위반에 대한 부득이한 사유 (법령 82조의 4 6항 1호 및 80조의 2 1항 2호)	'사업의 계속성 요건에 대한 부득이한 사유' 참조
지분의 연속성 위반에 대한 부득이한 사유 (법령 82조의 4 6항 2호 및 80조의 2 1항 1호)	'지분의 연속성 요건에 대한 부득이한 사유' 참조
고용승계 위반에 대한 부득이한 사유 (법령 82조의 4 6항 3호 및 80조의 2 1항 3호 가목~다목)	'고용승계 요건에 대한 부득이한 사유' 중 ①~③ 사유 참조

(*2) 근로기준법에 따라 근로계약을 체결한 내국인 근로자를 말하되, 분할하는 사업부문에 종사하는 근로자의 경우에는 다음의 어느 하나에 해당하는 근로자를 제외할 수 있음(법령 82조의 4 9항, 82조의 2 10항 및 법칙 41조 10항).
　　ⓐ 분할 후 존속하는 사업부문과 분할하는 사업부문에 모두 종사하는 근로자
　　ⓑ 분할하는 사업부문에 종사하는 것으로 볼 수 없는 인사, 재무, 회계, 경영관리 업무 또는 이와 유사한 업무를 수행하는 근로자

② 사후관리 위반사유 해당시 세무상 처리

가. 자산조정계정 잔액 총합계액의 익금산입

　적격분할에 따라 과세특례를 적용받던 분할신설법인이 사후관리 위반사유에 해당하는 경우에는 계상된 자산조정계정 잔액의 총합계액(총합계액이 0보다 큰 경우에 한정하며, 총합계액이 0보다 작은 경우에는 없는 것으로 봄)은 익금에 산입한다. 이 경우 자산조정계정은 소멸하는 것으로 한다(법령 82조의 4 4항, 80조의 4 4항).

나. 분할매수차익·차손의 처리

㉠ 분할매수차익

분할매수차익(순자산의 시가>양도가액)에 상당하는 금액은 사후관리 위반사유가 발생하는 날이 속하는 사업연도에 손금에 산입하고, 그 금액에 상당하는 금액을 분할등기일부터 5년이 되는 날까지 일정한 방법(법령 82조의 4 4항, 80조의 4 5항 1호)에 따라 분할하여 익금에 산입한다.

㉡ 분할매수차손

분할매수차손(순자산의 시가<양도가액)에 상당하는 금액은 사후관리 위반사유가 발생하는 날이 속하는 사업연도에 익금에 산입하되, 분할신설법인등이 분할법인등의 상호·거래관계, 그 밖의 영업상의 비밀 등에 대하여 사업상 가치가 있다고 보아 대가를 지급한 경우에 한정하여 그 금액에 상당하는 금액을 분할등기일부터 5년이 되는 날까지 일정한 방법(법령 82조의 4 4항, 80조의 4 5항 2호)에 따라 손금에 산입한다.

다. 기공제받은 이월결손금 승계액의 익금산입

적격분할의 과세특례에 따라 분할법인등의 이월결손금을 승계받은 분할신설법인등이 각 사업연도 소득금액 계산시 승계받은 결손금을 공제받은 이후 사후관리 위반사유에 해당하는 경우에는 승계받은 결손금 중 공제한 금액 전액을 익금에 산입한다(법법 46조의 3 3항 및 법령 82조의 4 4항, 80조의 4 4항).

라. 세액공제·감면의 중단 등

적격분할의 과세특례에 따라 분할법인등의 세무조정사항 및 세액공제·감면을 승계받은 분할신설법인등이 승계받은 세무조정사항 및 세액공제·감면을 적용받은 이후 사후관리 위반사유에 해당하는 경우에는 분할신설법인등이 승계한 세무조정사항 중 익금불산입액은 더하고 손금불산입액은 빼며, 분할법인등으로부터 승계하여 공제한 감면 또는 세액공제액 상당액을 해당 사유가 발생한 사업연도의 법인세에 더하여 납부하고, 해당 사유가 발생한 사업연도부터 적용하지 아니한다(법령 82조의 4 5항).

3. 물적분할시 분할법인에 대한 과세

(1) 자산양도차익의 과세이연

물적분할의 경우 분할법인이 분할사업부문의 자산·부채를 양도하고 그 대가로 분할신설법인의 주식등을 취득하게 되는 것이므로 그에 따른 자산양도차익에 대한 과세문제가 발생한다. 그러나 물적분할시 분할법인의 자산양도차익에 대하여 일시에 과세하게 되면 분할을 저해하는 요소로 작용할 수 있기 때문에, 법인세법에서는 일정 요건을 충족하는 물적분할에 대해서는 자산양도차익에 대해 과세이연하는 제도를 두고 있다(법법 47조).

(2) 과세이연 요건

분할법인이 물적분할에 의하여 분할신설법인의 주식등을 취득한 경우로서 상기 '1. 인적분할시 분할법인에 대한 과세'의 '(2) 적격분할시 양도손익에 대한 과세특례' 중 '2) 적격분할의 요건'('지분의 연속성 요건'의 경우 전액이 주식등이어야 함)을 갖춘 경우 그 주식등의 가액 중 물적분할로 인하여 발생한 자산의 양도차익에 상당하는 금액은 분할등기일이 속하는 사업연도의 소득금액을 계산할 때 손금에 산입할 수 있다. 다만, 법령으로 정하는 부득이한 사유가 있는 경우에는 상기의 요건 중 '지분의 연속성 요건', '사업의 계속성 요건' 또는 '고용승계 요건'을 갖추지 못한 경우에도 자산의 양도차익에 상당하는 금액을 손금에 산입할 수 있다(법법 47조 1항 및 46조 2항).

한편, 상기에서 언급한 '법령에서 정하는 부득이한 사유'는 인적분할시 적격분할의 요건 중 '법령에서 정하는 부득이한 사유'와 동일하므로, 자세한 내용은 '1. 인적분할시 분할법인에 대한 과세'의 '(2) 적격분할시 양도손익에 대한 과세특례' 중 '2) 적격분할의 요건'에서 언급한 '사. 적격분할 요건에 대한 부득이한 사유'의 내용을 참조하기로 한다(법령 84조 12항).

(3) 과세이연 대상금액 및 방법

과세이연 요건을 갖춘 물적분할에 있어 분할법인의 과세이연 대상금액은 다음과 같으며, 동 금액을 분할등기일이 속하는 사업연도의 소득금액을 계산할 때 분할신설법인으로부터 취득한 주식등(이하 "분할신설법인주식등"이라 함)의 압축기장충당금으로 계상하여야 과세이연을 받을 수 있다(법령 84조 1항, 2항).

> 과세이연 대상금액 = MIN(①, ②)
> ① 분할신설법인주식등의 가액
> ② 물적분할로 인하여 발생한 자산의 양도차익에 상당하는 금액

(4) 과세이연금액의 사후관리

1) 과세이연금액의 일반적 익금산입

분할법인이 손금에 산입한 양도차익에 상당하는 금액은 분할법인이 분할신설법인주식

등을 처분하거나 분할신설법인이 분할법인으로부터 승계받은 감가상각자산(법령 24조 3항 1호의 자산 포함), 토지 및 주식등(이하 "승계자산"이라 함)을 처분하는 경우(이 경우 분할신설법인은 그 자산의 처분 사실을 처분일부터 1개월 이내에 분할법인에 알려야 함) 해당 사유가 발생하는 사업연도에 다음의 금액을 익금에 산입하여야 한다. 다만, 분할신설법인이 적격합병되거나 적격분할하는 등 법령에서 정하는 부득이한 사유가 있는 경우에는 익금에 산입하지 아니하는 바, 이에 대해서는 아래 '(5) 적격구조조정에 따른 계속과세이연 및 사후관리'에서 자세히 살펴보도록 한다(법법 47조 2항 및 법령 84조 3항, 4항).

$$\text{익금산입액} = \frac{\text{압축기장}^{(*1)}}{\text{충당금}} \times \left(\text{당기주식 처분비율}^{(*2)} + \text{당기자산 처분비율}^{(*3)} - \text{당기주식 처분비율}^{(*2)} \times \text{당기자산 처분비율}^{(*3)} \right)$$

(*1) 직전 사업연도 종료일(분할등기일이 속하는 사업연도의 경우 분할등기일) 현재 잔액
(*2) 분할법인이 직전 사업연도 종료일 현재 보유하고 있는 법인세법 제47조 제1항에 따라 취득한 분할신설법인주식등의 장부가액에서 해당 사업연도에 분할법인이 처분한 분할신설법인주식등의 장부가액이 차지하는 비율
(*3) 분할신설법인이 직전 사업연도 종료일 현재 보유하고 있는 승계자산의 양도차익(분할등기일 현재의 승계자산의 시가에서 분할등기일 전날 분할법인이 보유한 승계자산의 장부가액을 차감한 금액을 말함)에서 해당 사업연도에 처분한 승계자산의 양도차익이 차지하는 비율

2) 과세이연금액의 일시 익금산입

물적분할시 과세이연 요건을 갖추어 자산의 양도차익 상당액을 손금에 산입한 분할법인은 분할등기일이 속하는 사업연도의 다음 사업연도 개시일부터 2년(ⓒ의 경우에는 3년) 이내에 다음의 어느 하나에 해당하는 사유가 발생하는 경우에는 손금에 산입한 금액 중 상기 '①'에 따라 익금에 산입하고 남은 금액을 그 사유가 발생한 날이 속하는 사업연도의 소득금액을 계산할 때 익금에 산입한다. 다만, 법령에서 정하는 부득이한 사유가 있는 경우[*1]에는 그러하지 아니한다(법법 47조 3항 및 법령 84조 12항, 13항).

ⓐ 분할신설법인이 분할법인으로부터 승계받은 사업을 폐지하는 경우

ⓑ 분할법인이 분할신설법인의 발행주식총수 또는 출자총액의 50% 미만으로 주식등을 보유하게 되는 경우

ⓒ 각 사업연도 종료일 현재 분할신설법인에 종사하는 근로자[*2] 수가 분할등기일 1개월 전 당시 분할하는 사업부문에 종사하는 근로자[*2] 수의 80% 미만으로 하락하는 경우

(*1) '1. 인적분할시 분할법인에 대한 과세'의 '(2) 적격분할시 양도손익에 대한 과세특례' 중 '2) 적격분할의 요건'의 '사. 적격분할 요건에 대한 부득이한 사유'에서 언급한 '사업의 계속성 요건에 대한 부득이한 사유', '지분의 연속성 요건에 대한 부득이한 사유' 및 '고용승계 요건에 대한 부득이한 사유(①~③ 사유만 해당)'의 내용을 참조하기로 함.
(*2) 근로기준법에 따라 근로계약을 체결한 내국인 근로자를 말하되, 분할하는 사업부문에 종사하는 근로자

의 경우에는 다음의 어느 하나에 해당하는 근로자를 제외할 수 있음(법령 84조 14항, 82조의 2 10항 및 법칙 41조 10항).

ⓐ 분할 후 존속하는 사업부문과 분할하는 사업부문에 모두 종사하는 근로자

ⓑ 분할하는 사업부문에 종사하는 것으로 볼 수 없는 인사, 재무, 회계, 경영관리 업무 또는 이와 유사한 업무를 수행하는 근로자

(5) 적격구조조정에 따른 계속 과세이연 및 사후관리

1) 계속 과세이연의 사유

분할법인이 적격물적분할에 따라 자산양도차익에 대해 과세이연을 적용 받은 후, 다음 어느 하나에 해당하는 경우에는 상기 '(4) 과세이연금액의 사후관리' 중 '1) 과세이연금액의 일반적 익금산입'의 대상에서 제외한다(법령 84조 5항).

① 분할법인 또는 분할신설법인이 최초로 적격합병, 적격분할, 적격물적분할, 적격현물출자, 조세특례제한법 제38조에 따라 과세를 이연받은 주식의 포괄적 교환등 또는 같은 법 제38조의 2에 따라 과세를 이연받은 주식의 현물출자(이하 "적격구조조정"이라 함)로 주식등 및 자산을 처분하는 경우

② 분할신설법인의 발행주식 또는 출자액 전부를 분할법인이 소유하고 있는 경우로서 다음의 어느 하나에 해당하는 경우

㉠ 분할법인이 분할신설법인을 적격합병(법인세법 제46조의 4 제3항에 따른 적격분할합병을 포함하며, 이하 같음)하거나 분할신설법인에 적격합병되어 분할법인 또는 분할신설법인이 주식등 및 자산을 처분하는 경우

㉡ 분할법인 또는 분할신설법인이 적격합병, 적격분할, 적격물적분할 또는 적격현물출자로 주식등 및 자산을 처분하는 경우. 다만, 해당 적격합병, 적격분할, 적격물적분할 또는 적격현물출자에 따른 합병법인, 분할신설법인등 또는 피출자법인의 발행주식 또는 출자액 전부를 당초의 분할법인이 직접 또는 간접으로 소유(법칙 42조)하고 있는 경우로 한정함.

③ 분할법인 또는 분할신설법인이 주식등과 그와 관련된 자산·부채만으로 구성된 사업부문(법인세법 시행령 제82조의 2 제3항 각 호의 어느 하나에 해당하는 사업부문을 말함)의 적격분할 또는 적격물적분할로 주식등 및 자산을 처분하는 경우

2) 계속 과세이연시 압축기장충당금 대체 방법

분할법인 상기의 '1) 계속 과세이연 사유'에 따라 적격물적분할에 따른 과세특례를 계속 적용받는 경우 해당 분할법인이 보유한 분할신설법인주식등의 압축기장충당금은 다음의 구분에 따른 방법으로 대체한다(법령 84조 6항).

① 분할신설법인주식등의 압축기장충당금 잔액에 당기자산처분비율^(*1)을 곱한 금액을 분할법인 또는 분할신설법인이 새로 취득하는 자산승계법인의 주식등(이하 "자산승계법인주식등"이라 함)의 압축기장충당금으로 할 것. 다만, 자산승계법인이 분할법인인 경우에는 분할신설법인주식등의 압축기장충당금 잔액을 분할법인이 승계하는 자산 중 최초 물적분할 당시 양도차익이 발생한 자산의 양도차익에 비례하여 안분계산한 후 그 금액을 해당 자산이 감가상각자산인 경우 그 자산의 일시상각충당금으로, 해당 자산이 감가상각자산이 아닌 경우 그 자산의 압축기장충당금으로 함.

② 분할신설법인주식등의 압축기장충당금 잔액에 당기주식처분비율^(*2)을 곱한 금액을 주식승계법인이 승계한 분할신설법인주식등의 압축기장충당금으로 할 것

(*1) 당기자산처분비율을 산정할 때 처분한 승계자산은 적격구조조정으로 분할신설법인으로부터 분할신설법인의 자산을 승계하는 법인(이하 "자산승계법인"이라 함)에 처분한 승계자산에 해당하는 것을 말함.

(*2) 당기주식처분비율을 산정할 때 처분한 주식은 적격구조조정으로 분할법인으로부터 분할신설법인주식등을 승계하는 법인(이하 "주식승계법인"이라 함)에 처분한 분할신설법인주식등에 해당하는 것을 말함.

3) 계속 과세이연의 사후관리

① 과세이연금액의 일반적 익금산입

가. 사후관리 사유 및 익금산입 방법

상기 '2) 계속 과세이연시 압축기장충당금 대체 방법'에서 설명하는 압축기장충당금 대체방법 따라 새로 압축기장충당금을 설정한 분할법인, 분할신설법인 또는 주식승계법인은 다음의 어느 하나에 해당하는 사유가 발생하는 경우에는 그 사유가 발생한 날이 속하는 사업연도의 소득금액을 계산할 때 상기 '(4) 과세이연금액의 사후관리' 중 '1) 과세이연금액의 일반적 익금산입'에서 설명한 익금산액 산식을 준용하여 계산한 금액만큼을 익금에 산입한다(법령 84조 7항).

㉠ 분할법인 또는 분할신설법인이 적격구조조정에 따라 새로 취득한 자산승계법인주식등을 처분하거나 주식승계법인이 적격구조조정에 따라 승계한 분할신설법인주식등을 처분하는 경우

㉡ 자산승계법인이 적격구조조정으로 분할신설법인으로부터 승계한 자산(법령 84조 4항)을 처분하거나 분할신설법인이 승계자산을 처분하는 경우. 이 경우 분할신설법인 및 자산승계법인은 그 자산의 처분 사실을 처분일부터 1개월 이내에 분할법인, 분할신설법인, 주식승계법인 또는 자산승계법인에 알려야 한다.

다만, 상기 '2) 계속 과세이연시 압축기장충당금 대체 방법'의 ①의 단서에 해당하는

경우에는 다음의 방법으로 익금에 산입한다(법령 84조 7항 본문, 64조 4항 각 호).

　㉠ 일시상각충당금은 당해 사업용 자산의 감가상각비(취득가액 중 당해 일시상각충당금에 상당하는 부분에 대한 것에 한함)와 상계할 것. 다만, 당해 자산을 처분하는 경우에는 상계하고 남은 잔액을 그 처분한 날이 속하는 사업연도에 전액 익금에 산입한다.

　㉡ 압축기장충당금은 당해 사업용 자산을 처분하는 사업연도에 이를 전액 익금에 산입할 것

나. 사후관리의 예외

상기 '가. 사후관리 사유 및 익금산입 방법'에 따라 계속 과세이연금액을 익금산입할 때 상기 '1) 계속 과세이연 사유'의 ② 또는 ③의 사유에 해당하는 경우에는 익금산입 대상에서 제외하며, 익금산입 대상에서 제외한 경우 분할법인, 분할신설법인 또는 주식승계법인이 보유한 분할신설법인주식등 또는 자산승계법인주식등의 압축기장충당금은 상기의 방법을 준용하여 대체(이하 "계속 재과세이연"이라 함)한다(법령 84조 7항 단서, 8항).

한편, 상기 '계속 재과세이연'에 따라 새로 압축기장충당금을 설정한 분할법인, 분할신설법인 또는 주식승계법인은 상기 '가'의 '㉠' 또는 '㉡'의 사유가 발생하는 경우에는 그 사유가 발생한 날이 속하는 사업연도의 소득금액을 계산할 때 상기 '㉠'에서 설명한 방법에 따라 압축기장충당금을 익금에 산입하며(법령 84조 10항), 분할등기일이 속하는 사업연도의 다음 사업연도 개시일부터 2년 내에 아래 '② 과세이연금액의 일시 익금산입'의 ㉠ 또는 ㉡에 해당하는 사유가 발생하는 경우에는 압축기장충당금 잔액 전부를 그 사유가 발생한 날이 속하는 사업연도의 소득금액을 계산할 때 익금에 산입한다(법령 84조 11항, 13항).

② 과세이연금액의 일시 익금산입

상기 '2) 계속 과세이연시 압축기장충당금 대체 방법'에서 설명하는 대체 방법에 따라 새로 압축기장충당금을 설정한 분할법인, 분할신설법인 또는 주식승계법인은 분할등기일이 속하는 사업연도의 다음 사업연도 개시일부터 2년 내에 다음의 어느 하나에 해당하는 사유가 발생하는 경우에는 새로 설정한 압축기장충당금 잔액 전부를 그 사유가 발생한 날이 속하는 사업연도의 소득금액을 계산할 때 익금에 산입한다(법령 84조 9항, 13항).

　㉠ 자산승계법인이 분할신설법인으로부터 적격구조조정으로 승계받은 사업을 폐지하거나 분할신설법인이 분할법인으로부터 승계받은 사업을 폐지하는 경우

　㉡ 분할법인 또는 분할신설법인이 보유한 자산승계법인주식등이 자산승계법인의 발

행주식총수 또는 출자총액에서 차지하는 비율(이하 "자산승계법인지분비율"이라 함)이 자산승계법인주식등 취득일의 자산승계법인지분비율의 50% 미만이 되거나 주식승계법인이 보유한 분할신설법인주식등이 분할신설법인의 발행주식총수 또는 출자총액에서 차지하는 비율(이하 "분할신설법인지분비율"이라 함)이 분할신설법 인주식등 취득일의 분할신설법인지분비율의 50% 미만이 되는 경우

이 경우, 자산승계법인 또는 분할신설법인이 분할등기일이 속하는 사업연도의 다음 사업연도 개시일부터 2년 이내 기간 중 분할신설법인 또는 분할법인으로부터 승계한 자산가액(유형자산·무형자산 및 투자자산의 가액)의 50% 이상을 처분하거나 사업에 사용하지 아니하는 경우에는 승계받은 사업을 폐지한 것으로 본다(법령 80조의 2 7항, 80조의 4 8항, 84조 17항).

(6) 주식등의 취득가액

물적분할에 따라 분할법인이 취득하는 주식등의 취득가액은 물적분할한 순자산의 시가로 한다(법령 72조 2항 3호의 2).

4. 물적분할시 분할신설법인에 대한 과세

(1) 세액공제·감면의 승계

내국법인의 물적분할이 적격물적분할에 해당하여 분할법인이 자산양도차익에 대하여 과세이연을 받은 경우, 분할신설법인은 분할법인이 분할 전에 적용받던 법인세법 제59조에 따른 감면 또는 세액공제를 분할법인으로부터 승계받은 사업에서 발생한 소득금액 또는 이에 해당하는 법인세액의 범위에서 승계하여 감면 또는 세액공제의 적용을 받을 수 있다. 이 경우 법인세법 또는 다른 법률에 해당 감면 또는 세액공제의 요건 등에 관한 규정이 있는 경우에는 분할신설법인이 그 요건 등을 갖춘 경우에만 이를 적용하며, 분할신설법인은 다음의 구분에 따라 승계받은 사업에 속하는 감면 또는 세액공제에 한정하여 적용받을 수 있다(법법 47조 4항, 5항 및 법령 84조 15항).

ㄱ 이월된 감면·세액공제가 특정 사업·자산과 관련된 경우 : 특정 사업·자산을 승계한 분할신설법인이 공제
ㄴ ㄱ 외의 이월된 감면·세액공제의 경우 : 분할법인의 사업용 고정자산가액 중 분할신설법인이 각각 승계한 사업용 고정자산가액 비율로 안분하여 분할신설법인이 각각 공제

한편, 분할신설법인이 승계한 분할법인의 감면·세액공제의 구체적인 적용방법은 상기 '2. 인적분할시 분할신설법인등에 대한 과세'의 '(2) 적격분할시 분할신설법인등에 대한 과세특례' 중 '8) 세액감면·세액공제의 승계'를 참조하기로 한다(법령 84조 16항).

(2) 세무조정사항의 승계

내국법인이 물적분할하는 경우 법인세법 또는 다른 법률에 다른 규정이 있는 경우 외에는 법인세법 제33조 제3항·제4항 및 제34조 제4항에 따라 퇴직급여충당금 또는 대손충당금을 분할신설법인이 승계한 경우에는 그와 관련된 세무조정사항을 승계하고 그밖의 세무조정사항은 모두 분할신설법인이 승계하지 아니한다(법법 47조 4항 및 법령 85조).

(3) 자산·부채의 승계 가액

분할신설법인이 물적분할에 따라 승계하는 자산은 해당 자산의 시가를 그 취득가액으로 한다(법령 72조 2항 3호).

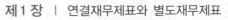

V

기 타

연결재무제표와 별도재무제표

1. 개 요

IASB는 2003년 6월부터 기준서 제1027호와 해석서 제2012호를 대체하는 기준서를 제정하기 위한 프로젝트를 착수한 바 있다. 동 프로젝트의 목적은 지배력 개념의 적용에 있어 기준서 제1027호 및 해석서 제2012호 간 일관성 부족의 문제를 해결하고 동시에 IFRS와 미국회계기준과의 정합성(convergence)을 향상시키는 데 있었다. 동 프로젝트는 2008년 글로벌 경제위기로 급속히 진행되었다. 2011년 IASB는 IFRS 10 'Consolidated Financial Statements', IFRS 11 'Joint Arrangements' 및 IFRS 12 'Disclosure of Interests in Other Entities'를 제정하였고, IAS 27 'Separate Financial Statements'와 IAS 28 'Investments in Associates and Joint Ventures'을 개정하였다.

한국회계기준원 회계기준위원회(KASB)는 2011년 11월 IFRS 10 'Consolidated Financial Statements'에 상응하는 기준서 제1110호 '연결재무제표'를 의결하였으며 동 기준서는 2012년 11월 K-IFRS로 공표되었다.

기준서 제1110호의 주요 원칙은 투자자가 피투자자에 대한 힘을 보유하고 있고, 피투자자에 대한 관여로 인한 변동이익에 대한 노출 또는 권리를 보유하고, 투자자의 이익금액에 영향을 미치기 위하여 피투자자에 대하여 자신의 힘을 사용하는 능력이 있는 경우에만 투자자가 피투자자를 지배하며, 연결재무제표를 작성한다는 것이다.

기준서 제1110호 제정 전, 기준서 제1027호에서 규정된 지배력 모형은 의결권을 통한 지배력을 강조하였고, 해석서 제2012호에서 규정된 지배력 모형은 위험과 효익에 노출된 정도를 강조하였다. 그러나 이러한 두 가지 지배력 모형의 관계가 항상 명확하지는 않았다. 기준서 제1110호는 피투자자에 대한 힘과 피투자자에 대한 관여로 인한 이익을 연관시키기 위하여, 투자자가 피투자자에 대한 자신의 힘을 사용하는 능력이 있어야 한다는 규정을 추가하였다. 그러나 연결재무제표가 지배기업과 종속기업이 단일의 경제적 실체인 연결실체로 보아 작성된 재무제표라는 점과 연결절차는 기준서 제1110호 제정 전·후 변경되지 않았다.

기준서 제1110호는 지배력이 존재하는지 여부의 판단과 관련하여 다음 지침을 제공한다.
- 피투자자의 목적과 설계에 대한 평가
- 권리의 성격이 실질적인지 방어적인지에 대한 평가
- 변동이익에 대한 노출 정도
- 의결권 및 잠재적 의결권에 대한 평가
- 힘을 행사하는 투자자가 본인인지 대리인인지 여부에 대한 평가
- 투자자 간의 관계 및 동 당사자 간 관계가 지배력에 미치는 영향
- 특정자산에 대한 지배력 유무

지배력을 판단하기 어려운 상황에서는 관련 사실과 상황을 주의깊게 고려해서 지배력이 있는지 판단하여야 한다. 기준서 제1110호는 구체적인 판단기준(bright line)을 제공하지 않으며 많은 요인들을 종합적으로 고려할 것을 요구한다.

기준서 제1110호는 공시요구사항을 포함하고 있지 않다. 동 내용은 기준서 제1112호 '타 기업에 대한 지분의 공시'에 포함되어 있다. 기준서 제1112호는 대부분의 기업에 적용될 것으로 예상되는 상당한 양의 공시사항을 추가적으로 요구한다.

2. 목 적

기준서 제1110호는 기업이 하나 이상의 다른 기업을 지배하는 경우 연결재무제표의 표시와 작성에 대한 원칙을 정하는 것을 목적으로 한다. 이를 위해 기준서 제1110호에서는 연결재무제표 작성이 요구되는 상황과 지배력의 정의, 지배력 원칙을 적용하는 방법, 연결재무제표를 작성하기 위한 회계처리 요구사항을 정하고 있다(기준서 제1110호 문단 2).

3. 범 위

기준서 제1110호는 모든 지배기업에 적용되나 다음의 적용 면제를 두고 있다(기준서 제1110호 문단 4).

1. 지배기업은 다음 요건을 모두 충족하는 경우 연결재무제표를 작성하지 않을 수 있다.
   - 지배기업이 그 자체의 지분 전부를 소유하고 있는 다른 기업의 종속기업이거나, 지배기업이 그 자체의 지분 일부를 소유하고 있는 다른 기업의 종속기업이면서 그 지배기업이 연결재무제표를 작성하지 않는다는 사실을 그 지배기업의 다른 소유주들(의결권이 없는 소유주 포함)에게 알리고 그 다른 소유주들이 그것을

반대하지 않는 경우

- 지배기업의 채무상품이나 지분상품이 공개시장에서 거래되지 않는 경우
- 지배기업이 공개시장에서 증권을 발행할 목적으로 증권감독기구나 그 밖의 감독기관에 재무제표를 제출한 적이 없으며 제출하는 과정에 있지도 않은 경우
- 지배기업의 최상위 지배기업이나 중간 지배기업이 한국채택국제회계기준을 적용하여 공용 가능한 연결재무제표를 작성한 경우(기준서 제1010호 문단 4)

2. 기준서 제1019호 '종업원급여'를 적용하는 퇴직급여제도나 기타장기종업원급여(기준서 제1110호 문단 4A)

3. 투자기업인 지배기업이 이 기준서에 따라 모든 종속기업을 공정가치로 측정하여 당기손익에 반영하는 경우(기준서 제1110호 문단 4B)

지배기업이 연결재무제표 작성 면제 규정을 적용한 경우, 당해 기업은 연결재무제표 대신 별도재무제표를 작성할 수 있다.

K-IFRS는 모든 유형의 기업들의 일반목적의 재무제표와 기타의 재무보고에 적용될 수 있으므로, 연결재무제표 작성 요구사항은 파트너십, 법인격이 없는 조합으로써 수익 창출을 목적으로 사업을 영위하는 경우에도 적용된다.

기준서 제1110호에서는 투자기업인 지배기업에 대하여 연결재무제표 작성 면제 규정을 두고 있다. 투자기업은 다음을 모두 충족하는 기업이다(기준서 제1110호 문단 27).

1. 투자관리용역을 제공할 목적으로 하나 이상의 투자자에게서 자금을 얻는다.
2. 사업 목적이 시세차익, 투자수익이나 둘 다를 위해서만 자금을 투자하는 것임을 투자자에게 확약한다.
3. 실질적으로 모든 투자자산의 성과를 공정가치로 측정하고 평가한다.

투자기업의 일반적인 특징은 다음과 같으며, 아래 특징 중 일부가 없더라도 투자기업에 해당하지 않는 것은 아니다. 일반적인 특징을 모두 갖지 않는 투자기업은 기준서 제1112호에서 요구하는 사항을 추가로 공시한다(기준서 제1110호 문단 28).

1. 둘 이상의 투자자산을 보유한다.
2. 둘 이상의 투자자가 있다.
3. 투자자는 그 기업과 특수관계자가 아니다.
4. 자본이나 이와 비슷한 형태로 소유지분을 보유한다.

기준서 제1110호 문단 27의 투자기업의 정의를 구성하는 세가지 요소 중 하나 이상이 달라지거나, 문단 28에서 기술한 투자기업의 일반적인 특징이 달라진 사실이 있거나 그러한 상황이 발생했다면 지배기업은 자신이 투자기업에 해당하는지 다시 평가해야 한다(기준서 제1110호 문단 29). 만약 지배기업이 투자기업이 됐거나, 더 이상 투자기업이 아니게 된 경우, 지위가 달라진 시점부터 전진적으로 지위 변동을 회계처리한다(기준서 제1110호 문단 30).

투자기업은 다른 기업에 대한 지배력을 획득할 때, 그 종속기업을 연결하거나 기준서 제1103호 '사업결합' 기준서를 적용하지 않고, 기준서 제1109호 '금융상품'에 따라 종속기업에 대한 투자자산을 공정가치로 측정하여 당기손익에 반영하여야 한다(기준서 제1110호 문단 31). 다만, 투자기업이 아닌 종속기업을 투자기업이 소유하며 그 투자기업의 투자활동과 관련된 용역을 제공하는 것이 그 종속기업의 주요 목적과 활동인 경우, 그 투자기업은 연결재무제표 작성 면제 규정을 적용할 수 없다. 따라서 그 종속기업을 연결하고 그러한 종속기업을 취득할 때 기준서 제1103호에 따라 회계처리하여야 한다(기준서 제1110호 문단 32). 유의할 점은 투자기업의 지배기업은 자신이 투자기업이 아닐 때, 종속기업인 투자기업을 통해 지배하는 기업을 포함하여 연결재무제표를 작성하여야 한다는 것이다(기준서 제1110호 문단 33).

4. 지배력

(1) 지배력의 정의

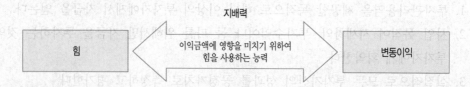

지배력은 투자자가 피투자자에 대하여 다음 세 가지 조건을 모두 가질 때 성립한다.
- 피투자자에 대한 힘
- 피투자자에 대한 관여로 인한 변동이익에 대한 노출 또는 권리
- 투자자의 이익금액에 영향을 미치기 위하여 피투자자에 대하여 자신의 힘을 사용하는 능력

(기준서 제1110호 문단 7)

기준서 제1110호 제정 전, 기준서 제1027호에서 규정된 지배력 모형은 의결권을 통한 지배력을 강조하였고, 해석서 제2012호에서 규정된 지배력 모형은 변동이익에 노출된 정도를 강조하였다. 그러나 이러한 두 가지 지배력 모형의 관계가 항상 명확하지는 않았다. 기준서 제1110호는 피투자자에 대한 힘과 피투자자에 대한 관여로 인한 이익을 연관시키고, 투자자가 피투자자에 대한 자신의 힘을 사용하는 능력이 있어야 한다는 규정을 추가하였다.

(2) 지배력 평가를 위한 개념체계

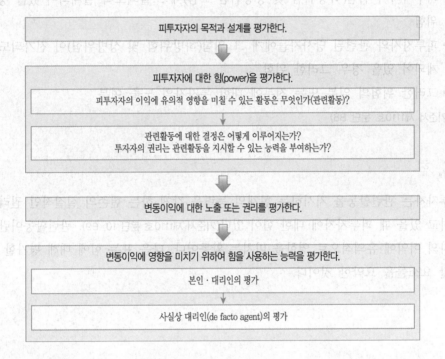

사실과 상황이 지배력의 세 가지 요소 중 하나 이상에 변화가 있음을 나타내는 경우 투자자는 자신이 피투자자를 지배하는지 재평가해야 한다(기준서 제1110호 문단 8).

(3) 피투자자의 목적과 설계

피투자자에 대한 지배력을 평가할 때, 투자자는 관련활동을 식별하기 위하여 피투자자의 목적과 설계를 고려하고, 관련활동에 대한 결정이 어떻게 이루어지는지, 누가 관련활동을 지시하는 현재의 능력을 가지고 있는지, 누가 관련활동으로부터 이익을 수취하는지를 고려한다(기준서 제1110호 문단 B5). 피투자자의 목적과 설계를 고려한 결과, 의결권 또는 잠재적 의결권을 수단으로 피투자자를 지배하고 있다는 것이 명백할 수도 있다.

(기준서 제1110호 문단 B6)

의결권을 보유하고 있다 하더라도 피투자자의 이익에 유의적으로 영향을 미치지 못하는 경우도 있다. 관련활동이 사전에 결정되어 있거나, 계약상 약정에 의해 지시되는 경우와 같이, 피투자자가 자동조정장치(auto-pilot)에 의해 운영되는 경우도 있다. 따라서 투자자가 피투자자의 목적과 설계에 대해 고려하는 것이 누가 지배력을 보유하는지에 대해 판단할 때 도움이 될 수 있다. 이러한 경우 기업의 목적과 설계를 평가할 때 다음 사항들이 고려되어야 한다.

- 피투자자가 위험(하방위험 및 상방위험 포함)에 노출되도록 설계되어 있을 경우 그 위험
- 피투자자와 관련된 당사자들에게 그 위험(하방위험 및 상방위험)이 전가되도록 설계되어 있을 경우 그러한 위험
- 그러한 위험의 일부 또는 전부에 대한 투자자의 노출 여부

(기준서 제1110호 문단 B8)

5. 힘

투자자는 관련활동을 지시하는 현재의 능력을 갖게 하는 현존의 실질적인 권리를 보유하고 있을 때 피투자자에 대한 힘이 있다(기준서 제1110호 문단 10, B9). 관련활동이란 피투자자의 이익에 유의적으로 영향을 미치는 활동이다. 다음 표는 힘에 대해 평가할 때 고려할 요소들을 요약한 것이다.

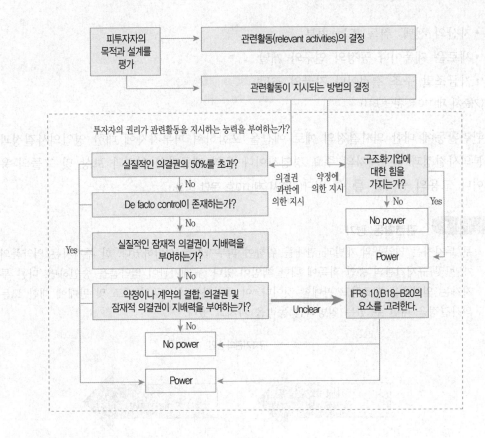

(1) 힘에 대한 평가

기준서 제1110호는 지배력 유무를 결정하기 위하여 다음의 지침을 제공한다.

- 지분상품이 명백히 의결권 및 지배하는 힘을 결정하는 경우로써 고려할 다른 요소가 없다면 의결권의 과반수를 보유하는 투자자가 피투자자를 지배한다(기준서 제1110호 문단 B35).
- 둘 이상의 투자자들이 관련활동을 지시하기 위해 함께 행동해야 할 경우 투자자 어느 누구도 개별적으로 피투자자를 지배하지 못한다(기준서 제1110호 문단 9).

(2) 관련활동

기준서 제1110호는 관련활동을 "피투자자의 이익에 유의적인 영향을 미치는 피투자자의 활동"으로 정의한다(기준서 제1110호 부록 A). 관련활동이 될 수 있는 광범위한 사례는 다음과 같으며, 이에 한정되는 것은 아니다.

- 재화나 용역의 판매와 구매
- 존속기간 동안의 금융자산 관리(채무 불이행시 포함)

- 자산의 선택, 취득 또는 처분
- 새로운 제품이나 공정의 연구와 개발
- 자금조달 구조 결정이나 자금의 조달

(기준서 제1110호 문단 B11)

관련활동에 대한 의사결정의 예로 예산을 포함하여 피투자자에 대한 영업의사결정과 자본의사결정과 피투자자의 주요 경영진이나 용역 제공자의 임명과 보상 및 그들의 용역이나 고용의 중지를 들 수 있다(기준서 제1110호 문단 B12).

사례 1 관련활동 평가

두 투자자는 의약품의 개발과 판매를 위하여 피투자자를 설립하였다. 한 투자자는 의약품의 개발 및 규제기관의 승인 획득에 대한 책임이 있다. 규제기관이 의약품을 승인하면, 다른 투자자는 의약품을 제조하고 판매할 것이다. 이 투자자는 의약품의 제조 및 판매에 대한 모든 의사결정을 내릴 수 있는 일방적인 능력을 가지고 있다.

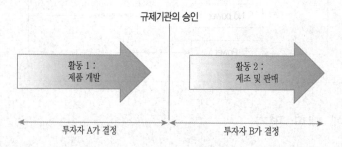

어떤 투자자가 피투자자에 대하여 힘을 보유하는지 결정하기 위해 고려할 요소들은 다음에 요약되어 있다.

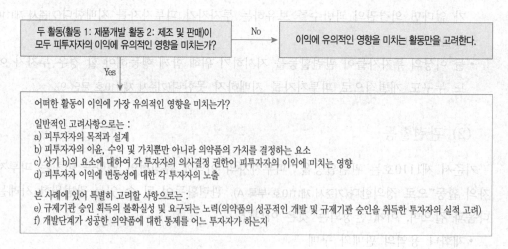

상기 사례에서 설명한 유형은 실무 적용시 판단이 요구된다. 예를 들어, 한 투자자는 제조를 책임지고 다른 투자자는 마케팅을 책임지는 경우, 어떤 활동이 피투자자의 이익에 더 많은 영향을 미치는 것인지 식별하기 어려울 수 있다. 이때 그 결론은 피투자자의 전략에 의해 영향받을 수도 있다. 예를 들어, 범용화된 상품을 저렴한 비용으로 생산하는 기업과 고급 브랜드 제품 제조기업의 경우를 생각해보자. 전자의 경우 얼마나 저렴한 비용으로 생산할 수 있는지가 중요할 수 있는 반면, 후자의 경우 효과적인 마케팅이 중요할 수 있다. 만일 어떤 활동도 피투자자의 이익에 영향을 미치는 데 있어 더 주요한 요소가 아니고, 지배력을 시사하는 다른 요소가 존재하지 않는 경우, 어떤 투자자도 당해 피투자자를 지배하지 않는 것이 가능할 수도 있다.

사례　2　관련활동 평가

　지분증권과 채무증권으로 구성된 피투자자가 설립되었다.

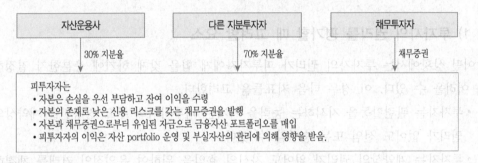

　지급불이행이 특정 비율(피투자자의 지분트랜치(equity trenche)가 소진하는 때)에 도달할 때까지 자산관리자가 모든 활동을 관리한다. 그 이후부터는 제3자인 수탁자가 채무 투자자의 지시에 따라 자산을 관리한다.

　이러한 힘의 결정 단계는 다음 표에서 요약된 바와 같다.

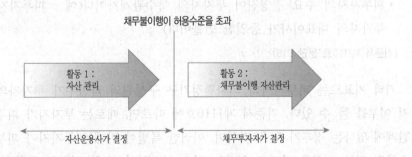

　자산관리자와 채무투자자는 각각 이익 변동에 대한 노출뿐만 아니라 피투자자의 목적과 설계를 고려하는 것을 포함하여, 피투자자의 이익에 가장 유의적인 영향을 미치는 활동들을 지시할 수 있는지 결정할 필요가 있다.

(3) 관련활동을 지시하는 힘

피투자자에 대한 힘을 갖기 위하여, 투자자는 관련활동을 지시하는 현재의 능력을 갖게 하는 현존 권리를 가져야 한다(기준서 제1110호 문단 B14). 투자자가 힘을 가질 수 있게 하는 권리의 예로는 피투자자에 대한 의결권(또는 잠재적 의결권) 형태의 권리, 관련활동을 지시하는 능력이 있는 피투자자의 주요 경영진 구성원의 선임, 재배치 또는 해임 권리, 거부권과 기타 계약상의 권리 등이 있다(기준서 제1110호 문단 B15).

일반적으로, 피투자자가 다양한 관련활동을 하고 있고 이러한 활동들에 대한 실질적인 의사결정이 지속적으로 요구되는 경우, 투자자에게 힘을 갖게 하는 것은 의결권이나 이와 유사한 권리일 것이다(기준서 제1110호 문단 B16). 의결권이 관리 업무에만 관련되어 있는 등 의결권으로 피투자자의 이익에 유의적인 영향을 미칠 수 없는 경우 투자자는 다른 계약상 약정을 평가할 필요가 있다. 피투자자의 목적과 설계도 고려되어야 한다.

1) 투자자의 권리를 평가할 때 고려할 요소

어떤 상황에서는 투자자의 권리가 피투자자에게 힘을 갖게 하기에 충분한지 결정하기 어려울 수 있다. 이 경우 다음 지표들을 고려한다.

- 투자자는 관련활동을 지시하는 능력을 가지는 피투자자의 주요 경영진을 계약상의 권리가 없어도 선임 또는 승인할 수 있다.
- 투자자는 계약상의 권리가 없어도 자신의 효익을 위하여 유의적인 거래를 체결하거나 거래의 변경을 거부하도록 피투자자를 지시할 수 있다.
- 투자자는 피투자자의 의사결정기구 구성원을 선출하는 선임 절차를 지배할 수 있거나, 다른 의결권 보유자로부터 위임장 획득을 장악할 수 있다.
- 피투자자의 주요 경영진이 투자자의 특수관계자이다(예 : 피투자자의 대표이사와 투자자의 대표이사가 동일한 인물이다).

(기준서 제1110호 문단 B18)

기타 지표로는 피투자자의 의사결정기구 구성원의 과반수가 투자자의 특수관계자인지 여부를 들 수 있다. 기준서 제1110호에 따르면, 때로는 투자자가 피투자자와 특별한 관계에 있다는 징후가 있을 것이며, 이러한 특별한 관계는 투자자가 피투자자에 대하여 소극적 지분 이상을 가지고 있다는 것을 시사한다. 또한 이러한 상황은 투자자가 피투자자를 지배하는 상황을 의미할 수도 있다. 기준서 제1110호 문단 B19는 다음의 사항에서 투자자가 피투자자에 대하여 소극적 지분 이상을 가지고 있고 다른 권리와 결합하여 힘을 나타낼 수 있음을 보여준다.

- 관련활동을 지시하는 능력을 가지고 있는 피투자자의 주요 경영진이 현재 또는 과거에 투자자의 임직원이다.
- 피투자자의 활동의 유의적인 부분이 투자자와 관련되어 있거나 투자자를 대신하여 수행된다.
- 투자자의 피투자자에 대한 관여로 인한 이익에의 노출이나 그에 대한 권리가 투자자의 의결권이나 다른 유사한 권리에 비해 불균형적으로 크다. 예를 들어, 투자자가 피투자자 이익의 과반 이상에 대하여 권리가 있거나 노출되지만, 피투자자의 의결권은 과반 미만 보유하고 있는 상황이 있을 수 있다.
- 피투자자의 영업이 다음의 상황과 같이 투자자에게 의존하고 있다.
  - 피투자자는 영업의 유의적인 부분에 대한 자금 조달을 투자자에 의존한다.
  - 투자자가 피투자자의 부채의 유의적인 부분에 대하여 지급보증한다.
  - 피투자자는 중대한 용역(본사 또는 기타 행정적 기능 등)에 대해 투자자에 의존한다.
  - 피투자자는 중대한 기술(IT 시스템, 메인 서버, 기술지원 데스크 등)에 대해 투자자에 의존한다.
  - 피투자자는 중대한 공급품 또는 원재료에 대해 투자자에 의존한다.
  - 투자자는 피투자자의 영업에 중대한 라이선스나 등록상표와 같은 자산을 지배한다.
  - 피투자자는 주요 경영진에 대해 투자자에게 의존한다.
  - 피투자자는 전문적인 지식에 대해 투자자에게 의존한다.
  - 피투자자는 중대한 다른 자산에 대해 투자자에게 의존한다.

  단, 피투자자가 투자자에 대해 경제적으로 의존(예 : 공급자와 주요 고객의 관계)하고 있다는 사실 자체만으로는 투자자가 피투자자에 대한 힘을 가지게 되는 것은 아니므로, 다른 요소들이 추가로 검토되어야 한다(기준서 제1110호 문단 B40).

  기업들 간에 경제적 의존 상황은 일반적이다. 예를 들어 희귀 광물이나 자원을 중간 가공하는 기업은 당해 자원 공급자에게 의존하는 관계일 수 있다. 그러나 상기 문단에서 설명한 주요 지표들이 경제적 의존관계 지표보다 더 우선시되어야 한다. 따라서 자원 공급자가 중간 가공기업의 주요 경영진, 의사결정기구, 대리 의사 결정을 포함한 기타 의결 과정에 거의 영향을 미치지 못하거나 전혀 영향을 미치지 못하고 있다면, 중간 가공기업이 자원공급자에게 원재료 공급과 관련하여 의존하고 있다는 사실 자체만으로는 자원공급자가 중간 가공기업에게 힘을 가지고 있다고 결론 내리기에 충분한 증거가 되지 않는다.

(4) 실질적인 권리와 방어적인 권리

투자자는 힘을 갖고 있는지 평가할 때, 피투자자와 관련된 실질적인 권리만을 고려한다. 방어적인 권리는 고려되지 않는다(기준서 제1110호 문단 B22).

다른 당사자들에 의해 행사가능한 실질적인 권리는, 비록 그 권리가 보유자에게 관련활동과 관련된 결정을 승인하거나 막을 현재의 능력만을 갖게 할지라도, 투자자가 그 권리와 관련이 있는 피투자자를 지배하지 못하게 할 수 있다(기준서 제1110호 문단 B25).

1) 투자자에게 피투자자에 대한 힘을 갖게 하는 권리

투자자는 관련활동을 지시하는 현재의 능력을 갖게 하는 현존의 실질적인 권리를 가질 때 피투자자에 대한 힘을 갖는다(관련활동에 대해서는 상기 관련활동 문단 참조). 개별적으로 또는 결합하여 투자자가 힘을 가질 수 있게 하는 권리의 예는 다음과 같으며, 이에 한정되는 것은 아니다.

- 피투자자에 대한 의결권(또는 잠재적 의결권) 형태의 권리
- 관련활동을 지시하는 능력이 있는 피투자자의 주요 경영진 구성원의 선임, 재배치 또는 해임 권리
- 관련활동을 지시하는 다른 기업의 선임 또는 해임 권리
- 투자자의 효익을 위하여 거래를 체결하거나 거래의 변경을 거부하도록 피투자자를 지시하는 권리
- 관련활동을 지시하는 능력을 권리의 보유자가 갖게 하는 그 밖의 권리(예 : 경영관리계약에 명시된 의사결정권)

(기준서 제1110호 문단 B15)

실무적으로는 상기 예시된 권리들이 종합적으로 결부되어 피투자자에 대한 힘으로 규명되는 경우가 많을 것이다. 예를 들어 과반의 의결권을 가지게 하는 소유지분에 투자한 경우 일반적으로 피투자자에 대한 힘을 보유하게 되나, 이 힘이 피투자자의 관련활동을 지시할 수 있는 실질적인 능력인지 판단하기 위하여 동시에 피투자자의 정관, 기타 계약상 약정, 이사회 지배 구조, 다른 당사자들이 보유한 권리를 추가적으로 검토하여야 한다. 이러한 추가적인 요소로 인하여 다른 당사자가 힘을 보유하는 경우도 있을 수 있기 때문이다.

2) 실질적인 권리

기준서 제1110호는 투자자가 피투자자에 대한 힘을 가지는지 판단할 때 오직 실질적

인 권리만을 고려하여야 한다고 요구한다. 투자자가 방어권만을 보유한다면, 이러한 권리는 고려하지 않는다. 다른 당사자들이 보유한 실질적인 권리는, 비록 그 권리가 보유자에게 관련활동과 관련된 결정을 승인하거나 막을 현재의 능력만을 갖게 할지라도, 투자자가 피투자자를 지배하지 못하게 할 수도 있다(기준서 제1110호 문단 B25).

실질적인 권리란, 투자자가 피투자자의 관련활동을 지시하는 현재의 능력을 갖게 하는 현존 권리를 의미한다. 기준서에 따르면 권리가 실질적이기 위해서는 보유자는 그 권리를 행사할 실제 능력을 가져야 한다. 권리 행사를 방해하는 장애물의 예는 다음과 같으며, 이에 한정되지 않는다.

- 보유자의 권리 행사를 방해하거나 단념시킬 재무상 불이익과 유인책
- 보유자의 권리 행사를 방해하거나 단념시킬 재무적 장애물이 되는 행사가격이나 전환가격
- 권리가 행사될 가능성을 낮게 하는 계약조항이나 조건. 예를 들어 권리의 행사시기를 촉박하게 한정하는 조건
- 피투자자의 설립 문서나 적용 가능한 법규 또는 규정에서, 보유자에게 권리 행사를 허용하는 명시적이고 합리적인 제도의 부재
- 권리를 행사하기 위해 필요한 정보를 획득하기 위한 권리보유자의 무능력
- 보유자의 권리 행사를 방해하거나 단념시킬 운영상 장애물이나 유인책(예 : 전문적인 용역을 제공하거나 그러한 용역을 제공하면서 현 경영진이 갖고 있는 다른 지분을 취하기 위한 의지나 능력이 있는 다른 경영진의 부재)
- 보유자의 권리 행사를 방해하는 법적 요건 또는 규제 요건(예 : 외국인 투자자의 권리 행사가 금지된 경우)

   (기준서 제1110호 문단 B23)

기준서 제1110호의 제정으로 인하여 도입된 중요한 변화는, 지배력 유무를 판단할 때 잠재적 의결권과 관련된 재무적 상태(예를 들어, 잠재적 의결권이 내가격 상태에 있는지 외가격 상태에 있는지에 대한 고려)에 대한 상세한 규정이 제시되었다는 점이다. 기준서 제1110호의 사례 9, 10에서 설명되는 바와 같이, 깊은 외가격 상태의 잠재적 의결권은 실질적이지 않은 권리로 간주될 수 있다. 이러한 점을 정리하면 다음과 같다.

사실관계	잠재적 의결권의 재무적 상태	기타 사항	결론
피투자자의 의결권 30%를 보유한 투자자가 향후 2년 내 의결권 50%를 추가 취득할 수 있는 옵션을 보유하고 있다.	옵션은 향후 2년 동안 깊은 외가격 상태인 고정된 가격으로 행사가능하며, 그 2년의 기간 동안 깊은 외가격 상태로 있을 것으로 기대된다.	피투자자의 나머지 지분 70%를 보유한 다른 투자가가 자신의 의결권을 행사하고 있으며 피투자자의 관련활동을 적극적으로 지시하고 있다.	옵션과 관련된 계약 조항과 조건은 실질적이지 않다.
투자자 A와 2명의 투자자는 피투자자의 의결권을 각 3분의 1씩 보유하고 있다. 지분상품 이외에도 투자자 A는 고정된 가격으로 피투자자의 보통주로 전환할 수 있는 채무상품을 보유하고 있다. 만약 채무상품이 전환된다면, 투자자 A는 피투자자의 의결권 60%를 보유할 것이다.	현재 외가격 상태이나 깊은 외가격 상태는 아니다.	• A 피투자자의 사업활동이 투자자 A와 밀접하게 관련되어 있다. • 채무상품이 전환된다면, 투자자 A는 시너지 효과를 누릴 수 있다.	잠재적 의결권이 실질적이다.

실질적이기 위하여, 권리는 관련활동의 지시에 대한 결정이 이루어질 필요가 있을 때 행사가능해야 한다. 보통 실질적이기 위하여 권리는 현재 행사가능해야 한다. 그러나 때때로 권리는 현재 행사가능하지 않더라도 실질적일 수 있다(기준서 제1110호 문단 B24).

사례 3   실질적인 권리

피투자자는 매년 관련활동을 지시하는 결정이 이루어지는 주주총회를 개최하고 때로는 특별총회를 개최한다. 다음 정기 주주총회는 8개월 후에 개최될 예정이다. 그러나 개별적으로 또는 집합적으로 의결권을 5% 이상 보유하고 있는 주주들은 관련활동에 대한 기존의 정책을 변경하기 위해 특별총회를 소집할 수 있다. 그러나 다른 주주들에게 특별총회 개최에 대하여 최소 30일 전에 통보해야 한다.

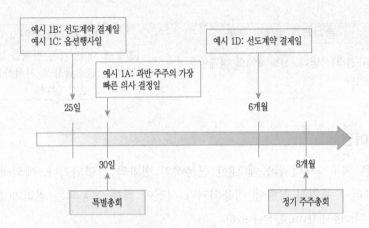

예시 1A부터 1D까지 적용되는 관련 사실관계는 다음과 같다. 각 사례는 서로 독립적이다.

투자자가 보유한 권리	권리가 실질적인지 여부
예시 1A	
투자자는 피투자자의 의결권 과반수를 보유하고 있다.	의결권은 실질적인 권리이다. • 투자자는 필요한 경우 관련활동의 지시를 결정할 수 있다. • 투자자가 의결권을 행사할 수 있기까지 30일의 기간이 소요된다는 사실이 투자자가 지분을 취득하는 시점부터 관련활동을 지시하는 현재의 능력을 보유한다는 점을 부정하지는 않는다.
예시 1B	
투자자는 피투자자의 주식 과반수를 취득하는 선도계약 당사자이다. 선도계약 결제일은 25일 후이다.	선도계약은 실질적인 권리이다. • 특별총회는 적어도 30일 이내(선도계약이 결제되었을 시점)에 열릴 수 없기 때문에, 기존 주주들은 관련활동에 대한 기존 정책을 변경할 수 없다. 따라서 투자자는 위 사례 1A의 의결권 과반수를 보유한 투자자와 근본적으로 동등한 권리를 보유한다. • 투자자의 선도계약은 동 계약이 결제되기 전이라도 관련활동을 지시하는 현재의 능력을 투자자에게 갖게 한다.
예시 1C	
투자자는 피투자자의 주식 과반수를 취득할 옵션을 보유하고 있다. 이 옵션은 25일 후에 행사 가능하며 깊은 내가격 상태에 있다.	사례 1B와 동일한 결론이다.
예시 1D	
투자자는 피투자자의 주식 과반수를 취득할 선도계약의 당사자이며, 피투자자에 대하여 다른	선도계약은 실질적인 권리가 아니다. • 기존 주주들이 선도계약이 결제되기 전에 관

투자자가 보유한 권리	권리가 실질적인지 여부
관련된 권리는 없다. 선도계약의 결제일은 6개월 후이다.	련활동에 대한 기존 정책을 변경할 수 있다. • 투자자는 관련활동을 지시하는 현재의 능력을 가지고 있지 않다.

3) 방어권

방어권은 피투자자의 활동에 대한 근본적인 변화와 관련되거나, 예외적인 상황에 적용한다. 그러나 예외적 상황에 적용되거나 사건에 의해 연동되는 권리가 모두 방어권인 것은 아니다(기준서 제1110호 문단 B26).

방어권은 그 권리와 관련된 피투자자에 대한 힘을 갖게 하지 않고 권리 보유자의 이익을 보호하기 위해 설계되었기 때문에, 방어권만을 보유한 투자자는 힘을 가질 수 없거나 다른 당사자가 피투자자에 대한 힘을 갖는 것을 못하게 할 수 없다(기준서 제1110호 문단 B27).

방어권의 예는 다음과 같으며, 이에 한정되지는 않는다.
• 차입자의 신용위험을 대여자의 손실로 유의적으로 전환시킬 수 있는 차입자의 행위를 제한하는 대여자의 권리
• 통상적인 영업수행 과정에서 요구되는 것보다 훨씬 큰 규모의 자본적 지출이나 지분증권 또는 채무증권의 발행을 승인하는 피투자자의 비지배지분을 보유한 당사자의 권리
• 차입자가 명시된 대출 상환 조건을 충족하지 못하는 경우, 차입자의 자산을 압류하는 대여자의 권리
• 회사의 정관 또는 사규의 개정
• 투자자와 피투자자 간 거래시 가격결정
• 피투자자의 청산 또는 파산, 기타 법정관리를 야기할 사항에 대한 결정
• 주요 인수합병과 정상적인 영업활동과 관련되지 않는 자산의 처분에 대한 제한
• 주식의 발행과 환매
• 특별배당에 대한 금지

(5) 의결권과 잠재적 의결권

의결권의 과반수 보유로 힘을 가지는 경우 피투자자의 의결권 과반수를 보유하는 투자자는 다음의 상황에서 힘을 가진다.

- 관련활동을 지시하는 의사결정기구 구성원의 과반수가 의결권 과반수 보유자의 결의에 의해 선임되는 경우
- 의결권 과반수 보유자의 결의에 의해 관련활동이 지시되는 경우
- 의결권이 실질적인 권리인 경우

1) 의결권의 과반수 보유 없이도 힘을 가지는 경우

투자자는 피투자자 의결권의 과반수 미만을 보유하더라도 힘을 가질 수 있다. 피투자자 의결권의 과반수 미만을 보유하는 투자자는 다음의 예를 통하여 힘을 가질 수 있다.

- 투자자와 다른 의결권 보유자 간의 계약상 약정. 예를 들어 이러한 약정은 투자자가 관련활동에 대한 의사결정을 할 수 있도록 의결하기에 충분한 수의 다른 의결권 보유자를 지시할 수 있게 보장할 수도 있다(기준서 제1110호 문단 B39).
- 그 밖의 계약상 약정에서 발생하는 권리. 예를 들어 계약상 약정에 명시된 권리는 의결권과 결합하여, 투자자에게 피투자자의 이익에 유의적으로 영향을 미치는 피투자자의 제조 공정이나 다른 영업활동 또는 재무활동을 지시하는 현재의 능력을 부여하기에 충분할 수도 있다(기준서 제1110호 문단 B40).
- 최대출자자로써의 의결권으로써 잔여 지분이 널리 분산된 경우(통상 'de facto control'로 불리며 보다 자세한 내용은 이하 'de facto control' 문단을 참조)
- 잠재적 의결권(자세한 내용은 이하 '잠재적 의결권' 문단을 참조)

상기 항목들의 조합을 통해 투자자가 힘을 가질 수도 있다. 예를 들어 의결권 40%와 잠재적 의결권 20%를 동시에 보유한 투자자는 피투자자에 대하여 힘을 가질 수도 있다.

2) De facto control

기준서 제1110호의 제정으로 도입된 유의적인 변화는 'de facto control'과 관련된 지침이 기준서에 최초로 포함되었다는 점이다. 과반 미만의 지분을 보유한 최대출자자가 있고, 기타 잔여지분은 널리 분산되어 있는 경우가 있을 수 있다. 만일 충분한 수의 분산된 잔여 지분 투자자들이 최대출자자의 의사에 반대하기 위해서 집합적인 의사결정을 하지 않는다면 과반 미만을 보유한 최대출자자일지라도 피투자자에 대하여 힘을 가질 수도 있다. 그러나 특수관계 없는 다수로부터 집합적 의사결정을 이끌어낼 수 있는 행위를 조직하기는 간단치 않을 수도 있다.

의결권의 과반수 미만을 보유한 투자자는 일방적으로 관련활동을 지시하는 실질적 능력을 가진 경우 자신에게 힘을 부여하는 충분한 권리를 가지며, 이러한 상황은 흔히

'De facto control(실질지배력)'로 불린다. 'De facto control'이 존재하는지 여부에 대해서는 판단이 요구된다.

투자자의 의결권이 힘을 부여하기에 충분한지 평가할 때, 투자자는 다음을 포함하는 모든 사실과 상황을 고려한다.

- 투자자의 보유 의결권의 상대적 규모와 다른 의결권 보유자의 주식 분산 정도. 다음 사항을 염두에 두어야 한다.
  - 투자자가 보유한 의결권이 많을수록, 투자자는 관련활동을 지시할 현재의 능력을 부여하는 권리를 가질 가능성이 높다.
  - 다른 의결권 보유자에 비하여 투자자가 보유한 의결권이 많을수록, 투자자는 관련활동을 지시할 현재의 능력을 부여하는 권리를 가질 가능성이 높다.
  - 투표에서 투자자를 이기기 위해 함께 행동할 필요가 있는 당사자들이 많을수록, 투자자는 관련활동을 지시할 현재의 능력을 부여하는 권리를 가질 가능성이 높다.
- 투자자, 다른 의결권 보유자 또는 다른 당사자가 보유한 잠재적 의결권
- 그 밖의 계약상 약정에서 발생하는 권리
- 과거 주주총회에서의 의결양상을 포함하여, 결정이 이루어져야 하는 시점에서 투자자가 관련활동을 지시하는 현재의 능력을 가지고 있는지 나타내는 추가적인 사실과 상황

(기준서 제1110호 문단 B42)

'De facto control'에 대한 판단은 많은 질적인 요소들에 대해 고려되어야 하므로 실무상 적용이 용이하지 않다. 이하의 사례 4-8은 기준서 제1110호 문단 B43과 B45에서 제공하는 적용사례이며 'De facto control'이 성립하는지 여부를 판단할 때 도움이 될 수 있다.

기준서 제1110호 관련문단	최대 출자자 지분율	2대주주 지분율	잔여지분 분산정도	사례에서 제시된 기타 사실관계	최대출자자가 지배하는지 여부
사례 4	48%	-	수천명의 주주들이 각 지분율 1% 미만으로 보유하고 있다.	주주들은 서로 상의하거나 집합적인 의사결정을 하기 위한 어떠한 약정도 없다.	지배한다.
사례 5	40%	-	12명의 투자자들이 각 5%씩 보유하고 있다.	주주간 합의에서 최대출자자가 관련활동을 지시할 책임이 있는 경영진을 선임,	지배한다. 의결권만 고려하는 경우 지배력이 존재하는지 명확하지 않을 수 있

기준서 제1110호 관련문단	최대 출자자 지분율	2대주주 지분율	잔여지분 분산정도	사례에서 제시된 기타 사실관계	최대출자자가 지배하는지 여부
사례 5	40%			해임 그리고 보수를 결정할 수 있는 권리를 부여받았다. 이 합의를 변경하려면 주주의 3분의 2의 다수표결이 필요하다.	으나, 주주간 합의를 포함하여 고려하는 경우 결론을 내리기에 충분하다.
사례6	45%	다른 2명의 투자자는 피투자자의 의결권을 각각 26%씩 보유하고 있다.	나머지 의결권은 그 밖의 3명의 주주들이 각 1%씩 보유하고 있다.	–	지배하지 않는다.
사례 7	45%	–	11명의 다른 주주들은 피투자자의 의결권을 각 5%씩 보유하고 있다.	주주들은 서로 상의하거나 집합적인 의사결정을 하기 위한 어떠한 약정도 없다.	이 경우 투자자 보유 의결권의 절대적 규모와 다른 주주들 의결권의 상대적 규모만으로는, 투자자가 피투자자에 대한 힘을 부여하는 충분한 권리를 가지는지 결정하기 위한 확실한 증거가 되지 못한다.
사례 8	35%	3명의 다른 주주들은 피투자자의 의결권을 각 5%씩 보유하고 있다.	나머지 의결권은 수많은 다른 주주들이 보유하고 있으며, 아무도 개별적으로 의결권의 1%를 초과하여 보유하고 있지 않다.	주주들은 서로 상의하거나 집합적으로 의사결정을 하기 위한 어떠한 약정도 없다. 피투자자의 관련 활동에 대한 결정은 관련 주주총회에서 의결권 과반수의 승인을 요구한다. 최근 관련 주주총회에서 피투자자 의결권의 75%가 투표하였다.	지배하지 않는다.

다음 사례는 상기에서 설명한 원칙을 적용하는 방법을 보여준다.

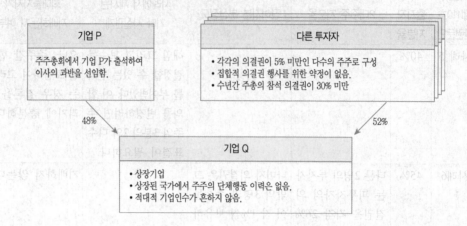

상기 사례에 대한 'de facto control' 지침의 적용은 다음과 같다.

- 의결권의 상대적 규모 – 기업 P는 의결권의 48%를 보유하고 있고 기타 투자자들은 개별적으로 5% 미만의 의결권을 보유하고 있다.
- 다른 의결권 보유자의 주식 분산 정도 – 기타 투자자들은 5% 미만의 의결권을 보유하고 있으므로, 최소 11명 이상의 기타 투자자들이 존재한다.

기준서 제1110호는 다음과 같은 사례를 제시한다.

- 주요 투자자가 피투자자에 대하여 48% 의결권을 보유하고 기타 주주들이 개별적으로 1% 미만의 의결권을 보유하는 경우 당해 주요 투자자는 피투자자에 대하여 힘을 가진다(기준서 제1110호 문단 B43 사례 4).
- 주요 투자자가 피투자자에 대하여 45% 의결권을 보유하고 기타 주주들이 각 5%씩 의결권을 보유하는 경우, 주요 투자자의 보유 의결권의 절대적 규모와 다른 주주들 의결권의 상대적 규모만으로는, 주요 투자자에게 힘을 부여하는 충분한 권리를 가지는지 결정하기에 명확하지 않다(기준서 제1110호 문단 B45 사례 7).

상기 기업 P 사례는 기준서 제1110호에서 제시하는 두 사례의 경계에 있으므로, 추가적인 분석이 요구된다.

- 기타 주주들은 서로 상의하거나 집합적으로 의사결정을 하기 위한 어떠한 약정도 없으며, 과거 주주총회 참석률이 높지는 않았으며, 집합적으로 의사를 표시한 과거 기록도 없다(기준서 제1110호 문단 B45).
- 기업 P가 피투자자의 의사결정기구 구성원을 선출하는 선임 절차를 지배한다(기준서 제1110호 문단 B18(3)).

기타의 요소들을 분석한 결과, 기업 P가 기업 Q에 대하여 힘을 가질 수 있는 상황으로 판단된다.

사례 4 'De facto control'

- 기업 L이 상장기업인 기업 M에 대해 51%의 지분을 보유하며, 기업 L은 기업 M을 연결하고 있다.
- 기업 M은 부채비율이 높으며, 최근 손실이 발생하고 있다. 기업 L은 기업 M 지분 2%를 투자은행에 매각하기로 결정하였다.

상기 매각결정 이후 투자구조 및 기타 고려할 사실관계는 다음과 같다.

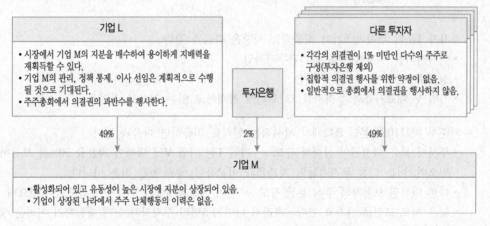

기업 L은 기업 M에 대하여 의결권을 49% 보유하고 있으며, 기타 주주들의 의결권은 분산되어 있는 편이다. 기업 L은 기업 M 경영진을 계속 임명하고 관련 활동을 지시할 수 있을 것으로 예상된다. 즉 기업 L은 기업 M의 관련활동을 실질적으로 지시할 수 있는 능력이 있다(기준서 제1110호 문단 B18).

기준서 제1110호 문단 B42에서 제시하는 'de facto control' 지침과 문단 B18에서 제시하는 지표를 함께 고려할 때, 기업 L은 기업 M을 지배한다고 판단된다.

사례 **5** 'De facto control'

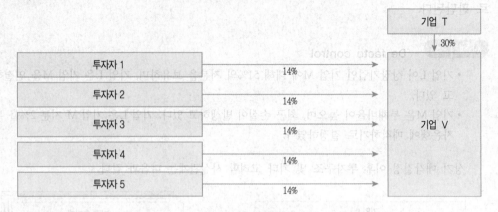

투자자 1부터 투자자 5까지 적용되는 사항은 다음과 같다.
- 벤처캐피탈 투자기구 또는 기관투자자임.
- 정기주주총회에 참석하지 않음.
- 기업 V 대표자들과 투자자들 간 회의에 참석하고 있는 것으로 알려짐.

기준서 제1110호 문단 B42에서 제시되는 원칙을 적용하면 다음과 같다.
- 투자자 보유 의결권의 상대적 규모 - 기업 T는 기업 V에 대하여 지분율 30%를 보유하고 있으며, 이는 다른 투자자들의 지분율과 비교하여 매우 높은 편은 아니다.
- 다른 의결권 보유자의 주식 분산 정도 - 잔여 지분은 5명의 투자자에 집중되어 있으며, 이들은 서로 모임을 가지고 있다. 따라서 나머지 5명의 투자자가 함께 행동하기 어려운 상황은 아닐 것이다.

기준서 제1110호 문단 B43 사례 6은 최대투자자가 피투자자의 관련활동을 지시하는 것을 못하게 하기 위해서는 오직 다른 투자자 둘만 협력할 필요가 있을 경우, 최대투자자가 피투자자를 지배하지 않는다고 결론내리고 있다.

기업 T의 의결 지분을 초과하기 위하여 단지 3명의 투자자만 협력하면 되는 상기 사례에서, 기업 T는 기업 V에 대하여 지배력을 가지지 않을 가능성이 높다.

3) 잠재적 의결권

잠재적 의결권이란 "선도계약을 포함하는 전환상품이나 옵션에서 발생하는 권리와 같이 피투자자의 의결권을 획득하는 권리"이다(기준서 제1110호 문단 B47).

기준서 제1110호는 잠재적 의결권과 관련하여 고려할 세 가지 사항을 제시하고 있다.
- 잠재적 의결권이 실질적인지 여부-잠재적 의결권은 권리가 실질적일 경우에만 고려한다(기준서 제1110호 문단 B47). 따라서 잠재적 의결권이 존재하는 경우 기준서 제1110호에서 설명하는 실질적인 권리인지 판단하여야 한다.
- 피투자자에 대해 가지고 있는 다른 관여의 목적과 설계 및 그 상품의 목적과 설계

－잠재적 의결권의 목적과 설계뿐 아니라 기타 다른 관여의 목적과 설계도 고려하여야 한다. 이것은 투자자의 명백한 기대, 동기 및 그러한 계약조항과 조건에 동의한 이유뿐만 아니라 상품의 다양한 계약조항과 조건을 포함한다(기준서 제1110호 문단 B48).

- 투자자가 보유한 의결권 또는 다른 의사 결정권－투자자가 피투자자의 활동과 관련한 의결권이나 다른 의사 결정권을 가지는 경우, 그 투자자는 잠재적 의결권과 결합하여 그러한 권리가 자신에게 힘을 부여하는지 평가한다(기준서 제1110호 문단 B49). 예를 들어, 투자자가 피투자자의 의결권을 40% 보유하고 있고 문단 B23에 따라 추가로 의결권의 20%를 취득할 수 있는 옵션에서 발생하는 실질적인 권리를 갖고 있을 때, 이러한 경우가 될 가능성이 높다(기준서 제1110호 문단 B50).

이하는 상기 원칙들을 적용하는 사례들이다.

사례 6 　잠재적 의결권

기업 A와 기업 B가 기업 C 지분을 각각 80%, 20% 보유하고 있다. 기업 A는 50%의 지분을 기업 D에게 매각하고, 동시에 기업 D로부터 동 지분을 언제나 시장가격에 소정의 프리미엄을 더한 행사가격으로 살 수 있는 옵션을 취득하였다. 이러한 투자구조는 다음과 같다.

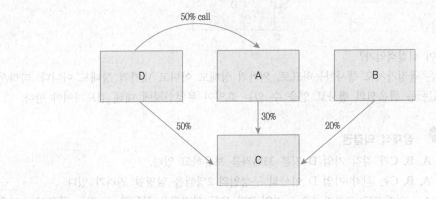

상기 콜옵션과 관련된 추가 사항은 다음과 같다.
- 행사되는 경우, 기업 A는 기존의 80% 지분율(의결권 포함)을 다시 획득한다.
- 행사가격은 경제적 실질이 있으며, 의도적으로 높게 설정된 금액이 아니다.
- 보고기간말 현재 옵션은 약간 외가격 상태이다.

이 경우, 콜옵션이 실질적인가?

기업 A가 보유한 옵션은 시장가격에 소정의 프리미엄을 더한 가격으로 행사되며, 보고기간말 현재 약간 외가격 상태에 있다. 그러나 투자지분 보호, 자산의 취득 등 기업 A가 이 옵션을 행사하여 얻을 수 있는 기타 효익이 존재하는지 검토하여야 한다. 기업 A가 옵션의 행사로 얻을 수 있는 효익이 존재하는 경우, 옵션은 실질적일 가능성이 있다. 만일 실질적이라면,

기업 A는 기업 C를 연결하여야 한다.

사례 7 　**잠재적 의결권**

- 기업 A, B, C는 각각 기업 D 지분(의결권 포함)을 각각 40%, 30%, 30%씩 보유하고 있다.
- 기업 A는 다음 조건의 콜옵션을 보유하고 있다.
  - 기초 주식의 공정가치에 언제나 행사가능하다.
  - 행사되는 경우, 기업 A는 기업 D의 지분 20%를 추가로 획득할 수 있으며, 동시에 기업 B 또는 기업 C가 기업 D에 대해 보유하는 지분 20%가 감소된다.

이상의 투자구조는 다음과 같다.

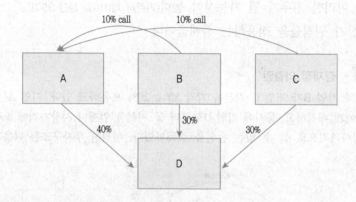

콜옵션이 실질적인가?
콜옵션은 공정가치로 행사가능하므로, 외가격 상태도 아니고 내가격 상태도 아니다. 따라서 기업 A는 동 콜옵션의 행사로 얻을 수 있는 효익이 무엇인지에 대해 검토하여야 한다.

사례 8 　**잠재적 의결권**

- 기업 A, B, C가 각각 기업 D 지분 33%씩을 보유하고 있다.
- 기업 A, B, C는 각각 기업 D 이사회 구성원의 2명씩을 임명할 권리가 있다.
- 기업 A는 언제라도 고정가격으로 기업 D의 모든 의결권을 획득할 수 있는 콜옵션을 보유하고 있다.
- 기업 B와 기업 C가 기업 D에 대해 기업 A와 같은 의사결정을 내리지 않는 경우에도, 기업 A 경영진은 상기 콜옵션을 행사할 의도가 없다.
- 보고기간말 현재 상기 옵션은 등가격(at the money) 상태에 있다.

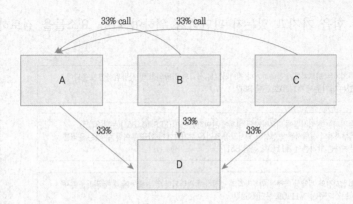

다른 상충되는 요소들이 없고, 콜옵션은 등가격 상태에 있으므로 실질적으로 보인다. 경영진의 의도는, 그 의도가 권리행사를 방해하는 장애물 또는 기타 실질적인 제약조건에 의하지 않는 이상, 권리의 실질성 여부를 판단하는 과정에 영향을 미치지 않는다.

6. 구조화기업

의결권이 언제나 피투자자의 이익에 유의적인 영향을 미칠 수 있는 것은 아니다. 예를 들어 의결권이 관리 업무에만 관련되어 있고 계약상 약정에 의해 관련활동의 지시가 결정되는 경우도 있을 수 있다(기준서 제1110호 문단 B17). 이러한 기업들을 구조화기업(structured entities)이라고 한다(기준서 제1112호 부록 A).

기준서 제1110호에서 사용되는 '구조화기업'이라는 용어에 대응되는 과거 해석서 제2012호의 용어는 특수목적기업(special purpose entities, SPEs)이다. 일반적으로 특수목적기업은 한정된 특수목적을 위하여 제약된 활동을 수행하기 위해 설립된 기업들을 의미하였으며, 이러한 종류의 기업들을 연결할지 여부를 다루기 위한 별도의 해석서가 존재하였던 것이다. 그러나 특수목적기업이라는 용어는 기준서 제1110호가 적용되면서 더 이상 적용되지 않게 된다. 한편 기준서 제1112호 문단 B22에서는 한정된 특수목적을 위하여 설립되었다는 것이 구조화기업의 한 특성일 수 있다고 설명한다. 즉 이전 기준서에서 특수목적기업으로 분류되었던 기업들은 기준서 제1110호 체계에서 구조화기업으로 분류될 가능성이 높다. 과거 해석서 제2012호에 따른 '자동조정절차'로 운영되는 기업 역시 구조화기업으로 분류될 가능성이 높다.

이러한 기업들의 관련활동에 대해 엄격한 제한을 가하는 계약사항 때문에 기업들과 관련된 실질적인 힘이 존재할 여지가 없어 보일 수 있다. 그러나 이 기업들에 관여하는 당사자 중 간접적으로 이러한 기업들을 지배하는 기업이 있을 수 있으므로 관련 사실관계가 충분히 검토되어야 한다.

투자자는 힘을 가지고 있는지 판단하기 위하여 다음 요소들을 검토하여야 한다.

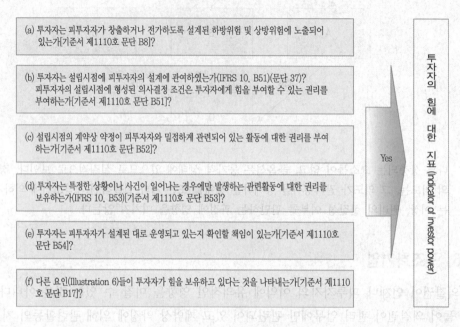

(a) 투자자는 피투자자가 창출하거나 전가하도록 설계된 하방위험 및 상방위험에 노출되어 있는가[기준서 제1110호 문단 B8]?

(b) 투자자는 설립시점에 피투자자의 설계에 관여하였는가(IFRS 10, B51)(문단 37)? 피투자자의 설립시점에 형성된 의사결정 조건은 투자자에게 힘을 부여할 수 있는 권리를 부여하는가[기준서 제1110호 문단 B51]?

(c) 설립시점의 계약상 약정이 피투자자와 밀접하게 관련되어 있는 활동에 대한 권리를 부여하는가[기준서 제1110호 문단 B52]?

(d) 투자자는 특정한 상황이나 사건이 일어나는 경우에만 발생하는 관련활동에 대한 권리를 보유하는가(IFRS 10, B53)[기준서 제1110호 문단 B53]?

(e) 투자자는 피투자자가 설계된 대로 운영되고 있는지 확인할 책임이 있는가[기준서 제1110호 문단 B54]?

(f) 다른 요인(Illustration 6)들이 투자자가 힘을 보유하고 있다는 것을 나타내는가[기준서 제1110호 문단 B17]?

Yes → 투자자의 힘에 대한 지표(Indicator of investor power)

상기 요소 중 (b)와 (f)는 다음에서 더 자세히 설명한다.

(1) 피투자자의 설립시점에 피투자자의 설계와 관련하여 정해진 관여와 결정을 고려

기준서 제1110호 문단 B51에 따르면 피투자자의 설립시점에 피투자자의 설계와 관련하여 관여한 투자자에 대해 고려하는 것이 요구된다. 이러한 관여만으로는 투자자에게 지배력을 제공하기에 충분하지 않다. 그러나 설계에 대한 관여는 투자자에게 피투자자에 대한 힘을 갖게 하기에 충분한 권리를 획득할 수 있는 기회를 가지고 있었다는 것을 나타낼 수도 있다.

투자자는 관여에 대한 거래 조건과 특징이 투자자에게 힘을 갖게 하기에 충분한 권리를 제공하는지에 대한 설계 및 평가의 일부로 피투자자의 설립시점에 정해진 관여와 결정을 고려한다.

(2) 피투자자의 설립시점에 정해진 계약상 약정을 고려

구조화기업은 정관에 의해서만 지시받는 것이 아니라 그 설립목적에 따라 정해진 계약에 따라서도 지시를 받는다. 이러한 계약은 콜 권리, 풋 권리, 청산권리 및 기타 투자자에게 힘을 부여하는 기타 계약상 약정을 포함한다. 이러한 계약상의 약정이 피투자자

와 밀접하게 관련된 활동과 관련되어 있다면, 계약상 약정에 포함된 명시적 또는 암묵적인 의사결정권이 피투자자와 밀접하게 관련되어 있다면, 비록 이러한 활동들이 피투자자의 법적 경계를 벗어나 발생할 수 있을지라도, 이는 피투자자에 대한 힘을 결정할 때 관련활동으로 보아야 한다. 이하에서는 기준서 제1110호가 제시하는 관련 적용사례를 소개한다.

(3) 상황이 일어나는 경우 관련활동을 지시할 수 있는 권리

기준서 제1110호 문단 B53에 따르면 특정한 상황이나 사건이 일어나는 경우에만 의사결정을 지시할 수 있는 권리가 있는 경우도 고려하여야 한다. 특정 사건이 발생하기 전에도, 이러한 권리를 가진 투자자는 피투자자에 대해 힘을 보유하는 것일 수 있다.

(4) 피투자자가 설계된 대로 운영되고 있는지 확인할 책임

투자자는 피투자자가 설계된 대로 운영되고 있는지 확인할 명시적 또는 암묵적인 책임이 있을 수도 있다. 이러한 책임은 이익 변동에 대한 투자자의 노출을 증가시킬 수 있으며 따라서 투자자에게 힘을 갖게 하는 충분한 권리를 획득하기 위한 유인을 증가시킬 수도 있을 것이다. 그러므로 피투자자가 설계된 대로 운영되고 있는지 확인할 책임은 투자자가 힘을 갖는다는 지표일 수는 있다. 그러나, 그 자체만으로 투자자에게 힘을 갖게 하거나 다른 당사자가 힘을 갖지 못하게 하는 것은 아니다(기준서 제1110호 문단 B54).

다음은 상기 원칙을 적용한 기준서 제1110호의 적용사례이다.

사례 9 구조화기업

피투자자의 유일한 사업 활동은 설립 문서에 명시된 대로 투자자를 위해 채권을 매입하고 그 채권에 대한 일상적인 용역을 제공하는 것이다. 일상적인 용역은 채권의 만기 도래에 따른 수금 및 원금과 이자 지급액의 전달을 포함한다. 채권에 대한 채무불이행이 발생하면 투자자 X와 피투자자간 이전(풋) 약정의 별도 합의에 따라 피투자자는 자동적으로 채권을 투자자 X에게 이전한다.

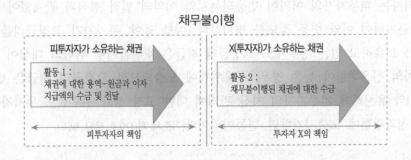

투자자 X는 피투자자에 대하여 힘을 가지는가?
- 유일한 관련활동은 채무불이행시 채권을 관리하는 것이다. 왜냐하면 이 활동만이 피투자자의 이익에 유의적으로 영향을 미칠 수 있기 때문이다.
- 채무불이행 전 채권의 관리는 피투자자의 이익에 유의적으로 영향을 미칠 수 있는 실질적인 결정을 요구하지 않으므로 관련활동이 아니다.
- 투자자 X가 피투자자의 유일한 관련활동을 결정하므로, 피투자자에 대하여 힘을 가진다.

상기 사례를 통해 3가지 고려할 사항을 설명하였다. 구조화기업의 경우 연결 여부를 검토할 때 다음 사항은 고려하지 않는다.
- 투자자 X는 우발상황(채무불이행 발생시)에만 힘을 행사할 수 있다는 점. 이는 채무불이행 시점이 의사결정이 요구되는 유일한 시점이기 때문이다. 투자자 X는 의사결정이 요구되는 상황에서 의사결정을 내릴 수 있는 능력이 있으므로, 비록 채무불이행이 발생하기 이전 시점에는 의사결정을 내릴 수 없다 하더라도, 힘을 가진다(기준서 제1110호 B53).
- 투자자 X의 힘이 피투자자의 정관이 아니라 기타 계약서(풋 계약서)에 근거하여 발생한다는 점. 풋 계약서는 전반적인 거래 구조 및 피투자자의 설립을 위하여 필수적인 부분이므로, 연결 여부를 검토할 때 함께 고려되어야 한다(기준서 제1110호 문단 B52).
- 채무불이행이 발생한 채권의 관리가 피투자자 단계가 아닌 투자자 X 단계에서 진행된다는 점. 즉 투자자 X는 채무불이행이 발생한 채권을 관리하고 소유한다는 것이지, 피투자자가 이를 관리하고 소유한다는 의미가 아니다.

7. 변동이익

변동이익은 고정되지 않으며 피투자자의 성과의 결과로 달라질 가능성이 있는 이익이다. 변동이익은 오직 양(+)의 금액만일 수 있거나, 부(-)의 금액만일 수 있거나, 또는 둘 모두에 해당할 수 있다(기준서 제1110호 문단 B56).

기준서 제1110호에서 설명되는 변동이익의 예시들은 전통적인 배당금, 용역에 대한 보상, 투자자산 가치의 변화, 신용이나 유동성 지원에서 발생한 노출, 법인세 혜택, 유동성의 활동, 규모의 경제, 원가 절감, 독점적 지식에 대한 접근 등이다(기준서 제1110호 문단 B57).

투자자는 피투자자의 이익이 변동되는지와 이익의 법적 형식과 관계없이 약정의 실질에 근거하여 이익 변동 정도를 평가한다. 예를 들어, 투자자가 고정금리를 지급하는 채권을 보유하고 있는 경우에도 고정금리 지급은 채무불이행 위험의 대상이 되고 채권 발행자의 신용위험이 높은 경우, 신용위험에 노출되므로 고정금리 지급은 변동이익이다. 이와 유사하게 피투자자의 자산 관리에 대한 고정 성과 수수료도 투자자를 피투자자의 성과위험에 노출시킨다면 변동이익이다(기준서 제1110호 문단 B56).

노출된 정도가 크다면 힘도 가지고 있을 가능성이 높다. 그러나 변동이익에 노출되어 있다는 사실만으로는 지배력을 판단할 때 충분하지 않으며, 투자자 중에서 변동이익에 가장 많이 노출되어 있는 당사자가 누구인지에 대해 규명하는 등 다른 요소들도 함께 고려되어야 한다.

8. 힘과 이익의 연관 - 본인과 대리인 관계

기준서 제1110호는 의사결정자가 대리인(agent, 다른 당사자를 위해 행동함)인지 본인(principal, 자기 자신을 위하여 행동함)인지 판단하는 과정상 위임된 힘(delegated power)이라는 개념을 새롭게 도입하였다. 이러한 개념은 기업이, 의사결정하는 기업을 지배하는지 여부를 평가할 때 유용하다.

대리인은 다른 당사자(본인)의 이익을 위하여 행동하도록 고용된 당사자이다. 본인은 일부 특정 사안이나 모든 관련활동에 대한 자신의 의사결정권한을 대리인에게 위임할 수 있다. 그러나 대리인은 이러한 힘을 본인의 이익을 위해서 행사하므로 피투자자를 지배하지 않는다(기준서 제1110호 문단 B58). 투자자가 피투자자를 지배하는지 평가할 때, 투자자는 대리인에게 위임한 의사결정권을 자신이 직접 보유한 것처럼 간주한다. 힘이 대리인이 아니라 본인에게 있는 것이기 때문이다(기준서 제1110호 문단 B59).

의사결정자가 대리인으로 행동하고 있는 것인지 판단하기 위하여 피투자자와 관여하고 있는 의사결정자와 기타 당사자들의 전반적인 관계가 평가되어야 한다. 기준서는 고려해야 할 특정 요소들을 제시하는데, 대리인인지 여부를 판단함에 있어 결정적인 요소도 있으나 대부분의 경우 전반적 관계에 대해 판단이 요구되는 요소들이다.

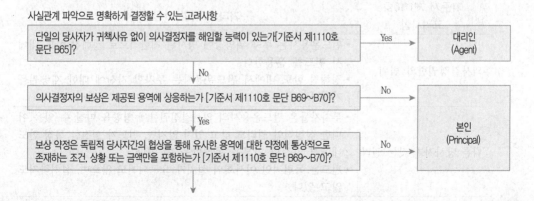

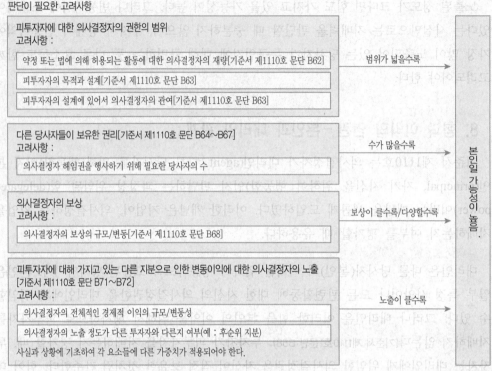

판단이 필요한 고려사항

피투자자에 대한 의사결정자의 권한의 범위
고려사항 :

약정 또는 법에 의해 허용되는 활동에 대한 의사결정자의 재량[기준서 제1110호 문단 B62]

피투자자의 목적과 설계[기준서 제1110호 문단 B63]

피투자자의 설계에 있어서 의사결정자의 관여[기준서 제1110호 문단 B63]

범위가 넓을수록 →

다른 당사자들이 보유한 권리[기준서 제1110호 문단 B64~B67]
고려사항 :

의사결정자 해임권을 행사하기 위해 필요한 당사자의 수

수가 많을수록 →

의사결정자의 보상
고려사항 :

의사결정자의 보상의 규모/변동[기준서 제1110호 문단 B68]

보상이 클수록/다양할수록 →

피투자자에 대해 가지고 있는 다른 지분으로 인한 변동이익에 대한 의사결정자의 노출
[기준서 제1110호 문단 B71~B72]
고려사항 :

의사결정자의 전체적인 경제적 이익의 규모/변동성

의사결정자의 노출 정도가 다른 투자자와 다른지 여부(예 : 후순위 지분)

노출이 클수록 →

본인일 가능성이 높음.

사실과 상황에 기초하여 각 요소들에 다른 가중치가 적용되어야 한다.

기준서 제1110호 문단 B72는 다음 사례를 제시한다.

사례 10 **대리인 vs 본인**

의사결정자(펀드운용사)는 현지 법률과 규정에서 요구하는 투자 위임장에 명시된, 제한적으로 정해진 한도 내에서 공개적으로 거래되고 규제되는 펀드를 설립, 판매 및 관리한다.

기준서 제1110호 고려사항	기타 고려할 사실관계
의사결정권한의 범위	• 펀드운용사는 투자 위임장에 명시된 제한적으로 정해진 한도 내에서 펀드를 운용한다. • 정해진 한도 내에서 펀드운용사는 투자할 자산에 대한 재량권을 가진다.
다른 당사자가 갖는 권리	• 투자자들은 펀드운용사의 의사결정권한에 영향을 미칠 수 있을 어떠한 실질적인 권리도 갖고 있지 않지만, 펀드가 설정한 특정 한도 내에서 자신의 지분을 돌려받을 수 있다. • 펀드는 독립적인 이사회의 설치가 요구되지도 않으며, 설치하지도 않고 있다.
보상	• 펀드운용사는 자신의 용역에 대한 보수로 펀드 순자산 가치의 1%에 해당하는 시장 기준 수수료를 수취한다. • 이 수수료는 제공한 용역에 상응한다.

기준서 제1110호 고려사항	기타 고려할 사실관계
다른 지분의 이익 변동에 대한 노출	• 펀드운용사는 펀드에 10% 비례하여 투자한다. • 펀드운용사는 자신의 10% 투자를 초과하는 펀드 손실에 대하여 어떠한 책임도 지지 않는다. 펀드운용사는 제공한 용역에 상응하는 시장 기준 수수료를 받으며 또한 펀드에 일정 비율로 투자하고 있다. 그러한 보상과 투자는, 펀드운용사가 본인임을 나타내는 유의적 노출을 유발하지 않고도, 펀드운용사를 펀드활동으로 인한 이익 변동에 노출시킨다.

제한된 한도 내에서의 펀드운용사의 의사결정권한과 함께 펀드의 이익 변동에 대한 노출을 고려할 때 펀드운용사가 대리인임을 나타낸다. 따라서 펀드운용사는 펀드를 지배하지 않는다는 결론을 내린다.

사례 11 대리인 vs 본인

의사결정자(펀드운용사)는 다수의 투자자에게 투자 기회를 제공하는 펀드를 설립, 판매 및 관리한다. 다음 상황은 서로 독립적이다.

[사실관계]

기준서 제1110호 고려사항	고려할 사실관계
의사결정권한의 범위	사례 A-C • 의사결정자(펀드운용사)는 모든 투자자들의 이익을 극대화하고 펀드 운용 약정에 따라 의사결정을 해야 한다. • 그럼에도 불구하고 펀드운용사는 광범위한 의사결정 재량권을 가진다.
다른 당사자가 갖는 권리	사례 A 투자자들은 단순다수결에 의해 펀드운용사를 해임할 수 있으나, 이는 펀드운용사가 계약을 위반한 경우에만 가능하다. 사례 B 사례 A와 같은 상황이다. 사례 C • 펀드에는 이사회가 있으며, 이사회의 모든 구성원은 펀드운용사와 독립적이며 다른 투자자들에 의하여 임명된다. • 이사회는 매년 펀드운용사를 임명한다. • 만약 이사회가 펀드운용사의 계약을 연장하지 않기로 결정한다면, 펀드운용사가 수행하는 용역은 그 업계 내 다른 운용사에 의해 수행될 수 있다.

기준서 제1110호 고려사항	고려할 사실관계
보상	사례 A-C • 펀드운용사는 자산을 운용하면서 다음과 같은 시장 기준 수수료를 받는다. 　－자산의 1%에 해당하는 운용보수 　－명시된 이익 수준을 달성하는 경우, 펀드의 총 이익의 20% • 수수료는 제공한 용역에 상응한다. • 보상은, 펀드운용사의 이해관계와 다른 투자자들의 이해관계를 일치시키기 위한 목적으로 설정되었다. 보상을 단독으로 고려할 경우 펀드운용사가 본인임을 나타내는 이익 변동에 대한 유의적 노출을 유발하지 않는다.
다른 지분의 이익 변동에 대한 노출	사례 A • 펀드운용사도 펀드에 2%를 투자하고 있으며 이것은 자신의 이해관계와 다른 투자자들의 이해관계를 일치시킨다. • 펀드운용사는 자신의 2% 투자를 초과하는 펀드 손실에 대하여 어떠한 책임도 지지 않는다. 사례 B • 펀드운용사는 펀드에 더 많이 상당한 비율로 투자하고 있다. • 펀드운용사는 그 투자를 초과하는 펀드 손실에 대하여 어떠한 책임도 지지 않는다. 사례 C • 펀드운용사는 펀드에 20% 비율로 투자하고 있다. • 펀드운용사는 그 20% 투자를 초과하는 펀드 손실에 대하여 어떠한 책임도 지지 않는다.

[분석]

사례 A	펀드운용자는 대리인이다. • 2% 지분은 본인임을 나타내는데 충분한 변동이익 노출을 유발하지 않는다. • 펀드운용사를 해임할 수 있는 다른 투자자들의 권리는 방어권으로 고려되는데, 이는 계약을 위반한 경우에만 행사가능하기 때문이다.
사례 B	펀드운용사의 펀드 투자규모에 따라 대리인인지 본인인지 여부가 달라질 수 있다. • 예를 들어, 펀드운용사는 20%의 투자로도 자신이 펀드를 지배한다고 결론을 내리기에 충분하다고 고려할 수도 있다. • 그러나 다른 상황에서는(즉, 보상이나 다른 요소들이 다르다면), 지배력은 투자 수준이 다를 때 발생할 수도 있다. • 펀드운용사를 해임할 수 있는 다른 투자자들의 권리는 방어권이다.
사례 C	펀드운용사는 대리인이다. 투자자들은 펀드운용사를 해임할 실질적인 권리를 가진다. 이사회는 투자자들이 결정만 한다면 펀드운용사를 해임할 수 있는 제도가 된다.

사례 12 대리인 vs 본인

자산운용사	널리 분산된 지분투자자들	널리 분산된 채무투자자들
35%의 지분	65%의 지분	고정금리

- 고정금리 자산유동화증권이 포트폴리오에 투자하도록 설립되었다.
- 지분상품 투자자들이 손실을 우선 부담하며 잔여 이익에 대한 권리가 있다.
- 설립 시 지분상품은 자산 가치의 10%에 해당한다.
- 채무증권은 이자율과 신용위험에 노출되어 있는 자산유동화증권의 형태로 시장에서 발행되었다.

기준서 제1110호 고려사항	고려할 사실관계
의사결정권한의 범위	의사결정자(자산운용사)는 피투자자의 투자안내서에 명시된 한도 내에서 투자 의사결정을 통해 활성자산 포트폴리오를 관리한다.
다른 당사자가 갖는 권리	• 자산운용사는 다른 투자자들의 단순다수결에 의해 이유를 불문하고 해임될 수 있다. • 지분의 나머지 65%와 모든 채무상품은 다수의 널리 분산된 특수관계없는 제3자가 보유하고 있다.

보상	• 자산운용사는 다음과 같은 수수료를 받는다.
	  − 시장 기준 고정급(관리 자산의 1%)
	  − 피투자자의 이익이 명시된 수준을 초과하면 성과급(이익의 10%)
	• 수수료는 시장 기준이며, 제공하는 용역에 상응한다.
	• 보상은 펀드의 가치를 증가시키기 위한 펀드운용사의 이해관계와 다른 투자자들의 이해관계를 일치시킨다.

다른 지분의 이익 변동에 대한 노출	자산운용사는 피투자자에 대한 지분 35%를 보유한다.

상기 사례에서 자산운용자는 본인으로 보이며, 따라서 지배력을 보유한다.
- 35%의 지분을 보유함으로써 손실과 피투자자의 이익에 대한 권리에 후순위로 노출되며, 이는 자산운용사가 본인임을 나타내는 유의적인 노출이다.
- 기타 투자자들이 보유한 해임권은 다수의 널리 분산된 투자자들이 보유하는 것이므로, 분석시 중요시되지 않는다.

사례 13 대리인 vs 본인

의사결정자(스폰서)는 단기 채무상품을 특수관계자가 아닌 제3자에게 발행하는 멀티 셀러 콘듀잇(multi-seller conduit)을 후원한다.

양도자	스폰서	독립적인 제3의 투자자
• 우량 등급의 중기 자산을 판매 • 시장 기준 용역 수수료를 받고, 채무불이행된 채권을 관리 • 신용 손실에 대비하여 MSG에 초과담보자산의 이전으로 최초 손실 보호를 제공	• 아래의 추가 정보 참조	• 신용위험에 대한 노출을 최소로 하는 단기채무에 투자

Multi-seller conduit

기준서 제1110호 고려사항	고려할 사실관계
의사결정권한의 범위	• 스폰서는 콘듀잇의 조건을 설정한다. • 스폰서는 다음과 같은 활동을 한다. - 콘듀잇의 운영을 관리한다. - 판매가 허가된 판매자들이 콘듀잇에 판매하는 것을 승인한다. - 콘듀잇이 구매할 자산을 승인한다. - 콘듀잇의 자금조달에 대한 결정을 내린다. • 스폰서는 모든 투자자들의 이익이 극대화되도록 행동해야 한다.
다른 당사자가 갖는 권리	투자자들은 스폰서의 의사결정권한에 영향을 미칠 수 있는 실질적인 권리를 갖지 않는다.
보상	스폰서는 자신이 제공하는 용역에 상응하는 시장 기준 수수료를 받는다.
다른 지분의 이익 변동에 대한 노출	• 스폰서는 콘듀잇의 잔여이익에 대한 권리가 있다. • 양도자가 손실을 부담한 후, 스폰서는 콘듀잇 전체 자산의 5%까지 손실을 부담하여 신용을 보강한다. • 스폰서는 콘듀잇에 유동성을 지원한다. 그러나 채무불이행 자산에 대해서는 유동성 지원이 이루어지지 않는다.

스폰서는 본인으로 보이며, 따라서 지배력을 가진다.

• 스폰서가 노출된 변동이익이 유의적이다. 이는 콘듀잇의 잔여이익에 대한 스폰서의 권리와 신용보강 및 유동성 지원 때문이다(즉, 콘듀잇은 중기 자산 자금을 조달하기 위해 단기 채무상품을 이용함으로써 유동성 위험에 노출된다).

• 스폰서는 콘듀잇의 이익에 가장 유의적으로 영향을 미치는 활동을 지시하는 현재의 능력을 갖게 하는 광범위한 의사결정권한을 가진다[즉, 스폰서는 콘듀잇의 조건을 설정하고 자산에 대한 의사결정권(구매되는 자산과 그 자산의 양도자들에 대한 승인) 및 콘듀잇의 자금조달(새로운 투자대상을 정규적으로 물색해야 한다)에 대한 의사결정권을 가지고 있다].

모든 투자자들의 이익을 극대화하도록 행동해야 할 스폰서의 의무가 있다고 해서 스폰서가 본인이라는 점이 부정되지는 않는다.

9. De facto 대리인

기준서 제1110호는 어떤 당사자가 '사실상 대리인(de facto agent)'으로 활동하는지 고려하도록 하고 있다. '사실상 대리인'이 피투자자에 대해 가지는 권리가 실질적인지 방어적인지에 대한 판단이 요구된다. 이때 대리인은 계약관계가 있어야 성립하는 것은 아니다. 기준서 제1110호에 따르면 '사실상 대리인'은 계약관계가 없는 경우에도 본인의 이익을 위하여 행동하는 대리인을 의미한다. 이러한 관계를 식별하는 것은 많은 판단이 요구된다. 다른 당사자들이 사실상 대리인으로 행동하는지에 대한 결정은 관계의 성격뿐만 아니라 그러한 당사자들이 서로 간에 그리고 투자자와 어떻게 상호 작용하는지를 고려하여 판단할 것을 요구한다(기준서 제1110호 문단 B73).

기준서에서 제시하는 '사실상 대리인'의 예시는 다음과 같다(기준서 제1110호 문단 B75).
- 투자자의 특수관계자
- 투자자의 출자나 대여로 피투자자에 대한 지분을 수취하는 당사자
- 투자자의 사전 승인 없이 피투자자에 대한 자신의 지분을 판매, 이전 또는 담보제공하지 않기로 동의한 당사자
- 투자자로부터의 후순위 재정 지원 없이는 자신의 운영 자금을 조달할 수 없는 당사자
- 의사결정기구 구성원의 과반수 또는 주요 경영진이 투자자와 동일한 피투자자
- 전문용역 제공자와 유의적 고객 사이의 관계와 같은, 투자자와 긴밀한 사업 관계를 가진 당사자

투자자는 피투자자에 대한 지배력을 평가할 때 자신의 보유 지분과 함께 자신의 사실상 대리인의 의사결정권과 사실상 대리인을 통한 변동이익에 대한 간접적인 노출 또는 권리를 고려한다(기준서 제1110호 문단 B74).

10. 프랜차이즈

기준서 제1110호는 프랜차이즈에 대한 명시적인 지침을 제시한다. 프랜차이즈 본사가 보유한 권리의 성격이 실질적인지 방어적인지 여부에 대한 판단이 요구된다. 기준서 제1110호에 따르면 프랜차이즈 가맹점의 법적 형태 및 자본조달 구조와 같은 근본적인 결정에 대한 통제는 프랜차이즈 본사 이외의 당사자들에 의해 결정될 수 있으며 가맹점의 이익에 유의적으로 영향을 미칠 수도 있다(기준서 제1110호 문단 B33). 한편 다른 당사자들이 가맹점의 관련활동을 지시하는 현재의 능력을 갖게 하는 현존 권리를 가진다면 프랜차이즈 본사는 가맹점에 대한 힘을 가지지 않는다(기준서 제1110호 문단 B31).

프랜차이즈 본사가 제공하는 재정 지원의 수준이 낮을수록 그리고 가맹점의 이익 변동에 대한 본사의 노출이 적을수록, 본사는 단지 방어권만을 가질 가능성이 높다(기준서 제1110호 문단 B33).

11. 간주별도실체(사일로, Silos)

피투자기업의 일부분인 특정 자산(이하 '간주별도실체')은 다음의 조건을 충족하는 경우에만 회계상 별도의 실체로 간주하여 취급한다.

- 피투자자의 특정 자산(그리고, 만약 있다면 관련된 신용보강)은 피투자자의 특정 부채 및 특정 다른 지분에 대한 유일한 지급원천이다.
- 투자자 외의 당사자는 그 특정 자산이나 그러한 자산에서 발생하는 잔여 현금흐름과 관련한 권리 또는 의무를 갖지 않는다.

간주별도실체를 구성하는 자산이 있다면, 투자자는 그 간주별도실체를 지배하는지 판단하기 위하여 기준서 제1110호의 지배력 요건을 검토하여야 한다.

만약 투자자가 간주별도실체를 지배한다면, 투자자는 피투자자의 별도실체일부를 연결한다. 이러한 경우 다른 당사자들은 피투자자에 대한 지배력과 연결대상을 평가할 때 피투자자의 별도실체일부를 제외한다(기준서 제1110호 문단 B79).

12. 계속적 평가

지배력의 세 가지 요소 중 하나 이상에 변화가 있음을 나타내는 사실과 상황이 있다면 투자자는 피투자자를 지배하는지 재평가한다(기준서 제1110호 문단 B80).

기준서 제1110호에 따르면 다음 상황에서 특히 지배력에 변화가 있을 수 있다.

- 의사결정권의 변화. 예를 들어 관련활동이 더 이상 의결권으로 지시되지 않고, 그 대신에 계약 같은 다른 약정으로 관련활동을 지시하는 현재의 능력을 다른 당사자 또는 당사자들에 부여하는 경우가 있을 수 있다.
- 특정 사건의 발생. 예를 들어 과거에는 투자자가 피투자자를 지배하지는 못하도록 했었던 다른 당사자(들)이 갖는 의사결정권이 시간의 경과로 인해 소멸되어 투자자가 피투자자에 대한 힘을 얻을 수 있다.
- 투자자가 노출된 변동이익의 변화
- 대리인과 본인 관계의 변화

(기준서 제1110호 문단 B81-B84)

13. 처분목적으로 취득한 종속기업

매각목적으로만 취득하여 보유하고 매각예정으로의 분류 요건을 충족한 종속기업은 연결에서 제외되지는 않지만 기준서 제1105호 '매각예정비유동자산과 중단영업'에 따라 순공정가치로 측정되고 회계처리되어야 한다.

기업은 판매하려는 의도를 가지고 사업결합의 일부로 사업을 취득하거나 자산을 취득할 수도 있을 것이다. 이는 반독점 규제, 법률적인 요구사항 때문일 수도 있고 또는 그러한 사업이 취득자에게 불리하게 작용하기 때문일 수도 있다.

기준서 제1105호에서는 취득자산의 계속적인 사용보다 판매를 통해 회수될 것이라면 자산집단을 매각예정으로 분류하도록 하고 있다(기준서 제1105호 문단 6). 동 기준서는 '처분자산집단'을 다음으로 정의한다.

"단일거래를 통해 매각이나 다른 방법으로 함께 처분될 예정인 자산의 집합과 당해 자산에 직접 관련되어 이전될 부채. 만약 처분자산집단이 기준서 제1036호 '자산손상'의 문단 80~87에 따라 영업권이 배분된 현금창출단위이거나 당해 현금창출단위 내의 영업인 경우, 당해 처분자산집단은 사업결합에서 취득한 영업권을 포함한다."(기준서 제1105호 부록 A)

재판매의 목적으로 취득한 종속기업은 취득일에 향후 1년 이내에 판매될 가능성이 매우 높은 경우 처분자산집단으로 분류될 것이다. 또한 다음의 사항을 취득일로부터 짧은 기간 이내(통상 3개월)에 충족시킬 것으로 예상되어야 한다.
- 종속기업은 현재 상태로 즉시 매각 가능하다.
- 경영진은 종속기업의 매각계획을 확약하여야 한다.
- 매수자를 물색하기 위한 활발한 활동이 진행 중이어야 한다.
- 종속기업을 합리적인 가격 수준으로 적극적으로 매각을 추진하여야 한다.
- 매각계획이 변경되거나 철회될 가능성이 낮아야 한다.

(기준서 제1105호 문단 7, 8)

재판매를 위하여 보유하는 종속기업은 연결에서 제외되지 않고 처분자산집단으로 분류된다. 연결에는 포함되지만 성과와 자산, 부채는 다르게 표시된다. 종속기업의 성과는 중단영업으로 손익계산서에 다음 금액의 합계가 단일 금액으로 표시될 것이다.
- 세후 중단영업손익
- 중단영업에 포함된 자산이나 처분자산집단을 순공정가치로 측정하거나 처분함에 따른 세후 손익

(기준서 제1105호 문단 32, 33)

중단영업은 다음과 같이 정의된다.

이미 처분되었거나 매각예정으로 분류된 다음 중 하나에 해당하는 기업의 구분단위

- 별도의 주요 사업계열이나 영업지역이다.
- 별도의 주요 사업계열이나 영업지역을 처분하는 단일 계획의 일부이다.
- 매각만을 목적으로 취득한 종속기업이다(기준서 제1105호 부록 A).

매각예정으로 분류된 종속기업의 자산과 부채는(유동, 비유동을 포함하여) 재무상태표에 매각예정자산과 매각예정부채의 두 가지 항목으로 표시한다. 이러한 항목은 순공정가치로 측정되어야 하며, 재무상태표에 순액으로 표시될 수 없다(기준서 제1105호 문단 38).

일반적으로 처분자산집단에 대하여 기준서 제1105호에 따라 매각예정으로 분류된 자산과 부채를 주요 종류별로 주석에 별도로 공시할 것이 요구된다. 그러나 재판매를 목적으로 취득한 종속기업에 대해서는 이러한 요구사항이 면제된다.

14. 지배력의 상실

지배기업은 종속기업의 재무 및 영업정책을 통제할 수 있는 능력을 상실하고 그 활동에서 효익을 얻을 수 없을 때 그 기업(종속기업)에 대한 지배력을 상실하게 된다. 지배기업의 지배력 상실은 절대적이거나 상대적인 지분율에 변동이 없더라도 발생할 수 있다. 지배기업이 종속기업에 대한 지배력을 상실하는 여러 가지 상황이 존재할 수 있으며, 이런 경우 더 이상 종속기업으로 처리되어서는 안 된다. 이에는 다음의 상황이 포함될 수 있다.

- 지배기업이 종속기업에 대한 지분의 일부 혹은 전부를 매각하고 이로 인해 종속기업에 대한 지배지분을 상실하는 경우
- 계약상 합의에 의해 지배기업의 종속기업에 대한 지배권이 효력을 잃은 경우
- 종속기업이 주식을 발행하고 이로 인하여 지배기업의 종속기업에 대한 지분율의 감소로 더 이상 종속기업에 대한 지배지분을 보유하지 않게 되는 경우
- 제3자에 거부권이 부여되는 경우
- 지배기업이 공동지배력을 부여하는 약정을 소수주주와 체결하는 경우
- 종속기업이 정부의 지배하에 놓이는 경우
- 파산 혹은 법정관리 절차 중인 경우

지배기업은 해외 종속기업이 해당국가 정부의 지배를 받는 경우 종속기업에 대한 지배력을 상실할 수 있다. 종속기업이 본국의 지배기업에 자금을 송금하는 데에 단순히 제한을 가하는 정부는 지배기업이 동 종속기업을 연결에서 배제하게 할 정도의 지배력을 가지고 있는 것은 아니다. 그러나 다른 당사자가 의결권이나 이사회를 장악함에 따라 어떤 기업을 의지대로 움직일 수 있는 권한을 가지게 된다면, 그러한 능력의 존재만으로도 해당 기업이 종속기업이 아니라는 것을 의미할 수 있다. 종속기업이 파산절차에 있고 기업에 대한 지배권이 지명된 관리인에게로 옮겨간 경우 해당 기업은 더 이상 종속기업이 아니다. 특정국가 내에서의 공식적인 파산절차를 밟고 있는 경우 지배력이 상실되었는지의 여부는 해당 지역의 법률적 속성에 의해 결정될 것이다.

종속기업의 수익과 비용은 지배기업이 종속기업에 대한 지배력을 상실하기 전까지 연결재무제표에 포함된다(기준서 제1110호 문단 20). 종속기업에 대한 지배력을 상실한 경우에도 지배기업은 여전히 일부 지분을 계속 보유하고 있을 수 있고, 동 지분은 관계기업이나 공동기업지분이 될 수 있다.

종속기업에 대한 지배력의 상실 시 지분의 처분과 계속 보유하게 되는 비지배지분에 대한 공정가치 평가로 당기 손익이 인식된다. 지배력의 상실은 지배력의 획득과 유사한 경제적 사건이며 따라서 재측정이 필요한 사건이다.

지배기업이 종속기업에 대한 지배력을 상실한 경우 다음의 회계처리가 요구된다.
- 지배력을 상실한 날에 종속기업의 자산(영업권 포함)과 부채의 장부금액을 제거한다.
- 지배력을 상실한 날에 이전의 종속기업에 대한 비지배지분이 있다면 그 장부금액을 제거한다(비지배지분에 귀속되는 기타포괄손익의 모든 구성요소를 포함).
- 지배력을 상실하게 한 거래, 사건 또는 상황에서 수취한 대가가 있다면 그 공정가치를 인식한다.
- 이전의 종속기업에 대한 투자가 있다면 그 투자를 지배력을 상실한 날의 공정가치로 인식한다.
- 종속기업과 관련하여 기타포괄손익으로 인식한 모든 금액을 당기손익으로 재분류하거나 다른 기준서에 규정이 있는 경우 직접 이익잉여금으로 대체한다.
- 회계처리에 따른 모든 차이는 손익으로서 지배기업에 귀속하는 당기손익으로 인식한다.

(기준서 제1110호 문단 25, B98)

종속기업에 대한 지배력을 상실한 경우 다음의 차이를 손익으로 인식한다.
- 다음의 합계

- 수취한 대가의 공정가치
- 종속기업에 대한 지배력이 상실한 날의 이전의 종속기업에 대한 비지배지분(즉, 지배지분은 아니지만 계속 보유하게 되는 지분)의 공정가치
• 이전의 종속기업의 순자산의 장부가액

위의 계산결과는 매각된 지분과 비지배지분 모두에 대한 손익이다. 그러나 기준서 제1112호는 지배기업이 종속기업의 지배력 상실에서 발생한 전체 손익과 계속 보유하는 비지배지분에서 인식한 손익을 모두 별도로 공시할 것을 요구한다(기준서 제1112호 문단 19). 따라서, 계속 보유하게 되는 비지배지분(잔존지분)에서 발생하는 손익과 관련된 부분을 계산하는 두 번째 과정이 공시에 필요한 정보를 얻기 위해 필요하다.

종속기업에 귀속되는 이연된 기타포괄손익의 금액을 식별하는 것은 중요하다. 종속기업과 관련된 이연된 기타포괄손익누계액은 종속기업 장부금액의 한 부분이므로 처분된 지분과 처분 후 남아 있는 비지배지분에 대한 손익을 결정할 때 포함된다. 기존의 해외사업환산차이, 현금흐름위험회피, 다른 개별자산 및 부채에 대해서 기타포괄손익에 인식되었던 지배지분과 비지배지분의 몫이 이에 포함된다. 유·무형자산과 관련한 재평가잉여금은 기타포괄손익누계액에서 이익잉여금으로 재분류되고 당기손익으로는 인식되지 않는다(기준서 제1110호 문단 B99). 사례 14는 이를 예시한다.

종속기업에 대한 지배력을 상실하기 전에 종속기업의 지분 일부를 다른 제3자가 보유하고 있었다면, 제3자가 보유하는 비지배지분은 공정가치로 재평가되지 않는다. 종속기업을 연결에서 제거할 때에 종속기업의 순자산에 대한 비지배지분에 해당하는 장부금액에 대해서는 손익을 인식하지 않고 장부금액으로 연결에서 제거한다. 그러므로 만일 80% 보유한 종속기업 주식이 매각되었다면 20%의 비지배지분은 100%의 순자산에 대해 제거된다.

만약 지배기업이 종속기업에 대한 지분을 매각하거나 지배력을 상실할 것으로 예상한다면, 종속기업에 대한 지배력을 상실하기 전에 종속기업의 영업권과 장기성자산에 대해서 기준서 제1036호 '자산손상'과 기준서 제1105호 '매각예정비유동자산과 중단영업'에 따른 손상검사가 필요한 징후가 될 수 있다. 만약 영업권과 장기성자산이 손상된다면 손상차손을 손익계산서에 당기손익으로 인식하여야 한다(기준서 제1110호 문단 BCZ 187).

사례 14 **100% 소유 종속기업에 대해서 일부 처분 후 잔여지분이 관계기업 투자지분이 되는 경우**

기업 A는 종속기업을 100% 보유하고 있다. 종속기업의 지분 60%를 C360백만에 처분하여, 지배력을 상실하였다. 기업 A는 종속기업을 연결에서 제거하고 40%의 지분에 대해서는 지분법적용투자주식으로 회계처리하게 되었다. 처분일에 계속 보유하게 되는 비지배지분의 공정가치는 C240백만이다. 영업권을 제외한 식별가능한 순자산의 장부가액은 C440백만이다. 종속기업지분과 관련하여 인식된 영업권은 C60백만이다. 기업 A는 처분 전에 영업권과 장기성자산에 대하여 손상을 검토하였고 손상은 인식되지 않았다. 종속기업과 관련하여 C4백만의 해외사업 환산차익과 C10백만의 재평가잉여금을 인식하고 있다. 법인세 효과는 무시한다.

60%의 지분의 처분, 40%의 잔여 비지배지분에 대해서 인식할 손익, 종속기업의 연결에서의 제거와 관련하여 처분일에 회계처리할 분개는 다음과 같다.

		C백만	C백만
		차변	대변
차변) 현금		360	
차변) 관계기업투자		240	
차변) 해외사업 환산차익		4	
차변) 재평가잉여금		10	
	대변) 순자산(영업권 포함)		500
	대변) 이익잉여금		10
	대변) 지배지분에 귀속될 처분이익		104

처분된 지분과 잔여 비지배지분에 대해서 손익계산서상 인식하여야 할 손익은 다음과 같이 계산된다.

	C백만
수취한 대가의 공정가치	360
잔여 비지배지분의 공정가치	240
	600
차감 : 이전의 종속회사의 순자산 장부금액(440백만 + 60백만)	(500)
해외사업 환산차익을 당기손익으로 인식	4
처분된 지분 및 잔여 비지배지분에 대한 이익	104

처분된 지분 및 잔여 비지배지분에 대한 이익 C104백만은 손익계산서상 이익으로 인식되고 재무제표에 공시된다. 추가적으로 기준서 제1112호는 잔여 비지배지분의 재측정과 관련한 손익을 별도로 공시하도록 하고 있다. 이는 다음과 같이 계산된다.

	C백만
잔여 비지배지분의 공정가치	240
종속기업 장부금액에 대한 잔여 비지배지분의 비율((440백만＋60백만)×40%)	(200)
잔여 비지배지분에 대한 이익	40

15. 연결 절차

연결재무제표는 연결실체의 재무상태, 재무성과, 현금흐름을 공정하게 표시하여야 한다. 추가적으로 기준서 제1110호에서는 공정하게 표시하기 위하여 우선적으로 요구되는 연결재무제표에 적용되는 회계규정을 포함하고 있다. 연결재무제표를 작성할 때 연결실체는 지배기업 및 종속기업의 재무제표를 합산하여 그룹이 단일의 경제적 실체인 것처럼 정보를 작성한다. 연결재무제표는 일반적으로 연결재무제표에 포함되는 기업의 재무제표에 포함된 모든 정보를 통합한다.

연결재무제표 작성 시 고려해야 하는 회계원칙들 중 상당수는 회계정책 주석에 포함되어야 하며 다음과 같다.
- 새로운 종속기업을 연결하기 위해 사용한 회계처리 방법
- 연결로 인하여 발생한 영업권에 대한 처리
- 해외종속기업 재무제표에 대한 환산
- 비지배지분에 대한 회계처리 방법(다음 '16. 비지배지분' 참조)
- 지배기업과 종속기업의 일치하지 않는 결산년도 사이의 거래에 대한 처리 방법(아래를 참조)
- 연결실체 내부거래에 대한 처리 방법(아래를 참조)

기준서 제1110호는 연결재무제표를 작성할 때 지배기업과 종속기업의 재무제표를 자산, 부채, 자본, 수익, 비용과 같은 항목별로 취합하여 합산해야 한다는 것을 언급하는 것 외에는 연결 절차에 대하여 거의 설명하고 있지 않다(기준서 제1110호 문단 B86). 기준서 제1110호는 또한 연결절차에서 수행할 몇 가지 단계에 대해서 설명하고 있다.

연결실체의 연결재무제표를 작성하기 위하여 지배기업이 종속기업의 재무제표에 연결조정을 하여야만 하는 데는 몇 가지 이유가 있다. 이러한 이유 중 일부와 그러한 조정에 관련된 규정들은 다음의 문단에서 설명하고 있다.

(1) 경제적 지분율의 산정

상기에서 설명한 규정들은 기업을 지배기업의 종속기업으로 볼지 여부를 결정하는 것이었다. 그러나 이는 연결재무제표를 작성하는 데 있어 종속기업의 순자산을 지배기업 및 비지배지분에 배분하는 데 고려할 경제적 지분율을 의미하지는 않는다.

연결재무제표의 작성에서 지배기업과 비지배지분에 배분되는 비율은 오직 현재 소유하고 있는 지분율에 기초하여 결정된다(기준서 제1110호 문단 B89). 다음의 사례 15는 이를 설명한다.

사례 15 경제적 지분율에 기초한 지배기업 및 비지배지분 배분비율

기업 A는 종속기업인 기업 B의 지분 80%를 보유하고 있다. 기업 A는 기업 B가 30%의 지분을 가지고 있는 기업 C의 지분 25%를 직접 보유하고 있다.

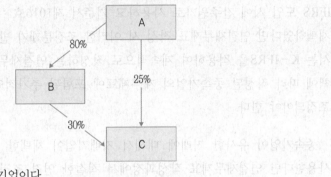

기업 C는 연결실체의 종속기업이다.

기업 A는 기업 B를 지배하고 있으므로 기업 C에 대한 기업 B의 30%의 의결권을 지배하고 있다. 또한 기업 A는 기업 C의 의결권을 직접적으로 25%가지고 있다. 기업 C에 대한 연결실체의 총 의결권은 55%이다(30% + 25%). 따라서 연결실체는 기업 C에 대한 지배력이 있고 종속기업 C를 연결하여야 한다.

비록 연결실체가 기업 C를 지배하고 있지만, 실제 소유지분율에 기초하여 종속기업에 대한 경제적 효익을 얻게 된다. 따라서, 연결재무제표 작성을 위한 연결실체의 지분율은 49%로 결정된다[25% + (80% × 30%)]. 결론적으로 기업 A는 종속기업 C를 연결하고 51%는 비지배지분에 배분한다.

행사 가능한 잠재적 의결권은 지배력을 평가함에 있어 고려되어야 할 사항임에도 불구하고 경제적 지분율 결정할 때에는 오직 현재의 지분율만 고려하여야 하므로 잠재적 의결권을 고려하지 않는다. 그러나 잠재적 의결권이 실제 소유지분과 관련된 경제적 효익을 제공하는 상황에서는 잠재적 의결권과 그 밖의 파생상품의 궁극적인 행사를 고려하여 비지배지분에 대한 배분비율을 결정한다(기준서 제1110호 문단 B90).

(2) 동일한 회계정책

유사한 상황에서 발생한 동일한 거래와 사건에 대하여 동일한 회계정책을 적용하여 연결재무제표를 작성한다(기준서 제1110호 문단 B87). 이런 이유로 만일 종속기업의 회계정책이 지배기업과 차이가 있을 경우 종속기업의 재무제표에 연결조정이 필요할 것이다.

기준서 제1110호에서는 연결실체를 구성하는 기업이 유사한 상황에서 발생한 동일한 거래와 사건에 대하여 연결재무제표에서 채택한 회계정책과 다른 회계정책을 사용한 경우에는 그 재무제표를 적절히 수정하여 연결재무제표를 작성하도록 하고 있다(기준서 제1110호 문단 B87). 예를 들면, 종속기업이 소재국의 회계기준에 따라 재무제표를 작성하여 토지 및 건물에 대해서 해당 회계기준에 규정된 재평가모형을 사용하여 지속적으로 공정가치평가를 해왔고 연결실체는 기준서 제1101호를 적용하여 이러한 평가액을 K-IFRS 도입 시에 간주원가로 사용하고 기준서 제1016호 '유형자산'에 따라 원가모형을 채택하였다면 연결재무제표 작성 시 이러한 조정분개가 발생할 수 있다. 이러한 상황에서는 K-IFRS을 적용하여 계속적으로 작성하는 연결재무제표에서는 해당국의 회계정책에 따라 작성된 종속기업의 재무제표에 포함된 추가적인 재평가 효과가 제거되도록 조정되어야 한다.

종속기업이 유사한 거래에 대해서 지배기업이 채택한 회계정책과 다른 회계정책을 사용한다면 연결재무제표 작성과정에서 적절한 연결 조정이 있어야 한다.

특정 국가에서는 동일한 회계정책을 적용하는 것이 종속기업에게 문제를 야기할 수도 있다. 지배기업이 종속기업에게 연결실체의 회계정책에 맞도록 회계정책을 변경하도록 요구하는 것이 회사법 및 세법 때문에 항상 실행 가능한 것은 아니다. 예를 들면, 유럽의 많은 국가에서 감가상각은 실질적인 내용연수로 측정하기보다는 세법에 규정에 의거하여 계산된다. 그러나 세금 경감을 위해서는 세법에 기반한 감가상각방법이 종속기업의 재무제표상에 나타나야 한다. 기준서 제1110호를 준수하는 연결재무제표에서는 연결실체의 정책에 맞도록 해당년도의 감가상각액 및 감가상각누계액을 조정하여야 한다. 이러한 상황에서는 관련 이연법인세 조정도 요구될 것이다.

(3) 종속기업의 보고기간종료일

연결재무제표를 작성하기 위한 모든 종속기업의 재무제표는 가능하다면 지배기업의 보고기간종료일과 동일한 보고기간종료일에 작성되어야 한다(기준서 제1110호 문단 B92). 또한 동일한 회계기간 동안 작성된 것이어야 한다.

기준서 제1110호에서는 지배기업의 보고기간종료일과 종속기업의 보고기간종료일이 다른 경우, 종속기업은 연결재무제표를 작성하기 위하여 지배기업의 재무제표와 동일한 보고기간종료일의 재무제표를 추가로 작성하도록 하고 있다(기준서 제1110호 문단 B92). 만약 실무적으로 적용할 수 없다면 종속기업의 재무제표를 사용하지만, 종속기업의 보고기간 종료일이 지배기업의 종료일을 전후로 3개월을 초과하여서는 안 된다. 이렇게 상이한 회계연도를 사용하게 되는 실무적인 이유 중 하나는 연결재무제표제표의 작성이 지연되는 것을 막기 위함이다. 이러한 상황에서는 재무제표에 중요한 영향을 미치는 차이기간에 발생한 변동은 연결제무제표 작성 시 조정을 통해 반영되어야 한다. 기준에서는 또한 보고기간의 길이 그리고 보고기간종료일의 차이는 매 기간마다 동일하도록 요구하고 있다(기준서 제1110호 문단 B93).

종속기업이 지배기업에 지불한 배당 및 종속기업의 보고기간 종료일에 남아 있던 내부거래 잔액의 정산과 같이 연결절차의 일부로 취급되어야 하는 것이 명백하게 동일하지 않은 보고기간 종료일에 따른 연결조정이 발생할 수 있다. 종속기업의 보고기간 종료일 이후 발생한 사건과 같은 또 다른 거래의 경우에는 명확하지 않을 수도 있다. 예를 들어, 종속기업 및 지배기업 보고기간종료일 사이에 발생한 종속기업의 계약상의 중대한 손실은 조정되어야만 할 것이다. 또 다른 예로 종속기업이 해외에 있고 종속기업 및 지배기업의 보고기간종료일 사이에 종속기업이 거래에 사용하는 통화가 평가절하된 경우를 들 수 있다.

(4) 연결실체 내부 거래의 제거

기준서 제1110호는 연결실체 내의 거래, 이와 관련된 잔액, 수익과 비용을 모두 제거하도록 하고 있다.

기준서 제1110호에 규정된 내용은 다음과 같다.

- 수익, 비용 및 배당을 포함하는 연결실체 내의 거래와 잔액은 모두 제거한다.
- 재고자산이나 유형자산과 같이 자산에 인식되어 있는 연결실체의 내부거래에서 발생한 손익은 모두 제거한다.
- 연결실체 내의 거래에서 발생한 손실은 연결재무제표에 인식해야 하는 자산손상의 징후일 수도 있다.
- 연결실체 내의 거래에서 발생하는 손익의 제거로 인한 일시적 차이에 대해서는 기준서 제1012호 '법인세'를 적용한다. 제거에 대해 인식하는 이연법인세자산에 대한 세부 규정은 제13장을 참조한다.

(기준서 제1110호 문단 B86(3))

관련 거래가 비지배지분이 있는 종속기업과 발생하였을 때 미실현손익을 모두 제거하는 것이 적절하지 않아 보일 수도 있다. 그러나 종속기업을 완전히 지배기업이 소유하든 그렇지 않든 연결재무제표에 포함되는 종속기업들 간의 거래는 모두 지배기업의 지배력 하에 있으며, 지배기업이 완전히 소유하는지 여부에 관계없이 종속기업의 자산과 부채 및 종속기업들과의 거래는 모두 연결에 포함되어야 한다. 그러므로 보고기간종료일에 종속기업의 모든 자산과 부채 및 연결실체 내의 미실현거래손익을 연결실체가 포함하고 있다면 연결실체 내에서 전부 미실현되었고 연결실체의 순자산은 증가 또는 감소하지 않은 것이다. 따라서, 비지배지분이 있는 종속기업과의 거래라고 하더라도 전액 제거되어야 한다.

사례 16은 종속기업이 지배기업으로 자산을 매각한 경우와 지배기업이 종속기업으로 자산을 매각한 경우 내부거래이익의 제거에 대해 설명하고 있다. 법인세 효과는 무시한다.

사례 16 내부거래제거

종속기업이 지배기업에게 자산을 매각한 경우 내부거래이익의 제거

지배기업 A는 종속기업에 대한 지분 60%를 보유하고 있다. 종속기업이 C70,000에 지배기업에 재고자산을 판매하였다. 판매로 인하여 C30,000의 이익을 인식하였다. 동 재고자산은 보고기간종료일에 지배기업의 재무상태표에 남아 있다.

지배기업은 연결재무제표에 미실현이익 100%를 제거하여야 한다. 그러므로 연결실체의 재무상태표에 포함될 재고자산은 C40,000(C70,000 – C30,000)이다. 연결손익계산서에는 C30,000만큼의 이익이 감소되어야 할 것이다.

연결재무제표에 반영될 분개는 다음과 같다.

	C천	C천
차변) 매출	70	
대변) 매출원가		40
대변) 재고자산		30

연결실체의 이익감소 C30,000은 지분율인 60%와 40%의 비율로 지배기업과 비지배지분에 배분된다.

지배기업이 종속기업에 자산을 매각한 경우 내부거래이익의 제거

다음 상황은 지배기업이 종속기업에게 판매하였다는 것을 제외하고는 위의 상황과 동일하다. 지배기업의 종속기업에 대한 지분율은 60%이다. 지배기업은 C70,000에 종속기업에게 재고자산을 판매하고 이익 C30,000을 인식하였다. 동 재고자산은 보고기간종료일에 종속기업의 재

무상태표에 포함되어 있다.

종속기업에 대하여 연결재무제표에서 미실현이익을 100% 제거하여야 한다. 그러므로 연결실체의 재무상태표에 재고자산은 C40,000(C70,000 − C30,000)이다. 연결손익계산서에는 C30,000만큼 이익이 감소할 것이다.

연결재무제표에 반영될 분개는 다음과 같다.

	C천	C천
차변) 매출	70	
대변) 매출원가		40
대변) 재고자산		30

위에서 설명한 규칙은 연결실체 내의 한 기업이 다른 기업에 판매한 이익이 연결실체의 고정자산에 포함되어 있는 경우에도 동일하게 적용된다. 기업이 다른 기업에 공정가치로 판매를 하고 자산처분손실을 인식하였다면 연결조정 시 주의할 필요가 있다. 그 이유는 거래의 결과가 동 자산에 손상이 있음을 시사하는 것일 수 있기 때문이며, 자산이 회수가능액 이상의 금액으로 인식되는 것은 적절하지 않을 것이기 때문이다. 다음 예시는 선택된 회계정책의 사례를 설명하고 있다.

| 연결정책 및 내부거래의 제거 |

Agfa-Gevaert N.V. − Annual Report − 31 December 2008

1. 중요한 회계정책

(c) 연결

종속기업

종속기업은 회사(지배기업)의 지배를 받고 있는 기업이다. 지배력은 기업이 경제활동에서 효익을 얻기 위하여 재무정책과 영업정책을 결정할 수 있는 능력을 직접 또는 간접적으로 가지고 있을 때 존재한다. 종속기업의 재무제표는 지배력이 시작된 날부터 지배력을 상실한 날까지 연결재무제표에 포함된다.

연결재무제표상 내부거래제거

연결재무제표 작성 시 연결실체 간의 모든 거래 및 잔액과 내부거래로 인한 미실현이익은 제거된다. 관계기업과의 거래에서 발생한 미실현이익은 관계기업에 대한 연결실체의 지분만큼 제거한다. 관계기업과의 거래에서 발생한 미실현이익은 관계기업투자자산에서 제거한다. 미실현손실은 손상의 증거가 없는 경우 미실현이익과 동일한 방법으로 제거한다.

---

16. 비지배지분

비지배지분은 기준서 제1110호의 부록 A에서 종속기업의 지분 중 지배기업에게 직접으로 또는 간접으로 귀속되지 않는 지분으로 정의된다. 예를 들어, 지배기업이 종속기업의 70% 지분을 소유하고 있는 경우 종속기업의 성과 및 순자산을 100%를 연결하고 30%의 비지배지분을 표시해야 한다.

비지배지분은 지배기업의 지분과 분리하고 명확하게 식별, 구분하여 연결실체의 자본의 일부로 보고한다(예 : 종속기업에 대한 비지배지분). 비지배지분은 연결실체에서 자본으로 분류되기 때문에 당기순이익 및 포괄손익은 종속기업 및 비지배지분에 대한 손익을 포함한다. 하나 이상의 종속기업에 대한 비지배지분을 가진 기업은 연결재무제표에서 비지배지분을 합계하여 나타내어야 한다(기준서 제1110호 문단 22).

지배기업이 지배력을 행사하는 기업을 종속기업으로 분류한다. 따라서, 비록 드문 경우이기는 하지만 지배기업이 종속기업의 지분을 20%만 보유하고 있지만 법규나 약정에 의하여 재무 및 영업정책에 대한 지배력을 가지고 있는 경우도 발생할 수 있다. 이런 경우 비지배지분은 80%의 지분을 보유하게 될 것이다. 그러므로 연결재무제표에서 나타나는 비지배지분은 이 지분율에 의하여 계산될 것이다. 연결실체는 100%의 자산 및 부채를 연결하지만, 자산 및 부채의 80%는 비지배지분으로 표시되게 될 것이다. 지배기업이 과반의 의결권을 가지고 있지만, 전체 지분의 20%만 소유하고 있는 경우에도 유사한 결과가 발생할 것이다.

기업은 취득일에 피취득자에 대한 비지배지분의 요소가 현재의 지분이며 청산 시 보유자에게 기업 순자산의 비례적 몫에 대하여 권리를 부여하고 있는 경우에 비지배지분을 공정가치 또는 취득시점의 피취득자의 식별가능한 순자산 중 비지배지분의 비례적 몫으로 측정할 수 있는 선택권이 있다(기준서 제1103호 문단 19). 이러한 회계처리는 거래 건별로 선택할 수 있고 회계정책으로 선택하는 것이 요구되지 않는다. 다음의 사례 17은 이를 예시한다.

사례 17 **종속기업의 취득 시 비지배지분의 최초 인식**

기업 A는 현금 300백만을 주고 기업 B의 지분 60%를 취득하였다. 비지배지분의 공정가치는 C200백만으로 결정되었다. 식별가능한 순자산의 공정가치는 C370백만이다. 기업 A는 동 취득에서 비지배지분을 공정가치로 측정하는 방법을 선택하였다.

60% 지분의 취득일에 인식될 회계처리 분개는 다음과 같다.

	C백만	
	차변	대변
차변) 식별가능 순자산	370	
차변) 영업권	130	
대변) 현금		300
대변) 비지배지분		200

비지배지분을 공정가치로 인식하였기 때문에, 영업권은 지배지분과 비지배지분 모두에 대해서 인식된다.

영업권은 다음과 같이 산정된다.

	C백만
이전대가의 공정가치	300
비지배지분의 공정가치	200
	500
차감 : 식별가능한 순자산 100%에 대한 공정가치	(370)
인식된 영업권	130

만약 기업 A가 비지배지분을 취득시점의 피취득자의 식별가능한 순자산 중 비지배지분의 비례적 몫으로 측정하여 인식하였다면, 취득일에 인식될 회계처리 분개는 다음과 같다.

	C백만	
	차변	대변
차변) 식별가능 순자산	370	
차변) 영업권	78	
대변) 현금		300
대변) 비지배지분(C370백만 × 40%)		148

비지배지분은 기업 B의 식별가능 순자산에 대한 비례적지분으로 계상되었으므로, 오직 지배지분에 대한 영업권 부분만이 인식되고, 비지배지분에 대한 영업권은 인식되지 않을 것이다. 이 경우, 영업권은 다음과 같이 산정된다.

	C백만
이전대가의 공정가치	300
피취득자의 식별가능한 순자산 중 비지배지분의 비례적 몫(370백만 × 40%)	148
	448
차감 : 식별가능한 순자산 100%에 대한 공정가치	(370)
인식된 영업권	78

비지배지분은 이후의 회계연도에 공정가치로 재측정되지 않는다. 그러나 당기순손익과 기타포괄손익, 그리고 기타 자본항목들은 후속 회계연도에 비지배지분에 배분된다(기준서 제1110호 문단 B94).

따라서 당기순손익과 기타포괄손익은 지배지분과 비지배지분에 귀속된다. 그러나 기준서 제1110호에서는 지배지분과 비지배지분 사이에 이익을 귀속시키는 특정 방법을 명시하고 있지 않다. 사례 18은 이를 예시한다.

사례 18 취득 이후 비지배지분에 귀속되는 이익과 비지배지분의 계산

기초시점에 지배기업이 C300백만에 종속기업의 지분 60%를 취득하였다. 종속기업 취득시점의 식별가능한 순자산의 공정가치는 C370백만이었다. 취득 이후 첫 해에 연결재무제표에 포함되는 종속기업의 손익계산서(즉, 무형자산 상각비와 같은 모든 연결조정이 반영 된 후)는 다음과 같다.

	C백만
세전이익	26
법인세	(1)
당기순이익	25
비지배지분에 귀속되는 이익(40% × C25백만)	10
지배지분에 귀속되는 이익	15
	25

- 만약 종속기업이 지배력에 대한 프리미엄조정이 없다고 가정하고 비지배지분을 공정가치로 인식하였다면 최초의 비지배지분 금액은[40% × (300백만/60%)]으로 계산하여 C200백만이 될 것이다. 또는
- 만약 종속기업이 비지배지분을 취득시점의 순자산에 대한 비례적 몫으로 인식하였다면 최초의 비지배지분 금액은(C370백만 × 40%)으로 계산하여 C148백만이 될 것이다.

위에서 본 것처럼, 기말시점에 비지배지분의 회계기간동안의 이익으로 인한 자본변동은 C10백만이다. 비지배지분은 최초인식방법에 따라 종속회사 취득 후 첫 해 연도 말에 C210백만이나 C158백만으로 인식될 것이다.

종속기업의 모든 이익과 손실은 반증하는 명백한 약정이 존재하지 않는 한 지배기업과 비지배지분에 귀속된다. 그 결과 비지배지분이 부(-)의 잔액이 되더라도 지배기업의 소유주와 비지배지분에 귀속되어야 한다(기준서 제1110호 문단 B94).

비지배지분이 있는 경우 연결손익계산서에는 종속기업에 귀속되는 모든 손익을 포함하여야 한다. 손익 중 비지배지분에 대한 부분은 보고실체의 회계기간 동안의 이익과 손실에 귀속된다. 회계기간동안 종속기업이 배당을 한 경우, 비지배지분에 지급한 배당

은 연결실체의 현금을 감소시키는 결과를 가져온다. 이것은 종속기업이 지불한 배당액과 지배기업이 받은 배당액의 차이에 해당한다.

지배력을 획득한 이후 종속기업에 대한 지배력의 변동을 가져오지 않는 지배기업 지분의 변동은 자본거래로 회계처리한다. 그러므로 지배기업이 지배력을 유지하는 경우 종속기업 주식의 처분으로 인한 처분 손익을 손익계산서에 인식하지 않는다. 유사하게 지배기업은 지배력의 변동이 없다면 종속기업 주식의 추가취득을 반영한 추가적인 영업권을 인식하지 않는다. 대신에 비지배지분의 장부금액은 종속기업에 대한 비지배지분의 변동을 반영하여 조정된다. 비지배지분의 조정금액과 지급하거나 수취한 대가의 공정가치의 차이는 자본으로 직접 인식하고 지배기업의 소유주에게 귀속시킨다(기준서 제1110호 문단 B96). 기준서 제1001호 문단 106(4) (다)와 109에서는 소유주로서의 자격을 행사하는 소유주와의 거래 및 그러한 거래와 직접 관련이 있는 거래원가는 그 기간 동안 기업 활동에 의해 발생된 수익과 비용에 포함하지 않는다고 언급하고 있다. 그러므로 지배력의 변동을 가져오지 않는 비지배지분 거래와 관련하여 발생한 거래원가는 자본에서 직접 차감한다.

비지배지분은 사업결합일에만 공정가치(또는 선택에 따라, 지분에 대한 비례적 몫)로 인식된다. 이후의 지배력이 유지되는 지분의 취득 및 처분은 비지배지분의 순자산에 대한 비례적 몫으로 인식된다. 사례 19는 이를 예시한다.

사례 19 100% 소유 종속기업에서 20% 지분 처분

기업 A는 100% 소유하고 있는 종속기업 지분 20%를 현금 C200백만에 외부 투자자에게 처분하였다. 기업 A는 여전히 종속기업에 대한 80% 지배지분을 보유하고 있다. 종속기업 순자산의 장부가액은 최초 취득 시 영업권 C130백만을 포함하여 C600백만이다.

20% 지분 처분일에 인식할 회계처리는 다음과 같다.

	C백만	
	차변	대변
차변) 현금	200	
대변) 비지배지분(20% × 600백만)		120
대변) 자본		80

인식한 비지배지분의 장부금액은 종속기업의 순자산의 장부금액에 대한 비례적 몫으로 계산되었다.

(1) 재무제표 표시

기준서 제1110호는 종속기업의 비지배지분은 연결재무제표에서 자본으로 보고되는 연결실체의 소유지분이라는 전제를 기본으로 한다. 그러므로 재무제표 표시의 관점에서는 이러한 접근방법 하에서 이익 또는 손실과 포괄손익은 소유지분과는 관계없이 지배기업과 지배기업이 지배하고 있는 모든 종속기업 성과를 합쳐서 나타낸다. 이러한 금액은 지배지분과 비지배지분에 귀속된다. 유사하게 재무상태표에서는 비지배지분을 자본의 부분으로 간주한다.

만약 지배기업이 다른 기업에 대한 지배력을 가진다면 수익, 비용, 이익, 손실 및 기타포괄손익은 취득일부터 지배기업이 종속기업에 대한 지배력을 상실할 때까지 연결재무제표에 포함된다. 연결재무제표의 금액은 지배기업의 소유주와 비지배지분에 귀속되는 금액 모두를 포함한다.

지배기업의 소유주와 비지배지분에 귀속되는 당기순손익과 총포괄손익은 연결재무제표에 표시하여야 한다(기준서 제1001호 문단 81B).

지배기업의 소유주와 비지배지분에 귀속되는 계속영업손익과 중단영업손익은 주석 또는 연결재무제표에 표시하여야 한다(포괄손익계산서 또는 손익계산서)(기준서 제1105호 문단 33(4)). 사례 20은 이러한 요구사항을 예시한다.

연결자본변동표 본문 또는 주석에 다음의 각 항목에 대한 기초시점과 기말시점의 장부금액 조정내역을 표시하여야 한다.
(i) 총자본, (ii) 지배기업에 귀속되는 자본, (iii) 비지배지분에 귀속되는 자본

이러한 조정내역에는 다음의 세부항목이 별도로 표시되어야 한다.
- 당기순손익
- 소유주로서의 자격을 행사하는 소유주와의 거래(소유주에 의한 출자와 소유주에 대한 배분, 그리고 지배력을 상실하지 않는 종속기업에 대한 소유지분의 변동을 구분하여 표시)
- 기타포괄손익의 각 항목

(기준서 제1001호 문단 106)

기업은 연결재무제표의 주석에 손익계산서를 작성하는 각 기간에 대해서 비지배지분과의 거래가 지배기업에 귀속되는 자본에 미치는 영향을 나타내는 명세서를 공시하는 것이 요구된다(기준서 제1112호 문단 18). 이러한 명세서는 지배기업이 연결재무제표에 포함

된 어떤 기간에든 비지배지분과 거래가 있었다면 요구된다.

　기업들은 손익계산서에 기본주당순이익, 희석주당순이익을 표시하여야 한다(기준서 제1033호 문단 66). 손익에는 지배기업과 비지배지분에 귀속되는 부분이 모두 포함되어 있으므로 주당순이익 계산을 위한 분자(즉, 보통주에 귀속되는 손익)를 결정하는 데에는 비지배지분에 귀속되는 손익을 제외하기 위한 조정이 필요하다(기준서 제1033호 문단 10).

사례 20　표시

[연결손익계산서]
12월 31일로 종료되는 회계연도의 연결손익계산서

	20×3	20×4
계속사업		
매출	395,000	360,000
매출원가	(330,000)	(305,000)
세전이익	65,000	55,000
법인세	(26,000)	(22,000)
계속영업이익	39,000	33,000
중단영업손실	–	(7,000)
당기순이익[*1]	39,000	26,000
지배기업의 소유주에게 귀속되는 금액[*2]		
계속영업이익	37,500	27,600
중단영업손실	–	(5,600)
지배기업의 소유주에게 귀속되는 당기순이익[*3]	37,500	22,000
비지배지분에 귀속되는 금액		
계속영업이익	1,500	5,400
중단영업손실	–	(1,400)
비지배지분에 귀속되는 당기순이익	1,500	4,000

*1 : 지배기업과 비지배지분 모두에 귀속되는 금액을 포함하고 있다.
*2 : 지배기업의 소유주에 귀속되는 계속영업이익과 중단영업이익은 주석이나 연결손익계산서 상에 표시된다.
*3 : 주당순이익을 계산하기 위한 목적으로 비지배지분에 귀속되는 이익은 계속하여 연결실체의 이익에서 차감하여 지배기업의 소유주에 귀속되는 이익을 산출한다.

[재무상태표]

12월 31일로 종료되는 회계연도의 연결재무상태표	20×3	20×4
자산		
비유동자산	220,000	235,000
유형자산	220,000	235,000
유동자산		
기타포괄손익－공정가치 측정 금융자산	125,000	120,000
매출채권	125,000	110,000
현금 및 현금성자산	570,000	475,000
	820,000	940,000
총자산	1,040,000	940,000
자본 및 부채		
자본		
자본금	200,000	200,000
주식발행초과금	42,000	50,000
이익잉여금	194,500	167,000
기타자본항목	22,500	16,000
	459,000	433,000
비지배지분[*1]	26,000	48,000
총자본	485,000	481,000
비유동부채		
장기차입금	157,000	131,000
이연법인세부채	32,000	25,000
비유동충당부채	33,000	27,000
총비유동부채	222,000	183,000
유동부채		
유동성 장기차입금	12,000	10,000
매입채무	122,000	101,000
단기차입금	155,000	128,000
미지급법인세	37,000	31,000
유동성충당부채	7,000	6,000
총유동부채	333,000	276,000
총부채	555,000	459,000
총자본 및 부채	1,040,000	940,000

*1 : 비지배지분은 연결재무상태표에 계속적으로 자본으로 표시한다.

[포괄손익계산서]

12월 31일로 종료되는 회계연도의 연결포괄손익계산서	20×3	20×4
당기순이익	39,000	26,000
기타포괄손익, 세후 :		
기타포괄손익－공정가치 측정 지분상품 평가손익, 세후	5,000	15,000
기타포괄손익 합계, 세후	5,000	15,000
총포괄손익*1	44,000	41,000
총포괄손익의 귀속 :		
지배기업*2	42,000	34,000
비지배지분*2	2,000	7,000
	44,000	41,000

*1 : 포괄손익은 지배기업과 비지배지분에 귀속되는 금액 모두를 포함한다.
*2 : 지배기업과 비지배지분에 귀속되는 포괄손익을 구분하여 표시한다.

[자본변동표]

12월 31일로 종료되는 회계연도의 연결자본변동표	총자본	지배기업 소유주지분				종속기업 A의 비지배지분*2
		자본금	주식발행초과금	기타자본잉여금	기타포괄손익	
20×3년 기초잔액	481,000	200,000	50,000	167,000	16,000	48,000
20×3년 자본변동						
당기 총포괄손익 :	44,000	–	–	37,500	4,500	2,000
비지배지분으로부터 종속기업 A 지분 취득*1	(30,000)	–	(8,000)	–	2,000	(24,000)
배당금	(10,000)	–	–	(10,000)	–	–
20×3년 기말잔액	485,000	200,000	42,000	194,500	22,500	26,000

*1 : 지배력 획득 이후 추가적인 종속기업의 지분취득은 자본거래로 회계처리하고 손익을 인식하지 않는다. 기타포괄손익누계액은 비지배지분에서 종속기업으로 비례적으로 재배분된다. 자본 내에서 배분되는 금액이 있을 때는(예 : 주식발행초과금) 관련 법규와 규제에 따를 것이다.
*2 : 기타포괄손익의 항목은 자본변동표 내에서 지배기업과 비지배지분 모두에 배분된다.

17. 별도재무제표

기준서 제1027호에서는 매각예정 비유동자산으로 분류되거나 매각예정으로 분류되는 처분자산집단에 포함되지 않는 종속기업, 관계기업, 공동지배기업에 대한 투자자산은 원가나 기준서 제1109호에 따른 방법 또는 기준서 제1028호에 따른 지분법으로 회계처리하도록 요구하고 있다(기준서 제1027호 문단 10).

기준서 제1109호에 따른 방법으로 회계처리한 종속기업에 대한 투자주식은 기준서 제1105호에 따른 매각예정 비유동자산으로 분류되는 경우에도 기준서 제1109호에 따라서 계속하여 측정되어야 한다. 그러므로 기준서 제1105호의 측정은 원가로 측정 또는 지분법으로 회계처리하는 종속기업에 대한 투자자산에만 적용된다. 기준서 제1105호에서는 장부금액과 순공정가치 중 낮은 금액으로 투자자산을 평가하도록 요구한다.

기준서 제1027호에서는 원가를 정의하지는 않는다. 원가는 간단하게 취득자가 지급한 대가의 공정가치이다(개념체계 문단 100(1)). 그러나 개별기준에서는 원가를 통상적으로 거래비용을 포함하여 설명하고 있다(예 : 기준서 제1016호 '유형자산' 문단 16, 기준서 제1038호 '무형자산' 문단 28, 그리고 기준서 제1109호 문단 B5.4.8). 2009년 7월의 IFRIC rejection에서는 원가는 일반적으로 구입가격과 법률서비스를 위한 전문가비용, 거래세, 기타 거래비용처럼 취득 또는 자산의 발행에 직접적으로 귀속되는 직접 비용을 포함한다고 언급하였다. 이에 따라 최초인식시점에 종속기업, 관계기업, 공동지배기업의 투자자산의 장부금액에는 관련 취득 원가가 포함되는 것이 적절할 것이다.

기준서 제1028호에 따라 종속기업, 공동기업 및 관계기업에 대한 투자에 지분법을 적용하면, 지분보유자에게 귀속되는 순자산 및 당기순이익이 연결재무제표상 금액과 동일해 질 것으로 예상한다. 그러나 별도재무제표에서 종속기업에 대한 투자에 지분법을 적용할 때에는 기준서 제1028호에 따른 지분법을 적용하게 되므로, 일부의 회계처리는 연결재무제표와 비교하여 다른 결과가 발생할 수 있다. 예를 들어 다음의 상황이 있을 수 있다.

(1) 기준서 제1028호에 따른 손상검사 규정 적용 - 별도재무제표에서 지분법을 적용하여 회계처리한 종속기업에 대한 투자의 경우, 종속기업에 대한 투자장부금액의 이름에 해당하는 영업권은 별도로 손상검사하지 않고, 종속기업에 대한 투자 전체 장부금액은 기준서 제1036호 '자산손상'에 따라 개별자산으로 손상검사를 하게 된다. 연결재무제표에서 영업권은 별도로 인식되어 손상검사 규정을 적용하게 되므로 차이가 발생할 수 있다.

(2) 순부채상태의 종속기업 – 기준서 제1028호에서는 투자자에게 법적의무 또는 의제 의무가 있거나 투자자가 피투자자를 대신하여 지급할 부채를 인식하는 상황이 아니라면, 투자자의 손실 중 투자자가 자신의 투자지분 이상의 손실은 인식을 중단하도록 요구하고 있으나, 연결재무제표에서는 이러한 규정이 없다.

(3) 종속기업의 자산과 관련하여 지배기업에 발생한 차입원가의 자본화 – 기준서 제1023호에 따르면, 지배기업이 자금을 차입하고 종속기업이 적격자산을 취득하기 위한 목적으로 그 자금을 사용하는 경우, 지배기업의 연결재무제표에서 지배기업에 발생한 차입원가는 종속기업의 적격자산 취득에 직접 관련되는 것으로 본다. 그러나 지배기업의 종속기업에 대한 투자가 적격자산이 아닌 금융자산이라며, 지배기업의 별도재무제표에서 차입원가 자본화가 되지 않는다.

종속기업, 관계기업 또는 공동기업 참여자로서의 투자지분을 소유하지 않은 기업의 재무제표는 기준서 제1027호에서 언급하는 별도재무제표가 아니다(기준서 제1027호 문단 7). 이러한 재무제표는 때때로 기업의 개별재무제표라고 불린다.

종속기업에 대한 투자자산을 보유하고 있지 않지만 공동기업 또는 관계기업에 대한 투자지분을 보유하고 있는 투자자는 투자자산을 지분법을 적용한 경제적 실체에 대한 재무제표를 작성하여야 한다.

'별도재무제표'라는 용어는 다음을 나타낸다.
- 연결재무제표 또는 경제적실체 재무제표에 추가하여 작성하는 투자자의 재무제표 (투자자가 이 재무제표를 작성하는 것을 선택하였거나 관련 법적 규제에 의하여 작성하도록 요구하고 있기 때문에)
- 연결재무제표 또는 경제적실체 재무제표의 작성 면제로 연결재무제표를 작성하지 않을 경우, 해당기업의 재무제표로 작성되는 투자자의 재무제표

별도재무제표와 경제적실체 재무제표가 필요할 수 있는 상황은 다음에 요약되어 있다.

| 별도재무제표와 경제적 재무제표 |

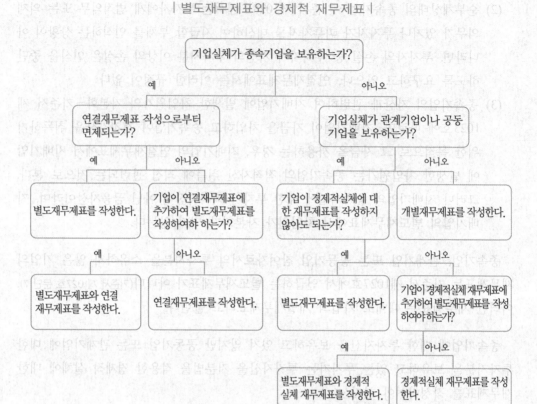

별도재무제표에서는 다음의 사항을 공시한다.

18. 공 시

연결재무제표 작성시 종속기업과 관련된 공시요구사항은 기준서 제1110호가 아닌 기준서 제1112호 '타 기업에 대한 지분의 공시'에서 규정한다. 별도재무제표에서 요구되는 공시는 17. 별도재무제표의 '공시'를 참고.

(1) 기준서 제1112호의 목적

기준서 제1112호의 목적은 종속기업, 공동 약정, 관계기업 및 비연결구조화기업에 대한 지분의 성격, 위험, 재무적 영향을 재무제표이용자들이 평가하는 데 도움이 되는 공시를 하도록 기업에게 요구하는 것이다. 기준서에서 열거하는 공시사항 외에도, 이러한 공시 목적을 달성하기 위한 추가적인 정보가 있다면 공시되어야 한다(기준서 제1112호 문단 3).

(2) 공시 범위

　기준서 제1112호는 종속기업(연결범위에 포함된 구조화기업 포함), 공동약정, 관계기업 및 비연결구조화기업에 대한 지분에 적용된다. 이 장에서는 종속기업과 비연결구조화기업에 대해 요구되는 공시를 설명한다. 연결범위에 포함된 구조화기업에 대한 공시사항은 종속기업에 대한 공시사항과 동일하다. 그러나 기준서 제1112호는 비연결구조화기업에 대해서 새롭고 유의적인 공시요구사항을 도입하였다.

　기준서 제1112호의 공시요구사항은 타 기업에 대한 지분(interest)에만 적용된다. 기준서 제1112호는 타 기업에 대한 지분이 무엇을 의미하는지에 대한 세부적인 지침을 제공한다. 이러한 지침은 특히 비연결구조화기업에 대한 공시사항을 결정할 때 고려되어야 한다.

　기준서 제1112호는 '타 기업에 대한 지분'을 다음과 같이 정의한다.
- 계약적일 수도 있고 비계약적일 수도 있다.
- 타 기업의 성과에서 발생하는 이익 변동에 기업을 노출시킨다.
- 타 기업에 대해 지배력, 공동지배력, 유의적인 영향력을 보유하는 방법을 포함한다.
- 전형적인 고객과 공급자 관계만으로 타 기업에 대한 지분을 보유하는 것은 아니다.
  - 지분상품 또는 채무상품
  - 자금 제공
  - 유동성 지원
  - 신용 보강
  - 보증

　구조화기업의 목적과 설계를 평가할 때에는, 구조화기업과의 관계가 이상에서 설명한 '지분'으로 작용하는 때가 언제인지에 대해 고려해야 한다(기준서 제1112호 문단 B7).

　피투자자의 이익 변동에 노출시키는 상품만이 '지분'이다(기준서 제1112호 문단 B8). 일부 상품은 위험이 보고기업에서 다른 기업으로 이전되도록 설계된다. 그러한 상품은 다른 기업에 대해 이익 변동을 창출하지만, 일반적으로 다른 기업의 성과의 이익 변동에 보고기업이 노출되지 않는다(기준서 제1112호 문단 B9). 이러한 상품은 지분이 아니다. 다음 사례는 기준서 제1112호 문단 B8과 B9에 따른 원칙을 설명한다.

사례 21 구조화기업

구조화기업 A가 대여금 포트폴리오를 보유하는 기업이다. 이 기업은 보고기업으로부터 신용부도스왑(credit default swap)을 체결함으로써 부도위험으로부터 자신을 보호한다.

보고기업은 동 구조화기업이 보유한 금융자산의 성과의 이익 변동에 노출하는 관여를 보유하고 있다. 이는 신용부도스왑이 구조화기업의 이익과 관련된 변동을 흡수하기 때문이다.

사례 22 구조화기업

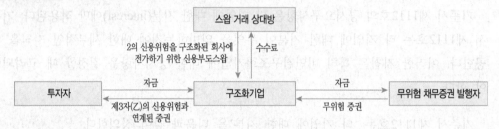

신용부도스왑이 이익 변동을 흡수하기보다는, 구조화기업에게 이전하기 때문에, 스왑 상대방은 구조화기업에 대하여 지분을 보유하지 않는다. 따라서 스왑 상대방은 기준서 제1112호에 따른 비연결구조화기업에 대한 공시사항을 공시할 필요가 없다.

기준서 제1112호는 다음의 경우에는 적용되지 않는다.
- 기준서 제1019호 '종업원급여'를 적용하는 퇴직급여제도 또는 기타장기종업원급여제도
- 기준서 제1027호 '별도재무제표'를 적용하는 기업의 별도재무제표. 그러나, 기업이 비연결구조화기업에 대한 지분을 보유하고 자신의 유일한 재무제표로서 별도재무제표를 작성한다면, 별도재무제표를 작성할 때 기준서 제1112호의 요구사항을 적용한다. 또한 모든 종속기업을 공정가치로 측정하고 당기손익에 반영하여 재무제표를 작성하는 투자기업은 기준서 제1112호에서 요구하는 투자기업과 관련된 공시사항을 표시하여야 한다.
- 공동약정에 참여하지만 공동지배력을 보유하지 않는 지분. 다만, 그 지분이 약정에 대하여 유의적인 영향력이 있거나 그 지분이 구조화기업에 대한 지분인 경우는 제외한다.
- 기준서 제1109호 '금융상품'에 따라 회계처리된 타 기업에 대한 지분. 그러나, 그 지분이 기준서 제1028호 '관계기업과 공동기업에 대한 투자'에 따라 공정가치로 측정하여 당기손익으로 인식한 관계기업과 공동기업에 대한 지분이거나, 비연결구조화기업에 대한 지분인 경우 기준서 제1112호의 요구사항을 적용한다.

(기준서 제1112호 문단 6)

(3) 통합 공시

기준서 제1112호는 공시 목적을 달성하기 위하여 얼마나 상세한 수준이 필요한지와 각 공시사항에 얼마나 중점을 두어야 하는지를 고려할 것을 요구한다. 기업은 많은 양의 경미한 세부사항을 포함하거나 다른 특성을 가지는 항목들을 통합함에 따라 유용한 정보가 모호하게 되지 않도록 공시사항을 통합하거나 분리하여야 한다(기준서 제1112호 문단 4, B2). 기준서 제1112호는 다음과 같이 규정한다.

- 통합은 공시목적에 부합하여야 한다.
- 종속기업, 공동기업, 공동영업, 관계기업, 비연결구조화기업에 대한 지분이 분류별로 공시되어야 한다.
- 정보를 통합할지 결정할 때, 통합을 위해 고려하는 각 기업의 서로 다른 위험과 이익 특성 및 그러한 기업의 보고기업에 대한 유의성과 관련된 양적정보와 질적정보를 고려한다.
- 기업 분류 내에서 적절할 수도 있는 통합 수준의 예는 다음과 같다 : 활동의 성격, 산업 분류, 지리

(기준서 제1112호 문단 B3-B6)

(4) 유의적인 판단과 가정

기업은 타 기업에 대해 지배력, 공동지배력, 유의적인 영향력 또는 타 기업에 대해 지분을 보유하는지 결정할 때 내린 유의적인 판단과 가정을 공시한다.

- 사실과 환경의 변화로 보고기간 동안에 지배력, 공동지배력 또는 유의적인 영향력 유무에 대한 결론에 변동이 있는 경우
- 타 기업에 대한 의결권을 과반 이상 보유하더라도 그 기업을 지배하지 않는다고 결정한 경우
- 연결 여부와 관련하여 본인-대리인 관계에 대해 평가한 경우

(기준서 제1112호 문단 7-9)

(5) 종속기업에 대한 지분

기업은 연결재무제표의 이용자들을 위해 종속기업의 지분에 대한 다음의 정보를 공시해야 한다(기준서 제1112호 문단 10).

① 연결실체의 구성
② 종속기업에 대한 비지배지분이 보고기업에 중요한 경우, 각 해당 종속기업에 대해

다음을 공시한다.
- 종속기업의 명칭
- 종속기업의 주된 사업장(그리고 이와 다른 경우 설립지의 국가명)
- 비지배지분이 보유한 소유지분율
- 소유지분율과 다른 경우, 비지배지분이 보유한 의결권비율
- 보고기간 동안에 종속기업의 비지배지분에 배분된 당기순손익
- 보고기간 말 종속기업의 누적 비지배지분
- 종속기업의 요약재무정보(기준서 제1112호 문단 12)

③ 연결실체의 자산에 접근하거나 자산을 사용할 수 있는 능력과 부채를 상환할 수 있는 능력에 유의적인 제약이 있는 경우 그 제약의 성격과 범위(기준서 제1112호 문단 13)

④ 연결재무제표의 작성에 사용되는 종속기업 재무제표의 보고기간종료일이나 보고기간이 연결재무제표의 그것과 다른 경우
- 종속기업 재무제표의 보고기간종료일
- 다른 보고기간종료일이나 보고기간을 사용한 이유(기준서 제1112호 문단 11)

⑤ 연결구조화기업에 대한 지분과 관련된 위험이 있는 경우 그 위험의 성격과 변동(기준서 제1112호 문단 14-17)

⑥ 지배력 상실없이 종속기업에 대한 지배기업의 소유지분이 변동한 결과(기준서 제1112호 문단 18)

⑦ 보고기간 동안의 종속기업에 대한 지배력 상실의 결과(기준서 제1112호 문단 19)

(6) 비연결구조화기업에 대한 지분

기업은 종속기업으로 판단되지는 않은 비연결구조화기업에 대해서도 이에 대한 기업의 지분의 성격과 범위를 이해하고, 관련된 위험의 성격과 변동에 대해 평가할 수 있도록 다음의 정보를 공시해야 한다.

① 비연결구조화기업에 대한 지분에 대하여 절적정보와 양적정보. 그 구조화기업의 성격, 목적, 규모 및 활동과 그 구조화기업의 자금 조달 방법을 포함하며, 이에 한정되는 것은 아니다(기준서 제1112호 문단 26).

② 비연결구조화기업에 대한 지분의 위험의 성격을 나타내는 다음에 대한 요약정보를 보다 적절한 다른 형식이 없다면 표 형식으로 공시한다.
- 비연결구조화기업에 대한 지분에 관하여 기업의 재무제표에 인식된 자산과 부채의 장부금액

- 그러한 자산과 부채가 인식된 재무상태표상의 항목
- 비연결구조화기업에 대한 지분에서 발생하는 손실에 대한 기업의 최대 노출을 가장 잘 나타내는 금액(손실에 대한 최대 노출의 결정 방법을 포함). 기업은 비연결구조화기업에 대한 지분에서 발생하는 손실에 대한 자신의 최대 노출을 계량화 할 수 없다면, 그 사실과 이유를 공시한다.
- 비연결구조화기업에 대한 지분과 관련된 자산과 부채의 장부금액과 비연결구조화기업에서 발생하는 손실에 대한 기업의 최대 노출과의 비교(기준서 제1112호 문단 29)

③ 기업이 문단 29에서 요구하는 정보를 제공하지 않는(예: 보고기간종료일에 그 기업에 대한 지분을 보유하고 있지 않기 때문에) 비연결구조화기업을 후원하고 있는 경우
- 기업이 어떤 구조화기업을 후원하고 있는지를 결정한 방법
- 보고기간 동안에 그러한 구조화기업에서 발생한 수익. 표시된 수익의 유형에 대한 설명을 포함한다.
- 보고기간 동안에 그러한 구조화기업으로 이전한 모든 자산의(이전 시점의) 장부금액(기준서 제1112호 문단 27)

④ 계약상 의무없는 비연결구조화기업에 대한 재무지원(기준서 제1112호 문단 30-31)

한국채택국제회계기준의 최초채택

1. 의 의

기준서 제1101호는 기업이 최초 한국채택국제회계기준 재무제표를 작성할 때 적용되는 기준서이다. 최초 한국채택국제회계기준 재무제표는 한국채택국제회계기준을 준수하였다는 명시적이고 제한 없는 문구를 포함하는 최초의 연차재무제표이다. 해외시장 상장 등을 목적으로 과거에 국제회계기준(IFRS)에 따른 재무제표를 작성한 기업을 제외하고는 조기적용이 허용되는 2009년 이후 한국채택국제회계기준을 적용하는 대부분의 기업은 기준서 제1101호를 적용하게 될 것이다. 기업이 최초 한국채택국제회계기준 재무제표에 포함되는 중간기간의 재무제표를 작성할 때에도 이 기준서를 적용하여야 한다(기준서 제1101호 문단 2).

기준서 제1101호의 적용 여부는 기업이 한국채택국제회계기준에 따른 재무제표를 작성할 때 적용하는 회계처리에 유의적인 차이를 가져온다. 최초채택기업으로 판단되어 기준서 제1101호의 적용범위에 해당되는 경우라면 다른 기준서의 시행일 및 경과규정을 적용할 수 없다. 예를 들어, 새로운 기준서가 제정되고 동 기준서에서 새로운 기준서의 전진적용을 규정하고 있는 경우라도, 기준서 제1101호에서 별도의 언급이 없으면 최초채택기업은 새로운 기준서를 소급하여 적용하여야 한다. 그러나 기준서 제1101호에서는 최초채택기업이 한국채택국제회계기준의 최초채택 과정을 보다 쉽게 진행할 수 있도록 여러 가지 면제조항을 규정하고 있으며 이에 대해서는 본 장에서 살펴볼 것이다.

2. 용어의 정의

기준서 제1101호에서 설명하고 있는 주요 용어의 정의는 다음과 같다.

★
- 최초채택기업 : 최초 한국채택국제회계기준 재무제표를 표시하는 기업
- 최초 한국채택국제회계기준 보고기간 : 최초 한국채택국제회계기준 재무제표에 포함된 최종 보고기간
- 최초 한국채택국제회계기준 재무제표 : 한국채택국제회계기준을 채택하여 한국채택국제회계기준을 준수하였다는 명시적이고 제한 없이 기술된 문구를 기재한 최초의 연차재무제표
- 한국채택국제회계기준 전환일 : 최초 한국채택국제회계기준 재무제표에서 한국채택국제회계기준을 적용한 완전한 비교정보가 표시되는 가장 이른 기간의 개시일
- 개시 한국채택국제회계기준 재무상태표 : 한국채택국제회계기준 전환일의 재무상태표

3. 일반 원칙

(1) 최초 한국채택국제회계기준 재무제표의 판단

앞에서 언급한 바와 같이 기준서 제1101호는 '최초 한국채택국제회계기준 재무제표'에 적용되는 기준서이다. 이 기준서에서는 최초 한국채택국제회계기준 재무제표가 될 수 있는 사례와 그렇지 못한 사례를 제시하고 있으며 관련 내용은 아래와 같다(기준서 제1101호 문단 3, 4).

최초 한국채택국제회계기준 재무제표인 경우	최초 한국채택국제회계기준 재무제표가 아닌 경우
(1) 최근의 과거 재무제표가 다음 중 하나에 해당하는 경우 • 모든 관점에서 국제회계기준과 일관되지는 않은 다른 기준을 적용하여 작성한 경우 • 모든 관점에서 국제회계기준이나 한국채택국제회계기준과 부합하지만, 재무제표에 국제회계기준이나 한국채택국제회계기준을 준수하였다는 명시적이고 제한없이 기술된 문구가 포함되어 있지 않은 경우 • 국제회계기준이나 한국채택국제회계기준의 전부가 아니라 일부를 준수하였다는 명시적인 문구가 포함된 경우 • 국제회계기준과 일관되지 않은 다른 기	(1) 과거에 국제회계기준을 준수하였다는 명시적이고 제한없이 기술된 문구를 포함한 재무제표뿐만 아니라 다른 기준에 따른 재무제표를 제공하였으나, 더 이상 다른 기준에 따른 재무제표를 제공하지 않기로 한 경우 (2) 과거연도에 다른 기준을 적용하여 재무제표를 제공하였으며, 그 재무제표에 국제회계기준을 준수하였다는 명시적이고 제한없이 기술된 문구가 포함되어 있는 경우 (3) 과거연도에 감사인이 재무제표에 대한 감사의견을 제한한 경우이더라도, 그 재무제표에 국제회계기준을 준수하였다는 명시적이고 제한없이 기술된 문구가

최초 한국채택국제회계기준 재무제표인 경우	최초 한국채택국제회계기준 재무제표가 아닌 경우
준을 적용하면서, 다른 기준에 존재하지 않는 항목에 대하여는 개별적인 국제회계기준이나 한국채택국제회계기준을 적용한 경우 • 다른 기준을 적용하면서, 일부 금액을 국제회계기준이나 한국채택국제회계기준을 적용한 금액으로 조정한 경우 (2) 기업의 소유주나 그 밖의 외부이용자는 이용할 수 없지만 내부적으로만 사용하기 위해 국제회계기준 재무제표를 작성한 경우 (3) 기준서 제1001호 '재무제표 표시'에서 정의한 전체 재무제표를 작성하지 않고, 연결 목적으로 국제회계기준에 따른 재무보고 자료를 작성한 경우 (4) 과거기간에 대하여 재무제표를 제공하지 않았던 경우	포함되어 제공된 경우

상기 규정에도 불구하고 과거 보고기간에 한국채택국제회계기준을 적용한 적이 있었던 기업이 직전 연차재무제표에 한국채택국제회계기준을 준수하였다는 명시적이고 제한없이 기술된 문구를 기재하지 않은 경우에는 기준서 제1101호를 적용하거나, 한국채택국제회계기준을 계속 적용하여 온 것처럼 기준서 제1008호 '회계정책, 회계추정의 변경 및 오류'에 따라 한국채택국제회계기준을 소급하여 적용한다(기준서 제1101호 문단 4A).

(2) 회계정책

개시 한국채택국제회계기준 재무상태표와 최초 한국채택국제회계기준 재무제표에 표시된 모든 회계기간에는 동일한 회계정책을 적용하여야 한다. 회계정책은 아래 4. 및 5.에서 별도로 규정한 사항을 제외하고는 최초 한국채택국제회계기준 보고기간말 현재 시행 중인 모든 한국채택국제회계기준을 준수하여야 한다(기준서 제1101호 문단 7).

2011년에 한국채택국제회계기준을 의무 도입하는 12월말 결산기업의 경우 전환일은 완선한 정보가 비교표시되는 가장 이른 기간의 개시일, 즉, 2010년 1월 1일이다. 2011년 한국채택국제회계기준의 의무도입을 위해서 대부분의 기업이 2010년도까지 전환업무를 마무리하고, 사전에 한국채택국제회계기준에 의한 개시 한국채택국제회계기준 재

무상태표 및 비교연도(2010년) 재무제표를 작성해 보았을 것이다. 이 때, 회사가 작성한 재무제표는 그 작성 당시 유효한 한국채택국제회계기준을 근거로 하였을 것이다. 만약 회사가 개시 재무상태표 및 비교연도 재무제표를 작성한 시점에 유효한 한국채택국제회계기준이 회사가 최초 한국채택국제회계기준 재무제표를 작성하는 2011년 12월 31일 현재 유효한 한국채택국제회계기준과 상이하다면 회사는 2011년 보고기간말에 최초 한국채택국제회계기준 재무제표를 작성할 때 그 시점, 즉 2011년 12월 31일 현재 유효한 기준서를 전체 재무제표에 적용하여야 한다. 이는 회사가 2011년 12월 31일 현재 유효하지는 않지만 공표가 되어 조기적용이 가능한 기준서를 적용하고자 하는 경우에도 동일하게 적용되는 원칙이다. 다음의 사례를 살펴보자.

> **사례** **보고기간말에 시행중인 기준서가 확정되지 않은 경우**
>
> 기업 A의 경영진은 2011년 12월 31일로 종료하는 회계연도에 대해 최초 한국채택국제회계기준 재무제표를 작성하기로 하였다. 한국채택국제회계기준 전환일은 2010년 1월 1일이며, 개시 한국채택국제회계기준 재무상태표는 이 일자로 작성되었다.
>
> 기업 A의 경영진은 은행 및 주요 주주들과 재무제표에 대한 한국채택국제회계기준 도입 영향을 논의해왔다. 경영진은 2010년 1월 1일 시점의 개시 재무상태표를 2010년 7월 1일에 완성하였고, 차입에 대한 논의가 진행 중이므로 은행에 이 재무상태표를 제시하고자 한다.
>
> 개시 한국채택국제회계기준 재무상태표를 작성하는 데 사용된 회계정책은 최초 한국채택국제회계기준 재무제표의 보고기간말인 2011년 12월 31일에 시행중인 기준서와 일치하여야 한다. 기업 A의 경영진은 어떤 기준서가 보고기간말에 유효할지 알지 못하므로 2010년 7월에 작성한 개시 재무상태표가 적절한 한국채택국제회계기준에 따라 작성된 것인지 확신할 수 없다. 그러므로 경영진은 이 개시 재무상태표가 2011년 12월 31일로 종료되는 회계연도의 재무제표에 적용될 한국채택국제회계기준 회계정책을 준수한 것이라고 언급할 수 없다.

(3) 개시 한국채택국제회계기준 재무상태표 작성원칙

아래 4. 및 5.에서 별도로 규정하고 있는 사항을 제외하고, 개시 한국채택국제회계기준 재무상태표를 작성할 때에는 다음 사항을 준수하여야 한다(기준서 제1101호 문단 10).

① 한국채택국제회계기준에서 인식을 요구하는 모든 자산과 부채를 인식한다.

② 한국채택국제회계기준에서 인식을 허용하지 않는 항목을 자산이나 부채로 인식할 수 없다.

③ 과거회계기준에 따라 인식한 자산, 부채 또는 자본의 구성요소를 한국채택국제회계기준에 따라 재분류한다.

④ 인식한 모든 자산과 부채를 측정할 때 한국채택국제회계기준을 적용한다.

개시 한국채택국제회계기준 재무상태표에 적용하는 회계정책이 동일한 시점에 적용한 과거회계기준의 회계정책과 다를 수 있다. 이에 따른 조정금액은 한국채택국제회계기준 전환일에 직접 이익잉여금(또는 적절하다면 자본의 다른 분류)에서 인식한다.

4. 한국채택국제회계기준의 소급적용에 대한 예외

기준서 제1101호에서는 다른 한국채택국제회계기준서의 일부 규정의 소급적용을 금지한다(기준서 제1101호 문단 13). 기준서에서 규정하고 있는 예외항목은 다음과 같다.

(1) 추정치(기준서 제1101호 문단 14 - 17)

추정치에 대한 소급적용의 예외는 한국채택국제회계기준으로 전환할 때 후속적으로 알게 된 사실(hindsight)을 이용해서는 안 된다는 것이다. 기준서에서는 다음을 요구한다.

"한국채택국제회계기준 전환일의 한국채택국제회계기준에 따른 추정치는 기존의 추정에 오류가 있었다는 객관적인 증거가 없는 한 동일한 시점에 과거회계기준에 따라 추정된 추정치(회계정책의 차이조정 반영 후)와 일관성이 있어야 한다."

(기준서 제1101호 문단 14)

기준서 제1101호에서는 과거회계기준에 따른 추정치에 대하여 다음의 절차에 따라 처리할 것을 요구한다(기준서 제1101호 문단 15, 16).

- 과거회계기준에 따라 작성된 동일 시점의 추정치는 그러한 추정치가 오류라는 객관적인 증거가 있지 않는 한 개시 한국채택국제회계기준 재무상태표에 그대로 사용되어야 한다.
- 과거회계기준에 따른 추정치는 한국채택국제회계기준에 부합하기 위하여 필요한 경우만 수정되어야 하며, 전환일에 계상되는 추정치는 전환일 현재 존재하는 상황을 반영하여야 한다.
- 한국채택국제회계기준 전환일에 과거회계기준에서는 동 일자에 요구되지 않았던 추정치를 계상하는 것이 필요할 수도 있다. 기준서 제1010호 '보고기간후사건'과 동일하게 한국채택국제회계기준상의 그러한 추정치는 전환일에 존재하는 상황을 반영하여야 한다. 한국채택국제회계기준 전환일에 추정치는 시장가격이나 이자율, 환율과 같은 현행 시장 상황을 반영하여야 한다.

상기의 추정과 관련한 요구사항은 아래의 표로 요약할 수 있다.

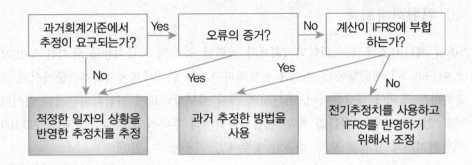

A사는 2011년 한국채택국제회계기준을 도입하는 기업으로, 전환일은 2010년 1월 1일이다. 2009년 12월 31일에 A사는 B사와 관련된 클레임에 대하여 추정되는 보상가액인 5억원을 과거회계기준에 따라 재무제표에 충당부채로 계상하였으며, 이는 당시 최선의 추정을 반영한 것이었다. 2010년 4월 A사는 B사와 최종적으로 클레임을 확정하였으며, 최종 확정가액은 6억원으로 결정되었다. A사는 2010년 1월 1일의 개시 한국채택국제회계기준 재무상태표에 충당부채를 여전히 5억원으로 계상하여야 하며, 6억원과 5억원의 차이 1억원은 2010년의 한국채택국제회계기준 포괄손익계산서(비교표시 재무제표)에 비용으로 계상하여야 한다. A사는 향후에 알게 된 사실에 기초하여 개시 한국채택국제회계기준 재무상태표상의 클레임 관련 충당부채를 수정하지 않는다.

(2) 금융자산과 금융부채의 제거

한국채택국제회계기준의 금융자산과 금융부채에 대한 제거의 기준은 전환일 이후 발생한 거래에 적용되어야 한다. 그러나, 전환일 전이라도 기업회계기준서 제1109호에 따른 정보가 그러한 거래일에 입수되었다면, 동 기업회계기준서의 제거에 관한 규정을 최초채택기업이 선택한 특정일부터 기업회계기준서 제1109호의 제거요구사항을 적용하는 것은 가능하다(기준서 제1101호 문단 B2-B3).

기업이 받을어음을 할인하거나 채권을 팩토링한 경우, 일반기업회계기준에서는 제거 요건이 충족되었을 수 있으나, K-IFRS를 적용할 경우, 기준서 제1109호에 따른 제거의 요건을 충족하지 못하여 관련 금융자산을 제거할 수 없고 차입금을 인식하여야 할 수 있다. 그러나 동 거래가 전환일 전에 발생한 거래인 경우 과거기준에 따라 매출채권을 제거하였다 하더라도, 그 자산과 부채는 소급적용에 대한 예외규정에 따라 한국채택국제회계기준 전환일에 소급적용하지 않으며 과거기준에 따른 회계처리를 수정, 변경하지 않는다.

(3) 위험회피회계

기준서 제1101호에서는 위험회피회계와 관련한 규정의 소급적용을 금지한다(기준서 제1101호 문단 B6). 이 예외항목에 따르면 위험회피관계가 한국채택국제회계기준에서의 요건을 충족하는 형태에 해당한다면, 전환일의 개시 재무상태표에 위험회피관계를 인식하도록 하고 있다. 그러나, 전환일 이후 위험회피회계의 후속적인 적용은 기준서 제1109호의 위험회피회계 요건을 모두 충족한 경우에만 적용될 수 있다.

기업들은 먼저 과거 회계기준에서의 위험회피관계가 기준서 제1109호에서 요구하는 형태에 해당하는지의 여부(비파생상품 또는 매도옵션을 위험회피수단으로 지정했던 경우 등은 기준서 제1109호에서 허용하는 위험회피의 형태에 해당하지 아니함)를 먼저 검토하여야 한다. 이를 충족한다면, 기업은 전환일의 개시 재무상태표에 기준서 제1101호의 규정에 따라 위험회피수단과 위험회피관계를 인식할 수 있다. 하지만 전환일 이후의 위험회피회계는 기준서 제1109호의 모든 위험회피요건이 충족된 경우에만 적용될 수 있다. 만약 그러한 요건이 충족되지 않는다면(예를 들어, 과거 회계기준에서 위험회피의 효과성 검사를 위하여 간편법을 사용하였기 때문에 문서화가 적절히 이루어지지 않았다면), 최초채택기업은 그러한 요건을 충족할 수 있을 때까지 기준서 제1109호의 규정에 따라 위험회피회계를 중단한다(기준서 제1101호 문단 B6).

만약 과거 회계기준에서 위험회피회계로 인정되었던 관계가 한국채택국제회계기준에서 위험회피회계를 충족하지 못한다면 그러한 파생상품은 개시 재무상태표에 반드시 공정가치로 인식하고 기초이익잉여금을 조정하여야 한다.

(4) 비지배지분

최초채택기업은 기준서 제1110호 '연결재무제표'의 다음 규정을 전환일 이후로 전진적으로 적용하도록 하는 의무적 예외항목을 두고 있다(기준서 제1101호 문단 B7).
① 비지배지분이 부(−)의 금액이 되더라도 총포괄손익은 지배기업의 소유주와 비지배지분에 배부하여야 함.
② 지배력을 상실하지 않는 경우 종속기업에 대한 지배기업의 소유지분의 변동에 대한 회계처리 요구사항
③ 종속기업에 대한 지배력을 상실하는 경우에 대한 회계처리 요구사항

사업결합에 대한 면제와 유사하게, 이 면제조항은 전환일 이전의 거래에 대하여 한국채택국제회계기준상에서 지배지분과 비지배지분에 배분되었을 금액을 계산하고 정보를

수집하는 데 따르는 부담을 경감시켜 준다. 그러나 최초채택기업이 과거의 사업결합에 한국채택국제회계기준의 사업결합 기준서를 소급적으로 적용하기로 결정하였다면, 기업회계기준서 제1110호도 동시에 소급적용하여야 한다.

상기의 세 가지 연결회계처리와 관련된 전진적 적용의무에 따라 기업들은 과거에 동 거래에 대하여 수행한 회계처리를 수정하지 않아야 할 것이다.

지배력을 상실하지 않는 종속기업의 소유지분 변동에 대하여는 과거회계기준에서도 취득 또는 처분시의 수령한 또는 지급한 대가와 해당 지분에 해당하는 연결재무제표상 종속기업 순자산의 차이를 지배주주지분에서 조정하도록 하고 있으므로 기준서 제1110호의 내용과 거의 유사하다. 다만 영업권의 조정과 기타포괄손익에 대한 지배지분과 비지배지분 사이의 재배분 등 상세 회계처리에 일부 상이한 면이 있으나 이 역시 전환일 이후 거래에 전진적으로 적용되게 될 것이다.

마지막으로 종속기업에 대한 지분 일부를 처분하여 지배력을 상실하는 거래에 대해서는 과거회계기준과 한국채택국제회계기준 간에 다소 상이한 회계처리가 요구된다. 그러나 기준서 제1101호에 따라 소급적으로 수정하지 않고 전환일 이후 거래에 대하여 전진적으로 반영하여야 한다.

(5) 정부대여금

최초채택기업은 수령한 모든 정부대여금을 기준서 제1032호 '금융상품 : 표시'에 따라 금융부채 또는 지분상품으로 분류한다. 문단 B11에 의해 허용되는 경우를 제외하고, 최초채택기업은 기준서 제1109호 '금융상품'과 제1020호 '정부보조금의 회계처리와 정부지원의 공시'의 요구사항을 한국채택국제회계기준 전환일에 존재하는 정부대여금에 전진적용하고, 시장이자율보다 낮은 이자율의 정부대여금에 상응하는 효익을 정부보조금으로 인식하지 않는다. 결과적으로, 최초채택기업이 과거회계기준 하에서 한국채택국제회계기준 요구사항에 일관되는 근거에 따라 시장이자율보다 낮은 이자율의 정부대여금을 인식 및 측정하지 않았다면, 그 기업은 한국채택국제회계기준 전환일의 과거회계기준에 의한 대여금 장부금액을 개시 한국채택국제회계기준 재무상태표의 장부금액으로 사용한다. 한국채택국제회계기준 전환일 후에는 그러한 대여금의 측정에 기준서 제1109호를 적용한다. 하지만 기업이 정부대여금에 대한 최초 회계처리시에 소급적용에 필요한 정보를 얻었다면 소급적용할 수 있다(기준서 제1101호 문단 B10-B11).

5. 한국채택국제회계기준의 소급적용에 대한 선택적 면제조항

앞에서 언급한 바와 같이 최초채택기업은 한국채택국제회계기준을 소급적용하는 것이 원칙이다. 그러나 예외적으로 4.에서 설명한 소급적용의 예외항목에 추가하여 다음에서 설명할 선택적 면제항목은 기업이 선택하여 소급적용을 배제할 수 있다.

최초채택기업은 선택적 면제조항의 전부 또는 일부를 적용하기로 선택하거나, 전부를 적용하지 않기로 선택할 수 있다(기준서 제1101호 문단 18). 이러한 선택적 면제조항은 기업들이 최초 한국채택국제회계기준을 준비하는 데에 있어 보다 부담을 경감시켜 줄 것이다.

기준서 제1101호에서 나열하고 있는 선택적 면제조항은 다음과 같다(기준서 제1101호 문단 D1). 괄호안은 기준서 제1101호의 해당 문단 번호를 의미한다.

- 사업결합(부록C)
- 주식기준보상거래(문단 D2와 D3)
- 보험계약(문단 D4)
- 간주원가로서의 공정가치나 재평가액(문단 D5~D8B)
- 리스(문단 D9와 D9B~D9E)
- 누적환산차이(문단 D12와 D13)
- 종속기업, 공동기업 및 관계기업에 대한 투자(문단 D14와 D15)
- 종속기업, 관계기업 및 공동기업의 자산과 부채(문단 D16과 D17)
- 복합금융상품(문단 D18)
- 과거에 인식한 금융상품의 지정(문단 D19)
- 최초 인식시점의 금융자산이나 금융부채의 공정가치 측정(문단 D20)
- 유형자산의 원가에 포함된 사후처리부채(문단 D21과 D21A)
- 기업회계기준해석서 제2112호 '민간투자사업'에 따라 회계처리하는 금융자산 또는 무형자산(문단 D22)
- 차입원가(문단 D23)
- 지분상품의 발행에 따른 금융부채의 소멸(문단 D25)
- 극심한 초인플레이션(문단 D26–D30)
- 공동약정(문단 D31)
- 노천광산 생산단계의 박토원가(문단 D32)
- 비금융항목을 매입하거나 매도하는 계약의 지정(문단 D33)
- 수익(문단 D34와 D35)

• 외화 거래와 선지급, 선수취 대가(문단 D36)

(1) 사업결합

기업이 사업결합 면제조항을 적용하기로 선택한다면 한국채택국제회계기준 전환일 전에 지배력을 획득한 사업결합을 기준서 제1103호 '사업결합'에 따라 재작성하는 것이 요구되지 않는다(기준서 제1101호 문단 C1). 이 면제조항을 적용하면 기업은 사업결합일에 수집하지 않았을 수도 있는 정보를 다시 만들어내야 하는 부담을 줄일 수 있다. 이러한 면제는 기준서 제1103호의 사업결합의 정의를 만족하는 모든 거래에 적용 가능하다. 즉, 과거회계기준에서 거래가 어떻게 분류되었는지는 이러한 면제조항이 적용가능한지의 여부를 결정하는 것과 무관하다. 또한, 이 면제조항은 관계기업과 공동기업의 지분의 취득에도 적용된다(기준서 제1101호 문단 C5). 즉, 이 면제조항을 적용하는 기업은 과거의 관계기업 및 공동기업에 대한 투자의 회계처리를 재작성하고 한국채택국제회계기준에 따른 공정가치와 영업권을 재측정할 필요가 없다는 것이다. 그러나, 이 면제조항을 적용하는 것이 단순하지는 않으며, 과거회계기준에 따른 회계처리에 특정한 조정을 하는 것이 필요할 수 있다.

이 면제조항을 선택하는 최초채택기업의 경우 다음 사항을 적용하여야 한다(기준서 제1101호 문단 C4).

• 과거회계기준을 적용한 재무제표와 동일한 분류를 유지한다. 즉, 역취득 여부, 매수 및 지분통합 등에 대한 과거의 구분은 변경되지 않는다.

• 사업결합에서 취득한 자산과 부채는 한국채택국제회계기준에서 인식이 허용되지 않는 경우를 제외하고, 취득자의 개시 한국채택국제회계기준 재무상태표에 인식된다.

• 사업결합 직후에 과거회계기준에 따른 자산과 부채의 장부금액이 취득한 자산과 부채의 그 시점의 한국채택국제회계기준상 간주원가가 된다.

• 공정가치로 평가하는 자산과 부채(예 : 당기손익 – 공정가치 측정 금융자산이나 공정가치모형 적용 투자부동산)는 개시 한국채택국제회계기준 재무상태표에 공정가치로 측정되어 계상된다.

과거회계기준에서 사업결합 직후에 인식되지 않았던 자산과 부채는 그러한 자산과 부채가 피취득자의 한국채택국제회계기준 재무상태표에서 인식되었어야 하는 경우에만 한하여 개시 한국채택국제회계기준 재무상태표에 인식된다.

사례 1 C사는 2011년 12월 31일로 종료되는 회계연도에 대한 최초 한국채택국제회계기준 재무제표를 준비하고 있다. 한국채택국제회계기준 전환일은 2010년 1월 1일이며 개시 한국 채택국제회계기준 재무상태표도 동 일자를 기준으로 작성된다. C사는 사업결합 면제조항을 적용할 것이다.

C사는 2009년 중 D사를 취득하였다. D사는 취득 당시 한국채택국제회계기준상의 자산의 인식기준을 충족시키는 개발프로젝트를 진행 중에 있었다. 이러한 D사의 진행중인 개발프로젝트는 C사의 취득시의 재무상태표에 자산으로 인식되지 않았다.

C사는 개시 한국채택국제회계기준 재무상태표에 한국채택국제회계기준에 따라 D사에 계상되었을 금액에서 전환일까지의 누적상각액을 차감한 금액으로 무형자산을 인식하여야 한다. 이 경우 무형자산의 내용연수를 적절히 결정하기 위한 판단이 필요할 것이다. 영업권은 전환일의 과거회계기준상의 금액에서 상기의 무형자산의 조정금액을 조정한 후의 금액으로 개시 한국채택국제회계기준 재무상태표에 인식되어야 할 것이다(아래 설명 참조).

기준서 제1101호에서 전환일 이전의 사업결합과 관련된 자산과 부채를 인식하는 경우 발생하는 상대계정은 그 조정의 성격에 따라 결정된다고 규정한다(기준서 제1101호 문단 C4). 대부분의 자산과 부채의 조정은 이익잉여금에서 조정될 것이다. 다만 다음과 같은 과거의 사업결합에서 발생하는 두 가지 사항은 영업권에서 조정되어야 한다(기준서 제1101호 문단 C4(7)).

- 과거회계기준에서 인식되었던 무형자산이지만 기준서 제1038호 '무형자산'의 인식기준을 충족시키지 못한 무형자산에 대한 조정은 영업권을 증가시킨다. 또한, 과거회계기준에서는 영업권에 포함되었으나 기준서 제1038호에 따라 피취득자 자체의 한국채택국제회계기준 재무상태표에 별도의 무형자산으로 인식되었어야 할 무형자산의 조정은 영업권을 감소시킨다.
- 전환일에 기준서 제1036호 '자산손상'을 적용하여 손상검사를 수행하고 그에 따른 손상차손이 있는 경우 영업권을 감소시킨다.

한국채택국제회계기준 전환일의 영업권의 장부금액은 상기의 사항 이외에는 조정하지 아니한다(기준서 제1101호 문단 C4 (8)).

과거회계기준에 따라 최초채택기업이 과거 사업결합에서 취득한 종속기업을 연결하지 않았을 수 있다. 기존의 외감법 규정에 따라 일정 자산, 부채 및 종업원 규모 미만에 해당하여 종속기업에서 제외된 경우가 이에 해당할 것이다. 이러한 경우 최초채택기업은 종속기업의 자산과 부채의 장부금액을 한국채택국제회계기준이 종속기업의 재무상태표에 요구하는 금액으로 조정하고, 전환일의 영업권의 간주원가는 다음의 두 금액의

차이로 산정한다.

　(가) 한국채택국제회계기준에 따라 조정한 종속기업의 장부금액에 대한 지배기업의
　　　 지분

　(나) 지배기업의 별도재무제표에 보고된 종속기업에 대한 투자지분의 원가

　상기의 면제규정을 적용하는 경우 최초채택기업은 한국채택국제회계기준 전환일이나
취득일 기준으로 종속기업의 자산과 부채에 대한 공정가치 평가를 수행할 필요가 없다.

> **사례 2** B사는 2011년에 한국채택국제회계기준을 최초채택하는 기업으로 B사의 전환일은
> 2010년 1월 1일이다. B사가 의결권 있는 지분의 100%를 소유하고 있는 D사는 자산규모가 일
> 정 금액 미만이어서 과거회계기준에 따라 연결대상에서 제외하였으나 한국채택국제회계기준
> 에 따른 종속기업의 정의를 충족하는 것으로 판단된다. 2009년 12월 31일 현재 과거회계기준
> 에 따른 D사의 순자산은 1,000이다. D사가 한국채택국제회계기준으로 전환하면서 다음과 같
> 은 조정사항이 발생하였다.
> - 퇴직연금에 대한 보험수리적 평가를 통하여 순부채 100 증가
> - 유형자산 감가상각방법의 조정으로 인하여 순자산 150 증가
> - 리스를 포함하는 약정에 따라 금융리스자산 및 부채의 추가인식으로 인하여 순부채 30
>   증가
>
> B사의 한국채택국제회계기준 전환일의 별도재무제표상 D사에 대한 투자지분의 원가가 1,200
> 원이라고 가정할 경우, B사의 전환일 연결재무상태표상 영업권 금액은 다음과 같이 180으로
> 산정된다.
> - (a) 한국채택국제회계기준에 따라 조정한 종속기업의 장부금액에 대한 지배기업의 지분＝과
>   거회계기준에 따른 순자산 (1,000)＋한국채택국제회계기준 적용으로 인한 조정액(−100＋
>   150−30)＝1,020
> - (b) 지배기업의 별도재무제표에 보고된 종속기업에 대한 투자지분의 원가＝1,200
> - (c) (b)−(a)＝180

　만약 기업이 전환일 이전에 발생한 특정 사업결합에 대해 사업결합 면제조항을 적용
하지 않고 기준서 제1103호에 따라 재작성하기로 하였다면 그러한 사업결합 이후에 발
생한 모든 사업결합은 기준서 제1103호에 따라 재작성하여야 한다. 또한, 기준서 제
1103호에 따라 재작성하는 시점부터 기준서 제1027호와 기준서 제1036호도 함께 적용
하여야 한다.

(2) 주식기준보상

　기준서 제1101호는 최초채택기업의 전환일 이전에 부여된 지분상품에 기준서 제1102
호 '주식기준보상'을 적용하는 것에 대한 일부 면제조항을 포함하고 있다. 이러한 면제
조항을 적용하면 아래의 선택이 가능하다(기준서 제1101호 문단 D2−D3).

부여일	요구사항
2002년 11월 7일 이전	• 최초채택기업은 기준서 제1102호를 이 시점 이전에 부여한 지분상품에 적용하는 것이 요구되지는 않으나 권장된다.
2002년 11월 7일 후, 전환일 전	• 전환일에 가득된 경우 : 최초채택기업은 기준서 제1102호의 적용이 요구되지는 않지만 권장된다. 최초채택기업이 기준서 제1102호를 적용하는 것은 그러한 지분상품에 대하여 동 기준서에서 정의한 측정일 기준으로 결정된 공정가치가 외부에 공시된 경우에만 선택가능하다. • 전환일에 가득되지 않은 경우 : 기준서 제1102호를 적용하는 것이 요구된다.
전환일 후	• 기준서 제1102호를 모든 보상에 적용한다.

최초채택기업은 전환일 전에 결제된 주식기준보상거래로 인한 부채에 대하여 기준서 제1102호를 적용하는 것이 요구되지는 않으나 권장된다.

(3) 보험계약

2006년 1월 1일 이전에 국제회계기준을 도입한 기업들은 기준서 제1104호에 따라 비교표시 재무제표를 재작성할 필요가 없다. 그러나 우리나라 금융기관은 한국채택국제회계기준을 2011년부터 채택하므로 동 면제조항은 적용되지 않을 것으로 보인다.

(4) 간주원가로서의 공정가치나 재평가액

기업은 한국채택국제회계기준 전환일에 유형자산의 개별 항목을 전환일의 공정가치로 측정하고 이를 전환일의 간주원가로 사용하는 것을 선택할 수 있다(기준서 제1101호 문단 D5). 간주원가로서의 공정가치는 개별 항목별로 적용된다. 이러한 면제조항은 기업이 기준서 제1040호 '투자부동산'에 따라 원가모형을 사용하기로 선택한 경우의 투자부동산이나 기준서 제1038호 '무형자산'의 인식과 재평가모형 적용요건을 충족하는 무형자산(취득원가의 신뢰성 있는 측정과 활성거래시장의 존재를 조건으로 함) 및 기준서 제1116호 '리스'에 따른 사용권자산에도 적용할 수 있다. 기업은 그 밖의 자산이나 부채에 대해서는 간주원가의 선택을 적용할 수 없다.

이 면제조항은 기업들이 유형자산에 대한 상각후원가 기록을 소급적으로 적용하지 않게 간소화해주기 위하여 제정되었다. 간주원가로서의 공정가치 면제조항을 적용하는 기업이라도 후속기간에 그러한 자산을 재평가하는 것이 요구되는 것은 아니다. 기

업이 이 면제조항을 적용하는 경우 간주원가는 후속적인 감가상각과 손상검사의 기준이 된다.

기준서 제1016호의 재평가모형을 적용할 때는 하나의 자산을 재평가하는 경우에 그 분류에 속하는 모든 자산을 재평가하도록 제한하고 있는 반면, 기업회계기준서 제1101호의 공정가치를 간주원가로 적용할 때에는 이러한 제한이 없다. 이는 기본적으로 전환일의 공정가치가 유형자산의 개별항목별 원가로 간주되는 것이므로, 자산의 분류내에서 동일하게 적용하여야 한다는 제한이 필요하지 않은 것이다.

간주원가로 사용할 수 있는 공정가치에 대해 좀 더 자세히 보면, 기업은 다음과 같이 과거에 측정되었거나 전환일에 측정된 유형자산의 공정가치를 간주원가로 사용할 수 있다.

① 한국채택국제회계기준 전환일 시점에 측정된 공정가치를 전환일 시점의 간주원가로 사용
② 전환일 이전에 과거회계기준에 따른 유형자산의 재평가액을 재평가일의 간주원가로 사용
③ 과거 민영화나 최초 기업공개 등의 사건으로 인해 특정시점에 과거회계기준에 따라 자산과 부채의 전부 또는 일부를 공정가치로 측정하여 정한 간주원가를 측정일의 간주원가로 사용

위 세 가지 중 재평가일 또는 측정일의 간주원가는 전환일까지의 상각을 반영하여 전환일의 장부가액을 산출하게 된다.

전환일 이전의 과거회계기준에 따른 유형자산의 재평가는 그 재평가액이 재평가일의 공정가치 또는 일반물가지수 또는 개별물가지수 변동 등을 반영하여 조정한 한국채택국제회계기준에 따른 원가나 감가상각후 원가와 대체로 유사한 경우에는 재평가일의 간주원가로 사용될 수 있다(기준서 제1101호 문단 D6). 이러한 면제조항은 유형자산의 개별항목별로 적용될 수 있다. 여기서 주의해야 할 점은 과거회계기준에서의 재평가된 장부금액을 그 시점의 간주원가로 사용하기 위해서는 과거회계기준에서 이 면제조항을 적용하고자 하는 기업이 해당 기업의 재무제표에 동 금액을 실제로 계상했어야 한다는 것이다.

기업은 전환일의 공정가치를 간주원가로 하는 대안도 허용되나 과거회계기준상의 장부금액이 공정가치로 측정되었다면 동 대안은 상기 처음 두 대안을 적용한 결과와 동일

할 것이므로 이 대안에 대한 별도 설명은 생략하였다. 상기의 각 대안들은 유형자산의 동일 분류에 일관되게 적용될 필요 없이 개별 자산별로 선택적으로 적용 가능하므로 이를 고려하는 것이 필요하다.

기업은 또한 과거 특정사건(예 : 물적분할 등)이 발생하여 특정 시점에 과거회계기준에 따라 자산과 부채의 전부 또는 일부를 공정가치로 측정한 경우, 이 측정일이 한국채택국제회계기준 전환일 이전인 경우 그러한 특정사건에 따라 측정된 공정가치를 그 측정일의 한국채택국제회계기준에 따른 간주원가로 사용할 수 있다. 만약 이러한 측정일이 전환일 후이지만 최초 한국채택국제회계기준 재무제표에 속하는 기간 내(예 : 2011년 최초채택기업의 경우 2010년부터 2011년 사이)인 경우라면 그러한 특정 사건에 따라 측정된 공정가치는 그 사건 발생시점의 간주원가로 사용하고 이에 따른 조정액은 직접 이익잉여금(또는 적절하다면 다른 자본의 분류)에 인식한다(기준서 제1101호 문단 D8).

한편, 전환일 시점이나 특정시점의 공정가치는 아니지만 과거회계기준에 따른 장부금액이 기준서 제1016호 '유형자산'의 원가로부터 상각이 이루어진 장부금액과 달라도 동 장부금액 또는 조정금액을 간주원가로 적용할 수 있도록 하고 있다(기업회계기준서 제1101호의 문단 D8A와 D8B). 동 조항에 따르면 전환일의 석유가스자산의 탐사 또는 개발원가와 요율규제대상영업에 사용되거나 사용되었던 유형자산, 사용권자산 또는 무형자산은 전환일에 과거회계기준에 따라 결정된 금액 또는 장부금액을 간주원가로 사용할 수 있도록 한다. 다만, 이를 위해서는 전환에 이러한 면제항목이 적용된 각각의 항목에 대해 기준서 제1106호 '광물자원의 탐사와 평가' 또는 기준서 제1036호 '자산손상'에 따른 손상검사를 수행하도록 규정하고 있다.

(5) 리 스

최초채택기업은 한국채택국제회계기준 전환일에 존재하는 계약이 리스를 포함하는지를 전환일에 존재하는 사실과 상황에 기초하여 판단할 수 있다(기준서 제1101호 문단 D9).

최초채택기업이 리스이용자인 경우 리스부채와 사용권자산을 인식할 때 모든 리스에 대해서 다음과 같은 접근법을 적용한다.

1) 전환일에 리스부채를 측정 - 이 접근법을 따르는 리스이용자는 전환일에 나머지 리스료를 리스이용자의 증분차입이자율로 할인한 현재가치를 리스부채로 측정한다.
2) 전환일에 사용권자산을 측정 - 리스이용자는 각 리스별로 다음 중 하나의 금액을 선택하여 사용권자산을 측정한다.

① 리스개시일부터 기준서 제1116호 '리스'를 적용해 온 것처럼 측정한 장부금액
　　　(단, 전환일의 증분차입이자율로 할인함)

　　② 리스부채와 동일한 금액(단, 전환일 직전 재무상태표에 인식된 리스와 관련된
　　　선급(또는 미지급)리스료 금액을 조정함)

　3) 전환일에 사용권자산은 기준서 제1036호를 적용하여 손상검사를 한다.

그러나, 최초채택기업인 리스이용자는 기준서 제1040호 '투자부동산'의 정의를 충족하는 사용권자산을 공정가치모형을 사용하여 측정하기로 회계정책을 결정했다면 사용권자산은 전환일의 공정가치로 측정해야 한다.

최초채택기업인 리스이용자는 리스 식별과 회계처리에 있어서 전환일에 다음의 면제를 선택할 수 있으며 리스별로 적용할 수 있다.

　① 특성이 상당히 비슷한 리스포트폴리오에 단일 할인율을 적용한다. 예를 들어 비슷한 경제적 환경에서 기초자산의 유형이 비슷하고 남은 리스기간도 비슷한 리스는 포트폴리오로 적용할 수 있을 것이다.

　② 전환일부터 12개월 이내에 리스기간이 종료되는 리스와 소액기초자산 리스에 대해서는 기준서 제1101호의 문단 9B의 요구사항(리스부채와 사용권자산 인식, 측정과 관련된 규정)을 적용하지 않기로 선택할 수 있다. 대신에 리스이용자는 단기리스나 소액 기초자산리스에 적용되는 기준서 제1116호 '리스' 문단 6에 따라 회계처리하고 공시한다. 따라서 전환일부터 12개월 이내에 리스기간이 종료되는 자산이나 소액기초자산리스에 대해서는 해당 리스에 관련되는 리스료를 리스기간에 걸쳐 정액기준이나 다른 체계적인 기준에 따라 비용으로 인식할 수 있다.

　③ 전환일에 사용권자산을 측정 시 리스개설직접원가를 제외할 수 있다.

　④ 사후판단을 사용할 수 있다. 예를 들어 리스기간을 산정할 때 계약이 리스 연장 또는 종료 선택권을 포함한다면 사후 판단을 사용해서 리스기간을 결정할 수 있다.

(6) 누적환산차이

기준서 제1021호 '환율변동효과'를 소급적용하면 해외사업장의 설립 또는 취득 시점부터 한국채택국제회계기준에 따른 누적환산차이를 계산하여야 한다. 이 면제조항은 기업이 기준서 제1021호를 전진적으로 적용하는 것을 허용한다. 즉, 전환일의 모든 누적환산손익은 기초이익잉여금에서 조정되어 "0"으로 간주된다(기준서 제1101호 문단 D13).

이러한 이익잉여금에서의 조정은 영구적인 것이어서 해외사업장의 후속 처분으로 인한 손익에서 전환일 전에 발생하였던 환산차이는 제외되게 될 것이다. 전환일 후의 환

산차이는 기준서 제1021호에 따라 기타포괄손익에 계상될 것이다(기준서 제1101호 문단 D13).

과거회계기준에서도 기준서 제1021호와 유사한 규정을 포함하고 있으므로, 과거회계 기준에 따라 외화환산차이를 적절히 관리한 기업은 상기 면제를 적용할 필요성을 크게 느끼지 못할 수도 있다. 그러나, 한국채택국제회계기준으로 전환 시 관계기업 및 공동지 배기업 또는 종속기업의 금액을 한국채택국제회계기준으로 일치시키기 위한 조정이 필요하다면, 이러한 조정금액에 대하여도 현시점에서 소급적으로 기업회계기준서 제1021호의 환산규정을 적용하는 것이 필요하며, 이 작업은 기업들에 부담이 될 수도 있다. 따라서, 많은 기업이 이 면제조항을 적용할 것으로 예상된다.

동 면제는 종속기업, 관계기업 또는 공동기업별로 선택적으로 적용할 수 없으며 일관성 있는 선택이 필요하다는 것에도 주의가 필요하다.

(7) 종속기업, 공동기업과 관계기업에 대한 투자지분

기준서 제1027호는 별도재무제표에서 종속기업, 공동기업 또는 관계기업의 지분을 원가, 기준서 제1109호에 따른 공정가치 또는 기준서 제1028호에 따른 지분법을 적용하여 회계처리하도록 규정하고 있다.

개시 한국채택국제회계기준 별도재무상태표에 이러한 지분을 원가로 측정하기로 한 경우 최초채택기업은 이를 다음 중 한 가지 방식으로 측정할 수 있다(기준서 제1101호 문단 D14-D15).

- 기준서 제1027호에 따라 결정된 원가
- 아래와 같은 간주원가
  - 한국채택국제회계기준 전환일에 별도재무제표에서 기준서 제1109호에 따라 결정된 공정가치 또는
  - 한국채택국제회계기준 전환일의 과거회계기준에 따른 장부금액

만약, 최초채택기업이 이러한 투자에 대해 별도재무제표상 지분법을 적용하여 회계처리 한다면 별도재무제표에 다음을 적용한다.

첫째, 투자자산의 취득에 대해서는 과거 '사업결합에 대한 면제(부록 C)'를 적용한다.

둘째, 기업이 연결재무제표보다 별도재무제표에서 최초채택기업이 되고

1) 기업의 지배기업보다 늦게 K-IFRS를 도입하는 경우에는 다음 중 한 가지 방법으로 측정한다.
   - 지배기업의 전환일에 기초한 지배기업의 연결재무제표에 포함될 장부금액

• 종속기업의 전환일에 기초하여 이 기준서의 나머지 규정에 의한 장부금액
2) 기업의 종속기업보다 늦게 K-IFRS를 도입하는 경우에는 종속기업에 기재된 자산
과 부채의 장부금액을 기초로 연결과 지분법 조정 및 종속기업을 취득한 사업결합
의 조정을 반영한 금액으로 자산과 부채를 측정한다.

우리나라의 기업들은 개별재무제표, 즉 연결절차를 수행하지 않고 종속기업에 대해서
도 지분법을 적용하는 재무제표를 작성해왔다. 따라서, 한국채택국제회계기준에 따른
종속기업을 보유한 기업들은 한국채택국제회계기준 전환일에 과거회계기준에 따른 장
부금액을 간주원가로 사용하는 면제조항을 적용하여 별도재무제표를 작성할 수 있을
것이다. 만일 이러한 면제를 적용한다면 전환일 시점의 재무제표에 계상된 과거회계기
준에 따른 지분법적용투자주식의 금액이 동 시점의 한국채택국제회계기준 별도재무제
표의 간주원가로 사용될 것이다. 이 때, 과거회계기준에 따른 전환일의 장부금액을 개시
별도재무제표상의 간주원가로 사용하는 것이므로 이에 대한 아무런 조정이 요구되지
않는다는 점에 유의하여야 한다.

(8) 종속기업, 관계기업 및 공동기업의 자산과 부채

경우에 따라, 종속기업(또는 관계기업이나 공동기업)이 지배기업보다 먼저 혹은 나중
에 한국채택국제회계기준을 채택하는 경우가 있을 수 있다. 예를 들어 우리나라에 있는
지배기업은 2011년 12월 31일에 최초 한국채택국제회계기준 재무제표를 작성하려고 하
나 해외에 있는 종속기업은 아직 현지의 법규에 따른 재무보고용으로 국제회계기준을
채택하는 것이 허용되지 않는 경우가 있을 수 있다.

이 면제조항을 적용하면 종속기업이 지배기업보다 늦게 한국채택국제회계기준을 채
택하는 경우 종속기업의 자산과 부채를 다음 중 한 가지 방법으로 측정할 수 있다(기준서
제1101호 문단 D16).

(가) 지배기업의 한국채택국제회계기준 전환일에 기초하여 지배기업의 연결재무제표
에 포함될 장부금액. 다만, 지배기업이 종속기업을 취득하는 사업결합의 효과와
연결절차에 따른 조정사항은 제외한다.

(나) 종속기업의 한국채택국제회계기준 전환일에 기초하여 기준서 제1101호의 따라
서 계상하였을 금액

반면에, 지배기업이 종속기업보다 늦게 그룹의 연결재무제표에 한국채택국제회계기
준을 채택하는 경우도 있을 것이다. 예를 들어, 국내기업이 유럽에 종속기업을 소유하고
있는 경우로서 동 유럽국이 2005년도에 국제회계기준을 도입하였다면, 종속기업은 이

미 해당 국가의 규정에 따라 2005년도에 국제회계기준을 채택하였을 것이며, 국내의 지배기업은 2011년에 한국채택국제회계기준을 도입할 것이다. 이와 같이 종속기업이 지배기업보다 먼저 국제회계기준을 채택하는 경우에는 반드시 종속기업의 재무제표상 자산과 부채의 장부금액을 기초로 하여 연결재무제표에 반영하여야 한다(기준서 제1101호 문단 17). 기준서 제1101호의 선택적 면제조항은 기존의 국제회계기준에 따라 보고하던 종속기업에게 다시 적용되지 않는다. 즉, 보고기업은 기준서 제1101호의 면제조항을 사용할 수 있는 단 한 번의 기회만을 얻게 되며 종속기업은 이미 국제회계기준을 도입할 때 이러한 면제를 적용하였을 것이므로 지배기업이 연결보고목적으로 (한국채택)국제회계기준을 적용할 때 그러한 면제를 다시 적용할 수 없음을 의미한다. 지배기업이 한국채택국제회계기준을 도입할 때 이미 도입한 종속기업과는 다른 회계정책을 사용할 수도 있다. 이 경우 지배기업은 연결재무제표를 작성할 때 회계정책을 일치시키는 것이 필요하다.

사례 1 우리나라에 있는 지배기업 A사는 영국에 국제회계기준을 이미 채택하여 국제회계기준으로 재무보고를 하고 있는 종속기업을 가지고 있다. 국제회계기준의 채택과 관련하여 이 종속기업은 기준서 제1101호의 선택적 면제조항에 따라 일부 유형자산에 대하여 공정가치를 간주원가로 사용하였다. A사가 한국채택국제회계기준으로 전환하는 경우 A사는 그 종속기업의 장부에 현재 계상되어 있는 상각 후의 간주원가로(기타 연결조정과 관련된 조정사항이 존재하지 않는다면) 그 유형자산의 장부금액을 계상해야 한다. 결과적으로, A사는 영국에 있는 종속기업의 자산·부채에 대하여 공정가치를 간주원가로 사용하는 면제조항을 A사의 전환일에 다시 사용할 수 없게 된다.

사례 2 우리나라에 있는 지배기업 B사는 국제회계기준을 법정 재무보고 목적으로 2008년에 채택한(전환일은 2007년 1월 1일) 독일 종속기업을 보유하고 있다. 기준서 제1101호를 적용함에 있어 종속기업은 종업원급여에 대한 면제조항을 선택하고 모든 누적된 보험수리적손익을 2007년 1월 1일의 기초이익잉여금에 인식하였다. 종속기업은 보험수리적손익에 대하여 범위접근법을 전진적으로 적용하기로 채택하였다.

B사는 2011년부터 한국채택국제회계기준으로 연결재무제표를 작성하기로 선택하였으며 전환일은 2010년 1월 1일로 결정되었다. 기준서 제1101호를 적용하면서 지배기업 B사는 범위접근법을 선택하지 않고, 보험수리적손익을 포괄손익계산서에 즉시 인식하는 회계정책을 선택하였으며, B사는 종속기업의 회계정책을 지배기업 B사의 회계정책에 일치시켜야 한다. 따라서 종속기업의 연간 보험수리적손익을 범위접근법을 통해서 일부분을 이연시키기보다는 연결포괄손익계산서에 계상해야 한다. 이러한 회계정책에 있어서의 차이는 지속적인 관리와 연결조정을 요구할 것이다.

사례 2에서 B사는 자신의 재무보고 목적과 일관성을 확보하기 위하여 독일 종속기업

의 국제회계기준 전환시 회계정책 선택에 좀 더 관여하였다면 훨씬 더 효율성 있게 관리하는 것이 가능하였을 것이다. 따라서 기업들은 종속기업의 국제회계기준의 채택을 지배기업의 재무보고 목적에 일치시키고 미래의 연결조정에 대한 필요를 최소화할 수 있도록 전략적으로 평가하고 계획하는 것이 필요할 것이다.

(9) 복합금융상품

기준서 제1032호는 복합금융상품을 발행시점에 부채와 자본요소로 분리하도록 규정하고 있다. 부채요소가 더 이상 남아 있지 않더라도 동 기준을 소급적용하면 자본을 부채요소와 관련된 이익잉여금(이자누계액)과 발행시점의 자본요소로 구분하여야 한다. 본 면제조항을 선택하면, 부채요소가 전환일에 더 이상 존재하지 않는 경우, 부채부분을 자본에서 분리하여 표시할 필요가 없어진다(기준서 제1101호 문단 D18). 과거에 복합금융상품을 발행하였으나 부채의 요소가 전환일에 더 이상 존재하지 않는 기업들은 이 면제조항을 선택할 것으로 예상된다. 만일 전환일에 부채요소가 여전히 존재한다면 기준서 제1032호에 따라 각 요소를 분리하고 측정하는 것이 필요하다.

(10) 과거 인식한 금융상품의 지정

기준서 제1109호는 최초인식시점에 특정 요건을 만족하는 경우 금융상품을 당기손익－공정가치 측정 항목이나 기타포괄손익－공정가치 측정 항목으로 지정하는 것을 허용하고 있다. 그러나, 기준서 제1101호에서는 이러한 금융상품의 지정을 전환일을 기준으로 할 수 있도록 허용한다(기준서 제1101호 문단 D19~D19C). 따라서 이 면제조항을 선택하면 금융상품의 취득일로 소급하여 당기손익－공정가치 측정 항목 또는 기타포괄손익－공정가치 측정 항목의 지정 여부를 판단할 필요가 없다.

1) 금융부채의 지정

기업회계기준서 제1109호 '금융상품'에서는 특정조건을 만족하는 금융부채를 최초인식하는 시점에 당기손익－공정가치 측정으로 지정하는 것을 허용하고 있다. 기업회계기준서 제1101호에서는 최초 인식시점이 아닌 전환일에 특정조건 만족한다면 금융부채를 당기손익－공정가치 측정으로 지정이 허용된다.

기준서 제1109호의 요구사항을 적용하면 당기손익－공정가치 측정 항목으로 지정한 금융부채의 손익 중 신용위험 변동에 따른 공정가치변동은 기타포괄손익으로 표시하여야 하며 부채의 신용위험 변동효과의 회계처리가 당기손익의 회계불일치를 일으키거나 확대한다고 판단한 경우에는 신용위험의 변동효과를 포함한 부채의 모든 손익을 당기손익으로 표시하도록 하고 있다. 최초채택기업은 전환일에 존재하는 사실과 상황에 기초하여 당기손익의 회계 불일치가 발생하는지 판단한다.

2) 금융자산의 지정

기준서 제1109호 문단 4.1.5에서는 자산이나 부채를 측정하거나 그에 따른 손익을 인식하는 경우에 측정이나 인식의 불일치가 발생할 경우 금융자산을 당기손익 – 공정가치 측정 항목으로 지정하여 이러한 불일치를 제거하거나 유의적으로 줄이는 경우에는 최초인식시점에 해당 금융자산을 당기손익 – 공정가치 측정 항목으로 지정할 수 있도록 하고 있다. 최초채택기업은 전환일에 존재하는 사실과 상황에 기초하여 이러한 회계불일치를 제거하거나 유의적으로 줄이는 경우에 금융자산을 당기손익 – 공정가치 측정 항목으로 지정할 수 있다.

3) 지분상품에 대한 지정

기준서 제1109호 '금융상품'에서는 지분상품에 대한 투자로 단기매매항목이 아니고 사업결합에서 취득자가 인식하는 조건부대가 아닌 지분상품에 대해 후속적인 공정가치 변동을 기타포괄손익으로 표시할 수 있도록 선택권을 주고 있는데 이러한 선택은 최초인식시점에만 가능하다. 최초채택기업은 이러한 요구사항의 면제로 기준서 제1109호 '금융상품'의 적용범위에 포함되는 지분상품에 대해서는 전환일에 존재하는 사실과 상황에 기초하여 기타포괄손익 – 공정가치 측정 항목으로 지정할 수 있도록 허용한다.

(11) 최초인식 시 금융자산과 금융부채의 공정가치 평가

기준서 제1109호에 따르면 최초 인식 시 금융상품의 공정가치가 동일한 상품의 관측가능한 현행 시장거래와의 비교에 의해 입증되거나 관측가능한 시장의 자료만을 변수로 포함한 평가기법에 기초하여 결정되지 않는 한, 금융상품의 공정가치의 최선의 추정치는 거래가격이다. 최초인식시점에 금융상품의 공정가치가 거래가격과 차이가 있는 경우 후속 측정과 손익의 후속 인식은 기준서 제1109호에서 요구하는 방식대로 결정될 것이다. 예를 들어, 최초 인식 시 전적으로 관측가능한 시장의 자료에만 근거한 공정가치의 측정치가 존재한다면 그러한 공정가치와 거래가격의 차이는 당기손익으로 인식될 것이다("day one" gain or loss).

이러한 최초인식 시 금융자산과 금융부채의 손익인식은 한국채택국제회계기준 전환일 이후 체결된 거래부터 전진적으로 적용할 수 있다(기준서 제1101호 문단 D20).

(12) 유형자산의 원가에 포함된 사후처리부채

해석서 제2101호 '사후처리 및 복구관련 충당부채의 변경'에 따르면 복구관련 충당부채의 변동은 해당 자산의 장부금액에서 가감되고 잔존 내용연수 동안 감가상각되어야 한다. 기준서 제1101호는 최초채택기업이 전환일에 이러한 충당부채와 관련 자산의 상각후원가를 계상하는 데 간편법을 제공한다. 동 기준에 따르면 전환일의 관련 충당부채는 기준서 제1037호 '충당부채, 우발부채 및 우발자산'에 따라 측정하고 이 금액을 과거기간에 대해 해당 부채에 적용될 역사적 위험조정 할인율에 대한 최선의 추정치로 부채의 최초 발생일까지 할인하여 부채가 최초 발생할 때 관련 자산의 취득원가에 포함되었을 금액을 추정하는 방식을 선택할 수 있다. 전환일의 감가상각누계액은 동 금액에 한국채택국제회계기준에서 채택한 상각방법과 내용연수의 전환일 현재의 추정치를 사용하여 계산하게 된다(기준서 제1101호 문단 D21).

(13) 민간투자사업

해석서 제2112호 '민간투자사업'은 민간 사업시행자가 공공부문의 서비스를 위한 사회기반시설의 개발, 재무조달, 운영 및 관리에 참가하는 경우에 적용된다.

최초채택기업은 완전한 소급적용 대신 동 해석서의 경과규정을 적용하는 것을 선택할 수 있다. 경과규정에서는 실무적으로 동 해석서를 소급적용할 수 없는 경우 다음과 같은 사항을 허용하고 있다.
- 표시되는 가장 이른 기간에 존재하는 금융자산과 무형자산을 인식한다.
- 종전의 장부금액을 그 시점의 한국채택국제회계기준상의 장부금액으로 사용한다 (이는 종전 기준에서 그 금액이 어떻게 분류되었는지와 무관하다).
- 그 시점에 인식된 금융자산과 무형자산에 대하여 손상검사를 실시한다.

우리나라 기업들은 일반적으로 민간투자사업에 의하여 건설 후 국가에 채납하는 자산을 원가에 근거하여 기부채납자산(무형자산)으로 인식하고 이를 향후의 약정 사용 또는 운영 기간 동안 상각하는 회계처리를 적용해 왔다. 이러한 회계처리는 한국채택국제회계기준에서 요구하고 있는 회계처리와는 상이하다.

해석서 제2112호를 적용할 경우 공공부문 서비스를 제공하는 사회기반시설을 건설하고 운영, 관리하는 경우 관련 건설용역에 대하여 기업회계기준서 제1115호 '고객과의 계약에서 생기는 수익'에 따라 매출과 매출원가를 인식하는 것이 요구된다. 또한, 건설 시 원가가 아닌 매출대가의 공정가치 상당액을 금융자산이나 무형자산으로 회계처리하는 것이 필요하다. 이러한 작업을 소급적으로 적용하는 것은 과거 건설원가를 기부채납자산으로 인식한 많은 우리나라 기업에게 부담스러운 작업일 수 있다. 만일 최초채택기업이 상기 면제조항을 적용하게 된다면 해석서 제2112호에 따른 매출액 상당액이 아닌 과거 회계기준에 따라 계상한 전환일 시점의 장부금액을 기준으로 금융자산이나 무형자산으로 적절히 구분하여 계상할 수 있게 되어 소급적용의 부담이 경감될 것으로 예상된다.

(14) 차입원가

2012년 기준서가 개정되면서 최초채택기업은 기준서 제1023호의 요구사항들을 전환일부터 적용하거나 그 기준서의 문단 28이 허용한 대로 더 이른 날부터 적용하는 것을 선택할 수 있다. 이 면제조항을 적용하는 기업은 기준서 제1023호를 적용하기 시작한 날부터 다음과 같이 회계처리한다.

① 과거회계기준에 따라 자본화되어 그 날의 자산장부금액에 포함된 차입원가 요소를 수정하지 아니한다.
② 그 날 이후 발생한 차입원가(이미 건설중인 적격자산에 대해 그 날 이후 발생한 차입원가 포함)는 기준서 제1023호에 따라 회계처리한다.

(15) 지분상품의 발행에 따른 금융부채의 소멸

해석서 제2119호 '지분상품의 발행에 따른 금융부채의 소멸'은 금융부채 조건의 재협상 결과 금융부채의 전부 또는 일부를 소멸시키기 위하여 채권자에게 지분상품을 발행하는 기업의 회계처리를 다룬다. 과거회계기준에서도 채권·채무조정에 관한 기준서(구, 기준서 제13호)가 존재하여 중요한 회계처리의 변동은 없을 것으로 판단되나, 금융부채의 일부만 소멸되는 경우로서 남아 있는 부채가 실질적으로 변동되는 경우에는 회계처리가 상이(기존 부채의 소멸과 새로운 부채의 인식으로 회계처리)할 수 있으므로 해당사항이 있는 기업의 경우에는 해석서의 구체적인 내용을 검토할 필요가 있다.

기준서 제1101호에서는 최초채택기업의 경우에도 해석서 제2119호의 경과규정을 적용할 수 있도록 면제조항을 두고 있다(기준서 제1101호 문단 D25).

(16) 극심한 초인플레이션

기준서 제1101호에서 규정하는 극심한 초인플레이션에 대한 면제규정은 과거 또는 현재 초인플레이션 경제하의 기능통화를 사용하였거나 사용하는 기업의 경우로서 전환일 전에 극심한 초인플레이션에 해당하였을 경우 적용할 수 있으며, 최초채택기업뿐만

이 아니라 계속적으로 (한국채택)국제회계기준을 적용하는 기업에도 적용되는 면제조항이다(기준서 제1101호 문단 D26). 기준서에서는 극심한 초인플레이션에 해당하는 지표를 제시하고 있으며(기준서 제1101호 문단 D27), 기업의 기능통화 정상화일(즉, 더 이상 극심한 초인플레이션에 해당하지 않는 시점) 이후에 전환일이 도래하는 경우 기업은 기능통화정상화일 이전에 보유하던 자산과 부채를 전환일의 공정가치로 측정하여 그 시점의 간주원가로 사용할 수 있다. 우리나라는 한국채택국제회계기준에서 규정하는 초인플레이션 경제에 해당하지 않으므로 상기의 면제조항이 큰 영향은 없을 것으로 예상되나, 해당국가에 종속기업 등을 보유하고 있는 경우에는 해당사항이 있을 수도 있으니 참고할 필요가 있다.

(17) 공동약정

기준서 제1111호 '공동약정'에서는 2013년 1월 1일 해당 기준서 도입에 따라 적용할 수 있는 경과규정을 설명하고 있다(기준서 제1111호 부록C). 최초채택기업은 해당 경과규정을 전환일에 적용할 수 있다. 또한 비례연결에서 지분법으로 변경할 때 손상징후와 상관없이 전환일에 기준서 제1036호에 따라 손상 검사를 수행하고 손상결과는 전환일에 이익잉여금으로 조정한다(기준서 제1101호 문단 D31).

(18) 수 익

최초채택기업은 기준서 제1115호 '고객과의 계약에서 생기는 수익'의 문단 C5의 경과규정을 적용하여 전환일 전에 완료된 계약에 대하여 실무적 간편법에 따라 회계처리하는 것을 선택할 수 있다.

① 같은 회계연도에 개시되어 완료된 계약이나 표시되는 가장 이른 기간 초 현재 완료된 계약에 대해서는 다시 작성할 필요가 없다.

② 변동대가 있는 완료된 계약에 대하여 비교 보고기간의 변동대가를 추정하지 않고 계약이 완료된 날의 거래가격을 사용할 수 있다.

③ 전환일 전에 변경된 계약은 계약변경에 대하여 계약을 소급하여 다시 작성할 필요는 없다.

④ 전환일 전에 표시되는 모든 보고기간에 대하여 나머지 수행의무에 배분된 거래가격과 그 금액을 수익으로 인식할 것으로 예상되는 시기에 대한 설명을 공시할 필요가 없다.

최초채택기업이 이러한 실무적 간편법을 적용하기로 선택한 경우에는 표시되는 모든 기간 내의 모든 계약에 일관되게 적용하여야 다음 정보를 모두 공시해야 한다.

- 사용한 실무적 간편법
- 가능성이 어느 정도 있는(reasonably possible) 범위에서, 각 실무적 간편법 적용에 따른 추정 효과의 질적 평가

(19) 외화 거래와 선지급·선수취 대가

최초채택기업은 해석서 제2122호 '외화 거래와 선지급·선수취 대가'의 적용범위에 포함되는 자산, 비용 수익으로서 전환일 전에 최초 인식한 항목에 대하여는 이 해석서를 적용하지 않는 선택이 가능하다.

6. 표시 및 공시

(1) 재무제표 표시

기준서 제1001호 '재무제표 표시' 문단 38은 기업이 당기 재무제표에 보고되는 모든 금액에 대한 전기 비교정보를 공시하도록 요구한다. 따라서, 기업은 최소한 다음의 사항을 준비하고 공시해야 한다(기준서 제1001호 문단 38 및 기준서 제1101호 문단 21).

- 2개년 재무상태표(최초채택기업인 경우 2개년 재무상태표와 전환일의 개시재무상태표)
- 2개년 손익계산서(별도 표시하는 경우)
- 2개년 포괄손익계산서
- 2개년 현금흐름표
- 2개년 자본변동표
- 비교정보를 포함한 관련 주석

최초채택기업은 한국채택국제회계기준 전환일의 개시재무상태표를 공시하여야 한다. 따라서 최초채택기업은 최초 한국채택국제회계기준 재무제표에서 세 개의 재무상태표, 두 개의 포괄손익계산서, 두 개의 별도 손익계산서(표시하는 경우), 두 개의 현금흐름표 및 두 개의 자본변동표와 관련 주석을 포함하여야 한다.

최초 한국채택국제회계기준 재무제표에 포함되는 주석을 포함한 비교정보는 최초 한국채택국제회계기준 재무제표에 적용되는 회계정책과 동일한 회계정책을 적용하여 표시되어야 한다. 회계정책은 위에서 설명한 면제 또는 예외조항에서 다르게 규정한 사항

을 제외하고는 최초 한국채택국제회계기준 보고기간말 현재 시행 중인 모든 한국채택 국제회계기준을 준수하여야 한다(기준서 제1101호 문단 7).

(2) 공 시

1) 최초 한국채택국제회계기준 재무제표에서의 조정

최초 한국채택국제회계기준 재무제표에는 아래의 조정을 포함하여야 한다(기준서 제1101 호 문단 24).

- 전환일과 과거회계기준에 따른 가장 최근의 연차재무제표의 보고기간 종료일의 과 거회계기준에서의 자본에서 한국채택국제회계기준에 따른 자본으로의 조정
- 과거회계기준에 따라 작성된 가장 최근의 재무제표의 최종 기간에 대한 과거회계 기준상의 총포괄손익에서 한국채택국제회계기준상의 총포괄손익으로의 조정

위와 같은 조정은 정보이용자들이 재무상태표와 포괄손익계산서에 대한 중요한 조정 사항을 이해할 수 있도록 충분히 상세한 정보를 포함하여야 하며, 전환 시 파악된 과거 회계기준상 오류의 수정과 회계정책의 변경은 구분하여 보여주어야 한다.

2) 최초 한국채택국제회계기준 재무제표의 기타 공시사항

개시 한국채택국제회계기준 재무상태표에 손상이 인식될 때에는 기준서 제1036호에 따른 주석공시가 요구된다. 주석공시 사항은 다음과 같다(기준서 제1101호 문단 24 및 기준서 제 1036호 문단 126-133).

- 손상이 계상된 계정과목과 금액
- 각 보고부문에 포함된 손상액
- 주요 손상에 대하여
  - 손상을 인식하게 한 사건
  - 현금창출단위 또는 자산에 대한 설명
  - 자산이나 현금창출단위의 회수가능액을 구성하는 항목에 대한 설명
  - 손상검사에 사용된 할인율
- 손상검사에서 사용된 주요 가정
- 배분되지 않은 영업권의 금액과 배분되지 않는 이유

유형자산 등에 대하여 공정가치를 간주원가로 사용하는 경우 공정가치의 총액과 이 전의 장부금액에 대한 조정 총액을 각 계정항목에 대하여 공시하여야 한다(기준서 제1101 호 문단 30).

금융자산 및 금융부채를 당기손익인식금융자산 및 당기손익인식금융부채 또는 매도가능금융상품으로 분류하는 선택적 면제조항을 적용하는 기업은 아래의 항목들을 공시한다(기준서 제1101호 문단 29).

- 각 분류별 공정가치
- 과거회계기준에서의 장부금액
- 과거회계기준에서의 분류

별도재무제표에 종속기업, 공동기업 또는 관계기업에 대한 투자의 간주원가를 사용하는 경우 별도재무제표에 다음의 사항을 공시한다(기준서 제1101호 문단 31).

- 간주원가가 과거회계기준에 따른 장부금액인 경우 그러한 투자들의 간주원가 총계
- 간주원가가 공정가치인 경우 그러한 투자들의 간주원가 총계
- 과거회계기준에 따라 보고한 장부금액에 대한 조정의 총계

그 외에도 석유·가스자산에 대한 면제조항, 요율규제대상영업의 간주원가 사용, 극심한 초인플레이션 후의 간주원가 사용 등을 적용한 경우 별도의 공시가 요구된다.

또한 과거회계기준에 따른 현금흐름표를 보고한 경우 현금흐름표의 중요한 조정내용도 설명하여야 한다(기준서 제1101호 문단 25).

3) 중간재무보고서

한국채택국제회계기준에는 기업이 중간재무보고가 요구될 경우 보고해야 하는 항목에 대한 규정을 포함하고 있다. 최초 한국채택국제회계기준 재무제표에 속하는 기간의 일부에 대해 중간재무보고를 하는 기업은 그 중간재무정보가 한국채택국제회계기준에 따라 작성되었다면, 기준서 제1101호의 다음과 같은 추가적인 주석공시가 요구된다(기준서 제1101호 문단 32).

- 직전 회계연도의 비교대상중간기간에 대해 중간재무보고서를 표시한 경우 다음의 조정사항
  - 비교대상중간기간의 종료일 현재의 과거회계기준에 따른 자본에서 동일자의 한국채택국제회계기준에 따른 자본으로의 조정
  - 비교대상중간기간(중간기간과 누적중간기간)에 대해 한국채택국제회계기준에 따른 총포괄손익으로의 조정
- 비교대상중간기간에 속하는 연차재무제표에 대하여 앞에서 요구하였던 조정사항

예를 들어, 2011년에 한국채택국제회계기준을 최초채택하는 12월말 결산 기업으로서

2010년까지 매 분기 과거회계기준에 따른 중간재무보고서를 작성한 기업의 경우 2011년 6월 30일에 대한 2분기 재무보고서를 작성하는 경우 비교표시되는 다음의 기간에 대한 조정이 요구된다.

- 과거회계기준에 따른 자본에서 동일자의 한국채택국제회계기준에 따른 자본으로의 조정
  - 전환일(2010년 1월 1일)
  - 가장 최근의 연차재무제표의 보고기간종료일(2010년 12월 31일)
  - 비교대상중간기간의 종료일(2010년 6월 30일)
- 과거회계기준에 따른 총포괄손익에서 한국채택국제회계기준에 따른 총포괄손익으로의 조정
  - 2010년 1월 1일부터 2010년 12월 31일
  - 2010년 4월 1일부터 2010년 6월 30일
  - 2010년 1월 1일부터 2010년 6월 30일

한국채택국제회계기준을 적용하는 많은 기업들의 최초 한국채택국제회계기준 재무정보는 중간재무제표의 형식이 될 것이며, 따라서, 중간재무제표가 최초의 한국채택국제회계기준에 따른 재무제표가 될 것이다. 기준서 제1101호에서는 중간재무보고서의 이용자가 최근의 연차재무제표도 이용할 수 있다는 가정에 기초하여 기준서 제1034호의 최소한의 공시를 요구하도록 규정하고 있다(기준서 제1101호 문단 33). 기준서 제1034호에서는 기준서 제1101호에 따른 전체 재무제표의 작성을 요구하고 있지는 않으나 앞에서 언급한 바와 같이 이용가능한 최근의 한국채택국제회계기준에 따른 연차재무제표가 없으므로, 당기 중간기간의 이해에 중요한 모든 정보를 공시하라는 기준서 제1034호상의 요구사항을 고려할 때 상당한 공시가 필요할 것이다.

4) 우리나라에서 공시와 관련하여 예상되는 문제들

한국채택국제회계기준 적용 시 항목별로는 과거 회계기준상의 공시내용보다 줄어드는 부분도 있겠으나, 많은 경우 과거에 공시되지 않았던 방대한 정보들의 공시가 필요할 것으로 예상된다. 경우에 따라서는 공시 자체의 복잡성보다도 그 양적인 면에서 더 많은 부담으로 작용할 수도 있을 것이다. 기준서 제1101호에서 요구하고 있는 공시사항 외에도 다른 기준서에서 요구하고 있는 주석공시사항은 더 광범위하고 경영진의 판단을 요구하는 경우가 많다.

한국채택국제회계기준의 개념체계에 따라 회계정책을 설정하는 데 사용한 경영진의 판단에 대하여는 그러한 정책에 대한 공시가 충분히 될 수 있도록 특별한 주의가 요구

될 것이다. 경영진의 판단에 대한 공시는 한국채택국제회계기준 재무제표 전반의 질적인 부분과 투명성에 매우 중요하다. 한국채택국제회계기준 재무제표의 공시사항을 작성하는 데 있어서의 어려움은 반드시 그 복잡성 때문만이 아니라 공시할 항목을 결정하고 기준서상에서 요구하고 있는 수준의 상세한 공시가 이루어졌다는 확신을 얻기 위하여 여러 가지 판단이 필요하다는 사실에서 야기되기도 한다.

다음은 과거회계기준에서의 공시사항보다 더 많은 공시가 요구되는 한국채택국제회계기준상의 공시사항에 대한 몇 가지 예이다.

• 중요한 회계정책 요약

과거회계기준에도 기준서 제1001호 '재무제표의 표시'와 유사한 회계정책에 관한 주석공시 요구사항이 있으나, 한국채택국제회계기준상에서의 회계정책에 대한 공시는 더 광범위하고 상세하며 중요해질 수 있다. 특히, 한국채택국제회계기준에서는 선택가능 회계정책의 폭이 과거회계기준보다 더 많이 존재하며, 특정한 기준서가 적용되지 않는 경우에는 기준서 제1008호에서 요구하는 대로 한국채택국제회계기준과 상충되지 않는 범위에서 가장 실질에 부합하는 회계정책을 선택하여 적용하는 경영진의 판단이 중요해지므로, 회계정책에 대한 구체적이고 방대한 주석공시가 필요할 수 있다.

• 회계정책을 적용하는 데 사용된 판단

기준서 제1001호는 재무제표상의 금액에 중요한 영향을 미칠 수 있는 경영진이 사용한 판단을 공시하도록 구체적으로 요구하고 있다. 예를 들면 연결대상범위의 판단, 매도가능금융자산의 손상 여부를 결정하는 요소 등을 들 수 있다.

• 추정의 불확실성

기준서 제1001호는 다음 회계연도 내에 자산과 부채의 장부금액에 중요한 조정을 야기시킬 수 있는 중요한 위험을 내포하고 있는 추정의 불확실성에 대한 기타 주된 원천과 가정을 상세히 공시하도록 요구하고 있다. 해당되는 자산과 부채에 대하여는 기말의 장부금액과 성격에 대한 상세한 내용이 재무제표의 주석에 포함되어야 한다. 이러한 주석사항은 경영진의 가장 어렵거나 주관적 또는 복잡한 판단을 요하는 추정을 설명할 수 있도록 하기 위한 것이다. 미래의 불확실성의 해소에 영향을 미치는 가정과 변수의 숫자가 많을수록, 자산과 부채의 가액에 중요한 조정이 발생할 가능성이 더 높으며, 따라서 더 투명한 주석공시가 요구된다. 중요한 추정의 불확실성을 포함하는 전형적인 부분으로는 자산손상, 법인세관련 충당부채, 파생상품의 공정가치 측정과 기타의 금융상품을 예로 들 수 있다.

• **기업회계기준서 제1107호 '금융상품 : 공시'**

기준서 제1107호는 금융상품에서 발생하는 신용, 유동성, 시장위험과 같은 위험의 정도와 성격에 대한 상세한 질적, 양적 공시와 경영진이 그러한 위험을 어떻게 관리하는지를 공시할 것을 요구한다. 그러한 공시는 보고기간말에 노출되어 있는 시장위험의 각 유형에 대한 상세한 민감도 분석을 포함해야 한다. 이러한 상세한 공시 요구사항은 우리나라 대부분의 기업에게는 매우 생소한 항목일 것이며, 공시를 위한 정보의 수집과 식별에 상당한 시간이 소요될 수도 있을 것이다.

• **자본위험 관리 전략과 비율**

자본의 관리의 목적, 정책 그리고 절차를 공시하는 것이 필요하다. 기준서 제1001호는 기업의 핵심 경영진에게 제공된 정보에 근거하여 기업의 자본 관리의 목적, 정책과 절차에 대한 질적 정보 및 양적 정보, 기업이 자본으로 관리하는 대상에 대한 간략한 양적 정보, 외부 자본관련 요구사항의 준수 여부 등의 공시를 요구한다.

• **비용의 성격별 분류에 대한 공시**

기준서 제1001호는 포괄손익계산서에 비용을 기능별 또는 성격별로 더 목적적합하고 신뢰성 있는 정보를 제공할 수 있도록 표시하는 것을 허용한다. 포괄손익계산서에 비용을 기능별로 표시하는 것을 선택한 기업은 재무제표의 주석에 별도로 비용을 성격별로 공시하는 것이 요구된다(상각 및 감가상각비와 종업원급여를 포함).

• **핵심 경영진에 대한 보상**

기업은 핵심 경영진에 대한 보상을 보상의 분류별로 공시하는 것이 요구된다.

위와 같은 한국채택국제회계기준에서 요구되는 공시 항목들은 과거 회계기준에서 요구되지 않았거나 또는 그 내용면에서 매우 제한적인 경우가 많았을 것이다. 특히 기업의 자본관리의 목적이나 관리 정책 등에 대해서는 기업들은 대부분 공시한 경험이 없을 것이고 도입 초기에 공시방식에 대한 심도 있는 고려가 필요할 것이다. 또한, 추정의 종류가 많고 복잡성이 높을수록, 신용위험, 유동성위험, 시장위험에 노출된 금융상품의 보유 여부에 따라서 주석공시에 필요한 노력과 양적 증가도 예상된다.

상기와 같은 내부 정보의 공시 요구사항을 준수하기 위하여 기업들의 부담은 높아질 것이다. 한국채택국제회계기준에서 요구하는 수준의 충실한 주석공시를 위해서 기업들은 과거에 관리하지 않던 정보의 적시성 있는 취합과 작성을 어떻게 달성할 수 있을지에 대한 준비가 필요할 것으로 보인다.

7. 세무회계상 유의할 사항

한국채택국제회계기준(이하 "K-IFRS"라 함) 최초 전환 시점에 개시 K-IFRS 재무상태표에 적용하는 회계정책이 동일한 시점에 적용한 과거회계기준 정책과 다를 수 있다. 이에 따른 효과는 K-IFRS 전환일에 직접 이익잉여금(또는 적절한 경우 자본의 다른 분류)으로 인식하게 된다.

한편, 회계 목적상 K-IFRS 전환일과 세무 목적상 K-IFRS 전환일에는 차이가 발생하며, 만약 2×12년 K-IFRS를 최초 채택하는 기업은 회계상 GAAP 조정 회계처리가 2×11년 기초(회계 목적상 K-IFRS 전환일)에 발생하지만 세무 목적상 회계기준 변경 효과는 2×11년 기초의 조정 회계처리와 2×11년 기중 회계처리가 한꺼번에 2×12년 기초(세무 목적상 K-IFRS 전환일)에 반영되게 된다.

따라서, 세무 목적상 K-IFRS 전환일 시점에는 기존의 '회계정책변경'이나 '전기오류수정손익' 회계 처리와 유사한 세무조정사항이 발생하고, 이는 과세소득 및 일시적 차이에 영향을 미치게 된다. 즉, 관련 자산 및 부채의 증감에 따라 이익잉여금 변동이 발생하는 것이 일반적이므로, 세법상 그 손익의 성격에 따라 권리·의무가 확정된 사업연도의 손익에 산입하여야 한다.

세무조정 관점에서 전기오류수정손익 또는 회계정책의 변경 효과를 전기이월미처분이익잉여금에 반영하는 경우에는 그 금액이 순자산의 증감을 초래하는 것이기 때문에 일단 동 금액을 익금(기타) 또는 손금(기타)으로 산입하는 세무조정을 한 후, 세법의 규정에 따라 과세소득 포함 여부를 판단하여야 하는데, 이를 요약하여 보면 다음과 같다.

구 분	세무상 귀속시기	당기 세무조정
잉여금 증가	당기의 익금인 경우	익금산입(기타)
	전기 이전의 익금인 경우	익금산입(기타) 및 익금불산입(△유보 또는 기타)
잉여금 감소	당기의 손금인 경우	손금산입(기타)
	전기 이전의 손금인 경우	손금산입(기타) 및 손금불산입(유보 또는 기타)

예를 들어, 확정급여 퇴직연금 제도의 경우 K-IFRS에서는 확정급여채무의 현재가치를 결정할 때 보험수리적 가정을 적용하여 인식하기 때문에 과거회계기준을 적용했을 때와 확정급여채무 잔액에 차이가 발생할 수 있다. 만약 기업이 2×12년에 K-IFRS를 최초 채택하는 경우 세무 목적상 2×11년 기초(회계 목적상 K-IFRS 전환일)의 퇴직급

여충당금 변동과 2×11년 기중 변동을 모두 반영하여 2×12년 기초(세무 목적상 K-IFRS 전환일)에 이익잉여금의 조정을 통하여 전입 또는 환입하는 것으로 보아 아래와 같은 세무조정이 발생할 수 있다.

전입의 경우	<손금산입>	이익잉여금	×××	(기타)
환입의 경우	<익금산입>	이익잉여금	×××	(기타)
	<손금산입>	퇴직급여충당금	×××	(△유보)

① 전입의 경우

법인이 K-IFRS의 최초채택으로 퇴직급여충당금을 전입하는 경우에는 전기이월이익잉여금에서 차감 처리된 금액을 신고조정에 의해 손금산입(기타)하고, 동 금액을 당기에 설정한 것으로 보아 법인이 손비로 계상한 퇴직급여충당금에 가산하여 시부인 계산을 하여야 한다.

② 환입의 경우

법인이 K-IFRS의 최초채택으로 퇴직급여충당금을 환입하는 경우에는 법인세법상 퇴직급여충당금의 기부인된 금액이 먼저 환입된 것으로 보기 때문에 익금산입(기타)으로 세무조정하고 환입액의 범위 내에서 기 부인된 금액을 손금산입(유보)하는 세무조정을 하여야 한다.

이와 같이 세무 목적상 K-IFRS 전환일 시점에 발생하는 이익잉여금 등의 변동에 대하여 익금 또는 손금산입한 이후에도 세법의 규정에 따라 과세소득 포함 여부를 판단하여야 한다.

1. 의 의

기준서 제1041호에서는 농림어업활동과 관련되는 회계처리를 규정하고 있다. 농림어업활동은 예를 들어, 목축, 조림, 일년생이나 다년생 곡물 등의 재배, 과수재배와 농원경작, 화훼원예, 양식과 같은 다양한 활동을 포함한다. 이러한 다양한 활동의 공통적인 특성은 다음과 같다(기준서 제1041호 문단 6).

① **변화할 수 있는 능력** : 살아 있는 동물과 식물은 생물적 변환을 할 수 있는 능력이 있다.

② **변화의 관리** : 관리는 생물적 변환의 발생과정에 필요한 조건(예 : 영양 수준, 수분, 온도 등)을 향상시키거나 적어도 유지시켜 생물적 변환을 용이하게 한다.

③ **변화의 측정** : 생물적 변환이나 수확으로 인해 발생한 질적 변화(예 : 유전적 장점, 숙성도, 단백질 함량 등)나 양적 변화(예 : 개체수 증가, 중량, 부피, 발아 수량)는 일상적인 관리기능으로 측정되고 관찰된다.

과거 농림어업활동과 관련된 대부분의 사업조직은 소규모이며, 독립적이고, 현금과 세금에 중점을 두며, 가족이 운영하는 사업단위이고, 흔히 일반목적 재무제표의 작성이 요구되지 않는다고 여겨졌다. 그러나 개발도상국과 신흥공업국에 있어 농림어업이 중요한 산업으로 발전하고 있다(기준서 제1041호 문단 B5, B6).

앞에서 언급한 바와 같이 생물자산의 실질을 변화시키는 생물적 변환(성장, 퇴화, 생산 그리고 생식)은 역사적원가와 실현에 기초한 회계모형에 따라 다루는 것이 적절하지 않다. 즉, 생물자산의 생물적 변환에 의한 변화의 효과는 생물자산의 공정가치 변동에 참조됨으로 가장 잘 반영된다는 의견이다(기준서 제1041호 문단 B14).

따라서 기준서 제1041호에서는 생물자산과 수확시점의 수확물에 대하여 공정가치로 측정할 것을 요구하고 있다. 구체적인 내용은 다음에서 살펴보기로 한다.

2. 용어의 정의

기준서 제1041호 '농림어업'에서 사용하는 용어의 정의는 다음과 같다(기준서 제1041호 문단 5).

★
기준서 제1041호 [농림어업]

- 농림어업활동 : 판매목적 또는 수확물이나 추가적인 생물자산으로의 전환목적으로 생물자산의 생물적 변화와 수확을 관리하는 활동
- 매각부대원가 : 자산의 처분에 직접 귀속되는 증분원가(금융원가와 법인세비용 제외)
- 수확 : 생물자산에서 수확물의 분리 또는 생물자산의 생장 과정의 중지
- 수확물 : 생물자산에서 수확한 생산물
- 생산용식물 : 다음 모두에 해당하는 살아있는 식물
  (1) 수확물을 생산하거나 공급하는 데 사용한다.
  (2) 한 회계기간을 초과하여 생산물을 생산할 것으로 예상한다.
  (3) 수확물로 판매될 가능성이 희박하다(부수적인 폐물로 판매하는 경우는 제외).
- 생물자산 : 살아있는 동물이나 식물
- 생물자산집단 : 유사한 생물자산(살아있는 동물이나 식물)의 집합체
- 생물적 변환 : 생물자산에 질적 또는 양적 변화를 일으키는 성장, 퇴화, 생산 그리고 생식 과정으로 구성됨.

3. 기준서의 적용 대상

기준서 제1041호는 생산용식물을 제외한 생물자산, 수확시점의 수확물 및 생산용식물이 아닌 생물자산과 관련한 정부보조금이 농림어업활동과 관련되고 생물자산의 공정가치를 신뢰성 있게 측정할 수 있는 경우의 회계처리에 적용한다. 농림어업활동에 관련된 토지, 생산용식물 및 무형자산은 기준서 제1041호의 적용을 받지 않으며, 각각 해당기준서(토지, 생산용식물의 경우에는 기준서 제1016호 '유형자산' 또는 기준서 제1040호 '투자부동산', 무형자산의 경우 기준서 제1038호 '무형자산')에 따라 회계처리한다(기준서 제1041호 문단 1, 2). 또한 생산용식물과 관련된 정부보조금에는 기준서 제1020호 '정부보조금의 회계처리와 정부지원의 공시'를 적용하고, 농림어업활동에 관련된 토지의 리스에서 생기는 사용권자산에는 기준서 제1116호 '리스'를 적용하므로, 기준서 제1041호의 적용범위에서 제외한다.

기준서 제1041호는 생물자산에서 수확한 생산물의 수확시점, 즉 수확물에만 적용된다. 수확시점 이후에는 기준서 제1002호 '재고자산'이나 적용가능한 다른 기준서를 적용한다. 즉, 수확 이후에 일어나는 사건이 생물적 변환과 유사성은 있으나, 이 기준서에

서 정의하는 농림어업활동에 포함되지 않기 때문이다(기준서 제1041호 문단 3).

이해를 돕고자 아래의 표에서는 생물자산, 수확물 및 수확 후 가공품의 예시를 제공하고 있다(기준서 제1041호 문단 4).

생물자산	수확물	수확 후 가공품
양	양모	모사, 양탄자
조림지의 나무	벌목된 나무	원목, 목재
식물	수확한 면화	실, 의류
	수확한 사탕수수	설탕
젖소	우유	치즈
돼지	돈육	소시지, 햄
관목	수확한 잎	차, 담배
포도나무	수확한 포도	포도주
과수	수확한 과일	과일 가공품

앞에서 언급한 바와 같이 생물자산 및 수확물과 관련한 농림어업활동은 생물자산의 생물적 변환과 수확을 '관리'하는 활동을 의미한다. 따라서 테마파크에서 동물을 관리하는 활동은 동물의 생물적 변환과 수확을 관리한다기보다는 테마파크의 운영을 위한 것이므로 이는 농림어업활동으로 보지 않는다. 또한 어류를 양식하는 경우에는 농림어업활동으로 보나 자연산 어류를 획득하는 활동은 생물적 변환을 관리한 것이 아니므로 농림어업활동에 포함되지 않는다.

그 외에 실무적으로 농림어업활동에 해당하는지에 대한 판단이 필요한 경우들이 있다. 예를 들면, 제3자와의 계약에 의하여 농림어업활동을 수행하는 경우가 있을 수 있다. 이러한 경우 계약에 의하여 농림어업활동을 수행하는 기업이 어떠한 위험과 보상에 노출되어 있는지를 판단하여야 한다. 즉, 생물자산의 재고 위험을 부담하거나 기업이 예상하는 매입, 매도, 사용의 필요가 아니면서, 해당 생물자산의 매입, 매도계약을 차액결제할 수 있는지 등에 따라 기준서 제1041호가 적용되는 농림어업활동이 될 수도 있으며, 기준서 제1109호의 적용을 받는 계약이 될 수도 있다. 또 다른 예로는, 세포나 박테리아를 증식시키는 활동을 들 수 있다. 만약 이러한 활동이 단순히 연구를 위한 것이라면 이는 '판매목적 또는 수확물이나 추가적인 생물자산으로의 전환목적'으로 생물자산의 생물적 변환과 수확을 관리하는 활동이 아니므로 농림어업활동에 해당하지 않는다. 이와는 달리 유제품의 생산에 사용하기 위한 미생물을 증식시키는 활동은 농림어업활

동에 해당할 수 있을 것이다.

4. 인 식

생물자산이나 수확물은 다음의 요건을 모두 충족하는 경우 인식한다(기준서 제1041호 문단 10).

① 과거 사건의 결과로 자산을 통제한다.

② 자산과 관련된 미래경제적효익의 유입가능성이 높다.

③ 자산의 공정가치나 원가를 신뢰성 있게 측정할 수 있다.

예를 들어, 암양이 새끼 양을 낳는 경우, 새끼 양에 대한 통제는 일반적으로 검증가능하며 새끼 양의 공정가치도 확인이 가능하다. 따라서 미래경제적효익의 유입가능성이 높다는 것이 확인되는 시점에 새끼 양은 생물자산으로 인식될 것이며 이는 통상 새끼 양의 건강상태가 양호하고 성공적인 관리가 가능할 것으로 판단되는 시점이 될 것이다.

5. 측 정

(1) 측정 원칙

생물자산은 최초인식시점과 매 보고기간말에 공정가치에서 추정 매각부대원가를 차감한 금액(이하 '순공정가치')으로 측정한다(기준서 제1041호 문단 12).

생물자산에서 수확된 수확물은 수확시점에 순공정가치로 측정하여야 한다. 이러한 측정치는 기준서 제1002호 '재고자산'이나 적용가능한 다른 기준서를 적용하는 시점의 원가가 된다(기준서 제1041호 문단 13).

(2) 공정가치

기준서 제1113호 '공정가치 측정'은 한국채택국제회계기준 하에서의 공정가치 측정의 원칙을 다루고 있다. 생물자산의 공정가치 측정도 동 기준서를 적용하여야 하며 자세한 내용은 '금융자산 4. 공정가치'를 참고한다.

생물자산이나 수확물을 미래 일정시점에 판매하는 계약이 체결되었을 수도 있다. 공정가치는 거래의사가 있는 구매자와 판매자가 거래하는 현행시장의 상황을 반영하기 때문에 계약가격이 공정가치의 산정에 반드시 적합한 것은 아니다. 따라서 계약이 존재한다고 하여 생물자산이나 수확물의 공정가치를 조정해야 하는 것은 아니다. 기업들은 이러한 판매계약이 기준서 제1037호 '충당부채, 우발부채 및 우발자산'에서 정의하는 손실부담계약에 해당하지 않는지 검토하여야 한다(기준서 제1041호 문단 16).

생물자산이 물리적으로 토지에 부속된 경우(예 : 조림지의 나무)가 흔히 있다. 토지에 부속된 생물자산에 대하여는 별도의 시장이 존재하지 않을 수 있으나 결합된 자산, 즉 생물자산과 토지와 토지개량이 하나로 결합된 자산에 대하여는 활성시장이 존재할 수 있다. 이 경우 생물자산의 공정가치를 산정하기 위하여 결합된 자산에 대한 정보를 사용할 수 있다. 예를 들어, 결합된 자산의 공정가치에서 토지와 토지개량의 공정가치를 차감하여 생물자산의 공정가치를 구할 수 있다(기준서 제1041호 문단 25).

(3) 후속지출

기준서 제1041호에서는 생물자산에 대한 후속지출에 대하여 명시적으로 규정하고 있지는 않다. 후속지출의 사례로는 사료비, 치료비 및 묘목을 심거나 씨를 뿌리는 비용, 비료, 수확비용 등을 들 수 있다. 실무에서는 다른 기준서(기준서 제1002호 및 제1016호)를 준용하여 후속지출 중 자산인식 요건을 충족하는 지출은 자본화하는 방법을 선택할 수도 있고, 모든 후속지출을 당기 비용으로 처리하는 방법도 선택이 가능할 것이다. 회사는 후속지출에 대하여 선택한 회계정책을 각 생물자산집단별로 일관되게 적용하여야 하며(기준서 제1008호 문단 13), 선택한 회계정책을 공시하여야 한다.

회사의 회계정책의 선택에 따라 순자산 효과는 동일하나 손익의 구성항목이 상이하게 표시될 수 있다. 다음의 사례를 통하여 회계정책의 선택에 따른 차이를 확인할 수 있다.

사례

	자본화			비용화	
1. 농림어업활동과 직접 관련한 노무비의 지출시					
(차) 생물자산 100 (대) 현금 등 100			(차) 제조원가 100 (대) 현금 등 100		
2. 보고기간말 공정가치 평가 (공정가치 : 150)					
(차) 생물자산 50 (대) 평가이익 50			(차) 생물자산 150 (대) 평가이익 150		
3. 손익계산서에의 영향					
평가이익	50		평가이익		150
제조원가	–		제조원가		(100)
순효과	50		순효과		50

(4) 평가손익

생물자산을 최초인식시점에 순공정가치로 인식하여 발생하는 평가손익과 생물자산의 순공정가치 변동으로 발생하는 평가손익은 발생한 기간의 당기손익에 반영한다(기준서 제1041호 문단 26). 생물자산의 순공정가치를 산정할 때에 추정 매각부대원가를 차감하기 때문에 생물자산의 최초인식시점에 손실이 발생할 수 있다. 송아지가 태어나는 경우와 같이 생물자산의 최초인식시점에 이익이 발생할 수도 있다(기준서 제1041호 문단 27).

수확물을 최초인식시점에 순공정가치로 인식하여 발생하는 평가손익은 발생한 기간의 당기손익에 반영한다. 수확의 결과로 수확물의 최초인식시점에 평가손익이 발생할 수 있다(기준서 제1041호 문단 28, 29).

(5) 공정가치를 신뢰성 있게 측정할 수 없는 경우

생물자산의 공정가치는 신뢰성 있게 측정할 수 있다는 가정을 전제로 한다. 그러나 생물자산을 최초로 인식하는 시점에 시장에서 결정된 가격이나 가치를 구할 수 없고, 공정가치의 대체적인 추정치가 명백히 신뢰성 없게 산정되는 경우에는 최초 인식 시점에 한해 그러한 가정에 반론이 제기될 수 있다. 그러한 경우 생물자산은 원가에서 감가상각누계액과 손상차손누계액을 차감한 금액으로 측정한다. 이후 그러한 생물자산의 공정가치를 신뢰성 있게 측정할 수 있게 되면 순공정가치로 측정한다. 비유동생물자산이 기업회계기준서 제1105호 '매각예정비유동자산과 중단영업'에 따른 매각예정 분류기준을 충족하는(또는 매각예정으로 분류되는 처분자산집단에 포함되는) 경우에는 생물자산의 공정가치를 신뢰성 있게 측정할 수 있다고 본다(기준서 제1041호 문단 30). 원가, 감가상각누계액 및 손상차손누계액은 기업회계기준서 제1002호 '재고자산', 기업회계기준서 제1016호 '유형자산', 기업회계기준서 제1036호 '자산손상'을 참조하여 산정한다(기준서 제1041호 문단 33).

생물자산의 공정가치 측정이 불가능하다는 주장은 최초의 인식시점에만 가능하다. 생물자산을 이전에 순공정가치로 측정하였던 경우에는 처분시점까지 계속하여 당해 생물자산을 순공정가치로 측정하여야 하며, 어떠한 경우에도 수확시점의 수확물은 순공정가치로 측정하여야 한다(기준서 제1041호 문단 31, 32).

6. 정부보조금

기준서 제1041호에서는 순공정가치로 측정하는 생물자산과 관련된 정부보조금에 대한 회계처리를 제시하고 있다. 공정가치를 신뢰성 있게 측정할 수 없어 원가에서 감가 상각누계액과 손상차손누계액을 차감하여 평가하는 생물자산 및 생물자산 이외의 자산 (예를 들면, 농장에 새로운 설비를 구축하는 경우)에 대한 정부보조금은 기준서 제1020 호 '정부보조금의 회계처리와 정부지원의 공시'에 따라 회계처리한다(기준서 제1041호 문단 37, 38).

순공정가치로 측정하는 생물자산과 관련된 정부보조금에 다른 조건이 없는 경우에는 이를 수취할 수 있게 되는 시점에 당기손익으로 인식한다. 기업이 특정 농림어업활동에 종사하지 못하게 요구하는 경우를 포함하여 순공정가치로 측정하는 생물자산과 관련된 정부보조금에 부수되는 조건이 있는 경우에는 그 조건을 충족하는 시점에 당기손익으 로 인식한다(기준서 제1041호 문단34, 35).

예를 들어, 특정 지역에서 5년 동안 경작할 것을 요구하고, 경작기간이 5년 미만인 경 우에는 모두 반환해야 하는 보조금의 경우, 5년이 경과하기 전까지는 보조금을 당기손 익으로 인식하지 아니한다. 반면에, 시간의 경과에 따라 보조금의 일부가 기업에 귀속될 수 있는 경우에는 시간의 경과에 따라 그 정부보조금을 당기손익으로 인식한다(기준서 제 1041호 문단 36).

7. 재무제표 표시

(1) 재무상태표

기준서 제1001호 문단 54에서는 생물자산을 재무상태표의 본문에 별도의 계정과목으 로 표시할 것을 규정하고 있다. 생물자산의 유동/비유동 구분은 그 성격에 따라 판단하 여야 한다. 예를 들어, 밀이나 사탕수수 등 소비용 생물자산의 경우에는 유동자산으로 분류하는 것이 타당할 것이며, 젖소나 돼지 등의 경우에는 비유동자산으로 분류하는 것 이 타당할 것이다.

(2) 포괄손익계산서(또는 손익계산서, 이하 '포괄손익계산서')

기준서 제1041호 문단 40에서는 당기에 발생한 생물자산과 수확물의 최초인식시점의 평가손익 총액과 생물자산의 순공정가치 변동에 따른 평가손익 총액을 공시하도록 요 구하고 있다. 그러나 구체적으로 재무제표의 어느 부분에 이러한 사항을 공시하여야 하 는지에 대한 별도의 규정이 없다. 기준서 제1001호에서 기업의 재무성과를 이해하는 데 목적적합한 경우에는 별개의 항목으로 표시하도록 규정하고 있으므로 생물자산 및 수

확물과 관련한 평가손익은 포괄손익계산서에 별도의 항목으로 표시하는 것이 타당할 것이다. 또한 심한 질병, 홍수, 극심한 가뭄 등에 의하여 발생한 중요한 항목도 별도로 표시 또는 공시하여야 할 것이다(기준서 제1041호 문단 53).

기준서 제1041호에서는 생물자산과 관련하여 발생한 손익을 각각의 구성요소로 구분하여 공시할 것을 요구하지는 않는다. 그러나 앞에서 언급한 바와 같이 기업의 재무성과를 이해하는 데 목적적합하다는 측면에서 다음과 같이 구분할 수 있을 것으로 판단된다.
　① 생물자산의 최초인식시점의 평가손익
　② 생물자산의 순공정가치 변동에 따른 평가손익
　③ 수확물의 최초인식시점의 평가손익

위에서 설명한 바와 같이 회사가 생물자산 및 수확물과 관련한 평가손익을 포괄손익계산서의 본문에 표시하는 경우, 표시하는 위치에 대한 의문이 발생할 수 있다. 생물자산 및 수확물의 공정가치 평가이익은 재무회계 개념체계에 따른 '이익(income)'이며, 평가손실은 '비용(expenses)'이다. 생물자산 및 수확물의 공정가치 평가손익을 표시하는 방법은 기업의 특성을 고려하여야 할 것이며, 한국채택국제회계기준에서는 기준서 제1001호 문단 한138.2에서 영업이익의 항목을 규정하고 있으므로 실무적으로는 이를 고려하여 판단하는 것이 필요하다.

다음의 재무상태표와 포괄손익계산서는 기준서 제1041호의 요구사항이 낙농회사에 어떻게 적용될 수 있는지를 보여주는 사례이다(기준서 제1041호 적용사례).

재무상태표

XYZ 낙농기업 재무상태표	주석	20×1년 12월 31일	20×0년 12월 31일
자산			
비유동자산			
젖소 - 미성숙		52,060	47,730
젖소 - 성숙		372,990	411,840
생물자산 중간합계	3	425,050	459,570
유형자산		1,462,650	1,409,800
비유동자산 합계		1,887,700	1,869,370
유동자산			
재고자산		82,950	70,650
매출채권 및 기타 채권		88,000	65,000
현금		10,000	10,000
유동자산 합계		180,950	145,650

XYZ 낙농기업 재무상태표	주석	20×1년 12월 31일	20×0년 12월 31일
자산총계		2,068,650	2,015,020
자본과 부채			
자본			
주식발행 자본금		1,000,000	1,000,000
이익잉여금		902,828	865,000
자본총계		1,902,828	1,865,000
유동부채			
매입채무 및 기타 채무		165,822	150,020
유동부채 합계		165,822	150,020
자본과 부채 총계		2,068,650	2,015,020

포괄손익계산서(비교표시 생략)*

XYZ 낙농기업 포괄손익계산서	주석	20×1년 12월 31일로 종료하는 회계연도
생산된 우유의 공정가치		518,240
젖소의 순공정가치 변동에서 발생한 이익	3	39,930
		558,170
사용된 재고자산		(137,523)
급여		(127,283)
감가상각비		(15,250)
기타영업비용		(197,092)
		(477,148)
영업이익		81,022
법인세비용		(43,194)
당기순이익/포괄이익		37,828

* 상기 사례는 기준서 제1001호에 따른 비용의 성격별 분류에 근거하여 작성되었음.

8. 공 시

(1) 일반 공시사항

생물자산 및 수확물 등에 대하여 다음의 사항을 공시한다(기준서 제1041호 문단 40-53).

1) 당기에 발생한 생물자산과 수확물의 최초 인식시점의 평가손익 총액과 생물자산의 순공정가치 변동에 따른 평가손익 총액

2) 생물자산집단별 내역(서술 또는 계량의 형식)

소비용 생물자산과 생산용 생물자산 또는 성숙 생물자산과 미성숙 생물자산으로 구분하는 등 적절한 방식으로 각각의 생물자산집단에 대해 계량 형식의 설명을 제공

3) 생물자산집단에 관련된 기업 활동의 성격

4) 다음 항목에 대한 물리적 수량의 비재무적 측정치나 추정치

① 기말의 각 생물자산집단

② 기중 수확물의 산출

5) 다음의 사항을 포함한 기초에서 기말로의 생물자산 장부금액의 변동내용

① 순공정가치의 변동으로 발생한 평가손익

② 매입에 따른 증가

③ 판매와 기준서 제1105호에 따라 매각예정(또는 매각예정으로 분류하는 처분자산집단에 포함)으로의 분류에 따른 감소

④ 수확에 따른 감소

⑤ 사업결합에 따른 증가

⑥ 재무제표를 다른 표시통화로 환산할 때 발생하는 순외환차이와 해외사업장을 보고기업의 보고통화로 환산할 때 발생하는 순외환차이

⑦ 그 밖의 변동

6) 기타 공시사항

① 소유권이 제한된 생물자산의 존재 유무와 그 장부금액, 채무에 대한 담보로 제공된 생물자산의 장부금액

② 생물자산을 개발하거나 취득하기 위한 약정금액

③ 농림어업활동과 관련된 재무위험 관리 전략

공정가치의 측정과 관련한 공시는 동 기준서에서 규정하지 않고 기준서 제1113호 '공정가치측정'에서 다루고 있다. 공정가치에 대해서는 '금융자산 4. 공정가치'를 참고한다.

(2) 공정가치를 신뢰성 있게 측정할 수 없는 생물자산에 대한 추가적인 공시(기준서 제1041호 문단 54 - 56)

1) 기말에 생물자산을 원가에서 감가상각누계액과 손상차손누계액을 차감한 금액으로 측정하는 경우 당해 생물자산에 대하여 다음 사항을 공시

① 생물자산의 내용

② 공정가치를 신뢰성 있게 측정할 수 없는 이유에 대한 설명

③ 가능한 경우, 공정가치가 존재할 가능성이 매우 높은 추정치의 범위

④ 감가상각방법

⑤ 내용연수 또는 감가상각률

⑥ 기초와 기말의 총 장부금액, 감가상각누계액(손상차손누계액 포함)

2) 당기에 생물자산을 처분할 때 인식한 처분손익. 기초에서 기말로의 생물자산의 변동내용 공시 시 처분손익 및 다음의 금액을 포함

① 손상차손

② 손상차손환입

③ 감가상각

3) 취득원가에서 감가상각누계액과 손상차손누계액을 차감한 금액으로 측정하던 생물자산의 공정가치를 당기에 신뢰성 있게 측정할 수 있게 된 경우에는 당해 생물자산에 대하여 다음 사항을 공시

① 생물자산의 내용

② 공정가치를 신뢰성 있게 측정할 수 있게 된 이유

③ 변경의 효과

(3) 정부보조금

농림어업활동과 관련된 다음 사항을 공시

① 재무제표에 인식한 정부보조금의 성격과 범위

② 정부보조금에 부수되었으나 미이행된 조건과 그 밖의 우발상황

③ 정부보조금 수준에 대하여 예상되는 유의적인 감소

9. 세무회계상 유의할 사항

(1) 동·식물의 취득원가

동물 및 식물은 일정기간의 성장기를 가지게 되며 완전히 성숙하여 실제 용도로 사용될 때까지의 모든 비용은 법인세법상 동 자산의 취득원가에 산입하여야 한다.

따라서, 법인의 수익활동에 직접 공하는 재고자산으로 분류되는 대체농작물·입목 및 가축·가금 등의 재배 또는 사육에 직접 관련되는 모든 비용(관리직원의 급료 등 관리비는 제외)은 이를 판매할 때까지 자본적 지출로서 원본에 가산한다(법기통 19-19…2).

또한, 법인의 자산으로 분류되는 가축(소·말·돼지·면양 등)을 사역용·종축용·착

유용·농업용 등 이와 유사한 용도로 사육시키기 위해 소요된 사료비·노무비·경비 등 성육이 되기까지의 직접 지출한 비용은 취득원가에 포함된다(법인 22601-2507, 1985. 8. 21.). 즉, 성육을 위해 매입한 가축의 매입대가, 종부비 및 출산비, 사료비, 노무비, 조세공과 등 사업용에 공하기 위하여 직접 지출된 비용을 포함한다. 그러나, 성육되어 원래의 용도대로 사용한 이후의 사육비는 각 사업연도의 손금으로 처리해야 한다.

또한, 과수의 경우에도 법인의 자산에 해당하는 경우에는 당초의 매입대가에 식재비·인건비·비료대 등 사업용에 공할 때까지의 직접 지출한 비용은 취득원가에 산입된다(법인 22601-1054, 1987. 4. 27.).

이와 관련한 유권해석을 예시하면 다음과 같다.

㉮ 송아지의 출산시에는 출산수량만을 기입하고 출산 후의 사육원가인 사료비, 인건비, 경비 등을 그 송아지의 원가로 계상함(법인 1264.21-1791, 1984. 5. 28.).

㉯ 산림업을 영위하는 법인의 소득계산상 당초의 산림(원시취득)에 소요되는 종묘대·식림대·인건비·비료대등과 육림비는 취득원가에 산입하는 것이며 산림의 유지관리를 위한 비용은 각 사업연도 소득금액 계산상 손금으로 하는 것으로, 산림(원시취득)을 위해 직접 지출하는 종묘대금·조림작업 직접 인건비·비료대금·치수무육비용·시가작업비용·풀베기작업비용 및 조림지역의 조림을 위해 지시전달과 확인을 위해 종사하는 영림사에게 지출하는 인건비·여비교통비·차량비·접대비 등은 산림의 취득원가에 해당함(법인 1264.21-2882, 1984. 9. 7.).

㉰ 젖소가 성숙하여 종축용, 착유용에 공하기 이전의 사육비용은 취득원가로 처리함(법인 22601-2507, 1985. 8. 21.).

㉱ 조경공사를 주된 사업으로 영위하는 법인이 조경공사의 원재료에 공하기 위하여 소유하고 있는 정원수 등 입목은 재고자산에 해당되는 것으로, 입목을 매입하여 일정기간 재배 후 원재료에 투입하는 경우에 입목의 재배와 직접 관련하여 발생한 제비용은 당해 입목의 가액에 가산하여 재고자산을 평가함(법인 22601-3075, 1985. 10. 15.).

㉲ 사슴 판매수입에 대응하는 사육비는 손금에 산입함(법인 22601-3960, 1985. 12. 30.).

한국채택국제회계기준에서는 생물자산의 공정가치를 신뢰성 있게 측정할 수 없는 경우를 제외하고 생물자산은 최초인식시점에 순공정가치(공정가치-추정 매각부대원가)로 측정하며, 생물자산에서 수확된 수확물은 수확시점에 순공정가치로 측정한다(기준서 제1041호 문단 12, 13, 30). 따라서, 생물자산의 최초인식시점과 수확물의 수확시점에 해당 자산의 순공정가치와 법인세법상 취득원가와의 차이 금액에 대하여는 세무조정이 필요할 것으로 판단된다.

(2) 동·식물의 감가상각

사역용, 종축용, 착유용, 농업용, 경마용, 관람용 등에 사용되는 사업용 동물은 당해 동물이 성숙하여 사업에 사용이 가능하게 되는 시점부터 법인세법 시행규칙 별표 6 중 해당 업종의 내용연수를 적용하여 감가상각비를 계상한다. 다만, 동물원 운영업 등의 경우와 같이 관람용에 제공되는 동물은 관람에 제공하는 때부터 감가상각비를 계상한다 (법기통 23-28···3).

한국채택국제회계기준에서는 공정가치를 신뢰성 있게 측정할 수 없는 생물자산은 취득원가에서 감가상각누계액과 손상차손누계액을 차감한 금액으로 측정하며, 공정가치를 신뢰성 있게 측정할 수 있는 생물자산은 매 보고기간말에 순공정가치로 측정한다(기준서 제1041호 문단 12, 30). 결국, 공정가치를 신뢰성 있게 측정할 수 없는 생물자산에 한하여 법인세법상 감가상각 시부인을 하게 되며, 공정가치를 신뢰성 있게 측정할 수 있는 생물자산은 후술하는 동·식물의 평가 규정에 따르게 될 것으로 판단된다.

(3) 동·식물의 평가

법인세법에서는 재고자산의 평가이익을 인정하지 않고 있으므로 법인이 재고자산의 시가가 장부가액보다 상승하였다 하여 평가이익을 계상한 때에는 익금불산입하여야 한다. 또한, 법인세법상 재고자산의 평가손실을 손금에 산입할 수 있는 경우는 다음의 두 가지에 한정하고 있는 바, 이에 해당하지 아니하는 평가손실은 전액 손금불산입하여야 한다.

첫째, 저가법에 의하여 재고자산을 평가하고 원가가 시가보다 높아 평가손실이 발생하는 경우(법령 74조 1항 2호)

둘째, 파손·부패 등의 사유로 인하여 정상가격 판매가 불가능한 재고자산을 기타 재고자산과 구분하여 처분가능한 시가로 평가하는 경우(법령 78조 3항 1호)

법인세법에서는 보험업법이나 그 밖의 법률에 따른 유형자산 및 무형자산 등의 평가(장부가액을 증액한 경우만 해당) 이외의 평가이익을 인정하지 않고 있으므로 이에 해당하지 아니하는 평가이익을 계산한 때에는 익금불산입하여야 한다. 또한, 법인세법에서는 천재지변 또는 화재, 법령에 의한 수용 등, 채굴예정량의 채진으로 인한 폐광(토지를 포함한 광업용 유형자산이 그 고유의 목적에 사용될 수 없는 경우를 포함함)의 사유로 유형자산이 파손되거나 멸실된 경우 이외의 평가손실을 인정하지 않고 있으므로 이

에 해당하지 아니하는 평가손실을 계상한 때에는 손금불산입하여야 한다(법법 42조 1항 1호 및 3항 2호).

한국채택국제회계기준에서는 공정가치를 신뢰성 있게 측정할 수 있는 생물자산은 매 보고기간말에 순공정가치로 측정한다(기준서 제1041호 문단 12). 따라서, 공정가치를 신뢰성 있게 측정할 수 있는 생물자산을 한국채택국제회계기준에 따라 순공정가치로 평가하는 경우에는 전술한 바와 같이 법인세법상 인정되는 평가손익에 한하여 익금 또는 손금으로 인정하고 법인세법상 인정되지 아니하는 평가손익은 전액 익금불산입 또는 손금불산입하여야 할 것이다.

2022 개정증보판 **계정과목별 K-IFRS와 세무 해설**

2011년 10월 31일 초판 발행
2022년 1월 7일 3판 발행

저　　　자　**삼일회계법인**
발　행　인　이　희　태
발　행　처　**삼일인포마인**

저자협의
인지생략

서울특별시 용산구 한강대로 273 용산빌딩 4층
등록번호 : 1995. 6. 26 제3-633호
전　　화 : (02) 3489-3100
F A X : (02) 3489-3141
I S B N : 979-11-6784-017-2 93320

♣ 파본은 교환하여 드립니다.　　　　　　　정가　100,000원